ISBN 978-0-331-95854-6
PIBN 11029679

FB &c Ltd, Dalton House, 60 Windsor Avenue, London, SW19 2RR.
Company number 08720141. Registered in England and Wales.

For support please visit www.forgottenbooks.com

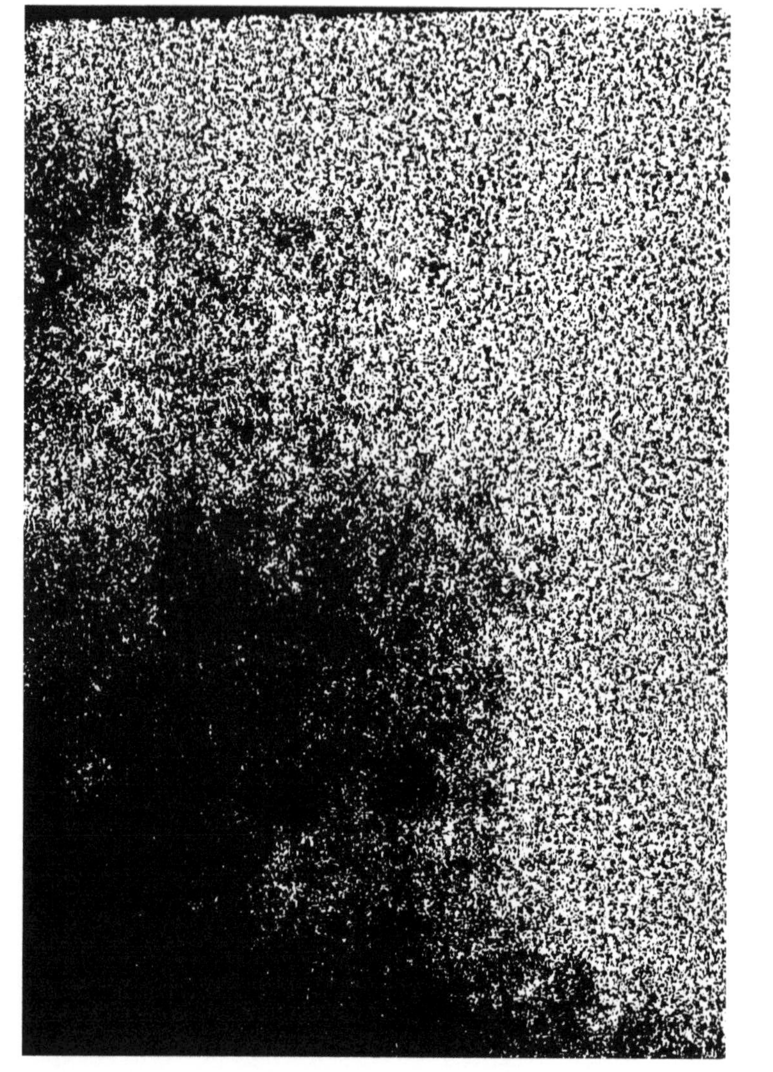

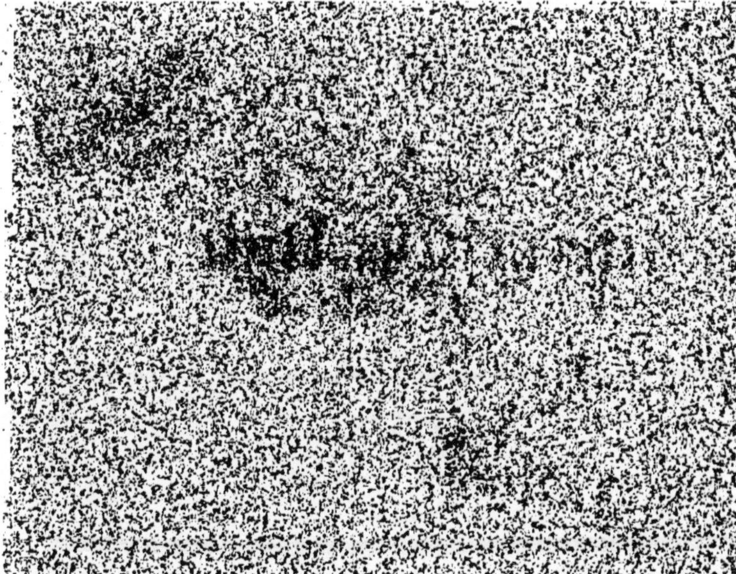

Blätter
für
literarische Unterhaltung.

Jahrgang 1833.

Zweiter Band.

Juli bis Dezember.

(Enthaltend: Nr. 182—365, Beilagen Nr. 7—12, literarische Anzeiger Nr. XVII—XLII.)

Leipzig:
F. A. Brockhaus.
1833.

Blätter für literarische Unterhaltung.

Jahrgang 1833.

Zweiter Band.

Blätter für literarische Unterhaltung.

Montag, — Nr. 182. — 1. Juli 1833.

Zur Nachricht.

Von dieser Zeitschrift erscheint außer den Beilagen täglich eine Nummer und ist der Preis für den Jahrgang 12 Thlr. Alle Buchhandlungen in und außer Deutschland nehmen Bestellung darauf an; ebenso alle Postämter, die sich an die königl. sächsische Zeitungsexpedition in Leipzig, das königl. preuß. Grenzpostamt in Halle, oder das fürstl. Thurn und Taxische Postamt in Altenburg wenden. Die Versendung findet wöchentlich zweimal, Dienstags und Freitags, aber auch in Monatsheften statt.

Dresdens literarisches Leben und Weben am Ende des 18. Jahrhunderts.

Zweiter und letzter Artikel. *)

Privatisirende Gelehrte.

Von Männern, die, wie jetzt, in vielen deutschen Städten einzig für und von Literatur leben, weil sie öffentliche Aemter nicht wollten, oder nicht erlangen konnten, von sogenannten privatisirenden Gelehrten hatte man früher fast keinen Begriff in Dresden; denn es tauchten nur einige dergleichen auf, welche aber auch bald wieder verschwanden. Ein gewisser Geißler z. B., der verschiedene, höchst unbedeutende Schriften für Damen und Kinder herausgab und dabei so den Petitmaitre spielte, daß er rosarothe Absätze an den Schuhen und Riechfläschchen unterm Toupet trug, und ein gewisser Keller, der besonders über Kunst schrieb und endlich bettelarm im Kloster der barmherzigen Brüder zu Prag starb, wurden von den Dresdner gelehrten und vornehmen Knasterbärten als unschuldige Eintagsfliegen tolerirt. Desto erbitterter war man späterhin auf eine echt literarische Bremse, den privatisirenden Gelehrten Rebmann, der 1792 und 1793 oft in Leipzig, öfter in Dresden lebte und durch Wort wie That sich in den Verdacht eines Jakobiners gebracht hatte. Dieser talentvolle Fremdling **), der, von Jugendfeuer hingerissen, mit Leib und Seele dem französischen Freiheitsschwindel huldigte, spielte die Rolle eines literarischen Rathes bei dem höchst jovialen Buchhändler Dr. Richter, lebte und webte mit diesem in Saus und Braus, lernte, die Seele aller fidelen Brüder, Dresden ziemlich genau, Sachsen wenigstens durch Hörensagen von seiner alterthümlich-verrosteten Seite kennen, die mit dem damaligen französischen Staatssysteme natürlich furchtbar contrastirte, spottete darüber laut bei jeder Gelegenheit, an jedem Orte und gab endlich, nachdem er von Dresden nach Erfurt in den Sold eines gleichfalls jakobinisch-anrüchigen Buchhändlers sich begeben hatte, das Resultat seiner dresdner Beobachtungen in einer Schrift, welche über Sachsen und insbesondere Dresden auf eine bisher unerhörte Art die satirische Geisel schwang. „Anselmus Rabiosus' Kreuz- und Querzüge durch Deutschland", hieß das famöse Buch, welches, von der Lesegier fast verschlungen, die höchsten Behörden Dresdens lieber durch den Scharfrichter hätten verbrennen als in Lesebibliotheken cursiren lassen. Es war aber auch bei damaliger ecclesia literaria pressa allerdings eine unermeßliche Dreistigkeit, von Dresden unter Anderm drucken zu lassen, daß der in dortiger Neustadt aufgestellte bronzene Friedrich August I. zu Pferde nur deshalb der Stadt den Rücken kehre und nach dem schwarzen Thore sehe, damit man wisse, auf welchem Wege Sachsens Geld nach Polen gegangen sei; daß, wer die grimmigen Löwen vor dem Sommerpalaste des Grafen M........ sehe, in Zweifel bleibe, ob sie Symbol oder nur Decoration sein sollten. Dergleichen und andere, besonders den Hof betreffende Bemerkungen, die er in die Stimme von Malcontenten eingekleidet hatte, setzten natürlich Alles in Staunen ob solch schriftstellerischer Kühnheit, während der kühne Schriftsteller in Erfurt sich halb todt lachen wollte über die Wirkung seiner drastischen Gabe satirisch-politischer Medicin.

Die damaligen Minister, besonders der Conferenzminister von W.... und der in dem heillosen Buche gleichfalls hart mitgenommene Finanzpräsident, Graf W......., mit Recht erbittert über die Frechheit eines Vagabunden, wie sie Rebmann nannten — denn über ihn als Verfasser des Buchs war kein Zweifel — ärgerten sich nicht wenig, daß er außer ihrer Macht und Gewalt lebte, und gingen sogar den Kurfürsten an, bei Kurmainz, dem damals Er-

*) Vgl. den ersten Artikel in Nr. 152—155 d. Bl. D. Red.

**) Er war aus Sinzheim bei Erlangen gebürtig.

furt gehört, auf Bestrafung des Radiosus und seines Verlegers anzutragen, welches aber der edle Fürst mit der Bemerkung ablehnte, daß hier wol nur jugendliche, durch die Zeit aufgeregte Unbesonnenheit walte, mit der man es nicht so genau nehmen müsse, und zwar um so weniger, da sie gewiß nichts dem Staate Nachtheiliges bewirken könne.

Ebenso ruhig und klug verhielt sich dabei der gleichfalls schwer beleidigte Graf M........, welcher das Buch dem Baron Racknitz, der es zu seiner Kenntniß gebracht hatte, mit den Worten zurückgab: „Geht mich nichts an; der Mensch ist nicht gescheut" — und es übrigens unter seiner Würde hielt, solch kleines Ungeziefer wie einen privatisirenden Gelehrten einiger schmerzlosen Stiche wegen gleich todt treten zu wollen.

Als späterhin die Nachricht kam, daß Rebmann zu Erfurt als Leihbibliothekar gelebt und, im Solde des Buchhändlers Vollmer, besonders mit dem Uebersetzen und Verbreiten französischer revolutionnairer Schriften sich beschäftigt habe *), aber von der Policei deshalb verfolgt, unsichtbar geworden sei, jubelten so manche hochstehende Männer Dresdens darüber, meinend, daß solch Schriftstellervolk eher in Lesebibliotheken als in Staatsdienste tauge, und hoffend, daß der gottlose Mensch noch unter der Guillotine sterben werde.

Und doch taugte Rebmann späterhin zum Criminalrichter beim Obertribunale zu Mainz, 1803 zum Präsidenten des peinlichen und Specialgerichts zu Trier, 1811 zum Präsidenten des dasigen kaiserlichen Gerichtshofes, 1816 zum Präsidenten des Oberappellationsgerichts erst zu Kaiserslautern, dann zu Zweibrücken; mußte auch wol kein übler Geschäftsmann sein, da er mit größtem Erfolg die Untersuchung gegen die Räuberbande des Schinderhannes führte, und starb nicht unter der Guillotine, sondern auf christlichem Sterbebette, und zwar als königl. bairischer Oberappellationspräsident, zu Wiesbaden im Jahr 1824.

Uebrigens ist nicht zu leugnen, daß Rebmann damals durch freien Wandel und freche Feder den Stand des privatisirenden Gelehrten in Dresden wenigstens für lange Zeit so tief herabsetzte, daß man jeden solchen Mann, und war er noch so achtungswerth, für einen Freiheitschwindler hielt; daß man im geselligen Leben verlegen war über die Stellung solch eines Herrn ohne Titel und Mittel; daß jeder Kanzlist ihn über die Achsel ansah, sich als Staats-, jenen nur als Musen- und also Götzendiener betrachtend; und wundern darf man sich nicht, daß der Minister Wurmb in seinem „Grabmal des Leonidas" gegen privatisirende Gelehrte mit größter Erbitterung zu Felde zog. Als daher damals zwei Theologen auf einmal, Engelhardt und Merkel, aus mit den besten Versorgungsaussichten verbundenen Hofmeisterstellen in angesehenen Häusern traten und nur aus Liebe zur Literatur den Stand privatisirender Gelehrten wählten, machte dies in Dresden kein geringes Aufsehen und zog Beiden manch liebloses Urtheil zu, das aber bald durch ihren stillen Wandel und literarischen Fleiß besonders dann widerlegt ward, als Engelhardt nur Kenntniß des Vaterlandes, also Patriotismus befördernde Schriften herausgab, und Beide vereint den „Neuen Kinderfreund" schrieben, der, obschon 12 Bände stark, doch binnen wenig Jahren drei Auflagen erlebte, auch ins Französische und Englische übersetzt ward. Indeß schalt man es doch Unbesonnenheit und Bettelstolz, daß Männer, die nichts hatten als Kopf und Feder, die einzelnen Theile des Kinderfreundes nicht fürstlichen Kindern, die sich gewiß gut abgefunden hätten, sondern lauter Gelehrten *) dedicirten, wofür sie nichts als höfliche Dankbriefe erhalten konnten; und rein unbegreiflich fand man es, daß Merkel sogar als Privatgelehrter, dem Sperling auf dem Dache ziemlich gleich, das Wagstück der Verheirathung begehen konnte. Welche Contraste zwischen sonst und jetzt, wo nicht selten in den ersten deutschen Städten privatisirende Gelehrte große Häuser machen, den größten Zutritt haben, in Hofrangordnungen stehen und mit ihren Federn oft hemmend oder fördernd in die Räder der Staatsmaschinen greifen!

(Die Fortsetzung folgt.)

*) Er übersetzte und verbreitete besonders Robespierre's im Nationalconvent gehaltene, Religion, Gesetz und Ordnung schmähende Reden, vertheidigte bei jeder Gelegenheit den Bluthund Marat, dessen Namen auch sein Pudel führte.

*) Wie Weiße, Salzmann, Campe, Becker, von Rochow, GutsMuths, von der Recke, Streithorst, Thieme u. A.

Mittheilungen über Griechenland.

Athen, 30./18. April 1832.

Endlich, lieber Freund, bin ich von Nauplion zurück, wo sich mein Aufenthalt so beträchtlich über meine erste Absicht hinaus verlängerte. Die letzten Wochen daselbst waren vorzüglich dadurch interessant, das weise und den Umständen angemessene System der Regentschaft sich immer mehr entwickeln und aus diesem Eingehen derselben in die wahren Wünsche und Bedürfnisse des Volkes. eine immer tiefer begründete Hochachtung und Zuneigung des letztern gegen die neue Regierung hervorgehen zu sehen. Nachdem man in den ersten Wochen von den Hauptfestungen des Peloponnes Besitz genommen, schritt man zu weitern organisirenden Maßregeln. Durch ein Amnestiedecret wurden alle bisher verübten politischen Vergehen und alle Verletzungen von Privateigenthum, so weit sie eine unmittelbare und nothwendige Folge der Kriegsvorfälle während des Bürgerkrieges gewesen, für verziehen und vergessen erklärt, zugleich aber den Privaten das Recht vorbehalten, Jeden, der ihre Personen oder ihr Eigenthum aus bloßer Raubgier oder Parteihaß verletzt habe, gerichtlich zu verfolgen; gleichzeitig wurden drei Gerichtshöfe (in Nauplion, Mesolongi und Athen) niedergesetzt und ihnen alle Klagen dieser Art zugewiesen. Durch diese Maßregel wurden und werden die Pallikarenchefs in Schach gehalten; denn da kaum Einer unter ihnen ist, der sich nicht solche Vergehungen zu Schulden kommen lassen, so hat die Regierung das Mittel in der Hand, sobald ihr ein Capitain auch nur verdächtig wird, entweder selbst wegen Verletzung von Nationalgütern als Kläger gegen ihn aufzutreten, oder einen Privaten zur Klage zu veranlassen und sich so seiner Person zu bemächtigen. Dann wurde die bisherige regulaire und irregulaire Armee für aufgelöst erklärt und in Hinsicht der letztern ferner bestimmt, daß alle seit dem 1. December 1831 eingetretenen Unteroffiziere und Soldaten in ihre Heimat zurückzukehren hätten; den vor diesem Zeitpunkt aber in die irregulären Truppen Eingetretenen wurde freigestellt, entweder in ihre Heimat zurückzukehren (wobei die Verordnung Denen, welche bereits den Freiheitskrieg mitgekämpft, nähere Erwägung ihrer

Lage und den außerhalb des Königreiches Geborenen Anweisung von Ländereien verspricht), oder in das neu zu bildende Heer einzutreten, und zwar sollten Diejenigen, welche das dreißigste Jahr noch nicht zurückgelegt, in das Linienmilitair, die Uebrigen in die Jägerbataillone aufgenommen werden. Diesen Jägerbataillonen, zu deren Befehlshabern bisherige Pallikarenchefs ernannt wurden, war eine Kleidung wie die der Pallikaren, nur von gleicher Farbe und mit militairischen Abzeichen, und als Waffe eine Flinte mit dem den Pallikaren so verhaßten Bayonnete bestimmt. Wer die Denkweise, die Sitten und Vorurtheile der irregulairen Soldaten kannte, konnte voraussehen, daß sie sich den Bestimmungen dieser Verordnung nicht fügen würden, und mußte Besorgnisse über die Folgen derselben hegen; doch ist die Sache bis jetzt besser abgelaufen als sich erwarten ließ. Wirklich ließen sich für das Linienmilitair fast nur Deserteurs von den frühern taktischen Truppen anwerben, und zum Eintritt in die Jägerbataillone, welche zusammen 2000 Mann zählen sollten, haben sich bis jetzt erst 24 Mann gemeldet; aber die Pallikaren haben auf mehren Sammelplätzen erklärt, daß sie, wie strenge und zum Theil ungerecht die über sie verfügten Bestimmungen auch wären, der Regentschaft die Schuld nicht beimessen wollten; welche sie, ihre bisher geleisteten Dienste und ihre Gewohnheiten nicht kenne, sondern einzig ihren Capitainen, von denen sie verrathen worden seien; es bleibe ihnen jetzt nichts übrig, als entweder den Türken zu dienen, oder sich aufs Neue mit ihnen zu schlagen, da Griechenland sie verstoße. Dann haben sie gerufen: Es lebe der König! und sind mit schwarzen Fahnen unter aus ihrer Mitte gewählten Häuptlingen der türkischen Grenze zugezogen. Inzwischen hatte ein albanesischer Türke, Tasilbussis, im südlichen Thessalien bereits Unordnungen begonnen; die Veranlassung dazu wird folgendermaßen erzählt. Tasilbussis, nachdem er während der Revolution gegen die Griechen gefochten, hatte im vorigen Jahre bei den Constitutionnellen im Kriege gegen Graf Augustin gedient und den Sieg des Syntagma (der Constitution) miterfechten helfen. Nach der Ankunft des Königs befand er sich in der Hauptstadt und wurde bei irgend einer Gelegenheit von dem Könige freundlich gegrüßt. Dies machte einen solchen Eindruck auf ihn, daß er ausrief: „Wie? ein Padischa, der mich grüßt, anstatt zu verlangen, daß ich den Saum seines Kleides küsse? Ein solches Syntagma will ich auch haben!" Und sofort eilte er nach Thessalien. Se non è vero, è ben trovato. Die Wahrheit ist, daß Tasilbussis mit dem Paschah von Larissa in kleinem Kriege begriffen war, als der Kern der Pallikaren, einige tausend Mann stark, die Grenze überschritt, und daß diese sich sofort mit ihrem Waffengefährten vom vorigen Jahre vereinigten. Mag nun Das, was das Gerücht von ihren Thaten berichtet, auch zum großen Theile übertrieben sein, so ist doch so viel gewiß, daß sie mehre kleine Vortheile über die Truppen des Paschah erlangt haben und Meister einer ansehnlichen Strecke Landes sind, leider aber auch, daß sie nach ihrer rauhen Weise der Kriegführung mehre Ortschaften, worunter das Städtchen Armyrò eingeäschert und ausgeplündert haben. Für Griechenland entspringt aus dieser Wendung der Dinge der große Vortheil, daß die innere Organisation des Landes ungehindert fortschreiten kann, ohne daß die Aufmerksamkeit der Staatsgewalt durch eine offene Widersetzlichkeit der Pallikaren anderswohin gelenkt, und ohne daß dieselbe genöthigt wird, ihre Truppen und Geldmittel zur Bekämpfung von Widerspenstigen zu verwenden. Unmöglich wäre es auch nicht, daß jener Tumult in Thessalien Consistenz gewänne und zur Befreiung der Provinz und ihrer Einverleibung in den griechischen Staat führte. Wenn es aber den Türken gelingt, die Pallikaren in die Grenzgebirge des Pindus zurückzuwerfen, und wenn ihnen dann kein anderer Lebensunterhalt bleibt als räuberische Einfälle in die angrenzenden Provinzen, so können diese unruhigen Köpfe dem Staatsschatze vielleicht noch beträchtlichere Kosten verursachen, als eine ihren Erwartungen mehr entsprechende Organisation gekostet haben möchte.

Die folgenden Erlasse der Regierung betrafen größtentheils die Organisation des regulairen Militairs und Maßregeln für die Begründung der öffentlichen Ordnung und Sicherheit. Inzwischen hatte die Regierung, die anfangs einen gewissen Mittelweg zwischen den bisher bestehenden Parteien halten zu wollen schien, in eben dem Maße, wie sie mit dem Lande und seinen bisherigen Verhältnissen bekannter wurde, sich entschiedener den Leuten zugewandt, welche Kapodistrias seiner Zeit durch lettres de cachets und andere gewaltsame Maßregeln nach Hydra, Athen u. s. w. exilirte. Am 15. April wurde ein neues Ministerium gebildet, bestehend aus den Herren Trikupis, Mavrokordatos, Praidis, Psyllas und Kolettis, welche alle sich rühmen können, mit dem ganzen Hasse des Präsidenten beehrt gewesen zu sein, und von welchen Herr Kolettis vor einem Jahre die Rumelioten zur Vertreibung Augustin's gegen Nauplion führte. Solche Facta werden doch wol endlich denjenigen Leuten in Europa die Augen öffnen, die in Kapodistrias noch immer einen gemordeten Engel sehen wollen. Am 18. April erschien die Verordnung, welche zur Grundlage der neuen Organisation des Königreichs und seiner Verwaltung dienen soll. Sie theilt das Reich in 10 Kreise (νομοί) und 42 Bezirke (ἐπαρχίαι), die Bezirke wieder in Gemeinden (κοινότητες oder δῆμοι), deren Abgrenzung aber noch nicht bestimmt ist. Die Kreise sind: 1. Argolis und Korinthia; 2. Achaia und Elis; 3. Messenien; 4. Arkadien; 5. Lakonien; 6. Akarnanien und Aitolien; 7. Phokis und Lokris; 8. Attika und Boiotien; 9. Euboia (umfaßt auch die nördlichen Sporaden, Skyros, Skopelos u. s. w.); 10. die Kykladen. Auch für die Benennungen der Bezirke und ihrer Hauptstädte hat man so viel möglich alte Namen gewählt; nur sind mehre Fehler untergelaufen, da das Ministerium des Innern schwerlich je tiefe Studien der alten Geographie gemacht hatte. Die obersten Organe der Staatsverwaltung sind die Ministerien, neben welchen ein Staatsrath (συμβούλιον τῆς ἐπικρατείας) errichtet werden soll. Die oberste Verwaltung jedes Kreises wird einem Generalcommissair (νομάρχης) übertragen, die des Bezirks einem Bezirkscommissair (ἔπαρχος), die der Gemeinde einem von den Gemeindegliedern (δημόται) vorgeschlagenen und vom Könige bestätigten Vorsteher (δημογέρων). Jedem dieser Beamten steht ein von den Verwalteten gewählter Rath zur Seite (συμβούλιον νομαρχικόν, ἐπαρχιακόν, δημογεροντικόν). So ist die festeste Basis wahrer bürgerlicher Freiheit unverrückbar gelegt worden, und die Namen der Männer, welche sie legten, werden noch nach Jahrhunderten in Griechenland mit Dank genannt werden. Mit verdientem Jubel wurde die Verordnung aufgenommen, mit freudigem Erstaunen, denn die Gabe kam für den Augenblick ganz unerwartet. Die seitdem erlassenen Verordnungen betreffen nur den Geschäftskreis der einzelnen Ministerien und den Geschäftsgang in denselben. Inzwischen herrscht im ganzen Reiche, einige Grenzgebiete vielleicht ausgenommen, bis wohin die Truppen noch nicht vorgerückt sind, Ruhe und vollkommene Sicherheit; Alles athmet wieder frei auf, und der innere Verkehr fängt an sich zu beleben.

Nachdem ich noch mehre kleine Ausflüge in die nächsten Gegenden von Argolis gemacht und das griechische Osterfest mit seinen nächtlichen Processionen hatte vorübergehen lassen, brach ich mit einem Reisegefährten über Korinth nach Athen auf. Wir durchschnitten, Argos links, Mykenai rechts lassend, die argeiische Ebene in ihrer ganzen Länge und traten nach vier Stunden, an einem trockenen Arm des Inachos hinaufziehend, in die Berge ein. Das Gebirge ist hier öde und uninteressant bis eine Viertelstunde vor Hagios Georgios, wo zwei einander gegenüberstehende steile Felsen von seltsamer Gestalt ein natürliches Eingangsthor in die phliasische Ebene bilden. Sie sind voll großer und kleiner Höhlen, deren Oeffnungen größtentheils durch Mauern verschlossen sind, theils um kühle Keller zu bilden (da der Ort beträchtlichen Weinbau hat), zum Theil aber sind diese Mauern erst während der Revolution und des Bürgerkrieges gebaut und mit Schießscharten versehen, um den

Bewohnern von H. Georgios als Zufluchtsörter zu dienen. H. Georgios ist ein Dorf oder Flecken (κωμόπολις) von ungewöhnlicher Größe und liegt in dem südöstlichen Winkel des phliasischen Thales an dem Abhange eines Berges. Von hier wandten wir uns nordöstlich über einen aus weißlichem, sehr weichem Kalkgestein bestehenden Berg nach dem Dörfchen Kutzomadi, das den Ruinen von Nemea am nächsten liegt. Der Magnat des Dorfes (ὁ μεγάλος τοῦ χωρίου), übrigens ein schlichter Bauer, verschaffte uns ein Unterkommen, um so dienstwilliger, da unser Maulthiertreiber uns durchaus zu βασιλικοὶ ἄνθρωποι (königlichen Beamten) machen wollte. Die Ruinen vom Tempel des nemeischen Zeus liegen ein halbes Stündchen von Kutzomadi an der Ostseite des schmalen, von Süden nach Norden sich öffnenden Thals völlig in der Ebene *), an einer Stelle, wo das Gebäude nicht weit gesehen werden konnte, während seine Stellung auf einer kleinen, ein paar hundert Schritte hinter demselben gelegenen Erhöhung ihm ein viel imposanteres Ansehen würde gegeben haben. Solche Abweichungen von der Regel der alten Griechen, für ihre Tempel immer die vortheilhaftesten Plätze zu wählen, haben gewiß jedes mal besondere, vielleicht religiöse Gründe gehabt. Merkwürdig ist es, daß bei der Zerstörung des Tempels, die vermuthlich durch einen heftigen Erdstoß geschah, alle Säulen nach Außen gefallen sind, keine einzige nach Innen. Ich weiß keinen bessern Vergleich, als wenn Sie sich einen Haufen aufeinander gelegter Thaler umgestoßen denken; so liegen die Säulen da, ein Tambour auf den andern gelehnt. Die Ruine heißt jetzt wie mehre andere in Griechenland: τὰ βασιλικά, und die Tradition läßt hier, wie z. B. auch in dem prächtigen Marmortheater beim Hieron des Asklepios, einen althellenischen König wohnen, welche Sagen besonders jetzt, seitdem Hellas wieder einen König erhalten hat, mit großer Freude von den Umwohnenden erzählt werden. Nicht viel über 100 Schritte südlich vom Tempel sind andere Ruinen, ein Fundament, welches ein längliches Viereck bildet, auf dem einige Bruchstücke kleinerer cannelirter Säulen und Marmorquader liegen und ein zerstörtes Kirchlein steht. Gell glaubt, daß diese Reste zu einem Propylaion des Tempels gehörten; aber dazu sind die Säulen zu klein. Dies möchte vielmehr das Grab des Opheltes sein, umgeben mit einer Steinmauer (θριγγὸς λίθων, Paus. II, 15, 3), innerhalb welcher verschiedene Altäre waren. Einige 100 Schritte östlich ist am Abhange eines Berges die Höhlung des Theaters, aber der Sitze beraubt. Von dem Cypressenhain um das Heiligthum, dem vielbesungenen Haine des Zeus (πολυΰμνητον Διὸς ἄλσος, Pindar), ist auch keine Spur mehr vorhanden; die angrenzenden Felder liegen unbebaut, mit Stachelgewächsen bedeckt. Nördlich, etwa eine Stunde entfernt, liegt der Apesas, jetzt Phikás (ὁ Φηκάς) genannt, der höchste Berg der Gegend, schon von vielen Punkten der argeiischen Ebene aus sichtbar. Er ist ausgezeichnet durch seine Gestalt, indem sein Gipfel in einer geräumigen, fast wagerechten Platform endigt.

(Die Fortsetzung folgt.)

*) Wie richtig schildernd ist hier wieder Pindaros' Ausdruck: βαθυπέδιος Νεμέα.

Notizen.

Handel in Peru.

Die Zeiten sind fern, wo die Handelsleute von Lima die Hauptstraße, durch welche der Vicekönig seinen Einzug hielt, mit Silberplatten belegten, indeß fängt der Handel allmälig an sich in Peru zu heben. Lima ist noch immer der Mittelpunkt alles commerciellen Verkehrs. Der Hafen von Callao sichert die Verbindungen mit den Häfen des stillen Meers von Chile an bis Californien, und die großen Straßen, die aus den Provinzen nach Lima convergiren, setzen die Handelsleute in den Stand, ihre Waare auf alle Märkte des Inlands zu versenden. Die Ausfuhr besteht fast ausschließlich in Silber und Gold. Die übrigen Erzeugnisse Perus, als Baumwolle, Zucker, Kaffee, Indigo, Taback u. s. w., werden blos nach Chile, Bolivia und den andern amerikanischen Staaten ausgeführt, im Ganzen ungefähr für 150,000 Pf. Sterl. an Werth. Peru erzeugt auch eine ungeheure Menge Salpeter. Seitdem man entdeckt hat, daß die Rinde Calisaia in Bolivia vorzuziehen ist, wird wenig Chinarinde mehr aus Peru geführt. Der Totalwerth der Einfuhr beträgt 1,600,000 Pf. St., wovon 728,000 Pf. St. auf England, 1,200,000 Dollars auf die Vereinigten Staaten von Nordamerika und 4,765,800 Francs auf Frankreich kommen.

Die Guacharogrotte.

Die Guacharogrotte liegt in Neuandalusien, drei Stunden von dem Kloster Caripe. Humboldt sagt, der Anblick dieser ungeheuern Höhle mache selbst auf Diejenigen einen unbeschreiblichen Eindruck, welche an die erhabenen Gemälde der Alpen gewöhnt seien. Der Eingang hat 70 Fuß Höhe und 80 Fuß Breite. Der Felsen, der darüber emporragt, ist mit kolossalen Bäumen bedeckt, untermischt mit Schlingpflanzen und Gesträucher, deren blühende Aeste sich an der Oeffnung sanft im Winde wiegen. Diese üppige Vegetation beschränkt sich nicht auf das Aeußere der Grotte; im Innern trifft man natürliche Anpflanzungen von Palmbäumen, Helikonias und baumhohe Arums. Da sich die Grotte 430 Fuß weit in grader Richtung erstreckt, so dringt das Tageslicht bis zu dieser Entfernung vom Eingange; hier erst wird es nöthig Fackeln anzuzünden. Sowie man mit diesen in der Finsterniß voranschreitet, hört man das Geschrei der Guacharos, welche der Grotte ihren Namen gegeben. Der Guacharo ist so groß wie ein gewöhnliches Huhn und in seinem Aeußern dem Geier ähnlich. Sein Schnabel ist mit Federn, oder vielmehr mit starr aufrechtstehenden Haaren bewachsen. Die gellenden, kreischenden Töne, welche Tausende von diesen Vögeln ausstießen und, aus den tiefsten Höhlungen herausschallend, durch die unermeßlichen Gewölbe rollten, brachten ein betäubendes Getöse hervor. Die Indianer, welche dem Reisenden zu Führern dienten, zeigten ihm mittels ihrer an langen Stangen befestigten Fackeln die trichterförmig gebauten Nester dieser Vögel längst den Seitenwänden in einer Höhe von 60 Fuß. Jährlich zerstören die Indianer eine große Anzahl dieser Nester, um aus den Jungen ein im Lande vielfach benutzt werdendes Oel zu pressen. Dabei kommen eine Menge dieser Vögel um, indem sie ihre Jungen zu vertheidigen suchen. Dieses Oel, welches unter dem Namen Guacharobutter bekannt ist, ist flüssig, durchsichtig, ohne Geruch und kann sich ein Jahr halten. Es wird zur Zubereitung der Speisen benutzt und ist wohlschmeckend; die Quantität reinen Oels, welche man gewinnt, steht mit dem Blutbade, welches dadurch unter den unglücklichen Guacharos verursacht wird, in keinem Verhältnisse; sie besteht ungefähr in 150—160 Flaschen jährlich. Uebrigens hat sich durch diese grausamen Jagden die Anzahl der Vögel nicht beträchtlich vermindert. Einerseits wagen es die abergläubischen Indianer nicht, tief in die Höhle zu dringen, andererseits bieten die benachbarten, kleinern, unzugänglichen Grotten den Guacharos eine unangreifbare Zufluchtsstätte. Indem der Reisende längs einem Bache, der die Grotte durchströmt, fortschritt, kam er an einen Punkt, der 1458 Fuß von der Mündung entfernt war; als er sich hier umdrehte, wurde er durch den Anblick eines dem Eingang gegenüberliegenden Hügels überrascht, der, mit der herrlichsten Vegetation bekleidet, in vollem Sonnenglanze strahlte und mit der grauenvollen Finsterniß dieser langen Galerie einen herrlichen Contrast bildete. Von hier aus ward die Grotte enger und niedriger. Die Indianer, erschreckt durch das Geschrei der Vögel, welches in den sich verengenden Gewölben noch gräßlicher klang, weigerten sich hartnäckig, Herrn von Humboldt weiter zu begleiten. 148.

Redigirt unter Verantwortlichkeit der Verlagshandlung: F. A. Brockhaus in Leipzig.

Blätter

für

literarische Unterhaltung.

Dienstag, —— Nr. 183. —— 2. Juli 1833.

Dresdens literarisches Leben und Weben am Ende des 18. Jahrhunderts.

Zweiter und letzter Artikel.

(Fortsetzung aus Nr. 182.)

Privatbibliotheken.

An großen Privatbibliotheken war Dresden damals so reich, als es jetzt arm ist. Nur noch die, besonders im Fache des Rechts und der sächsischen Geschichte so zahl- als gehaltreiche Bibliothek des kürzlich verstorbenen Geh. Archivars und Geh. Legationsrathes Günther, die besonders in der neuern ausländischen Literatur ausgezeichnete Bibliothek des verstorbenen Geh. Archivars Hofraths Gebhard, sowie die Landkartensammlung des Geh. Finanzraths von Reibold waren in der neuesten Zeit Dresdens noch bedeutend zu nennen; denn die meisten Gelehrten und Geschäftsmänner kaufen jetzt nur ihren Bedarf und bringen es wol selten zu einigen tausend Bänden. Damals aber hatten große Bibliotheken der Kriegsminister General von Gersdorf, der Conferenzminister Freiherr von Gutschmid, der Oberconsistorialpräsident von Berlepsch, der Geheimrath von Ferber, die Hofräthe von Born, von Tewbern und Crusius, der Oberrechnungsrath Canzler, der Superintendent Rehkopf, der Professor Lippert, die Doctoren Hauschild und Petzold, der Regierungsecretair Rüger u. A. Die des Letztern, welche nach dessen Tode der Kriegsarchivar Engelhardt katalogisirte *), war unter den genannten die größte und wichtigste; sie enthielt sogar türkische Manuscripte. Die bedeutendste im Fache der sächsischen Geschichte war die des Geh. Kriegsraths Joh. August von Ponickau, welcher sogar einen besondern Custos, den Kammersecretair Grundig, dazu hielt, auch die Benutzung derselben mit Vergnügen erlaubte. Sie war am reichsten im Fache der sächsischen Geschichte und übertraf darin beiweitem die kurfürstliche. Ewig Schade, daß sie dieser nicht einverleibt worden ist. Einige wittenberger Professoren aber, namentlich Schröckh, einst zum Landtage in Dresden und oft an Ponickau's Tafel, beredeten in becherfroher Stunde diesen trefflichen Mann, seine Bibliothek der wittenberger Universität zu legiren, welches er dann auch unter Beifügung eines Capitals von 1000 Thlr. zu ihrer Unterhaltung mit Freuden that. Hätten jene Professoren und der es gutmeinende Testator damals ahnen können, daß Wittenberg je an Preußen kommen, die Wiege der Reformation in eine Festung verwandelt werden, die Universität mit Bibliothek nach Halle wandern sollte, so würde der für sächsische Historie unschätzbare Bücherschatz gewiß jetzt nicht unbekannt und unbenutzt in Halle liegen. Der dresdner Bibliothek und überhaupt der vaterländischen Literatur hat jene becherfrohe Stunde einen unersetzlichen Nachtheil gebracht; denn der Bibliothekar Daßdorf war längst schon auf dem besten Wege, sie für die kurfürstl. Bibliothek zu gewinnen, und rein außer sich, als er von dem ihm schauderhaften Legate hörte. Zwar that er Ponickau, bei dem auch er oft speiste, recht ernstliche Gegenvorstellungen und suchte ihn dahin zu bringen, die wittenberger Universität statt der Bibliothek durch ein bedeutendes Legat zu entschädigen; allein vergebens, denn der gute Ponickau glaubte als Edelmann sein Wort nicht brechen zu dürfen.

Dieser höchst ehrwürdige Mann (geb. 1718, gest. 1802) war damals Dresdens erster Mäcen. An seiner, fast täglich offenen Tafel, wo jeder ihm bekannte oder empfohlene Gelehrte, so oft er wollte, sein Plätzchen fand, ging es äußerst jovial zu, wurden alle literarische Neuigkeiten besprochen, herrschte kein Schatten von Rang- oder Kastengeist. Auch Gelehrte aus der Provinz sah Ponickau gern als Tafelgäste, weil diese wieder so Manches zum besten gaben, wovon man in der Residenz nichts wußte. Der liebste solcher Provinzialgelehrten war ihm der Oberpfarrer Kunze in Dippoldiswalda, Verf. eines sächsischen Kirchenrechts, das vor dem v. Weber'schen in hohem Ansehen stand. Zugleich bedauerte aber auch Ponickau diesen an Kenntniß, Wandel und Sitten gleich achtungswerthen Mann, daß er grade bei ihm, verleitet einst durch ein Tafelgespräch über die Quadratur des Cirkels, auf die unselige Idee gerathen war, jenes Problem lösen zu können; denn es beschäftigte ihn, der sich vorher nie ernstlich mit Mathematik abgegeben hatte, Tag und Nacht auf einmal so, daß er Schlaf und Appetit verlor, ja für Amt und Familie fast verloren ging. Vergebens bat und warnten ihn alle seine Freunde, am ernstlichsten Ponickau, vor Mühen und Anstrengungen, die erfolglos bleiben müßten.

„Heurika!" damit trat er einst jubelnd bei Ponickau ein; fest überzeugt, daß er am Ziele sei, legte seine Ideen

*) Der Katalog erschien unter dem Titel: „Bibliotheca Rugeriana" (Dresden, bei Meinhold, 1809).

bar, achtete nicht auf Ponickau's Rath, Hindenburg in Leipzig sich anzuvertrauen, ließ bald auf eigne Kosten eine Schrift drucken, unter dem Titel: „Die Segmente des Cirkels nach den Lehren des Hippokrates", und — ward durch die harte Beurtheilung derselben in kritischen Blättern zu seinem Schmerz erst inne, daß er Zeit und Geist an Lösung einer Aufgabe verschwendet, die ebenso unlösbar als unnütz ist. Der edle Ponickau, innig bedauernd den ehrwürdigen Mann, daß er, der kein Vermögen hatte, durch den Selbstverlag jener Schrift auch einen nicht unbedeutenden pecuniairen Verlust erleiden sollte, erbot sich auf die feinste Art zum Ersatz der Druckkosten, weil Kunze an seiner Tafel zu der verunglückten Arbeit verleitet worden sei, welches aber Ersterer natürlich nicht annahm.

Ueberhaupt unterstützte Ponickau gern unbemittelte Gelehrte, indem er ihnen entweder ansehnliche Büchergeschenke machte, oder für kleine Arbeiten große Honorare gab, oder ihnen Anstellungen zu verschaffen suchte. Auch kaufte er armen Familien verstorbener Gelehrten oft für hohe Preise Bücher ab, mehr um erstere zu unterstützen als letztere zu besitzen.

Viele Jahre stockblind und desto mehr sein ganzes Lebensglück nur in geistigem Genusse suchend, hielt er sich stets einen Vorleser,*) und wer diese Stelle versah, hatte nächst Gehalt auch den großen Vortheil täglicher Gelegenheit zu literarischer Bildung und zum Umgange mit geistvollen Männern. Ein ähnliches Symposion als das Ponickau'sche hat es bis diese Stunde nie wieder in Dresden gegeben; denn nichts störte dabei in den Freuden des geselligen, literarischen und auch gastronomischen Lebens, als daß der Symposiarch ein blinder Greis war, den aber heute noch die Wenigen segnen, welche, einst Genossen seiner Tafelrunde, noch am Gastmahle des Lebens sitzen.

Nur einige Jahre, von 1743—46, hatte Ponickau als Kammerjunker und Hofrath bei der Landesregierung zu Gotha ein öffentliches Amt bekleidet; dann lebte er in Dresden nur den Wissenschaften. Der Titel eines königl. polnischen und kurf. sächsischen Geh. Kriegsraths ward ihm 1751 durch den Minister Grafen Brühl, mit dem er verwandt war, gleichsam aufgezwungen, indem er, wie er seinem hohen Gönner bemerklich machte, Geheimnisse und Krieg nicht liebe und Niemandes Rath sein könne, weil er genug damit zu thun habe, sein eigner zu sein. Sonderbar genug war in diesem trefflichen Manne geistige Gewandtheit ebenso groß als körperliche klein. Ein paar Beinkleider oder Strümpfe selbst anzuziehen schien ihm gradezu unmöglich, und er seufzte oft darüber, daß er von seinem Vater förmlich dazu angehalten worden sei, sich als Knabe schon stets von zwei Domestiken bedienen zu lassen und dabei keine Hand zu rühren.

„Wie der Herr so der Diener", traf ganz bei Ponickau ein. Einen bessern Herrn als ihn konnte es nicht geben; aber auch nicht einen treuern Diener als seinen alten ehrlichen Günther aus Löbau. Dieser brave Mann ließ 1795 zu seines Herrn 78. Geburtstage vom Münzgraveur Höckner eine Medaille fertigen, die auf der einen Seite Ponickau's Bild und Geburtsdatum, auf der andern die Inschrift hat: Viro historiae patriae et rei numariae scientia, religione in amicos, candore, fide, munificentia, oculorum coecitatis tolerantia perquam admirabili sacrum MDCCXCV. Sie wiegt zwei Loth, und dürfte wol den meisten Numismatikern unbekannt sein.

(Die Fortsetzung folgt.)

*) Sein letzter war der noch lebende Bürgermeister Jacobi in Dresden, der schon auf dortiger Kreuzschule durch Sinn für Literatur und dichterische Anlagen sich ausgezeichnet hatte.

Mittheilungen über Griechenland.

(Fortsetzung aus Nr. 1[illegible].)

Der Weg von Kutzomadi nach Korinth führt am Tempel vorbei durch einen Engpaß und dann über eine öde, nach Nordosten abfallende Gebirgsfläche; sie läuft in eine fruchtbare, über eine Stunde lange und breite Ebene aus, wo Müller's Karte fälschlich fast ganz mit schwarzen Gebirgen bedeckt ist. Die Straße, welche dieses Thal zur Rechten läßt, führt eine starke Stunde von Nemea über einen Hügel, dessen Rand mit Resten sehr wohlgebauter Befestigungen eingefaßt, und dessen Fläche mit Fundamenten und Quadern einzeln und in Haufen überstreut ist. Dies ist das Städtchen Kleonai, welches Pausanias besuchte; Strabon ließ es sich nur aus der Ferne von Akrokorinth aus zeigen und bewundert die schöne Befestigung. Wenn er aber deshalb das von Homer der Stadt gegebene Beiwort: „wohlgebaut" (ἐϋκτίμενον) als treffend lobt, so beachtete er nicht, daß die Mauern aus einer weit nachhomerischen Zeit sind, von der besten hellenischen Bauart, aus rechtwinkeligen, sorgfältig behauenen Quadern. Mein Reisegefährte, der sich ein wenig von mir getrennt hatte, hatte in einem der Trümmerhaufen auch Triglyphen gefunden, also vermuthlich von dem Tempel der Athene (Paus. II, 15, 1). Was die Höhle des nemeischen Löwen betrifft, welche nach Pausanias in dem Bergrücken zwischen Kleonai und Nemea zu suchen sein würde, so ist diese ganze Gegend so reich an Höhlen, daß es ein vergebliches Bestreben bleiben würde, die von den Alten dafür gehaltene zu ermitteln.

Von Kleonai führt der Weg in nördlicher Richtung das Thal eines kleinen Flusses hinunter, zwischen niedrigen Kalkbergen von der obenbeschriebenen Art, wendet sich dann rechts über einen dieser Berge, von wo aus man zuerst die majestätische Aussicht auf den weiten Golf und die jenseitigen Küsten hat, und läuft nun östlich am Fuß der Berge bis Korinth hin. Die Lage von Korinth hat Strabon wieder, wie alle Oertlichkeiten, die er mit eignen Augen gesehen, trefflich beschrieben. Aber das reiche, üppige Korinth, wohin nicht Jeder schiffen konnte, war auch vor der Revolution nur ein kleines Städtchen und ist jetzt, nachdem es durch den Krieg zerstört und seiner reichsten Einwohner, der Türken, beraubt worden ist, nur ein armer, wüster Trümmerhaufe, in dessen Mitte sich kaum ein halbes Hundert Häuser wieder erhoben hat.*) Der untere

*) Korinth gilt in neuern Zeiten allgemein für einen höchst ungesunden Aufenthalt, was, so parador es auch bei der offenen und luftigen Lage des Ortes scheint, doch von den Fremden, welche sich dort längere Zeit aufgehalten haben, bestätigt wird. Die Einwohner schreiben die Ursache davon dem φλόμος oder φλῶμος zu, welches Kraut sowol um die Stadt herum als auch auf Akrokorinth in Menge wächst. Es war eben jetzt im schönsten Flor, 1—2 Schuh hoch, mit goldgelben Blüten, und verbreitet in der Nähe einen strengen, betäubenden Geruch. Auch bei Epidauros, wo es sich in geringerer Menge findet, klagten die Einwohner, daß es die Luft ungesund mache. Ob die Alten ihm dieselbe Eigenschaft zuschrieben, weiß ich nicht. Gewiß ist, daß man es noch jetzt wie vor Alters gebraucht, um die Fische in Binnenwässern oder eingeschlossenen Meeresbuchten damit zu betäuben, sodaß sie

Theil der Stadt, das eigentliche Türkenviertel, wo das weite Haus des unermeßlich reichen unglücklichen Kiamilbei stand, liegt als Nationaleigenthum noch ganz wüst. An Alterthümern ist in Korinth wenig vorhanden, außer den noch stehenden sieben Säulen eines dorischen Tempels von beispiellos plumpen Verhältnissen, der gewöhnlich, ich sehe nicht ganz, mit welchem Rechte, für einen Neptunstempel gilt, nur noch etwa ein Dutzend Ruinen von Gebäuden aus gebrannten Steinen und einzelne Bruchstücke von Säulen, Architraven u. s. w. Die Inschriften, welche ich fand, waren größtentheils lateinische.

Der Weg nach Akrokorinth zieht sich am Abhange des Berges herum auf seine Westseite, wo das Hauptthor der Festung und der einzige bequeme Zugang zu ihr ist. Ihre Mauern, welche zum Theil auf Resten der alten Befestigungen stehen, schließen den ganzen geräumigen Rücken des Berges ein, der zwei Gipfel hat, einen nach Südwest, den zweiten höhern nach Südost. Auch hier oben ein Bild der Zerstörung; die schlechten Baracken, in welchen die türkische Besatzung wohnte, fast alle in Trümmern. Auf dem höhern Gipfel, der einst einen kleinen Tempel der Aphrodite hatte, sieht man noch einige Quader; jetzt steht dort ein türkisches Bethaus. „Unter dem Gipfel ist die Quelle Peirene, die keinen Ausfluß hat, aber immer voll klaren trinkbaren Wassers ist" (Strabon), nämlich am südlichen, von der Stadt abgewandten Abhange des Berges; sie heißt jetzt Drachenwasser (δραγονέρα). Eine jetzt größtentheils zerstörte Treppe führt etwa 20 Schuh tief hinunter in einen mit unbehauenen Steinen ausgemauerten und überwölbten Raum, dessen Decke in der Mitte von einem rohgearbeiteten Portal von echtgriechischer Form getragen wird, und dessen Boden bis auf Manneshöhe mit dem klarsten und wohlschmeckendsten Wasser bedeckt ist. Das Ganze ist, bis auf einen Theil des Gewölbes über der Treppe, ein altes Werk. Auf den Steinen der Wände fanden wir, so weit das Wasser uns zu gehen erlaubte, drei Inschriften in den Schriftzügen der spätern Zeit; sie scheinen, nach der geringen Sorgfalt zu schließen, mit welcher sie in die ungeglätteten Felsstücke eingehauen sind, nur Werke der Arbeiter zu sein, zum Andenken an geliebte Personen verfaßt. Eine lautet z. B.: *Φίλων Διονυσίου ἐπ' ἀγαθῷ ἐμνήσθη.* Eine andere von ähnlicher Form, auf mehre Personen bezüglich, haben die *μαρμαράριοι* errichtet. Mithin sprechen auch sie für das Alter des Werkes. Das Merkwürdigste an der Peirene ist, wie in dem wasserarmen Griechenland auf einem beträchtlich hohen und fast isolirten Berge eine so reiche Wasserader sich sammeln kann. Daher die Sage der Alten, daß die Quelle ein Geschenk des Flußgottes Asopós an den Sisyphos sei; daher auch der neuere Name Dragonéra, der auf einen dämonischen Ursprung hindeutet. Außer ihr hat Akrokorinth noch eine Menge von Cisternen, angeblich 365; in einer derselben sind die Schätze Kiamilbei's versenkt, die wol auf ewig ungefunden bleiben werden. Die Aussicht von oben ist unbeschreiblich schön und umfassend. Man sieht gegen Norden den Helikon, den Parnassós und weiter westlich die hohen Gebirge Aitoliens, die beiden letztern noch mit dichtem Schnee bedeckt, gegen Westen die breite Ebene längs dem Ufer des Golfs bis nach Sikyon hin, über derselben die niedrigen, buntgefärbten Kalkberge und die beschneiten Gipfel des kyllenischen Gebirges, gegen Osten den Isthmos, die Häfen Kenchreai und Schoinus, die megarischen Gebirge, den größten Theil des saronischen Busens mit seinen Inseln und Attika bis an den Hymettós und das Pentelikón. Majestätischer ist diese Aussicht als die, welche Athen darbietet, aber Athens Gegenden sind reizender, mannichfaltiger, lieblicher, und sie ist und bleibt, auch abgesehen von dem Glanze ihres Namens, die würdigere Königsbraut.

Doch zurück zur Peirene. Pausanias setzt, wie Sie sehen, die Peirene an eine ganz andere Stelle außerhalb des nach Lechaion führenden Thores (II, 3, 3) und sagt erst weiterhin (II, 5, 1) im Tone des Zweifels, er habe gehört, daß auch jene Quelle auf Akrokorinth die Peirene sei, und daß das Wasser von dort unterirdisch in die Stadt fließe. Strabon (II, 212, Tchn.) berichtet ebenfalls als eine Tradition, daß aus seiner Peirene und andern unterirdischen Adern eine Quelle am Fuße des Berges mit Wasser versehen werde. Dasselbe glauben die heutigen Korinthier noch von der Dragonéra, und, so weit man nach dem Geschmack des Wassers und dem Anschein der Oertlichkeiten urtheilen kann, mit Recht. Die Peirene des Pausanias ist unweit des jetzigen Weges nach Lechaion noch zu sehen. Hier fällt die felsige Fläche, auf welcher die Stadt gelegen ist, gegen die niedrigen bis an das Meer sich erstreckenden Aecker in einer Höhe von 15—20 Schuh jäh ab; unter der Felsplatte ist eine Wölbung, in welcher aus einem in den Felsen getriebenen Emissair Wasser hervorrieselt. Dies sind die künstlichen Höhlen, deren der alte Reisende gedenkt, aber von den Baulichkeiten und Bildsäulen, womit die Quelle, die Grotte und der Platz davor zu seiner Zeit geschmückt waren, ist nichts mehr zu sehen. Die Halbgelehrten in Korinth (ich habe Ihnen diese Classe neulich kurz geschildert) nennen den Ort das Bad der Aphrodite. Aehnliche Emissaire kommen noch an einigen andern Stellen unter der Felsplatte hervor, angelegt, um die niedriger gelegenen Gärten zu bewässern. Uns blieb leider keine Zeit, in diese Emissaire vorzudringen, um zu sehen, wie weit sie sich erstrecken, ob vielleicht bis unter den Berg von Akrokorinth selbst. Müller hat, ich weiß nicht durch welchen Reisenden verleitet, einen dicht am Meeresufer gelegenen Sumpf als die Peirene bezeichnet. Dieser Sumpf aber, der überdies salziges Wasser enthält, ist nichts weiter als das innere Ende eines von den Venetianern gegrabenen künstlichen Hafens, dessen Mündung gegenwärtig verschüttet ist. Von Lechaion ist nichts mehr zu sehen als einige Reste der Molos; der heutige Hafen, *διαβατῆς* genannt, gewährt kaum für Kaïkia einen sichern Ankerplatz.

Von Korinth nach Megara führen zwei Wege, der eine über die Gebirge, der zweite kürzere am Meeresstrande hin. Wir wählten diesen. Zehn Minuten außerhalb der Stadt liegt rechts am Wege das Amphitheater, in den Felsen gehauen, offenbar erst aus der Zeit der Wiederherstellung Korinths unter den Römern. Es bleiben demnach, wahrscheinlich am Fuß der Berge, die Spuren eines griechischen Theaters aus der frühern Periode zu suchen. Der Isthmos ist ein felsiger, wenigstens 50 Schuh über das Meer erhabener, fast unangebauter Landrücken. Etwa eine halbe Stunde vor Schoinus (jetzt Kalamáki) fangen einzelne verkrüppelte Fichten sich zu zeigen an, welche sich von hier bis Megara über die Berge fortziehen, aber ohne auf den sterilen Felsen je zu einem freudigen Wachsthum zu gelangen. Nicht weit von Kalamáki liegen rechts vom Wege die Reste des isthmischen Stadions und der dortigen Tempel. Der Hafen von Kenchriai (noch jetzt, nur in der modernen Pluralsform, *κεγχρειαῖς* genannt) bleibt über eine Stunde zur Rechten. Kalamáki selbst ist eine kleine, zur Aufnahme größerer Schiffe nicht geeignete Bucht; die Entfernung von Korinth beträgt starke zwei Stunden. Von hier bis an den Anfang des „schlimmen Pfades" (*κακὴ σκάλα*), auf eine Strecke von etwa 3½ Stunden, läuft der Weg beständig zwischen dem Fuße der oneischen Berge und dem Meere hin. Diese Berge sind, wie ich schon oben bemerkt habe, spärlich mit niedrigen Fichten bewachsen (jetzt *πεύκη* genannt, obgleich bei den Alten die hier wachsende Fichtenart *πίτυς* hieß); bisweilen tritt ihr Fuß hart ans Ufer hinan; gewöhnlich bleiben zwischen ihnen und dem Meere kleine, mit Oelbäumen und Getreideäckern dürftig angebaute Ebenen. Einige Dörfer am Wege liegen größtentheils in Ruinen, „die Constitution hat sie zerstört" (*τὸ σύνταγμα τὰ χάλασε*), sagen die Leute. Der gemeine Mann nennt nämlich auch die kleine Armee, welche vor einem Jahre für die verletzte Verfassung gegen Augustin focht, die Constitution,

auf die Oberfläche kommen und leicht gefangen werden. Mit demselben Kraute sollen die Megarer, als die Armee des Dramali-Pascha an ihrer Stadt vorüberzog, einen großen Brunnen vergiftet und so die Seuche im türkischen Heere hervorgerufen haben, welche demselben später in der argolischen Ebene so verderblich wurde.

aus welchem Sprachgebrauch oft gar drollige Reden entstehen. Ein uns begegnender Hirtenknabe äußerte seine Freude über die Ankunft des Königs: „Du bist also auch ein Constitutionneller?" „Nein!" entgegnete er unwillig. „Warum nicht?" „Die Constitution hat mir voriges Jahr fünf Schweine aufgegessen" (τὸ σύνταγμα μ'ἔφαγε πέρυσι πέντε γουρούνια). Der gute Junge begriff nicht, weshalb wir diese Antwort so lächerlich fanden.

(Der Beschluß folgt.)

Fragmente aus dem Tagebuch eines jungen Ehemanns. Von Ritter Braun von Braunthal. Wien, Tendler. 1833. 8. 1 Thlr.

Warum diese Aphorismen über Ehe, Gesellschaft, Kunst, Welt und Dichterthum grade „Fragmente eines jungen Ehemanns" heißen, sehen wir nicht ein, wenngleich die Gedanken über die Ehe einen Hauptbestandtheil darin ausmachen. Ohne Zweifel finden sich in dieser Sammlung wohl ausgedrückte und zum weitern Nachdenken auffodernde Reflexionen in Menge, glückliche Zusammenstellungen, poetische, von Welterfahrung und Gedankenübung zeugende Betrachtungen u. s. w. — aber auch nicht wenig schielende, halbwahre und für Wahrheiten gegebene Bemerkungen, unklare und nicht zu vertheidigende Ansichten. Im Ganzen genommen lieben wir Bücher dieser Art; sie werden dem nachdenkenden Leser theils werther, theils nützlicher sein, als jene gedankenlose Romanlecture, die den Sinnen etwas, dem Herzen wenig, dem Verstande so oft gar nichts darbietet; Bücher dieser Art, die wenigstens dem Gefühl eine fruchttragende Richtung, dem forschenden Verstande einen nicht verächtlichen Antrieb darbieten.

Des Verf. Aphorismen sind als eine Fortsetzung von Hippel's Buch „Ueber die Ehe" anzusehen, mit dem Unterschied, daß, was Hippel auf dem Wege geistvoller Reflexion fand, bei dem Verf. als Resultat milder Erfahrungen und eines bewegten Gemüths an den Tag kommt. Er ist ein fast nicht geringerer Vergötterer der weiblichen Reinheit als L. Schefer; aber er ist erfahrener, praktischer, weltklüger.

Eine große Anzahl der feinsten Gedanken über das große Naturräthsel: das Weib, die Ehe, die Erziehung, oft aber so fein ausgedrückt als gedacht, fodert uns zu Anführungen auf, und wir widerstehen dieser Auffoderung mit Mühe. Des Verf. Takt ist äußerst rein und zart, er sieht in der Ehe eine Mystik, eine Heiligkeit, wie nur reine und glückliche Seelen sie darin zu erblicken pflegen; er faßt die Liebe so zart auf wie J. Paul, so poetisch wie Schefer, aber er bekundet in seinen Warnungen zugleich den erfahrenen Mann. Ein Buch in dem nachstehende Gedanken vorkommen, ist gewiß kein geistloses: „Liebe ist die Schwerkraft nach Gott." „Die Frauen wären Engel, kämen sie nicht unter die Leute; ihr erster Schritt in die Gesellschaft, ist der erste aus ihrem Beruf." „Wer im Herzen denkt, ist doppelt gut." „Gäbe es für Gott Räthsel, so wären es die Frauen." „Das Weib kennt sich selbst nicht, darin liegt der weibliche Zauber. Ein Weib, das mit seinen Tugenden haushält, macht eine Meierei aus einer Feenvilla." „Geister beschwören kann man nicht, aber den Geist. Rufe nur: Ich will! und er erscheint." „Es gibt Menschen, die sich nur lieben, wenn sie einander fernstehen: so zwei Dichter." „Wer es mit den Menschen verdirbt — verdirbt!" „Auf dem Antlitz geistreicher Menschen lesen wir ihren Contract mit dem Leben: zu dulden und sich dulden zu lassen." „Die Ehe ist wie der Tod, der Anfang eines bessern Lebens; aber mit dem guten hat es ein Ende." „Der Mann ist beständig, aber untreu, das Weib treu, aber unbeständig." (Eines der feinsten Worte von Göthe, die wir kennen!) „J. Paul war ein Prinz von Geblüt." „Wie sehr Deutschland kränkelt, sieht man an der Sucht, ins Bad zu reisen." „Wer behandelt die Menschen recht? — der mit ihnen handelt." „Wer von seinen Erfahrungen gern spricht, hat die wichtigste noch nicht gemacht." Von dieser sieggreichen Klarheit sind indeß nicht alle Fragmente dieser Sammlung; es gibt solche darunter, die unsern gerechten Widerspruch aufrufen, und andere, bei denen der Verf. sich nicht viel, oder nichts Richtiges gedacht haben wird; wie z. B. wenn er sagt: „Es wird eine Zeit kommen, da man ebenso schwer in ein Frauengemach gelangt, wie — nach Peking" u. s. w. Solchen schielenden oder unklaren Gedanken zum Trotz, ist es ein achtbares, ein liebenswürdiges Buch, das der Verf. uns hier bietet; es wird vor allen Dingen den Frauen, aber auch den Männern gefallen; denn der Verf. ist, außerdem daß er zart ist, auch kräftig, energisch und ein bewährter Denker. Unter seinen zahlreichen Schriften möchte ihm diese leicht am meisten zur Ehre gereichen. 89.

Literarische Nachweisungen.

Dialektisches.

Schon der heil. Augustin hat die spitzfindige Dialektik für ein Uebel gehalten, zu dessen Abwendung man öffentliche Bittgänge wie gegen eine Landplage veranstalten sollte, und die Kirchen- und Literargeschichte bietet nicht wenige Beweise und Beispiele von den gröbsten Anstands-, Geschmacks- und Sittlichkeitsverletzungen dar, welche besonders bei theologischen Streitigkeiten bezüglich auf Philosophie und Naturkunde, die Medicin mit eingeschlossen, sowol in der Wahl der Streitgegenstände als im Verhalten der Streitenden gegen einander vorgefallen sind. Selbst Körperverletzungen bis zur Tödtung haben mitunter dabei stattgehabt. So wird in der Schrift: „Kurzgefaßte Reformations- und Kirchengeschichte des kursächs. Bergstädtchens St.-Katharinberg, von M. Fr. W. Köllen" (Chemnitz 1781) erzählt, wie von zwei Pfarrern im meißnischen Obererzgebirge, welche „feine Leute und subtile disputatores, sonst auch gute Freunde" gewesen, im Jahre 1625, der eine (Merzner, Pfarrer zu Geier) dem andern (Krautstengel, Pfarrer zu Buchholz) aus Rache wegen dessen Ueberlegenheit in einem dialektischen Streite Gift in den Wein gemischt, ereifert und berauscht aber selbst davon getrunken und dadurch des Lebens verlustig geworden, sein Gegner aber mit einem sechswöchentlichen Aussatze davongekommen sei; und in den „Nachrichten von den Lebensumständen und Schriften evangelischer Prediger in allen Gemeinden des Königreichs Ungarn, von J. D. Klein" (2 Bde., Leipzig und Ofen, 1789) wird im ersten Bande einer hitzigen öffentlichen Disputation zwischen einem Jesuiten (Matth. Samber) und einem reformirten Candidaten zu Kaschau erwähnt, wobei der Kopf des Unterliegenden als Siegespreis ausgesetzt, am Ende aber, in Folge einer gemilderten Sentenz, der besiegte Jesuit öffentlich durch einen Wundarzt nur um einen Zahn ärmer gemacht und dadurch in den Vortheil gesetzt wurde, als Märtyrer für den Glauben aus dem Streite davongehen zu können. Daß Zwingli in der berühmten marburger Disputation bei Luther's Berufung auf das sechste Capitel im Evangelium Johannes vom Halsbrechen gesprochen hat, war — vgl. J. J. Hottinger's „Geschichte der Eidgenossen während der Zeiten der Kirchentrennung", zweite Abtheilung (Zürich 1829) — nur eine schweizer Landart „so zu reden, wenn sie meinen, Einer hätte verlorene Sache, wie denn die Lehre Johannes' die Lehre Luther's hinunterthäte"; und es galt für nichts Anderes als für eine bündige Anerkennungs- und Unterwürfigkeitserklärung im Geiste und Geschmacke der Zeit, daß einmal ein Professor, der sich bei einer öffentlichen Streitübung mit Dav. Derodon (st. 1664), einem der größten Dialektiker seiner Zeit, ohne ihn gekannt zu haben, eingelassen hatte, den Kampfplatz besiegt mit den Worten: „Du bist der Teufel oder Derodon!" verließ. Vgl. „Biographie universelle", XI, S. 125. 186.

Blätter für literarische Unterhaltung.

Mittwoch, — Nr. 184. — 3. Juli 1833.

Dresdens literarisches Leben und Weben am Ende des 18. Jahrhunderts.

Zweiter und letzter Artikel.

(Fortsetzung aus Nr. 183.)

Buchhandel und Bücherdruck.

Der Buchhandel war damals in jämmerlichem Zustande. Die Walther'sche Hofbuchhandlung sorgte fast nur für die öffentliche und des Königs Privatbibliothek, ging übrigens ihren Weg ruhig wie die Elbe und machte als Verlegerin nur durch die Werke Winckelmann's und des Prinzen de Ligne einiges Aufsehen. Gerlach verlegte fast nur Predigten und Gebetbücher, Hilscher meist in Zinn gestochene Noten, die infam aussahen, aber ehrlich nährten. Das Sortiment dieser beiden Handlungen hatte fast durchgängig eine vergelbte Physiognomie, denn es lag seit Olim's Zeiten — und verlangte man irgend eine neue Schrift, war allemal die Antwort: Wollen sie gleich verschreiben. Die Buchhandlung des Dr. Richter, einige Jahre die lebendigste, sank durch des Principals lockeres Leben und bibliopolische Sorglosigkeit bald so tief, daß der Buchhalter gewöhnlich den ganzen Kassenbestand in der Tasche trug.

Wenn man den Meßberichten zufolge weiß, daß jetzt der dresdner Buchhändler Arnold zu mancher Ostermesse 20—30 neue und große Verlagsartikel bringt, damals aber Hilscher oft nicht einen neuen Artikel hatte, und Gerlach, wie ich mehrmals mit angehört, das beste Manuscript achselzuckend abwies, weil er zur nächsten Messe schon mit zwei großen, jedes fast ein Alphabet starken Werken tief darin stecke, so kann man sich des Lachens nicht enthalten. Hilscher's Buchhalter, Kläbe, fragte oft einsprechende Gelehrte nach den neuesten Werken, und bei Gerlach vertrat die Buchhalterstelle dessen fast blinder Bruder, der von Büchertiteln nur die großgedruckten Worte lesen konnte, oft gestand, daß er nie ein ganzes Buch gelesen habe, und seinem Bruder prophezeite, daß er bei seinen großen Unternehmungen noch zu Grunde gehen werde. Besonders bedauerte er ihn der ungeheuern Honorare wegen. Und doch zahlte Gerlach seinem ergiebigsten Schriftsteller, dem Hofprediger Raschig *), dessen Predigten abgingen wie warme Semmel, nur 3 Thlr. 12 Gr., späterhin 4 Thlr. für den in Median gedruckten Bogen. Honorare von 5 Thlrn. pro Bogen waren dresdner Buchhändlern böhmische Dörfer. Ueber 2—3 Thlr. zahlten sie selten, ja für Uebersetzungen, die besonders ein gewisser Sprachmeister Hahnemann lieferte, gar nur 1 Thlr. 8—12 Gr. Nur der Buchhändler Richter fing an die Honorare etwas zu erhöhen, bezahlte sie aber dafür auch sehr unordentlich, endlich gar nicht. Gedichte wollte Niemand verlegen, sobald Honorar gezahlt werden sollte. Ja der Buchhändler Hilscher, dem der Bibliothekar Daßdorf eine Sammlung seiner Poesien anbot, fragte diesen sogar, wie viel er pro Bogen oder überhaupt zu den Druckkosten beizutragen gemeint sei, worüber der gute Dichter sich so entsetzte, daß er stumm zum Laden hinausging und erst in freier Luft durch ein „'s ist himmelschreiend!" — seinem poetisch gepreßten Herzen Luft machte. „Was ist himmelschreiend?" fragte ihn der eben vorbeigehende Oberlandbaumeister Weinlich und tröstete ihn, als er des Seufzers Grund vernommen, damit, daß er mit seinen „Briefen über Rom" (damals ein classisches Werk) tausendfache Noth gehabt, sie für einen Spottpreis loszuwerden.

Nicht viel besser als um den Buchhandel stand es um die Buchdruckereien. Die des Hofbuchhändlers Walther durfte der Privilegien der übrigen Officinen wegen nur dessen Verlagsartikel drucken. Die Harpeter'sche pfiff mit wenigen alten Schriftkasten und zwei morschen Pressen ewig auf dem letzten Loche, und nur Arbeiten für den Stadtrath hinderten, daß ihr nicht ganz der Odem ausging. Die Gerlach'sche in Friedrichstadt lag zu entfernt, um an den Stadtarbeiten viel Theil nehmen zu können, und hatte bei geringen Fonds gewöhnlich nur zwei, äußerst selten drei Pressen im Gange. Die Meinhold'sche Hofbuchdruckerei dagegen beschäftigte immer 12—16 Pressen, aber nicht in Folge der dresdner Schriftstellerei und des Buchhandels, sondern in Folge ihres Privilegiums über alle vom

*) Die Predigten dieses zu seiner Zeit in Dresden berühmten Kanzelredners, der 1796 als Hofprediger und Consistorialassessor starb, waren meist Gerlach's Verlag und brachten so viel ein, daß der dafür dankbare Buchhändler dem Verfasser bei Sendung des Honorars einigemal auch ein sogenanntes Mutterfäßchen alten meißner Weins der Spaargebirgspflege sandte, um dessen Kräfte zu Verkündigung des göttlichen Wortes zu stärken. Er selbst aber, der dankbare Verleger, ging nie von Tische, ohne mit seiner Frau des für ihn so segensreichen Hofpredigers Gesundheit in meißner Ausbruch getrunken zu haben.

Hofe und den Landesbehörden ausgehende Druckartikel, unter welchen die der legislatorischen Branchen die bedeutendsten waren. Denn so lange das Land noch ungetheilt und die Gesetzsammlung noch nicht organisirt war, ward jedes Gesetz, jede allgemeine Bekanntmachung in 14—15,000 Exemplaren auf Schreibpapier, und mochte sie auch noch so kurz sein, ja wol kaum eine halbe Seite füllen, doch allemal auf einen ganzen Bogen in Folio gedruckt. Die Fälle waren daher gar nicht selten, daß, wenn ein Gesetz viel Bogen stark war, es in ganzen Wagen voll Exemplaren abgeliefert werden mußte. Für Vertheilung und Versendung der Gesetze gab es damals einen so breiten Maßstab, daß bei den Behörden jede Kanzleiperson, bis auf den Accessisten und Aufwärter herab, wenigstens ein Exemplar erhielt und doch immer noch ganze Stöße als Vorrath liegen bleiben konnten. In den Familien der Staatsdiener fehlte es daher nie an Maculatur. Die Frauen machten Hauben- und Kleiderschnitte aus allerhöchsten Mandaten und Rescripten, oder buken darauf Kuchen; den Kindern wurde das Schulbutterbrot darein gewickelt. Manche nicht unbedeutende Staatsdiener sammelten das ganze Jahr, was sie an dergleichen Drucksachen erlangen konnten, um zu Weihnachten von dem Erlös des theuern Maculaturs Butterzöpfe backen zu lassen. In allen Kaufläden verschnitt man Gesetze und Verordnungen zu Düten und Säcken, und Büdchen- und Hökerweiber freuten sich immer herzlich des festen Schreibpapiers, worauf sie gedruckt waren. Ein Brühl'scher Kammerdiener, Fiedler, hinterließ bei seinem Tode ein so reichsortirtes Lager dergleichen gesetzlicher Maculatur, daß die Begräbnißkosten von dem Erlös bestritten werden konnten.

Die tolle Papier- und also Geldverschwendung dieser Art schrieb sich noch aus den Zeiten der beiden prunkliebenden Auguste her, unter welchen jedem, auch dem kleinsten Gesetze der ganze kurf. sächsische und königl. polnische Titel vorgedruckt werden mußte, welcher, des Anstandes wegen in ellenlanger Schrift gesetzt, nicht selten, wenn man ein winziges Gesetzchen gern auf zwei Seiten ausdehnen wollte, fast die ganze erste Folioseite füllte; und es ist daher gewiß kein Münchhausianum, daß, wie einst ein alter Kriegsarchivkanzlist, Crusius, äußerst mühsam berechnet hatte, der Druck jener Titel allein, von Erwerbung der polnischen Krone bis zu deren Wegfall, von 1697—1763, also in fast 70 Jahren, dem stets verschuldeten Lande weit über 30,000 Thlr. gekostet hatte. Wie ganz anders ist es dagegen seit Organisation der Gesetzsammlung 1818, in welcher oft vier Gesetze auf einen halben Druckbogen in einer Auflage von etwa 2000 Exemplaren erscheinen, welche in jener für den Hofbuchdrucker goldenen Vorzeit auf vier ganzen Bogen Schreibpapier in 14—15,000 Exemplaren zu drucken gewesen wären. Kein Wunder also, wenn der Hofbuchdrucker ehemals, besonders zu den sogenannten hochseligen Königs Zeiten, sich ungleich besser stand als ein erster Hofmarschall und Staatsminister. . . .

Uebrigens war damals die Hofbuchdruckerei, wenn auch die größte, doch im Vergleich zu leipziger Officinen nicht immer die eleganteste, weil sie grade zu den Arbeiten, die ihr das Meiste einbrachten, der Eleganz in Papieren und Schriften am wenigsten bedurfte, Concurrenz aber in keiner Art zu fürchten hatte; denn den übrigen Druckereien fehlte es an Fonds, neue aber erhielten, so oft es auch versucht ward, keine Concession, weil der verstorbene König durch Vermehrung der Druckereien Beförderung der Vielschreiberei fürchtete, wovon er, besonders von der politischen, gar kein Freund war. Aus demselben Grunde durfte auch die Zahl der Buchhandlungen nicht vermehrt werden, obschon die bestehenden keine Exclusivprivilegien hatten. Was Wunder also, wenn damals in Dresden so wenig Bücher verlegt und gedruckt wurden, daß ein dresdner Buchdrucker, kam er nach Leipzig, dort gleichsam neu lernen mußte, und daß, bis der ebenso thätige als geschäftskluge Arnold aufstand, die dresdner Buchhändler meist nur Commissionnairs der Leipziger waren.

Dedicationen.

Mit gelehrter Bettelei, Dedication genannt, ward nächst dem Kurfürsten Niemand mehr behelligt als der Graf Marcolini, der dafür mit Stellenconferirung sich abfinden sollte, und der Baron zu Racknitz, der allgemein für Sachsens, insbesondere Dresdens Mäcen galt, und, wenn auch nicht allemal mit Geschenken — dazu war er, wie er den Schriftstellern oft selbst sagte, nicht reich genug *) — aber desto öfter mit freundlichem Dank an fröhlicher Tafelrunde sich abfand. Obgleich damals schon mehre deutsche Fürsten im „Reichsanzeiger" und in Zeitungen Dedicationen ohne dazu nachgesuchte Erlaubniß sich verbeten, ja förmlich verboten hatten, wollte doch der Kurfürst, den man, weil er für einen der gelehrtesten Regenten galt, oft aus den fernsten Landen mit dedicirten Büchern bestürmte, nie verbittend oder befehlend dagegen einschreiten. Als ihm nach Annahme der Königswürde im Jahre 1806 ein Namenloser (Richard Roos, wie späterhin bekannt ward) eine kleine, darauf sich beziehende, halb poetische, halb prosaische Schrift **) unter andern mit den Worten dedicirte:

Ach! nur mit Scham darf der Gelehrt' es sich gestehen.
Nie sah man mehr als in der neuern Zeit
Kunst und Gelehrsamkeit . . . . .
Vor Thronen betteln gehen.
In ferne Lande, über ferne Meere,
Wo Völker fremder Sprach' und Sitte wohnen, ...
Wohl in die halbe Welt der Kreuz und Quere
Versandte Deutschlands Muse Dedicationen.

*) Eine seltene Ausnahme war es, daß er für die ihm von Engelhardt und Veith dedicirten „Malerischen Wanderungen durch Sachsen" jedem der Verfasser einen Stock mit goldenem Knopf und B. z. R. gravirt, zu Fortsetzung ihrer Wanderungen schenkte. Auch mußte der freundliche Geber diese Ausnahme ausbaden; denn nun meinte so mancher Gelehrte und Künstler, wo goldene Stockknöpfe zum Verschenken lägen, werde es auch an andern dergleichen Dedicationsreflexen nicht fehlen, und bestürmten deshalb den guten Racknitz mit Widmungen aller Art.

**) „Die drei hohen Festtage des Friedens und der Königswürde Sachsens, den 16., 20., 21. Dec. 1806, von einem Patrioten."

Sie ewig, doch kein Ehrendenkmal wird es bleiben —
Magst, Nachwelt, du, wol einst solch Wunder glauben —
Die Fürsten mußten — wollten sie im Frieden
Vor solcher theuern Bücherehre wohnen,
Sie mußten durch Rescripte von den Thronen
Das freche Dediciren ganz verbieten.

und die Widmung mit:

Du kennst mich nicht —
Ich will — verzeih! Dir mich nicht nennen —
Und so wird wol auch im Gedichte
Die Wahrheit heiliger bestehen können.
Mir — einem Deiner treusten Unterthanen —
Ranglos und ohne Reichthum, ohne Ahnen,
Mir genügt's, dir unbekannt, dies Lied zu singen,
Zu Sachsens Krone Wiegenfest es darzubringen.
Verschmäh' es nicht von deinem Thron!
Dein stiller Beifall sei mein Lohn!

schloß, auch die Schrift weder einsendete noch durch irgend Jemand überreichen ließ, sagte der Kurfürst zum Oberkammerherrn, Grafen Bose, der ihn davon in Kenntniß setzte: „Wenn alle Dedicationen von dieser Art wären, könnte man sich solche Ehre wol gefallen lassen."

Obschon übrigens Friedrich August gegen unverschämtes Dediciren auch nicht grade durch Rescripte und Zeitungsannoncen einschritt, verdammte er es doch auf andere Art. Kannte er nämlich den Dedicirenden gar nicht, und interessirte ihn auch dessen Werk in keiner Hinsicht, so ließ er ihm durch seinen Privatbibliothekar Adelung Ladenpreis, Einband und Porto vergüten — damit Punctum — und das Dediciren aus fernen Landen nahm bald ein Ende. Graf Marcolini aber, klug genug, zu wissen, daß man ihm, der als Italiener wenig oder nichts wissen konnte von der deutschen Literatur, Bücher nur aus Eigennutz dedicire, fragte nicht selten gradezu den Verfasser: „Wolle Sie was von mir" — und war dieser dreist genug, von Empfehlung zu einer Stelle zu sprechen, ward er meist mit der Bemerkung abgefertigt: „Kenne ich Sie nicht, habe auch keine Stelle für Sie zu vergeben." Bisweilen fragte er Adelung um Rath, und wußte auch dieser nichts zur Empfehlung des Verfassers zu sagen, so hatte Letzterer [illegible] auf keinen Erfolg der Dedication zu rechnen.

[illegible] wagte ein Unverschämter sogar, ein Buch ihm zu dediciren, das er gar nicht geschrieben hatte. Es war [illegible] von Mythologie und ihr eigentlicher Verfasser ein [illegible] Sprachlehrer. Der Pseudoverfasser, dem Marcolini [illegible] der Mythologie nicht unbewandert, seiner gro[illegible] gar nicht zugetrauten Kenntnisse wegen belobte, [illegible] Zweck — den einer baldigen Anstellung — [illegible], daß der wirkliche Verfasser, der ihm, [illegible] brauchte, mit Enthüllung des Falsums drohte, [illegible] Anstellung das Zeitliche segnete. Gott [illegible] dem Pseudoverfasser gnädig, daß der Be[illegible] Tag kam; denn der Falsarius würde, [illegible] schlecht weggekommen sein.

(Der Beschluß folgt.)

[illegible] über Griechenland.

([illegible] aus Nr. 188.)

[illegible] des Weges bemerkt man Spuren alter [illegible] in dem hohen ziemlich geräumigen Thale vor dem Anfang der Kali Skála, wo jetzt das Dorf Kinetta liegt. Hier mag Krommyon gestanden haben. Ueber dem Dorfe ist ein ziemlich dicht mit Fichten bewachsener Abhang, wo sich allenfalls noch jetzt eine krommyonische Sau verbergen könnte. Von hier an tritt das Gebirge in beträchtlicher Höhe hart ans Meer hinan und bildet auf eine Strecke von zwei Stunden eine steile Wand von den prächtigsten Farben, gelb, braun und grau, voll großer und kleiner Höhlen; in den Spalten und auf dem Gipfel des Berges wachsen Fichten. Der Weg läuft auf einem Absatze oder Vorsprunge der Felswand hin, in einer Höhe von etwa 50—80 Fuß über dem Wasser; er bildet, Dank sei es der Fürsorge des Kaisers Hadrian, der die Felsen sprengen und ebnen ließ, an den meisten Stellen noch eine bequeme und gangbare Straße; man erkennt die Spuren der Räder an tiefen Einschnitten in dem Felsen. Wenn indeß Pausanias (1, 44, 10) sagt, der Kaiser habe die Straße so breit gemacht, daß sich zwei Wagen begegnen konnten, so gilt dies beiweitem nicht von der ganzen Strecke. Etwa 1½ Stunde von Kinetta beginnt die gefährliche Strecke; der Vorsprung der Felswand wird schmaler, und die hier stark verfallene Straße führt unmittelbar am Rande desselben über den unten rauschenden Meereswellen hin. Dies sind die verruchten skironischen Felsen, von denen der grausame Räuber die Vorüberreisenden ins Meer stürzte, bis ihn Theseus erschlug. Die Deutung dieser Mythe auf heftige Stoßwinde des Nordwest erscheint nach den Oertlichkeiten sehr wahrscheinlich. Auf die skironischen folgt der molurische Fels (Paus. I, 44, 11), von merkwürdiger Bildung. Eine ungeheure, etwas convexe *) Felsplatte von weißlicher Farbe und so glatt, als ob sie künstlich polirt wäre, senkt sich unter einem Winkel von 60—70 Graden von der Bergwand bis ans Meer hinunter. Die Straße des Hadrian lief auf einem gemauerten Unterbau an der Mitte derselben hin; jetzt ist jenes Gemäuer größtentheils eingestürzt, und der Pfad geht ein Weilchen am Fuße der Platte, wo die Wellen anschlagen, hin, bis er sich wieder auf die Höhe der Straße emporwindet. Hier war das alte skironische Thor, und in der That ist kein Theil des Passes leichter zu vertheidigen. Nach einer starken halben Stunde übersteigt die Straße den Rücken, in welchen die Bergwand nach Osten gegen den Hafen Nisaia hin ausläuft, und senkt sich in die megarische Ebene hinunter. Dieser ganze Weg von Korinth nach Megara ist bequem in neun Stunden zurückzulegen.

Die megarische Ebene ist ein geräumiges Thal, welches sich von dem Hafen und der, Salamis gegenüberliegenden Küste an, zwischen den megarischen Gebirgen einer- und dem Keratagebirge und den südlichen Ausgängen des Kithairon andererseits, in nordwestlicher Richtung, sanft aufsteigend, an das jenseitige Meer erstreckt. Die Stadt liegt mehr nach dem westlichen Rande der Ebene hin, am südlichen Abhange zwei niedriger miteinander verbundener Hügel, die sich in einem niedrigen Rücken ostwärts bis an die Hügel der Halbinsel fortsetzen, welche Salamis gegenüber ins Meer hinaustritt. Ueber die wenigen dort noch vorhandenen Alterthümer kann ich Ihnen für jetzt nichts sagen, da die Eile meines Reisegefährten uns schon mit Sonnenaufgang wieder forttrieb; auch über den ganzen Weg von Megara über Eleusis nach Athen werde ich Ihnen ein anderesmal schreiben und führe Sie lieber gleich nach Athen.

Wie bedeutend hat sich diese Stadt bereits in den acht Monaten verändert, während welcher ich sie kenne. Aus dem Trümmermeer, das mir bei meinem ersten Einzuge entgegentrat, erhebt sich jetzt schon eine hübsche Anzahl ansehnlicher Häuser, die größtentheils erst im Laufe dieses Winters gebaut worden sind; und wenn Athen nur noch im Laufe des Mai zur Hauptstadt erklärt wird, so werden bis zum November so viele Häuser fertig sein, daß der König und die Regentschaft ihren Sitz hier aufschlagen können. Statt der schmuzigen albanesischen Söldner fand ich am Thore stattliche bairische Soldaten; auf den

*) Daher (von dieser convexen Rundung) der Name [illegible] (Schildkröte), den der molurische Fels auch führte.

Zinnen der Akropolis flatterte ein griechisches Banner; vor dem Theseion, wo sich '- oft die Hopliten versammelten, exercirten bairische Voltigeurs nach dem Klange der Hörner. Mein kurdischer Freund, der Delibaschi, ist abgezogen mit Thränen in den Augen; abgezogen sind Ali-Aga und Mustapha und alle die wohlbekannten Gestalten bis auf einige Nachzügler, welche noch durch Geschäfte hier zurückgehalten werden, und denen es wundersam vorkommen mag, jetzt sich von den Griechen Gesetze vorschreiben zu lassen.

Für uns Fremde hat die Anwesenheit der Baiern zunächst den großen Vortheil, daß wir frei und ungehindert zu jeder Stunde des Tages die Akropolis besuchen können. Durch Subscription ist eine kleine Summe zusammengebracht worden, um mit Wegräumung des Schuttes zu beginnen, und schon hat die Arbeit zu interessanten Resultaten geführt. Zunächst ist, etwa 40 Fuß vor der östlichen Fronte des Parthenon, die Inschrift wiedergefunden worden, welche Cyriacus von Ancona in der ersten Hälfte des 15. Jahrhunderts copirte („Corp. inscr. gr." 478). Sie findet sich auf der äußern Seite eines großen bogenförmigen ionischen Architravs auf den drei Bändern unter den Resten des Perlenkranzes, welche von den architektonischen Verzierungen am obern Rande allein übriggeblieben sind. Die innere Seite hat ebenfalls die Bänder, sodaß kein Zweifel bleibt, daß es ein Architrav war. Die neuern Reisenden sahen nur die beschriebene Seite, und vielleicht auch diese nicht vollständig, in dem Fundamente eines türkischen Hauses; daher Leake in seiner Topographie den Misgriff macht, das Stück (gegen den Inhalt der Inschrift, die eines Priesters der Roma und des Augustus erwähnt) für ein Piedestal einer kolossalen Statue des Augustus zu erklären. Boeckh schließt aus der Inschrift schon richtig auf einen Tempel oder jedenfalls ein Gebäude zu Ehren der beiden Gottheiten. Nach der Gestalt des Architravs war es ein runder Tempel, dessen innerer Durchmesser über den Capitälern der Säulen gegen 20 Fuß engl. betrug, und dessen Höhe vom Fuße der Säulen bis an die Spitze des gewölbten Daches (wenn anders die gewöhnlichen Verhältnisse beobachtet worden waren) gegen 40 Fuß betragen haben muß. Pausanias, der ungeachtet seiner trocknen prosaischen Natur dennoch griechisch genug fühlte, um die niedrige Schmeichelei seines Volkes gegen die römischen Beherrscher mit Abscheu zu sehen, erwähnte dieses Tempels wahrscheinlich mit Absicht nicht. Ohne Zweifel wird die völlige Ausräumung der Akropolis noch zu Auffindung des Fundaments und anderer Bruchstücke führen.

Von dem Fries des Parthenons sind bis jetzt vier Platten aus dem Schutt hervorgezogen worden, drei von der nördlichen, eine von der südlichen Seite der Cella. Von diesen ist, so viel ich weiß, erst eine durch Zeichnungen bekannt; sie gehört zu dem Theile der Procession, wo mehre Quadrigen aufeinander folgen. Die beiden andern Platten von der Nordseite *) enthalten folgende Darstellungen.

Erste Platte (4 F. E. breit): zur Linken ein Opferstier, nur von der Schulter an sichtbar; neben ihm (auf seiner rechten Seite) ein Jüngling in langem Gewande, das er über die linke Schulter geschlagen trägt, sodaß der linke Oberarm, so weit er nicht durch den Leib des Stieres verdeckt wird, frei bleibt; die Füße unter den Knöcheln nackt. Hinter dem Stier ein anderer Mann in ähnlichem langen Gewande, über das er einen faltigen Mantel geschlagen hat, der seinen Hals und sein Gesicht bis über die Lippen verhüllt und bis auf die äußersten Finger der linken Hand, welche er eben zu erheben im Begriff ist, hinabreicht. Während der erste Stier ruhig hinschreitet, tritt der folgende gar unbändig auf, mit den vordern Füßen zum Sprunge ausholend; das kräftige Haupt ist rückwärts geworfen, sodaß er mit dem Maule fast die Schulter des vor ihm gehenden Verhüllten berührt. Sein Führer, der ihm zur Rechten geht, ist wieder nur bis an die Brust sichtbar; er scheint bemüht, den Stier zu halten oder ihn durch Streicheln zu besänftigen; durch die lebhafte Bewegung ist ihm sein Gewand von den Schultern geglitten, sodaß Brust und Oberarm frei sind. Vom Rande des Steines her wird noch eine Hand und ein Vorderarm mit darüberhängendem Gewande sichtbar, welche von dieser Seite den Stier fassen oder ihm liebkosen zu wollen scheint. Die Platte ist vollständig erhalten bis auf die untere Ecke der rechten Seite.

Zweite Platte (4 F. 8 Z. E. breit): drei männliche Figuren schreiten hintereinander her, von der Rechten gegen die Linke, in gleichmäßiger Stellung, auf dem linken Fuße stehend, den rechten vorwärts setzend. Sie tragen lange, ungegürtete, fast bis auf die Knöchel reichende Gewänder; der rechte Arm und ein Theil der rechten Brust sind bloß. Auf der linken Schulter tragen sie niedrige bauchichte Vasen mit zwei kurzen Henkeln; der rechte bloße Arm ist über den Kopf zurückgebogen, um das Gefäß an einem Henkel zu halten; die beiden vordersten stützen es überdies noch mit der linken Hand. So gleich sich diese Figuren auch sind, so hat doch der große Künstler einer jeden eine schöne Individualität zu geben und in die Draperie Mannichfaltigkeit zu legen gewußt. Hinter ihnen ist ein vierter junger Mann in gebückter Stellung, von dem nur der Kopf, der rechte Arm und die linke Hand sichtbar sind, beschäftigt, eine ähnliche Vase an den Händen von der Erde aufzuheben. Ueber seinem Kopfe sieht man die beiden vorgestreckten Vorderarme und Hände, welche etwas einem Stabe Aehnliches halten; leider ist dies zerbrochen, scheint aber nach der Art, wie die Finger von beiden Seiten übergreifen, eine Flöte mit Löchern gewesen zu sein. Die Figur selbst ist nicht sichtbar, weil sie erst auf der folgenden Platte enthalten war; ihr vom linken Vorderarm herabhängendes Gewand verdeckt den Körper der vor ihr stehenden gebückten Figur. Von der obern Ecke an der rechten Seite dieser Platte waren einige Stücke abgebrochen, sind aber zugleich gefunden worden, sodaß sie vollständig wieder zusammengesetzt werden kann.

Die letzte Platte, von der Südhälfte des Frieses, ist stark beschädigt, oben, unten und an beiden Seiten abgebrochen; sie enthält vier hintereinander fortschreitende, nur von den Schultern bis ans Knie erhaltene weibliche Figuren.

Außer den erwähnten Gegenständen sind noch einige Inschriften und eine Menge kleinerer Bruchstücke von Sculpturen, architektonischen Ornamenten und Inschriften gefunden worden. Die Arbeit rückt langsam vor, da die geringen Mittel nicht erlauben, eine große Anzahl von Arbeitern anzustellen; wir hoffen indeß, daß die Regentschaft bald eine Summe aus der Staatskasse bewilligen wird, um das vielversprechende Unternehmen zu fördern. Die Hauptresultate werde ich fortfahren Ihnen zu melden. 125.

*) Da die Procession von Westen nach Osten vorschreitet, so stehen die Figuren von der Nordhälfte des Frieses dem Beschauer von der Rechten zur Linken gewandt, und kehren ihm also (mit einzelnen Ausnahmen) ihre linke Seite zu; die von der Südhälfte gehen dem Beschauer von der Linken gegen die Rechte vorüber.

Literarische Notiz.

– Der Vikarius an der griechisch-unirten Kathedrale zu Przemysl (in Galizien) Joseph Lewicki hat eine „Grammatik der russinischen (ruthenischen) oder kleinrussischen Sprache in Galizien, für Deutsche" verfaßt, welche nächstens in der bischöflich-unirten Buchdruckerei zu Przemysl erscheinen wird (1 Thlr. 8 Gr.). Die südlichen Theile von Galizien, sagt der Verf., ein Theil der Kreise Jaslo, Sanok und Przemysl, ferner die Kreise Sambor, Zolkiew, Stry, Lemberg, Zloczow, Stanislawow, Brzezan, Tarnopol, Czortkow, Kolomea und zum Theil die Bukowina sind von noch nicht ganz zwei Millionen Russinen bewohnt, welche einen Hauptzweig des großen slawischen Stammes ausmachen und ihre eigenthümliche Sprache besitzen, den sogenannten kleinrussischen Dialekt, der von dem polnischen sich durch Schrift, Aussprache und Syntax, auch durch viele einzelne Wörter unterscheidet. Bisher hatte dieser Dialekt noch keine eigne Grammatik. 177.

Redigirt unter Verantwortlichkeit der Verlagshandlung: F. A. Brockhaus in Leipzig.

Blätter
für
literarische Unterhaltung.

Donnerstag. —— Nr. 185. —— 4. Juli 1833.

Dresdens literarisches Leben und Weben am Ende des 18. Jahrhunderts.

Zweiter und letzter Artikel.

(Beschluß aus Nr. 184.)

Censur.

Bis in die 1790er Jahre war das Censoramt in Dresden so eine Art von Ruhekissen, auf welches die Buchdruckereien fast nach Belieben — denn oft beliebte es ihnen auch nicht — resp. 2 und 4 Groschenstücke pro Bogen oder pro Gelegenheitsgedicht legten, die der Censor, ohne sonderliche Mühe und Sorge nur wegnehmen durfte; denn das literarische Meer, für welches er den Hafencapitain abgab, war fast immer ruhig und spiegelhell. Von Preßfreiheit, Constitution u. dergl. hatte man kaum Begriffe. Ueber öffentliche Behörden und Anstalten, über Staats- oder Stadtverfassung und Verwaltung schriftstellerisch nur zu muxen, galt fast für Hochverrath; „Anzeiger" mit Oertlichem, „Bienen" mit Instanz- und Personalstachein, „Constitutionnelle Bürgerzeitungen" und „Insel Rügen" mit Freihäfen für derbe Wahrheiten (oft auch gehässige Lügen) u. dgl. gab es noch nicht. Ehrenmänner öffentlich abzuschachteln, Ehrwürdiges durchzuhecheln, Geheimes zu veröffentlichen, gehörte noch nicht zur Würze der Journale, deren es ohnedem noch wenige und nur ganz unschuldige gab — und so konnte der Censor sein Amt fast schlummernd verrichten, über sein imprimatur einnicken und, ohne Furcht vor Verantwortung, mit leicht verdienten 2 und 4 Groschenstücken, auf Rosen schlafen, während ein jetziger Censor, obschon neben jenen kleinen Silberlingen auch noch mit einem nicht unbedeutenden Gehalte gesegnet, doch auf Dornen dejeunirt, dinirt und soupirt, auf Dornen conversirt und promenirt, auf Dornen ins Theater oder in die Soirée und endlich zu Bette geht, um — auf Dornen zu schlafen.

Die Censur der Bücher trug freilich in jener seligen Zeit, wo die meisten Werke dresdner Gelehrten aus Mangel tüchtiger Verlagshandlungen und eleganter Buchdruckereien nach Leipzig oder Berlin wanderten, so blutwenig ein, daß der Censor oft versicherte: er verdiene damit nicht Salz in die Suppe. Dafür entschädigte ihn aber hinlänglich die Censur der Gelegenheitsgedichte, denn fast in alle Verhältnisse der Häuslichkeit wie des geselligen und öffentlichen Lebens mengte sich die Muse. Kein Wiegen-, kein Hochzeits- oder Jubelfest, kein Genesungs- oder Todesfall in anständigen Familien, kein Amtsantritt von Bedeutung, kein Thron- oder Hofereigniß ohne — und zwar meist ganz unschuldige — Verse. Jedes solcher Gedichte aber, auch das kleinste, durfte nicht ins offene Meer des Lebens ohne 4 Groschen für den Hafencapitain. Was Wunder, wenn man diese enormen Gebühren auf alle Art zu umgehen suchte, sodaß der Censor oft seufzte: er erhalte von zehn Gedichten kaum zwei zur Censur, und deshalb mehrmals klagbar auftrat gegen die Buchdruckereien, die sich damit entschuldigten: daß sie die hohen Censurgebühren meist nicht mit in Rechnung bringen könnten und also einbüßen müßten, weil ihre Kunden schlechterdings nicht glauben wollten, daß eine so unbedeutende Arbeit, als das Lesen eines Gedichts, so hoch im Preise stehe.

Letzterer, bis jetzt noch dauernd, ist aber auch in der That unbegreiflich *), besonders im Vergleich zu dem der Büchercensur, wo der arme Censor 16 oft sehr enge, auf großes Format gedruckte Seiten oder höchst unleserliche Manuscripte mit größter Aufmerksamkeit, steter Furcht vor Verantwortung und oft nicht ohne Ausrüstung mit vielseitigen Kenntnissen lesen muß, um — 2 Groschen zu verdienen; denn sein fixer Gehalt ist doch wol nur geringe Entschädigung für die namenlosen Bürden und Unannehmlichkeiten, die mit seinem Amte verbunden sind, für seine allgemein verrufene Stellung im Staate, für die ewigen und zarten Rücksichten, die er bald auf Behörden, bald auf Schriftsteller, bald aufs Publicum zu nehmen hat.

Der Censor der historischen, geographischen, politischen und ästhetischen Literatur war in den 1780er und 90er Jahren der Rector der Kreuzschule, M. Dipe, ein tüchtiger Philolog, ein nicht unglücklicher, besonders lateinischer Dichter **) und ein seelenguter Mann, der Nie-

*) Dem jetzigen Censor der Gedichte, dem hochverdienten Rector Gröbel, dieses Emolument ohne Entschädigung entziehen zu wollen, wäre unbillig. So billig als wünschenswerth aber dürfte es sein, einst jenes Misverhältniß der Censurgebühren zwischen Büchern und Gelegenheitsgedichten abzuändern.

**) Die wittenberg. philosoph. Facultät hat ihm 1788 sogar den poetischen Lorberkranz ertheilt, eine Ehrenbezeigung, womit man damals nicht freigebig war.

mandes Ruhe störte, aber auch in der seinigen nicht gestört sein wollte. Und doch ward er es auf die lebendigste Art bald nach dem Ausbruche der französischen Revolution, wo das Fieber des Freiheitschwindels, auch Dresden bedrohend, die höchsten Behörden zu so strenger Handhabung der Censur veranlaßte, daß der arme Olpe, bisher in seliger Ruhe, nun auf einmal in steter Angst vor Verantwortung lebte und einst den Oberconsistorialpräsidenten von Berlepsch dringend bat, der Büchercensur ihn zu entbinden und ihm nur die Censur der Gedichte zu lassen, indem, wie er humoristisch-massiv sich ausdrückte, letztere zu ersterer sich verhalte wie Taubenwürgen und Rinderschlag, oder wie einen Scheffel säen und 50 Scheffel dreschen.

Und doch brachte ihm grade solch censorisches Taubenwürgen einst schwere Verantwortung, ja sogar die Androhung einer Strafe von 50 Thalern. Der unter den privatisirenden Gelehrten erwähnte heillose Rebmann, der seiner satirischen, französische Freiheit predigenden Feder wegen mit Olpe in ewiger Fehde lebte, hatte einst auf den frühen Tod einer allberüchtigten Antivestalin Verse gemacht, die ganz unschuldig mit:

Weinet, Grazien! Weinet, Amoretten!

begannen. Der gute alte Rector, in seiner gelehrten Welt ganz unbekannt mit der sündigen, nicht ahnend, daß das an sich treffliche Gedicht einer sehr Untrefflichen gelte, gab unbedenklich sein imprimatur, und die Hetärenelegie, für die Richter'sche Buchhandlung sauber gedruckt, ging so reißend ab, daß binnen wenig Tagen eine neue Auflage nothwendig ward. Die Sache machte Aufsehen, und nicht eine Woche ging ins Land, da ward der arme Censor auf eines hochedeln und hochweisen Raths Commissionsstube citirt, wegen des dem skandalösen Gedichte ertheilten imprimatur höchster Anordnung gemäß sich zu verantworten. Olpe, jetzt erst von dem puncto controversiae gehörig in Kenntniß gesetzt, war wie vom Donner gerührt, sammelte sich aber bald und berief sich auf Horaz, Ovid, Catull und Consorten, deren weit unzüchtigere Verse auf Gymnasien der lieben Jugend sogar in die Hände gegeben würden. Allein es blieb bei Verweis und 50 Thalern Strafe, von welchen letztern er nur durch eine der- und wehmüthige Bittschrift sich befreite. Sein Haß gegen Rebmann, den er seitdem nur den privatisirenden Bösewicht *) nannte, kannte keine Grenzen, und gut war es für Letztern, daß er bald nachher Dresden verließ, denn Olpe würde ihm die für Richter schriftstellernde Feder gewiß auf alle Art erschwert haben.

Ueberhaupt ward Olpe, durch diesen Fall mehr noch als durch Rescripte eingeschüchtert, nun so streng als Censor, daß die Fehden zwischen ihm und den Schriftstellern, Buchhändlern und Buchdruckern Dresdens kein Ende nahmen. Ganz vorzüglich machte ihm eine, nach dem Schmierer Delaporte in Form einer Reise gearbeitete geographisch-statistische Wochenschrift zu schaffen, deren Verfasser, damals noch in den literarischen Brausejahren, wo man mit dem Gänsekiel die alten Festen des Aberglaubens und der Verkehrtheit einrennen zu [illegible] oft mit Spötteleien über den Katholicismus auftrat, wozu ihm seine Reise durch Spanien, Portugal und Italien natürlich Stoff über Stoff bot. Dergleichen Bemerkungen aber *) unter den Augen eines katholischen Hofes konnte Olpe nicht passiren lassen, und es gab deshalb zwischen ihm und dem Zimmerreisenden steten Krieg, welcher gewöhnlich mit der Olpe'schen Bemerkung endigte: „Denken Sie denn, lieber Herr ...., daß ich so bornirt bin, Ihnen Unrecht zu geben? aber ich muß als Censor; was würde der Hof sagen, wollte ich Ihrer Feder nicht Zügel anlegen!" Wenn der gute Rector hätte wissen sollen, mit welcher Freiheit, ja Frechheit man 40 Jahre später gegen die Religion des Hofes in Dresden unter dessen Augen zu Felde ziehen, mit welcher Duldsamkeit und Liberalität jener alle Invectiven gegen den Glauben seiner Ahnen aufnehmen werde! Einst, als Olpe wieder einmal in der geographischen Reise censorisch gejätet, trifft er den Verf. auf der Promenade und spricht: „Lieber Herr ...., Sie machen mir mein Censoramt zur Hölle. Wahrlich! ich verdiente, daß mein Nothstand poetisch geschildert würde; Sie machen ja auch Verse, besingen Sie mich einmal als Censor, damit ich nur etwas für meine Angst und Mühe habe." „Soll geschehen!" Damit nimmt ..... Abschied und sendet denselben Tag noch Olpe nachstehendes Gedicht, welches diesen, wie er nachher versicherte, wie aus der Seele geschrieben war:

Es hatte in der Thiere Staat
Vergangen sich durch schwere That
Ein armer Hund. „Wie knöcheln wir
Dafür so recht das schofle Thier?"
Frug finster der erzürnte Leu.
„Das ist doch leicht, bei meiner Treu!"
Der Tiger sprach — „durch eine Stelle,
Die ihm das Leben macht zur Hölle."
Da ruft der Fuchs mit teuflischem Lachen:
„Wir wollen die Bestie zum Censor machen!"

Der geographische Reisende legte übrigens bald die spitzige Feder bei Seite, wohl einsehend, daß Spott nicht bessere, nur erbittere.

Wie ängstlich man noch späterhin, als nach Olpe's Tode der Rector Pausler Censor ward, selbst das Schriftstellern über ganz unschuldige vaterländische Angelegenhei-

*) Der Titel kam Rebmann zu Ohren. Was that er? Er ließ dem Halsbande seines Hundes Marat ein Glastäfelchen ein- und darunter den Vers setzen:

Mein Nam' ist in Dresden allbekannt.
Rebmann's Marat bin ich genannt.
Beleidigt den dresdner Marat nicht!
Denn er dient dem privatisirenden Bösewicht.

Diese vier Verse mußte die Hofbuchdruckerei unter Angabe ihrer Bestimmung Olpe zur Censur schicken, erhielt sie aber sofort zurück mit der Randglosse: „Da Unterzeichneter zur Censur von Hundehalsbändern nicht angewiesen ist, hat sich der dresdner Marat an eine andere Behörde zu wenden. M. Olpe." Rebmann wollte sich todtlachen, daß der Censor so gut sich aus der Affaire gezogen.

*) Die einst dem Verf. sogar einen anonymen Drohbrief zuzogen; wobei es aber auch zur Ehre des Briefstellers geblieben ist.

ten bewachte, ergibt sich unter Anderm aus Folgendem: Der jetzige Kriegsarchivar Engelhardt hatte aus den besten, zum Theil handschriftlichen Quellen eine Geschichte der sächsischen Staatsgefangenen geschrieben, welche, weil sich nicht gleich ein Verleger fand, nach und nach in den „Gelehrten Beilagen zum dresdner Anzeiger" abgedruckt werden sollte. Bei Nennung der Gefangenen des 15. bis 17. Jahrhunderts fand die Censur kein Bedenken. Als aber die aus der Augusteischen Luxusperiode und spätern an die Reihe kamen, ward die Fortsetzung des Drucks nur unter der Bedingung gestattet, die Namen der Gefangenen wegzulassen. Eine Geschichte namenloser Staatsgefangenen — wie lächerlich! Was würde das Publicum dazu gesagt haben! Es unterblieb also natürlich der Druck.

Ebenso ängstlich verfuhr auch Pausler gegen eine Stelle im fünften Bande von Engelhardt's „Erdbeschreibung Sachsens" (S. 236), wo es heißt: daß die dort über den Porzellanerfinder Böttger gegebenen Nachrichten meist aus handschriftlichen Quellen geschöpft seien. „Kann nur passiren, wenn der Herr Verfasser das Erlangen der handschriftlichen Quellen vertreten will", schrieb der Censor, und Engelhardt übernahm natürlich die Vertretung.

Einige Jahre später gab es Landtag. Der Verf. der Staatsgefangenen erhielt von der Arnold'schen Buchhandlung den Auftrag, für die gelehrten dresdner Anzeigen eine kritische Relation von allen über den Landtag vorher erschienenen und etwa während desselben erscheinenden Schriften zu bearbeiten. Bei dem ersten Manuscripte fand der Censor, damals Syndikus Dr. Herrmann, nicht das mindeste Bedenken, desto mehr aber, als das damit gefüllte Stück des Anzeigers ausgegeben ward, ein längst verstorbener Conferenzminister B., welcher den Verf. sofort citiren ließ, ihn förmlich zur Rede setzte, daß er Druckschriften über den Landtag, die ohnedem höchsten Ortes nie gern gesehen würden, durch Auszüge und Kritik noch mehr verbreiten wolle, und ihn endlich ganz trocken verabschiedete mit der Bemerkung: Herren Stände wüßten selbst am besten, was sie Sr. kurfürstlichen Durchlaucht zu proponiren hätten, dazu bedürfe es nicht unberufener Scribenten, die um ein paar Thaler willen das Publicum aufregten. Das Lied vom Ende aber war, daß das fragliche Stück des Anzeigers nicht ausgegeben werden durfte und, wo es bereits sich befand, wo möglich zurückgefodert werden sollte. Der Verleger und Redacteur des Anzeigers, der ebenso thätige als einsichtsvolle Buchhändler Arnold, im Augenblick nicht mit Manuscript versehen, die ministerielle Censurlücke auszufüllen, ließ dafür aus der ersten besten ökonomischen Schrift einen Aufsatz abdrucken: „Wie man neugeborene Kälber am besten großziehen könne?" Und so gab es denn zwei verschiedene Editionen jenes Anzeigerstückes, die eine ständischen, die andere kälbermäßigen Inhalts. *)

Welcher Contrast, wenn man der jetzigen, doch in der That mehr liberalen als servilen Censur gedenkt; wenn man weiß, daß die Landtagsverhandlungen von 1830 gedruckt zu haben sind; daß seit 1833 die ständischen Sitzungen öffentlich gehalten und ihre Ergebnisse fast Wort für Wort den Tag darauf schon in zwei besondern Blättern zu lesen sind; ja, daß man sogar den Redactoren derselben Plätze in den Kammern eingeräumt hat, damit sie kein Wort verhören und dem Publicum treu jedes berichten können. Heu quanta mutatio rerum! 184.

*) Die unterdrückte Relation von den erwähnten Landtagsschriften sandte Engelhardt nachher in Häberlin's „Neues Staatsarchiv", wo sie unbedenklich abgedruckt ward.

Recueil de l'académie des jeux floraux. Toulouse 1832.

Am 3. Mai 1832 feierte die Akademie der Blumenspiele wie gewöhnlich das Blumenfest. Wie sonst jeder öffentliche Actus der Académie française mit einem Éloge auf Ludwig XIV. und den Cardinal Richelieu anfing, so hebt die Preisaustheilung der toulouser Akademie mit einer Lobrede auf Clémence Isaure, deren Stifterin, an. Durch diese officiellen, stets und in denselben Formeln sich wiederholenden Danksagungen und Lobpreisungen ist dem Andenken der merkwürdigen Frau aller Reiz nach und nach benommen worden. Das holde, zarte Wesen, welches im Glanze der Poesie und Liebe aus fernen Zeiten herüberleuchtet, erscheint an diesem Tage widerlich entstellt durch die abgenutzten oratorischen Blumenkränze, die akademischen Floskeln, womit sie aufs Geschmackloseste ausstaffirt wird. Nachdem die Rede gesprochen ist, begeben sich die Commissaire der Akademie im feierlichen Zuge in die Kirche La Daurade, um die goldenen und silbernen Blumen abzuholen, welche vom frühesten Morgen an auf dem Hauptaltar zur Schau gestellt sind. Nach der Rückkehr der Commissaire in das Sitzungslocal der Akademie werden die Namen der Sieger ausgerufen. Die Akademie theilt jährlich fünf Blumen aus, unter welchen zwei goldene, jede 450 Francs an Werth, eine für die beste Ode, die andere für die vorzüglichste Rede. Sieben verschiedene Gattungen werden zum Concurs zugelassen: die Ode, das poëme, die Epistel, die Elegie, das Idyll, die Ballade, das Sonett oder eine Hymne an die heilige Jungfrau. Der Beschützer der Akademie ist der König; sie besteht aus mainteneurs und maîtres-ès-jeux floraux. Der Doyen ist gegenwärtig der Marquis de Latrène, ehemals Generaladvocat am Parlamente von Toulouse. Unter den maîtres-ès-jeux floraux haben wir Chateaubriand, V. Hugo, Baour-Lormian und Bignon bemerkt. Im Jahr 1832 hat die Akademie nur drei Gedichte gekrönt: „Le fiancé", eine Ballade von Philippe de Toulza in Toulouse; „L'intercession, hymne à la vierge", von Demselben, und „Les fleurs d'automne", eine Ballade von Herrn Dutour, gleichfalls aus Toulouse. Nebst den Preisgedichten gibt die Sammlung, welcher wir diese Notizen entnehmen, noch eine Auswahl aus den bessern Oden, Elegien u. s. w., welche die Akademie dieser Auszeichnung würdig befunden. Unter den Oden steht wol die der Madame Tastu oben an, sie ist betitelt: „La pauvreté"; die berühmte Dichterin kann aber nach den Statuten der Akademie nicht mehr zum Concurse gelassen werden, da sie bereits dreimal gekrönt worden ist. Wir würden hier Einiges daraus mittheilen, wenn wir nicht vorzögen, uns über die gekrönten Balladen etwas näher auszulassen. In „Le fiancé" vermissen wir dramatisches Interesse; die Form hingegen ist äußerst zart und lieblich gehalten, und bei allen poetischen Akademien wird immer die Form zunächst berücksichtigt. Ein junges Mädchen erwartet ihren Bräutigam; dieser fährt des Abends auf der Garonne dem Schlosse seiner Geliebten zu; Sylphiden und Feen umschwirren ihn und suchen ihn zu fesseln:

Tout-à-coup de jeunes sylphides
S'avance un tournoyant essaim;
Les arbres, de rosée humides,
Mouillent leurs ailes de satin;
Ciel! une forme aërienne
Glisse dans un faible rayon;

Une robe longue, incertaine
Semble flotter à l'horizon;
Sur une transparente épaule,
Sur un sein pâle et gracieux;
Comme les feuilles sur le sable
Se répandent de longs cheveux.
Sous la voile onduleuse et blanche
Apercevant le troubadour,
Sur son beau front elle se penche
En murmurant un mot d'amour.
„Dans les vents, dans les eaux courantes,
C'est moi qui mollement bruis,
Moi que les étoiles tombantes
Visitent dans les douces nuits.
Tu le vois, je suis rose et blanche,
Plus belle que l'ange des cieux;
Viens, sous le fleuve qui s'épanche,
S'ouvre mon palais gracieux."
Elle dit, la vague limpide
Autour d'elle semble *frémir*;
Elle frappe d'un pied timide
L'onde qui le fait tressaillir,
Ses bras nus, avec nonchalance
Divisent les flots amoureux;
Elle sourit et se balance,
Et la lune réclaire ses yeux.

Der Troubadour widersteht ihren Lockungen und eilt zu seiner Geliebten. Die Grundidee des Gedichtes scheint uns zu unbedeutend; indessen hat die Phantasie des Dichters dieses einfache Thema mit den anmuthigsten Bildern begleitet. Er verräth ein naives, leicht und reich ausströmendes Talent, welches seine Unabhängigkeit gegen die conventionnellen Formeln der pariser Modepoesie verwahrt hat. Die Ballade des Herrn Dutour beruht auf einer Volkssage. Zuweilen blühen die Obstbäume zum zweiten Male im Herbst; da eine so außerordentliche Fruchtbarkeit oft solche Bäume erschöpft, sodaß sie im Frühjahre absterben, so ist dadurch unter den Landleuten des Südens der Aberglaube entstanden, diese Spätblüten seien überhaupt eine böse Vorbedeutung, und die Familien, auf deren Eigenthum sie angetroffen werden, sind fest überzeugt, daß ihnen der Tod bald eines ihrer Mitglieder entreißen werde. Die Akademie hat gefunden, der Verf. erhebe sich in dieser rührenden Composition mitunter über den Ton der Ballade. Wir sind durchaus nicht mit ihr darüber einverstanden und würden den „Fleurs d'automne" des Herrn Dutour den ersten Platz in der ganzen Sammlung anweisen, wenn wir „L'hymne à la vierge" von Herrn De Toulza nicht darin gefunden hätten. Die Seele eines Kindes, welche auf den Flügeln der Seraphim in den Himmel getragen wird, fleht die heilige Jungfrau an, ihr zu erlauben, zu ihrer Mutter zurückzukehren, um sie zu trösten:

Vierge que le seigneur écoute,
Fais qu'un ange guide mes pas;
Des cieux nous franchirons la voûte,
Son doigt m'indiquera la route
Et je reviendrai dans ses bras.

Ein kleines Meisterstück, dessen düstere Anmuth auf das Gemüth wirkt wie der Anblick der Leiche eines Kindes mit rothen Wangen und einem Blumenkranze auf der weißen kalten Stirn. Man sieht es dieser Hymne an, wie lebendig sich der Katholicismus im Süden erhalten hat. Die prosaischen Aufsätze, welche den Gedichten beigefügt sind, haben sämmtlich Mitglieder der Akademie zu Verfassern. In allen haben wir eine entschiedene Abneigung gegen die neuere Bewegung in der französischen Literatur bemerkt. Besonders geberdet sich ein Herr Sauvage mit wildem Ungestüm in seinem Zorne gegen die Romantiker: „Après Homère et Corneille l'enthousiasme de la valeur, l'ardent patriotisme de la cité; après Virgile et Racine les douces larmes de la pitié etc.; après Byron et *Schiller*, après tous les sectateurs de l'école satanique, les larmes de plomb, les convulsions de la frénésie, l'horreur de la société, le désespoir sanglant de Caton, moins l'immortalité de l'âme." Wenn die Dichtkunst in der Gascogne zu Zeiten liebliche Blüten entfaltet, so scheint es schlecht um die literarische Kritik an den Ufern der Garonne zu stehen! 148.

Notizen.

Die königl. großbritannische Marine bestand am 1. Januar 1838 aus

22	Schiffen	ersten	Ranges	von	108	bis	120 Kanonen
51	„	zweiten	„	„	78	„	84 „
68	„	dritten	„	„	74	„	76 „
22	„	vierten	„	„	50	„	52 „
101	„	fünften	„	„	42	„	50 „
95	„	sechsten	„	„	26	„	36 „

nebst 74 Kanonenböten und 161 kleinern Schiffen, zusammen also aus 574 bewaffneten Fahrzeugen. Welch ungeheure Verwüstungen die trockene Fäule darin anrichten mag, erhellt daraus, daß alljährlich etwa 125,000 Lasten Schiffsholz erfoderlich sind, um sie seetüchtig zu erhalten. Der Benbow ward 1813 gebaut, von der trocknen Fäule angesteckt und 1818 in Portsmouth — ohne jemals in See gewesen zu sein — mit einem Kostenaufwand von 45,000 Pf. St. wiederhergestellt! Leider hat sich diese Bauholzpest neuerdings auch in Landgebäuden, besonders in großen, öffentlichen kundgethan. Der Palast von Kew, ein ziemlich neuer Bau, mußte blos aus dieser Ursache von Grund aus niedergerissen werden. Die Royal Lodge in Windsor Park war unmittelbar nach dem Tode ihres Gründers, Georg IV., fast gänzlich verfallen, und man fürchtet, daß die Krankheit auch schon in den neuhergestellten Theilen von Windsor Castle vorhanden ist. Der Schaden, den sie bereits in den neu in und um London erbauten Kirchen anrichtete, ist ungeheuer. Ein neu erfundenes Mittel, diese Krankheit zu vertilgen nimmt gegenwärtig die allgemeine Theilnahme in England in Anspruch.

Die Dampfschiffahrt und regelmäßige Verbindung zwischen England und Indien auf dem Euphrat und durch den persischen Meerbusen scheint nach den neuesten Untersuchungen nicht ausführbar zu sein. So z. B. stellen die „Reports on the navigation of the Euphrates. Submitted to government by captain Chesney, of the royal artillery" (London 1833) die Hindernisse in dem Laufe des Flusses, in dem Zustande der Bevölkerung seiner Uferlande, vornehmlich aber in Bereisung der Wüste zwischen dem Mittelmeere und dem Euphrat als schwer übersteigbar dar. Beiweitem leichter möchte zwar der Weg auf dem Nile und über das rothe Meer, der alle diese Beschwerlichkeiten nicht hat, fahrbar zu machen sein. Dem ganzen Unternehmen scheint aber hauptsächlich der Wille der ostindischen Compagnie entgegenzustehen, die dafür hält, daß dessen Vortheile in Ueberführung einiger Reisenden und in schneller Beförderung der Correspondenz den bedeutenden Kostenaufwand, den es erfoderte, nicht einbringen würden. Nach den ganz anders lautenden Angaben des Capitain Head in seiner „Steam navigation from England to India" wird es freilich viel wahrscheinlicher, daß kleinliche Bedenklichkeiten und Intriguen der Compagnie als das einzige Hinderniß des Unternehmens im Spiele sein mögen, denn dieser Autor weist ihr durch die bloße Beförderung von Briefen, Zeitungen und Regierungsdepeschen einen jährlichen reinen Gewinn von 52,000 Pf. St. zu. Möge die gute Sache hier nur recht bald siegen und ein Unternehmen zu Stande kommen, dessen europäische unabsehbare Wichtigkeit für Handel und Wissenschaft in jeder Beziehung — indem es den Verkehr so vervollkommnet, daß es Briefe und Personen in Zeit von sechs Wochen bis zwei Monaten nach Indien versetzt — sogar der Blödsinn nicht leugnen wird! 153.

Redigirt unter Verantwortlichkeit der Verlagshandlung: F. A. Brockhaus in Leipzig.

Blätter
für
literarische Unterhaltung.

Freitag. —— Nr. 186. —— 5. Juli 1833.

Zur Beurtheilung des Dr. J. G. A. Wirth.

Ein Beitrag zur Bildungsgeschichte der politischen Ansichten.

Erster Artikel.

Der Vorfall zu Frankfurt a. M., am 3. April d. J., hat nicht nur den Reactionsmännern in Deutschland Stoff und Anlaß zu den bittersten Beschuldigungen gegen das Ziel und Streben des Liberalismus überhaupt gegeben, sondern auch den sogenannten Gemäßigten und dem noch größern Haufen der Gleichgültigen, die hinter dem Schein der Mäßigung vor sich selbst und vor Andern ihre Selbstsucht zu verstecken sich bemühen. Ein Unternehmen, das blutig in seiner Ausführung und erfolglos in seinem nächsten Zwecke war, hat wol solche Urtheile hervorrufen müssen. Mögen diese nach dem besondern Standpunkte der Beschauenden so oder anders ausfallen, so ist es an der Zeit, hier ernstlichst gegen einen sehr allgemeinen Fehler zu warnen, der nicht selten die Quelle einer langen Reihe von Irrthümern und Verkehrtheiten wird. Nur allzu sehr sind die Menschen in ihrer geistigen Bequemlichkeitsliebe geneigt, sich ausschließend an die letzte und augenfälligste Erscheinung zu halten, und diese so lange zum Maßstabe ihres Urtheils über Vergangenes und Gegenwärtiges zu nehmen, bis ihnen vielleicht der Zufall eine neue Elle zur Bemessung der Bedeutung ihrer Zeit in die Hände gespielt hat. Haben Einzelne einen Schritt gethan, welcher als ein Fehltritt erscheint, so pflegt man alsbald den ganzen Weg zu verdammen, welchen Jene verfolgt haben, ohne zu bedenken, daß es für Hunderte und Tausende vielleicht nur einer kleinen Ausbeugung zur Seite bedarf, um denselben Weg festen und sichern Schrittes wandern zu können. Und doch werden wir nie zu einem gerechten Urtheile gelangen, wenn wir nur die schon vollendete Ueberzeugung und die einzelne That, welche die Frucht dieser Ueberzeugung ist, ins Auge fassen, während die Bildungsgeschichte der Ansichten und die Verhältnisse, die von Folge zu Folge gedrängt haben, außer Betrachtung bleiben.

In dem großen Entwickelungsprocesse der Meinungen und Ueberzeugungen kommen jederzeit Einzelne zum Vorschein, die mit Recht als Vertreter von Vielen gelten können. Dies läßt sich in mannichfacher Beziehung von dem als politischer Schriftsteller so bekannt gewordenen Dr. Wirth behaupten. Um in Wahrheit als Repräsentant einer Mehrheit betrachtet werden zu dürfen, ist das erste Erfoderniß, daß man rein und rücksichtslos seine volle Ueberzeugung ausgesprochen habe. Selbst Wirth's eifrigste Gegner haben aber nicht umhin gekonnt, die Ehrlichkeit und Aufrichtigkeit seiner Gesinnungen in vollem Maße anzuerkennen. In diesem Glauben wird man durch jede persönliche, wenn auch nur auf das Aeußere gerichtete Bekanntschaft mit diesem Manne bestärkt. Ohne allzu viel Gewicht auf den physiognomischen Ausdruck zu legen, wird man im Hinblicke auf sein glänzendes braunes Auge, mit diesem freien, offenen und gradeaus gerichteten Blicke gewiß sich gestehen müssen, daß hier kein Hinterhalt in der Seele liegen kann. Wohl mag dagegen der Physiognome den Ausdruck der Besonnenheit vermissen, wie er diesen in einem mehr geschlossenen Auge findet, das sich schärfer auf das Naheliegende zu heften pflegt. Und in der That, wenn uns seine Blicke wie seine Schriften die Worte eines deutschen Dichters: „Aus Feuer ward der Geist geschaffen", ins Gedächtniß rufen, so werden wir doch in diesen letztern auch zahlreiche Spuren einer gewissen Sorglosigkeit hinsichtlich des Eindrucks derselben finden, sowie den Mangel einer in das Einzelne genauer eingehenden Berechnung. Er ist niemals ein eigentlich kluger Wirthschafter im geistigen Haushalte gewesen, und er verschmähte es, dies zu sein. Jederzeit hat er aus vollem Herzen sein ganzes geistiges Vermögen ausgeschüttet, in größern Barren und ohne sich die Mühe zu geben, dieselben vorerst zur gangbaren Scheidemünze für den geistigen Verkehr auszumünzen. Darum haben seine Gegner häufig Gelegenheit gefunden, über die Unausführbarkeit seiner Ideen in inhaltleeren Phrasen sich auszulassen, und selbst den flachen Wortwitzen mehrer Journalisten und ihrer Gesellen hat er wol zuweilen einige Blöße darbieten müssen. Er hat niemals seine Zeit damit verloren, solche Angriffe zurückzuschlagen. Was wird es auch den Krieger kümmern, wenn ihn vielleicht im Getümmel einer entscheidenden Schlacht irgend ein Insekt gestochen hat?

Auf der andern Seite haben indessen auch Diejenigen, welche besser mit ihm sympathisirten, den Wunsch nicht unterdrücken können, daß er da und dort mit genauerer Erwägung des historisch gegebenen Stoffes seine Ansichten entwickeln und größere Sorgfalt darauf verwenden möge, dieselben aus dem Reiche der Ideale in das der anschaulichen

Möglichkeit einzuführen. Allein wie man immer darüber denken mochte, und wie verschieden — wenn nicht der Art, doch dem Grade nach — auch diejenigen Ansichten waren, zu welchen sich Wirth selbst während seiner noch so kurzen literarisch-politischen Laufbahn bekannte, so müssen doch Alle darin übereinstimmen, daß er stets, im vollen Sinne des Wortes, glaubte, was er sagte. Dies ist es vor Allem, was ihm eine unleugbare Bedeutung gegeben hat, und darin liegt zugleich der Grund, warum man befugt ist, den Gang seiner politischen Bildung als den Typus für den wesentlich gleichen Bildungsgang von Vielen in unserm deutschen Vaterlande zu betrachten. Es lohnt sich also wol der Mühe, denselben etwas näher ins Auge zu fassen.

Schon in frühern Geschäftsverhältnissen hatte Wirth Veranlassung gefunden, eine rücksichtslose und aufopfernde Unbeugsamkeit des Charakters zu bewähren, sobald es durchzusetzen galt, was er einmal als Recht und Pflicht erkannt hatte. Seine eigentlich politische Laufbahn begann jedoch erst mit Anfang des Jahres 1831, als er — zur Zeit der Eröffnung der letzten baierischen Ständeversammlung — zur Berücksichtigung der ständischen Verhandlungen an Ort und Stelle von Baireuth nach München gekommen war, um hier die kurz vorher unternommene Zeitschrift: „Der Kosmopolit“, fortzusetzen. Er gab diese Zeitschrift auf, um die Redaction des im Cotta'schen Verlage erschienenen Tageblatts: „Das Inland“, zu übernehmen, dessen sich damals noch die Regierung als eines Organs für officielle Mittheilungen bediente, das jedoch gleichzeitig seinem Redacteur, so weit es unter der Herrschaft der Censur überhaupt möglich war, einen freien Spielraum zur Darlegung einer unabhängigen Meinung gewähren sollte.

Nicht lange vorher, am 28. Januar 1831, war die bekannte Ordonnanz des Ministeriums Schenk zur weitern Beschränkung der Preßfreiheit erlassen, und einigen als freisinnig anerkannten, zu Abgeordneten gewählten Staatsdienern war der Zutritt zur Ständeversammlung verweigert worden. Diese beiden Verfügungen, insbesondere die erstere, in der man eine Verletzung der Verfassung erblickte, hatten in Baiern vielfachen Tadel gefunden und unter Andern Beschwerdeadressen von Seiten der Städte Nürnberg, Würzburg und Bamberg hervorgerufen.

In demselben Sinne sprach sich Wirth aus. Ueberhaupt galt ihm die Freiheit der Presse für das höchste Palladium des freien Bürgerthums. Die Gewährung derselben erkannte er als das allzu lange vorenthaltene Recht des deutschen und insbesondere des baierischen Volkes und erblickte darin zugleich das einzige Mittel zu einer allmäligen und friedlichen Fortbildung des öffentlichen Lebens. Darum war vorzugsweise sein ganzes Streben diesem Gegenstande zugewendet, und so ausschließend waren fast alle seine Aufsätze auf dieses Eine gerichtet, daß sein Blatt, in dem sich fort und fort dieselben, schon ziemlich gebräuchlich gewordenen Ansichten wiederholten, während der ersten Zeit eine fast ermüdende Einförmigkeit nicht vermeiden konnte. Seine literarischen Gegner, unter andern die münchner „Eos“, verfehlten nicht, diesen Umstand zu benutzen und ihm den Vorwurf der Gedankenarmuth zu machen, einen Vorwurf, den er in der Folge durch die That glänzend genug widerlegt hat. Auch ließ er sich hierdurch nicht irren, sondern als ein eifriger Schmied Dessen, was er für das Heil des Volkes hielt, hämmerte er fort und fort auf dieselbe Stelle. Damit hat er wenigstens insofern einen richtigen Takt gezeigt, als es hauptsächlich einer fortgesetzten Wiederholung der Wahrheit bedarf, um dieselbe zum Volksglauben zu erheben, und als die öffentliche Meinung zumeist nur durch Gewöhnung an einfache Grundsätze bestimmt und gewonnen zu werden pflegt. In dieser ersten Periode schriftstellerischer Thätigkeit hatte seine Schreibart, eine gewisse ansprechende Leichtigkeit abgerechnet, noch nichts Ausgezeichnetes. Erst allmälig hat sich in seinem eignen Feuer auch sein Styl geläutert und höhern Glanz und Schwung gewonnen.

Wirth's nächste Bestrebungen und erstes Auftreten waren von der Art, daß man keineswegs berufen sein konnte, ihn für einen Anhänger einer sogenannten äußersten linken Seite oder nur überhaupt für einen Parteimann zu halten. Er verlangte einzig und vor Allem ein Preßgesetz, das nicht nur alle Ausschweifungen der Presse mit angemessenen Strafen belege, sondern auch dem Beleidigten durch ein rasches und unaufhaltbares Rechtsverfahren eine schleunige Genugthuung gewähre („Inland“, 1831, Nr. 69), ohne daß er schon jetzt wie in einigen spätern Aufsätzen das Dasein eines Preßgesetzes überhaupt aus dem Grunde für überflüssig oder gar für schädlich betrachtet hätte, weil jede Verletzung vermittels der Presse durch eine Berufung an die öffentliche Meinung vollständig wieder geheilt werden könne. Seine Foderung bestimmte er in der Folge genauer dahin, daß mit den Preßvergehen empfindlichere Strafe, d. h. Geld- und Gefängnißstrafe zugleich verknüpft werde; daß das Urtheil über Schuld oder Nichtschuld einer Jury zu überlassen sei, wozu jedoch auch die Collegialrichter verwendet werden könnten, und daß endlich die Eigenthümer der Journale eine angemessene Caution stellen sollten (Nr. 86). Gleichzeitig erkannte er an, daß die Freiheit der Meinungen wie jede Freiheit nur aus dem Begriffe der Selbstbeherrschung hervorgehe, und tadelte die bisherige periodische Presse in Baiern auch darum, weil man die öffentlichen Amts- und Regierungshandlungen häufig mit grundlosem Tadel überfallen und öffentliche Behörden wie einzelne Staatsbeamten durch unwahre Beschuldigungen in der öffentlichen Meinung herabzusetzen versucht habe. Hierbei beschränkte er sich nicht blos auf allgemeinen Tadel, sondern er suchte zugleich die Regierung gegen positive Anschuldigungen auswärtiger und inländischer Blätter zu rechtfertigen, der in Nr. 69 des „Inlands“ bezeichneten Tendenz seiner Zeitschrift gemäß: „durch Vertheidigung gemäßigter constitutioneller Principien die constitutionnelle Regierung und Verwaltung aus Grundsätzen und freiem Antriebe zu unterstützen, dabei zwar abweichende Meinungen unabhängig zu behaupten, jedoch mit allen Blättern, welche die Grenzen einer aufrichtigen und gegründeten

Opposition überschreiten, in die Schranken zu treten". Die erste Veranlassung zu solcher Gegenopposition gab ihm die Nr. 15 der Zeitschrift: „Das constitutionelle Deutschland". Die darin enthaltenen Artikel über Baiern, als „in dem Tone der höchsten Leidenschaft geschrieben", erschienen ihm als durchaus verwerflich (Nr. 83 u. 91). Zugleich erklärte er: „dieser Ausbruch der Leidenschaft in einem Strome exaltirter Declamationen nütze nie etwas, gefalle nur dem kleinen Haufen der Ueberspannten und schade nur der guten Sache, weil dadurch den Feinden der Preßfreiheit die Waffen in die Hand gegeben würden. Die groben Raisonnements wider die Person des Königs sänken zur Kategorie von Schmähungen herab. Kein Freund des Vaterlandes könne den Rath geben, zur Herbeiführung eines bessern Zustandes des Landes das bestehende Gebäude bis auf den Grund niederzureißen, um dafür ein neues aufzuführen, und nichts sei einem Staate schädlicher als rasche, durchgreifende Reformen." Noch später äußerte er sich in ähnlicher Weise gegen dieselbe Zeitschrift, indem er namentlich die dem Minister des Innern und dem Abgeordneten Rudhart gemachten Vorwürfe zurückzuweisen versuchte.

Nicht minder scharf trat Wirth gegen die Zeitschrift „Rheinbaiern" auf, besonders gegen das sechste Heft des zweiten Bandes, Jahrgang 1831. Als das Wesen einer oberflächlichen und leidenschaftlichen Opposition bezeichnete er (Nr. 87): „die heftige Foderung vollkommener Institutionen und allgemeiner Glückseligkeit ohne Berücksichtigung der vorhandenen Hindernisse und Schwierigkeiten; den bittern Tadel der Regierung wegen jeden Mangels, die Verbesserung möge in ihrer Macht liegen oder nicht; die Miskennung der Verdienste der Regierung und den Aerger über die durch das Gouvernement herbeigeführten Verbesserungen; die absichtliche Verdächtigung der unschuldigsten Handlungen der Regierung und das vorsätzliche oder leichtsinnige Andichten böser Absichten und pflichtwidriger Handlungen auf den Grund leerer Vermuthungen". Die Belege für eine solche oberflächliche und leidenschaftliche Opposition glaubte er überall in den verschiedenen, Baiern betreffenden Aufsätzen der Zeitschrift „Rheinbaiern" zu finden.

Wie in Beziehung auf Preßfreiheit und auf die Organe der Presse, so nahm er eine gleiche Haltung auch gegen die Organe der Regierung und bei der Beurtheilung ihrer Maßregeln an. Mit warmer Freude und mit der Erklärung, daß man, „um gerecht zu sein, zu allen Theilen der Verwaltung wieder Vertrauen schöpfen müsse", nahm er die Ankündigung des Königs von Baiern auf, daß derselbe beschlossen habe, im Interesse der Wahlfreiheit den Landständen einen Gesetzentwurf zur authentischen Interpretation der das Wahlrecht der öffentlichen Beamten betreffenden Bestimmungen vorlegen zu lassen. Nach Ankündigung eines solchen Gesetzentwurfs, sowie eines Preßgesetzes und bei der bevorstehenden Wiederaufhebung der Censur müsse man nunmehr der hierauf gegründeten Opposition ein Ziel setzen (Nr. 71 u. 82). Durch weiteres Eifern und durch bittere Bemerkungen werde man der Sache der Nation mehr schaden als nützen und in der Kammer der Abgeordneten eine Stimmung hervorrufen, die in der Folge bei Erörterung der materiellen Geschäftsgegenstände nur einen störenden oder hemmenden Einfluß äußern könne (Nr. 75, 76).

Mit Stolz glaubte sich Wirth zu dem Glauben bekennen zu dürfen, daß „Baiern keiner Rückschritte fähig sei". Selbst die von der öffentlichen Meinung verurtheilten Ordonnanzen glaubte er wenigstens entschuldigen zu dürfen und den aufrichtigsten Beifall einer Regierung zollen zu müssen, welche mit Unterwerfung unter die öffentliche Meinung die strengen Urtheile gegen Maßregeln, die früher Niemand getadelt, duldend und resignirend hingenommen habe. Noch bei einer andern Gelegenheit rühmte er die Regierung und äußerte sich öfters entschieden gegen jede systematische Opposition, deren letzter Zweck die Volksgunst sei, indem er zugleich der Deputirtenkammer wegen Behauptung der richtigen Mitte zwischen serviler Hingebung und ungerechter Opposition seine Lobsprüche zollte (Nr. 80, 87, 90, 93).

Die den bairischen Abgeordneten vorgelegten Resultate der Finanzverwaltung galten ihm als höchst erfreulich. Er nahm überhaupt Veranlassung, seine Achtung gegen den damaligen Finanzminister, Grafen von Armansperg, wiederholt auszusprechen (Nr. 68). Selbst über den Minister des Innern, als dieser versichert hatte, daß mit dem verhießenen Preßgesetze die im Januar angeordnete Censur wieder verschwinden werde, äußerte er: „daß ein solcher Minister, welcher erklärt habe, daß er die gründliche Verhandlung über die Gesetzmäßigkeit oder Gesetzwidrigkeit seiner Verordnung nicht scheue, sondern veranlassen werde, und welcher selbst denjenigen Journalen, die für Organe des Ministeriums gelten, eine freisinnige Tendenz und unabhängige Stellung nicht blos gestatte, sondern dieselbe verlange, wol in seinen Ansichten fehlgreifen, aber nie eine absichtliche Verletzung der constitutionellen Rechte des Volkes bezwecken könne". Nicht minder galt ihm die Thronrede für „die schöne Ergießung eines reichen und edeln königlichen Gemüths, die durch ihre rührende Einfachheit so tiefen Eindruck gemacht und das Vertrauen wieder erweckt habe" (Nr. 69).

(Der Beschluß folgt.)

Denkwürdigkeiten aus Griechenland in den Jahren 1827 und 1828; von Friedrich Müller aus Alfdorf, herausgegeben von P. O. Bröndsted. Mit einer vom bairischen Oberlieutenante Schilchen entworfenen Karte der Umgebung Athens. Paris 1833.

Die Entstehung dieser Schrift ist folgende. Ein junger Deutscher aus Alfdorf im Würtembergischen war mit Unterstützung des Grafen von Mülinen, jetzigen würtembergischen Gesandten zu Paris, und des hellenischen Hülfscomités in Frankreich nach Griechenland gezogen, um nebst so manchen andern Deutschen für die Unabhängigkeit der Griechen zu fechten; er wurde Major und Commandant des Forts Itschkale auf Morea, blieb in Griechenland während der Jahre 1827 und 1828, starb in letzterm Jahre nach einer kurzen Krankheit, einer Folge seiner Mühseligkeiten, und Oberst v. Heidegger, sein Freund, übersandte die Papiere des jungen Helden seinem vormaligen Wohlthäter, Hrn. v. Mülinen. Dieser übergab sie im vorigen Jahre dem gelehrten Dänen P. O. Bröndsted, der selbst durch eine vortreffliche archäologische, leider nicht vollendete Reise in Griechenland bekannt ist. Eben hat nun Bröndsted einige aus diesen Papieren gezogene Aufsätze Müller's mit einer Zueignung an den Grafen v. Mülinen, auf dessen Kosten vermuthlich das Werkchen bei Didot in Paris gedruckt worden, herausgegeben.

Man muß bedauern, daß Müller so früher hingerafft worden ist, denn aus dem Wenigen, was er hinterlassen, läßt sich schließen, daß er, wenn er länger gelebt hätte, vortreffliche Denkwürdigkeiten über Griechenland hätte liefern können.

Eigentlich befinden sich nur zwei Aufsätze in dem gedruckten Nachlasse. Der erste ist betitelt: „Einige Nachrichten über den jetzigen Zustand Griechenlands, und über den Krieg in Attika, besonders in militairischer Beziehung", und enthält anziehende Bemerkungen eines Augenzeugen, der, wie es scheint, während seines Aufenthaltes in Griechenland über den Charakter der Neugriechen so ziemlich enttäuscht worden war.

„Der unterscheidende Charakter der Neugriechen", sagt er, „ist ein gewandtes und lebhaftes Wesen, bei einem glücklichen Ebenmaße der verschiedenen Geistes- und Gemüthseigenschaften, was ihnen frühzeitig eine gewisse Selbstherrschaft und eine oft gefährliche Ueberlegenheit gibt. Bei Kindern äußert sich dieses am auffallendsten; weder boshaft noch gutmüthig, weder träumerisch noch ausgelassen, aber muthwillig und schlau, zeigen sie zuweilen für ihr Alter eine Besonnenheit und Sicherheit, welche in Erstaunen setzt. Die Habsucht ist sehr allgemein bei Jung und Alt und scheint wie angeboren. Was man Gemüthlichkeit nennt, bemerkt man selten unter den Griechen; doch sollen sie in freundschaftlichen und häuslichen Verhältnissen eine große Anhänglichkeit zeigen. Selten wird man einen Griechen in Affect und außer sich sehen, aber auch selten eine edle Aufwallung oder viel Mitgefühl bei fremden Leiden an ihm wahrnehmen; ebenso zeigen sie gegen das Verdienst wenig Erkenntlichkeit und gegen das Unglück wenig Entrüstung. Die Ursachen dieser moralischen Erscheinungen wird man zum Theil in der klimatischen Disposition zur Trägheit und Indolenz suchen müssen, welche den Charakter im Allgemeinen eine gewisse Stumpfheit, Passivität und Reizlosigkeit gibt, der aber die natürliche Lebhaftigkeit dieses Volks wieder als Gegengewicht dient."

Weiterhin spricht der Verf. von Verwilderung und Barbarei und meint zuletzt, man dürfe sich nicht wundern, „Griechenland als einen Tummelplatz des gröbsten Egoismus, des empörendsten Eigennutzes und der verächtlichsten Ränkesucht zu sehen, so sehr, daß die Schlechtigkeit bisweilen als Genie und das Laster wie eine liebenswürdige Unart erscheint."

Daß ein griechisches Heer von dem unserigen himmelweit verschieden sein muß, versteht sich nach dem Obigen von selbst. „Der Begriff der Ehre und die Idee der Vaterlandsliebe sind den Palikaren theils unbekannte, theils gleichgültige Dinge, und wenn man ihren Muth steigern will, so kann dieses nur durch Geldversprechungen geschehen." —

Sehr interessant ist, was der Verf. über ihre Art, sich zu verschanzen, berichtet. „Die letzte Stellung unmittelbar vor dem Feinde wird in der Regel bei Nacht bezogen, und wenn das Terrain keinen natürlichen Schutz gewährt, sogleich mit aller Anstrengung an der Verfertigung sogenannter Tambours gearbeitet. Diese Tambours sind runde oder eckige Verschanzungen von mäßiger Brustwehrhöhe und ohne Graben. Vor dieser Tambourlinie bauen sich die einzelnen Plänkler wieder kleine Brustwehren, welche man Meterisi nennt. In einer solchen Tambourstellung wird sodann der Feind erwartet, und von dieser Basis aus sucht man nach und nach dem Feinde das Terrain abzugewinnen... Im Lager der Palikaren erstaunt man über die Genügsamkeit dieser Menschen, die Behendigkeit, womit sie den Gefahren bald zuvorkommen, bald ausweichen, die Schärfe der Sinne, jede Bewegung des Feindes auszuspähen, jede Veränderung zu deuten; man bewundert, wie schnell sie sich zu helfen wissen und welche Anstelligkeit sie haben. Aber man fühlt auch den lebhaftesten Unwillen, den Krieg wie ein Possenspiel und als einen Gegenstand elender Habsucht behandelt zu sehen. Man zürnt über den stupiden Egoismus, womit jeder nur an sich selbst denkt, über die Feigheit und Grausamkeit, womit die Griechen den Namen ihres Krieges schänden."

Herr Müller liefert dann einen ziemlich ausführlichen Bericht über die unter seinen Augen vorgefallenen Kriegsoperationen.

Der zweite Aufsatz enthält die Regierungsgeschichte Kapodistrias' in der ersten Hälfte des J. 1828, eine wahrhafte Lobrede auf den Präsidenten, von dem ein Russe nicht günstiger urtheilen könnte als unser junger deutscher Offizier. Er behauptet, Kapodistrias habe die Lage Griechenlands besser erkannt als die Griechen. Warum hat er dann so oft fehlgeschossen!

Das dritte Stück ist ein letzter Brief, den Müller an den Grafen von Mülinen schrieb, und worin er ihm noch einige Nachrichten über die Lage der Dinge im Juni 1828 mittheilt. Dann folgt ein Brief von Heidegger, welcher den Tod des braven Jünglings und die Uebersendung seiner Papiere meldet. 74.

Literarische Notizen.

Eine neue Biographie des Hauptgründers der englischen Kirche: „The life of archbishop Cranmer; by the rev. *Henry John Todd* M.A." (2 Bde., London 1832), zeichnet sich durch Beibringung neuer Documente über das Leben und die Schicksale dieses viel gepriesenen und viel verschrienen Mannes aus und ist vorurtheilsfrei geschrieben. Mehr als „schildert mich wie ich bin", würde Cranmer selbst nicht verlangt haben, bemerkt das „Quarterly review" darüber.

Wichtig in Bezug auf die neueste englische Statistik ist das nunmehr vollendete Werk: „A topographical dictionary of Great-Britain and Ireland; compiled from local information and the best official authorities. With an appendix, containing the new population return, alphabetically arranged, and an analysis and statistic tables in explanation of the alterations effected by the three acts and boundary bill passed to amend the representation. By *John Gorton* etc. Accompanied by a series of fifty-four quarto maps" (3 Bände, London 1832). Der Verf. ist als Herausgeber des „General biographical dictionary" bekannt. Englische Blätter rühmen die Zuverlässigkeit dieses nützlichen Buches.

Anselm von Feuerbach's Schrift über *Kaspar Hauser* ist ins Englische übersetzt worden; sie kommt der „Literary gazette" in vieler Beziehung geistreich und merkwürdig, in einer den Deutschen eignen Art geschrieben und wegen ihrer philosophischen Spitzfindigkeiten recht amusant vor.

Der „Hobart Town courier" vom 7. Sept. 1832 enthält die Ankündigung einer neuen Wochenschrift: „The currency lad", für Sydney; der Herausgeber ist in Südwalis geboren und heißt Horatio Wills. Zum Verständniß des Titels diene, daß unter currency population die in der Colonie geborene weiße Bevölkerung, im Gegensatz von sterling population, den eingewanderten Weißen, verstanden wird.

Von der Gräfin Blessington, bekannt als Byron's Freundin, wird ein Roman: „The repealers", erwartet, in welchem sie den traurigen Zustand Irlands schildern will.

Nach Byron's Werken wird bei Murray eine gleich ausgestattete Ausgabe von Crabbe's Werken erscheinen. 8.

Redigirt unter Verantwortlichkeit der Verlagshandlung: F. A. Brockhaus in Leipzig.

Blätter

für

literarische Unterhaltung.

Sonnabend, —— Nr. 187. —— 6. Juli 1833.

Zur Beurtheilung des Dr. J. G. A. Wirth.

Ein Beitrag zur Bildungsgeschichte der politischen Ansichten.

Erster Artikel.

(Beschluß aus Nr. 186.)

Die Mittel zur materiellen Erleichterung des Volkes fand Wirth nicht sowol in einer Herabsetzung der Steuern und Lasten, weil in dieser Beziehung weniger zu thun sei, da bereits das vorgelegte Budget nicht unbedeutende Ersparnisse vorschlage, und da die meisten Ausgaben unabweisbare Bedürfnisse zum Gegenstande hätten, als vielmehr in einer gleichern Vertheilung der Lasten, vorzüglich durch Mitbesteuerung der Capitalisten, sowie in einer Erweiterung der Erwerbsquellen. Für diesen letztern Zweck schien ihm besonders heilsam und nothwendig: die Errichtung einer Nationalbank zur Unterstützung aller Geschäftsleute aus dem Handels-, Gewerb- und Fabrikstande; die Gründung einer Creditanstalt für Grundeigenthümer; die Beförderung der innern Communication durch Anlage von Eisenbahnen und Kanälen; die Entbindung der Gemeinden von der Last der Armenpflege und ein Institut zur Erziehung und Ausbildung armer Kinder, wofür die erfoderlichen Summen unter der Bedingung vorgeschossen werden sollten, daß die auf Kosten des Instituts gebildeten Individuen, in der Folge zu hinreichendem Auskommen gelangt, die verwendeten Summen mit Zinsen und verhältnißmäßiger Prämie zurückzuzahlen hätten. Diese Unternehmungen sollten hauptsächlich durch das Volk selbst und durch das Mittel freier Associationen, wobei die Regierung nur die Initiative zu geben und für allgemeine Belehrung zu sorgen habe, ins Leben gerufen werden (Nr. 78).

Wenn dies Alles geschehen sei, solle man ferner daran denken, die Schranken des Handels fallen zu lassen. In einem größern Aufsatze (Nr. 79—82) suchte er sodann zu beweisen, daß durch hohe Zölle nur der Nationalwohlstand zerrüttet und ein unnatürlicher Zustand künstlich erzeugt werde. Er bekämpfte darin namentlich das Vorurtheil, daß durch solche hohe Zölle eine heilsame und naturgemäße Industrie des Inlandes befördert werden könne, und schien zunächst die Herstellung einer völligen Handelsfreiheit mit Aufhebung aller Zölle und Mauthen, auch der gegen das Ausland gerichteten, im Auge zu haben. In der Folge modificirte er jedoch seine Ansicht dahin, daß er wenigstens Gleichheit der Retorsionsmaßregeln und Repressalien gegen die Störungen des freien Handels und Verkehrs von Seiten fremder Völker foderte (s. „Die politische Reform Deutschlands", S. 18). Endlich verlangte er eine vollständige Lösung aller Fesseln der Gewerbe, jedoch mit Entschädigung für alle durch lästigen Titel erworbenen Monopole, Privilegien oder Realrechte, sowie vollständige Befreiung des Grundeigenthums von allen Ueberbleibseln des Feudalwesens.

In spätern Aufsätzen, vorzüglich in seiner letzten Schrift: „Die politische Reform Deutschlands", verbreitete sich Wirth, in das Einzelne genauer eingehend, über jene verschiedenen Gegenstände und suchte die Ausführbarkeit seiner Vorschläge in helleres Licht zu setzen. Was insbesondere ihre Ausführung in Baiern betrifft, so schien es ihm genügend, wenn für diesen Zweck die Krone sich nur zu einer momentanen Verminderung der Civilliste verstehen wolle, da bei aufblühendem Wohlstande der Nation immerhin auch der Hofetat wieder erhöht werden könne, und er fand die Quelle des Unglücks für Baiern hauptsächlich nur darin, daß man selbst zu einem vorübergehenden Opfer dieser Art nicht geneigt sei („Deutsche Tribüne", Nr. 122). Mehr und mehr wurde er jedoch in der Folge auf die Ueberzeugung geleitet, daß die jetzigen politischen Verhältnisse der Realisirung seiner Vorschläge unübersteigliche Hindernisse in den Weg legten, vorzüglich aus dem Grunde, weil durch die Unterhaltung kostspieliger Hofhaltungen und zahlreicher stehender Heere die Kräfte des Volkes in anderer Weise in Anspruch genommen würden. Auch von dem Standpunkte aus, von dem er die materiellen Interessen ins Auge faßte, mußte er sich hiernach immer entschiedener gedrungen fühlen, eine politische Grundreform im Geiste des demokratischen Princips als die erste und nächste Bedingung zur Herbeiführung eines bessern Zustandes geltend zu machen.

Die Behandlung der materiellen Gegenstände des Volkswohls gehört mit zu den glänzendsten Partien von Wirth's politisch-literarischer Thätigkeit, und grade in dieser Beziehung ist ihm noch lange nicht die verdiente Beachtung zu Theil geworden. Mag man auch in einzelnen Punkten nicht durchaus seiner Meinung sein und hier und da eine genauere Darlegung der Ausführbarkeit seiner Vorschläge vermissen, so wird man sich doch mit dem Wesentlichen derselben befreunden, sobald man sich erst die Mühe gibt, die Entwickelung seiner Ansichten in ihrem ganzen Zusammenhange zu verfolgen. Zunächst dürfte eine oberflächliche Betrachtung des von Wirth gemachten und näher begründeten Vorschlags einer Nationalbank zur Unterstützung aller gewerblichen und industriellen Unternehmungen manchen Zweifel erwecken. Diese Zweifel werden verschwinden, sobald man die organische Verbindung dieses Instituts mit den weiter vorgeschlagenen Instituten ins Auge faßt. Um so mehr wird dies der Fall sein, wenn man betrachtet, daß z. B. in Schottland seit länger als einem Jahrhunderte mit ganz ähnlichem Zwecke ein Banksystem besteht, welches für dieses Land die hauptsächliche Quelle seines jetzigen Wohlstandes geworden ist, nur mit dem Unterschiede, daß dasselbe einzelnen Privatunternehmungen sein Dasein verdankt, während Wirth eine größere Concentration der Geldkräfte fodert und darum den nähern Schutz und die positive Beihülfe des Staats in Anspruch nimmt.

Nicht weniger leicht möchte sich der Anstand beseitigen lassen, der unter den jetzigen Verhältnissen nicht mit Unrecht gegen eine unbedingte Gewerbsfreiheit erhoben werden könnte, sowie gegen eine unbeschränkte Befugniß der Einzelnen, sich nach Belieben in dieser oder jener Gemeinde ansässig zu machen. Vor der Anerkennung dieses Rechts verlangt nämlich Wirth erst das Dasein und den Einfluß besserer Anstalten für gewerbliche Bildung. Sind aber diese letztern vorhanden, und wird überdies das Volk durch eine fortlaufende genaue Gewerbsstatistik von dem Zustande der Gewerbe in den einzelnen Orten und Gegenden des Landes in steter Kenntniß erhalten, so muß schon hierdurch einer Menge schlecht berechneter und übereilter Unternehmungen von Seiten der Privaten vorgebeugt werden. Ueberdies ist nicht außer Acht zu lassen, daß Wirth wenigstens jede Unterstützung von Seiten des Staats durch das Organ der Nationalbank für solche Individuen, die einem Geschäfte sich widmen wollen, von dem Ausspruche einer Art von Volksjury abhängig machen will. Insoweit würden also die verschiedenen Gemeinden immer noch das Mittel in Händen behalten, jedem leichtsinnig und thöricht begonnenen Unternehmen, das voraussichtlich nur zu offenbarem Nachtheile der Gemeinde und des Einzelnen ausschlagen könnte, hindernd in den Weg zu treten, sodaß hiernach die Befugnisse der Individuen und der Gemeinden wenigstens in dieser Beziehung als versöhnt und vermittelt erscheinen.

Während der ersten Zeit seines öffentlichen Auftretens beschränkte Wirth seine Thätigkeit, seine Vorschläge, seine Warnungen und Wünsche wesentlich auf den Zustand Baierns und auf den Gang der bairischen Regierung. Von einer politischen Reform Deutschlands war bei ihm vorerst nicht die Rede. Nur andeutend bemerkte er gelegentlich, daß Deutschland immerhin in einzelne selbständige Staaten abgetheilt bleiben möge, wenn diese nur ihre Hauptinteressen nicht in Widerspruch setzen und durch wesentliche Verschiedenheit der Staatsverfassungen nicht zu einer trennenden Kluft den Grund legen wollten. Gleichzeitig sprach er sich dahin aus, daß so wenig eine Republik als eine absolute Monarchie die Verfassung civilisirter Staaten bleiben könne, und daß nur der constitutionnelle Thron sich für ewige Zeiten zu behaupten vermöge (Nr. 85). Auch eiferte er gegen die Zeitschrift „Rheinbaiern", weil darin die Kammer der Reichsräthe für ein altherkömmliches, feudales Bollwerk zwischen Volk und Thron erklärt wurde, während doch sogar der überspannteste Volksmann in Frankreich, wenn er nur einige Erfahrung und staatsrechtliche Kenntniß besitze, die erbliche Kammer für das Wesen einer constitutionnellen Monarchie und für nothwendig halte, so lange diese nicht in eine Republik umgewandelt werden solle (Nr. 87).

Dagegen foderte Wirth zur Herstellung einer wahren Repräsentation und vermittels derselben zur Verbesserung des Zustandes des Landes eine bairische Parlamentsreform, insbesondere eine Verbesserung des Wahlgesetzes, sowie die Unabhängigkeit sämmtlicher Staatsdiener und Pensionnaire von dem Könige in Ansehung ihres Eintritts in die Kammer (Nr. 104). Ein Hinderniß zur Erfüllung dieses Verlangens erblickte er in der Annahme des von der Regierung den Landständen vorgelegten Entwurfs einer veränderten Geschäftsordnung, weil durch die Gewährung einer theilweisen und nicht wesentlichen Verbesserung das Bedürfniß einer gründlichen Reform um so weiter hinausgeschoben werde. Aus diesem Grunde schrieb er gegen die Annahme des vorgelegten Gesetzes, indem er zugleich die weitern zahlreichen und gerechten Foderungen im Interesse Baierns aufzählte und hiermit gegen den Vorwurf des Optimismus und Radicalismus sich verwahrte, da zwar jede Reform nur allmälig und mit größter Vorsicht vorgenommen werden, aber auch stets eine wesentliche Verbesserung und keine bloße Aenderung enthalten müsse (Nr. 108).

Nicht minder huldigte Wirth in Ansehung der auswärtigen Politik solchen Ansichten, welche man gewiß nicht umhin kann als sogenannte „gemäßigte Ansichten" anzuerkennen. Er pries es als ein Glück für Europa, daß in Frankreich die Gewalt in die Hände der Gemäßigten gefallen sei, weil hierdurch die Partei des Kriegs und der Anarchie niedergehalten werde; eine Partei, die bei dem deutschen Volke vergebens auf Anklang hoffe, da solches nur Abscheu fühle gegen politisches Zerwürfniß, gegen die Anwendung überspannter Freiheitstheorien, gegen die Umtriebe und leidenschaftlichen Bewegungen der französischen Exaltirten (Nr. 79). Ein besonders freudiges Ereigniß war ihm der Ministerwechsel in Frankreich, wodurch Périer, welcher die überspannte Partei mit Nachdruck zu bekämpfen suche, an die Spitze der Verwaltung gestellt wurde (Nr. 82). Noch an andern Orten eiferte er gegen die exaltirte Freiheitspartei, die keinem Ministerium Zeit lasse, sich zu befestigen und auf die Verbesserung des Zustandes der Nation hinzuwirken, und durch deren Schuld die neuen Institutionen in materieller Beziehung noch so geringe Früchte für das Volk getragen hätten. Für wahre Patrioten in Frankreich galten ihm daher nur Diejenigen, welche das neue Ministerium zu unterstützen suchten, und es war ihm sogar das Zeichen einer „rühmlichen Energie", als dieses Ministerium allen Staatsbeamten den Beitritt zu den Nationalvereinen verboten hatte (Nr. 84, 94). Als die nächste wohlthätige Folge der Reform in **England** erwartete er, daß auch dieser Staat, gleich Frankreich, zwischen dem Absolutismus und falschen Liberalismus in die Mitte treten und durch ein starkes Ministerium dazu beitragen werde, beide Extreme in Schranken zu halten. Von **Oestreich** glaubte er nach dessen bisherigem Benehmen voraussetzen zu dürfen, daß es die Schranken nicht übertreten und zu einem Kriege Veranlassung geben werde, wenn nur dem wiener Cabinete, insoweit demselben auf den Grund besonderer Verträge in den italienischen Angelegenheiten das Recht der Intervention zustehe, von Seiten Frankreichs keine Hindernisse in den Weg gelegt würden (Nr. 80). Die gleiche Sprache der Begütigung und Vermittelung führte er in Beziehung auf **Preußen**. Man dürfe nicht glauben — sagt er unter Anderm —, daß der preußische Staatsbürger der Freiheit entbehre, die ihm vielmehr in vollem Maße durch Schutz und Sicherheit seiner Person, seines Eigenthums und seiner Rechte gewährt werde; durch unparteiliche, unaufhaltbare Justiz, die bei der Trefflichkeit der Gerichtshöfe und bei den Vorzügen der Gesetzgebung in einem sehr guten Zustande sich befinde; durch die Vortrefflichkeit der Grundsätze der innern Verwaltung, die an Aufklärung diejenigen mancher constitutionnellen Staaten überträfen; durch sein geordnetes Finanzwesen und eine gewissenhafte und zweckmäßige Verwaltung. Nur für den **Fortbestand** von dem Allen sei auch für Preußen die Garantie einer freien Verfassung und einer freien Presse erfoderlich (Nr. 80). Endlich legte er eine nicht weniger versöhnliche Gesinnung bei Beurtheilung der **polnischen** Angelegenheiten an den Tag. Als französische Blätter die Nachricht enthielten, daß zur Beilegung des polnisch-russischen Kriegs von preußischer Seite Vergleichsvorschläge gemacht worden seien, wonach Polen den Kaiser Nikolaus von Neuem als König anerkennen, dagegen seine Constitution behalten und noch außerdem das Zugeständniß erhalten sollte, daß ein Russe weder zu einem Civil- noch Militairamte in Polen gelangen, daß keine russische Garnison dahin gelegt werden könne u. s. w., so schien es ihm höchst wünschenswerth, wenn von Seiten der Polen den Vorstellungen des preußischen Hofes Gehör gegeben würde (Nr. 83). Selbst in der Folge drückte er noch seine Hoffnung auf eine friedliche Ausgleichung der polnischen Sache aus und auf die Möglichkeit eines Uebereinkommens, etwa durch Bewilligung einer freiern Verfassung unter der Garantie der andern Mächte, wenn nur die Polen nicht allzu hartnäckig auf die Ausschließung der russischen Dynastie bestehen wollten (Nr. 94).

Wie gemäßigt übrigens Wirth in jeder Weise auftrat, so konnte er doch, da er in Ansehung Baierns mit Wärme seine Ueberzeugung vertheidigte, dem Vorwurfe einer leidenschaftlichen Opposition gar bald nicht mehr entgehen. Einen solchen Vorwurf glaubte er in Nr. 88 des „Inlandes" zurückweisen zu müssen, da man einen seiner frühern Aufsätze in der Art misdeutet hatte, daß man darin eine Auffoderung zu ungesetzlichen Schritten finden wollte. Mehr und mehr trat ihm inzwischen auch die Censur hindernd entgegen. Daher die Erklärung an das Publicum, daß grade diejenigen Aufsätze, welche die aus den Hauptprincipien consequent entwickelten Folgesätze näher darlegen und mit dem praktischen Leben in Verbindung bringen sollten, **nicht** erscheinen könnten; daß sich unter diesen Umständen ein Journal mit Grundsätzen und Selbständigkeit nicht schreiben lasse; daß daher die Redaction bis zur verfassungsmäßigen Freiheit der Presse ausschließend auf Relationen sich beschränken werde (Nr. 97). Gleichwol setzte er bald darauf seine raisonnirenden Aufsätze fort und wies namentlich in mehern Artikeln auf das landständische Recht der Steuerverweigerung hin für den Fall, daß die Regierung, im Widerspruche mit dem Urtheile der öffentlichen Meinung, noch fernerhin die Aufhebung der Censur verzögere. Seiner Versicherung nach hatte ihn die Auffoderung seiner Abonnenten bewogen, ohne hartnäckigen Kampf der Censur den Platz nicht zu räumen (Nr. 101). Die von der Censur gestrichenen Artikel ließ er daher nunmehr in besondern, censurfreien Flugblättern abdrucken und verbreiten. Hiervon war die Folge, daß das „Inland" unter die gewöhnliche Censur der Kreisregierung gestellt wurde, und daß von nun an dieses Journal in jeder Beziehung aufhörte für ein ministerielles Blatt oder halbofficielles Organ der Regierung gelten zu können. *) 156.

Die Grafen von Habsburg. Eine von der Universität zu Halle gekrönte Abhandlung über Genealogie und Besitzungen dieses Geschlechts bis zur Thronbesteigung Rudolfs im Jahre 1273, von **Rich. Roepell**. Halle, Schwetschke u. Sohn. 1832. Gr. 8. 20 Gr.

Eine von der Universität zu Halle gekrönte Abhandlung über Genealogie und Besitzungen dieses Geschlechts bis zur Thronbesteigung Rudolf's 1273 — Respect! — gewidmet dem Curator der Universität Ritter Delbrück und Herrn Prof. Dr. Leo — Vorsicht! Auf Tadel dieses Werkes müßte ja die Kronengeberin am Ende selbst antworten und die Männer, denen es gewidmet ist, müßten sich ihres Dedicationspathchens annehmen. Glücklicherweise brauchen wir uns nicht in Gefahr zu begeben, denn bis auf einiges Wenige und Unbedeutende hatten wir keine Ausstellungen zu machen; denn was kann der Verf. am Ende dafür, daß er nicht den ganzen Apparat, z. B. Eccard's „Origines Habsburg.", W. Jäger's „Konrad II." zusammenbringen konnte, und wahrscheinlich auch Fr. Gutermann's (der freilich auch Herrgottianer in der Genealogie des Hauses ist) „Kurzgefaßte Geschichte R. v. H. vor seiner Erhebung zum deutschen Könige nebst vorangehenden genealogischen Bemerkungen" (Frankfurt a. M. 1827, 47 S. 4.) nicht kannte? oder was kann er dafür, daß er mit den vorhandenen Hülfsmitteln trotz des redlichsten Willens und gründlichen Forschens auch noch nicht alle Dunkelheiten aufgehellt und alle Zweifelsknoten aufgelöst hat?

Es ist bekannt, welcher Unfug sonst mit der Genealogie getrieben worden ist. „Stammbäume trieben sie groß und dick in Mistbeeten mit vielem Glück" sagte ein Schalk, aber die

*) Der zweite und letzte Artikel folgt in einer der nächsten Lieferungen. D. Red.

Bäume brachten dem Gärtner nicht selten ein schönes Stück Geld. Das systema Perleonianum und Sigebertinum sind längst abgethan. Dagegen hielt man desto fester an der Abstammung des Hauses von Eticho, Herzog von Elsaß, um 662, wenn auch Vignier, Eccard, Herrgott, Schöpflin, Gebhardi auf ziemlich verschiedenen Wegen sich bis dahinauf und von darunter durchgearbeitet hatten. In neuerer Zeit ist Leichtlen davon abgegangen in seiner Abhandlung von den Zähringern (Freiburg 1831, 4) und stellt einen Herzog Gottfried von Schwaben († 709) oben an, von welchem in neunter Generation die berühmten Kammerboten Erchanger und Bertholdt und des erstern Sohn Guntram der Reiche um 950 abzuleiten wären. Unser Verf. beginnt blos mit einem reichen Guntram, den er aber nicht für denselben mit jenem reichen Guntram hält. Wer jedes dieser genealogischen Systeme einzeln betrachtet, dem könnte es gehen, wie jenem weisen Richter, der jeder Partei, die er anhörte, sagte: „Du hast Recht, und du hast auch Recht," und sie so mit allem ihrem Rechte unbefriedigt fortschickte.

Wir leben glücklicherweise nicht mehr in einer Zeit, wo auf solche Deductionen so ungeheurer Werth gelegt wurde, und wo sie über Wohl und Weh von Vielen entscheiden sollten, wie etwa in dem spanischen Erbstreite, wo man aus einer hier auch (S. 67) mitgetheilten Stelle der genealogischen Haupturkunde der Acta Murensia erweisen wollte, daß das Haus Oestreich gar nicht von den Grafen von Habsburg, mit denen es nur weiblicherseits verwandt sei, sondern von den wenig bekannten Grafen von Thierstein oder Homberg abstamme, sodaß das wiener Cabinet sich genöthigt sah, die Schrift des Pater Wieland in Muri von Rom aus unterdrücken zu lassen, daher die „Vindiciae vindiciarum Koppianarum" zu den seltensten Büchern gehören. Von Guntram dem Reichen an statuirt nun der Verf. historische Gewißheit; diplomatische indeß von Albrecht dem Reichen an, dem Urgroßvater K. Rudolf's. Dagegen werden nicht alle unsere Leser wissen, daß, während auf dem Continent alle männliche Habsburger seit fast 100 Jahren ausgestorben, die von K. Rudolf's Vatersbruder, Rudolf dem Stillen zu Laufenburg und Rheinfelden, gestiftete jüngere Linie noch heute in England fortdauert. Denn der eine Sohn des Stifters, Gottfried, ging nach England und wandelte seinen Namen von Rheinfelden in Fielding um; und so finden wir wirklich in des vor wenigen J. gestorbenen F. Baron von Reden „Tableaux généalogiques et historiques de l'empire britanique" (Hanover 1830, Fol.) (von denen wir in Nr. 198, und 199 f. 1831 Nachricht gegeben) Tabl. XXVIII lit. E. wirklich die Familie Fielding, Grafen von Denbigh, von denen noch 1823 ein Viscount Rudolf Wilhelm Basil erzeugt worden ist. Die von dem Verf. angenommene grade Abstammung ist also: Guntram, Lanzelin, Radeboto, Werner I., Albrecht II., Otto III., Werner II., Albrecht III. dives, Rudolf, Albrecht, Vater des Kaisers (s. die beigegebene Stammtafel).

Im siebenten Capitel schildert der Verf. das Leben K.'s Rudolf vor seiner Thronbesteigung. Die Fehden mit seinen nächsten Verwandten werden zum Theil seiner Anhänglichkeit an das unglückliche schwäbische Haus gegen den Papst, welchem jene anhingen, Schuld gegeben. Daß indeß auch andere Meinungen hierüber obwalten, beweist Meyer v. Knonau's „Handbuch der Geschichte der schweizerischen Eidgenossenschaft" (1824), der ihn „bis in seine männlichen Jahre hinein einen unruhigen Beförderer der Fehden, gefährlichen Nachbar, ungerecht gegen Verwandte, von seinem Oheim Hartmann von Kyburg, den er gekränkt hatte, enterbt und erst durch Schaden belehrt und besonnen geworden" schildert. Schön ist der S. 99 angeführte Zug Rudolf's, wie er, ohnehin bedrängt genug, auch den mächtigen Abt von St.-Gallen zum Feinde bekommen soll und, nur von einem Knechte begleitet, plötzlich vor den tafelnden Abt tritt und sagt: „Wir hattent ein Stoß, darumb bin ih herkommen. Was ir durs Recht han sont, daz ih üch gern lassen will!" So gewann er den Abt zum Freund und Bundesgenossen. Eine sehr mühsame und darum dankenswerthe Arbeit ist die im zweiten Abschnitt versuchte Bestimmung der speciellern Verhältnisse von Rudolf's Besitzungen vor seiner Thronbesteigung. Das Verzeichniß ist aus den Urkunden zusammengetragen und theils nach den Gegenden des Besitzes, z. B. an der Aar und Reuß, in den Grafschaften Baden, Lenzburg, Kyburg, Elsaß, theils nach den Besitzgegenständen und der Besitzqualität als Eigen und Lehen, oder nach Grundbesitz mit oder ohne Zwing und Bann, Zollstätten, Vogtsteuern geordnet. Ein eigner Abschnitt behandelt Zahl und Wesen der von Rudolf verwalteten Schirmvogteien, z. B. von St.-Gallen, Kl. Muri, Murbach und Luzern, Schännis. Wie einträglich die von St.-Gallen war, sieht man daraus, daß die Herzoge von Zähringen 4400 Mark Silbers dafür boten. Mit einem Verzeichniß der Ministerialen R.'s schließt diese ganze verdienstliche Arbeit. 20.

Notiz:

Vorschlag zu einer literarischen Bank.

In der letzten Jahresversammlung der Literary fund society, welche im März stattfand, ergab sich, daß die wohlthätigen Bewilligungen des Vereins diesmal den Betrag jedes frühern Jahres überstiegen. Die Mittel waren jedoch ausreichend gewesen, den erhobenen Ansprüchen zu genügen; es verblieb noch ein baarer Ueberschuß von 400 Pf., und ein Vermächtniß von 1200 Pf. war in Consols angelegt worden. Die Kasse des Vereins wird durch freiwillige Beiträge gefüllt. Vielleicht war es das Resultat dieses Jahresberichts sowie die gleichzeitig für die Herren Banim und Leigh Hunt zur Unterstützung ihrer bedrängten Verhältnisse eröffneten Subscriptionen, welche dem „New monthly magazine" Veranlassung gaben, die Frage zu besprechen, ob Literaten nicht durch ein auf Gegenseitigkeit begründetes Institut vor den Folgen gesichert werden könnten, womit die Ungewißheit ihres Einkommens sie bedroht. Natürlich kann nur von solchen die Rede sein, welche ein hinlängliches Einkommen zu erwerben vermögen, deren Umstände aber nichtsdestoweniger durch tausend mit ihrem Stande verbundene Zufälligkeiten in Verfall gerathen können. Schwer ist es für sie, sich aus der Verschuldung herauszuarbeiten. Theils steht die Muse nicht immer zu Gebote, theils ist auch nicht ein Jeder geeignet, in angemessener Weise für sein zeitliches Gute zu sorgen und auf einen Nothpfennig zu halten. Die Hauptsache ist natürlich, den individuellen Mangel an Capital durch Association zu heben. Durch eine literarische Einkommen- und Lebensversicherungsbank würde dies zu bewirken sein. Die Beamten derselben würden sich von denen anderer Banken nur durch ihre Kenntniß literarischer Sicherheit unterscheiden. Die Sache müßte ungefähr folgendergestalt eingeleitet werden. Der Schriftsteller wendet sich an den Geschäftsführer der Bank, belegt hier den Belauf seiner letzten Jahreseinnahmen und macht ihn mit seinen literarischen Verbindungen bekannt, inwiefern diese einen Theil seines Einkommens sichern. Hierauf wird es den Geschäftsführer nicht schwer fallen, dem erwähnten Schriftsteller, der zugleich sein Leben bei der Gesellschaft versichert, die Summe zu nennen, welche er von der Bank in bestimmten Raten monatlich unter der Bedingung erheben kann, daß er ihr alle seine Einnahmen zu späterer Berechnung überweist. Die Kosten der Verwaltung würden durch Abzug weniger Procente, durch Eintrittsgelder, jährliche Beiträge, oder auf eine ähnliche Weise leicht zu bestreiten sein, und auf dieselbe Art würde auch ein Sicherheitsfonds errichtet werden können. „Kommt ein solches Institut nicht zu Stande", sagt dasselbe Blatt, „so wird ein Grund davon die Sorglosigkeit der Literaten in Bezug auf ihre eignen Angelegenheiten sein, und doch spricht grade diese am nachdrücklichsten dafür." 8.

Redigirt unter Verantwortlichkeit der Verlagshandlung: F. A. Brockhaus in Leipzig.

Blätter für literarische Unterhaltung.

Sonntag, — Nr. 188. — 7. Juli 1833.

Finanzen des Königreichs Dänemark und der Herzogthümer Schleswig und Holstein.

Die Geschichte der Finanzen Dänemarks wie fast aller größern und kleinern Länder ähnelt darin der Kirchengeschichte, daß der Hauptinhalt in Irrthümern und Misgriffen besteht. Hier sind's die Abweichungen von der einfachen Lehre des Evangeliums; aber trotz aller glänzenden Künste der Irrlehrer siegt immer wieder und wieder die heilige Einfalt der göttlichen Lehre: liebe Gott über Alles, deinen Nächsten wie dich selbst! Dort gilt eine nicht minder universale für Schloß und Hütte, für die kleine Erde und das Weltensystem souveraine Regel: das Einmaleins. Trotz allen Künsten eines Law, eines Terray, ja eines Pitt, des uneigennützigsten und verschwenderischsten Finanzministers, ist der Häusler im Stande, die englischen Finanzen, die französischen Finanzen zu beurtheilen. Jeder, der die hamburger Zeitung liest, thut es; aber wenn von den Finanzen der Heimat die Rede ist, soll man nur loben, nicht urtheilen dürfen! Ein und derselbe Maßstab gilt für den Haushalt des Königs und des Arbeiters. Ob ich mit Millionen oder mit Schillingen rechne, gleichviel; gebe ich, gibst du mehr aus, als die Einnahme ist, so wirst du arm, oder bist es schon. Und kommt Mephistopheles abermals an den kaiserlichen Hof und treibt seine Künste und creirt unermeßliche Schätze von Papiergeld, der Knabe aus der Dorfschule tritt ihm entgegen mit dem zaubervernichtenden Einmaleins und alles Blendwerk hat ein Ende. Es gibt keine geheime Finanzkunst mehr; aber wol gibt es leider noch viele Geheimnisse der Finanzrechnungen, und leider ist die Kenntniß von den Wirkungen der verschiedenen Steuern bei den Regierungen noch sehr unvollkommen.

Der erste Schritt zur Besserung ist Oeffentlichkeit der Finanzen, aber vollständige; einzelne Blätter aus einem Rechnungsbuche helfen zu nichts. Wenn eine Regierung noch ferner ihre Finanzen verheimlicht, trotz formeller Angelobungen des Gegentheils, so hat sie ohne Zweifel triftige Gründe, wenngleich nicht von der Art, wie sie unsern Wünschen und billigen Foderungen angemessen sind. Die dänische Regierung hat seit 1813 tiefes Stillschweigen über die Finanzen beobachtet, ungeachtet seitdem die große Anleihe in England gemacht worden, ja, wie es heißt, mehre wichtige Zweige der Staatseinnahme verpfändet worden. Herr Grossirer (Kaufmann en gros) Nathanson in Kopenhagen hat ein Werk über die dänischen Finanzen herausgegeben, von dessen erstem Theil in Nr. 15 d. Bl. die Rede gewesen, nicht weitläufig, wie es für d. Bl. paßt. Jetzt ist der zweite Theil erschienen. Die Thesis bleibt dieselbe: die Einnahmen des Staats haben zugenommen durch Steuern, also sind die Finanzen blühend. Inzwischen ist Herr N. ehrlich genug zuzugestehen, was auf allen Börsen bekannt ist, daß die dänische Regierung in derselben Periode neue Schulden und große Schulden contrahirt hat. Herr N. scheint durch sein Werk nicht viel Freude geerntet zu haben. Die Regierung schweigt und will Stillschweigen über die Finanzen, also paßt es durchaus nicht für ihr System, daß die Aufmerksamkeit des Publicums auf die Finanzen hingelenkt und durch viele einzelne Angaben eine Menge Stoff zum Gerede gegeben wird. Daß das Licht der Oeffentlichkeit die Misbräuche erhelle, ist allenthalben die Furcht der Höfischen; daher Abscheu vor der Presse. Die Vaterlandsfreunde, die wahren Freunde des Königs, welche das Wohl des Königs und des Vaterlandes für unzertrennlich halten, sind unzufrieden mit Herrn N., weil er weit davon entfernt ist, in dem Sinn und Geist des tugendhaften Portalis zu sprechen, welcher sich nicht scheute, Karl X. zu warnen und aus wahrhaftiger Liebe zum König wie zum Gesetz unangenehme Wahrheiten zu sagen. Absit omen! Aber es ist leider allzu wahr, daß es eine Menge kleiner Polignac gibt außer Ham, bei denen es nicht möglich ist, zu unterscheiden, ob sie mehr bethörend oder mehr bethört sind. Alle Staatsmänner und Politiker, welche die Thatsachen nicht nehmen, wie sie sind, und auf diese Basis bauen, sondern ihre Lieblingsthesis in die Luft hinstellen, sind mehr oder weniger verwandt mit Polignac. Ein sonderbares Zwittergeschlecht sind aber die finanziellen Polignac, welche mit Worten gegen Zahlen angehen wollen. Herr N. spricht in seinem zweiten Theile gar viel von „seinen Gegnern", scheint de bonne foi alle Diejenigen, welche wünschen, daß die Finanzverwaltung öffentlich sei, gemäß dem königlichen Befehle, und daß die Ausgabe die Einnahme nicht übersteige, gemäß dem Einmaleins, für „seine Gegner" zu halten.

S. 315 und 316 antwortet er auf die in d. Bl. Nr. 15 befindliche Anzeige des ersten Theils seiner Schrift. Aber wie? Sowie ein Schuldner, der, statt am Verfalltage seinen Wechsel zu honoriren, mit unhöflichen Worten zahlen wollte. Ein Solcher erklärt sich für insolvent. Von einem Schriftsteller über Finanzen, der nun, wo es um Zahlen zu thun ist, statt mit Thatsachen, Zahlen und Gründen zu antworten, nur Schimpfreden zu geben hat, nehmen wir Abschied. Er hat sich für insolvent erklärt.

Für die übrigen Leser d. Bl. noch Folgendes zu geneigter Aufmerksamkeit.

1. Die Grundsteuer ist binnen 12 Jahren verdreifacht worden in den Herzogthümern Schleswig und Holstein, das habe ich gesagt; und was ich von vaterländischen Dingen bestimmt sage, abgesehen von Meinungen, das ist wahr und bleibt wahr. Hört, kommt und seht!

Das adelige Gut N—f in Holstein hat bezahlt an directen Steuern und königlichen Lasten im Jahre 1801: Contribution 144 Speciesthaler (1 Speciesthaler = 60 Schil. hamb. Cour.); im Jahre 1802 kam hinzu die Grund- und Benutzungssteuer mit 206 Speciesthalern (diese Steuer ist seitdem öfter modificirt worden, öfter erhöht, sodaß sie bis zur Hälfte wieder moderirt ward); im Jahre 1813 kam hinzu die sogenannte Reichsbankhaft, die Zinsen betragen 361 Speciesthaler.

Das adelige Gut P—r in Holstein hat bezahlt an directen Steuern in die königliche Kasse im Jahr 1801: Contribution 172 Speciesthaler; im Jahre 1802 kam hinzu die Landsteuer mit 251 Speciesthalern; im Jahre 1813 Zinsen der Reichsbankhaft mit 262 Speciesthalern. Summa: Beide Güter bezahlten an die königliche Kasse im Jahre 1801 306 Reichsthaler Cour. (= 48 Schil. hamb. Cour.). Im Jahre 1832 zahlten beide Güter an die königliche Kasse 3368 Reichsbankthaler (= 30 Schil. hamb. Cour.). Außerdem sind alle Communalabgaben für Kirche, Schule, Arme, Gerichtshalter, Criminaljustiz, Polizei, Wege u. s. w. zu tragen.

So ist's. Und dennoch haben angesehene Männer sich nicht entblödet, jahrelang zu sagen, es fehle an Geld zu den wichtigsten Institutionen in den Herzogthümern, namentlich zur Einrichtung eines Oberappellationsgerichtshofes. Noch in diesem Augenblick besitzen die Herzogthümer Schleswig und Holstein kein Oberappellationsgericht, keinen einzigen reinen Gerichtshof, der nichts mit administrativen Geschäften zu thun hätte.

So ist's mit den Steuern in Holstein. Und dennoch haben angesehene Männer sich nicht gescheut, jahrelang zu sagen, es fehle an Geld für die Landesuniversität Kiel.

So ist's. Und dennoch wird eine specifische, directe Grundsteuer ausgeschrieben für das Irrenhaus.

2. Erst im vorigen Jahre ist die Kopfsteuer aufgehoben von den Armen, welche aus öffentlicher Kasse Almosen empfangen; bis dahin mußte von Armen im Armenhause Kopfsteuer bezahlt werden. C'est tout dire, um die Stufe, auf der die Finanzkunst steht, zu beurtheilen.

(Der Beschluß folgt.)

Neuere französische Romane.

Auf dem Felde des Romans herrscht dermalen in der französischen Literatur ein solches Drängen und Treiben, die verschiedenartigsten Bestrebungen durchkreuzen sich in so divergirenden Richtungen, um einerlei Preis, die Gunst des Publicums, zu gewinnen, daß es seine Schwierigkeit hat, überall das Bedeutungsreichere [illegible] wahrzunehmen. Andeutungen in diesem Sinne zu geben, ist daher vor der Hand unser Hauptzweck. In bunter Reihe, wie es der Tag erzeugt, wollen wir aufzählen, was uns in irgend einer Art bemerkenswerth schien. Classificirt es sich von selbst, wie z. B. die eine politische Farbe tragenden, die historischen, die Seeromane u. a. m., so werden unsere Leser schon wissen, wohin damit. Nähere und strengere Entscheidung bleibe billig der Zeit überlassen, wo die aus England und Deutschland nach Frankreich verpflanzten Elemente eines neuen Geschmacks sich mit dem französischen Blute enger verbunden und in den neuen Farben reiner ausgesprochen haben werden als zeither, wo, wie in jeder solcher Uebergangsperiode, sich manches Talent darin gefällt, das Fremdartige seines Musters aufs unmäßigste zu steigern, und dabei seinen Zweck natürlich verfehlt.

„Un mariage sous l'empire", von Frau S. Gay (2 Thle.), eine gute Arbeit aus weiblicher Feder, nicht ganz ohne die gewöhnlichen schwachen Seiten der von Frauen verfaßten Romane, allein auch reich an den besondern Schönheiten derselben. Die Geschichte fängt mit einer Heirath an und endigt mit Liebe. Napoleon will für Glück und Glanz seines, einem alten Geschlecht angehörenden Adjutanten Lorency dadurch sorgen, daß er ihn mit der Tochter des reichen Armeelieferanten Bremneval verheirathet. So schürzt die Kaiserzeit den Knoten; denn diese Ehe wider Willen steigert das Unheil in ihrem Gefolge nach und nach bis zur Untreue, hinter der schon die Scheidung lauert, bis es der Restauration gelingt, auch diese Herzen zu versöhnen und in Liebe zu vereinigen. Unter den gelungensten Schilderungen, welche dieser Roman enthält, zeichnen wir den Tod eines Kindes vorzugsweise aus. Eingeflochten sind eine Menge Anekdoten von Napoleon, Schilderungen des gesellschaftlichen Zustandes während der Kaiserzeit, und Scene und Decoration ist im Ganzen sehr lebhaft und anziehend, doch letztere oft etwas breit gehalten; auch der berühmte, brennende Ballsalon des Fürsten Schwarzenberg spielt eine wichtige Rolle.

„Les deux cadavres", von Fr. Soulié (2 Bde.). Der Julirevolution müde, hat der noch junge Verf. bei der englischen Revolution Trost gesucht. Mit selbstgefälliger, empörender Kälte schildert er die blutigen und die politischen Leidenschaften älterer Umwälzungen und die wahren und vermeintlichen Illusionen der französischen von 1830. Das englische Colorit ist nicht ohne Glück wiedergegeben. In Whitehall sieht er das Haupt Karl I. fallen; seine Frage an den Metzger und Republikaner: ob Verurtheilung und Hinrichtung eines Königs ein Verbrechen? beantwortet ein erbauliches Nein. Vom Besiegten eilt er zum Sterbebette des Siegers und sieht Cromwell verscheiden. Jetzt, beider Leichname versichert, tritt die englische Restauration im französischen Gewande auf. Er frohlockt, Tyburn morgen frisch geputzt zu sehen; Greuel wälzt sich auf Greuel; der Bruder würgt den Bruder im Vaterhause und neben der Wiege, die Beide geschaukelt. Alle Leidenschaften werden entfesselt, Alles wird feil in diesem grauenvollen Romane, der keine Thräne für menschlichen Jammer hat. Endlich will Karl II. den Triumph der Restauration vollenden, indem er Cromwell's Leiche auszugraben und an den Galgen zu hängen befiehlt. Aber in der Nacht vorher stehlen Republikaner Karl I. Ueberreste aus ihrem bleiernen Sarge, hüllen sie in Cromwell's Leichentuch, und als jetzt des Königs Befehl vollzogen wird, trennt sich zum Entsetzen Aller, mit schauderhafter Symbolik, das Haupt von den Gliedern.

„Le puritaine de Seine et Marne", von Mich. Raymond, ein Name, der einer literarischen Firma gleicht, indem sich drei Schriftsteller bisher dahinter verbargen, nämlich, laut [illegible], die Herren Gozlan, Masson und Brucker. Der Letztere ist Verf. des „[illegible]", einer Mischung widerlicher und verzerrten Charaktere, wie sie nicht grade häufig ist. Fast kein Buchstabe von Boileau's bekanntem Ausspruch:

Il n'est pas de serpent ni de monstre odieux,
Qui par l'art imité ne puisse plaire aux yeux

ist hier zur Ausführung gekommen. Auffallend daran ist eine gewisse Ähnlichkeit mit „La nièce du Tabellion" und mit dem Pegasus des Hrn. Janin, dem „Todten Esel". Johanna, die Tochter Bertrand's, eines Soldaten der Republik, dann Müllers bei Meaux, verzogen vom Vater, endlich auf des ehrwürdigen Pfarrers Rath einer Nachbarin zur Verbesserung ihrer Erziehung übergeben, von dieser aber dem schmutzigsten Laster verrathen, wird endlich vom kummergebeugten, greisen Vater, der zuletzt ohne alle Kunde von ihr ist, in der Hauptstadt und den Schlupfwinkeln des Elends gesucht und gefunden. Halbangekleidet entführt er bei Nacht die entstellte Tochter nach den Höhen von Chaumont, wo er 1814 zuletzt für Frankreich focht, und hält hier, ungerührt von ihren Thränen, Gericht über sie. Ein Pistolenschuß streckt sie todt zu seinen Füßen. Zwei Jahre später tödten ihn Reue und Schmerz. Nebenbei wird Paris schonungslos als die Grundsuppe aller Laster geschildert, wo Gutes nie gedeihen kann.

„Sous les tilleuls", von Alphonse Karr (2 Bde.). Das Debut eines gewiß talentvollen jungen Mannes und als solches, besonders in Hinsicht des ersten Bandes, eine erfreuliche Erscheinung. Dieser unterscheidet sich nämlich sehr vortheilhaft von den Schauer- und Trauergeschichten und Satansfesten der Phantasie, an denen die französische Literatur jetzt so überreich ist, und verräth eine gewisse Annäherung an bessere deutsche Muster. Stephan, ein Jüngling edeln Gemüths, mit heiliger Liebe einer Jungfrau zugethan, aber in ärmlichen Verhältnissen, spannt seine äußerste Kraft an, den Besitz der Theuern zu erringen. Endlich im Besitz der Mittel, ihr die Hand bieten zu können, kehrt er heim zum väterlichen Herd, zu Magdalenen. So weit unsern Beifall dem Verf.; aber von hier an scheint ihn der Modeteufel besessen und vermocht zu haben, sein offenbar widerstrebendes natürliches Gefühl nach dessen bizarren Foderungen zu modeln. Stephan trifft nämlich zur Hochzeitsfeier der Geliebten mit seinem ehemaligen Freunde zu Hause ein. Er hatte früher mit demselben, der ärmer noch war als er selbst, sein bescheidenes Brot gebrochen, zum Dank entreißt ihm der seitdem zu Geld und Gut gekommene die Geliebte. Hier ändert sich der Charakter des Buchs. Stephan lauscht und schaut während der Hochzeitsnacht durchs Schlüsselloch der Brautkammer, wofür er gesteinigt zu werden verdiente, wie sein Namenspatron, und was er von nun an beginnt, ist das Thun des Wahnsinnes. Und so schließt denn dieser idyllenartig beginnende Roman, der anfangs durch seine Zartheit bezaubert, mit grausiger Verführung und schaudererregender Profanation des Grabes.

„Le mutilé", von X. B. Saintine, ein grausenhaft düsteres Nachtstück, von origineller, jedoch, nicht zu vergessen, französischer Erfindung. Des Verf. Absicht war, den Untergang eines aller Möglichkeit der Mittheilung beraubten, ganz auf sein inneres Leben beschränkten Dichtergenies, also das stille Ausbrennen eines Vulkans und den Einsturz des Kraters zu schildern. Wie er dies versucht, vergegenwärtigt eine flüchtige Skizze seines Buchs am besten. Der Secretair des eiteln Pandolfo Norsini, eines römischen Edelmannes, gestand die Autorschaft eines beißenden Spottgedichts wider Papst Sixtus V. ein und wurde dafür auf Befehl des Oberhauptes der Christenheit der Zunge und beider Hände beraubt, um hinfort gänzlich schweigen zu müssen. Allein der also Verstümmelte, junge, liebenswürdige Dichter fand in Gaetana, der schönen ehemaligen Geliebten eines reichen und edeln Florentiners, eine freiwillige Gefährtin seines Jammers. Sie begleitete ihn in die Verbannung nach Toscana, wo ein abgelegenes Thal ihr Aufenthalt ward, hielt ihn ab, in den Trappistenorden zu treten, und floh endlich vor den Nachstellungen florentinischer Patrizier mit ihm ins Venetianische, wo eine abgelegene Hütte dem Paare einige Monate ein friedlich Obdach gewährte. Doch der [illegible] Anblick des unaussprechlich elenden Gefährten, die Unmöglichkeit jeder Verständigung nagten an Gaetana's Leben, und sie starb am gebrochenen Herzen. Aber noch über das Grab erstreckte sich ihre Sorge für den Geliebten. Mit dem Ertrage ihres verkauften Erbes ausgestattet, veranlaßte sie ihren eignen Pflegevater, sich nach ihr des Unglücklichen anzunehmen, und dieser zog mit ihm in die Einsamkeit der norischen Alpen. Hier, in der großartigen Gebirgswelt, entstand in dem Verstümmelten ein kühnes, erhabenes Gedicht, geeignet, ihm und seiner Muttersprache die Unsterblichkeit zu sichern; allein er kann es Andern nicht mittheilen. Zu diesem geistigen Jammer kommt auch noch leiblicher, denn Gaetana's Nachlaß ist erschöpft, die Zinsen, von welchen der Pfleger des Unglücklichen ihn und sich eine Zeit lang ernährte, hören auf, und da er sich nicht zu dem Geständnisse dieser Umstände entschließen kann, verläßt er den Verstümmelten, bei dem nur ein Hund zurückbleibt. Mit diesem schließt er sich einem nach Rom wallfahrtenden Trupp Salzburger an, trifft dort ein, als Sixtus V. auf dem Sterbebette liegt; es gelingt ihm, in dessen Gemach zu kommen, und plötzlich tritt er vor den Verscheidenden, die verstümmelten Arme hoch aufhebend, den zungenlosen Mund weit öffnend. Das Entsetzen tödtet seinen Peiniger auf der Stelle. Dann durch die Straßen irrend, sieht der Verstümmelte das Volk nach dem Capitol ziehen, dort einen Dichter zu krönen, der sich im Triumph dorthin begiebt. Er hört Stellen aus dessen Gedichten recitiren; sie scheinen ihm bekannt, er erkennt sie endlich für die, welche er ehemals für den eiteln Norsini gemacht; da naht dieser selbst auf dem Triumphwagen. Zur Wuth aufgestachelt, wirft sich der Unglückliche dem Zuge entgegen, allein Rosse und Wagen gehen mitleidslos über ihn hin. Ein frommer Mönch rettet ihn aus dem Gedränge und heilt seine Wunden. Hergestellt und auch von jenem Hunde verlassen, den er nicht liebkosen konnte, irrt er in den Wildnissen der Apenninen umher, bis er unter den Keulen der Hirten, die ihn für einen Zauberer halten, mit seinem Gedichte stirbt. — Schade ist es bei der im Ganzen poetisch zu nennenden Ausführung dieses Plans, daß der Verf. sich nicht zu beschränken und manche Länge zu vermeiden wußte. Als verwandt in der zum Grunde liegenden Idee schließt sich hieran:

„Stello", vom Grafen Alfred de Vigny (2 Bde.), ein Buch, welches binnen weniger als Jahresfrist drei Auflagen erlebt hat. Der Untergang der innern Welt des Dichters ist darin geschildert, den sie erleidet, wenn den erhabenen glühenden Gebilden seiner Phantasie, den zartesten Gefühlen seiner Seele die äußere Welt mit Kälte, Spott und Hohn entgegentritt. Saintine's Verstümmelter wird von seiner innern Welt erstickt, es ist nirgend ein Ausweg für die Schöpfungen seiner Seele vorhanden; de Vigny's Dichter wird von den Ereignissen und seinen Umgebungen, bildlich gesprochen, verschüttet. Neben der braven Durchführung zeichnet das letztere Buch eine sorgsame abgeglättete Sprache aus, und man thut dem Verf. nicht Unrecht, setzt man einen großen Theil seines Erfolgs auf Rechnung dieses, in Frankreich stets anerkannten und belohnten Vorzuges.

„Vertu et tempérament", von dem Bibliophilen Jacob (2 Bde.), dessen eigentlicher Name Lacroix ist. Er hat hier wieder einmal seiner mittelalterlichen Begleitung und Sprache entsagt und versucht es in modernem Französisch mit den Personen und Ereignissen aus der Restaurationszeit. Ein Ultra, ein [illegible] Abbé, Bonapartistin, wüthende Republikaner, Constitutionnelle, vornehme Leute und niedliche Modehändlerinnen, in Gesellschaft Aller die Polizei, [illegible] und intriguiren durcheinander. Die Titelrolle ist einer hübschen Putzmacherin aus der Straße Vivienne zugetheilt, und nachdem sie Mancherlei par vertu, Anderes par tempérament gethan, nimmt sie mit beidem ein schlechtes Ende. Die Aufgabe des Verf.

war übrigens, die socialen Ideen, Gesetze und das ganze Treiben der Gegenwart zu geißeln, und er hat dies nicht ohne Originalität gethan. Ein anderes Werk von demselben nennt sich „Quand j'étais jeune; souvenirs d'un vieux." Obgleich unser Bibliophile mit seinem Alter etwas zu kokettiren pflegt, bauten wir doch auf den Titel die Hoffnung, sein Gedächtniß werde nicht hinter 1783 zurückreichen; auch wurde sie nicht getäuscht. Seine Erinnerungen beginnen mit dem Jahre 1762, und er selbst ist der Held derselben. „Ludwig der Vielgeliebte regierte damals", bemerkt ein französisches Blatt; „er verdiente diesen Namen kaum aus anderm Grunde, als dem, daß viel geliebelt wurde unter der Regierung dieses Königs, als dessen würdiger Unterthan sich der Verf. durch Erzählung seiner ersten Liebesabenteuer bekundet." Wir stimmen dem bei und fügen hinzu, daß Herr Jacob die angenehm unterhaltende Erzählung seiner Erlebnisse bis zu Ende des 18. Jahrhunderts fortgeführt hat. Uebrigens scheinen ihm die, zuerst in „Blackwood's magazine" erschienenen, dann besonders abgedruckten und bereits ins Französische übersetzten „Memoiren eines Arztes" (von Dr. Harrison in Edinburg) zum Muster gedient zu haben. Ein neues Werk Jacob's: „Les francs Taupins", befindet sich schon unter der Presse.

Der in einem gewissen Kreise beliebte Vielschreiber August Ricard — welcher seine Schilderungen vorzugsweise dem reinbürgerlichen Leben entnimmt, und dessen zweites Werk: „La grisette, roman de moeurs" (4 Bde.), die Geschichte eines leichtfertigen pariser Zöfchens enthaltend, welche nach vielen Liebesabenteuern einen emigrirten Grafen heirathet, aber zuletzt aus Langweile zu ihrem frühern Leben zurückkehrt, 1829 das Glück hatte, eine zweite Auflage zu erleben — vollendete mit „L'ouvreuse de loges, histoire de 1829" (5 Thle.) das erste Dutzend seiner Werke; er darf sich indessen darauf nicht grade etwas zu gute thun, denn gleichzeitig ließ einer seiner Collegen, Hr. Dinocourt, das vierzehnte Opus drucken. Es ist wol absichtlich geschehen, daß Hr. Ricard sein Buch nach einer der minder wichtigen unter den darin vorkommenden Personen betitelt hat. Zwar gruppirt sich gewissermaßen um eine Logenschließerin im pariser großen Opernhause und ihre hübsche Nichte die ganze lange Geschichte; allein der eigentliche Held derselben ist ein irrender Ritter und Taugenichts des 19. Jahrhunderts, der, so weit er reichen kann, die Rolle der richtenden und belohnenden Vorsehung zu spielen versucht, allein durchaus nichts von Dem besitzt, was wir im Deutschen Grundsätze nennen. Nebenbei kommen Christenthum, Fürsten, Casimir Périer sel. Andenkens, die ganze bestehende Ordnung der Dinge in Frankreich und die Gauner (escrocs), welche ihm den echten Gewinn der Julirevolution entzogen haben sollen, sehr übel weg. Obschon die Weise Ricard's an Pigault Lebrun's berüchtigte Romane erinnert, meint er es doch nicht schlimm mit Sittlichkeit und Tugend und läßt ihnen im Ganzen die poetische Gerechtigkeit widerfahren, wenn er auch vorher seinen Bösewichtern eine oft gleißende Freiheit gestattet. Eher kann man ihn tadeln, daß er seinen stets leichtsinnigen Tugendhaften häufig Aeußerungen in den Mund legt, die grade dort sehr schädlich werden. Hinsichtlich des Cynischen, was ihm auch wol vorgeworfen wird, darf man nicht zu streng richten; er schreibt ja nicht hauptsächlich für Leute mit zarten Nerven. „Die Logenschließerin" hat viel belustigende Seiten und wird manche trübe Stunde erheitern helfen.

(Der Beschluß folgt.)

Die Familie Orloff als Mörder der russischen Kaiser, deren Familie und Anhänger überhaupt als Erzfeinde der russischen Monarchie. Durch wahre Erzählungen bewiesen, von Otto Freudenreich. Merseburg, Weidemann. 1833. 8. 12 Gr.

Ein einfältiges Buch, das entweder wegen seiner Dummheit durch die preußische Censur zu unterdrücken war, oder, einmal im Buchhandel, nicht durch die später verfügte Confiscation dem großen Haufen interessant gemacht werden mußte. Nachdem sich der Verf. in elenden Versen und in einer erbärmlichen Vorrede als furchtloser wahrheitsliebender Vertheidiger seines Königshauses und der mit ihm verwandten russischen Kaiserfamilie, der Unheil von den Orloff's drohe, weiß gebrannt, schildert er nach einem ergötzlichen Prolog über die Erbsünde, die er bei den Orloff's als Mordlust findet, die Verhältnisse der bedeutensten Glieder dieser Familie seit Peter dem Großen, Allerhand geschmacklos zusammenschmierend, was sein auf dem Titel angezeigtes Thema erläutern soll. Das Ergötzlichste ist aber der Schluß, wo er aus den Aufzeichnungen, die nach dem Frieden von Adrianopel dem als Gesandten nach Konstantinopel gesendeten Grafen von Orloff von Seiten des Sultans zu Theil wurden, ein besonderes dem russischen Interesse feindseliges Verhältniß zwischen Orloff und dem Sultan herausgewittert zu haben meint. Diese verspätete Anzeige genüge zur Warnung Derer, welche das Buch noch in die Hände bekommen, auf daß sie nicht die edle Zeit etwas Besserm entziehen. 93.

Notizen.

Französisch und nur Französisch!

Die „Aargauer Zeitung" sagte im J. 1832 in einem Artikel über Schulreformen in allem Ernste Folgendes: „Besonders ist es das Studium der Griechen und Römer, welches den Jüngling unfrei macht und ein geistloses Nachbeten und Nachkriechen erzeugt. In freien Republiken sollte dieser Zeit, Geld und Kraft fressende lateinische und griechische Kram auch als ein altes Möbel in die aristokratische Rumpelkammer geworfen werden. Man kann Advocat, Arzt, ja Prediger sein, ohne Latein oder gar Griechisch zu verstehen. Und müssen sie es nicht mehr lehren, haben es auch die Schulmeister nicht mehr nöthig, und es bleibt einzig den Chorherren zu ihrem im übrigen gleich unnützen Chorsingen. Es war unserer Zeit vorbehalten, zu zeigen, daß es möglich sei, etwas zu werden, ohne etwas zu können, und vieles zu können, ohne etwas zu werden. Lehre man Knaben recht französisch, damit sie schon auf der Schule die französischen Zeitungen lesen können." In der heutigen Schweiz ist so vieles Verkehrte und Sonderbare, daß man sich auch über eine solche Zeitungstirade nicht verwundern kann. Göthe's Wort

Wenn ich judiciren soll,
Nehm' ich gleich das Maul recht voll,

gilt auch von dergleichen Zeitungsschreibern. Aber daß auf einem deutschen Gymnasium, in Darmstadt, zu einer Zeit, wo Cousin bemüht ist, deutsche Art und Kunst in Frankreichs Gelehrtenschulen einzuführen, die griechische Sprache seit einigen Monaten in Jacotot's Methode gelehrt wird, ist wahrhaft zu bedauern — und fast entwürdigend für Die, welche es befohlen haben, denn die Lehrer haben sich genug dagegen gesträubt.

Byron über Scott.

Unter den vielen ehrenvollen Ausdrücken, die sich in den von Thomas Moore herausgegebenen Tagebüchern und Briefen des Lord Byron über Walter Scott finden, gibt auch Byron (IV, 1, S. 46) die Ursache an, weshalb diese Romane aufgehört hätten, so beliebt zu sein. „Der Pöbel der Gelehrten war es müde, Aristides den Gerechten nennen zu hören und Scott den Besten, und hat ihn daher durch das Scherbengericht verbannt." An einer andern Stelle hat Byron den sehnlichen Wunsch, daß „er sich doch einmal mit Scott betrinken könnte" (S. 25). Man erinnert sich dabei vielleicht an den Wunsch der letzten Herzogin von Kurland, die nach Tiedge's Angabe in der Biographie dieser Fürstin (S. 196) so für Napoleon eingenommen war, daß sie erklärte, „sie würde zwar den Titel einer Herzogin von Kurland um keinen Preis aufopfern, aber diesen Mann könnte sie heirathen". Eine Frau und Fürstin konnte wol ihre Bewunderung für Napoleon nicht deutlicher aussprechen. 89.

Redigirt unter Verantwortlichkeit der Verlagshandlung: F. A. Brockhaus in Leipzig.

Blätter

für

literarische Unterhaltung.

Montag, — Nr. 189. — 8. Juli 1833.

Finanzen des Königreichs Dänemark und der Herzogthümer Schleswig und Holstein.

(Beschluß aus Nr. 188.)

3. Am 5. Januar 1813 hat der König von Dänemark, Herzog von Schleswig und Holstein, öffentlich befohlen:

.... hat demnach die vereinigte Finanzdeputation das ganze Budget oder den Finanzüberschlag für das kommende Jahr entworfen auf die Weise, daß ein gehöriges Gleichgewicht zwischen den wahrscheinlichen Einnahmen und Ausgaben erhalten wird, so ist dieses Budget, versehen mit der Unterschrift sämmtlicher Mitglieder der vereinigten Finanzdeputation, uns allerunterthänigst vorzulegen, und wenn selbiges von uns allergnädigst bestätigt ist, so ist es durch unser Finanzcollegium öffentlich bekannt zu machen.

Ferner:

.... so ist es unser allergnädigster Wille, daß außer dem durch den Druck bekannt zu machenden Finanzüberschlage über des bevorstehenden Jahres Einnahmen und Ausgaben zugleich beim Schlusse eines jeden Jahres uns eine vergleichende Erläuterung vorgelegt werde, inwiefern die wirklichen Einnahmen und Ausgaben unter jeder Rubrik Dem entsprechen haben, wozu sie im Budget berechnet waren ....

Von 1813—33, sind 20 Jahre, ist das Budget nicht ein einziges Mal bekannt gemacht worden, und jedes andere Ereigniß ist weniger unwahrscheinlich in diesem Jahre als die Bekanntmachung des Budgets in diesem 21. Jahre.

Der treffliche Klenze sagte darüber vor drei Jahren:

Warum diese Verordnung nicht zur Ausführung gekommen ist, hinsichtlich der öffentlichen Bekanntmachung des Finanzplans, bleibt unbekannt. Allein da sie nicht aufgehoben, so ist sie fortdauernd gültig, und die Bitte des Volkes um Oeffentlichkeit der Finanzverwaltung ist ebenso sehr in den Gesetzen gegründet als in dem Willen des Regenten. Welche Mängel bei der jetzigen Finanzverwaltung stattfinden, können wir mit Gründlichkeit nicht angeben, weil wir sie nicht erkennen können. Wenn indessen es factisch ist, daß die Revision der Rechnungen vieler Districte von der Rentkammer mehre Jahre hindurch nicht vorgenommen worden, so zeugt dieses doch wenigstens von einer Nachlässigkeit, die Se. königl. Majestät, wenn sie dieselbe erfahren, gewiß nicht gestatten werden. Ist nun aber die Nothwendigkeit, daß die Finanzverwaltung des Staats öffentlich sein müsse, von dem Fürsten selbst anerkannt, so folgt daraus, daß das Volk auch ein Recht habe, Rechenschaft von der Finanzverwaltung zu fodern; es folgt ferner daraus, daß das Volk das Recht hat, nur so viel an Abgaben zu bezahlen, als zu den Bedürfnissen des Staats und zur Ehre des Staatsoberhaupts erfoderlich sind.

4. Aber wie ist's möglich? wie hat Schleswig-Holstein solche, vielleicht beispiellose schnelle Vermehrung der directen Lasten tragen können, ohne ganz ruinirt zu werden? Es hat eine vorübergehende Ursache gewirkt und eine permanente. Die Erhöhung der Steuern fiel zusammen mit den glücklichen Wirkungen einer neuen Verbesserung des Landbaues, des Mergelns. Ohne diese Gleichzeitigkeit wäre es unmöglich gewesen, die neuen Steuern zu tragen. Aber wenn meine Einnahme voriges Jahr um 200 Thaler zugenommen hat, so kann ich leichter eine neue Steuer von 100 Thalern tragen als eine von 10 Thalern, falls meine Einnahme unverändert geblieben. Viel wichtiger noch ist die permanente Ursache, welche die Herzogthümer Schleswig und Holstein in Stand gesetzt hat, manches Misgeschick zu bestehen. Das ist das System der geschlossenen Bauerhufen, welches mit Ausnahme der Marschen hier allgemein gilt. In dem reichen England ist der unabhängige Bauer verschwunden, in Frankreich sind fast alle größern Güter zerstückelt und werden wiederum zerstückelt. Aber in Nordalbingien ist die Bauerhufe geschlossen; das ist unser heiliger Anker, der Damm gegen allgemeine Verarmung, das ist die der Betrachtung und Bewunderung und wo möglich der Nachahmung würdige altsassische Einrichtung, wodurch es möglich und wirklich wird, daß im rauhern Norden der Bauer in fast unzerstörbarem Wohlstande lebt, während der fleißigste Würtemberger das Land, wo Wein wächst, mit Schweiß begießt und dennoch mit seinen Kindern darbt. Hier ist der Boden nicht zerstückelt in elende, Elend nährende, Elend erzeugende Fetzen; hier sind die Bauerhufen geschlossen, d. i., vererben sich ungeschmälert von dem Vater auf den ältesten Sohn (ausnahmsweise auf den jüngsten), und Sonntags fährt eine rüstige fröhliche Bauerfamilie mit eignen Pferden zur Kirche und dankt Gott für angenehme Existenz. Es wäre wol der Mühe werth, daß Regierungen, welche alle Talente der Staatsräthe auf die Mercantilgesetzgebung richten, auch etwas Aufmerksamkeit hätten für diese Hauptbedingung des Glücks des Landvolks, für diese in Holstein noch unversehrte altsassische Einrichtung, außer welcher kein Heil ist für den Ackerbauer, was auch moderne philanthropische oder neidische jakobinische Politiker dagegen schreien mögen.

5. Wie ist's möglich? so muß abermals gefragt wer-

den, wenn man bedenkt, daß der Souverain dieses Landes nicht nur der menschenfreundlichste, sondern auch für seine Person sparsamste ist. Antwort: der König erfährt nicht die volle Wahrheit. So gewiß die atra cura über Land und Meer Demjenigen folgt, dessen ruheloses Gewissen ihn forttreibt, ebenso sicher ist's, daß der absoluten Souverainetät Schritt vor Schritt diejenige Tochter des Vaters der Lügen folgt, welche seine Lieblingstochter war von Anfang an: die Schmeichelei! Schmeichelei ist's, welche die Ausgaben kleiner zeigt als sie sind, die Einnahmen größer als sie sind; Schmeichelei ist's, welche die Bekanntmachung des Budgets verhindert hat, somit den Anfang der Besserung. Von den besoldeten Beamten, der Behörde, der Dienerschaft kann die vollständige Wahrheit, wenn's eine unangenehme ist, nicht zum absoluten Souverain kommen. Die Presse liegt unter Censur und kann nur dann und wann einen einzelnen Seufzer laut werden lassen. Aber ein Landtag von Vertretern des Volkes, wie er von Christian I., dem Erwählten, und allen seinen Nachfolgern, allen, angelobt worden, ist in den Herzogthümern nicht gehalten worden seit 1711. Der 13. Artikel der deutschen Bundesacte ist in Holstein bis heute nicht erfüllt, obgleich in Frankfurt die Versprechungen wiederholt worden. Wir müssen glauben, daß die Schmeichelei hier wie immer ihr Spiel gespielt hat. Wir warten sehnlichst, hoffen vertrauend bis zum letzten Athemzuge. Treten inzwischen Einzelne auf und sprechen, von Vaterlandsliebe getrieben, so werden sie Uebelwollende gescholten, werden, weil sie Thatsachen aussprechen so klar wie Mittagslicht, der Unehrerbietigkeit gegen den König beschuldigt. Ein Einzelner wird angebellt, weil er die notorische Thatsache aussagt: in Dänemark ist Papiergeld; in den Herzogthümern ist Silbergeld; in Dänemark hat das Papiergeld gezwungenen Curs, es ist das legale Zahlungsmittel; in den Herzogthümern umgekehrt ist Silber das alleinige Zahlungsmittel. Wol findet sich in Dänemark auch Silber und Gold, sowie Wein als Waare, nicht als Geld. Ist in einem Lande Silber das Standardgeld, so ist Gold Waare; das ist der Fall in den Herzogthümern; ist aber Papier Standardgeld, so sind beide, Silber und Gold Waare. Das ist das ABC der Finanzkunst — doch unnöthig Demjenigen zu sagen, der die Wahrheit nicht hören will. Wol kann in Dänemark Silber sein, das weiß die rendsburger Kasse. Wie viel von den in Silber gezahlten Steuern der Herzogthümer geht nach Dänemark? Das Budget wird's lehren. Das Geld im Königreich Dänemark und den Herzogthümern ist für jetzt verschieden und muß es sein. Christian I., der erste Oldenburger, gelobte, und alle seine Nachfolger haben das Gleiche gethan, daß in den Herzogthümern die nämliche Münze sein solle wie in Hamburg und Lübeck.

Für etwanige Nachfrage der Regierung, welcher ich unterthan bin, liegt mein Name bereit bei dem Herausgeber d. Bl. Ich bin kein loser, lediger Mensch, sondern mit allen moralischen Banden und mit materiellen Banden bin ich an mein specielles Vaterland geknüpft. Meinem Souverain bin ich wahrhaftig treu; nur wer wahrhaftig ist, die Wahrheit auszusprechen sich nicht scheut, ist vollständig treu. Hab ich etwa mit Indiscretion gesprochen? gegen die Ehre des Vaterlandes? Ist's gegen die Ehre des Menschen, krank zu sein, gegen die Ehre des Kranken, daß er dem Arzt klage? Wahrlich ich habe mit der größten Schonung nur einen Zipfel des Schleiers gelüftet. Von der unseligen Reichsbank kein Wort. Es ist gar nicht möglich, zu rathen und zu wirken zum Heil des Vaterlandes ohne deutliche Kenntniß des Thatsächlichen. Klagen, Bitten, Thränen sind erlaubt in jedem Lande absoluter Souverainetät, wie vielmehr in demjenigen, dessen Herrscher den europäischen Ruf hat, allgemein und innigst wohlwollend zu sein. Nichtsdestoweniger ward der großmüthige Lornsen zur Festungsstrafe verurtheilt. Die Nachwelt wird diesen Proceß revidiren; besser wenn das jetzt gleich geschähe.

Soeben erhalte ich auch die erbetene Steuerrechnung von zwei adeligen Gütern im Herzogthum Schleswig. Das Verhältniß der Steuern in der nämlichen 12jährigen Periode ist wie 693 zu 2355. Ferneres Detail der Steuern paßt aber nicht für d. Bl. wie überhaupt nicht die Fortsetzung dieses Streits. Ich lege das Document zur Reserve.

Aber das Resultat darf hier noch ausgesprochen werden vor dem Angesicht aller Liberalen und Nichtliberalen, vor dem Angesicht aller wahren Freunde der Throne: die Möglichkeit, daß Financiers in Kopenhagen die Thatsache ignoriren und leugnen, daß in den Herzogthümern Schleswig und Holstein binnen 12 Jahren die Grundsteuern verdreifacht worden, beweist noch mehr als diese Thatsache selbst die Nothwendigkeit eines Landtags in den Herzogthümern. Sind es wahre Freunde des Thrones, welche die Erfüllung des Art. 13 der deutschen Bundesacte für Holstein bis diesen Augenblick gehindert haben? 155.

Neuere französische Romane.

(Beschluß aus Nr. 186.)

Nodier hat bereits seine einzeln gedruckten Schriften gesammelt und in sieben Bänden als „Oeuvres de Charles Nodier" (Paris 1832) herausgegeben. Er hat sie bei dieser Gelegenheit auf das Sorgfältigste durchgefeilt und geglättet, sodaß er mit einigem Recht im letzten Bande die Hoffnung aussprechen kann, seine Schriften würden einst bei der Erziehung des andern Geschlechts benutzt werden. Blos eine Novelle nimmt er davon aus, wir kommen gleich darauf zurück. Im ersten Bande gedenkt Nodier seines Aufenthaltes in Strasburg, wohin ihn sein Vater aus der französischen Heimat zu dem bekannten elsasser Terroristen Eulogius Schneider sandte, um von ihm Griechisch zu lernen; dort lernte er auch den poetischen strasburger Schuster Jung kennen, den er Young schreibt und dessen deutsche Gedichte wenig bekannt geworden sind. Wir können wol annehmen, daß die Lesewelt mit Nodier's meisten Schriften vertraut genug ist, um uns eine Recapitulation derselben zu erlassen. Nur der Novelle „Mademoiselle de Marsan", welche den Hauptinhalt des siebenten Bandes bildet, wollen wir einige Zeilen widmen. Der Verf. wollte es da mit Balzac und andern Nachtstücklern gleichthun und hat sich aus Todten, Verhungerten, blutgierigen Carbonari und Tugendbündlern einen hübschen Apparat zusammengesucht. Mit seiner Kennerschaft der geheimen Gesellschaften kokettirend, vertraut er dem Leser, Andreas Hofer sei ein thätiges Mitglied des Tugendbundes gewesen. Daß er von dem passeyer Wirth sagt: „Il est presque convenu entre les Allemands de la génération actuelle, qu'André Hofer avait la taille demesurée d'un demi-dieu. C'est le propre des peuples poëtes de figurer ainsi les héros, et l'Allemagne a encore toute la poésie d'un peuple primitif, comme elle en a toute la grandeur. Oh! C'est une sublime nation!" müssen wir ihm doch anrechnen. Den Schluß der Werke bildet jene gebrandmarkte Novelle: „Le dernier chapitre de mon roman", betitelt, über welche sich nur zweierlei sagen läßt. Nämlich, er hat damit entweder den Cynismus der französischen Romanschreiber persifliren wollen, und dann würden wir seine Absicht für gelungen erklären; oder er dachte daran nicht, und dann hat er hinlänglich bewiesen, daß er in jener Favorittendenz des französischen Geistes seinen Landsleuten nicht nachstehe. Ein neues Werk Nodier's wird unter dem Titel: „Les Girondins", soeben in Paris angekündigt.

Unter den Modeartikeln der literarischen Welt steht jetzt in Frankreich die Erzählung unstreitig obenan. Der Zusatz: „contes de toutes les couleurs", welchen die dem englischen „Storyteller" nachgebildete Sammlung „Le salmigondis" führt, scheint eine verhängnißvolle Wirkung gehabt zu haben, denn in der That tauchen Erzählungen von jeder Farbe in allen Richtungen auf, und wol ein Dutzend Unternehmungen sind im Gange, welche dergleichen in periodischen Gaben liefern, oder wenigstens eine bestimmte Anzahl Bände davon versprechen. Wir wollen heute nur einiger derselben näher gedenken, und zwar solcher, welche am meisten auf die Foderungen des Tages berechnet scheinen. Dahin rechnen wir z. B.:

„Le conteur noir", von Droz-Desnoyer, vier Erzählungen enthaltend, davon die erste: „Une nuit de noces", die Geschichte eines leiblich liebenswürdigen jungen Mannes bringt, der nur die kleine Marotte besitzt, sich einzig und allein deshalb zu verheirathen, um das Vergnügen zu genießen, seine Gattin während der Brautnacht zu erdrosseln. Die andere: „Un amour criminel", schildert einen Ehebruch. Wohlwollendes Vertrauen wird so lange gemisbraucht, bis der Betrogene endlich seinen vermeintlich besten Freund im eignen Bett ertappt, der sich aber todt stellt, oder den wirklich ein Schlagfluß anwandelt. Sobald er hergestellt ist, schlagen sich beide Freunde, und der Betrogene bleibt auf dem Platze. In der dritten: „Un pape et sa famille", figuriren einige kleine Sünden der Familie Borgia, Brudermord, Blutschande u. s. w., und die letzte: „Le domino rose", verschafft die Bekanntschaft einer sehr klugen und philosophischen Dame, welche in der Ueberzeugung, ihr Liebhaber bedürfe durchaus 400,000 Francs, um zufrieden zu sein, die 200,000, welche sie im Vermögen hat, nach Frascati trägt, sie im rouge et noir aufs Spiel setzt, gewinnt und — verschwindet, um nie mehr einen Fuß in dieses Haus zu setzen.

„Insomnies", herausgegeben von den Herren J. Arago und Kermel, worin ein Dutzend Erzählungen vereinigt ist. Die Titel einiger reichen hin, sie zu charakterisiren, z. B.: „L'homme qui ne meurt pas"; „Père et amant"; „La dernière heure d'une enterrée"; „Lettres du cercueil" u. s. w.; sie gehören alle der neuen Gattung an und athmen Grausen und Entsetzen, sind aber mit vieler Gewandtheit vorgetragen.

„Le livre des conteurs", von welchem zur Zeit zwei Bände erschienen sind, ist eine Sammlung, welche besondre Ansprüche macht. Das naive Vorwort erklärt, die darin auftretenden Verf., die Blüte der jetzigen französischen Novellisten, haben sich eines Abends versammelt, als pléiade de conteurs constituirt und darauf gewissermaßen ausgesprochen: wir sind die einzigen und wahren Erzähler, Niemand sollte Erzählungen schreiben außer uns und unsern Freunden, und wir allein wollen der lesehungrigen Welt den gemeinschaftlich fabricirten Bedarf liefern. Der erste Band, über welchen schon in Nr. 77 d. Bl. berichtet ist, hat die auf solche Verheißung zu bauende Erwartung im Ganzen nicht herabgestimmt, und der zweite bringt abermals eine entsprechende Auswahl. Bemerkenswerth ist darunter eine Erzählung von Mich. Raymond, die Schilderung einer Expedition Ibrahim Pascha's nach Abyssinien enthaltend, und „Lucrèce" von Aloys Block, eine lebendige, geistreiche Novelle im Genre der bekannten der Königin von Navarra.

„Le bosquet de Romainville", eine bunte Reihe von Erzählungen, mit welchen der Verf., Hr. A. Lafosse — wenn auch nicht bei dem gewähltesten Publicum — gewiß mehr Glück machen wird *) als mit seinem vorher bekannt gewordenen historischen Romane: „Le pont des soupirs", welcher eine Episode aus Ludwig XIII. Zeit behandelt und nicht ohne Verdienst ist. Mit dem historischen Romane will es übrigens nicht mehr recht fort, er scheint sich vorzugsweise nur noch in den adeligen Kreisen zu halten, und seine Sprößlinge erscheinen spärlich.

„Charles d'Albret", vom Grafen Gaspard de Pons, enthält die abenteuerliche Geschichte eines jungen Stallmeisters des Connetable von Bourbon, der diesem auch in der Abtrünnigkeit von Frankreich treu ergeben bleibt, allein nicht minder fest an seinem Glauben hängt, dem er weder in den Armen einer Türkin, noch in den Ketten Heinrich VIII. entsagt. Die Heldin, eine Freundin der Anna Boleyn, bleibt der Apostasie ihrer Königin ebenfalls fremd. Um Beide gruppiren sich eine Menge historische Personen, wie Franz I., Karl V., Heinrich VIII., die Königin von Navarra, Bayard, Luther, Melanchthon, Julius Romanus, Ariosto, Thomas Morus u. A. m.; man sieht, der Verf. hat seinen Stallmeister in gute Gesellschaft gebracht.

„Thomas Morus", von der Fürstin von Craon (2 Bde.), ein Roman, welcher schon der Verf. wegen in der aristokratischen Welt Aufsehen macht. Es ist der erste Versuch dieser fürstlichen Feder, die den edeln Charakter des Lordkanzlers aber zu einseitig aufgefaßt und mit poetischer Milde alle seine Schwächen vergessen hat. Daher beschleicht den Leser die Langweile, und er legt das kalte Buch kalt bei Seite. Ein sehr anziehender Charakter war uns Margarete, jene edle Frau, welche dem Kanzler als tröstender Engel zur Seite stand. Sollen dergleichen auf den Höhen der Gesellschaft gereifte literarische Producte — was wol wünschenswerth wäre — zu einem mildernden Correctiv der durch das Uebergewicht der Mittelclassen in der Literatur einreißenden Gemeinheit werden, so darf ihnen vor allen Dingen die Eigenschaft nicht abgehen, Leser anzuziehen; ohne diese bleiben sie völlig unnütz.

Ein neuer Roman, der von der „Revue de Paris" zuerst signalisirten Schule des literarischen Dandysmus, ist „Samuel", von Paul de Musset, Bruder des in seinen Versen einer gleichen Farbe huldigenden Dichters Alfred de Musset. Es spukt darin ein seltsamer Geist; hinter anscheinender Nachlässigkeit ist ängstliches Haschen nach Effect und Witz verborgen, und wenn wir Jedermann die Freiheit zugestehen, von menschlichen Einrichtungen zu denken, was er will, so bitten wir dagegen um einige Achtung für das menschliche Herz. Wär' es so, wie Hr. Musset es schildert, so würde das Leben keine Freude mehr besitzen. — Nach derselben Seite neigt sich das neueste Product des Hrn. E. Legouvé: „Max"; seine Tendenz spricht sich in folgender Stelle des Vorworts aus: „Max est un homme-drame qui voit et cherche du théâtre partout; la rampe est entre lui et toutes ses sensations, tous ses sentimens, toutes ses actions." Wir lassen die damit angeregte literarische Streitfrage einstweilen unberührt und berichten nur noch über Max, daß dieser Satansmensch die Wuth besitzt, allen schauderhaften Katastrophen und dem Schauspiel jedes Entsetzens nachzujagen; dadurch werden denn die bizarrsten Scenen herbeigeführt, deren Entwickelung des Verf. belebter Styl sehr begünstigt. — Einem andern literarischen Dandy begegnen wir in dem Verf. der „Passions dans le monde", von Paul Foucher; das „le monde" ist nämlich hier gleichbedeutend mit le grand monde. Unter den in verschiedenen Erzählungen geschilderten passions fiel uns die der sentimentalen Léonie auf, welche sich aus Liebe zu dem

*) Die zweite Auflage wird soeben angekündigt.

ihr von den Aeltern versagten Léon vergiftet. Die lebensgefährlichen Folgen dieses Schrittes werden aber abgewendet, die Aeltern geben ihr jetzt die Einwilligung zur Verbindung mit dem Geliebten, allein sie ist zugleich von ihrer Leidenschaft geheilt worden und schwört, sie werde sich nur mit einem reichen Bankier verbinden. Dieses Zerrbild führt den Titel: „Un reveil"; indessen enthält dieser Band auch weit bessere Schilderungen. — Als echte, nur auf den Tag berechnete Modeproducte verrathen sich sogleich durch den Titel: „La plaque de cheminée", von H. Bonnelier, und „Une grossesse", von J. Lacroix; sie bauen ihre Hoffnung auf die Heldin von Nantes.

In „Paris malade, esquisses du jour", von E. Roch (2 Bde.), hat die Choleraperiode der Hauptstadt Frankreichs ihre Geschichte erhalten, und sie braucht künftig weder Athen, noch Florenz oder London unter Karl II. deshalb zu beneiden. Dem Verf. scheint von dem gleich seltenen und merkwürdigen Bilde, welches das cholerakranke Paris darbot, keine Schattirung entgangen zu sein. Alle Stände, jeden Grad des Elendes, alle Erbärmlichkeiten und Thorheiten, das Entsetzen und die Lächerlichkeit, doch auch die rühmenswerthen Handlungen scheint er genau beobachtet zu haben und wußte sie geschickt in den allgemeinen Rahmen zu vertheilen, welcher seine Darstellungen umschließt. Als Typus des den obenerwähnten literarischen Dandysmus grade entgegengesetzten Genre gelten in Paris die Schriften von Peter Borel, genannt der Lykanthrop (Wolfsmensch), sowie seine Weise Lykanthropismus. Sein neuestes Opus heißt.

„Champavert, contes immoraux", führt aber den auffallenden Zusatz wol nur aus Spott, denn wir haben nicht mehr Mord und Laster darin gefunden wie in andern Producten der französischen Literatur; doch zeichnen sie sich zum Theil unter den convulsivischen Schöpfungen des Tages noch durch ihre menschenfeindliche, bizarre Erfindung aus. Zum Belege dessen mag nur die Skizze der ersten hier stehen. Herr de l'Argentier benutzt das Vertrauen eines Freundes, um bei einem nächtlichen Rendezvous dessen Stelle einzunehmen; im Wahnsinn wird die arme Gemisbrauchte zur Kindesmörderin und erkennt zuletzt in der Person des öffentlichen Anklägers, der ihr den Tod auf dem Schaffot bereitet, ihren elenden Verführer. Der Vortrag des Verf. ist durchaus lebendig; hart ausgesprochene, bittere Wahrheiten laufen hier und da mit unter und brandmarken die Welt und ihre Thorheit mit glühendem Eisen; um so greller tritt daneben die eingestreute Komik hervor.

Außer den selbstproducirenden sind auch die Uebersetzerfedern bei den Franzosen in großer Thätigkeit und übertragen fleißig aus dem Englischen und Deutschen. Göthe's, Tieck's, Zschokke's und Kleist's Werke, Einzelnes von Blumenhagen (z. B. „Luther's Ring" und „Eva von Trotha", übersetzt von Elisa Voïart) u. A. gibt ihnen vollauf zu thun. Bei Erwähnung von Kleist's „Marquise von O." bemerkt ein französisches Blatt, daß der Theaterdichter Ducange die, uns nur dem Namen nach bekannte, mit vielem Glück aufgeführte Pièce: „Il y a seize ans", ganz in der Stille daraus entlehnt und den Beifall allein eingeerntet habe, davon ihm eigentlich nur ein kleiner Theil gebührte. Desgleichen fanden wir im Vorworte des neuesten Romans der Madame de St.-Léon, der „Henri" (4 Bde.) heißt und etwas langathmig-sentimentaler, gewöhnlicher Natur ist, die sonderbare Geschichte eines ihrer frühern, schon 1815 unter dem Titel: „Alexina, ou la vieille tour du chateau de Holdein", in Paris erschienenen Werkes. Im Jahre 1821 fand nämlich die Verf. einen englischen Roman: „The midnight-wanderer" angekündigt und ließ sich denselben kommen, um ihn zu übersetzen. Erstaunt fand sie darin ihre „Alexina" wieder, konnte aber von der als Verf. genannten Dem. Campbell nie eine Spur auffinden. Der „Midnight-wanderer" bekam aber in Frankreich doch seinen Uebersetzer und erhielt den abermals veränderten Titel „Rose d'Altemborg". Frau von Léon kann sich übrigens auf diese Schicksale ihres Geisteskindes etwas einbilden. 3.

Literarische Notizen.

Ein Band neuer Feenmärchen, gesammelt von dem verstorbenen Joseph Ritson, nebst zwei Abhandlungen von seiner Hand, über Elfen und Zwerge, wird eben in England von seinem Neffen herausgegeben.

Ebenso hat der fleißige Alexander Dyce daselbst vor einiger Zeit zum ersten Male die Schauspiele dreier Zeitgenossen Shakspeare's herausgegeben, nämlich: „The dramatic works of G. Peele, with an account of his life" (2 Bde.), The dramatic works of G. Greene, to which is added his poems, with an account of his life" (2 Bde.) und „The dramatic works of Webster, with an essay of his life and writings" (4 Bde). Wenn es nun dem Freunde der alten englischen Bühne Freude machen muß, aus solch bedeutenden literarischen Unternehmungen das wiedererwachte Bedürfniß nach diesen gediegenen Dichtungen zu erkennen, so erregt es ihm dagegen eine widerwärtige Empfindung, zu gleicher Zeit, scheinbar ebenfalls zu Befriedigung eines Bedürfnisses der Zeit, in des bekannten Buchhändlers Murray seit 1829 begonnener „Family library" den Abdruck einer Auswahl alter dramatischer Dichter aus Shakspeare's Schule angefangen zu sehen, mit Hinweglassung „aller der Scenen und Stellen, die gegen die Feinheit und Delicatesse modernen Geschmackes und moderner Sitte verstoßen". Ein Engländer zumal sollte sich schämen, solchen Unsinn zu drucken und zu denken. Man hat sich bei allen gebildeten Völkern in neuerer und neuester Zeit schlimmere Beleidigungen des feinen Gefühles gefallen lassen, als die alten Dichter bieten. Nimmt man ihnen das sogenannte Anstößige — was mitunter schlechthin unmöglich fallen dürfte — so nimmt man ihren Stücken oft das wahre Salz. Wer Beruf, sie zu lesen, zu studiren, zu ehren hat, der wird keinen Anstand an diesen Stellen nehmen; wer ihn nicht hat, dem, fürchten wir, wird er auch nicht durch Hinweglassung des Zweideutigen angekünstelt werden können. Eine Lecture für weibliche Pensionsanstalten sind Shakspeare und die Seinigen ein für allemal nicht, und neben der Frau von Genlis und Miß Edgeworth werden sie sich, auch mit moderner Prüderie durchräuchert, immer schlecht ausnehmen.

Die amerikanische Antikritik der Mrs. Trollope ist, wie sich denken ließ, nicht ausgeblieben und für 1 Sch. bereits angekündigt. 165.

Hierzu Beilage Nr. 7.

Redigirt unter Verantwortlichkeit der Verlagshandlung: F. A. Brockhaus in Leipzig.

Beilage zu den Blättern für literarische Unterhaltung.

Nr. 7. 8. Juli 1833.

Die Unterwelt, oder Gründe für ein bewohnbares und bewohntes Inneres unserer Erde. Zweiter Theil. *)

Wie ein Criminalrichter, dem eine lange Praxis eine große Reihe menschlicher Verirrungen vor Augen stellte, zuletzt aufhört, sich über irgend eine noch so abnorme Handlung zu entsetzen, ebenso geht es jetzt einem literarischen Referenten, welcher gegen Misgeburten einer verworrenen Phantasie zuletzt einen ähnlichen stoischen Gleichmuth erlangt und an dergleichen geistige Excesse der modernen Bildung zu sehr gewöhnt wird, um noch über eine durchgehende oder sonstige Unarten eines störrischen Rosses manifestirende Phantasie in sonderliches Erstaunen zu gerathen.

Während sich nun gegenwärtig manche Schriftsteller zu sehr in den Himmel verlieren, mystischen Betrachtungen und astrologischen Deutungen sich hingeben, scheint der Verf. des angekündigten Werkes eine entschiedene Neigung zu den souterrains unserer Erde zu haben, in welche er, ein neuer Hercules, einzudringen strebt. Der erste Theil des hier angekündigten Buchs erschien bereits im Jahre 1828 zu Leipzig, worauf bald, da der Verf. die Recensenten nicht ebenso zu beschwichtigen verstand, als der vor ihm die Unterwelt bereisende Orpheus den ihn anbellenden Cerberus, eine Vertheidigung desselben unter dem Titel: „Pluto", folgte. Jene frühern Producte sind mir unbekannt geblieben; doch geht aus dem vorliegenden zweiten Theile die Ansicht des Verf. hinlänglich hervor.

Zuerst stellt der Verf. dar, wie starre, mit Fanatismus vertheidigte Meinungen von jeher dem Fortschritt der Wissenschaften geschadet hätten, wie z. B. die Verbreitung des Copernicanischen Systems durch Bigoterie aufgehalten, wie die Entdeckung Amerikas dadurch lange Zeit behindert wäre, daß man die Existenz von Antipoden nicht für möglich hielt u. dgl., worauf er zu der Behauptung übergeht, daß auf ähnliche Art Befangenheit und vorgefaßte Ansicht von der Erforschung des Innern unsers Erdkörpers abgehalten habe, zu deren Untersuchung er selbst sich in der Ueberzeugung anbietet, dadurch zu beweisen, daß die Erde bewohnbar und bewohnt sei.

Was die Sache, allgemein genommen, betrifft, so läßt sich bei der unendlichen Verbreitung des vegetabilischen und thierischen Lebens keine Grenze angeben, wo dasselbe gänzlich aufhören sollte, und daher scheint auch mir kein Grund vorhanden, weshalb wir das Innere unserer Erde als nur zum anorganischen Reich gehörend betrachten und es als unmöglich ansehen sollten, daß auch dort das in so mannichfachen Organismen durch mehr oder weniger bedingte Thätigkeit sich offenbarende Lebensprincip walte. Wissenschaftlich läßt sich aus den Versuchen mit dem durch nahe Felsmassen abgelenkten Pendel, woraus man auf die Dichtigkeit oder specifische Schwere der Erde schloß, allerdings mit großer Wahrscheinlichkeit folgern, daß wenig freie Räume im Innern der Erde sich befinden können, indem die Erde specifisch schwerer ist, als wenn sie ganz aus den uns bekannten Fossilien bestände. Indessen wäre dagegen immer der Einwurf zu machen, daß der Kern der Erde aus ungleich dichtern Substanzen bestehen könnte, als wir kennen, deren größere specifische Schwere den Gewichtsverlust ausgliche, welchen die Erde durch die angenommene Existenz leerer Räume erlitt. Jedenfalls bedarf es nicht erst der hypothetischen Annahme lebender Wesen im Innern der Erde, um das Verlangen, dieses Innere zu kennen, hervorzurufen, dessen Kunde in mineralogischer, geologischer und physischer Hinsicht so unendlich wichtig wäre; nur scheint ein tieferes Eindringen, als bisher geschah, aus Unzulänglichkeit menschlicher Kräfte unausführbar, abgesehen davon, daß es in noch größern Tiefen aus physischen Gründen unmöglich wäre.

Der Verf. scheint übrigens keineswegs auf so einfache Art, als Einbohren oder Eingraben ist, in das Innere der Erde gelangen zu wollen, sondern hat ungleich kühnere Pläne, welche alle Schöpfungen einer ordinairen Imagination überbieten; denn er betrachtet das Innere der Erde als ein neu zu entdeckendes Land, welches er zu colonisiren, und wohin er den jetzt die Staaten belästigenden Ueberfluß an Menschen abzuführen denkt, weshalb er seine unterirdischen Speculationen als ein Project der Nationalökonomie ansieht, indem er S. 12 ganz einfach sagt: „Grundeigenthum wäre dann in Menge da, fleißigen Händen fehlte es nicht an lohnender Arbeit, der Handel erhielte neue Wege, die Uebervölkerung würde verhindert, den Regierungen würden neue Hülfsmittel eröffnet und der menschliche Geist hätte auch außer Politik einen weiten Spielraum zu seiner Unterhaltung." Wie indessen der Zugang zu diesem Eldorado gefunden werden soll, mag vielleicht der erste Theil des Werkes enthalten; wie es scheint, sollen die Höhlen und tiefen Abgründe eine Art von Fallthüren enthalten, durch welche man in jenes unterirdische Reich gelangt, denn der Verf. allegirt mit Wohlgefallen eine Stelle (Nr. 85 des „Lit.-Bl." zum „Morgenblatt", 1828), wo ein Recensent des ersten Theils der Unterwelt sagt: „Es scheint in der That nachlässig, daß man in einige der tiefsten Abgründe, die uns die Erde in ihren Höhlen öffnet, bisher nur Steine gerollt hat, anstatt sie, was vielleicht mit geringen Kosten geschehen konnte, durch muthige Männer befahren zu lassen." Wem fällt dabei nicht der Besuch von Don Quixote in der Höhle von Montesimos ein?

Hierauf zeigt der Verf., wie der Glaube an eine bewohnte Unterwelt zu allen Zeiten und bei allen Völkern bestanden habe, welches, wie der Titel beweist, der wesentlichste Inhalt dieses zweiten Theils ist. Demnach schildert er den Hades, wie ihn die griechische, sowie die Hölle, wie sie die christliche Mythe darstellt; beschreibt die gespensterhaften Wesen, welche der Aberglaube des Mittelalters im Innern der Erde wohnend annahm, als Feen, Nixen, Kobolde, Elfen, Gnomen u. dgl., von denen er verschiedene Sagen erzählt, nach welchen öfters Menschen mit diesen unheimlichen Wesen in Berührung kamen, welche sie, wie z. B. Rübezahl oder der hameler Rattenfänger, in ihre unterirdischen Wohnungen lockten. Diese Märchen, von denen Musäus und Tieck mehre bearbeitet, viele auch in die Grimm'schen „Kindermärchen" aufgenommen wurden, sind zum Theil recht ergötzlich, und der Verf. führt sie auch keineswegs als einen directen Beweis für sein Lieblingsthema, die Bewohnung der innern Erde, an, sondern will damit nur zeigen, daß der Glaube an vernünftige Innenerdbewohner uralt und stets nach den Begriffen der Zeit sich richtend, mit mehr oder weniger Phantasie ausgeschmückt sei, weshalb es auch ihm Niemand verübeln könne, wenn er sich wirkliche Menschen im Innern der Erde wohnend denke. Auch werden Volkssagen angeführt, nach welchen mehre Völker ihre Abkunft aus dem Innern der Erde ableiten. So behaupten die Karaiben, daß die ersten Menschen aus zwei Höhlen hervorgegangen wären, und in Siebenbürgen ist die Sage, es wären im Jahr 900 verschiedene Menschen aus Klüften der Gebirge hervorgekommen, welche früher in einem noch nicht sehr bebauten Lande der Unterwelt gewohnt hätten.

Noch interessanter ist die Sammlung derjenigen Erscheinungen, wo man lebende Thiere in Steinen oder unterirdischen Pflanzen eingeschlossen gefunden hat, wonach sich allerdings mit der Existenz unterirdischer Höhlungen und eingeschlossener Luft-

*) Vgl. den Aufsatz eines andern Mitarbeiters in Nr. 9 d. Bl. D. Red.

mengen zugleich die einer verborgenen Thier- und Pflanzenwelt verknüpft. Die im Garten von Westminster 1816 innerhalb eines gesprengten Felsens lebend gefundene Kröte und Eidechse und ähnliche Entdeckungen sind, wenn keine Täuschung dabei obgewaltet hat, ein merkwürdiger Beweis, wie wenig zur Fristung des thierischen Lebens in einzelnen Fällen erfoderlich sei. Sehr merkwürdig sind auch neuere Beobachtungen, wo z. B. im Juli 1831, wie der „Kölner Staatsbote" vom 22. October 1831 meldet, im Dorfe Riemke, unweit Bochum, lebende Fische aus einem artesischen Brunnen emporgekommen sind. Die Idee, welche Kastner in seiner „Meteorologie" aufstellte, daß die Binnenseen innerhalb der Erdrinde, welche mit unergründlichen Stellen des Weltmeeres in Verbindung ständen, und jene Meere oder Seen, welche vermuthlich einen bedeutenden Theil des Innern der Erde füllen, während sie wahrscheinlich mit der atmosphärischen Luft nicht außer Verbindung sind, wol nothwendig von Organismen bewohnt wären, scheint mir sehr anschaulich, und leicht kann es sein, daß bei der succesiven Ausbildung der Erde jene unterirdischen Gewässer Wasserthiere und Wasserpflanzen enthalten, welche wir zu den untergegangenen Geschlechtern rechnen. Auch wäre es wol denkbar, daß innere Erderschütterungen durch Verbindungskanäle Seethiere in unsere Meere führten, welche eigentlich den unterirdischen Gewässern angehörten, daher von uns als sogenannte Meerwunder betrachtet würden. Gewiß bin ich weit entfernt, der Meinung, daß nur die Oberfläche der Erde, die wir bewohnen, Leben und reges, lebendiges Dasein enthalte, der mächtige Raum des Innern des Erdballs aber der starren Leblosigkeit gewidmet sei, mich hinzugeben, und zwar glaube ich dieses um so weniger, als die größtmöglichste Verbreitung des Lebensprincips die Tendenz der Schöpfung gewesen zu sein scheint. Es mag daher wol erlaubt sein, mit wissenschaftlicher Benutzung der vorliegenden Erscheinungen einer geregelten Phantasie Vermuthungen über ein Reich zu gestatten, wohin unser sinnliches Auge nicht zu bringen vermag; aber klar muß es uns auch sein, daß eine weitere phantastische Ausmalung eines Gebiets, wo Vermuthungen an die Stelle von positivem Wissen treten, nur zu eigner Verwirrung und zu demjenigen Grad von verworrener Unklarheit führen kann, in den der Mensch verfällt, wenn der nüchterne Verstand aufhört, die Phantasie zu begleiten, welchen Zustand geistiger Störung das Bild des Empedokles versinnlicht, der sich in den Schlund, den er nicht zu fassen vermochte, stürzte.

Auf solchem bedrohlichen Wege weit gediehener Unklarheit scheint mir der Verf. zu sein, denn seine irrlichtelirende Phantasie geht zuletzt so weit, daß er behauptet, es hätten sich menschliche Bewohner der Unterwelt sogar auf unserer Oberfläche präsentirt, denn nach ihm sind die sogenannten wilden Menschen, welche man in cultivirten Ländern fand, ohne zu wissen, woher sie kämen, an das Tageslicht gekommene Unterirdische. Namentlich rechnet er dahin einen 1724 bei Hameln ergriffenen wilden Knaben und das durch Raff allgemein bekannt gewordene wilde Mädchen, welches 1731 bei Songi gefangen, getauft und le Blanc genannt wurde. Mich wundert, daß er nicht auch den unglücklichen Kaspar Hauser für einen solchen Unterirdischen erklärt.

Indem ich es dem Leser anheimstelle, sich mit größerer oder geringerer Theilnahme für die verheißenen unterirdischen Entdeckungen zu interessiren, bemerke ich, daß schon mehre Personen die Erde für hohl hielten, namentlich wollte der Professor Steinhäuser in Halle durch Annahme eines hypothetischen Körpers, welcher im Innern der Erde eine kreisförmige Bahn beschriebe und den er Minerva nannte, die magnetische Abweichung erklären. Diese hinlänglich gewagte Hypothese überbietet jedoch offenbar der Verf. durch die kühne Idee seines unterirdischen Colonisationssystems, aber auch er findet seinen Meister, denn vor ungefähr sechs Jahren ließ der Amerikaner Jno Cleves Symmes nachstehende Reisegelegenheit in der louisviller Zeitung anbieten.

„An die Welt! Ich erkläre, daß die Erde hohl und inwendig bewohnbar sei; sie enthält eine Anzahl fester concentrischer Sphären, eine um die andere, und ist an den Polen 12—16° offen. Ich setze mein Leben zum Pfande, daß dies wahr sei, und bin bereit, die Hohlengen zu untersuchen, wenn man mich unterstützen will. Ich verlange zehn brave Gefährten, um von Sibirien aus mit Rennthieren und Schiffen über das Eis zu fahren. Ich verspreche, daß wir ein warmes, reiches Land mit üppigem Pflanzenwuchse und fettem Vieh finden, wenn wir nur einen Grad weiter als 82 kommen. Im Frühling kommen wir wieder zurück." 36.

Das Moselthal zwischen Koblenz und Konz, historisch, topographisch, malerisch, von J. A. Klein. Erste Abtheilung. Auch unter dem Titel: Das Moselthal zwischen Koblenz und Zell, mit Städten, Ortschaften, Ritterburgen. Koblenz, Hölscher. 1831. Gr. 8. 1 Thlr. 4 Gr.

Herr Professor Klein in Koblenz, Verf. einer günstig aufgenommenen Beschreibung des Rheinthals zwischen Mainz und Köln, und mit einer Geschichte der Ritterschlösser um Rheingebirge zwischen Mainz und Bonn beschäftigt, ward durch zahlreiche Unterschriften seiner Umgebungen ermuntert, das bisher nicht genug berücksichtigte und selbst in geschätzten Reisebüchern durch unrichtige Angaben entstellte, anmuthige, betriebsame und geschichtlich merkwürdige Moselthal in anschaulicher berichtigender Darstellung aufzufassen. Das ist ihm auf eine Weise gelungen, die billigen Ansprüchen nichts zu wünschen übrigläßt, künftige Topographen und Geschichtschreiber vor den Irrthümern ihrer Vorgänger sichert und auch unterhaltenden Schriftstellern eine willkommene Quelle eröffnet, ihren Dichtungen den Anstrich der Wahrheit zu ertheilen. Seit dem Ende des 4. Jahrhunderts, seit dem unsterblichen Lobgesange, mit dem der römische Consul Ausonius die Flußgöttin Mosella begrüßte, hat sich keiner ihrem Gebiete mit empfänglichern und erkenntlichern Empfindungen genähert, und keiner so genügend in allen Beziehungen von ihr gesprochen. Fast könnte befremden, wie der nämliche Mann so viel Sinn und Ausdauer für kritische Sichtung und Auswahl zum Theil dürrer urkundlicher Nachrichten und Bruchstücke mit so glücklicher und lebhafter Auffassung lieblicher Naturgemälde vereinigt habe, wenn er nicht so bescheiden wäre, zu verrathen, daß er den wohlgewählten, treffenden, doch immer zarten und nie übertriebenen oder wortverschwendenden Ausdruck dafür der Mitwirkung seiner Gattin verdankt. Wer den angenehmen Eindruck, welchen diese Gegenden auf ihn selbst hervorgebracht, nicht ganz aus seinem Gedächtnisse verloren hat, wird die Gegenstände, welche ihm freilich flüchtiger und minder deutlich vorübergegangen, in dieser Schilderung wiedererkennen und keinen Zweifel hegen, daß sie überall der Wahrheit treu geblieben sei. Ohne Zweifel hat ein so wohlverbundenes Paar auch Dem, was einem von ihnen nicht ursprünglich gehört, gegenseitige Feile und Mithülfe nicht entzogen, und es möchte für sie selbst schwer sein, an dem gemeinschaftlichen Werke den besondern Antheil eines Jeden genau zu unterscheiden; das ist aber ohne Zweifel der Fall mit jeglichem Erzeugnisse inniger und nicht gar zu verschiedener geistiger Verbündeten, und der Splitterrichter, welcher sich anmaßt, mehr darüber zu wissen als sie selbst, treibt ein sehr überflüssiges Handwerk. Mit Recht hat Hr. K. einige noch jetzt anschauliche Schönheiten der Mosel und ihres Thals durch wohlübertragene Stellen des Ausonius erläutert, und gern vernimmt man, daß dieser auch seine Menschen, die kräftigen, muthvoll, bieder gebliebenen, wiedererkennen würde; daß Sitten, Gebräuche, Gewohnheiten, die dem Römer so sehr gefielen, Jahrhunderte hindurch unverändert geblieben sind; daß die schweren Zeiten an ihren Vätern und ihnen vorübergezogen, daß sie lange, lange unter dem geistlichen Krummstab glücklich gelebt haben und jetzt unter dem Schutz des preußischen

Thales heitern Tagen entgegensehen. Dieses Bewußtsein hat den Verf. zu folgender Widmung an das Moselthal begeistert:

Verehrtes Thal, wo biedre Väter walten,
Zum Martertod der Christusjünger flog,
Im Pilgerkleid der Fürst, der Ritter zog,
Auf Berg, in Schlucht des Siedlers Hymnen hallten;

Geliebtes Thal! dein Ruhm wird nie veralten,
Wo deutsche Kraft einst deutsche Nahrung sog,
Stolz sehen wir auf deinen Warten doch
Des Vaterlands Standarten sich entfalten!

Wol barg dein Schloßgestein sich längst in Moos,
Doch glühet Männersinn, der vormals glühte,
Noch jetzt in Männerbrust, entsprüht, wie sonst entsprühte.

Dem Auge Muth's, o Thal, so trefflich, groß!
Wie meine Jugend einst in dir erblühte,
So wölbe sich mein Grab in deinem Schoos!

Die Beschreibung des Thals beginnt auf der Brücke zu Koblenz, die auf der Titelvignette in Steindruck abgebildet ist, und steigt von der Mündung an stromaufwärts. Die Namenanführung der berühmten Gegenden und Ortschaften würde den Länderkundigen nichts Neues sagen, und eine Nachweisung der mit sorgfältigem Fleiß und umfassender Belesenheit aus gedruckten und handschriftlichen Chroniken und Urkunden gezogenen Nachrichten und Berichtigungen verbietet Raum und Bestimmung dieser Blätter. Es gibt nichts Vollständigeres, Unterrichtenderes und zugleich Unterhaltenderes, da es keinen Gegenstand, der den Getreide- und Weinbau, das Gewerbe, die Religion, die Verhältnisse und Sitten der Bewohner betrifft, übergeht und Kürze mit Faßlichkeit verbindet. Auch die Geschichte der Dynasten und Ritterfamilien, unter denen sich sehr bedeutende Geschlechter, wie Ysenburg, von Leyen, Wunnenberg, Metternich befinden, und der vorzüglichsten Kirchen und Klöster ist urkundlich nachgewiesen. Der vorliegende Theil endigt mit der freundlichen und zu erwachendem Wohlstande wieder aufblühenden Amtsstadt Zell, deren Schiffer ihren alten Ruf der Erfahrung und Gewandtheit aufs Neue bewähren. Peter Schade, bekannter als Petrus Mosellanus, Erasmus' Freund, Melanchthon's, Camerarius' und aller Förderer der erwachenden Literatur, 1493 zu Bruttig geboren, schon im 21. Jahre Professor in Leipzig, aber zehn Jahre darauf seiner Thätigkeit für die Wissenschaften durch den Tod entrissen, verdiente der Kunde zugeführt zu werden, die sich mit dessen Geburtslande beschäftigt. Auch werden die Freunde der schönen Kunst dem Verf. Dank wissen, daß er sie auf die Gemäldesammlung des Pfarrers Lang zu Neuendorf aufmerksam gemacht hat, die mehr als 200 Meisterwerke aus allen Schulen enthält, von ihrem Besitzer seit einem halben Jahrhunderte mit großer Mühe, Aufwand und Glück zusammengebracht und nebst seiner kostbaren Bibliothek der Stadt Koblenz zum Vermächtnisse bestimmt wurde.

Die Fortsetzung des reichhaltigen Werkes wird den fernen Uferstrich höher aufwärts und die römische Mosel beschreiben, wo die treviranische Augusta Jahrhunderte hindurch ihren Einfluß geltend machte, eine allgemeine Uebersicht der geistlichen und weltlichen Verwaltung, der Rechtspflege, des Kriegswesens u. s. w., vom Mittelalter bis zur letzten Zeit ertheilen, eine Zeittafel der Erzbischöfe von Trier, der Pfalzgrafen, Grafen von Sponheim u. s. w., statistische, literarische und gesellschaftliche Nachrichten und eine neue aufgenommene Flußthalkarte bringen, welche die Gebirgszüge und alle Ueberreste römischer Straßen, Stationen und Güter genau angibt. Man sieht, der Verf. kennt die Erfodernisse einer vollkommenen Landesbeschreibung in ihrem ganzen Umfange, und was er bisher geleistet, berechtigt zu angenehmen Erwartungen. Es trifft sich wie verabredet, daß gleichzeitig mit vorliegender Schrift im Verlage der Hölscher'schen Buchhandlung zu Koblenz 24 Moselansichten, aufgenommen von Karl Bodmer und in Tuschmanier gestochen von dessen Bruder Rudolf aus Zürich erschienen sind, die schwarz, illuminirt oder feiner gemalt ausgegeben werden. Der stimmberechtigte Verf. dieser Beschreibung erklärt sie für das Vorzüglichste, was auf dem beschränkten Raume des Octavformats geleistet werden könne, und empfiehlt sie ebenso sehr wegen der Treue und Richtigkeit als wegen der geschmackvollen Gefälligkeit ihrer Darstellung.
95.

Bibliothek christlicher Denker, herausgegeben von Ferd. Herbst. Zweiter Band. Auch unter dem Titel: Johann Kaspar Lavater nach seinem Leben, Lehren und Wirken. Dargestellt von Ferd. Herbst. Nebst einer Beilage: 1) Johannes von Müller's Christenthum. 2) Gesammelte Urtheile über Lavater. Ansbach, Dollfuß. 1832. 8. 1 Thlr. 12 Gr. *)

Rec. hat diese Schrift mit vielem Interesse gelesen; es störten ihn zwar zuweilen Hrn. H.'s oft ziemlich schiefe und einseitige Urtheile und Bemerkungen, doch hat derselbe auch manches treffende Wort beigefügt und erkennt wenigstens einige, wenn auch nicht alle andere bemerklich gewordene Schwächen seines Helden an. Dem Herausgeber erscheint vorzüglich die „Aufklärung in den letzten Decennien des vorigen Jahrhunderts höchst seicht und irreligiös; sie habe den christlichen Glauben, die christliche Liebe verdrängen und mit unerhörter Frechheit ein ganz neues Reich der Vernunft erbauen wollen." Der Ref. lebte in diesem Zeitraum (1790—94) in und bei Jena, das besonders vorzugsweise in diesem Verrufe stand, namentlich bei Leuten wie Schneider in Eisenach, Wöllner in Berlin und ihren Consorten; er will es gar nicht leugnen, daß französische Leichtfertigkeiten und Witzeleien, Bahrdt's u. A. Frivolitäten sich geltend zu machen suchten und auch wol Eingang fanden. Aber es gab auch noch tüchtige und gelehrte Stützen selbst des alten Glaubens, wie Storr, Süßkind, Seiler, Reinhard, Morus, Rosenmüller rc., und wenn diese ihn nicht in seinem ganzen Umfange, wie Hr. H. ihn der Christenheit wünscht, haben retten und für alle Zeiten sichern können, so lag gewiß die Schuld an dem Gebäude selbst, das nicht in allen seinen Theilen auf Dauer rechnen konnte. Allein wer sich auch in dem berüchtigten, aber doch zahlreich besuchten Jena an Männer wie Eichhorn und nach ihm Paulus, Griesbach, Döderlein, an Philosophen wie Erhard Schmidt und Reinhold — den auch Lavater (S. 254 fg.) innig verehrte, und mit dem er bei dem Aristippus der neuern Zeit, dem zuweilen etwas schlüpfrigen Wieland, Reinhold's Schwiegervater, einige frohe Tage verlebte, so verschieden auch diese drei Männer dachten und empfanden, unter welchen unstreitig Reinhold, den Ref. als einen höchst achtungswürdigen Lehrer und Menschen nie vergessen wird, bei aller Wärme seines Herzens doch zugleich der hellste Geist war — innig anschloß, der lernte freilich mehr, als in dunkler Identitätsphilosophie oder Phantasie herumschweben; er mußte sich durch die Meinungsverschiedenheiten durchkämpfen und einen festen Standpunkt zu gewinnen suchen. Aber er kam auch aus dem Nebel der Bilderwelt zur Klarheit des Geistes, mußte mit seinen Worten bestimmte Begriffe verbinden und gelangte endlich durch Prüfung zu einem Resultate, das ebenso fern blieb vom Aberglauben als vom Unglauben. Lavater, ohne Zweifel ein kräftiger, edler Mensch, den man besonders auch wegen seines hohen Muthes gegen die abscheulichen Freiheitshelden Frankreichs, als sie in Zürich ihre habsüchtige Politik geltend machten, aufrichtig achten muß, hatte seine vielen hellen Lichtseiten, wo ihn nicht seine mächtige Einbildungskraft, auch etwas Eitelkeit überwältigten und Blößen und Schwächen erzeugten. So hat sein Brief an Fritz Stolberg vom 4. Dec. 1800 sehr vortreffliche Stellen, in welchen er sagt: „Ich werde nie katholisch, d. i. Aufopferer aller meiner Denkfreiheit (S. 267) und Gewissensfreiheit werden; kein Mensch, kein Engel wird mich je bereden können, eine Kir-

*) Ueber den ersten Band vgl. Nr. 68 d. Bl. f. 1831.
D. Red.

che, als unfehlbar zu verehren und eine barmherzige Mutter zu nennen, die (quia abhorret a sanguine aus Blutscheu) ihre für irrend erklärten Kinder verbrennt." Was gibt aber Hr. H. diesen deutlichen Worten für eine sonderbare Deutung? (S. 269.) Muß man nicht seine Auslegung weit mehr „Vernunftphantastereien" nennen, wenn Lavater damit soll anerkannt haben, „daß die katholische Kirche das Wundervollste sei, was die Geschichte hervorgebracht" (allerdings, wie man's nimmt); „daß in ihr die Idee der Kirche realisirt sei" (wenn L. ihre Hauptprincipien, daß sie „unfehlbar sei", für eine Lüge erklärt und ihre Bekehrungsart verdammt)?? Mag man L. zu hart beurtheilt haben, aber gab er nicht dazu Veranlassung durch die Widersprüche mit sich selbst, wenn er (S. 268) „den consequenten Katholiken" (der also glaubt und thut, was „die unfehlbare Kirche' will) lieber gar „einen anbetungswürdigen Anbeter", „eines der verehrungswürdigsten Producte der Menschheit, das wundervollste Wunder" nennen, dem Priester „eine magische Kraft" zuschreiben möchte, ja (S. 265) ermahnt, Stolberg solle „Tugenden ausüben, die dem Unkatholischen unmöglich werden", und doch auch wieder (S. 266) behauptet: „Ich kann mir keine Tugend, Vollkommenheit, Seligkeit in der katholischen Kirche denken, die der redliche Christ nicht außer derselben wenigstens ebenso leicht, wo nicht leichter erreichen könnte?" Das sind aber eben die Früchte des Herumschweifens im Helldunkel, wo man auf der einen Seite „keines Sterblichen Sclave" sein will (S. 266) und doch wähnt, „der Sturz der katholischen Kirche" — wir verstehen darunter immer die wirklich consequente römisch- nicht die protestantisch-katholische — „würde der Sturz alles kirchlichen Christenthums sein". Also soll das Unchristliche, es sollen die Unfehlbarkeit und Intoleranz, ohne welche der Katholicismus nicht entstanden wäre und nicht bestände, die Felsen des Christenthums sein? Hr. H. wünscht eine Biographie zu schreiben, wie sie der „christliche Seher", der für ihn und die Christenheit, wie er sich dieselbe denkt, „ein Repräsentant, ein Reformator, ein außerordentlicher Mensch" ist (S. 366, 371, 374), „längst verdient hätte, und worin zugleich der ganze Umkreis seiner Ideenwelt beschrieben würde". Er hat dazu außer den Lavater'schen Schriften, die er von Bibliotheken erhielt, auch Privatsammlungen zu benutzen Gelegenheit gehabt, besonders aber das „Noli me nolle, eine" — wir glauben ohne Verlust für die Welt — „nie gedruckte geistreiche Sammlung von einzelnen Gedanken, Lehren, Briefen &c., zunächst an seinen Sohn Heinrich gerichtet". Dazu diente ferner die Lebensbeschreibung, die Georg Geßner von seinem Schwiegervater Lavater geliefert hat. Sie misfällt Hrn. H. gänzlich, „weil sie den reichen Stoff locker und lose nebeneinanderstelle, statt ihn zu einem organischen Ganzen zu verarbeiten, damit alle Wirkung störe und das Bild des merkwürdigen Mannes in Bruchstücken gebe". Wir kennen diese Biographie nicht, meinen aber, einen von seinen lebhaften Gefühlen so beherrschten und geleiteten Mann könne man kaum anders als in Bruchstücken darstellen. Völlige Schwärmer, vollendete Mystiker bleiben sich ziemlich gleich; wer sie nicht versteht, den bedauern sie; auf vernünftige Widerlegungen lassen sie sich gar nicht ein, und statt aller Beweise berufen sie sich auf ihr Gefühl, sprechen auch wol davon, daß nun einmal diese Gnade, dieser Zustand nicht Allen verliehen sei, und sie beurtheilen die nicht so Begnadigten bald mitleidig, daß sie um dieses Mangels willen zu bedauern sind, bald mit Lieblosigkeit, daß sie sich einer solchen Offenbarung in dem innern Menschen, einer solchen Mittheilung muthwillig unwerth machen. Auf dieser Stufe stehen Lavater und sein Herausgeber nur in manchen Augenblicken. Sie sind theils durch ihre Studien, theils durch ihren Umgang mit Menschen doch auch zu der nicht abzuweisenden Erkenntniß gekommen, daß hinter dem Berge ebenfalls Leute wohnen, und zwar solche, welchen doch auch das Menschliche, der gesunde Verstand und eine leidliche Urtheilskraft nicht abzustreiten ist, ja, die ihnen in vieler Beziehung achtungswerth erscheinen, wie (S. 33) Spalding Lavater'n, und an deren Wohlwollen ihnen sogar gelegen ist. Allein ihre Lieblingsvorstellungen, dies System, wenn man es so nennen will, worin sie einheimisch geworden sind, verleitet sie zu Widersprüchen und Inconsequenzen, mit denen man es nicht so streng nehmen würde, wenn sie nicht durch manche Ausfälle dazu reizten. So protestirte L. sehr gegen den Aberglauben; aber wie soll man seine Hoffnungen von seinem Gebet (S. 8) nennen, nach welchen er flehte, Gott möchte doch das relata in einem Exercitium, das der Schulmeister schon hatte, in revelata verwandeln — und, „der Narr möchte lachen, der Weltweise spotten" — „das re wurde von einer andern Hand mit schwärzerer Dinte, als L. hatte, darüber geschrieben". Dergleichen Gebetserhörungen nahm L. auch in reifern Jahren an; traf es ein, dann schrieb er es einem besondern Ahnungsvermögen zu. „Auf sein Gebet war der Unmündige der Rede zu seinem geistlichen Amte so mächtig, daß weithin sein Ruf drang" (S. 45). „Ihm war noch jeder zum Glauben organisirte Mensch zum Propheten fähig" (S. 73); S. 74 u. 75 öffnet der Schwärmerei Thür und Thor. Wer unter uns dankt nicht der Vorsehung für das Christenthum; aber ist es nicht ein gewaltiger Sprung, wenn L. auch sogleich behauptet: „Entweder Atheist oder Christ; wenn ich aufhöre evangelischer Christ zu sein, dann bin ich mir sogleich consequenter Atheist' — nämlich was er zum Evangelium rechnet. „Wenn unser Glaube nicht Imagination ist, und mit nichts wird er mehr verwechselt, so ist er mächtig, wie Gott selbst" (S. 182). Diese Verwechselung hat wol L. am meisten begangen; er hat auch keine Grenzen und Kennzeichen angegeben, wie man sie vermeiden und unterscheiden könne. Was S. 142 der noch mehr mystische Franz Baader sagt, macht aus der Dämmerung gar Finsterniß. Unter solchen Umständen darf man sich nicht wundern, wenn Männer wie Göthe, Gleim u. A., die ihm anfangs wohlwollten, ihn nachher anders beurtheilten, und vollends die Berliner, Biester, Gedike, ihm übel mitspielten. Hr. H. spricht zwar viel von der damaligen „aufsauernden Jesuitenriecherei", aber wir müssen seine Verblendung bedauern. Der Tag hat Vieles klar gemacht und wird es noch klärer machen. Der Hofprediger Starke in Darmstadt, Haller und Ihresgleichen, die Thätigkeit in Baiern und Oestreich sollten doch endlich belehrt haben, wie geschäftig die Obscuranten gewesen, mit welchen Mitteln, und wie sie es noch sind. Oder stehen die Klöster durch Gottes Finger auf? Ist die von ganz Deutschland angestaunte Abbitte vor einem Bilde etwa christlich? Man wird Lavater aus dieser Schrift noch richtiger beurtheilen lernen; doch glauben wir, daß der Verfasser der Biographie im „Conversations-Lexikon", geleitet durch Gerechtigkeit und Milde, ihn gut gezeichnet hat. Die dogmatische Speculation von dem Logos, worin sich L. ganz vertiefte, obgleich er selbst vor dogmatischer Untersuchung warnt, hat Hr. H. ziemlich weitschweifig mitgetheilt, wie denn überhaupt doch der Gedankenreichthum den vielen Worten, die Lavater gesagt und geschrieben hat, lange nicht gleichkommt. 68.

Aphorismen.

Lebensweisheit.

Als man dem Lord Lockard, Cromwell's Gesandten zu Paris, Vorwürfe über die unmäßige Anhänglichkeit an den Usurpator machte, die er zur Schau trug, antwortete er ganz unbefangen: „Je suis le très-humble serviteur des événemens." Warum auch nicht? Eventus magister. Das ist ja eine uralte Sache.

Hoheit des Gefühles

Man verirrt sich oft in vernünftelnde Speculationen über das Moralprincip. Wenn uns aber unterdeß irgend ein dringender Umstand zum Handeln aufruft, so veroffenbart sich die rechte Weise blitzschnell im Gefühle. Es scheint, als wenn der Schleier, welcher über dem Allerheiligsten hängt, nicht vom raisonnirenden Verstande, sondern nur durch die Inspiration des Gefühls gelüftet werden könne. 178.

Redigirt unter Verantwortlichkeit der Verlagshandlung: F. A. Brockhaus in Leipzig.

Blätter
für
literarische Unterhaltung.

Dienstag. — Nr. 190. — 9. Juli 1833.

Miscellen über Literatur, Kunst und öffentliches Leben in Paris.

Erster Artikel.

Die neuen Erscheinungen im Gebiete der Tagesliteratur, der leichten Kritik und überhaupt der periodischen Blätter folgen so rasch aufeinander, daß es unmöglich wird, ihnen zu folgen. Ist schon die Uebersicht unmöglich, so muß das Gedeihen und Fortkommen derselben noch viel schwieriger sein, und dennoch soll Paris in dieser Hinsicht weit hinter London zurückstehen. Viele der pariser Blätter und Journale machen nur eine kurze Erscheinung und verschwinden dann für immer, die meisten aus gerechter Nichtanerkennung, viele auch, weil sie nicht im Stande sind, die großen Kosten zu erschwingen und gegen den Andrang von Concurrenz und Intriguen und Verleumdung zu kämpfen. Ein Journal in den Gang und in regelmäßiger Mechanik in die Hände der Abonnenten oder nur zur allgemeinen Nachfrage zu bringen, ist eine der schwierigsten Aufgaben der Literaturindustrie. Wie Alles, so wird auch diese handwerksmäßig betrieben, und das Gelingen, der Fortgang eines Blattes, seine große Anzahl von Abonnenten und seine Ergiebigkeit sind nicht stets ein Beweis seines innern Werthes und seiner Gediegenheit. Wer ein neues Blatt herausgeben will, trägt Sorge, mit den am meisten accreditirten Tagesblättern in freundschaftlichen Verkehr zu treten und deren directe Empfehlung, oder mindestens ihre Neutralität zu erlangen. Ohne diese Vorsicht kann man überzeugt sein, daß am ersten Tage, wo das neue Blatt erscheint, alle übrigen in einem Unisono darüber herfallen und es in den Grund bohren; Jeder steht sich am nächsten, und Handel kennt keine Rücksicht. Ist nun das neugeborene Kind in die Welt eingeführt, haben die mächtigen Patrone sich herabgelassen, seiner lobend zu gedenken, oder doch ein schützendes Stillschweigen zu beobachten, was man als Beweis von Güte ansehen kann, so kommt es darauf an, die Bequemlichkeit des Publicums zu bedenken und dadurch gute Abonnenten zu gewinnen. Hierzu helfen die öffentlichen Versammlungsplätze, Kafferhäuser und Lesecabinete, ohne daß sie sich bewußt sind, einem Industriekunstgriff zu dienen. Sowie der Autor eines neuen Theaterstückes und der Director der Bühne, welches es an sich kauft, in den ersten Vorstellungen das Parterre und die Logen mit ihren Gevatterleuten anfüllen, welche sich die Hände wund klatschen, vor Rührung und tiefem Eindruck zerfließen oder vor Lachen zerplatzen, sowie sie ihre Journale und kritischen Blätter haben, welche im Voraus den anzeigenden und preisenden Artikel des Stückes in Bereitschaft halten, um während einiger Wochen die Welt mit dem Lobe des großen Meisterproducts anzufüllen, so sendet der Unternehmer eines neuen Blattes, nachdem dieses einige Zeit erschienen ist, seine Leute aus, um ihm Eingang und Empfehlung zu verschaffen. In einem vielbesuchten Kaffeehause, wo in der Regel alle interessanten Blätter zu haben sind, erscheinen an einem Tage drei, vier, fünf und mehr Personen, die lassen sich nieder, und in dem Augenblick, wo man sie bedienen will, fragen sie sehr angelegentlich nach dem neuen Blatte; der Garçon bedauert, daß es nicht da sei, man kenne es gar nicht; nun macht der Gast das Lob des Blattes, sieht sehr verdrießlich aus, daß ein so angesehenes Kafferhaus die wichtigsten neuen Producte nicht habe, und entfernt sich, ohne etwas zu nehmen. Wenn diese Komödie des Tages zehn- oder zwölfmal von verschiedenen, ganz anständig aussehenden Personen wiederholt ist, fällt es dem Kafferwirth auf, er schickt schnell nach dem Wunderblatt, und den andern Tag liegt es auf; so wird die Runde gemacht, und so gelangt das Blatt auch in die Lesezirkel, deren große Zahl und Concurrenz ihnen zur Nothwendigkeit macht, die Neugierde des Publicums so viel möglich zu befriedigen. Oft liegt ein solches Blatt wochen- und monatelang auf, ohne daß Jemand danach fragt, und die Abnehmer sind sehr erstaunt, weder die eifrigen Empfehler des ersten Tages, noch andere Nachfragende mehr zu sehen; gelingt es aber dem Herausgeber, diesen ersten Schwung durch interessante Leistungen nachhaltig zu unterstützen, so ist er ein geborgener Mann, und sein Blatt gehört fortan unter die nothwendigen Erfodernisse eines Lesezirkels. Manche der kleinern Blätter haben gar keine Abonnenten, sondern werden nur an den Theatern und in denselben ausgetheilt, ihr Hauptverdienst ist, daß sie eine Uebersicht aller Stücke geben, welche an diesem Tage auf den verschiedenen Bühnen gespielt werden. Der übrige Gehalt ist zuweilen witzig, meist aber mit leerem Geschwätz und wechselseitiger Kritik und kleinem Krieg angefüllt. Wehe einem neuen Theater, welches sich aufthun und etwas bisher nicht Alltägliches leisten will, es wird zum Stichblatt dieser interessirten Gegner, und während Wochen und Monaten hat es ihre vereinigten Angriffe zu erdulden. So ist es dem armen Theater Molière in der Rue quincampoix gegangen, welches sich Théâtre des illusions nannte und Tableaux und perspectivische Ansichten gibt, und in welchem in der Regel nur ein oder zwei Acteurs auftreten. In allen Theaterblättern war von nichts Anderm mehr die Rede, und Director wie Actionnairs wurden mit unbarmherziger Bosheit verhöhnt; das Theater wird Mühe haben, sich zu erhalten. Neben sehr faden und geistlosen Erzählungen erscheint hier und da eine pikante und witzige Anekdote, namentlich aus der Theaterwelt; was da geschieht, jede kleine Eifersucht, jeder Streit, jede Intrigue und all der Zank und die Scheelsucht, welche von dem Leben hinter den Coulissen im Großen wie im Kleinen unzertrennlich sind, werden dem Publicum mit wahrem Genuß erzählt. Die Hauptorgane dieser Art von Literatur, wenn man diesen Namen gebrauchen darf, sind „L'entr'acte“ und „Vert-vert“. Die Kritik über die Theater füllt alle Blätter aus, die größern politischen Tagesblätter wie die kleinern, die Wochen- wie die Monatschriften, und bei der Sucht, über Alles was artiste — dies ist jetzt das beliebte Wort — zu urtheilen, wird nicht das geringfügigste Stück übersehen, um eine gelehrt lautende Abhandlung zu schreiben. Dabei bestehen noch besondere Uebersichten und Journale, welche sich ausschließlich mit der Anzeige und kritischen Beurtheilung der dramatischen Erscheinungen beschäftigen; dahin gehört z. B. „Le petit poucet“, ein Blatt, welches seit dem Januar erscheint. Die mit dem meisten Geiste geschriebenen satirischen und ironischen Blätter sind der „Corsaire“, der „Charivari“, der „Revenant“ und die „Mode“, beide letztere karlistische Blätter, welche Gift und Feuer gegen die bestehende Regierung und die Tuilerien sprühen; es ist übrigens billig, zu sagen, daß man ihnen das Spiel ziemlich leicht macht, denn zu keiner Zeit hat sich die Regierung Frankreichs und der Hof an Kleinlichkeit, Geiz, Charakterlosigkeit und Lächerlichkeit so sehr erniedrigt als seit der strahlenden Herrschaft der bürgerköniglichen Dynastie Louis Philipp's. Die Kunst und die Künstler gehen zu Grunde und verhungern, dagegen erscheinen die Damen gepudert an den Festlichkeiten des Hofes, die Laffitte'sche Subscription zählt Louis Philipp's Namen nicht, die Vendomesäule erwartet die Statue des Kaisers, die im Juli Gefallenen ihr Monument, der Bastillen- und der Revolutionsplatz ihr Denkmal; Louis Philipp hat Nothwendigeres zu thun, er muß die Etikette des Hofes und die unnahbare Heiligkeit der Tuilerien aufrecht halten. Er verschönert sie in seiner Weise und läßt die Damen, welche durch den allgemeinen Durchgang der Tuilerien gehen wollen, durch die Schildwachen zurückweisen, wenn sie zufällig noch eine Papierlocke in den Haaren haben! Dafür aber rächt sich der Spott an ihm, wie noch nie und zu keiner Zeit es an irgend einem König geschehen ist. Ich behalte mir vor, über diesen interessanten Zustand der öffentlichen Kritik und Caricaturen später ausführlicher zu sprechen. Der „Figaro“, ehemals der Inbegriff und das non plus ultra von Geist und Witz, ist dahin, das Bürgerkönigthum tödtet ihn; seitdem sein Redacteur ein vornehmer Mann geworden, seitdem er Bekanntschaft mit den fonds secrets gemacht, seitdem ein rothes Band an seinem Knopfloch prangt, und er sich zu der großen Armee der Leute zählt, welche allein das Privilegium der Ehre zu besitzen glauben, hat ihn der inspirirende Gott verlassen; sowie er vom Volke gewichen, so hat ihm sein Genius den Rücken gezeigt, er schreibt heute um den Sündenlohn, das trifft sich oft, leider viel zu oft; schreiben und arbeiten kann er für Geld, allein witzig und begeistert sein lehrt nur der belebende Hauch des Volkes; der „Figaro“ ist krank und matt, die Lazarethluft hat ihn angesteckt.

— In der Art des „Corsaire“ erscheint nach einer mehrmonatlichen Unterbrechung ein Blatt: „Le diable boiteux“, nicht ohne Witz und Geist, doch wird es ihm um so schwerer halten, Wurzel zu fassen, als der „Corsaire“ im Allgemeinen den Beifall des Publicums besitzt und überall eingeführt ist, „Le diable boiteux“ aber im günstigsten Fall eine Doublette wäre.

Die bisher genannten Blätter: „Corsaire“, „Charivari“, „Revenant“, „Diable boiteux“, sind zugleich und hauptsächlich politisch. Der „Dandy“, welcher seit den letzten Wochen vertheilt wird, hat nichts von Politik, er neigt sich zur Gattung der „Entr'acte“ und „Vert-vert“, scheint übrigens dem großen Meere der Vergessenheit zuzueilen.

Mitten unter den zahllosen Blättern, welche über die Theater schreiben, erhebt sich ein neues Unternehmen, welches kühn die Gefahr der Durchdringens anzublicken scheint und dieselbe sogar noch dadurch erhöht, daß es sogleich als Parteiblatt sich ausgesprochen hat. Sein Titel sagt, was es sein soll: „La revue théâtrale, journal littéraire, non romantique et sans annonces payées“. Das Letztere, der Verzicht auf das unerlaßlichste Bestandmittel, möge dahingestellt bleiben, allein seinen angezeigten Charakter als nicht romantisch hat es sogleich bewährt; in der zweiten Nummer zeigt es als großen Genuß für die Kunstkenner ein neues Stück von Casimir Delavigne an, in welchem die Mlle. Mars spielen und das Publicum endlich einmal wieder französisch reden hören werde. Der Hauptangriffspunkt ist die Romantik der neuen Schule, und, als deren Repräsentant, Victor Hugo. Die „Revue théâtrale“ erzählt mit vieler Freude, daß „Lucrezia Borgia“ in Bordeaux ausgepfiffen worden sei, und gibt folgende Anzeige:

Herr Victor Hugo arbeitet, wie man sagt, an einem Schwank in fünf Acten, in welchem nur eine einzige kleine Nothzucht, zwei Blutschändungen, ein Ehebruch, drei Todtenträger und ein Leichenwagen vorkommen. Die Hauptacteurs werden auf dem Kopfe gehen. Der zweite Act wird auf dem Seile getanzt, ohne Balancirstange. Zum Schluß eine Leichenöffnung, bei welcher Pflaster auf die Melodie von Marlborough gesungen werden.

— Neulich schrieb ein junger Arzt, Peisse, in der „Gazette médicale“ einen eignen Artikel über den Einfluß der neuen Literatur auf die Gesundheit, natürlich eine giftige Satire, von welcher die „Revue théâtrale" einige Auszüge gibt; sie zeigen die Leidenschaftlichkeit, mit welcher die zwei Lager der Literatur sich bekriegen.*)

Zwei andere Anzeigen der „Revue théâtrale" sind:

Es ist allgemein bekannt, daß außer dem „Crapaud", dem „Lycanthrope" und andern Schwänken ein Buch erschienen ist, mit dem Titel: „Pehu, Peha, Pehu". In diesem Augenblick wird die Herausgabe eines zweiten Werkes als Folge des ersten angezeigt, welches betitelt sein wird: „Brr, Brr, Brr". Der Umschlag, welcher das Gepräge des Genius trägt, wird, wie man sagt, ein Leichnam sein, an welchem die Würmer nagen.

Sodann:

Man will wissen, daß Herr Hugo, um sich vor Andern auszuzeichnen und seinen Werken eine neue Art von Localfarbe zu geben, in Zukunft den Titel an das Ende verweisen wird; die Nachrede wird vor der Vorrede stehen, und jedes Werk wird mit der Einleitung enden.

(Die Fortsetzung folgt.)

Neuere englische Literatur.

1. The life of a saylor, by a captain in the navy. Drei Bände. London 1832.

Einfache, aber lebendige und höchst anziehende Erzählung von Abenteuern der mannichfaltigsten Art zur See, welche außerdem noch für sich haben, daß sie durchgängig wahr erscheinen. Lord Byron, Sir Peter Parker, Bolivar, Paez treten darin mit auf, und die Scene durchläuft nach und nach alle Himmelsgegenden. Für Frankreich, wo der Marineroman so viel Glück macht, wäre dies ein Buch zum Uebersetzen.

2. Wacousta; by the author of „Ecarté." Drei Bände. London 1833.

Der so beliebte Cooper war bisher dem gewöhnlichen Schicksale gern gelesener Schriftsteller entgangen, nämlich dem, ein Heer von Nachahmern zu erwecken. Vielleicht war der fremde Boden eine Ursache davon, auf welchem er seine besten Gemälde entfaltete. Endlich eröffnet aber eine englische Feder die Bahn, allein nicht mit allzu vielem Glück. Nur der erste Band spricht an, ist unterhaltend, allein die beiden andern sind sehr gedehnt; der Verf. hat Unwahrscheinlichkeit auf Unwahrscheinlichkeit gehäuft, um das dreibändige Maß zu füllen, ist aber matt und langweilig darüber geworden.

3. Six weeks on the Loire, with a peep into la Vendée; with plates. London 1833.

Gutgeschriebene Erzählung des auf einer Reise durch nicht zu häufig besuchte Gegenden Frankreichs Gesehenen und Erlebten. Das Buch ist von Frauenhand und ein interessanter Beweis der Beobachtungsgabe des andern Geschlechtes im Kreise des gewöhnlichen Lebens. Die Reisenden gingen in den letzten Monaten des vorigen Jahres von Paris nach Orleans, Blois — wo sie die ersten Spuren der damals in jener Gegend herrschenden Aufregung fanden — und Tours zu Lande, von da auf der Loire hinab, überall bei interessanten Orten verweilend, nach Nantes. Sie berührten also auch die Vendée, und die Verf. versichert auf den Grund ihrer Beobachtungen, daß die damals dort herrschende Insurrection durchaus nur das Werk einer aristokratischen Faction war, welche persönliches Interesse bei der Rückkehr der Bourbons hatte, und daß die Mehrzahl von Chouans aus Miethlingen bestand, denen die Vendée nur ein letzter Ausweg, das Leben zu fristen, gewesen sei. Alle ansässigen und betriebsamen Bewohner waren über dieses Beginnen empört und wünschten ihm ein Ziel gesteckt zu sehen. Ueber Rennes und St.-Malo kehrte unsere Engländerin wieder ins Vaterland zurück und hat von dort aus dem Publicum mit ihren anziehenden und lebensreichen Schilderungen von Volk und Land ein sehr dankenswerthes Geschenk gemacht.

4. Customs and manners of the women of Persia, and their domestic superstitions. Translated from the original persian MS. by *James Atkinson*. Printed for the Oriental translation-fund. London 1832.

Der ursprüngliche Titel dieser Schrift heißt: „Kitapi Kulsum Naneh", und Kulsum Naneh ist der Name der ältesten unter den sieben weisen und erleuchteten Frauen, welche dieselbe zum Nutzen und Frommen ihres Geschlechtes verfaßten. Zuverlässige Nachrichten über Leben und Verhältnisse der Frauen in Persien werden hier in unterhaltendem ironischen Tone aus der ersten Quelle gegeben. Alles, was Bad, Fasten, Musik, Heirathen, Kindererziehung und überhaupt häusliche Zustände und Gebräuche betrifft, wird in diesem Bändchen abgehandelt, und man kann sich darin Raths erholen, ob irgend etwas nöthig, wünschenswerth, Mohammed's Gesetzen gemäß, oder endlich unerläßlich ist. Wir getrauen uns zu behaupten, daß die Principien, von welchen dieses persische Siebengestirn ausgeht, auch bei den europäischen Frauen vollen Beifall finden werden. Welche würde z. B. Vorschriften wie folgende tadeln? „Es ist des Mannes Pflicht, der Frau täglich etwas Bestimmtes in Gelde sowie alle Mittel zu Vergnügungen, Bädern rc. zu bewilligen. Ist er nicht stolz und freigebig genug, dies zu thun, so wird er für alle Sünden und Vergehen am Tage der Auferstehung bestraft werden. So oft er auf den Markt geht, muß er Obst und andere Kleinigkeiten kaufen, in sein Tuch binden und seiner Frau mitbringen, um ihr seine Liebe zu bezeigen und ihr gefällig zu sein. Wünscht sie eine kleine Reise zu unternehmen, etwa auf einen Monat zu ihren Verwandten, oder die Bäder zu besuchen, oder eines andern Vergnügens willen, so ziemt es dem Gatten nicht, ihr Gemüth durch Widerspruch zu betrüben. Will sie Gesellschaft bei sich sehen, so ist es nöthig, daß er für alle Bedürfnisse sorgt und ihr alle Arten von Geschenken sowie Nahrungsmittel und Wein, so viel erfoderlich, zukommen läßt. Er darf sie in der Unterhaltung ihrer Gäste mit keiner Frage stören, und wollen ihre Freundinnen bei ihr übernachten, so müssen sie in seiner Frau Gemach gebettet werden, er aber muß allein und anderswo schlafen." Wer einen also gefälligen und gehorsamen Mann besitzt, erklären die sieben Frauen einstimmig, ist wahrhaft glücklich. Heirathslustigen wird als ein Mittel, die nahe oder ferne Erfüllung ihres Wunsches zu erfahren, angerathen: „Nimm zwei aneinander gebackene Brote heiß aus dem Ofen und wirf sie der wißbegierigen Jungfrau an den Kopf; bleiben sie beisammen, so bekommt sie bald einen Mann." Andere gute Rathschläge sind folgende: Juckt es dich in der hohlen Hand, so reibe damit den Kopf eines Knaben, welcher noch beide Aeltern hat, und du wirst ein Geldgeschenk empfangen. Fängt ein Hund eine Fliege, so nimm und knüpfe sie in den Zipfel deines Schnupftuches, und es widerfährt dir sicherlich etwas Gutes. Alles Wasser im Hause eines Verstorbenen muß weggegossen werden, denn wer davon tränke, würde eine Magenentzündung bekommen u. s. w. Schade, daß es kein ähnliches Büchlein zum Nutzen und Frommen unserer Schönen gibt, die gewiß nur deshalb zuweilen so unentschlossen sind.

5. Memorials of the professional life and times of Sir William Penn, knt. admiral and general of the fleet during the interregnum, admiral and commissioner of the admiralty and navy after the restoration, from 1644—70, by *Granville Penn*. Zwei Bände. London 1833.

Zuverlässige Denkwürdigkeiten über das Leben und Wirken ausgezeichneter Personen, zumal wenn sie allgemein wichtigen Perioden der Geschichte angehören, wird man stets willkommen heißen. Zu der Classe derselben gehört das obige, aus Familienpapieren mit Benutzung aller bekannten, dahin gehörigen Documente entstandene Werk. William Penn, Sohn eines königl. Schiffscapitains, geb. den 23. April 1621 zu Bristol und mit großer Sorgfalt für den Seedienst erzogen, erhielt schon 1644 im 23. Jahre den Oberbefehl eines Schiffes von 24 Kanonen bei

*) Wir haben das Wichtigste daraus bereits in Nr. 34 d. Bl. mitgetheilt. D. Red.

der irländischen Flotte; seinen spätern Ruhm erwarb er sich aber in dem 1652 begonnenen Kriege mit Holland. Obgleich Penn zu den Begründern der englischen Uebermacht zur See gehört, wurde seiner bisher in der Geschichte der englischen Marine doch nur wenig gedacht. Dies kam hauptsächlich daher, daß man der „Biographia navalis“ Charnock's nachbetete, welche mit der Restauration beginnt und in einer Liste aller englischen Admirale seit Karl II. Penn gar nicht einmal nennt. Man findet in diesen, natürlich für die Geschichte der jetzigen englischen Marine in der Zeit ihrer Jugend besonders wichtigen Denkwürdigkeiten interessante Aufschlüsse über das Benehmen der Seeleute während der Umwälzungen, welchen England in der damaligen Zeit unterlag. Es scheint zwar nicht, als hätten dieselben geradezu Partei genommen, sondern wären hauptsächlich nur darauf bedacht gewesen, das Land vor fremden Einfällen zu schützen. Der Verf. setzt sogar etwas darein, daß in dem Tribunale, welches das Todesurtheil über den König fällte, kein Seemann gesessen habe, indem er aus einem Geistlichen, vierzehn Militairs, acht Rechtsgelehrten, drei Bürgern, einem Fleischer, zwei Brauern, einem Kaufmann, einem Lichtzieher, zwei Goldschmieden, einem Krämer, zwei Seiden- und zwei Leinwandhändlern, einem Wollhändler, einem Schuhmacher, einem Lehrlinge und sechsunddreißig Civilisten ohne bezeichnendes Gewerbe bestand. Oberst Deane, einer der 14 Militairs, welchen Clarendon als echten Seemann bezeichnet, war der Flotte, in der er später ein Commando erhielt, noch völlig fremd, und hatte, wie Heath umständlich berichtet, auch noch nie darin gedient. Penn suchte indessen doch Cromwell's Gunst durch Eingehen auf dessen heuchlerische Weise zu gewinnen und zu behaupten. Später Karl's Ansprüche in Irland heimlich unterstützend, erntete er nach der Restauration den Lohn dafür in der Ernennung zum Commissioner der Admiralität und Marine. Auszüge aus Penn's Tagebüchern während seiner Expeditionen in den irländischen, portugiesischen, holländischen und westindischen Gewässern füllen einen großen Theil dieser beiden Bände, welche mit einem Ueberblicke der Lage Englands während der bürgerlichen Kriege bis zum Jahre 1644 beginnen, wo hin und wieder Lord Nugent's Genauigkeit in den von ihm über jene Zeit herausgegebenen Schriften („Some memorials of John Hampden, his party and his times, by Lord Nugent“, 2 Bände, London 1831) bestritten wird. Lord Nugent hat übrigens auch in Hrn. J. D'Israeli einen Gegner gefunden, welcher als Verf. der 1831 in fünf Bänden in London erschienenen „Commentaries on the life and reign of Charles the first, king of England“, in einer besondern Schrift, betitelt: „Eliot, Hampden and Pym, or a reply of the author of a book entitled „Commentaries etc.“, to the author of a book entitled „Some memorials of John Hampden etc.“ (London 1832), scharf und bitter gegen ihn aufgetreten ist. 3.

Literarische Nachweisungen.

Schreibersarbeit.

Wer nicht selbst schreiben kann, weiß nicht, wie sehr die Dreifingerarbeit den ganzen Körper in Anspruch nimmt. Darum wird am Schlusse eines Codex (Augustinus super XV gradus) aus dem 8. Jahrhunderte jeder Leser bei dem wahren Gotte fromm und schlecht beschworen, für den Schreiber des Buches zu beten: „Qui nescit scribere, nullum laborem esse putat, tum tres digiti scribunt et totum corpus laborat. Quicunque legerit hunc librum. Ego juro per Deum verum. Ut orat pro eum. Qui hoc librum scripsit.“

Schriftstellerische Bescheidenheit.

Man kennt Martial's

Sunt bona, sunt quaedam mediocria, sunt mala plura
Quae legis —

Gutes, manches Mittelgut, des Schlechten mehr,
Leser, liegt vor dir —,

Noch bescheidener drückt sich ein Ungenannter in einer Epistel „De Deo trino et uno“ aus dem 9. Jahrhunderte über seine Leistung aus, indem er mit der Bitte schließt, Einhard (vielleicht Eginhard), an den die Epistel gerichtet ist, möge sich nicht über etwaige Irrthümer, sondern vielmehr darüber wundern, wenn er etwas richtig Vorgebrachtes in der Epistel finden sollte: „Einharde, si haec legas, non mireris, si forte invenias errantem, sed magis volo, mireris si aliquid a me recte dictum invenias.“

Allegorisch-Dramatisches.

Die unästhetische Cholera ist zwar schon episch und musikalisch, aber noch nicht allegorisch-dramatisch behandelt worden, wie die Pest in: „La peste de la peste, ou le jugement divin, tragédie par *J. E. Dumonin*“ (Paris 1584, 4.). Die Hauptperson im allegorischen Trauerspiele ist die personificirte Pest. Der Dichter läßt sie zur Heimsuchung eines meineidigen Erdengottes ausgeschickt gewesen sein. Sie hat ihre höhere Weisung überschritten, wird vor Gericht gezogen, und das so processualisch vorbereitete Ende (καταστροφη) des Stückes stellt sich mit ihrer Enthauptung ein. 185.

Redigirt unter Verantwortlichkeit der Verlagshandlung: F. A. Brockhaus in Leipzig.

Blätter

für

literarische Unterhaltung.

Mittwoch, —— Nr. 191. —— 10. Juli 1833.

Miscellen über Literatur, Kunst und öffentliches Leben in Paris.

Erster Artikel.

(Fortsetzung aus Nr. 190.)

In diesem Kriege gegen den Vorfechter der Romantik, Victor Hugo, welcher durch eine solche Aufmerksamkeit geschmeichelt sein muß, findet sich die „Revue théâtrale" von vielen andern, größern und solidern Blättern, namentlich auch vom „National" und dem „Corsaire" unterstützt; von Allem, was nur ferne zur ehemals classischen Schule, zur Doctrin und zu irgend einer Akademie gehört, versteht es sich ohnehin von selbst; diese Herren predigen für ihre eigne Pfarrei, und daß sie nicht abgeneigt sind, ihren Antheil an der derzeitigen Gewalt zu persönlichem Nutzen und Befriedigung ihrer kleinen Kränkungen und Eitelkeitsverletzungen auszuüben, hat sich in dem Verbot des Dramas „Le roi s'amuse" zu Tage gelegt. Trotz dessen und trotz aller Parodien, welche an den meisten Theatern über „Lucrèce Borgia" aufgeführt wurden, hat der Autor nichts an dem Beifall des Publicums verloren; dieses geht in die Parodien, lacht aus vollem Halse, und wenn es hier genug gelacht hat, wandert es zur Porte St.-Martin, um die sieben wirklichen Särge, den Leichenzug zu sehen und den Todtengesang zu hören; die Porte St.-Martin hat nie bessere Geschäfte gemacht, als seitdem sie in die Rechte des Théâtre français eingegriffen und sich den romantischen Dichter angeeignet hat. Das Théâtre français war nie verlassener und langweiliger, als seitdem es auch die letzte Stütze an Victor Hugo verloren hat. Die Porte St.-Martin ist an der 50. oder 60. Vorstellung der „Lucrèce Borgia" bei vollem Hause, und das Théâtre français spielt seine alten Stücke den leeren Sitzen vor, und die Aufführungen neuer reduciren sich thatsächlich auf Probevorstellungen; nach der ersten, zweiten kommt Niemand mehr, oder die Policei verbietet das Weiterspielen. Racine, Corneille, Molière, Beaumarchais sind glanzvolle Namen, ihr Talent wird bewundert, aber die Welt steht weder still, noch viel weniger geht sie rückwärts; sie verlangt etwas Neues, Fortschreitendes, Besseres, und das kann sie nur in der Gegenwart und Zukunft, nicht aber in der Vergangenheit suchen. Ueberhaupt hat der rücksichtslose, Alles verwerfende Tadel gegen die neuere Romantik, das Anathema über Bausch und Bogen etwas Einseitiges und zeigt sich als literarische Coterie. Man wirft dieser Schule vor, daß sie zu excentrisch sei, sich von allen Regeln lossage und sich zu sehr von Gemüthsaffect und Gefühlen nähre, oder, wie die „Revue théâtrale" sich ausdrückt, daß sie nur mit Leichnamen, Dolchen und Menschenschädeln spiele. Allerdings ist der Durchschnitt der neuern Erscheinungen mit jenen Fehlern behaftet, die eine jugendliche, brennende, sich über alle Convenienz erhebende Phantasie verrathen; aber warum gegen diese armen Romantiker so streng verfahren? warum ihnen allein aufbürden, was der ganzen Periode in Literatur wie in der Kunst, in der Politik wie in der Philosophie angehört? Es ist leichter zerstören als wieder aufbauen, und selbst in den reichhaltigsten Elementen liegt eine nur allmälig vorschreitende Entfaltung. Das Ende des vorigen Jahrhunderts hatte mit seiner incisiven Philosophie Alles untergraben, was von der alten regelrechten Schule überliefert worden war, die große Revolution hatte es vollends über den Haufen gestürzt; während des Kaiserthums herrschte nunmehr ein Gott, der des Krieges, und die Musen hatten sich unter das eherne Schild der Bellona geflüchtet; wo und wann hätte der neugeweckte Geist eine feste, reine Richtung nehmen sollen? Möge man immerhin einige wilde Auswüchse und Extravaganzen zu gut halten, das Bewußtsein der Zerstörung und Zurücklassung des Alten, die Nothwendigkeit eines vollkommenern Zukünftigen besteht; der Kampf ist begonnen, und der Ausgang kann nicht zweifelhaft sein.

Daß aber die nämliche Unstetigkeit, die nämliche Ungewißheit auch in den übrigen Schöpfungen des Geistes und der Dichtung herrschen, davon hat die diesjährige Kunstausstellung einen frappanten Beweis geliefert. Nach Prüfung der dreitausend und so viel Gemälde, nach Durchwanderung der langen Säle und Galerien, nach wiederholtem und abermaligem Beschauen der bunten Farben, was ist der endliche Eindruck? Ueber welchen Punkt ist die Kunst einig? Was spricht sie aus? Was will sie? Wie heißt sie? Keine Antwort! Viel, sehr viel Mittelmäßiges — ich sage so aus Urbanität, um nicht zu sagen, unter aller Kritik Schlechtes — Vieles, was im Einzelnen gut gezeichnet, mit Geschmack gemalt ist; ein sichtbares Ringen zwischen dem Vergangenen und der Gegenwart; ein Gemisch von alter und neuer Schule, von Classicität und Romantik, von Regel und Phantasie; Elemente, aber kein Werk, Hoffnung, aber kein Resultat; ein Charakter, eine Physiognomie, ein Ausdruck der Periode und eine jetzige Kunst — nirgend! Ist es anders in der Staatswissenschaft, derjenigen Lehre, über welche eine feste Basis vor Allem Noth thäte? Man sehe um sich und urtheile! Wenn übrigens die Anhänger der alten Classicität, des reinen Vierecks in der versailler Gartenkunst, der Racine'schen Regelmäßigkeit, der rothen Absätze und der Helden in Allongeperücken von Lächerlichkeit der neuen Romantik sprechen, so vergessen sie wol, daß ihre Gegner reine Großmuth üben, wenn sie ihnen die Antwort nicht mit vollem Maße zumessen. Der Ton und Zuschnitt jener Theaterkunst, die römischen und griechischen Helden des Zeitalters Ludwig XIV., die so gut wie der letzte Edelmann des großen Königs unter seine Laune und die Etikette des Hofes sich beugen mußten, waren und sind heute ein Gegenstand des Gelächters und Spottes. Phädra und Theseus, Achilles und Agamemnon, die in zierlichen Alexandrinern, gepudert und frisirt per Madame und Seigneur zueinander sprechen, sind mir von allen Zeiten her als eine insipide Ketzerei vorgekommen.

Racine, Boileau, Mde. de Sevigné und der ganze Hof — so erzählen die Ueberlieferungen jener Zeit — gingen jeden Tag, Cinna zu sehen, in viereckiger Perücke, in kurzen Hosen von Sammet und einen (versteht sich dreieckigen) Hut auf dem Kopf; und Kleopatra mit aufgekräuseltem Chignon und in einem Reifrock von 12 Ellen rothgeblümtem, gewirktem Stoffe.

Man sah auf der Bühne Andromache, Cornelia, Agrippina, Roxane, Alzire in großen Reifröcken, und in der Oper würden Juno und Armida ohne Reifröcke als Nähtermädchen (grisettes) angesehen worden sein.

Vanhove spielte die Rolle des Adam in dem „Tode Abel's" in einer kurzen Hose mit diamantenen Schnallen und Schnallschuhen. Ein langes Beinkleid in Fleischfarbe verweigerte er aus dem sehr triftigen Grunde, weil er darin weder sein Schnupftuch noch seine Tabacksdose aufbewahren könne.

Das „Magazin pittoresque" war eine der glücklichsten Ideen, welche einem Unternehmer von literarischen Blättern kommen konnten. Es vereinigt in einem hohen Maße die Eigenschaften, welche ein Volksblatt besitzen muß, um Abnehmer und Leser zu finden. Es ist wohlfeil, einfach und populair, dabei sehr gut geschrieben und enthält, was ein unschätzbarer Vortheil ist, Bilder und Versinnlichungen; nichts reizt mehr die Neugierde des Publicums, welches hier durch die Anschauung eine Klarheit erhält, die eine einfache Beschreibung oft vergeblich versuchen würde. In dem „Magazin pittoresque" findet der Leser aufgezeichnet, was an den laufenden Wochentagen besonders Wichtiges in der Geschichte des In- und Auslandes vorgefallen ist; in dem „Magazin pittoresque" findet der Abonnent nützliche Unterweisung im Gebiete der Technik, der Industrie, in der Naturgeschichte, Beschreibung des Schiffsbaus und Seewesens, der wichtigsten Land- und Seethiere, Mittheilungen über Kunst und Kunstgeschichte, Anführung des Interessantesten von öffentlichen Ausstellungen; das „Magazin pittoresque" gibt seinen Abnehmern von Zeit zu Zeit einige Mittheilungen über die antiken Monumente der Hauptstadt und die sehenswerthesten Schöpfungen der Kraft und des Genies. Neben diesen Ursachen eines gerechten Stolzes zeigt das „Magazin pittoresque" in weiter Ferne die Barbarei der ersten Bewohner Frankreichs zur Zeit, als Julius Cäsar der alten Lutetia einen Besuch machte, es läßt die alten religiösen Gebräuche und die Gaukelspiele der Druiden vortreten und erzählt, woher diese Gebräuche kamen, wohin sie gingen:

Die Religion, welche Julius Cäsar so stark in dem Glauben der Gallier gewurzelt fand, war nicht national; sie hatten sie von den Britanniern zu einer Zeit erhalten, von welcher die Geschichte keine bestimmte Erwähnung thut; später, unter der Herrschaft der Römer, verließen sie den Dienst des Gottes Teutates, um jenen von Jupiter und den übrigen Gottheiten des Olymps anzunehmen. In der Folge wurde das Evangelium durch Priester ohne Waffen und Soldaten gepredigt, und die Eroberungen der christlichen Religion führten neue Veränderungen herbei.

Teutates war der Jupiter der Britannier und Gallier; die Druiden waren seine Priester, vertheilten seine Gunst, schleuderten seine Blitze gegen die Gottlosen, legten die Antworten aus, welche ihnen der Gott ertheilte, wenn sie ihn nach den Formen seines Dienstes befragten; sie hatten sich sogar der Verwaltung der Justiz bemächtigt, und wenn Jemand ihre Gerichtsbarkeit zu verleugnen wagte, so schlossen sie ihn von aller Theilnahme an den Opfern aus; der Recurs an die Gottheit war in diesem Falle untersagt, es sei denn, daß man vorher den Zorn ihrer Diener besänftigt habe. So war die Excommunication eine furchtbare Waffe in den Händen der Priester von Teutates, wie sie es späterhin wurde, als christliche Priester sie verhängten.

Die Druiden boten ihre Hülfe den Kranken an, aber ohne die Heilkunde zu üben; blos durch ihre Verwendung beim Gott versprachen sie die Gesundheit wiederzugeben; allein Teutates war zuweilen sehr begehrlich, und wenn die Krankheit tödtlich war, bedurfte es nichts Geringeres als eines Menschenopfers, um das Leben zu erkaufen, welches man erhalten wollte. In den gewöhnlichen Fällen begnügte sich der Gott wol mit dem Darbringen einiger Schlachtthiere.

Das Einsammeln der Eichenmistel war die feierlichste unter den Religionsceremonien der Druiden und diejenige, von welcher die Tradition die meisten Spuren erhalten hat. Es ist noch gar nicht lange her, daß die Mistel der Gegenstand von Volksgesängen war, statt als ein Feind behandelt zu werden, von welchem ein sorgfältiger Anbau die Bäume befreit. Wenn man bei den Galliern eine Eichenmistel entdeckte, so schickte man sich an, sie unter genauer Beobachtung der bei solcher Gelegenheit vorgeschriebenen Förmlichkeiten zu brechen. Zwei weiße Stiere werden mit den Hörnern an den Stamm des Baumes angebunden, welcher diesen köstlichen Auswuchs trug; das Geschenk, das man eben einnahm, war die dargebotene Opfergabe mindestens werth. Ein Druide, mit einem goldenen Baummesser versehen, stieg auf den Baum hinauf und löste die Mistel ab; Andere empfingen sie auf einem zu diesem Gebrauche bestimmten Gewebe von weißer Wolle. Es war dies ein allgemeines Wundermittel, wovon ein kleiner Theil, in Wasser gegossen, gegen die Angriffe des Giftes schützte, den Thieren einen Zuwachs von Stärke und Fruchtbarkeit verlieh u. s. w. Um diesen Fund nach Gebühr zu feiern, brachten die Frömmler ihre Gaben, und diese bestanden aus der Auswahl ihrer Heerden.

In großen Unglücksfällen oder vor dem Antritte eines Feldzuges gegen einen furchtbaren Feind hatten die Druiden den Gebrauch eingeführt, Menschenopfer zu bringen. Man erbaute eine ungeheuere Figur, welche einen Mann vorstellte; man füllte diese Gestalt mit Unglücklichen, welche in den Versammlungen waren verurtheilt worden, und wenn ihre Zahl unzureichend war, so wählte man unter den zur Vertheidigung nicht mehr geeigneten Männern Opfer aus; man legte brennbare Materialien um diese schreckliche Gestalt und steckte sie an.

Ludwig XIV. führte in Versailles Spiele auf, in welchen der ganze Olymp mit seinen Göttern und Heroen dem Winke des eiteln Fürsten gehorchte. Es ist bekannt, mit welcher sinnlosen Pracht jene Spiele dargestellt wurden; sie gehörten mit zu dem großen Sündenregister, welches später mit aller Schwere auf Ludwig XVI. niedergefallen ist und ihn erdrückt hat. Louis Philipp dagegen will von dieser Seite sich keinem Vorwurfe der Verschwendung aussetzen, darum sollen auch dieses Jahr die zu vertheilenden Würste an dem Namenstag des Königs unsichtbar geblieben sein; der Zahnstocher allein, sagt der „Charivari", wurde dem Volke bewilligt. Das „Magazin pittoresque" gibt uns nach dem alten Chronisten Sainte-Foix einige sonderbare Prachtaufwände und Allegorien des Mittelalters:

Ehemals bei den Festlichkeiten des Hofes nannte man entremets Decorationen, welche man in den Saal des Festes rollen ließ, und welche Städte, Schlösser und Gärten mit Fontainen vorstellten, aus denen alle Arten von Flüssigkeiten hervorliefen. Bei dem Mittagessen, welches Karl V., König von Frankreich, dem Kaiser Karl IV. im Jahr 1378 gab, ging man nach dem Gottesdienst durch die Galerie des merciers in den großen Saal des Palastes, wo die Tische zubereitet waren. Der König setzte sich zwischen den Kaiser und den römischen König. Es waren drei große Schenktische da: der erste mit goldenen Gefäßen, der zweite mit silbernen und vergoldeten, und der dritte mit silbernen. Gegen das Ende des Essens fing das Schauspiel der entremets an. Man sah ein Schiff anlangen mit seinen Masten, Segeln und Tauwerk; seine Flaggen trugen das Wappen von Jerusalem; auf dem Oberlauf unterschied man Gottfried von Bouillon in Begleitung von mehern Rittern in voller Rüstung. Das Schiff bewegte sich vorwärts in die Mitte des Saals, ohne daß man die Maschine, welche den Trieb gab, bemerken konnte. Einen Augenblick darauf erschien die Stadt Jerusalem mit ihren von Sarazenen bedeckten Thürmen. Das Schiff näherte sich ihnen, die Christen stiegen ans Land und stürmten hinauf; die Belagerten vertheidigten sich wacker, mehre Leitern wurden umgestürzt, allein zuletzt wurde die Stadt eingenommen.

Karl IX. ging eines Tages speisen zu einem Edelmann bei Carcassonne; am Ende des Mahls öffnete sich die Zimmerdecke; man sah eine große Wolke herabsteigen, welche mit einem donnerähnlichen Knall platzte und einen Hagel von Zuckerkörnern fallen ließ, auf welche ein Thau von Wohlgerüchen folgte.

Die Bewohner der Städte, durch welche der König reiste, suchten ihren Geist in Inschriften, Sinnbildern und allegorischen Figuren glänzen zu lassen. Als Ludwig XI. in Tournay einzog, im Jahr 1463, schwebte oberhalb des Thores mittels einer Maschine ein Mädchen herab, das schönste der Stadt, welches den König begrüßte und ihren Rock an der Brust öffnete, wo sich ein sehr wohlgeformtes Herz befand. Dieses Herz spaltete sich und daraus hervor kam eine große goldene Lilie, welche das Mädchen dem König im Namen der Stadt darbot.

(Der Beschluß folgt.)

Aus Italien.

Um die bisher bekannt gewordenen Nachrichten über den Ritter Scarpa zu vervollständigen, mögen hier folgende dem Decemberhefte der „Biblioteca italiana" vom J. 1832 entnommene Angaben stehen. Durch die Vergleichung mit dem „Conversations-Lexikon" wird sich schon ergeben, welche auf besserer Quelle beruhen. Antonio Scarpa war am 13. Juni 1747 zu Motta, einem friaulischen Dorfe in der heutigen Mark Treviso, geboren. Seine Aeltern waren Kaufleute und übertrugen die erste Bildung des Knaben einem Onkel von Vaters Seite, Don Paolo, einem frommen und in mathematischen Dingen besonders wohl unterrichteten Manne. Da der junge Scarpa unter dieser Pflege zu gedeihen schien, so überließ man ihn ihr bis zum Abgange zur Universität Padua, wo er aus früh sich darlegender Neigung als Student der Medicin sich einschreiben ließ. Experimentalphysik und Anatomie, besonders die letztere, regten so sehr seine Neigung an, daß er seine ganze Zeit auf sie wandte, Nächte lang Leichen zergliederte und schon im zweiten Jahre im Stande war, den Prosector bei seinen Geschäften zu unterstützen, selbst häufig seine Stelle zu vertreten. Morgagni, seinem berühmten Lehrer, konnte diese seltene Fähigkeit nicht entgehen. Sie führte bald ein Band des Wohlwollens herbei, das den Lieblingsschüler dem großen Meister als innigsten Vertrauten näher brachte. Morgagni verlor in seinem hohen Alter das Gesicht, behielt aber alle Frische des Geistes. In den letzten Jahren seines Lebens konnte Morgagni nicht mehr lesen und schreiben. Für Beides fand er einen Ersatz in dem jungen Scarpa, der ihm Classiker vorlesen, Werke des Faches mittheilen, häufig in seinem Auftrage Briefe, die Rath verlangten, nach seinen Angaben oder mit seinen Worten erwidern mußte. Scarpa bildete sich so als ärztlicher Geschäftsmann und machte sich die Gewandtheit der Formen zu eigen, die bei seinen gelehrten Unternehmen ihm so wesentlich förderlich war. Und um seine Geschicklichkeit nach jeder Seite auszubilden, ging er auf den Antrag des Prof. Galza ein, die Wachspräparate für die Sammlung des Gebährhauses zu übernehmen, die noch jetzt in Padua bewundert werden, verließ sogar Padua, weil er dort die Chirurgie nicht ausreichend gepflegt glaubte, um unter Riviera in Bologna das Versäumte nachzuholen, kehrte jedoch bald nach Padua zurück, um aus Morgagni's Händen den Doctorhut zu erhalten. Doch das Glück, dieses Lehrers sich zu erfreuen, war ihm nicht lange beschieden. Im Winter des J. 1771 starb Morgagni, vom Schlage getroffen, in Scarpa's Armen, und unser junger Anatom war entschlossen, nach Venedig sich zu wenden, um dem frischen Schmerze der Erinnerung sich zu entziehen, als ihm die Professur der Anatomie und Chirurgie zu Modena angetragen wurde, die er nach einiger Zögerung annahm. Alles war in Modena einzurichten; es fehlte an einem Local, an Gehülfen. Aber der Eifer seiner Zuhörer befeuerte den jungen Professor, Alles aufzubieten, was seine Kräfte vermochten, und die Theilnahme, die er erregte, fand sogar fürstliche Unterstützung. Ein anatomischer Hörsaal wurde im Bürgerspitale eingerichtet, und als der Oberchirurg im Militairhospital, Olivier, bald darauf starb, wurde Scarpa diese Stelle neben seinen andern übertragen, damit er praktisch die Lehren seiner Vorträge bewähren könne. Acht Jahre lang hatte Scarpa seinem Lehramte vorgestanden, als die Nachricht von Franz III. Tode in Modena eintraf, dem Herkules III. in der Regierung folgte. Der neue Regent meinte durch Veränderungen sich bemerklich machen zu müssen, die auch die Universität betrafen. Scarpa, dadurch berührt, bat um Urlaub zu einer wissenschaftlichen Reise nach Frankreich und England und erhielt ihn. Wer so vorbereitet nach Paris kam wie Scarpa mußte wol die Aufmerksamkeit der Leute seines Faches, der Vicq d'Azyr, Henry, Tiphesne u. s. w. auf sich ziehen, wenn auch Brambilla, der den grade gegenwärtigen Kaiser Joseph II. begleitete, es sich nicht zur Pflicht gemacht hätte, überall ihn einzuführen. In London lebten noch die Hunter, deren Sammlungen und Umgang gleichmäßig auf unsern jungen Professor einwirkten. Aber nach einem langen erfolgreichen Aufenthalte in London wäre Scarpa kurz vor der Abreise beinahe an der Grippe gestorben, die damals wie jetzt Europa durchzog. Nach zweijähriger Abwesenheit traf er wieder in Modena ein, wo ihn ein Brief Brambilla's bald ereilte, der den Lehrstuhl der Anatomie an der Universität zu Pavia unter sehr günstigen Bedingungen ihm antrug. Dankbar für eben erhaltene Begünstigungen, stand Scarpa an, von dem ehrenvollen Antrage Gebrauch zu machen, unterwarf daher sein Schicksal der fürstlichen Entscheidung, die seiner erweiterten Wirksamkeit nicht in den Weg trat. So zog denn

1784 Scarpa nach Pavia, wo er aufs Neue Sammlungen und einen Hörsaal zu schaffen hatte. Noch im ersten Jahre seiner Anstellung erhielt er die Erlaubniß, Wien zu besuchen und dem Kaiser Joseph persönlich sich zu empfehlen. Begleiter auf dieser Reise war ihm Alexander Volta. Wohl aufgenommen von dem Monarchen, wurde den beiden Reisenden in ihrer Abschiedsaudienz der Befehl, Deutschland nicht zu verlassen, ehe sie seine wichtigsten Universitäten besucht hätten, und eine in ihrer Wohnung eingetroffene Summe deckte reichlich die Kosten dieser Studienreise. So sahen Scarpa und Volta im J. 1784 Prag, Dresden, Leipzig, Halle, Berlin, Göttingen, und Alles, was sie beobachteten, blieb nicht ohne Einwirkung auf die Verhältnisse daheim in Pavia. Seine Einrichtung war es, daß die bisher willkürlich abgekürzten Vorträge nun einen vollen Cursus umfaßten, daß eine chirurgische Klinik beim Bürgerspitale geschaffen, eine Sammlung chirurgischer Instrumente angelegt wurde, die bald in den unglücklichen Zeiten, wo die Schlachtfelder von Bassignano, Novi, Marengo dorthin ihre Verstümmelten lieferten, sich von den wohlthätigsten Folgen erwies. An die Spitze des medicinischen Directoriums für den chirurgischen Theil gestellt, war er von der wohlthätigsten Wirksamkeit für seine Wissenschaft, der ganz anzugehören so entschieden sein Wille war, daß er bestimmt erklärte, er werde sich ins Venetianische zurückziehen, wenn man seine Wahl in den gesetzgebenden Körper der Jüngern nicht rückgängig machte. Die Drohung war wirksam. Man ließ ihn in Ruhe, ehrte seine Vorschläge und ging so weit in der Anerkennung seines Rufes, daß man, weil er darauf bestand, Pavia von allen wissenschaftlichen Erpressungen für den Preis von Haller's schon sehr beschädigtem Herbarium und einigen alten chirurgischen Instrumenten freisprach. Ungeachtet seiner ausgesprochenen Liebe für das Haus Oestreich wurde er doch zuerst mit in das italienische Institut gewählt, mit der Ehrenlegion und der eisernen Krone geschmückt und von Napoleon als König von Italien zu seinem ersten Wundarzte mit einem Gehalte von 4000 Francs ernannt. Das abnehmende Gesicht bestimmte Scarpa zu dem Wunsche, in den Ruhestand versetzt zu werden, aber die schmeichelhaftesten Ermunterungen des damals allmächtigen Napoleon, als er im J. 1805 Pavia besuchte und genau seine wissenschaftlichen Anstalten prüfte, zwangen ihn aufs Neue die Leitung der chirurgisch-klinischen Schule und der Arbeiten in dem Leichenöffnungssaale zu übernehmen. Sieben Jahre lang lebte er noch diesem doppelten Berufe, als der Tod des Prof. Jacopi, eines seiner ausgezeichnetsten Schüler, und die zunehmende Schwäche des Gesichtes ihn aufs Neue bestimmten, in den verdienten Ruhestand zurückzutreten. Die Herstellung des alten Herrscherhauses in der Lombardei bestätigte ihm den Genuß dieser ehrenvollen Ruhe, die man durch die Ernennung zum Director der medicinischen Facultät und den Leopoldorden auszuzeichnen bemüht war. Funfzehn Akademien und gelehrte Gesellschaften zählten ihn zu ihren Mitgliedern, und bemerkt wurde, daß Humphry Davy, als man Scarpa zum auswärtigen Mitgliede des pariser Nationalinstituts ernannte, bei der Wahl ihm nachstand. Die fünf letzten Lebensjahre des verdienstvollen Greises vergingen unter peinigenden Körperleiden, die er nur durch literarische Beschäftigungen, besonders durch das Lesen der lateinischen Classiker und namentlich des Virgil, zu beschwichtigen für Stunden im Stande war. Er starb hochgeehrt und liebevoll gepflegt, besonders durch seinen beiden Schüler die Professoren Cairoli und Panizza, am letzten October des J. 1832 zu Pavia. Seine Bestattung am 2. November entsprach der Stellung des Verstorbenen im öffentlichen Leben. Bis zu seinen letzten Lebenstagen war ihm sein treues Gedächtniß und der Glanz und die Gewandtheit des Ausdruckes geblieben. Der Lohn seiner unermüdeten Thätigkeit und seiner chirurgischen Geschicklichkeit war ein sehr bedeutendes Vermögen, das er jedoch niemals zur Schau trug. Seine Ferien und einen Theil des Sommers verbrachte er in einem reizend gelegenen Landhause zu Bosnasco am rechten Poufer, wo die meisten seiner Werke entstanden. Jagd und Landbau füllten dort die von wissenschaftlichen Forschungen freien Stunden, und der Jagd glaubte er seine langbewahrte Rüstigkeit zu danken. Auch den Künsten war er zugethan, und eine auserwählte Sammlung von Gemälden schmückte seine Umgebung. Ein Helm von getriebenem Eisen, vorzüglich schön gearbeitet, erfreute ihn noch in seinen letzten Lebensjahren, wie ein Brief, den er darüber an Ritter Bossi schrieb, es darthat; auch ein angebliches Bild des Herzogs von Urbino, nach der allgemeinen Ueberzeugung gemalt von Rafael von Urbino, gehörte zu den Schätzen, welche seine gelehrte Muße erheiterten. Ein Brief an Graf Marenzi in Bezug auf dieses Besitzthum steht im Junihefte der „Bibl. ital." vom J. 1829. 27.

Polnische Gedichte.

Zbiór najcelniejszych i najrzadszych rymotworców polskich z wieku XVI i XVII. (Sammlung der vorzüglichsten und seltensten polnischen Dichter aus dem 16. und 17. Jahrhunderte), von Jos. Muczkowski. Enthält: **Rytmy Mikołaja Sępa Szarzynskiego.** (Gedichte von Nikolaus Semp Szarzynski). Posen 1827.

Dieser Dichter, dessen Poesien bisher bei den Polen selbst in Vergessenheit gerathen waren, lebte zur Zeit Joh. Kochanowski's, und ihm wurde von seinen Zeitgenossen die nächste Stelle nach Kochanowski auf dem polnischen Parnasse eingeräumt. Aus einer angesehenen Familie in der Wojewodschaft Plock entsprossen, starb er 1581 in der Blüte seiner Jahre. Nach dem einzigen bis jetzt bekannten Exemplare einer von dem Bruder des Dichters 1601 veranstalteten Sammlung dieser Gedichte, welches sich in der Bibliothek des Grafen Dzialynski befindet, hat der Herausgeber, früher Lehrer an dem Gymnasium zu Posen, diesen Abdruck veranstaltet. Die Sammlung enthält nur lyrische Gedichte, Sonette, religiöse Oden (einige nach Psalmen David's), Grabschriften, Epigramme u. s. w., und zwar von bedeutendem poetischen und literar-historischen Werthe. Ein Dichter voll tiefen Gefühls tritt uns hier entgegen, ein durch und durch religiöses Gemüth, begeistert für die Tugend, ein Gemüth, das das Leben immer nur von einer ernsten Seite zu betrachten versteht. Wir versuchen ein Sonett und eines der kleinern Gedichte zu übertragen:

Des Menschen Kampf.

Der Fried' ist Seligkeit. Doch nur ein Streiten
Ist unser Leben hier, der finst're, strenge
Fürst dieser Welt, der eiteln Reize Menge,
So emsig streben sie uns zu verleiten.

Und nicht genug; der Leib, im ird'schen Walten
Des Geistes Haus, o Gott, wenn Lust ihn reißt,
Beneidet unklug um die Macht den Geist
Und hört in Ewigkeit nicht auf zu fallen.

Was soll ich thun, steht solch ein Streit mir offen,
Schwach, unvorsichtig und in mir getheilt?
O Herr, bei dem der wahre Friede weilt,

In dir allein kann ich Erlösung hoffen.
Ja, stell' mich dir zur Seite, sicher kriegen
Werd' ich sodann, und immer werd' ich siegen!

Der Eselskopf als Wappen.

Die Bürger Sparta's zeigten ihren Kindern
Betrunk'ne Sklaven oft, daß ihnen früh
Der Trunksucht Schande recht sich offenbare.
So wollte, glaub' ich, der zuerst den Kopf
Des Esels setz' als seines Wappens Zier,
Daß sein Geschlecht, Herrn Langohr stets vor Augen,
Die Thorheit flieh'n und Weisheit schätzen lerne.
Und wohl gelang's ihm, wie Erfahrung lehrt 177.

Redigirt unter Verantwortlichkeit der Verlagshandlung: F. A. Brockhaus in Leipzig.

Blätter für literarische Unterhaltung.

Donnerstag, — Nr. 192. — 11. Juli 1833.

Miscellen über Literatur, Kunst und öffentliches Leben in Paris.

Erster Artikel.

(Beschluß aus Nr. 191.)

Das gute Gedeihen des „Magazin pittoresque" scheint der Anlaß zu einem andern Unternehmen in ähnlicher Weise zu sein, was aber zu den unglücklichsten und ungeschicktesten Dingen gehört. Auf dem Börsenplatz, in allen Theatern, an allen Ecken hörte ich vor einiger Zeit ausrufen: „Le musée du peuple — demandez le musée du peuple, trois sous!" Ein großes Folio mit Kupferstichen angefüllt, mit einer unendlichen Masse von Lobsprüchen des Trägers empfohlen, reizte endlich meine Neugierde. Aber, o Jammer, welche Enttäuschung! Ich möchte wol wissen, was der Unternehmer in seinen folgenden Nummern gegeben hätte, wenn deren erschienen wären, denn ich glaube nicht, daß das Blatt eine zweite Nummer erlebt hat. Unter Museum hat sich der Verfasser wahrscheinlich ein Quodlibet von seichtem, disparatem Zeug, eine taliter qualiter zusammengeworfene und ebenso zusammengeraffte Masse von uninteressanten, geschmack- und kunstlosen Compilationen vorgestellt. Der Arme! vielleicht hat er sich diesen Begriff eines Museums von der diesjährigen Kunstausstellung abstrahirt? Als an das Volk gerichtet glaubte er die Erfodernisse einer anständigen Sprache seinem Werke nicht vergönnen zu müssen, und als Nahrung des Nationalgefühles und Stolzes erzählt er einige Anekdoten aus den Feldzügen Napoleon's; wie der Kaiser mit der Garde sich unterhalten und gnädig sich ausgedrückt habe, oder aber wie der König von Rom, von zwei weißen Widdern gezogen, auf den Terrassen der Tuilerien spazieren gefahren wurde und den Jubel des ihn begrüßenden Volkes huldvoll erwiderte.

Wenn irgend etwas verkehrt und in Unkenntniß des Nationalgefühles geschieht, so sind es diese von Zeit zu Zeit auftauchenden Bemühungen, das Volk durch die Erinnerungen des Napoleon'schen Kriegsruhmes zu entflammen und für eine Napoleon'sche Partei zu gewinnen. Mit dem Tode des Herzogs von Reichstadt ist die Napoleon'sche Partei in politischer Beziehung gestorben. Seit lange her war das Volk gegen jenen blendenden Reiz des Waffenglückes kalt geworden, doch weckte es stets der Name des Sohnes von Napoleon wie ein elektrischer Schlag; seit dieser aufgehört hat zu sein, ist auch das Personalinteresse verschwunden, und das der Sache war es vorher schon. Ja, der Name Napoleon's lebt wie eine halbe Gottheit in dem Sinne des Volkes; wo dieses, sich selbst folgend, handelt, spricht und seine Gefühle an den Tag gibt, gewahrt man den hohen Grad von Bewunderung, Verehrung und Bedauern für den Kaiser. Er war groß, die Nation — glänzte; er war ein Mann — und seitdem ist nichts erfolgt, was dem Volke gleiche Achtung eingeflößt hätte: kein Kaiserthum, keine alten Könige, keine Republik, und das letzte Aushülfsmittel, das Bürgerkönigthum, ist in dem Munde des Volkes zum Spott geworden. Mögen sich die Glieder und Anhänger der Napoleon'schen Familie nicht in ihren Hoffnungen täuschen; für sie blüht in Frankreich kein Heil mehr, das Volk wird sie in den Reihen der republikanischen Kämpfer mit Jubel empfangen und ihre Ergebenheit preisen, aber die Nachahmung der Dictatur des großen Repräsentanten der Familie liegt nicht in der Idee der Nation; sie will kein Kaiserthum und keine Restauration und kein Bürgerkönigthum, und wenn sie auch nicht völlig einig ist über Das, was sie an deren Stelle setzen soll, so ist sie darüber mindestens im Reinen, daß sie das bis jetzt Bestehende und Bestandene nicht mehr will.

Das „Musée du peuple" erzählt einen Vorfall aus der Julirevolution, welcher bisher nicht bekannt war, und dessen Darstellung in einem Gemälde mir in der Kunstausstellung nicht vorgekommen ist, obschon das Blatt darauf hinzudeuten scheint:

Anna Charlotte D..., deren in keinem Journal der Revolution erwähnt wurde, war eine arme Leinwandarbeiterin, welche mit ihrer Hände Arbeit ihren alten Vater und den jungen Anton, ihren Bruder, Lehrling bei einem Vergolder, ernährte. Am 27. Juli schlug sich Anton, unter seine Kameraden gemischt, in den Straßen von Paris. Beunruhigt über das Schicksal Anton's, lediglich ein Unterkleid überwerfend, riß sich Charlotte aus den Armen ihres Vaters und durchlief nach und nach alle Quartiere der Stadt, in welchen sich der Kampf zwischen dem Volke und den Truppen des Königs entsponnen hatte. Plötzlich stieß sie an einen Leichnam, einen nackten Leichnam; es war Anton. Mit den Waffen in der Hand gefangen, war er soeben durch eine Abtheilung Schweizer erschossen worden.

Trockenen Auges zählte Charlotte die Wunden auf der weißen Brust des Jünglings. „Zehn Kugeln!" rief sie mit einer fürchterlichen Stimme, „zehn Kugeln! Ha! bei dieser Leiche schwöre ich's, jeder seiner Wunden will ich einen Feind opfern....“ Erhabenes Mädchen! sie verfehlte nur einen einzigen. Neun Schweizer fielen unter den Schüssen von Charlotte; als sie zum zehnten Male die Patrone zerriß, durchbohrte der Säbel eines Uhlanenhauptmanns ihre edle Brust. Bei diesem Heldenzug hat sich der Pinsel des Herrn E. Delacroix begeistert in dem schönen Gemälde, welches er uns geliefert hat.

Eine andere geschichtliche Anekdote rührt aus der Zeit der ersten französischen Revolution her; wäre sie wahr, so dürfte sie eine der sonderbarsten Begegnungen des Zufalls genannt werden. Wer kann oft berechnen, in welchen unreinen Regionen ein äußerlich berühmter und hervorragender Mann die Triebfedern und Aufmunterungen seiner Handlungsweise schöpft?

Im Februar 1791 machte der berühmte Pitt, welcher vier Jahre später im Parlament einen Vertilgungskrieg gegen Frankreich anrieth, eine Reise incognito nach Paris. Während der kurzen Tage seines Aufenthaltes daselbst hatte Pitt, von einer jener Schwächen getrieben, welche oft die stärksten Charaktere beherrschen, den Einfall, in Betreff der großen Begebenheiten, welche er ahnte, eine alte Frau zu befragen, der man die Gabe der Weissagung zutraute, bekannt unter dem Namen la mère Servant und in einer der heute weggeschafften Hütten der Rue des Bernardins, nahe bei der Brücke de la tournelle wohnhaft. Als er zu der Hexe kam, traf er sie mit einem Rathsuchenden. Ehe er die mère Servant verließ, wandte sich Pitt leise an den Fremden und fragte ihn: „Hat sie Ihnen die Wahrheit über die Vergangenheit gesagt?“ „Die Wahrheit“, antwortete dieser. „Ich kann also ihren Worten über die Zukunft Glauben schenken?“ erwiderte der Engländer. „Nun denn, hier ist, was sie mir gesagt hat: nächsten Juni wird der König von Frankreich aus dem Lande fliehen; er wird auf seiner Flucht angehalten werden und in Lebensgefahr kommen.“ Die Züge des Fremden nahmen einen sonderbaren Ausdruck von Trauer und Hohn an. Er ergriff die Hand von Pitt, und seinen Arm auf dessen Schulter legend, sagte er: „Schwören Sie mir, daß sie Ihnen dies gesagt hat, mein Herr!“ „Louis wird fliehen, ja, ich habe es gesagt!“ schrie eine heisere Stimme, jene der Hexe, welche hinter ihnen Alles gehört hatte; „am nächsten 22. Juni, habe ich gesagt.“ Und sie setzte etwas leiser, aber mit einem höllischen Tone hinzu: „Wem würden Sie denn mehr in dieser Sache glauben als mir, Herr Graf von Mirabeau, wenn nicht etwa Ihnen selbst?“

In der That, es war Mirabeau, welcher in einer Verkleidung in diesen Schlupfwinkel gekommen war. Die Erzählung ist aus einem nicht publicirten Briefe von Cosinhal an Burke entnommen.

Der „Monde littéraire“, ein Literaturblatt für die ganze Welt; das in dem Maße reichhaltiger, großartiger und umfassender als die „Europe littéraire“ sein sollte, als die Welt größer ist wie Europa, ist nicht erschienen. Die „Europe littéraire“ hatte versprochen, alle Strahlen der europäischen Literatur und Kunst, überhaupt alles Wissens in Europa an sich zu ziehen, um sie von dem großen Mittelpunkte aus über den ganzen Welttheil leuchten zu lassen. Der „Monde littéraire“ machte solche Versprechungen, daß man einen Augenblick jene der „Europe littéraire“ für bescheiden ansah, obschon dies ziemlich schwer war. Aus dem ersten ist nichts geworden, und das Ganze mag wol eine Mystification, eine Verhöhnung der letztern gewesen sein. Obschon die „Europe littéraire“ nach ihrem Plane alles Denkbare umfassen und nach ihrem Prospectus jedes fernere Unternehmen verloren sein sollte, so hat sich doch der pariser Industriegeist nicht irre machen lassen; man lächelte und spottete einige Zeit über die anmaßende Exclusivität des nobeln Blattes und that sodann nach wie vor. Eine eigne Rubrik und nicht die wenigst langweilige der „Europe littéraire“ ist die Uebersicht der akademischen Sitzungen, Verhandlungen und Berichte. Das Wort Akademie hat in Paris schon etwas Einschläferndes, eine Sitzung gar ist ein combinirter Schlaftrunk, welchen man dem Zuhörer sehr gemessen, aber unwiderstehlich beibringt; ein Bericht über solche gelehrte Sitzungen kann sonach nicht das Uebermaß von Interesse darbieten, und es war nicht zu erwarten, daß dieser Theil der „Europe littéraire“ zur Nachahmung reizen werde. Dennoch ist ein neues Blatt angezeigt, was sich damit ausschließlich befassen soll. Das Institut: „Journal des académies et sociétés scientifiques de la France et de l'étranger“, soll das Organ aller akademischen und wissenschaftlichen Gesellschaften der Welt sein und zum Vereinigungspunkt aller Gelehrten der Erde dienen. Es wird Bericht erstatten über alle Arbeiten der Akademien und scientifischen Gesellschaften sowol in Paris als in den Provinzen und im Auslande und regelmäßig den Inhalt der Sitzungen, die gemachten Vorträge und die eingeschickten Arbeiten mittheilen. Die Anzeige des Blattes ist so erschöpfend als möglich; das aber ist noch keine Gewähr, wie uns die „Europe littéraire“ hiervon am besten überzeugt hat. Der wesentliche Inhalt der bisherigen Blätter dieser letztern besteht aus unendlich langen, gedehnten und schwülstigen Artikeln über die Kunst und die Künstler und deren Beruf, die Welt zu reformiren, mächtig großen und sehr häufig interesselosen Aufsätzen über neue Stücke an den Theatern, Anzeigen neuer Romane u. dgl., versteht sich, alles Dies über französische Literatur und Kunst; über ausländische ist noch sehr wenig gegeben worden. Heine's fortlaufende Artikel über deutsche Literatur sind das Hauptsächlichste, und man kann sagen, das Einzige, was Deutschland betrifft; alles Uebrige verdient kaum genannt zu werden. Die literarischen Anzeigen und Theaternachrichten sind daher nur unvollständige und meist fehlerhaft übersetzte Auszüge aus der ersten besten deutschen Zeitung. Dem Namen nach kommt freilich Alles vor, und so haben denn auch der Sanskrit und das Chinesische ihren Platz erhalten; wahrscheinlich ist es sehr schön. Dieses materielle Misverhältniß zwischen dem Prospectus und der Leistung ist übrigens der geringere Vorwurf, welcher die „Europe littéraire“ trifft, die Folgezeit und eine ernsthafte Verwendung um Correspondenten könnten die bisherige Unvollständigkeit ersetzen; das Wichtigere ist der Geist und der Charakter, in welchem sie geschrieben wird. Sie ist das Blatt und die Literatur der Aristokratie. Ein prächtiges Hôtel auf einem der belebtesten Plätze der Boulevards, auf das Kostbarste eingerichtet, empfängt an bestimmten Tagen in den erleuchteten Sälen die Notabilitäten der Kunst und der Literatur und, wie billig, alle Diejenigen, welche durch eine Actie und ihre Stellung in der vornehmen Welt dieses Charakters nicht grade unerlaßlich bedürfen, um überall Zutritt zu haben, und die demnach Werth darein setzen, auch zu dieser Art von Illustrationen zu gehören. Hier wird nun Viel und Mancherlei gesprochen, über Kunst und Künstler, über die Malereiausstellung, über Theater, über Musik u. s. w., und des andern Tages gibt die „Europe littéraire“ auf Atlaspapier eine pompöse Beschreibung der entzückenden soirée d'artistes, welche in den Salons der Direction stattgefunden. Das ist etwas, und in Paris in diesem Augenblick, wo jeder Profane sich mit einem bunten Stücke der armen zerfetzten Kunst behängen will, sehr viel. Es ist die Aristokratie der Literatur und Kunst. Schon die unterzeichneten Namen, die langen Titel und vornehmen Benennungen erregen die Aufmerksamkeit und berechtigen zu dem Schlusse, daß man hier in guter Gesellschaft sei. Die Legitimisten sind in großer Zahl unter den Stiftern, Actionnairs und selbst unter den Mitarbeitern. Daher der Ton von obenherab, in welchem diese Künstler sprechen; daher die Suprematie, deren instinktmäßiger Drang sich irgendwo Luft machen muß, wäre es auch nur in einem literarischen Blatte; daher diese unter der Hand vorkommenden Anpreisungen der Vorzüge und Vortheile, welche die Kunst von der Aristokratie erhalte; daher das naive Bekenntniß, daß man sich mit aller Kraft in die Kunst werfen müsse, nachdem in der Politik Alles, was groß war, verschwunden sei: das alte Königthum mit seiner ehrwürdigen Tradition, das blendende Kaiserthum, nach welchem — viel Ehre für das Bürgerkönigthum Louis Philipp's — nichts als Gemeinheit und Plattheit übrig geblieben sei; in diesem Chaos könne nur die Kunst zu der wahren Erkenntniß zurückführen und das Leben veredeln. Das Alles, unbeschadet der Aufschrift des Blattes, welche alle politische Discussionen ausschließt, und aus reiner Liebe für die Kunst selbst!

Während ich diesen bunten Artikel wie eine Basis künftiger Mittheilungen niederschreibe, fällt mir die „Revue de Paris“ unter die Hände, und ich finde darin einen Artikel des Herrn Viennet über die literarischen Coterien; er möge als Episode hier berührt werden. Sie begreifen gleich auf den ersten Anblick dieses Titels, was dieser Herr will. Herr Viennet, der Akademiker, Herr Viennet, der Sänger der Maulesel von Don Miguel, der Verfasser der Epistel an die Lumpenhändler und der „Tour de Montheri“, Herr Viennet der Ankläger der „Tribune“ vor der Deputirtenkammer, hat nicht genug des Lorbers, welcher alle diese verschiedenartigen Aemter, Stellungen und Titel um seine Schläfe gewunden; er hat sich in eine neue Bahn gewagt, er ist Journalist geworden. Warum? Damit die Blätter von ihm sprechen! Das war längst der Fall; man spricht auch über Das, was man belacht, und das unbarmherzigste aller Dinge ist sicherlich die öffentliche Meinung; ich zweifle daran, daß sie sich durch die Jeremiade des Orpheus des juste milieu zu einer Sinnesänderung über seine Maulthierdichtung und andere opera wird bekehren lassen. Also, Herr Viennet beklagt sich über die literarischen Coterien; er beweist, wie die unbedeutendsten Talente durch Kameradschaften und Intriguen erhoben und der öffentlichen Meinung angepriesen, und wie die solidesten und ausgezeichnetsten Charaktere durch die nämlichen Schleichwege und Verleumdung um die wohlverdiente Anerkennung betrogen werden. So z. B. habe der Verfasser ein Gedicht geschrieben, die „Philippiade“, „welches bekanntlich zerrissen worden, das ein Theil der Journalisten in den Koth getreten, ohne es zu lesen, ein anderer in den Himmel erhoben, ohne es auch nur geöffnet zu haben!“ Also weder Freund noch Feind wollen die Meisterwerke des Herrn Viennet lesen, und doch hat er die Maulesel von Don Miguel besungen und eine Epistel an die Lumpenhändler geschrieben! Ich glaube übrigens, Herr Viennet hat nicht ganz Recht; es gibt noch Leute, welche seine Werke lesen. So erinnere ich mich im „Corsaire“ oder „Charivari“ gesehen zu haben, daß sie den ersten Band der „Tour de Montheri“ gelesen haben, allerdings mit der Versicherung, daß sie es nicht weiter bringen könnten; das ist übrigens auch genug, von zwei Bänden einen zu lesen, das ist aller Ehren werth; diese Kritiker gehören also nicht zu den Feinden, welche nicht lesen. Ferner habe ich im „Figaro“, gewiß ein jetzt unverdächtiger Anhänger der „Philippiade“, wie sie glorreich über Frankreich herrscht, gesehen, daß dieses todtkranke Blatt einen Rest der ehemaligen Ader öffnet, um die arme „Tour de Montheri“ jämmerlich zu persifliren; dies ist also keine jener Belobungen von Freunden, welche nicht lesen, denn hier haben wir zwar einen Freund, aber dieser liest und lobt nicht! Dies ist freilich eine ärgerliche Lage, und da das reelle Verdienst seiner Geistesschöpfungen im Sinne des Herrn Viennet eine ausgemachte Sache ist, die auch nicht dem geringsten Zweifel unterliegt, so ist mir sein beredter Artikel, in welchem er die Herrschaft der Coterien über die literarische Welt beweist, sehr begreiflich. Wäre ich Herr Viennet, so würde ich mich an der undankbaren öffentlichen Meinung rächen; ich würde das Handwerk eines Dichters aufgeben, mich mit meiner Sinecure als Akademiker begnügen und zur Erholung von Zeit zu Zeit eine Anklage gegen die Presse vor die Kammer bringen. Warum nicht, die letzte ist so gut ausgefallen? 171.

Maria Aegyptiaca.

Unter den drei Büßerinnen, die in dem eben erschienenen zweiten Theile des Göthe'schen „Faust“ ihr Gebet an die Himmelskönigin richten, wird eine Maria Aegyptiaca genannt, mit Hinweisung auf die „Acta sanctorum“. Da diese oder andere Quellen nicht jedem Leser des „Faust“ zur Hand sein möchten, jeder aber, wie er sich der beiden andern Büßerinnen, der heil. Magdalena und der Samariterin aus der Bibel erinnert, auch gern von der dritten hören wird, so theilen wir so viel, als zum Verständniß der herrlichen Zeilen:

Bei dem hochgeweihten Orte,
Wo den Herrn man niederließ;
Bei dem Arm, der vor der Pforte
Warnend mich zurückestieß;
Bei der vierzigjährigen Buße,
Der ich treu in Wüsten blieb;
Bei dem seligen Scheidegruße,
Den in Sand ich niederschrieb.

nöthig ist, aus dem „Flos Sanctorum“ des Alfonso Villegas mit.

Zosima, ein Mann von großer Frömmigkeit und musterhaftem Wandel, lebte als Mönch in einem Kloster am Jordan. In demselben war es Gebrauch, daß die Mönche am Sonntage vor den großen Fasten, nachdem sie das Abendmahl genossen, sich, jeder einzeln, in einsame Gegenden außerhalb der Mauern des Klosters begaben, um sich, jenseit des Jordan, für einige Zeit stillen Betrachtungen hinzugeben; wenige blieben zurück, damit der Dienst Gottes in der Klosterkirche nicht ganz unterbleibe. Dasselbe that auch Zosima. Als er in tiefer Einsamkeit eines Abends um die sechste Stunde im Gebet versunken war, gewahrte er in seiner Nähe ein Wesen, welches ihm der Schatten eines menschlichen Körpers schien. Er machte das Zeichen des Kreuzes, weil er einen Geist sich nahe glaubte; da er aber nach Beendigung seines Gebets den Gegenstand näher betrachtete, erkannte er eine weibliche Gestalt ohne Gewänder, die Haut von der Sonnenhitze gebräunt, das Haar weiß wie Wolle und dünn. Begierig, die Schicksale und den Namen des Weibes zu erfahren, verfolgte er, trotz seiner Altersschwäche das Weib, die vor ihm floh. Er kam ihr nahe; und da jene sah, daß sie ihm nicht entrinnen könne, redete sie den Verfolgenden, den sie zuvor nie gesehen, von dem sie nie gehört, bei seinem Namen an und bat ihn, er möge ihr seinen Mantel zuwerfen, damit sie ihre Blöße decke, was er that. Bei dem Benedicite und dem Gebet, das Beide sprachen, ward der fromme Mann durch manche Zeichen und Erscheinungen inne, daß er mit einer Heiligen zu thun habe. Ihre Schicksale berichtete sie folgendermaßen.

Sie war in Aegypten geboren; 12 Jahre alt verließ sie Vater und Mutter und ging nach Alexandrien, wo sie, von Sinnenlust beherrscht, als öffentliche Buhlerin sich Jedem preisgab. Siebzehn Jahre hatte sie so gelebt, als sie zur Frühlingszeit viele Menschen ein Schiff im Hafen von Alexandrien besteigen sah; auf ihre Frage: wohin diese wollen? erhielt sie die Antwort: nach Jerusalem, um das Fest der Kreuzeserhöhung zu begehen. Da überkam sie die Lust, mitzufahren; sie wandte sich an einige lockere Jünglinge und versprach, ihnen in Allem zu Willen zu sein, wenn sie, die auch nach Jerusalem wollten, sie mitnähmen. Diese waren es zufrieden. Maria kam in Jerusalem an, wo sie ihr lasterhaftes Leben fortsetzte. Als der Tag jenes Festes gekommen war, begab sie sich zu der Kirche des heiligen Grabes; sie wollte mit der Menge der Gläubigen hineingehen; aber eine unsichtbare, unbekannte Macht stieß sie zurück; je mehr sie sich bemühte, desto kräftiger ward sie zurückgedrängt; dreimal versuchte sie vorzudringen, dreimal ward sie zurückgestoßen. Da erkannte sie, daß sie nicht würdig sei, das heilige Kreuz zu schauen, daß sie die Verworfenste sei unter den Menschen. Nun erfüllte sie die tiefste Reue, und ein Strahl des göttlichen Lichtes fiel in ihr Herz. In dieser Zerknirschung gewahrte sie ein Bild der Mutter Gottes; sie wandte sich flehend zu ihr und gelobte, Sünde und Welt zu lassen, wenn ihr vergönnt werde, das heilige Kreuz zu schauen. Ihr Gebet wurde erhört; sie begab sich noch einmal an die Thür jener Kirche, und obgleich das Gedränge an derselben sehr groß war, kam sie doch sehr leicht in das Heiligthum, sah das Kreuz und betete an. Nachdem sie die Kirche verlassen, kniete sie abermals vor jenem Muttergottesbilde und vernahm die Worte: „Wenn du über den Jordan gehst, wirst du Trost und Ruhe finden." So begab sie sich in die Wüste, wo Zosima sie gefunden, wo sie 47 Jahre lang unter den härtesten Büßungen und Entbehrungen, unter Gebet und andern frommen Uebungen hinbrachte; an Versuchungen fehlte es nicht, die sie mit Muth und Kraft, durch Gott gestärkt, bestand.

Sie trug dann Zosima auf, im nächsten Jahre nicht das Kloster zu verlassen, sondern am grünen Donnerstag den Leib und das Blut des Herrn an den Jordan zu bringen. Er versprach es, schied von ihr und that nach einem Jahre, wie sie geheißen. Als er an den Fluß kam, erschien die Büßerin jenseit, wandelte dann trockenen Fußes über die Flut desselben, genoß das Nachtmahl und foderte Den, der es ihr gereicht, auf, im nächsten Jahre abermals an der Stelle sich einzufinden. „Herr", sprach sie, nachdem sie die Himmelsspeise gekostet, „nun lässest du deine Dienerin in Frieden fahren, da meine Augen dein Heil geschaut haben." Als Zosima nach Verlauf des Jahres an dem bestimmten Orte sich eingefunden, sah er die Heilige nicht. Aber von der Stelle, wo sie einst gestanden, gingen Sonnenstrahlen aus. Dann erkannte der fromme Mann sie, die er gesucht, sie lag entseelt am Boden. Er warf sich auf die Erde, küßte ihre Füße und sprach das Todtenamt. In den Sand neben der Todten fand er die Worte eingeschrieben: „Zosima, begrabe den Leib Mariens, der Sünderin. Gib der Erde, was ihr ist, den Staub dem Staube, und bete zu Gott für mich, die in der Nacht der Passion Christi nach dem Genuß des heiligen Nachtmahls aus dem Leben schied."

Zosima war in Verlegenheit, wie er den Leichnam bestatten sollte. Da kam ein Löwe, leckte die Füße der Heiligen und scharrte dann ein Grab, in das nun der Leichnam Mariens gelegt ward.

Nach seiner Heimkehr erzählte der Mönch seinen Brüdern das ganze Ereigniß. Maria ward als Heilige angesehen, und man feierte alljährlich ihren Todestag zu ihrem Angedenken. Es war der 9. April d. J. 526. Zosima starb in seinem Kloster, hundert Jahre alt. 85.

Literarische Notizen.

Der bekannte Romanenschreiber Baron de Lamothe-Langon, den man in England für den Verfertiger der meisten in den letztern Jahren famös gewordenen französischen Memoiren hält, wie die der Madame Dubarri, Ludwig XVIII., „d'une femme de qualité" u. s. w. hat soeben angefangen den Liebhabern des Scheußlichen in allen Ländern ein sehr werthvolles Geschenk darzubringen. Dasselbe besteht in einem Buche, das den Titel führt: „Chronique du crime et de l'innocence: recueil des événemens les plus tragiques, empoisonnemens, massacres, assassinats, parricides et autres forfaits, commis en France depuis le commencement de la monarchie jusqu'à nos jours."

Brunet's Supplement zu seinem schätzbaren „Manuel du libraire" ist kürzlich in Druck gegeben worden und dürfte wol am Ende dieses Jahres ausgegeben werden. Es wird aus zwei Bänden bestehen, und liefert nun hoffentlich manche Ergänzungen zu Ebert's „Bibliographischen Lexikon", sowie ihm das Wissen des deutschen Bibliographen gegenseitig zu statten kommen konnte. — Die neunte Lieferung von Quérard's „France littéraire", den Buchstaben L complettirend, ist im April erschienen, die zehnte soll Ende dieses Jahres folgen.

Eine Gesellschaft von Gelehrten und Manufacturisten bereitet ein großes „Dictionnaire de l'industrie manufacturière, commerciale et agricole" in zehn starken Octavbänden vor, dem wahrscheinlich die vorhandenen englischen Werke dieser Art las Muster dienen.

Das von den verstorbenen gelehrten Antiquaren Münter, Thorlacius und Nyerup in Kopenhagen errichtete und bisher mit den größten Anstrengungen und unermüdetem Eifer von dem Rathe Thomsen erhaltene Museum für skandinavische Alterthümer hat im vergangenen Jahre einen Zuwachs von 400 mitunter höchst interessanten Artikeln bekommen. Anstatt dem beschränkten Raume in dem runden Thurm zu Kopenhagen, worin sich das Museum früher befand, hat ihm der König einige Zimmer in dem Palaste von Christiansburg, in welchem auch die Gemäldegalerie aufgestellt ist, angewiesen. 153.

Redigirt unter Verantwortlichkeit der Verlagshandlung: F. A. Brockhaus in Leipzig.

Blätter
für
literarische Unterhaltung.

Freitag. — Nr. 193. — 12. Juli 1833.

Sir Humphry Davy's tröstende Betrachtungen auf Reisen, oder die letzten Tage eines Naturforschers. Nach der dritten Ausgabe verdeutscht von Karl Fr. Ph. von Martius. Nürnberg, Schrag. 1833. 8. 1 Thlr. 12 Gr.*)

Wenn wir dies treffliche Buch in recht viele Hände wünschen, so ist dies in der That ein frommer Wunsch. Es ist eine alte Erfahrung, daß Aerzte dem Materialismus, Naturforscher, besonders am Ende ihrer Laufbahn, dem Spiritualismus zugeneigt sind. Der gelehrte Davy, einer der größten Naturkundigen unserer Zeit, ist ein gläubiger Supranaturalist, und da er diese Glaubensfreudigkeit und Glaubenssicherheit mit einem ungewöhnlich tiefen Blick in die Geheimnisse der Natur verbindet, so sind beide doppelt hinreißend, ja für den entschiedenen Skeptiker selbst fast unwiderstehlich. Bei uns fand er keine Schwierigkeit, seiner eignen Ueberzeugung glänzenden und dankbaren Eingang zu verschaffen.

Das vorliegende, wahrhaft wichtige und erfreuliche Buch wurde von dem berühmten Naturforscher während einer langen und peinlichen Krankheit zu Rom aus Reiseerinnerungen niedergeschrieben. Es wiegt eine Bibliothek selbst von guten Romanen auf, jeder Gedanke darin hat seinen Werth und seine Stelle in der Wissenschaft; es würde ein Lieblingsbuch Göthe's geworden sein. Wie aber hat ein solches Werk sich der Uebersetzungslust der Deutschen so lange entziehen können? Seine Ansichten von der Natur im Großen wie im Kleinen, besonders so weit sie Lieblingsgegenstände einer feinen und gebildeten Unterhaltung betreffen, über die Weltordnung, Entstehung und Vergehung des Erdkörpers, Fortbauer nach dem Tode und Art und Form derselben, über Geist und Materie, Ursprung des Menschengeschlechts, letzte Bestimmung desselben, präadamitische Vorzeit, Raum und Zeit überhaupt, Bildung der Erdoberfläche, Vulkane, verschwundene Menschen- und Thiergeschlechter, Kometen und die Welt zwischen unserm und dem nächsten Sonnensystem, über Thiere, deren Fortpflanzung geheimnißvoll ist, über die Bedeutung der Kunst, über Ahnungen und Träume — die Ansichten eines großen Naturkundigen über alle diese Gegenstände des Forschens für jeden nur mäßig gebildeten Geist, wer erführe diese nicht gern?

Während sich an dauerndem Interesse wenige Bücher diesem vergleichen, haben auch wenige so viel Verdienst in der Form als eben dieses. Die sechs Dialoge, die Vision, das Colosseum, der Unbekannte, der Proteus oder die Unsterblichkeit, der Chemiker und Pola, oder die Zeit, gleichen in ihrer Führung Platonischen Gesprächen; der „Charmides", das „Symposion" haben ihnen zum Vorbilde gedient; es ist ein Reiz seltener Art in der Verwickelung und Entwickelung dieser Gespräche, zwischen dem Skeptiker Onuphrio und dem glaubenstreuen Ambrosio, ein Reiz, der durch die zur Basis gewählten Localitäten, das Colosseum, der Vesuv, Pästum, die adelsberger Grotte, der Traunfall (aus welchem der Verf. so wunderbar durch den König von Baiern gerettet wurde), die Ruinen von Pola und andere, nicht wenig erhöht wird.

Doch wir müssen eilen, auf den Inhalt dieses kostbaren Buches einzugehen, an dem schon das Nebensächliche uns solchen Beifall abgewinnt. Der erste Dialog gibt uns eine Vision des höchst dichterisch angeregten Naturforschers. Sein Genius entführt ihn mitten aus den Trümmern des Colosseums über die Uranuswelt hinaus. Er sieht den Bau der Welt da, wo er für unsere Sinne endet, die künftigen Menschen, oder die erhöhten, mit feinern Organen ausgestatteten Erdbewohner in ihren Beschäftigungen, er theilt für einen Augenblick ihre höhere Natur, dies Alles, nachdem zuvor die ganze Weltgeschichte in einem höchst wirkungsvollen, wahrhaft poetischem Bilde an ihm vorübergegangen ist. Diese erhöhten Seelen sind allerdings wieder an Körper gebunden, und diese Körper denkt der Verf. sich eben nicht sehr ätherisch, wiewol sie fliegen können; aber sie sind mit Kräften und Intelligenzen begabt, die wir hier nicht begreifen, und ihre Beschäftigungen, ihre Freuden sind rein geistiger Art. Das Licht ist es besonders, das sie mit andern Organen (Fühlhörnern) auffassen, und das eben ihre Intelligenz zu einer andern macht. Sie nehmen einen Antheil an der Weltleitung, an der Ordnung der Phänomene, mit gesteigerter Einsicht; das Schöpfungswerk ruht zum Theil in ihrer Hand u. s. f., immer von höherer zu höherer Hand — eine hinreißende Ansicht der Weltordnung, hinreißend durch ihre innere Wahrheit, ihre Analogie.

*) Ueber das Original berichteten wir früher in Nr. 213, 347 u. 348 d. Bl. f. 1830. D. Red.

Wir können bei diesem Punkt nicht länger verweilen; dies Buch ist zu reich an Gedanken dieser Art, als daß wir jeden besonders zu würdigen vermöchten. Die Menschenentwickelung ist das Thema dieses zweiten Dialogs. Der Verf. ist hier so vollkommen alttestamentarisch, wie es gläubige Engländer gewöhnlich zu sein pflegen; Herder ist ein Freigeist im Vergleich zu ihm; aber was er lehrt, dringt tief auch in den freiern Geist ein. Den Schlußstein des Gesprächs bildet die Nothwendigkeit der Christusreligion und eines wörtlichen Verständnisses der Bibel. Hier behalten wir uns einen modificirten Glauben vor, den der Verf. auch weit entfernt ist gradehin zu verdammen. Daß der Mensch die letzte Schöpfung der Erde ist, wird von ihm mit reicher Wissenschaft und schöner Phantasie erwiesen. Das dritte Gespräch entwickelt an den Ruinen von Pästum die Geschichte der Bildung der Erdoberfläche. Wir kennen die neuen und neuesten Systeme darüber; das des Verf. hat geschichtliche Thatsachen, Analogie der Natur und Wahrscheinlichkeit für sich. Es ist ein Buch darüber zu schreiben; der Verf. aber hält die Grenzen eines Platonischen Dialogs fest. Nebenher hören wir über die aria cattiva, über die Bildung des Travertins, über die Gesetze, welche die Thätigkeit der Vulkane bedingen, seine Ansichten. Im vierten Dialog beginnt mit der Analyse des kleinen merkwürdigen Thieres, des Proteus in der adelsberger Grotte, eine Untersuchung des Unsterblichkeitsglaubens und der Verwandlungslehre, die uns den „Phädon" vergessen macht. Mit dem Hohen und Höchsten geht das Geringere parallel. Wir vernehmen die Geschichte des merkwürdigen Sturzes, den der Verf. im Traunfall machte; seine Gefühle dabei, seine Rettung durch den gekrönten Menschenfreund Ludwig von Baiern. Der Verf. liebt diese Gegend leidenschaftlich, er hält sie für die dem Naturforscher bedeutendste Landschaft Europas. Im Vorübergehen erklärt er uns die Reiseleidenschaft seiner Landsleute aus physischen Ursachen. Kein klimatisches Verhältniß ist der Ruhe des Geistes so ungünstig als das Englands. Ein beständiger Reiz auf das Nervensystem aus klimatischen Anlässen verbietet das süße Gefühl des Ausruhens jedem Engländer, er findet dies in Italien, Sicilien, Südfrankreich. Die Widerlegung des Materialismus ist Hauptzweck dieses und des folgenden Gesprächs. Alle Scheingründe, alle Erfahrungen der Materialisten (Broussais mit eingeschlossen), was beweisen sie? Nichts, als daß es einer gewissen Vollendung der materiellen Bedingungen bedarf, damit der Geist thätig wirken könne. Haben sie damit bewiesen, daß der Geist und die Materie ein und dasselbe sei? Keineswegs! Ohne Augen keine sichtliche Wahrnehmung, ohne Gehirn keine Erinnerung einer solchen. Ist darum aber Wahrnehmung und Auge dasselbe? Der Glaube an eine frühere Existenz wird vertheidigt, besonders aus dem Gewissen her; der an ein individuelles Bewußtsein nach dem Tode verworfen; was wir mitnehmen, ist Kraft und Liebe, Totalität des Eindrucks. Das folgende Gespräch umfaßt den eigentlichen Beruf des Naturforschers: er soll Gott in den mannichfaltigen Formen des materiellen Lebens zeigen! Edler war dieser Beruf nie gefaßt, nie schöner über ihn gesprochen, nie waherr die Grenze zwischen dem Handlanger der Wissenschaft und dem wahren Erforscher derselben gezogen als hier, nie warnender über die Irrthümer des kleinen Experimentirens gesprochen als hier. Die Zeit, die Zerstörung, die Verwandlung sind die Gegenstände des letzten Dialogs, ausgeführt an den Ruinen von Pola. Hier ist jeder Auszug unmöglich. Wie Wärme und Licht, die feinsten Zerstörungsmittel, wie Zersetzung, Thätigkeit des Erdkörpers und Einfluß der Elemente wirken, Frost, Entziehung der Gasarten, mechanischer Einfluß der Luftarten, ist hier in anziehendster Form an den Gegenständen der Kunst ausgeführt und Belehrung gegeben, wie ihnen zu wehren sei, eine Belehrung, mit der der große Naturforscher ein neues Verdienst in den Augen des Kunstfreundes erworben haben wird. Wie die Zeit also wirkt; wie alle scheinbare Zerstörung nichts sei als ein Wechseln der Form; wie das Princip der Welterhaltung ein ewiges sei, und jede scheinbare Verwirrung grade nur die höchste Vollendung der Weltmaschine bekunde; wie weder ein Welkörper, noch eine That des Gedankens jemals unterzugehen vermöge; wie wol von Verwandlung, aber nicht von Zerstörung des Erdkörpers die Rede sein könne; wie Newton irrte, wenn er das Princip allmäliger Zerstörung im Weltgebäude zu entdecken wähnte; wie Laplace ihn berichtigte; welche Bewandniß es mit dem Verschwinden von Sternen, den Veränderungen im Fixsternsystem haben möge — über diese Gegenstände verbreitet sich das letzte dieser köstlichen Gespräche.

Es geschieht uns selten, von einem Buche so hingerissen zu werden, daß wir keinen Mangel darin entdecken könnten. Dies Buch gehört zu den seltenen, und wir beklagen nur, uns hier mit einer kahlen Inhaltsanzeige begnügen zu müssen, anstatt den tiefen, geistvollen und vom Geist der Wissenschaft wie von dem des guten Geschmacks eingegebenen Untersuchungen des Verf. im Einzelnen folgen zu können. Wer aber von unsern Lesern nur irgend noch Sinn für eine höhere und edlere Geistesbeschäftigung bei sich gerettet hat, wen der Dämon Politik, oder der Kobold Journal- und Romanlecture nicht für reine und würdige Seelenthätigkeit stumpf gemacht hat, der freue sich dieses trefflichen Buches.

Die Uebersetzung ist etwas steif und wenig sprachgewandt; aber sie ist richtig und, wie es scheint, treu; die Fülle der Gedanken ersetzt die sprachlichen Mängel vollkommen. Aber wir können nicht schließen, ohne noch einmal auch auf die ästhetische Würdigkeit und das formelle Verdienst dieser letzten Arbeit des großen Naturkundigen aufmerksam gemacht zu haben. Die Führung des Gesprächs ist durchaus Platonisch, vom griechischen Geist eingegeben und unendlich über Fontenelle und dessen Nachahmungen erhaben.

34.

Sachsens Umbildung seit dem Jahre 1830. Den constitutionnellen Ständen des Königreichs Sachsen gewidmet. Leipzig, Hinrichs. 1833. Gr. 8. 18 Gr.

Die Ereignisse in Sachsen im Jahre 1830, und die Ideen, Hoffnungen und Wünsche, welche dadurch in Umschwung gekommen sind, haben natürlich eine Menge Federn in Bewegung gesetzt und viele Flugschriften erzeugt, von denen die meisten nur das Interesse des Augenblicks für sich haben dürften. Die vorliegende Schrift macht darunter eine rühmliche Ausnahme und wird sich daher wol eines längern Lebens erfreuen können.

Die Richtung des ungenannten Verf. und seines Werks ist die liberale im bessern Sinne des Wortes, und bei derselben sieht er in der Ausbildung Sachsens die Entwickelung eines neuen kräftigern Lebens und den Uebergang zu einer bessern Zukunft. Damit soll ebenso wenig ein Tadel ausgesprochen werden, als wir einen solchen zu verdienen glauben, wenn wir gleich von vorn herein bekennen, uns nicht auf dem Standpunkte des Verf. zu befinden, was uns aber nicht hindert, ihn als einen sehr gebildeten, mit den öffentlichen Verhältnissen genau bekannten und dem Geschäftsleben nahe stehenden Mann zu achten, dem vor Vielen der Beruf zu reden zugestanden werden muß.

Dieses geschieht hier keineswegs mit der Einseitigkeit und Ungründlichkeit gewöhnlicher Parteisucht und in dem Tone der Leidenschaft, sondern, bei aller Vorliebe für die einmal mit Ueberzeugung ergriffene Sache, mit Mäßigung, Umsicht und einer würdigen Haltung, wie sie in Zeiten der Gährung und des schnellen Ueberganges vom Alten zum Neuen selten ist.

Die Schrift beginnt mit dem unglücklichen Landtage im Jahre 1817, welcher so viele Erwartungen unbefriedigt gelassen hatte, und geht bald auf den im Jahre 1830 über. Der Verf. schildert die Misbräuche, Uebel und Abnormitäten, welche in den verschiedenen Theilen der Verfassung, Verwaltung und des öffentlichen Lebens stattfanden, in flüchtigen, aber treuen Zügen, dabei auch das mancherlei Gute anerkennend, welches unter der vorigen sowie der gegenwärtigen Regierung ins Leben trat. Wir müssen ihm im Allgemeinen, insbesondere aber darin beistimmen, wie eine unglückliche vornehmthuende Geheimnißkrämerei die öffentliche Meinung gegen das Gute, welches geschah, blind oder mistrauisch machte und die mehr geduldeten als veranlaßten Uebel in derselben vergrößerte. Manche Misbräuche läßt indeß der Verf. unberührt, und wir hoffen, daß dieses nur aus Mäßigung geschehen ist. Die Wunden, die sie geschlagen haben, sind noch frisch und dürften, aufgedeckt, um so später heilen. Ein solches Schweigen ist dem in und mit der Zeit Lebenden nicht immer zu verargen.

Hierauf erwähnt der Verf. der Ereignisse in Dresden, Leipzig und andern Orten und geht dann zu ihren nächsten Folgen über. Hier sind wir schon weniger mit ihm einverstanden; doch befanden wir uns während dieser Begebenheiten nicht mehr in Sachsen und können also nicht aus eigner Ansicht urtheilen. Indeß scheint uns die Metapher der überreifen Frucht, die berührt werden mußte, um herabzufallen, ein mehr gefälliges und zeitgemäßes als richtiges und geschichtlich zu rechtfertigendes Bild zu sein. Auch können wir Dem, was über den Grafen von Einsiedel gesagt ist, nicht ganz beipflichten. Wenn auch sein „Uebergreifen in viele andere Sphären außer dem Kreise seines amtlichen Wirkens" sich nachweisen ließe(?), wenn wir auch sogar zugeben müssen, daß er bei Betreibung seines Fabrikinteresses wenigstens nicht mit der Vorsicht und schonenden Anerkennung der öffentlichen Meinung, die man von einem öffentlichen Charakter verlangen kann, verfuhr: so müssen wir doch den Begünstigungen und Beförderungen, welche aus seiner Hinneigung zu der sogenannten pietistischen Partei hervorgegangen sein sollen, so lange uns die so Begünstigten und Beförderten nicht genannt werden, durchaus widersprechen. Der Verf. spricht zwar hierüber weniger die eigne Ansicht aus, als er das Gerücht und dessen Folgen anführt; er hätte aber, bei seinem Billigkeitsgefühle und seiner Welt- und Geschichtskenntniß, dasselbe entweder unbeachtet lassen oder bemerken sollen, wie selten es ist, daß die lebendige Glaubensüberzeugung eines einflußreichen Mannes nicht den Verdacht der Begünstigung seiner Geistesverwandten errege.

Der Unruhen zu Dresden im Jahre 1831 wird kurz, aber mit treffenden Zügen gedacht. Gleiche Kürze hat die Charakteristik der Minister, der wir aber eine gewisse vorsichtige Geschraubtheit angemerkt haben, die dem freisinnigen Manne übel steht und eher für einen Diplomaten älterer Schule passen würde.

Wir können uns nicht mit den übrigen Einzelnheiten beschäftigen, deren Anführung bei dieser verspäteten Anzeige auch um so weniger nothwendig sein dürfte, da die Schrift vielleicht schon ihren Weg gemacht und den Beifall gefunden hat, den sie bei ihrer Gediegenheit verdient. Ihrem Verf. müssen wir aber den Beruf zuerkennen, für die Sache seines neugebildeten Vaterlandes zu schreiben und so den Geist der Mäßigung, Ordnung, Gerechtigkeit und Würde, der ihn so sichtbar belebt, zu verbreiten, und ihm endlich aus der Ferne den Wunsch zu erkennen geben, daß er auch den jetzigen Landtag zum Gegenstande seiner Darstellung wählen möge. 162.

Romanenliteratur.

1. Zallida. Die chinesische Kaiserbraut oder Politik und Liebe. Frei nach dem Englischen bearbeitet von Louis von Wallenrodt. Zwei Theile. Stettin, Hessenland. 1832. 8. 2 Thlr.

Ref. überlegte, ob die Langweile, welche ihm beim Lesen der ersten Bogen dieses Werkes beschlichen hatte, Folge des Gelesenen oder seiner Abneigung gegen alles Chinesische sei, als ein Freund hereintrat, der diese Idiosynkrasie nicht theilte, und weil er mir keine Unparteilichkeit zutraute, es über sich nahm, die Geschichte zu lesen und das Endurtheil mir mitzutheilen. „Nun wie ist's", rief ich, als nach einigen Tagen der Freund mir das Buch zurückbrachte, „verdrängte die schöne Kaiserbraut — daß sie schön ist, versteht sich von selbst — „Die beiden Muhmen" und andere reizende Schilderungen aus Ihrer Neigung? Darf sich „Zallida" mit diesen an Originalität, wunderlichen Ansichten und Begebenheiten, die uns jenes wunderliche Chinesenvolk kennen lernen, messen?" „Erlauben Sie mir, durch die Schilderung von etwas Erlebtem, wenn Sie wollen, gleichnißweise zu antworten. Vor Jahren hielten mich Geschäfte in dem Städtchen *a eine Weile fest, eben als eine herumziehende Komödiantentruppe dort ihre Bude aufgeschlagen und die noch zu überraschenden Einwohner durch grimmigen und zärtlichen Singsang und Klingklang, Spaßhaftes und Trauriges in Erstaunen, Rührung, Lust und Entzücken versetzte. Der Vollständigkeit zu Ehren gab man auch Ballette, die ein Mitglied der Truppe leitete, das ehedem als Figurant bei einem corps de ballet einige oberflächliche Begriffe der choregraphischen Kunst erlangt haben mochte. Die brachte er denn treufleißigst in Anwendung und schuf dann nach dem Modell, das ihm vorschwebte, allerlei Neues, eigentlich Altes, denn mit der Erfindungsgabe stand es um unsern Pseudo-Vestris nicht zum Besten. Sprung und Pantomime, ja selbst der Plan, wenn man dem Planlosen anders einen beimessen will, blieben dieselben; aber der Anzug änderte: heute trugen Tänzer und Tänzerinnen runde Hüte, lange Wämmser, Mieder und bebänderte Faltenröcke, und da war es „Das lustige Beilager in Tirol"; oder man hatte sich mit Baretts und Federn, Puffen und Gold geschmückt, und repräsentirte den Hof Kaiser Karls, die schaulustigen Zuschauer glaubten wirklich eine funkelnagelneue Historie abhüpfen und abgeberden zu sehen, und eigentlich sahen sie blos neue Mützen, oder Hüte und Röcke. In unserm Romane nun haben die dramatis personae den spitzen Chinesenhut aufgestülpt, und das weitärmelige Gewand angelegt, d. h. fremdklingende Namen und Aufzüge, selbst wörtlich, aus Macartney's Reisen u. a. als Erklärung gegeben; sonst aber ist's der alte Romanplan: misleitete Fürsten, die später in sich gehen und Beglücker der Menschheit werden, Verfolgung, Hinterlist, Ränke der Priester (hier Bonzen genannt), tugendhafte Liebe, Wirrwarr auf allen Ecken, Herzeleid, viel Lärmen um nichts, und endlich der Sieg der bedrängten, geprüften, bewährten Schönheit und Unschuld, Erbrechen des Lasters. Unbeschadet Ihrer Idiosynkrasie hätten Sie das Buch zu Ende lesen können, es bedurfte nur einigen Costumwechsels, um sich mitten in Europa, oder besser im Romanenlande zu glauben und die Ueberzeugung zu gewinnen, daß nicht die chinesischen Namen, daß die Sachen selbst die Ursache des Gähnens seien, das Sie wol durch das ganze Buch begleitet haben würde."

2. Erzählungen von H. E. R. Belani. 1) Untergang der Janitscharen. 2) Der Demant. 3) Die Walpurgisnächte. Braunschweig, Verlagscomptoir. 1832. 8. 1 Thlr. 16 Gr.

Recht gut erzählt, schlagend, ohne ins Fabelhafte sich zu verirren. Die alte Drude mit ihren Prophezeiungen, eine Figur, die seit der Megmerilis im „Astrologen" zum Stereotyp wurde, brauchte keinen Sehergeist, um in der Walpurgisnacht dem kecken, unweiblichen, auf ihre Unverwundbarkeit trotzenden Fräulein Liebesgram und schmähliche Niederlage vorauszusagen; auch ohne dies wäre Hochmuth vor dem Fall gekommen. Das Herumschweifen in der Walpurgisnacht, mit Allem, was sich dabei ereignete, ist sichtlich auf den Effect gearbeitet und daher das einzig Verwerfliche an diesen Erzählungen.

3. Der weiße Sonntag und drei andere Erzählungen. Herausgegeben von August Leibrock. Leipzig, Kollmann. 1832. 8. 18 Gr.

Vom Herausgeber findet sich blos eine kurze Geschichte: „Das versunkene Kreuz", so gut im Tone gehalten, daß wir während des Lesens geistergläubig sind. Eine rührende Familiengeschichte: „Der weiße Sonntag", nach Art unsers deutschen Lafontaine, ist in ihrer ersten Hälfte durch treffliche Ansichten von Erziehung der Kinder sehr beherzigungswerth; auch in der zweiten macht sich der Ausdruck des Gefühls wahr und herzlich, nur ist die Weise, wie der Fürst eingeführt ist, und absonderlich die Manier seiner Großmuth ein wenig veraltet. Professor Dr. Gareg, ihr Verf., scheint glücklicher im Sentimentalen als im Humoristischen, denn die Goldbank, welche letzteres sein soll, erreicht an Gehalt jenen Sonntag nicht, ist auch in der Art frostiger Spaßhaftigkeit noch mehr veraltet als jene in ihrer Großmuth. Obgleich ein Blitzstrahl an dem Monument einer buhlerischen Frau und unnatürlichen Mutter alle Buchstaben auslöscht, ausgenommen die, welche den Titel der Geschichte bilden: „Erzittre vor dem ersten Schritt", erfahren wir dennoch nichts von diesem ersten Schritt, wir lernen sie als vollendete Sünderin kennen, deren einzige sittliche Regung ist, die Ehe zwischen Bruder und Schwester zu hindern. Hätte ein August Jacobi, statt einer Auguste die Erzählung geschrieben, so wäre uns vielleicht die Blutschande nicht erlassen worden. 18.

Denkblätter für meine Freunde. Poetischer Nachlaß von Johann August Klein. Koblenz 1832. Gr. 8. 20 Gr.

Diese Gedichte, meistentheils Gelegenheitspoesien mannichfachen Inhalts, haben in ihrer gegenwärtigen Sammlung nur den engern Zweck einer Mittheilung für Freunde, und wir dürfen sie diesem nicht durch einen kritischen Maßstab, der nicht anwendbar wäre, entheben. Es fehlt nicht an poetischer Färbung und einzelnen gemüthlichen Blüten, die einen im Leben mannichfach bewegt gewesenen Geist verrathen. Verf. ist der verstorbene Professor Klein aus Koblenz, bekannt durch ein „Handbuch für Rheinreisende". Seine hinterbliebene Gattin, welche diese Sammlung seiner Gedichte auf Subscription veranstaltete, hat eine Biographie des Verf. vorausgeschickt. 140.

Notiz.

Die Wassergerichte.

Unter den vielen anziehenden Scenen und Beschreibungen, welche der zweite Theil von Huber's „Skizzen aus Spanien" enthält, befindet sich auch S. 248 fg. eine Schilderung des Cort de la Seo des bekannten Kanalgerichts, welches bis auf den heutigen Tag in alter Weise und Förmlichkeit in Valencia gehalten wird. Eine ähnliche Schilderung, die aber freilich des Reizes einer so meisterhaften Erzählung ermangelt, steht in der im J. 1824 erschienenen Reise durch Spanien von Joubert de Passa. Interessant ist es, damit die Beschreibung des kaiserlichen und Reichswassergerichtes in der Wetterau zu vergleichen, das dort bis in die neueste Zeit bestanden hat und von Schazmann in Justi's „Vorzeit" vom J. 1824*) und von Jak. Grimm in den „Deutschen Rechtsalterthümern", S. 832, geschildert ist. Das genannte Gericht führte die Aufsicht über alle Mühlen an der Wetter, Use und Nidda. Sein Vorsteher hieß zuletzt der Wasserhauptmann, Richter und Boten trugen gelbe Binden und Mäntel, ein Wasserwieger hatte eine silberne Wage zum Wiegen der eingeschlagenen Pfähle und Nägel. Das Gericht selbst wurde unter freiem Himmel, nahe am Ufer des Flusses, wo grade etwas vorgenommen werden sollte, gehegt, und dem Volke rother und weißer Wein geschenkt. Zum Stoßen und Schlagen des Pfahls legten die Richter ihre Mäntel ab, behielten aber die Binden an, einer nach dem andern that drei Schläge auf den eingesteckten Nagel. Schüler sangen Lieder, unter die Kinder wurde zum Gedächtniß ein Korb Birnen, Kirschen und Aepfel vertheilt, oder einem jeden ein rother Riem gegeben. Die Müller waren gehalten, die Richter zu beköstigen. Grimm hätte dabei noch des in dem Amtsbezirke der Stadt Hildesheim vor der hildesheimische Stiftsfehde vorhanden gewesenen Mühlendings erwähnen können, ein Genossengericht, dessen neuerdings in Koken und Lüntzel's „Mittheilungen geschichtlichen und gemeinnützigen Inhalts" (Hildesheim 1832), Bd. 1, Nr. 2, Erwähnung geschehen ist, dies Gericht wurde durch die Müller des Bezirks gebildet; die Streitigkeiten derselben unter sich hinsichtlich ihres gegenseitigen Anrechtes und des Gewerbebetriebes sowie die Strompolicei gehörte vor dies Forum. Den Mühlengrafen setzte der Bischof ein. Aber schon im Jahre 1515 ging das Gericht ein, indem an die Stelle dieses Mühlendinges ein herrschaftlicher Mühlenvogt gesetzt wurde. Die Mühlengrafen übrigens erinnern an den Comes formarum, den Aufseher über die Wasserleitungen, in Cassiodor's Var. 7, 6, vgl. mit Manso's „Geschichte des ostgoth. Reiches", S. 367, Anm. 39.

*) Vgl. „Lit. Conversationsblatt", 1826, Nr. 194.

Blätter

für

literarische Unterhaltung.

Sonnabend, —— Nr. 194. —— 13. Juli 1833.

Die Briefe des Freiherrn von Stein an den Freiherrn von Gagern.

Wenn auch unaufgefodert, glauben wir der Redaction d. Bl. einen Dienst zu leisten, indem wir durch abermaliges Auffassen vorbenannten Gegenstandes das mögliche Misverständniß zu beseitigen trachten, als könne aus mehr als einem bloßen Irrthume*) jüngst also wie in Nr. 121 und 122 geschehen, von einem Manne gesprochen worden sein, der nicht minder als Staatsmann wie als Mensch zu den Zierden der deutschen Nation gehört.

Wir haben immer gefunden, daß in den Landen, die so glücklich sind, von den Fittigen des preußischen Königsadlers geschirmt zu werden, dem Volke ein ungewöhnlich starker Takt der Anerkennung wahrhaft großer deutscher Männer und ein Gefühl der Dankbarkeit innewohnt, wie es nicht allerwärts in unserm Vaterlande für sie zu Hause ist. Also halten wir auch dafür, daß das Angedenken des Freiherrn von Stein im preußischen Volke lebendig fortbesteht, und daß die Worte der Anerkennung, die Herr Varnhagen von Ense über ihn in den „Jahrbüchern für wissenschaftliche Kritik" gesprochen hat, aus dankbarem Herzen geflossen sind. „Stein war der Mann der That, ein Held im größten Sinn; ein Blücher im Civilstande" dürfte freilich ein blendendes, nicht weit zu verfolgendes Gleichniß sein. Wir stimmen dieser Charakteristik aber keineswegs bei, wenn sie des Freiherrn von Stein Derbheit und Leidenschaftlichkeit in vertraulicher rascher Mittheilung schwer in die Wagschale des Tadels fallen läßt. Wer zu dem zuverlässigen Freunde nicht manchmal ein Wort zu viel sagt, oder zu derb ausdrückt, der ist selten eine ehrenfeste Natur. Eben weil Hr. von Stein kein eigentlicher Schreiber oder Redner war, hat auch nicht jedes hingesprochene, unentwickelte Urtheil seiner Lebhaftigkeit Gewicht. Es schadet dies seinem praktischen Sinne und Genius nichts, und der desfallsige Kern seines Wesens löst sich den Uebereilungen seines vertraulichen Briefwechsels von selbst ab. Weit entfernt, durch die Bekanntmachung dieser Briefe eine Indiscretion zu begehen, hat sich der Freiherr von Gagern damit vollwichtigen Dank in jeder Art verdient.

Wir erfassen die Behauptung des Hrn. Varnhagen von Ense nicht, die derselbe aus näherm Umgange mit dem Freiherrn von Stein vor 20 Jahren abgeleitet haben will, daß dessen Gesichtskreis nicht ausgedehnt, abstractes tiefes Denken ihm versagt gewesen sei. Daß der Minister von Stein ein weit umschauender, tief erforschender Staatsmann, ein eigentlicher politischer Seher war, belegen diese Briefe als eigenhändige Zeugnisse der Blätter, die die Geschichte von ihm füllt, zu allernächst. Oder hat Jemand die politischen Leiden unsers Vaterlandes, die jüngste Vergangenheit und die Gegenwart mehrer kleiner Staaten, die Unzulänglichkeit der wiener Beschlüsse prophetischer als er erkannt? Gibt irgend Jemand den einzigen Weg zum Heile, der früher oder später eingeschlagen werden muß, bestimmter, schärfer an? Abstractes, philosophisches Denken war ihm *vielleicht* versagt. Aber es fragt sich noch, ob sich das theoretische Hauptverlangen unserer Tage, die Vielwisserei, nicht wie andere Krankheiten auch bald in sich selbst verzehren wird. Der große praktische Staatsmann braucht wol ebenso wenig tiefer Philosoph zu sein als der Philosoph praktischer Lenker des Staats. Der angeborene Takt, das unfehlbare Gefühl macht das Wesen des Genius, dem die Herrschaft über sein eigenthümliches Gebiet genügen wird. Wir können es nicht billigen, wenn Hr. Varnhagen von Ense an des Freiherrn von Stein flüchtigen Worten über Unwesentliches, wie etwa an seiner literarischen Kritik hängen bleibt. Unleugbare Belege genug, daß er in der Politik nicht voreilig folgerte, gibt seine Correspondenz.

Wenn jeder berühmte oder geltende Mann in seiner Alltäglichkeit, d. h. in seinem freiesten Leben blosgestellt, in solchem Licht erschiene wie der Freiherr von Stein

*) Die Entschuldigung durch *Irrthum* müssen wir unbedingt ablehnen. Der in Rede stehende Aufsatz rührt von einem bedeutenden, der Sachen und Verhältnisse wie Wenige kundigen und daher vollkommen *stimmberechtigten* Manne her, der das unstreitig schon längst bei ihm über den Minister von Stein feststehende und dort ausgesprochene Urtheil mit Stellen aus dessen Briefen belegt. Unsern wiederholt ausgesprochenen Grundsätzen treu, und die in d. Bl. niedergelegten Ansichten weder vertretend, noch als untrüglich, noch schlechthin für die unsern erklärend, gönnen wir auch entgegengesetzten Bemerkungen, wenn sie durch Geist und Sachkenntniß sich auszeichnen, den streitigen Gegenstand von einer andern Seite beleuchten oder Gründe der Widerlegung beibringen, gern eine Stelle. Ob die vom Verf. im vorliegenden Aufsatze beigebrachten Gründe probehaltig sind, überlassen wir der Entscheidung der Leser. D. Red.

in seinen vertrauten Briefen, so stünde es gut mit ihm. Aus diesen Briefen soll keine folgerechte Theorie zu ziehen sein. Wer so handelt wie Stein, spricht nicht wie ein Professor von seinem Lehrstuhle herab. Wer aber so theoretisiren kann, der handelt nicht wie der Minister von Stein.

Wir bewundern die diplomatische Meisterschaft, mit welcher Herr Varnhagen von Ense seinen Artikel zu Ende gebracht hat, ohne auf der Oberfläche zu beharren und ohne doch in die Tiefe zu gehen. Wir können freilich nicht umhin, in der Kritik etwas mehr einzudringen und den zarten Punkt zu berühren, um den es sich bei Abschätzung dieser Briefe, als des Spiegels vom innersten Wollen des Freiherrn von Stein, nothwendig dreht. Daß der wahre Patriot wie Stein, seiner Denkungsart ganz gemäß, in der Regel es mit allen Parteien verdirbt, ist eine Wahrheit, die das neueste Beispiel eines der hellsten Köpfe Preußens wiederholt bewiesen hat. Wir wissen recht wohl, daß das Preußenthum des Freiherrn von Stein nicht das Begünstigte, Vorherrschende des gegenwärtigen Augenblickes ist. Wer aber außer dem magischen Zirkel der Hauptstadt und ihrer Einflüsse ist, möchte wol behaupten dürfen, daß dasselbe das jugendlich-kräftige, rechte sei, wie es als unvergänglicher Stern am politischen Horizonte Europas glänzt und sich nach wiederholten Umwölkungen immer siegreicher geltend machen, die preußische Monarchie als ihr eigentliches Lebenselement immer höher heben wird. Des Freiherrn von Stein erhabener Standpunkt in der Politik darf unmöglich ein Schwanken zwischen Demokratie und Aristokratie genannt werden; denn liberale Grundsätze und energische Verwaltung, die er verlangt, sind eben das Charakteristische des preußischen Regierungssystems. Daß der Hr. von Stein weder dem Ultraaristokratismus und Bureaukratismus, noch der Demagogie entsprechen konnte, gibt sich begreiflicherweise schon allenthalben kund.

Wir erkennen in der Staatskunst, von der Herr Varnhagen von Ense spricht, die Umrisse der Staatskunst des hoch zu verehrenden Fürsten Hardenberg, der sicherlich so fähig wie kein Anderer war, die preußische Politik zu leiten, wie sie bei der hohen Eigenthümlichkeit des verehrten Königs allein möglich sein konnte. Zwei Männer wie Stein und Hardenberg verständigen sich nicht leicht, deshalb übersehen wir milde des Erstern Abneigung gegen Letztern. Der Fürst Staatskanzler besaß auch die kleinen Eigenschaften, die der große Staatsmann, um sich zu erhalten, schwer entbehren kann. Der Mangel einer glatten Oberfläche schmälerte nicht Stein's Fähigkeit, und es ist eben nicht zu entscheiden, ob die preußische Politik, nach Stein's Principien fortgeleitet, nicht eine noch deutschere, folgenreichere geworden wäre, als sie ist. Daß Stein entfernt wurde, beweist freilich, daß es für die Welt, es fragt sich, ob auch für Preußen, so besser war, denn die Weltgeschichte ist auch insofern immer das Weltgericht. Und man muß dem Staate viel mehr ohne als mit Ironie Heil zurufen, der Männer wie Stein und Wilhelm von Humboldt besitzt und solche doch als Leiter entbehren kann. Nur darf das Verlangen, daß der Freiherr von Stein für die preußische Staatskunst, wie sie gewesen ist, hätte taugen sollen, nicht füglich zu stellen sein, denn die entgegengesetzte war eben die seinige. Auf die enge Ansicht, daß der Freiherr von Stein nur ein Minister für den Krieg und keiner für den Frieden solle gewesen sein, gehen wir auch nicht ein. Daß der große Kriegsmann kein großer Staatsmann nebenbei zu sein braucht, bezeugte Wellington. Daraus folgt aber nicht, daß ein wahrhaft groß zu nennender Staatsmann im Frieden, ein anderer nur im Kriege taugen soll. Der eigentliche höchste Beruf des Feldherrn ist der zerstörende Krieg, der eigentliche höchste Beruf des Staatsmannes ist der organisirende Friede. Untergeordnet wirkt der General im Frieden, wie der Minister im Kriege. Hat nun der berufene große Lenker des Staats also wie Stein Begriff und Eigenthümlichkeit des Staats erkannt, so reichen seine Eigenschaften im Frieden eben wie im Kriege aus; denn das Eine, was Noth thut, ist doch die Idee, das Genie, wie es nur in Auserwählten reift. Talente sind häufig und mangelten nicht Stein's Genie.

Verstimmung und Mismuth offenbaren sich in den Briefen des Hrn. von Stein allerdings. Der Lauf der Welthändel hatte aber daran gewiß größern Theil als seine unfreiwillige Unthätigkeit, die nicht sowol der des Feldherrn im Frieden entspricht, wo er nach errungenen Lorbern keinen Unmuth fühlen wird, sondern seiner Unthätigkeit im Kriege, seinem Element, durch die er neue Lorbern zu erringen sich gehindert sieht. Das Vaterland war dem Freiherrn von Stein undankbar, denn es hat ihn um seine schönsten Hoffnungen, um seinen höchsten Lohn getäuscht, den er nur darin finden konnte, daß man ihm die edelsten Früchte des heiligen Kampfes, die er gezogen hatte und allein ernten konnte, zu neuen Ernten säen ließ. Wie edel der Freiherr von Stein auch in seinem Unwillen ist, beweist jener Brief vom 14. Mai 1826, die Perle der ganzen Sammlung, worin er sein tiefstes ganzes Streben enthüllt, wie Herr von Gagern, der über diesen Punkt jetzt vielleicht auch anders denkt, sehr richtig sagt, und dem Fürsten Hardenberg jenes viel besprochenen unverzeihlichen Leichtsinns zeiht, dessen unabsehbare Folgen Deutschlands Wohl auf so lange hinaus aufgehalten, wenn nicht ganz untergraben haben.

Wir sehen ungern, daß wir einige Stufen tiefer treten müssen, um den Freiherrn von Stein gegen den Angriff d. Bl. zu vertheidigen. Wir mögen dies nicht anders thun als auf die eigne Weise des Anschuldigers, indem wir die Sammlung der ausgezogenen, zum Theil unwesentlichen Beweisstellen vervollständigen, berichtigen, uns eben darauf beziehen. Der unkundigere Leser — denn der kundige ist mit uns einverstanden, daß der Freiherr von Stein solchem Tadel zu erhaben ist — mag alsdann selbst entscheiden, ob derselbe, entgegen den ihm gemachten Vorwürfen, nicht überall die edelste Gesinnung, den hellsten Geist, das reinste Christenthum verkündigte, ein warmer Freund seines preußischen, der wärmste seines deutschen Vaterlandes war, der nur das Beste der deutschen

Völker und der deutschen Fürsten, als Glieder eines festen Ganzen will; ob er nicht den echten Gelehrten wahrhaft schätzte, vernünftige, nicht ungebundene Preßfreiheit vertrat, des Adels Stolz und Herrschsucht verdammte, liberale constitutionnelle Regierungsmaximen vertheidigte, nur Maßregeln anrieth, die den Bürger und Bauer eben bewahren, in die unglückselige Classe der Proletarien hinabzusinken, und ob sein glühender Franzosenhaß, der ihn freilich so blind für das Geschlecht der Bourbons eingenommen hat, daß er sich zuweilen, wie am 6. Februar und 25. August 1830 über Villèle, selbst widerspricht, die letzte dieser seiner deutschen Tugenden zu nennen ist.

Der Leser wolle übrigens nicht übersehen, daß des Freiherrn von Stein Aeußerungen über das fürstliche Haus Nassau zwar nicht aus seinen Eigenschaften als deutscher Staatsbürger, Edelmann, Vasall und Minister zu entschuldigen sind, wol aber dadurch können gerechtfertigt werden, daß die vordem reichsunmittelbare mächtige Familie von Stein die Herrschaft Nassau mit den Fürsten dieses Namens gemeinschaftlich besaß, und ihre Mitglieder sich denselben also ziemlich ebenbürtig erachten durften; daß es auch ferner aus dem ihnen angeborenen Gesichtspunkte Willkür und Unrecht war, was die kleinern Reichsstände theilweise mediatisirte, die größern theilweise souverain machte. 167.

17. Mai 1817. (Dieser Brief klagt über das damalige Verfahren des päpstlichen Hofes, der Gährung und Bitterkeit zwischen den protestantischen Landesherren und katholischen Unterthanen erzeugen und unterhalten und zu Grundsätzen zurückkehren wolle, die die katholisch-deutsche Kirche längst aufgegeben oder gemildert habe.) Er hat durch Zerrüttung der gesellschaftlichen Verfassung der Kirche, durch die Abwesenheit der bischöflichen Behörde sich einen Einfluß und eine unmittelbare Einwirkung angemaßt, die ihm gar nicht zukommt. So finden wir im Herzogthum Niederrhein einen Generalvicar zu Aachen, der seine Geistlichen anweist, nur unter gewissen Bestimmungen und Einschränkungen für den König zu bitten. In München verbietet der dumme und fanatische Generalvicar denen Geistlichen, irgend einen Antheil an der Einsegnung der Ehe zu nehmen, wenn nicht die Katholicität der Kinder ausbedungen ist, eine Vorschrift, die selbst nicht mit der münsterschen Kirchenagende, so am Anfange des 18. Jahrhunderts erging, stimmt, die viel milder und glimpflicher ist.

21. Juni 1817. Ich wünschte, Sie sagten etwas über die Stände, über den Unverstand der Altwürtemberger, die lächerliche Scheu der Regierung, die ständische Versammlung einzuberufen, denn, je länger man es damit anstehen läßt, je erbitterter man zusammenkommt. Dann muß man eine verständige Verfassung geben und nicht langweilig disputiren.

18. April 1818. (Zuvor werden hinlängliche Beweise von der Frechheit eines Recensenten gegeben.) Es ist traurig, daß die Preßfreiheit so gemisbraucht werde. Aufhören wird es, wenn gut eingerichtete ständische Verfassungen in das Leben treten, die Menschen ihre eignen öffentlichen Angelegenheiten kennen und betreiben, dann macht das seichte Geschwätz der Demagogen keinen Eindruck mehr.

16. Mai 1818. Die Allianz der vier verbündeten Mächte hat freilich für die Mittelmächte etwas Demüthigendes, da aber der Geist, der sie leitet, gemäßigt und schützend ist, so wird die Erscheinung und der durch sie herbeigeführte Zustand zugleich für diese letztern Mächte wohlthätig und erhaltend.

(Der Beschluß folgt.)

Literarische Notizen aus Rußland.

Der gelehrte Mönch Hyacinthus, dessen weltlicher Familienname Bitschurin ist, und der früher Mitglied der russischen geistlichen Mission in China war, hat kürzlich wiederum ein neues Werk über jenes Land in den Druck gegeben: „Istorija Tibeta i u. s. w." (Geschichte Tibets und des Landes Chuchunor, von 1182 vor Christi Geburt bis 1227 nach Christi Geburt. Mit einer Landkarte für die verschiedenen Epochen dieser Geschichte. Aus dem Chinesischen übersetzt durch den Mönch H. Bitschurin. 2 Theile. Petersburg 1833.) Der Geschichtsfreund erhält in diesen zwei mäßig starken Theilen Aufschlüsse über 2409 Jahre in der Geschichte entfernter Länder, die jetzt Bestandtheile Chinas, „des großen himmlischen Centralreichs der Erde", sind. Dem Vernehmen nach hat Klaproth in Paris diese Uebersetzung ins Französische zu übertragen sich vorgenommen. Wahrscheinlich wird er sie mit eigenthümlicher Gelehrsamkeit, Kritik und Polemik ausstatten, und wir verweisen theilnehmende Leser auf das zu erwartende Werk. — Eine andere für die Geschichtsfreunde, besonders die Forscher der russischen, erfreuliche Erscheinung verdankt man Herrn Nikolaus Ustrjalow. Soeben hat er herausgegeben: „Skasanija". (Berichte des Fürsten Kurbski. 2 Theile. Petersburg 1833.) Kurbski war ein Feldherr des Großfürsten Iwan, des Eroberers von Kasan, fiel später unter dem Zaren Iwan dem Gewaltigen in Ungnade und endete sein Leben als Flüchtling in Lithauen. Er hat eine Geschichte seiner Zeit geschrieben, die bis jetzt nur in Handschriften vorhanden war. Herr Ustrjalow hat sich das Verdienst erworben, diese nach den besten, miteinander sorgsam verglichenen Handschriften in den Druck zu geben und sie mit den nöthigen Anmerkungen und Erläuterungen auszustatten. Außer dieser Geschichte, dem Hauptwerke Kurbski's, enthält die Sammlung den merkwürdigen Briefwechsel des Fürsten mit dem Zaren Iwan, sowie mit dem Fürsten Konstantin von Ostrog und auch Briefe an andere Zeitgenossen, unter andern an eine Fürstin Czartoryski, außerdem einige andere kleine Schriften vermischten Inhalts, die alle ein sprachliches und historisches Interesse haben. — Ein neuer Beitrag zur Geschichte eines denkwürdigen Zeitraums ist: „Obosrenije carstwowanija". (Ueberblick der Regierung und der Regenteneigenschaften Katharina der Großen von Paul Sumarokow. 3 Theile. Petersburg 1832.) Das Werk liefert neben der, auf dem Titel versprochenen Uebersicht einer ruhmvollen Regierung manches bemerkenswerthe Material für den künftigen Geschichtschreiber dieser Zeit. — Neben dieser biographischen Bestrebung nennen wir eine kleine geschichtliche Monographie verwandter Art: „Sapiski". (Tagebuch, geführt während der Reise der Kaiserin Elisabeth von Rußland durch Deutschland in den Jahren 1813—15 von M. Iwanof. 2 Theile. Petersburg 1833.) Die erhabene Reisende besuchte in jener Zeit ihre Mutter, die Markgräfin von Baden, und das Tagebuch enthält die Beschreibung dieser Reise, worin manche Notiz aufbewahrt ist, die die Ereignisse jener Zeit während des Kriegszugs des russischen Heers nach Frankreich und des wiener Congresses näher berührt. — Wiederum ein Beitrag zur Beleuchtung der Kriegsereignisse in der Türkei im Jahr 1828 ist: „Tri mesiaza". (Drei Monate über der Donau. Aus den Erinnerungsheften eines Gardeoffiziers während des Türkenkrieges. Petersburg, 1833.) Das Büchelchen umfaßt in lebhaften Schilderungen eines Augenzeugen Beobachtungen auf dem Marsche von den Ufern der Donau bis Varna, Vorfälle aus der Belagerungszeit dieser Festung, Beschreibung türkischer Gefangenen und einige Bemerkungen über das noch immer wenig bekannte Bulgarien. — Wichtiger durch seinen Inhalt und den Umfang ist: „Dwukratnyja isyskanija". (Zweimalige Entdeckungsreise im südlichen Eismeer und Fahrt um die Erde in den Jahren 1819 — 21, ausgeführt auf den Schiffen der Osten und der Friedliche durch den Marinecapitain von Bellingshausen. 2 Theile. Petersburg 1832.) Im J. 1819 befahl Kaiser Alexander I. die Ausrüstung zweier Seschwader, um neue Entdeckungen in den Eismeeren der nördlichen und südlichen Erdhälfte zu unternehmen. Das eine Geschwader, für den Norden bestimmt, stand unter den Befehlen des Capitains, jetzt Contreadmirals Wassiljef, das andere führte der Capitain, jetzt Viceadmiral v. Bellingshausen. Die Fahrt des einen währte zwei, des andern drei Jahre, und obgleich demnach die Entdeckungsreise, deren Beschreibung jetzt im Druck erscheint, bereits vor mehr als 10 Jahren beendet ward, so verzögerten der Stich der Karten und Zeichnungen nebst andern Umständen die Bekanntmachung derselben durch den Druck. Um die nähere Kenntniß jener entfernten Gegenden und Meere hat Herr von Bellingshausen sich durch die Herausgabe seiner Reisebeschreibung ein unleugbares Verdienst erworben. Dem Vernehmen nach veranstaltet Hr. Olsekop, durch andere literarische Unternehmungen rühmlichst bekannt, eine deutsche Uebersetzung. — Wir schließen diese Reihe neuer historisch-ethnographischer Schriften und Bücher mit der Erwähnung folgenden Werks. Von dem in seinem Vaterlande als Historiker geschätzten J. Kaidanow, Professor am Lyceum in Zarsko-Selo bei Petersburg, ist neuerdings im Druck erschienen: „Kratkoje isloshenije". (Kurze Darstellung der diplomatischen Verhandlungen des russischen Hofes vom Regierungsantritt der Herrscher aus dem Hause Romanow bis auf den Tod Kaiser Alexander I. 2 Theile. Petersburg 1833.) Es ist dies Werk das erste dieser Art in russischer Sprache und enthält eine Uebersicht der hauptsächlichsten Tractaten der russischen Regierung mit auswärtigen Mächten während des auf dem Titel des Buchs bezeichneten Zeitraums, nebst erläuternden historischen Einleitungen.

Von Almanachen oder sogenannten Taschenbüchern, welche vielleicht genauer und richtiger poetische Jahresbücher genannt werden sollten, sind heuer erschienen: 1) „Kometa Bely" (Biela's Komet, ein Almanach auf 1833). Das Merkwürdigste darin ist ein Bruchstück aus einem neuen noch ungedruckten Roman: „Mazeppa", von Th. Bulgarin. 2) „Ruski Almanach" (Der russische Almanach von W. v. Oertel und A. Glebof), der den Lesern die herkömmliche Sammlung von Poesie und Prosa mancherlei Inhalts und auch nicht gleichen Gehalts darbietet. Derselbe ist zugleich auch deutsch erschienen. 3. „Alciona" (Halcyone, herausgegeben vom Baron von Rosen). Darin ist neben werthvollen Beiträgen des Herausgebers unter mehren poetischen und prosaischen Gaben verschiedener Verfasser des Fürsten P. Wiasemski Abhandlung: „Ueber die ältere russische Komödie", vorzüglich bemerkenswerth. Eine kleine, humoristische in diesem Almanach abgedruckte Dichtung von Ebendemselben theilen wir in einer nach Form und Inhalt genauen Uebersetzung als einen artigen Scherz mit, der zugleich als Beleg dient, daß die russische Poesie, darin von der französischen verschieden, es nicht scheut, sich in kühnen, wilden, grotesken Sprüngen zu erholen und den Kothurn des conventionnellen Anstandes, der den Franzosen eine so heilige Fessel ist, spaßhaft auf die Seite zu werfen. Das Gedichtchen heißt: „Auftrag an Nikolaus Karamsin ins Seebad nach Reval", und zu erwähnen ist noch, daß dieser Nikolaus ein Sohn des berühmten Historiographen ist, der übrigens denselben Vornamen hatte.

Nikolaus
Hör' den Graus!
Meergebell wie Geheul
Eines Hunds, wenn zur Nacht
Wind die Woll' in der Eil,
Mond vorbei, weiter jagt.

Nikolaus,
Auf heraus
Mit des Meers grauen Greis.
Kopf voran, nach den Fuß,
Spring in den Wogenkreis,
Bring ihm dort meinen Gruß!

Liebes Herz,
Ohne Scherz
Greif ihm den nassen Bart,
Schlag er über, hin und her.
Das ist erst rechte Art,
Wenn empor wogt das Meer!

Hör' die Wuth,
Wie die Flut
Schiffe wirft, Felsen regt,
Schäumt und tost weit und breit,
Klippenrand wild umschlägt,
Trotzvoll zum Himmel speit!

Es ist noch rücksichtlich der Almanache zu bemerken, daß für das laufende Jahr nicht so viel Almanache erschienen sind als in den frühern Jahren, seit Bestushew 1823 zuerst auf den Einfall kam, den ersten russischen Almanach: „Pollarnaja Swesda" (Der Polarstern), herauszugeben. In Petersburg sind diesjährig nur die genannten drei und ein später zu erwähnender, in Moskau kein einziger erschienen. Daraus scheint der Schluß gezogen werden zu können, daß die Käufer abgenommen haben; indessen ist doch in Petersburg noch der erste Jahrgang eines zweiten deutschen Almanachs gedruckt worden: „Biarmia, Taschenbuch auf das Jahr 1833". Der Name desselben erinnert an Biarmien, das alte Finnenreich im Nordosten Europas, das früh durch das Vordringen slawischer Völkerschaften unterging, aber in den Gesängen und Sagen des skandinavischen Nordens fortlebte. Noch jetzt erhält sich der Name in der Benennung des Gouvernements Perm, obgleich die Grenzen dieses letztern in ihrem Umfange nicht jenen des untergegangenen Reichs entsprechen. Der Inhalt des Taschenbuchs besteht aus Novellen, länderbeschreibenden Skizzen und Poesien, auch schmücken es fünf Lithographien. Möge die Fortdauer desselben in künftigen Jahren die Theilnahme an deutscher Literatur erweisen.

(Der Beschluß folgt.)

Literarische Notizen.

Das „Quarterly review" zeigt „Memoirs of Dr. Burney, arranged from his own manuscripts, from family papers, and from personal recollections, by his daughter, Madame d'Arblay" (3 Bde., London 1832) an, macht aber der geachteten Verfasserin des Romans „Evelina", den bedeutenden Vorwurf, vielmehr darin ihr eignes Leben geschrieben zu haben als dasjenige des Autors der Geschichte der Musik. Ihre Entschuldigung, das umfangreiche Manuscript ihres Vaters großentheils unterdrückt zu haben, weil es nicht geeignet und würdig gewesen sei, dem Publicum vorgelegt zu werden, bleibt um so unzulässiger, als ihr eigner Vortrag, den mitgetheilten Probestellen nach, so breit und in mannichfacher Hinsicht verwerflich genannt werden muß, daß man die ungezwungene Rede ihres Vaters dagegen gern vernimmt.

Das „Quadro della storia letteraria di Armenia, estesa da Mons. Placido Lukias Somal, arcivescovo di Linnia ed abbate-generale della congregazione dei monaci armeni mechitaristi di San-Lazzaro" (Venedig 1829), weist aus den verschiedenen Epochen der armenischen Literatur an 220 Schriftsteller nach, worunter sich zumeist Geschichtschreiber und Theologen, aber auch religiöse Dichter, Philologen, Geographen und Mathematiker vorfinden. Ein wichtiger Umstand der armenischen Literatur, um dessentwillen wir nicht wohl mit dem gelehrten Verfasser dieses Buches glauben können, daß dieselbe jetzt oder jemals einen lebendigen Aufschwung zu nehmen im Stande sein werde, ist der, daß die Sprache der Bücher eine ganz andere als die des gemeinen Lebens- und des Geschäftverkehrs sein soll. Die letztere wird nämlich vorzugsweise blos die armenische, die erstere dagegen nach Haiko, dem Stammvater der Nation, benannt. 153.

Redigirt unter Verantwortlichkeit der Verlagshandlung: F. A. Brockhaus in Leipzig.

Blätter

für

literarische Unterhaltung.

Sonntag, — Nr. 195. — 14. Juli 1833.

Die Briefe des Freiherrn von Stein an den Freiherrn von Gagern.

(Beschluß aus Nr. 194.)

17. August 1818. Das Betragen der Würtemberger muß geprüft und beurtheilt werden, die durchgreifende Neuerungsucht in dem Weimarischen getadelt, der gute Geist der Stände gelobt. Vom Nassauischen muß man die Fehler der Constitution selbst tadeln, rügen das einseitige übereilte Organisiren in einem Lande, das eine ständische Verfassung hatte, den drückenden Einfluß auf Wahlen, die Berathungen, das Bestreben, die beiden Bänke zu trennen. Die Landtagprotokolle haben Sie gewiß gelesen, in denen die Deputirtenkammer blindes Hingeben in den Willen der landesherrlichen Commissarien, die Herrenbank mehr Geist, Freimüthigkeit und Selbständigkeit zeigte. Auch die bairische Constitution muß beurtheilt werden, ihr Caskadiren von Wahlen, ihre lächerliche Preßfreiheit, die an Figaro's Lob der altfranzösischen Preßfreiheit erinnert. Uebrigens bleibt es immer lobenswerth, daß sie erschienen ist. — In der preußischen Monarchie hat die Regierung die besten, reinsten Absichten, aber u. s. w.

16. Sept. 1815. Arndt's Geist der Zeit enthält viel Tüchtiges, Wahres und Wohlwollendes, denn dies ehre ich im Manne, er entbrennt im Zorn gegen das Nichtswürdige, er ist aber nicht bitter und kalt.

1. Mai 1820. Mir scheint, um seine landständischen Pflichten gewissenhaft und mit Erfolg zu erfüllen, muß man Geschichte, Verfassung und Zustand des Landes, dessen Vertreter man ist, genau studiren, durch Actenlesen, Reisen, Besprechen mit denen Verständigen und Gutgesinnten. Indem man aus den obern Regionen der Politik in die untern Luftschichten des öffentlichen Lebens tritt, beseitigt man die fratzenhaften Radicalen und wirkt wohlthätig auf die Wirklichkeit und die großen Menschenmassen. Auf sie drückt Beamtenwillkür, schlechte Justiz, Abgaben, Einmischen der Bureaukratie in alle Communal- und individuelle Verhältnisse.

24. August 1821. Aus allem diesem sehen Sie, meine theure Excellenz, daß ich nicht Vieles über die Zeitereignisse zu sagen weiß, als daß ich auf ihre unmittelbaren Lenker wenig Vertrauen, dagegen ein unbedingtes auf die Vorsehung habe, daß ich selbst von einer für den preußischen Staat so nothwendigen, so wohlthätigen Verfassung nichts erwarte, der die nächsten Umgebungen des Königs, die Einflüsse des berliner Hofes entgegenwirken, und daß wir fernerhin von besoldeten Buchgelehrten, interessenlosen, ohne Eigenthum seienden Buralisten regiert werden. Das geht, so lange es geht. Diese vier Worte enthalten den Geist unserer und ähnlicher geistlosen Regierungsmaschinen. Besoldet, also Streben nach erhalten und vermehren der Besoldeten. Buchgelehrt, also lebend in der Buchstabenwelt und nicht in der wirklichen; interessenlos, denn sie stehen mit keiner der den Staat ausmachenden Bürgerclassen in Verbindung, sie sind eine Kaste für sich, die Schreiberkaste; eigenthumlos, also alle Bewegungen des Eigenthums treffen sie nicht; es regne oder scheine die Sonne, die Abgaben steigen oder fallen, man zerstöre alte hergebrachte Rechte, oder lasse sie bestehen, man theoretisire alle Bauern zu Tagelöhnern und substituire an die Stelle der Hörigkeit an die Gutsherren die Hörigkeit an die Juden und an die Wucherer, alles das kümmert sie nicht. Sie erheben ihren Gehalt aus der Staatskasse und schreiben, schreiben im stillen, mit wohlverschlossenen Thüren versehenen Bureau, unbekannt, unbemerkt, ungerühmt, und ziehen ihre Kinder wieder zu gleich brauchbaren Schreibmaschinen an.

22. April 1822. Ein Aufsatz des Herrn Murhard in den „Politischen Annalen“, den ich nicht las, hat vielen Unwillen wegen der darin ausgesprochenen gehässigen Gesinnungen gegen Oestreich und Preußen erregt.

6. Mai 1822. Worin ist denn Preußens Zollsystem schlimmer als das bairisch-östreichische u. s. w. Wie wollen Sie ohne indirecte Abgaben die Nichtgrundeigenthümer, die Bewohner großer Städte besteuern? Die Bitterkeit gegen Preußen scheint mir höchst tadelhaft, die Nichtpreußen sollten doch dankbar sein für den Abglanz, der von dem Ruhm des siebenjährigen Krieges und Befreiungskrieges, so Preußen erworben, auf sie zurückfällt — der die Schlacht bei Roßbach und die Kriecherei vor Napoleon vergessen macht.

9. Juni 1822. Was das Preußenthum anbetrifft, so finde ich hier 10 Millionen Menschen, die eine politische, militairische, intellectuelle Geschichte und Selbständigkeit haben, denen die Vorsehung im 17. und 18. Jahrhundert drei große Regenten gab, durch die eine große Gegenwart und der Grund zu einer vielleicht größern Zukunft gelegt wurde. Hierdurch bildete und erhielt sich in dem Volke selbst während der Napoleon'schen Herrschaft eine Kraft und innerer Unwille, während die kleinen und mittlern Mächte in Deutschland und insbesondere ihr Militair sich in dieser Nichtswürdigkeit gefielen und für ihre Aufrechterhaltung beharrlich fochten. Auch jetzt finde ich in der preußischen Verwaltung trotz großer Misgriffe ein Fortschreiten in geistiger und militairischer Hinsicht. Die Errichtung zweier großen Universitäten in Berlin und Bonn, so vieler Gymnasien, der Bau so vieler Festungen, welche Deutschland schützen, die Anschaffung großer Geschütz-, Gewehr- und Munitionsvorräthe, die Entwickelung einer sehr vollkommen organisirten Streitmacht beweisen dieses in großen Zügen und durch große Resultate — und dennoch bezahle ich in Preußen 15 Procent, im Nassauischen aber 20 Procent. Die Universalität der Militairpflicht halte ich für vortrefflich. Es ist vortrefflich, daß eine Anstalt vorhanden, die in Allen den kriegerischen Geist erhält und kriegerische Fähigkeiten entwickelt, Alle an Entbehrung, Anstrengung und Gleichheit des Gehorsams gewöhnt.

19. Juli 1824. Der Zustand der öffentlichen Angelegenheiten ist nirgend, am wenigsten in Deutschland erfreulich. Das Streben nach phantastischer Freiheit der Einen, die Bemühungen der Andern, den menschlichen Geist zu lähmen, die bureau-

kratische Despotie als die vollkommenste bürgerliche Verfassung zu befestigen, zu lobpreisen, die Auflösung Deutschlands in zwanzig kleine feindliche, gegeneinander über stehende Fragmente, die durch ein Spinnengewebe verbunden sind, hierzu der furchtbar zunehmende Unwerth der Producte bei einer unerträglichen Abgabenmasse. Alles dieses betrübt den Redlichen, der nur in dem Glauben an eine väterlich weise Vorsehung und den Blick nach Jenseit, nach dem überirdischen, Trost und Beruhigung finden kann. Um ihn ungestört darauf zu wenden, von einer Welt, die mir anekelt, abwenden zu können, deshalb ist mir Einsamkeit theuer. Zu allem diesem treten noch die Beschwerlichkeiten des Alters, von ihnen die empfindlichsten, das Verschwinden der Zeitgenossen, unter ihnen die Freunde der Jugend, die Gefährten unserer Thätigkeit, die uns mit Liebe und Theilnahme umgaben, statt ihrer stehen wir unter einem uns fremden Geschlechte, uns unverständlich und wir ihnen, freunde- und freudenlos. — Weislich und liebend hat eine väterliche Vorsehung dieses veranstaltet für uns, die Wandernden, der Erde Fremdlinge; sie löst die Bande, welche uns an das Irdische fesseln; es entsteht Lebensmüdigkeit, Sehnsucht nach dem bessern Zustande, „wo wir erkennen werden, welches ist die Hoffnung unsers Berufes und der Reichthum seines herrlichen Erbes an seinen Heiligen“.

15. März 1825. Hätte dieser große edle Staatsmann (W. Pitt) mit seinen großen Geisteskräften und engelreinem, dabei unerschütterlich festem Charakter in denen ereignißreichen Jahren 1812—15 gelebt, statt des beschränkten, aufgeblähten Lord Castlereagh, dann hätte doch in dem Verein des Mittelmäßigen und Pfiffigen ein edles großes Princip gewaltet; doch „Dieu le veut“ war der Wahlspruch der Kreuzfahrer. Die Rheinufer werden durch die Maßregeln des Königs der Niederlande gelähmt, und doch kann ihn nur Deutschland schützen.

8. Juni 1825. Ein mich besuchender Reisender aus Paris sprach mir schon von Mißverhältnissen zwischen A. und N. So lange Ersterer lebt, erhalten wir wahrscheinlich Ruhe, aber auch nur wahrscheinlich, denn in dem Menschen, und besonders im Russen liegt Anmaßung, Unruhe und Unternehmungsgeist. (Also in dem Russen, von dem die Rede ist, nicht in der russischen Nation, wie es in Nr. 122 d. Bl. scheint.) — Wie contrastirt doch die Geschichte der amerikanischen Revolution mit der französischen! „Des causes qui ont empêché les Français d'être libres“ schrieb Mounier; mir scheinen sie sehr einfach. Unbesonnene Minister, die eine Versammlung von 700 Franzosen beriefen, ohne Form der Verhandlungen, Organisation der Verhandelnden und Befugnisse derselben zu bestimmen. Seichte, unerfahrene, eitle Schwätzer, Lameth, Lafayette, Barnave u. s. w., oft gemißbraucht von Verbrechern, bildeten die erste Versammlung. Mörder und Räuber beherrschten die zweite. Und was zeigen uns die gegenwärtigen Versammlungen? Wo ist ein tüchtiges Gesetz über Gegenstände des Nationalinteresses aus ihnen hervorgegangen? Wie selten findet man einen gründlichen, mit seinem Gegenstande vertrauten Mann!

30. Juli 1825. Ems wird angenehm durch die Anwesenheit der liebenswürdigen verständigen Kronprinzessin, sie gefällt Allen, die sich ihr nähern. Die Erscheinung des Kronprinzen war sehr vorübergehend; er ist geistvoll, theilnehmend an großen Interessen. Die Höflichkeit und das Wohlwollen dieses Paares und des Markgrafen Leopold von Baden contrastirt mit dem trocknen steifen Benehmen Anderer.

30. August 1825. (Entrüstung über die damaligen Gerüchte, die den Freiherrn von Stein in die oberwitzigen Verbindungen der Demagogen verwickelten.) Die Professoren verbreiten verderbliche Grundsätze unter der Jugend. Lehrt nicht ein Professor der Moral in seiner Ethik den Selbstmord? und findet einen Vertheidiger, der die übertriebensten und verrücktesten Dinge den unbärtigen Jünglingen vorträgt? Die Kanzel und der Lehrstuhl müssen keine Giftbude sein.

1. Mai 1826. Vorläufig bemerke ich, daß mein Wunsch, Preußen gestärkt und vergrößert zu sehen, nicht aus einer blinden Anhänglichkeit an diesen Staat floß, dessen Fehler mir sehr wohl bekannt waren, sondern aus Ueberzeugung, daß die Zerstückelung Deutschland schwächt, um Nationalehre und Nationalgefühl bringt, es unfähig macht zu einer staatswirthschaftlichen Verwaltung und den Einzelnen, indem es ihm einen der Hauptträger der Sittlichkeit, die Vaterlandsliebe entzieht, herabwürdigt. Hierzu kam der dem reichsunmittelbaren Adel angeborene und aus seinem Kampf mit Territorialhoheit fließende Haß gegen die Fürsten; so war es wol natürlich, daß ich die Erhebung einer Macht wünschte, die einmal bestand und die mit dem Glanz eines großen politischen Ruhmes umgeben war.

2. August 1826. Das Wiedersehen des Kronprinzen war mir sehr erfreulich, sein Ernst, womit er die Geschäfte behandelt, sein richtiges, wohlwollendes, gerechtes Urtheil, seine Liebe zu der Nation, an deren Spitze er steht, seine Freimüthigkeit: alles dieses ist höchst befriedigend und gibt die gegründetsten Hoffnungen, die zum Theil schon erfüllt werden, da ihm ein bedeutender Theil öffentlicher Geschäfte anvertraut ist.

14 März 1828. Unsere Diplomatie ist rechtlich, schwerfällig und weich.

6. Mai 1828. Es ist der erbärmlichen, antinationalen, neidischen Ansicht unserer kleinen Cabinette angemessen, sich an das Ausland zu schließen, sich lieber von Fremden peitschen zu lassen, als dem allgemeinen Nationalinteresse die Befriedigung kleinlichen Neides aufzuopfern.

31. August 1829. Arndt ist sehr achtbar durch Gelehrsamkeit und einen edeln, frommen, einfachen, wohlwollenden Sinn.

25. Nov. 1829. *Ich wünsche nicht für Preußen, sondern für Deutschland eine sicherere, festere, innere Krystallisation, und werde diese Meinung mit in das Grab nehmen; möge Andern die Zersplitterung der Nationalkraft gefallen, mir nicht.*

25. Jan. 1830. Mit der unbedingten Behauptung, ein misfälliges Ministerium durch Verweigerung der Abgaben verdrängen zu dürfen, stürzt man jede bestehende Verfassung, sie sei monarchisch, aristokratisch, demokratisch, es dauert der revolutionnaire, fieberhafte Zustand fort; denn jede Opposition kann nur Gehorsam und Abgabenzahlung zur Bedingung der Entfernung oder der Anstellung gewisser Personen machen, so hat aller Gehorsam ein Ende. Die Verwilligung oder das Verweigern der Abgaben ist nichts Willkürliches, es kann nur nach bestimmten Grundsätzen, mit Beobachtung großer und heiliger Pflichten ausgeübt werden.

27. Febr. 1830. Von der christlichen Religion spricht man in Frankreich als von einem veralteten, unserer hohen Geistesbildung nicht mehr entsprechenden Institut. Was soll denn diese Religion der Demuth, der Liebe, der Rechtfertigung, der Heiligung ersetzen? Wohin führt das Alles?

3. März 1830. Man erschwere das Heirathen den Armen, *erlaube es nur Denen, die ein Auskommen nachweisen* u. s. w.

6. April 1830. Gesenius und Wegscheider sind keine Arianer, sondern höchst freche Rationalisten, die Gottheit Christi, Auferstehung, Erlösung und Offenbarung leugnende Menschen, welches Alles die Arianer nicht thaten, wie Sie in Neander's Kirchengeschichte sehen können. Nun können Männer, welche die Grundwahrheiten des Christenthums leugnen, auf einem christlichen Lehrstuhle einer christlichen Universität so wenig geduldet werden, als Sie einen Quäker zum commandirenden General machen. Die Personen, die diese Meinung hegen und die man Pietisten nennt, wollen eine geoffenbarte Religion, an die sie glauben, aufrecht erhalten, nicht den hin- und herwogenden Meinungen einzelner Männer Lehrstuhl, Kanzel, Katechetik preisgeben und sind Christen, meinetwegen auch Pietisten, wenn Sie darunter Christen verstehen, die mit mehr Ernst auf Religion merken, als es im Strudel der Geschäfte möglich ist.

19. Juli 1830. Das Benehmen der Liberalen ist nichtswürdig (nämlich der französischen, nicht der deutschen, wie es in Nr. 122 scheint).

25. August 1830. Leider ist der Philistergeist progressiv in die politische Maschine eingedrungen, so man deutschen Bund nennt; sie steht unbekannt und ungeachtet mitten in Deutschland, kraftlos zur Beseitigung der Reibungen unter ihren Gliedern, wie die braunschweigische Sache beweist, unberechtigt und abgeneigt, die Person und das Eigenthum der Einzelnen zu schützen. Bei der Constitution des Bundes war es ein großer Misgriff, der seinen Grund in dem Dünkel der Ministeriuncula der kleinen Fürsten fand, allen Bundesgliedern gleiche Rechte zu ertheilen, gleiche Verbindlichkeiten aufzulegen. Dadurch erhielten die erstern einen Umfang, die letztern eine Schlaffheit, die in kleinen Territorien die verderblichsten Folgen hatten und ganz anders hier als in großen Staaten wirkten.

December 1830. (Die Hauptbeschwerden im Nassauischen sind nach diesem Briefe nicht blos Beamteninsolenz und Willkür, Verschlossenheit des Herzogs gegen Beschwerden, sondern sechs Hauptpunkte, statt des einen in Nr. 122 genannten.)

29. Jan. 1831. Die bureaukratische Monarchie schadet der geistigen Entwickelung —, sie erstarrt; die freie constitutionnelle Monarchie belebt, entwickelt, reißt den Menschen aus dem trägen, selbstsüchtigen Leben; aber — nun wird die Selbstsucht thätig, es erhebt sich der Kampf der Parteien nach Macht, Geld, die Verwaltung wird gelähmt, das Gute unterbleibt. Wie kann man nun die Vortheile der constitutionnellen Regierung mit denen einer kräftigen Verwaltung verbinden?

17. Febr. 1831. Ew. Excellenz sagen, nichts sei leichter als die Vortheile einer constitutionnellen Regierung mit einer kraftvollen Verwaltung zu verbinden, wenn man nur die Constitution halte! Ich sage aber: Wie hat man die Constitution gehalten? u. s. w. Soll eine Verfassung dauerhaft, veredelnd wirken, so beruhe sie auf väterlicher Liebe des Regenten, der sie ertheilt, auf kindlicher Treue des Volkes, das sie empfängt, auf religiöser, sittlicher Entwickelung des Einzelnen; einem beständigen Wechsel wird sie unterworfen sein in einem selbstsüchtigen, habsüchtigen, gemüthlosen, irreligiösen Volke.

3. März 1831. Unsere neuen Publicisten suchen die Vollkommenheit der Staatsverfassung in der gehörigen Organisation der Verfassung selbst, nicht in der Vervollkommnung der Menschen, der Träger der Verfassung. Die mit dem praktischen und constitutionnellen Leben innig vertrauten Alten foderten unerläßlich zu seinem Bestehen Religiosität und Sittlichkeit. Der Charakter, das Wollen muß gebildet werden, nicht allein das Wissen. — Von der Ungebundenheit des Journalism bin ich kein Freund! — Im 16. Jahrhundert brannten, stahlen, zerstörten die aufrührerischen Bauern zur Erhaltung der evangelischen Freiheit. Im 18. und 19. morden, rauben wir, führen Krieg um Freiheit, um republikanische Verfassung. — Armes, durch Leidenschaften gepeitschtes, lügenhaftes Menschengeschlecht, von dem unsere rationalistischen Pfaffen versichern, es sei frei von der Erbsünde. Dieses sind die treuen Gehülfen der Jakobiner; indem sie alle Achtung vor der geoffenbarten Religion untergraben, so geben sie den Aufrührern die Losung zum Kampf gegen gesetzliche Ordnung.

Literarische Notizen aus Rußland.

(Beschluß aus Nr. 196.)

Ein an sich gewöhnlicher Vorfall hat Veranlassung zu einem niedlichen, anmuthigen Büchelchen gegeben. Der petersburger Buchhändler A. Smirdin bezog im vorigen Jahre am 19. Febr. eine neue Wohnung und erhielt an demselben Tage, als Weihgeschenk zu den neu aufgerichteten Laren von vielen seiner literarischen Bekannten und Gönnern eine Gabe an Poesie und Prosa. Er sammelte die Geschenke, und es ward ein Buch daraus wie ein Almanach, das er am 19. Febr. d. J. erscheinen ließ. Mit Bezug auf die Entstehung ist es betitelt: „Nowoselje". (Die neue Wohnung. Petersburg 1833.) Beiträge von den gefeiertesten Dichtern und den ausgezeichnetsten Literatoren trifft man in diesem Buche. Wir nennen einige und zuerst die poetischen. Von W. Shukowski ein altes Märchen; von A. Puschkin: Das Häuschen in Kolomno, eine Erzählung; von Krylof, dem beliebten Fabeldichter, drei neue Fabeln; von Fürst Wiasemski und Gneditsch verschiedene Dichtungen; von Baron v. Rosen eine Erzählung. Unter den prosaischen Beiträgen ist zu bemerken ein russisches Märchen von dem Kosacken Basilius Luganski; Anekdoten, mitgetheilt von dem ehrwürdigen Veteran russischer Literatur A. Schischkow und von dem Generallieutenant Danilewski; Aufsätze von Bulgarin und Gretsch und eine kleinrussische Novelle von Porphyrius Baiski. Zum äußern Schmuck dieser Gabe dienen fünf wohl ausgeführte Bilder, worunter das erste ein von Smirdin in seiner neuen Wohnung den literarischen Freunden gegebenes Symposion darstellt. Auf dem Umschlag prangt endlich die Abbildung des Hauses, das zu dem Allen eine Veranlassung gewesen.

Ein artiges, erzählendes Gedicht ist: „Matschicha i padtscheriza". (Die Stiefmutter und die Stieftochter, ein russisches Märchen. Petersburg 1833.) „Lenore von Bürger" ist von Bas. Shukowski ins Russische übersetzt, und außerdem hat dieser hochgefeierte Dichter eine eigne Ballade in der Art der ebengenannten deutschen gedichtet, deren Heldin Swetlana heißt. Deutschen Lesern kann solche aus v. d. Borg's gelungener Uebersetzung bekannt sein. Der Dichter des oben genannten Märchens hat jene schaurigen, gespenstigen Balladen auf eine harmlose Weise parodiren wollen und erzählt folgenden Schwank. Es lebte und webte ein Bauersmann, der Witwer geworden war, aber eine schöne Tochter hatte. Diese hieß Paraskedia oder abgekürzt Parascha. Da dies russische Diminutiv etwas breit erscheinen dürfte, so wollen wir es in unserm Referat gegen das kürzere, liebe, süddeutsche Peppi eintauschen, obgleich das letztere freilich von einem andern Namen herkommt.

Peppi blühte schön und hold,
Und wie das gediegne Gold
War ihr Sinn und ihr Gemüth.

Der Vater hätte zufrieden leben können, aber es fiel ihm ein zu heirathen. Er entdeckte sein Vorhaben der Tochter, und die gute Peppi antwortete: „Lieber Vater thut, wie es euch genehm ist." Nachdem sie dies gesagt:

Senkte abwärts sich ihr Blick,
Eine Thräne rann verstohlen
Ueber nahes Misgeschick.

Ihre bangen Ahnungen wurden nur zu bald erfüllt, denn die Stiefmutter war ein böses Weib und hatte aus ihrer ersten Ehe eine häßliche, boshafte Tochter, von der Peppi viel ausstehen mußte. Der Haß nahm zu, als sich annehmliche Freier meldeten, die um die schöne Peppi warben und um ihre Stiefschwester sich nicht kümmerten. Die Stiefmutter beschloß die Stieftochter zu verderben, um dann die eigne Tochter desto leichter an einen Mann zu bringen. Es kam die Weihnachtswoche heran, während welcher, so mitten in den langen Nächten, die Höllengeister nach der Volksmeinung freies Spiel haben. Zu dieser Zeit beredete die Stiefmutter den schwachen Vater seiner Tochter Peppi ein Nachtgeschäft in der Badstube aufzutragen. Sie hoffte, daß in dem abgelegenen Gebäude, das, als ein nie von Menschen bewohntes, der natürliche Aufenthaltsort schlimmer Mächte wird, irgend ein hülfreicher Teufel oder sonst ein boshaftes Gespenst der verhaßten Schwiegertochter den viel zu schlanken Hals umdrehen würde. Der Bauer willigte aus Nachgiebigkeit gegen sein Weib ein und trug der Tochter das verhängnißvolle nächtliche Geschäft auf; da aber die Gefahr, welcher er sie aussetzte, ihm Sorge machte, gab er ihr den Haushahn mit, dessen Macht über die Nachtgeister weltkundig ist. Peppi ergab sich in ihr Geschick und wachte die Nacht in der einsamen, abgelegenen Badstube, die in dem Gehöfe eines jeden wohlhabenden russischen Bauers anzutreffen ist. Um Mitternacht vernimmt sie plötzlich Hufschlag und

Klirrend steigt ein Reiter ab.

> Wie ein altes, heißes Grab
> Liegt die Badstub'.

Der Reiter tritt ein; schwarzer Flor verdeckt sein Antlitz; unter dem Küraß wird ein Leichenhemd sichtbar. Er neigt sich gegen die Jungfrau und sagt:

> Der Rappe scharrt, der Sporn erklirrt,
> Tod und Leben ist verwirrt.
> Feinsliebchen laß uns eilen,
> Ich darf nicht lange weilen.

Peppi willigt ein, mit dem Reiter in alle Welt zu ziehen; aber sie verlangt zum Unterpfand seiner Treue einen Trauring. Der Reiter schwingt sich auf sein Roß, reitet schnell hin und her, holt den Ring. Doch nun begehrt Peppi ein Halsgeschmeide, als dieses gebracht ist, ein Brautkleid, dann einen Gürtel, hierauf einen Kopfschmuck, einen Schleier, Ohrgehänge, einen Pelz, den der Reiter so schnell als möglich und kostbar aus Sibirien herbeischafft. Endlich will sie warme Schuhe und Strümpfe; auch diese bringt der unverdrossene Reiter, und da er sich einen neuen Ritt, den er vorauszusehen glaubt, ersparen will, bringt er gleich schöne blaue Strumpfbänder mit. Peppi hätte nun allenfalls ihm zum Spott rosenrothe verlangen können, aber sie begnügt sich mit den dargebotenen; und da die Nacht trotz der eifrigsten Eile während der wiederholten Versendungen ziemlich vorgerückt war, reicht sie dem Reiter die Hand, um die Badstube zu verlassen,

> Draußen harren schwarze Rappen,
> Schäumend, bäumend, erdaufwühlend;
> An der Kutsch' mit goldnem Wappen
> Warten Diener, schauend, schielend,
> Ob die Herrschaft endlich komme?

Sie kommt, der Bräutigam steigt in den Wagen, Peppi setzt den Fuß auf den Tritt und drückt in demselben Augenblick den alten Haushahn in die Rippen. Er fängt an zu krähen und auf diesen Ruf verschwindet

> Das Gespenst, der Satan, Vampyr,
> Was er war, was wissen es wir!
> Aber Peppi, Ringe, Pferde
> Blieben hier auf dieser Erde.

Zu bemerken ist, daß die kleine, anmuthige Erzählung, die wir für d. Bl. vielleicht zu breit, aber doch nur unvollständig skizzirt haben, in einem russischen, kritischen Blatte hart angegriffen wurde. Das Seltsamste dabei ist, daß der Recensent, die offenbare, obgleich unbeleidigende Parodie der bekannten Balladen darin übersehend, die ganze Erzählung ernsthaft nimmt, daher abgeschmackt findet und den Verf. gar für die aus Shukowski ausgeschriebenen Stellen als Plagiarius anfällt, da doch die Wiederholung solcher einzelnen Verse und Worte grade an jene Gedichte erinnern soll, wie wir es nach der Ansicht des Originals auch in unserer fragmentarischen Uebertragung durch Reminiscenzen aus Bürger's „Lenore" gleichfalls versucht haben. So wiederholt in sich überall und immer, daß, wenn die Literatur irgendwo einen schnellern Aufflug nimmt, eine neue Bahn einschlägt, auf der ein schönes Ziel erreicht werden kann, oder auch nur ein einzelner Dichter mit leichter Last zu eigner Ergötzlichkeit einen frischen, grünen Wiesenpfad einschlägt, unglückliche, mißverstehende Kritiker hintennachkeuchen, und rufen: Halt, halt, fehlgefahren, ihr irrt, hier geht die Landstraße, dort steht das übliche Wirthshaus!

An neuen Originalromanen ist erschienen: „Fediuscha Motowilski". (Fritzchen Motowilski, ein ukrainischer Roman von Iwan Kulschinski. Moskau 1833.) Nicht groß an Umfang, auch nicht erfindungsreich ist die darin erzählte Geschichte. Sie ergeht sich in Schulstreichen, in kleinen Begebenheiten, die der Held als Auscultant in der gerichtlichen Palästra erlebt, bis er, derselben überdrüssig und in ein junges Mädchen verliebt, zum angestammten Kosackensäbel greift und in den Krieg zieht. Hier geht es ihm so gut, daß er, von den Schlachtfeldern und aus den Lazarethen zurückgekehrt, seine Geliebte heirathen kann und fortan ein gemächliches Leben führt. Einige glücklich aufgegriffene Züge aus den provinziellen Eigenthümlichkeiten Kleinrußlands machen indeß den Roman zu einer kurzweiligen Lecture. — An Uebersetzungen aus dem Französischen ist unter mehren andern kürzlichst in den Druck gegeben Paul de Kock's bekannter Roman „Le cocu" (4 Theile, Petersburg 1833); wegen des anstößigen Titels heißt derselbe in der Uebersetzung, vielleicht anständiger, aber nicht erfreulicher: „Mush kakich mnogo" (Der Ehemann, wie es deren viele gibt). — Von dem durch seine sinnreich und glücklich aufgefaßten Volksmärchen schnell bekannt gewordenen Luganski ist neuerdings ein Bändchen Erzählungen erschienen: „Byli i nebylicy". (Geschichten und Märchen, vom Kosacken Wladimir Luganski. Petersburg 1833.) Das Bändchen enthält zwei lebhaft erzählte Geschichtchen: 1) „Der Ueberfall", eine Kriegsscene aus dem polnischen Feldzuge; 2) „Die Zigeunerin", eine Novelle, die die Phantasie und zugleich die Beobachtungsgabe des Verfassers bezeugt.

Neben diesen Bereicherungen hat die schönwissenschaftliche Literatur Rußlands auch unvermuthete Verluste erlitten. Vor Kurzem starb, nur 30 Jahr alt, Alexander Schischkow d. J., Verf. eines Romans „Grusien", und verschiedener Gedichte und kleiner Erzählungen, die nächstens in vier Theilen gesammelt erscheinen werden. Er muß jedoch mit dem verdienstvollen Veteran der vaterländischen Literatur, Präsidenten der Akademie für russische Sprache, dem gewesenen Minister des öffentlichen Unterrichts, Herrn Alexander Schischkow nicht verwechselt werden. Desgleichen starb am 15. Febr. 1833 der kaiserliche Bibliothekar Nikolaus Gneditsch, in der russischen Literatur rühmlichst bekannt durch eine Uebertragung der „Iliade" in Hexametern, die mit verdientem Beifall aufgenommen ward. 44.

Literarische Notizen.

Neuere persische Geschichte.

In London erschien: „The dynasty of the Kajars; translated from the original persian manuscript presented by his majesty Faty Aly Shah to Sir Harford Jones Brydges etc." (1833). Der Uebersetzer bekleidete von 1809—11 das Amt eines außerordentlichen englischen Botschafters am persischen Hofe, und erhielt bei seiner Abreise neben andern Beweisen von Achtung, auch das Original dieser Schrift vom Schah zum Geschenk. Es wurde auf seinen Befehl nur unter seiner Aufsicht vom Reichshistoriographen verfaßt, und enthält eine kurze Nachricht von der Kajardynastie, von den Thaten des Oheims des jetzigen Schahs, Aga Mohammed Khan, welcher in seinem Zelte zu Scheschah 1797 ermordet wurde, und geht bis zu Sir Harford's Abgange (1811) vom persischen Hofe. Die Erzählung der Begebenheiten während der Anwesenheit des Letztern gibt zugleich einen Maßstab für die Zuverlässigkeit des Ganzen. Dasselbe Werk, an mehren Stellen erweitert, und durch die Gesandtschaftsperioden Sir John Malcolm's und Gore Ouseley's fortgeführt, wurde vor einigen Jahren in Schiraz gedruckt, und befindet sich in der Bibliothek der asiatischen Gesellschaft zu London.

Ein Poet und Verehrer des Kaffees, Herr Gondard d'Aulnay, hat vergangenes Jahr eine sorgfältig gearbeitete Monographie dieser Frucht („Monographie du café") in Paris herausgegeben. Er hat darin über die Geschichte, Cultur, Bereitung und alle Verhältnisse, denen sein Gegenstand unterlegen hat und noch unterliegt, die genauesten Nachrichten zusammengestellt und ältere Schriften darüber verglichen und berichtigt. 3.

Redigirt unter Verantwortlichkeit der Verlagshandlung: F. A. Brockhaus in Leipzig.

Blätter für literarische Unterhaltung.

Montag, — Nr. 196. — 15. Juli 1833.

Johann Martin Usteri's Dichtungen in Versen und in Prosa. Nebst einer Lebensbeschreibung des Verfassers, herausgegeben von David Heß. Drei Bände. Mit dem Bildniß des Verfassers. Berlin, Reimer. 1831. Gr. 12. 5 Thlr. 8 Gr.

Die deutsche Poesie unserer Zeit verliert viel dadurch, daß die verschiedenen Dialekte immer mehr in den Hintergrund treten und nicht nur außerhalb dem Landestheile, in welchem sie herrschen, deutschen Ohren vielleicht fremder klingen als eine gangbare Sprache des Auslandes, sondern auch unter dem Volksstamme selbst, der sie redet, allmälig auf die minder gebildeten, wenigstens ihre Bildung und Gesittung nicht in Schrift niederlegenden Classen zurückgedrängt werden, während sich nicht nur unter den höhern Ständen, wo dies schon lange geschehen ist, sondern selbst beim Mittelstand allmälig irgend ein Surrogat von Hochdeutsch, eine κοινὴ διάλεκτος festsetzt, eine Sprache, die in ihrer Verflachung und Phrasenfertigkeit der Poesie nichts weniger als günstig ist. Es gehört schon ein gewisser Grad von Originalität dazu, wenn ein Dichter unsere Umgangssprache neu behandeln, die prosaisch gewordenen poetischen Redensarten selbst ausscheiden, ihrem Gedankenausdruck eine neue Würde verleihen, den abgenutzten Klang ihrer Reime fürs Ohr wieder auffrischen soll; und es ist kein Wunder, daß bei der Unzahl stets neu erstehender Dichter dies verhältnißmäßig nur Wenigen gelingt. Hingegen würde Mancher, der in hochdeutscher Mundart nur Alltägliches zu liefern im Stande wäre, unerwartet mit echten Gedichten auftreten, wenn ihm in der Sprache seines Dialekts zu singen vergönnt wäre, weil er, ohne persönlich eine hohe Dichtereigenthümlichkeit zu besitzen, die Originalität seiner Mundart und seines Volksstammes in ihnen ausprägen könnte; denn einestheils schlummert in einem solchen Dialekte, sehr leicht erweckbar durch einen nur im Allgemeinen wohlbegabten Eingeborenen, eine Fülle von frischen Wörtern von unerwarteten, in der Schriftsprache nicht möglichen Reimen, von hochpoetischen bildlichen Ausdrücken und sinnvollen Sprüchwörtern; anderntheils faßt er eine ganze Welt von Sitten und Gebräuchen in sich, die, der verfeinerten und abgeglätteten Gesellschaft unzugänglich, in der Sprache des schlichten Volkes, bei dem sie noch einheimisch sind, in einer seltenen Lauterkeit aufbewahrt werden und die reichsten Stoffe für die Poesie, insbesondere für gemüthliche Darstellungen liefern. Dies hat Hebel's Gedichten ihren Zauber verliehen, Producten, von denen sich vielleicht, so parador dies klingen mag, behaupten läßt, daß sie an Genialität hoch über Dem stehen, der sie producirt hat. Und ein ähnlicher, jedoch von Hebel ziemlich unabhängiger Geist veranlaßte uns zu den vorstehenden Betrachtungen.

Der Schweizer Johann Martin Usteri (geb. zu Zürich im April 1763, gest. am 29. Jul. 1827) würde, wenn er sich nur in hochdeutschen Gedichten versucht hätte, vielleicht in seinem nächsten Vaterlande selbst schon bei seinen Lebzeiten vergessen worden sein oder sich gar nie bekannt gemacht haben, höchstens wäre hier und da in Deutschland, ja vielleicht auch sonst in Europa (s. Lebensbeschreibung, S. XCIII) sein Name noch eine Zeit lang mit dem Liedchen aufbewahrt worden, mit welchem er grade vor 40 Jahren (1793) in der Poesie debutirt hat, und das durch seine glückliche Melodie zum Volksliede gestempelt worden ist, das noch immer in den Straßen manches Landstädtchens und den Gassen manches Dorfes zu vernehmen ist:

> Freut euch des Lebens,
> Weil noch das Lämpchen glüht,
> Pflücket die Rose,
> Eh' sie verblüht.

Dies Lied, welches die ganze Sammlung von Usteri's Dichtungen eröffnet, erzeugt eine gewisse Rührung, die in unserm guten Vaterlande noch immer auf Fortpflanzung rechnen darf. Aber was die drei Bände sonst von hochdeutschen Gedichten enthalten (und es sind deren nicht wenige), ist nicht au niveau dieses Liedes. Wir können sie mit einigen Proben einmal für allemal in dieser Anzeige abthun. Die lyrischen Gedichte behandeln großentheils das Glück wohlwollender Geselligkeit in der allgemeinen Sprache der Poesie des 18. Jahrhunderts, in Versen wie z. B. folgende aus dem Tafellied (S. 14):

> In Erwägung, daß das Beste
> Unsers Staats zu fördern sei,
> Zimmert man, verehrte Gäste,
> Der Systeme mancherlei:
> Das Gepräg' des besten Rathes
> Bleibt indessen, wie mir scheint,
> Wenn er mit dem Glück des Staates
> Auch das unsere vereint.

Gram erzeugt statt Thaten Klagen,
Macht die besten Redner stumm;
Brauchet, um ihn wegzujagen,
Folgendes Specificum:
Schöne Augen, sanft und heiter,
Voller Wangen Incarnat,
Purpurlippen und so weiter,
Quantum satis, ist probat.

Zuweilen mischt sich in diese gutmüthige Poesie etwas Weniges von schweizerischer Argyrokratie ein, wie in dem gleich darauf folgenden Kutschenfahren, dessen Herrlichkeit nicht genug gepriesen werden kann. Zwar rühmt Mancher, sagt der Dichter, die Süßigkeit des Gehens, aber sie bekommt ihm schlecht:

Kömmt er bei des Gasthofs Stufen
Staubbedeckt und hinkend an,
Mag er winken, pfeifen, rufen —
Ach, kein Stallbub sieht ihn an!
Aber läßt er sich kutschiren,
Setzt sich Alles flugs in Trab,
Und es schießt — auf allen Vieren
Oft — der Wirth die Trepp' hinab.

Der gröbste Bauerlümmel greift ehrfurchtsvoll nach seinem Hute, ja, ein schöner Wagen lehrt selbst das Schneiderlein (vgl. Biographie, S. LXXXIV) Respect. Und

Stößt zuweilen die Maschine,
Singt das Liedlein allbekannt:
„Point de rose sans épine,
Point de plaisir sans tourment."

So fliegt der Wagen vorüber und

Läßt den Koth im Hintergrund.

Die Einmischung des Französischen ist für den schweizer bon ton ganz charakteristisch. In der That ist das Französische für den Gentleman der Schweiz eine mundgerechtere Sprache als das Hochdeutsche, und Usteri hätte vielleicht ebenso gute französische chansons als rein deutsche Liedchen gemacht. Es wäre daher ungerecht, von diesen Gedichten auf die Größe seines poetischen Talents schließen zu wollen. Es ist bekannt, daß man sich in einer fremden Sprache viel weniger geistreich zeigt, als man wirklich ist; für seine schönsten und tiefsten Gefühle findet man so wenig als für seine lebendigsten Phantasien den schwierigen Ausdruck; man hascht nach dem Leichten und Gewöhnlichen, und weil man hier die Schwierigkeit glücklich überwindet, so meint man damit etwas Rechtes und Tüchtiges geliefert zu haben; das Vergnügen, das die Besiegung eines Hindernisses gewährt, macht auf uns selbst einen ästhetischen Eindruck angenehmer Art, und es ist verzeihlich, wenn wir dieselbe Empfindung auch beim Leser voraussetzen, der sie aber gewöhnlich nicht reproduciren kann. Wir werden daher das Maß von Usteri's poetischer Empfindsamkeit weder bei diesen, noch bei den zahlreichen Künstlerliedern des zweiten Bandes (S. 1—36) zu suchen haben; wir werden seine Phantasie nicht nach den zum Theil endlosen Bürgerisirenden Balladen und Schweizersagen (S. 129—188 des ersten Bandes) schätzen dürfen. Die letztern behandeln isolirte, aus dem Zusammenhange des schweizerischen Mythen- oder Sagenkreises abgelöste Gegenstände, die für sich selten eine große Situation, ein tiefes Gefühl oder ein überraschendes Bild darstellen, sondern eben bald ein Märchen, bald ein Geschichtchen der gewöhnlichen Art bilden. Die Sprache ist auch hier breit und flach, wie wir sie oben geschildert haben.

Aber Usteri ist dennoch ein Dichter und zwar ein trefflicher, tiefgemüthlicher, auch an Phantasie reicher Dichter, sobald er sich der kraft- und saftvollen Mundart seines Stammes bemächtigt und sich in die ganze uralte Lebensweise und Vorzeit seines edeln Volkes vertieft. Referent hat die schönsten Gebirgsthäler der Schweiz wiederholt besucht, aber nie ist ihm die schöne Individualität dieses deutschen Volksstammes so klar geworden, nie hat er sie so unverkümmert genossen als in Usteri's Dichtungen. Er hat sich, während er sie las, wiederholt den Vorwurf machen müssen, daß er auf seinen Wanderungen sich manchmal durch Zufälligkeiten und Einzelheiten zu einem ungerechten Urtheil über die Schweizer verleiten ließ. Das Fremdengedränge und der Nutzen, den Wirthe (die man doch gewöhnlich auf einer Schweizerreise fast allein kennen lernt) und andere Personen daraus ziehen und auch zu ziehen genöthigt sind, erzeugt auf den Hauptstationen dieses Landes, ja auf der Hauptroute, sogar in den kleinsten Dörfern, jenen widerlichen Egoismus mit alle seinem Gefolge von Untugenden, wie man ihn sonst nur in den größten Hauptstädten der Welt findet. In Usteri's Erzählungen, denn vorzugsweise von diesen gilt das oben ausgesprochene Lob, werden wir aus jenem Gasthofsgewühle der Schweiz heraus und in den Kern der Nation, in das Leben der edelsten Familien hineingeführt, wir lernen das Gemüth eines der naturkräftigsten Volksstämme unsers Welttheils kennen. Der verdienstvolle Herausgeber führt uns in diese neue Welt stufenweise ein; der erste Band enthält drei solche Novellen oder kleine, mit einem geschichtlichen Hintergrunde versehene Romane des Verf., in welchen Usteri die alte Schreibart, wie er selbst sie in seinen Manuscripten gebrauchte, für den Druck etwas verändert und einer neuern angenähert hatte, um sie für die Mehrzahl der Leser verständlich zu machen; er schreibt hier noch statt „hand" haben, statt „ichtwas" etwas u. s. w. In der dem zweiten Bande einverleibten Erzählung ist die Orthographie nur in soweit verändert, als der Verf. es durchaus nothwendig glaubte, um das Lesen für Ungeübte geläufig zu machen; in dem köstlichen Cyklus der Erzählungen des dritten Bandes endlich wurde die ganz alte Schreibart des Manuscriptes beibehalten, in der Voraussetzung, daß alle Leser, wenn sie sich vermittels jener vorhergehenden Stücke bereits im Allgemeinen mit der Form der alten Sprache vertraut gemacht, hier auch die Schreibart derselben leicht verstehen und sich bald daran gewöhnen würden, wenn z. B. was oder wz statt war, dz statt daß, v statt u, aw statt au (in Frau) u. s. w. vorkommt. Für Ungeübte (und solche möchten wol die Leser in ganz Deutschland, Oberschwaben etwa ausgenommen, sein) sind überdies noch die unverständlichsten Wörter in den Noten übersetzt.

Die erste Erzählung des ersten Bandes: „Zeit bringt

Rosen", versetzt uns nach dem Schweizerbadeort Baden und ins Jahr 1582, in die Zeit, wo die Eidgenossen eben auf einer Tagsatzung in Baden versammelt waren. Bern hatte dieselben zusammengerufen, denn die Zurüstungen des Herzogs von Savoyen gegen Genf hatten Besorgnisse erweckt. Auf diesem Tag erschienen auch die Gesandten Königs Heinrich III. von Frankreich und bewarben sich um die Erneuerung des Bundes, der sich Zürich und anfangs auch Bern hartnäckig widersetzte. Auf diesem politischen Grunde eines bewegten Lebens spielt die unschuldige Liebschaft eines jungen Bürgers und Handelsmannes aus Zürich, Konrad Haldenstein, aus einem schon im 17. Jahrhundert erloschenen Geschlechte, die mit solcher Anmuth nur in der Sitteneinfalt einer Zeit und dem Zauber einer Sprache dargestellt werden konnte, wie sie allein einem mit der Geschichte, dem Volkscharakter und dem Sprachgebrauche der alten Schweiz vertrauten Manne zu Gebote standen. Erfindungsreicher in ihren Hauptbegebenheiten ist die gar kurzweilige Erzählung: „Der Schatz durch den Schatz, Biographie Hans Breidbach's, des Goldschmidts von Freyburg, aus dem 16. Jahrhundert", welche sich historisch an den Bauernkrieg des Jahres 1523 anlehnt. Das Kleinod dieses ersten Bandes aber bildet „Thomann zur Lindens Abenteuer auf dem großen Schießen zu Strasburg". Dieser junge Zürcher, ein ehrsamer Drager (Drechsler), der zu Hause ein Schätzlein hat, das er in aller Stille liebt, macht im J. 1576 an einem langen Sommertage mit vielen Junkern und reichen Bürgern die abenteuerliche eintägige Fahrt mit warmem Hirsebrei nach Strasburg, wo sie von der Bürgerschaft gar festlich empfangen und gehalten werden. Hier, beim Nachtmahl in des Ammeisters Stube, wo neugierige Herren und Frauen herbeiströmen, die Gäste zu schauen, zieht „ein jung Mägdlein in einem blauen Rock mit Sammet und einer golden Ketten, die über die Maßen schön war", die Augen des Zürchers auf sich; er nimmt sich ein Herz und reicht ihr von dem Hirsebrei, was sie mit gar freundlicher Miene annimmt, dabei sich hinter seinen Stuhl stellt und lang mit ihm gar holdselig und lieblich spricht, sodaß er wohl merkt, wie die Junker, die sie umschwärmen, ihm sein Glück misgönnen. Bald darauf — denn die ganze Geschichte ist in einer Reihe von Briefen dargestellt — schreibt er, nach Zürich zurückgekommen, an seinen Freund Johannes, daß sein Sinn und Herz nach Strasburg steht.

Und wiß, lieber Johannes, daß das schön Mägdlein dessen ein gros [illegible] tragt, von dem ich dir in meinem ersten Brief gschrieben had, und liegt mir das Tag und Nacht im Sinn, und kann an nützit (nichts) denken als an sie, und nützit wünschen, als daß ich wieder bei ihr wär. Und weiß nit, wie das kommen ist, denn da ich ihr das Plättlein mit dem Hirs geben had, und sie damit hinter mir stund und sich auf meinen Stuhl lähnt', steckt sie ihr klein Fingerlein unter dem Plättlein herfür, und hatt' mich der Willkomm und der Wein, den ich in die Hitz trunk, so beherzt gmacht, daß ich das Fingerlein ergriff, und zuckt sie's nit aus meiner Hand, redt im Gegentheil so liebreich und freundlich mit mir, als ob sie mich von Kindheit auf kennt hätt; und, lieber Johannes! seit ich das Fingerlein in meiner Hand hatt, bin ich wie verzaubert; aber sie hat kein' Hexenaugen und schaut mir frischer ins Gesicht als ich ihr; und hat der Schmid und der Escher ihr Fingerlein nit in Händen ghan, und drehend (drehen) die Köpf doch auch nach ihr, wo sie staht und gaht, und fürwahr, der alt Statthalter Thomann hätt ihr auch gern sein Plättlein geben, und macht ihr ein teufer Bucks (einen tiefern Bückling) als den Stättund Ammeistern, und ist nützit anders dran Schuld, als ihr unsaglich Schöne, und ist wahr, lieber Johannes! daß ich nie kein schöner Mägdlein sah, auch mir kein schöner Mägdlein denken kann, und man mag lugen, wo man will, lacht ein Alles an.

Nun erzählt er noch allerlei Abenteuer, die er mit der fremden Schönheit bestanden; die fromme, sittsame Zürcherin ist vergessen, er fährt in Geschäften seiner Hantirung nach Strasburg. Aber gar bald schreibt er aus „Mentz" (Mainz) vom 29. Aug. 1576: „Ich mag nit gwarten, lieber Bruder Johannes, bis ich dir mein Glück verkünd, und ist mir das Glück kommen, nit wie Du meinst." Er meldet, wie ihn die strasburger Schöne auf Abends 9 Uhr in ihr eignes Haus bestellt. Die Liebe treibt ihn vor dem Nachtmahl aus dem Gasthause, und nun besteigt er, sich die zögernde Zeit zu vertreiben, mit einem Thurmwächter das Münster:

Droben war noch eine ziemliche Tagsheitre, aber nach und nach ward es auch finster und wurde mir gar wunderbarlich zu Muth, da ich ganz einsam so hoch oben im Luft war, und unter mir und z'ringsum Alles so still und wie ausgestorben: und wandt mich da gegen das Schweizerland, und kam von daher ein leises kühles Lüftlein und wehet mich an, und gedacht' da an mein Mutter, wie sie jetzt gewißlich auch an mich denk, und sich meinetwegen bekümmere, und kamen mir da alle Wort wieder z' Sinn, die sie mir sagt, da sie mich am Abend, eh ich verreis't, in ihr Kämmerlein nahm, und mich unter tausend Zähren bat, daß ich ihr kein fremd Weib heimbringen sollt; und gedacht' da auch an die Helena (seine frühere Geliebte in Zürich), und erinnert' mich, wie ich ihr z'lieb, grad um die Zeit, mehr denn hundert mal auf die Winden g'stiegen war, und ihr zulugt, wenn sie in ihr Kämmerlein gieng, und sie sich da am Tisch sazt', und in der Bibel oder im Betbuch las, und dann ihr Liecht löscht und ins Bettlein gieng, und wie sie das jezt auch thät, und dacht', wie jezt die Strasburgerin auf einen Buhlen wartet, den sie nicht einmal kennt; und bracht mir das allerley schwere Gedanken, auch wenn ich mich fragt, was ich wohl von der Helene sagt, wenn sie ein Gleiches thät?....

Die Stunde schlägt; in wogenden und wechselnden Gedanken taumelt der Jüngling dem Hause der Strasburgerin zu; endlich aber siegt das Gewissen und die alte Liebe, und damit er sich selbst für alle Zukunft einen Riegel vorstoße, und damit sie merke, daß Alles unter ihnen todt und ab sei, stößt er ihr das Zettelchen, das sie ihm geschrieben hatte, durch's Schlüsselloch, blickt damit noch zu ihrem Fenster hinauf und ruft: „Fahr wohl für immer!" Da entdeckt er hinter dem Umhang, durch den das Licht schien, einen Junkerskopf. Er weiß nun, daß die bisher Angebetete eine falsche Buhlerin ist. Sein Leben aber wendet sich ganz glücklich. Die verlassene und trauernde Helena wird dem nach Zürich Zurückgekehrten allmälig wieder hold.

Und staht auch seit vorgestern ihr Mädlein wieder am Fenster, aber der Umhang ist zogen, war aber das gestern ein klein weniger, so daß ich wieder ihr Händlein sehen mag; hab' auch in dieser freudigen Hoffnung schon mein Ringlein puzt.

(Der Beschluß folgt.)

Das Musikfest. Rheinbairische Novelle von G. Fr. Blaul. Heidelberg, Winter. 1832. 12. 20 Gr.

Dieses Buch hat, obgleich es nicht ohne Werth ist, doch so auffallende Fehler, daß ich mich nicht wundere, wenn Kritiker, welche ihre Berichte dutzendweise verfertigen, es ganz und gar verwerfen. Der Verf. ist nämlich ohne Zweifel ein junger Mann, dem es noch sehr an Bildung fehlt, und läßt sich daher eine Menge von Verstößen zu Schulden kommen, welche dem flüchtigeren Leser leicht das Bessere in dem Buche verdecken. Der Ausdruck ist fehlerhaft, die Schilderung oft unbeholfen, die erzählte Begebenheit ist im höchsten Grade alltäglich. Ein liebendes Paar geräth in mancherlei Verlegenheiten, weil der Vater des Mädchens, getäuscht und in Vorurtheilen befangen, die Tochter einem Andern, und zwar einem boshaften Menschen bestimmt hat. Natürlich kommt die Bösartigkeit des designirten Bräutigams zuletzt an den Tag, und die Liebenden heirathen sich. Aber eben der Umstand, daß diese Fehler so leicht zu sehen sind, überhebt mich der Mühe, sie näher zu beleuchten. Ich gehe daher zu den Vorzügen der vorliegenden Arbeit über.

Zunächst ergibt sich augenscheinlich, daß der Verf. mit Liebe gearbeitet hat. Jener fabrikmäßige Ton, welcher in jeder Zeile verräth, er sei nur auf das Gelüsten der Menge berechnet, findet sich hier nicht. Obgleich der Verf. oft strauchelt, so geht er doch einen frischen, wackern Schritt, dem man es bald ansieht, daß er kein angelerntes Tanzpas ist.

Sodann zeigt sich hier jene Empfänglichkeit des Sinnes, deren Dasein um so entschiedener hervorgehoben werden muß, da die Verstandesrichtung einer gewissen Partei unter den neuern Literatoren derselben nach Kräften entgegenarbeitet und sie daher wenn nicht verunglimpft, doch gern übersieht. Unsere Tagespoesie und die ihr huldigenden Kritiker haben große Lust, ein Monopol für subjective Einseitigkeit zu gründen. Sie sehen verächtlich auf jede objective Anschauungsweise herab, weil diese nicht mit einseitiger Schroffheit Prunk treibt und daher dem flüchtigern Beobachter als minder charaktervoll erscheint. Bei unserm Verf. ist nun freilich einige Charakterlosigkeit und ein dadurch bedingter Mangel an Schärfe des Geistes vorhanden; das ist aber noch kein Grund, die Empfänglichkeit seiner Phantasie zu übersehen. Um sich einen Begriff von der Eigenthümlichkeit dieser Erzählung zu machen, muß man sich die Art ihrer Entstehung vergegenwärtigen. Der Verf. hat eine Reise gemacht, einem Feste beigewohnt; die mannichfaltigen Eindrücke, welche er hierbei gewonnen hat, schwebten ihm so lebendig vor, daß er beschloß, sie mitzutheilen. Da er hierzu die erzählende Form wählte, so bedurfte er einer Handlung, welche wie ein Rahmen die verschiedenen Gegenstände, welche zu schildern waren, in ein Ganzes zusammenfaßte. Von einer höhern, künstlerischen Einheit und von tiefer und bestimmter Bedeutsamkeit des Ganzen ist daher hier freilich nichts zu finden. Dagegen sind manche Einzelnheiten nicht ohne Anmuth erzählt und geschildert; die Empfindungen werden meist naturwahr, wenn auch nicht mit der erfoderlichen Schärfe gezeichnet; die Situationen sind einfach und ungezwungen; die Ereignisse werden zwar meist etwas zu weitläufig — wegen der Unbeholfenheit des Verf. im Ausdruck — aber oft recht anschaulich erzählt.

Das hin und wieder eingestreute Raisonnement über die Kunst ist freilich sehr schwach, und überhaupt möchte dem Verf. zu rathen sein, daß er sich künftig leichtere Aufgaben wähle, bis sein Geist eine kräftigere Ausbildung erlangt hat. 175.

Poetische Werke von Karl Köchy. Erster Theil. Braunschweig, Verlags-Comptoir. 1832. Gr. 12. 1 Thlr.

Die poetischen Werke dieses uns zum ersten Male bekannt werdenden Dichters stellen sich in Vers und Prosa dar. Ersterm, dem rhythmischen Theil, möchten wir den Vorzug geben. Unter den Liedern, Balladen und Romanzen des Verf. befindet sich manches ansprechende Bild, und wo sich der Dichter auch nicht durch Originalität der Form und Erfindung auszeichnet, weiß er doch immer einen schönen warmen poetischen Anhauch über seine Darstellungen zu ergießen, der wohlthuend und anziehend ist. Ein größeres lyrisches Ganze ist: „Phantasus, ein Frühlingsspiel", zur Eröffnung des Theaters in Mainz gedichtet, das manche anerkennenswerthe Partien enthält. Als eine angenehme Zugabe zu des Verf. eignen Productionen lesen wir eine mit vielem Talent gearbeitete Uebersetzung von Victor Hugo's trefflichem „Gebet für Alle". Die erzählenden Darstellungen, unter denen sich „Die Geschwister", ein Märchen, und „Die Schauspielerin", eine Novelle, findet, haben uns dagegen minder zugesagt, und es scheint wenigstens die Novelle nicht die Gattung zu sein, auf welche den Verf. sein Talent berufsmäßig hinweist. Es fehlt ihm hier noch gänzlich an plastischer Klarheit, an Sonderung von Licht und Schatten, und seine Gestalten, denen eine bestimmtere und motivirtere Charakteristik abgeht, fahren unklar durcheinander, ohne weder sich selbst, noch die Handlung, zu der sie mitwirken, zu rechtfertigen. So werden in der Novelle „Die Schauspielerin" unheilschwangere Verhältnisse von allen Seiten aneinandergekettet, ohne daß die Nothwendigkeit zu der ans Uebertriebene streifenden tragischen Lösung klar würde. Am besten gelingen dem Verf. noch lyrische Ausmalungen von Gemüthszuständen, die er nicht selten mit Geist zu entwerfen versteht, und von dieser Seite ist Das, was geleistet wird, keineswegs gewöhnlich. „Die Geschwister", nach Art der Tieck'schen Zaubermärchen im „Phantasus", treffen den Ton dieser Gattung recht gut, aber die Erfindung ist schon ziemlich verbraucht. Wir wünschen dem Verf. recht bald wieder zu begegnen, da sein bereits so gebildet auftretendes Talent nicht ermangeln wird, sich weiter thätig zu zeigen. 38.

Blätter
für
literarische Unterhaltung.

Dienstag, — Nr. 197. — 16. Juli 1833.

Johann Martin Usteri's Dichtungen in Versen und in Prosa. Nebst einer Lebensbeschreibung des Verfassers herausgegeben von David Heß. Drei Bände.

(Beschluß aus Nr. 196.)

Wir unterbrechen den Bericht über diese lieblichen und originellen Erzählungen des Verf., indem wir der epischen Idyllen erwähnen, welche den zweiten und dritten Band seiner Dichtungen füllen, und durch welche die Reihe jener Mittheilungen in Prosa auch im Buche unterbrochen wird. Es sind ihrer zwei, beide in herametrischer Form; die erste „De Vicari" (Der Vicarius), eine ländliche Idylle von 3450 Versen, die zweite „De Herr Heiri", eine städtische Idylle von 1893 Versen, beide in der jetzigen züricher Mundart. Dies sind Genrebilder von großem Verdienste, was die Wahrheit der Sitten- und Charakterschilderungen des Schweizerlebens in der Stadt und auf dem Lande betrifft, und zwischen der erstern und Voß' „Luise" ließen sich gewiß interessante Parallelen ziehen. Der Stoff beider Dichtungen Usteri's ist, der Gattung angemessen, aus der Sphäre des Kleinlichen, Lächerlichen und selbst Niedrigen des Convenienzlebens gewählt; man wird diesen Idyllen nicht den Vorwurf machen können, mit welchem die Kritik neuerdings die idyllischen Gedichte Hebel's angreift, daß sie ländliche und spießbürgerliche Naivetät nur als Fastnachtsmummerei behandeln; denn das Idealnaive und selbst das Sentimentale ist nur mit Unterordnung behandelt, und derbe Naturmalerei herrscht überall vor; Pfarrer und Pfarrerin, Hauptmann und Hauptmännin sammt Sohn, der Fischer und das Gericht mit allen aristokratischen Bocksbeuteleien und angeflickten demokratischen Lappen sind in der ländlichen Idylle, sowie Kaffeevisiten, Fraubasereien, Concerte u. s. w. in der städtischen mit vieler komischen Kraft, aber schonungslosen Naturtreue, die sentimentalen und idealen Personen in beiden Gedichten ohne alle Weichlichkeit und Uebertreibung gezeichnet. Inzwischen werden sich wenige hochdeutsche Leser durch diese Sprache voll moderner, nur von französischen Brocken ekelhaft unterbrochener Provinzialismen durchzuarbeiten vermögen. Die altschweizerische Sprache, welche in der Prosa des Verf. so vortrefflich gehandhabt wird, ist in eben dem Maße edler und würdiger, in dem sie reiner, consequenter und deswegen verständlicher ist; auch die verwandte, alemannische Mundart, welche Hebel für seine Gedichte gewählt, ist in ihrer ländlichen Unschuld viel poetischer als dieses städtische Kauderwelsch. Und die geselligen Sitten der modernen und städtischen Schweiz selbst sind ein so sonderbares Gemisch von französischer Eleganz und bäuerlicher Derbheit, daß sie an Ort und Stelle studirt sein wollen, wenn man sie in dieser getreuen Conterfeiung glaublich und begreiflich finden soll.

Es sei uns daher vergönnt, zu jenen idealern Idyllen des Verf. in prosaischer Form, aber von unendlich poetischerm Gehalt, zurückzukehren. Der zweite Band enthält nur Eine Erzählung dieser Art: „Gott beschert über Nacht". Hier wird die schöne und unschuldige Tochter einer braven, armen Frau, die von den Wohlthaten eines ehrlichen, von Hauskreuz geplagten baseler Bürgers lebt, welcher selbst ihrem verstorbenen Manne das Leben verdankte, den Krallen eines wollüstigen alten Domherrn entrissen und dem Sohne ihres Wohlthäters, der sie liebte und schon verloren gibt, durch wunderbare Fügung Gottes mit einer schönen Mitgift versehen, unerwartet in die Arme geführt. Die Situationen dieser Novelle legten eine lüsterne Behandlung des Stoffes sehr nahe, der Verf. ist aber dieser Versuchung nicht erlegen, und während er in den modernen poetischen Idyllen wol einem kleinen Kitzel nachgeben zu dürfen glaubte (s. „De Vicari" V. 155 fg.), ist er hier im Geiste der alten frommen Zeit so streng und züchtig geblieben, daß diese, wie alle andern Erzählungen der Sammlung, unbedenklich von Jungfrauen, ja beinahe von Kindern gelesen werden kann. Die Geschichte berechtigte schon durch ihren Titel zu einer Anhäufung von willkürlich ersonnenen, wunderbaren Begebenheiten, bei welchen die Wahrscheinlichkeit nicht sehr geschont zu werden brauchte. Dennoch hat der Dichter das rechte Maß auch hier nicht überschritten; noch mehr, er hat mitten in der Darstellung objectiver, aus der Zeitgeschichte entlehnter Scenen oft mit wenigen Pinselstrichen eine Gemüthssituation meisterhaft angedeutet. Nur Ein Beispiel. Bernhard ist, am Glück seiner Liebe verzweifelnd, zu den Schweizern nach Dorneck gezogen, um ihnen gegen den Adel streiten zu helfen und sich einen ehrlichen Tod zu holen. Bald kommt er ins Gefecht, „und springt Einer von ihnen" — so erzählt die Novelle, die von Anfang bis zu Ende Selbstbiographie ist — „mit seiner Glene auf mich los, — und ist verwunderlich zu sagen; ich, der noch vor einer kleinen Weil nützit (nichts) mehr gewünscht hatt, als daß mich einer ertöden möcht, floh jetzt den Tod und sprang beyseits, da fuhr die Glen in eine Tann, die hinter mir stund, und flogen die Stück hoch in die Luft, und eh er sein Roß umwandt und das Schwert zuckt, schlug ich mit meiner Halparten auf ihn zu, daß er für sich (vorwärts) dem Roß fiel u. s. w." Man sieht, der Verf. hat das menschliche Herz studirt und opfert die psychologische Wahrheit nicht dem Romanheldenthum auf.

Am tiefsten werden wir in diese Gemüthswelt durch die Reihe von Lebensläufen edler Frauen in absteigender Linie eingeführt, welche unter dem Titel: „Der Eggel (Erker) im Steinhus (Steinhaus)", zusammengefaßt sind und den Schluß des dritten Bandes und des ganzen Werkes bilden. Vor wenigen Jahren ist das Haus in der Kirchgasse zu Zürich, das den Namen zum Steinhaus führte, wegen Baufälligkeit erneuert worden und lebt in seiner alten Gestalt nur noch in Usteri's lieblicher Dichtung. Dieses Haus kam um das Jahr 1400 an das adelige Geschlecht der Meisen. Wahrscheinlich war es Junker Jakob Meis, der sich mit einer Küchenatterin verehlichte, welcher, etwa 25 Jahre später, in der Mitte der Decke des dortigen hochgewölbten steinernen Erkers das Meisenwappen und in acht Abtheilungen rings um dasselbe die Familienwappen verschiedener seiner Ahnfrauen und dasjenige seiner Gattin malen ließ. Die Geschlechter dieser acht Frauen sind alle ausgestorben, während das der Meisen noch fortblüht. Als das Steinhaus, das in neuester Zeit als Staatskanzlei diente, im J. 1825 neu aufgefrischt werden sollte, sorgte Usteri als Mitglied der Finanzcommission dafür, daß die Wappen im Erker wieder in heraldisch richtige Farben gesetzt würden, und diese Beaufsichtigung veranlaßte den Gedanken bei ihm, diese Reihe von Erzählungen in Form einer alten Hauschronik zu schreiben. Die Erfindung ist von ihm. Inzwischen haben jene Frauen, wie das die Wappen beweisen, doch, und um die Zeit gelebt, aus welcher Usteri die bedeutendsten historischen, zum Theil aber auch mit unverbürgten Sagen vermischten Ereignisse in ihre vorgeblichen besondern Schicksale zu verweben wußte. Usteri trieb die Alterthümelei dabei so weit, daß er nicht nur seiner Sprache, sondern auch den Schriftzügen und dem Manuscript selbst einen antiken Anstrich gab, sodaß es nach der Beschreibung des Herausgebers einen alten Codex täuschend nachahmen muß. Es ward von ihm angenommen, die Hauschronik sei von einem etwa 50 Jahre vor der Reformation lebenden Junker Meis geschrieben und einer Frau Base als Badgeschenk zugeeignet worden. Dieser fingirte Verfasser erinnert seine Freundin in höchst anmuthigen Schilderungen an ihr gemeinschaftliches Jugendleben und an die historische Auslegung der Wappen im Erker des Steinhauses durch eine mütterliche Freundin der zwei Kinder (Bäsingotten, d. h. Base Pathin), der alten Frau Meisin, geb. Müllerin von Friedberg. Diese Auslegung wird in acht Erzählungen wiedergegeben, von welchen die achte leider nur angefangen ist und mitten in einem Satze endet, weil Usteri's Tod die Arbeit unterbrochen hat. Inzwischen bildet jede der übrigen Erzählungen ein abgeschlossenes Ganzes, und zusammen gestaltet sich aus ihnen eine Galerie sehr mannichfaltiger Frauencharaktere, von welchen keiner den andern wiederholt, und durch welche den Zeitbildern, die diese kleinen Romane abspiegeln, eine Seele geliehen wird, wie sie ihnen nur ein rechter Kenner des menschlichen Herzens und ein gemüthlicher Dichter verleihen konnte. Im ersten Bilde, von welchem wir zur Probe etwas genauere Rechenschaft geben wollen, wird uns ein Edelfräulein dargestellt, dessen einzige Freude Jagd und höfisches Leben ist. Der arme Junker Meis, der um sie wirbt, und den sie auch wirklich liebt, erhält sie nur mit Mühe und unter der Bedingung, sie in ihrer Lust nicht zu stören. Der Junker fühlt sich bald sehr unglücklich, duldet aber in der Stille und hält Wort. Einsmals zieht die Frau mit ihren alten Anbetern; der Gatte schweigend in ihrem Gefolge und von den reichen und stolzen Freiherren mishandelt, auf ein großes Jagen,

Vnd hat man sich zum Imbis gelageret nit wyt von der straßen vnd asend (aßen) und trunkend Herren und Knechte gar frewdigklich. Aber der arm Junker mocht khein (kein) Frewd haben, denn jm hütt (ihm heut) die Herren besunders verachtlich begegnet warend, hat sich deßhalb etwas entfernt vnd an ein Brünnelin gesatzt das an der straßen stund, vnd saßen sine zwey Hünd neben jm vnd sachend (sahen) jn fast (sehr) trurig an, leckten jm ouch sin Händ, sam (als ob) sy mitleiden mit jm hettind vnd jn trösten woltind, vnd gieng das dem guten Junker ans herz vnd erseufzget vnd gedacht, möcht doch myn Frowen mir mit sömlicher (solcher) Lieb vnd Trüw zuthan syn, vnd füllten sich damit sine Augen mit Thränen.

Wie er nun so einsam dasitzt und seinen Kummer zu unterdrücken strebt, um wieder mit freudigem Gesichte zu den Andern gehen zu können, kommen etliche Reiter die Straße dahergesprengt, unter ihnen ein junger, langer, magerer Mann mit hohlen Augen, wie wenn er aus dem Grabe gekommen wäre, aber mit hohem Ansehen und mit einem Purpurmantel angethan. Er reitet auf einem hohen Schimmel, und da er das Brünnlein ersah, hielt er still. Ein Diener springt vom Roß, füllt eine goldene Schale mit Wasser und reicht sie seinem Herrn mit gebogenem Knie. Der Junker lädt den vornehmen Herrn zur Gesellschaft; der fragt ihn, wer die Frau sei, die da unter den Jägern sitze. Da sagt der Junker Meis: „Das ist myn Frowen". Der Reiter sieht ihn eine Zeit lang steif an und erwidert:

Das ist nit gut, wenn die Frow mit den Jägern den Wyn trinkt, vnd der Mann mit den Hünden das Wasser, und will mich bedunken das Wasser syge (sei) nit nur vs dieser Rören gloffen sunder auch vs üwern (euern) Ougen, das sollt nit syn, Gott bessers vnd geb üch Geduld.

Damit reitet der König Balduin von Jerusalem — denn er ist es, der, wunderbar vom Aussatze geheilt, in die Schweiz kommt, ein ihm im Traume gezeigtes Kloster zu stiften — an der Gesellschaft vorüber, die, als sie vernommen, wer er ist, ihm nachreitet und das Knie vor ihm beugt. Als aber Frau Meisin ihn auch um seinen Segen bittet, sieht sie der König eine Weile gar ernsthaft an und sagt:

Wie mag ein Samenkörnlin Wurzel fassen das vf einen Felsen gesaget (gesät) wird, wie mag myn Segen einem Wyb ze gut kommen das in Lust vnd Frewden leben kann indeß sin Eeherr sich bekümberet vnd weint.

Damit wendet er sich und reitet davon, ohne sie zu segnen. Die Frau aber geht von Stund an in sich, sagt ihren Anbetern und dem Jagdleben ewigen Abschied, ist gegen ihren Mann ernsthaft, doch freundlich und sagt ihm nur Einmal: „Ich war aufrichtig gegen Euch, Ihr hättet das auch gegen mich sein sollen". Der König Balduin besucht auf seiner Rückkehr nach Palästina die Frau Meisin, die dem Bau seines Klosters großen Vorschub gethan hat. Sie sagt bescheidentlich zu ihm, daß doch bei seiner Rede ein Körnlein vom Himmel auf diesen Felsen gefallen sei. Der König segnet sie und spricht gar schön:

Frow, das Körnlin das vom Himmel gfallen ist, hat in dem Felsen ein Rizlin (eine Ritze) funden, darin sich Feuchte sammeln vnd dem Körnlin son Narung geben mocht, und habend myne Wort ein sölich (solch) Rizlin oder Wunden in üwer Herz gschlagen tz das Körnlin ouch da sine Narung finden mocht, und gloubet mir: hätt' ich öch (euch) dazemal nach üwerem Begeren ohne wyters minen Segen ertheilt, so wäre warlich das Körnlin uf den diesen Stein lygen blyben, und hätt khein (kein) Würzlin schlagen khönen.

Die folgenden Erzählungen steigen allmälig mit der Zeit selbst, in welcher sie spielen, aus dem Ritterthum herab ins Bürgerleben, und was sie dadurch an Mannichfaltigkeit der romantischen Begebenheiten verlieren, das gewinnen sie an sittlichem Ernst und an Fülle des Gemüthes; wiewol die Kriege der Schweizer mit dem Adel auch noch äußerlichen Stoff genug darbieten, der vom Verf. gar geschickt in die Darstellungen aus dem innern Leben verflochten wird. So ist das Verhältniß von Rudolf von Habsburg zu Frau Margarethe Meis, gebornen von Mirsal, in der dritten Erzählung recht meisterhaft behandelt; in der vierten Erzählung nimmt die Historie beinahe zu viel Raum ein; aber das Charakterbild der nicht schönen, nicht einmal anmuthigen und doch in ihrer frommen und aufopfernden Demuth so anziehenden Frau Anna Meis, aus dem Geschlechte der Bilgeri, ist vortrefflich. Auch die Jungfrau Fink (in der fünften), welche mit Hülfe ihres getreuen „Knechtlins" den leichtfertigen Junker Jakob Meis durch ihre Tugend gewinnt, ist ein in seiner Anspruchlosigkeit gefallendes Portrait. Die sechste Biographie, welche den Junker Ulrich Meis seiner verschmähten Geliebten als zweiten Gatten zuführt, feiert den Triumph echter Sentimentalität; und in der siebenten Erzählung ist der hitzige und bald bereuende Junker Heinrich Meis gewiß eine Zeichnung nach der Natur, und die Jungfrau Schwendin ein holdes Ideal weiblicher Sanftmuth.

Zu bemerken und zu rühmen ist, daß die Behandlung des Alterthums auf alterthümliche Weise in allen diesen Geschichten durchaus den Eindruck der Natur macht und nicht im Mindesten als affectirt erscheint. Der Verf. bringt die alte Zeit im Herzen und Gemüthe mit, darum ist er in ihr zu Hause; das Studium der vaterländischen Antiquitäten scheint ihn nicht erst auf dieselben geführt zu haben, sondern sein alterthümlicher Sinn und Geist hat ihn diesen Studien zugeführt.

Die interessante Biographie des feinsinnigen Herausgebers berichtet uns ausführlich von dem Talente Usteri's für die zeichnenden Künste. Dieses Talent offenbart sich auch auf eine sehr dichterische Weise in den Erzählungen aus dem Steinhause. Ein lieblich begrenztes Bild um das andere geht in ihnen vor unsern Augen vorüber, und Usteri hat auch wirklich zu diesen Geschichten eine Reihenfolge von geistreichen Zeichnungen entworfen, wie er dies auch zu seinem „Herrn Heiri" gethan hat (s. Vorwort zum ersten Bande, S. XIII, und Lebensbeschreibung S. LXXIII fg., und Bd. 3, S. 4). Herr David Heß eröffnet uns die angenehme Aussicht, daß auch diese bildlichen Vorstellungen lithographirt oder in Kupfer gestochen dem Publicum dereinst übergeben werden dürften.

Die Sammlung von Usteri's Dichtungen wäre classisch geworden, wenn mit Ausnahme des Volksliedes: „Freut euch des Lebens", aller Ballast hochdeutscher Gedichte weggelassen und von Lyrischem nur das im Schweizerdialekte gedichtete Lied: „Der armen Frow Zwingli Klag", die schweizerische Romanze: „Graf Walraff von Thierstein", und die allerliebsten schweizerischen „Kinderlieder" mit ihrem Gefolge (Bd. 2, S. 66—101) aufgenommen worden wären. Sie hätte sich dann in zwei Bände einschließen lassen, von welchen der erste die Biographie und die metrischen Arbeiten, der zweite die köstlichen Dichtungen in ungebundener Form umfaßt hätte. 23.

Oeuvres complètes de *Charles Nodier*. Tome septième. Le dernier banquet des Girondins, étude historique, suivie de recherches sur l'historie révolutionnaire. **Paris 1833.**

Der Verf. berichtet in der Vorrede, daß die „Girondins" schon vor sechs Jahren geschrieben worden, und daher die dramatische Form, in welcher er die Geschichte darstellt, kein Plagiat sei. Wir bezweifeln dies keinen Augenblick, finden aber die Erklärung des Hrn. Nodier gänzlich überflüssig; es stand ihm zu, einem geschichtlichen Stoff zu dramatasiren, wie es ihm zustand, eine Ode oder ein episches Gedicht daraus zu machen. Wir stimmen übrigens mit ihm darin überein, daß ein Werk dieser Art so gut sei wie ein anderes, wenn es zufälligerweise gut ist. Schon seit dem 25. Jahre trug Hr. Nodier dieses Sujet mit sich herum; es entwickelte sich allmälig und keimte und sproßte in seinem Gemüthe fort, „dieses Gedicht der Freiheitsthermopylen', wie er sich ausdrückt; oft aber traten Augenblicke der Entmuthigung ein; die Girondisten waren die Heroen seiner Kindheit gewesen, es war ihm aus jener Zeit ein tiefes Gefühl von Bewunderung und Enthusiasmus für die Märtyrer der Freiheit geblieben; seine Worte schienen ihm zu eng, zu kalt für Das, was er darstellen wollte, dabei war es auch mit der bloßen dichterischen Begeisterung nicht gethan; es mußten tiefe und umfassende Studien vorhergehen, um in einem so kurzen Drama das Leben, die Ansichten, die psychologische und politische Geschichte von 21 energischen, geistreichen Männern, unter denen sich Vergniaud befand, zu entwickeln, um jedem seine eigenthümliche Physiognomie und Sprache zu geben. So kam es, daß die „Girondins" erst in den letzten Tagen des Monats Mai dieses Jahres ans Licht traten.

Die Handlung beginnt den 30. October 1793 und endigt den 31. October des Morgens um halb zwölf. Es war zehn Uhr des Abends, als die Thore der Conciergerie sich zum letzten Male für die Einundzwanzig öffneten. Unter ihnen bemerken wir Gensonné, mit eleganten Formen, dem mächtig hohen, weißgepuderten Haare auf dem majestätisch zurückgebogenen Haupte, dessen milde Eloquenz ruhig dahinströmt; Brissot, seltsam gekleidet, dessen Manieren etwas Originelles haben, das man vergebens in seinen Schriften sucht; der diejenige Art von Beredtsamkeit besitzt, die sich am meisten für Repräsentativstaaten eignet, Geschäftskenntniß und eine klare Diction; Vergniaud endlich, der überall zuletzt kam, weil er in seiner Zerstreuung immer etwas vergaß; mit der Rechten spielt er an den Breloken seiner Uhrkette, die Linke irrt von den Falten seines Jabots zu dem wirren struppigen Haare, das er hatte wachsen lassen, seitdem er keinen Bedienten mehr hatte. So werden nacheinander sämmtliche Helden des Dramas bis ins kleinlichste Detail beschrieben; eine etwas zu lange Portraitgalerie, die man nicht ohne zu ermüden durchwandert. Plötzlich schaudert aber das Gemüth auf beim Anblick eines Kopfes, den der Arzt Hardy unter einem blutigen Tuche trägt. Es ist das Haupt Valazé's, der sich nach dem Urtheilsspruche ganz ruhig während eines Gesprächs mit Gensonné ein Messer ins Herz gestoßen. „Doctor", sagte Vergniaud zu Hardy, „opfert dem Aesculap einen Hahn; einer Eurer Patienten ist schon geheilt." Der Zug gelangt in den Saal, wo gewöhnlich die Deputirten der Gironde sich zum Essen versammelten. Sie setzen sich zum letzten Gastmahle, und nun beginnt eine der ergreifendsten, großartigsten Scenen, die man sich denken kann, die um so mächtiger wirkt, je heiterer, lebenslustiger die Unterhaltung der dem Tode geweihten Gäste sich beim Becherklang und Gesang auf den bunten Flügeln des Scherzes in muthwillig witziger Fröhlichkeit hin und her wiegt. Mitunter bricht die innere Verzweifelung durch; die Muthigsten ergreift das Bild der bevorstehenden Auflösung. Politische Discussionen werden mit stürmischer Beredtsamkeit durchgeführt. Vergniaud läßt von Zeit zu Zeit über die Todesnacht, die sich der Gemüther bemächtigt, die großartigen, sublimen Bilder seiner feierlichen Beredtsamkeit flammen. Vergniaud verzweifelt an der Freiheit und an der Revolution. „Die Revolution", ruft er aus, „verschlingt ihre Kinder wie Saturnus." — „Wie Ihr", sagt er an einer andern Stelle; „war ich der langen Irrthümer und Leiden so vieler knechtischen Generationen müde; wie Ihr habe ich in meiner Blindheit nach unmöglichen Verbesserungen gestrebt, welche die Menschheit schon zu viel Thränen und Blut gekostet haben. Die Freier der Penelope sind nicht bitterer getäuscht worden als die der Freiheit. Die Intelligenz der Nationen hat tiefe Nächte, welche das Werk ihrer Tage zerstören. Für die Gesellschaft wie für den Menschen, der lange gelebt, gibt es nichts Neues als den Tod. Die Peliaden, welche ihren alten Vater ermordeten, um ihn zu verjüngen, waren treffliche Republikanerinnen. Sie wußten um das Geheimniß der Revolutionen. Bei der Geburt eines Volkes bedeutet das Opfer eines Einzelnen etwas; aber wann dieses Volk veraltet ist, schließt sich der Abgrund des Curtius nur über dem ganzen Volke." Wir müßten die Vorstudien des Verf. selbst gemacht haben, um zu ermessen, ob die übrigen, minder bekannten Redner mit derselben historischen Wahrheit sprechen wie Vergniaud; der Charakter der Beredtsamkeit dieses Letztern scheint uns aber aufs Glücklichste getroffen zu sein. Hr. Nodier hat diese Figur mit besonderer Liebe behandelt; in ihr concentrirt er seine dichterische Energie; er schmückt sie aus mit allen Reichthümern seines hohen Geistes, seiner hinreißenden Diction. Der heftige, zu wenig gekannte Viger erregt neben ihm das lebhafteste Interesse; die stürmischen Ergüsse dieses unbändigen Geistes donnern oft mächtig und erschütternd dahin. „Ich erkenne Euch", sagt er zu Vergniaud, Mainvielle u. s. w., „für treffliche Advocaten, für geistreiche Köpfe, und ich verstehe mich darauf, da ich Mitglied der Akademie von Angers war; aber noch nie hat eine Rede, so schön sie auch sein mochte, eine Revolution zu Ende gebracht. Nicht die Macht der Rhetorik konnte die wahren politischen Lehren aufrecht erhalten im Sturme der Zeiten, sondern die Macht der Stärke, einer männlichen, martialen Stärke, die mit dem Degen beweist. Mit der Degenspitze, meine Herren, mit der Degenspitze und nicht mit oratorischen Vorträgen im Geschmacke des Isokrates und Cicero! — Ha, ha! — Eins, zwei! Da liegt Robespierre! — Eins, zwei! Collot d'Herbois fleht um Gnade u. s. w." Daß die Fortdauer jenseit zur Sprache kommt, versteht sich von selbst. Hr. Nodier berührt diese Frage jedoch nur obenhin, weil, wie er sagt, es höchst unwahrscheinlich sei, daß sie die Girondisten in ihrem letzten Zusammensein lange beschäftigt habe; auch befürchtete er, sein Drama möchte dadurch nur langweilig werden. Es galt den Versuch! Unsers Erachtens hat Nodier eine der fruchtbarsten und erhabensten Seiten seines Sujets dem ängstlichen Haschen nach dem Succeß geopfert. Mit dem Punsche, der nun servirt wird, erhebt sich das Gespräch immer lebendiger und lärmender. Es wird gesungen; man trinkt Gesundheiten. „Ich bringe diese Gesundheit zu Ehren der göttlichen Cäcilie von.... Wer Henker sagt mir ihren Namen?" ruft der Deputirte Mainvielle im Rausche aus. „Haltet ein", unterbricht ihn heftig Duchatel, „der Name einer Frau ist ein heiliges Geheimniß, welches man nicht entweihen darf im Taumel des Gastmahls." — „Euer Kopf ist noch nicht reif, Mainvielle." — „Ueber diesen Punkt", erwidert Mainvielle, „werdet Ihr mir erlauben, Euch zu widersprechen; so reif als je ein Kopf war, denn in wenig Stunden wird er fallen." — „Fürchtet nichts für Euer Geheimniß", sprach Vergniaud, „bald ist es in Sicherheit." Unter diesen Scherzen, die weh thun und zugleich ergötzen, wie Blumen auf einem Grabe, kommt der Morgen herbei. Vergniaud sieht nach der Uhr; es ist fünf Uhr: noch zwei Stunden haben sie zu leben. In der Zerstreuung zieht er die Uhr auf. Die Concierges und Guichetiers erscheinen; der Huissier ruft die Gefangenen einzeln beim Namen. „Meine Herren", sagt Vergniaud lächelnd, „die Sitzung ist aufgehoben!" Die Abschiedsscene vor der Abfahrt zur Guillotine, was sich auf dem Wege zum Richtplatze zugetragen, die Hinrichtung Aller ist meisterhaft geschildert. Es geht vom Anfange bis zu Ende durch das ganze Buch ein Hauch der Wehmuth, des finstern Grauens, das durch die heitere Ironie, die spirituelle Laune der Schlachtopfer oft bis zum Entsetzlichen gesteigert wird.

Als Poesie betrachtet, scheinen uns die „Girondins" eine der erschütterndsten Tragödien zu sein, welche seit lange ein Franzose geschrieben. In politischer Hinsicht würden wir das Drama als eine Reaction gegen die jetzigen Republikaner ansehen, wenn wir nicht wüßten, daß es schon vor sechs Jahren fertig war. Es kann übrigens nicht fehlen, daß es unter den französischen Journalen heftige Debatten erregen wird 143.

Notizen.

In England hat sich ein Verein zur Nachahmung der holländischen Armencolonien gebildet. Er beabsichtigt zugleich die Urbarmachung des noch culturfähigen, bis jetzt aber wüste liegenden Landes, nach Parlamentsberichten gegen 15 Millionen Acker, von denen er kauf- oder pachtweise große Strecken zur Benutzung an sich bringen will. Zur Deckung der ersten Ausgaben ist bereits eine Subscription eröffnet worden.

Ein reicher Nordamerikaner machte im vorigen Jahre im „North American advertiser" bekannt, daß er nach 10 Jahren das innerhalb dieses Zeitraums vollendete beste Gedicht über die Unabhängigkeit Amerikas, welches 24 Gesänge zählen und von einer Dichterin herrühren müsse, mit 50,000 Livres Renten und seiner Hand belohnen wolle. Der Preis wird nach abgelaufener Frist im Bureau des genannten Journals, Norfolkstraße Nr. 12 in Newyork, zuerkannt.

Die Universität Cambridge zählt dieses Jahr 5344, Oxford nur 5303 Mitglieder. 8.

Redigirt unter Verantwortlichkeit der Verlagshandlung: F. A. Brockhaus in Leipzig.

Blätter für literarische Unterhaltung.

Mittwoch, —— Nr. 198. —— 17. Juli 1833.

Skizzen aus England.

Von J. B. Adrian.

1. Der Rout.

Obgleich man in Frankreich und selbst in einigen größern Städten Deutschlands die englischen Routs nicht ohne Erfolg nachzuahmen versucht hat, bieten diese doch noch viel Originelles dar, und es wird daher den Lesern nicht uninteressant sein, die Schilderung einer solchen Routnacht hier zu finden.

Dies Wörtchen: rout, ist etwas zweideutiger Natur, da es einen Haufen Volks, zusammengelaufenen Pöbel und zumal gesellige Vereinigungen überhaupt bezeichnet. Man darf es daher einem beliebten englischen Schriftsteller nicht ganz übelnehmen, wenn er sich über die Routs folgendermaßen äußert: „Ein Rout ist eine Masse wohlgekleideten Pöbels, der in den Pöbelgewohnheiten, sich mit den Ellenbogen zu stoßen, zu schuppen, sich in die Ohren zu flüstern, eitles Gewäsch zu halten, eine ungewöhnliche Uebung an den Tag legt. Der geistige Aufwand, den es erfodert, einen Rout zu geben, ist so unbedeutend wie die Befähigung, welche man von den Besuchern desselben erwartet." Der Mann drückt sich, wie man sieht, etwas derb aus, und man darf annehmen, daß er diese harten Worte unmittelbar nach einem Rout niederschrieb, in welchem seine Ellenbogen mehr Beschäftigung fanden als sein Geist.

Ich wollte eines schönen Abends die Generalin M. besuchen und war erstaunt über das Durcheinanderrennen einer Menge mir unbekannter Leute, über das unbehagliche Getöse in den sonst so stillen, heimlichen Räumen, über die barschen, rauhen, befehlenden Töne in den Gemächern, wo sonst nur edler Anstand und feine Sitte waltete. Die Frau des Hauses war auf das Land gegangen, und ein Freund der Familie dirigirte die Vorbereitungen zu dem Rout, der nach drei Wochen hier gegeben werden sollte. Nach drei Wochen und jetzt schon diese stürmischen Vorbereitungen! Indessen leuchtete mir ein, daß, da die Wohnung der edeln Dame für eine große Gesellschaft nicht hinreichend geräumig war, und man wahrscheinlich Wände zu durchschlagen, vielleicht gar einen neuen Saal zu bauen beabsichtigte, solche Vorarbeiten nicht früh genug begonnen werden könnten. Nach vierzehn Tagen sprach ich wieder vor. Es wimmelte von Leuten in den Gängen, in den Zimmern; ein Maler und ein Möbellieferant waren in heftigen Wortwechsel gerathen, und der Hausfreund suchte vergebens die erbosten Gemüther der beiden Künstler zu beruhigen. Zimmerleute, Wachshändler, Tapezierer u. s. w. schwärmten wie Bienen aus und ein. Es war ein Höllenspectakel in dem sonst so friedlichen Hause. Die Generalin wußte nicht, wo ihr der Kopf stand, und ich wußte nicht, wo die Gesellschaft Platz finden sollte, denn von Erweiterungen und einem Anbau war keine Rede; die sechs Zimmer waren der ganze Raum, den man der Gesellschaft bieten konnte, und das größte dieser Zimmer hatte höchstens 50 Fuß Länge und 20 Fuß Tiefe. Ich sah die Liste der Gesellschaft und schauderte. Der große Saal in Guildhall schien mir kaum hinreichend für diese Masse Menschen, für die glänzenden Namen, die ich hier verzeichnet fand. Ich schied neugierig, wie diese Sache ablaufen würde.

Der wichtige Tag rückte immer näher. Die Zeitungen, die hier das Unbedeutendste zum Gegenstand ihrer Aufmerksamkeit machen, konnten natürlich über ein Ereigniß wie das in Frage stehende, das die Modewelt in so hohem Grade interessirte, nicht schweigen; sie spannten durch ihre Ankündigung des Routs die Erwartungen der Eingeladenen im höchsten Grad und erregten in gleicher Weise den Neid der Nichteingeladenen; aber wer wäre nicht eingeladen gewesen? Hieß es doch ausdrücklich in den Zeitungen: Lady M. werde eine zahlreiche Gesellschaft vom ersten Rang am nächsten Dienstag in ihrem Hause in der und der Straße bewirthen, und Alles, was die Hauptstadt an Schönem und Modischem besitze, werde dort sein. Himmel und Hölle, das heiß' ich den Mund vollnehmen, sagte ich zu mir, als ich diese Zeilen las! Prächtige Leute, die Zeitungsschreiber! Alles, was diese Hauptstadt an Schönem und Modischem besitzt! Angenommen, auf tausend Bewohner dieser an Schönheiten so reichen Hauptstadt komme Eine Schönheit, und London enthalte nur anderthalb Millionen Bewohner, so müssen die sechs Zimmer der Generalin 1500 Schönheiten fassen, das größte demnach zehnmal, die übrigen zwanzigmal mehr, als sie möglicherweise aufnehmen konnten. Aber recht, wenn man übertreibt, muß man tüchtig übertreiben! Wir werden ja sehen!

Und der merkwürdige Tag kam heran, und es war 10 Uhr Abends, und das Haus der edeln Lady erglänzte wie der in Flammen stehende Laden eines Wachslichterhändlers, und die Dienerschaft starrte in den neuen Livreen wie geputzte Marionetten, und die Wagen rollten durch die Straße daher, als gälte es, dem Tod zu entfliehen. Welch ein Lärm! Welch ein Getöse! Welches Fluchen! Hier erlaubt sich die Axe eines herzoglichen Wagens einen frechen Einbruch in den Kutschenschlag einer Lordschaft; dort erhält von einer dahineilenden Stage-Coach ein stattlicher Wagen einen Stoß, daß seine glänzenden Spiegelgläser zerspringen; die Kutscher fluchen wie Türken, und die Bedienten schimpfen wie Fischweiber, während die Fackelbuben wie Banditen in dem Koth und Qualm umhertrödeln und ihre bleichen, hungerigen Gesichter in dem Lichte ihrer Fackeln zur Schau stellen und vor Erwartung eines Pfennigs nicht wissen, wo sie schnell genug leuchten sollen. Schöne junge Damen, sonst die Schüchternheit selbst, fahren, unbekümmert um diesen ganzen Höllenlärm, durch das Gedränge dahin; ihre entblößte Brust wogt stürmisch der bewegten Scene entgegen, und ihr großes flammendes Auge fliegt die prachtvoll beleuchteten Fenster entlang, von denen zuweilen durch das Getöse die zauberischen Klänge der Musik niedertönen.

Im Innern des Hauses geht es wo möglich noch toller zu als auf der Straße. Verwirrung, Aufruhr, Gequetsch, erstickende Hitze! „Ein entzückendes Gedränge!“ flüstert hier ein allerliebstes Modepüppchen und schiebt sich durch eine Reihe schweißbedeckter Elegants in das zweite Gemach. „Eine wahre Höllenatmosphäre!“ flucht dort ein alter Lord und sucht aus der Stube in den Gang zu kommen. „Ach, mein Fuß!“ zürnt hier eine junge Dame, der ein unglücklicher Tölpel auf die silberbeflitterten Zehen gerathen war. „Bitte tausendmal um Verzeihung!“ brummt dort ein unverschämter Fuchsjäger, der die Damen rechts und links auseinander stößt, um der Hausfrau sein steifes Compliment zu machen. Es ist jedoch schwer, zu dieser zu gelangen. Ihre Bekannten umringen sie, um die Anordnung des Ganzen, die Verzierung der Zimmer u. s. w. in den Himmel zu erheben; Fremde werden vorgestellt und freuen sich, durch der Ladyschaft Güte in so glänzendem Kreise den Abend hinbringen zu dürfen und geben sich alle Mühe, durch einen Bückling ihren Dank an den Tag zu legen, aber der Raum ist selbst für einen Bückling zu knapp, und sie drehen sich auf den Fußspitzen herum, um aus der glühenden Atmosphäre zu kommen. Man gelangt mit Noth in ein anderes Gemach; da stehen eine Menge fremder Gesichter und sehen sich erstaunt an, daß keines das andere kennt, und strecken vergebens die Köpfe empor, um irgend eines Bekannten oder Freundes in dem unübersehbaren Gedränge ansichtig zu werden und so der Langweile in dieser bevölkerten Einsamkeit sich überheben zu

Die Gesellschaft ist natürlich eine sehr gemischte, und einzelnen Figuren merkt man selbst in dem wilden Gedränge es an, daß sie sich nicht oft in solchen Zirkeln bewegt haben. Aber Lady M. ist so lange auf dem Festlande gewesen, sie ist dort mit so vieler Auszeichnung behandelt worden, daß sie selbst nicht sehr delicaten Empfehlungen ein freundliches Ohr zu leihen sich verpflichtet hält. So kam es denn, daß der bürgerliche Arm einer deutschen Reichsstädterin den einer stolzen Herzogin streifte, und daß eine edle Marquisin durch den glänzenden Schmuck einer dicken holländischen Nabobin vollständig in Schatten gestellt wurde.

Die Gäste strömen ein und aus. Schon nach der ersten halben Stunde ziehen sich viele Geladene wieder zurück, und von dem Gang und der Treppe herauf, wo selbst sehr vornehme Damen auf die Möglichkeit, vorzurücken, harren müssen, bringen neue Gestalten, neue reizende Gesichter, glänzender Diamantenschmuck in die Gemächer herein:

> Und es will sich nimmer erschöpfen und leeren,
> Als wollte das Heer noch ein Heer gebären.

Manche wollen noch zwei oder drei ähnliche Routs besuchen, Andere haben bereits an ähnlichen Orten eine Stunde geweilt und wollen nun auch hier sich zeigen; denn eine Menge Menschen finden sich nur hier ein, um zu zeigen, daß sie geladen sind, oder daß sie der Einladung zu entsprechen gewillt sind; Andere gedenken diese Gelegenheit zur Beseitigung einer Angelegenheit zu benutzen und ziehen sich zurück, sobald sie ihren Mann gefunden. Auch manche Liebesintrigue wird in dem Gedränge mit Sicherheit zu Ende gebracht, und die Betheiligten versichern sich eines Händedrucks oder, wenn die Sache schon weiter gediehen ist, eines Stelldicheins für den nächsten Morgen so oder so.

Es ist nun 1 Uhr. Die Hälfte der Gäste hat sich bereits zurückgezogen, und es findet sich vielleicht nun allgemach ein kleines Plätzchen in der Ecke eines Gemaches, wo die Jugend sich zur Quadrille anstellt. Wer kein Interesse am Tanze hat und nicht durch eine anziehende Unterhaltung gefesselt ist, sucht die Thüre, und je lichter die Reihen der Gäste werden, desto zahlreicher lassen die beflitterten Füße der Tänzerinnen sich sehen. Obgleich dieses Vergnügen erst nach drei- oder vierstündigem Stehen, Herumstoßen und Abmühen in der furchtbaren Hitze begann und die Kräfte des zartern Theils der Gesellschaft fast gänzlich erschöpft scheinen, währt der Tanz doch bis 6. Uhr am Morgen. Und aus den heißen Zimmern gehen die jungen, vom Tanze glühenden Damen in ihre kalten Wagen und setzen sich dem ewigen Feinde der Schönheit, der Morgenluft, aus und geben sich einem fieberhaften Schlummer hin, aus dem sie um 1 oder 2 Uhr nach Mittag müder erwachen als sie sich niedergelegt hatten.

Dies ist ein Rout, der Gipfel der Seligkeit, das Elysium der Schönen, das Paradies der Mode und das Grab so mancher zarten Blüte. Vielleicht ist eine 17jährige Schönheit, die bisher in einem Erziehungsinstitute oder auf dem Landhause ihres Vaters unter den Augen einer Gouvernante sich in blühendem Reiz entfaltete, zum ersten Male nach London gekommen und heute „in die Welt“ gebracht worden, wie man es nennt. Der Strudel des modischen Lebens reißt sie nun fort; eine wilde Nacht folgt der andern; das Gift wirkt langsam, aber sicher; und nach einem, höchstens nach zwei Wintern erbleichen die sonst so blühenden Wangen; die Kunst hilft noch eine Zeit lang nach, aber bald wird die Arme das Opfer der Zerstreuungen und Freuden der Hauptstadt. Die Hitze der überfüllten Zimmer, die Entbehrung des gewohnten Schlafes, das Aufstehen mit der Eule und nicht mit der Lerche, zehrt an dem jungen Leben und bleicht die Rosen der Gesundheit. Zahlreich sind die Opfer, die auf dem Altar der Mode fallen; die Schwindsucht rafft jetzt in London mehr Opfer hin als jemals in frühern Zeiten, und ihre Beute ist größtentheils die Jugend, die Schönheit, der Frohsinn.

(Der Beschluß folgt.)

Ueber Kirchenmusik.

„Wenn man vor einigen Jahren", so hebt die „Revue encyclopédique" diesen Aufsatz an, „in Frankreich die großen Genies bezeichnen wollte, welche die Kunst der Musik verherrlichten, nannte man Mozart, Gluck, Rossini, Beethoven. Einige fügten, eingedenk ihrer Jugenderinnerungen, noch Grétry, sogar Dalayrac schüchtern hinzu. Mit Ausnahme ausgezeichneter Künstler, gelehrter Professoren, seltener Kunstfreunde ließ aber Niemand sich einfallen, an Händel, Palestrina noch irgend einen Kirchencomponisten zu denken. Sprach man von Cherubini, Lesueur, so dachte man an die Verf. der „Deux journées" und der „Caverne"; von ihren Messen, ihrer heiligen Musik hatte man wol reden hören, doch nur eine kleine Anzahl Eingeweihter kannte sie. Das schlechte und ungewisse Ansehen, worein die französische Revolution Alles versetzt hatte, was mit dem christlichen Cultus zusammenhing, hatte allen Kirchen auf lange Zeit die Aufführung solcher geistlichen Musikstücke unmöglich gemacht, und vielleicht besaß nur die einzige kaiserliche, später von den Bourbonen beibehaltene Kapelle in Frankreich eine für diese großen Compositionen ausreichende Anzahl Talente. Zumal da dieser enge Kreis nur einem seltenen, bevorrechteten Publicum zugänglich war, mußte die Ueberlieferung der heiligen Musik sowie der Geschmack daran bald untergehen, hätten auch keine höhern und gebieterischen Gründe zu dem Ende mitgewirkt."

„Ein tiefgelehrter, leidenschaftlich für die Musik und besonders für die Schönheiten der alten Kirchenmusik eingenommener Mann, Hr. Choron, unternahm, nach der Restauration, den erloschenen Geschmack und die aufgegebenen Studien wieder in Frankreich zu beleben. Nach Ueberwindung großer Hindernisse gelang ihm die Gründung seines Instituts für religiöse Musik, die Anwerbung von Zöglingen und Stimmen. Er bildete, unterrichtete, übte zahlreiche, gewaltige Chöre ein und erreichte eine noch weit schwierigere Aufgabe, diese Kinder mit dem innersten religiösen Geiste der alten Compositionen zu durchdringen, mit einem Worte, in seinem Institute eine Art Heiligthum zu Aufbewahrung des Duftes der alten Tradition, des Gefühles der alten Schönheit zu erbauen. Dank sei es ihm, der erleuchtete Liebhaber ward in den Stand gesetzt, sich mit den durch die bewunderswertheste Ausführung neu verjüngten Werken bis dahin vergessener alter Meister vertraut zu machen. Oratorien, Motetten, Psalmen, zahlreiche Messen wurden in Paris gehört, die Namen Händel, Palestrina, Marcello durch den Zauber ihrer eignen Erinnerungen den Parisern anempfohlen. Eine wahrhafte Auferstehung ging vor. Wir gehören nicht zu Denen, die durch Wiederausgraben der todten Vergangenheit die Gegenwart zu beleben wünschen; aber wir bedauern lebhaft, daß Herrn Choron's Concerte noch nicht fortgesetzt worden sind. Ihre Einstellung ist ein empfindlicher Verlust für die Freunde der Kunst."

„Herrn Choron's enthusiastische Nachforschungen in dem Staube der Bibliotheken hatten ihm Musikstücke finden lassen, die vermöge der Erhabenheit ihres Gedankens, ja ihrer Inspiration, wenn man will, den Vergleich mit den reichsten und brillantesten Compositionen moderner Kunst aushalten. Ich wundere mich nur immer, daß man dabei stehen geblieben und noch nicht in den Jahrbüchern christlicher Kunst weiter zurückgestiegen ist, um durch eine sorgfältige Aufführung die einfach großen Schönheiten wieder geltend zu machen, die in den Meßbüchern unserer Kirchen vergraben liegen und, tagtäglich neu geschändet und entstellt durch die barbarische Dummheit der Virtuosen des Chorpults, von den Musikern durchaus misgeachtet und im Allgemeinen nur für abgeschmackte Psalmodien angesehen werden. Was mich angeht, so erkläre ich hier auf meine Rechnung und Gefahr, sollte auch dadurch mein Ruf bei allen Dilettanten zu Grunde gehen, es vergehen wenig Sonntage im Jahre, an denen nicht in unsern Kirchen Gesänge wiederhallen, die in vielem Betrachte so gut wie das Beste sind, was uns das Conservatorium oder die Oper gibt. Verkennt man diese Schönheiten meistentheils, oder kennt sie nicht, lassen sie sonst hochbegabte Männer kalt, so kommt dies daher, weil zu ihrem Verständnisse nicht blos eine musikalische Bildung, ein gebildeter Geschmack ausreicht, sondern noch eine andere Bedingung stattfinden muß, ohne die eine solche Musik nicht rühren und ergreifen kann: nämlich, im Grunde der Seele wenigstens eine Spur von Christenthum! Dies ist das ganze Geheimniß, denn es ist, wohlverstanden, vergeblich, sucht man in Productionen, die aus der Kindheit der Kunst herrühren, gelehrte Combinationen, große Harmonieeffecte; oder erwartet man zum Ersatz, wenigstens eine blendende Ausführung, der so mancher gefeierte Componist unserer Tage viel verdankt. Thäte man einem Musiker den Vorschlag, ein Gesangstück ohne Accompagnement zu schreiben, ohne Rhythmus und Modulationen anzuwenden, den Vortrag der rauhen, hämmernden Stimme eines Cantors anzuvertrauen, verlangte man unter diesen Bedingungen von ihm sogar große Leistungen: welcher Künstler ginge wol darauf ein? Und doch haben arme Mönche, deren Namen nicht einmal auf uns gekommen sind, bei denen aber Glauben und Frömmigkeit die Stelle des Geistes ersetzten, auf diese Art Erhabenes vollbracht. Um es zu verstehen, bedarf man nicht eben größerer Gelehrsamkeit als der übrigen; man leihe jedoch ihren Tönen ein aufmerksames Ohr, ein gesammeltes Gemüth, ein der Andacht fähiges Herz, man halte, wenn auch nur für den Augenblick ihren einfältiglichen Glauben fest."

„Hat man sich diese Stimmung zu geben vermocht, dann läßt sich die Allmacht einer solchen Musik auf Seele und Geist nicht übersehen. Sie überrascht nicht etwa nur die Einbildungskraft, läßt keinen flüchtigen Eindruck, keine vorübergehende Aufregung zurück. Nein, sie erinnert an des Lebens höchste Geheimnisse, an den Augenblick, wo sich des Todes düsterer Schleier dereinst über unser Schicksal niedersenkt, an die Träume und Spiele unserer Kindheit, an unsere Lieben, an das Unrecht, was wir ihnen angethan; unser ganzes Leben, unsere Vergangenheit und Zukunft vereinigt sich in diesem Eindruck und Gefühl. Die höchste Seligkeit, die dieses Leben für uns hat, kommt über uns, wir werden wieder zu Kindern. Wie gewaltig muß aber der Künstler sein, der in der menschlichen Seele solche Saiten anzuschlagen versteht; der also erschüttert und nicht blos den Ueberfluß von Empfindsamkeit in Anspruch nimmt, den man Zerstreuungen aufbewahrt, sondern des Lebens heiligsten Ernst; der anstatt sich mit Kunstfertigkeit eines Gegenstandes der Phantasie zu bedienen, in der Gewißheit, von Allen verstanden zu werden, seine ganze Seele in einen Aufschrei der Freude oder des Schreckens, in ein brünstiges Gebet oder eine drohende Prophezeiung senken kann! Darin liegt in der That das Geheimniß der unerhörten, unerforschlichen Schönheit des alten Kirchengesanges, dessen erhabener Ausdruck sich auf allen Seiten über eine zwar entblößte, veraltete, aber dennoch von den Fluten der Poesie verdeckte Form hinaus ergießt. Möchte man nicht glauben, ein

Engel habe diese Töne erdacht, einer der reinen Geister, der lieblichen Geschöpfe orientalischer Einbildungskraft, die sich zuweilen, um sich den Sterblichen mitzutheilen, herablassen, menschliche Gestaltung anzunehmen, obgleich ihre ätherische Natur immer die grobe Hülle durchstrahlt?"

„Als Beispiele solcher Compositionen könnte ich aus dem Kirchenbuche viele Hymnen, viel Prosa, zunächst dem „Dies irae" anführen: im Advente das „Rorate coeli", in der Fasten das „Vexilla regis" und „Stabat mater", welches leztere ich, beiläufig gesagt, ebenso hoch wie das des Pergolese stelle, die Litaneien der heiligen Jungfrau, bei der Messe des heiligen Sacraments das „Cessant figurae", die am Charfreitag gesungene Passion, ein an Rundung und Ausdruck bewundernswerthes Recitativ. Denn in all diesen Stücken dominirt das Gefühl, ist wenig oder keine Kunst, wol aber ein voller, überströmender, oft zärtlicher, tief schmerzlicher, doch immer majestätischer Herzenserguß, immerdar eine Reinheit, eine Erhebung, die zu Gebet und Entzückung führt."

Wir haben so weit den Herrn Adolf Guéroult fast ununterbrochen reden lassen, indem uns ein jedes seiner urtheilenden Worte aus der Seele gesprochen war. Er überrascht hier plötzlich mit der gewiß nicht unlöblichen offenen Erklärung, daß er für seine Person weit entfernt von dem christlichen Glauben sei, und schildert, also verwahrt, hiernach eine lugubre Scene des katholischen Cultus, um zu beweisen, wie sehr dessen Mittel geeignet seien, die Wirksamkeit des besprochenen alten Kirchengesanges zu erhöhen. Unser Gefühl stimmt hier keineswegs mit dem seinigen überein. Als rein protestantisch erzogener, gestehen wir unbefangen, daß uns der jedesmalige Anblick des auf Priesterherrschaft berechneten römisch-katholischen prunkhaften Gottesdienstes eine unheimliche, geist- und herzbedrückende Empfindung gemacht hat, sodaß wir froh waren, konnten wir wieder aus dem Tempel heraus in die freie Luft. Es ist nicht unsere Sache, uns etwas vorzulügen. So wahr also diese entschiedene Abneigung gegen den römischen Katholicismus in uns ist, so innig bewegt uns doch der altitalienische Kirchengesang, wie wir die vielfältige Erfahrung machten, zum vollsten Mitgefühle, und wir kennen keinen höhern musikalischen Genuß zunächst den, ihn im reinsten Gegensatze berührenden Beethoven'schen Symphonien. Warum sollte auch der alte classische Kirchengesang nicht unabhängig von dem katholischen Glauben, als höchster Styl und Gipfel der Kunst des Gesanges, für sich bestehen, so gut wie die ebenfalls aus der damaligen Kirche hervorgegangene Kunst der Malerei, deren Meisterwerke jeder höhere Mensch verehrt, er mag Protestant oder Katholik, Christ oder Heide sein?

Es gibt zweierlei Wege der Erkenntniß auf Erden. Neben der sichtbaren Kirche und Gemeine bestand und besteht von Anbeginn her eine unsichtbare. So wenig von dem Einzelnen, der zu dieser schwor, verlangt werden kann, er solle sich zu jener halten, so nothwendig, ja unentbehrlich ist jene für die Masse des Volkes. In einer Zeit wie die jetzige, wo die Bande der sichtbaren Kirche zerrissen sind und nicht abzusehen ist, wer sie wieder anknüpfen soll, wo die halbe Generation, muß man leider sagen, sich von ihr ausschloß, ohne der Aufnahme in die unsichtbare Gemeine fähig zu sein, ist es allerdings eine Unmöglichkeit, dem Publicum das Verständniß der alten Kirchenmusik zu eröffnen, um so mehr, da den Künstlern selbst der Schlüssel dazu verloren ging. — „Unsere fähigsten Sänger verstehen Lulli's und Rameau's Opern nicht mehr; die Partituren sind zwar noch vorhanden, aber die Tradition der Ausführung erbte kein Mensch. Die Tradition für den Kirchengesang schwand mit dem Glauben aus der Welt hinweg und findet sich schwerlich wieder ohne ihn —" der hoffentlich in ätherischerer Gestaltung wiederkehrt —! Der Glaube, die christliche, kindliche Demuth des Gemüthes ist die Lösung des Räthsels dieser Kunst wie jeder höhern! „Ich frage, wo nimmt man heutzutage wol ein christliches Publicum, wo christliche Künstler her? Bekehren sich aber beide Theile einst, so wage ich im Voraus zu behaupten, daß die einfache Inspiration Wunder bewirken kann, daß ungeahnete Schätze glänzend an den Tag steigen werden, die jezt eine Beute der Aufwärter und Sacristane sind."

„Weit entfernt, die Fortschritte zu verkennen, die in der Musik seit der Klosterzeit gemacht worden sind, bin ich seit sieben Jahren ein fast täglicher Besucher des Théâtre italien, habe ebenso eifrig die Concerte des Conservatoriums gehört, habe über Beethoven das Fieber des Entzückens bekommen, bin von Rossini bis in den Grund der Seele aufgeregt worden, habe die Malibran und Sontag für wohlthätige Gottheiten angesehen, zwei Jahre lang Glück, Hoffnung, Freude, Alles in der Musik gefunden, bin also durchaus kein Trappist, der nur Rumpel- und Frühmetten kennt. Von dem einseitigen Standpunkte der Kunst, der Gelehrsamkeit aus gesehen, verdunkeln zweifelsohne die großen Verhältnisse, die reiche Harmonie, die gewaltige Instrumentation des Mozart'schen Requiems, der Cherubinischen Messen und anderer moderner Compositionen die nackte Einfachheit des Gregorianischen Gesangs, und es findet auf diese Weise gar keine Vergleichung statt."

(Der Beschluß folgt.)

Literarische Notizen.

Der Uebersetzer von Savigny's Schrift: „Ueber den Beruf unserer Zeit für Gesetzgebung und Rechtswissenschaft" Hr. Hayward hat gegenwärtig Göthe's „Faust" in englische Prose übertragen. Er hat seiner Arbeit zahlreiche Noten aus den Commentatoren-Faust's und auch mündlichen Ueberlieferungen beigefügt und in einer Vorrede die Misverständnisse seines englischen und seiner drei französischen Vorgänger in dieser großen Aufgabe kritisch beleuchtet. Als Handbuch zum Studium des Gedichts im Originale oder als Leitfaden zu einer spätern Uebersetzung in dessen Versmaße mag ein solches Werk allerdings verdienstlich zu nennen sein. Die Engländer müssen nur nicht glauben, darin mehr als eine schwache Abschattung oder etwas an und für sich Genügendes zu besitzen. Um sich das zu versinnlichen, was in der Sprache des „Faust" enthalten ist, hat ja doch keine andere Sprache auf Erden einen Laut! Der wahre große Dichter hat von jeher bei allen Völkern einen Ton angeschlagen, den keine andere Sprache wiederzugeben vermag. Weder Dante noch Ariosto noch Calderon noch Shakspear sind jemals genügend zu übersetzen. Den größten Triumph der Uebersetzungskunst hat bisher wol Schlegel mit seinem Shakspeare gefeiert. Keine andere Nation hat etwas Aehnliches aufzuweisen. Und wer mag dennoch von ihr behaupten, daß sie, troß aller Stammverwandtschaft der Sprache, den Urlaut des größten Dichters befriedigend wiederhalle? Bei keinem unserer deutschen Dichter ist aber die Unmöglichkeit, sie in eine andere Sprache zu übersetzen, so absolut als bei Göthe und Tieck. Beider Grundtöne sind für Ausländer unerfaßlich deutsch.

Eines der nächsten Hefte des „Journal asiatique" wird eine von einem Herrn Brosset jun. aus dem Armenischen übersetzte Beschreibung von türkisch Georgien enthalten.

Der königl. großbritannische Dolmetscher der orientalischen Sprachen Bianchi will eine türkische Sprachlehre für Dolmetscher, Kaufleute, Seeleute und Reisende in der Levante, mit zahlreichen Musterstellen aus den besten türkischen Dichtern und Prosaisten begleitet, herausgeben.

Eine italienische Uebersetzung von Niebuhr's „Römischer Geschichte" soll nächstens in Pavia herauskommen. Wahrscheinlich wird ihr Erscheinen das Signal zu einem gewaltigen Streite für und wider sein.

Redigirt unter Verantwortlichkeit der Verlagshandlung: F. A. Brockhaus in Leipzig.

Blätter

für

literarische Unterhaltung.

Donnerstag, —— Nr. 199. —— 18. Juli 1833.

Skizzen aus England.

Von J. B. Adrian.

(Beschluß aus Nr. 198.)

2. Der Morgen zu London.

Jede Stunde des Tages hat in dem unermeßlichen Babel der neuern Zeit ihren eigenthümlichen Charakter, ihr besonderes Interesse. Der Eingeborene, der sich in dem Strudel mitbewegt, dessen Sinne für die verschiedenartigen Eindrücke durch lange Gewohnheit abgestumpft sind, und der in der Regel für seine eignen Geschäfte und Verhältnisse ausschließlich lebt und seine freien Stunden ganz andern Dingen weiht als der Beachtung von Erscheinungen, die ihm alltäglich sind oder scheinen, blickt ohne Theilnahme auf den bunten Wechsel der Scenen, welche einen londner Tag charakterisiren; dem Ausländer dagegen, der plötzlich in diese wirre, farbenreiche, sprudelnde, sich wild drängende Welt geworfen wird und an dem Neuen, fast Zauberhaften dieses Getriebes Interesse findet, erscheint Alles in einem höchst anziehenden Lichte, und er schwelgt, sobald der erste, stets mehr oder weniger betäubende Eindruck sich mildert, in Genüssen, von denen Niemand eine Ahnung hat, der nicht selbst von diesem schäumenden Becher nippte. Nach meinem Gefühle gibt es nur einen geistigen Genuß, der höher anzuschlagen ist als das Sich-schaukeln-lassen auf den bewegten Wellen dieses Menschenmeers, nämlich den, auf den Wogen des wirklichen Meers sich schaukeln zu lassen.

Der Morgen des echten Londners beginnt frühestens um 9, oft auch erst um 2 oder 3 Uhr des Nachmittags. Wie es in der Hauptstadt zur Zeit der Dämmerung und in der ersten Morgenstunde aussieht, wissen Londons Bewohner nicht. Wenn wir einen neuen Tag zu leben anfangen und uns, durch gesunden Schlaf für die Mühen eines neuen Tages gestärkt, zu frischer Thätigkeit erheben, beginnt der londner Weltmann erst in einen unruhigen Schlaf zu versinken und wälzt sich, von ehrgeizigen oder habsüchtigen Träumen geschüttelt, auf seinem Flaumenbette hin und her durch die Fenster- und Bettvorhänge vor den Strahlen des wohlthätigen Lichtes geschützt. Wenn man nur den einzigen Umstand bedenkt, daß gar häufig die Sonne nur in den Frühstunden (bis kurz nach 7 Uhr) die londner Gassen beleuchtet und sich dann in den Kohlendunst hüllt, der reichlich aus hunderttausend Kaminen aufsteigt, muß man die armen Schläfer bedauern, die den schönsten Theil des Tages so sündhaft und genußlos vergeuden.

Also das güldene Licht der Sternlein verbleicht allgemach an dem blauen Himmelsgezelte, und die schlaftrunkene Dämmerung wankt für einige Minuten auf den Thron, den die Nacht eben verlassen und der Tag noch nicht eingenommen hat. Jetzt klopft der ungestüme, lüsterne Jüngling, der Morgen, der Aurora auf die Sammetwange, und die Jungfrau erröthet vor Zorn und Liebe und theilt dem ganzen Osten ihre Röthe mit. Bräutlich geschmückt zieht sie mit dem schönen Jüngling herauf, und die Blümlein der Felder duften süßer, und der Hahn breitet die Flügel aus und schlägt sich die Seiten und kräht vor Vergnügen, und die Spitzen der Hügel lassen sich gern von der prachtvoll aufgehenden Sonne ihre alten kalten Nasen warm küssen. Dieser Augenblick ist in London sehr beachtenswerth. Leute, welche in ihrem Leben nichts mit einander zu thun haben wollen, kommen in dieser Zeit zusammen; die Extreme berühren sich, aber die Umstände, welche dieses Zusammentreffen begleiten, sind der Art, daß die Kluft dem Beobachter über den Abgrund, welcher sie trotz diesem Zusammentreffen scheidet, nicht zweifelhaft sein kann. Der reiche Baronet, der stolze Lord, der edle Herzog haben die Nacht einige Stunden in der Oper vergeudet und ihre verwöhnten Ohren durch den abscheulichen Gesang eines vaterländischen Künstlers zur Verzweiflung gebracht; sie hatten dann ein schon oft gesehenes Ballet angegähnt, ferner drei Routs besucht und aus Ueberdruß und Langweile und Gewohnheit in dem zuletzt besuchten Rout eine unmenschliche Quantität Weins verschluckt; Schläfrigkeit, Müdigkeit, Abspannung, Uebersättigung, Ekel an sich und an der Welt haben diese guten Leute nun überfallen, und die Sonne, die eben aufgeht und den reich vergoldeten Wagen dieser edeln Herren anlächelt, erschrickt über die leichenblassen, grämlichen Gesichter, auf die sie hier stößt. So schnell auch diese Wagen durch die Straßen und an den noch öden und lautlosen Squares hinrasen, werden sie doch von dem wie im Sturmwind daherbrausenden Cabriolet eines berühmten modischen Arztes übereilt, den die Todesfurcht irgend eines vornehmen Kunden, welcher ohne Arzt nicht leben noch sterben kann, aus dem ersten Schlafe aufgestört hat. Auf der Oxfordstreet und weiter hinauf nach Osten sieht man die frühe Hökerin den Obsthändlern, Miethkutschern und hübschen weiblichen Wesen ohne nähere Bezeichnung eine Flüssigkeit „ganz heiß, ganz heiß" reichen, welche von den Eingeweihten „alter Wein" genannt wird und dem Trinker eine hinreichende Idee von dem gährenden Getränke beibringt, welches die Tataren aus nicht besonders frischer Pferdemilch bereiten. Nicht weit davon hat eine anständige Matrone ihren Tabernakel geöffnet und schaltet in geschäftiger Liebenswürdigkeit über ihrem wackeligen Theetisch. Auf einem Dreifuß, unter welchem ein nicht sehr lebhaftes Kohlenfeuer glüht, steht ein Kessel, so groß, daß man eine Schwimmschule darin halten könnte; aus diesem gießt sie von Zeit zu Zeit die kleinen, blauen Fayencetassen voll, die eine ungemein auserlesene Gesellschaft mit fieberhafter Gier verschlingt und dann seitab eilt, um nicht mit dem Sonnenlicht oder der Policei in eine für beide Theile nicht erfreuliche Collision zu kommen. Auch ein ehrlicher Miethkutscher trinkt wol hier sein Täßchen und flucht über das abscheuliche Getränk, das er „kaum laues Wasser" nennt, während ein interessanter Jüngling, der, noch ehe der Tag sich senkt, in irgend einem der Policeoffices eine Rolle zu spielen bestimmt ist, das elende Getränk wie Nektar hinabschlürft und mit honigsüßer Stimme und lüsternem Blick auf das fette Antlitz und die ungeheuern Formen der Theefrau eine zweite Tasse fodert; die Wohlbeleibte gießt vergnügt das Täßchen voll, ihre schwammigen Finger krümmen sich zierlich, um dem hübschen Wicht das gefärbte Wasser darzureichen, und ihr triefendes Auge schickt sich an, einen zärtlichen Blick auf den Schelm zu werfen; da gewahrt sie, daß der Taugenichts um die nächste Straßenecke rennt und verschwunden ist. Sie schreit, sie schimpft, sie flucht, sie weint; Alles ist aber vergebens, der Dieb ist verschwunden und ihre zwei Pence unwiederbringlich dahin, und von der Policei ist nichts zu hören noch zu sehen,

Wie weit sie auch spähet und blicket.
Und die Stimme, die rufende, schicket.

Sie tröstet sich jedoch wieder in dem Maße, in welchem neue Kunden herankommen. Schon in der Entfernung gewahrt sie den kleinen rußigen Kaminfeger und bläst die verglimmenden Kohlen an. Das kleine Teufelchen hat bereits ein halbes Dutzend Kamine durchwandert, und sein schwarzes Herz sehnt sich nach einem Frühstück; sobald er das Theeweib erblickt, regen sich seine müden Beine munterer und rascher, und kein Dieb in der City blickt mit der Inbrunst und Gier nach einer Rolle Guineen, mit welcher der kleine Braune die Brotschnitte und Butterrollen betrachtet, welche hier ausgelegt sind. Er zahlt, ehe er ißt und trinkt, daher er die schönsten Stückchen erhält, die er, mit der Zunge schnalzend, gierig in den Mund führt. Ein anderer nie ausbleibender Kunde ist der Marktgärtner, der auf seinem Wege nach dem Coventgardenplatz hier anhält und seine trockene Gurgel erfrischt. Auch an weiblichen Besuchen fehlt es hier in dieser frühen Stunde nicht. Die Frühesten, die sich einfinden, sind arme, hübsche, schmuzige Erdbeerenträgerinnen, welche in der Regel mit einer schweren Last und um einen bettelhaften Lohn bereits drei bis vier Meilen (eine bis anderthalb Stunden) gewandert sind; Eierweiber, die neben ihren Eiern noch einige todtgeborene Küchlein, Gänse oder türkische Hühnchen in die Stadt schleppen; endlich die wandernden Milchmädchen, die ihre Doppeleimer einen Augenblick niederstellen, um sich hier gütlich zu thun. Der gewöhnliche Ruf dieser Mädchen ist eben nicht sehr melodisch, noch läßt sich genau angeben, was sie eigentlich ausschreien, aber der Frühaufstehende hört ihre Stimme gern, und in der Regel sind sie eine frische, gesunde, stets muntere und gesprächige Classe von Morgenbesuchern.

Einen nicht erheiternden Anblick bieten in dieser Frühstunde die Heerden abgetriebenen Viehes dar, die in das Schlachthaus wandern, nachdem sie viele Tage lang der Stadt entgegengehetzt worden sind. Während man die armen Schafe und Lämmer bemitleidet, welche ihre schönen Weiden, die grünen Auen und silbernen Bächlein verlassen mußten, bewundert man den Instinkt der Hunde, die sie unbarmherzig fortbellen und jedes Zaudern in der Straße streng ahnden.

Die Wasserkarren machen jetzt ihre erste Runde. Arme Teufel, diese Kärner, jedoch auch durchtriebene Wichte, die in offenem Kriege mit allen Hunden und Katzen der Straße leben und namentlich den Fellen der letztern sehr gefährlich sind.

Der Parlamentsberichterstatter ist gewöhnlich auch in dieser Stunde auf der Straße zu sehen; er schleppt sich in aller Eile dahin, um zur Ruhe zu kommen, und sieht so schmuzig aus, als hätte er in einer Gosse gelegen. Wahrscheinlich war ein lebhafter Streit in dem Hause, und er hat von 3 — 5 Uhr eine starke Columne geschrieben. Man erkennt ihn unter Tausenden. Seine Gesichtszüge sind häufig irisch, die Farbe blaß und kränkelnd, der Ausdruck nachdenklich, der Gang mühsam rasch, nicht flink, lebhaft und munter; die Toilette sehr nachlässig und sorglos. Was er gehört und niedergeschrieben hat, ist seinem Gedächtniß glücklich wieder entschlüpft, und die Sophistereien irgend eines sogenannten Patrioten und das langwierige Gewäsch eines Volksführers haben so wenig Eindruck auf seinen Geist gemacht wie die feine Ironie und der treffende Witz des gediegenen Staatsmannes. Aber er wird gewiß besser schlafen als alle diese Parlamentsredner; wie düster auch sein Stübchen und wie ärmlich sein Lager sein mag, er hat nicht mit Ehrgeiz und Hochmuth, mit Intriguen und Cabalen zu kämpfen und ist unbekümmert, ob der Pöbel ihn für einige Stunden in den Himmel erhebt oder in die Hölle verwünscht.

Jetzt kriecht auch der braune Savoyard mit seinem Murmelthiere, mit seiner alten Drehorgel oder mit seinem Aeffchen aus dem Stroh hervor, schüttelt sich blank und begrüßt gähnend den jungen Tag, sich sofort auf den Weg machend, um die lebhaftern Straßen zu gewinnen, und sich mit dem süßen Gedanken wiegend, daß ihm wol irgendwo zwischen Knightsbridge und Oldbrentford ein Frühstück werden dürfte.

Nun kommen in Einspännern der verschiedensten Art Juden und Geschäftsleute aus den untern Classen in die Stadt; dann und wann rollt auch ein Schnellwagen mit schläfrigen und buntvermummten Reisenden auf der Außenseite vom Lande herein; die Hausmädchen öffnen die Thüren und fangen an zu scheuern und zu putzen, und der Ladenjunge reibt die Fenster des Ladens blank und spiegelrein, während er lüstern nach dem Bäckerladen hinschielt, wo man eben die warmen, duftenden Erstlinge des Backofens ausbreitet, und eine fröhliche Gesellschaft beneidet, die von Vauxhall zurückkehrt, wo sie die Nacht tanzend und schmausend hingebracht hat.*)

Ueber Kirchenmusik.

(Beschluß aus Nr. 196.)

„Wem es aber darum zu thun ist, sich ehrlich zu belehren, welche dieser Schöpfungen in Wahrheit die größern sind, der gehe an irgend einem Festtag in die Kathedrale und höre die musikalische Messe irgend eines berühmten Componisten, mit den Chören, dem Orchester und den vorzüglichsten Künstlern der Oper an, darauf aber in der heiligen Woche das „Stabat mater“, „Vexilla regis“ oder die Passion, oder bei einem Todtenamte das Requiem des Chorpultes, oder die von keinen Künstlern, sondern von den Vorsängern und Chorknaben einfach abgesungenen Litaneien, und frage sich dann aufs Gewissen, wobei er sich tiefer bewegt fühlte, was von beiden einen religiösern, melancholischern Eindruck machte, ihn mehr daran erinnerte, daß er um zu beten kam, die Sänger oder Cantoren, fugirte Musik oder Chorgesang, Orchester oder Orgel? Ich müßte mich sehr irren, trügen die Kunstfertigern den Sieg davon. Die Gregorianischen Gesänge athmen wirklich alle einen Geist des Christenthums, der Buße und Zerknirschung, der ergreift. Man setzt nicht dazu: das ist bewundernswerth! Nach und nach aber durchdringt und erfüllt uns die Rückkehr dieser eintönigen Melodien, und gesellen sich irgend ein wenig traurige persönliche Erinnerungen dazu, so fühlt man sich gedrungen, zu weinen, ohne daß man es sich einfallen läßt, sie zu beurtheilen, zu würdigen, oder im Gedächtniß zu behalten. Mit aller Unbefangenheit, mit aller Aufrichtigkeit unserer Seele lassen wir uns gehen und geben dem augenblicklichen Eindrucke nach. Während Cherubini's Messe hingegen horchen wir in vollem Bewußtsein als Kenner auf, und rufen etwa nach dem Credo der Messe mit Salbung aus: „Welch gewaltiger Componist! Wie er die Vocal- und Instrumentalmassen in Bewegung zu setzen versteht! Welches Glück in der Wiederholung des Wortes: Credo, liegt, das unmittelbar nach jedem musikalischen Satze wie eine energische, feierliche Bestätigung ertönt! Welche Kraft! Welches Studium des Effects! Dabei haben wir immer noch die Zeit gehabt, zu bemerken, daß die Chöre ermatten und es den Frauenstimmen ganz vorzüglich im Ansatz an Kraft gebricht, daß eine Posaune einen Ton von verdächtiger Richtigkeit hat vernehmen lassen, und gehen am Ende der Messe heraus, indem wir uns fragen, wie es kommt, daß die französischen Chöre den deutschen so weit nachstehen, und lebhaft bedauern, daß eine so schöne Musik nicht mit wünschenswerthester Präcision ausgeführt worden sei. Des nicäischen Symbols, des Meßopfers und des Ereignisses, woran es erinnert, gedenkt man so wenig wie nach einer Vorstellung des „Wilhelm Tell“ oder nach einem Paganinischen Concerte.“ „Das Genie eines Componisten mag noch so groß sein, er kann mit Wahrheit keine Empfindungen erregen und schildern, die er selbst nicht hatte. Seit lange schon ist eine Messe für den Musiker nichts weiter als der Text zu einer Opera seria, ein Drama wie jedes andere, wozu man eine Introduction, Duetts, Terzetts, ein Finale und Chöre bedarf, und was man übereingekommenermaßen nur ein wenig gelehrter als andere theatralische Compositionen hält. Ich weiß nicht, ob es meine Schuld ist, aber dieses Genre von Musik hat mich niemals gerührt; diese raschen Bewegungen, diese Mannichfaltigkeit, Präcision und Eleganz, dieser Luxus haben etwas Weltliches, das der Oper weit eher als der Kirche ansteht. Man sieht den Componisten, die Musiker, den Musikdirektor, schlägt mit Takt, glaubt die Ouverture zu hören und erwartet den Vorhang aufgehen zu sehen.“

„Der Charakter, der modernen, in dem Mittelalter entstandenen, in der Zeit ihrer sogenannten Wiederauflebung erzogenen Kunst verräth durch seine Fehler, wie durch seine Vorzüge ihren christlichen Ursprung. Der Geist des Christenthums ist gewissermaßen eins mit ihr geworden und nicht von ihrem Wesen zu trennen. Die tiefsten Wurzeln schlug er aber in der Musik, dieser vorzugsweise geistigen, übersinnlichen Kunst, die wie eine geheimnißvolle, unsichtbare Stimme, ohne in Form und Gestalt den Sinnen zu erscheinen, zu der Seele redet. Die Musik eignete sich ebenso wie die Malerei zum Organe der tiefsinnigen, nachdenklichen, mystischen, vom Christenthume den Menschen gelehrten Poesie und ward unter des Christenthums Schutz wie jene zu einer Höhe und Vollkommenheit geführt, von der die Alten, die in der Plastik unsere Meister sind, keine Ahnung haben. In Klöstern und Kathedralen gepflegt, ausschließlich zu Verherrlichung des Cultus angewendet, mußte sie in diesem langen Dienste eine Richtung nehmen, die in völliger Harmonie mit ihrer eigentlichen Natur und Bestimmung stand. Dies erklärt uns vielleicht den unwiderstehlichen Zauber der Kirchengesänge und deutet an, warum gewisse Bestrebungen der modernen Kunst nur ohnmächtige Erfolge zu Wege bringen.“

Der Verf. scheint hier den wesentlichen Unterschied zwischen Vocal- und Instrumentalmusik aus der Acht zu lassen. Darf man den Gesang, wie wir glauben, das weibliche Princip in der Musik nennen, so ergibt sich daraus von selbst ihre Neigung und Fähigkeit, sich der demuthsvollen Milde der christlichen Religion anzuschmiegen, wie die altkatholische Kirche so richtig eingesehen, die protestantische aber wol geahnet hat, doch auf zu ungeschickte, ja grobe Weise benutzt. Dagegen möchte wol der Schwung, den Beethoven in der neuern Zeit der Instrumentalmusik gegeben hat, schwerlich ein tadelnswerther zu nennen sein, und eben Beethoven's Beispiel kann beweisen, daß große Instrumentalmassen der Art im Grunde dieselbe Wirkung hervorzubringen im Stande sind wie jener alte Gesang: nämlich ein völliges Vergessen seiner selbst und der Außenwelt in der Seele des Hörenden, gänzliches Versinken in dem Harmonienstrom der Kunst, mit einem Worte, den höchsten geistigen Genuß, dem man nur den Namen Seligkeit beilegen kann, und der im Grunde für den Geist derselbe Zustand ist wie für die Seele Gebet. Es ist also eigentlich nur Mangel an Gewandtheit und Genie des Componisten, wirken seine Massen betäubend und nicht beruhigend ein. Es liegt darum ebenso wol in unserer Ansicht, daß diese moderne Musik der Kirche fremd ist und bleiben soll.

„Ein Jeder weiß, daß es in der Musik zwei Urquellen gibt, aus denen alle musikalische Combinationen fließen, nämlich Intonation und Rhythmus. Die Intonation breitet vor dem Ohre alle Mannichfaltigkeit der Töne vom tiefsten bis zum höchsten aus; der Rhythmus leitet ihre Vertheilung in bestimmte Gruppen, durch deren periodische allmälige Rückkehr jedes Tonstück einen bemerkbarern Zuschnitt oder Gang erhält. Der Rhythmus hat besonders die Eigenschaft, stark zu treffen, zu ergreifen, zu bewegen, und ist in gewisser Art der sinnliche Theil der Musik. So verlangen Märsche und Tänze zumal einen stark angegebenen Rhythmus, der mit Einem Worte die Musik der Handlung charakterisirt. Nun ist es aber auffallend, daß in den alten Kirchengesängen der Rhythmus fast gänzlich fehlt, oder wenigstens so unbestimmt und verworren vorkommt, daß

*) Im August werden wir noch einige Skizzen mittheilen. D. Red.

er nicht wohl zu unterscheiden ist. Wahrscheinlich aus dieser Ursache stimmen die alten Melodien so mächtig zu Betrachtungen, zu Gebet und andächtigen Verzückungen. Beinahe alle in weicher Tonart geschrieben, schwanken sie in schmerzlichen, klagenden Wellen und Biegungen vor unserm Innern seltsam verschlungen hin, wie Seufzer, Schluchzen, Herzenserhebungen, ohne äußere, faßliche Gestalt; setzen die Seele nicht den auf die Dauer hin erschütternden Stürmen des Rhythmus aus, sondern entfesseln sie von ihren Banden, indem sie die Sinne gewissermaßen, ohne sie zu berühren, durchkreuzen, erstarren, erlöschen und uns, der Zeit und des Ortes vergessend, in unergründliches Sinnen tauchen. Dieser Gesang ist etwas Aetherisches, Durchscheinendes, wie der Dampf des Weihrauches, der, sich verflüchtigend, zum Himmel aufsteigt."

„Aus der Kirche auf das Theater übertragen, von dem Himmel zu der Erde niedergestiegen, nahm die Musik nothgedrungen Gestalt und Farbe an. Sie begnügte sich nicht mehr, Erinnerungen, Hoffnungen, Träume zu erwecken, sondern gab sich mit den Leidenschaften des materiellen Lebens ab, suchte nach bestimmtern, ergreifendern Wirkungen. Von dieser Zeit an gewann der Rhythmus immer größere Wichtigkeit, bis Rossini in dieser Hinsicht eine Revolution hervorbrachte, dem Rhythmus so unerhörte, dramatische Wirkung abgewann, daß der Meister von den musikalischen Spiritualisten beschuldigt ward, mechanischer Mittel sich bedient zu haben. Was für Verdienste dieser Erwerb auch in einer Art haben mag, so viel ist gewiß, daß von dem Augenblick an, wo das Theater sich neben der Kirche erhob, die oft für dieses wie für jene schreibenden Künstler sich berufen fühlten, die neu entdeckten Schätze der profanen Sprache in die heilige hinüberzutragen, womit sie die Verwirrung so verschiedener Elemente unter einander stifteten. Man ist seitdem im Stande, den allmäligen Verfall des Kirchenstyls, seine gänzliche Entartung vom Christenthume Schritt vor Schritt zu verfolgen, und würde ihn noch bestimmter fühlen, ginge das Unheil nicht Hand in Hand mit dem Absterben des Glaubens bei Geistlichkeit und Gemeine. Cherubini, dessen Meisterwerke wir sicherlich zu bewundern verstehen, ging auf dem verderblichen Wege am weitesten und erntete noch Lob dafür, daß er ganz dramatische Formen in den Kirchenstyl einführte, die ein für allemal darin übel angebracht sind."

Der Kirchengesang muß gleichsam aus der Seele eines unschuldigen reinen Kindes geflossen scheinen, die Sinne nicht erregen, vor allen Dingen aber nicht zum eignen Bewußtsein kommen. Wir stimmen dem Verf. besonders darin bei, wo er uns den wesentlichsten Punkt zu treffen scheint, daß der Kirchengesang sich nicht vermessen darf, den großen Symbolen der Tradition die Stirne zu bieten, die unaussprechlichen Geheimnisse des Christenthums durch profane Laute erklären, aussprechen zu wollen, denn in die heiligsten Regionen des Glaubens und Daseins dringt der Gedanke, das Gefühl des Menschen nur allein, läßt keine Begleitung zu. „Deshalb eben scheitert in dieser Gegend der Kunst alle Gelehrsamkeit und Geisteskraft eines talentvollen Componisten ohnmächtig an dem einfachen, von frischen Kinderstimmen unisono gesungenen Liede. Vornehmlich in dem Chorgesange muß man die naive und grandiose musikalische Inspiration des Christenthums suchen, die sich in den gewölbten Räumen alter Kathedralen, in der heiligen, durch gemalte Fensterscheiben brechenden Dämmerung des Orts gefällt und übereinstimmt mit dem majestätischen Gange, den vollen, wiederhallenden Tönen der Orgel, dieses wahrhaft religiösen Instrumentes, das in der Kirche grade wie das Orchester im Concertsaal und Theater an seinem rechten Platze ist."

So schließen diese Bemerkungen, die wir uns genöthigt sahen gegen das Ende hin ein wenig zusammenzuziehen. Der Verf. verspricht sein Thema nächstens wieder in Hinsicht auf Symphonie und Oper und die künftigen Schicksale der Kunst der Musik nach Wahrscheinlichkeitsgesetzen aufzunehmen, wo wir denn hoffen dürfen, seine geistreiche Ansicht auch über den andern Punkt der musikalischen Verkehrtheit unserer Tage zu hören, der gemäß uns nicht nur Opernmusik in der Kirche, sondern auch Kirchenmusik — preghiere — in der Oper geboten wird! Wir können übrigens unser Bedauern nicht bergen, daß wir Herrn Guéroult bei Gelegenheit dieses unser Interesse lebhaft in Anspruch nehmenden Aufsatzes nicht ausführlicher über den altitalienischen Kirchengesang namhafter Meister, eines Leo, Durante, Marcello, u. A. sprechen hören, wovon er uns gewiß viel Bedeutendes sagen könnte. Wir halten keineswegs dafür, daß diese Kunst vorzugsweise dem römisch-katholischen Christenthume dienen soll, und möchten eher in dem sinnlichen Prunke dieser Kirche eine Störung für ihren gottbegeisternden Eindruck finden. Wie Schade, daß die protestantische Kirche diese Gesänge nicht nutzen kann, deren rein evangelischem Glauben sie sich dem Geiste nach wenigstens ebenso warm anschmiegen wie dem römischen; der durch dieses Medium vielleicht allgemach eine Innigkeit könnte verliehen werden, die eine große Zahl seiner — gewiß nicht zum Katholicismus neigenden Anhänger immer schmerzlicher vermißt! 167.

Aphorismen.

Verlorene Worte.

In Pradt's Schrift über den wiener Congreß, die jetzt wol wenig mehr gelesen und noch weniger beherzigt wird, finden sich folgende verlorne Worte, die ich doch noch einmal an das Tageslicht ziehen muß. „Es war nicht die Civilisation, welche mich vom Throne stieß", sagte Napoleon auf St.-Helena, „sondern es waren die liberalen Ideen. Ich kann mich nie wieder herstellen, denn ich bin den Völkern widerwärtig geworden." Fürsten, Völker, hört! Euer Aller Bestimmung ist in diesen Worten enthalten. Jener war so weit gebracht, anzuerkennen, daß er, weil er der geselligen Bildung seiner Zeit anstößig geworden, den Thron verwirkt habe; er, der vor allen Sterblichen am meisten ausgerüstet schien, jedes Hinderniß zu besiegen. „Ich habe gegen liberale Ideen gefehlt und bin in diesem ungerechten Kampfe zu Grunde gegangen." Das ist sein Vermächtniß. Verkennt nun noch die Gewalt der Civilisation, die Tendenz des Jahrhunderts, den Geist, der Alles treibt und lenkt. Verkennt sie, ihr, die ihr, unter welchem Titel es auch sei, die Völker beherrscht; aber bedenkt, daß ihr in einer Zeit lebt, in welcher jede Hintansetzung ihre schweren Folgen hat."

Schöne Maxime.

Als Ludwig XVI., einer der schwächsten, besten und unglücklichsten Monarchen, welche je auf einem Königsthrone gesessen haben, das Stempeledict, wodurch seinem, unter dem Druck der Abgaben bereits erliegenden Volke eine neue, rein unerträgliche Last aufgehalst wurde, schlechterdings durchsetzen wollte, erfuhr er den lebhaftesten Widerstand vom pariser Parlament, welches sich das betreffende Gesetz einzuregistriren weigerte. Das Parlament ward nach Troyes exilirt. Jetzt aber erklärte die Cour des aides jedes erzwungene Enregistrement für ungültig und erinnerte an Heinrich IV. schönen Ausspruch: „Les voies irrégulières prises par un gouvernement sont des violences qui ne prouvent que la force et non le droit!" Wann werden sich die Herren das merken?

Ruggire tedesco.

Wie die Italiener zum Theil noch von der deutschen Sprache denken, geht aus folgender Anekdote hervor. Ein neuerer deutscher Reisender durch Italien redete in Mailand einen Postbeamten deutsch an. Dieser antwortete gemüthlich und unbefangen: „Io non sono un asino, per ruggire tedesco" (Ich bin nicht so ein Esel, um deutsch zu brüllen). Der Deutsche antwortete ihm indeß schnell: „Es ist die Sprache Ihres Landesherrn." Diese unerwartete Replik machte den Italiener zwar verstummen, ohne jedoch wahrscheinlich seine Meinung von dem Werthe der deutschen Sprache zu verändern. 178.

Redigirt unter Verantwortlichkeit der Verlagshandlung: F. A. Brockhaus in Leipzig.

Blätter für literarische Unterhaltung.

Freitag. —— Nr. 200. —— 19. Juli 1833.

Francesco Petrarca's sämmtliche Canzonen, Sonette, Ballaten und Triumphe, übersetzt und mit erläuternden Anmerkungen begleitet von Karl Förster. Zweite verbesserte Auflage. Leipzig, Brockhaus. 1833. Gr. 8. 2 Thlr. 6 Gr.

Nicht immer ist das Geschäft, die zweite, wenn auch verbesserte und vermehrte, man möchte oft wünschen, verkürzte Auflage eines Werkes anzuzeigen, eine erfreuliche und lohnende Arbeit. Es gibt bei der unendlichen Betriebsamkeit unserer Zeit Bücher genug, welche man, wie man denn auch häufig thut, lieber mit Producten der Industrie als mit Kunstwerken vergleichen möchte. Werden solche nun zum zweiten oder dritten Male aufgelegt, so zeigt sich zwar nicht selten, wie eben in den Producten guter Fabriken, ein bedeutender Fortschritt im mechanischen Anfertigungsproceß; aber wie dabei in diesen der Stoff immer lockerer, dünner und schlechter wird, damit er wohlfeiler werde, so auch in solchen Büchern; was etwa noch in der ersten Auflage an geistigen Elementen, etwas einer Idee Aehnliches, an Freude des Verfassers an seiner Arbeit, an jugendlicher Frische zu spüren war, das verschwindet immer mehr und mehr in den folgenden, und das Buch wird, wenn auch länger und wohlfeiler, weil die Handarbeit indeß im Preise gesunken, doch immer mehr und mehr ein todtes Fabrikat. Desto interessanter ist es dagegen, die wiederholte Bearbeitung eines Werkes der Kunst und wahrer Liebe zu betrachten, wo sich frühere und spätere Ausgabe zueinander verhalten, wie der Carton des Künstlers zum vollendeten Gemälde, und worin sich zugleich die verschiedenen Stufen der geistigen Ausbildung des Verfassers abspiegeln. Auch in diesem Falle zeigt sich natürlich, daß der Mechanismus, oder vielmehr die Technik bedeutend gewonnen; aber die mit treuer Liebe gepflegte Arbeit, das tiefere Verständniß des Stoffes, das errungen worden, das stille Fortleben des Verf. mit seinem Gegenstande und die gediegene Reife, welche die Frucht solcher treuen Arbeit ist, das ist es, was sich dann belohnend für den Verf. und wahrhaft erquickend für den Beurtheiler solcher Ueberarbeitungen offenbart. Ein solches Werk ist das hier anzuzeigende. Als es in den Jahren 1818—19 in dem nämlichen Verlage, aber in gar bescheidener Gestalt, in zwei kleinen Octavbänden, kärglich gedruckt, zum ersten Male erschien, war zwar das redliche und ernstliche Streben des Uebersetzers, sein Original in Sinn, Wort und Reimstellung und in Wohllaut zu erreichen, unverkennbar, aber es fehlte noch viel, daß das Geleistete dem Willen entsprochen hätte, und namentlich waren Härten des Ausdrucks, gezwungene Constructionen und daraus entstehende Dunkelheiten nicht zu leugnende Fehler der ersten Arbeit; die Süßigkeit und freilich unnachahmliche Anmuth des alten Meisters war nur selten in einzelnen Stellen der Uebersetzung zu erkennen. Sie war ein Kunstwerk, im Guß zwar ziemlich gelungen, dem aber vor Allem die letzte Hand, die glättende Feile, die kunstgerechte Ciselirung fehlte, wodurch die Gedichte Petrarca's gleich den Statuen Canova's so unerreichbar glänzen. Die Kunst hatte noch nicht „der Anmuth lindes Oel" über die zuweilen „duldende" Sprache ausgegossen. Ganz anders ausgestattet vom Verfasser wie vom Verleger erscheint diese zweite Auflage. Die Anordnung der Gedichte ist die nämliche geblieben, sodaß erst sämmtliche Canzonen, dann die Sonette, diese aber in zwei Abtheilungen, in vita und in morte di Mad. Laura, dann die Ballaten, die Sestinen und endlich die Triumphe folgen. Den Schluß macht ein Anhang von einigen Gedichten, theils von Petrarca selbst, die er aber nicht in die Sammlung seiner Werke aufgenommen, theils von einigen seiner Freunde. Erklärende Anmerkungen über sämmtliche Gedichte und eine genaue Zeittafel über die merkwürdigsten Lebensumstände des Dichters füllen den Rest des Bandes. Kein Wort des Uebersetzers setzt uns in den Stand, den Grund dieser uns nicht lobenswerth scheinenden Anordnung einzusehen. Sie zerstört die vom Dichter selbst begründete Ordnung, und was das schlimmste ist, sie zerstört ein wahres Kunstwerk; sie gibt uns eine Sammlung von Gedichten, nach Classen geordnet, aber nicht wie das Original eine chronologisch geordnete Reihe von Dichtungen, in welcher sich eine poetische Lebens- und Liebesgeschichte abspiegelt; wodurch offenbar das Verständniß der einzelnen Gedichte erschwert, und der Leser mehr noch als sonst der Fall wäre, zu den Anmerkungen seine Zuflucht zu nehmen genöthigt ist. Der italienische Text ist diesmal nicht mit abgedruckt, was wir auch vollkommen billigen müssen, da er das Buch nur ganz unnützerweise vertheuert hätte. Wer diese Gedichte liest, der kennt entweder das Original, und dann besitzt er es auch, oder es wäre ihm doch von keinem Nutzen, weil er der Sprache nicht mächtig ist. Auch das wollen wir nicht tadeln, daß der Uebersetzer diesmal kein Wort über seine Arbeit zu seinen Lesern gesprochen: er kann mit Recht vorausgesetzt haben, die Arbeit werde sich selbst empfehlen und bedürfe weder Entschuldigung noch Rechtfertigung. Aber gern hätten wir freilich aus seinem Munde Einiges vernommen über die Grundsätze, denen er bei seiner Arbeit gefolgt ist. Man erkennt sie zwar leicht an der Arbeit selbst als die rechten; aber wenn auch durch solche Erörterungen Niemand zum Uebersetzer noch weniger zum Dichter wird, so könnten doch die Worte eines Meisters in der Kunst noch unreifen Talenten manche Mühe und manche Verirrungen ersparen. Ebenso müssen wir es sehr bedauern, keine historische und erläuternde Einleitung aus der Feder des Uebersetzers empfangen zu haben. Wer so lange mit einem Dichter gelebt, so ganz in seinen Geist eingedrungen ist, der hat gewiß auch ernste historische Studien über das Leben desselben gemacht, und müßte uns geistreiche Aufschlüsse über das eigentliche Verhältniß Petrarca's zu seiner Geliebten geben können. Die Anmerkungen zu den einzelnen Gedichten geben dafür nur einen sehr unzulänglichen Ersatz. Doch genug des Tadels und der Erinnerungen. Vergleichen wir nun die Uebersetzung in ihrer neuen Gestalt mit Dem, was sie früher war, so können wir nur das unbedingteste Lob und unsere Freude über den Fleiß und die liebende Sorgfalt, welche auf diese Arbeit gewendet ist, aussprechen. Mit zartem Ohr ist jede Härte entdeckt und gemildert, mit sicherer und kunstgeübter Hand sind die schwierigsten Constructionen leicht und fließend gemacht, überall ist an Genauigkeit des Ausdrucks, an Treue der Uebersetzung, an Wohllaut unendlich gewonnen; Alles ist leichter, fließender, mit einem Worte, lesbarer geworden, und vielleicht ist in der ganzen Sammlung nicht ein Sonett, nicht eine Strophe einer Canzone, mit Ausnahme einiger kurzen Schlußzeilen, ohne Verbesserung geblieben. Als ein in die Augen fallendes Beispiel der großen Vorzüge dieser neuen Uebersetzung vor der frühern geben wir unter hundert andern, die wir ebenso gut hätten wählen können, die zwei ersten Strophen der 16. Canzone:

Erste Auflage.

1.

Zwar, mein Italien, bleiben, was wir sagen,
Die Todeswunden offen,
So ich an deinem schönen Leib' ersehe,
Doch mindest will, wie Tiber, Arno hoffen,
Wie Po es wünscht, ich klagen,
Bei dem ich schmerzensvoll und jammernd stehe.
O Himmelsfürst, ich flehe,
Daß, wie dich Mitleid einst zur Erde sandte,
Es jetzo in dein theures Land dich lade.
Da sieh, o Herr voll Gnade,
Wie wilder Streit erwuchs aus kleinem Brande.
Die Herzen schlug in Bande
Mars, stolz und wild, die blinden;
O Vater, löse sie, dem Hochmuth wehre!
Laß meine Zunge künden,
Wer ich auch sein mag, deiner Wahrheit Lehre.

2.

Ihr, die ihr in der Herrscherhand den Zügel
Der schönen Länder haltet,
Von denen euer Herz sich abgewendet,
Was hat die fremden Schwerter hier entfaltet?
Was hat die grünen Hügel
Mit der Barbaren Blute rings geschändet?
Von eitlem Wahn geblendet,
Seht wenig ihr, und meinet viel zu sehen,
In feilem Herzen suchend Treu' und Ehre.
Je mehr der Söldnerspeere,
Je leichter wird's dem Feind, euch zu bestehen.
O Flut, die fremde Höhen
Und Wüstenein uns senden,
Um unsere holden Fluren zu verheeren!
Wenn von den eignen Händen
Uns solches kommt, wer soll uns Heil gewähren?

Zweite Auflage.

1.

O mein Italien, ob kein Wort auch heile
Die Wunden, die ich offen
An deinem schönen Leib' in Menge sehe,
Dennoch, wie Tiber, Arno, Po es hoffen,
An dem ich schmerzvoll weile,
Will ich in Seufzern kündigen mein Wehe.
O Himmelsfürst, ich flehe,
Daß Mitleid dich zu deinem schönen Lande,
Dem theuren, wie vordem zur Erde, lade!
Da sieh, o Herr voll Gnade,
Wie grimmer Streit erwuchs aus kleinem Brande.
Die Herzen, die in Bande
Mars schlägt und stählt, die blinden,
O löse, Vater, sie! dem Hochmuth wehre!
Laß meine Zunge künden,
Wer ich auch sei, hier deiner Wahrheit Lehre!

2.

Und ihr, in deren Hand das Glück die Zügel
Gelegt der schönen Gauen,
Von denen euer Herz sich abgewendet,
Wozu die fremden Schwerter unsern Auen?
Daß Fluren rings und Hügel
Werden von der Barbaren Blut geschändet?
Von eitlem Wahn geblendet,
Seht wenig ihr, und meinet viel zu sehen,
In feilem Herzen suchend Lieb' und Ehre.
Wer mehr der Söldnerspeere
Besitzt, hat mehr der Feinde zu bestehen.
O Flut, die fremde Höhen
Und Wüstenein uns senden,
Um unsre holden Fluren zu verheeren!
Wenn von den eignen Händen
Uns solches kommt, wer soll uns Heil gewähren?

Es bedarf keiner Erinnerung, wie viel sinngetreuer, den Wendungen des Originals sich anschließender und doch leichter und anmuthiger die neue Uebersetzung sei. Die mit gesperrter Schrift gedruckten Stellen der ältern Arbeit erscheinen dagegen höchst mangelhaft im Ausdruck, ungelenk in der Construction, zum Theil sogar sinnentstellend. In eben dem Maße sind fast ohne Ausnahme alle Veränderungen höchst glückliche Verbesserungen zu nennen. Jetzt erst, können wir sagen, besitzen wir eine Uebersetzung des Petrarca, und es wird allen spätern Uebersetzern, woran es ja wol nicht fehlen wird, schwer werden, die Vortrefflichkeit dieser Arbeit auch nur zu erreichen. Auch die Anmerkungen zu den Gedichten haben nicht unbedeutende Bereicherungen, zum Theil auch aus der altdeutschen Literatur, erhalten. Man ersieht daraus, wie sehr der Uebersetzer an Vertrautheit, nicht allein mit seinem Original, sondern auch mit dessen ganzer Zeit und besonders mit Dante gewonnen. 166.

Correspondenznachrichten.

Berlin, im Juni 1833.

— — Den preiswürdigen Bemühungen des einen unserer beiden Justizminister, Herrn Mühler, der auf eine Abkürzung des allerdings mitunter sich schneckenartig bewegenden Processganges entschieden dringt, verdanken wir eine neue Verordnung über den Mandats-, summarischen und Bagatellproceß, die ein Cabinetsbefehl im neuesten Stück der Gesetzsammlung (Nr. 7) vom 1. Juni publicirt. Nach derselben wird zuvörderst für die genannten Processarten ein mündliches Verfahren in Gegenwart des Klägers, des Angeklagten und der Zeugen in öffentlicher Sitzung stipulirt. Es wird plaidirt, von Seiten der Anwalte für und gegen disputirt und geurtheilt; dem Publicum sind die Gerichtsschranken geöffnet, im Fall von den Parteien gegen dies Preisgeben ihrer Angelegenheiten nicht protestirt wird. Nicht allein die Abkürzung, sondern wesentlich auch die Oeffentlichkeit des Gerichtsverfahrens, das mit dem October d. J. ins Leben treten soll, gehört zu den erfreulichen Erscheinungen, die den unverrückten, stetigen und selbstbewußten Fortschritt unter uns bethätigen. Diese anspruchslose, nichts weniger als lärmende, aber gründlich intensive Entwickelung Preußens kennt das Ausland viel zu wenig, bedarf freilich auch nicht einer exaltirten und mithin verrauschenden Anpreisung.

Die königliche Akademie der Künste eröffnete die Ausstellung der Productionen unserer gesammten Kunstschulen im Staate mit einer feierlichen Sitzung. Der Herr Director Schadow sprach einleitende Worte über die Nothwendigkeit einer Verbindung der Künste und Gewerke —, bekanntlich ein Lieblingsplan der hiesigen Akademie, wonach Technikern aller Art, selbst Zucker- und Pastetenbäckern der Eintritt in dieselbe leichter ist als Philosophen, Denkkünstlern. Hegel z. B., ein schwerlöthiger Denker von ächtem derb Schrot und Korn, dessen tiefgrollendem Ernst die zuckersüße Technik der Redefertigkeit abging, war nie Mitglied der Akademie; ja, es hing nur noch an Einem Haar, daß man die Philosophie nicht reinweg und auf alle Fälle für unter der Würde der Aufnahme erklärte. Daß höchst bedeutende Gelehrte in der Corporation Sitz und Stimme haben, wird Niemand leugnen: eine Repräsentation des gelehrten Berlins würde man jedoch für viele Sphären weit mehr in der hiesigen Societät für wissenschaftliche Kritik als in der königlichen Akademie der Wissenschaften und Künste zu suchen haben. In der genannten Jamitzung stattete der Secretair der Akademie, Herr Professor Tölken, den Jahresbericht ab und legte die Resultate der ökonomischen Angelegenheiten zu Tage, wonach sich ergab, daß von der letzten Gemälde- und Kunstausstellung nach Abzug sämmtlicher Kosten noch eine Summe von 9000 Thlr. zur Vertheilung unter Mitglieder und bedeutende Künstler resultirte. Zugleich wurde auch die allerhöchste Genehmigung des Antrags der Akademie mitgetheilt, demzufolge eine besondere Classe für die Musik und ein Fonds zur Bestreitung von Kunstreisen ausgezeichneter junger Musiker gestiftet werden soll. In Folge einer zu eröffnenden Concurrenz in der musikalischen Composition würde dann dem eventuellen Sieger der aus dem Fonds entnommene Preis zuerkannt werden. Die Bemerkung, daß für die Poesie nichts der Art geschieht, liegt hier nahe. Allein man bedenke, welche Flut von poesievergnügten Productionen sich bei einer etwaigen dichterischen Concurrenz über die Kampfrichter ergießen würde! Welcher gebildete Mensch der heutigen Welt hat in einer warmbewegten Jünglingsstunde nicht seinen Vers gemacht und sich einen Dichter gewähnt! Ein musikalischer und ein Malerdilettant bedarf manches Jahres zur Erlangung der Technik; dichten vermeint Jeder zu können, wie ihm der Schnabel, selbst wenn er gelb wäre, gewachsen ist, und wie sich Brocken der Lecture mit etwas eigner Laune zusammenfinden. Aber eben bei dieser allgemeinsten Allgemeinheit ihrer Ausübung bleibt die Poesie gleichwol die Krone der Künste, weil sie der Philosophie und dem Ziele des absoluten Gedankens, die Welt in ihrem innern Sein und ihrer Wesenheit aufzufassen, am nächsten steht und dies zu thun vermag, ohne aufzuhören, Kunst zu sein, und die lächelnde Miene der spielenden Freundlichkeit abzulegen. Denn wo die Kunst nur Tiefe und nicht zugleich heitern, edeln Leichtsinn athmen und demnach der Vermittelung der dunkeln, geheimnißreichen Innerlichkeit mit dem Schein der sonnebespiegelten Oberfläche der Welt sich entschlagen will, da herrscht schon irgendwie eine Verkümmerung des reflectirenden Verstandes vor, der sich aus fremdem Gebiete herüber verirrt.

Zum sonstigen Bereich der hiesigen Kunstbeförderung und theilweise der Verschönerung unserer Residenz gehört der auf königliche Kosten veranstaltete Bau eines neuen Observatoriums in einer stillliegenden Gartengegend der Lindenstraße. Dem Gerüchte, unser König habe eine beträchtliche Summe zur künstlichern Verzierung des Thiergartens angewiesen, will man noch nicht allgemein Glauben schenken, in der Ueberzeugung, der genannte Park entspreche in seiner stellenweise ganz natürlichen und romantischen Wildniß den Wünschen der Meisten so, wie er ist. Im Zusammenhange mit diesem Stadtgespräch ließen sich zu anderweitiger Verwendung einer etwa hergegebenen Summe einige Projecte vernehmen, die die Verschönerung der Umgegend vor andern Thoren erzielten. Namentlich regte sich der Wunsch einer Bepflanzung der tempelhofer und lichtenberger Höhenzüge, die jetzt nur dürftiges Ackerland bieten, aber, mit Waldung besetzt, den Andrang einiger hier zu Lande fast stereotypen Winde und mithin den unerträglichen Staub vermindern müßten.

Von bedeutenden Fremden sahen wir manchen kommen und scheiden. Der Geheime Oberregierungsrath und Bevollmächtigte der Universität Bonn, Herr von Rehfues, war dem Könige zur zweiten Präsidentenstelle des Obercensurcollegiums vorgeschlagen worden, auch hieß es, die bisher offen gebliebene Stelle eines Regierungsbevollmächtigten hiesiger Universität würde mit demselben besetzt werden. Allein wir wissen zunächst nur, daß Hr. von Rehfues nach einem Aufenthalt von einigen Wochen hierselbst wahrscheinlich in seine frühere Stellung nach Bonn zurückgekehrt ist. Dem vor einiger Zeit aus Göttingen hierher berufenen berühmten Eichhorn soll unser Klima, unser physisches nämlich, nicht zusagen; er wird seine Professur und sonstige Amtsthätigkeit niederlegen und auf seine Güter nach Baiern gehen. Hr. Benecke (quis est, qui nesciat —) hat der mythischen Sage nach einen Ruf nach Königsberg an Herbart's Stelle erhalten. Ob es Ironie oder bittere Wahrheit, weiß ich nicht. Herbart besteigt bekanntlich in Göttingen den Stuhl des verstorbenen G. E. Schulze, des skeptischen und antidogmatischen Verf. des „Aenesidemus".

In dem Blatte des „Freimüthigen" vom 20. Juni liest man einen Brief Ludwig Tieck's an Fr. von Raumer in Erwiderung auf die ihm zugegangenen Beweise von Liebe und Verehrung bei der Feier seines Geburtstages. Besonders hat ihn die declamatorisch-musikalische Darstellung des Aufzugs der Romanze erfreut, um so mehr, da es das erste Mal gewesen, daß seine Vaterstadt etwas von seinen Werken aufzuführen versucht habe. In Grätz, schreibt Tieck, seien der ganze „Octavian" und die „Genoveva", aber gewiß sehr verstümmelt, auf die Bühne gebracht. Diese Mittheilung nahm mich in der That Wunder, weil ich nie gedacht, daß Tieck etwas Bühnengerechtes geschrieben haben wollte. Aus den Kaisertragödien hätte etwas werden müssen, wenn der in andern Formen weit größere Dichter von der Bühne zu wirken die Absicht gehabt hätte. Märchen in dramatisches Gewand zu kleiden, kam mir immer vor, als wenn dämmernde Abend- oder Morgenträume sich in den vollen hellen Mittagsschein gewaltsam eindrängen wollten und dadurch ihre duftenden Nebel und ihre süße Dämmerung abstreiften.

Bedeutsam für die Geschichte der Literatur Niederdeutschlands ist die veränderte und verjüngte Organisation der von einer hiesigen Societät herausgegebenen, bisher in der Cotta'schen Buchhandlung zu Stuttgart erschienenen „Jahrbücher für wissenschaftliche Kritik", die mit dem Monat Juli d. J. in den Verlag der Handlung von Duncker und Humblot übergehen und sich der ausgegebenen Anzeige zufolge einer weitern Ausdehnung und reichern Mannichfaltigkeit erfreuen werden. Außer der Beurtheilung der wichtigern, streng wissenschaftlichen Erscheinungen soll fortan auch eine Uebersicht der gesammten currenten Literatur gegeben werden. Unter der Anzahl der Mitarbeiter findet man die bedeutendsten Gelehrten und Staatsmänner Deutschlands. Die Namen Bopp, Böckh, Wilken, W. v. Humboldt haben europäischen Ruf. Die Interessen der speculativen Theologie werden würdevoll, aber vielleicht etwas zu monoton vertreten. Außer den Beiträgen der speculativen Juristen liest man in dem Journal werthvolle Urtheile von Göttling in Jena, Mittermaier in Heidelberg. Die deutsche und französische Memoirenliteratur bespricht Varnhagen v. Ense mit einer Eleganz und einer Grazie der Diction, die auch das Unscheinbare zu adeln und in eine lichtvolle Bedeutsamkeit zu rücken weiß. Lobeck, Zumpt, Bernhardy geben Gehaltvolles im philologischen Fach, das vornehmlich einer geistreichen Behandlung sehr bedarf, um nicht, wie es mitunter in den „Jahrbüchern" geschehen ist, an die kleinlichen Schnittwaarenlager von Detailkrämern zu erinnern. Um unter Vielem eins hervorzuheben, so glauben wir nicht, jemals etwas Kläglicheres und Dürftigeres gelesen zu haben als etwa die Beurtheilung von Grotefend's lateinischer Grammatik von einem Hrn. Hirsch. Auch in der Aesthetik wird nicht selten schulmeisterlich wie auf hartem Holz gehobelt, bald classificirt, bald magistrirt. Weiße's Urtheil über Heine ist derb, bieder, aber unbeholfen ernst; einen Geist dieser Art fertigt man nicht mit grobem Geschütz ab. Sonst las man im Fache der Kunstliteratur in neuester Zeit geschmackvolle Recensionen von Rosenkranz über den zweiten Theil von Göthe's „Faust", von Mundt über Thümmel's sämmtliche Werke. In Betreff der Historie brauche ich außer Varnhagen v. Ense nur Ernst Münch mit seinen Beiträgen über niederländische Geschichtsliteratur und Heinrich Leo zu nennen, dessen geistsprühende Ader eigenthümlich genug ist.

Auf der königlichen Bühne zeigte sich im Verlaufe des Juni manche interessante Erscheinung. Die Schwäche unseres Opernpersonals hat die Direction endlich genöthigt, bedeutende Gäste und besonders Gastspielerinnen herbeizuziehen, unter denen Mad. Waagen-Schechner die alte Neigung zur tiefern Composition wieder zu vollen Flammen anfachte. Die Unpäßlichkeit, die sie kurz nach ihrer Ankunft anwandelte, ließ ihrer Stimme wegen einige Besorgniß entstehen; gleichwol bewies sie bald in den drei bisherigen Leistungen als Iphigenie in Tauris, Fidelio und Emmeline in der „Schweizerfamilie", daß sie seit ihrem letzten Besuche allerdings künstlicher berechnen und verthallen gelernt, sonst aber im vollen Besitze ihrer ganzen wunderbaren Tonfülle sei. Nur die Auffassung des Antiken scheint ihrem Naturell nicht in dem Maße zu Gebote zu stehen, wie dies bei der Schröder-Devrient als Iphigenie der Fall war, die den griechischen Idealismus plastischer zu geben und bis in die einzelnsten Züge durchzuführen vermag.

Die Anwesenheit der Damen Caradori-Allan, Saul, Holmann-[illegible], und unsers Landsmannes, des Ritters der Ehrenlegion Fr. Kalkbrenner, gab zu einer Reihe mannichfacher Concerte Veranlassung. In Kalkbrenner's Spiel bewunderten Kenner vorzüglich die Fuge für die linke Hand allein und die Toccata nebst einer Phantasie eigner Composition auf dem Pianoforte. Seine Etuden zeigten des Künstlers brillante Technik; auch sein Spiel auf dem Planino, einem neu erfundenen und in des Virtuosen eigner Fabrik zu Paris verfertigten Instrumente, auf dem er eine [illegible] [illegible] Rondeau vortrug, erregte allgemeine Bewunderung. Das Instrument soll vornehmlich in Vollpassagen und klagenden Tönen eine eigenthümliche Wirkung ausüben.

Schließlich melden wir noch, um die Materialisten unter den geneigten Lesern mit unserm Berichte zu versöhnen, vom Wollmarkte, der im Monat Juni ungefähr 21,000 Centner Wolle in kurzer Zeit zum Absatze in guten Preisen beförderte, und vom dreitägigen Wettrennen, das gleichzeitig mit jenem eine Menge Fremde nach Berlin zog. Auf der großen Ebene zwischen Schöneberg, Tempelhof und Tivoli war the turf von einer halben Meile im Umfang abgesteckt; eine Bahn, die, so viel wir wissen, der schnellste Renner in 4 Minuten 22 Secunden zurückgelegt hat. Gegen die anfängliche Intention des Vereins für Pferdezucht und Dressur, concurrirten auch Vollblutspferde und Vierfüßler aller Länder und Rassen, um die vom Verein ausgesetzten Prämien von etwa 200 Friedrichsdor oder ein allerhöchstes Geschenk zu gewinnen. Prinz Wilhelm, Sohn des Königs, hatte das Richteramt übernommen. 148.

Literarische Notizen.

Das „Edinburgh review" nimmt die gegenwärtige Regierung von England gegen die Angriffe ihrer Feinde in Betreff Irlands durch Aufzählung der vielfältigen Maßregeln in Schutz, die dieselbe seit zwei Jahren zum Besten des unglücklichen Landes ergriffen hat und ferner ergreift. Es überzeugt von der unabweisbaren Nothwendigkeit der irischen Zwangs- oder Strafbill und erinnert an die folgenreiche Bedeutung der bevorstehenden Kirchenreform. Die Undankbaren der unzufriedenen Partei gegen die Whigs und ihre Vorwürfe, als hätten dieselben das irische Volk schmählich getäuscht und schlimmer als die Tories je vorher behandelt, weist sie mit der Beantwortung nachstehender Fragen zurück: Wer wagte zuerst den Grundsatz der irischen Unabhängigkeit zu vertreten? Der Whig Molyneux. Wer erregte, leitete und bändigte die Nationalkräfte, in einer Revolution ohne Blutvergießen einer usurpirten Herrschaft zu widerstehen und sie zu bewältigen? Die Whigs Charlemont und Grattan. Wer foderte zuerst das Parlament mit den Worten der Wahrheit und Weisheit auf, die römischen Katholiken zu emancipiren? Der Whig Fox. Wer verzichtete eher auf Amt und Würde als auf die Grundsätze religiöser Freiheit? Die Whigs Grey, Lansdowne und ihre Collegen. Wer sicherte dem irischen Ackerbau die Freiheit seines Handels? Wer drang der widerstrebenden Regierung eine Untersuchung der Misbräuche der Gerichtshöfe ab? Und wer machte unter willigen wie unwilligen Verwaltungen die Nothwendigkeit einer irischen Kirchenreform geltend? Der Whig Newport. Wer sicherte, trotz den Abhaltungen seines Berufs und dem Genusse parlamentarischen Ruhmes dem irischen Volke den praktischen Schutz einer Groß-Jury, die auf eine gesetzliche Weise ihren wichtigen criminellen Obliegenheiten vorstände? Der Whig Horner. Wessen Kraft leitete den glorreichen Kampf der Partei in den Debatten über die katholische Associationsbill? Brougham's Macht. Von wem ging die gründliche Untersuchung aus, die durch die Gewalt der Wahrheit und Augenscheinlichkeit siegreich die der katholischen Emancipation entgegenstehende Unwissenheit und Vorurtheile über den Haufen warf? Von Althorp, einem Whig. Kurz, der ganze Gang der Gesetzgebung seit 1780 soll bezeugen, daß die Whigs als Partei, und die Führer der Whigs insbesondere alle Angelegenheiten Irlands unter Aufopferungen jeder Art durchgefochten haben.

Das bekannte „Penny magazine of the society for the diffusion of useful knowledge" setzt in England 200,000 Exemplare ab und berechnet die Zahl seiner Leser auf eine Million. Es liefert jährlich für 6 Sch. einen Band von 5—600 Seiten Kleinfolio Text mit ungefähr 500 guten Zeichnungen. 158.

Redigirt unter Verantwortlichkeit der Verlagshandlung: F. A. Brockhaus in Leipzig.

Blätter

für

literarische Unterhaltung.

Sonnabend, —— Nr. 201. —— 20. Juli 1833.

Relation über einundvierzig Dichter der neuesten Zeit.

Erster Artikel.

Wenn über eine so große Anzahl von Dichtern, deren Werke zu Einer Zeit erschienen sind und größtentheils Einer Gattung — der lyrischen — angehören, zu berichten ist, so leuchtet schon im Voraus ein, daß es nicht die Aufgabe sein kann, über jeden einzelnen eine ausführliche Kritik zu geben. Denn abgesehen davon, daß sich, der Natur der Sache nach, unter ihnen eine große Menge höchst mittelmäßiger, ja gradezu geistloser befindet, so haben doch auch selbst diejenigen, welche sich vor den übrigen durch den höhern poetischen Werth ihrer Productionen auszeichnen, eben weil sie Einer Zeit angehören, so viel Gemeinsames, daß es am räthlichsten scheint, sie in gewisse Classen zu ordnen und über die letztern selbst erst einige allgemeinere Bemerkungen voraufzuschicken; dadurch wird dem Uebelstande fortwährender Wiederholungen, welcher sonst unvermeidlich ist, vorgebeugt.

Wir können die Classen, in welche sich die vorliegenden Werke theilen, vorläufig nicht besser charakterisiren, als wenn wir sie mit bestimmten Namen, die in der Geschichte der deutschen Poesie eine bedeutende Rolle spielen, bezeichnen.

Zuerst finden wir, was man kaum glauben sollte, eine nicht ganz kleine Anzahl von Gedichten, die wesentlich noch der Periode angehören, deren Repräsentanten, freilich nach sehr verschiedenen Richtungen hin, Uz, Gellert, Gleim, Wieland, Klopstock sind. Wenn sich die Pietät und der historische Sinn der Deutschen darin zeigt, jene Männer noch immer mit einer hohen Ehrfurcht zu nennen, so ist doch auf der andern Seite ebenso bekannt, daß ihre Werke selbst von ihren eifrigsten Lobpreisern wenig gelesen werden, weil ihre Zeit vorüber ist. Aller Werth, den sie haben und der etwa noch zum Lesen einladet, beruht nicht auf der Gattung der Poesie, die wir in den Werken der genannten Männer finden, sondern grade auf den bedeutenden Individualitäten der Letztern. Wenn daher im Jahre 1832 und 1833 noch Werke im Geschmacke jener Zeit erscheinen, und zwar von Dichtern, denen eben jene bedeutende Individualität fehlt, so sind sie völlig ungenießbar, wenigstens für Denjenigen, der einen Göthe'schen „König von Thule" einer Gellert'schen Fabel oder einem Gleim'schen Grenadierliede vorzieht. Da wir nur für einen solchen Leser diese unsere Relation bestimmt haben, so können wir uns kurz über die zu gegenwärtiger ersten Classe gehörigen Werke fassen.

1. Herbstblumen, oder noch spät verfertigte Gedichte vermischten Inhalts. Erste und letzte Versuche von M. F. Scheibler. Aachen, Rossel. 1832. Gr. 8. 1 Thlr. Nachtrag zu denselben. Ebendaselbst, 1833. Gr. 8. 3 Gr.

Der Herr Verf. ist ein Siebziger und äußert sich in der Vorrede auf eine Weise über seine Producte, daß wir innigst bedauern, in sein Urtheil einstimmen zu müssen, wenn es folgendermaßen lautet: „Ich weiß gewiß, daß diese ersten Proben der Dichtkunst, die ich hier liefere, ein wahres Schüler- und Stümperwerk sind und vor dem Richterstuhl einer auch nicht sehr strengen Kritik unmöglich bestehen können. Es sind Herbstblumen, die sich weder durch Lebhaftigkeit der Farben noch durch ihren Wohlgeruch auch nur im Mindesten auszeichnen und empfehlen." Noch mehr aber bedauern wir, daß wir in die Gründe, die er zur Entschuldigung der Herausgabe anführt, nicht im Mindesten einstimmen können. Denn wenn er meint: „wie man Dasjenige, was der kältere Herbst etwa noch hervorbringt, nicht ganz verschmäht, wenn die Erzeugnisse des schönen Frühlings und des warmen Sommers aus der unfreundlich gewordenen Natur verschwunden sind, so wird man, hoffe ich, auch mit den Spätlingen, die sich hier hervorwagen, in Ermangelung von etwas Besserm, das ich nicht geben kann, mit dem Schlechten und wenigstens höchst Mittelmäßigen, welches ich darbiete, nachsichtsvoll vorliebnehmen", so bedenkt er nicht, daß solche Worte nur Wahrheit haben könnten, wenn es überhaupt Herbst in der Poesie wäre. Ein ähnliches Urtheil müssen wir im Ganzen über die

2. Spätlinge, von C. A. von Gruber. Preßburg, ohne Jahrzahl. 12. 8 Gr.

fällen. Der Herr Verf. hat sich in seinen beiden, in vorliegendem Bändchen enthaltenen Gedichten: „Ergane, die Wirksame", und „Hypsiphrone, die Hellsinnige", die Wieland'schen didaktischen, und zwar vorzugsweise „Musarion", zum Vorbilde gewählt. So gesteht er selbst in den Worten an den Leser, die er seinem Werke voraufschickt; doch will er das Letztere als „männliche Nachahmung" angesehen wissen. Es ist nicht zu leugnen, daß er sich einigermaßen den Wieland'schen Ton angeeignet hat; doch geht die Nonchalance der Versification, welche schon für die Wieland'sche Poesie auch ihrem Inhalte nach verhängnißvoll geworden ist (wie auch schon andere Kritiker bemerkt haben), hier gar so weit, daß auch der Reim fehlt. Eine Probe von des Verf. Art und Weise mag die erste beste Stelle geben:

Des Lebens Lust durchzuckt mit Einem Mal
Des Kranken aufgeregtes Blut.
Er nimmt den Amor auf den Arm, hebt ihn empor,
Weiht ihn der Göttin Amathunts
Und ruft, ihn feurig küssend, aus:
„Du bist mein Genius, du hast ins Leben mich
Zurückgeführt, der Menschheit mich geschenkt!
Heil dir! Du meiner Schwester liebstes Kind!"
Entzückt ist Dromio, entzückt Nikostratus,
Daß Alles sich so glücklich wendet.
Sie glauben nun, er sei geheilt,
Geheilt, wie noch kein Aeskulap den Kranken heilte:
Allein, sie irren sich; ein Traum der Nacht
Zerstört mit Einem Mal, was sie bei Tag gebaut.

Dergleichen kann in unserer Zeit nicht mehr genügen; man hat eingesehen, daß jedes Gedicht, vor allen das epische, das Gesetz auch seiner Form in sich selber trägt, und daß diese nicht eine so zufällige sein kann, wie sie in einer Zeit gelten mochte, wo es darauf ankam, die drückenden Fesseln der Gottsched'schen Schule abzuschütteln, und wo man leicht die grata negligentia mit schlaffer Willkür verwechseln mochte.

3. Der Sommer, anhänglich: Der Winter. Zwei Gedichte von J. J. Königs. Aachen, Mayer. 1832. 8. 8 Gr.

Lectüre für Diejenigen, die sich noch nicht an den Thomson'schen „Jahreszeiten" und den unzähligen Nachahmungen todtgelesen haben. In das abstracte Thema wird, um ihm einigen concreten Inhalt zu geben, Allerlei hineingezogen, was man hier nicht erwarten sollte, z. B. Abschnitte aus der Geschichte, und zwar, da der Verf. am Niederrhein oder in Westfalen lebt, natürlich wieder am liebsten die altergraue Mähr von Hermann und der Varusschlacht. Zugleich als Probe von des Verf. Hexameterbau stehe hier die Einführung dieser Sage (S. 245 fg.):

Einsamkeit, du bist Amme, du bist die Freundin, die Traute
Jener Geister, die Wahrheit im eigenen Busen erst gründen,
Dann sie muthig und edel ertheilen der horchenden Menschheit.
Einsamkeit, nimm du mich oft in deinen segnenden Schoos auf,
Und gib mir den höheren Ernst, die große Gesinnung,
Welche, würdig der Welt, den schüchtern gewagten Gesang bringt.
Muse, du willst es (?), ich folge dir willig und singe der grauen
Vorzeit Kunde, da einst germanische Stämme hier weilten,
Und um ihre Gaun aufwallten goldene Saaten.
Eine geflächte Wiese war unser Thal, in den Sümpfen
Wallten austrocknend alt' dickstämmige Eichen, die Höhen
Waren weithin schattiger Wald, so fand es der Sieger
Hermann nach der Schlacht bei Winfeld, da er hier weilte.
Sehr gefiel ihm das schöne Gefild — u. s. w.

4. Gedichte von Barto von Löwenigh, Burgermeister von Burtscheid. Erstes Heft. Aachen, Mayer. 1833. 12. 3 Gr.

Gegenwärtiges Heft zählt nur 23 Seiten; so wenig scheint des Herrn Bürgermeisters Pegasus den Ritt vor dem Publicum haben erwarten zu können. Er debutirt mit einem „Preußischen Volksliede" nach der Weise: „Denkst du daran?" folgendermaßen:

Er lebe hoch!... So schwingt sich in drei Worten,
Die Preußens Glück, die Preußens Ruhm erkor,
Ein Freudenruf zu edeln Siegespforten,
Und ein Gebet zum Sternenzelt empor.
Wir sind das Volk, das in geweihtem Triebe
Frei, stark und fromm, ein Vater auferzog.

Man wundert sich nur, wie man so loyale Gesinnungen nach so revolutionnairen Melodien singen kann.

5. Die magnetischen Träume. Ein niedrig komisches Gedicht von Caesius Nyktimenius Glaukopolitanus. Erster und zweiter Traum. Augsburg, v. Jenisch und Stage. 1832. 8. 1 Thlr. 12 Gr.

Daß der Verf. die Tendenz seines Gedichtes richtig, wenigstens mit dem ersten Prädicat: niedrig, bezeichnet hat, beweisen gleich folgende Zeilen:

Sowie das mal de Naples leicht
Durch unsrer Gäste Masse schleicht
Und Nas' und Aug' und Ohr zerfrißt,
Bis nichts davon mehr übrig ist,
So frißt auch unsrer Laster Krebs
Am großen wie am kleinen Plebs.
Was hie und da ein Weiser spricht,
Vernimmt die taube Menge nicht.

Darum wird denn auch vermuthlich des Verf. Weisheit bald zu Maculatur werden müssen.

6. Christliche Lieder von J. Ch. H. Gittermann. Bremen, Kaiser. 1833. 8. 20 Gr.

Bei diesen Gedichten kann man in Zweifel sein, ob man sie zu unserer gegenwärtigen ersten Classe oder zur folgenden, sentimental-reflectirenden rechnen soll. Doch geben Stücke wie folgendes den Ausschlag:

Der Tod.

Vom schönen Jenseits sprachen wir, mein Freund
Krist und ich, in stiller Abendstunde,
Und unsre Herzen fühlten sich vereint
Zu einem ewig-festen Freundschaftsbunde.
Herein trat eine finstere Gestalt, —
Es war — der Tod, der schrecklichste der Feinde.
Er kam, um seine mörd'rische Gewalt
Zu üben stracks an meinem edeln Freunde.
„Sei mir gegrüßt, o du, der Ewigkeit
Ernsthafter Bote!" u. s. w.

7. Gedichte von J. A. G. Heinroth. Erstes Heft, enthaltend Fabeln und Erzählungen zum Declamiren. Göttingen, Deuerlich. 1832. 16. 9 Gr.

In Gellert'scher Manier:

Der sterbende Hund.

Der treue Philax (sic) wollte sterben,
Und sprach zu seinem Sohne: „Spitz!
Du sollst mich nun beerben;
Nimm von dem Brote jetzt Besitz,
Das hier zu meinen Füßen liegt,
Verzehre es und leb' vergnügt!"
„Ich danke", sprach der gute Sohn,
Und speiste dieses Erbtheil schon.
„Hör' an, dann hab' ich noch ein Schinkenbein,
Auch dies soll nach dem Tode deine sein u. s. w."

Man weiß nicht, ob man Verfasser, Verleger oder die armen Jungen, die dergleichen auswendig lernen und declamiren sollen, am meisten bedauern muß. Ich glaube, die Letztern.

8. Die Göttlichkeit der Bibel. In fünf Gesängen. Von K. H. Sack. Elberfeld, Becker. 1832. 8. 8 Gr.

Zwar könnte die Form (Ottaverime) darauf führen, dies Gedicht nicht unserer ersten Gattung beizugesellen; allein der Inhalt läßt dies doch thun. Als Beispiel diene eine Schilderung vom Zustand des jüdischen Reiches nach David:

So sinkt, vergeblich von dem Herrn gezüchtigt,
Der Thron durch stolze Willkür schnell herab,
Das Reich, durch Untreu innerlich vernichtigt,
Zerreißt und wird der Eintracht wüstes Grab,
Der Wahn, wie oft vom Wort des Herrn berichtigt,
Wirft endlich des Gesetzes Schranken ab,
Du siehest Israel von Gott verlassen,
Nur Glaube kann den letzten Anker fassen.

9. Blumenlese aus Schlesiens Alpenthälern. Eine Sammlung romantisch-historischer Gemälde und Weihegesänge, besonders mit Bezug auf die neueste Geschichte der Sudeten. Vom Verfasser des Ehrendenkmales. Hirschberg. 1832. 8. 12 Gr.

Poetischer Unsinn:

Fischbach, am 20. Julius 1822.

Ballade.

Fürstlich flaggt die Pyramide,
Einer Ewigkeit gebaut,
Der des Wonnethals Aegide
Heute kühner sich vertraut,
Nachbarlich dem Brudergipfel,
Stolz, den König aller Gaun,
Ueber Felsensturz und Wipfel
Hin, im Festtalar zu schaun.

Unter Phaeton's (wahrscheinlich spricht der Verf. Fäton) Gallawagen,
Ist der Tage Tag erglüht,
Und aus grauer Mythe Sagen
Rings die Bergwelt aufgeblüht,
Dreaden und Napäen,
Beifalllächelnd, zart und jung,
Auf das Götterland zu sehen,
Zu des Fests Verherrlichung.

(Die Fortsetzung folgt.)

Erzählungen, Novellen und Sagen. Von Ludwig Storch. Zwei Theile. Gotha, Müller. 1832. 12. 2 Thlr. 8 Gr.

Wie die Mücken nach einer nasswarmen Sommernacht schießen die Erzähler in Deutschland jetzt hervor. Ihre Zahl ist Legion geworden, die einst kleine und stille Republik will zum Weltreiche werden, in dem Jeder seine Geschichte erzählen, Keiner mehr hören oder lesen will. Berufene und Unberufene drängen sich auf den Rednerstuhl, die Grenzen jeder Kunstgattung sind so undeutlich geworden, daß Jeder sein Stück davon in Anspruch nehmen zu müssen glaubt. Es thäte Noth, daß einige hundert Papagenoschlösser vertheilt, einige zwanzig Druckpressen zerschlagen und einige Dutzend vorlauter Redner bescheidener gemacht würden.

Wir wollen diese Einleitung in keinen persönlichen Bezug mit dem Verf. der vorliegenden Novellen u. s. w. bringen, wiewol auch er uns zu der großen Schar Derer zu gehören scheint, die nicht sowol von innern als von äußern Antrieben zum Erzählen veranlaßt werden. Ein rechtes Durchdrungensein von irgend einem Thema, eine rechte Begeisterung für irgend eine Wahrheit, die nach Gestaltgebung verlangte, eine rechte Fülle von Bild und Gedanken haben wir an ihm noch nicht wahrgenommen. Wir erkennen an seinen Hervorbringungen nicht, daß die Phantasie ihm keine Ruhe gelassen, bis er irgend eine Idee in künstlerische Form gebracht; wir sehen nicht, daß er aus einem reichen Schatze von Gefühlen, von Gedanken, von Betrachtungen die besten und drängendsten hervornehme, aus dem Schwarm ihn umgaukelnder Gestalten die schönsten, bedeutendsten und wohlgebildetsten heraufbeschwöre, um sie mit seinem Worte zu bannen; wir sehen nichts, was ihn drängt, antreibt und erfüllt. Eine Erzählung ist ein Werk des Vorsatzes bei ihm, wohl überlegt und mit einiger Mühe und Anstrengung ausgeführt. Alles das aber, was bei dem Verf. nicht der Fall ist, soll bei dem wahren Novellisten der Fall sein. Sein wir jedoch zugleich aufrichtig und billig: Bei wie wenigen ist dies dermalen der Fall? Bei wie wenigen ist die Uebung der Kunst um der Kunst willen heute anzutreffen? Der Verf. hat aber immer noch Das vor sehr vielen seiner Mitbewerber voraus, daß er, wie wir oben sagten, bei seinen Erzählungen von einem wohlüberlegten Vorsatz geleitet wird. Das Wohldurchdachte ist das charakteristische Element seiner Novellen. Es ist Harmonie bei ihm zwischen Mitteln und Zweck, seine Motive, seine Verwickelungen, seine Lösungen sind überlegt, besonnen, zweckdienlich. Er übereilt sich nicht leicht, fehlt selten im Großen und weiß Sprache und Gedanken in guten Einklang zu bringen. Mit diesem Anerkenntniß negativer Vorzüge muß er sich jedoch begnügen und von uns nicht fodern, daß wir von seiner Erfindung tief angeregt, mächtig ergriffen, erschüttert oder gar begeistert werden. Il n'y a pas de quoi.

Ein vorzügliches Talent bewährt sich bei Storch für die sagenhafte Erzählung. Stoffe dieser Art sind es, die er am glücklichsten behandelt; vermuthlich, weil er sie mit Vorliebe bearbeitet. Unter den vorliegenden acht Erzählungen gehören sechs dieser Gattung an; mehr als genug, um zu beweisen, einmal, daß ihn das Sagenhafte, Märchenartige im Stoff besonders anzieht, und zweitens, daß er gern nach gegebenen Zielpunkten arbeitet, und die reine Gedankennovelle entweder nicht liebt oder nicht beherrscht. Allerdings ist jene Gattung die leichtere, wie sie die unbedeutendere ist. Die wahre Novelle soll immer im Gedanken, in der Idee ihre Wurzel haben und die Begebenheit nur als ein Kleid betrachten, das sie aus Schamhaftigkeit und um der Welt willen anlegt, welche die nackte Idee zu sehen einmal nicht liebt. Daß die Form, das Kleid, auch an sich schön sein könne, versteht sich nichtsdestoweniger von selbst.

Die einzige größere, mit keiner Sage in Verbindung stehende Novelle in diesen beiden Theilen ist: „Der Sektirer", eine Geschichte nach ziemlich herkömmlichem Zuschnitte, aus geringen und niedrigen Elementen zusammengesetzt, breit, wortselig und ohne einen durchherrschenden Grundgedanken. Eine gute Entwickelung lag nahe (die Ausbildung des Separatistengeistes), aber der Verfasser verschmähte sie, um uns mit ziemlich Clauren'schen Bildern zu unterhalten. Verunglückter Anlauf zu einer guten Erzählung, der von dem Geschmack des Verf. eine üble Vorstellung erweckt! Hierauf folgen die bessern sagenhaften Erzählungen. Zuerst: „Die Erbauerin von Lusignan", eine westfränkische Sage, kurz, gut und ziemlich wirkungsvoll. Dann: „Der Bischofsstab", angelsächsische Sage, fast noch effectvoller vorgetragen. Hiernächst sehr unbedeutend: „Der betrogene Teufel", eine hennebergische Sage, und endlich „Der grüne Ritter und der Sternthurm", altcastilische Sage vom Brudermord Heinrich Trastamare's. Alle diese Erzählungen sind bedingungsweise zu loben; die Traditionen sind treu und würdig behandelt; Styl und Vortrag halten sich in jener mittlern Region der Sprache, die der Sage wohl entspricht. Ausgezeichnetes ist nicht darin.

Im zweiten Theile ist „Drakåna" ein echtes Märchen, mit poetischem Schmuckwerke wohl ausgestattet. Die Scene ist die Insel Thule; Gedanke und Einkleidung scheinen ganz des Verf. Werk zu sein. Es ist ein würdiges, dem wir den unbedingten Vorzug vor allen seinen uns bekannten Erfindungen und Nachahmungen geben; das einzige fast, das das Dasein einer poetischen Ader bei ihm unzweifelhaft macht. Sind die phantastischen Elemente der Erzählung auch eben nicht neu, so zeugt ihre Behandlung doch von Geschmack, und ein würdiger und anziehender Gedanke (dem in der „Undine" verwandt) zieht sich durch die ganze, anmuthige Dichtung. „Die Stadt im Meere" ist eine gute Bearbeitung der bekannten pommerschen Sage von dem versunkenen Vineta, in der Localität gut studirt und erhöht durch die Beziehungen auf den Sieg des Christenthums über die heidnische Welt und eine rohere, materiell-kräftige Vorzeit. „Die Schreckensreise", Erzählung aus den Mittheilungen eines Dorfpfarrers, ist darin dem „Sektirer" verwandt, daß sie geringe Elemente behandelt und statt des Gedankens die Begebenheit mit Vorliebe ausbaut. Indeß ist diese anziehend und mit Maß und besserer Haltung vorgetragen als im „Sektirer" der Fall ist.

Der Styl des Verf. ist weit davon entfernt, uns immer zu gefallen. Allzu häufig macht er Worte, herkömmliche, hundertmal gelesene Phrasen, die fast nichts sagen, wie: „Handeln muß ich, rief er begeistert aus, muthig in das Leben hineingreifen mit der mächtigen That, daß wir uns aus der Tiefe reißen, daß ich dich rette aus (?) dem drohenden Unheil, in das dich das Rasen meiner Leidenschaft gestürzt u. s. w." Alles dies soll heißen: Ich muß dich heirathen! Oft braucht er Ausdrücke, bei denen er sich selbst nichts Klares gedacht hat: z. B. „Er widmete den Verhältnissen der individuellen Welt eine rege Aufmerksamkeit" und dergl. mehr. Wie dem Allem indeß auch sei, und obgleich der Verf. keineswegs zu den genialen Erzählern gehört, so sieht er doch noch eine ganze Reihe von Novellisten unter sich, nämlich die trivialen. 89.

Ueber den Unterricht in der Kunst, in Bezug auf die neuesten Fortschritte in derselben mit besonderer Rücksicht auf Berlin. Von Hermann. Berlin, Nicolai, 1833. 8. 8 Gr.

Es gibt langweilige Bücher, die zu gelehrt sind, um kurzweilig sein zu können; es gibt aber auch Bücher, deren Existenz schon an sich langweilig ist, weil sie völlig überflüssig sind. Zu dieser Art Schriften gehört die genannte. Sie enthält die Ansicht über eine bereits anerkannte Methode im Elementarzeichnen, die in der Anweisung zur treuen Nachbildung der Natürlichkeit besteht und nach welcher die Elementarschüler weniger nach Vorlegeblättern, die ja auch schon Copien der natürlichen Gegenstände sind, als nach den Körperwesen selbst zu zeichnen geübt werden. Es ist dies die bekannte Schmid'sche Methode, die ihr Urheber in seiner „Anleitung zur Zeichnenkunst" und in den drei bereits erschienenen Theilen des „Naturzeichnens" hinreichend auseinander gesetzt hat. Vom letztern Werke soll nach dem Verlauten noch ein vierter Theil erscheinen, der das System der Methode in seiner Darlegung beschließt. Des breiten Geredes enger Sinn vom Verfasser der obigen Schrift, die uns in die Hände fiel, weil der auf allgemeinere und wirkliche Kunstinteressen und nicht blos auf Schulmaximen hinzuweisen schien, ist nun in der That kein anderer als daß Hr. Hermann dieser Art des Unterrichtens zugeneigt ist und als Lehrer sie stets anzuwenden bemüht ist. Seine Gesinnung und Ansicht als praktischer Lehrer ist rühmlich, ihre theoretische Darlegung schwach und unnütz. Echt schulmeisterlich ist dagegen die Behauptung, daß die größten Meister ihre überwiegende Trefflichkeit ihrem ersten Unterrichte lediglich zu verdanken hätten; man höre folgendes Geträtsch: „Es fragt sich unter Anderm: ist der Sinn zum genialen, freien, kühnen Thun und Darstellen der rechte im Kunstunterrichte, und ist er es, der von Anfang in ihm hauptsächlich geweckt und gebildet werden soll, oder ist es ein anderer? Die Genauigkeit, dieser Sinn der Richtigkeit und des Ganzthuns kann nur der sein, der im Unterrichte der Meister ins Leben tritt. Es ist der Sinn, die vorgelegte Aufgabe ganz so aufzufassen und darzustellen, wie sie ist. Wird dieser Sinn von früh auf geweckt, in ihm gewirkt, der Schüler stets mit allem Ernste angehalten, auf dem Wege des Genaunehmens und Ganzthuns fortzuschreiten, so ist es unbezweifelt, daß dieser Sinn ihm die, für seine Lernzeit besten, und bessere Erfolge hervorbringen lassen muß, als jeder andere es könnte. Denn es ist die höchste Regel der ausübenden Kunst, jeder Sache ihr Eigenthümliches zu geben, einem Gotte das Göttliche und einem Teufel das Teuflische. Wie will der Künstler aber dahin gelangen, dieser höchsten Regel Folge geben zu können, wenn er sich nicht als Schüler gewöhnt, alles so wie es sich zeigt, richtig, genau und ganz darzustellen? u. s. w." Wer also einen Fisch malen will, muß sich hüten, daß kein Vogel daraus wird, oder wer einen ganzen Vogel darzustellen beabsichtigt, muß bemüht sein, einen wirklichen Vogel und einen ganzen, keinen halben zu Stande zu bringen. Die Salbaderei ist als solche ganz gut und ganz richtig, aber die Lehre ist, dünkt uns, sehr überflüssig, weil sie sich von selbst versteht und jeder Lehrer dem Schüler dieselbe Anweisung gibt, ohne daß er sie drucken läßt. 131.

Notiz.

Soeben geht die sichere Nachricht ein, daß das hohe Censurcollegium Rußlands die arabische Ausgabe der „Tausend und einen Nacht", welche der Professor Habicht nach einer tunesischen Handschrift veranstaltet, „wegen der vielen schlüpfrigen Stellen" verboten habe. Wahrhaftig, ein solches Verbot fehlte noch, um das Maß der russischen Censur voll zu machen! Bisher hat man in absoluten Monarchien die schlüpfrigen Stellen nicht gar sehr gefürchtet und die schlüpfrigsten Romane ruhig durch die Hände der Damen laufen lassen. Wie kommt auf einmal diese ängstliche Sorge für den Anstand in die Höhe? Warum muß denn grade ein Werk in arabischer Sprache den Anfang machen? Ist denn das Arabische russische Volkssprache? Sind denn die Mohammedaner, welche das russische Reich zählt, unmündige Kinder, daß man ihnen die Lecture einiger schlüpfrigen Märchen untersagen will? Haben die Mohammedaner von dem Anständigen nicht ihre eignen, sehr weiten Begriffe? Gehören die Houris, woher wahrscheinlich unser ähnlich lautendes deutsche Wort stammt, nicht in das mohammedanische Paradies? Es gibt nur zwei Hypothesen, welche das Censurverbot begreiflich machen. Entweder will man nicht, daß die Mohammedaner erfahren, wie arabische Werke an den europäischen Universitäten außer Rußland gelesen und gedruckt werden, gleichwie man nicht wollte, daß die Tataren ihren Abulhasi in die Hände bekommen; oder irgend ein russischer Gelehrter will einen Nachdruck mit Glossen besorgen und läßt als Wegmacher das befremdliche Censurverbot ausgehen. Das Traurigste an der Sache ist, daß Prof. Habicht vielleicht die Fortsetzung aufgeben muß, weil fast die Hälfte der Exemplare nach Rußland abgesetzt wurde. Man spreche noch einmal von Sympathie zwischen Rußland und Preußen. Das preußische Ministerium belobte und belohnte Prof. Habicht in derselben Zeit, wo das russische ihm den Riegel vor die Thüre schob. 150.

Redigirt unter Verantwortlichkeit der Verlagshandlung: F. A. Brockhaus in Leipzig.

Blätter

für

literarische Unterhaltung.

Sonntag, —— Nr. 202. —— 21. Juli 1833.

Relation über einundvierzig Dichter der neuesten Zeit.

Erster Artikel.

(Fortsetzung aus Nr. 201.)

10. Perlen, Diamanten und Juwelen aus der Glasfabrik meiner Phantasie. Von Friedrich Decker. Stuttgart, Scheible. 1831. 16. 6 Gr.

Abermals ein Büchlein von 28 Seiten! Wahrscheinlich von einem Schauspieler, denn durch das ganze Buch hin gehen Beziehungen aufs Schauspielerleben. So vergleicht der Verf. in einem Gedicht: „Welttheater", alle Menschen mit Schauspielern in dieser Art:

Das Fach der Juden ist mitunter
Sehr dankbar, und doch wieder nicht,
Der Christenpöbel sagt: „Gott's Wunder,
A Jüd ist doch ein armer Wicht!! —"
Doch nur Geduld, denn der dort oben,
Der Herr Director, — merkt es euch —
Wer edel spielt, den wird er loben,
Vor Gott sind wir ja Alle gleich.

Wenn nun Einer auch quantitativ so wenig gibt wie 28 Seiten, so muß man die ganze Wahrheit von Herder's Worten einsehen:

Weit leichter ist's, Rhabarber
Im Leibe zu behalten,
Als Urtheil und Gedicht.

11. Neue Sammlung von Gedichten von Fr. Lauenstein. Osterode, in Commission bei Sorge. 1831. 8. 16 Gr.

Bei Gedichten ist es meist eine schlimme Vorbedeutung, wenn man auf dem Titel „in Commission" liest und hinter demselben ein langes Verzeichniß von Subscribentenhebammen findet. Ob sich dies Omen hier bestätigt, mag folgende Probe entscheiden:

Befreiung.

Ich saß in meiner Laube,
Hier sinnend auf ein Lied,
Und trank dabei der Traube
Süßlabendes Geblüt.

Da kam der Sensenschwinger
Und winkte grinsend mir.
Komm, sprach er, Minnesinger!
Es ist nun aus mit dir!

Was sollt' ich Armer machen,
Von ihm mich zu befrein?
Jetzt fiel mir unter L[illegible]
Schnell dieser Anschlag ein:

Ich nahm Herrn Reimers Lieder,
Hub laut zu lesen an;
Auf eilendem Gefieder
Entfloh der Knochenmann.

Vergl. dazu die Themata: „An die Natur"; „Der Winter", Elegie; „Frühlingslied"; „An einen im Frühling trauernden Freund" u. s. w.

12. Gedichte von Maria Johanna Sedelmaier. Salzburg, Mayr. 1832. 8. 16 Gr.

Wieder ein Commissionsartikel.

13. Frescogemälde und Genrebilder. Ein Taschenbuch für Freunde der Heiterkeit und Satire, von Ludwig Liber. Berlin, Bechtold und Hartje. 1833. 8. 16 Gr.

Ob der Name Liber der wahre des Verf. oder ein angenommener ist, wissen wir nicht. Sollte das Letztere der Fall sein, so würde sich hier wieder bestätigen, daß Bücher, die unter den Pseudonymen: Freimund, Lachmund, Wahrmund u. s. w. herauskommen, das Freisinnige, Lächerliche, Wahre meist nur auf dem Titel haben. Wir fürchten deshalb, daß das Büchlein von 152 Seiten trotz seiner Handlichkeit doch nicht nach des Verf. Bestimmung ein Taschenbuch werden wird. Göthe's oder Uhland's Gedichte sind Manchem ein Taschenbuch; aber das steht nicht darauf gedruckt u lesen.

Die zweite der Classen, in die wir unsern vorliegenden Stoff ordnen, ist die sentimental-reflectirende, und wir können als ihren Repräsentanten Matthisson ansehen. Die Schattenseite derselben besteht darin, daß die abstracte Reflexion sowol im eigentlich lyrischen Gedichte den Dichter seine Empfindung nicht unmittelbar, rein und ungetrübt vor die Seele stellen läßt, als auch im episch-lyrischen (der Ballade, Romanze u. s. w.) die Erzählung so umhüllt und oft entstellt, wie die sogenannte pragmatische Geschichtschreibung das zu erzählende Factum mit politischen, moralischen, ästhetischen und andern Maximen. Auch Schiller, der eifrige Lobredner Matthisson's, gehört einem großen Theile seiner lyrischen Gedichte nach einer ähnlichen Richtung an, wie man sich in unserer Zeit bei aller Verehrung vor der Größe seines Genius auszusprechen getrauen darf. Vielleicht grade an ihm wird am deutlichsten, wie nachtheilig für die wahre Poesie die genannte Tendenz wirkt. Wir finden bei ihm nicht leicht ein Gefühl ausgesprochen, das durch Reflexion nicht ins Allgemeine gezogen würde und dadurch nicht seine Individualität und Intensität verlöre; alle jene Klagen über die Wirklichkeit, die dem Ideale nicht entspricht, so edel und tief empfunden sie sind, verlieren sich in den Reflex der Allgemeinheit; der Jüngling am Bache, weinend über seine entfliehende Jugend, endet mit der Sentenz:

> Raum ist in der kleinsten Hütte
> Für ein glücklich liebend Paar,

und „Des Mädchens Klage", vielleicht das schönste lyrische Gedicht Schiller's:

> „Der Eichwald brauset, die Wolken ziehn",

so unmittelbar es zum Gemüthe spricht, so rein es sich im Ganzen von allgemeinen Betrachtungen hält, muß doch in den Schluß ausgehen:

> Das süßeste Glück für die trauernde Brust
> Nach der schönen Liebe verschwundener Lust
> Sind der Liebe Schmerzen und Klagen.

Dies fast bei allen Gedichten des großen Mannes nachzuweisen, wäre ein Leichtes; am allerauffallendsten aber zeigt es sich in seinen Romanzen und Balladen. Hier stellen die Personen Betrachtungen an, die sie gar nicht machen können; der Dichter reflectirt über ihre Handlungsweise, ihr Schicksal auf eine Art, die den reinen Eindruck schwächt oder gar vernichtet. Schiller hat diesen Charakter seiner eignen Poesie selbst trefflich in der Abhandlung „Ueber naive und sentimentale Dichtung" dargestellt, nur daß er irrt, wenn er meint, diese Reflexion (oder Sentimentalität, wie er sie nennt) sei das nothwendige Kennzeichen der modernen Poesie und die objective (nach seinem Ausdruck, naive) Darstellung das der alten. Als Beispiel führt er zwei ähnliche Stellen aus dem Homer und Ariost an, in welchen beiden eine Handlung von heldenmüthigem Adel erzählt wird; Ariost stellt darüber eine reflectirende Betrachtung an, während Homer ganz objectiv blos referirt. Allein Ariost kann mit dieser einzelnen Stelle nicht als Repräsentant der neuern Poesie überhaupt angesehen werden; und wenn Schiller sich an die volksthümlichen Balladen und Romanzen des spanischen, englischen, deutschen Mittelalters, ja nur an seines Zeitgenossen einzigen „König von Thule" erinnert hätte, würde seine Theorie sicher anders ausgefallen sein.

Absichtlich hat Ref. in den vorstehenden Bemerkungen die Schiller'sche Poesie erwähnt, um an ihr, als der bekanntesten, Dasjenige, was er für das Charakteristische der zweiten Classe unserer Dichter hält, deutlich zu machen, nicht um den Ruhm des großen Dichters herabzuziehen. Denn hier findet wieder dasselbe statt, was wir oben bei der ersten Classe bemerkten; die Schiller'schen Gedichte haben ihren eigenthümlichen Werth in der Individualität ihres Schöpfers; die Tiefe seiner Gedanken, die Innigkeit seines Gefühls macht selbst seine Reflexionspoesien zu immer noch großartigen Gebilden eines reichen Genius, an welchen sich der Leser erfreut und erbaut. Aber bei seinen und Matthisson's Nachfolgern, denen jene Tiefe des Gemüthes abgeht, tritt die abstracte Reflexion in ihrer ganzen Unerquicklichkeit heraus. Wenn wir dies im Ganzen und Großen von den folgenden Werken behaupten, so soll indessen keineswegs damit geleugnet sein, daß unter ihnen im Einzelnen erfreuliche Ausnahmen vorkommen, welche denn schon den Uebergang zu der weiter unten zu charakterisirenden dritten Classe bilden.

14. Hoffnung. Ein Gedicht in drei Gesängen. Hof, Grau. 1832. 12. 10 Gr.

Schon aus dem Titel sieht man, was hier zu suchen; das unzählige Male abgehandelte Thema ist hier bis auf 82 Seiten ausgesponnen und unter die Rubriken: „Hoffnung", „Jenseits", „Wiedersehen u. s. w." gebracht. Ebenso allgemein als das Thema ist die Dedication des Buches: „Allen gebildeten Frauen". Warum nicht lieber: „Allen fühlenden Wesen", damit die Millionen noch besser umschlungen wären? — Probe:

> Wie? und es wär' kein Gott! kein Gott dort oben,
> Der gültig und gerecht schon Jedes Thaten wägt?
> Kein Gott, der stille Tugend wird beloben
> Und freche Laster in die Weltenrolle (!) trägt?
>
> Freund, zweifle nicht! Ein Gott wird einst vergelten,
> Ein Gott wird ahnden jede böse That,
> Ein Gott wird richten über jenen Welten,
> Und ein Gott lohnen, wenn die Tugend naht.

Wer bei solchen Zureden noch Atheist bleibt und dem Verf. nicht gleich das Dasein Gottes zugibt, muß ein Herz wie Stein haben.

15. Aurora. Eine poetische Gabe für Musenfreunde, von C. B. Wölfing. Nürnberg, Riegel und Wießner. 1833. 8. 12 Gr.

Wir finden I. „Huldigungen" (z. B.: „An die Phantasie", „Thatenlohn", „Mutterwonne", „Wiedersehen", „Vertrauen"); II. „Liebesklänge" (z. B.: „Das fränkische Mädchen", „Schwarze Augen", „Die Scheidewand", „Liebesschmerz"); III. „Lebensbilder" („Des Lebens Flüchtigkeit", „Die Hoffnung", „Persisches Hofleben", „Mein Freund", „Die Langweile"). Letztere auch sonst im Buche.

16. Harmonien für Geist, Herz und Sinn, von Hermann Klencke. Hanover, gedruckt bei den Gebrüdern Jänecke. 1833. 12.

S. 26:

> Erinnerungen an die Porta Westphalica.
>
> Leihe, Phantasie, zu dem Flug' des Geistes,
> Anzuschau'n die schöne, erhab'ne Landschaft,
> Welche Berge klaffend umfassen, deine
> Glühenden Schwingen!

Dergleichen spricht für sich selbst.

17. Poetische Anklänge von Dorothea Escher. Mit einem Vorwort von Konrad Näf. Zürich, aus der Officin (sehr verdächtig) von Friedrich Schultheß. 1831. 8. 12 Gr.

Der Herr Vorredner ist für seinen Schützling außerordentlich eingenommen; er sagt:

> Diese Gedichte sind (und dies ist die eigentliche Bedeutung lyrischer Dichtungsart) die unmittelbare Darstellung des innern Lebens der Verfasserin im Zustande des bewegten Gefühls, welches zwar auf den Augenblick der Gegenwart beschränkt ist, aber desto tiefer, voller und mächtiger das Gemüth in Anspruch nimmt.

Sehr gut definirt. Eine Probe, inwieweit diese Definition hier trifft, mag „Der Herbst" (S. 16) geben:

O laßt den Freund nur kommen,
Der, heiterm Licht entglommen,
Die süße Traube bringt,
Der Wald und Berge röthet,
Die Heerde heimwärts flötet (o du flötender Herbst!),
Der nach Vollendung ringt (o du edler Herbst!)
Ja, schön sind Maiendüfte,
Des Sommerabends Lüfte,
Die hehre, milde Nacht.
Doch himmlisches Vertrauen
Verwandelt sich zum Schauen
Nur bei des Freundes Pracht u. s. w.

18. Bilder und Lieder von **Henriette Ottenheimer.** München, Franz. 1833. 8. 1 Thlr.

Es wechseln hier lyrische Gedichte mit kurzen Erzählungen, zum Theil nach Art der Krummacher'schen „Parabeln". Die erste derselben: „Der Traum vom Spiegel", beginnt folgendermaßen:

Es war ein brillantes Treiben und Wogen auf dem Ball des spanischen Gesandten, und die junge Rosalba (schon der Name ist einnehmend) so strahlend schön, daß die ganze Männerwelt sich huldigend vor ihr neigte. Und dennoch war sie in der wogenden Menge allein! Die Freude, die sie an solchen Orten suchte und fand, weckte kein Echo in ihrer Brust, das in stillen Stunden nachtönte.

Wir empfehlen diese Sammlung „höhern Erziehungsanstalten für Töchter gebildeter Familien" auf das Angelegentlichste.

19. Adeline, oder die Fügungen des Geschicks. Eine Dichtung in drei Gesängen, von **Charlotte S. H. Starke.** Oldenburg 1830. Gr. 8. 18 Gr.

Nach dem Titel hätte man einen Lafontaine'schen Roman erwarten können; aber nein, wir finden hier vortreffliche Ottaverime, die nur hin und wieder in der Sprache etwas incorrect sind, was man aber in Betracht der ausgezeichneten Sentiments gern übersieht. Erster Gesang, 24:

Der Pfarrer ist's, erst kürzlich hier gekommen,
Ein Mann mit weichem, mildem Christensinn;
Kaum hat er, was geschehn — gehört, — vernommen,
Eilt sorgend er und liebend gleich dahin,
Tritt ein ins Häuschen unserer edeln Frommen,
Doch keine laute Klage hört er drinn;
Leis' öffnet er des kleinen Zimmers Thüre,
Und sieht ein Bild — was wol den Härt'sten rühre.

(Der Beschluß folgt.)

Lehrbuch der allgemeinen Geographie. Von **Karl von Raumer.** Mit fünf Kupfertafeln. Leipzig, Brockhaus. 1832. Gr. 8. 1 Thlr. 6 Gr.

Unter die Wissenschaften, die sich mitten unter den Stürmen unserer Zeit ruhig fortentwickelt haben, gehört vornehmlich die Geographie, in der seit wenigen Jahren erst eine äußerst glückliche und fast wunderbare Veränderung eingetreten, und die fast zu einer neuen Wissenschaft geworden ist, die sich nicht mehr auf die nackte Beschreibung der Erdoberfläche nach ihrer politischen Eintheilung beschränkt, sondern auch ein Bild von unserm Planeten in seinen sämmtlichen mathematischen und physikalischen Beziehungen gibt.

Zu den — und, wie wir wol behaupten dürfen, gelungenen — freilich sehr schwierigen Versuchen dieser Art der Darstellung der Geographie gehört die vorliegende Arbeit des Hrn. v. Raumer, über welche wir hier eine kurze Rechenschaft geben wollen.

Die erste Abtheilung des Werkes umfaßt die mathematische Geographie. Der Verf. ist hierbei dem historischen Entwickelungsgange gefolgt, welchen die Astronomie genommen hat, und hat zuerst die vorkopernikanische, der sinnlichen Betrachtung sich anschließende Ansicht gegeben und dann erst dem großen Umkehrungsprozeß des Kopernikus. Hr. v. R. redet daher zuerst von der Erde, wie sie nach Vorstellung der alten Astronomie, im Centrum der Welt unbeweglich ist. Er theilt den Gegenstand in die ersten und einfachsten astronomischen Beobachtungen bei Tage und Nacht und in genauere Sonnenbeobachtungen und wendet sich dann zu der Erde in Bewegung, oder zu dem System des Kopernikus. Dieser zweite Abschnitt der ersten Abtheilung zerfällt in folgende Unterabtheilungen: a. Die Erde ist eine sich um ihre Axe drehende Kugel und b. ein sich um die Sonne bewegender Planet. c. Der Mond bewegt sich um die Erde und mit dieser um die Sonne. d. Entfernung und wahre Größe der Himmelskörper. e. Von den Planeten. f. Von den Kometen. g. Von der Sonne. In zwei Anhängen wird von der Chronologie und von den verschiedenen Arten, die Erde oder Theile derselben abzubilden, geredet.

Die zweite Abtheilung befaßt die Beschreibung der Erdoberfläche oder die Geographie im engsten Sinne. Diese muß aller Beschreibung einzelner, nach politischen Grenzen abgetheilter Länder vorangehen. Die politische Abtheilung hat ja größtentheils, besonders in unserer Zeit, gar nichts mit jenen natürlichen, durch Gebirge, Flüsse u. s. w. aufgeprägten Charakteren zu schaffen; daher denn die Beschreibung von Flüssen, Gebirgen u. s. w., wenn sie sich an die politische Länderbegrenzung anschließt, ganz zerrissen und unzusammenhängend wird. Die Beschreibung beginnt mit den Meeren, dann folgen die Erdtheile. Die Gebirge gehen den Flüssen voran, welche, gewöhnlich Gebirg und Meer verbindend, beide ins Gedächtniß zurückrufen und so dem Lehrer die beste Gelegenheit zu einer Repetition geben.

Die dritte Abtheilung beschäftigt sich mit der physikalischen Geographie, welchen Gegenstand Hr. v. Raumer folgendermaßen eintheilt: I. Wasser: A. Meer, dessen Wasser, Bewegung, wagerechter Stand, Boden und Küsten, Tiefe, Steigen und Sinken. B. Wasser des festen Landes: Flüsse, Seen, Sümpfe, Moore, Mineral-, heiße u. s. w. Quellen. II. Die Atmosphäre, deren Beschaffenheit, Bewegung u. s. w. III. Das feste Land: Gebirge. A. Aeußere Gestalt; B. Höhe; C. Innerer Bau; D. Material des Festlandes und der Gebirge insbesondere. IV. Vulkane. V. Erdbeben.

Die vierte Abtheilung handelt von der Geographie der Pflanzen und Thiere. Die Linné'sche Pflanzenclassification ließ der Verf. weg, weil sie zu wenig in die Pflanzengeographie eingreift, die Aufführung der natürlichen Familien war aber zu weitläufig und für viele Leser nicht geeignet. Dagegen ist eine kurze Charakteristik der Thierclassen am Orte und muß vorzüglich vielen Lehrern nicht unwillkommen sein. In einem Anhange zu dieser Abtheilung sind viele interessante Bemerkungen zur Geschichte der Gebirge, Pflanzen und Thiere niedergelegt.

Die fünfte Abtheilung ist dem Menschen gewidmet und zerfällt in die Capitel von dem Leibe des Menschen, den Sprachen, den Religionen, den Staaten und Ständen. Die Capitel von den Sprachen und Religionen sind wegen ihrer ausgezeichneten Wichtigkeit weitläufiger behandelt als gewöhnlich geschieht.

Das Werk ist als Lehrbuch für Schulen und Unterrichtsanstalten überhaupt sehr zu empfehlen; außerdem wird aber auch jeder Gebildete diejenige Belehrung daraus schöpfen können, die er von der Erde und den übrigen Weltkörpern haben muß, oder die man wenigstens von ihm erwarten darf. 106.

Aus Schlesien.

Der Damenaufruhr in der reformirten Kirche.

Unsere Zeit ist an den mannichfaltigsten Erfahrungen so reich, daß die Pädagogen sich nicht wundern dürfen, auch Beiträge zur Geschichte unserer weiblichen Erziehung zu bekommen. Ich sende ihnen einen aus Breslau ein.

Ein hochgeachteter evangelischer Geistlicher predigte am Bußtage in der Kirche der sogenannten schönen Welt über Dasjenige, was für das Vaterland im Familienleben geschehen müsse. Er deutete dabei auf die tiefen Wunden, welche die in neuerer Zeit so sehr abnehmende Häuslichkeit dem allgemeinen Besten beibringt. Die Damen, die auf der Kanzel keine Wahrheit, sondern die gewohnte Galanterie erwartet hatten, geriethen hierüber in eine unruhige Bewegung, husteten, drehten sich um, suchten die Thüren auf und veranlaßten einen kleinen Lärm, der vierzehn Tage bei dem Geklirre der Theetassen nachhallte.

Es versteht sich von selbst, daß die Mehrheit unserer Damen dem Prediger beistimmte, daß nur einige wenige, die sich vielleicht getroffen fühlten, an heiliger Stätte etwas burschikos sich geberdeten. Aber ich wünsche doch, daß die Pädagogen sich dieses Geschichtchen zu Herzen nehmen. Es läßt sich nicht leugnen, daß der Humanismus in der weiblichen Bildung den Realismus ebenso verdrängt, wie das in den Gymnasien der Fall gewesen ist. Dem Schreiber dieses sind schon an zwanzig allerliebste Mädchen vorgekommen, die sich bei dem Worte Küche sehr unfreundlich rümpften. Singen, Lesen, ins Theater gehen macht die Summe der Beschäftigungen vieler sogenannten Gebildeten aus. Natürlich entspringen aus dieser schiefen Richtung die größten Uebel.

Wer in einem Lande gewesen ist, wo die reale Seite der weiblichen Bildung vernachlässigt wird, stößt auf zwei höchst traurige Erscheinungen. Fürs Erste sieht man leidende, oft langweilige Engelsgesichter auf welkenden Liliengestalten, auf blassen, feinen Lippen kranke Conversation über Theater, Heine, Schauspieler, Theater, Heine, Schauspieler und Theater, Heine, Schauspieler. Eine auffallend große Zahl der Mütter stirbt im Kindbette; ein bedeutender Theil der Kinder kommt todt zur Welt, die weiblichen Selbstmörder mehren sich furchtbar, und die Irrenhäuser reichen für die „verdrehten Engel“ nicht aus. Das sind keine aus der Luft gegriffene Bemerkungen, sondern Resultate der statistischen Tabellen. Was Wunder, ward doch nach dem Glauben der Griechen „Hebe“ nur der personificirten Arbeit zu Theil! Fürs Zweite findet man in einem solchen Lande eine auffallende Blöße der materiellen Genüsse. Ehen können nur bei bedeutenden Revenuen vor sich gehen; daher nur Geldheirathen! Und selbst da ist nirgend ein Wohlleben sichtbar. So gut Jemand mit allem Gelde doch kein gutes Papier fabriciren wird, wenn er das Geschäft nicht übersehen, die Arbeiter nicht leiten kann, so gut kann auch bei dem größten Einkommen ohne häusliche Bildung der Frau nichts gedeihen. Alles, und vor Allem der Tisch ist so schlecht bestellt, daß der Fremde eine Gänsehaut bekommt und der Gemahl seufzend die Entschuldigung hervorstottert: Man kenne hier zu Lande den Dienst des Magens nicht. Wie ganz anders ist es in jenen Staaten, wo zwar der Geist der Damen nicht vernachlässigt, aber die häusliche Bildung noch allgemein verbreitet ist. Selbst in solchen Staaten, wo der Realismus offenbar das Uebergewicht hat, sind am Ende glücklichere Verhältnisse. Was hat der Schreiber dieses nicht kürzlich in Oestreich erfahren? Die Kaiserin bereitet ihrem Gemahle den Kaffee stets selbst. In den adligen Erziehungsinstituten für Damen ließ sie Lehrmeisterinnen fürs Weißnähen, und freundliche Küchen zum Kochenlernen besorgen. Die Prinzessin Lichtenstein lernte mit bürgerlichen Mädchen die gesammten häuslichen Künste. Das Beispiel der Großen geht natürlich nicht verloren. Die östreichischen Frauen sind insgesammt Hausfrauen. Da sie sich nun tüchtig umthun, so gedeihen sie an Leib und Seele, ihre Mußestunden sind von den Musen Thalia und Euterpe gesegnet, die Ungebildetste entzückt durch fröhlichen Sinn und unterhaltendes Gespräch. Und die glücklichen Männer! Bei einem geringen Einkommen kann man die Geliebte in sein Haus führen. Und was weiß die verständige Hausfrau aus Wenigem zu machen?! Wohlleben herrscht in allen Familien! Der Fremde sieht, hört, staunt und kehrt seufzend zu der seinigen heim, die für 1000 Thlr. nur Kartoffeln und Schweinefleisch liefern kann!

Die Staatswirthe zerbrechen sich den Kopf über die Mittel, die Nationalwohlfahrt zu befördern. Meine Herren, der breslauer Prediger hat ihnen das beste Arcanum an die Hand gegeben, es heißt: häusliche Erziehung der Damen.

Die Glaubensveränderungen in Schlesien.

Die „Schlesischen Provinzialblätter“ vom Jahre 1833 enthalten S. 444 unter der Aufschrift „Kirchenverwaltung“ eine amtliche Mittheilung, welche für das Ausland leicht dasselbe Interesse haben dürfte, welches sie für das Inland besitzt. Religionsveränderungen, heißt es wörtlich in jener Mittheilung, sind in den drei Jahren 1830, 1831 und 1832 folgende vorgekommen: Von der katholischen zur evangelischen Confession traten im J. 1830 3, im J. 1831 1, und im J. 1832 6, im Ganzen also 10 Individuen über. Hingegen gingen zur katholischen Confession im J. 1830 8, im J. 1831 14, und im J. 1832 9, zusammen also 34 Personen über. Von dem Judenthume trat die Mehrheit zur evangelischen Confession, und zwar im J. 1830 18, im Jahre 1831 14, und im J. 1832 28, also im Ganzen 60 Personen, wogegen zur katholischen Confession im J. 1830 11, im J. 1831 4, und im J. 1832 8, im Ganzen also nur 23 Individuen übertraten. Viele Religionsveränderungen scheinen durch Ehen herbeigeführt, besonders unter den Gewerbtreibenden, bei den Evangelischen wechselten 23 Verheirathete, bei den Katholischen 7 Verheirathete, d. h. zwei Drittheile sind es wahrscheinlich durch eheliche Verhältnisse geworden. Die zahlreichen Uebertritte zu einem Kirchenthume wie das katholische, an dem man ohne Risico, ausgezischt oder in gewissen Blättern heruntergerissen zu werden, auch nicht das Mindeste mehr gut finden darf, machen ohne Zweifel eine höchst merkwürdige Thatsache. Die bequemen anderwärtigen Erklärungsgründe: Proselytenmacherei und Eigennutz, langen hierbei nicht aus. Obgleich nicht behauptet werden soll, daß der katholische Pfaffe das Bekehren ganz lassen kann, so muß doch gesagt werden, daß die Behörden ein allzu scharfes Auge hierauf haben, um dem Argwohne proselytenmacherischer Mittel Raum lassen zu können. Das Geschrei bei jedem Uebertritte ist so groß, daß die Behörden schon um des Friedens willen eine Conversion wie einen wichtigen Staatshandel betrachten müssen, ohne es doch den Eiferern und Eifersüchtigen recht machen zu können. Die Dispute beider Klerisein um eine Seele gemahnen öfters wahrhaftig an Scenen aus Dante's Hölle! Noch weniger ist an überwiegenden Eigennutz zu denken, denn die Religion der Mehrzahl bietet natürlich, wie überall in der Welt, so auch im hiesigen Lande die größern Vortheile. Ganz abgesehen von Staatsämtern und Militairstellen ist mehrorts in Schlesien bei den höhern Stadtämtern (z. B. in Breslau, in Brieg), ja sogar bei einigen Gewerben (z. B. bei Apotheken und Fleischbänken) die evangelische Religion noch Herkommen. Mich dünkt daher, die auffallende Thatsache deute zum Theile wenigstens auf ein Volksbedürfniß, von welchem, mit Hamlet zu reden, unsere Philosophen sich nichts träumen lassen. 150.

Redigirt unter Verantwortlichkeit der Verlagshandlung: F. A. Brockhaus in Leipzig.

Blätter für literarische Unterhaltung.

Montag, — Nr. 203. — 22. Juli 1833.

Relation über einundvierzig Dichter der neuesten Zeit.

Erster Artikel.

(Beschluß aus Nr. 202.)

20. Luise, die Königin, sechs Gesänge von Rudolf Brockhausen. Lemgo, Meyer. 1832. 8. 12 Gr.

In wohlgesetzten, der Sprache und Gesinnung nach nur zu lobenden Stanzen wird hier die Vielgepriesene abermals besungen. Um ein vollständiges Bild ihres Gemüthes und ihrer Wirksamkeit zu geben, sind zum Theil die Zeitereignisse, wie sie sich in jenem spiegeln und von dieser berührt wurden, in das Gedicht hineingewoben.

21. Sonette und Elegien vom Verfasser des „Don Enrique". Als Manuscript für Freunde gedruckt. Eisleben 1833. 8. 8 Gr.

Reflexionspoesien ohne weitern Anspruch. Auch verbietet der Zusatz: „Manuscript für Freunde", eine strenge Kritik.

22. Das Gebet des Herrn. Eine Gabe von Ludwig Reuffer. Stuttgart, J. F. Steinkopf. 1832. 8. 4 Gr.

Auf 31 Seiten abermals eine Umschreibung des Vaterunsers, also ein Supplement zu der von Herrn Kayser veranstalteten Sammlung einiger hundert Paraphrasen dieses Themas. Als Probe stehe hier der Anfang der vierten Bitte:

Unendlich ist des Menschen Streben,
Ihn treibt die Meisterin, die Noth —
Er hat nicht nur ein geistig Leben,
Er braucht und sucht auch irdisch Brot.
Die Karawane geht durch Wüsten
Für einen flüchtigen Gewinn;
Der Schiffer bringt nach fernen Küsten
Der Erde Güter her und hin.
Der Künstler setzt und fügt
Sein Werk mit kluger Hand,
Der Ackersmann bepflügt
Und baut im Schweiß das Land.

23. Blicke der Vernunft in das Jenseits. Von Arthur vom Nordstern. Dresden 1833. Gr. 8.

Die Art und Weise des Herrn Verf. ist bekannt; über gegenwärtige (16 Seiten umfassende) Betrachtungen sagt er in dem Vorworte:

„Die nachstehenden Strophen bilden den vorletzten Abschnitt eines größern vollendeten, aber ungedruckten Gedichtes. Ihrer jetzt durch den Druck erfolgenden Bekanntmachung liegt eine besondere Veranlassung zum Grunde, die den Wunsch erregen konnte, dem vorübergehenden mündlichen Worte einen Nachklang für wiederholte Prüfung zu verschaffen.

24. Kampfbilder von C. J. Hoffmann. Anhang 1: Treue Uebersetzung der goldenen Sprüche des Pythagoras. Anhang 2: Probe einer möglichst treuen Uebersetzung der Homerischen Odyssee in Ottaverime. Gesang 1. Berlin, Oehmigke. 1832. 8. 16 Gr.

Warum der Verf. sein Buch „Kampfbilder" nennt, ist nicht recht abzusehen; wahrscheinlich, um doch auch „Bilder" auf dem Titel zu haben, welche nach dem Vorgange der Heine'schen „Reisebilder" so beliebt geworden sind, sodaß wir nicht nur „Lebensbilder", „Wanderbilder", „Zeitbilder", „Genrebilder", sondern von Herrn Crügers-Hansen sogar „Curbilder" in Bezug auf die Cholera haben malen sehen. Vielleicht spricht der Verf. grade von Kampfbildern, weil ihm das Leben nicht leicht geworden ist. Wenigstens heißt es in der Dedication:

Ich dacht' an dich, und stand ermuthigt,
Wenn mich das Schicksal schwer gedrückt.

In dem vorliegenden Büchlein findet sich neben vielem Mittelmäßigen auch manches recht Hübsche; es ist nur schlimm, daß der Verf. sich wie so viele Andere oft gar zu tiefsinnig stellt, als ob ihm ein ganzer Weltenschmerz durch die Brust ginge. Was die Uebersetzung aus dem Homer betrifft, so ist sie allerdings ziemlich treu; aber die wahre Treue des Uebersetzers besteht nicht blos im Wiedergeben der Worte, sondern es muß die lebendige Gestalt des Originals dem Leser vor die Augen geführt werden; in diesen ist aber das Versmaß nicht ein Zufälliges, und es verräth einen Mangel an Einsicht in die Anfoderungen unserer Zeit, antike Dichtungen durch Modernisirung der Form unsern Zeitgenossen näher bringen zu wollen. So etwas ließ man sich wol vor 50 Jahren gefallen, aber nicht nachdem Voß, die Schlegel, Rückert und Andere höhere Bedürfnisse angeregt haben.

25. Gedichte von Otto Weber. Leipzig, Engelmann. 1833. 8. 18 Gr.

Ueber diese Gedichte läßt sich wenig sagen; sie streifen schon stark in die Heine'sche Manier über; darum muß sich auch „der weltliche Heiland" besingen lassen, z. B.:

Das Adieu.

Den Arm verschränkt —
Den Blick gesenkt —

Das Heldenherz
Voll Gram und Schmerz —
Doch in der Brust
Ewigen Lebens bewußt —
Sieht er zum letzten Mal
Im Vaterland den Abendstrahl.
Und betend nimmt ers Hütchen ab,
Und eine Thräne quillt herab u. s. w.

Wir meinen, Napoleon selbst würde über solche Schönthuerei gelacht haben. Man könnte es wol endlich mit den Apotheosen, die Heine in den „Reisebildern" angestimmt hat und die tausendmal wiederholt sind, bewenden lassen! Uebrigens hat der Verf. Themen aus den verschiedensten Sphären behandelt, aus dem Griechen-, Juden-, Deutsch- und Franzosenthum, aus antiker, mittelalterlicher und neuer Zeit, wie schon die Ueberschriften lehren, z. B. „Des Barden letzter Sang", „Sachsens Hoffnungen", „Der feurige Bursch", „Blick auf Kanaan", „Hermann's Schlacht", „Lureley", „Die Hohenstaufen" u. s. w. Zum Schluß von S. 115 an finden sich dann auch noch „Polnische Schwerterklänge", von denen die meisten aber nur blinder Lärm sind.

26. Landtagslieder für die deutsche Nation von Ernst Ortlepp. Leipzig, Wigand. 1833. 8. 16 Gr.

Die Weise des Herrn Ortlepp ist bekannt genug, sodaß Ref. nicht nöthig hat, sich in diesen kurzen Anzeigen weitläufiger über sie auszulassen. Was er über sie urtheilt, geht schon aus der Stellung, die er dem Buche in der zweiten Classe anweist, hervor; ihm dünkt der Dichter trotz jezuweiliger poetischen Anklänge doch nicht über das Gebiet der Reflexion, und zwar der rhetorischen, hinauszukommen. Was Hr. Ortlepp bietet, ist nicht eigentlich geworden, innerlich erlebt, sondern mit der Reflexion erarbeitet. So haben wir gleich über seine ersten Gedichte geurtheilt, so müssen wir es auch über diese seine jüngsten. Indessen ist von letztern zu ihrem Lobe zu sagen, daß sie sich vor manchen andern, namentlich vor denen, in welchen der Verf. sich bemüht, witzig zu erscheinen, vortheilhaft auszeichnen. Die in ihnen behandelten Gegenstände sind: „Die Ständeversammlungen", „Der deutsche Geist", „Luther's Standbild zu Wittenberg", „Einheit der Gesinnung", „Patriotismus" u. s. w.; — wie man sieht, sehr abstracte Themata. Der Titel: „Landtagslieder", ist also ziemlich willkürlich; Herr Ortlepp wird ihn am liebsten so gedeutet sehen, daß er durch die Zusammenberufung der Stände in Sachsen und andern deutschen Staaten zu diesen Gedichten begeistert sei, vielleicht auch so, daß er den Abgeordneten, was ihnen Noth thut, vorhalten will. Darum entschlagen wir uns gern aller andern Deutung über die Veranlassung zu der Wahl grade dieses Titels.

27. Gustav Adolf's Heldentod für Teutschlands Freiheit. Ein historisches Gedicht in vier Gesängen von G. Friedrich. Mit Kupfern. Kassel, Ruprecht. 1833. 8. 1 Thlr. 6 Gr.

Der Herr Verf. hat schon früher ein historisches Gedicht: „Luther", herausgegeben, welches vielleicht manchem unserer geneigten Leser bekannt ist, und woraus sie den Charakter des gegenwärtigen Werkes abnehmen können. Es ist schon oft ausgesprochen, daß das eigentliche Epos außer dem Bereiche unserer Zeit liegt; daher müssen die Anfoderungen an Gedichte, wie vorliegendes, nicht nach dem Maßstabe des Epos gemacht werden. Der Verf. hat sich bemüht, den historischen Stoff möglichst treu wiederzugeben; diese freiwillige Beschränkung ist sehr rühmenswerth. Allein dazu gehört nicht blos, daß die Facta nicht entstellt sind, sondern ebenso sehr und noch viel wesentlicher, daß der Charakter der darzustellenden Personen und der Zeit, der sie angehören, nicht verändert und modernisirt wird. Das ist aber durchweg der Fall, und die Reflexion des Dichters feiert auch hier wieder ihren Triumph. Davon ist schon die Form des Gedichtes ein Beweis; nichts Unpassenderes kann es geben als für solchen epischen Stoff der hier gewählte fünffüßige ungereimte Jambus, wie wir ihn im neuern Drama finden. Als Probe diene die erste beste Stelle, etwa diejenige, wo erzählt wird, wie Gustav Adolf der Königin seine verborgene Liebe zu der schönen Ebba Brahe entdeckt:

Doch hätt' ich Tasso's Phantasiengluth,
Petrarca's Milde, Dante's Riesenkraft,
Ein bleicher Schattenriß wär' nur mein Bild
Von Ebba's Reiz, der hohen Tugendwürde,
Dem kindlichen Gemüth und klaren Geist,
Vereint mit tiefem religiösen Sinn,
Wie Gustav sie von der Geliebten rühmt.
Sein großes Herz ist keiner Lüge fähig,
Darum gesteht er frei der Königin,
Daß er der Gräfin Hand und Thron verheißen,
Und heilig sei dem Könige sein Wort.

Noch weniger paßt das Metrum und die moderne Sprache zu Schilderungen, die nur in der Objectivität des eigentlichen Epos ihre Bedeutung haben:

Unfern der Stadt beim Dorfe Breitenfeld
Erstreckt sich meilenweit ein flaches Land.
Im frischen Kranze grüner Fruchtbaumwälder
Verbergen sich die Dörfer Lindenthal
Und Wahren, bis an Wetteritz und Mockau
Der Hügel sanfte Höh'n sich aufwärts ziehn.
Auf ihrem Gipfel droht das Hochgericht;
Von dort aus lenket Tilly seine Scharen.
Sie dehnen sich in ungeheurer Linie
Im Blachfeld aus. Den rechten Flügel führt
Graf Fürstenberg, mit sieben Regimentern,
Den linken Pappenheim, mit Reiterei u. s. w.

Ein Gedicht von etwa 3300 Versen in so eintönigem Metrum (man vergleiche nur die unendliche Mannichfaltigkeit, die Würde und Kraft des Hexameters oder der Nibelungenstrophe) wird tödtlich langweilig. Viel lieber liest man eine einfache prosaische Beschreibung; da weiß man doch, woran man ist. So muß man denn gestehen, daß das am meisten Poetische im ganzen Buche die alten geistlichen Lieder sind, die der Verf. in einer (freilich nicht immer glücklich) modificirten Gestalt in sein Gedicht einwebt, z. B.: „Verzage nicht, du Häuflein klein", „Ein feste Burg ist unser Gott", „Herr Gott, dich loben wir" u. s. w. Dies war ein glücklicher Einfall, welcher eine sehr große Wirkung hervorbringen würde, wenn der Ton des Ganzen ein kräftigerer, wahrhaft dichterischer wäre. Sowie die Sachen aber stehen, muß man sagen, daß der Lappe das Tuch reißt.

28. Adler IV., der Held von der Schauenburg. Ein vaterländisches Gedicht in sieben Gesängen von G. N. Bärmann. Hamburg 1832. Auf Kosten des Verfassers. 8. 2 Thlr.

Abermals ein episches Gedicht, und zwar in Ottaverime, welche wenigstens mannichfaltiger sind. Der Ton und die Gesinnung ist aber ebenso modern-reflectirend, wie beim Friederich'schen. Zum Beleg eine Schilderung, die der Verf. im Laufe des Gedichts von Holstein gibt:

Wie an des Schwyzers kräuterduft'gen Höhen,
So auch in Holstein Rinderzucht gedeiht.
Lust gibt's, die muntern Heerden anzusehen,
Wie Kuh und Schaf die fette Milch dort beut!
Den ries'gen Renner sieh im Kampf dort stehen,
Den Mann im Harnisch trägt sein Rücken breit;
Die Biene summt und sammelt ein voll Freude
Auf weiter, sonn'ger, lichtbeblümter Haide.

Und gastlich gibt das Völkchen sich und treu,
Und rüstig regt's zu Nutz des Land's die Hände;
Und ob wo irgend hübsch'res Mädchen sei?
Schau um und sag' dir bald: „Ich bin am Ende".
Ich fand es so, und eingesteh' es frei,
Und freu'n sollt's mich, wenn Jeder es so fände.
Du magst am Ida schlanke Griechin schau'n,
Nicht mindre Schönheit zeigen Holsteins Au'n.

So geht es noch lange weiter; was helfen solche allgemeine Schilderungen, die der Herr Verf. auch von jedem andern Lande, wenn es ihm grade paßte, geben könnte? Das Zeichen des wahren Dichters würde sein, uns in concreto so ein Mädchen, eine lebendige Gestalt, die selbst für sich spräche, vorzuführen.

29. Gedichte von A. J. Baasch. Hamburg, Schuberth und Niemeyer. (Ohne Jahrzahl.) 8. 1 Thlr.

Der Verf. ist Architekt, wie aus dem prosaischen Anhange, wo ganz technisch in „Aphorismen über das Bauwesen" über allerlei Mängel und Fehler des letztern gesprochen wird, erhellt. Vielleicht ist dieser praktische Theil das Beste des Buches, was wir indessen, als der Baukunst unkundig, nicht entscheiden wollen. Von der Poesie ist zu bemerken, daß sie sich durchaus nicht über das Ordinaire erhebt, obgleich der Verf. sich in allem Möglichen, z. B. in Gedichten à la Heine, in plattdeutschen Reimereien, in der Idylle u. s. w. versucht. Wer aber Hexameter schreibt wie:

Wie die Gazelle so schlank, und frisch wie die Thauperl' am Flieder,

oder Pentameter wie:

Freund, und die Erdbeer' mit Milch macht uns den Nachtisch so süß,

sollte in unserer Zeit lieber gar keine machen.

30. Gedichte von J. Lasker. Breslau, Aderholz. 1832. 8. 16 Gr.

S. 40 heißt es:

Nachruf.

So ist er denn dahin gezogen,
Mein heitrer Sinn mit ihm geflogen,
Jetzt nistet sich der wilde Schmerz
Ins leere, ganz verlass'ne Herz.

Ich sehe Kugeln ihn umziehen,
Sie nahn sich ihm, er darf nicht fliehen,
Und ach! es hat, wie leicht, wie leicht,
Ihn tödtend eine schon erreicht.

Könnt' ich an seiner Seite stehen,
So wollt' ich wol die Kugel sehen,
Die seiner Brust sich feindlich naht,
Bevor sie mich durchbohret hat u. s. w.

Das Beste im Buche sind ohne Zweifel die hinten angehängten Epigramme, von denen einige erträglich; z. B.:

Unveränderlichkeit.

Du prahlst: „Ich bin mir immer gleich".
Das eben ist dein dümmster Streich.

oder:

„Ich kann's im Leben nicht begreifen!
Was ist denn die Philosophie?"
Nun, was man gar nicht kann begreifen,
Das eben ist Philosophie.

Der Leser wird indessen sehen, daß es schlimm um ein Buch steht, wo man dergleichen noch als Goldkörner heraussuchen muß.

31. Johannes Rehm's Gedichte. Herausgegeben von seinen Freunden. Erlangen 1833. 12.

Als Opfer der Pietät (die sich in einer 38 Seiten langen Biographie des Dichters, welche dem überhaupt nur 140 Seiten starken Büchlein vorgedruckt ist, ausspricht) mag man solche Sammlungen gelten lassen. Im Grunde fragt sich's aber doch, ob man dem Verstorbenen, wenn seine Producte so unreif und mittelmäßig sind, wie vorliegende, nicht mehr Ehre dadurch anthut, daß man ihn ruhig im Grabe liegen läßt und seine Gedichte im Pult, als dadurch, daß man letztere mit Gewalt auf dem Markte der Lesewelt ausstellt.

32. Freundesgräber. Berlin, Duncker und Humblot. 1833. 12. 6 Gr.

Auf 24 Seiten 21 kurze Erinnerungsgedichte an ungenannte Verstorbene.*) 189.

Die zweiunddreißigste Halbbrigade, Erzählung aus den Zeiten der Republik von A. Barginet von Grenoble, deutsch von D. L. B. Wolff. Leipzig, Allgemeine niederländische Buchhandlung. 1833. 12. 2 Thlr.

Wenn dieses geistlose Machwerk einer deutschen Feder seinen Ursprung verdankte, so würde es mit wenigen Worten abzufertigen sein. Der Umstand aber, daß es aus dem Französischen übersetzt ist, beweist denn doch, daß es einigen Ruf hat, und darum muß ich etwas weitläufiger sagen, daß es nichts taugt. Historische Romane haben gewöhnlich den Fehler, daß sie in zwei Theile zerfallen, in den eigentlich historischen und in den erdichteten, welcher letztere gewöhnlich die Fabel des Romans enthält; aber man sieht denn doch in der Regel wenigstens das Bestreben, diese beiden Theile in einen gewissen Zusammenhang zu bringen, indem wenigstens das äußerliche Interesse der romantischen Personen mit der historischen Begebenheit, in welche man sie verflochten hat, zu verknüpfen ist. Doch dergleichen auch nur zu versuchen dünkt Hrn. Barginet viel zu kleinlich. Mit jener übermüthigen Nachlässigkeit, welche in der neuesten Zeit an die Stelle der steifen Pedanterie der französischen Literatur getreten ist, scheint der Verf. geglaubt

*) Den zweiten und letzten Artikel theilen wir im August mit. D. Red.

zu haben, er sei ein Genie, und habe daher das Recht, alle Gesetze des gesunden Menschenverstandes außer Acht zu lassen. Daher gibt er uns mit einer unglaublichen Insolenz gradezu zwei Bücher in einem. Und doch wollte ich ihm diese Nachlässigkeit sehr gern verzeihen, wenn nur diese beiden Theile des Romans an und für sich etwas taugten. Indem wir aber zuerst den historischen Theil betrachten, treten uns sogleich die gröbsten Verstöße entgegen. Eine große Begebenheit, der Feldzug Napoleon's in Italien, wird hier durch einen kleinlichen Bericht wahrhaft entstellt. Im Anfange macht der Verf. einige vergebliche Anstrengungen, anschaulich zu werden. Er bringt es aber hierin nicht einmal zu der Fertigkeit Walter Scott's, viel weniger zu einer wahrhaft poetischen Darstellung. Indessen sind doch hier wenigstens einige interessante Züge aus den Geschichtsbüchern aufgenommen, und die Schilderung gewinnt dadurch einen Anstrich von Munterkeit und, wenn man die großartige Wirklichkeit vergißt oder nicht kennt, so kann man sich wol eine Zeit lang an diesem schwächlichen Schatten ergötzen. Dieser ausführlichern Schilderung wird indessen der Verf. im Laufe der Erzählung bald müde, und das letzte Drittheil des Buches ist weiter nichts als ein Auszug aus den Schlachtberichten, welcher ungefähr so abgefaßt ist, als wenn ein Schüler mit dessen Hülfe sich auf ein Examen hätte vorbereiten wollen. Hierbei begeht der Verf. noch den Fehler, daß er seinen Bericht unaufhörlich durch Ausbrüche seiner Verwunderung zu würzen sucht. Wer etwas Ruhmwürdiges erzählt, und dabei fortwährend selbst ganz außer sich vor Bewunderung geräth, bringt ungefähr dieselbe Wirkung hervor wie Jemand, welcher bei Erzählung einer komischen Anekdote selbst vor Lachen bersten will. Der Verf. wollte ohne Zweifel seine Darstellung durch diese Ausrufungen heben, und zeigt dadurch insofern wenigstens ein richtiges Gefühl, als er dadurch anerkannte, daß sein Bericht an sich nicht sehr wirksam sei; aber dieses Mittel der Abhülfe war das schlechteste, welches er wählen konnte.

Das ist dem Verf. ganz an jener Freiheit des Geistes gebricht, welche erfoderlich ist, um eine historische Begebenheit, ich will nicht sagen, treu und der Wirklichkeit würdig, sondern auch nur gefällig darzustellen, das beweist besonders die plumpe Parteilichkeit, mit welcher er seinen Gegenstand behandelt. Alles, was das französische Heer thut, wird in den Himmel erhoben, die Gegenpartei aber nur dann gelobt, wenn dieses Lob mittelbar auf die Sieger zurückwirkt. Sobald dieses Motiv wegfällt, ist Alles, was Oestreicher und besonders Italiener thun, im höchsten Grade niederträchtig. Unter Anderm wird der Aufstand der Bewohner von Mailand und Pavia gegen Napoleon gradezu als einer der abscheulichsten Frevel behandelt, der je verübt worden. Um nicht misverstanden zu werden, muß ich bemerken, daß ich keineswegs so thöricht bin, von einem Franzosen wirkliche Unparteilichkeit zu verlangen, sondern nur das tadle ich, daß er diese seine Parteilichkeit auf so widrig plumpe Weise zur Schau trägt. Wäre nur die Schilderung der Begebenheiten parteiisch, so könnte man das der Nationaleitelkeit gern verzeihen, daß aber unaufhörlich auf der einen Seite Schimpfwörter, auf der andern kindisch ungemessene Huldigungen ausgetheilt werden, ist denn doch der Rüge werth.

Der zweite Theil des Buchs, oder der eigentliche Roman, ist etwas besser. Wenigstens findet sich eine ergötzliche Figur darin, der Bürger Gautier, ein politischer Zinngießer; ein gutmüthiger Schwachkopf, welchem seine sehr geringfügigen Amtsgeschäfte vielen Angstschweiß auspressen. Alle übrigen Figuren sind aber ebenso schlecht gezeichnet als die historischen. Namentlich der Held des Romans ist ein non plus ultra von Charakterlosigkeit. Da er als der Repräsentant der damaligen französischen Aristokratie bezeichnet wird, so sollte man erwarten, daß ihm, wenn nicht die Vorzüge, doch die charakteristischen Fehler jener Menschenclasse gegeben würden. Statt dessen ist er ein ganz gewöhnlicher dummer Junge, welcher ohne weitere Motive dumme Streiche macht, sie dann weibisch bereut, um alsbald etwas Aehnliches zu beginnen.

Wie schlecht unser Verf. mit dem menschlichen Herzen bekannt ist, geht unter Anderm daraus hervor, daß er ein erwachsenes Mädchen zu loben meint, wenn er von ihr sagt, ihr Herz sei bisher von keinen Gedanken der Liebe überrascht worden. Diese beschränkte Redensart allein muß den Verständigen überzeugen, daß Hr. Barginet kein Dichter ist.

Nichtsdestoweniger kann ich dieses Buch dem nur Unterhaltung suchenden Leser empfehlen, denn es hat noch manche Vorzüge vor den Arbeiten einiger beliebten deutschen Dichter. Sowie ich einen geistvollen Deutschen dem gleich geistvollen Franzosen unbedingt vorziehe, so muß ich doch gestehen, daß ein geistloser Deutscher noch widriger ist als ein ebenso geistloser Franzose, und zwar deshalb, weil dem Letztern doch in der Regel ein gewisser praktischer Takt bleibt, welcher jenem abgeht. Wenigstens zeigt unser Verf. trotz seiner vielfachen Mängel eine gewisse verständige Gewandtheit im Ausdrucke, welche sein Buch lesbar macht, während viele Bücher deutscher Fabrikanten, welche an poetischem Talente dem Franzosen ungefähr gleich stehen, fast in jeder Zeile mit einer faustdicken Albernheit debutiren. 173.

Notizen.

Starker juristischer Irrthum.

In Schweppe's „Römischer Rechtsgeschichte" findet sich im §. 57 die Nachricht, daß die beiden Kaiser Marcus Aurelius und Commodus zusammen 180 Constitutionen und Commodus allein 192 Constitutionen gegeben habe. Nun aber haben sich von den genannten Kaisern gar keine Verordnungen erhalten und die genannten Zahlen bedeuten die Jahre nach Christi Geburt, sind also durch ein gedankenloses Ausschreiben der Haubold'schen Tabelle veranlaßt. Dies hat bereits Hugo in seinen „Beiträgen zur civilistischen Bücherkenntniß", II, 685, bemerkt. In der dritten von Gründler (1832) herausgegebenen Auflage des Schweppe'schen Werkes findet sich aber unbegreiflicherweise noch das gerügte Versehen.

Abschied einer Missionaria.

In Nr. 95 der berliner Haude und Spener'schen Zeitung liest man folgenden Abschied: „Es hat dem Herrn gefallen, meinen heißesten Wunsch mir zu gewähren — seinen süßen Namen unter den Heiden meinem Geschlechte kund thun zu dürfen, und ich begebe mich auf höhern Ruf nach Benares, jenem Mekka der Heiden Ostindiens. Ich empfehle mich daher bei meiner heutigen Abreise nach London Allen, die den Herrn Jesum lieb haben, zur brünstigen Fürbitte und sage Lebewohl! bis zum Wiedersehen vor des Lammes Thron. Wilhelmine Juliane Commerer, zeither Mitglied der berlinischen Jänicke'schen Missionsgesellschaft." 39.

Blätter

für

literarische Unterhaltung.

Dienstag, —— Nr. 204. —— 23. Juli 1833.

Ueber Proselytenmacherei und des Dr. Friedrich von Ammon Convertitengalerie.

„Wenn sie den Stein der Weisen hätten, der Weise mangelte dem Stein“, sagt Göthe in seiner Fortsetzung des „Faust“. Als wir diese Worte lasen und uns fast gleichzeitig obengenanntes Buch eines rüstigen und einem großen, naheverwandten Namen rühmlich nachstrebenden Verfassers vor die Augen kam, lag die Ideenverbindung nahe genug, um die Frage aufzustellen, ob nicht von einer großen Anzahl protestantischer Christen Dasselbe gesagt werden könne, nur mit dem Unterschiede, daß diese und alle Christen überhaupt wirklich den Stein der Weisen, der freilich Tausenden weniger der Eckstein im Gebäude ihrer religiösen Ueberzeugungen als ein Stein des Anstoßes geworden ist, besitzen. Ref. ist nicht darum Secretair eines Bibelvereins geworden, um diesen Stein der Weisen nennen zu können, aber er hat als solcher wol Gelegenheit gehabt, zu sehen, wie wenig er als echter Edelstein begehrt, bewahrt und benutzt wird, oder wie das Buch der Bücher gemisbraucht wird. Auch ist Ref. Theolog genug gewesen, um zu wissen, wie das von jeher fast der Fall war, wie aber auch eine jede auf einer geschriebenen Urkunde beruhende Religion zu innern und äußern Spaltungen geführt hat. Das begann in dem Augenblicke, als man Glauben und Wissen trennte, als man über die Religion eine Theologie, auf das einfache, dem Einfältigsten wie dem Weisesten genügende Religionswort eine gelehrte Erläuterung und Erklärung setzte. Da entdeckte der Eine die, der Andere jene Lehre, die zwei Andere schon darum, weil sie selbst sie nicht gefunden hatten, wieder verwarfen, und Jeder wollte nun den Meister meistern, und es gab Zeiten, wo der gelehrteste Theolog vor Verketzerungen nicht sicher war oder selbst als Theolog für seine Rechtgläubigkeit nicht einstehen konnte. Das ist namentlich der schwarze Faden, welcher sich durch die Geschichte der protestantischen Theologie hindurchzog und statt der ersehnten Folge, nur auf die einfachen, großen und unumstößlichen Religionswahrheiten im Glaubens- und Sittengesetze zurückzuführen, zu zwei entgegengesetzten Enden, zur Mystik wie zum Indifferentismus, hingeleitet hat. Die römische, oder besser die katholische Kirche hat bei Zeiten eingelenkt und eine oberstrichterliche Entscheidung aufgestellt, aber dem Richter auch eine vollziehende Gewalt gegeben, die seinen Aussprüchen Achtung, wenigstens Gehorsam zu verschaffen weiß.

Unter die Folgen dieses Zustandes, der durch die gelehrten und zum Theil mit der unschicklichsten Heftigkeit geführten Streitigkeiten auch dem nichttheologischen Publicum leider sehr bekannt geworden ist, der selbst zu blutigen Verfolgungen und zu politischen Factionen geführt hat, gehört nun wol unbestritten das immer häufigere Uebertreten der Protestanten zum Katholicismus; und dies ist vielleicht noch einer der achtbarsten Gründe für diesen wichtigen Schritt; denn einem Jeden muß wie den Philosophen erlaubt sein, das summum bonum hier oder dort zu suchen, dafern es ihm nur ernsthaft und nur um dieses und nicht um einige Neben-bona zu thun ist. Leider ist dies aber keineswegs das einzige Motiv gewesen, sondern fast jede Art von Leidenschaft, jede Art von innerer Verstimmung, Stolz, Geiz, Eigennutz, sinnliche und geistige Abstumpfung haben bei einzelnen Individuen zu demselben Resultate geführt. Dahin gehört auch das Bedürfniß einer sinnlichen Autorität für das Uebersinnliche, besonders bei Solchen, die in ihrer Vernunft, die doch auch göttlichen Ursprunges ist, keine Autorisation zum Glauben finden, wol aber das Bedürfniß haben, blind zu glauben; auf sie wirkt der Katholicismus mit seiner obersten sichtbaren Autorität, mit der Ueberzahl seiner Anhänger ungemein. In diesem Sinne mag gelten, was Krug in seiner „Darstellung des Unwesens der Proselytenmacherei“ (Leipzig 1822), S. 2, sagt: „Wer einmal blind zu glauben geneigt ist, dem kann es wahrlich einerlei sein, ob er Luthern oder dem Papste glaubt. Ja, er muß, will er anders consequent sein, diesem mehr als jenem glauben. Denn der Papst hat ja immer noch weit mehr Anhänger als Luther. Das Ansehen der Menge der Gläubigen muß also auch stärker imponiren, wenn man einmal seine Vernunft unter den Glauben gefangen nimmt. Und die Proselytenmacher wissen auch das sophistische, von der Menge der Gläubigen hergenommene Argument recht klug zu benutzen.“ Wir wollen gern auch zugestehen, daß gewisse religiöse Richtungen unter den Protestanten, daß selbst einige Lehren Luther's, z. B. die Abendmahlslehre u. a., Menschen, welche sich nicht selbst Richtung und Gesetz zu geben oder aus den heiligen Urkunden zu entnehmen wissen, dem Katholicismus haben zuführen können, wie sich wol auch dafür Beispiele finden lassen würden.

Alles Dies schiene sich vielleicht entkräften zu lassen durch den Umstand, daß auch Katholiken nach und nach in nicht unbedeutender Anzahl zum Protestantismus herübergetreten sind, und es ist auffallend, daß unter ihnen vorzugsweise viele Geistliche sich befinden. Sollten die bei manchem andern Ueberflusse desto härtern Entbehrungen, welche der Cölibat auflegt und für welche Gewissenhaftigkeit und Pflichtgefühl kein Surrogat statuiren wollen, die Hauptmotive sein? Wir zweifeln, obgleich es neulich (s. „Conversations-Lexikon der neuesten Zeit", Artikel „Convertiten", I, S. 525) hat wahrscheinlich gefunden werden wollen. Gewiß fänden sich wenigstens ebenso viel Beispiele von Geistlichen, welche nur durch dieses Mittel mit ihren gewonnenen Ueberzeugungen ins Gleichgewicht zu kommen suchten. Solche Männer müssen uns willkommen sein, da ihre reinen Beweggründe und ihr Zutrauen uns ehren, und wie der rechte Fußwanderer lieber mit Dem zu gehen pflegt, der ihn einholt, als mit [illegible] er selbst erreicht, so mögen sie unsere Begleitern, denen ihre würdigen Führer auf dem neuen Pfade [illegible]. Wir sind ihnen um so freundlichere Aufnahme schuldig, je bedenklicher oft durch solchen Schritt ihre äußere Lage wird und je weniger ihrerseits die andern Glaubensgenossen es an Belohnungen in ähnlichen Fällen fehlen lassen. Aber auf Einen White, Henhöfer, Eisenschmidt, Benzel-Sternau, Reichlin-Meldegg, Fürst Salm u. A. werden zur Zeit immer noch Dutzende von abtrünnigen Protestanten kommen. Entlassen wir sie indeß im Frieden; sie mögen es nicht uns, sondern sich selbst eingestehen, ob sie den echten Ring gefunden haben. Gestehen wir aber auch ein, daß in unserm Protestantismus viel zu viel Zerrissenheit und Uneinigkeit für Den sei, der nicht selbst sich aus der Schrift sein festes Glaubenssystem zu schaffen versteht. Es ist schlimm, daß es jetzt für Manchen schwerer geworden, ein echter Protestant im Glauben als im Handeln zu sein. Sagt man doch Harms in Kiel nach, er habe geäußert, sich anheischig zu machen, alle Religionslehren, die man bei den Protestanten noch allgemein glaube, auf den Nagel seines Daumens schreiben zu wollen.

Wenn die Geschichte nicht blos erzählen, sondern auch ermuntern, warnen und richten soll, so ist gewiß die Herausgabe eines Buches, welches eine große Anzahl solcher Convertiten in einer Galerie lehrreich vereinigt, höchst dankenswerth. Das Werk führt den Titel: „Galerie der denkwürdigsten Personen, welche im 16., 17. und 18. Jahrhundert von der evangelischen zur katholischen Kirche übergetreten sind, herausgegeben von Fr. W. Ph. v. Ammon" (Erlangen, Palm und Enke, 1833, gr. 8., 1 Thlr. 10 Gr.). Es gehörte in der That einiger Muth dazu, in einem Lande, wo beide Religionsparteien zwar constitutionnell ruhig nebeneinander stehen, aber doch die große Mehrzahl, besonders der Monarch selbst, streng katholisch und zwei Erzbisthümer und sechs Bisthümer sind, eine Anzahl Convertiten, besonders in der Hauptstadt, leben, einen solchen Gegenstand zur Sprache zu bringen. Doch ist dies mit großer Ruhe und Besonnenheit, ohne Herausfoderung und Streitsucht, und besonders mit Uebergehung aller noch Lebenden geschehen, denn das 19. Jahrhundert bleibt ganz ausgeschlossen. Wer für die neuere Zeit eine solche Zusammenstellung sucht, wird bis auf Besseres sich an das freilich vom entgegengesetzten Standpunkt aus geschriebene und bei der Société des bons livres zu Paris 1827 erschienene „Tableau général des principales conversions, qui ont eu lieu parmi les protestans depuis le commencement du XIXième siècle" (s. d. Bl. 1828, Nr. 141) halten müssen, in welchem bei Deutschland mancher Bedeutende angeführt, mancher aber ausgelassen ist. Herr v. Ammon gibt sich auf dem Titel wie unter der Vorrede allerdings nur als Herausgeber des von einem Freunde zur Veröffentlichung ihm übersendeten Manuscripts an, vertritt es aber insofern, als er durch seine Noten oder Bemerkungen den Ansichten seines Freundes entgegenkommt, also sie zu theilen scheint, auch am Schlusse des Vorwortes bemerkt, „daß das Werk lauter Thatsachen und Zeugnisse der Vorzeit enthalte, deren Quellen fast überall nachgewiesen sind, und aus welchen sich auch für unsere Tage manches Ersprießliche entnehmen lasse".

Wir wollen den kleinen Argwohn nicht unterdrücken, daß Verfasser und Herausgeber wol gar eine und dieselbe Person sein könnten, zumal da wir „den festen Charakter, den ruhig prüfenden Sinn", welchen das neueste „Conversations-Lexikon", I, S. 76, an Herrn v. Ammon rühmt, auch in der Behandlung des Gegenstandes wiedergefunden zu haben meinen, und „Rudolf's und Ida's Briefe über die Entscheidungslehren der protestantischen und katholischen Kirche" (Dresden 1827) gleichsam als eine Vorbereitung zu diesem Werke erscheinen könnten. Indeß als treuer Referent nehmen wir die Acten, wie sie einmal sind.

Die Bemühung um möglichste Vollständigkeit sei nicht zu verkennen, sagt schon die angebundene Buchhändler- und Inhaltsanzeige; auch existire noch keine Schrift, in welcher die durch Stand und Bildung Ausgezeichnetern namhaft gemacht und von den Beweggründen ihres Kirchenwechsels ausführliche Nachrichten gegeben würden. Das will Ref. zugeben, ebenso wenig den Verf. anklagen, wenn er über mehre Convertiten nur sehr dürftige Notizen aus Mangel an Quellen, die gewöhnlich am Schlusse jeder Skizze angeführt sind, beibringen kann. Nur über den Plan der Zusammenstellung ist er mit dem Verf. nicht recht einig geworden. Man könnte das Eintheilungsprincip entweder nach Jahrhunderten oder nach politischen Ständen: Fürsten, hohen und niedern Adel, Staatsmänner, Gelehrte u. s. w. nehmen und als Anhang die Frauen folgen lassen. Eine andere Eintheilung ist die nach Nationen, welcher das oben angeführte französische Werk folgt. Ein viel kritischerer, darum aber auch schwierigerer Weg, den Stoff zu zerlegen, würde die Eintheilung nach Motiven des Uebertrittes, die man zunächst in äußere und innere theilen dürfte, sein. Aber wir geben gern zu, daß erstlich die Erforschung der jedesmaligen Beweggründe sehr bedenklich und nur durch genauere Bekanntschaft mit den Convertiten theilweis möglich wäre, und daß zweitens selten Ein Grund ganz allein vorgewaltet habe. Wie schwer ist es schon bei den geheimen Umtrieben dieser Art, zu bestimmen, ob Ueberredung oder eigner freier Entschluß vorgewaltet habe. Doch lassen sich wenigstens bei Manchem seine äußere verbesserte Lebenslage, Ehrgeiz, Eitelkeit (welche bei der Königin Christine überhaupt noch mehr hätte hervorgehoben werden können), Eigennutz, Gewissenszweifel, Indifferentismus oder theologische Streitigkeiten, Mystik u. s. w. nachweisen und sind auch nachgewiesen worden. Auch hätte Ref. gewünscht, daß der Herausgeber bei seinen vielfachen Erfahrungen in einer Einleitung sich mehr über das Allgemeine der Erscheinung, z. B. über den Unterschied zwischen Conversion und Apostasie oder der Convertiten und Apostaten, über die Vorneigung einzelner Völker für Protestantismus oder Katholicismus nach Nationalcharakter, Klima u. s. w. ausgesprochen hätte, sowie auch ein die Seitenzahl und alle Personennamen nachweisendes Register wünschenswerth gewesen wäre, zumal da in den Ueberschriften der Capitel gar nicht immer alle vorkommende Namen enthalten sind.

Gleich die erste der 17 Gruppen (denn das letzte achtzehnte Capitel füllt Winckelmann allein aus) sind zwar blos Gelehrte, aber verschiedener Nationen, doch alle des 16. Jahrhunderts, z. B. Witzel, Agricola, Dalechamp, Balduin, Surius, Just. Lipsius, Franz Spica, Latomus u. s. w. Die zweite Gruppe, die mit der sehr interessanten Darstellung des Kaspar Scioppius beginnt, führt den Verf. ins 17. Jahrhundert. Im dritten Capitel waltet das ethnographische Princip vor; es sind Engländer mehrer Jahrhunderte und Stände, selbst Karl II. und Jakob II. darunter. Das vierte Capitel bringt Franzosen, unter ihnen Pithou, Casaubonus, Launoy, Heinrich IV., Heinrich II. von Condé, P. Bayle, Dacier u. A. Im fünften Capitel sind blos Isaak Papin und Turenne enthalten, sowie im sechsten Johann III. und Christine von Schweden, die ihrer Eitelkeit Krone wie Glauben zum Opfer brachte. Dann kommt im siebenten Capitel eine Gruppe niederländischer und deutscher Gelehrten aus dem 16. und 17. Jahrhundert, und nun im achten die Kurfürsten von Sachsen: Friedrich August I. und II. (die hier irrig II. und III. genannt werden, weil sie August II. und III. als Könige von Polen hießen, wie auch Friedrich August I. nicht 1660, sondern 1670 geboren war). Bei den vielen Verzweigungen der Jesuiten auch nach Sachsen hin (welche unter den sächsischen Geschichtschreibern besonders Böttiger, soweit als ihm ohne Archive möglich, aufzuspüren und zu verfolgen gewagt hat) wird dieser Schritt in der Wiege des Protestantismus und von einem Nachfolger des großen Friedrich und Moritz leider erklärlich. In des eben genannten Verf. Buche (II, 261) würde der Autor die merkwürdige Spur von dem, dem Prinzen Friedrich August dem jüngern angethanen Zwang gefunden haben, indem dieser bei der Kaiserkrönung (1711) den dänischen Gesandten v. Weyberg um Gotteswillen bat, ihn zu retten, weil man ihn zur katholischen Religion zwinge, er aber in der Religion, in welcher er erzogen, leben und sterben wolle. Die Herzoge von Zeiz, Saalfeld, Lauenburg, Hildburghausen enden dies Capitel. Die mitgetheilten Briefe und Urkunden sind zwar alle gedruckt, dienen aber zur schicklichen Erläuterung. Die unglückliche Anna, des Kurfürsten Moritz Tochter und Wilhelm's von Oranien Gemahlin, finden wir nicht angeführt, wie denn auch ihre Conversion nicht erwiesen ist. Aus gleichem Grunde fehlt wol auch der berüchtigte Minister Graf Brühl. Im neunten Capitel sind einige hessische, im zehnten hanöverische und braunschweigische, im elften und zwölften pfälzische Prinzen und Prinzessinnen aufgeführt, Cap. 13 führt andere Fürsten und reichsunmittelbare Grafen und Herren, Cap. 14 den berühmten Friedländer, Pappenheim, Ranzau u. A., Cap. 15 Spangenberg, Pöllnitz (sehr anziehend), Loudon, Moltke, Taube, auch eine Elisabetha v. Ammon auf. Die sechszehnte Gruppe besteht fast ganz aus übergetretenen evangelischen Geistlichen. Im siebenzehnten Capitel sind v. Eckhard und Janoski (Jänisch, der Verf. des polnischen Gelehrtenlexikons) die wichtigern; dann folgt Winckelmann, wie schon bemerkt. Unter vielen Druckfehlern möchte (S. 256) Holstein-Marburg statt Norburg der bedeutendste sein. 20.

Mémoires, fragmens historiques et correspondence de Mad. la duchesse d'Orléans, princesse palatine, mère du Régent. Précédés d'une notice par *Philippe Busoni*. Première édition complète. Paris 1833.

Diese Memoiren, die bekanntlich nichts weiter sind als Auszüge aus den deutschen Briefen der Pfalzgräfin und nachmaligen Frau des Herzogs von Orléans, Bruders Ludwig XIV., waren unter der vorigen französischen Regierung verboten worden. Jetzt aber findet ihre Bekanntmachung nicht die geringste Schwierigkeit mehr, weshalb ein Verleger es für gut erachtet hat, eine neue Auflage mit Anmerkungen und einer Vorrede von Ph. Busoni zu veranstalten. Die Vorrede ist in dem neuern Style der französischen Schule geschrieben; dieser Busoni muß also wol ein junger Schriftsteller sein; denn die Jugend verräth sich an dieser etwas prätentiösen, kühnen und unregelmäßigen Schreibart. Was die Nachforschungen betrifft, so scheint er wenige angestellt oder Weniges gefunden zu haben; auch bemerkt er als eine Sonderbarkeit, daß diejenigen Memoiren, welche über die geringsten Personen am Hofe Ludwig XIV. ausführliche Nachricht geben, von der Herzogin v. Orleans beinahe ganz schweigen. Der geschwätzige Hofmann und Hofschreiber Dangeau, der die geringsten Vorfälle am Hofe seines Königs aufgezeichnet hat, und für welchen nichts so wichtig schien, als was sich an diesem Hofe zutrug, hat der Herzogin mit keiner Sylbe erwähnt, obschon sie den zweiten oder dritten Rang unter den Prinzessinnen hatte. Der Verf. der Vorrede schreibt dies der eingezogenen Lebensart der deutschen Pfalzgräfin zu, welche, wie St.-Simon in seinen Memoiren sagt, vom Morgen bis zum Abende dicke Briefe nach Deutschland schrieb, die Bildnisse ihrer Ahnen anschaute und, wie Frau von Sévigné sagt, mit zwei oder drei Hofdamen deutsch plauderte oder kauderwelschte (baragouinait). Das Deutsche schien der eleganten Hofdame wol kaum eine Sprache, sondern vielmehr ein baragouin, etwas Rothwelsches, das an einem Hofe gar nicht an seiner Stelle war. St.-Simon ist der einzige Memoirenschreiber, der sich etwas ausführlich über die deutsche Schwägerin Ludwig XIV. ausdrückt; da man jetzt eine vollständige Ausgabe seiner Werke besitzt, so kennt man auch sein ganzes fremäthiges Urtheil über dieselbe. Ihr Sohn, der Regent, sagt St.-Simon, fürchtete sich vor ihr und hatte keinen hohen Begriff von ihrem Verstande; deshalb war sein Vertrauen zu ihr auch nur mittelmäßig, und obschon man auf ihre Verschwiegenheit rechnen konnte, so fehlte doch viel daran, daß er ihr seine Geheimnisse anvertraut hätte. Anderswo sagt St.-Simon, sie habe mehr Männliches als Weibliches an sich gehabt (was sie übrigens auch selbst gesteht); sie habe sehr viel auf Ehre, Tugend und Scham gehalten und sei in Betreff des Wohlstandes unerbittlich gewesen; man habe sie leicht beleidigen, aber schwer versöhnen können, und sie habe mit erbärmlicher Kleinlichkeit über die Erfüllung der ihr zu erweisenden Schuldigkeiten gewacht. Dabei sei sie stark, muthig, gut und wohlthätig gewesen. Es ist schade, daß sich die deutschen Archive nicht alle geöffnet haben, um die ungeheuere Correspondenz dieser schreibenden Prinzessin ans Tageslicht zu fördern. Sicher stecken noch in den Archiven deutscher Fürstenhäuser manche Briefe der schreibseligen Pfalzgräfin, und mithin manche Anekdoten und Züge aus dem Hofleben der Zeit Ludwig XIV. und der Regentschaft, wie auch aus ihrem eigenen Leben, das noch immer nicht genau bekannt ist. Interessant wäre es allerdings, wenn auch die französischen Archive uns nähere Nachrichten von dem Leben dieser Herzogin von Orleans brächten; dazu ist aber wenig Hoffnung da. Alle Memoiren, welche zu jener Zeit geschrieben worden sind, hat man herausgegeben, und daß aus den übrigen Papieren wenig zu holen ist, beweist die neulich erschienene Geschichte der Regentschaft von Lemontey, worin sich wenig mehr befindet, als was Duclos und Marmontel bereits gegeben haben; obschon dem auf Einladung der Napoleon'schen Regierung schreibenden Lemontey die Staatsarchive geöffnet worden waren. Man müßte denn etwa voraussetzen, Lemontey habe die ihm dargebotenen Quellen schlecht benutzt, was jedoch nicht wahrscheinlich ist.

Das Leben der Pfalzgräfin am Hofe Ludwig XIV. gibt Veranlassung zu einer wichtigen Frage, derjenigen nämlich, woher es komme, daß die deutschen Prinzessinnen, welche durch Heirathen an den französischen Hof versetzt werden, dort so wenig Einfluß erhalten und dem Volke so wenig bekannt werden. Offenbar liegt die Ursache an ihrer Erziehung. Auch an dem kleinsten deutschen Hofe müssen die Prinzessinnen von der Nation fast getrennt leben und werden daran gewohnt, sich wie zu einem ganz besondern Geschlechte gehörig anzusehen. Werden sie nun an den großen französischen Hof versetzt, so sind sie ganz verwirrt, wissen sich mit der Nation nicht vertraut zu machen, müssen mit Verdruß bemerken, daß ihre guten Eigenschaften nicht gehörig geschätzt werden, weil sie selbst nicht die Kunst verstehen, sie an den Tag zu legen, bekommen wenig Einfluß und können daher auch wenig Gutes wirken. Man sieht sie als unbedeutend an und schätzt sie unter ihrem Werthe. Zuweilen erscheinen sie hochmüthig, da sie doch gern herablassend scheinen möchten, wenn sie nur wüßten, wie sie sich zu benehmen hätten. Zur Zeit der Pfalzgräfin war es damit noch viel schlimmer als jetzt. 74.

Erfahrungen eines jungen Magisters. Heidelberg, Mohr. 1832. 8. 20 Gr.

Confuser und unentwirrbarer als das vorliegende ist uns nicht leicht ein Buch vorgekommen; Oken's Naturlehre, oder Kreuer's und Eschenmayer's Mystik ist Kinderwerk gegen dies unergründliche Ringen, Streben und Kämpfen des Verfassers. Mit einem Wort, wir sind nicht klug aus ihm geworden. Daß er ringt, strebt und kämpft, daß eine dichte Masse unverdauter Wissenschaft und unvollendeter Erfahrung den Verf. peinigt, beängstigt und drängt, erkennen wir wohl, aber was er erstrebt, will oder bezweckt — das ist uns Geheimniß geblieben. Hin- und Widerreden zwischen einem Quartus und einem Sextus über Natur, Kunst, Erziehung und Staat bilden den Inhalt dieser 236 Druckseiten. Nirgend wird eine Ansicht, irgendwie und irgendwelche, klar; es sind Worte, weiter nichts wie Worte, oder wir sind mit Blindheit geschlagen. Ist dies der Fall, so muß der Verf. uns verzeihen und die ganze Welt in ein Narrenhaus sperren. Unter allen diesen Thematen ist ein einziges uns minder unverständlich geblieben als die übrigen. Es ist der alberne Streit über Göthe's Sittlichkeit S. 48 fg. „Du kannst nicht leugnen", sagt Quartus, „Göthen fehlt alle sittliche Kraft." „Freilich, was Ihr sittliche Kraft nennt", erwidert sein Gegner; „eine Kraft gebraucht er und pflegt er, und hat er nie geschmäht, seinen Genius. (Heißt das antworten?) Hütet euch, daß nicht euch und der Verrückung der Welt zur Last falle, was ihr an ihm unsittlich nennt! (Sehr wahr!) Wo hätten große Geister sich je in die Welt geschickt, die hier zu früh, dort zu spät gekommen und überall hinter dem Natürlichen zurückgeblieben. (Wer denn? die Welt oder die großen Geister? Ueberdies: wie kommt das hier in Frage?) Sollte die Welt wieder in Ordnung kommen, so glaub' mir, es muß durch Göthe und seinesgleichen geschehen. Christus wird nicht zurückbleiben." Doch genug des sinnlosen Geschwätzes, wiewol das Nachfolgende wirklich spaßhaft ist.

Wir haben es hier mit einem Autor zu thun, der, in keiner Beziehung an klares oder consequentes Denken gewöhnt, hochtönende Worte aufgefangen hat und der sie nun querfeldein dahinsprudelt, ohne daß er selbst oder ein Anderer ergründet, was er eigentlich will oder denkt. Wie solche Bücher, die schon vor ihrem Erscheinen Maculatur sind, gedruckt werden können, wenn es nicht etwa um der Officinen willen geschieht, wird uns ewig ein unauflösliches Räthsel bleiben. 89.

Literarische Notiz.

Antiromantische Zeitschrift in Paris.

„La revue théâtrale" ist ein neues Sonntagsblatt, welches zunächst das Theater im Auge hat, aber dabei nichts Geringeres im Schilde führt, als die sämmtliche neuere Literatur feindlich anzufallen und die Sünden der romantischen Schule zu strafen.*) Der bon-sens, sagt der Herausgeber, sei eine Perücke geworden, und das Französische sei nichts mehr als übersetztes Deutsch. Es gibt in der Kunst einen poetischen bon-sens, dessen Gesetze der Genius nie verkennen darf, und einen prosaischen, nüchternen, spießbürgerlichen; diesem hat die neuere Schule mit Recht die Perücke aufgesetzt; es ist dieselbe Perücke, welche die meisten Dichter unter Ludwig XIV. und bei uns Gottsched und Gesellschaft getragen. Das Uebergehen der deutschen Sprachformen in das Französische ist eine nothwendige Folge des geistigen Verkehrs beider Völker. Trotz ihres eignen Reichthums und ihrer wunderbaren Fähigkeit, sich aus sich selbst zu befruchten und zu erneuern, eignet sich unsere Sprache schon längst aus der französischen Dasjenige an, was zunächst ihrem Geiste und ihren Bedürfnissen entspricht; dergleichen intellectuelle Zuflüsse hemmen zu wollen durch ein Octavblatt mit vier Spalten ist ein thörichtes Unternehmen. Daß es noth thut, die Bühne in moralischer Hinsicht zu säubern und die Schaffotte, Todtenköpfe u. s. w. davon zu entfernen, darin stimmen wir mit dem Redacteur vollkommen überein; die Schuld liegt aber vielleicht ebenso sehr an dem Publicum als an den Dichtern. Wenn dieses an den Hinrichtungen und andern Greueln keinen Geschmack fände, so würden sie ihm nicht aufgetischt werden. 143.

*) Wir erwähnten der Zeitschrift schon in Nr. 180 d. Bl.
D. Red.

Redigirt unter Verantwortlichkeit der Verlagshandlung: F. A. Brockhaus in Leipzig.

Blätter
für
literarische Unterhaltung.

Mittwoch, —— Nr. 205. —— 24. Juli 1833.

Zur Beurtheilung des Dr. J. G. A. Wirth.

Ein Beitrag zur Bildungsgeschichte der politischen Ansichten.

Zweiter und letzter Artikel. *)

Die Angriffe der Censur, die nothgedrungene Vertheidigung gegen dieselbe, wenn nicht Wirth die seither behauptete Stellung völlig aufgeben wollte, die veränderte äußere Stellung des „Inlands" und insbesondere die fortdauernde Verzögerung der Zurücknahme der Censurordonnanz: dies Alles gab der Opposition des „Inlands" eine größere Schärfe, ohne sie jedoch bis zu leidenschaftlicher Bitterkeit zu steigern. Allerdings wurden jetzt zuweilen zwischen der bairischen Censurordonnanz vom 28. Januar 1831 und den Ordonnanzen Polignac's Parallelen gezogen; die Nothwendigkeit eines Ministerwechsels sowie einer Versetzung des Ministers des Innern in den Anklagestand wurde bestimmter hervorgehoben, und zugleich wurden, im Gegensatze mit Rudhart u. A., diejenigen Abgeordneten hauptsächlich gepriesen, welche von der Ansicht ausgingen, daß allen vom Ministerium Schenk herrührenden und nur halbe Reformen bezweckenden Gesetzesentwürfen die ständische Zustimmung verweigert werden müsse. Allein auf der andern Seite zollte Wirth dem Verwaltungsystem des Finanzministers Grafen von Armansperg das größte Lob, und auf den Staatsrath von Stürmer, der mit Ausarbeitung des neuen Preßgesetzentwurfs beauftragt war, setzte er volles Vertrauen. Als sodann die Entfernung des Ministers des Innern von seinem bisherigen Amte erfolgte, und als ein Gesetz über die Verantwortlichkeit der Minister verhießen wurde, glaubte er die Gefühle der Verehrung gegen den König sowie seinen Dank gegen die Kammer laut und öffentlich äußern zu müssen (Nr. 139). Diese Erscheinungen im öffentlichen Leben Baierns begrüßte er zugleich mit den lebhaftesten Hoffnungen auf die Zukunft, die ausdrückliche Bemerkung beifügend, daß man auch Grund genug habe, bei der Gegenwart sich zu beruhigen, wenn man nur die Ungeduld, womit das Bessere erwartet werde, zu zügeln wisse und den Erfahrungssatz beherzige, daß dieses Bessere selten durch Sprünge und gewöhnlich nur allmälig durch ausdauernde Anstrengung zu erreichen sei (Nr. 141).

Unmittelbar nach diesen Herzensergießungen wurde jedoch der lange erwartete Entwurf eines Preßgesetzes den Ständen wirklich vorgelegt, und so plötzlich seine Hoffnungen erweckt worden waren, so plötzlich wurden sie wieder zu nichte gemacht. Ueber periodische Blätter und in Ansehung solcher Nachrichten und Aufsätze, welche die Verhältnisse des deutschen Bundes, der einzelnen deutschen Staaten gegeneinander und auswärtiger Staaten betreffen, sollte die Censur beibehalten werden; die Redactionen sollten zu hohen Cautionsleistungen verpflichtet sein; die Bekanntmachung der von der Censur gestrichenen Stellen wurde bei Strafe verboten; die Misbräuche der Presse sollten mit hohen Strafen geahndet und die Staatsbürger selbst für solche Aufsätze, die sie im Auslande drucken lassen, vor inländische Gerichte gestellt werden. In diesem Entwurfe eines Preßgesetzes erblickte Wirth eine „unglückselige Halbheit, das Grab der Freiheit der Meinungen und die völlige Vernichtung der Presse" (Nr. 143, 144). Um so bitterer mußte ihm aber das Gefühl getäuschter Erwartung sein, als selbst die Vorlage des neuen Preßgesetzentwurfs noch immer von keiner Zurücknahme der Censurordonnanz vom 28. Januar 1831 begleitet war. Da indessen bald darauf diese Zurücknahme erfolgte, so nahm Wirth, wie wenig ihn auch die projectirte Gesetzgebung befriedigte, hiervon dennoch Veranlassung, seine Huldigung gegen den „edeln Monarchen" wiederholt auszusprechen (Nr. 151).

Der Staatshaushalt während der Jahre 1826—29 war inzwischen in dem Rechenschaftsberichte des zweiten Ausschusses der Abgeordnetenkammer genauer beleuchtet worden, und Wirth glaubte darin genügende Gründe zu finden, um sein früheres beifälliges Urtheil über die Finanzverwaltung wesentlich berichtigen zu müssen. Namentlich hatte der zweite Ausschuß mehre ziemlich beträchtliche Ausgabeposten für Anschaffung von Gemälden aus dem für den öffentlichen Unterricht bestimmten Fonds, für Erbauung des Odeons in München, eines nur zu gesellschaftlichen Vergnügungen bestimmten Gebäudes, für Erbauung der Pinakothek, für Bauten im Bade Brückenau u. s. w. aus dem einfachen Grunde beanstandet, weil dieselben den Charakter eigenmächtiger und nicht zu rechtfertigender Ausgaben offenbar an sich trügen. Diese Ausgaben bemühte sich der Finanzminister, wenn nicht zu rechtfertigen, doch zu entschuldigen. Gegen den Exculpa-

*) Vgl. den ersten Artikel in Nr. 186 und 187 d. Bl. D. Red.

tionsversuch desselben trat Wirth mit einem ausführlichen Aufsatze in den Nummern 163—165 des „Inlands" auf, der zu den vorzüglichsten gehörte, die er bis jetzt verfaßt hatte und mit um so größerm Feuer geschrieben war, je größer ihm das Unrecht erschien, welches, seiner Ueberzeugung nach, durch solche budgetwidrige Verwendung am Vermögen des Volkes begangen worden war. Von jetzt an war ihm der Finanzminister nicht mehr der „edle Graf", sondern ein Staatsbeamter, der einzig und allein „einem noch schwerer Beschuldigten gegenüber bisher in hellerm Lichte erschienen sei". Er rügte namentlich die „kleinlichen Verkürzungen und am unrechten Orte angebrachten Abzwackungen", während gleichzeitig diese Ersparnisse im hundertfachen Mehrbetrage für Gegenstände ausgegeben worden seien, die selbst des Scheins des Bedürfnisses, des Nutzens und der Nothwendigkeit ermangelt hätten. Hiermit sprach er also über das ganze Verwaltungssystem des Grafen Armansperg ein verdammendes Urtheil aus, und wenn man früher da und dort die Meinung äußern hörte, daß sein öffentliches Verhalten gegen den Minister der Finanzen und des Auswärtigen vielleicht nicht ganz ohne persönliche Absicht sei, so mußte doch nunmehr auch diese Meinung völlig verschwinden.

Während dieser Zeit hatten die bairischen Ständeverhandlungen so ausschließend die Thätigkeit der Redaction des „Inlands" in Anspruch genommen, daß zur Behandlung anderer Gegenstände, namentlich der auswärtigen Politik, wenig Zeit und Raum übrig blieb. Immer läßt sich jedoch bemerken, daß in dem Maße, wie die Opposition Wirth's, der bairischen Regierung gegenüber, entschiedener und allgemeiner wurde, so auch seine Ansichten über auswärtige Politik eine entsprechende Entwickelung fanden. Ueber Preußen und Oestreich, „deren Regenten den Willen zur Unterdrückung des constitutionnellen Princips deutlich an den Tag legten", äußerte er sich z. B. nicht mehr in der frühern geneigten Weise, sondern leitete vielmehr aus der Pflicht der Selbsterhaltung für die constitutionnellen deutschen Staaten die Foderung ab, sich an das constitutionnelle England und Frankreich so lange enge anzuschließen, als noch Preußen, das von der Natur dazu berufen sei, an der Spitze der deutschen Völker zu stehen, im Kampfe mit dem Zeitgeiste befangen bleibe. Gleichwol solle nicht davon die Rede sein, der Krone Preußen die übereilte, augenblickliche Einführung einer Repräsentativverfassung abzutrotzen. Schon dann werde vielmehr dem Auslande gegenüber ein enge verbündetes und starkes Deutschland dastehen, wenn durch „das Wort des Monarchen" nur einige Garantie gegeben, und wenn von Seiten Preußens nur der feste Entschluß verkündet werde, seinen Völkern die Wohlthat der Verfassung wirklich gewähren zu wollen (Nr. 139).

Da mittlerweile das „Inland" aus jeder frühern Beziehung zum Ministerium herausgetreten war, so gab die Verlagshandlung dieses Blatt mit Ende des ersten Semesters 1831 auf (Nr. 156). Hiermit gleichzeitig kündigte Wirth die Herausgabe seiner „Deutschen Tribune" an, als deren Hauptthema die allgemeinen deutschen Angelegenheiten, jedoch mit besonderer Beachtung der bairischen Staatsangelegenheiten, bezeichnet wurden. Der bairischen Regierung gegenüber sollte dieses Blatt das System entschiedener und nachdrücklicher Opposition oder eifriger und nachdrücklicher Unterstützung annehmen, je nachdem dieselbe auf der constitutionnellen Bahn Rückschritte oder Fortschritte zu machen und den Interessen und Bedürfnissen der Nation zuwider oder gemäß zu handeln geneigt sei.

Einen Gegenstand, der bisher nicht in genauere Betrachtung gezogen war, fand die Opposition der „Deutschen Tribune" in der Militairorganisation Baierns sowie in der Rechtfertigung einer nothwendigen Beeidigung des Militairs auf die Verfassung. In Ansehung des letztern Punkts wurde bekanntlich von einem Theile des bairischen Offiziercorps für und wider Partei genommen, und durch einen heftigen Angriff in einem von ungehörigen Persönlichkeiten nicht freien Aufsatze der „Münchner politischen Zeitung" fühlte sich Wirth berufen, die Ansichten, welche er mit der Feder vertheidigt hatte, auch mit den Waffen zu vertreten („Deutsche Tribune", Nr. 7).

Wenn fortan die Opposition der „Deutschen Tribune" gegen das Regierungssystem in Baiern immer schärfer sich ausprägte, so trat sie doch auch jetzt keineswegs blos verneinend auf. Namentlich in Betreff des schon vielfach besprochenen Preßgesetzentwurfs, erklärte Wirth wiederholt, daß er weit entfernt sei, das viele Gute darin, besonders über die Geschworenengerichte, zu verkennen. Nur Modificationen in dem Maße der Cautionen, gänzliche Abschaffung der Censur und klare, dem Ernste der Gesetzgebung entsprechende Bestimmungen, an der Stelle der durchaus unbestimmten, jeder willkürlichen Auslegung preisgegebenen Begriffe von Spott, Schmähung u. s. w. schienen ihm nothwendig; erfolgten aber solche Modificationen, so werde Baiern in den Anstalten zur Sicherung der Geistesfreiheit den Vergleich mit andern gebildeten Nationen nicht zu scheuen haben und mit Stolz auf den König und die Nation hinweisen können, welche Beide im Lichte der Zeit sich vereinten, um den Nachkommen die theuersten, edelsten Güter des Lebens zu sichern (Nr. 23). Gleichzeitig suchte er sich indessen in seiner Stellung gegen die Censur zu behaupten, indem er jetzt die gestrichenen Stellen im Blatte selbst abdrucken ließ, von der Ansicht ausgehend, daß eine Widersetzlichkeit gegen eine willkürliche Censur nicht nur erlaubt, sondern durch moralische Gesetze geboten sei, und daß jede Censur als willkürlich betrachtet werden müsse, welche, im Widerspruche mit ihrem allein denkbaren Zwecke, einer Verhütung von Gesetzübertretungen, Strafen dictire, ohne doch nur im Stande zu sein, die angeblich übertretenen Gesetze namhaft zu machen (Nr. 76, 77, 78).

Schon aus den letzten Nummern des „Inlands" ist zu ersehen, daß die Hoffnungen, welche Wirth früher auf eine entschieden freisinnige Majorität in der Deputirtenkammer gesetzt hatte, etwas herabgestimmt waren. Hiernach sprach er die Befürchtung aus, daß vielleicht die Kammer bei Votirung des Budgets die constitutionnelle

Feuerprobe nicht bestehen werde. Diese Besorgniß hielt er durch die Abstimmung über das Militairbudget für gerechtfertigt. Er bezeichnete dieselbe als einen Sieg des juste milieu, da sich die beschlossene Reduction nur auf 1,200,000 Gulden belaufe, während der zweite Ausschuß eine Verminderung von 1,700,000 Gulden beantragt und gründlich motivirt habe. Bei derselben Gelegenheit bestritt er die Behauptungen des Abgeordneten Seuffert, der den Antrag auf Beeidigung des Militaires als gefährlich zurückgewiesen hatte, weil hierdurch die Meinung erweckt werden dürfte, daß die Armee gegenwärtig zur Beobachtung der Verfassung nicht verbunden sei, und der überdies die Ansicht vertheidigte, daß der Kammer nicht die Befugniß zustehe, an das Ausgabebudget Bedingungen zu knüpfen (Nr. 97). Noch wärmer äußerte er sich, als er davon Kenntniß erhielt, daß eine große Zahl der bairischen Deputirten beabsichtige, ihre frühere Abstimmung über das Preßgesetz zu ändern und dem Entwurfe der Regierung auch ohne die Bedingung der völligen Aufhebung der Censur ihre Zustimmung zu ertheilen (Nr. 35). Als sodann wirklich und zwar auf den Vorschlag Seuffert's der Regierung das verfassungsmäßige Recht einer vorübergehenden Einführung der Censur zugestanden wurde, und sonach Wirth's feurigster Wunsch zu nichte geworden war, da ließ er in dem Aufsatze: „Deutschlands Schande", seinem Eifer gegen die Majorität der Abgeordneten, insbesondere gegen Seuffert, völlig den Zügel schießen (Nr. 116 und 117).

(Der Beschluß folgt.)

Friedrich's des Großen eigenhändige Marginalresolutionen.

Im zweiten Bande der Biographie Friedrichs II. von J. D. E. Preuß findet sich (S. 222—235) eine große Anzahl eigenhändiger Marginalresolutionen des großen Königs. Einige davon wollen wir als ein Schaugericht mittheilen, um dadurch die Aufmerksamkeit um so mehr auf dies sehr merkwürdige Buch hinzuwenden.

Aus dem Jahre 1763. 18. Gesuch des Pierre Challé um die Pension von 75 Thlr., so seiner verstorbenen Ehefrau als französischer Hebamme accordirt worden. „er Kan ja nicht accouchiren." *)

Aus dem Jahre 1764. 19. Gesuch des Grafen von der Lippe-Detmold um Berücksichtigung der Stadt Lippstadt beim Verkauf von Festungsgrundstücken. „Wague antwort betreffen [illegible], das nichts bedeutet."

[illegible] Verwendung des Domcapitels zu Breslau für den Fürstbischof, [illegible] ihm ein Theil der bischöflichen Revenuen zum Unterhalt [illegible] gelassen werde. „er mus Seine Schulden bezahlen [illegible] ohnsträflich Seindt."

[illegible] Creditoren des Grafen von Giannini bitten, das [illegible] Forderungen delegirte Judicium aufzuheben. „Die [illegible] im lande kan auf Keiner art geändert werden [illegible] Regiren Müßen."

[illegible] Gesuch des Lieutenant von Winterfeldt um [illegible] Thlr. gegen leidliche Zinsen zur Conservation seines [illegible] Kein Banquiér."

[illegible] 1766. [illegible] Beschwerde des S. M. Prinzen von [illegible], daß seine Heirath von seinen Geschwistern [illegible] Begierde) noch immer für Mesalliance [illegible] „[illegible] Fet und Schmirige Buter —

[illegible] auf die Orthographie der Originale überall beibehalten.

1766. 48. Gesuch des münsterschen Capitains von Plettenberg um Verleihung eines eröffneten Lehens. „Die Sachen die ich zu Vergeben habe Seindt vohr Keine Fremden Sondern vohr Leute, die den Stat bühnen."

50. Die verwittwete von Hake bittet um Erlaubniß, Leinen und Taffent in einer Lotterie von 2500 Loosen ausspielen zu dürfen. „ob sie meinet das ich so einfältig bin nicht zu Merken das Sich Kaufleute hinter ihr gestochen haben umb mit Tast die Contrebande zu machen? Sie mögte Mihr mit Solchen unbesonnenen bitten verschonen oder ich würde sehr übele opinion von ihr haben."

1767. 56. Der Artillerielieutenant Spangenberg, ein natürlicher Sohn des 1767 verstorbenen Obersten von Kette, bittet ihn zu legitimiren. „Wer wirdt alle Hurkinder naturaliseiren."

30. März 1768. 60. Der Buchhändler Kanter in Königsberg in Pr. bittet um den Titel als Commerzienrath. „Buchhändler, das ist ein honneter Titel."

1770. 68. Der Capitain und Quartiermeister von Diebitsch bittet um Versetzung zu einem Regiment. „er weis Selber nicht was er Wil, er ist bey die Cadets gewesen, dann Quartier Meister. Nuhn wider bey ein Regiment, Wint, Wint, Wint."

1771. 71. Der Hofprediger Cochius zu Potsdam bittet um eine Stelle beim Dom zu Berlin. „Jesus Saget mein Reich ist nicht von dießer Welt So müßen die Prediger auch denken, dann Predigen Sie Nach Ihrem Thodt im Duhm vom Neuen Jerusallem."

1773. 81. Der Professor Borelli überreicht den Prospect der von ihm herauszugebenden periodischen Schrift. „wird nicht vil Fortun damit machen, wen er repetirt Was schon 100 mal gesagt ist."

85. Der Geheimrath von La Motte bittet das gegen seinen Schwager, den gewesenen Ordenskanzler von Münchow ergangene Urtheil nicht in den öffentlichen Blättern bekannt zu machen. „es mus in dergleichen Fälle grade durch gegangen und derjenige, welcher infamien begehet und wenn er von Königlichen Geblüte wäre bestraft werden."

86. Der Kammerherr von — zeigt an, daß er für die dem Prinzen Friedrich von Dänemark zugeeignete Schrift über seine Genealogie eine Dose und Brillantring erhalten habe. „ich gratulire daß die Betteley so gut reussiret."

1775. 88. Der ehemal. neumärkische Kriegsrath Winckelmann zeigt an, daß sein Onkel, Recker in Frankreich, ihn bei seinem Departement anstellen wolle und bittet um Erlaubniß zur Reise dorthin. „hat er hier gestolen, so kann er immerhin dahin gehn und auch Stelen."

92. Die Kaufleute Krüger et Comp. in Berlin bitten um Unterstützung und Concession zur Anlegung einer Arak- und Rumfabrik. „ich wills den Teufel thun ich wünsche daß daß giftig garstige Zeug gar nicht da Wäre und getrunken würde."

16. Aug. 1776. 93. Der schweidnitzische Dominikanerconvent bittet zur Reparirung seiner im letzten Kriege durch Bombardement und Belastung mit Magazingetreide ruinirte Kirche 10,000 Thlr. zu accordiren. „Pacientia es Seindt So vihle Städte abgebrannt, die den Vorzug vor einer Kirche haben."

1777 und 1778. 94. Der Chirurgien major Poirier bittet, die französischen Chirurgiens pensionnaires seiner Aufsicht zu unterwerfen. „ich Will keine Franzosen Mehr, sie Seynd gar zu lieberlich und machen lauter lieberliche Sachen."

1779 und 1780. 99. Der Generalmajor von Rothkirch bittet um eine Präbende für eine seiner Töchter. „es seynd 30 bis 40 anwartschaften auf jeder Stelle. Er soll hübsch Jungens Machen die kann ich alle unterbringen aber mit die Madams Weiß ich nirgends hin."

105. Auf den Antrag der Minister vom 7. Juli 1784 dem nach London bestimmten Legationssecretair T. 400 Thlr. Reisegeld und einem andern P. 150 Thlr. anzuweisen, erfolgte

die eigenhändige Antwort: „Toujours de l'argent; je n'ai rien."

Die letztere Antwort gab der König gern seinen Staatsmännern und Generalen, wie dem Grafen Görtz: „il faut donc payer, mais nous n'avons pas d'argent." (Denkwürdigkeiten, I, 255) und dem General Rüchel (s. dessen Leben von Fouqué, I, 48) wegen eines anzukaufenden, schönen Chrysopras: „ich würde ihm gern Geld geben, aber ich habe selbst nichts." Vgl. auch Preuß I, 361 fg. 39.

Romanenliteratur.

1. Lady Johanne Gray, die Unschuldige. Historisches Gemälde frei nach Walter Scott von Heinrich Müller. Zwei Theile. Braunschweig, Meyer sen. 1833. 8. 2 Thlr. 12 Gr.

Nachdem die Tragöden endlich einsehen lernen, daß die ganz flecken- und leidenschaftslose Unschuld keine Tragödienheldin sein kann, daß sie gleich ihren himmlischen Reiz, reinste Jungfräulichkeit einbüßen würde, sobald der Dichter ihn in Worte kleiden wollte; nachdem also dem Anscheine nach der oft probirte, stets misrathene Versuch, die Person der schuldlosen Dulderin Johanne Gray bühnengerecht zu machen, aufgegeben ist, fängt man an, ihre Geschichte in Romanenform zu bearbeiten, was unstreitig weit passender ist, indem die Erzählung der Anrechte dieser jugendlichen Eintagskönigin hier nicht ermüdet, Activität auch im Roman nicht wie in der Tragödie von ihr gefodert wird. Die wahre Geschichte erfuhr wenig Zusätze, blos die verbindenden Mittelglieder wurden zugefügt und die Triebfedern offen dargelegt. Lady Johanna ist liebenswürdig geblieben, und das ist viel; solche Holdseligkeit, wie dies kaum entknospete Mädchen besitzen mochte, läßt sich nur verderben, nicht erhöhen. Der Verf. hat mit Achtung für Charakterwahrheit sie und die übrigen Haupt- und Nebenfiguren dargestellt, nur gegen die nachmalige Königin Elisabeth war er nicht gerecht, vielleicht zu parteiisch. Sie ist zwar auf ihr Wissen und ihre Persönlichkeit eitel, aber dabei offen und bis zur Unbesonnenheit verliebt, was die kluge, die Verstellungskunst meisterlich übende maiden queen doch auch in ihrer ersten Jugendblüte nicht gewesen. Man wird ihr Portrait schwach in der Zeichnung und dem unähnlich finden, welches Walter Scott uns im „Kenilworth" von ihr entwarf; so viel Referenten bekannt, das einzige von diesem Meister, denn als Nebensonne einer Johanna konnte sie aus dem einfachen Grunde nicht erscheinen, weil Walter Scott nie jene schöne Unglückliche zur Heldin eines seiner Romane erkieste. Es müßte denn dem Verf. ein bisher unbekanntes Werk des großen Dichters zu Gesicht gekommen sein, wovon Niemand auch nur eine Ahnung gehabt; ein Fall, der nicht gradezu unmöglich, aber doch sehr unwahrscheinlich ist.

2. Renate. Novelle von Wilhelmine von Gersdorf. Zwei Bändchen. Leipzig, Engelmann. 1833. 8. 1 Thlr.

Ein habsüchtiger, gewissenloser Vormund, der das Erbe seines Mündels und Neffen dem eignen tückischen Bastardsohne zuwenden möchte, gibt Veranlassung, daß des abwesenden Neffen Gattin ihr Töchterlein aussetzt, das erst als herangeblühte Jungfrau den Vater kennen lernt, der nichts eiliger zu thun hat, als sie und ihren Geliebten zu segnen. Griechen und Polen, Seeräuber, Schwärzer, Wilddiebe und eine bunte Scenerie sind als haut goût dem Rührei beigemischt, sodaß Niemand das Gericht (obendrein hat's keine lange Brühe) fade schelten darf.

3. Eduard. Eine Erzählung in Briefen. Leipzig, Frohberger. 1832. 8. 14 Gr.

Das Wunderlichste am ganzen Büchlein ist, daß die beiden Damen und der Herr, an die geschrieben wird, nicht gleich nach den ersten Briefen ihrer respectiven Correspondenten die Geduld verlieren und unverblümt zu erkennen geben, daß man sie fürderhin mit Sendschreiben verschonen möge, in denen Gedanken seltener sind als Goldstücke in einer Armenbüchse. Der Held, von dem es einmal heißt, sein Auge glühte wie der Krater des Aetna, liebt eine verheirathete, etwas kokette Dame und ein zartes Fräulein, das von der Maßliebchen- alias Gänseblümchennatur Einiges an sich hat. Weil er nun nicht weiß, zu welchem Heubündel sich wenden, erschießt er sich, a posteriori beweisend, daß er wirklich einen Schuß Pulver werth gewesen.

4. Interessante Erzählungen von Gustav Nagel. Leipzig, Frohberger. 1832. 8. 20 Gr.

Pest und Folterscenen, Seestürme, Räuber, bösartige Zauberer, türkische Justiz, leidenschaftliches Leben und Verkehrtheit ungerechnet, wären hinlängliche Materialien, um vier Schauderromane damit zu füllen. Und doch wurden nur vier nicht lange Erzählungen daraus, die sich angenehm weglesen, die durch grausigen Ekel, sündige Zerrbilder nicht anwidern, sogar die erste nicht mit dem tragischen Ausgang und den Pest- und Foltersolos.

5. Die Insel. Historisch-romantische Erzählung aus Rußlands und Polens Vorzeit. Vom Verf. des „Zar von Casimow". Weimar, Gräbner. 1832. 8. 20 Gr.

Mord und Todtschlag, ansehnliche Greuel, von Usurpatoren, Häuptlingen, heidnischen und christlichen Priestern verübt, einige O's und Ach's der liebenden, leidenden und zuletzt triumphirenden Unschuld, und das Buch, vornehm historisch-romantisch getauft, war fertig. 1[?].

Lo spasimo di Sicilia.

Rafael Mengs, in einem einzeln gedruckten Schreiben an Pons, worin er von dem berühmten Gemälde Rafael's spricht, Lo spasimo di Sicilia genannt, an das die kunstliebende Welt eben jetzt wieder durch Toschi's vortrefflichen Kupferstich lebhaft erinnert wird, sagt: Christus scheine auf diesem Bilde eben die prophetischen Worte zu sprechen: „Ihr Töchter von Jerusalem, weinet nicht über mich, sondern weinet über euch selbst und über eure Kinder." Dies will sogleich nicht einleuchten, da in der Gruppe der Weiber neben der Mutter Christi und außer Magdalenen sich nur zwei Heilige befinden, die Maria Jesu und Salome zu sein scheinen. So erscheint das Wort: „Ihr Töchter von Jerusalem" nicht ganz passend.

Indeß erhält Mengs' Annahme mehr Wahrscheinlichkeit, wenn man im „Flos sanctorum" liest: „Christus sank vor Schwäche an die Erde; aber der Beistand, den man ihm bot, waren Stöße, Tritte und Schläge. Einige suchten ihn vom Boden aufzubringen, indem sie ihn bei den Haaren zogen, Andere an dem Seile, welches ihm um den Hals geschlungen war. Er schien sich nach seinen Jüngern umzusehen, und vielleicht sprach er: „O Petrus, wo bist du jetzt? Und du, meine heiligste Mutter, was machst du? wo bist du? Sähe ich dich, dann würde ich einigen Trost gewinnen." Als die heilige Jungfrau dieses hörte, drängte sie sich durch die Menge und eilte, ihren Sohn zu umarmen. „Ach, mein Sohn", sprach sie, „siehe mich hier, wie ich dieselben Schmerzen empfinde wie du!" Der Sohn Gottes empfand den einzigen Trost, dessen er jetzt theilhaftig werden konnte. Aber die Diener der Gerechtigkeit trennten Sohn und Mutter bald, obgleich keiner etwas that, was die Jungfrau beleidigt hätte; sie sahen, daß sie die Mutter Dessen war, den sie zum Tode führen wollten, und daß Das erlaubt sei, was sie that. Die heiligen Jungfrauen, die Marien begleiteten, und andere, welche das traurige Schauspiel ansahen, fingen alle vor Mitleid an zu weinen. Da wandte sich der Sohn Gottes, wie nicht achtend des geringen Trostes, der ihm ward, zu ihnen, um sie zu trösten, und sprach: „Ihr Töchter von Jerusalem, weinet nicht über mich u. s. w."

Sollte nicht Rafael, als er mit der Schöpfung seines seelen- und geistvollen Bildes umging, diese, oder eine ähnliche Schilderung im Gedanken gehabt haben, die er freilich seiner Kunst gemäß gestaltete. 85.

Redigirt unter Verantwortlichkeit der Verlagshandlung: F. A. Brockhaus in Leipzig.

Blätter

für

literarische Unterhaltung.

Donnerstag, —— Nr. 206. —— 25. Juli 1833.

Zur Beurtheilung des Dr. J. G. A. Wirth.

Ein Beitrag zur Bildungsgeschichte der politischen Ansichten.

Zweiter und letzter Artikel.

(Beschluß aus Nr. 205.)

Nicht mit Unrecht mag man da und dort manches tadelnde Urtheil, welches der Redacteur der „Deutschen Tribune“ über Einzelne fällte, für allzu heftig und übereilt gefunden haben. Auch hier wird man jedoch dessen ganze, leicht erregbare Individualität in Anschlag bringen und beachten müssen, daß er auf der andern Seite ebenso geneigt war, im ungemessenenen Lobe Einzelner allzu weit zu gehen. So nennt er z. B. einen später als Staatszeitungschreiber verunglückten Literaten, der in dieser Eigenschaft als heftiger Gegner der „Deutschen Tribune“ sich geltend zu machen suchte, „einen der genialsten Schriftsteller“ und beehrt ihn sogar mit dem Titel eines „großen Mannes“. Er sagt dies in einem Aufsatze, welcher „Das politische Schaukelsystem“ betitelt ist (Nr. 72) und sonach freilich grade durch jenes spätere Auftreten des „großen Mannes“ zur bittern Satire umschlagen mußte. Wenn es richtig ist, was in öffentlichen Blättern versichert wurde, daß der Gepriesene zur Zeit, als dieser Aufsatz in der „Deutschen Tribune“ erschien, Mitarbeiter derselben und Verfasser mehrer von der Regierung besonders beanstandeter Artikel gewesen ist, so läßt es sich einigermaßen erklären, warum ihm der Redacteur des Blattes solche Lobsprüche zollte. Dies thut jedoch der Richtigkeit der Behauptung keinen Eintrag, daß der arglose Wirth in seiner Hingebung an einzelne Personen und in seiner Ueberschätzung derselben gar leicht in den Fall kam, bedeutende Fehlgriffe zu thun.

Ueber die Tendenz der „Deutschen Tribune“ im Allgemeinen erklärte sich Wirth fortwährend dahin, daß jederzeit ein revolutionnaires System ein strafbares sei, daß er aber so wenig revolutionnaire Absichten habe, als solche im Geiste der Verfassung selbst liegen könnten. Er spreche vielmehr für den Ruhm und die Erhabenheit des Königthums, für Gesetz und Ordnung, Verfassung und allgemeines Interesse, worin sich König und Volk befreundet begegnen und unzertrennlich vereinigen. Nur Unverstand und Bosheit könne ihm eine revolutionnaire Tendenz zutrauen, und indem er aufrichtige Versöhnung mit den Bedürfnissen und dem Geiste der Zeit anrathe, handle er als treuer Diener, nicht als Feind des Königthums und der Gesetze (Nr. 11). Als den „erhabenen und wahrhaft göttlichen Beruf“ der Fürsten bezeichnete er die klare Erkenntniß eines würdigen Ziels der Staatsgesellschaft, die Wahl der Männer, welche, Jeder an seiner Stelle, für das besondere Geschäft fähig seien, sowie endlich die kraftvolle Aufsicht, damit alle Triebfedern des politischen Lebens harmonisch zusammenwirken. Jeder Staatsbürger werde freudig ein Royalist sein in jedem Lande, wo die Könige diesen Beruf erkennen und bethätigen wollten; aber grade solche reine Royalisten müßten mit Unwillen gegen Diejenigen erfüllt werden, welche die Fürsten zu Werkzeuge ihres Eigennutzes herabzuwürdigen, die Liebe und Verehrung des Volkes gegen dieselben zu vergiften, Zwietracht und Unfrieden auszusäen und die Regierung in eine feindliche Stellung gegen die Nation zu setzen suchten (Nr. 12). In einem etwas später erschienenen Aufsatze sagt er sodann selbst, daß er nicht eher der Unbilden der Censur sich habe erwehren können, als bis er sich einer Sprache bediente, welche, gegen eine edle, erleuchtete Gesinnung sehr am unrechten Orte, hier allein wirksam gewesen sei, „und daß also die verkehrte Maßregel selbst das Uebel hervorgerufen, das sie hätte verhindern sollen“ (Nr. 26).

Eine noch ziemlich umwundene Vertheidigung der Volkssouverainetät und diese nur in besonderer Beziehung auf die gegenwärtige französische Regierung findet sich in Nr. 34 der „Deutschen Tribune“. Hiermit verband Wirth zunächst nur den Begriff einer Anerkennung der allgemeinen Interessen, Bedürfnisse und Sitten einer Nation, im Gegensatze zu den besondern Interessen, Bedürfnissen und Sitten einer Kaste, welche vorgebe, in dem Zufalle der Geburt das ewige Recht zu einer für sie vortheilhaften Beherrschung der Nation erlangt zu haben. Auch galt ihm die Versöhnung der Könige in Deutschland mit dem constitutionnellen Princip als das einzige untrügliche Mittel zur Beförderung des Interesses aller deutschen Volksstämme und aller deutschen Fürsten (Nr. 42).

Wie sehr es ihm mit diesen Ansichten Ernst war, zeigte er auch in der Beurtheilung der auswärtigen, politischen Verhältnisse. Die allgemeine Tendenz der europäischen Völker war ihm das Streben, die unabweisliche Reform der bürgerlichen Gesellschaft mit den Regierungen zu Stande zu bringen, denn der Kampf beginne erst, sobald die Regierungen die Aufgabe des 19. Jahrhunderts verkannt hätten. Was namentlich die französische Politik betrifft, so tadelte er zwar ihre Unentschlossenheit und Schwäche in ihrer Stellung gegen das Ausland, und daß sich dieselbe ausschließend auf eine Partei stütze, auf die des sogenannten juste milieu; aber zugleich schienen ihm doch auch die republikanische und karlistische Partei in Frankreich ein böses Spiel zu treiben. Von einem an die Präfecten wegen der neuen Wahlen erlassenen Umlaufschreiben des Ministeriums Périer nahm er daher Veranlassung, den durchaus constitutionnellen Geist dieses Circulars zu rühmen, welches den Wunsch der Regierung ausdrücke, durch wahrhaft freie Wahlen die Gesinnung der Nation kennen zu lernen (Nr. 3). Nicht weniger bezeichnet er das Resultat der Wahlen als ein glückliches, da bereits in vielen Departements gemäßigte Männer ernannt worden seien, die keiner der äußersten Factionen, auch nicht dem äußersten juste milieu angehörten.

Bald darauf erhielt jedoch die „Deutsche Tribune" aus Frankreich selbst mehre Correspondenzartikel, welche, die Verhältnisse in deutlicherer Nähe betrachtend, am Systeme der französischen Regierung weniger zu loben fanden und unter Anderm aus der Thronrede, womit am 23. Juli 1831 die französischen Kammern eröffnet worden waren, den Beweis abzuleiten suchten, daß diese Regierung die Bedeutung der Zeit nicht verstehe und, von einer engherzigen Politik umstrickt, weder die Interessen Frankreichs zu fördern, noch die Sache der Menschheit zu schützen wisse (Nr. 24 und 26). Vielleicht erst hierdurch aufmerksamer gemacht auf die wahre Bedeutung der französischen Politik, trat nun auch Wirth mit schärferer Rüge gegen das System Périer's, „eines mechanischen, von Ideen entblößten Kopfes", auf, der es sich zur Aufgabe gemacht zu haben scheine, die Nation von dem Ziele zurückzuhalten, dem sie nach der Natur der Verhältnisse entgegenstreben müsse (Nr. 38 und 55). Dieser Tadel wurde, als Warschau in die Hände der Russen gefallen war, bitterer und unbedingt ausgesprochen (Nr. 93).

Es entsprach der angekündigten Tendenz der „Deutschen Tribune", daß Wirth fortan und vorzugsweise die Verhältnisse des deutschen Gesammtvaterlandes zum Gegenstande der Besprechung nahm. Aber auch seine Ansichten von der Nothwendigkeit und von der Art und Weise einer politischen Reform der deutschen Bundesverfassung bildeten sich nur allmälig aus, und er schloß sich damit zunächst an die bestehenden Verhältnisse enge an. Früher hatte er seine Wünsche nur auf die allgemeine Einführung repräsentativer Verfassungen in allen deutschen Bundesstaaten beschränkt und schon darin ein festes Band für das gesammte Vaterland zu erblicken geglaubt, ohne vorerst noch auf die Stellung des Bundes zu den einzelnen Gliederstaaten besondere Rücksicht zu nehmen. Späterhin suchte er die deutsche Bundesacte, die ihm das Gepräge der Zeit ihrer Entstehung und der damals mächtigen Umstände zu tragen schien, als den Versuch der Vereinigung gegenseitig sich abstoßender Principien und feindseliger Elemente zu charakterisiren (Nr. 1 und 10). Zur Versöhnung dieser Principien und Elemente und zur Abwehr jedes verderblichen äußern Einflusses foderte er die allgemeine und consequente Geltendmachung der constitutionnellen Principien, sowie die Einführung einer gemeinsamen Nationalrepräsentation (Nr. 35). Diese Resultate, so hoffte er, würden mit der Zeit und durch vollständige Emancipation der Presse im südlichen Deutschland erreicht werden können (Nr. 60, 127). Erst geraume Zeit nachher ließ er sich auf die ihm wünschenswerth dünkende Organisation einer deutschen Bundesverfassung näher ein. Davon ausgehend, daß die Baiern, Schwaben, Badener, Hessen u. s. w. keineswegs geneigt sein würden, ihre besondern Verfassungen und Dynastien aufzugeben, foderte er als die volksthümliche Basis einer deutschen Bundesverfassung eine nach Verhältniß der Bevölkerung der verschiedenen deutschen Länder gewählte Deputirtenkammer und dieser gegenüber eine Kammer der deutschen Reichsfürsten, sowie an der Spitze der vollziehenden Reichsgewalt einen von der Deputirtenkammer aus der Mitte der Reichsfürsten gewählten deutschen Kaiser. Auch in seinen Ansichten über die Constituirung eines deutschen Reichs sehen wir ihn also hier noch immer an den Principien des constitutionnellen Monarchenthums festhalten.

Um den Hindernissen, welche die Herausgabe seines Blattes in München fand, aus dem Wege zu gehen, sah sich Wirth im Anfange des Jahres 1832 veranlaßt, dasselbe nach Homburg in Rheinbaiern zu verlegen. Die Stimmung, welche er in diesem Lande fand, mag nicht ohne Einfluß auf die raschere Entwickelung seiner Ansichten geblieben sein. Seine Sprache bei Beurtheilung der Politik der deutschen und auswärtigen Regierungen wurde jetzt schneidender und rücksichtsloser, und er äußerte nunmehr unumwunden, daß sein früheres Vertrauen auf das Monarchenthum verschwunden sei (Nr. 26, 30, 31). Hiervon war es nur eine natürliche Folge, daß er fortan einzig und allein in der Organisation eines conföderirten Deutschlands im demokratischen Sinne das Mittel zum Heile des Vaterlandes erblickte. Dieses Ziel wollte er indessen keineswegs durch Gewalt, sondern auf friedlichem und gesetzlichem Wege, durch Ausbildung der öffentlichen Meinung des gesammten Volkes erreicht wissen (Nr. 29, 33, 48, 55—58).

Für ein unparteiisches Urtheil über Wirth's Thun, Wollen und Streben muß stets neben der innern Geschichte auch die äußere desselben nicht außer Betrachtung bleiben. Diese letztere bestand in unaufhörlichen Streitigkeiten mit der Censur und über die Art und Weise ihrer Ausübung, in Anfechtungen von Seiten derjenigen Blätter, welche für ministeriell und halbofficiell galten und die „Deutsche Tribune" mit dem Titel des „verworfensten aller Blätter, eines unverschämten, frechen und verwegenen Organs der Opposition" beehrten, während sie gleichzeitig mit nicht geringerer Leidenschaft gegen die Majorität der bairischen Deputirtenkammer zu Felde zogen, als diese eine Verminderung der Civilliste beantragt hatte; in

Verhaftungen und Confiscationen, gegen deren Rechtsgültigkeit Wirth jeder Zeit scharfsinnige Gründe geltend machte, welchen er nicht selten bei den höhern Behörden Anerkennung zu verschaffen wußte; in einer Menge von Anklagen, die fast alle mit einer vollständigen Freisprechung von Seiten der richterlichen Behörden endigten (1831, Nr. 13, 92, 94, 130, 138; 1832, Nr. 46). Wenn dies Alles nicht ohne Einfluß bleiben konnte, um allmälig den Pfeil seiner Rede zu schärfen, den er endlich, den Regierungen gegenüber, in bittere Lauge tauchte, so darf man nicht übersehen, daß er ihn auch dem Volke gegenüber keineswegs mit Honig benetzt hat. Mit gleicher Bitterkeit — noch in seinen letzten Schriften finden sich hiervon zahlreiche Spuren — hat er nicht selten seine Rede auch gegen das Volk gewendet und sich während seiner ganzen literarischen Laufbahn stets von dem Vorwurfe frei gehalten, ein Schmeichler der großen Masse gewesen zu sein.

In Vorstehendem ist treuer Bericht erstattet, wie unter der Herrschaft der Censur und — man darf wol sagen — in Folge derselben ein eifriger Freund der constitutionnellen Monarchie zum gleich eifrigen Vertheidiger des Republikanismus geworden ist. Die Geschichte, welche dieser Aufsatz enthält, ist nicht blos die Geschichte eines Einzelnen, sondern bedeutend genug für Alle, welche Augen haben zu sehen und Ohren u hören. 156.

Neue Eintheilung der slawischen Dialekte.

Die Sprachforscher haben lange Zeit hindurch die Sprachen des slawischen Volksstamms fast gar keiner Aufmerksamkeit für würdig erachtet. Mit Unrecht; denn theils machen slawische Völkerschaften fast die Hälfte der Einwohner von Europa aus — wir finden sie von Ragusa aus, nach der einen Seite bis nach Kamschatka und die Nähe von Japan, nach der andern bis zum baltischen Meere —, theils steht auch die Literatur der Slawen gar nicht auf einer so niedrigen Stufe, als man zu glauben gewohnt ist; und daß sich diese nicht noch mehr gehoben, liegt nicht sowol in der mindern Bildsamkeit des Volkes und der Sprache, sondern vorzüglich darin, daß sich andere Völkerschaften, besonders Deutsche, mitten unter die Slawen eingedrängt und dieselben vielfach zersplittert haben. Hierdurch sind mit der Zeit die verschiedenen slawischen Dialekte entstanden, von denen nun ein jeder seine besondere Literatur auszubilden angefangen hat. So fand bei der Ausbildung der slawischen Literatur nicht wie bei andern ein Zusammenwirken eines ganzen Volksstammes statt, also wird auch Niemand erwarten, daß diese Literatur, wie die deutsche, einem einzigen, hohen, vielfach verzweigten und vollen Fruchtbaume gleiche; man wird sich begnügen müssen, wenn man vereinzelte duftende Blüten und auf einjährigen Stauden oder Gesträuchen niedrig wachsende, doch süße Früchte zu pflücken im Stande ist. Sammelt man aber die einzeln gereiften und nach dem Boden, auf dem sie entsprossen, verschiedenartigen Früchte ein, so wird man gewiß von dem reichen Gesammtertrage überrascht werden! Die neuern Sprachforscher haben dies erkannt und besonders in die Verzweigung der einzelnen slawischen Dialekte einzudringen versucht. Neuerlich ist die Gliederung derselben, wie sie von Dobrowski aufgestellt worden ist, so allgemein angenommen worden, daß die slawische Literatur bedeutender Bibliotheken, z. B. der königlichen Bibliothek zu Berlin, nach ihr geordnet worden ist. Um so interessanter wird es hoffentlich deutschen Lesern sein, folgenden, Dobrowski's Forschungen fortführenden Aufsatz, der von dem geschätzten slawischen Sprachforscher Kucharski in polnischen Zeitschriften bekannt gemacht worden ist, in diesen verbreiteten Blättern anzutreffen.

„Schon viele Gelehrte", sagt Kucharski, „haben uns die Anzahl der slawischen Dialekte und die Merkmale ihrer nähern und fernern Verwandtschaft angegeben. Wir nennen nur einen Gesner, Megisar, Walwassor, Assemani, Hosius, Banduri, Katanczyc, Frisch, Popowicz, Anton u. A. m. Sie sind aber größtentheils nur mit geringer Kenntniß der Sache an solche Untersuchungen gegangen und haben daher fast nur falsche und verwirrende Bilder von dieser Sprachverwandtschaft entworfen. So wollten z. B. Walwassor und Anton aus dem einzigen Vaterunser nach den verschiedenen Mundarten das Wesen dieser Mundarten erforschen, nach ihm dieselben theilen und ihre Anzahl bestimmen. So zählte der Priester Dolci, indem er auch die kleinste provinzielle Abweichung für einen besondern Dialekt ausgab, mehr als zwanzig östlichslawische (illyrische) Dialekte; Assemani bildete sich ebenso eine unzählbare Menge besonderer Mundarten. Hosius und Banduri unterschieden nur die nördlichen und südlichen Dialekte, Popowicz, Katanczyc und Schlözer hingegen hielten sich bei ihren Eintheilungen einzig an die Namen, daher denn nach Popowicz das Wendische in der Lausitz und das Wendische in Steiermark, ebenso nach Katanczyc das Polnische und Russische sehr nahe verwandt wurden, und zwar die beiden letzten Sprachen (wie sie denn Katanczyc sogar mit dem gemeinschaftlichen Namen der sarmatischen belegt) deshalb, weil sie in dem alten Sarmatien gesprochen werden."

„Erst in unsern Tagen ist durch den berühmten slawischen Philologen, den verstorbenen Priester Joseph Dobrowski eine gründlichere Eintheilung der slawischen Dialekte dargelegt und verbreitet worden. Sie theilen sich nach ihm in zwei Hauptzweige, in die östlichen und westlichen Mundarten. Zu den ersten gehören: 1) das Russische, 2) das Altslawische, 3) das Serbische (Illyrische), 4) das Kroatische, 5) das Wendische in Krain, Steiermark und Kärnten. Zu den zweiten hingegen gehören: 1) das Slowakische, 2) das Böhmische, 3) das Wendische in der obern, 4) das Wendische in der untern Lausitz, 5) das Polnische mit der schlesischen Abweichung. Das Altslawische, behauptet Dobrowski, ist nichts Anderes als das Altserbische, und das Kleinrussische nur eine Abart des Russischen."

„Aber auch diese Eintheilung", fährt Kucharski fort, „habe ich in Folge meiner fünfjährigen Reisen durch slawische Völkerschaften als nicht genug durchgearbeitet und entwickelt, ja zum Theil als irrthümlich erkannt. Das Bulgarische und Polabische sind in ihr gar nicht berücksichtigt; das erste hielt Dobrowski, so viel mir bekannt ist, für einen Provinzialismus des Serbischen, das zweite erschien ihm weniger wichtig, da es ausgestorben und nur im Vaterunser und einer geringen Anzahl einzelner Wörter auf uns gekommen ist; aber grade dieses Polabische war das Polnische im weitern Sinne des Worts und besaß allein neben dem Polnischen Nasalvocale."

„Meine Eintheilung nun, welche sich den Beifall des größten jetzt lebenden slawischen Sprach- und Alterthumsforschers, des Prof. Dr. Szafarzyk erworben hat, ist folgende:"

„Die slawischen Dialekte. I. Die östlichen. 1. Die nordöstlichen (die Großrussischen): a) das Altslawische *) (Cerkiewny), b) das Großrussische, c) das Kleinrussische, d) das Bulgarische. 2. Die südöstlichen (das Serbische): a) das Serbische (Illyrische), b) das Horvazische (Kroatische), c) das Krainische (Carniolische). II. Die westlichen. 1. Die nordwestlichen (das Polnische): a) das Polnische, b) das Polabische. 2. Die südwestlichen (das Böhmische): a) das Niederlausitzische (Wendische), b) das Oberlausitzische (Wendische), c) das Böhmische, d) das Slowakische."

„So hätten wir denn, nach dieser Eintheilung, zu Dobrowski's Haupttheilen noch zwei Unterabtheilungen erhalten, wodurch das Großrussische, das Serbische, Polnische und Böhmische als die

---

*) Dies rechnet Dobrowski mit Unrecht zum Serbischen.

vier slawischen Hauptsprachen hervortreten. Ferner sehen wir aus dieser Eintheilung, daß sich das Russische in zwei verschiedene Dialekte spaltet, und daß das Bulgarische ein besonderer Dialekt ist, der mit dem Altslawischen den nordöstlichen Mundarten beizuzählen ist, nicht als wenn diese beiden in den nordöstlichen Gegenden angetroffen würden, sondern weil sie mit dem Großrussischen gleiche Merkmale an sich tragen, welches in in Rücksicht auf die andern Mundarten nordöstlich sich findet. Das Polabische, der Repräsentant des ganzen nordwestlichen germanisirten Slawischen, stand dem Polnischen am nächsten, wie unter den noch lebenden Sprachen das Niederlausitzische, das zugleich mit dem Oberlausitzischen den Uebergang von dem Polnischen zum Böhmischen bildet. Von den nordöstlichen Dialekten steht dem Polnischen das Kleinrussische und von südöstlichen das Krainische am nächsten. Den Uebergang von den westlichen Mundarten zu den östlichen bildet das Slowakische, das in den Karpathen und im nördlichen Ungarn sich findet, den Uebergang von den östlichen zu den westlichen hingegen das Krainische (in Krain, Steiermark und Kärnten)." 177.

Cent-et-une nouvelles. Erster Band. Paris 1833.

Herr Ladvocat ist ein ganz eigner Mann. Er fallirt und bleibt so ehrlich als zuvor. Er bietet 30 Procent und fährt im funkelneuen Tilbury an seinen Gläubigern vorbei, die demüthig auf den Trottoirs längs den Häusern dahinschleichen und ihm freundlich zunicken. Das Hôtel des Herrn Ladvocat auf dem Quai Malaquais ist eines der schönsten in Paris; er bewohnt einen Palast, und Schriftsteller, von denen die meisten in einem Dachstübchen wohnen, vereinigen sich, um ihn aus der Noth zu reißen. Da die Speculation mit dem „Livre des cent-et-un" gelungen ist, so setzt er sie aus Dankbarkeit fort; Publicum, Gläubiger und Schriftsteller sind zufrieden, und so hätten wir denn auch weiter nichts dawider einzuwenden.

Wie das literarische Wissen sich auf den Journalartikel reducirt, so ist die Poesie zur Novelle zusammengeschrumpft. Man will Viel und Vielerlei und schnell. Die literarische Laufbahn ist eine Eisenbahn geworden, und der char des Muses ein Dampfwagen. Die Journale schwellen zu Büchern an, die Bücher zerfallen in heterogene, unreife Bruchstücke. „Salmigondis" nannte der Buchhändler Fournier zuerst seine zusammengestoppelten Novellen; salmigondis kann man alle spätere Sammlungen dieser Art mit Recht nennen. Vergebens sucht man darin nach wahrer, gewissenhafter Poesie: man findet nichts als bestellte Waare; blitzt hier und da ein großartiger Gedanke auf, so fühlt man, daß er in seinem ersten Aufschwunge festgehalten worden. Was kaum hinreicht, um drei Seiten mit einer dürftigen, poetischen Vegetation zu bekleiden, wird auf vier oder fünf Bogen ausgesponnen; mächtige Ideen, die bestimmt waren, sich groß und hehr zu entfalten, werden auf ein geistiges Prokrustesbett gespannt und gehen jämmerlich verstümmelt zu Grunde. Nebstdem ermüdet die leidenschaftliche Spannung der erzählenden und handelnden Personen, das ewige Schwelgen in Mord, Blutschande und Nothzucht; die classischen Musen waren zwar frostige und langweilige Personnagen, aber es waren doch anständige und sittsame Matronen, gutmüthige Geschöpfe, die ihren Jüngern nur selten Gift und Dolch erlaubten, und das nur hinter den Coulissen. Daß ihre Herrschaft zu Ende ist, bedauern wir keineswegs, aber wohl, daß mit ihnen Zucht, Menschlichkeit und Anstand aus der französischen Literatur verloren gegangen. In dieser Beziehung sind indeß die „Cent-et-une nouvelles" bis jetzt zu loben; die Leute brechen sich wol auch darin die Hälse, indessen geht es doch noch ziemlich gnädig ab, obgleich man wohl merkt, daß die meisten Schriftsteller den Modedolch im Gürtel führen und bereits einige Morde auf dem Gewissen haben. Auch mag uns wol hier und da manches Schrecknis entgangen sein, da wir den mächtigen Band etwas flüchtig durchblättert haben. Bei zwei berühmten Namen, Madame Tastu und C. Nodier, sind wir etwas länger stehen geblieben. Mad. Tastu gehört zu den Dichtern vom ersten Range; steht sie unter Lamartine und V. Hugo und vielleicht einigen Andern in Hinsicht auf männliche Kraft, auf energische Tiefe des Gedankens, so übertrifft sie häufig ihre Mitbewerber durch zarte, gemüthvolle Grazie und ergreifende Wahrheit des Gefühls. Ihre Novelle in den „Cent-et-une" ist leider nicht aus der Quelle ihrer lyrischen Begeisterung geströmt; es ist ein prätentiöses, witzsüchtiges Geplauder ohne eigentliche Handlung und ohne Interesse. Der Dichterin, oder einer ihrer Freundinnen, wir wissen es nicht mehr genau, träumt von einem Bracelet von ungeheuerm Werthe, das in einer Stadt in Spanien vergraben liegt. Kurz darauf reist die Dame mit ihrem Gemahl nach Barcelona, findet wirklich die kostbare Armspange, die ihr bei ihrer Rückkunft nach Paris tausend Unannehmlichkeiten zuzieht. Der ganze beau monde, der Hof selbst und die Deputirtenkammer werden mit in die Geschichte gezogen; zuletzt brechen Räuber des Nachts in ihre Wohnung, verwunden sie auf den Tod und entwenden das kostbare Kleinod. Wir gestehen, daß wir nicht recht begriffen haben, wohin das Alles hinausfoll. „Jean François les bas-bleus", von Charles Nodier, ist eine psychologische Studie. Dieser Blaustrumpf ist, wie man im gemeinen Leben sagt, ein Ueberstudirter, der mit dem Himmel in geheimnißvoller Verbindung zu stehen scheint; sonderbar, daß man, sobald es bei einem armen Sterblichen im Gehirne spukt, ihn sogleich mit dem Himmel in Connex bringt! Ueber die gewöhnlichen Verhältnisse des Lebens weiß der gute Junge nichts als unsinniges Zeug zu schwatzen; sobald sich sein Geist in die höhern Regionen des Denkens erhebt, wird Alles klar vor ihm, und seine Gedanken ergießen sich folgerecht, groß und lebendig aus dem kranken Gehirn. Am Todestage der Königin Marie Antoinette sieht er eine blutige Spur, die sich durch die Lüfte zieht, und bald darauf den Schatten der unglücklichen Gemahlin Ludwig XVI. vorüberschweben. Jean François lebte zu Lille und sah also dieses schreckliche Ereigniß voraus. Das Ganze hat nicht die mindeste Aehnlichkeit mit einer Novelle, fesselt aber durch geistreiche und mannichfaltige Anschauungen des Lebens. Der Titel der Novelle der Mad. Tastu ist: „Le bracelet maure". Außer diesen beiden Erzählungen enthält der erste Band: L'écolier de Toulouse", von Herrn Frédéric Soulié; „La boiteuse", von Merville; „Le château de Lueg", von Achille de Jouffroy; „La femme de chambre", von Philarète Chasles; „Une maîtresse dans l'Andalousie", von Paul de Kock; „Un décoré de Juillet", von P. Chalas, und „Un bal à bord du Majestic", von Louis Reybaud. 143.

Literarische Anzeige.

Redigirt unter Verantwortlichkeit der Verlagshandlung: F. A. Brockhaus in Leipzig.

Blätter

für

literarische Unterhaltung.

Freitag. —— Nr. 207. —— 26. Juli 1833.

Scipio Cicala. Vier Bände. Leipzig, Brockhaus. 1832. 8. 6 Thlr.

Außer dem mannichfachen Genuß und der Belehrung, die Sir Walter Scott uns durch seine eignen Werke gewährt, verdanken wir ihm auch, daß er in den Zeitgenossen den Trieb zur Cultur eines Kunstgebiets erweckt hat, das die Mühe des Anbaus durch köstliche Früchte belohnt. So haben Cooper und Irving jenseit, Salvandy, Häring und Manzoni diesseit des atlantischen Meeres als ebenbürtige Mitbewerber die schönsten Kränze errungen. Der ungenannte Verf. des vorliegenden Romans strebt mit rühmlicher Kühnheit so schönen Vorbildern sich anzuschließen, und wahrlich, es fehlt ihm dazu nicht an Kraft und Mitteln. Hat er sein Ziel nicht mit völlig gleichem Glück erreicht, so ist dies nur der allzu strengen Pietät zuzuschreiben, mit welcher er die Schriftzüge der Walter Scott'schen Kunst bis in ihre feinsten Nuancen nachzubilden sucht, wobei denn einige Ungelenkigkeit und Unselbständigkeit der Handschrift nicht ausbleiben kann. Während Ref. die vier starken Bände, in denen Scipio Cicala sich vor ihm ausbreitet, durchlas, fühlte er sich oft genug gedrungen, die über alle Duldung hinaus wuchernden Schlingpflanzen weitläufiger Personen- und Ortsbeschreibungen, endloser Gespräche, in denen die handelnden Personen, statt ihrer eignen, die Maximen, Ansichten und Kenntnisse des Verf. auseinanderfalten, und der bis zur Phantasterei ausschweifenden Wunderähnlichkeit der Begebenheiten mit dem scharfen Messer der Kritik herauszuschneiden und in den Dornenkranz einer Recension zusammenzuflechten. Ebenso oft aber, als dieser Entschluß in ihm auftauchte, fühlte Ref. sich wieder entwaffnet, wenn er aus einer solchen dicken Wildniß hinaustrat auf die heitersten, frischesten Plätze, wo der Gärtner weite, reichbelebte Aussichten in mannichfachem Wechsel mit echter Kunst vor dem Blick des Wanderers ausbreitet. Als er nun den Schluß erreicht hatte und fand, daß das ganze Leben des Helden ebenso arm an ursprünglicher sittlicher Kraft als überfüllt war von durch den reinen Zufall aufgedrungenen Begebenheiten, daß er weder durch seinen Charakter noch durch seine Handlungen geeignet war, den Kern eines so umfassenden Romans zu bilden, und daß der Verf. ihn vielmehr nur als einen Lastträger gebraucht hatte, um den reichen Schatz seiner eignen lebendigen Anschauungen und Materialien vor dem Leser vorüberzutragen, regte sich abermals ein ästhetischer Zorn in seinem Herzen und er griff schon nach dem Kiel, um, ihn als Keil gebrauchend, dem Verf. alle seine poetischen Todsünden mit eindringlicher Bußmahnung damit in das Gewissen zu donnern. Hierzu war aber nöthig, das ganze Labyrinth der Begebenheiten noch einmal in Gedanken zu durchwandern, und da sich hierbei ergab, daß der angenehmen, wahrhaft erfreulichen und ergreifenden Eindrücke gar viele im Gedächtniß zurückgeblieben waren, daß so manche lebendige Anschauung der Natur und Sitte, der Geschichte und Poesie sich hatte gewinnen lassen, so entsagte Ref. schließlich ganz der Kritik und beschloß, sich bei diesem Buche wie ein verständiger Gast bei einer reichbesetzten Tafel zu verhalten, der sich an die Schüsseln hält, die seinem Geschmack am besten zusagen, die übrigen Speisen aber, die blos zur Füllung der Tafel in herkömmlicher Zahl und Ordnung aufgetragen sind, unberührt vorüberläßt.

Unser Anonymus hat, was nicht zu verkennen, Neapel und dessen Umgegenden, die der Schauplatz seiner Begebenheiten sind, mit eignen Augen gesehen, Charakter, Sitten und Eigenthümlichkeiten jenes sorglosen, leidenschaftlich regsamen Volkes, wie sie in geistlichen und weltlichen Personen, in Landbauern, Schiffern und Gewerbsleuten aller Art, bei Vornehmen und Geringern sich kundgeben, scharf beobachtet; mit dem Buch der Geschichte in der Hand hat er die Trümmer bedeutender Vergangenheiten durchwandert und diese von einer imposanten Natur und einem ewig gleichen, heitern Klima in unveränderter Charakterbildung erhaltene leicht bewegliche Volksmasse mit rückgewandtem Seherblick zurückversetzt in die Mitte des 15. Jahrhunderts unter das eiserne Scepter der spanischen Statthalterschaft. Was aus jener Zeit an merkwürdigen Personen, Begebenheiten und Institutionen irgend mit dem Stoff des Romans in Verbindung gebracht werden kann, wird herangezogen und entweder als Glied der Hauptfabel oder als ausschmückende Episode in den Text verarbeitet, und so entsteht ein buntes Gewebe, zusammengesetzt aus den verschiedenartigsten Elementen, in dem nicht allein neapolitanische und andere italienische, sondern auch spanische, französische, deutsche, griechische, orientalische und sogar amerikanische Personen, Verhältnisse und Zustände zur Anschauung kommen. Daß das Buch hierdurch mehr zu einem Bilder- und Raritätencabinet als zu einem harmonischen Kunstwerk geworden ist, darf nicht gerügt werden, da Ref. der Kritik im Voraus entsagt hat, und es wird, um die Neigung des Verf. zum Episodicen zu zeigen, nur beispielsweise Folgendes bemerkt. In einem Camaldolenserkloster, wo der Held der Geschichte einige Tage verlebt und in diesen eine Fülle bedeutender und ergreifend geschilderter Scenen, die jedoch auf sein Schicksal nicht eben von wesentlichem Einfluß sind, mit anschaut, befindet sich eine lange Reihe von Gemälden, das Leben des heiligen Romuald, des Stifters jenes strengen Mönchsordens, darstellend. Einem der Mönche wird von dem Abt ausdrücklich die Erlaubniß der Rede auf einige Zeit ertheilt, damit er dem jungen Scipio diese Gemälde zeigen und ausdeuten könne, und so werden diese und die in ihnen dargestellte Geschichte des Heiligen dem Leser auf 18 Seiten umständlich beschrieben und erzählt, während die Handlung ruht und das Schicksal des in diesem Augenblick wahrlich nicht auf Rosen gebetteten jungen Helden seiner Entwickelung um nichts näher schreitet. In demselben Kloster erzählt, gleichsam als ob in diesem Sitz des Schweigens die Neigung zur Redseligkeit am heftigsten hervorbrechen müßte, ein in diesem Punkt sehr aus seinem Nationalcharakter fallender, höchst wortverschwenderischer spanischer Kriegsmann dem von Ungeduld und Sorge gemarterten Scipio schonungslos die ganze Schlacht von Otumpan vom Anfange bis zu Ende, und läßt es denn auch hierbei nicht an weitläufigen Nebenbemerkungen und Personenbeschreibungen fehlen, sodaß wir gleichsam beiläufig mit Don Fernando Cortez, Pedro de Alvarado, Christoval de Olid und Gonzalo de Sandoval ziemlich genaue Bekanntschaft machen. Wenn nun den Verf. selbst bei solchen Gelegenheiten die Besorgniß antritt, den Lesern einige Langweile zu machen, so gibt er ihnen ganz unbefangen den Rath, dergleichen Episoden ohne Weiteres zu überschlagen und da fortzufahren, wo die Ereignisse wieder beginnen. Ref. kann sich nicht enthalten, noch einen andern umfassendern Rath hinzuzufügen. Der Leser laufe das Buch zuvörderst in der flüchtigsten Eile durch, um gleich die Erwartung und Spannung zu beschwichtigen, die mit dem Unternehmen einer so ausgedehnten Lecture im epischen Gebiet nothwendig verbunden ist. Er wird hierbei durch manche der walterscottisirenden Manier eigne Hemmungen und Störungen sich unbehaglich fühlen, die durch schnelles Darüberhinschreiten zu beseitigen sind. Er denke über Plan, Anlage und Ausführung des Ganzen weiter gar nicht nach, denn auch dies würde ihn, ohne sein Behagen zu erhöhen, nur zu fruchtlosen Bedenklichkeiten führen. Dann aber kehre er zurück und lese diesen oder jenen schönen, lebendig geschilderten, Verstand und Gefühl ansprechenden Abschnitt, deren es in dem Buche so viele gibt, in ruhiger Muße nach, und er wird Lust empfinden, dies auch mit andern zu versuchen. Gewiß wird er dann öfter zu dem Werke zurückkehren und es nach Auswahl und Belieben, wie eine schätzbare Sammlung genießen, deren Werth man erst nach wiederholtem Besuch erkennt, und die der theilnehmende Kunstfreund nicht nach der Reihenfolge der Aufstellung, sondern nach den verschiedenen Absichten und Neigungen, denen er folgt, zu benutzen hat. Auf diese Weise hat Ref. mannichfachen Genuß und Belehrung in diesem Werke gefunden, das durch Umfang und Behandlung leicht von sich abschreckt und auf mancherlei Weise zum Widerspruch reizt.

Scipio Cicala ist ein junger, schöner und guter Neapolitaner vom höchsten Range, der sogleich von einem dreifachen Unglück betroffen vor uns auftritt. Das erste Unglück ist, daß er, obgleich zum Malteserorden bestimmt, dennoch eine schöne junge Verwandte liebt, was ihn zu diametral entgegengesetzten Lebensrichtungen führt. Das zweite Unglück besteht darin, daß die Geliebte ihm nicht nur versagt wird, sondern auch, ohne es selbst zu wissen, von ihrer Mutter schon anderweitig versprochen ist, wodurch denn Scipio, um ihre Verlobung mit dem Verhaßten zu hintertreiben, sich genöthigt sieht, ihr auf öffentlichem Markte einen Kuß zu geben. Hierbei lernen wir denn sogleich, daß ein solcher Kuß nach damaliger Landessitte die Geküßte solchergestalt entehrte, daß nur der Kußgeber ihr durch die Ehe wieder zur Ehre helfen konnte. Um der Rache der Verwandten zu entgehen, muß Scipio auf die Malteserflotte fliehen, wobei ihm denn das dritte Unglück begegnet, daß er in dem Augenblick des Einsteigens in sein Boot, durch eine unvorsichtige Bewegung und Rede einen ohnehin schon aufgeregten Volkshaufen veranlaßt, einen spanischen Zollbeamten zu tödten, wodurch denn Scipio auch als ein offenbarer Feind der spanischen Regierung, die damals Neapel beherrschte, erscheint und in contumaciam zum Tode verurtheilt wird. Eine kleine Küstenfahrt, auf der er die maltesischen Oberbefehlshaber begleitet, gibt sogleich zu mehren Episoden Anlaß, namentlich zu einer ausführlichen Beschreibung des Golfs von Neapel, die zwar reizend und anschaulich, aber doch lang und retardirend ist. In diese Episode ist wieder eine andere über die Bewohner der Insel Procida eingeschachtelt, und da diese nicht lang und zugleich interessant ist, so möge sie als eine Probe von der Darstellungsweise des Verf. hier eine Stelle finden.

Es ist wahr, sagte der Großprior, man nimmt nicht leicht ein türkisches Schiff, auf dem sich nicht einige Procidaner als Sklaven befänden.

Und dennoch haben sie auf dieser Insel eine Einrichtung, welche ihnen vielfach beneidet, aber nirgend nachgeahmt wird. Sie sollte die Zahl dieser Unglücklichen sehr vermindern.

Und die wäre?

Alle Familien, die ihren Unterhalt vorzüglich zur See suchen müssen, haben ein Uebereinkommen untereinander getroffen, vermöge dessen sie gegenseitig verpflichtet sind, Jeden von ihnen, der in türkische Gefangenschaft geräth, auf gemeinschaftliche Kosten auszulösen.

Ja, ich kenne die Einrichtung, fiel der Ritter ein; und es ist merkwürdig, daß sie nach einer Volkssage von dem berühmten Johann von Procida herrührt.

Wie aber? Wenn die Hälfte der Bevölkerung von den Ungläubigen weggeführt wird? Wie helfen sie sich alsdann? fragte der Großprior, denn das ist doch schon vorgekommen.

Dann ist guter Rath freilich theuer, sprach der Ritter. Indessen thut man, was man kann, und so machen sich wenigstens die jungen Männer der Insel auf und treten an die Stelle der ältern als Sklaven.

Was sagst du dazu, Martucello? Hat dies Alles seine Richtigkeit? rief der Großprior einem der Ruderer zu, welcher bei dem letzten Gespräch besonders aufmerksam zu sein schien.

Ja, gnädiger Herr, Ihr dürft darauf schwören. Und das braucht Ihr nicht einmal; man glaubt es Euch aufs Wort.

Du bist ja wol am Ende selbst einmal so ausgelöst worden? fuhr Bottighella fort.

Was nicht geschehen ist, kann noch geschehen. Es ist noch nicht aller Tage Abend.

Gewiß eine angenehme Aussicht, sagte der Großprior; du scheinst dich ordentlich darauf zu freuen.

Bin ich aus besserm Hanfe gedreht als mein Vater und meine Brüder? Ich will froh sein, wenn es mir nicht wie dem Michele geht.

Wie ist es denn dem Michele ergangen?

Schlecht, gnädiger Herr, zum Erbarmen schlecht. Aber die Mutter Gottes von Piedigrotta hat es ihm vergolten. Er soll mitten in der himmlischen Herrlichkeit sitzen, sagt der Pater Pasquale, auf einem Stuhl, woran mehr Gold ist als am Hintertheil Eurer Galeere.

Wie ist er denn so plötzlich zu dieser Herrlichkeit gekommen?

Wie der Fisch zum Angelhaken, gnädiger Herr.

Wie soll ich das verstehen?

Nun, die Türken haben ihn gespießt; und da steht die Märtyrerkrone darauf, sagt der Pater Pasquale.

Aber warum spießten sie ihn denn?

Das ist eine lange Geschichte, gnädiger Herr, länger als das große Ankertau der Capitana. Ihr werdet die Geduld nicht haben, sie zu hören.

Wenn du's kurz machen willst, Martucello, so wollen wir's wenigstens versuchen. Zuerst mußt du uns aber sagen, wer der Michele war.

Ei, das wißt Ihr nicht einmal. Wer anders, als der Sohn meines Vaters?

Wie kam er denn unter die Türken?

Darin besteht es eben, daß ich die Geschichte nicht so kurz erzählen kann.

Wurde er von den Türken gefangen?

Nein, gnädiger Herr; den hätten sie nie gefangen. Es ist keine Steinbutte schlauer als er.

Er ging also freiwillig in die Sklaverei, um Jemand auszulösen?

So ist's, gnädiger Herr; doch darum haben sie ihn nicht gespießt.

Weshalb denn?

Was konnt' er denn Besseres von den ungläubigen Hunden erwarten?

Gnädiger Herr, fiel der Steuermann ein, Ihr kommt nicht mit ihm zu Ende, wenn Ihr mir nicht erlaubt, ein bischen nachzuhelfen. Die Sache ist, daß der Michele schon einmal bei den Türken als Sklave gewesen war.

Nein, sagte Martucello, deshalb haben sie ihn nicht gespießt, sondern weil er mit der Catella aus der Gefangenschaft entwischt war und sie zur Christin gemacht hatte; darum haben sie ihn gespießt. Ihr wißt wohl, die Türken verstehen in diesem Punkte keinen Scherz.

Wie kam es denn aber, daß er zum zweiten Mal in türkische Gefangenschaft gerieth? frug der Großprior.

Wie anders, erwiderte der Seemann, als auf die nämliche Weise wie das erste Mal.

Er stellte sich also selbst, um Jemand auszulösen?

So ist's, gnädiger Herr!

Du läßt immer die Hauptsache weg, Martucello, fiel der Steuermann wieder ein; du mußt sagen, daß dein Bruder Euern Vater zum zweiten Mal auslösen wollte.

Wissen wir denn, daß er ihn zum ersten Mal ausgelöst hatte? sprach der Großprior.

Hab' ich das nicht gesagt, Steuermann?

Wie geschah es denn, daß dein Bruder wieder hinging? Sein Schicksal war doch vorauszusehen.

Was war zu thun? Der Alte war einmal wieder Sklave und mußte ausgelöst werden. Franzillo hatte das nöthige Alter nicht, und ich als der Jüngste war noch weniger zu gebrauchen. Ich wäre gern gegangen, hätten sie mich nur annehmen wollen.

Am Ende starb dein Vater wol in der Sklaverei?

Nein, gnädiger Herr; er verzehrt seine Maccaroni noch so gut wie ein Anderer.

Also kam er doch frei? Nur mußte es dein Bruder mit dem Leben büßen?

Nein, er kam nicht frei; denn den Michele sahen sie als einen Ausreißer an, und darum spießten sie ihn auch.

Inzwischen war der nächste Bruder nach Michele nachgewachsen, fiel der Steuermann ein; der ging hin und stellte sich, um seinen Vater auszulösen.

So ist's, wie der Steuermann sagt, sprach der Ruderer, und der Franzillo ist noch dort. Es geht aber nun stark die Rede, daß er losgekauft werden soll. Es fehlt nicht mehr viel zu dem Gelde, das dazu nöthig ist.

Da haben wir ein neues Beispiel, begann Georg von Schilling, welch edle Thaten in aller Stille unter dem Volke geschehn. Ein Vater geräth in türkische Sklaverei; sein Sohn geht hin und tritt in seine Stelle als Sklave. Kühnheit und Liebe brechen seine Fesseln, und kaum ist er frei, so fällt der Vater den Türken aufs Neue in die Hände. Der Sohn verläßt seine Gattin und stellt sich nicht nur der Sklaverei, sondern dem gewissen Tode dar. Er findet ihn, und der zweite Sohn, der inzwischen herangewachsen ist, läßt sich nicht schrecken und erkauft des Vaters Freiheit mit der seinigen. Inzwischen ist der dritte Sohn groß geworden und beklagt seine Jugend nur darum, daß sie ihm nicht verstattet hat, sich für die Seinigen aufzuopfern. Und alles dies geschieht, als ob es sich von selbst verstände, und kaum redet man davon.

(Der Beschluß folgt.)

Lord Byron.

Dritter Artikel.*)

Byron hängt sehr an seinen Gewohnheiten; er ist in dieser Hinsicht ein Freund des Schlendrians und haßt, was er „aus dem Concepte bringen" nennt. Jede Störung seiner gewohnten Lebensweise ist ihm, seinem eignen Geständnisse zufolge, ein Greuel. Indessen überzeuge ich mich täglich mehr, daß Byron's Reden und Handlungen beiweitem weniger streng beurtheilt werden müssen als die vieler andern Personen. Stets sind sie die Frucht des Augenblicks, niemals aber überlegender Bosheit. Unmöglich ist es ihm, einen Einfall zu unterdrücken, und da er das Lächerliche mit dem ersten Blicke auffaßt und mit ungemeiner Leichtigkeit und vielem Glück darzustellen weiß, so dient dies nur zur Begünstigung der ihm angeborenen spöttischen Neigung. Allein blos auf seinen Lippen und in seinen Schreibfingern weilt die Bosheit seiner Natur; ich bin fest überzeugt, daß sein Herz frei davon ist und weit mehr des Guten verbirgt, als, mit Ausnahme der in vertrauten Verhältnissen mit Byron Gewesenen, die Meisten ihm zugestehen. Gesellschaften sind für B., was den Kindern ihr Spielplatz ist. Er sucht sie, wenn der aufs höchste angespannte Geist Zerstreuung verlangt, und das Lächerliche ist dann sein Spielzeug, das ihm vielleicht um so mehr Vergnügen macht, jemehr er Andere welches daran finden sieht. Uebrigens verlieren seine Ausfälle das Meiste ihrer Bitterkeit durch die knabenhafte Fröhlichkeit und den lachenden

*) Vgl. [illegible], [illegible], S. 7 d. Bl. f. [illegible]. D. Red.

Muthwillen, mit denen er sie vorbringt. Aber unglücklicherweise kann er diese mildernde Begleitung nicht in seine Schriften übertragen. Das Leben B.'s vermehrt die Beweise zu der alten Regel, daß Beispiel weit kräftiger wirkt als Lehre. Alle Elemente des Guten waren bei ihm vorhanden, allein sie schlummerten, weil ihre Thätigkeit von keiner Seite angeregt wurde. Ein Sklave seiner Leidenschaften, gab er sich ihnen doch nicht ohne wiederholtes, leider nicht hinreichendes Widerstreben hin, allein mit jedem Tage näherte er sich dem Alter mehr, wo die Vernunft über jene triumphirt, und hätte er länger gelebt, würde er gewiß die schwierigste Herrschaft, die über sich selbst, noch erlangt haben. Alt zu werden wünschte sich B. nie, sondern sprach häufig das Gegentheil aus, wiederholend: „das Leben gleicht dem Wein; wer ihn rein trinken will, muß den Bodensatz unberührt lassen". „Irrthum ist es", sagte er eines Tages, „dem Alter die Beschwichtigung der Leidenschaften zuzuschreiben; es verändert sie nur und zwar keineswegs zu ihrem Vortheile. Geiz usurpirt den von der Liebe geräumten Platz, Mistrauen tritt an die Stelle des Vertrauens. Das sind die Früchte des Alters und der Erfahrung. Nein, alt mag ich nicht werden; Jugend fodere ich, das Fieber der Vernunft, nicht Alter, das sie lähmt. Noch erinnere ich mich aus meinen jungen Jahren, daß mein Herz von Liebe zu Allen überfloß, welche mir ihre Zuneigung schenkten, und jetzt in einem Alter von nur 36 vermag ich kaum durch Anschüren aller noch übrigen verglimmenden Reste aus jener Zeit meine durchkältete Brust auf Augenblicke zu erwärmen." Häufig und stets furchtlos sprach B. vom Tode, mit dem auch seine Gedanken oft beschäftigt waren. „Ich glaube", äußerte er darüber, „die meisten Unglücklichen thun es auch und betrachten ihn als den Erlöser von Gram und Noth. Für mich hat der Gedanke an den Tod etwas Beruhigendes, und nur an heitern Tagen in einer reizenden einsamen Gegend, wo Alles um mich Licht und Leben athmet, erregt er einigen Widerwillen in mir. Der Abstand zwischen der Umgebung und dem engen dunkeln Grabe schüttet zu viel Eis auf die Brust, denn aller Philosophie zum Trotz vermischen sich die Vorstellungen von Sarg, Gruft und Verwesung stets mit den Todesgedanken der Menschen, und man bedarf des ganzen Trostes der Hoffnung auf Unsterblichkeit, um über diese Brücke aus dem uns bekannten Dasein zu einem jenseit liegenden hinüberzukommen. Wissen Sie wol, daß ich mir manchmal während der Betrachtung eines mir lieben Angesichts die Veränderungen ausmale, welche der Tod einst darauf hervorrufen muß? Wie die Würmer prassen werden auf den jetzt lächelnden Lippen, und das Abbild der Gesundheit von der bläulichen, bleichen Farbe der nahenden Verwesung überzogen wird, stelle ich mir dann mit einer Wahrheit vor, deren unausbleibliches Eintreffen meine Einbildungskraft so daran fesselt, daß die Anwesenheit des in der Fülle des Lebens prangenden Individuums mich oft mehre Stunden lang nicht wieder von dem selbstgeschaffenen Schreckbilde befreien kann. Das gehört zu den Festen meiner Phantasie." Bei einer andern Gelegenheit äußerte Byron, daß der Tod uns mehr nütze als alle Schulphilosophie, weil er uns die Ueberzeugung verschaffe, daß des Lebens Uebel nicht ewig dauerten. Cowley's Verse:

> O Leben! schwacher Isthmus, der sich zwischen
> Zwei Ewigkeiten kühn erhebt!

citirte er als ein treffliches Gleichniß und versicherte, daß er sich ihrer häufig erinnere. Gern sprach er von Freunden, die ihm das Grab entrissen hatte, und beklagte sie so lebhaft, als sei ihr oft vor Jahren erfolgtes Hinscheiden ein Ereigniß von gestern. „Aber vielleicht ist es gut, daß sie von uns gegangen sind", sagte er eines Tages während eines ähnlichen Gespräches; „es ist minder bitter, Todte zu beklagen, als Ungetreue. Aus Erfahrung weiß ich, daß wir unwandelbare Freunde nur solche nennen dürfen, über denen sich das Grab geschlossen hat." „Freundschaft", behauptete B. eines Tages, „kann in Liebe übergehen, was auch oft geschieht; allein nimmer kann die Liebe sich in Freundschaft verwandeln." Als ich das Gegentheil aufstellte und namentlich anführte, daß in der Ehe an die Stelle der Liebe ja so oft die innigste Freundschaft, und auf diese Art ein gleich heiliges, nur minder leidenschaftliches Band an ihre Stelle trete, entgegnete er: „Sie sollten sagen, ein ausdauerndes; denn die gutmüthige Hingebung, mit welcher die Leute das eheliche Joch tragen, beruht weit mehr auf dem Grundsatze: dem Unabänderlichen muß man sich fügen, als auf einer Freundschaft, wie Sie sie geltend machen. Wem jemals Alles überbietende Liebe die Brust erfüllte, wie könnte der für denselben Gegenstand mit jener stagnirenden Ruhe fühlen? Nein, die Demüthigung, welche uns die Betrachtung der Gebrechlichkeit unserer Natur verursacht, für die es keinen schlagendern Beweis als die kurze Dauer glühender Liebe gibt, ist so schmerzlich, daß wir bei unserm gewöhnlichen Egoismus wo nicht Abneigung, doch mindestens eine gewisse Gleichgültigkeit für den Gegenstand empfinden, der uns nicht länger zu bezaubern vermag und dessen Anblick bittere Erinnerungen in uns weckt; ja, unsere Ungerechtigkeit geht so weit, daß wir die Schuld der eignen Schwachheit Denen aufbürden, welche unserer Liebe nicht länger Nahrung zu geben vermochten, und daß wir Makel an ihnen zu entdecken suchen, blos um unsere Unbeständigkeit zu beschönigen. Da nun Gleichgültigkeit nur ihres Gleichen erzeugt, so wird die Eitelkeit auf beiden Seiten gekränkt; mag nun immerhin die Vernunft die Leute zur Verbergung ihrer Gefühle bewegen, nimmermehr kann innige Freundschaft wie ein Phönix aus der erloschenen Asche leidenschaftlicher Liebe hervorgehen." Ich entgegnete ihm, das sei eitle Sophisterei, und er habe ja vor wenig Tagen selbst zugegeben, daß die Leidenschaft sich in ein besseres oder wenigstens dauernderes Gefühl umgestalten könne, daß Personen, welche jene Alles überbietende Liebe empfanden, die nur eine stürmische und selbstsüchtige Leidenschaft sei, sich gern der erquickenden Ruhe milderer Gefühle hingäben und mit Selbstzufriedenheit zurück auf die überstandene Unruhe, mit wachsender Sympathie nach Denen blickten, welche sie theilten.

(Der Beschluß folgt.)

Literarische Notiz.

Journal of voyages and travels by the rev. Daniel Tyerman and George Bennet, Esq., deputed from the London missionary society, to visit their various stations in the South Sea islands, China, India etc., between the years 1821 and 1829. Compiled from the original documents by *James Montgomery*. 2 Bände. London 1831. Dieses Werk scheint nach englischen Berichten nicht nur die Haupterfodernisse guter Reisebeschreibungen zu besitzen, indem es durch die Schilderung fremder Länder und Völker die Einbildungskraft ergötzt, sondern einen weit höhern Standpunkt dadurch eingenommen, daß es sehr wichtige Phänomene aus der Geschichte des Zustandes wilder heidnischer Völkerschaften und der ersten Ausdämmerung von Civilisation, Wissenschaft und Religion unter ihnen vorführt. Interessant sind unter Anderm die Mittheilungen über einen seltenen König von Tahiti, dessengleichen schwerlich unter den mitlebenden unumschränkten Herren über Leben und Tod auf Erden zu finden sein dürfte. Der Erste seines Volkes, der lesen und schreiben lernte, nahm er die Belehrung der Vornehmsten darunter in diesen Anfangsgründen der Civilisation nicht nur unermüdet selbst auf sich, sondern stand auch einem bei ihm sich aufhaltenden Missionare in der theilweisen Uebersetzung der Bibel wesentlich bei und verfertigte mit eigner Hand eine Reinschrift des Evangeliums St. Lucä, wonach die erste gedruckte Ausgabe desselben in tahitischer Sprache besorgt wurde. Die nähern Mittheilungen dieses Reisejournals über die Bewohner der Sandwichinseln, die sonderbarerweise den von ihnen getödteten unglücklichen Capitain Cook späterhin als eine Gottheit ansehen und sein Gebein in ihren Tempeln anbeteten, müssen sehr willkommen sein. 162.

Redigirt unter Verantwortlichkeit der Verlagshandlung: F. A. Brockhaus in Leipzig.

Blätter für literarische Unterhaltung.

Sonnabend, —— Nr. 208. —— 27. Juli 1833.

Scipio Cicala. Vier Bände.

(Beschluß aus Nr. 207.)

Das Verhältniß, das hier dargestellt wird, ist interessant und dem Gemüth erfreulich. Wie leicht ließe sich daraus ein anziehendes episches oder dramatisches Gedicht hervorbilden, weshalb es unsern begabten Dichtern zur Bearbeitung empfohlen sein möge. Auch hat unser Verf. die Darstellung durch die verkehrte Erzählungsweise des naiven Procidaners humoristisch zu beleben gewußt, wobei denn freilich einige Neigung zur Breite deutlich genug hervortritt. Gibt Ref. nun die Versicherung, daß Lebensbilder solcher Art gar viele und noch viel schönere in diesem Buch enthalten und alle mit gleicher Sorgfalt und Liebe von dem Verf. behandelt sind, so wird es den Lesern durch das mitgetheilte Probestück leicht werden, sich von Gehalt und Farbe des Werks einen deutlichen Begriff zu machen. Scipio Cicala, der, nachdem er zum Tode verurtheilt und auf seinen Kopf ein Preis gesetzt worden ist, bei den Maltesern aus politischen Gründen keinen öffentlichen Schutz finden kann, muß sich bequemen, verkleidet wieder ans Land zu steigen, und geräth als ein verfolgter Rebell aus einer Gefahr, Verlegenheit und Noth in die andere. Die Abenteuer, die er in dieser bedrängten Lage zu bestehen hat, bilden eigentlich den Inhalt des Romans. Ein Auszug aus demselben kann nicht gegeben werden, da alle diese zahllosen Ereignisse und Scenen für sich bestehende besondere Bilder sind, die an einem dünnen Faden zusammenhängen, sodaß ohne bedeutende Störung oder Beeinträchtigung des Ganzen beliebig Mittelglieder weggelassen und andere eingeschaltet werden könnten. Um jedoch zu verdeutlichen, wie der Verf. es anfängt, um die reichen Materialien, die er durch Anschauung, Lecture und Studium zusammengebracht, in seinen Text zu verweben, führt Ref. noch einige Beispiele an. Der Vater Scipio's, welcher Malteserritter war, rettete bei dem Sturm von Modon eine vornehme junge Türkin vom Tode, führte sie mit sich, bekehrte sie zum Christenthum und heirathete sie, nachdem der Papst sein Gelübde gelöst hatte. Dies gibt nun schon Gelegenheit, türkisches Leben im Conflict mit den christlichen Waffen lebendig darzustellen; ähnliche Gelegenheiten werden späterhin häufig herbeigeführt, indem die Türken fortwährend die neapolitanischen Küsten theils feindselig, theils in heimlichem Einverständniß mit den unter dem Druck der spanischen Herrschaft seufzenden und ihrem Joche ungeduldig widerstrebenden Neapolitanern umschwärmen, bald hinterlistig, bald mit offener Gewalt ans Land steigen, sodaß auch Scipio anfangs in einen Kampf mit ihnen verwickelt wird, später aber, durch Neigung zu einer schönen Tochter des berüchtigten türkischen Seeräubers Uludsch Aly angezogen, zu ihnen übergeht, den christlichen Glauben abschwört und endlich gar selbst als Türke eine glückliche Seeschlacht gegen die maltesische Flotte besteht, wobei er den Großprior von Pisa und den Großbailli von Deutschland, seine frühern Freunde und Beschützer, freilich um sie vor einem martervollern und schimpflichern Tode zu retten, mit eigner Hand zu tödten genöthigt wird. Hier haben wir also mancherlei Land- und Seekämpfe, entgegengesetzte Sitten und Handlungen der Türken und Christen, Ueberfälle von Klöstern und Schlössern, Feuersbrünste und als Zugabe noch eine ebenso reizende als eigenwillige umherstreifende türkische Amazone, Alles lebendig und anschaulich dargestellt. Scipio's Mutter, eben jene von seinem Vater bekehrte Türkin, hat eine alte griechische Amme, Melantho, bei sich, die von einer Art von wunderbarer prophetischer und magnetischer Kraft erfüllt ist und sich dadurch wie durch ihre Treue und Liebe bedeutender Autorität in der Familie erfreut. In dieser sehen wir nun allen jenen aus dem alten Heidenthum erhaltenen Aberglauben der Neugriechen personificirt und bekommen in der Erzählung ihrer Schicksale sowie in ihren Zauberanstalten und Beschwörungen eine Anschauung von dem Wesen und Charakter dieses eigenthümlichen Volkes. Wird der Held, während er den Verfolgungen der spanischen Regierung zu entgehen sucht, fast auf jedem Schritt gefangen genommen und im nächsten Augenblick durch irgend ein unvorhergesehenes Ereigniß wieder befreit, so gibt dies dem Verf. Anlaß, uns die Spanier der damaligen Zeit in mannichfachen Exemplaren aus allen Classen und Ständen vor Augen zu stellen und uns nebenher durch einen bunten Wechsel lebhafter Scenen zu unterhalten. In dem Castell nuovo zu Neapel fühlen wir mit ihm alle Schauder eines von den Meereswellen bespülten tiefen und feuchten Kerkers, wohin kein Sonnenstrahl dringt; aber in einem Leidensgefährten, den er in diesem Kerker findet, lernen wir einen bekannten Dichter jener Zeit, Pomponius Gauricus, kennen, der als blühender Jüngling, ohne auch nur eine Ahnung von der Ursache seiner Verhaftung zu haben, in dies Gefängniß gesetzt, in demselben vergessen und erst im höchsten Greisenalter daraus befreit wird, demungeachtet aber, durch alle seine Leiden in echt christlicher Liebe nur mehr befestigt, gleichsam als ein Böte des Himmels dem jungen Helden Trost und Hoffnung zuspricht. Auf diesem reinen, vortrefflichen Charakterbilde wird das Auge des Lesers mit besonderer Vorliebe weilen. In dem oben schon erwähnten Camaldulenserkloster, das, auf dem schönsten Punkt jener paradiesischen Küste erbaut, die sicherste Zuflucht bedrängter Seelen, der köstlichste Wohnsitz ungestörten Seelenfriedens und weltabscheidender Einsamkeit sein sollte, sehen wir furchtbare Scenen der Tyrannei, der Heuchelei, des Verraths und Mordes und einen 120jährigen frommen Greis als Abt, der, erloschenen Auges, von den Scheußlichkeiten, die um ihn her vorgehen, nicht die leiseste Ahnung hat. In einem Franziskanerkloster zeigt sich dagegen auf einer Seite der niedrigste Geiz, die raubgierigste Habsucht, auf der andern die liederlichste Völlerei, und es wird uns klar, daß der Mensch, wenn er in diese Wohnsitze christlichen Wahnglaubens gerathen ist, entweder ein Teufel oder ein Engel werden muß, um seine Existenz zu vertheidigen. Die aufbrausende Wuth einer empörten Bevölkerung und die harte Grausamkeit kalter Tyrannen gehen an unsern Augen vorüber. Wir finden uns in Markt und Straße umgeben von einem leichtsinnigen, im guten und bösen Sinne leidenschaftlich bewegten Volke, wir hören seine eigenthümlich aphoristische, sprichwörtliche Redeweise, lernen seine abergläubigen Volkssagen, seine Sitten und Gemüthsart kennen und sind dann plötzlich wieder in das Cabinet des Vicekönigs oder an den Hof des Fürsten von Salerno versetzt, wo die Thorheit, der Leichtsinn und die Verderbtheit der Großen uns entgegentritt. Kurz, Ref. ist in langer Zeit kein Buch vorgekommen, in welchem ein so großer Reichthum der verschiedensten Anschauungen niedergelegt wäre. Unsere Novellen- und Bühnendichter mögen sich seiner bemächtigen, es enthält unerschöpflichen Stoff zu poetischen Bildungen aller Gattung, und es könnte ein episches Meisterwerk sein, wenn Phantasie und Belesenheit, selbst wenn sie mit einer glücklichen Darstellungsgabe verbunden sind, zur Hervorbringung eines solchen schon hinreichten. Hier aber ist die letzte Stufe, die der Verf. noch nicht erstiegen hat. Jedes Einzelne dieser Bilder ist schön, manches ist sogar hinreißend, so lange wir es für sich allein betrachten; beschauen wir dagegen sein Verhältniß zum Ganzen, so erscheint es sofort als ungehörig und verfehlt. Ref. will indessen gern darüber schweigen; er hat der Kritik und zwar diesmal mit Freuden entsagt, jedoch nur um sie dem Verf. zu künftigem eignen Gebrauch um so dringender zu empfehlen. Die höchste Kunst des Meisters besteht nicht in der Erfindung, sondern in der Anordnung und Beschränkung, und wenn der Verf. diese sich zu eigen macht, so kann Deutschland große Freude an ihm erleben. Wenn übrigens der Verf. einen Grund zu seiner Anonymität, die sonst alle Achtung verdient, darin finden will, daß in unserm Vaterlande der Stand eines Beamten mit dem eines Schriftstellers für unverträglich gehalten werden soll, so möchte er wol in einem großen Irrthum befangen sein. Die tägliche Erfahrung lehrt das Gegentheil, und fände ein so philisterhaftes Vorurtheil wirklich statt, so hätte ein tüchtiger Beamter und Schriftsteller doppelte Ursache, ihm mit der ganzen Kraft seiner Gesinnung und seines Talents entgegenzutreten und durch Werke, die seinen Namen ehrend verkündigen, den Beweis zu liefern, daß man den Pflichten seines Amtes Genüge leisten kann, ohne den Anmahnungen der Muse zu widerstreben. 119.

Lord Byron.

Dritter Artikel.

(Beschluß aus Nr. 207.)

Ich zählte die neuen Bande auf, welche Gewohnheit, gemeinschaftliche Sorge und Freude u. s. w. tagtäglich den ältern hinzufügen, und schloß, daß es ein trauriges Loos wäre, nach wenig Monaten voll Leidenschaft ein gleichgültiges Leben führen zu müssen, blos weil das an ihre Stelle getretene Gefühl weniger heftig sei. „Wohlan", hob B. an, „geben Sie zu, daß die Leidenschaft der Liebe nach wenig Monden verfliegt, würde es dann nicht klüger sein, als Lebensgefährtin auf vielleicht lange Jahre Die zu wählen, welche am meisten zur Freundschaft geeignet ist, und nicht ein Idol, das zwei Monate lang verehrt, dann aber von dem für dasselbe errichteten Altare herabgestoßen und verunstaltet von dem ihm gestreuten Weihrauch, verlassen wird? Denn wo, wie gewöhnlich in solchen Fällen, körperliche Reize die Wahl bestimmen, sind selten die Erfodernisse zur Freundschaft vorhanden, und der Mangel jener solidern Eigenschaften, welche Entschädigung für die flüchtige Leidenschaft gewähren sollen, wird zu spät entdeckt. Wer die Freundin im Weibe sucht, beobachtet an ihr zuerst Unterhaltung, geistige Bildung und Annehmlichkeit, und ziehen ihn diese bei vertrauterer Bekanntschaft immer mehr an, so führt die Freundschaft oft zur Liebe. Der Grund, auf welchem sie dann ruht, verspricht mehr Festigkeit, und in solchen Fällen geb ich zu, daß eine innige Freundschaft für immer geknüpft werden kann." — „Mein beau ideal", äußerte B. im Fortgange des Gespräches, „würde ein Weib sein, talentvoll genug, um mich zu verstehen und zu schätzen, allein nicht in dem Grade, um selbst zu glänzen. So denken alle Männer, welche Prätensionen machen, allein vielleicht keiner wagt es zu gestehen. Den Grund davon such' ich darin, daß ein Mann von seinen höhern Eigenschaften sehr überzeugt sein muß, um den Gedanken eines Nebenbuhlers in der Nähe seines Thrones ertragen zu können, mag dies auch jemals seine Gattin sein; und da schon das Sprüchwort sagt Niemand bleibe in seines Kammerdieners Augen ein Held, so ist vorauszusehen daß nur wenig Männer ihren Platz auf dem Piedestal des Genius im Angesicht Jemandes behaupten können, der hinter den Vorhang geschaut, wenn es demselben nicht an Urtheilsfähigkeit mangelt und er also nicht bewundert, was ihm zu hoch ist. Genie und Größe sollten nur aus der Ferne betrachtet werden, denn beide können zu nahe Untersuchung nicht vertragen. Denken Sie sich einen Helden von hundert Schlachten in seiner baumwollenen Nachtmütze und allen menschlichen Schwachheiten unterworfen; weg ist seine Erhabenheit. Desgleichen der Dichter, dessen Werke Sie der Gegenwart und der Erde entführten, der, dem Prometheus gleich, Himmelsfunken zur Belebung der Kinder des Staubes entwendete; sahen Sie ihn während seines dichterischen Schaffens, wie er die Zeilen ändert, abschreibt, zerreißt und wieder abschreibt, die Sie als Homerische Inspiration betrachteten, und wie er bezwischen ißt, trinkt und schläft wie andere Sterbliche, so wird er bald in Ihren Augen auf dieselbe Stufe mit andern Menschen hinabsinken. Ich bin fest überzeugt, daß wir die Werke Derjenigen nie richtig schätzen, mit denen wir auf vertrautem Fuße lebten; meine Erfahrung hat dies bestätigt, und Dichter geht diese Lehre vorzüglich an. Sie sollten zurückgezogen leben, sich durch Seltenheit zum Gegenstand der Wünsche Anderer machen, nie dem thierischen Verlangen nachgeben und in Gesellschaft speisen und sich überhaupt in allen ihren Gewohnheiten ebenso von der Menge unterscheiden wie durch ihr Genie." B. lachte recht herzlich, als er mit diesen Geständnissen zu Ende war und setzte hinzu: „Ich habe alles Ernstes daran gedacht, ein kleines Handbuch darüber für meine Kunstverwandten zu entwerfen. Mein Freund Moore würde sich aber gewiß nicht danach gerichtet haben, und er ist auch vielleicht der Einzige, der berechtigt ist, seine bisherige Weise beizubehalten, denn er besteht die Ordalien der Schmausereien, ohne seinen Dichterruf zu gefährden, weil die glänzenden Dinge, welche aus seinem Munde kommen, mit den massiven aussöhnen, die derselbe consumirt."

Es gewährte B stets ein besonderes Vergnügen wenn er Gelegenheit fand, Poeten zu verspotten; er ließ sich recht con amore darauf ein und schloß gewöhnlich mit einem Sarkasm auf sich selbst, oder auf die Kunst. Er hat mir oft wiederholt: „Wir Kunstverwandte haben alle einen Sparren. Den Einen plagt die Fröhlichkeit, den andern die Melancholie, kurz jeder hat sein Theil, was aber wenige außer mir eingestehen werden. Ich für meine Person thue es blos, um meinen Freunden die Mühe zu ersparen, die Welt davon zu unterhalten." Als ich mir eines Tages wiederholt herausgenommen hatte, B. — wie er's nannte — zu schelten, und meine Freimüthigkeit mit der gewöhnlichen Geduld hinnehmen sah, gab ich ihm meine Verwunderung über die Langmuth zu erkennen, mit der er meine Strafpredigten anhöre. Lächelnd versetzte er: „Kein Mann läßt sich ungern von Frauen zurechtweisen, vorausgesetzt, daß es nicht von seiner Mutter, seiner Schwester oder Gattin geschieht; denn zuerst beweist es, daß sie an ihm Interesse nehmen, und zweitens geht den Frauen jenes Ansehen von Ueberlegenheit ab, welches besonders unsere männlichen Zeitgenossen affectiren. Allein selbst wenn sie es besäßen, würde die Ueberzeugung der Männer von ihrer anerkannten Superiorität sie stets bewegen, ohne Kränkung auf das zartere, ich will nicht sagen schwächere Geschlecht zu hören." Nur einmal, kann ich mich besinnen, nahm B. meine Offenheit übel. Wir ritten von Nervi nach Hause, und die Vertheidigung eines von ihm mit Spott und Bitterkeiten überhäuften Freundes veranlaßte mich zu freimüthigeren Aeußerungen, als ich mir gewöhnlich erlaubte. Als wir gleichzeitig an die Wendung der Straße kamen, wo der Weg nach Albaro abgeht, empfahl sich B. höflich, aber kalt, und ritt davon. Allein kaum hatten wir hundert Schritt zurückgelegt, als er uns nachgaloppirt kam, mir die Hand bot und sagte: „Reichen Sie mir Ihre Hand, ich kann mich nicht mit einer so förmlichen Beurlaubung von Ihnen befreunden; was Sie sagten, war gewiß recht und gut gemeint. Also, Gott sei mit Ihnen; morgen reiten wir wieder zusammen, und ich verspreche, nichts zu reden, was mir eine neue Lection zuziehen könnte." Unsere ganze Gesellschaft versicherte einstimmig, B. nie in vortheilhafterem Lichte gesehen zu haben.

Von der Gräfin Guiccioli erzählte mir B., daß sie wiederholt von ihm verlangt habe, seinen „Don Juan" liegen zu lassen, weil ihr dessen Immoralität anstößig war, und sie den Gedanken nicht ertragen konnte, daß etwas der Art mit ihr unter einem Dache geschrieben würde. „Ihr zu gefallen", sagte B., „hab' ich mich auf einige Zeit [illegible] [illegible], allein die Erlaubniß zur Fortsetzung nur unter der Bedingung erhalten, meinen Helden zu einer moralischen Person zu machen. Ich werde ihn zuletzt zum Methodisten [illegible], das wird den Engländern gefallen und eine anständige Buße für seine und meine Sünden sein." Wegen des „Don Juan" erhielt ich eines Tages einen anonymen, von Frauenhand sehr schön geschriebenen Brief mit einer hübschen Zeichnung, darunter die Worte: „Als B. den ersten Gesang des „Don Juan" schrieb, überließ die Liebe, welche seine Feder oft geleitet hat, ihren Platz der Sinnlichkeit, und die Sittsamkeit, ihr Angesicht verhüllend, um ihre Thränen und ihr Erröthen zu verbergen, verließ ihn für immer." Die Zeichnung versinnlichte diesen allerliebsten Einfall. Indessen ist es immer ein Trost, die Aufmerksamkeit der Frauen so in Anspruch zu nehmen, wär's auch nur durch meine Fehler, und ich gestehe, ich fühle, daß es mich befriedigt."

B. sprach von Herzen gern über Napoleon und sagte mir, daß seine Bewunderung desselben, seitdem er Italien gesehen und die erstaunlichen Werke, die er angegeben und ausgeführt habe, sehr gewachsen sei. „Durch Italien zu reisen, ohne an Napoleon zu denken, wäre grade so, wie in Neapel zu sein, ohne den Vesuv zu sehen." Da ich den Vergleich belächelte, fuhr B. fort: „Sind gleich die Werke des Einen nur unverderblicher Art, so erinnert man sich dennoch stets der Gewalt Beider." „Und doch", entgegnete ich, „wird Napoleon von Ihnen oft ebenso getadelt, wie Ihre übrigen Favoriten." „Kann sein", erwiderte er, „wenn ich Fehler an ihm finde und ihm deshalb zürne, wie ein Liebender über kleine Mängel seiner Angebeteten; meine überschwengliche Vorliebe erzeugt den Wunsch, ihn makellos zu sehen, allein wie der Verliebte, kehre ich nach jedem Zwiste mit erneueter Innigkeit zu ihm zurück. Napoleon war ein großer Mensch, und obgleich er von seiner Höhe herabgestoßen wurde, nachdem er Throne zu seinen Fußschemeln gemacht hatte, wird sein Andenken bestehen wie das der kolossalen Memnonsbildsäule, die, obgleich von ihrem Ehrenplatze herabgestürzt, dennoch die unvertilgbaren Merkmale der Größe und Erhabenheit behielt, um das Erstaunen der Zukunft zu erregen."

„Kannten Sie William Spencer, den Gesellschaftspoeten, wie er gewöhnlich genannt ward?" fragte mich B. eines Tages; „das war wirklich, was Ihre Landsleute einen eleganten Geist nennen, gebildet, voll Anmuth, dabei sentimental, heiter genug, um nicht ins Weinerliche, gedankenreich genug, um nicht zu sehr ins Anakreontische zu fallen. Seine Unterhaltung war voller Mutterwitz, wie seine Verse voll von zarter Empfindung sind. Ich hatte beide gern, dann sie waren in ihrer Art völlig aristokratisch; nirgend suchten sie den Beifall der Canaille, was mir sie immer werther machte. Trotz Allem, was ich dagegen sagen mag, war England zu meiner Zeit sehr ergötzlich, d. h. es gab unter hundert Alltäglichen, mit denen man alle Tage zusammenkam, sieben ergötzliche Personen — ein Siebengestirn, sichtbar, wenn sich alle andern verborgen hatten. Richten Sie Ihre Blicke, wohin Sie wollen, wo sind wieder so viele Sterne beisammen zu finden? Moore, Campbell, Rogers, Spencer als Dichter, und wie viele Conversationsmenschen, welche zur Milchstraße gerechnet werden mußten. Das Alles war und würde herrlich gewesen sein, hätte man diese Sterne bei ihren Planeten festhalten können; leider waren sie mit der Fähigkeit begabt, in andere Sphären überzugehen, und wurden oft in die Polarkreise, in die kalten Zonen des Adels versetzt. Häufig fiel mir damals ein, England habe seinen Gipfel, den Punkt erreicht, wo ein Volk nicht fortschreiten, sondern nur rückwärts gehen kann, und ich glaube, ich hatte nicht Unrecht. Unser Heer befand sich in einem vorher unerhörten Zustande der Vollkommenheit. Wellington's Stern war im Aufsteigen begriffen, und neben ihm erbleichten alle andern. Im Oberhause besaßen wir Grey, Grenville, Wellesley und Holland, im Unterhause Sheridan, Canning, Burdett und Tierney. Dichter im Scheitelpunkte ihrer Bahn und eine Menge andere geistreiche Männer belebten die Gesellschaft. Ach, was die Zeit davon übriggelassen, hat sie wenigstens verstümmelt. Der Wein ihres Lebens ist sauer geworden, und wo ist Jemand, ihre Stelle einzunehmen? Alte Leute, heißt es, erheben die Vergangenheit auf Kosten der Gegenwart: an sich etwas sehr Natürliches, doch da ich mich noch in den mittlen Jahren befinde, kann mein Alter keinen Einfluß auf mein Urtheil über die Gegenwart haben; auch hör' und seh' ich weder im Kreise der Literatur noch der Politik von jungen Männern, welche die Plätze Jener einzunehmen versprächen." Ich warf dagegen ein, daß die weiter verbreitete Bildung junge Leute veranlasse, nicht eher etwas von ihren Werken zu publiciren, bis sie, was jetzt zugleich schwieriger sei, etwas Aufmerksamkeit Erregendes geschaffen zu haben glaubten; B. blieb aber beharrlich bei der Meinung, daß Mittelmäßigkeit das charakteristische Zeichen der Gegenwart sei, und daß Leute wie zu seiner Zeit nicht wiederkehren würde.

Ueber Hallam und seine „Geschichte des Mittelalters" sagte B.: „Es ist ein bewunderungswerthes Werk, und ich wüßte Niemand außer H., der im Stande gewesen wäre, es zu liefern; denn fänden sich auch seine Kenntnisse und Talente bei einem Andern, so würde doch die Vereinigung derselben mit seinem Forschungsgeiste, seiner Ausdauer und seiner Klarheit der Darstellung höchst selten vorhanden sein. Hallam's Reflexionen sind treffend und tiefsinnig zugleich, seine Sprache gewählt und eindrucksvoll. Ich erinnere mich, von einer Stelle hingerissen worden zu sein, wo er von den Venetianern spricht: ‚Zu blind, Gefahren zu vermeiden, zu feig, sich ihnen zu widersetzen, leistete der älteste Staat Europas nicht einen Augenblick Widerstand. Die Bauern von Unterwalden starben auf ihren Bergen, der Adel von Venedig klammerte sich nur an sein Leben.' In diesem Style muß die Geschichte geschrieben werden, wenn sie sich dem Gedächtnisse einprägen soll. Viele solcher Stellen habe ich bei dem ersten Durchlesen von H.'s Buch laut wiederholt, so sehr sagten sie mir zu. Auch Robertson's „Karl V." gehört zu meinen Lieblingswerken, und dergleichen tragen mehr zur Ausbreitung der Bildung bei als die Hälfte der dickleibigen Bände, welche unsere Bibliotheken vollstopfen. Jene sind die Eisenbahnen des Wissens, während diese dem vernachlässigten alten Wege gleichen, welche uns vom Reisen zurückschrecken." Von Canning sprach B. stets in Ausdrücken hoher Bewunderung, nannte ihn einen Mann von großen Fähigkeiten, glänzender Einbildungskraft, gebildetem Geist und wahrhafter Beredtsamkeit, dem nur Geburt in einem bessern Stande fehle, um ein großer Staatsmann zu sein; „denn", sagte B., „Vermögen würde ihn vor Wankelmuth bewahrt haben, davon der Verdacht schon dem Vertrauen schadet, welches ein Staatsmann einflößen sollte. So aber ist Canning nur glänzend, nicht groß, trotz allen Eigenschaften zur Größe, die er besitzt." 3.

Notiz.

Eine Beurtheilung der jüngst erschienenen Schrift: „Die Fortbildung des Christenthums zur Weltreligion. Eine Ansicht der höhern Dogmatik von Christoph Friedrich von Ammon" (erste Hälfte, Leipzig, Vogel, 1833, gr. 8., 1 Thlr. 4 Gr.), mag vor der Hand wol billig im Allgemeinen den Theologen selbst überlassen bleiben. Einem Laien steht es indessen sicherlich frei, in einer unmaßgeblichen Notiz auf die bedeutsame und folgenschwere Idee derselben aufmerksam zu machen. Es ist uns bisher noch selten mit einem Werke sowie mit diesem begegnet, daß es in dem Maße mit unserer innersten Ueberzeugung zusammengetroffen und für uns so folgerichtig geschrieben wäre, daß wir fast bei jedem Satz uns den nächstfolgenden vorauszusagen im Stande waren. Wir sind überzeugt, daß sehr selten ein neues Buch ein so unmittelbares, unabweisbares Bedürfniß befriedigt, so zeitgemäß erscheint als das fragliche. Es ist geeignet, Tausende von Menschen mit der protestantischen Kirche wieder auszusöhnen, Tausende zwar nur, die der Zahl der Bekenner des evangelischen Glaubens nach allerdings nicht viele sind, die aber ihrer Beschaffenheit nach ihr mehr werth sein müssen als Hunderttausende des großen Haufens. Wir sind ferner überzeugt, daß unzählige Menschen den Inhalt und die Gedanken dieses Buches schon lange bei sich selbst erwogen und gehegt haben, und insofern wird in ihm keine neue Lehre gepredigt, aber es gibt vielen des der

Wir bekennen uns zu dem Glauben des Hrn. v. Ammon, daß zunächst eine bodenlose Politik die Menschheit dem Verderben nahe gebracht hat, daß eine gründliche Religiosität allein sie retten kann. Wir halten sogar dafür, daß diese wiedererwachende Religiosität sich bereits durch mannichfache Zeichen des Heiles verkündigt, sind aber auch der unerschütterlichen Erwartung, daß die Zeit zur endlichen Ausbildung der evangelischen Kirche gekommen ist, und daß die qualitative Mehrheit der evangelischen Christen eine innigere Annäherung ihrer Kirche an die Reinheit des Evangeliums fodert, daß namentlich eine Trennung des Judenthums vom Christenthume, eine Unterscheidung der Lehre Christi von seiner Lehrart Noth thut. Die zweite Hälfte der Schrift des Hrn. v. Ammon muß in dieser Hinsicht beiweitem der bedeutendere werden. Wir wünschen und hoffen, daß der rüstige Kämpfer für die gute Sache mit Muth und Kraft hinlänglich ausgerüstet sein möge, seine Aufgabe zu beendigen, trotz der Anfechtungen und Mishelligkeiten aller Art, die ihm dafür von vielen Seiten natürlicherweise begegnen müssen. Lasse er sich von seinem graden Wege nicht irren und ableiten, gebe er keinen Fußbreit um leerer Rücksichten willen nach. Vorwärts ist das große Losungswort der Zeit. Was der einzelne Orthodoxe ihm verdankt, danken ihm Tausende von Gläubigen! 167.

Redigirt unter Verantwortlichkeit der Verlagshandlung: F. A. Brockhaus in Leipzig.

Blätter

für

literarische Unterhaltung.

Sonntag. —— Nr. 209. —— 28. Juli 1833.

1. Ueber das Verhältniß der Juden zu den christlichen Staaten von Karl Streckfuß. Halle, Schwetschke und Sohn. 1833. Gr. 8. 12 Gr.
2. Offenes Sendschreiben an Herrn Geh. Oberregierungsrath K. Streckfuß zur Verständigung über einige Punkte in den Verhältnissen der Juden. Von J. M. Jost. Berlin, Lüderitz. 1833. Gr. 8. 12 Gr.
3. Kritische Beleuchtung der neuesten ständischen Verhandlungen über die Emancipation der Juden von Gabriel Riesser. Altona, Hammerich. 1833. Gr. 8. 1 Thlr.
4. Die Gleichstellung der Israeliten Badens mit ihren christlichen Mitbürgern, von Leopold Ladenburg. Manheim, Schwan und Götz. 1833. Gr. 8. 16 Gr.

Der entrüstete Widerspruch, den ein in der „Leipziger Zeitung" enthaltener Entwurf einer Judenordnung für die preußischen Staaten in den meisten deutschen und ausländischen Tageblättern und auch unsererseits gefunden hat, veranlaßte den vorgeblichen Verfasser jenes Entwurfs, Herrn Geh. Oberregierungsrath Streckfuß, zu einer Gegenschrift, in welcher er der vorgeblichen Entstellung und Uebertreibung seiner Ansichten entgegenzutreten beabsichtigt. Die Insinuationen von Unbesonnenheit, Unredlichkeit und Verleumdung, die der Herr Verf. in seiner Vorrede, dem Muster eines vornehmen Beamtenstyls, seinen Gegnern gemacht hat, übergehen wir billigerweise, da wir nicht gesonnen sind, den Meinungskampf auf das Terrain der Persönlichkeit hinüberzuspielen. Wenn aber grade bei den wichtigsten Fragen, deren Beantwortung von einem Eingeweihten zu vernehmen wir am meisten gespannt sind, der Schriftsteller sich hinter dem Beamten versteckt, so mag es uns Niemand verargen, daß wir unsere billigsten Erwartungen getäuscht fanden.

Bei dieser Erwägung (heißt es S. 5 jener Vorrede) würde es ihnen nicht entgangen sein, daß für die preußische Regierung nichts bequemer gewesen wäre als das Emancipationsedict vom 11. März 1812 sogleich in den Jahren 1814 und 1815 in den neu erworbenen Provinzen einzuführen; daß aber, wenn dieselbe sich diese leichteste und bequemste Erledigung der Sache versagte, **schon damals**, zwei bis drei Jahre nach dem Erscheinen des Gesetzes, unter der Verwaltung des freisinnigen Staatskanzlers *), die **Erfahrung Gründe** dargeboten haben muß, die Ausdehnung des Gesetzes auf die neuen Provinzen für **bedenklich**, und die nachher in Beziehung auf einige Punkte verfügte größere Beschränkung für **rathsam** zu halten.

Nun wahrhaftig, dieser Bescheid ist so vornehm als nichtssagend, oder vielmehr, er ist so nichtssagend, weil er doch allzu vornehm ist. Denn hier grade wäre für den preußischen Staatsmann der rechte Anlaß gewesen, seine Ansichten nicht an leere Theorien, wie sie Hr. Streckfuß zu Markte bringt, sondern an die Wirklichkeit anzuknüpfen und durch die Ergebnisse derselben zu belegen. Ist schon jemals eine so ungeheure Anklage kühler und nüchterner vorgebracht worden? Wie, als eine ausgemachte Sache wird es angesehen, die gar keines Beweises mehr bedürfe, daß die preußischen Juden die königl. Rechtswohlthat vom Jahre 1812 verscherzt, daß sie durch ihr Betragen die Rücknahme einzelner gesetzlicher Bestimmungen verwirkt und die Nichteinführung jenes freisinnigen Edicts in den neu erworbenen Provinzen veranlaßt hätten? Wo sind die Belege dafür? Sie dürfen kein Staatsgeheimniß bleiben, wenn aus dem Endurtheil, das auf ihnen beruht, keines mehr gemacht wird. Aber nicht Phrasen, die das Vorurtheil oder die Furcht vor jüdischer Concurrenz dictirt hat, werden uns genügen, wir wollen Resultate, die auf Factis und Zahlen beruhen, wir wollen die Urtheile der Behörden, der Dikasterien, der Schulvorsteher, die mit Juden in Verbindung stehen. Nicht an dem Verleumdeten ist es, sich zu vertheidigen, der Verleumder beweise seine Anklage. Wir sind auf die statistischen Tabellen begierig, die er dem Publicum vorlegen wird, denn nur diesen wird es in einem so wichtigen Falle Glauben beimessen dürfen. Er möge nachweisen, daß die Juden an aufrührischen Bewegungen theil genommen, daß ihrer eine verhältnißmäßig größere Anzahl die Summe der Verbrechen wider die bürgerliche Gesellschaft vermehrt habe, und da die Strafe des Gesetzes doch nur das Verbrechen, nicht das Laster ereilt, so überzeuge er uns davon, daß der Egoismus, diese Erbsünde

*) Es ist durchaus unbegründet, daß der Fürst Staatskanzler seine Ansichten über die Juden geändert habe; dies beweisen die theilweise öffentlich bekannt gewordenen Verhandlungen, die er in Gemeinschaft mit Oestreich auf Grund des Art. 16 der deutschen Bundesacte wegen widerrechtlicher Entziehung des Bürgerrechts mit den freien Städten anknüpfte. Er gibt den Juden Preußens ausdrücklich das ehrenvolle Zeugniß, auf den Schlachtfeldern sich als Bürger des gemeinsamen Vaterlandes bewährt zu haben. Auch war er ein zu großer Staatsmann, um wie unsere heutigen Treibhäusler schon nach drei stürmischen Kriegsjahren die gereifte Frucht seiner Aussaat zu erwarten.

der Menschheit, unter der Masse der Juden einheimischer sei als unter ihren christlichen Mitbrüdern. Wird er uns ferner die amtlichen Nachweise dafür vorlegen können, daß sie, unfähig für die mannichfachen Functionen des bürgerlichen Lebens, in unbezwinglicher Stumpfheit an dem Althergebrachten festhalten, daß sie ihr Schul- und Synagogenwesen vernachlässigen, daß ihre Gewerbthätigkeit dem Staate zum Schaden gereicht? Freilich wird er an die Juden nicht einen Maßstab anlegen dürfen, den er in allen übrigen Fällen als das Hirngespinst eines voreiligen und unpraktischen Liberalismus mit vornehmem Naserümpfen verwirft; er wird nicht berechtigt sein, vorauszusetzen, daß im Laufe von zwei Jahrzehnden durch halbe Bewilligungen, wie sie den Juden gemacht worden sind, eine **ganze** Annäherung an die bürgerliche Gesellschaft habe bewirkt werden können. Wenn sich nun Hr. Streckfuß mehr als bisher um das Detail der jüdischen Angelegenheit wird bekümmert haben, dann wird er zu der Einsicht gelangen, daß er die Gutachten der Provinzialstände doch wol nicht als die Stimme der öffentlichen Meinung betrachten dürfe. Als der Staatskanzler Fürst von Hardenberg das Edict vom Jahre 1812 vorbereitete, holte er von sämmtlichen Gerichtshöfen des preußischen Staats Gutachten über die Juden ein, die mit zwei Ausnahmen durchgängig günstig genug lauteten, um das Erscheinen jenes Gesetzes zu beschleunigen. Wenn daher 12 Jahre später ein ähnliches Gutachten von den Provinzialständen eingeholt wird, das ebenso durchgängig ungünstig lautet, so mag es einem ehrlichen Deutschen, selbst wenn er das Unglück haben sollte, als Jude geboren zu sein, nicht verargt werden, an ein ehrliches deutsches Sprüchwort zu denken, das in seiner hausbackenen Tüchtigkeit mehr sagt als die klügsten Raisonnements unserer Staatsweisen.

Da nun auf dieser Voraussetzung, die Juden von vorn herein für Unwürdige und abgeurtheilte Verbrecher zu erklären, alle die seltsamen Anstalten auferbaut werden, die Hr. Streckfuß zu ihrer allmäligen Besserung ersonnen hat, so nehmen wir von unserm frühern Urtheil über die Bedeutung seiner Ansicht nichts als die Wichtigkeit, die wir derselben früher beilegten. Denn früher hielten wir sie für das Organ der preußischen Regierung, während sie sich jetzt nur als die Stimme eines Einzelnen ausspricht. Den Vorwurf mittelalterlicher Gesinnung, den Hr. Streckfuß ausdrücklich zurückweist, müssen wir aber dringend wiederholen. Es ist nicht die unschuldige Schwärmerei der Phantasie für die Wunder des Mittelalters, es ist das gefährlichere Princip desselben, das wir aus der politischen Gesinnung des Herrn Verf. herauszuerkennen glauben. Es sei uns erlaubt, diese Differenz der staatsrechtlichen Grundgedanken hervorzuheben, da wir die Widerlegung des Details andern Kämpfern von größerm Scharfsinn und ausgebreiteterer Gelehrsamkeit überlassen zu müssen glauben.

Herr Streckfuß steht nämlich auf dem Standpunkt des **Privilegiums** und der **Bevormundung**, und dies ist der Standpunkt des Mittelalters. Das Bürgerthum ist nämlich so sehr die innerste Wurzel des Staatslebens, daß jeder Einzelne daran Theil hat, insofern er in einem lebendigen Staatsverbande lebt, d. h., insofern er seine Pflichten gegen die bürgerliche Gesellschaft erfüllt. Mit der Verleihung des Bürgerrechts wird daher dem Einzelnen durchaus nicht eine besondere Ehre angethan oder ein Vorrecht verliehen, es wird eben nur das Factum dadurch anerkannt, daß er vermöge seiner Pflichten und Leistungen einem besondern Staate zugehört, und die **Möglichkeit** wird ihm eröffnet, innerhalb dieses Staats seine geistigen und materiellen Kräfte frei entwickeln zu dürfen. Daß diese Entwickelung seiner Kräfte dem Staate nicht schädlich oder gefährlich werde, dafür sorgt das Gesetz. Hr. Streckfuß dagegen betrachtet das Bürgerrecht in Beziehung auf die Juden als ein Privilegium, welches er wie eine Schulprämie zur Aufmunterung und Nacheiferung ausgetheilt wissen will; er stellt daher die Masse der jüdischen Bevölkerung überwiesenen Verbrechern gleich, die ihre Ausschließung durch ihre Frevelthaten gegen die Gesellschaft verschuldet haben, dem edlern und gebildetern Theile derselben wird dagegen ein Recht als Belohnung zuerkannt, das dem gemeinsten Christen angeboren wird. So ist sogar die Art und Weise, wie der Jude im Genuß des Bürgerrechts sich befinden soll, selbst noch entwürdigend, denn er soll als Privilegium besitzen, was jeder seiner christlichen Mitbrüder als natürliches Recht besitzt.

Auf so schwankender Grundlage können nur Luftschlösser erbaut werden. Die Trennung von Schutzjuden und Staatsbürgern wäre, wenn sie permanent bleiben sollte, im echt mittelalterlichem Sinne gedacht; da sie aber nur eine Uebergangsform sein soll, die allmälig eine vollkommene Emancipation bezweckt, so ist sie durch dies moderne Element, das sich eingeschlichen hat, völlig eine Unmöglichkeit geworden. Die Erwerbung des Staatsbürgerrechts ist nämlich zum Theil an moralische Vorzüge geknüpft, es ist das unbedingte Verbot von Erwerbzweigen damit verbunden, die der bürgerlichen Gesellschaft unentbehrlich sind, und wer zweifelt, daß es auch ehrliche Hausirer, Schenkwirthe, Viehhändler, Lastträger u. dgl. gibt? Ist es daher wol glaublich, daß Hr. Streckfuß selbst an seine eigne Prophezeiung glaubt, die er S. 32 seiner Schrift ausspricht?

Jedenfalls würden sich auf dem vorgeschlagenen Wege die jüdischen Staatsbürger mit jedem Jahre vermehren, die Schutzjuden aber vermindern **und am Ende ganz aufhören**. Wenn dieser Zeitpunkt einträte, würden die Regierungen annehmen können, daß die Juden der christlichen Staatsgesellschaft sich wirklich angeschlossen, ihrer Absonderung und ihren nationellen Eigenthümlichkeiten entsagt hätten u. s. w.

Ist es nicht aber aller Vernunft wie aller Erfahrung zuwider, daß eine große Masse von Menschen jemals zu einer Reife gelangt, wie sie Hr. Streckfuß von seinen jüdischen Staatsbürgern verlangt? Und wo ist denn die Masse, die, auf einen engen Kreis von Lebensthätigkeiten beschränkt, in ihrer Mitte lauter Künstler, Gelehrte, Kaufleute mit festen Verkaufsplätzen, Ackerbauer, Gärtner, Fabrikanten und Handwerker zählt? Wem fällt daher der so oft wiederholte Vorwurf der Unausführbarkeit zur Last? Denn bedarf der bürgerliche Verkehr nicht etwa auch der

Tagelöhner, Kleinhändler, Makler u. s. w.? und wie wünschenswerth es auch sein möge, die Juden von der ausschließlichen Beschäftigung mit solchen und ähnlichen Gewerben zu entwöhnen, so würde es doch ein unerhörter Eingriff in die individuelle Freiheit sein, wenn man ihnen diese Erwerbsquellen abschneiden oder, was Dasselbe ist, sie deshalb mit Akcise belegen wollte.

Aber dieser Eingriffe in die individuelle Freiheit würden überhaupt unzählige werden, wenn die Vorschläge des Hrn. Streckfuß in Wirksamkeit treten sollten; es würde der beleidigendsten Bevormundung, endlos kleinlicher Beaufsichtigung und Vielregierens kein Ende sein. Der Staat müßte über die Fähigkeit und Sittlichkeit eines jeden einzelnen Juden, über die Art und Weise seiner bürgerlichen Thätigkeit, über die Erziehung seiner Kinder weitläufige Register anlegen, er müßte in das Allerheiligste des Privatlebens eindringen, um zu beurtheilen, wem das Staatsbürgerrecht zuerkannt werden dürfe und wem nicht. Und wie vielen Ungerechtigkeiten ist bei einem solchen Verfahren Thür und Thor geöffnet! Am Ende müßte für jeden einzelnen Juden ein eigner Beamter angestellt werden, ein Amt, zu welchem, wie sich's von selbst versteht, kein Jude zugelassen werden dürfte.

Wir gehen nicht weiter in die einzelnen Beschuldigungen ein, die Hr. Streckfuß gegen die Juden vorbringt, weil wir, wie oben gezeigt worden, in Beziehung auf die Grundprincipien so sehr voneinander abweichen, daß wir uns doch nie werden vereinigen können, wenn wir auch manchen einzelnen Bemerkungen und Vorschlägen vollkommen beistimmen.

(Der Beschluß folgt.)

Neuere englische Literatur.

1. The Tyrol; with a glance at Bavaria; by *Hery D. Inglis*. Zwei Bände. London 1833.

Der durch sein „Spain in 1830" auch bei uns als geistreicher Beobachter bekannte Verf. besuchte 1831 Baiern auf eine kurze Zeit und ging dann nach Tirol, wo er sich länger in verschiedenen Landestheilen aufhielt. Für den Deutschen muß es von ungemeinem Interesse sein, die Ansichten eines solchen Reisenden zu vernehmen, und die bereits angekündigte Uebersetzung dieses Werkes ist jedenfalls ein verdienstliches Unternehmen. Baiern kann sich übrigens zu dem Urtheile des Engländers [illegible], auch klingt es in anderer Beziehung recht [illegible], er sagt: „Ich stehe nicht an, zu behaupten, daß [illegible] der Glyptothek für eine Reise von London nach München [illegible] entschädigt. Kein anderes Gebäude in [illegible] Marmor aufzuweisen; ich sage das mit einer [illegible], da ich das Escorial gesehen, welches [illegible] Hinsicht für unübertroffen galt. Doch weder [illegible] sonst sah, besteht einen Vergleich mit den [illegible] der Glyptothek. Dieser Bau soll des Königs [illegible] sein, und wahrlich ein reizendes Geschäft [illegible], über die Vollendung eines so herrlichen Denkmales der [illegible] zu wachen, was zugleich ein Denkmal des guten [illegible] der Sparsamkeit eines Fürsten ist. Mit Recht [illegible] von Baiern eines Ganges durch die Hallen [illegible] und des Bewußtseins erfreuen, daß es [illegible] Monarchen eines kleinern Staats, selbst das Oberhaupt [illegible] in der Errichtung eines solchen Monumentes [illegible] nicht zuvorgethan hat." Doch genug einstweilen, und nichts über die interessante Schilderung Tirols, wo der Verf. überall östreichische Truppen fand und im Norden einen bestimmt ausgedrückten Haß gegen Oestreich beobachtete, der aber in den südlichen Landestheilen minder bemerklich war; die Uebersetzung wird ohne Zweifel Veranlassung zu Mehrem geben.

2. Journal of an excursion to Antwerp, during the siege of the citadel in Dec. 1832. London 1833.

Nicht militairische Details darf man in diesem interessanten Bändchen suchen, es ist vielmehr die lebendige Schilderung des allgemeinen Bildes, welches die merkwürdige Belagerung der antwerpener Citadelle darbot, und wie sie unter begünstigenden Verhältnissen aufgefaßt werden konnte. Ein förmlicher Club Engländer hatte sich in Antwerpen gebildet, und demselben schloß sich auch Capitain Wortley, der Verf. obiger Schrift, etwa 14 Tage nach Anfang der Operationen an. Unter den vielen Anekdoten u. dgl., welche er mittheilt, heben wir einige Scherze aus, welche in den Laufgräben über die Fremdlinge gemacht wurden, wie z. B. „Ah ça! encore nos amateurs. Dites-moi donc, caporal, est-ce que ces messieurs voyagent pour la santé?" Ein vielbeliebter stehender Spaß war der Zuruf: „Vorgesehen! eine Bombe!" Achteten Die, denen er galt, nicht darauf, so ernteten sie gewöhnlich ein Compliment. „Seht", hieß es dann, „die Leute haben Courage. Ils sont comme nous autres Français." Dafür bedankte man sich denn mit Cigarren und trank einmal aus der Feldflasche des Unterofficiers. Im Ganzen spricht sich der Verf. sehr günstig über das französische Geniecorps, minder vortheilhaft über die Artillerie aus. Die Besatzung der Citadelle scheint ihm zu einer passiven Vertheidigung zu zahlreich gewesen zu sein, die Vertheidigung selbst aber hätte nach ihm kräftiger und kunstreicher sein können.

3. The library of romance. Edited by *Leitch Ritchie*. Vol. I. The ghost-hunter and his family; by the author of the O'Hara family. Vol II. Schinderhannes, the robber of the Rhine; by Leitch Ritchie. Vol III. Waltham. Vol IV. The stolen child; by John Galt. London 1833.

Herr Ritchie ist im Vorworte zu diesem sonst verdienstlichen Unternehmen mit einer Großsprecherei aufgetreten, die man ihm in England mit Recht übel genommen hat. Da es im Plane liegt, durch engern Druck in einem Bande zu liefern, was gewöhnlich in zwei und drei ausgedehnt wurde und deshalb wohlfeiler an das Publicum verkaufen zu können, so ist es übel angebracht, zu versichern, die Verleger scheuten keinen Aufwand. Die Ausstattung bleibt übrigens, beiläufig bemerkt, immer noch ein Muster für Deutschland. Nicht minder wunderlich nimmt sich in Hrn. R.'s Munde die Versicherung aus, der Fortgang dieses Unternehmens werde die Würde und den Werth der romantisch-englischen Literatur erhöhen, und sehr richtig bemerkt ein englisches Blatt, Walter Scott habe es ohne seine Protection zu etwas gebracht und Bulwer eine ganz neue Bahn gebrochen. Für uns sind diese Nebensachen minder wichtig, und wir verlassen sie, um den Gehalt der vorliegenden vier ersten Bände näher zu untersuchen.

„The ghost-hunter", von dem auch bei uns vortheilhaft bekannten Banim, ist eine Erzählung aus dem Leben der Mittelclassen einer irländischen Stadt. Reich an localem Interesse und im Ganzen anziehend, steht sie nicht unwürdig an der Spitze der „Library of romance". In den „Originalien" fanden wir eine deutsche Bearbeitung derselben, die indessen durch die Unersetzlichkeit des vieldeutigen irländischen Idioms etwas verlieren muß, welches im Original häufig angewendet ist.

„Schinderhannes", vom Herausgeber, ist unter seiner Feder zum beau ideal eines brigand geworden, sodaß ein kritisches Blatt scherzhaft sagt: „Gott sei Dank, daß wir in England keine solchen alten Schlösser, keine düstern Wälder und — der allgemeinen Klage nach zu urtheilen — kein Geld haben, wir möchten sonst für die Wirkungen dieser Erzählung nicht einstehen. Uebrigens ist das Mindeste, was die deutschen Regierungen thun können, daß sie die Uebersetzung derselben verbieten."

So gefährlich erscheint uns die Sache nicht; Herrn R.'s Talent in Ehren, fehlt es ihm doch etwas an deutschen Augen, und wo ihn die „Actenmäßigen Darstellungen der Räuberbanden des Rheins rc." in Stich ließen, ist seine Phantasie mit ihm davongelaufen. Wenn überdies unsere Regierungen einmal die Lust des Verbietens anwandelt, so pflegen sie eben nicht Räuber- und Mordgeschichten mit dem Banne zu belegen, und dergleichen finden selbst bei den Leihbibliothekpurgirern der kleinsten Städte, den Policeicommissairen Gnade, denen doch oft das Lesen recht sauer wird. Wie wir vernehmen, so wird Hr. R. unsern deutschen Spitzbuben auch dramatisiren.

Ueber „Waltham" wollen wir uns so kurz fassen wie sein Titel. Diese Erzählung sticht gewaltig gegen ihre Vorläufer ab und paßt gar nicht zu des Herausgebers prahlerischen Verheißungen.

„The stolen child" will uns auch nicht munden; es ist gar zu viel Breite darin, selbst für den englischen Geschmack, und so geistreich mitunter die Entwickelungen sind, im Ganzen fühlt sich die Phantasie wenig angezogen. Es ist eine Eigenheit des Herrn Galt, seltsame Charaktere auszuwählen, und sie dann bis in die feinsten Nuancen vor den Augen des Lesers zu zerlegen. Nicht immer gelingt ihm dies auf unterhaltende Art, und grade im vorliegenden Bande ist es dem Verf. häufig so gegangen.

4. A journey from London to Odessa; with notices of New-Russia etc. By *John Moore*. Paris 1833.

Man sieht es diesem Buche kaum an, daß es aus keiner englischen Presse hervorgegangen ist. Den Inhalt betreffend, liefert er den unterhaltend geschriebenen Bericht über die Erlebnisse und Begegnisse auf der Reise des Verf. von London nach Odessa, welche im Jahre 1824 unternommen wurde, und besonders eine Schilderung der letztern Stadt in Beziehung auf Vergangenheit und Gegenwart. Nebenbei entwirft der Verf. auch ein Bild der russischen Rechtspflege, die eben keine sehr anziehenden Seiten hat. „Leider", hebt er an, „kann ich mit Bestimmtheit von dem gänzlichen Mangel alles Rechts in diesem Lande sprechen. Das Schicksal wollte, daß ich ein sehr unangenehmes und verwickeltes Geschäft zu ordnen hatte, und obgleich ich einen Proceß vermieden habe, hielt ich es doch für meine Pflicht, mich nach Dem zu erkundigen, was mir im höchsten Nothfall übrig blieb. Da erfuhr ich denn, daß des Gesetzes glorreiche Ungewißheit hier doppelt ungewiß ist. Alle russische Tribunale sind bestechlich. Gewöhnlich empfangen die Richter Geschenke vom Kläger und vom Beklagten, und der Meistbietende gewinnt herkömmlich seinen Proceß. „Aber", wendete ich dem mich Belehrenden ein, „die Gesetze sind ja da, und die Entscheidung muß doch auf sie gegründet werden." „Ach, werther Herr", erklärte mein Freund, „Sie reden wie ein Engländer. Die Jurisprudenz hier zu Lande gründet sich nur auf kaiserliche Ukasen. Gesetzt, Ihr Anwalt findet eine solche, die ganz auf ihren Fall paßt und die Gerechtigkeit ihrer Ansprüche bestätigt, so erwarten Sie mit Zuversicht ein Ihnen günstiges Urtheil; allein Ihres Gegners Anwalt entdeckt aller Wahrscheinlichkeit nach eine andere Ukase von ganz entgegengesetzter Bestimmung, oder, was einerlei ist, diese wird ihm durch den Einfluß einer in Großbritannien unter dem Namen „old lady in Threadneedle-Street" wohlbekannten Person angedeutet, welche ihre Firmans hier in Gestalt russischer Banknoten zu erlassen pflegt. Allerdings ist es möglich, daß sich noch eine dritte Ukase findet, die in Begleitung einer Rolle Dukaten die Wagschale der Gerechtigkeit zu Ihren Gunsten bewegt, allein das würde eine kostspielige Procedur werden." Daran hatte ich denn vollkommen genug und drückte nur noch mein Erstaunen über solche schmälige Misbräuche aus, bemerkend, daß ich den Kaiser für einen erhaben denkenden, gerechten Mann halte und also annehmen müsse, diese Niederträchtigkeiten wären ihm unbekannt. Man sagte mir aber, der Zar wisse das Alles und beklage den Uebelstand; allein die Regierung sei unvermögend, ihre Beamten angemessen zu besolden, und solche Accidenzien müßten sie dafür entschädigen. Ich erfuhr ferner, daß, wenn ein Beamter lange genug ein Amt bekleidet hat, um die Taschen durch seine Unredlichkeit gefüllt haben zu können, er einem vielleicht halb verhungerten Aspiranten Platz machen muß u. s. w."

Unser Reisender verweilte drei Monate in Odessa und nahm dann über Brody, Wien, München und Paris seinen Rückweg. In Wien sah er auch den Herzog von Reichstadt, von dem er mancherlei erzählt, sowie er unterhaltende Bemerkungen über Manches mittheilt, was er auf dieser Reise sah.

5.

Notizen.

Die Kartoffeln und ihre Verbreitung.

Bekanntlich brachte Franz Drake die Kartoffeln 1580 aus Virginien nach England, wo sie die Königin Elisabeth am Weihnachtstage dieses Jahres zuerst auf ihrer Tafel sah. In ganz Deutschland hat sie zuerst Berlin, und zwar schon vor 1651, gezogen. Aber nur allmälig ward sie als Volksnahrung im Großen benutzt. Friedrich Wilhelm I. von Preußen wendete sie für den Unterhalt der Armen und Kranken in der Charité an und wollte sie auch in Pommern einführen, wo er aber die Vorurtheile der Pommern mit Gewalt unterdrücken mußte. Nun mußten die Geistlichen für die Kartoffeln predigen wie einst gegen die Perücken und den Taback. Selbst als Friedrich I. im J. 1744 unentgeltlich in Pommern Saatkartoffeln vertheilen ließ, hatte dies keinen sonderlichen Erfolg, wie man unter Anderm aus Nettelbeck's Lebensbeschreibung Th. I, S. 6—9, ersehen kann. In Schlesien mußte Graf Schlabrendorf, der dirigirende Minister in diesem Lande, in den ersten Jahren des siebenjährigen Kriegs die Domainenbauern durch Execution zum Anbau der Kartoffeln nöthigen. Ja, noch im J. 1763 befahl Friedrich II. den Kammern, durch Landdragoner darauf zu vigiliren, daß die Bauern Kartoffeln pflanzten. Schlabrendorf's Bemühungen wirkten aus Schlesien nach Böhmen hinüber. Noch später geschah die Anpflanzung der Kartoffeln in Frankreich, wo Turgot im J. 1761 als Intendant von Limoges den ersten Anstoß dazu gab. Und noch 14 Jahre später erachtete Adam Smith in seinen „Untersuchungen über den Nationalreichthum" (Bd. 1, S. 248 fg. der deutsch. Uebers.) die Empfehlung des Werthes der Kartoffel gegen die des Weizens und des Reis für Großbritannien nicht unnöthig. „Sollte", sagt er, „diese Wurzel jemals in einem Theile Europas sowie der Reis in einigen Ländern das gemeine und beliebteste vegetabilische Nahrungsmittel des Volks werden, so würde die Volksmenge wachsen und die Landrenten weit höher steigen als sie dermalen sind." Ein größerer Aufsatz über das Vaterland der Kartoffeln und ihre Verbreitung in Europa findet sich im ersten Jahrgange der „Monatsschrift der Gesellschaft des vaterländischen Museums in Böhmen" vom Grafen Kaspar Sternberg.

Ursprung des Namens Fiaker.

Im Jahre 1650 hatte ein Pariser, Nicolas Savage, den Einfall, Wagen und Pferde beständig zum Vermiethen bereit zu halten. Dies gefiel den Parisern, und weil der Mann auf der Straße St.-Martin in einem Hause wohnte, welches Hôtel Fiacre hieß, so nannten sie Kutschen, Kutscher und Eigenthümer desselben Fiacres.

Charlatan.

Nach Reiske in seinen Anmerkungen zu des Konstantinus Buch: „De ceremoniis aulae Byzantinae (T. II, p. 137, a), bedeutet Charlatan eigentlich einen Taschenspieler oder Gaukler, weil solche Leute ehemals von ihren rothen Kleidern scarlatati oder scarlatani genannt worden sind. 39.

Redigirt unter Verantwortlichkeit der Verlagshandlung: F. A. Brockhaus in Leipzig.

Blätter für literarische Unterhaltung.

Montag, — Nr. 210. — 29. Juli 1833.

1. Ueber das Verhältniß der Juden zu den christlichen Staaten von **Karl Streckfuß**.
2. Offenes Sendschreiben rc., von **J. M. Jost**.
3. Kritische Beleuchtung rc., von **Gabriel Riesser**.
4. Die Gleichstellung der Israeliten Badens rc.

(Beschluß aus Nr. 209.)

Bereits hat Herr Dr. Jost die Schrift des Hrn. Geh. Oberregierungsraths Streckfuß ebenso gründlich als besonnen widerlegt. Sein „Offenes Sendschreiben" hat uns an den Becher voll bitterer aber heilsamer Medicin erinnert, dessen Rand der kluge Arzt mit Honig bestrichen hat. Freilich wird der Kranke durch die Süßigkeit des dargebotenen Honigs verlockt; aber macht die süße Folie den bittern Trank nicht noch bitterer? Dieser Honigrand erstreckt sich bis S. 13 der vorliegenden Schrift, die ich im Grunde erst von hier an datiren möchte. Hr. Dr. Jost folgt Schritt vor Schritt dem Raisonnement seines Gegners; er läßt ihm kein falsches Princip, keinen folgewidrigen Schluß, keinen Fechterstreich der Dialektik, keine Unkenntniß vergangener oder gegenwärtiger Zustände durch, und bis auf wenige, S. 85 und 86 angegebene Punkte, die er seinem Gegner zugibt, bestreitet er ihm alle seine Ansichten und Vorschläge. Er weist zuerst sehr richtig nach, daß die öffentliche Meinung, **wie sie Hr. Streckfuß versteht**, keineswegs der Bestimmungsgrund der Gesetzgebung sein dürfe und niemals gewesen sei, und daß die Provinzialstände wol provinzielle Interessen und Ansichten, aber nicht die allgemeine Staatsintelligenz repräsentiren, von welcher allein die Gesetzgebung auszugehen habe. Es wird ferner Manchem von großem Interesse sein, die oft wiederholten Vorwürfe, die Nationalabsonderung und namentlich den ausschließenden Schachergeist der Juden, einmal auf dem einzig möglichen, dem historischen Wege beleuchtet und, so weit dem Hrn. Verf. die Quellen offen standen, thatsächlich widerlegt zu sehen.

Wenn Herr Dr. Jost (S. 49 fg.) die Vertheidigung eines in Nr. 61 d. Bl. von uns aufgestellten Satzes übernimmt, den Hr. Geh. Oberregierungsrath Streckfuß S. 8 seiner Schrift angegriffen hat, so sind wir ihm dafür verpflichtet, daß er unsere Behauptung aus dem besondern Falle wieder in das Allgemeine hinübergeführt hat. Denn allerdings sind wir von der festen Ueberzeugung durchdrungen, daß mit der Entwickelung des constitutionellen Lebens nicht nur die Form des Staats, sondern auch das Wesen der Dinge sich verändere. Nicht als ob die geschriebene Verfassung eine solche Metamorphose hervorbrächte; sie wird vielmehr, falls sie rechter Art ist, eben nur der historische Ausdruck sein, das Zeugniß der Reife gleichsam für die Mündigkeit der innern Intelligenz und Gesittung eines Staats. Es gibt keine wahrhaftige Form, als die vom Inhalt lebendig durchdrungen wird, und jeder Inhalt hat in sich selbst das Bedürfniß, in einer äußern Form ein Emblem seines Wesens sich zu verschaffen. Da nun aber die constitutionelle Monarchie doch unverkennbar der geschichtliche Ausdruck für die politische Mündigkeit der Gegenwart ist, so dürften wir die Ueberzeugung aussprechen, daß die Emancipation der Juden, die ebenfalls nur von der fortschreitenden Intelligenz gefodert werden darf, mit der constitutionellen Entwickelung der Staaten Hand in Hand gehe.

So vielfach nun auch die verschiedenartigen, gegen die Juden erhobenen Anklagen widerlegt und, wo Wahrheit zu Grunde lag, auf das rechte Maß zurückgeführt worden sind *), so häufig begegnen wir immer noch bei Männern, denen eine reifliche Erwägung und Erörterung der Sache Pflicht wäre, die bedauernswertheste Unwissenheit. Es ist daher höchst dankenswerth, daß Herr Dr. Riesser in seiner „Kritischen Beleuchtung der neuesten ständischen Verhandlungen über die Emancipation der Juden" durch die Zusammenstellung von vier zuerst in seiner Zeitschrift: „Der Jude", abgedruckten Kritiken über die Debatten der badischen, bairischen, hanöverischen und kurhessischen Stände für einen Jeden, dem diese wichtige Angelegenheit zur Beurtheilung vorliegt, zunächst aber für den landständischen Deputirten ein sehr brauchbares Handbuch geliefert hat, bei dem sich dieser in schwierigen Fällen Raths erholen, mit dessen kräftigen Beweisgründen er die Angriffe der Gegner siegreich zurückschlagen könne.

Es ist höchst interessant, den gegenwärtigen Standpunkt der deutschen Gesetzgebung in Betreff der Juden, die mannichfachen Modificationen uralter Willkür und die mehr oder minder kärglichen Abfindungen mit der Gerech-

*) Die Nachweise von Büchern dieser Art s. Riesser's „Kritische Beleuchtung" (S. 12), wovon wir namentlich, weil sie einer legislativen Behörde zur Richtschnur dienten, die Verhandlungen des pariser Sanhedrin anführen.

tigkeit und Wahrheit zu beobachten. Diese Beobachtung würde allein genügend sein, um die Wichtigkeit der wider die Emancipation vorgebrachten Gründe zu erweisen. Denn da es in Deutschland eine legislative Scala gibt, die, von der entsetzlichen, aber consequenten Gesetzgebung des Mittelalters anhebend (Hanover, Hamburg), durch alle Stadien der Annäherung an eine vollkommene Emancipation, weil sie dem Deutschen eben nur eine irrationale Größe zu sein scheint, hindurchgeht; da der Gesetzgeber für jeden Punkt, bei dem er innehalten zu müssen vermeint, aus der Theorie wie aus der Erfahrung seine Gründe vorlegt, so bietet die Zusammenstellung der betreffenden Gesetzgebungen und Ständeverhandlungen die wichtigsten und fruchtbarsten Vergleichungspunkte dar. Der Liberalismus der sonst so hochherzigen badischen Deputirten zeigt sich — ein merkwürdiges Problem! — der Sache der Juden durchweg abgeneigt, während die bairische und kurhessische Kammer der Emancipation mit freudigem Enthusiasmus zujauchzte. Und wenn hier die Zulassung der Juden zu Ackerbau und Gewerben unbarmherzig verweigert wird, so wird dort ihre Abneigung gegen diese Erwerbszweige des bürgerlichen Lebens als unübersteigliches Hinderniß der Gleichstellung mit vielem Wortpomp ausposaunt; dieselben Gründe, die ihnen hier das Recht, Apotheken zu besitzen, streitig machen, vertreten ihnen dort den Weg zu Lehrämtern und zur ständischen Repräsentation. Wir könnten unzählige Widersprüche dieser Art herzählen, wenn nicht schon aus dem Gesagten folgende Resultate zur Genüge hervorgingen. Erstens, daß man nicht auf halbem Wege stehen bleiben dürfe, und daß eine Concession doch nur die andere hervorruft; zweitens aber, daß alle die philanthropischen Phrasen und frommen Wünsche, die Erziehung der Juden zum Bürgerthume betreffend, im Allgemeinen — denn wir wollen die Redlichkeit Einzelner nicht verdächtigen — auf den unlautersten Motiven, auf der Furcht vor der Concurrenz der Juden beruhen. Wir müssen daher Herrn Riesser vollkommen beipflichten, wenn er sagt (S. 88):

> Faßt alle die Bestimmungen, die in den Staaten des deutschen Bundes gelten, zusammen und dann nennt mir einen einzigen Beruf, einen einzigen Erwerbszweig, eine einzige Stellung im bürgerlichen Leben, worin sich ein Mann durch rechtliche Thätigkeit zu ernähren vermöchte, die den Juden, wo jenes Princip herrschend war, falls sie ihnen nach altem Herkommen vorenthalten werden konnte, nicht mit gleichen Gründen, mit gleicher Hartnäckigkeit, mit gleicher Gehässigkeit wäre bestritten worden, wie in Baden der Staatsdienst — und meine Ansicht fällt zusammen.

Die Hauptpunkte, die Herr Dr. Riesser in der ersten und ausführlichsten Abhandlung über die Verhandlungen der badischen Stände berührt, sind die Gegengründe gegen die von der Nationalabsonderung, den Ceremonialgesetzen und den Erwerbsquellen der Juden hergenommenen Einwendungen wider politische Gleichstellung. Mögen solche Beweisgründe der Synode badischer Juden gegenwärtig sein, die auf Antrag der zweiten Kammer berufen werden soll, „um die der weitern Civilisation der Juden und ihrer Gleichstellung mit den Christen entgegenstehenden Hindernisse nach Thunlichkeit zu beseitigen"; möge ihr namentlich, wenn ihr als Vorbedingung einer dereinst möglichen Emancipation die Abschaffung des ganzen Ceremoniels angemuthet werden sollte, die meisterhafte Entwickelung des Wesens nicht allein jüdischer, sondern überhaupt religiöser Ceremonien und Symbole vorschweben (S. 53—69), um den kalten und sachleeren Rationalismus zu beschämen, der solche Foderungen ersonnen hat!

Was nun die Art der Behandlung betrifft, so haben wir schon früher Gelegenheit gehabt, dem Talent des Herrn Verf. unsere Anerkennung zu zollen. Schärfe, Gewandtheit, Wärme und vor allen Dingen Popularität des Ausdrucks stempeln ihn zu einem trefflichen Redner, der das bedeutende Geschäft übernommen hat, das Publicum über das Für und Wider einer wichtigen Controverse eindringlich aufzuklären. Er thut wohl daran, in seinen Bemühungen nicht nachzulassen, und er gewinnt dadurch auch für sich selbst. Denn grade weil er denselben Gegenstand öfter behandeln muß, weil er gezwungen ist, ihn unter den verschiedensten Gesichtspunkten aufzufassen, um wo möglich für jede Betrachtungsweise einen Anhalt oder einen Einwurf in Bereitschaft zu haben, so gewinnt er dadurch an Klarheit, an Lebendigkeit und Umsicht. Denn auch vom Schriftsteller möchte unter gewissen Bedingungen gelten, was Göthe vom Künstler sagt: „Die Einschränkung ist dem Künstler so nothwendig als Jedem, der aus sich etwas Bedeutendes bilden will — — das Haften an eben der Gestalt unter Einer Lichtart muß nothwendig endlich Den, der Augen hat, in alle Geheimnisse leiten, wodurch sich das Ding ihm darstellt, wie es ist. Nimm jetzo das Haften an Einer Form unter allen Lichtern, so wird dir dieses Ding immer lebendiger, wahrer, runder, es wird endlich du selbst werden." Herr Riesser möge daher nicht ermüden, sich selbst zu der Sache zu machen, an die er Streben und Leben gesetzt hat; sein Gegenstand ist nicht erschöpft, so lange das träge Vorurtheil noch unbesiegt bleibt.

Fast möchten wir ihn in Bezug auf eine oben ausgesprochene Bemerkung zu einer neuen Arbeit auffodern, deren Nothwendigkeit er gewiß selbst schon erkannt hat. Er möge nämlich die sämmtlichen Gesetzgebungen der deutschen Bundesstaaten über die Angelegenheit der Juden in einem übersichtlichen, aber nicht allzu skizzirten Gemälde ohne weiteres Raisonnement in objectiver Bildlichkeit aufstellen. Freilich hat es seine Schwierigkeiten, die Materialien zu einer solchen Darstellung herbeizuschaffen; denn der Bearbeiter müßte sich nicht allein an den so oft illusorischen Text der Gesetze halten, eine gründliche Autopsie müßte ihn über die Art und Weise belehrt haben, wie das Gesetz in der Ausübung modificirt oder vielleicht ganz und gar umgangen wird.

Ein sehr brauchbarer Beitrag zu einer solchen Arbeit ist die Monographie des Herrn Dr. Ladenburg, der die Verhältnisse der Israeliten in Baden auseinandersetzt. Die Redlichkeit und der Fleiß, die in dieser Schrift vorwalten, sind bei ähnlichen Bestrebungen dieser Art zu empfehlen; höchst dankenswerth sind namentlich die tabellarischen Ueberichten über die Gewerbthätigkeit der badischen Juden, weil sie aus Quellen geschöpft sind, die wol nur dem Einheimischen zugänglich sein möchten. 172.

Ernst Zimmermann nach seinem Leben, Wirken und Charakter geschildert von seinem Bruder Karl Zimmermann. Darmstadt, Heyer. 1833. Gr. 8. 16 Gr.

Wenn das Sprüchlein: „De mortuis nil nisi bene!“ häufig sogar von entfernter Stehenden gepredigt und angewandt wird, während man doch weit angemessener sein bene in vere umwandelte, ist es um so weniger dem Bruder zu verargen. Zwar hat dieser aufgefodert (S. 2), ihm „jede Unwahrheit, jede Entstellung oder Uebertreibung“ nachzuweisen, und diese Auffoderung ist schon ehrenwerth; aber es gibt auch noch ein Verschweigen, ein leises Drüberhingehen, eine Behandlung im Ganzen, welche sich nicht genau wägen und wiegen läßt, und welche doch dazu beiträgt, das Bild so oder so erscheinen zu lassen. In diesen Beziehungen folgen unten einige Bemerkungen.

Herr E. Z. war geboren am 18. Sept. 1786 in Darmstadt. Sein Vater, damals Subrector am dortigen Gymnasium und erst vor wenigen Jahren als Professor und Gymnasialdirector im Ruhestande daselbst verstorben, galt seiner Zeit als ein angenehmer Dichter, und dabei war er der fleißigste Lehrer, der liebenswürdigste Mann, der zärtlichste Gatte und Vater. Diese Verhältnisse konnten auf E. Z. während seiner Kinderjahre und während seines Gymnasialbesuches nicht anders als vortheilhaft und in jeder Hinsicht bildend und anregend einwirken. Nach vollendeten akademischen Studien in Gießen und gemachtem Examen ward der erst 19jährige Jüngling als Mitprediger und Präceptor in Auerbach an der Bergstraße angestellt, und noch im nämlichen Jahre (1805) verheirathete er sich. Bald vermehrte sich seine Familie, aber auch bald stellten sich die drückendsten Geldverlegenheiten ein. Gänzlich ohne Vermögen von seiner und von seiner Frau Seite, mußte er mit einer Besoldung von nicht völlig 400 Gulden alle seine Bedürfnisse bestreiten. Der Wunsch, Geld zu erwerben, führte Z. zur Schriftstellerei und zwar zunächst zur Bearbeitung des Euripides, wovon aber in großen Zwischenräumen nur vier Bände erschienen. In Auerbach lernte Z. die damalige Großherzogin von Hessen kennen, welche dort ihren Sommeraufenthalt hatte. Im Jahre 1809 erhielt Z. eine bessere Stelle als Diakonus in Großgerau und Pfarrer in Büttelborn, einem Dorfe an der Landstraße von Darmstadt nach Mainz. Hier beschäftigte er sich außer seinem Dienste vorzugsweise mit Gegenständen, welche in das Gebiet der Schule einschlugen, und er studirte Reinhard, ein Studium, welches den größten Einfluß auf seine ganze Bildung hatte. Aber auch hier drückten wieder Nahrungssorgen. Z. hatte sich der auerbacher Schulden noch nicht entledigt und nun kamen Kriegsplagen zu der immer noch sehr mittelmäßigen Besoldung. Doch behielt Z. Muth und Hoffnung. Da erging von der Großherzogin von Hessen die Auffoderung an ihn, sich um eine Stelle an der Hofkirche in Darmstadt zu bewerben. Im Jahre 1814 fand er die neue Anstellung als Hofdiakonus, und die Reihe seiner im Drucke herausgegebenen Predigten begann bald. Im Jahre 1815 ward Z. Lehrer und interimistisch Erzieher des minderjährigen Herzogs von Anhalt-Köthen, welcher am Hofe des Großherzogs von Hessen, seines Großvaters, erzogen wurde. Zwei Jahre lang dauerte dieses Verhältniß, welches Z. anderthalb Jahre hindurch, weil er bei seinem fürstlichen Zöglinge im großherzoglichen Residenzschlosse wohnte, zum Fremdlinge in seiner Familie machte. Ebenfalls im Jahre 1815 übertrug ihm der damalige Groß- und Erbprinz, nunmehrige Großherzog von Hessen, den Unterricht in Religion, Geschichte, Naturgeschichte und lateinischer Sprache bei seinen beiden Prinzen, und Z. gab diesen Unterricht neun Jahre. Zu jener Zeit war seine literarische Thätigkeit ganz von der pädagogischen verschlungen: er gab wöchentlich mehr als 30 Unterrichtsstunden. Ein ähnliches Verhältniß setzte sich auch durch die nächsten Jahre fort. Drei Winter hindurch, von 1817 — 20, hielt Z. in Auftrag des Großherzogs in der Militairakademie in Darmstadt Vorlesungen über allgemeine Geschichte, mit besonderer Berücksichtigung der Kriegsgeschichte. Vom Jahre 1820 an datirte sich nun die für Z. geschäftsfreiere und literarisch ergiebigere Zeit. Die Herausgabe seiner „Monatschrift für Predigerwissenschaften“ begann 1821; an diese reihte sich die der „Allgem. Kirchenzeitung“ (1822), welche in verhältnißmäßig stets steigender Nummerzahl unter seiner Leitung elf Jahrgänge erlebte, das theologische „Literaturblatt“ (1824), die „Allgemeine Schulzeitung“ (1824), das „Literaturblatt“ dazu (1824). Wir haben hiermit die wesentlichsten Punkte von Z.'s literarischer Wirksamkeit angedeutet. Die Punkte veränderten sich mehrmals in ihrer Art, ihren Verhältnissen und selbst in ihrer Existenz. Aber sowol hierin als in ihrem Werthe und ihrer Bedeutung können wir sie hier nicht weiter verfolgen. Z. erwarb sich dadurch erst recht seinen Ruf, der in Deutschland allgemein war und selbst nach den übrigen europäischen Staaten sich verbreitete. Man erkannte in ihm eine Stütze des Protestantismus, man schätzte in ihm den umsichtigen, gewandten, gelehrten, Vieles verbindenden Mann, und während so sein literarischer Ruf stets wuchs und ihm Vocationen zu den einträglichsten und ehrenvollsten Kirchenämtern überallhin nach Deutschland zukamen, die er aber stets ablehnte, ward er doch der Kanzel nicht unbedingt fremd, und grade das Seltene seines Predigens trug dazu bei, ihm fortwährend sein Auditorium zu füllen. Noch Größeres erwartete ihn; er sollte erster Oberconsistorialrath, Superintendent der Provinz Starkenburg und Prälat des Großherzogthums werden. Die förmliche Ernennung stand bevor, da ergriff ihn unversehens eine Gesichtsrose, und nach einem Krankenlager von kaum vier Tagen starb Z. am 24. Juni 1832. Sein kritisches Sendschreiben zur Beleuchtung und Rechtfertigung der von ihm entworfenen neuen Kirchen- und Volksschulorganisation im Großherzogthum Hessen, welches anonym erscheinen sollte, erschien nun mit seinem Namen nach seinem Tode.

Z., der im Jahre 1814 „Patriotische Predigten zur Zeit der Wiederbefreiung Deutschlands“ im Drucke herausgegeben hatte, donnerte im Jahre 1831 gegen die Liberalen: „Stimmen aus dem Reiche Gottes an und für die bewegte Zeit“, und wollte hier „ätzen und scheiden“. Z., der im Jahre 1821 den Entwurf einer evangelischen Kirchenverfassung fürs Großherzogthum Hessen nach den Grundsätzen von Synodal- und Presbyterialverfassung ausgearbeitet hatte, huldigte in seiner neuesten vorhin erwähnten Arbeit einem starren Centralisiren der Kirchenbehörde und dem Superintendententhum, ohne Vertretung der kirchlichen Gemeinde durch selbst gewählte Kirchenstände und ohne alle Synoden, allerdings Widersprüche, aber schon anderwärts vorgekommen und dessenungeachtet nicht weniger traurig. Den Blütenduft der Jugend und der Poesie abgestreift, zu höhern Jahren, zu höhern Aemtern gekommen, verknöchert nicht selten der Sinn, oder er hüllt sich in den Mantel eines edeln Philisterthums und weint, daß die Welt noch würdig erscheint, frei zu sein.

Diese Andeutung, welche wir nicht unterlassen konnten, findet übrigens in Manchem seine Erklärung: zunächst wol in Z.'s früher Verbindung mit dem Hof und seiner Protection von dort, sowie in seinen ökonomischen Verhältnissen, welche wol niemals, trotz seiner günstiger gestellten Lage, besonders gediehen. Dabei neigte Z. an und für sich, dem Principe des Lutherthums gemäß, zum unverletzten, nur etwa durch *gefällige* constitutionnelle Formen gebändigten Monarchismus; er liebte zu herrschen, und endlich mochte er auch in mancher Hinsicht unangenehme Erfahrungen gemacht haben.

Aber hier ist ein Vorwurf, den wir dem Verf. der vorliegenden Schrift nicht ersparen können. Er spricht da und dort, aber nur gelegentlich hinwerfend, von dem Neid, der Misgunst, die seinem Bruder begegnet seien; von Haß und dergleichen. Etwas deutlicher zu sein, wäre hier sehr an seinem Platze gewesen. Der verächtlich behandelte Angriff ist darum nicht abgewiesen, der zu einem anonymen gemachte nicht weniger vorhanden. Die Rücksicht, noch Lebende zu schonen, kann nicht gegen die Pflichten des Biographen aufkommen, und daß hierbei der Biograph vielleicht mit der Ansicht des Beschriebenen Hand in Hand ging, reicht ebenso wenig hin, die „verursachten Kränkungen" zu statuiren, sie also einer Anzahl von Ungenannten aufzubürden und ihre Veranlassung, ihre Natur nicht näher dabei zu erklären.

Ein anderer Vorwurf für den Verf. ist der, daß er seine Materie ziemlich willkürlich durcheinander schüttelte. So sind in den chronologischen Gang, und zwar in das Jahr 1822, „Blicke auf den Verewigten, als Sohn, Bruder, Gatten und Vater" eingeschaltet (S. 47—61), und dann fährt wieder rüstig die Biographie mit dem Jahre 1831 fort; sodann, noch früher, gelegentlich der Erwähnung seines Aufenthalts in Groß-Gerau (S. 26) und der dort von ihm gemachten Bekanntschaften, wird eine Todtenklage des Pfarrers Lucius über ihn eingerückt, über ihn, der von da an noch 19 Jahr lebte. Aehnliches wäre noch mehr anzuführen.

Da der Bruder über den Vortrag des Bruders als Kanzelredner sich kein Urtheil anmaßte, so ist hier der soeben erwähnte Pfarrer Lucius eingeschoben. Dieser Freund beurtheilte denn auch sehr freundlich, und wenn man ihm auch viel davon nachgeben will, so kann man doch das nicht, daß Z. auf ungekünstelt ansprechende Weise sprach. Ref., der einigemal seinen Predigten beiwohnte, kann namentlich sein ganzes Leben hindurch nicht den unangenehmen Eindruck verwinden, den im Vaterunser das hart abgestoßene und die Kraft und die Herrlichkeit in ihm hervorbrachte; Aehnliches ließe sich vom Aussprechen der Diphthonge und überhaupt von der Behandlung der übrigens sonoren Stimme sagen. Auch der Materie, der Wahl der Worte und der Bilder nach, war, was er vortrug, so ungekünstelt nicht, und ebenso wenig war es die Haltung, in der er auftrat.

Z. kann übrigens unter allen Umständen für einen sehr ausgezeichneten und geistvollen Mann gelten, der auf seine Wissenschaft und seine Zeit mit Kraft- und mit Bedeutung einwirkte. Ob er für die Bewahrung seines amtlichen und schriftstellerischen Rufs auch noch in einem andern Sinne zur rechten Zeit starb, wie Pölitz in der „Leipziger Literaturzeitung" meinte, ist dabei nicht ganz unwahrscheinlich. 64.

Der Enthusiast. Von Friedr. Ludw. Bührlen. Zwei Bände. Stuttgart, Hallberger. 1832. 8. 3 Thlr.

Der Verf. müßte eines weitverbreiteten Ruhms genießen, oder wenigstens ein Engländer, oder noch besser, ein Amerikaner sein, wenn man diesen Roman nicht matt und langweilig finden sollte. Die Periode der ästhetischen und Künstlerromane liegt hinter uns, sie ist für lange Zeit vorüber; in diesem Gebiet würde kaum die Feder Tieck's oder Schefer's noch etwas Aufsehen-Erweckendes zu leisten vermögen. Der Verf. aber zeigt sich nicht als der Mann, der einen abgelebten Baum von Neuem zum Grünen und Blühen zu bringen vermag. Er haftet an dem Kleinen, Geringen, Unbedeutenden, und die Gabe fehlt ihm, das Kleine bedeutend, das Unscheinbare für den Leser wichtig zu machen. Die Erfindung neuer, lehrreicher und spannender Verhältnisse ist ihm nicht gegeben; er ist als Denker vielleicht achtbar, aber bis auf die letzte Spur fehlt seiner Erfindung der belebende Funken der Phantasie. Wir gehören keineswegs zu Denen, die den Werth einer Erzählung nach dem Maße wunderlicher und seltsamer Ereignisse, unnatürlicher Scenen, überraschender und betäubender Auftritte beurtheilen; aber auch in dem Bequemen und Behaglichen gibt es ein rechtes Maß, und Trivialität kann uns niemals Beifall abgewinnen.

Diesem gänzlichen Mangel an Neuheit in Gedanken und Erfindung hat es der Verf. zuzuschreiben, daß wir an seinem enthusiastischen Bildersammler, Archivar Blank, durchaus keinen regen Antheil nehmen, was denn um so natürlicher ist, als es stets nur die kleinsten, fast jämmerlichen Verwickelungen sind, in die ihn seine Leidenschaft für die Kunst verstrickt. Was kann solcher Misere denn Großes begegnen, rufen wir mit den Xeniendichtern aus? Daß die Mutter alle Mühe hat, für ihre Kinder das Nöthige für Schuhe und Kleider von dem Vater zu erlangen, der dafür schwarze Bilder kauft — ist dies für uns eine neue, eine anziehende Erfahrung? In einem kurzen und reißenden Vortrag möchten solche Geringfügigkeiten noch von Wirkung sein können — aber der Verf. ist von solcher echt amerikanischer Behaglichkeit und Breite, daß seine 500 Seiten starke Erzählung in ihrer vollen ersten Hälfte auch nicht um einen Schritt fortrückt. Sunt certi denique fines! Der Inhalt dieser Erzählung ist, auf die Begebenheit gesehen, daher fast Null. Indeß wollen wir nicht leugnen, daß einige Gespräche von künstlerischem Interesse sind. Der Verf. kennt das Wesen der Kunst, und was er über einige viel bestrittene Fragen der ästhetischen Wissenschaft vorträgt, ist für den Leser von Fach nicht ohne Anziehung. Für den kleinen Kreis dieser Leser hat er geschrieben, und die gewöhnlichen Foderungen, welche man an die Novelle stellt, dabei aus den Augen verloren. Wir sind der Meinung, daß er mit einigem Aufgebot von Kraft billigen Ansprüchen mehr Befriedigung hätte gewähren können, und das bloße Hin- und Herreden über das Wesen der Kunst in einer andern Form als der des Romans auftreten müssen.

Auch von Seiten des Styls hat er kaum das Gewöhnliche geleistet, und nicht selten entschlüpfen ihm, dem Verehrer der Kunst, geschmacklose und tadelhafte Ausdrücke. Für seine Autorschaft ist durch diese Schrift daher durchaus nichts gewonnen. 130.

Anekdoten.

Einem alten Gentleman, welcher gewohnt war, täglich die Runde in St.-James-Park zu machen, begegnete ein Bekannter in einer, seiner gewöhnlichen entgegengesetzten Richtung. „Machen Sie immer noch Ihren Spaziergang?" erkundigte er sich bei ihm und erhielt zur Antwort: „Es will nicht mehr gehn; ich werde nun alt und schwach und kann nicht mehr recht fort, daher mache ich nur die halbe Tour und kehre dann um."

„Sie haben mir einst das Leben gerettet", sagte ein Bettler zu einem Offiziere, unter dem er gedient hatte. „Wie?" entgegnete dieser, „haltet Ihr mich für einen Arzt?" — „Nein, nein; ich focht unter Ihnen in der Schlacht bei —, und als Sie fortliefen, folgt' ich Ihnen und kam so mit heiler Haut davon."

Während der letzten Belagerung der Citadelle von Antwerpen befand sich eines Tages der englische Oberst S— in den Laufgräben, als neben ihm und mehren französischen Soldaten eine Bombe einschlug. Er eilte sogleich nach dem sichersten Punkte des Laufgrabens, um vor den Folgen der Explosion geschützt zu sein. Ein Soldat, der dies bemerkt hatte, kam sofort auf ihn zu, verdrängte ihn aus seinem Versteck, indem er lachend versicherte: „Ici chacun pour son propre compte, monsieur." Der Oberst mußte über die spaßhafte Manier lachen, mit der dies geschah, und blieb glücklicherweise unbeschädigt. 3.

Redigirt unter Verantwortlichkeit der Verlagshandlung: F. A. Brockhaus in Leipzig.

Blätter

für

literarische Unterhaltung.

Dienstag, — Nr. 211. — 30. Juli 1833.

Ueber Schriftsprache und Wörterbücher der Chinesen.

Die Erfindung einer Bilder- oder Begriffsschrift ist von dem rohen Naturmenschen weit eher zu erwarten als die eines Alphabets, weil auch das unvollkommenste Alphabet schon eine zergliedernde geistige Operation, und sonach ein Heraustreten aus der Natur erfodert, die einfachste Bilderschrift dagegen ihrem Erfinder noch als identificirt mit der ihn umgebenden Sinnenwelt erscheinen läßt. Aber auch in diesem Systeme wird die Reflexion erfreulich hervortreten, sobald das rohe Nachzeichnen wahrnehmbarer Objecte bei erweitertem Kreis der Begriffe nicht mehr ausreichen will. Man ersinnt besondere Merkmale für solche Gegenstände, die in ihren groben Umrissen leicht untereinander verwechselt werden könnten; man strebt, um die nothwendigsten abstracten Begriffe in den Bilderkreis mit aufzunehmen, nach Entdeckung einer gewissen Analogie zwischen der geistigen und Sinnenwelt.

Diese verschiedenen Zwecke zu erreichen, gab es nur zwei Wege: den metaphorischen Gebrauch einfacher Bilder, und — ihre Gruppirung zur Construction neuer Begriffe. Ganz nach demselben Princip verfährt der Naturmensch in seiner lebenden Bildersprache, indem er bald durch einfachgebrauchte Wörter, bald durch Umschreibung, in beiden Fällen aber metaphorisch, das Geistige, dem äußern Sinn Unfaßbare anzudeuten sucht.

Wollte man sich zu Erweiterung des Kreises der Begriffe, oder gleichsam zu Vergeistigung derselben blos auf die erstere Methode, den figürlichen Gebrauch einfacher Bilder, beschränken, so müßte die Bilderschrift, wenn sie ein Gemeingut Aller werden sollte, unter der Wucht aufgedrungener Begriffe erliegen, oder sie bliebe das ausschließliche Eigenthum einer bestimmten Kaste, eine Hieroglyphenschrift. Als Nationaleigenthum macht sie bei Zeiten das Gesetz der Gruppirung nothwendig, und mit diesem Gesetze wird dem Schriftbildner ein unabsehbares Feld eröffnet. Jedes neue, aus Zusammensetzung bereits vorhandener, einfacher Bilder ins Leben getretene Zeichen wird eine Art von Definition des Gegenstandes, dessen Begriff es erwecken soll, und zwar entweder nach seinen Hauptmerkmalen, oder nach seinen Wirkungen, oder nach dem Grade des Werthes, den man ihm zuerkannte.

Eine ideologische Schrift, deren zusammengesetzte Zeichen die folgerechte Anwendung dieser Methode verkündeten, würde ein höchst interessantes Denkmal der geistigen und sittlichen Cultur ihrer Nation sein. Es reflectirten sich in derselben wie in einem treuen Spiegel ihr Glauben und Schauen, ihr bürgerlicher Zustand, ihre Sitten und Gebräuche. Selbst über die Form und den Stoff einer Menge von technischen Dingen und über besondere Erscheinungen an organischen oder unorganischen Naturwesen könnten wir durch solch eine Schrift, wäre sie vollkommen ausgebildet, manchen nützlichen Wink erhalten.

Nur in der chinesischen, als der einzigen zu nationalem Gemeingut erhobenen Bilderschrift, die wir kennen, finden wir das System der Gruppirung durchgeführt. Aber nur der kleinere Theil ihrer ideologischen Zeichen oder Charaktere ist so gebildet, daß jedes der gruppirten Glieder zur Construction des neuen Begriffes seine Bedeutung leiht. Desto häufiger finden wir die Complemente der sogenannten Wurzelzeichen, mit Abstraction von ihrer Bedeutung, ausschließlich als Lautbestimmungen fungirend. Die eiserne Nothwendigkeit behauptete auch bei den Chinesen ihre Rechte. Man überzeugte sich nach und nach, daß das lebendige Wort, einzig und allein der Tradition anvertraut, nicht unverletzt bleiben konnte, und hiermit war der Gedanke gegeben, auch für die Feststellung der Laute etwas zu thun, ohne darum den allgemeinsten Begriff, unter welchen der bezeichnete Gegenstand zu subsumiren war, unangedeutet zu lassen. Da jedoch eine analytische Auffassung des Lautsystems außer dem Gesichtskreis des Chinesen lag, so hielt er sich an die einfachste denkbare Methode. Die mündliche Sprache der Chinesen ist an lexikalischer Entwickelung so weit hinter der schriftlichen zurückgeblieben, daß oft sehr viele Schriftzeichen vollkommen gleiche Aussprache haben. Eine beschränkte Zahl dieser Charaktere, deren Aussprache als hinlänglich bekannt vorausgesetzt ward, mußte nun, in Zusammensetzung mit andern ihrer Selbständigkeit entsagen und phonetische Merkmale abgeben, was mit andern Worten sagen will: sprich das ganze Zeichen so aus, wie diesen integrirenden Bestandtheil. Es versteht sich von selbst, daß solche lautbezeichnende Complemente oft wiederkehren müssen, und auf ihnen beruht hauptsächlich die große Vermehrung der Zeichenschrift.

Durch alle chinesischen Charaktere, nach welchem der beiden Principe sie auch gebildet sein mögen, waltet eine

Art *Stichbild* vor, das den obersten Grundbegriff mit mehr oder weniger Bestimmtheit ausdrückt, oder ausdrücken soll. Diese Stichbilder, welche gewöhnlich an einer bestimmten Seite wiederkehren, gaben die erste Idee zu einer lexikalischen Anordnung, der zufolge man sie Classenhäupter, Schlüssel oder Radicale genannt hat. Ihre Zahl zu bestimmen, blieb lange der Willkür des Lexikographen überlassen, bis man endlich bei 214 stehen blieb. Sowie demnach in Ursprachen, deren Lautsystem alphabetisch zerlegt ist, und die organischer Entwickelung fähig sind, die *Lautwurzel* vorangestellt und alle erweislichen Derivate derselben untergeordnet werden, so nimmt in chinesischen Wörterbüchern, ganz unabhängig von der [illegible] mündlichen Sprache, die *Schriftwurzel* oder das Stichbild die oberste Stelle ein und seine Derivate folgen ihm nach der Zahl der Striche ihrer respectiven Complemente. Mit dem Namen Derivat belege ich nämlich ein ganzes, zusammengesetztes Zeichen, aus der Wurzel und einem ihre Bedeutung modificirenden Complemente bestehend.

Gewiß mit Unrecht hat man den Chinesen zum Vorwurf gemacht, ihre freiere, geistige Entwickelung durch ein unbehülfliches Zeichensystem gehindert zu haben, da doch schon vernunftmäßig zu erwarten ist, daß jede, einheimisch erfundene, gleichsam autochthone Schrift einer Nation auch für ihre Sprache die angemessenste sei. Die Schrifterfinder sind zwar nicht mit philosophischer Grübelei, wol aber, was oft noch vorzuziehen ist, mit einem gesunden und richtigen Gefühl an ihr Werk gegangen. Bei einer Sprache, die durch Umbildung und Verschmelzung zu einem üppigen Baume herangediehen ist, der mit ewig frischer Bildungskraft fortwuchern kann, wie das Sanskrit und seine ältesten Schwester- oder Töchtersprachen, wäre die Erfindung des ideologischen Schriftsystems ein wahrer Frevel an dem Meisterstück des menschlichen Geistes. Wie ganz anders ist dies mit dem Chinesischen, dessen ihrer Natur nach nackte, abgeschliffene, fast der losesten Cohäsion fähige Wurzeln immer in ihr steiniges Erdreich gebannt bleiben und so eine Fülle von Begriffen tragen mußten, für die auch das vollkommenste Alphabet ein armseliger Ableiter war! Man übersehe nur in einem tonisch geordneten Wörterbuche alle die verschiedenartigen Bedeutungen, deren oft ein einziger Laut fähig ist, und von denen wieder viele den ganzen Cyklus der Redetheile durchlaufen können, und man wird den Chinesen vielmehr glücklich schätzen, daß ein Alphabet ihn nicht in ewigem Dunkel tappen läßt. Das Bedürfniß der Zeichenschrift wird uns Europäern fühlbar genug, wenn wir den kürzesten chinesischen Text, auch durch das genaueste Alphabet ausgedrückt, vor Augen haben. Da wird es bei gründlichster Kenntniß der Sprache unmöglich sein, den Sinn zu entziffern, wenn nicht ein zufälliger Umstand ihn errathen läßt. Ein ganzes chinesisches Werk aber, in Buchstabenschrift aufgelöst, bliebe immer das unauflöslichste Räthsel.

Hier dringt sich uns unwillkürlich die Frage auf: wie wäre es unter solchen Bedingungen möglich, daß der Chinese den Chinesen verstände, wenn er sich *mündlich* mittheilt? Die unleugbare Thatsache kann hier nicht allein sprechen und könnte sogar unsere Behauptung der Unentbehrlichkeit jenes Schriftsystems widerlegen. Eine Nation, ließe sich einwenden, die in ihrem beschränkten Wortvorrath mit so kluger Oekonomie waltet, daß Einer dem Andern verständlich wird, von welcher Materie auch die Rede sei, muß den nämlichen Zweck durch ein Alphabet erreichen. Allein wo bliebe dann der nothwendige sinnliche Haltpunkt für die unstät durcheinander wogende Menge verschiedenartiger Begriffe, und wie könnte der ganze, weit mehr ideale als reale Sprachschatz der Chinesen auf solche Weise zur Nachwelt übergehen? Dazu kommt noch, daß wir im praktischen Leben selbst, umgeben von Gegenständen aus der Sinnenwelt und mannichfachen Erscheinungen des Menschenlebens, die niemals ohne Analogie sind, auch in der unvollkommensten Lautsprache uns weit eher mündlich als schriftlich verständigen können. Hier leistet auch der lebendige *Redeton*, unberechenbar wichtiger als jede Accentuirung, unglaublich viel. Endlich würde der Chinese durch die Nothwendigkeit, genau so zu schreiben, wie er spricht, mit allen den verdeutlichenden Einschiebseln, die in der mündlichen Rede erlaubt sind, gar keinen edlern Bücherstyl gewonnen haben, der allerdings seiner gedrungenen Kürze wegen ohne viele mündliche Glossen sich nicht zum Vorlesen eignet, viel weniger die poetischen Stücke. So aber liest der mit guter Schulbildung ausgerüstete Chinese die meisten Schriftsteller seiner Nation mit ebenso wenig Anstoß als jeder Ausländer seine Nationalliteratur.

So viel über die Nothwendigkeit der ideologischen Schrift. Nun wollen wir betrachten, ob ihr Studium wirklich so lange Zeit und solche Anstrengung des Gedächtnisses erfodere, als man gewöhnlich annimmt. Auch dieser Vermuthung tritt die unbestreitbare Thatsache entgegen. Nach einstimmigem Zeugniß der Missionare und der wenigen Reisenden, die mit einiger Sachkenntniß hierüber Beobachtungen angestellt, findet man bei dem gemeinen Manne in China, wenn wir die Masse des gedankenlos und thierisch hinlebenden Pöbels abrechnen, verhältnißmäßig ebenso selten Unbekanntschaft mit seiner Zeichenschrift als bei uns mit der Buchstabenschrift. Auch der ungebildete Handarbeiter erwirbt sich schon frühzeitig den Kreis von Charakteren, oder vielmehr von Bedeutungen derselben, der für seine Stellung in der bürgerlichen Gesellschaft ausreicht; und wäre es nicht bekannt, daß die Charaktere in den Elementarschulen sehr mechanisch eingeprägt würden, wovon aber die Schuld nur an der Bequemlichkeit des Lehrers liegt, so müßten sich noch wohlthätigere Wirkungen zeigen. Die wirklich gebräuchlichen Charaktere machen überhaupt kaum ein Drittheil aller vorhandenen aus; und wie die höhere intellectuelle Bildung bei uns nicht sowol auf Kenntniß einer ungeheuern Fülle von Wörtern und Phrasen, als vielmehr auf umfassender und tiefer Einsicht in das Geistige derselben, ihre Bedeutungen und Beziehungen sich gründen muß, ebenso auch bei den Chinesen. Die wahre geistige Grenzscheide zwischen dem gelehrten und ungelehrten Chinesen bilden nicht ein paar tausend Schriftzeichen mehr oder weniger, sondern vornehmlich die Uebersicht des Gebrauches in seiner reichsten Mannichfaltigkeit. In jedem Zeichen erschließt sich dem Erstern ein Schatz von Bedeutungen; ein dem gemeinen Auge unsichtbarer Faden zieht sich durch alle, und es ist der rechte Probirstein seiner feinern Cultur, wenn er diesen Bedeutungen in jedem Kreise des Wissens ihre Stelle anweisen kann.

Außerdem darf nicht unberücksichtigt bleiben, daß der Chinese mit den Functionen seiner Charaktere als Redetheile ungemein früh durch lebendige Uebung vertraut wird, und daß sein Gedächtniß aller grammatischen Formen überhoben ist. Selbst uns, die wir verwöhnt sind durch die so leicht und rasch zu erfassende Lautschrift anderer Sprachen, erscheint bald das originelle Schriftsystem der Chinesen als die beiweitem geringste Schwierigkeit des Studiums ihrer Sprache. Die Nothwendigkeit, nach und nach einige tausend Zeichen dem Gedächtniß anzumuthen, hat nichts Abschreckendes, weil wir auf der andern Seite von allen grammatischen Formen dispensirt sind und die Lautsprache überhaupt nur praktischen Werth hat. Die wahre, wir möchten fast sagen einzige Schwierigkeit besteht hier wie anderwärts im Verstehen der Originalwerke und im schriftlichen Ausdruck. Hier treten wir allererst in ein Gebiet, wo fast jeder willkommene Anlehnepunkt fehlt, der in andern Sprachen, selbst ohne Beihülfe eines Lehrers ermuthigen kann. Man denke sich einen fortlaufenden Text aneinander gereihter Wurzeln, in der weitesten Ausdehnung ihrer Bedeutungen vorliegend, mit wenig oder gar keiner deutlichen Abtheilung der Sätze durch Interpunctionszeichen; wo die nomina propria nur selten durch ein sicheres Merkmal von den Appellativen geschieden sind; wo die Redetheile am sichersten durch ihre Stellung im Satze erkannt werden — dafür gibt es zwar Regeln, die aber wegen der großen Präcision des Ausdrucks oft sehr schwierige Anwendung finden —; man erwäge endlich, daß die sogenannten Composita der Chinesen, d. h. wenn zwei oder mehre Wörter nur Einen Begriff ausdrücken sollen, der sich in seltenen Fällen mit vollkommener Sicherheit aus den Bedeutungen jedes einzelnen Wortes (respective Zeichens) construiren läßt — daß diese Composita nicht nur durch kein äußerliches Merkmal angedeutet, sondern auch kaum ihrem zwanzigsten Theile nach in unsere Wörterbücher aufgenommen sind: alle diese und noch andere Schwierigkeiten sind von der ideologischen Schrift so gut als unabhängig. Vielleicht darf man diesen Voraussetzungen gemäß behaupten, daß schon die wohlgelungene, schlichte Uebersetzung eines größern prosaischen Textes, wobei dem Uebersetzer kein gutes Muster vorgelegen hat, manche wohlgelungene reinkritische Abhandlung aufwiegen kann. Dies mag zu Lösung des Räthsels beitragen, warum, besonders von Seiten solcher europäischen Gelehrten, die sich nicht, buchstäblich genommen, in China einheimisch gemacht, noch vergleichungsweise so Weniges aus der chinesischen Literatur ans Licht gefördert ist.

(Der Beschluß folgt.)

La Grande-Brétagne, par Mr. le baron *d'Haussez*, dernier ministre de la marine sous le roi Charles X. Paris 1833.

Ein Gemälde Englands, wie es deren viele gibt. Der Verf. scheint uns nicht Kenntnisse genug zu besitzen, um Großbritannien in Hinsicht auf Handel, Politik und Manufacturen gründlich aufzufassen und zu schildern. Was er über das gesellige Leben, Sitten und Künste sagt, übersteigt nicht das Gewöhnliche; der Darstellung fehlt es an Eigenthümlichkeit, das Ganze gewährt indessen eine unterhaltende und mitunter belehrende Lectüre. Als ehemaliger Minister Karl X. versäumte er nicht, seinem Souverain aufzuwarten, der zur Zeit, wo Herr d'Haussez Edinburg bewohnte, sich in Holyrood aufhielt. Ueber Das, was bei diesem Besuche zwischen dem Monarchen und seinem treuen Diener vorging, eilt dieser mit wenigen Worten hinweg und bemerkt nur im Allgemeinen, daß dem gestürzten König kein Wort des Hasses noch des Zornes entfuhr. Der Palast, den Karl X. bewohnte, besteht aus einer sehr einfachen Façade, welche sich auf beiden Seiten an einen Pavillon schließt; parallel mit dem Corps de logis ist ein modernes Gebäude aufgeführt worden. In einem der Flügel des Schlosses, links beim Eingange, sind die Gemächer der Maria Stuart, deren Meubles sorgfältig erhalten worden sind. Das Portrait Riccio's, welches sich überall dem Auge darbietet, zeugt von der rücksichtslosen Verwegenheit, mit welcher sich die schöne Königin ihrer Liebe hingegeben. Als man den Verfasser in diesen Gemächern herumführte, zeigte man ihm an einer Stelle das Blut des Italieners, welches unter dem Dolche der Mörder geflossen. Das Zimmer war sehr dunkel; der Herr Exminister sah nichts, versicherte aber, er sähe. „C'est un genre de politesse fort apprécié par les Ecossais, et qu'un homme qui a du savoir vivre ne doit pas leur refuser", bemerkt hierbei der Verfasser. Als ein glühendheißer Karlist ermangelt Herr d'Haussez nicht, den Herzog von Bordeaux, l'enfant du miracle, nach Kräften zu preisen. Das Wunderkind hat sehr drollige Einfälle, welche, Herrn d'Haussez zufolge, ein edles Gemüth verkünden; dabei spricht es das Deutsche, Italienische und Englische ebenso geläufig wie das Französische. Zwei Züge haben besonders den Minister bis zu Thränen gerührt. Als die königliche Familie das Schloß Lulworth verließ, um sich nach Edinburg zu begeben, sagte Mademoiselle, welche ihre Reiseroute durch London führte, zu ihrem Bruder, sie freue sich sehr, die große Hauptstadt zu sehen, indem sie hinzusetzte: „Que verrez-vous dans votre trajet par mer?" — „Les côtes de France", antwortete der Prinz, indem er in Thränen ausbrach. Die Herzogin von Berri hatte Herrn d'Haussez gebeten, ihrem Sohne ein Windspiel zuzuführen, das sich in Folge der Julirevolution verlaufen hatte. Das Freudengeschrei seiner geliebten Lami brachte den Herzog keinen Augenblick außer Fassung; er behauptete seine Würde bis zum Ende des Besuches, wo Herr d'Haussez aus einem benachbarten Zimmer sich überzeugte, welche Willenskraft der junge Prinz hatte anwenden müssen, um den Ausbruch seiner Freude zu unterdrücken, die beinahe an Wahnsinn grenzte. Für Kriegsübungen hat der junge Herzog eine entschiedene Vorliebe. Die lockendste Belohnung, die man ihm versprechen kann, ist, ihn zu einem Manoeuvre oder auf die Parade zu führen. „Es ist eine schöne Sache um einen Schnurrbart", rief er einst bei einer solchen Gelegenheit aus; „ich wollte, der meinige wäre schon gewachsen!" In demselben Augenblicke nahm er einen Offizier wahr mit einer tiefen Narbe. „Aber es gibt noch etwas Schöneres", sagte er, indem er dem alten Soldaten um den Hals sprang und seine Narbe küßte. Er hatte sich unter das schottische Schützencorps aufnehmen lassen, welches ihm eine complette Uniform verehrte.

Was wir sonst noch Interessantes und Wissenswerthes in der Schrift des Herrn d'Haussez gefunden, wollen wir hier kurz anzeigen. Die englische Kriegsmarine besteht aus 380 Schiffen, unter denen 94 Linienschiffe, nebst einem Personal von 29,000

Offizieren, Matrosen und Beamten. Die Kosten, welche die Unterhaltung dieser kolossalen Seemacht verursacht, belaufen sich auf 4,500,000 Pf. St.; die Verbindung mit den Colonien wird mittels 150 Schiffen unterhalten. Der Herr Exmarineminister beschwert sich über die Strenge, mit welcher man ihm den Eingang in alle Seearsenale und Schiffswerfte versagte, sodaß seine Mittheilungen sich auf das oben Angezeigte beschränken. Die Effectivzahl der Linientruppen beträgt nicht über 54,000 Mann. Die Kriegszucht wird mittels der strengsten Züchtigungen gehandhabt; 100, je 2—300 Peitschenhiebe sind die gewöhnlichen Strafen für Vergehen, die in dem französischen Heere höchstens mit einem oder zwei Monaten gefänglicher Haft abgebüßt werden. Die Offizierstellen bis zum Oberstlieutenant werden gekauft. In der Garde kostet die Bestallung eines Fahnenjunkers 1200 Pf. St., eines Lieutenants 1600, eines Oberstlieutenants 7000 Pf. St. Die Zöglinge der Militairschule von Woolwich werden unentgeltlich als Offiziere angestellt. Selbst in Friedenszeiten hat man unter dem Titel: yeomanry, ein Cavaleriecorps, welches von den Lords und reichsten Gutsbesitzern befehligt wird und mit der französischen Nationalgarde einige Aehnlichkeit hat. Ihre Uniform ist brillant; Pferderennen, Gastmäler und Feste sind die einzigen positiven Resultate, welche dieses Truppencorps in Friedenszeit gewährt. Die englische Armee reicht kaum hin, um die festen Plätze zu besetzen; im Falle, daß Krieg ausbräche, müßte es seine Zuflucht zu denselben Mitteln nehmen, welche es im langen Kampfe mit Napoleon angewendet und zu welchen schwerlich die Nation ihre Zustimmung geben würde; daher der Verf. der Ansicht ist, daß England sich darauf beschränken wird, seinen Einfluß auf die Ereignisse des Continents durch Unterhandlungen zu erhalten.

Gehen wir jedoch zu minder ernsten Gegenständen über. Mit der englischen Küche ist der Verf. durchaus nicht zufrieden. Man versteht die Speisen weder zuzurichten noch in gehöriger Folge aufzutragen. Die Brühen sind übermäßig gewürzt, dagegen die Gemüse blos in Wasser gekocht. Eier erscheinen nie auf der Tafel. Die Kunst, eine Omelette zu machen, gehört nicht zur Ausbildung eines Koches. Vom gebratenen Fleische wird vorzugsweise der Theil angeschnitten, der am wenigsten gar ist. Jeder Gast langt in die Schüssel, die vor ihm steht, ohne sich um seinen Nachbar zu bekümmern. Vor dem Dessert erscheint der Salat in Begleitung von einigen Tellern mit Käse; das Dessert ist nicht brillant und besteht blos aus frischem oder trockenem Obste. Das Tischzeug und Silberwerk sind vorzüglich. Beim Dessert ziehen die Damen Handschuhe an und essen das Obst mit Gabeln, um sich nicht zu beschmuzen. Man fängt an methodisch zu trinken. Wenn man Jemandem eine Höflichkeit erweisen will, so fragt man ihn, ob ihm ein Glas Wein gefällig sei, und bittet zugleich, die Sorte anzugeben: eine Anerbietung, die nicht wohl abzulehnen ist, sodaß man trinken muß, so oft die Andern durstig sind, was ziemlich häufig der Fall ist. Nach 10 Uhr beginnen die Soiréen. Einige Fremde erscheinen und schütteln der Hausfrau die Hand zum Willkommen. Der Gegenstand des Gespräches ist fortwährend die Politik. Es wird Musik gemacht, ein wenig gesungen, aber es geht dabei ziemlich frostig und nachlässig her. Die Musik ist für den Engländer weder Leidenschaft noch Sache des Geschmacks, sondern lediglich der Mode und des Anstandes. Nirgend findet man Pendulen, und die Meubles sind schlecht und mit geringem gedruckten Zeuche überzogen. Gegen Mitternacht geht man in ein an den Salon stoßendes Zimmer, wo Jeder auf einem mit kalten Speisen und Backwerk besetzten Tische auswählen kann, was ihm ansteht. Die Damen tragen sich nach französischen Moden und sprechen das Französische so geläufig wie ihre Muttersprache. Sodann folgt eine lange Beschreibung eines Balles und eines Liebhaberconcertes, in welcher wir dem Verf. nicht folgen können. Das Familienleben ist ziemlich frostig. Die Familien der Engländer sind zu zahlreich, als daß die Bande, welche sie aneinanderknüpfen, lange halten können. Kaum daß die Liebe der Aeltern sich auf die zahlreichen Kinder, welche jede Haushaltung zur Welt bringt, mit der zarten und geschäftigen Sorgfalt erstreckt, die man in andern Ländern bemerkt. Die Familie vermehrt sich, ohne daß der Vater sich um die Zukunft der Kinder besonders Sorgen machte. Der ältere Sohn bekommt den größten Theil des Vermögens; die übrigen Kinder werden in Stand gesetzt, sich durch irgend eine Profession ihren Lebensunterhalt zu verschaffen. Da die Töchter von allem Antheile an der Erbschaft ausgeschlossen sind, so werden sehr viele Ehen aus Neigung geschlossen. Ehescheidungen sind dennoch nicht selten. Die Frauen spielen im Ganzen eine untergeordnete Rolle. Sie sind schön, gesittet und verbinden mit vielen körperlichen Vorzügen Eigenschaften, die diesen ihren großen Werth geben. Sie besitzen meistens einen gebildeten Geist, sind unterrichtet und lieben das häusliche Leben. Was über die schönen Künste gesagt wird, ist etwas oberflächlich gehalten. Herr d'Haussez findet die englischen Tragiker vortrefflich; im Lustspiel sind ihre meisten Bühnenkünstler mittelmäßig. Ihre kleinen Lustspiele werden den französischen nachgebildet; die englische Oper ist erbärmlich. Das französische Theater wird während vier oder fünf Monaten stark besucht. Das Königstheater besteht aus lauter fremden Künstlern; die Sänger sind Italiener und die Tänzer Franzosen. Dieses Theater ist das besuchteste, nicht weil es das beste, sondern weil es das theuerste ist. 145.

Notizen.

Die Studirenden in Edinburg haben eine Subscription veranstaltet, um 40 Guineen zusammenzubringen, welche als Preis für die beste Schrift über den Einfluß der Entdeckung von Amerika auf Europa ausgesetzt werden soll.

„Zu den wunderlichsten Dingen, welche ich in Persien sah" — erzählt der englische Gesandte Harford (1809—11) — „gehören die Gemälde von den Schlachten mit den Russen. Allen Gesetzen der Perspective wird darauf Hohn gesprochen, und auf einem derselben, ich glaube in Ispahan, war ein Russe zu sehen, welchen der Säbel eines türkischen Reiters in zwei Hälften gespalten hatte, die aber beide getrennt nebeneinander standen, als wenn gar nichts vorgefallen wäre."

Der „Hobart town courier" vom 15. October sagt: „Tahiti ist jetzt eine große Niederlassung geworden. Es gibt dort holländische, englische und amerikanische Ansiedler. Mehre haben ihre Aufmerksamkeit der Zuckerbereitung zugewendet, und im vorigen Jahre wurden über vierzig Tonnen dort erzeugt. Auch die Eingeborenen erzielen eine ansehnliche Quantität und vertauschen ihn an Schiffe, welche hier anlegen." 8.

Redigirt unter Verantwortlichkeit der Verlagshandlung: F. A. Brockhaus in Leipzig.

Blätter

für

literarische Unterhaltung.

Mittwoch, —— Nr. 212. —— 31. Juli 1833.

Ueber Schriftsprache und Wörterbücher der Chinesen.

(Beschluß aus Nr. 211.)

Eigentliche Sprachlehren hat der Chinese nicht, weil es ihm überflüssig schien, die Redetheile und ihre Stellung zum Gegenstand besonderer grammatischer Gesetze zu machen. Desto mehr Fleiß wurde von alten Zeiten her auf die Sammlung der Bedeutungen einzelner Wörter (respective Charaktere) verwendet. Zu diesen Sammlungen, welche, als man die Schriftzeichen mit immer schärferer Bestimmtheit in Classenhäupter und Derivate zerlegte, sich allmälig zu Wurzelwörterbüchern ausprägten, haben die gelehrten Erklärer der alten classischen Werke den ersten Grund gelegt. Ihrer Methode gemäß definirt der chinesische Lexikograph jedes Zeichen bald ganz einfach, sodaß er ein sinngleiches folgen läßt, bald durch Paraphrase. Minder gewöhnliche Bedeutungen sind selten ohne ein vollständiges Citat aus kanonischen Büchern aufgeführt, und niemals begnügt man sich statt des Citats mit einem bloßen Titel. Solche Bedeutungen, welche blos auf die Autorität früherer Lexikographen sich gründen, machen den spätern Sammler durch Nennung ihrer Namen von jeder Verantwortung frei. Bei geographischen, naturgeschichtlichen, technologischen oder antiquarischen Gegenständen kommt oft noch eine interessante Erklärung oder Beschreibung hinzu, mit Verweisung auf diejenigen wissenschaftlichen Werke, aus denen der Verfasser excerpirt hat, und wo man sich über die Materie ausführlicher belehren kann. Wo es anging, sind Bemerkungen über die innere Structur des Zeichens, bald als Vermuthung, bald als Gewißheit beigefügt. Die Aussprache müssen gleichlautende von den bekanntern Zeichen bestimmen.

Auf die genauere Analyse ihres Lautsystems wurden die Chinesen, nach ihrem eignen Geständniß, erst durch abendländische Völker, am wahrscheinlichsten durch die Tibetaner aufmerksam gemacht, deren Sylbenschrift aus dem indischen Dewanagari entstanden ist. Sie lernten nicht blos die einzelnen Laute, welche sie seitdem Mütter der Worte nennen, auffinden, sondern auch den verschiedenen Organen gemäß in Classen bringen. Diese Bekanntschaft mit einer abendländischen Sylbenschrift hat den sogenannten tonischen Wörterbüchern, die man, richtig verstanden, auch Reim- oder Assonanzwörterbücher nennen könnte, ihr Dasein gegeben. Ohne besondere Zeichen für die genauere Aussprache classificirt man hier die Schriftcharaktere nach den Anfangs- und Endlauten ihrer Articulation, die aber, abstract gefaßt, schon als bekannt vorausgesetzt wird, und nach den Accenten. Uebrigens ist dieses System nicht durchgedrungen, und noch immer folgen die besten einheimischen Wörterbücher der Wurzelmethode.

Der Vorwurf, welcher alle diese lexikalischen Sammlungen gemeinschaftlich trifft, ist vernachlässigte Anordnung der Bedeutungen und Uebergehung der meisten, aus Zusammensetzung gebildeten Begriffe. Ich könnte hier Gelegenheit nehmen, über die verschiedenen Kategorien, unter welche man die chinesischen Composita, die einen so wesentlichen Theil des idealen Reichthums der Sprache ausmachen, bringen kann, etwas Ausführlicheres zu sagen. Aber theils ist dies schon in einigen Beurtheilungen grammatischer Werke geschehen, theils würde uns dieser Stoff hier zu weit führen. Unmöglich konnte dem Chinesen selbst der letzterwähnte Mangel seiner Wörterbücher entgehen; auch hat er ihm durch besondere, mehr oder weniger umfassende Phrasensammlungen, die aber leider noch gar wenig benutzt sind, abzuhelfen gesucht. Einer sehr ergiebigen Collection dieser Art, in der jedoch die meisten Phrasen nur angeführt, nicht erklärt sind, habe ich an einem andern Orte gedacht.

Die Leistungen der Europäer im lexikalischen Gebiete rühren bis jetzt ohne Ausnahme, entweder mittelbar oder unmittelbar von Missionaren her. Um sie gerecht zu beurtheilen, müssen wir uns auf den geistigen und socialen Standpunkt ihrer Verfasser stellen. Die meisten der Lehrer des Christenthums, welche sich in China gleichsam naturalisirten, sahen sich durch das tägliche Bedürfniß gezwungen, wenigstens eine Art Glossarien für den Handgebrauch zu sammeln. Diese Glossarien wurden durch Beisteuer von Mehrern allmälig compilatorische Wörterbücher, da eine wissenschaftliche Methode der schon aus Europa mitgebrachten und in China noch erhärteten einseitigen Geistesrichtung ihrer Verfasser nicht angemessen, auch mit ihrer unausgesetzten praktischen Wirksamkeit kaum verträglich war. Sie unterließen es zwar nicht, einheimische Wörterbücher zu vergleichen und aus diesen Manches zu ergänzen; aber es ist kaum wahrscheinlich, daß ein Missionar mehre dieser Wörterbücher umfassend benutzt hat. Hieraus erklärt es sich, warum selbst die Bedeutungen einzelner Charaktere nur selten vollständig angegeben und noch weniger geordnet sind als in den Nationalwörterbüchern. An Citaten fehlt es fast ganz. Der Composita enthalten sie außerordentlich wenige, und diese wenigen ohne treffende Auswahl, wie sie das Gedächtniß eingab, sogar häufig solche, die grade am leichtesten zu errathen sind. Dagegen hat diese Männer ihr fester, durch unablässige Uebung erworbener Takt im Auffassen des Sprachgebrauchs gewöhnlich vor Misverständnissen bewahrt, was schon allein hinreichend wäre, ihren Sammlungen einen bleibenden Werth zu sichern. Denn, beiläufig bemerkt, selbst die einheimischen Wörterbücher setzen schon viel Uebung und Gewandtheit voraus, wenn man sie mit entschiedenem Nutzen gebrauchen will. Der Chinese bleibt seiner lakonischen Kürze auch in lexikalischen Definitionen getreu, und die Citate sind, als außer dem Zusammenhang stehend, oft schwierig genug; daher man dem blos theoretischen Sprachkenner nicht Vorsicht und Umsicht genug empfehlen kann, wenn er auf die Basis einheimischer Lexica, welche doch immer die sicherste bleibt, ein neues, für seine europäischen Landsleute bequemes und dankenswerthes lexikalisches Gebäude errichten will.

Die brauchbarsten und bekanntesten Wörterbücher dieser Art sind das ältere des Paters Basilius a Glemona, von Deguignes dem Jüngern (1810) zum Drucke besorgt, und das jüngere des Missionars R. Morrison in Macao (von 1815 an). Das erstere hat einen sehr skizzenhaften Charakter; seine häufigen Fehler aber kommen größtentheils auf die Rechnung des Herausgebers; das weit vollständigere Morrison'sche Werk trägt leider in den letzten Theilen das Gepräge einer zu großen Flüchtigkeit; die Artikel werden allmälig kürzer und die Fehler vermehren sich. Allein wo Morrison einen Verstoß begeht, irrt er wenigstens selbständig. Sein lexikographisches Werk enthält einen Schatz von Phrasen, wie ihn vielleicht kein anderes aufzuweisen hat, nur findet man sie zum großen Theil nicht eben an der Stelle, wo man sie erwarten sollte. Sie begegnen uns in heterogenen Zusätzen über geographische, statistische, ethische, literarische und andere Gegenstände, die zwar als wörtliche Auszüge aus einheimischen Quellen belehrend und interessant genug, aber in Wörterbüchern immer ein Außenwerk sind. Hier einige Beispiele dieser wunderlichen Episoden. Demjenigen Schriftzeichen, welches den Begriff Lernen, Studium, und was damit zusammenhängt, ausdrückt, folgt eine wahre Abhandlung über die Einrichtung der Schulen in China, die Regeln für das Verhalten der Schüler u. s. w. Dem Zeichen kindliche Liebe ist ein sehr langer Tractat über diese Tugend in moralischer und politischer Beziehung angehängt, und endlich kommt noch eine Auswahl von Anekdoten, in denen die kindliche Liebe eine besonders glänzende Rolle spielt. Bei Anführung des Zeichens Beamter, Magistratsperson nimmt der Verf. Gelegenheit, die meisten bürgerlichen und militairischen Würden, die von den ältesten Zeiten an im chinesischen Reiche bestanden haben, chronologisch aufzuzählen. Diese Benennungen oder Titel sind ohne Ausnahme Composita, und Composita von hoher Wichtigkeit; aber in ihren respectiven Artikeln wird man sie vergebens suchen.

Es dürfte überhaupt wol in keiner Sprache empfehlenswerther sein, sich bei Zeiten eigne lexikalische Sammlungen anzulegen. Aber zu einem Wörterbuche, das auch nur den meisten Anfoderungen entsprechen soll, ist nach allen Vorarbeiten immer noch kaum ein Menschenleben ausreichend, indem das Meiste eigner Prüfung und Entdeckung überlassen bleibt. **Wilhelm Schott.**

Die Rechte der katholischen Kirche in Beziehung auf das Königreich Sachsen. An Eine Hohe Ständeversammlung beider Kammern von der katholischen Geistlichkeit Sachsens. Altenburg, Literatur-Comptoir. 1833. Gr. 8. 4 Gr.

In dem großen Scheidungsproceß, den der Zeitgeist mit dem Alterthümlichen und Hergebrachten vornimmt, soll sich nun zeigen, was ist Schlacke, was edles Metall; was beruht auf sichern Principien der Wahrheit und des Rechts; was hat dagegen der Dämon des Irrthums und des Egoismus für Rechtens erklärt und eingeführt; wofür und wogegen sprechen Vernunft und Erfahrung; was ist beizubehalten, zu modificiren, was abzuschaffen? Dieser Zeitgeist läßt sich nicht durch Machtsprüche abweisen, nicht durch leere Worte blenden und täuschen, nicht auf immer durch scharfe Censur, Drohungen von Oben her, oder wol gar Gewaltstreiche beschwichtigen. Aufrichtigkeit und Offenheit, klare Beweise, daß man das Wahre und Gute suche und wolle, Aufopferungen für dasselbe auf der einen Seite und Billigkeit von der andern, daß man nicht schonungslos und nicht zu viel fodere: das allein kann die getrennten Gemüther vereinigen, die unnützen Schreier und Aufwiegler widerlegen und beschämen, Vertrauen und Gehorsam erwecken und vor Anarchie und Despotismus bewahren. Aber eben diese Wiedergeburt geht nicht ohne Schmerzen ab; das Nichthaltbare als solches anzuerkennen und aufzugeben wird schwer; selbst der Irrthum wird uns durch die frühe Gewohnheit lieb; und noch lieber werden uns die Vortheile, die uns aus erworbenen Vorrechten zu Theil geworden sind, wobei wir leicht übersehen, daß unsere Rechte eingeführte Ungerechtigkeiten gegen Andere sind. Nicht minder aber fehlen auch die raschen Reformatoren, die keine Verträge und bestehenden Rechtsverhältnisse achten, nichts von einer milden und gerechten Ausgleichung wissen wollen. Am hartnäckigsten verficht die römisch-katholische Hierarchie ihr Bestehendes; aber desto schärfer greift es der Zeitgeist an.

Zwölf katholische Geistliche in Dresden haben sich in ihrem und der katholischen Pfarrer zu Leipzig, Hubertusburg, Pirna, Chemnitz und Zwickau Namen bei der obigen Denkschrift, den Bischof Mauermann, wie billig, an der Spitze, unterzeichnet, um den Kammern über drei Punkte, worin die katholische Kirche gefährdet sein soll, Gegenvorstellungen zu thun. Der erste Punkt betrifft die Besorgniß der Aufhebung des §. 62 in dem Mandat vom 19. Febr. 1827, nach welchem „den katholischen Glaubensgenossen die Verehlichung mit geschiedenen Ehegatten evangelischen Bekenntnisses, so lange der andere geschiedene Ehegatte lebt, nicht gestattet wird, und sie mögen daher weder von katholischen noch von evangelischen Geistlichen in den königl. sächsischen Landen miteinander verlobt, aufgeboten oder copulirt werden." „Die Ehe ist ein Sacrament, ein Bild der unzertrennlichen Vereinigung Christi und seiner Kirche, daher unauflösbar; und wenn Christus den Ehebruch als den einzigen Grund einer erlaubten Scheidung ausnimmt, so soll denn doch die Ehe blos von Tisch und Bett getrennt werden; das Band selbst ist unauflöslich, die Geschiedenen dürfen sich bei Lebzeiten des andern Theils nicht wieder verheirathen, auch nicht mit einem Protestanten. Dies ist ein Dogma, eine Glaubenslehre der katholischen Kirche; der Staat hat nicht das Recht, Eingriffe zu thun, sondern soll Jeden bei seinem Glauben und bei seiner Gewissensfreiheit schützen. Der geschiedene Katholik mag, will er sich wieder verheirathen, aus seiner Kirche treten; als Katholik muß er sich an die Bestimmung derselben binden." Wird, wie es heißt, jener Paragraph aufgehoben, dann handelt man nicht blos ungerecht gegen die Kirche, „die weder eine herrschende noch eine unterdrückte sein will" (Rec. fielen nur die Fragen bei: Was bedeutete denn 1825 die Anordnung des Gebets um Aufhören der Ketzerei? Wer waren die Ketzer? Und wenn Gott das Gebet erhörte, wer herrschte dann? Und wie hat man geherrscht? Herr Bischof! Vestigia nos terrent!), „sondern man zieht auch viele Nachtheile herbei, begünstigt den Leichtsinn u. s. w."

Der zweite Punkt, „der nicht minder wesentlich in die Rechte der Kirche eingreift, besteht darin, daß, ob sie wol die Oberherrlichkeit des Staats über die Kirche (jus circa sacra) anerkennt, sie doch in dem Gerichtsstande, der die Ehesachen bei gemischten Ehen künftig untersuchen und darüber entscheiden soll, eine Verletzung der kirchlichen Rechte wahrnimmt." Indem man nämlich Streitigkeiten bei gemischten Ehen den Appellationsgerichten zuweisen will, „greift man die katholische Kirche in ihrem Lehrbegriffe auf das Empfindlichste an, und zwar, indem die Kirche solche Ehen nur unter der ausdrücklichen Bedingung gestattet, daß dadurch den Rechten der Kirche nichts vergeben werde, was aber geschehen würde, wenn man ein Glied der Kirche ihrer Jurisdiction entzöge. Aber auch die Rechte der Kirchenglieder sollen von ihr geschützt werden; sie werden eben gefährdet, wenn ein Glied bei ehelichen Streitigkeiten nicht mehr bei einem geistlichen Gericht Recht suchen darf." „Endlich gibt die Kirche ihre Erlaubniß zu solchen Ehen nur dann, wenn vorauszusehen ist, daß der Glaube des Individuums dabei nicht augenscheinlich gefährdet ist." Wer vermag das? Etwa der Untrügliche in Rom? Und kann man nicht jede gemischte Heirath durch die angebliche Gefahr verhindern? Der Herr Bischof will freilich hier wie in der Ständeversammlung den Knoten damit zerhauen, daß man lieber alle gemischten Ehen verbieten soll. Widerrathen möchten wir sie ebenfalls, nur nicht untersagen; wir können uns kein wahrhaft häusliches inniges Glück denken: wenn Menschen in dem Höchsten, in dem Heiligen so gar verschiedene Wege gehen; wenn der eine Theil sein Ave Maria betet, der andere es für Aberglauben hält; der eine in der Ohrenbeichte alle Fehler herzählen soll, der andere lieber die menschlichen Uebereilungen in Vergessenheit bringen möchte; der eine in die Messe geht und das heilige Abendmahl auf seine Art und in seiner Bedeutung feiert, der andere diese Vorstellungsart verwirft. Von den Inconvenienzen, daß sich der katholische Theil in Acht nehmen muß, nicht von Ketzereien angesteckt zu werden, daß er sich bemühen soll, den verirrten Gatten für die alleinseligmachende Kirche zu gewinnen und ja auch wo möglich die Kinder zu retten; von den Folgen der consequenterweise nie aufgegebenen Lehrsätze, daß man nur in der katholischen Kirche selig werden könne, daß also in gemischter Ehe der katholische Gatte den andern eigentlich immer nur als ein Kind der Hölle, von dem er jenseit getrennt sei, betrachten könne, wollen wir gar nicht reden. Indifferentismus oder natürliche Gutmüthigkeit mögen wol solche eheliche Verhältnisse meist noch erträglich machen. Eben jetzt, da man die bürgerlichen Verhältnisse ordnen, sie auf vernünftige Principien zurückführen, das für die religiöse Bildung der Menschheit so wichtige Institut der Kirche den menschlichen Bedürfnissen gehörig anpassen, Das, was darin hinderlich war, den Zwist zwischen ihr und dem Staate beilegen und beide in eine wohlthätige Verbindung bringen will, da zeigt es sich, wie weit die Künstelei die Natur entstellt hat, wie sehr Die, welche sich zu den ersten Führern in der Christenheit aufgeworfen, diese Weltreligion zu einem Particularismus herabgezogen haben, der so engherzig wie das von Schriftgelehrten ausgebaute Judenthum nur eine Form zur Erlangung der Gottwohlgefälligkeit und Seligkeit aufgestellt hat, und zwar unter Bedingungen, deren Christlichkeit und Nothwendigkeit sich durchaus nicht erweisen läßt. Denn ist nicht das Protonpseudos auch hier der Grund aller Streitigkeiten? Glaube und thue, was die Kirche gelehrt und festgesetzt hat: ob sie die Bibelstellen über die Ehe richtig erklärt hat oder nicht; oder ob nicht, wie wenigstens Eisenschmid in seiner Rechtfertigungsschrift (S. 235) aus dem Epiphanius beweist, die Unauflöslichkeit der Ehe und das Verbot, nach der Scheidung wieder zu heirathen, umgekehrt eine Ketzerei gewesen, da dem Manne, der sich von seinem ehebrecherischen Weibe geschieden, früherhin das Wiederheirathen erlaubt war; ob die 24 Kirchenbeschlüsse, welche sich für dieses Wiederverheirathen erklären und die doch auch vom heiligen Geiste sollen eingegeben worden sein, oder die viere, die es mit dem Tridentinum als unerlaubt ansehen, mehr gelten; ob der jugendliche Sünder und alte Betbruder Augustinus, der von der Exegese nichts verstand, der Mann war, der zu dem Verbot die Veranlassung geben durfte, darnach darf natürlich Niemand fragen, noch viel weniger die Zweifel über die Auctorität der römisch-katholischen Kirche vorbringen. Etwas Anderes ist es nun freilich und eine schwer zu entscheidende Frage: Soll sich der Staat durch eine kleine Anzahl Katholiken in seinen für nothwendig gehaltenen bessern Einrichtungen hindern lassen? Die Katholiken haben ein Recht auf Schutz und auf Glaubens- und Gewissensfreiheit, und daß die Protestanten in Oestreich sie lange nicht so genießen wie die Katholiken in Sachsen, thut nichts zur Sache. Aber ob die Lehre von der Ehe wirklich ein zur Seligkeit nothwendiger christlicher Glaubensartikel und so weit auszudehnen sei, als Rom will, ist doch wol zu bezweifeln. Indeß mögen die Stände sehen, wie sie mit den Katholiken fertig werden, nur Das muß man wünschen, daß diese aufhören, den Protestantismus als unverträglich mit der Völkerwohlfahrt und als zerstörend für die Bande des Staates zu verrufen, und daß die Mächtigen aller Confessionen erkennen, welche Kirche das: Gebet dem Kaiser, was des Kaisers ist, und hemmt nicht seine Vorschritte zum Bessern, grundsetzlich und praktisch empfiehlt.

Der dritte Punkt betrifft den privilegirten Gerichtsstand der Geistlichen, der wegfallen soll. Hiergegen waren Bischof Mauermann und Dr. Großmann ziemlich einig; aber freilich ist der Letztere darum auch sogleich als illiberal bezüchtigt worden. Indeß ist Großmann viel zu vorurtheilsfrei, als daß er hierarchisch begehren sollte.*) Rec., der für sein noch übriges Leben wenig von der Veränderung des Gerichtshofes zu fürchten hat, auch nicht etwa wie Luther und Schuderoff über „die Juristen in der Kirche" urtheilt, sondern viele ihm theure Freunde unter ihnen hat, muß dennoch nach einer beinahe dreißigjährigen Beobachtung sich an Großmann's Ansicht anschließen. Wir mögen an den Menschen bessern, wie wir wollen, Eifersucht, Mistrauen, auch wol einige Misgunst werden unter den Völkern und so auch unter den einzelnen Ständen wol vermindert, nie aber ganz vertilgt werden können. Der geistliche Stand besteht auch nur aus Menschen und trägt auch jene Schuld; aber man spreche nur die Juristen nicht frei und sage nicht, daß sie keine Veranlassung geben. Einige sind Freunde einer unbeweglichen Stabilität; wie das römische Recht, so sollen die symbolischen Bücher fest stehen. Von frivolen Verächtern des Cultus, den manche Juristen wol gar sowie die Prediger vor dem Volke lächerlich machen, oder dadurch herabwürdigen, daß sie Auctionen, auch wol andere gerichtliche Verhandlungen an Sonn- und Feiertagen anstellen, oder Clienten zu sich bescheiden, die dann den Gottesdienst darüber versäumen; von Frechen, welche zum Meineid und zu allen Schlechtigkeiten die Hand bieten, wollen wir gar nichts erwähnen. Aber wie

*) Wir wünschen Großmann allerdings zuweilen etwas weniger scharfe Ausdrücke und Bilder, sowie seinen Gegnern, daß sie sich etwas mehr parlamentarische Unempfindlichkeit aneignen und seinem Kopf und Herzen, seinem tiefen Scharfblick, seiner Gründlichkeit und Redlichkeit stets möchten Gerechtigkeit widerfahren lassen, auch wenn ihn, diese Zierde Sachsens und auch der ersten Kammer, der lebendige Eifer zu weit führt.

viel kann doch die Habsucht unter Form und Schein des Rechtens durch unnöthige Proceßverlängerung, durch Sportelsucht u. dgl. an sich reißen! Das wird dem Pfarrer geklagt, er kann es nicht billigen, er gibt vielleicht Wege zum Recht oder zum Vergleich an; die Feindschaft ist gestiftet, und der Patrimonialrichter, soll er auch Richter des Geistlichen sein, findet tausend Mittel, ihm zuwider zu sein und zu schaden. Man hat auf dem Landtage gewiß unrecht gesprochen, wenn man diesen Stand im Allgemeinen angriff; es gibt darunter sehr schätzbare Männer, die väterlich mit den Unterthanen umgehen, und die auch mit den Geistlichen einverstanden sind und ihre gerechten Wünsche befriedigen. Aber sehr häufig müssen sie Rücksicht auf den Gerichtsherrn nehmen, wollen auch bei den Gerichtsunterthanen nicht verhaßt werden, und in Collisionsfällen mit Geistlichen müssen diese nachstehen, werden auch wol daran erinnert, im Nachgeben und Aufopfern Vorbilder zu sein. In den übrigen Verhältnissen hilft man sich, so gut man kann; der Bauer und Bürger wird derb gegen seine Obrigkeit, wenn sie ihm gar zu übel mitspielt; im Handelsverkehr sucht man sich zu entschädigen, wenn man einmal gelitten hat; wer Geld hat, verficht seine Sache und läßt nicht nach, sollte er auch darüber absterben. Der Geistliche bleibt auch ein empfindlicher Mensch; aber was fodert man von ihm? Er soll in keinem Wort fehlen, soll fleckenlos erscheinen; aber man reize ihn auch weniger, sich zu vergehen; — er soll hochgeachtet dastehen vor seiner Gemeinde, sein Wandel muß freilich die Basis sein; aber man bringe ihn auch nicht sogleich in eine Lage, wo ihn der Freche mitleidig, der verleumderische Ankläger höhnisch betrachtet und sich, ob er gleich Unrecht behält, doch freut, dem Pastor, dem Schwarzrocke, Eins versetzt zu haben, wenn er ihn vor das weltliche Forum gebracht hat; der Schadenfrohen gibt es überall. Sind wirkliche strafbare Vergehen ermittelt, betrifft es Privatangelegenheiten über das Mein und Dein, die eine geistliche Behörde nicht entscheiden kann, dann erhalte das Amt Commission und führe die Sache auf dem strengen Rechtswege aus. Aber ehe es dahin kommt, bespreche sich der Ephorus oder das Consistorium mit dem Beschuldigten und suche als Friedensrichter auszugleichen und zu versöhnen. Diese Behörden haben in der That den Geistlichen, wenn geklagt wurde, nichts geschenkt, weder an Verweisen, noch an Sporteln, noch an Strafen; aber wie das häusliche Leben etwas ganz Anderes ist als das öffentliche Gemeindewesen; wie Väter und Mütter Das, was in der Familie vorfällt, so lange als möglich unter sich abmachen und sich hüten, Das zu veröffentlichen, was das Band der Liebe und des Vertrauens vollends zerreißen möchte; wie selbst eine ehrliebende Gemeinde ungern den Fehltritt des Einzelnen bekannt gemacht sieht: so sollte man doch besonders auf dem Lande, wo der Geistliche so viel auf die Jugend, auf die Sitten und Bildung, auf das Familienleben Einfluß hat, und das beichtväterliche Ansehen, das freilich auf tüchtige Amtsführung und Lebensweisheit gegründet sein muß, indem es mit dem Priesterrock allein nirgend mehr gedeiht, auf eine Gemeinde wirken kann, den Geistlichen nicht der Gefahr aussetzen, durch Gleichheit der Form (denn die des Gesetzes versteht sich von selbst) herabgewürdigt zu werden. Die in dieser Gleichstellung das Heil der Menschheit suchen, sind entweder mit Misgunst gegen den geistlichen Stand und seine geringen Vorzüge erfüllt, oder sie sind zu wenig mit dem zarten Verhältniß bekannt, das zwischen ihm und den Gemeinden stattfindet. Er soll auch in Zeiten der Aufregung besänftigen und Gehorsam predigen; aber man stelle ihn auch so, daß er es mit Freuden und mit Erfolg thun kann. Die Consistorialverfassung bedarf einer Reform; allein ob Die, welche diese Collegien gradezu abschaffen wollen, wozu selbst geistliche Räthe sich gesellen, dem kirchlichen Wesen und der Beförderung des religiösen und sittlichen Lebens einen Dienst erweisen, wenn man auch hier das Kind mit dem Bade ausschüttet, ist sehr zu überlegen; und darum mag man auch hier Männer vom Fach und Erfahrung, wie Mauermann und Großmann, nicht überhören. Eben diese Vorsicht möchte auch zu empfehlen sein in Ehesachen; nicht weil die Ehe ein Sacrament sein soll, sondern weil moralische und religiöse Einwirkung so sehr einflußreich werden kann. Ref. kennt eine Menge Fälle, wo nach den Gesetzen anderer Länder augenblickliche Scheidung erfolgt wäre, und wovon er erst nach dieser Scheidung etwas vernommen hätte; allein in seinem Vaterlande haben sich sehr viele Eheleute durch sein oder des Ephorus Zureden und Verhandeln, das freilich nicht kostspielig sein darf, wieder vereinigt und haben sehr glücklich gelebt. Man hat über die Bestrafung der sogenannten fleischlichen und menschlichen Vergehungen viele Experimente versucht, hat die Geistlichen mit ihren Admonitionen aus dem Spiele gelassen, hat hier die Geschwängerten, dort die Schwängerer mit der mildesten Humanität behandelt; aber die Zahl der unehelichen Kinder, die mit wenigen Ausnahmen der Gesellschaft zur Last, zur Gefahr und zum Verderben heranwachsen, beträgt in manchen Staaten beinahe die Hälfte der jährlich Geborenen. Wie soll das enden? Darum prüfet Alles und das durch Vernunft und Erfahrung Bewährte behaltet! Schont den Geistlichen nicht, wo er es nicht verdient; aber soll er Gutes wirken, so gewährt ihm auch dazu die Mittel. 68.

Notizen.

Der Kaiser von Rußland hat vergangenen Sommer von einem Herrn Froderow eine geographische Reise durch die südöstlichen Theile Sibiriens unternehmen lassen. Der Staatsrath und Secretair der Akademie der Wissenschaften, Faß, tritt nächstens eine größere Reise durch Ostsibirien nach Peking ebenfalls auf kaiserliche Kosten an.

Professor Humbert in Genf arbeitet an einer arabischen Chrestomathie für Anfänger, mit Glossar und Noten, in zwei Bänden.

In den zwei denkwürdigen Predigten des protestantischen Pfarrers in Bordeaux, Herrn Antoine Vermeil (gedruckt 1832), kommt folgende Stelle über den Protestantismus vor: „Seine Hoffnungen sind wohl begründet und seine Rechte unbestreitbar, denn er hat seine Toleranz und seinen freien Forschungsgeist, vor Allem aber das Uebereinstimmen seiner Lehre mit der heiligen Schrift für sich. Vielleicht bedarf der Protestantismus aber zu Erfüllung seiner Mission einer Erneuerung und Wiederbelebung in einigen Formen. In jedem Falle muß er, grade während er seinen Glauben immer evangelischer macht, sich vor dem Geiste der Rückschreitung, Uebertreibung und Ausschließung hüten."

Unter den Neuigkeiten der amerikanischen Literatur versprechen ungewöhnlicheres Interesse die „Legendary, or original pieces in prose and verse, illustrative of american scenery, history and manners, edited by *N. P. Willis*" (2 Bände) und „American poets, or specimens of american poetry, with critical and biographical notices" (3 Bde.). Diese letztere Sammlung enthält Auszüge und Musterstücke amerikanischer Dichter aus der frühesten Zeit von 1640 bis jetzt.

„Ich wollte, ich wäre frei", sagte jüngst ein radicaler Irländer zu einem Briten. „Bist du denn nicht frei?" ward ihm geantwortet, „kannst du nicht thun, was dir gefällt?" — „Ja", sagte er, „aber ich kann Euch nicht thun lassen, was mir gefällt!" — Eine solche Ansicht erinnert an die Pflanzer Südcarolinas in der neuesten Zeit, die ebenso eifrig auf ihrer eigenen unbeschränkten Freiheit wie auf der ungemilderten Sklaverei ihrer Neger bestehen. Wir fürchten, das Ideal constitutioneller Freiheit, wie manche Classen der bürgerlichen Gesellschaft es bei uns sich gebildet haben, sieht grade ebenso aus! 158.

Redigirt unter Verantwortlichkeit der Verlagshandlung: F. A. Brockhaus in Leipzig.

Blätter für literarische Unterhaltung.

Donnerstag, — Nr. 213. — 1. August 1833.

Zur Nachricht.

Von dieser Zeitschrift erscheint außer den Beilagen täglich eine Nummer und ist der Preis für den Jahrgang 12 Thlr. Alle Buchhandlungen in und außer Deutschland nehmen Bestellung darauf an; ebenso alle Postämter, die sich an die königl. sächsische Zeitungsexpedition in Leipzig, das königl. preuß. Grenzpostamt in Halle, oder das fürstl. Thurn und Taxische Postamt in Altenburg wenden. Die Versendung findet wöchentlich zweimal, Dienstags und Freitags, aber auch in Monatsheften statt.

Miscellen über Literatur, Kunst und öffentliches Leben in Paris.

Zweiter Artikel.*)

Der Fremde wie der Einheimische, welche die Geschichte kennen und sich versinnlichen wollen, werden an die Colonnade des Louvre gehen, sie werden sich zurückrufen, wie das Volk, aus den anstoßenden Straßen und von den Quais herdringend, in dem Kampfe der Julitage die alte Königsburg erstürmte und auf den blutigen Leichen der besiegten Schweizer die dreifarbige Fahne aufpflanzte; sie werden rechts den Begräbnißplatz der gefallenen Kämpfer, links jene berüchtigte Straßenecke sehen, hinter welcher hervor ein junger Bursche nach und nach 8 oder 9 Schweizer von den Colonnaden herabschoß; grade vor sich die Kirche St.-Germain-l'Auxerrois — eine ganze Geschichte, mehr bedarf es nicht, um sie im Traume zu einem herrlichen Momente zurückzuführen, von welchem Frankreich jetzt so ferne steht! Auf dem Wege von der rue Richelieu nach den Tuilerien in grader Linie liegt die rue Rohan; in das Eckhaus dieser Straße hatte sich ein Hauptmann der königlichen Garde geworfen und feuerte mit seinen Leuten auf das heranströmende Volk, welches viele Leute verlor. Der Kampf muß hartnäckig gewesen sein, denn noch heute sind die Mauern des Hauses wie ein Sieb belöchert. Die Rache erreichte den Hauptmann; die Munition ging aus und der gehoffte Entsatz kam nicht; das Volk stürmte das Haus, verfolgte den Hauptmann von Stockwerk zu Stockwerk und stürzte ihn endlich zu einem Fenster auf die Straße herab; im Fallen blieb er mit seinem Gürtel an einem eisernen Altan hängen, allein die nachhelfende Hand des Rächers war nicht fern, und er fiel hinab, um nicht mehr aufzustehen. Die rue St.-Martin und das cloitre St.-Mery haben zu der Ehrwürdigkeit des Alterthums einen neuen Zuwachs von Interesse erhalten. Fortan werden diese Namen nicht mehr genannt werden, ohne daß jener furchtbare Tag vor die Augen tritt, an welchem eine Armee von 60,000 Mann auf königlichen Befehl auszog, um 70 ihrer Mitbürger wie eingeschlossenes Wild zusammenzumetzeln; und an diese That wird die Geschichte der jetzigen Regierung sich reihen, und das Volk wird sagen: dessenungeachtet wurde am folgenden Tage die Stadt in Belagerungszustand erklärt und ein Jahr darauf traf die Regierung die Anstalten, um das aufrührische Paris künftighin durch eine Masse von Festungen auf den umgebenden Bergen im Zaum zu halten. Die Vorstädte St.-Marcel und St.-Antoine, die Straße du Temple, die Kirche St.-Roch und so viele andere Straßen und Plätze entfalten wie ein Panorama das große Drama der ersten Revolution; und der Bastillenplatz mit seiner schaffenden Zerstörung und der Revolutionsplatz mit seinen blutigen Symbolen, und die Brücke von Austerlitz und jene von Arcole, welche am 28. Juli das Volk über den Leichnam seines Heldenführers weg gegen das Hôtel de Ville brachte, und die Place de Grève, von welcher jetzt endlich die Guillotine verschwunden ist, die aber die Köpfe der jungen Unteroffiziere von Larochelle fallen sah, und die rue Richelieu mit ihrem verlassenen Monument des Herzogs von Berri, und der Carroussel- und Vendômeplatz, und der Altan des Palais royal, auf welchem Ludwig Philipp auf Verlangen der Industriellen, welche sich daraus einen Erwerbszweig gemacht hatten, den Fremden und dem Volke sich zeigte und auf weiteres Verlangen die Marseillaise sang und Händedruck austheilte, und der Pont royal, auf welchem die Farce des Schusses gespielt wurde — sind ebenso viele unvergeßliche Tableaux der antiken Größe der ersten Revolution, des glanzvollen, strahlenden Ruhmes des Kaiserthums, der rachsüchtigen Reaction der wiedergekehrten

*) Vgl. Nr. 190—192 d. Bl. D. Red.

Bourbonenherrschaft, der begeisterten Hingebung der Julitage und — — — — des Justemilieuthrones.

Wer die topographische Größe von Paris bewundern, wer seine politische Wichtigkeit, seine Stärke und Unermeßlichkeit anstaunen, wer die Stadt als das Centrum des Fortschrittes und lange als die Herrscherin von Europa überschauen will, steige auf die Höhen des Montmartre, des Thurmes der Notre-Damekirche und der Kuppel des Pantheons. Zweierlei wird sich seiner Ueberzeugung einprägen: der wohlverdiente Stolz der Franzosen auf eine solche Hauptstadt und die Zuversicht an die Unbesiegelichkeit derselben, so lange das Volk nicht selbst den Glauben verliert; allein wer Paris in seiner Individualität erkennen, wer genauere Bekanntschaft mit ihm machen und in die Geheimnisse seines Innern dringen, wer seinen Charakter ergründen und seine Physiognomie jeder Zeit und jedes Zustandes studiren will, der verlasse diese stolzen Höhen und durchwandle das classische Pflaster dieser Königin der Städte; und wenn er lange genug seine Blicke an der modernen Pracht, Helle, Geräumigkeit und Bequemlichkeit der neuen Quartiere geweidet, wenn er die herrlichen Boulevards entlang das perpetuum mobile der Industrie und der Neugier besucht, wenn er die breiten Straßen und hübschen Häuser des Quartier St.-Germain, der Chaussée d'Antin, der rue de la paix und rue de Rivoli gepriesen haben wird; wenn er sodann in die Vorstadt St.-Marcel und das Quartier St.-Jacques eindringt, in die enger und enger werdenden Straßen des quartier latin, in die Umgegenden der Sorbonne und des Collège de France gelangt und von dem Nebel der dort herrschenden Gelahrtheit und des Straßenschmuzes umgeben wird; wenn er oben auf der Höhe des Pantheons in die ewige Straße St.-Jacques blickt, die sich wie eine durch ihre Länge an Gradheit verlierende Schnur den Hügel hinab, über den Pont St.-Michel in die Cité, von da nach dem Quartier des Hôtel de Ville und weiter nach der Straße und der Vorstadt St.-Martin bis zum äußersten entgegengesetzten Ende von Paris hinschleicht; wenn er zuletzt durch Winkel- und Kreuzstraßen in die Cité, die Wiege von Paris, anlangt, da wo Julius Cäsar die ersten Bewohner in elenden Hütten traf, da wo jetzt der herrliche Dom von Notre-Dame seine altehrwürdige Kunst zeigt und im vormaligen Residenzschlosse der französischen Könige Themis die Wage hält; wenn er in Straßen eintritt, welche eher einem Sacke oder einem geheimen Gange gleichen, und an ihrem Ende plötzlich die lachenden Quais der Seine vor sich hat: dann wird er eine Frage, einen Wunsch empfinden, die ich so häufig auf meinen Wanderungen empfunden: Warum besteht keine specielle Geschichte dieser Straßen? warum wissen wir nicht, woher diese seltsamen, oft abenteuerlich lautenden Namen kommen? Welcher alte Vorfall, welcher Greuel des Fanatismus, welche Großthat des Patriotismus und Muthes knüpft sich an diese und jene Benennung? Unter allen Historien müßte diese die interessanteste sein, denn die ganze Geschichte Frankreichs liegt in Paris, und Paris hat von jeher in seinen Straßen gelebt, es gab nie einen Augenblick des Stillstandes! Mein Verlangen ist seiner Erfüllung näher, als ich es zu hoffen wagen konnte, und diesmal gebührt der „Europe littéraire" das Verdienst, gleichzeitig das Vergnügen ihrer Leser und ihren Vortheil verstanden zu haben. Drei in kürzesten Zwischenräumen angezeigte Werke versprechen eine Arbeit zu liefern, welche bisher nirgend vollständig bestanden hat. Herr Vitet, Aufseher der historischen Monumente, hat eine Geschichte der alten Städte Frankreichs angekündigt. Niemand ist mehr im Stande als er, die alten Archive zu befragen und das Interesse mit der historischen Wahrheit zu vereinigen. Ein zweites Werk, dessen Verfasser ich mich nicht erinnere, ist „Paris révolutionnaire", d. h. die ganze Specialgeschichte von Paris mit allen seinen Kämpfen und Fehden und Verschwörungen und Intriguen; denn wann war Paris nicht revolutionnair? In den 1580er Jahren erklärte die Sorbonne ihren Haß gegen den König offen und laut und sprach in einem eignen Manifest den Grundsatz aus: „daß die Völker stets das Recht haben, den Fürsten, mit welchen sie nicht zufrieden sind, die Regierung zu entziehen, ebenso gut als man einem verdächtigen Vormund die Verwaltung nehmen könne". Die Sorbonne im Jahr 1580! Das dritte endlich und ganz specielle ist eine „Chronique des rues de Paris" von dem Bibliophilen Jacob. Niemand in der Welt war berufener zu diesem Unternehmen als dieser Liebhaber des Mittelalters, der durch Vergrabung in den alterthümlichen Pergamentrollen und Manuscripten in seinen jungen Jahren sich zum Greis gemacht hat. Er besitzt zugleich das Talent, eine solche Chronik von dem trockenen und langweiligen Schwulst zu entkleiden, und das Publicum darf im Voraus einer genußreichen Lectüre gewiß sein. Ich werde vielleicht noch öfter in den Fall kommen, von seiner Chronik zu sprechen. Hören wir ihn deshalb selbst über den Anlaß und Gegenstand seiner Schrift, welche in periodischen Lieferungen in der „Europe littéraire" erscheinen wird:

Wir wollen die Geschichte der Straßen in abwechselnden Gemälden, in seltsamen Erscheinungen, in treuen Documenten geben; eine bunte, unterrichtende und unterhaltende Geschichte, welche Sainte-Foix mit Geist angedeutet, welche Jaillot mit Gründlichkeit studirt hat. Jede Straße wird uns ihren Ursprung, ihre Chronik erzählen, jede Straße erhält ihren etymologischen, physischen, moralischen und anekdotischen Charakter.

Paris erweitert, verschönert und reinigt sich jeden Tag mehr; es ist Zeit, daß wir die alten Traditionen bewahren. Die Geschichte von Paris ist allenthalben mit jener von Frankreich vermischt. (Ja beinahe überall ist die Geschichte von Paris jene des Landes selbst.)

Seit jenen fernen Zeiten, wo die pariser Hanse unter dem Schutze der gallischen Götter ihren Sitz auf der Insel Cité hatte, welche die Gestalt eines in der Mitte des Flusses gescheiterten Schiffes trägt, wie viele innere Revolutionen haben oft den Anblick unserer Hauptstadt, die das Schiff der Nauten in ihrem Wappen behalten hat, geändert! Würde der Kaiser Julian sein theueres Lutetia wiedererkennen, wo er den Winter so kalt zubrachte? Was würde Philipp August zu den Arbeiten unter der Regierung von Franz I. sagen? Würde Ludwig XIV. sich nicht wundern, seine Pracht durch jene von Napoleon übertroffen zu sehen? Peter Grognet, welcher im 16. Jahrhundert das Lob von Paris in Reimen besang, würde sich heute nicht mehr mit der lieblichen Umschreibung von „irdischem Paradies" begnügen; es bleibt nichts mehr als „himmlisches Paradies".

Allerdings ist es angenehm, luftige, reinliche, gesunde, bequeme Häuser in schönen und lachenden Quartieren, in geräumigen, wohl gepflasterten und unterhaltenen Straßen zu bewohnen; aber diese alten Quartiere, mit alterthümlichen schwarzen Gebäuden besetzt und voll geschichtlicher Anklänge, sind sie nicht auch ein malerisches und anziehendes Schauspiel? Allerdings ist eine Stadt des Mittelalters, wie man deren noch an den Ufern des Rheins findet, gewöhnlich finster, traurig, kothig, stinkend; Nürnberg, Heidelberg, Köln, trotz ihrer Kunst- und Alterthumsschätze, reizen nicht Jedermann, daselbst zu wohnen; allein es ist Vieles zu sehen, Vieles zu lernen in diesen unberührten Wohnungen der Menschen von ehedem; es ist, als ob die Mauern das Echo der Vergangenheit aufbewahrt, und die Phantasie ist zugleich mit den Augen in Anspruch genommen. In den heutigen Straßen von Paris kann blos der Geist sich gefallen.

Diese Straßen haben sich in dem Maße vermehrt, als die Stadt sich gegen Norden und Süden erweiterte. Im 15. Jahrhundert zählte der Sänger Guillot deren 309; im 18. Jahrhundert war die Zahl auf 989 angewachsen, heute ist sie 1100. Alle haben nicht Anspruch auf unsere Aufmerksamkeit; wir werden nicht von denen sprechen, welche man seit der Revolution gebaut hat, es sei denn, daß ein interessanter und wenig bekannter Vorfall ihre Neuheit ersetze; wir werden vorzugsweise die alten durchwandern, welche bis zu zehn verschiedene Namen und ebenso viele Bestimmungen gehabt, welche bürgerliche und kirchliche Anstalten besessen haben, welche der Schauplatz besonderer Begebenheiten waren. Wir werden von dem Mittelpunkt der Cité ausgehen, da wo die Götter Esus und Cernunnos ihre blutigen Altäre hatten, vom cloître Notre-Dame, wo die Universität im Schatten der bischöflichen Kirche ihr Entstehen erhielt. Sodann werden wir die Straßen ohne eine andere als die Anleitung unserer abenteuerlichen Laune besuchen. Wir werden selbst die Damen in die wenigst besuchten Ecken und Winkel führen, durch Gäßchen, deren ursprünglicher Beiname die unerschrockensten Ohren entsetzt, und deren heutiger Zustand mit einer Art erblicher Unehre belastet ist; es sind dies Dinge, welche man besser in der Ferne und durch einen züchtigen Schleier sieht. Auf diese Weise werden die Hallen auch den Salons zugänglich.

Ehemals waren die Städte befestigt, um gegen Einfälle und Plünderung, Kriege und Eroberung geschützt zu sein. So mißglückte der Angriff der Normannen auf Paris, welches damals die Seine, die seine Einfassung von Mauern und Thürmen befeuchtete, als Graben hatte. Ludwig VII. dehnte die Grenzen seiner Hauptstadt aus und umgab sie mit einer Einfassung, welche im Stande war, einen Sturm auszuhalten. Philipp August, welcher diese Einschließung mehr gegen das Feld hinaus erweiterte, vermehrte die Vertheidigungsmittel nicht, und Karl VI., welcher die Einfassung von Philipp August herstellte und erweiterte, fügte ihr tiefe Gräben und Zinnen gegen die Artillerie bei. Diese Mauern widerstanden zwei Jahrhundert später der hartnäckigen Belagerung von Heinrich IV.

In jenen Zeiten ewiger Parteiungen und beständiger Fehde war das Innere der Städte eingerichtet, um von Haus zu Haus, von Straße zu Straße kämpfen zu können; nicht allein hatten die hauptsächlichsten Häuser hier und da Einfassungen mit Schießscharten und feste Bastionen an den Ecken, sondern außer den [illegible] [illegible], welche behufs des Durchganges der [illegible] die Stadt [illegible] durchschnitten, krochen die übrigen Straßen [illegible] [illegible] und wanden sich wie Schlangen, eng, unreinlich, finster, mit Thoren geschlossen, mit hängenden [illegible] bedeckt, mit [illegible] besetzt, voll Schmutz und Koth und mit faulendem Wasser überzogen. An dem Winkel dieser, einem [illegible] gleich [illegible] Straßen befanden sich große eiserne Ketten in den Mauern befestigt, tief in einem eisernen Schrank, zu welchem der Viertelsmeister den Schlüssel hatte; sie erwarteten nur das Zeichen der Sturmglocke, um gespannt und barrikadirt zu werden; plötzlich verwandelte sich die Stadt in eine Citadelle, und jeder Bürger wurde Soldat; in dieser Weise geschah es unter den Maillotins während der Ligue und der Fronde.

Die Straßen von Paris wurden erst unter Philipp August gepflastert. Einst saß dieser große König, welcher beständig darauf bedacht war, seine Lieblingsstadt zu verschönern, an dem Fenster seines Palastes, welcher auf der Stelle des jetzigen Gerichtshauses war, als ein vorüberfahrender Karren, welcher den Koth der Cité aufrührte, bis in das mit Stroh bedeckte königliche Gemach einen solchen Gestank verbreitete, daß der König befahl, die Straßen mit harten und viereckigen Steinen zu pflastern. Im Jahr 1723, unter der Verwaltung von Turgot, wurden die Namen der Straßen endlich auf Tafeln geschrieben, und im Jahr 1806 verbesserte eine allgemeine Numerirung der Häuser die Mängel des alten Systems.

(Die Fortsetzung folgt.)

Kleine Localdramen.

„Das gute Lustspiel sollte immer örtlich sein, um noch besser zu werden. In einer ausgedehnten Breite der menschlichen Dinge, deren Anschauung man gewinnt, wenn man von der Höhe herabsieht, gibt es keinen Widerspruch und keinen Zufall, sondern nur eine weise, nothwendige und zweckmäßige Folge von Ursachen und Wirkungen. Zu jener Luftschicht hinauf dringen daher auch die Gegensätze nicht, durch deren Vermählung das Lächerliche erzeugt wird. Aus diesem Grunde können Sitten eines ganzen Volkes kein wählbarer Stoff zum Lustspiele sein. Der Lustspieldichter muß sich auf die Ecken stellen und aus der Menschenmenge einen Gesichtskreis voll absondern. Es bleibt auch dieses noch eine Selbsttäuschung, aber wir geben uns ihr freiwillig hin, wir lassen die umsichtige Ueberlegung schweigen, heften den Blick auf den nächsten Fleck und ergötzen uns. Schon die Herausstellung eines einzelnen Standes in seinen Lächerlichkeiten, wie sie in unsern Lustspielen üblich ist, mag nicht so unverwerflich sein, als man annimmt (ich betrachte aus dem Gesichtspunkte der Kunst, nicht aus dem der Sittlichkeit). Kein Stand, als ein geschlossener angesehen, hat eigentlich etwas Widersprechendes, d. h. Lächerliches in sich. Dieses kommt erst zum Vorschein, wenn man die verschiedenen Stände nebeneinander stellt."

Mit diesen Worten leitete Börne die Anzeige des unter Nr. 1 erwähnten Stücks ein, und sie können zugleich als Motto dieser ganzen Anzeige gelten.

Die Oertlichkeit als Schauplatz zu benutzen und zugleich die Auftretenden in der Mundart jener Oertlichkeit sich hören zu lassen, ist deshalb in dem Lustspiele, in der Posse immer zweckmäßig geschehen, und namentlich die neuere Zeit hat diese Mittel sich gehörig zu Nutz gemacht.

Wir sprechen nicht von den wiener Productionen, welche in ähnlichen berliner Productionen ein schwaches Echo fanden, oder von dem strasburger Pfingstmontage, welcher jene alle übertrifft, oder von den schwäbischen Arbeiten der bemerkten Art, sondern die frankfurter Localdramen bilden einen eigenen Kreis, und einen solchen mögen sie auch hier einnehmen.

„Der Prorector", ein Lustspiel in zwei Aufzügen, trägt in dem gedruckten Exemplare, welches wir vor uns haben, die Jahreszahl 1794. Er ist also zu alt, um in Reihe und Glied mitzumarschiren, obgleich höchst wahrscheinlich das 1794 vordatirt, und der Abdruck des im Jahre 1793 gefertigten Stückchens erst vor wenigen Jahren erfolgt ist. Sichern Nachrichten zufolge ist der berühmte Criminalist Ritter von Feuerbach der Verf., der es als Secundaner — wahrscheinlich — an Ort und Stelle niederschrieb, gleichsam ein Protokoll, ein Bild Dessen, was er unmittelbar vor sich sah und hörte. Wirklich die lustigste Schulscene in der Welt! Oder vielmehr eine Reihe von Schulscenen. Eine Art Blindekuhspiel, wo der Prorector mit etwa zwanzig bösen Jungen seine Last hat und sich an ihnen pädagogisch abjagen muß. Indessen lehrt er unverdrossen seine Unterrichtsgegenstände: Grammatik, Theologie, Geographie und die „scheene heidnische Worheite". Hier eine Stelle aus den eingestreuten Zwischenreden, welche zugleich Zeugniß für die Zeit ablegt, worin das Stückchen spielt.

Schott. Ach, was schießt's.

Prorector. Halt e bissi in, mer wolle die Fenster uf mache. So stark hot's noch net geschoffe.

Stellwag. Menz (Mainz) soll iwer sein.

Prorector. Ach! du narriger Bub, wer hat der dann des Weis gemacht?

Stellwag. Gestern sinn siewe Defferdeur kumme, und die hawe gesogt, se hätte nix als Wein und Brod.

Prorector. Jo, die wire schond die Fässer leer.

Kemmater. Die Nacht sinn 12 Häuser abgebrennt, es hot aach aaner gesogt, mer hätt ä Heer von Mensche brenne un in der Luft fliehe sehe.

Prorector. Halts Maul un schwatz so kan dumm Zeig. ꝛc.

Daß „Der Prorector" zu nachstehendem Stücke:

1. Die Entführung, oder der alte Bürgercapitain. Ein frankforter heroisch-borgerlich Lustspiel in zwei Aufzügen mit einer Abbildung. Vierte Auflage. Frankfurt a. M., Varrentrapp. 1831. 8. 12 Gr.

die erste Idee gab, bemerkt der Verf. desselben, Herr Theaterdirector Malß in Frankfurt a. M., selbst in seiner Vorrede. Aber Hr. Malß ist aus der engen frankfurter Schulstube hinaus ins umfassendere frankfurter Leben getreten. Er schreibt nicht nach, wie der Stenograph auf einer ständischen Galerie, sondern er schafft, er verbindet. Die Scenen sind nicht mehr einzelne ergötzliche Linien, die nebeneinander liegen, sondern sie fügen sich zum schön gerundeten Ganzen, was Anfang, Mitte und Ende hat, was nicht nur allgemeine Charakteristik, sondern auch Charakteristik der Individuen an den Tag treten läßt, und was eine Sicherheit des Strichs und dabei einen Fleiß, eine Kenntniß, eine Feinheit verräth, wie sie die Mieris der niederländischen Schule in ihren Gemälden kundgaben.

„Die Tragödie idealisirt, das Lustspiel muß portraitiren. In dieser Beziehung ist der „Bürgercapitain" ein wahres Meisterstück; die Naturtreue kann nicht weiter getrieben werden. Dieses Vorzugs ermangeln unsere meisten Lustspiele, und darum habe ich auch keinen Maßstab, den ich das hier Beurtheilte anlegen könnte. Man muß es lesen, es kann nur mit sich selber verglichen werden" — sagt Börne in der obenerwähnten Anzeige, und wirklich fällt Einem schwer, Das oder Jenes hervorzuheben, was besonders empfehlungswerth oder charakteristisch erscheint.

Gilt es aber um eine Probe, so stehe hier die Vermahnung des alten Capitains an sein Gesinde nach gelöschtem Stadtbrande. Er hat den Hut aufgesetzt und den Stock in der Rechten:

„Satansgezeig — vermaledeites! Wer is Schuld dran, daß große und klähne Gebeilichkeite abbrenne, daß ganze Stadt verwischt wäre dorch die Flamme? Wer? — Meistenthäls des Gesinn. Ich will nicht druf schwere, daß die Stadt in Ungern, wo dervon in der nernberjer Zeidung gestanne hot, ned aach dorch e Mähd angange is. — Ich will's Eich gesagt hawe ähnmohl vor allemohl, daß er mer vorsichtig seid mit Feier un Licht! Un vorablich ihr Borsch, daß er mer net raacht! — Sowie ich ähn begegne duhe mit der Nuddel im Maul, so schmeiß' ich sen eraus, daß em die Zähn in Hals fahre! — Un ihr Mähd, daß er mer net wie bisher gewenigtlich mit de Lichter im ganze Haus erum flankirt! — Nemmt die Ladern — Schinneser! Un ihr Lisbeth, — trett Se emohl hervor! — Will ich bei der Gelegenheit in Gutem rothe, daß se sich vergehe lest, ohne Käppche auszegehn. Mennt Se, ich het Se net gesehn am Sonndag der Hinnerdihr enaus wische, im bloße Kopp, miters rothe Schaal un gäle Schuh? — Wo is Se dann do hin gange? he? noch Bernem? schottisch danze? net wohr? — Ich sag es Eich noch e mohl, ich leide kän Mähd im bloße Kopp, un aach kähn Hausknecht mit Umschlagstievel, wie Ich ihn aach emohl gesehn hab, Valentin. Wo will dann deß enaus? — uff nix, als wie uf Lumberey! Un Sie, Kathrine, will ich net noch emohl mit dem Kaafmannsdiener sehe. Mennt Se, mer wißt's net? Ich wähs Alles! — Daher kimmt's, daß die Suppe so versalze wärn; kän Wunder, wann mer des Nochmittags so viel Dorscht hat. — Jetzt Punktum, Streisand drum! — Rechts in die Flanke — Rechtsum — Packt Eich!"

Ein erläuternder Anhang enthält allgemeine Bemerkungen über die Sprachweise und sodann Worterklärungen, welche auch den mit dem frankfurter Idiom weniger Vertrauten ohne Anstoß das Stück verstehen lehren und in der vierten Auflage unter „Ufruf der Schipergesellschaft" einen „Aufruf zu den Waffen" vom 9. Dec. 1793 bringen, welcher ebenso originell als original ist und, nachdem mehrmals die Censurbehörde ihr Veto stets eingelegt hatte, nun zum ersten Male zum Drucke gelangt.

Die Handlung geht im Jahre 1814 vor sich. Um nun die Leibschützen, die Geleitsreiter, die Capitaine in ihren Uniformen und Monturen — dazumal kamen sie noch vor — der Vergessenheit zu entziehen, ist eine Abbildung dieser vierten Auflage vorgesetzt, welche von den handelnden Personen sechs der wichtigsten colorirt zeigt und insbesondere den Hrn. Eppelmeier in seiner ganzen Glorie erscheinen läßt.

Das Stück selbst erlebte auf der frankfurter Bühne schon über 30 Vorstellungen.

(Der Beschluß folgt.)

Literarische Notizen.

In London erscheint jetzt auch in wöchentlichen Lieferungen eine Penny National-Bibel mit philologischen und historischen Erläuterungen nach den besten Auslegern.

Capitain Basil Hall hat in drei Bänden eine dritte Folge „Fragments of voyages and travels" herausgegeben und dem Prinz Georg von Cumberland zugeeignet.

Von Edward Upham herausgegeben, erschien: „The Rajá Ratnacari and the Rajá Vali, forming the sacred and historical books of Ceylon: also a collection of tracts, illustrative of the doctrines and literature of Buddhism. Translated from the singhalese. Drei Bände.

Englische Blätter rühmen die „Tours in Upper-India and in parts of the Himalaya mountains, with accounts of the native princes etc., by major *Archer*" (2 Bde., London 1833). Der Verf. war Adjutant des Lord Combermere, besuchte vorzüglich das Gebiet des Königs von Oude, ferner Delhi, das Gebirgsland Kooloo jenseit des Sutledge, die obern Provinzen von Hindostan und die Gegend zwischen Simlah und dem Borendo-Paß. Die Zeit dieser Reisen fällt zwischen December 1827 und April 1829.

Unter dem Titel: „The aventures, or London university-magazine", erscheint in London eine Zeitschrift von einem Vereine Studirender. Es ist schon recht gut, daß Studenten untereinander über wissenschaftliche und interessante Gegenstände einen Ideenverkehr eröffnen, allein gedruckt brauchte dergleichen doch nicht gleich zu werden. 8.

Redigirt unter Verantwortlichkeit der Verlagshandlung: F. A. Brockhaus in Leipzig.

Blätter

für

literarische Unterhaltung.

Freitag, — Nr. 214. — 2. August 1833.

Miscellen über Literatur, Kunst und öffentliches Leben in Paris.

Zweiter Artikel.

(Fortsetzung aus Nr. 213.)

Politik und Literatur, Politik und öffentliches Leben, Politik und französischer Zustand sind so verschlungene Dinge, daß es unmöglich wäre, von dem Einen zu sprechen, ohne das Andere zu berühren. Alles trägt den Charakter der Zeit; diese ist in Gährung und Kampf über sociale und politische Rechte, und wenn ich Ihnen hier von politischer Literatur spreche, so geschieht es nicht, um eigens über Politik zu discutiren, sondern um nicht einen wesentlichen Theil der französischen Literatur zu übergehen. Ich habe anderwärts von dem unausführbaren Plane eines neuen Blattes gesprochen, welches die Politik gänzlich aus seinem Bereiche ausgeschlossen, ich werde mich vor dem nämlichen Fehler hüten. Nichts gibt übrigens einen anschaulichern Begriff von dem Standpunkte des öffentlichen Lebens, von dem Fortgange oder Rückschritte der Gewalt, die da herrscht, und der Ideen, welche sie bekämpfen, als ein Blick auf die verschiedenen Organe dieser theils privilegirten Meinung, theils verfolgten, unterdrückten und gegen den status quo anstrebenden Parteiungen, auf den Antheil, welchen die öffentliche Meinung daran nimmt, und die Sympathie, welche sie ihnen gewährt, oder die Kälte, mit welcher sie daran vorübergeht.

Wer die feste Begründung der Regierung Ludwig Philipp's nach ihrem guten Einvernehmen mit derjenigen repräsentativen Vorkehrung, welche vor Allem berufen ist, die Nation, das Volk zu vertreten — ich meine die Kammer —, beurtheilen wollte, dürfte ihr eine lange Zukunft verkünden. Nichts ist ungetrübter als diese Harmonie, und die zweite Kammer beeilt sich, in Sturmschritten die an sie gestellten Begehren zu erfüllen und die Budgets in Bausch und Bogen zu votiren. Von einer wahren Verhandlung ist gar keine Rede mehr; es reicht hin, daß eine Motion oder ein Widerspruch von einem Mitgliede der Opposition herrühre, um ohne Weiteres durch Zurufen des Centrums verworfen zu werden. Die Kammer versäumt nichts, um durch Wort und That die Tüchtigkeit ihres Spruchs in der Anklagesache der „Tribune" zu bewähren: sie hat das Fremdengesetz votirt und ertheilt der namenlosen Behandlung der Flüchtlinge ihre stillschweigende und laute Billigung, sie hat den Tadel des Ministeriums wegen des Belagerungszustandes beseitigt und die Befestigungen von Paris beschlossen, sie ist in Betreff der Herzogin von Berri und gerügten Ungesetzlichkeit ihrer Haft und Gefangenhaltung zur Tagesordnung übergegangen; die Herzogin hat ihre volle Freiheit in dem nämlichen Augenblicke erhalten, wo die übrigen politischen Gefangenen, Republikaner wie Karlisten, die Fesseln an den Händen, nach dem Fort Saint-Michel abgeführt werden, einem Orte, dessen Name allein im Stande ist, das Blut zu erstarren und alle Erinnerungen einer nächtlichen, finstern Rache der Feudalzeit und der Despotie aufsteigen zu lassen — die Verließe und Gruben der deutschen Feme waren nicht entsetzlicher; die Kammer billigt das Verfahren und ertheilt dem Ministerium einen Freibrief für Vergangenheit und Zukunft. Das Ministerium ruft diesen Einklang für sich an; es behauptet, daß die Kammer die Nation repräsentire, daß die Armee und Nationalgarde ihm ergeben seien, und bedeckt die aus der Tiefe aufsteigenden Blößen und Gefahren mit einem Anschein äußerer Macht und Stärke. Ist der Wille der Kammer, sind ihre Beschlüsse wirklich nach dem Wunsche der Nation, sind die Grundsätze der Regierung in Wahrheit jene des Volkes, wurzelt die Dynastie Ludwig Philipp's thatsächlich in dem Sinne der Franzosen? Um diese Frage zu bejahen, hat der Minister des Innern vor einiger Zeit ein Argument aufgestellt, welches mich dem Gegenstande dieses Artikels, der politischen Literatur näher führt, und welches der Dritte unparteiisch ermessen mag, wie es dem öffentlichen Urtheile in Frankreich sicherlich nicht entgangen ist. „Es bestehen in Frankreich, in Paris und den 86 Departements 65 ministerielle Journale, welche", sagt der Minister, „mit ebenso viel Scharfsinn und Unermüdlichkeit als Ergebenheit und Muth das System der Regierung und des Ministeriums verfechten; dagegen bestehen 38 offen erklärte republikanische Blätter und 21 Journale mit republikanischer Tendenz, endlich 25 karlistische oder legitimistische Zeitungen: also hat die Regierung beiweitem die Oberhand; die feindlichen Parteien sind ohnmächtig und erreichen die Kraft des Ministeriums nicht." Wäre ich König von Frankreich und hätte kein anderes Trostmittel, keine andere Gewähr als diese Statistik der öffentlichen Meinung, ich würde meine Krone niederlegen und der Folgezeit eine Arbeit ersparen! Wer zu einer großen Versammlung sprechen und sie für sich gewinnen will, hüte sich vor Allem, etwas Lächerliches, Unstatthaftes zu sagen, entweder nimmt es die Masse als Beleidigung oder wirft die Lächerlichkeit auf den Sprecher zurück. Ich fürchte, daß das Letztere hier geschehen ist, zum Erstern liegt kein ernstlicher Anlaß vor. Herr von Argout spricht von dem Fleiße, der Unermüdlichkeit, dem Talente der ministeriellen Blätter — es sei darum. Warum sollten sie diese Tugenden nicht besitzen, der Fleiß und die Unermüdlichkeit werden honorirt, und das Talent ist das des Ministeriums selbst, nach dessen Inspirationen die Blätter schreiben — ganz natürlich, daß der Verf. sein Werk nicht verachtet; aber von Aufopferung und Muth zu sprechen, das heißt die Leute zum Besten haben und zwar auf eine kecke Weise. Von wem in aller Welt haben die ministeriellen Blätter etwas zu befürchten? worin sollen ihre Besorgnisse bestehen? Sind sie nicht unter der Aegide der Gewalt und gegen alle Strafe und Verfolgung geschützt? Während die Blätter der Volksparteien in einer unausgesetzten Hetze die Angriffe der Regierung, die Anklagen der Staatsbehörde, Confiscation, Gefängniß- und Geldstrafe zu erdulden haben, lassen die Blätter der Regierung ihre pflichtschuldigst ergebenen Columnen an die bestimmten Adressen laufen. Bestraft können sie nicht werden, wofür? sie schreiben ja für die Gewalt, und nur diese Gewalt gibt der sogenannten Gerechtigkeit gegen die feindlichen Blätter den Impuls! Ob sie Abnehmer finden, ob sie gelesen werden, ob das Volk mit ihnen sympathisirt oder nicht, das ist ihnen völlig gleichgültig; die geheimen Fonds bezahlen die zum Bestehen des Blattes und seiner Redacteurs erfoderlichen Exemplare; die Beamten werden angewiesen, das Blatt zu halten, die Maschine geht ihren Gang; der Redacteur, wofern er nur fein ergeben bleibt, bezieht seinen Gewinn und schläft ruhig dabei. Es gibt mehr als ein ministerielles Blatt, welches gar keine abonnirten freiwilligen Abnehmer hat, und die meisten derselben könnten ohne ministerielle Unterstützung gar nicht bestehen. Das ist in Paris eine bekannte Sache; und wenn von Zeit zu Zeit diese Journale die Uebersicht der Abonnenten geben, so erregt dies nur ein mitleidiges Achselzucken. Es möchte vielleicht der Wahrheit ziemlich nahe kommen, sagte man, daß von den 65 ministeriellen Journalen auch nicht ein einziges aus inniger, voller, unabhängiger und uninteressirter Ueberzeugung geschrieben wird. Das ist der Typus der jetzigen Anhänglichkeit und der Stützen der Dynastie der jüngern Bourbonenlinie, welchen der Betheiligte, der Besitzer des Augenblickes zwar ableugnen kann, welchen aber die Geschichte und der Verlauf der Begebenheiten siegreich zur Wahrheit erheben wird. Die alte absolute Monarchie hatte ihre treu ergebenen, blind gehorsamen Diener; das göttliche Recht, das Princip der Erblichkeit und die traditionelle Weihe der Jahrhunderte hatten die Intelligenz und die spontane Ueberlegung in den Hintergrund treten lassen; die Unterwürfigkeit gegen den Oberherrn war feudal und zum Glaubensartikel geworden; wo die religiöse Anhänglichkeit nicht hinreichte, wo der Fanatismus der Demuth einem Strahle von Selbstgefühl zu weichen drohte, stellte die eiserne Ruthe einer unbeschränkten Macht, eines absoluten Willens bald den angewöhnten Zustand wieder her, die Strafe, die Grausamkeit selbst befestigten die Dienerschaft, der Gebieter konnte auf sie zählen, und das Auge des Volkes war noch auf keinen höhern Standpunkt gerichtet. Als die Philosophie des vorigen Jahrhunderts Stein für Stein an diesem alten Gebäude morsch gemacht und die letzten convulsivischen Excesse der Bourbonenherrschaft die Nation von der alten Gewohnheit zu einem neuen Leben geführt hatten; als die Revolution begann und die Republik die Kräfte des Volks in die Schranken rief, da war die Antwort mächtig groß und das Volk zu allen Opfern bereit; die Geschichte jener Zeit liefert uns Beispiele der Ergebenheit, der Anhänglichkeit und des Alles aufopfernden Patriotismus, wie sie nur die Glanzperiode des römischen und griechischen Alterthums aufzeigen kann; die Nation war im Bewußtsein ihrer Rechte, sie stand selbständig und war bereit, Gut und Leben an die Wohlfahrt und die Aufrechthaltung ihres neuen Zustandes zu setzen; die Republik hatte das Volk zu Großem erhoben und konnte Großes von ihm erheischen und darauf rechnen. Als durch die Krämpfe einer Uebergangsperiode das Glück und der Kriegsruhm die Freiheitsfahne verdrängten; als das Kaiserthum mit seinen kolossalen Siegen und Trophäen den leerstehenden Thron einnahm, war die Nation ermüdet, abgespannt, und über dem Glanz des kaiserlichen Schwertsceptcrs die moralische Größe der innern Freiheit vergessend, reihte sie sich um den Thron Desjenigen, welcher die dreifarbige Fahne über Europa ausstreckte und seinen Willen durch die unwiderstehliche Gewalt der Waffen zum unbedingten Gesetz erhob. Auch hier fühlte Frankreich in seinem Innern ein Gefühl der Anhänglichkeit, es war der Stolz, das Bewußtsein der Macht, der Größe, des Genies und des Talents, was ihm den Kaiser zum Idol gestaltete. Es bedurfte des Geistes von Napoleon, des fortwährenden Enthusiasmus seiner Siege, um das Volk über Das, was er ihm gab, Das vergessen zu machen, was er ihm entrissen hatte. Allein es war ihm gelungen, und das Volk hat selbst in den letzten Momenten noch an ihm gehangen. Der Ruhm ist eine mächtige Nahrung der Nationen!

(Die Fortsetzung folgt.)

Kleine Localdramen.

(Beschluß aus Nr. 218.)

2. Der Amerikaner. Posse in einem Aufzuge. (Von W. Sauerwein.) Frankfurt a. M. 1830.

Die Scene ist hier Sachsenhausen, das Ding, was Frankfurt gegenüber liegt, und danach der Dialekt und die ganze Denkweise nicht unbedeutend verändert. Sachsenhausen ist der Gärtner und Schiebkärcher der vornehmen Dame Frankfurt, aber ebendeswegen stämmig, kräftig und nicht weniger eigenthümlich.

Dramatischen Werth hat diese Posse gar nicht, obgleich die Quasihandlung auf eine Heirath hinausläuft. Man sieht vielmehr jeder Zeile derselben an, daß es darauf angelegt gewesen, eine sachsenhausische Sprachblumenlese zu etabliren, und die starkriechendsten Blumen: Rosmarin, Quendel, Thomian, Pfeffermünze u. dgl. fehlen im Strauße nicht. Man weiß, die Sachsenhäuser sind Meister im Schimpfen. Selbst der Scherz schimpft bei ihnen, um so mehr der strenge, bittere Ernst; hier eine Probe davon und überhaupt zur Bezeichnung des Ganzen.

Der sogenannte Amerikaner hat sich mit dem Rufe: „Ihr alde Bohnestange!“ entfernt. Die beiden Frauen Stoff und Rauschern lassen sich darauf folgendermaßen vernehmen.

Stoff (zur Thüre hinausschreiend). Net wohr, de ziehst aus — du Glabbist — du Menschenfeind —

Rauschern (zum Fenster hinausschreiend). Guckt emol den Kinnerdieb — den Cujon, — da zieht ar, ihr Leut.

Stoff (am Fenster). Halt nor dein Uhre zun, dau Freigeist. Ar hot sein Religgion verlagent, ar glaubt an den Bahrdt.

Rauschern. Falscher Judas! Gotteslagler!

Stoff. In zwanzig Johr war ar in kaner Karch — der hot das Watterunser vergesse.

Rauschern. Freigeist — Menschenfeind — Gotteslagler —

Stoff. Allewell is ar um's Eck erum.

Rauschern. Jetz is mersch ernblich leicht um's Herz.

Stoff. Awer guck se nor die Mensche uf der Gaß un an de Fenstere.

Rauschern. Die Frau Froschvogel nickt mer — ach Harr Gottche, dei alt Gänspeffern is jo aach ans Fenster kumme — is die aus ihrm Bett eraus gekrawelt un is su lang schont kundrakt.

Stoff. Se hot em awer aach gewe.

Rauschern. Ja, ich bin bei der Hand, wann die Katz die Worscht fresse will.

3. Das Stelldichein im Tivoli, oder Schuster und Schneider als Nebenbuhler. Localposse mit Gesang in zwei **Acten. Frankfurt** a. M., Sauerländer. 1832. 16. 12 Gr.

Vom Verf. des „Bürgercapitain“, der theilweise hier nur nachgeschaffen hat. Denn das berliner Vaudeville: „Die Localposse“, liegt dem Stücke zu Grunde. Daß dieses der Fall sei, entschuldigt der Verf., und grade ein so reicher Geist hatte Anlaß zu entschuldigen, was bei einem dürftigen ganz in der Ordnung gewesen wäre.

„Es ist außer Zweifel“, sagt er, daß ein eigentliches Localstück nicht blos durch das Idiom allein, sondern vielmehr auch durch Auffassung der Eigenthümlichkeiten des bürgerlichen Familienlebens, der besondern Sitten öffentlichen Treibens an einem gegebenen Orte bedingt ist; daher denn jede Uebertragung nie ganz, besonders für die Lecture, die Wirkung hervorbringen kann, die eine für den Ort selbst erfundene Fabel (Sujet) gibt. Erwägt man aber die Schwierigkeiten, welche sich dieser Gattung des Dramas durch beengte Verhältnisse entgegenstellen, wo gar leicht Persönlichkeiten, Autoritäten sich verletzt fühlen dürften, so wird man die Benutzung eines fremden Stoffes auch aus diesem Grunde entschuldigen und die Mängel übersehen.“

Freilich, Frankfurt ist der Sitz des Bundestags. Demungeachtet gab das Intermezzo beim Beginne des zweiten Actes dem Verf. Anlaß, sich auch selbstschaffend zu zeigen. Wirklich, das gefälligste dramatische Mosaik von der Welt. Die beiden frankfurter Bürger, der Sachsenhäuser, der Berliner, Kutscher und Bedienter, Mägde, Dienstmädchen, Kellner, Ladendiener, Buben, der jüdische Musje Wolf und sein Sannchen sind kleine zierliche Quadrate im Getäfel. Hier eins der kleinsten.

Erster Bürger. Das Wasser is awwer sehr gewachse.

Zweiter Bürger. Is es dem Fahrdohr hinn?

Erster Bürger. Ja, sitter gestern; — denke Se, do is der Poste am Fahrdohr, der hot's uff de Wacht gemelt un angefragt, ob ersch erein lasse sell, do hot em der Kapperahl sage lasse, wann ersch net halte kennt, so sell ersch laafe losse.

Zweiter Bürger. Das groß Wasser is gut — do schlegt de Frucht e bissi uff — das kann uns arme Leit e bissi uffhelfe.

4. Die Landpartie nach Königstein. Frankfurter Localskizze in vier Bildern. Vom Verf. des „Bürgercapitains“. Mit einer Abbildung. Frankfurt a. M., Varrentrapp. 1833. 8. 12 Gr.

Abermals eine Nachbildung, jedoch, wie die vorige, eine freie. Diesmal war Dartois' Vaudeville „Le bourgeois de Paris“ die Veranlassung dazu. Königstein ist ein nassauischer Amtssitz an der südlichen Seite des Taunusgebirgs und ein beliebter Sonntagsausflug für die benachbarten Frankfurter. Ein solcher ausfliegender Frankfurter ist hier Herr Hampelmann, „baumwollener und wollener Waarenhändler“, eine höchst ergötzliche Figur und der Held des Stücks. Gutmüthig, sparsam im Hause und aufbinderisch verschleudernd, wenn er draußen ist, geduldig und doch von sich sagend: „Du wäßst, ich bin e Deuvel — in meim Zorn“, liebenswürdig in seiner Eigenthümlichkeit, bequem und doch thätig, achtbar, am Hergebrachten hängend, sehen wir ihn in seinem kleinen Laden in Frankfurt, im Dorfe Eschborn, wo der Wagen umgefallen ist, im königsteiner Wirthsgarten und abermals in Frankfurt vor seinem Hause, wo das: „Ich amüsir' mich doch!“ von der Masse Mühseligkeiten endlich überboten wurde und als Seufzer das Stück schließt: „Drei so Däg, un ich wär dodt.“

Der Dialekt ist hier weichlicher als im „Bürgercapitain“, das a mehr ins ä spielend, also mehr jüdelnd, eine Eigenthümlichkeit des verzärtelten Frankfurters. Dies geht aus nachstehender Probe hervor. Hr. Hampelmann erzählt:

„Sehn se, so kann der gescheidste Kääfmann Unglick hawwe — Ich hatte dereinstens eine bedeitende Bardieh bäämwollene Kappe un Strimp, die ich hier net verkääfe konnt' — Was that ich, ich schickt se ganz ähnfach, die Strimp an ähn Freind, die Kappe an en Annern nach Frankfort an der Oder, wo grad die Cholera war, un Kopp un Fiß warm gehalte wern mußte, in Commission. War des net richtig speculirt? Unnerdesse hat e Doctor ausfinnig gemacht, des Warmhalte bei der Cholera wär nix, mer mißt se mit Eis un kalte Uffschläg kurirre. Jetzt war mei Sach uff ähnmol nix. Mein Correspondente schreibe mer alle Zwä, die Waar wär unner dene Umstände nicht zu verkääfe. So lag se denn annerthalb Jahr — los wollt ich die Sach sein, so schreib ich nach Frankfurt an der Oder, daß wann dann die Waar gar net ze verstiwern wär, un sie sich gege en annern nor erjend corenten Artikel verdausche ließ, ich mit einverstanne wär. Was glawe Se nun, daß mer passirt ist? — Mir, eme gelernte Kääfmann? — Schreibt mer der Meyer und Comp., er het mer das Vergnige anzeige zu kenne, er wer so glicklich gewese, mein Kappe gege Strimp ze verdausche — un Tags druff krie ich en Brief vom Peter Müller — er zeig mer mit Vergnige an, er habe mein Bardieh Strimp glicklich gege Kappe verdauscht. War ich der geuhzt Mann, un der, der mein Kappe hat, der hat jetzt mein Strimp, un der mein Strimp hat, der hat jetzt mein Kappe.“

Ergötzliche Variante des Dialekts ist auch der durch die Milchfrau Schunkeßin und zwei eschborner Bauern vertretene nassauische.

5. Der Gräff, wie er leibt und lebt. Eine wahrhaftige Schulscene, aus den Papieren eines Erstklässers; in frankfurter Mundart. Zweite vermehrte Auflage. Frankfurt a. M., Ahrner. 1833. Gr. 8. 4 Gr.

Eine Nachahmung des „Prorector“, sogar bis in die Einzelheiten, nur mit stärker aufgetragenen Farben, sodaß hier z. B. in Abwesenheit des Lehrers Gräff seine unerzogenen und ungezogenen Schüler „Ein freies Leben führen wir!“ singen, während die Jugend von 1798 in Abwesenheit des Prorectors „Bekränzt mit Laub rc.“ anstimmte.

Schon bei der ersten, im Jahre 1832 erfolgten Auflage hatte der Verf. (Wilhelm Sauerwein) den Vorwurf gefühlt, der moralisch gegen ihn vorliege, seinen Lehrer, der unmöglich schon sehr lange todt sein kann (denn das Stückchen, was übrigens für eine theatralische Aufführung so wenig als „Der Prorector“ eingerichtet oder auch nur darauf berechnet ist, spielt im Jahre 1814), öffentlich prostituirt zu haben. Er legt sich daher dies

Bedenken in der versificirten Vorrede als Frage vor, welche er aber auch beantwortet:

Wollt ihr die Quelle schelten, wenn sie treu
Ein jedes Bild zurückestrahlt?
Dem kupfernas'gen Gucker ohne Scheu
Im Spiegel eine Kupfernase malt?
Zürnst du dem Echo, weil es Wort für Wort,
Daß du die eigne Stimme hören kannst,
Dir wiedergibt? Dann geh', du eitler Wanst,
Als ein Kameel in eine Wüste fort;
Dort ist kein Echo und kein Bach sich weist;
Dort magst du wähnen, Wunder was du seist.

Ein ähnlich versificirtes Schlußwort zur zweiten Auflage drückt diese Gedanken noch lebhafter und ausführlicher aus. Es schließt mit diesen Worten:

Es zieren Pyramiden manche Gruft,
Und der drin faulet, war doch nur ein Schuft.
Beneide nicht die prächt'gen Leichensteine,
Die Lügendinger auf der Heuchler Grabe.
Du warst im Leben feind dem eiteln Scheine,
Und Ungeschminktheit, das war deine Gabe.
Du warst in dieser faden Lügnerwelt,
Wenn auch ein kom'scher, doch ein wahrer Held.

Das Stück enthält viel Lustiges, echt Komisches, aber unangenehm fällt auf, wie viel Unsauberes hereingekommen; wir sagen nochmals: wie viel Unsauberes, um damit auszudrücken, daß es nicht grade Unsittliches sei. Rost's Worte an Gottsched fallen Einem bei solchen Stellen ein:

— unter Alles mischt er sich keck,
Wie unter den Pfeffer der Mäusedreck.

Freilich mögen jene Unsauberheiten so gut in der Conversation der Erstklässer und ihres Lehrers Gräff cursirt haben als reinere Scheidemünze, und ihr Vorhandensein trägt dazu bei, das Geschehene noch deutlicher und wirklicher wiederzugeben. Aber damit ist es auch des künstlerischen Werths entkleidet, und die Frage: warum eine Unsauberkeit, wenn sie nicht zugleich witzig ist? deshalb nicht bei Seite gedrängt.

Die Lebendigkeit und schnelle Abwechselung des Gesprächs ist hier auffallend gut gerathen; aber die Möglichkeit, daß noch im Jahre 1814 solche Schulstunden gehalten wurden, wird Einem grade darum um so unwahrscheinlicher. Wie Rafael in seiner Schule zu Athen sich auch unter den Gemalten anbrachte, so hier Sauerwein in der Schule zu Frankfurt. Er lacht und Gräff fragt, was er dann lache. Sauerwein: „Ei no!" Gräff: „Heimsdörfer, notir mer den höhnische Teufel; ich will's ehm verdreiwe." 64.

Der Gottesstaat des heiligen Augustin.

Unsere Leser werden von dem Gottesstaate des berühmten Afrikaners, Bischofs Augustin von Hippo, oft gehört, aber mit weniger Ausnahme nichts gelesen haben, obgleich seine Schrift dieses Namens so lange das europäische Fürstenbuch gewesen ist, bis Machiavelli's Schrift vom „Fürsten" ebenso sehr gemisbraucht, als er selbst verkannt worden. Er verrieth auf der Folter seine Freunde nicht, und er rächte sich an den Feinden nicht, sondern vergalt Böses mit Gutem, als er wieder zur Gewalt und in die Gunst der Mächtigsten gelangte; er lehrte die Mittel und Wege, wie das italienische Volk sich der Fremdherrschaft entschlagen könne, und man lernte daraus und gab ihm die Anweisung Schuld, das Volk zu unterdrücken. Machiavelli hat in der Geschichte Unglück, dagegen Augustin Glück gehabt, dessen Staatslehre sich vielleicht schon mit ein Paar seiner Worte verdeutlichen läßt. Nach der Ordnung der Natur und nach der Einrichtung des Höchsten, nach dem vernünftigen Wesen des Menschen, einem Abbilde des Göttlichen, soll kein Mensch der Herr eines andern Menschen, sondern nur alles Viehes Herr sein. Anfangs haben die Gerechten sich auch mehr zu Hirten über Heerden als zu Königen über Menschen gemacht, und wir lesen nicht früher etwas von Knechtschaft, als bis sie der gerechte Noah zur Sündenbuße dem Sohne androht. Man muß sie auf Rechnung der Schuld und nicht der Natur setzen. Gott läßt sie zu, damit sie zur Buße oder Besserung gereiche. Glücklicher ist es doch aber noch in der Knechtschaft der Menschen als der Gelüste zu sein, und mit der greulichsten Gewalt verwüstet die menschlichen Herzen, um andere Gelüste zu übergehen, die Herrschsucht selbst. In solcher Ordnung der Dinge ist den Dienenden ihre Niedrigkeit nützlich und den Herrschenden ihre Hoheit schädlich. Kann man von der Knechtschaft nicht loskommen, so muß man sie gewissermaßen frei machen, indem man nicht mit Furcht und Tücke, sondern mit Treue und Liebe dient, bis das Unrecht vorübergeht, alle menschliche Hoheit und Gewalt sich auflöst, und Gott Alles in Allem ist.*) Der sterbliche Mensch kann mit dem unsterblichen Gotte seines Friedens gewiß sein, wenn er treugläubig der Ordnung des ewigen Gesetzes gehorcht. Diese Ordnung ist erstens, daß er Niemanden schade, und dann, daß er helfe, wenn er kann. Sorgt er nun zunächst für die Seinigen, und ist er ihr Berather, wie es die Natur und Gesellschaft verlangt, so entsteht daraus der Hausfrieden oder die Eintrachtsordnung der gebietenden und gehorchenden Hausgenossen, denn Diejenigen gebieten, welche berathen, wie der Mann seiner Frau, die Aeltern ihren Kindern, die Herren den Knechten. Aber in dem Hause des Gerechten und Treugläubigen, der schon hienieden von dem Gottesstaate ein Wallfahrer ist, sind auch die Gebietenden Denen zu Diensten, welchen sie zu gebieten scheinen. Sie gebieten nicht aus Herrschsucht, sondern aus Pflicht der Fürsorge, nicht mit stolzer Befehlshaberei, sondern mit herzlicher Wohlmeinung.**) Sie alle, wie verschieden sie an Abstammung, Sprache, Sitten und Verfassungen sein mögen, bilden den Theil des Gottesstaats, der auf Erden nur gleichsam in einem Gefängnißleben besteht, aber doch schon Alles auf den Frieden mit Gott, auf das geordnetste und herzlichste Leben von Gott und in Gott bezieht.***) Diejenigen verfahren teuflisch dagegen, welche die Religion, die ihnen selbst nichts ist, zum Betruge des Volkes, zur Schärfung seiner Unterthänigkeit und zur Befestigung ihrer Gewalt gebrauchen.****) Verstößt man die Gerechtigkeit, was sind dann die Staaten anders als große Räuberhöhlen? weil die Räuberhöhlen selbst doch ihrerseits wol kleine Staaten sind? Die Mannschaft wird durch den Befehl ihres Oberhauptes regiert, sie ist durch einen gesellschaftlichen Vertrag verbunden, und sie vertheilt nach gemeinsamem Beschlusse die Beute unter sich. Das Uebel wächst nur und verwechselt nur den Namen, wenn der verderbte Haufen groß genug ist, um festen Fuß zu fassen, Land einzunehmen, Städte zu erobern, Völker zu unterjochen, wenn er ausdrücklicher Staat heißt, und dadurch nicht blos die unverlorene Raubgier, sondern auch die hinzugekommene Straflosigkeit beurkundet.*****) 190.

Notizen.

In einem starken Octavbande ist jetzt in London herausgekommen: „Report of the first and second meetings of the british associations for the advancement of science, at York in 1831 and at Oxford in 1832; including its proceedings, recommendations and transactions."

Bei der jüngsten Versammlung von Actionnairen der londoner Universität ergab sich, daß das ursprüngliche Capital derselben, 158,882 Pf., verloren und bereits eine Schuldenmasse von 2946 Pf. vorhanden sei, welche durch die das wahrscheinliche Einkommen übersteigende Ausgabe zu Ende October auf 3715 Pf. gesteigert sein werde. 3.

*) „De civitate Dei", XIX, 15.

**) Daselbst 14.

***) Daselbst 17.

****) Daselbst IV, 32.

*****) Daselbst 4.

Redigirt unter Verantwortlichkeit der Verlagshandlung: F. A. Brockhaus in Leipzig.

Blätter für literarische Unterhaltung.

Sonnabend, — Nr. 215. — 3. August 1833.

Miscellen über Literatur, Kunst und öffentliches Leben in Paris.

Zweiter Artikel.

(Fortsetzung aus Nr. 214.)

Aber wo soll der Talisman liegen, welchen das Bürgerkönigthum für sich anrufen könnte, welches sind seine Ansprüche, seine Rechte auf die Anhänglichkeit des Volkes? Es hat weder die mysteriöse Garantie der alten Legitimität, noch die eiserne Machtvollkommenheit der absoluten Monarchie, noch die begeisternde Tugend, die wunderbare Erhebung der Republik, noch die Waffengröße und den Siegesruhm des Kaiserthums. Die Nation empfindet nichts für dasselbe. Aus dem Volkskampfe und Siege hervorgegangen, ohne vom Volke genehmigt und sanctionnirt zu sein, ohne Kraft und Möglichkeit, zur alten Monarchie zurückzukehren, ohne Willen und Muth, dem Princip seiner Entstehung zu huldigen und die völlige Entfaltung angedeihen zu lassen, steht es zwischen der Vergangenheit und der Zukunft, eine beklagenswerthe, verhängnißvolle Mitte! Was es werden sollte, ist es nicht geworden, und was es mit Verleugnung des Jahres 1830 sein möchte, wird es nimmermehr werden. Daher jene trügerische Hülle des öffentlichen Lebens, der momentanen Vegetation dieser bodenlosen Pflanze; was die Koryphäen dieser Dynastie an sie knüpft, was das Gepräge der großen Anhänglichkeit der neu gebildeten Geld- und Bürgeraristokratie bildet, ist nicht die Stimme eines innern Glaubens an den Fortbestand, nicht wahre überzeugungstreue Ergebenheit, sondern das Gewicht der Schwere, was sich an jeden Mittelpunkt anlegt, es ist die unbestimmte Furcht vor einer neuen Krisis, vor einem neuen Kampf, es ist die Berechnung, die Eitelkeit, der Vortheil, der Egoismus, welche sich im Besitz und Genuß befinden und diese Behaglichkeit erhalten möchten; aber der Glaube, das Vertrauen, die Zuversicht fehlen, und wandelbare Diener eines wandelbaren Götzen werden sie morgen Demjenigen, den sie heute anbeten, kalt den Rücken zeigen, glücklich für ihn, wenn sie ihn nicht selbst vernichten, sobald das Glück von ihm gewichen sein wird. Der goldene Schlüssel, dieser von Neuem berüchtigt gewordene Zauberstab, welcher in den letzten Jahren der Restauration die Organe der Regierung und die Kammern zu Instrumenten des Thrones umschuf, übt heute in einem furchtbaren Grade seine Gewalt, die geheimen Fonds werden freigebig verwendet, das Ministerium hat deren nicht zu viel — doch die Kammer wird ein Supplement nicht verweigern. Wenn man diese Elemente einer Lebenssphäre der Regierung ins Auge faßt, so ist leicht zu erkennen, daß das Volk im eigentlichen Sinne davon fern und unerreicht bleibt; ebenso wichtig muß es aber erscheinen, daß trotz dieses Uebergewichts und Aufwandes materieller Mittel die Presse und die Organe des Ministeriums in so auffallender Schwäche gegen die Organe und Blätter der direct feindlichsten und unversöhnlichsten Gegnerin, der Republik, stehen. Fünfundsechzig ministerielle Blätter gegen neunundfunfzig! Und dies nennt der Minister einen erfreulichen Anblick! Si tacuisses! Hätte das Ministerium nicht den unbegreiflichen Einfall bekommen, einen Triumphgesang da zu erheben, wo es tief trauern sollte, so würde Frankreich nicht so klar die von der Regierung selbst anerkannten offenen Gegner und ihre Stärke gekannt haben. Sonderbar genug, bisher hatte noch Niemand eine solche Uebersicht geliefert, und es war dem übel berathenen Munde des Herrn von Argout vorbehalten, der Nation öffentlich mitzutheilen, daß, abgesehen von allen andern Blättern unbestimmter Nuance, die Regierung einer compacten im Angriff, und der Absicht, zu reformiren, übereinstimmenden Macht von 84 Journalen, worunter allein 59 republikanische, nicht mehr als 65 ministerielle Blätter entgegenzusetzen habe! Auch war der Triumph der republikanischen Partei beim Erscheinen dieser Anzeige groß, und in der That, nach den von ihr gegebenen weitern Aufklärungen ist ihr Triumph nicht ohne Grund: die Regierung hat ungeheuere Mittel, ihre Presse zu erhalten, zu erheben und zu unterstützen, in vielen Orten weiß der Empfänger der Blätter nichts von einem Abonnement, und sie werden ihm ins Haus gebracht; der Einfluß der obern Administrativbeamten auf die untern zur Verbreitung der gutdenkenden Journale steht dem Ministerium zu Gebote; was wäre es, wenn die ministerielle Presse aus eignen Mitteln sich erhalten müßte, wenn keine andern ministeriellen Journale beständen als solche, welche von dem Redacteur auf eigne Gefahr und Kosten geschrieben und von den Abonnenten bezahlt würden? Sehen wir dagegen auf das schroff entgegengesetzte Verhältniß der republikanischen Blätter; im August 1830 bestand nicht ein einziges, in weniger als drei Jahren sind somit die 59 Blätter aufgetreten; in der ersten Zeit, in den ersten Monaten, ja in dem ersten Jahre war der Glaube an Ludwig Philipp, wenn auch nicht zuversichtlich, doch noch schwankend bei einem großen Theile seiner abgesagtesten heutigen Gegner; von dorther datirt also das schnell wachsende Gedeihen dieser Blätter nicht, es ist sonach klar, daß die beste der Republiken, das Bürgerkönigthum, in einem Zeitraum von etwa 20 Monaten 59 Organe der wirklichen, nicht der fingirten Republik hervorgerufen hat. Und unter welchen Verhältnissen? Hier ist keine Macht, welche von oben herab beschützt, welche das Blatt schafft, erhält und unterstützt; im Gegentheil, was die Regierung an Verfolgungen, Hemmungen, Beschlagnahmen und Strafen nur ersinnen konnte, ist erschöpft worden, um die republikanischen Blätter im Entstehen zu ersticken oder später zu unterdrücken, es ist somit die Ueberzeugung der Herausgeber selbst, welche sie schreiben macht, es ist das Volk, das directeste Volk, es ist seine Sympathie, sein freier Wille und Einklang, es ist sein ohne Zwang hergegebenes Geld, welche der republikanischen Presse trotz des ungleichen Kampfes gegen die Regierung den Fortbestand möglich machen. Die „Tribune" allein hat seit der Julirevolution an 80,000 Francs Geldstrafe bezahlt und nahe an zehn Jahre successiver Gefängnißstrafe erhalten; diese 80,000 Francs hat das Volk durch Subscription gedeckt, und daß es nicht ermüdet werde, hat die letzte Verurtheilung der „Tribune" durch die Kammer selbst bewährt. Dieses oberste Gericht — wenn man ihm je diesen Namen beilegen kann — hat als Repräsentant des Volkes geurtheilt, und nach noch nicht acht Tagen war die Totalsumme von 10,000 Francs, durch Subscriptionen, deren Durchschnittsansätze nicht einen Franc betrugen, gedeckt, und diese hat das Volk selbst entrichtet! Uebrigens ist nicht zu übersehen, daß Niemand abgehalten ist, seine Anhänglichkeit für das Ministerium zu bekennen; im Gegentheil, der geringste Ruf, das geringste Zeichen der Ergebenheit wird jetzt mit dem Ehrenkreuze belohnt, also — heimliche Anhänger wird das Ministerium wenig zählen. Ganz anders ist es mit den Freunden der Republik, welche durch Amt, Stellung oder Verwandtschaft oft verhindert sind, ihre innern Gefühle laut werden zu lassen; wie wäre es, wenn das Ministerium Gemeinde für Gemeinde seine Uebersichtstabelle durch eine Zählung derjenigen Personen ergänzte, welche im August 1830 von der Republik nichts hören wollten und jetzt ihrer Fahne folgen? Die ministerielle Presse genießt alle Arten von Begünstigungen und Vorzügen, und das Ministerium, welches die Berechtigung besitzt, Buchdruckereibewilligungen (Brevets) zu ertheilen oder zu verweigern, läßt seine Gunst nur den Würdigsten zufließen. Daß für Errichtung eines ministeriellen Journals ein Brevet verweigert worden, ist noch nicht vorgekommen, wol aber sind viele Versuche republikanischer Zeitungen an diesem ersten und oft unüberwindlichen Hinderniß gescheitert. Wie wäre es also, wenn die Presse ganz frei wäre, nicht die Beschränkung des Brevets, des Stempels zu tragen hätte?

Die Blätter in den Departements theilen sich in die verschiedenen Nuancen der Meinungen und sind durchgängig das Echo der in Paris erscheinenden Journale. So wie seit neuester Zeit Lyon anfängt, den Rang einer zweiten Hauptstadt Frankreichs zu behaupten und das Gewicht seiner Größe, seiner Stellung und seines Einflusses zu fühlen und zu äußern, so auch, und damit in natürlicher Wechselwirkung stehend, hat die lyoner Presse sich zur größten Selbständigkeit nach Paris erhoben. Es besteht daselbst ein republikanisches Blatt: „Le précurseur", welches mit ebenso viel Muth und Energie als mit Talent und Scharfsinn geschrieben ist; der „Précurseur" und nebst ihm „La glaneuse", ein kleines satirisches und Spottblatt, haben in Lyon das Schicksal und die Gunst der Verfolgung der Staatsbehörde wie die „Tribune" in Paris.

Die bekanntesten und in dem öffentlichen Leben am meisten verbreiteten Blätter des Ministeriums in Paris sind folgende: die „France nouvelle", ein Journal, welches ohne Würde und Haltung geschrieben ist und nebst dem „Journal de Paris" der Regierung als Ausläufer, als Tirailleurs im Kampfe gegen jedwede Art von Opposition dient. Diese Blätter verschmähen es nicht, in jedem Tone, selbst dem der trivialsten Persönlichkeit und Heftigkeit, zu sprechen, und diese schneidende Natur soll bei ihnen den Mangel an Talent ersetzen; das „Journal de Paris" hat zudem seine Hauptthätigkeit auf die Anzeigen der Zwangsveräußerungen und gerichtlichen Verkäufe auf dem Place du châtelet zu richten, und leider hat es damit jeden Tag einen bedeutenden Raum seiner Columnen zu füllen. Neben diesen Zeitungen hat das Ministerium eine Art von populairen Blättern errichtet: „Le bon homme Richard" und „Le sens commun"; der Titel des erstern ist eine mislungene Nachahmung des Weisheitsbüchelchens von Franklin, und der Inhalt soll als Gegenmittel gegen mehre für das Volk geschriebene kleinere republikanische Blätter, welche nur periodisch erscheinen, dienen. In welchem Tone diese Blätter redigirt seien, davon ist in der Verhandlung der Kammer über die Vorladung der „Tribune" eine höchst charakteristische Probe vorgelesen worden; es ist die Sprache der Wuth und der gesicherten Rücksichtslosigkeit. Der „Nouvelliste" ist das ministerielle Abendblatt, er gibt und schafft Neuigkeiten, nicht überall mit der größten Gewissenhaftigkeit, sein Charakter ist weniger ernst als das „Journal des débats", auch ist er weniger gut geschrieben. Wenngleich ohne officielle Garantie, gilt es dennoch als dasjenige Blatt, welches am schnellsten Neuigkeiten, Ableugnungen, Anzeigen u. dgl. vom Ministerium erhält; er bildet ein Mittelding zwischen dem „Moniteur" und dem „Journal des débats", weniger officiell als jener, weniger vornehm als dieses, ersetzt er beide bei den minoribus gentibus.

(Der Beschluß folgt.)

Darstellung der innern Verhältnisse und des gesellschaftlichen Zustandes in Polen durch H. v. Moltke. Berlin, Fincke, 1832. Gr. 8. 15 Gr.

Die meisten Schriften über die neuere Geschichte Polens, welche mir bis jetzt vor Augen kamen, waren parteiisch abgefest und urtheilten daher im Interesse dieser oder jener politischen Ansicht oder wol gar dieses oder jenes Einzelnen, ergossen sich in ungerechte Schmähungen oder in unverdiente Lobsprüche, verwickelten sich entweder planlos in unendliche kleinliche Einzelheiten, oder gefielen sich in absprechendem Raisonnement, das durch keine Thatsachen begründet war. Um so erfreulicher war es mir, hier eine umsichtige und unparteiische Würdigung der in Rede stehenden Zustände und Verhältnisse zu finden. Der Verfasser gibt uns zuerst eine gehaltreiche, die wesentlichen Umstände umsichtig hervorhebende Darstellung der Verhältnisse, welche Polen verhinderten, trotz bedeutender Hülfsmittel und trotz der Tugenden seiner Bewohner zur Ordnung im Innern und zu einer gesicherten Stellung gegen das Ausland zu kommen. Das liberum veto, das Recht der Conföderation, der schneidende Widerspruch der factischen Ungleichheit unter den Gliedern des Adels mit der idealen Gleichheit derselben, welche die Verfassung verordnet hatte, die fortwährende Verminderung der Gewalt des Königs, welcher in die erniedrigende Stellung eines Intriguants gedrängt wurde, das häufige Zerreißen der Reichstage, welches alle Verwaltung Jahre lang aufhob, gesetzwidrige Unterdrückung des Bauern, der gänzliche Mangel eines Bürgerstandes, des Handels und des Gewerbfleißes und endlich die Stellung der Juden, welche zu Macht und Reichthum gelangten, aber nicht Veranlassung erhielten, gute Bürger zu werden, alle die Verhältnisse werden mit Einsicht in ihrer auflösenden und vernichtenden Wirkung dargestellt. Es wird uns gezeigt, wie das Uebel schon unheilbar war, als man sich dessen erst recht bewußt wurde und auf Mittel zur Abhülfe dachte. Von den drei Parteien, welche nach diesem Ziele strebten, bezeichnet der Verfasser mit Recht die der Fürsten Czartoryski als diejenige, welche am besten wußte, was Noth that, und die geeignetsten Mittel zur Abhülfe ergriff. Sehr gut werden die damaligen Verhältnisse in folgenden Worten geschildert. (S. 52.):

„Die Schlechtigkeit der Verfassung selbst machte sie unantastbar. Keine Macht im Staate konnte sich gegen sie erheben; denn wiewol Jeder die Mittel, zu hindern, besaß, hatte doch Keiner die Kraft, zu handeln. So lange der Staat bestand, war die Verfassung unantastbar, sie ändern wollen, hieß den Staat umstürzen. Eben die Fehler, welche eine Reform nothwendig machten, waren es, welche sie verhinderten. Alle Macht im Staate war dergestalt nivellirt, daß nirgend eine Gewalt [illegible] auftauchen konnte, und das völlige Gleichgewicht aller [illegible] hinderte jede Bewegung.“

Nachdem der Verfasser uns hierauf durch die folgenden [illegible] Ereignisse hindurchgeführt und namentlich darauf [illegible] gemacht hat, wie verderblich Napoleon und seine [illegible] Herzogthums Warschau für Polen wurde, in[illegible] einerseits kühne Hoffnungen erregt, andererseits [illegible] durch ungeheure Anstrengungen für fremde Interessen [illegible] erschöpft wurde, so gelangen wir zu dem Theile [illegible] Arbeit, welchen wir als besonders wichtig be[illegible] die Verhältnisse Polens zu dessen neuem Beherr[illegible] werden.

[illegible] Untersuchung mit vieler Einsicht, mit billiger Er[illegible] und durchaus ohne Parteilichkeit geführt [illegible] die Hauptstellen derselben mittheilen.

[illegible] der Verfasser ganz im Allgemeinen die [illegible] Beherrschte und Beherrscher einander sich [illegible]. „Niemand“, sagt er (S. 76.), „läßt [illegible] auch nicht einmal zwingen, glücklich zu sein, [illegible] die Idee den wirklichen Vortheil. [illegible] Mängel, die das allgemeine Wohl be[illegible] nicht in irgend einer Art gegen den [illegible] wäre, aus dem natürlichen Grunde, [illegible] im ausschließlichen Besitz aller Vortheile [illegible] daher für den Augenblick bei jeder [illegible]. Aber die Neuerungen, welche nothwendig eintreten mußten, liefen nicht nur seinem Interesse entgegen, sie verletzten auch seine Rechte, welche ein 100jähriger ungestörter Besitz geheiligt, und welche, wenn sie von seinen Urvätern usurpirt wurden, Derjenige wenigstens nicht verschuldet hatte, welcher jetzt unter ihrer Abschaffung litt. Hierzu kam, daß der Adel als der einzige gebildete Stand in Polen auch besonders schmerzlich — wenn auch vielleicht ganz allein — den Untergang des Vaterlands empfand, und daß bei einer ungemein tief eingeprägten Nationalität sein Interesse mit seinem Patriotismus zugleich verwundet ward.“

Ebenso umsichtig werden sodann die besondern Verhältnisse Preußens zu den polnischen Unterthanen betrachtet. Ich kann hiervon freilich nur das Allgemeinste mittheilen. „Preußen“, heißt es (S. 84), „erhielt an dem polnischen Zuwachse offenbar einen heterogenen Bestandtheil, und je mehr dieser seinen localen Bedürfnissen nothwendig, je mehr mußte es suchen, ihn dem Ganzen zu verschmelzen. Das entschiedene Streben aller Polen, ihre Nationalität auch in der Zerstückelung zu bewahren und darin die einzige und letzte Bürgschaft einer möglichen Wiedervereinigung zu sehen, gerieth daher sogleich in Conflict mit der natürlichen Tendenz der Verwaltung.“

„Die Institutionen, welche in Preußen aus der Entwickelung des Volkes selbst hervorgegangen waren, traten in der neuen Provinz mit einem Schlage ins Leben. Sie fanden daher auch weder den Geist, noch die Gemüther der Menge vorbereitet. Sie überraschten, wo die Aufklärung ihnen den Weg nicht gebahnt hatte, und die Ausdehnung der Bestimmungen, welche für die Monarchie bestanden, auf die polnischen Unterthanen, war für diese eine wirkliche Revolution.“

Hierauf werden die Verhältnisse zwischen den Gutsbesitzern und den Bauern, welche durch den Anschluß an Preußen einer Veränderung unterworfen wurden, mit besonderer Genauigkeit betrachtet. Mit Recht werden diese Veränderungen als für den Augenblick zwar drückend, aber zugleich als höchst wohlthätig im Ganzen und Großen dargestellt.

Wichtiger jedoch ist, was der Verfasser über die Misverhältnisse sagt, welche sich zwischen den Polen und der russischen Regierung herausstellen mußten. Es ist dies eine gedrängte und doch umfassende Würdigung der Ursachen der letzten polnischen Revolution, das Beste, was ich bis jetzt hierüber gelesen habe. Ich will daher einige Stellen mittheilen.

„Wenn schon von Hause aus Regierung und Regierte mit Mistrauen und feindlichen Erinnerungen zusammentraten, so erregte die Handhabung der Verwaltung durch Fremde oder durch Beamte, die sich auf fremde Autorität stützten, eine große Erbitterung. Eingriffe in die persönliche Freiheit und Verletzungen der einmal bewilligten Nationalität durch übermächtige Machthaber wurden tief und allgemein empfunden.“

„In administrativer Hinsicht empfing Polen durch Rußland diejenigen Institutionen, welche alle übrigen civilisirten Länder in Europa schon seit Jahrhunderten besaßen, und welche nur durch die endlose Verwirrung der Reichstage und die folgenden Kriege zurückgehalten waren. Dahin gehören ein geordnetes Finanz-, Credit- und Pfandbrief-System, ein Postwesen, ein wohlorganisirtes Heer, einige Kunststraßen und Kanäle, eine Universität und Bibliothek zu Warschau und mehre dergleichen nützliche Einrichtungen.“

„Die Anlage von Fabriken und Manufacturen wurde begünstigt, und da die Einfuhr ausländischer Erzeugnisse verboten war, so erlangten sie auch bald einen bedeutenden Grad von Wohlstand und Vollkommenheit. Polen führte sogar eine beträchtliche Menge von Zeuchen durch Rußland nach China. Dafür aber kaufte der Pole auch 40% theuerer im Lande als außerhalb (nicht selten sah man polnische Gutsbesitzer 20 — 30 Meilen machen, um sich in preußischen Grenzstädten wohlfeiler und besser einzukleiden), was für den Grundbesitzer um so drückender war, als der Preis aller Erz[illegible] sehr gering blieb, sowol aus Mangel an Straßen- und [illegible]erverbindungen, als besonders weil im Lande immer noch ein unverhältnißmäßig geringer Theil der Production verarbeitet wurde."

„Von dem Augenblicke, wo die Meinung in Polen sich gegen die Regierung erklärt hatte, war dem jungen Polen jeder Weg zu öffentlicher Thätigkeit abgeschnitten. Nur die Noth drängte ihn, als Offizier in einem Heere zu dienen, welches er als ein Werkzeug der Unterdrückung ansah. Die wissenschaftliche Ausbildung wurde versäumt, entweder weil die Studirenden auf eine unwürdige Art bewacht und bevormundet wurden, oder weil jede Anstellung in Civilämtern als Abhängigkeit von einer Regierung betrachtet wurde, welche sich bei ihrer Tendenz mit rechtlichen Gesinnungen gegen das Vaterland nicht vereinen ließ; oftmals auch nur aus einem bequemen Patriotismus, dem Abneigung gegen tüchtige, positive Studien zum Grunde lag. Dahin war es gekommen, daß eine Art von Schmach in den Augen der Polen auf jedem ihrer Landsleute ruhte, welcher irgend eine Bedienung von der Regierung annahm, ohne zu bedenken, daß eben hierdurch dem Vaterlande — wenn es einmal sich selbst überlassen sein werde — alle tüchtige Offiziere und brauchbare Geschäftsmänner in allen Fächern fehlen mußten."

„Der Druck in der Heimat trieb den Polen, die Freiheit in der Fremde zu suchen. Frühzeitige Reisen erfüllten die Jahre, welche sonst den Studien gewidmet sind, und Paris war der Sammelplatz, wo die mehrsten jungen Männer dieser Nation eine oberflächliche äußere Bildung erhielten, wo sie exaltirte Ansichten, die ihrer Lage und ihrem Alter zusagten, in sich aufnahmen und dann, voll Leben und Lust zum Wirken, zu einer völligen Unthätigkeit in ihr Vaterland zurückkehrten."

„Der Vermögende suchte auf seinem Landbesitze den einzigen Kreis von Thätigkeit, bei welcher er sich vor einer verhaßten Regierung nicht zu beugen brauchte, und wo er sich ihrem Mistrauen und ihrer Willkür zu entziehen hoffte. Dort nun versammelte er eine große Menge der unbegüterten Landsleute, die, weil sie keine Aemter bekleideten, kein Brot hatten, und deren Patriotismus oder Unfähigkeit ihnen ein Recht auf die Unterstützung der Reichen gab. Wenn dann, zum Theil eben hierdurch, der Bemittelte selbst zum Unbemittelten wurde und von der Zahl der Gastfreien zur Zahl Derer überging, welche von der Gastfreiheit lebten, dann gewann Rußland einen neuen glühenden Feind mehr, welcher nicht unterließ, sein Verderben und jedes Misgeschick überhaupt auf Rechnung der Regierung und der Unterdrückung seines Vaterlands zu schieben."

„Auf diese Weise wuchs von Tag zu Tage die Zahl junger Männer aus den gebildeten Ständen, welche, voll Anhänglichkeit an ihre Nationalität, von einem glühenden Haß gegen Rußland beseelt waren; Männer, die viel zu gewinnen und fast nichts mehr zu verlieren hatten."

„Vielleicht liegt es in dem Charakter keines Volkes so sehr als im polnischen, seinen Unmuth in Reden verrauchen zu lassen. Als nun aber eine übertrieben strenge Censur jeden geschriebenen Gedanken und zahlreiche Agenten der Policei jede Rede bewachten, als die Polen sich von Spionen überall umgeben sahen oder zu sehen glaubten; da drängte man sie recht eigentlich auf geheime Einverständnisse hin, und weil sie selbst das Unschuldige nicht öffentlich äußern durften, so thaten sie das Schuldigste im Geheimen. Es fand eine allgemein verbreitete Verbindung fast aller Polen nicht nur im Lande, sondern durch ganz Europa statt; Unzufriedenheit mit der Regierung und Haß gegen ihre Beamten war die Losung Aller; Festungsarrest wegen einer freien Aeußerung wurde ein Märtyrerthum in der Meinung der Uebrigen; eine Handlung des Nationalhasses war ein Verdienst selbst in den Augen der Schönheit und die Huld der Frauen ein Sporn zur Widersetzlichkeit gegen das Gesetz." 173.

Das irländische Landvolk.

In den seit mehren Jahren in Lieferungen erscheinenden, jetzt zu zwei Quartbänden angewachsenen wichtigen „Historic memoirs of Ireland; comprising secret records of the national convention, the rebellion, and the union; with delineations of the principal characters connected with these transactions. By Sir *Jonah Barrington* etc. Illustrated with curious letters and papers in fac-simile, and numerous original portraits" wird der Charakter der irländischen Landleute so geschildert: „Das irländische Landvolk, welches nothwendig den größern Theil der Bevölkerung ausmacht, vereinigt viele der wunderlichen und widersprechenden Eigenschaften, welche insbesondere die Bildung aus verschiedenen Völkerschaften verrathen. Fast seine ganze Denkungsart ist von diesen Gegensätzen durchdrungen. Arbeitsam und dennoch träge, häuslich und flatterhaft, an Entbehrung in der Mitte des Ueberflusses gewöhnt, unterwirft sich dieses Volk dem Ungemach ohne Murren und erträgt den bittersten Mangel mit frischem Muthe. Der beißendste Witz und die ärgste List, welche am irländischen Bauer nichts Seltenes sind, verbergen sich in der Regel unter dem Anschein von Stumpfsinn und Einfalt, und seine Sprache, voll des schneidendsten Humors, besitzt eine doppelsinnige Weise des Ausdrucks, welche nie im Stiche läßt, wenn die directe Erwiderung einer unangenehmen Frage vermieden werden soll. Wißbegierig, schlau und scharfsinnig, erwirbt der irländische Landmann Menschenkenntniß ohne äußern Verkehr und besitzt eine instinktartige Bekanntschaft mit der Welt, ohne ihr Gebiet zu betreten. Nie hat es irgendwo ein rohes und unwissendes Volk gegeben, welches so viel Gewandtheit und Naturanlagen in den Verhältnissen des gewöhnlichen Lebens bewies wie die Irländer. Zu übereilt oder zu säumig bei Ausführung seiner Plane, werden dieselben bald durch Ungestüm und Ungeduld, bald durch Trägheit und Zaudern zu nichte, und ohne die außerordentliche Lebendigkeit des französischen, oder das kühle Phlegma des englischen Charakters zu besitzen, empfindet es die Nachtheile beider. In seinem Zorne rasend ohne Rachgier, gewaltthätig ohne Bosheit, heftig und phantastisch bei der Völlerei, entschleiert die Trunkenheit die verborgensten Seiten des Charakters eines irländischen Bauers. Mit seiner gutherzigen, aber reizbaren Sinnesart, seinem rohen und gewöhnlichen Verstande und theilnehmenden, für jeden Eindruck empfänglichen Wesen gibt er sich augenblicklichen Impulsen viel zu plötzlich hin. Unbeschränktes Vertrauen in den Rath eines falschen Freundes, oder der Einfluß eines hinterlistigen Vorgesetzten verleitet ihn häufig zu Greuelthaten, während er der Tugend zu huldigen wähnt. Unwissend und ungebildet wie die irländischen Bauern sind, kann bei ihnen das Begreifen der zusammengesetzten Theorien und Grundsätze der Regierung nicht vorausgesetzt werden, und sie geben deshalb nur zu leicht den Vorspiegelungen einnehmender Friedensstörer Gehör. Ihre angestammte politische Meinung ist jedoch offenbar aristokratisch. Aus der sagenhaften Geschichte ihrer alten Könige saugen sie früh eine warme Vorliebe für die Monarchie ein, und ihr höfliches und demüthiges Betragen gegen die vornehmern Classen beweist für ihre Bereitwilligkeit, sich dem Range und den Bevorrechteten unterzuordnen. Wenn man das grobe, freie, wo nicht gar unverschämte Benehmen des englischen Landwirths gegen seine Vorgesetzten mit der angeborenen demüthigen Höflichkeit des irländischen Bauers vergleicht, so würde es die höchste Ungerechtigkeit sein, letztern einer natürlichen Neigung zur Demokratie zu beschuldigen. Die vermischten Eigenschaften des irländischen Charakters sind mannichfaltig und bezeichnend, besonders aber Höflichkeit, leidenschaftliche Neigung zu Lärm und Lustbarkeiten, Aberglaube, Bigotterie — kurz, immer in den Extremen, und der Irländer ist noch immer, wie Giraldus Cambrensis im 12. Jahrhundert von ihm schrieb: Ist ein Irländer ein guter Mensch, so gibt es keinen bessern, und ist er ein böser, so gibt es keinen schlechtern." 8.

Redigirt unter Verantwortlichkeit der Verlagshandlung: F. A. Brockhaus in Leipzig.

Blätter für literarische Unterhaltung.

Sonntag, —— Nr. 216. —— 4. August 1833.

Miscellen über Literatur, Kunst und öffentliches Leben in Paris.

Zweiter Artikel.

(Beschluß aus Nr. 215.)

Der „Moniteur" hat seinen alten amtlichen Charakter behalten und dabei unter der neuen Dynastie seine Spalten mancherlei politischen Planen und persönlichen und auswärtigen Interessen geöffnet. Im „Moniteur" hat man Mittheilung deutscher Edictalladungen an politische Flüchtlinge gelesen, der „Moniteur" gab die langen Listen der russischen Confiscationen in Polen, der „Moniteur" endlich enthielt die verschiedenen Erklärungen hinsichtlich der Schwangerschaft und Niederkunft der Herzogin von Berri. Als Musterorgan des Ministeriums und der Tuilerien haben wir das „Journal des débats", dieses wundervolle Chamäleon politischer Zungenfertigkeit und Wohlrednerei. Wie die Katze des Hauses jedem neu Eintretenden zuläuft, den Abziehenden kalt bescheidet und sich dem jeweiligen Besitzer demüthig anschmeichelt, so hat dieses Journal bisher die Kunst geübt, alle Cocarden einer bunten und beispiellosen Wechselzeit stets an dem nämlichen Hut zu stecken, ein kleiner Windzug gab dem Hut und Kopfe eine andere Wendung, und die papierene Zunge sprach nach dem Wink des Gebieters. Talent ohne Ueberzeugung, Kenntnisse ohne geschichtliche und politische Treue, unbedingte Unterwerfung unter den Inhaber der Macht ohne innere Anhänglichkeit und Ergebenheit, dieses sind die wesentlichen Merkmale eines Blattes, welches durch seine Gleißnerei und Unzuverlässigkeit ein würdiger Repräsentant des Jesuitismus genannt werden kann. Die erschöpfendste Schilderung der Apostasie des „Journal des débats", welches zuerst „Journal de l'empire", sodann „Journal des débats", sodann „Journal de l'empire", sodann „Journal des débats" hieß, und welches morgen jeden andern Namen, selbst den des Terrorismus annehmen würde, wenn er ihm bei gehöriger Sicherheit einen angenehmen Gewinn zuführte, liegt in folgendem wörtlichen Auszug dieses Blattes, welchen das „Charivari" mittheilt und mit einigen Bemerkungen begleitet.

„Journal des débats" vom 20. März 1815:

Wenn Frankreich sich von einem Abenteurer aus Corsica, begleitet von einer Handvoll fremder Räuber und einigen Ueberläufern überziehen und erobern läßt, ... die Wiederherstellung jener barbarischen Feudalität, deren letzte Spuren durch die weise Philosophie und die väterliche Güte der Bourbons vernichtet worden war, das ist die Freiheit und die Regierung, welche Bonaparte uns aufbewahrt.... Diese Expedition wäre nichts weiter als der Streich eines verwegenen Räuberanführers, welchen die Gerechtigkeit verlangt und früh oder spät erreichen wird.

„Journal de l'empire" vom 21. März 1815:

Der Kaiser ist diesen Abend unter einhelligem Zujauchzen in den Palast der Tuilerien eingezogen.... So hat sich, ohne einen Tropfen Blutes, ohne auf ein Hinderniß zu stoßen, dieses rechtmäßige (légitime) Unternehmen geendigt, welches die Nation in ihre Rechte wiedereingesetzt und den Schandfleck ausgewischt hat, welchen der Verrath und die Gegenwart des Feindes über die Hauptstadt gebracht hatten.... Die constitutionnelle Charte, welche man uns bewilligt hatte, wurde auf eine skandalöse Weise verletzt.... Die Wiederkehr des Kaisers sichert den Triumph der liberalen Ideen.

Vor diesem Beispiel einer politischen Gelenkigkeit, die, wäre sie nicht das Uebermaß schamloser Servilität, an das Sublime der Taschenspielerei grenzen würde, muß jede Idee mit Staunen zurücktreten. Wie mag der Mann aussehen, der so schreiben kann, und der im Stande ist, in der Nacht vom 20. auf 21. März den feuchten Bogen des neuesten Blattes wie ein Vergessenheitspflaster auf die Geschichte des vorigen Tages und als Larve auf sein eignes Gesicht zu heften? Je nun, das Bildniß dieses Mannes war in der diesjährigen Kunstausstellung von der Hand eines der gepriesensten Maler, Ingres, groß und mit Ostentation auf der hervorragendsten Stelle des weiten Saales ausgehängt, sein Name ist Bertin de Vaux. Seithin figurirt er auch in einer andern Galerie, in jener des „Charivari", welches eine Reihe bekannter Männer der Tagesgeschichte abconterfeit, nur heißt er hier Bétin-le-Beau und ist auf einem so wenig ästhetischen Sitz dargestellt, daß ich ihn nicht einmal nennen kann.

Wenn diesem Manne oder diesem Journale vorgehalten würde, daß es die blutigen Reactionen im Jahr 1815, die gegenrevolutionnairen Versuche aller Ministerien der Restauration, jenes von Villèle mitbegriffen, gerechtfertigt und aufgemuntert, sodann plötzlich die Dreihundert, das monströse Budget, das Gemetzel in der Straße St.-Denis, die parlamentarischen Absetzungen bekriegt habe, dennoch aber heute die jungfräuliche Majorität der Kammer und die Policeiexpedition des Pont d'Arcole bewundere, die Absetzung der Herren Dubois und Baude rechtfertige und sich über die Don Quixote der Sparsamkeit lustig mache, daß es im Jahr 1830 nicht Worte finden konnte, um seinen Zorn gegen die Ordonnanzen und den Belagerungszustand auszudrücken, und in Bewunderung vor dem Belagerungszustand von 1832 und den Kriegsgerichten gerathen sei: so würde ihm keine andere Antwort als die der thatsächlichen Anerkennung bleiben, und es ist erlaubt zu sagen, daß selbst in folgendem poetischen, brennenden Stigma eines Dichters, welcher einst für die Sache der Freiheit und des Ruhmes focht und heute in die Invalidenanstalt des „Figaro" und Anderer übergetreten ist (Barthélemy), keine Uebertreibung liegt:

Aux fangeux carrefours de la grande cité,
Trente ans elle a vendu son impudicité....
Vous savez que le jour où tomba notre charte,
Au visa de Mangin elle soumit sa carte;
Qu'aux jours de juillet, quand gronda le canon,
Elle eut soin d'enfouir la honte de son nom;
Mais l'incendie éteint, on la vit reparaître,
Cousant les trois couleurs à sa robe de prêtre,
Et vers le nouveau roi, sur nos débris fumans,
Traîner à la faveur tous ses hideux amans....
Et des mots de vertu sortent de cette bouche!
Feuille infecte! malheur à quiconque la touche!
L'avez vous effleurée? allumez des réchauds;
Semez à pleines mains le chlorure de chaux;
Trempez vous tout entier dans des parfums acides.
O crime! on voit partout ses pages homicides!
Même au sein de Paris, souillé de son poison,
La peste patentée habite une maison!!! *)

Vor einiger Zeit las ein Mann in einem Kaffeehause den „Constitutionnel"; plötzlich gerieth er in ein solches Lachen, daß er den Athem verlor und dem Ersticken nahe kam. Als man ihn um die Ursache dieser komischen Aufregung fragte, wies er — so erzählt nämlich der „Corsaire" — auf eine Stelle des vor ihm liegenden „Constitutionnel", die also anfing: „Die Blätter des Ministeriums sagen u. s. w." „Die Blätter des Ministeriums, im Munde vom „Constitutionnel", ist das nicht zum Ersticken vor Lachen?" Armer „Constitutionnel", so weit ist es mit ihm gekommen, daß er zur Zielscheibe solches Spottes dienen muß, und was schlimmer ist, daß er ihn verdient. Nichts ist, in Politik wie im physischen Sein, trauriger, als sich zu überleben und hinter der rasch fortschreitenden Zeit mit unzureichenden Kräften zurückzubleiben. Ehemals, während der Restauration nahm der „Constitutionnel" eine ehrenvolle Stelle unter den Oppositionsblättern ein. Wiewol stets dem „Courrier français" an Talent und Energie und Geist nachstehend, theilte er doch mit diesem beinahe stets die Verfolgungen der Regierung. Es war nicht sowol seine Schärfe der Opposition, oder ein bestimmtes System, klare Grundsätze, was ihn der Regierung verhaßt machte, denn solcher Eigenschaften konnte der „Constitutionnel" sich zu keiner Zeit rühmen, sondern ein tiefer Haß gegen die ältere Bourbonenlinie, welchen er jedoch unter dem jesuitischen Mantel des constitutionnellen Liberalismus und wohlmeinenden Warnungen für das Glück des Thrones zu verbergen strebte, und ein unversöhnlicher Krieg gegen den Klerus und die Jesuiten. In diesen Haß war die Redaction so hineingearbeitet, daß seine Aushauchung die Lebensessenz des „Constitutionnel" zu sein schien. Die Jesuiten sind fort, die ältern Bourbonen sind fort, und der „Constitutionnel", wo ist er? Matt und kraftlos, seicht und oberflächlich, ohne Plan, ohne Grundsatz, ohne Willen, ohne System, lügenhaft in Thatsachen, jämmerlich im Raisonnement, nicht Karlist, nicht Republikaner, Oppositionsblatt aus Heuchelei, Ministerialblatt aus Gehorsam für seine Patrone, und Beides zusammen aus Interesse, — das vollendetste Bild des juste-milieu und wie dieses seinem Untergange entgegenwelkend! Man wundere sich übrigens nicht über diese ruhm- und lichtlose Persönlichkeit des bekanntesten Zeitungsblattes von Frankreich. Die Julirevolution hat so viele Illustrationen der frühern Periode getödtet, oder neutralisirt, oder demoralisirt, und zu diesen gehören auch die hohen Leitsterne des „Constitutionnel", an ihrer Spitze der Ritter Dupin, der Präsident der unbefleckten Kammer und Privatconsulent der Familie Orleans. Dieser Mann, ich hätte beinahe gesagt, dieser Mensch, ist das Prisma, durch welches der pflichtgehorsame „Constitutionnel" sein Licht und die Strahlen einer stets ungewissen, wandelbaren, wankelmüthigen, unbeständigen Unerfaßlichkeit empfängt. Sowie Herr Dupin einst für liberal galt, so auch der „Constitutionnel"; sowie einst Herr Dupin Opposition machte und heute noch zuweilen Anwandlungen des Widerspruches bekommt, die er sich aber begnügt in eine Faust in der Tasche zu mäßigen, so auch der „Constitutionnel"; sowie Hr. Dupin in Dingen, welche die Prärogative oder Anmaßungen des geistlichen Standes betreffen, die Lunge anstrengt und einen lang verhaltenen Grimm losläßt, so auch sein braver „Constitutionnel"; der Feind ist zwar todt, längst gestorben, kaum daß man den Leichengeruch noch hier und da verspürt, dennoch hauen die trefflichen Kämpen auf ihn ein, er kann nicht genug getödtet werden. Wackere Streiter, Don Quixote und Sancho Pansa des Bürgerkönigthums — nur ein wenig unehrlicher und viel feiger als jene! Die Hauptleser dieses Blattes sind der Stand der Krämer (épiciers) in Paris und jener Bürger, welche durch den Gewinn zu einer Kaste der Bequemlichkeit, der Geldaristokratie sich geschwungen haben und sich heute als eine Hauptstütze des Bürgerkönigthums betrachten. Ehemals zu einer Modeopposition gehörig, heute Ludwig Philipp huldigend, welcher ihnen Bärmützen und Ehrenzeichen gibt, wünschen sie ein Blatt, welches diese beiden unvereinbaren Merkmale der Opposition und des Ministerialismus besitzt, und der „Constitutionnel" ist daher ihr Mann, flach und flau wie sie selbst. Suche nur Niemand je eine kräftige Aeußerung, eine Idee, einen Gedanken über große Angelegenheiten und Vorfälle der Tagsgeschichte darin, das ist nicht Sache des „Constitutionnel"; hergebrachte Phrasen, banale Sprüche, veraltete politische Sprüchwörter und vor Allem wiederhallende Gemeinplätze, die Alles umfassen und

*) Während ich diesen Artikel schreibe, wird der „Nouvelliste" aufgehoben und mit dem „Journal de Paris" verschmolzen. Auch der „Figaro" soll eingehen.

zu Nichts verpflichten, das ist das Noth- und Hülfsbüchlein, in welchem dieses respectable Blatt schöpft, dessen Reich von dem Tage an aufhören würde, wo es in seiner wahren Gestalt erkannt wäre. Was am unverzeihlichsten an einem Blatte bleibt, welches durch seine große Verbreitung einen so mächtigen Einfluß auf die Nation ausüben könnte, ist der totale Mangel an Würde, an großen, edeln und ein Volk erhebenden Ideen. Alles ist gemein und trivial; und wofern nur die Columnen ausgefüllt und die Actionnaires befriedigt sind — alles Andere ist Tand und unwesentlich.

Die gelungenste Charakteristik dieses Blattes habe ich in einem andern Journal, im „Patriote de juillet“ gelesen. Allerdings ist er ein Feind des „Constitutionnel“, allein es handelt sich hier um Wahrheit, und von wem kann man diese besser erfahren als von dem Feinde?

In der Regel an dem Tage, an welchem das Land durch irgend einen wichtigen Vorfall erschüttert ist, wirft sich der „Constitutionnel“ in seinem vordersten großen Artikel auf die auswärtigen Angelegenheiten. Erzittert Paris, das Herz von Frankreich, von irgend einer heißen Bewegung; haben die Agenten der Polizei ihre profanen und mörderischen Hände nach einem der unveräußerlichen Rechte des Volkes ausgestreckt? das kümmert das wackere Zeitungsblatt wenig. Dagegen aber gewahrt Ihr einen langen und prächtigen Artikel über die Angelegenheiten im Orient; sechs Columnen über die ungemessene und unersättliche Vergrößerungssucht Rußlands, welches der „Constitutionnel“ ja nie vergißt den Koloß des Nordens zu nennen. Irland, O'Connell, Spanien, Portugal, Don Pedro nehmen an diesem Tage grade alle Ideen und politischen Auffassungen des gelehrten Blattes in Anspruch. Es ist ein wahres Vergnügen, es alsdann zu lesen! In seinem warmen Eifer, die Gemüther von dem naheliegenden Gegenstande abzubringen, wird es zuweilen, seltsam genug, beinahe beredt. Freilich läßt es Euch unter der Last einer innern Bedrückung; aber seht doch, wie es gegen die fremden Tyrannen und Unterdrücker ihrer Völker losgeht! Das ist der wahre Liberalismus! Die Patrioten im Innern, daß man diese ein wenig matt mache, das wäre so übel nicht...! Aber er sagt nichts, er läßt geschehen; er will seinen alten Namen des Liberalen nicht verlieren; darum auch kramt er alle hergebrachten Formeln seines politischen Schlendrians aus und tischt sie auf wie ein Marktschreier das Lob seiner Wundermittel. Es ist sein Handwerk, er ist und bleibt der „Constitutionnel“!

Nach den Auftritten vom 5. und 6. Juni vorigen Jahres erzählte „Costitutionnel!“ im größten Ernst seinen Abonnenten, die abscheulichen Barbaren von Insurgenten, Karlisten und namentlich die Republikaner hätten in der Straße St.-Martin dreijährige Kinder an den Bayonnetten gebraten und gegessen!! Fürwahr, wer bedenkt, daß dieses Zeitungsblatt das verbreitetste in Frankreich ist, und danach einen Schluß auf die vorgediehene politische Cultur ziehen wollte, müßte auf ein trauriges Resultat stoßen. Allein dieser Schluß wäre nicht richtig. Gewohnheit und Trägheit thun mächtig viel. In den meisten Leseanstalten und Cirkeln war der „Constitutionnel“ als ältestes Oppositionsblatt vorhanden und bleibt auf seinen alten Titel hin an vielen Orten beibehalten. Dennoch aber hat er seit den letzten Jahren und besonders in neuester Zeit einen sehr empfindlichen Stoß erlitten, die Reihen lichten sich, und wie der blinde Gehorsam und die willenlose Ergebenheit der Nationalgarde zu der Dynastie Ludwig Philipp's, so schwindet der Glaube der Abonnenten des „Constitutionnel“. Noch bildet ihn die „Caricature“ ab in einem großen brocatenen Nachtrock, mit einer mächtigen weißen Schlafmütze auf dem Kopfe und einer Reihe von Geldsäcken als Fundament seiner Politik; es möchte aber die Zeit herankommen, wo von der verblichenen Glorie und der reichen Umgebung nichts als der Nachtrock und die Schlafmütze übrigblieben. 171.

Trelawney's Abenteuer in Ostindien. Aus dem Englischen von C. Richard. Drei Bände. Aachen, Mayer. 1832. 8. 4 Thlr. 12 Gr.

Wir wissen in der That nicht, sollen wir dies anziehende Buch als einen psychologischen Roman, als eine wirkliche Lebensbeschreibung, oder als eine sittenschildernde Reise in Ostindien bezeichnen. Es vereinigt alle diese Elemente in sich. Ein Gemälde Indiens, eine Schilderung von Volk, Leben und Sitte dieses Landes zu geben, lag allerdings in dem Plane des Verf.; aber er verbindet dies Gemälde mit dem psychologischen Interesse eines höchst geistvollen Romans dergestalt, sodaß wir in Zweifel sind, welchem von beiden Bestandtheilen dieses Werkes mehr Lob gebührt und ein höherer Werth beiwohnt. Wir nennen es dreist eines der unterhaltendsten, lehrreichsten und besten Bücher, die uns die Literatur Englands seit langer Zeit gebracht hat. „Anastasius“ und „Hadschi-Baba“ haben dem Verf. dabei vorgeschwebt; aber er erhebt sich an edlem Interesse, an charaktervoller Sittenmalerei und an energischer Festhaltung des moralischen Standpunktes in seinem Werke über beide Vorbilder.

Ein junger Mensch von den edelsten Anlagen büßt die Fehler seiner Erziehung mit einem Leben voll Leid und Kämpfen. Die Fehlgriffe von Aeltern und Lehrern machen ihn zum Abenteurer, zum Taugenichts, das Leben selbst muß diese Irrthümer wieder gut machen, und was eine bessere, verständigere Erziehung ihm als eine Mitgabe für das Leben hätte reichen sollen, das erwirbt sein reiferes Alter als die schwer errungene Frucht eines ganzen Lebens voll Streit, Noth, Gefahr und Entblößung. Ein edler Geist. den Fesseln feind, und die Unfähigkeit, solche zu tragen, treibt den Knaben in die Welt; er macht den Zustand eines Wilden durch, weil ihm Civilisation und Sklaverei als Eins erscheinen müssen. Er muß an der feindlichen Begegnung mit den Elementen, mit der Natur erst lernen, was die Civilisation eigentlich ist, und was der Bund der Menschen, die Gesellschaft, der Staat, zu bedeuten hat. Er legt die Schuhe ab, bis er in ein Nest von Skorpionen tritt, und legt sie dann wieder an, weil er die Stiche fühlt, die er ohne sie erleidet.

Die große Lehre von Dem, was wir von dem ursprünglichen Freiheitsgefühl unserer Seele aufopfern müssen, um menschlich-glücklich zu werden, dies große Gebot, das jetzt in allen Richtungen hin so oft vergessen wird, und das, vergessen, soviel Uebel stiftet, die Weisheit, welche für Gemeinden wie für Einzelne in der Mäßigung liegt und in dem Herabsteigen vom Naturtriebe zum Vernunftgemäßen, diese ist es, welche dies Buch energischer als irgend ein anderes lehrt. Diese Lehre verbindet sich mit einem Reichthume seltsamer, höchst anziehender und für die Sitten- und Volksgeschichte Indiens lehrreicher und schon an sich spannender und befriedigender Abenteuer, sodaß wir selbst der gewöhnlichen Lesesucht keine bessere Nahrung zu bieten wissen als dies Buch, indeß der Kundige darin zugleich ein höheres und erfreulicheres Interesse zu entdecken weiß.

Die Erziehungsgeschichte des Helden ist äußerst anziehend. Die Stelle, wo er und sein Bruder gegen einen alten Raben zu Felde ziehen, der die Knaben oft geärgert hat, ihn besiegen und zuletzt mit seiner fürchterlichen Hinrichtung enden, ist von unbeschreiblicher Originalität. Wir haben dies in seiner Darstellung wirklich einzige Capitel schon anderwärts abgedruckt gesehen. Der Knabe gelangt nach Ostindien als ein abenteuernder Taugenichts. Auch hier stoßen ihn alle Verhältnisse aus; er lebt eine Zeit lang als Wilder, bis er de Ruyter's, eines merkwürdigen Charakters, Bekanntschaft macht. Dieser biedere, wohlwollende, theilnehmende Mann erweist sich, nachdem unser Held in seinen Dienst getreten ist, als ein kühner Corsar, den der Haß gegen die grausame und rechtlose Verwaltung der Engländer in Indien zum Bundesgenossen ihrer öffentlichen und heimlichen Feinde (der Franzosen und Tippu Saib's) und zu einem gefährlichen Räuber an ihren Gütern gemacht hat. Alles in diesem Verhältniß ist zugleich so originell und doch so voll innerer Wahrheit, daß wir nicht zu entscheiden wagen, ob der Verf. hier wirkliche Erlebnisse schildert, oder aus der Phantasie malt; genug, er nimmt die ganze Seele des Lesers gefangen, mehr als Cooper oder Scott jemals vermögen. Alle seine Gestalten, die heroischen wie die humoristischen, Walter, Aston, der Arzt Sloopfeld, wie Zela und der javanische Prinz, leben und sind in der That; wir vergessen völlig, daß Alles möglicherweise bloße Erfindung ist: wir sind zugegen bei Allem, was geschieht, wir sind zum Glauben genöthigt, und, Memoiren oder Dichtung, die Abenteuer des Helden spannen und fesseln uns ohne Unterbrechung.

De Ruyter, dieser kühne Seeräuber, das Vorbild zu den Helden Sue's, der diesem Buche nicht wenige von seinen ergreifenden Seegemälden zu verdanken scheint, wird allerdings wol eine wirkliche, durch die Dichtung erhöhte Person sein; in der That ist es auch dieser Charakter mehr als der des Helden selbst, der unsere Theilnahme für dies Buch so mächtig aufruft. Die überraschenden abenteuerlichen Thaten, die er vollbringt, die Besonnenheit mit dem Heldenmuth gepaart, die jeder Zug von ihm bewährt, sind nie kraftvoller geschildert, als hier geschieht. De Ruyter, aus Indien, Borneo, Java, Madagaskar nach unsäglichen Kämpfen vertrieben, nach Siegen ohne Zahl, endet zuletzt im Dienst Napoleon's, zu dem er offenbar ein interessantes Gegenbild darstellt, und mit dem er sich bei der Verschiedenheit ihrer Naturen auch nicht einverstehen kann. Seine Unterredungen und Verhandlungen mit dem Eroberer, dessen Egoismus die großsinnige Menschen- oder Weltliebe des edeln Corsaren nicht begreift, sind von äußerstem Interesse; allein de Ruyter's große Entwürfe, die Macht Englands im indischen Meere zu stürzen, finden bei Napoleon, der nie begriff, was eine Seemacht eigentlich bedeutete, und der sein Volk für unfähig hielt, je eine solche zu erlangen, keinen Anklang. Er gibt ihm einen Orden und vergißt seine Dienste, und so endet de Ruyter als Capitain einer Corvette auf einem Zuge nach Afrika unter einer englischen Kugelsaat. Bei diesem Anlasse wird ein Wort von Baco auf Napoleon so treffend angewendet, daß es für ihn geschrieben zu sein scheint: „Weisheit, auf eines Menschen Ich beschränkt, ist ein würdeloses Ding, sie ist die Weisheit der Ratte, die ein Haus gewiß verläßt, bevor es einfällt; die Weisheit des Fuchses, der den Dachs austreibt; Menschen, die ihr ganzes Nachdenken ihrem Ich widmen, haben am Ende oft sich selber eben der Unbeständigkeit des Glückes zum Opfer gebracht, dessen Schwingungen sie durch ihre Klugheit gefesselt zu haben wähnten." Gewiß, dieser Ausspruch ist auf Den anwendbar, der Welt, Familie, Volk, Vaterland um seines Ichs willen vergaß und darüber sich selbst verlor.

Der junge Selbstbiograph, ein getreuer Begleiter de Ruyter's und Mitkämpfer in allen seinen abenteuerlichen Land- und Seezügen, endet, 24 Jahr alt, im Dienste Dessen, den er selbst einen Despoten zu nennen nicht umhin kann. Er verspricht uns die Fortsetzung seiner Lebensabenteuer, die so höchst anziehend sind, und in deren Verlauf er zu beweisen verheißt, daß er kein blinder Scherge eines despotischen Willens war. Für jetzt enden seine Abenteuer mit der Restauration des „unseligen" Geschlechts der Bourboniden. Irren wir nicht, so ist er derselbe kühne Streiter, der später im griechischen Freiheitskriege nicht unwichtige Dienste leistete, und der als Adjutant Odysseus' die abenteuerliche Belagerung in der Felshöhle des Parnassus mit ihm aushielt. Wenn Dem so ist, wie wir glauben, so haben wir alle Ursache, auf die Fortsetzung dieses interessanten Buches neugierig zu sein. Eine anziehende Liebesgeschichte mit einer Malaiin Zela gibt den Abenteuern des jungen Helden Abwechselung und den Reiz, der von den meisten Lesern gesucht wird; ein Reiz, der sich in schaurigen Kämpfen gegen Tiger, Elefanten, wilde Pferde und Menschen genugsam bewährt. An vielen Orten sind Auszüge aus diesem Buche abgedruckt; wir enthalten uns ihrer daher und bemerken nur noch, daß die Uebersetzung steif, aber treu ist.

130.

Notizen.

Dem Fragesteller in Nr. 124 d. Bl. dient zur Antwort, daß er über das Passional Christi und Antichristi in allen biographischen Darstellungen Lukas Kranach's, besonders aber in dem gründlichsten und ausführlichsten Werke über diesen Maler der Reformation von Joseph Heller in Bamberg, genügende Auskunft finden wird. Die Zeichnungen rühren von Kranach her und der Text von dessen Freund und Gevattermann Dr. Luther. Aehnliche Kunsterzeugnisse trifft man um jene Zeit an mehren Orten in Deutschland und in der Schweiz, vornehmlich zu Bern, wo Nikolaus Manuel genannt Deutsch im Jahre 1515 im Dominikanerkloster den Todtentanz an die Mauerwand malte mit manchen feinern und gröbern Anspielungen auf den religiösen und sittlichen Zustand und die politischen Anmaßungen der Klerisei. Näheres darüber besagt ein Aufsatz im Kunstblatt zum „Morgenblatt" 1830, Nr. 22 fg.

Der so fromme als gelehrte Freund und Beichtvater Luther's, Dr. Johannes Bugenhagen, genannt Pommeranus, bereitete sich zu seinen Predigten durch die sorgfältigste Meditation nicht nur, sondern auch durch das ernstlichste Gebet vor, das er in seiner Sacristei mit solcher Inbrunst auch während des Gesangs fortzusetzen pflegte, daß er sich darüber vergaß; wie es ihm denn begegnet ist, daß, als er einst aufgestiegen, nachdem der Gesang lange aufgehört, und die Gemeinde schweigend dagesessen, er gesprochen: „Verwundert Euch nicht. Ich bin von Gott aufgehalten worden; ich bin mit ihm in ein Gespräch hineingerathen, von der Kirche, der Universität, unserer guten Stadt und der gesammten werthen Christenheit. Er hat mich lange aufgehalten, und ich habe große Dinge mit ihm abreden müssen." So erzählt Kosegarten in seiner trefflichen Rede auf den Reformator Pommerns, im zweiten Bande der „Reden und kleinen prosaischen Schriften", herausg. von Mohnike, S. 202 fg. 46.

Hierzu Beilage Nr. 8.

Beilage zu den Blättern für literarische Unterhaltung.

Nr. 8. 4. August 1833.

Ueber Schafveredelung und Wollverwendung.

Möge ein Gegenstand von zwar materiellem, aber sehr großem Interesse, in diesem ursprünglich der literarischen Unterhaltung gewidmeten Blättern ebenso Raum und Theilnahme finden, wie schon längst nichts davon ausgeschlossen blieb, was mit dem allgemeinen Wohl in Beziehung steht. Dahin gehört allerdings auch, was Deutschland der Wollveredelung verdankt, ja es ist in der That schwer sich ein Bild unsers Landbaues, unserer Industrie und unsers Handelsverkehrs zu machen, wenn wir diesen Hauptgegenstand herausdenken müßten.

Eine kleine, im Anfange dieses Jahres erschienene Schrift:

Ueber Schafveredelung und Wollverwendung. Leipzig, Frohberg. 1833. 8. 18 Gr.

veranlaßt Ref., einen praktischen Landwirth, der sonst andere Gegenstände zu besprechen pflegte, zu nachfolgender Mittheilung. Der wunderbare Aufschwung, welchen der Wollverkehr seitdem gewonnen, das wirkliche Eintreffen Dessen, was der Verf. vorhergesagt, und das hohe Gewicht der angeregten Fragen werden überall zur Rechtfertigung dienen. Es war, wie schon Thaer bemerkte, das größte Geschenk, das je ein Fürst dem andern gemacht hat, als vor erst 70 Jahren König Karl III. von Spanien einige Hundert Schafe nach Sachsen sandte. Er wollte, so hat man damals gesagt, dem letzten Wunsche seiner bereits verstorbenen Gemahlin Maria Amalie, Prinzessin von Sachsen, genügen, welche geglaubt hatte, ihrem durch unerhörten Kriegsdruck verarmten Vaterlande in dieser edeln, damals nur Spanien eignen Schafrasse eine neue Hülfsquelle darzubieten. Aber ein Weltereigniß bereitete sich vor, indem diese Wohlthat jenem Lande zu Theil ward, das schon so manchen edeln Keim in seinem Schooße gepflegt hat, bis er zum Wohl des Vaterlandes und Aller ans Licht trat und unermeßliche Frucht brachte. Mit mehr als 30 Millionen Thaler — England allein kauft jährlich 24—26 Millionen Pfund aus diesem Stamme veredelter deutscher Wolle — ist uns das Ausland dadurch tributair geworden; die deutsche Industrie, ringend mit den Fremden um das rohe Material, verdreifachte dessen Werth durch Tücher, die von keinen in der Welt übertroffen werden, und fügen wir hinzu, was der Ackerbau durch die seitdem überall vervielfältigten Heerden gewann: wie verschwindet dann aller Reichthum der Goldgruben gegen den Segen dieser im Beginn so klein scheinenden Wohlthat! Aber eben die zu rastende Industrie bedrohte von anderer Seite den Fortgang der Veredelung. Man war dahin gelangt, auch aus minder feinen Wollsorten Fabrikate zu liefern, die, wenn auch nicht für den Gebrauch, doch fürs Auge denen glichen, die bis dahin nur aus dem feinsten Material herzustellen waren. So trat auf vielen Schäfereien ein Stillstand ein; er wurde Rückschritt, namentlich bei Denen, die in den Jahren höchster landwirthschaftlicher Bedrängniß, als der Getreidepreis weit unter den Productionskosten stand, ihre edelsten Zuchtthiere, allerdings für schönes britisches Gold, an die Unternehmer überseeischer Ansiedelungen verkauft hatten. Viele begnügten sich Mittelwolle zu erzeugen; eben die unverhältnißmäßige Menge dieses in England weniger gesuchten Products drückte den Preis desselben, während die feinste Wolle fortwährend den ihrigen behauptete. Die große Handelskrisis von 1825 that auch das ihrige, ungünstige Jahre rafften ganze Heerden dahin und vielen der eifrigsten Wollzüchter entsank der Muth. Da bedurfte es nur noch der ermunternden Nachfragen, welche von den trefflichen Kammwollspinnereien ausgingen, um manchen Besitzer zurückgekommener Merinoheerden anstatt der nur von diesen zu gewinnenden Krempwolle auf Production der langen oder Kammwolle zu führen und dem spanischen das englische Leicester-, Southdown- &c. Schaf vorzuziehen, zumal letzteres den Ruf hatte, weniger Krankheiten ausgesetzt zu sein, und die Kammwolle in der That nur aus dem Auslande zu beziehen war. Eine Krisis war eingetreten, die Wahl schwer, und die Folgen eines Misgriffs lagen außer aller Berechnung. Da tritt unter dem oben bezeichneten Titel ein Ungenannter, aber, wie wir sehr bald gewahr werden, der Berufensten Einer, auf, warnend, ermunternd, überall belehrend und faßlich. Es spricht die Erfahrung mit dem unverkennbarsten Bestreben, sie ungeschminkt mitzutheilen. Der Verf. redet zu den deutschen Wollzüchtern über die Eigenschaft, Zucht und Ernährung derjenigen Schafrassen, deren Vließ für den Welthandel, d. h. für den londoner Markt in Betracht kommt. Dies ist zunächst die auf dem, Sachsen und Schlesien eignen Boden und dessen mehr knapper als reicher Weide im Laufe der Jahre aus dem spanischen Originalstamm gezogener Electoralrasse, die, wo sie völlig constant geworden, das Edelste liefert, was bis jetzt und irgendwo gefunden wird. Die von ihr gewonnene Wolle und vorzüglich das Ausgezeichnetste unter ihr, die im Sortiment mit dem Namen Superelectoral bekannte, hat den doppelten und dreifachen Preis der spanischen Originalvließe. Höchst lehrreich und anschaulich ist S. 8 die Beschreibung dieser kostbaren, aber freilich noch seltenen Vließe; auch Ref. hat, wo er sie noch angetroffen, jene außerordentliche Dehnbarkeit der Vließe und die kaum noch sichtbaren Verbindungsfäden, aus denen gleichwol das ganze Vließ besteht, als charakteristisch befunden. Nach den Electoralwollen folgt die Primawolle, die zwar reicheres Gewicht gibt, aber gegen erstere doch schon bedeutend zurückbleibt. Die dann folgenden Secunda und Tertia gehen nicht mit Vortheil nach England. Alle diese verschiedenen Abstufungen gehören den Krempwollen spanischer Abkunft an. Nicht weniger genau ist die Schilderung des langwolligen Schafes, das nach den verschiedenen englischen Rassen, Leicester, Southdown, Dishley u. s. w., das Material der Kammwollenspinnereien liefert, zwar eine reichere, üppige Weide fodert, eine solche aber auch sehr wohl bezahlt. Im zehnjährigen Durchschnitt galt auf dem londoner Markt

1 Pfd. Superelectoralwolle	6 Sh.	6 P.	oder 2 Thlr.	4 Gr. C.-G.
1 " Electoral "	4 "	6 "	" 1 "	12 " "
1 " Prima "	2 "	10 "	"	22 " "
1 " lange Leicester "	1 "		"	8 " "
1 " span. Original "	2 "	4 "	"	19 " "

und, wenn man die verschiedene, als Ziel der Züchtung erreichbare Wollquantität berücksichtigt, gewährt nach sehr genauer Berechnung und mit Hinsicht auf den verschiedenen Wollertrag beider Geschlechter

1 Superelectoralschaf einen Bruttoertrag	von 4 Thlr.	1 Gr.	10 Pf.
	bis 4 "	23 "	7 "
1 Electoralschaf " " "	von 2 "	8 "	9 "
	bis 2 "	18 "	3 "
1 langwolliges Leicesterschaf "	von 2 "	5 "	
	bis 2 "	20 "	9 "

So scheint allerdings die Kammwollenrasse große Beachtung zu verdienen und wird mit entschiedenem Vortheil da gezogen werden können, wo eine den Merinos verderbliche Weide die Mittel dazu darbietet. Ref. empfiehlt daher wohl zu beachten, was der Verf. über die Anzucht derselben an die Hand gibt. Entgegen steht jedoch ihrer allgemeinern Verbreitung der sehr wesentliche Umstand, daß alle die Fabrikate, zu denen die Kammwollen verwendet werden, Bombassins, Damis &c., weit mehr dem Wechsel der Mode unterliegen als die aus Krempwolle verfertigten Tücher, die immer ein unabweisliches Bedürfniß bleiben werden. Nach des Verf. Meinung würden 145 Electoralschafe mit der Futtermasse genährt werden können, welche 100 Leicesterschafe consumiren; eine Angabe, die bei dem größern Volumen des Körpers und so starkem Wollwuchs viel für sich zu haben scheint. Für die Mittelwollen, selbst bis Prima, fürchtet derselbe in nicht ferner Zukunft bedeutenden Rückschlag des Preises, und die ungemein interessanten Mittheilungen aus des englischen Wollsenfals Thomas Southey neuester Schrift über die Schafzucht Australiens, S. 69 fg., geben dieser Besorgniß nur allzu viel Grund, wenn wir lesen, daß die dortigen Wollsendungen nach England binnen 11 Jahren von 1819—30 von 74,284 auf 1,967,279 Pfund fortschreitender Mittelsorten gestiegen ist; und wo mag bei jenen unermeßlichen Weideräumen das Ziel dieser Production liegen? Eine überraschende Bestätigung Dessen, was unser Verf. vorhersagte, haben die Wollmärkte dieses Jahres gegeben, namentlich las Ref. mit lebhaftem Interesse, was die schlesische privilegirte Zeitung darüber von Zeit zu Zeit mittheilte. Auch hier wird nächst den frei gewordenen Märkten Amerikas, nach dem Urtheile eines der größten Fabrikanten des Continents, der Grund so schnellen Steigens darin gesucht, daß die ungünstigen Preise der Krempwolle auf Kammwollenzucht *) geführt haben; dennoch ist die günstigste Conjunctur für feinste Electoralwolle vorhanden und für die Zukunft gesichert. Also würde man, wo die Verhältnisse es nur irgend erlauben, nach Electoralwollen streben müssen, deren Preis der höchste und zugleich der gesichertste ist; aber hier tritt uns die weit verbreitete Furcht vor der, diesen hochfeinen Heerden, wie man sich sagt, vorzugsweise anklebenden sogenannten Traberkrankheit entgegen, ein Uebel, das sich hier mehr, dort weniger verderblich zeigt, und gegen welches bis jetzt kein Heilmittel gefunden worden ist. Die traurigsten Zerwürfnisse waren in Folge dieser räthselhaften Krankheit unter Wollzüchtern hervorgegangen. Einzelne Schäfereien schienen mehr, andere weniger, viele gar nicht davon befallen. Die Besitzer der letztern, Ehrenmänner in jedem Betracht, garantirten die erbliche Gesundheit ihrer Heerden; aber die in diesem Vertrauen zu den höchsten Preisen verkauften Zuchtthiere oder deren Nachkommen wurden, an andere Orte verpflanzt, von dem Uebel ergriffen. Aus andern Heerden, denen notorisch die Krankheit nicht fremd war, wurden, um nur die hochveredelte und constante Rasse zu gewinnen, Sprungböcke und Schafmütter gekauft, und die Nachkommenschaft derselben ist Generationen hindurch und bis heute gesund geblieben. So mußte man den Oertlichkeiten die Entwickelung eines Krankheitsstoffs beimessen, der vielleicht allen Schaf- und Ziegenrassen angeboren sei, und der sich bei uns lange vor Einführung der spanischen Zucht wahrscheinlich ebenfalls in der Traberersch inung, gewiß aber in der nicht weniger unheilbaren Drehkrankheit gezeigt hatte, einem Uebel, dessen Verwandtschaft oder vielleicht Polarität darin angedeutet scheint, daß, wo das eine einheimisch, das andere wenig oder gar nicht bemerkt wird. Nun endlich nach Verlauf von 60 Jahren entnehmen wir, und nicht ohne lebhaftes Erstaunen aus den unter Anlage III. mitgetheilten Verhandlungen der damaligen sächsischen Behörden, daß schon den ersten nach Sachsen gebrachten spanischen Schafen dieses in Spanien wie bei uns und damals wie jetzt unheilbare Uebel nicht fremd gewesen ist. Die Enthüllung des Geheimnisses, wenn man es so nennen darf, kommt zwar von unbekannter Hand; die Verbürgung scheint aber in der Abfassung der mitgetheilten amtlichen Berichte eines redlichen und um die Einführung der ersten spanischen Schafe hochverdienten Mannes zu liegen und wird so lange für authentisch gelten, bis das Gegentheil erwiesen werden wird. Aber gegenwärtig nun, da der unermeßliche Vortheil jener Veredelung offen vor jedem Auge liegt, auf unserm Standpunkt bedarf das vielleicht gar nicht einmal absichtlich enthüllte Geheimniß keiner Decke mehr; denn, wie klein muß ein Uebel erscheinen, das so glücklichen Erfolgen Raum ließ, und wir wissen und bescheiden uns gern, wer seine Heerden jener edelsten Abkunft rühmt, oder wer sie zu gewinnen trachtet, der müsse auch anerkennen, daß, wie nichts auf dieser Erde ganz vollkommen, auch auf seinen Merinos der Keim jenes Erbübels hafte. Ob es ins Leben tritt, ob es mehr oder weniger Opfer fodern wird, das mag Niemand vorhersagen, noch auch verhüten, so lange ärztliche Hülfe und diätetische Vorsicht vergeblich bleiben. Aber gerechtfertigt steht nun auch, und das ist sehr erfreulich, wer das Nichtvorhandensein eines von ihm nicht geahnten Uebels hinsichtlich seiner Heerde verbürgt hatte; und diese, wenn auch zum Theil späte moralische Sühne führt auf einem Umwege zu dem Geständnisse, daß es doch bisweilen wohlgethan sei, nicht Alles zu sagen, was wir wissen; denn fürwahr, hätte man damals gehört, daß jenes gefürchtete Uebel an dem Stamme hafte, man würde eine Unternehmung schon in ihrem Entstehen unterdrückt haben, deren Erfolg auch die ausschweifendste Phantasie vor 70 Jahren nicht träumen konnte.

In seinem Bestreben, dem Schafzüchter auf jede mögliche Weise nützlich zu sein, hat der Verf. auch Alles mitgetheilt, was über das Verhältniß zwischen dem Züchter, dem Wollhändler und Fabrikanten wissenswerth ist, und von der Schwemme, dem Schurplatze, Sortiren, Verpacken finden wir jede Manipulation aufs deutlichste beschrieben, durch welche das Product dem Käufer in annehmlicher Form erscheint. Ref. verweist besonders auch auf Das, was über den Betrag, Werth und Verwendung der fast allenthalben zu hoch oder zu niedrig angeschlagenen Abgangswollen erfahrungsmäßig mitgetheilt wird. Auch über directe Versendung in Consignation an londoner Häuser ist der genaueste Unterricht gegeben, und gewiß wird mancher Wollzüchter aus den detaillirten Berechnungen S. 60 fg. es dankbar ad notam nehmen, daß dabei der ganze Aufwand einschließlich der Sortirung, Fracht rc. bis zum Empfang der Rimesse den Betrag von 18 Proc. nicht übersteigt. Da der londoner Preis posttäglich bekannt wird, empfängt der Producent darin einen Maßstab, um das empfangene Gebot zu beurtheilen, und dies ist bei der Befangenheit, in der mancher wackere Landwirth sich dem gewandtern Wollhändler gegenüber zu befinden pflegt, schon etwas werth; noch mehr vielleicht um sich schwarz auf weiß gegen den jährlich und regelmäßig wie die Wollschur selbst wiederkehrenden Vorwurf, diesmal doch gewiß zu wohlfeil verkauft zu haben, verantworten zu können. Aber nur in den seltenen Fällen, wenn die Concurrenz so vieler soliden deutschen Wollhandlungen dennoch kein befriedigendes Resultat gäbe und bei sehr starken und höchst feinen Schäfereien dürfte jener Weg zu empfehlen sein. Referent wenigstens hat die unmittelbare Verbindung zwischen dem deutschen Producenten, Fabrikanten und Kaufmann immer für höchst wesentlich und wohlthätig gehalten. So, um nur ein naheliegendes, aber sprechendes Beispiel anzuführen, ist es doch nur die, auch unter den zweifelhaftesten Verhältnissen nicht versagte, wahrhaft großartige Hülfe der ehrenwerthen leipziger Häuser gewesen, durch welche die nie ermüdende sächsische Industrie, obwol eingeengt von allen Seiten und jeden inländischen Schutzes entbehrend, dennoch Muth und Kraft behielt, mit den begünstigtsten Fabriken des Auslandes in ehrenvolle und oft siegreiche Concurrenz zu treten. Möge kein Ereigniß, welches es auch sei, eine so edle und segensreiche Verbindung stören! Um endlich mit wenigen Worten den Hauptinhalt aller in der kleinen Schrift so reichlich gespendeten Rathschläge zusammenzustellen, so gehen sie auf Folgendes hinaus. „Es erstrebe höchste Feinheit, vereint mit möglichstem Wollreichthum, wessen Weide jene gesunde und nie überfüllende Nahrung darbietet, wie sie Sachsen und Schlesien in der Mehrheit haben. Feinheit und Wollreichthum müssen Hand in Hand gehen. Jedes Thier, auch das feinste, dessen Vließ zu leicht, und jedes, auch das dichteste, dessen Vließ zu grob, werde rücksichtslos ausge-

*) Auch die „Preußische Staatszeitung" hat jene Berichte aufgenommen, aber durch einen Druckfehler „Vermehrung der Lammwollen" empfohlen, und Provinzialblätter haben auch das gläubig nachgedruckt. Mancher wackere Landwirth mag sich da die Stirne gerieben haben, um zu erdenken, wie man das wol anfangen müsse; sinnige Leser aber könnten sich gar in Träume unvergänglicher Jugend versenken; diesen Allen gegenwärtige Berichtigung.

merzt." Thorheit wäre es, fügt Ref. hinzu, wenn Jemand, um die Traberkrankeit zu umgehen, aus minder feinen oder nicht völlig constanten Heerden nun noch Zuchtthiere wählen wollte. Es ist dadurch schon unglaublicher Nachtheil geschehen. „Die Paarung aus der Hand, wie man es nennt, geschehe mit genauer Rücksicht auf die Eigenschaften beider Individuen. Deshalb muß eine verständige Sortirung der ganzen Heerde vorangehen, sie ist unerläßlich, führt aber dann in wenig Jahren weiter, als wir sonst in einem Menschenalter kamen. Wessen Weide sehr reich, mäßig, wessen Heerden noch auf den niedern Stufen der Veredelung stehen, wer besondere Rücksicht auf den Fleischmarkt zu nehmen hat, der züchte, aber ebenfalls mittels individueller Paarung, die lange Kammwolle, und so möchten wir, sowie wir die Leoneser und Infantados weit hinter uns zurückgelassen haben, dereinst auch die Leicesters und Dishleys übertreffen."

Möge diese längere Anzeige den Zweck erreichen, das große dabei betheiligte Publicum auf eine der gediegensten und interessantesten Erscheinungen aufmerksam zu machen, die sonst bei der Anspruchlosigkeit des Titels leicht unter der Flut ephemerer Schriften unbeachtet bleiben könnte! Aber gleichsam wider Willen und vielleicht am unrechten Orte drängt sich eine schon mehrmals still erwogene Frage in die Feder. Jenes königliche Herz voll Milde und regen Mitgefühls für fremde Noth, jener Geist, der Hülfe ahnte, wo die Weisesten verzagten, von Ihr, die bis in die ärmste Hütte hinab Wohlthäterin ihres Vaterlandes geworden und dem Fleiße des Landmannes noch jährlich tausend goldene Vließe spendet — gewiß, es wäre noch viel Schönes von der edeln Tochter aus dem alten Stamme der sächsischen Fürsten zu berichten! Wer gibt uns Kunde und das ganze Bild von der Gemahlin Karl's III. von Spanien, Maria Amalia von Sachsen? Es wäre doch ein Denkmal öffentlichen Dankes, spät, aber desto reiner. 116.

Schilderungen und Begegnisse eines Vielgereisten, der ausruht. Drittes Buch. Leipzig, Wigand. 1833. 8. *)

Nachdem wir die beiden ersten Theile dieses Buches, dem man zu viel Ehre erweist, wenn man es für ein politisch-wichtiges, ein zeitgeschichtlich bedeutendes, oder gar (wie es schon geschehen ist) für ein gefährliches ausgibt, näher kennen gelernt haben, können wir über seine Fortsetzungen ziemlich kurz sein. Der Geist bleibt derselbe; es ist der der politischen Klatscherei und des gesellschaftlichen Caquets, welches uns ohne besondern Witz, doch in nicht ganz unangenehmer Form dargeboten wird. Der Verf. hat dabei auf die Neugierde seiner Leser gerechnet und auf denjenigen Antheil, welchen Jeder leicht erregt, der uns versichert, im Besitz politischer Geheimnisse zu sein. Es weiß [illegible], daß dem nicht ebenso sei; aber der Erzähler hat doch [illegible] Manches erfahren, gleichgültig, ob durch Horchen, [illegible] oder aus eigner Anschauung, was nicht Jedermann [illegible], und was des Bekanntwerdens nicht unwerth ist. [illegible], welches er im zweiten Buch von der dänischen [illegible] entwarf, ist, wie wir aus guten Quellen er[illegible] treu und treffend, und diese Versicherung, [illegible]erseits nicht zweifeln können, machte uns den [illegible], als er es von Anfang her war. Im dritten [illegible] er es nun, den Schleier von einigen dänischen [illegible] zu heben, einige gesellschaftliche Notabilitäten [illegible] und endlich, da ihm der Stoff denn doch zu [illegible], oder in der Absicht, uns noch lange und mit [illegible] zu unterhalten, drei Abschnitte aus seinem eignen [illegible], die uns nicht sehr anziehend vorgekom[illegible]. Das erste Capitel berichtet uns die Schicksale dreier [illegible] Staatsgefangenen, an welchen sich zeigt, daß trotz der [illegible] Milde und leidenschaftslosen Gesetzlichkeit, welches in der dänischen Staatsverwaltung im Großen wie im Kleinen waltet, denn doch häufige Menschlichkeiten vorkommen, und daß die Gerechtigkeitsliebe des Monarchen hier und da in harte Versuchungen gebracht wird. Die drei Individuen, welche uns hier geschildert werden, der Obrist Müller v. Mühlegg, der Obrist St.-Aubert und der Geh. Finanzrath H., haben zwar alle mehr oder minder ihr Schicksal verdient; aber an einem Rechtsspruch, der dies juristisch wenigstens unzweifelhaft macht, scheint es doch zu fehlen. Der Obrist Müller aus Bern mag ein ehrenhafter Starrkopf sein; allein dem Gesetze Hohn sprechen, unterwirft uns der Strafe des Gesetzes, und er büßt, was er verschuldet hat. Nachdem dieser Mann nämlich den schwedischen Grafen L. in Kopenhagen erschossen, hatte er die Frechheit, gradezu zum Könige zu gehen und Reisegeld von ihm zu fodern, mit dem Zusatz, er habe ein Recht darauf, weil er einen Schweden aus der Welt geschafft habe. Er mußte verhaftet werden; aber man behandelte ihn schonend. Müller war undankbar; ein Aufsatz in den „Times" von ihm war voller Schmähungen gegen die Regierung. Dennoch bot man ihm Freiheit und Reisegeld, unter der Bedingung, nichts über seine Erlebnisse bekannt zu machen. Er verweigerte dies und fuhr fort, gegen König und Regierung öffentlich zu toben. Man führte ihn nach Christiansø ab, mitten in der Ostsee. Hier wiegelte er seine Unglücksgefährten auf und war im Begriffe, sich zum Herrn des Forts zu machen und die Besatzung zu ermorden. Das kühn entworfene Unternehmen scheiterte jedoch an der Wachsamkeit des Commandanten, und Müller ward nun wie ein Rasender behandelt, der er in der That war. Eine neue Conspiration drohte das ganze Fort in Brand zu stecken, und in der That gab Müller das Zeichen dazu durch das Aufflammen seiner Baracke. Allein der alte Seeheld Wulf, Commandant des Forts, hielt die Spritzen bereit, und Müller wäre jetzt fast im Wasser umgekommen; in der That soll er an den Folgen dieses Experiments gestorben sein. Genug, die Regierung ist gegen ihn vollkommen im Recht; sie hat nur darin Unrecht, daß sie den unbeugsamen Verschwörer und Brandstifter nicht nach dem Gesetze hat richten lassen. Ueber den Kammerherrn und Obristen St.-Aubert haben die franz. Zeitungen mit ihrer bekannten Wahrheitsliebe berichtet. Der Verf. gibt uns den wahren Zusammenhang der Geschicke dieses Mannes. St.-Aubert war ein Militair von Kenntnissen und achtbarem Charakter; allein über alles Maß ehrgeizig und empfindlich, brüskirte er alle seine Vorgesetzte und beleidigte den Prinzen Friedrich aufs Heftigste durch eine leidenschaftliche Broschüre, die er gegen ihn in Paris drucken ließ. Ein Kriegsgericht entsetzte ihn dafür seiner militairischen Würden und verurtheilte ihn auf ein Jahr zur Haft, indem es ihm seine Kammerherrnwürde und sein Gehalt beließ. St.-Aubert entwich. Es hatte sich ergeben, daß er mit einem Nachbarstaat über seinen Dienstübertritt unterhandelte; es war zu vermuthen, daß St.-Aubert von seiner Kenntniß der Staatskräfte — er war Chef des Artilleriewesens — einen übeln Gebrauch machen werde. Als man des Entwichenen daher wieder habhaft wurde, ward er auf „Königs Gnade" auf die Festung geschickt. St. Aubert ist der dänische Massenbach; talentvoll, aber bei gekränktem Ehrgeiz seiner Pflicht vergessend. Der Geh. Finanzrath Ritter v. H., früher Generalconsul in Frankreich, war ein leidenschaftlicher Börsenspieler; als solcher hatte er über königliche Geldpapiere zu seinem Gunsten verfügt, dies gab den öffentlichen Grund zu seiner Verhaftung. Allein ein geheimes Motiv verlängert dieselbe. H. war nämlich beauftragt, die Ansprüche Dänemarks an Frankreich aus Napoleon's Zeit zu liquidiren; diese wurden als antilegitim zurückgewiesen; man suchte und fand (durch Bourrienne) einen andern Ausweg. Die Liquidationsurkunden verschwanden; dagegen trat eine Reihe von Privatpersonen mit ähnlichen Ansprüchen auf. Die Sache hatte nichts Politisches an sich und war bald abgethan. Nun sollte H. die ursprünglichen Urkunden herausgeben; allein er weigert sich dessen bis auf diese Stunde, ohne eine angemessene Belohnung, und die Regierung sieht sich um ihr Geld betrogen. Die Geschichte dieser drei Individuen

*) [illegible] Nr. 183 u. 184 sowie 182 d. Bl. D. Red.

ist nicht ohne Interesse und daher von uns hier kurz skizzirt.

Im zweiten Capitel werden die geselligen Cirkel und einige tonangebende Damen Kopenhagens dargestellt. Frau v. B...w wird uns als die bedeutendste und einflußreichste Dame Dänemarks vorgeführt; sie hat Charakter und Geist und ist die Gemahlin des königl. Günstlings; mehr bedarf es nicht, um ihren Einfluß zu erklären. Frau v. Bu..r, die Gattin des Admirals, ist der Schrecken aller Dummköpfe, die Geißel aller Narren und die Nemesis für alle fremde Anmaßung. Die anziehendste Gestalt für uns in dieser Galerie ist Frau Friederike Brun, Schwester des Bischofs Münter, Gattin des sehr reichen Conferenzraths Brun und Mutter der talentvollen Gräfin B...s, der Catalani Dänemarks. Sie ist, sagt der Verf. eine der wenigen Schriftstellerinnen, welche ganz mit ihren Werken harmoniren, kein schöpferischer Genius, allein ein anmuthiges Talent, ganz durchgebildet, ganz Schönheitssinn, ganz Liebe; geistreich, ihre Kräfte niemals überschätzend, wohlwollend, ein freundliches Bild einer vorübergegangenen Literaturperiode. In dem folgenden Capitel: „Einige adelige Familien des Landes", wird der Verf. oft schmähsüchtig und verleugnet den feinen Takt, der in dem Damencapitel waltet. Ueber die Familie Rantzow wird viel Klatscherei vorgetragen; allein der jetzige Graf Karl Rantzow ist der beliebteste und geachtetste Mann in Dänemark, ein Liberaler im schönsten Sinne des Worts und wahrscheinlicher künftiger Landtagsmarschall. Die Grafen R. und M... stehen an der Spitze der constitutionnellen Partei im Lande.

Die letzte Hälfte des Buchs nehmen drei Capitel aus dem Leben des Verf. ein, Liebesgeschichten, in denen sich nach der beliebten historisch romantischen Weise Wahrheit vermuthlich mit einer guten Portion Dichtung mischt. Wir erfahren dadurch soviel über den Verf., daß er, ursprünglich ein östreichischer Herr von Habenichts und neunzehnjähriger Menschenfeind, durch Erbschaft plötzlich reich geworden, seine Jugend in verliebtem Müßiggange hinbrachte, bis er, durch Erfahrungen gewitzigt, diesem entsagt und sein Vermögen dazu verwendet, auf Reisen Menschenkenntniß zu sammeln. Für die innere Wahrheit dieser Erzählung finden wir nirgend einige Garantie, und das Ganze mag daher ebensowol eine poetische Fiction sein. Uebrigens liest sich der kleine Roman ganz angenehm; indeß bitten wir den Verf. in seinem Interesse doch, im nächsten Buche wieder auf sein ursprüngliches Thema zurückzukommen, da dem hier angeschlagenen die Theilnahme bald ausgehen dürfte. 89.

Geschichte der alten Deutschen besonders der Franken, von Konrad Mannert. Zweiter Theil. Die Karolinger nach Karl dem Großen; die Könige Deutschlands aus sächsischem und fränkischem Stamme. Stuttgart, Cotta. 1832. Gr. 8. 3 Thlr. *)

Da in diesen Blättern bereits von dem ersten Theile dieser Arbeit, welchem der zweite nur wegen ungünstiger Zeitumstände später als es des Verf. Absicht war folgt, eine Beurtheilung gegeben worden ist, so können wir uns jetzt auf eine kürzere Mittheilung beschränken. Die vorherrschende Absicht des Verf. war, den Beweis zu liefern, daß die uralten Grundzüge der deutschen Verfassung sich bis auf einzelne, durch den Verlauf der Zeiten nothwendig gewordene Umbildungen bei den Franken erhalten haben; er setzt die im ersten Theile bis zum Tode Karl's des Großen herabgehende Beweisführung in dem zweiten zunächst bis zum Erlöschen der Karolinger in Deutschland fort und sucht sodann weiter darzuthun, daß sich dieselben Bestandtheile der Verfassung auch unter den sächsischen und fränkischen Königen bis zu der Zeit erhalten haben, in welcher die Gewohnheit, nach der das deutsche Reich für ein Erbreich in dem einmal gewählten Geschlechte galt, umgestoßen und das Reich für ein Wahlreich förmlich erklärt wurde. Diese Tendenz tritt besonders hervor in den belehrenden und inhaltsreichen Abschnitten, welche eine Erörterung der innern Zustände enthalten, namentlich nach dem Vertrage von Verdun, bei dem Erlöschen der Karolinger und bei dem Tode des Kaisers Lothar, mit welchem das Werk schließt; sie bestimmt indessen auch in sofern die Darstellung des Verlaufs der Begebenheiten, als sie bei der Auswahl des Materials Dasjenige besonders hervorzuheben veranlaßt, dessen Schauplatz Deutschland selbst ist und was der deutschen Geschichte allein angehört, während die Verhältnisse des deutschen Reichs zu andern Ländern, auch zu Italien, mehr nur in der Hauptsache aufgefaßt und erörtert und nicht in dem Maße wie jenes in das Einzelne hinein verfolgt werden. Jene Ansicht ist in einer so gediegenen Weise durchgeführt, wie man es von einem Gelehrten erwartet, der einen langen und vertrauten Umgang mit dem deutschen Mittelalter gepflogen hat; in manchen Punkten mögen auch andere Erklärungen und Entwickelungen möglich sein und begründet werden können, begründet sind indeß auch die hier aufgestellten Behauptungen. Die erwähnte Beschränkung in der Darstellung der Begebenheiten sind wir aber so weit entfernt, für einen Mangel zu halten, daß wir sie vielmehr für einen Vorzug der Arbeit erklären möchten, um so mehr, als die Verfasser ausführlicherer Geschichten Deutschlands nur zu gern über die Grenzen des Landes hinüberstreifen in fremde Länder und Dinge, die für diese von Bedeutung, aber für jenes von keinem oder geringem Einflusse gewesen sind, mit großer Redseligkeit erzählen. Neuere Bearbeitungen des von ihm behandelten Gegenstandes zu berücksichtigen, ist Mannert's Sache hier ebenso wenig als an andern Orten. Allerdings entsteht daraus der Nachtheil, daß manches früher gewonnene Resultat von ihm nicht genug beachtet, mancher angeregte Zweifel nicht gelöst und manche irrige Behauptung nicht widerlegt wird; dagegen erhält der Leser aber auch ein durchgängig aus den Quellen geschöpftes Bild, eine Darstellung, welche durch ihre vorherrschende objective Haltung erfreut, und welche nicht darauf ausgeht, die Quellen zu ergänzen und ihre oft fragmentarischen Berichte in einen fortlaufenden Zusammenhang hineinzuzwängen. Wenn endlich an des Verf. Darstellung die Vollendung stylistischer Form vermißt wird, so möchten wir die ihm eigenthümliche Darstellung gerade dem hier zu behandelnden Stoffe angemessen finden, indem seine einfache, kunstlose und bisweilen in derben Strichen zeichnende Erzählungsweise die Kunstlosigkeit und Derbheit der Zeit gleichsam in sich abbildet und zugleich den Eindruck vergegenwärtigt, den das Studium der Quellen selbst zu machen pflegt. 16.

*) Vgl. über den ersten Theil Nr. 277 d. Bl. f. 1830. D. Red.

Aphorismen.

Cocarde tricolore.

Nach Erstürmung der Bastille durch den pariser Pöbel (14. Juli 1789) ward bekanntlich die weiße Cocarde, die bisherige Nationalfarbe Frankreichs, proscribirt, und die dreifarbige: weiß, roth und blau, trat an deren Stelle. Woher? und wozu? Diese drei Farben waren die damalige Livrée des Hauses Orleans; man wollte das Volk, als Vorbereitung auf eine Veränderung der Dynastie, an den neuen Anblick gewöhnen. Georgel, in seinen Memoiren, zeigt dies ausführlich und theilt über das damalige Mislingen des Planes, das Haus Orleans auf Frankreichs Königsthron zu bringen. Merkwürdig genug sitzt nun doch ein Orleans darauf. [illegible]?

Schönes Gleichniß.

„Die Völker", sagt Jean Paul von dem Enthusiasmus, der Europa in den Jahren 1813 und 1815 beseelte, [illegible], „riefen sich selbst auf, gleichwie bei Erdbeben die Glocken von selbst zu läuten anfangen." Nun, das Erdbeben ist zwar vorüber; aber jener melodische Glockenklang ist auch verstummt. 178.

Redigirt unter Verantwortlichkeit der Verlagshandlung: F. A. Brockhaus in Leipzig.

Blätter

für

literarische Unterhaltung.

Montag, —— Nr. 217. —— 5. August 1833.

Ueberblick über die polnische Literatur, besonders der neuern Zeit.

Die polnische Nation hat durch ihren letzten kühnen, jedoch mislungenen Versuch, sich ihrem Oberherrn zu entziehen und sich selber anzugehören, die Blicke von ganz Europa auf sich gelenkt; die polnische Literatur ist dessenungeachtet fast allen Völkern unsers Erdtheils, und selbst uns, ihren westlichen Grenznachbarn auch jetzt noch so gut wie unbekannt, und die französischen Uebersetzungen einiger polnischen Schriftwerke, welche in den letzten Jahren erschienen sind, eignen sich wegen ihrer umschreibenden Breite, besonders in Rücksicht der Poesie, wenig, um uns von den geistigen Fortschritten dieses von der Natur reich ausgestatteten Volkes und von der Eigenthümlichkeit ihrer schriftstellerischen Werke einen richtigen Begriff zu geben. Es ist daher wol Zeit, daß wir uns ohne Dolmetscher und Vermittler mit diesen unsern Nachbarn befreunden und mit eignen Augen uns von ihren neuesten Fortschritten in der Literatur, und besonders in der poetischen, überzeugen. Dazu bedarf es jedoch eines wenigstens flüchtigen Rückblicks auf ihre frühere Cultur.

Die Polen sind stolz auf ihre Vorzeit, wie auf ihre Sprache. Und in der That hat die letztere manche Vorzüge vor den Töchtern der lateinischen, sowie vor der deutschen; sie hat z. B. einer sehr vollständige Declination und sogar einen doppelten Ablativ. Sie besitzt ebenso viel Kraft als Zartheit, es fehlt ihr selbst nicht an Wohlklang, ihr Hauptcharakter ist Ernst und Majestät des Ausdrucks, die Folge der frühen Bekanntschaft mit der griechischen und lateinischen Sprache und des Strebens der Nation nach politischer Freiheit. Die Morgenröthe ihrer Literatur fällt aber in das 15., besonders in die Mitte des 16. Jahrhunderts und knüpft sich an die Regierung und zumal an die Vermählung ihres Königs Sigismund I. im Jahr 1540 mit der Prinzessin Bona von Mailand. Durch diese ward italienischer Geschmack, italienische Bildung in Polen einheimisch, zu einer Zeit, wo die Franzosen noch auf Corneille, die Engländer auf Shakspeare, die Spanier auf Calderon warteten. Damals besaßen sie einen Dichter, wenn auch nicht einen dramatischen, Kochanowski, den Nestor der polnischen Poeten, der fortwährend wegen seines Genies und wegen der Reinheit seines Styls geschätzt wird. Das Vaterland des Kopernikus hatte damals drei Universitäten gegründet, und Sarbievski erwarb sich durch seine lateinischen Oden den europäischen Ruf des polnischen Horaz.

Leider folgte dieser Morgenröthe, wo Polen ebenso kühn und glücklich die Feder wie das Schwert für seine Freiheit führte, ein trüber Tag. Kriege mit den Schweden, Türken, Tataren und Moskowiten bildeten zwei Jahrhunderte lang eine fast ununterbrochene Kette. Noch nachtheiliger wirkten indessen die Jesuiten auf das Gewissen, wie auf die gelehrten Beschäftigungen des Volkes, unter welchem sie sich ansiedelten. Ein barbarisches Latein, das zum Sprichworte geworden ist, ward herrschend und drohte fast die Landessprache zu verdrängen; an die Stelle des frühern reinen Geschmacks trat ein Streben nach Schwulst, und einzelne Männer, die sich von diesem Makel ziemlich frei erhielten, wie der Redner Skarga, geben keine genügende Entschädigung, obgleich die Feldherren und zumal die Mitglieder der oft sehr stürmischen Reichstagsversammlungen hinreichende Gelegenheit hatten, ihre rednerischen Talente auszubilden. Der andächtelnde König Sigismund III. ließ sich ganz von den Jesuiten leiten; auf die ehemalige Glaubensduldung folgte ein System der Verfolgung, das erst in der Mitte des vorigen Jahrhunderts an dem ehrwürdigen Piaristenorden seinen Gegner und Bekämpfer fand und allmälig aufhörte, besonders durch die Bemühungen der Brüder Zaluski und des Abts Konarski, des Reformators der Wissenschaften in Polen. Stanislaus Augustus Poniatowski, dessen Regierung in anderer Hinsicht so verderblich war, liebte die Gelehrsamkeit, begünstigte aber zugleich den französischen Geschmack, der jetzt um so leichter herrschend wurde, da zwischen den Polen und Franzosen von jeher eine gewisse Sympathie stattfand, die sich auch in den neuesten Zeiten bewährt hat. Zu den großen Männern jener Periode gehört vor Allen der Erzbischof von Warschau, Krasicki, der den Beinamen des Fürsten unter den polnischen Dichtern hat, gleich Voltaire und Göthe sich in allen Gattungen der Poesie versuchte und den Ossian seinen Landsleuten durch eine Uebersetzung bekanntmachte. Als Fabulist ist er Nachahmer des Lafontaine; als Satiriker und Erzähler geht er mehr seinen eignen Weg. Trembecki, ein Freund Boufflers' und in Verbindung mit Rousseau und Voltaire, ein Abenteurer als Mensch, ward als Schriftsteller und Dichter Schöpfer einer neuen poetischen Sprache. Er schrieb Oden, Dithyramben und flüchtige Poesien. Sein Hauptwerk ist ein Gedicht: „Sofiowka", die Beschreibung eines Gartens der Gräfin Sophie Potocka, welches ins Französische, aber schlecht übersetzt ist. Karpinski ist ein sanfter, das Herz ansprechender, rührender Dichter, Dmuchowski Verfasser einer sehr gepriesenen Uebersetzung des Homer, sowie Uebersetzer der „Aeneide" und des „Verlornen Paradieses". Den Horaz und einige Oden des Pindar übersetzte der Abt Naruszewicz, der jedoch als Geschichtschreiber seiner Nation weit höher steht. Aufgemuntert von Stanislaus, begann er sein Geschichtswerk vielleicht in einer nicht minder melancholischen Stimmung als Tacitus, mit welchem er verglichen wird; denn er ahnte den politischen Untergang seines Vaterlandes. Leider hat er nur die ersten Jahrhunderte beschrieben; die Ergänzung hat jedoch bereits angefangen, und die Vollendung dieses großen Nationalwerks steht zu hoffen, da sie der literarischen Gesellschaft in Warschau anvertraut ist. Den Schluß dieser Reihe mögen Kniaznin als gefälliger anmuthiger Dichter und Szymanowski als Uebersetzer des „Tempels von Gnidus" machen.

Die Leiden und Drangsale der polnischen Nation in dem letzten Drittel des vorigen und in dem ersten des jetzigen Jahrhunderts, die Theilungen des Reichs, die unglücklichen Versuche der Polen, ihre Selbständigkeit zu erringen, wirkten dennoch nicht nachtheilig auf ihre Literatur, und seit dem wiener Congreß und der neuen Verfassung, welche der großherzige Alexander diesen seinen Unterthanen gab, ward die Begierde, sich zu unterrichten und zu bilden, die Liebe und der Eifer für die Wissenschaften zur Leidenschaft. In allen Zweigen des Wissens thun sich Männer, ja selbst Jünglinge, hervor, deren Ruhm die Grenzen des Vaterlandes überschreitet. Unter den Geschichtschreibern nehmen Niemcewicz und Lelewel die ersten Plätze ein. Niemcewicz diente unter Kosciuszko, theilte dessen Gefangenschaft in Petersburg und folgte ihm nach Amerika. Sein Werk über die Regierung Königs Sigismund III. ist ein Meisterstück. Aber er ist auch ein wackerer Dichter. Seine historischen Gesänge athmen Vaterlandsliebe, auch hat er einen Roman geschrieben, der den Cooper'schen gleichgestellt wird. Lelewel zeichnet sich durch die Kunst aus, große historische Gemälde zu entwerfen; er hat viel geschrieben und sich auch bei dem letzten Aufstande mit der Feder sehr thätig bewiesen. Sein Ruhm hat nicht blos die Grenzen von Polen, sondern von Europa und den Ocean überflogen; er ist Mitglied der gelehrten Gesellschaft zu Kalkutta. In der Philosophie ist Joseph Szaniewski als Verbreiter und Johann Sniadecki als Bekämpfer des Kant'schen Systems zu nennen. Linde und Bandtke sind als Grammatiker und Lexikographen bekannt. Die Mathematik war ein Lieblingsstudium der Polen seit Kopernikus und Vitellion, welcher Letztere im 16. Jahrhundert der erste europäische Schriftsteller in der Optik war. An trefflichen Juristen fehlt es nicht. Die Beredtsamkeit blüht fortwährend in Polen, und Potocki's Rede auf Poniatowski, welche an Richter einen guten deutschen Uebersetzer gefunden hat, sichert seiner Nation einen Ehrenplatz in diesem Fache.

(Der Beschluß folgt.)

Geschichte der Revolutionen des spanischen Amerikas. Von 1808—23. Erster Theil von 1808—14. Von K. P. von Schepeler. Auch unter dem Titel: Geschichte der spanischen Monarchie von 1810—23. Dritter Theil. Aachen, Mayer. 1833. Gr. 8. 2 Thlr. 8 Gr.

Der Herr Verf., bekanntlich eine Reihe von Jahren Augenzeuge der großen Katastrophen Spaniens als Offizier und Diplomat, hat nach und nach in einer Anzahl Werke seine gemachten Erfahrungen der Welt mitgetheilt. Im J. 1822 erschien eine Uebersicht der spanischen Geschichte; dann in zwei Bänden (drei Abtheilungen, 1826—27) die Revolution Spaniens und Portugals 1807—10; dann Beiträge zur Geschichte Spaniens (1828); endlich eine Geschichte der spanischen Monarchie 1810—23, wovon der erste Band (Aachen 1829) die Jahre 1810—12, der zweite Band (1830) die Jahre 1813 u. 14 umfaßte, und wozu vorliegendes Werk als dritter Theil gehört.*) Eine dem Werke vorgebundene Erläuterung einiger Misverständnisse enthält auf zehn engen Seiten eine Polemik gegen seine bisherigen Rec. in diesen Bl., die wahrscheinlich die Redaction veranlaßt hat, um jede Klage über Parteilichkeit zu entfernen, diesmal einen andern Ref. zu ernennen. Allein dieser, der weder die frühern noch den Herrn Verf. kennt, muß ehrlich gestehen, daß auch er in diesem Werke viele von seinen Vorgängern schon gerügte Mängel theils im Plane, theils in der Art der Ausführung findet, von denen er wenigstens Einiges sogleich sagen wird, auf die Gefahr hin, im nächsten Theile, welcher nach des Verf. Drohung der letzte sein soll, auch dafür im Eingange zur Rede gestellt zu werden. Daß der Verf. aber auch sehe, daß kein böser Wille obwalte, und keine Nebenabsicht — Dinge, die allerdings jetzt häufig in den kritischen Blättern getroffen werden und von denen Ref. selbst einige unerfreuliche Proben erfahren hat — soll auch das wirklich Gute des Werkes ebenso wenig verschwiegen werden.

Zu diesem letztern gehört nämlich auf jeden Fall gleich die Idee, die dem Buche zu Grunde liegt, die amerikanischen Angelegenheiten im Zusammenhange mit den spanischen zu beschreiben, und die Bescheidenheit des Hrn. v. S., mit welcher er äußert: „Das einzige Verdienst meiner Arbeit wird vielleicht in dieser Zusammenstellung bestehen", und, da ihm auch noch mehre Schriften zur Benutzung abgegangen, die Bitte hinzufügt „dieses Werk als einen Versuch anzusehen". Auch befürchtet er selbst, daß ihm gegenwärtiges Werk minder als seine Geschichte der spanischen Revolution (welche von Fr. v. Montigny ins Französische übersetzt worden ist) gelungen sei (was Ref. weder bejahen noch verneinen kann, da ihm das frühere Werk noch nicht zu Händen gekommen ist, so sehr er dies auch bei den vielen Berufungen darauf bedauern muß). Ist es nun ganz gewiß, daß, ohne die Geschichte und innern Verhältnisse Spaniens in jener Zeit zu kennen, unmöglich eine tiefer eingehende Geschichte der Colonialrevolutionen in Amerika gegeben werden kann, weil zu viel innerer Zusammenhang obwaltete, und auch hier die Schicksale des Mutterlandes wie zu allen Zeiten den mächtigsten Einfluß auf die überseeischen Besitzungen gehabt haben, so hat der Hr. Verf. allerdings vor jedem Dritten, der Spanien und Amerika nur aus Büchern und Zeitungen kennt und beschreibt, sehr viel voraus. Zugleich ist auch aus diesem Werke ersichtlich, daß der Verf. allerdings in Beziehung auf seinen Gegenstand Quellen in Spanien fand, welche nicht Jedem zu Theil werden, und daß

*) Man vergl. diese Blätter 1825, Nr. 136, 137; 1829, Nr. 21, 22, 250 u. 251; 1831, Nr. 33—34. D. Red.

er durch Bekanntschaft mit amerikanischen Cortesdeputirten auch gar Vieles von den dortigen Verhältnissen erfahren hat, was den Zeitungen gewöhnlich nicht anvertraut zu werden pflegt. Daher ist auch Alles, was Spanien in diesem Werke betrifft, d. h. die Kritik der Cortesverfassung von 1812 und selbst einige dahin gehörige Actenstücke im Anhang (wenngleich sie nur Nachträge zu dem frühern Werke sein sollen und diesem und dem vorliegenden eigentlich fremd sind) von wirklichem Werthe. Ebenso ist aus diesem Werke ersichtlich, wie verwickelt und verworren das Treiben der Parteien und Leidenschaften dies- und jenseit des Meeres gewesen sein muß, was auch dem geübtesten Darsteller ganz gewiß keine geringe Mühe gemacht haben würde. Endlich ist auch der Eifer lobend anzuerkennen, mit welchem der Verf. in frühern Bänden begangene Irrthümer von selbst nach erlangter reiferer Kenntniß zu widerrufen und zu verbessern bemüht ist; über dergleichen Irrthümer unbedingt den Stab zu brechen, hieße gewiß bei der Neuheit der Zeit und der Schwierigkeit des Gegenstandes allzustreng sein.

Dagegen ist es nun gleich von vorn herein höchst störend und das Lesen des Buches erschwerend wie den Genuß verkümmernd, daß eine so ungemessene Zahl von Druckfehlern das Werk entstellt. Wie eilig auch der Verleger gewesen sein mag (und der Verf. klagt darüber), so mußte es ja diesem selbst eine Ehrensache sein, einen correcten Druck zu liefern und zur Correctur Zeit zu gewähren. Es gehört Muth dazu, den Muth beim Durchlesen nicht zu verlieren. Ein Blick auf die ersten Bogen des Textes wird dies bestätigen; was soll der minder kundige Leser mit Cabral, Berja, Magelham, Guanabani, Behaimb, Kariens, Parien, Iranda u. s. w. anfangen? Allein auch Stylfehler (z. B. „einer sich in Iberien erhaltenen Sage zufolge"; oder: „von überall strömten ec.") könnten von Neuem vorgeworfen werden, und diesmal sind es nicht 700 Seiten, die zur Entschuldigung dienen dürfen. Indeß ist Ref. so billig, zu betrachten, daß der Verf. eine bedeutende Reihe von Jahren seine Muttersprache mit der spanischen, französischen oder der englischen vertauschen und noch länger Werke in diesen Sprachen lesen mußte, was auf den deutschen Styl nicht immer vortheilhaft einwirkt. Aber die Progression der Vorwürfe wächst, statt abzunehmen, wenn Ref. auch den ganzen Plan des Werkes angreift. Der Verf. schreibt gewiß nicht eine Entdeckung Amerikas wie Campe für Kinder; er setzt Leser von bedeutenden Vorkenntnissen voraus, die auch mit der Sprache nicht unbekannt sein dürfen, weil so viele fremde Worte gar nicht erklärt sind, wie Leale Americaner u. s. w. Für solche Leser hätte es nun der mehr als die Hälfte des Buches einnehmenden Einleitung von der Entdeckung und Eroberung an bis zum J. 1808 nicht bedurft, sondern nur der Hauptpunkte, aus welchen der Verf. die folgenden [illegible] zum Theil ableitet, die Spannung zwischen Europäern und Creolen, das traurige Subjectionsverhältniß der [illegible], die auch wol Kasten genannt werden, und die schweren [illegible]griffe, welche sich Spanien wenigstens bis [illegible] der 1780er Jahre zu Schulden kommen ließ. Erst [illegible] beginnt die Darstellung der Colonialrevolution, [illegible] wieder nach einer kürzern Recapitulation der [illegible] Mutterlande. Was nun den Hauptgegenstand [illegible] gesteht Ref. ganz ehrlich, daß er sich durchaus [illegible] davon hat machen können, sondern daß ihm [illegible] Scenen wie in einem Nebelmeere vor seinem [illegible] kommen sind. Den Faden durch das Ganze [illegible] nicht streng verfolgen können, will aber, weil [illegible] zum Theil an ihm selbst gelegen haben könnte, [illegible] Leser mistraut wissen, bis irgend ein anderes [illegible] irgendwo erfolgt ist. Gewiß ist, daß der Hr. [illegible] hat, die Ereignisse, auf welche es vorzüglich [illegible] bestimmend und entscheidend wurden, be[illegible] genug hervorzuheben. Allerdings kann [illegible] des Totaleindrucks der ungünstige Um[illegible] haben, daß das Werk in der Mitte abbricht, [illegible] Das ganz gibt, was der Verf. diesem Theile bestimmt hatte, sodaß zur Erreichung des J. 1814 noch die Bürgerkriege in Mexico, Buenos Ayres und Chile fehlen, welche der zweite Theil nachholen und dann das Ganze bis 1825 (auf dem Titel steht 1823!) weiter führen soll, worauf zwei Capitel noch eine Schilderung der spanischen Regierung von 1814–25 geben werden.

Eine noch wichtigere Frage würde endlich die sein: ob der Verf. die für eine solche Aufgabe unerlaßliche Stellung über den Ereignissen und Parteien genommen habe? Ref. bedauert, dies verneinen zu müssen; der Verf., der die belgische Revolution viel richtiger beurtheilt, steht in Spanien, sieht die Sachen von Spanien aus, wo er sie hört, und beurtheilt sie aus dem spanischen Standpunkte. Ihm ist Alles Empörung, Aufruhr, Meuterei, Eidbruch, was in den Colonien gegen das Interesse Spaniens geschieht; ihm sind die Engländer und Nordamerikaner, welche den Abfall unterstützen, Treulose; der Mann, der recht häufig so richtige und verständige Urtheile fällt, kann oder will der Erfahrung keine Gerechtigkeit widerfahren lassen, daß Colonien, einmal zur Selbständigkeit gereift, das Gängelband des Mutterlandes (und die Wunden, die dasselbe eingeschnitten hatte, waren noch nicht ganz geheilt) endlich doch abwerfen, wie es zu allen Zeiten geschehen ist und wieder geschehen wird; denn es ist eine irrige Zumuthung, die nicht einmal dem ältesten Gesellschaftsverhältnisse, dem der Familie, analog ist, daß Kinder in bleibender Abhängigkeit von Aeltern oder Vormündern stehen müssen. Selbst die Thiere entlassen ihre groß gezogenen Jungen und rechnen ihnen die dargereichte Atzung nicht an. Will dies der Hr. Verf. nicht gelten lassen, so wird er doch wol die von England gemachte Erfahrung anerkennen müssen, daß diesem der Verlust der frei gewordenen amerikanischen Colonien zum wahren Vortheil gereicht habe, und die Ueberzeugung fassen, daß Spanien ohne Colonie, auf sich selbst und seine reichen, jetzt nur todt daliegenden Hülfsquellen verwiesen, gar wohl wieder blühend und vor Allem durch Arbeitsamkeit wieder blühend und vielleicht blühender als zuvor werden kann. Freilich werden die Geistlichkeit etwas Dünger dazu geben, Inquisition, Jesuiten (deren Fall in Amerika der Verf. sehr bedauert) vielleicht ganz weichen müssen; veniunt sua tempora rebus!

Als Belege des Gesagten mögen noch einige Stellen dienen. S. 299: „Der Zeitpunkt nahte, wo allen Beschwerden der Amerikaner abgeholfen wurde, wo sie Grundgesetze und Einrichtungen erhielten, aus welchen ihre künftige, volle Unabhängigkeit ohne blutige Greuel des Bürgerkrieges hervorgehen mußte: das Später wurde durch die Sicherheit einer künftigen größern Reife für Freiheit aufgewogen. Und in diesem Augenblicke begannen die Revolutionnairs in Amerika das Werk der Hab- und Stellensucht. Wie sehr die Masse des Volkes sich anfangs gegen die Revolution und das Losreißen vom Mutterlande erklärte, davon zeigen der Revolutionnairs niedrige Mittel, Falschheit und List. Mit keinem edeln Volkserheben vergangener und neuerer Zeit sind diese amerikanischen Revolutionen zu vergleichen; sie gehören in die Geschichte der Wildheit menschlicher Leidenschaften und selbst zum Theil des finstern Fanatismus."

S. 380: „In einem Triumphwagen stehend mit dem (nicht verdienten) Feldherrnstabe in der Hand, eine Lorberkrone auf dem Haupte, hielt Bolivar am 4. August (1813?) seinen Einzug in Caracas, ließ sich von festlich gekleideten Mädchen bis vor den Palast ziehen. Alle Parteien hofften in ihm den Frieden zu begrüßen. Und wirklich geschah im Anfange keine Verhaftung, denn die heftigsten Gegner der Revolution waren entflohen. Bolivar erklärte sich (zum) Dictator und Befreier — Libertador — des westlichen Venezuela; Marinno war Dictator des östlichen: an Ueppigkeit des Lebens und Willkür glichen sich beide. Der republikanische Dictator wählte sich eine Leibgarde, stiftete einen Orden des Befreiers; denn die Creolen waren gierig nach Bändern und Kreuzen, brüsteten sich noch lange mit den spanischen, selbst auf den Schlachtfeldern gegen die Königlichen.... Aber diese (die Kassen) wurden bald leer, denn die Verschwendung herrschte und die vier Minister waren nur Diener der Willkür des Dictators, der sich gern Amerikas Napoleon schelten ließ. Eifersüchtig auf sein Ansehen, wollte er Alles selbst thun, litt aber an Körper- und Nervenschwäche, liebte mehr die Ruhe und Ergötzung als Arbeit. "Von Buhlerinnen und Schmeichlern umgeben, schaukelte der Befreier sich viele Stunden des Tages in der Hängematte, ließ sich Anekdoten und Läppereien vorplaudern. Wie er im Geldmangel reichen Bürgern Geld abzwang, davon gibt es manche Erzählung." 118.

Abrégé de géographie, rédigé sur un nouveau plan par *Adrien Balbi*. Paris 1833.

Was zuerst bei diesem 1392 Seiten starken Bande auffällt, ist der reine, correcte und elegante Druck und überhaupt die äußerliche Ausstattung desselben. Man sieht, daß der Verleger Renouard englische Muster der Buchdruckerkunst vor sich gehabt hat. Maltebrun, dessen Erdbeschreibung jetzt in andere Hände gefallen und nicht mehr die seinige ist, hat an Adrian Balbi, der sich seinen Freund nennt, einen würdigen Nachfolger gefunden. Zwar ist dieser Italiener überaus geschwätzig, besonders in der Einleitung, und weiß nicht genug die Sorgfalt zu rühmen, womit er die Fehler anderer Erdbeschreiber vermieden hat, und seinen gelehrten, geschätzten, achtbaren Freunden für die Mittheilungen zu danken, die sich zuweilen nur auf einige Nachrichten beschränken. Doch läßt sich aus dem Buche des Herrn Adrian Balbi schließen, daß er ein ganz besonders geschäftiger, rühriger und fleißiger Mann sein muß, der sich gern mit Jedermann in Berührung setzt, wenn es darauf ankommt neue Nachrichten über ein Land oder eine Stadt zu bekommen, und der sich ihnen angenehm zu machen weiß, denn sonst hätte er ja nicht so viele Aufschlüsse erhalten, als er ferner anführt. Freilich ist Paris auch die Stadt, wo die Gelehrten am leichtesten mit Leuten in Verbindung kommen, die im Stande sind, Aufklärung über dunkle und unsichere Gegenstände mitzutheilen. Balbi muß eine Menge solcher Männer, die in dieser Hauptstadt zusammentreffen, zu Rathe gezogen haben. Außerdem scheint er aus Büchern, Zeitschriften und andern Quellen sehr viel geschöpft zu haben.

Somit ist ein ganz neues geographisches Handbuch entstanden, in welchem ein reicher Vorrath von anziehenden und nützlichen Kenntnissen zusammengetragen ist. Ueber die Landkartenkunde geht der Verf. etwas zu schnell hinweg; die gedruckten Quellen gibt er ausführlicher an und hat auch die besondern Abhandlungen nicht übersehen; manchmal hat er sehr reichlich aus akademischen Abhandlungen geschöpft. Balbi verfährt systematisch in seinen Beschreibungen, aber doch nicht so systematisch als die deutschen Geographen. So z. B. gibt er bei der Beschreibung jedes Landes zuerst allgemeine Auskunft über Grenzen, Producte, Flüsse, Berge u. s. w. wie alle andere Erdbeschreiber, liefert auch gewöhnlich Tabellen über die Eintheilung der Länder und Provinzen, Grafschaften u. dergleichen; dann aber geht er zur Beschreibung der merkwürdigsten Städte über, ohne eine jede Provinz oder andere Unterabtheilungen besonders zu beschreiben. Wahrscheinlich hat er das Schematische gefürchtet und lieber eine fortlaufende Beschreibung liefern mögen. Dies geht so weit, daß er nicht einmal eine Beschreibung von Polen gibt, sondern die polnischen Städte neben den russischen anführt. Ein Gegenstand, auf welchen Balbi mit Recht viel Gewicht legt, und den er mit besonderm Fleiße behandelt hat, ist die Angabe der Bevölkerung. In dieser Hinsicht pflegen sich die Erdbeschreiber zu sehr aufeinander zu verlassen und aufs gute Wort zu glauben. Dies hat Balbi nicht gethan, sondern selbst Forschungen angestellt, um die wahre Bevölkerung auszumitteln, so gut als es sich thun läßt. Daher führt er auch meistens die Quellen an, woraus er seine Nachrichten geschöpft hat. So z. B. sucht er mit vielem Fleiße die wahre Bevölkerung der griechischen Halbinsel ausfindig zu machen, und nachdem er die widersprechendsten Angaben miteinander verglichen hat, gelangt er zuletzt zu dem Resultate, daß das unabhängige Griechenland nicht mehr als 600,000 Einwohner habe, welches also ein sehr unbedeutendes Königthum abwirft, zumal da diese 600,000 Einwohner zum Theil bluttarm sind.

Nach dem Beispiel einiger ältern deutschen Erdbeschreibungen unterscheidet er ein russisches, ein englisches, ein französisches, ein dänisches Asien. Wenn er consequent bleiben wollte, so müßte er denn auch ein Bentink'sches Europa annehmen, weil der Graf von Bentink darin die Herrschaft Kniphausen besitzt.

Ein sonderbarer Einfall Balbi's ist es, keine Türkei mehr annehmen zu wollen, sondern dieses Reich blos die „östliche Halbinsel" zu nennen, unter dem Vorwande, Türkei sei ein uneigentlicher Name, da die Türken ein diesem Lande ganz fremdes Volk und daselbst vielmehr lagern, als angesiedelt seien. Diejenigen, welche eine Türkei annehmen, werden géographes coutumiers gescholten. Nun folgt freilich eine Rubrik: ottomanisches Reich, aber blos als Unterabtheilung der östlichen Halbinsel, wozu er auch Griechenland, Macedonien, die Moldau und die Walachei rechnet. Diese seine Erfindung wird schwerlich großes Glück machen. Auch fehlt sie gegen die Consequenz; denn wenn der Verf. die physischen Beschaffenheiten zur Grundlage nehmen wollte, so hätte er dieses bei andern Ländern auch thun sollen.

Daß mehre Angaben in dieser Erdbeschreibung, seitdem der Verf. sie aufs Papier setzte und drucken ließ, unrichtig geworden sind, ist freilich nicht seine Schuld. So z. B. rühmt er die schöne Universität, die prächtige Bibliothek, das reich ausgestattete Museum zu Warschau. Wo sind aber jetzt die Universitäten, Bibliotheken, Museen der armen Polen! Uebrigens gibt der Verf. fast nichts Geschichtliches, und dies ist wol das Mittel, mit allen Regierungen gut zu stehen und keiner zu misfallen. Unter den interessanten Nachrichten über die Länder gibt es einige, die wol in Zweifel gezogen werden können, z. B. daß es im Grose des Landes Dekan Blutegel gibt, die den Truppen mehr Blut entziehen können als die schwachen Hindusoldaten. 74.

Notiz.

Der bekannte Neugrieche Kumas gibt in Wien eine Grammatik der griechischen Sprache heraus. Auch ein Wörterbuch derselben wird nach den mannichfachen Rathschlägen, die A. Korais an verschiedenen Stellen seiner Werke gegeben hat, vorbereitet, bei welchem vorzugsweise das von dem deutschen Philologen Schneider berücksichtigt, aber auch der „Thesaurus" von Stephanus benutzt werden soll. Wie Konst. Oikonomos schon 1830 in seinem „Βιβλίον περὶ προφορᾶς τῆς ἑλληνικῆς γλώσσης" sagte, sind gebildete Neugriechen seit längerer Zeit damit beschäftigt, in verschiedenen Städten und Gegenden Griechenlands die einzelnen Sprachschätze zusammenzutragen, um dann aus ihnen den allgemeinen Sprachschatz des griechischen Volkes gewinnen und in Eins construiren zu können. Die wissenschaftliche Wiedergeburt der griechischen Nation kann nur mit der Sprache beginnen; dazu aber bedarf es neben den nöthigen Wörterbüchern und einer zweckmäßigen Grammatik, für welche schon Kapodistrias Sorge trug*), vorzüglich eines gut begründeten Volksschulwesens, das in liberaler Gestaltung von Unten nach Oben, durch Lyceen und wenigstens eine Universität, sich über die ganze Nation verbreitet. Die bereits gewählte Unterrichtscommission wird bei der zweckmäßig getroffenen Wahl ihrer Mitglieder dem dringenden Bedürfnisse der Gegenwart abzuhelfen wissen, wenn Griechenland der Civilisation zurückgegeben werden soll. 30.

*) Schon unter diesem war eine Commission mit Abfassung einer griechischen Grammatik beauftragt worden; auch hatte der Grieche A. Mustoxidis eine solche herauszugeben begonnen. Einsender dieses sah gegen Ende 1831 die ersten 10—15 Bogen davon im Drucke.

Redigirt unter Verantwortlichkeit der Verlagshandlung: F. A. Brockhaus in Leipzig.

Blätter
für
literarische Unterhaltung.

Dienstag, — Nr. 218. — 6. August 1833.

Ueberblick über die polnische Literatur, besonders der neuern Zeit.

(Beschluß aus Nr. 217.)

Doch ich wollte hauptsächlich von der Poesie reden, und hier muß denn vorläufig des Kampfes zwischen der antiken oder classischen und der romantischen Schule Erwähnung geschehen, der in Polen so gut wie in Frankreich durch die Bekanntschaft mit den neuern deutschen Dichtern, besonders mit Schiller und außerdem mit Shakspeare, ausgebrochen und zwar noch nicht beendigt ist, aber hier wie dort und wol allenthalben, der Natur der Sache gemäß," der Romantik den Sieg verspricht, in Polen übrigens reifere Früchte hervorgebracht hat als in Frankreich. Zu den Romantikern gehört nun vor Allen in Polen Mickiewicz, ein wahrer Dichter, der sich in den meisten Zweigen der Poesie, und besonders in demjenigen mit Glück versucht hat, der bis jetzt von den Polen fast unberührt geblieben war, und in welchem die polnische Literatur freilich auch ungeachtet der ehrenwerthen Bemühungen dieses Dichters mit der deutschen, englischen und italienischen sich noch nicht messen kann, ich meine in dem Epos. Einen Dante, Milton, Klopstock, selbst einen Tasso, Ariosto, Wieland haben die Polen bis jetzt nicht. Ein älteres episches Gedicht von Krasicki, „Der Krieg von Chocim", verdient kaum erwähnt zu werden. „Der Tempel der Sibylle", von dem vor wenigen Jahren zu Wien verstorbenen Erzbischof von Warschau, Jean Paul Woronicz, ist ganz vaterländisch, aber trotz einzelner Schönheiten der ersten Classe im Ganzen matt und einförmig. Von der „Lechiade" desselben Verfassers sind nur Bruchstücke erschienen, unter denen sich die Beschreibung des Reichstages zu Wislica auszeichnet, auf welchem Kasimir der Große seiner Nation Gesetze gibt. Ungleich vorzüglicher als die genannten Gedichte ist das „Konrad Wallenrod" betitelte des Mickiewicz, und wenn es dennoch nicht in die erste Classe der epischen Gedichte zu stellen ist, so liegt die Schuld größtentheils in dem Gegenstande, der keine bedeutende Ausführlichkeit erlaubte und daher dem Genie nicht hinlängliche Gelegenheit darbot, sich in seiner ganzen Größe zu zeigen. Bei alledem ist dies Werk trefflich im Ausdruck und Versbau und höchst eigenthümlich durch seinen Inhalt, der aus der Geschichte des deutschen Ritterordens entnommen ist. Der Held ist Konrad Wallenrod, ein Lithauer, der in einem Kampfe seiner Landsleute mit den deutschen Rittern gefangen genommen wird und in seiner Gefangenschaft den Gedanken faßt, sein Vaterland von dem Joche der eingedrungenen Fremdlinge zu befreien, oder sich wenigstens an ihnen zu rächen. Das Motto: Bisogna essere volpe e leone, man muß Fuchs und Löwe sein, deutet die Art seines Benehmens an. Muth, Tapferkeit, Verdienste führen ihn auf die höchste Ehrenstufe bei seinen Feinden. Das Gedicht beginnt mit seiner Erwählung zum Großmeister des deutschen Ordens. Jetzt hat er den Standpunkt erreicht, auf welchem er seinen geheimen Racheplan in Ausführung bringen kann. Er löst allmälig die strenge Disciplin des Ordens durch Milde und Nachsicht auf, und nachdem er ihn sittlich entnervt hat, liefert er ihn in die Hände der Lithauer. Der Verrätherei angeklagt und überwiesen, gibt er sich selbst den Tod. Diese Art des Patriotismus ist freilich vor dem Richterstuhl der Sittlichkeit nicht zu rechtfertigen, aber sie charakterisirt den Polen, wie das übertriebene Ehrgefühl den Spanier. In einem andern lyrischen Epos, „Dziady" genannt, zeigt derselbe Dichter seine Kenntniß des menschlichen Herzens. Dziady ist der Name eines heidnischen Festes, das die Lithauer noch jetzt feiern. Das Gedicht ist allegorisch-mystisch. Der Held ist ein Vampyr, der sich aus Liebe tödtet. Die Vorwürfe und Klagen über das weibliche Geschlecht, die ihm in den Mund gelegt werden, sind eines Byron würdig.

Wenn die polnische Literatur im Epischen noch zurücksteht, so läßt sich dies im Lyrischen nicht oder doch weniger zugeben, und man darf schon im Voraus die Erwartung hoch spannen, wenn man bedenkt, daß die Liebe zum Vaterlande, welche der Mittelpunkt und die Quelle der polnischen Poesie ist, sich in dieser Gattung ganz vorzüglich zeigen kann. Ein großer Theil der patriotischen Lieder ist noch vor 1815 gedichtet, und manche davon gehören zu dem Wenigen, was von der polnischen Poesie auch im Auslande gekannt und geschätzt wird. Von der großen Zahl der lyrischen Dichter mögen hier nur einige Platz finden. Julian Niemcewicz ist bereits genannt, seine Lieder leben im Munde des Volkes, das Kind lernt sie schon von der Mutter, und wo solche Lieder gesungen werden, kann das Nationalgefühl nicht leicht ersterben. Durch Gedankenreichthum und Kraft zeichnet sich Joseph

Tymowski aus, durch Eleganz des Ausdrucks und der Verse Brodzinski und Kicinski, durch Sanftheit Odyniec, ein Schüler des Mickiewicz, der auch im Lyrischen den Preis davonträgt, in welchem Farys als Balladendichter ein glücklicher Nebenbuhler Schiller's und Göthe's ist und in der Elegie von seinen Landsleuten Korsac und Odyniec nicht übertroffen wird. Er ist es auch, der das Sonett eingeführt und in dieser Form Beschreibungen der Steppen in der Krim gegeben hat, die ebenso neu als reizend sind. Zaleski hat Volkslieder und Legenden gesammelt; seine Gemälde sind bisweilen düster und schrecklich.

An Idyllen fehlt es noch, vielleicht wegen der Herabwürdigung und Sklaverei, in welcher sich der polnische Bauer seit Kasimir dem Großen befindet. Auch das didaktische Gedicht ist wegen der größern Ruhe, welche es erfodert, wenig beliebt. Nur in der Fabel ist außer Niemcewicz auch der General Franz Morawski, der bei dem Streit zwischen den Classikern und Romantikern neutral blieb, Anton Gorecki und der junge Dichter Gascinski, der mit dem Irländer Moore verglichen wird, der Erwähnung würdig.

Die dramatische Poesie hat erst seit etwa 30 Jahren bedeutendere Namen aufzuweisen. Felinski ist Verfasser eines einzigen Trauerspiels: „Barbe Radziwill", aber eines sehr beliebten, und läßt sich insofern mit dem Dichter des „Julius von Tarent", Leisewitz, sein Werk aber mit der „Marie Stuart" von Schiller vergleichen. Die Hauptcharaktere, die Festigkeit des Königs, die Sanftmuth und Tugend der Königin und die Hartnäckigkeit des Boratynski sind musterhaft, und die schönsten Stellen dieser Dichtung haben viele Polen im Gedächtniß. Denselben Gegenstand bearbeitete Wezyk, machte aber damit weniger Glück als mit seinem „Boleslaus und Glinski". Etwas besser gedeiht die Komödie. Nach Albert Boguslawski, dessen Stücke noch jetzt auf der warschauer Bühne aufgeführt werden, hat Fredro eine große Anzahl von moralischen Lustspielen geschrieben, in welchen er die polnischen Sitten darstellt. Die Hauptcharaktere sind meistens ernst, aber es fehlt nie an einer oder mehren komischen Nebenpersonen, die das Zwergfell zu erschüttern wissen. Eins seiner Stücke: „Der Misanthrop und der Dichter", hat besonders gefallen, und der Enthusiasmus, womit ein junger Dichter seine Hoffnungen schildert und die Sternenkrone, welche seiner wartet, schon schimmern sieht, soll das Erhabenste sein, was sich in dieser Art denken läßt. Unter den Romandichtern zeichnet sich Bennatowicz aus.

Ich beschließe diesen kurzen Ueberblick mit der Bemerkung, daß sich die Polen durch Uebersetzungen sehr viele Schriften der alten und neuern Literatur angeeignet haben, und daß ich geneigt bin, einzelne bedeutendere polnische Gedichte noch näher zu betrachten und sie ganz oder theilweise durch Uebertragungen den Lesern d. Bl. vorzulegen. 188.

Untersuchungen über die Geschichte und das Verhältniß der nordischen und deutschen Heldensage aus P. E. Müller's Sagabibliothek, zweiter Band, mit Hinzufügung erklärender, berichtigender und ergänzender Anmerkungen und Excurse, übersetzt und kritisch bearbeitet von G. Lange. Frankfurt a. M., Brönner. 1832. 12. 1 Thlr. 12 Gr.

Die Geschichte des Eintretens der Nationen deutschen Stammes in die Reihe der welthistorischen Völker ist einer jener Theile der historischen Wissenschaft, welche erst seit Kurzem mit einigem Erfolge bearbeitet werden. Es leuchtet ein, daß hier noch weniger als in jedem andern Falle Das ausreicht, was man gewöhnlich Geschichte nennt, nämlich einige Notizen über Zahlen und Namen, etwa über die Genealogie regierender Häuser und das Datum irgend einer ungewöhnlichen Begebenheit; denn dergleichen läßt sich hier fast gar nicht mit Bestimmtheit angeben. Die einzige ergiebige Quelle für die Geschichte jener Entwickelungsperiode sind die Mythen, welche uns aus jener Zeit erhalten sind. Diese wurden auf dreifache Art der Vergessenheit entrissen. Zuerst sammelte man die Volkslieder, in welchen die Mythe sich aussprach, in ihrer ursprünglichen Form, sodann stellte man mehre derselben, welche verwandten Inhalts waren, in prosaischen Auszügen zusammen, und endlich verarbeitete man einige dieser Sagen zu selbständigen Kunstwerken. In dem vorliegenden Werke haben wir es vorzugsweise mit der zweiten Art, die Mythe zu fixiren, zu thun. Und für vorbereitende Forschungen auf diesem Gebiete sind die prosaischen Auszüge ohne Zweifel ergiebigere Quellen als die Mythe in poetischer Form. Jene nämlich enthalten weit häufiger als diese Andeutungen über Zusammenhang und Fortbildung der einzelnen Sagen und über den Antheil, welchen einzelne Völkerschaften an der Ausbildung und Verbreitung derselben genommen haben.

Um die Wichtigkeit der in dem vorliegenden Werke mitgetheilten Quellen nach Gebühr zu veranschaulichen und um zugleich eine feste Basis für die Beurtheilung der denselben beigefügten Untersuchungen zu gewinnen, will ich einige Worte über die historische Bedeutung der Sagen, von denen hier die Rede ist, veranschicken.

Die erste der hier mitgetheilten Mythensammlungen, die Volsungasaga, schildert uns die nordischen Völker in ihrem vorgeschichtlichen Zustande, mithin die Anlage, welche diese Völker der Cultur entgegenbrachten. Wir finden daher hier die einfach natürlichen Motive eines halbwilden Zustandes, die gesammten Verhältnisse von Familien, welche noch nicht auf geregelte Weise in größere Gesellschaften vereinigt sind. Was aber diese Völker vorzugsweise charakterisirt und zugleich ihre Bildungsfähigkeit darthut und somit auch dem Mythenkreise Einheit verleiht, ist die Begierde nach dem geheimnißvollen Schatze. Diese Begierde muß man nicht mit dem Wunsche eines Kaufmannes, bei einer bedeutenden Speculation möglichst viele Procente zu gewinnen, verwechseln; sie ist vielmehr ein Trachten nach dem Gewaltigen, Unerhörten, Schwerzuerringenden, welches eben darum Dem, der es errungen, die höchste Ehre zu Wege bringt. Dieses Streben aus sich heraus, nach dem Ungewöhnlichen ist grade der Charakterzug, welcher diese Völker fähig machte, auf dem Gebiete der Weltgeschichte aufzutreten. Daß dieser Schatz Dem, der ihn errungen, verderblich wird, vollendet das Charakteristische des Gemäldes, denn es ist ja eben eine Sehnsucht zu schildern, welche noch nicht weiß, was sie will, und daher nach dem Verderblichsten greift, wenn es nur glänzend und unerhört ist. Eben diese Sehnsucht führte nun auch die nordischen Nationen den gebildeten Völkern des Südens und namentlich dem Christenthume entgegen. Die Art, wie die Bildung sich in den Norden hinauf verbreitete, wird uns in einer zweiten Sagenreihe geschildert. Von den hierher gehörigen Mythen wird uns indessen in dem vorliegenden Werke nur eine ziemlich kurze aber nichtsdestoweniger sehr wichtige mitgetheilt, die Nornagastsaga. In dieser tritt ein Mann auf, welcher auf mannichfaltigen Reisen Alles gesehen hat, was damals für sehenswerth erachtet wurde, und welcher nun nach langer Irrfahrt nach dem Norden zurückgekehrt, begierig horchenden Zuhörern die Resultate seines Lebens mittheilt und natürlich die glühendste Begierde in ihnen weckt, sich durch den Augenschein über das Gehörte zu belehren. Ganz auf diese Weise wurden diejenigen Völkerschaften, welche nicht in unmittelbare Berührung mit den Römern kamen, in den Kreis der Weltgeschichte hineingezogen, und hierdurch sowie durch die vermehrte Verbindung der einzelnen Stämme untereinander bildeten sich allmälig jene Zustände aus, welche in der dritten der hier mitgetheilten Sagen, in der Wilkinasaga, geschildert werden. In dieser nämlich finden wir nicht mehr die isolirten Familien der Volsungasaga, sondern es haben sich größere Kreise gebildet, welche zwar hier noch der ausgezeichneten Persönlichkeit einzelner Helden ihren Ursprung verdanken, nichtsdestoweniger aber in ihren Formen schon sich als die Vorboten einer geordneten Lehnsverfassung ankündigen. In der Volsungasaga war das Ziel des Strebens ein Aeußeres, ein Fremdes; in der Wilkinasaga ist die That selbst ihr Ziel; man kämpft nicht mehr um irgend ein Zufälliges, sondern um den nothwendigen Lohn der Tüchtigkeit, den Ruhm. In der Volsungasaga war die Begierde, die Leidenschaft die alleinige Triebfeder des Handelns, in der Wilkinasaga hat sich bereits eine Sitte gebildet, welche dem Einzelnwillen hemmend entgegentritt. Besonders sichtlich treten diese Unterschiede in den Theilen der Wilkinasaga hervor, deren Inhalt aus der Volsungasaga entlehnt ist, also in Sigurd's Geschichte und namentlich in der Erzählung von dem Tode der Nibelungen.

In Beziehung auf das Formelle der Saga ist als charakteristisch zu bemerken, daß der Bearbeiter der Wilkinasaga sich häufig auf die Aussagen deutscher Männer stützt, wogegen die Volsungasaga nur aus nordischen Volksliedern geschöpft ist. Die Gemeinschaft der Völkerstämme, welche ursprünglich eine unbewußte war, wurde auf die in der Nornagastsaga beschriebene Weise in das Bewußtsein aufgenommen und bildet in der Wilkinasaga bereits einen Theil von dem Inhalte desselben.

Schon aus dieser kurzen Darstellung erhellt, daß ich in Beziehung auf das Alter der verschiedenen Sagan, auf das Verhältniß der deutschen und der nordischen Bearbeitungen der Mythe und auf den Ursprung derselben ganz unserm Verf. folge, und in der That sind seine Untersuchungen, insoweit sie die genannten Gegenstände betreffen, mit der größten Besonnenheit angestellt und scheinen mir diese Fragen vollständig zum Schlusse zu bringen. Die besondere Bestimmung dieser Blätter verbietet es mir, hier auf Einzelnheiten einzugehen, da diese nur für Denjenigen Interesse haben würden, welcher sich genauer mit diesem Theile der historischen Wissenschaft beschäftigt. Doch kann ich nicht umhin, wenigstens auf die höchst scharfsinnige Darlegung der Verhältnisse und Vorstellungen aufmerksam zu machen, welche die Sage von Sigurd in dem Bewußtsein der Völker zunächst hervorgerufen haben mögen (S. 358 fg.).

Um indessen auf den Weg hinzudeuten, welchen man von dem durch den Verf. gewonnenen Standpunkt aus einzuschlagen hat, erscheint es zweckmäßig, einige Schwächen der in den vorliegenden Untersuchungen befolgten Methode einer nähern Betrachtung zu unterwerfen. Diese Erörterung gewinnt an Interesse durch den Umstand, daß die hier zu besprechenden Mängel sich nur zu häufig in allen Zweigen der Wissenschaft wiederfinden. Sie treten bei unserm Verf. vorzugsweise in denjenigen Theilen seiner Untersuchungen hervor, in welchen Gegenstände der höhern Kritik und namentlich die historische Bedeutung der Sage abgehandelt werden sollen. In solchen Fällen kommt der Verf. fast nie zu einem bestimmten positiven Resultate, sondern widerlegt höchstens verkehrte Ansichten älterer Forscher. Unter Anderm stellt er S. 98—107 eine umständliche Untersuchung an, über die Frage, inwiefern die Volsungasaga historischen Werth habe, und das Resultat dieser Untersuchung ist (S. 107), „daß die Sage zwar nicht willkürlich erdichtet worden sei, aber auch nicht mit zureichendem Grunde als Erinnerungen von Begebenheiten, die im Norden selbst geschehen wären, zu betrachten sei.“ Wir müssen es dem Verf. Dank wissen, daß er Diejenigen, welche einer dieser beiden seltsamen Behauptungen Glauben zu schenken geneigt sind, eines Bessern belehrt; aber wir haben uns nichtsdestoweniger darüber zu beklagen, daß dieses negative Resultat Alles ist, was wir hier über die historische Bedeutung der Sage erfahren. Zwar findet sich später noch ein Abschnitt „über den Ursprung und die historische Bedeutung des ganzen Sagenkreises“, aber auch hier wird durchaus nichts Positives ausgesagt; vielmehr wird nur wiederholt, daß der Sage schwerlich ein historisches Factum zum Grunde liege. Ja, hier neigt der Verf. sich sogar unwillkürlich zu der früher von ihm bekämpften Ansicht, daß die Sage ein Erdichtetes sei, indem er sie als ein Erzeugniß symbolisirender Poesie bezeichnet. Obgleich diese Vermuthung, wie bereits erwähnt, mit großem Scharfsinn ausgeführt wird, so ist sie doch, wie sie hier angewendet wird, ein Blendwerk; denn sie versteckt es einigermaßen, daß wir am Ende der Untersuchung durchaus ohne Resultat sind. Dieser letzte Uebelstand ist nun aber auch ganz unvermeidlich, denn die Frage nach dem historischen Werthe der Sage bedeutet für den Verf. genau genommen weiter nichts als: „Läßt sich nachweisen, daß in der Sage bestimmte historische Begebenheiten erzählt werden?“ Da diese Frage natürlich verneint werden muß, so müßte der Verf., wenn er consequent sein wollte, eigentlich der Sage allen historischen Werth absprechen. Dagegen sträubt er sich aber natürlich, weil er durch ein solches Geständniß die Wichtigkeit der Sage überhaupt verdächtigen würde, und daher windet er sich mühsam zwischen Ja und Nein hindurch und kommt darüber natürlich zu keinem Resultate. Allen diesen Verlegenheiten würde er entgangen sein, wenn er sich hätte daran erinnern wollen, daß der Werth der Sage darin besteht, daß sie den Geist eines Volkes und einer Zeit offenbart, und daß es hierzu keineswegs einzelner Thatsachen bedarf, deren Datum sich nachweisen ließe. Die Sage belehrt uns unmittelbar grade über Das, was der geistvolle Geschichtsforscher auch in den Thatsachen vorzugsweise sucht, nämlich den darin lebenden Gedanken, das Allgemeine derselben, die Sitte, den eigenthümlichen Charakter der in Rede stehenden Gegenstände der historischen Betrachtung. Ich habe, indem ich die Bedeutung der uns vorliegenden Sagen angab, bereits näher gezeigt, in welcher Art diese Untersuchungen fortzuführen sein dürften. Es sei indessen noch erlaubt, eine Stelle anzuführen, welche einerseits ein glänzendes Zeugniß gibt von dem verständigen Raisonnement unsers Verf., andererseits aber auch die so eben beschriebene Schwäche desselben vortrefflich veranschaulicht. In der Einleitung S. xi. heißt es nämlich: „Man hat sich nicht zu verwundern, daß die Sagen der Vorzeit wunderbare Züge enthalten; denn wenn wir bedenken, wie gewaltsam damals die Erschütterungen, wie allgemein die tragischen Scenen waren, so konnte es nur das durchaus Ausgezeichnete sein, welches aus den zahlreichen Haufen der Begebenheiten aufbewahrt wurde. Aber diese Auszeichnung muß nicht danach bestimmt werden, was bei einem spätern Geschlechte das Merkwürdigste gewesen sein würde; also nicht nach der politischen Wirksamkeit oder nach dem Einfluß auf die Civilisation des Nordens, sondern danach, inwiefern das Gemüth der Zuhörer durch die Erzählung ergriffen wurde. Der Reiche Aufkommen und Untergang, der Völkerstämme Ankunft und Auswanderungen mußten beiweitem keinen so großen Eindruck machen, als wenn man von Brynhildens Rache oder ihrem untreuen Geliebten hörte, oder wie Gudrune ihre Söhne schlachtete, um nicht gegen die Pflichten der Blutrache zu handeln u. s. w.“

Grade darin besteht die Einseitigkeit unserer Geschichtsforscher, daß ihnen etwas Anderes „das Merkwürdigste“ an der Sage ist, als was Denen, die sie hervorbrachten, so erschien, und daß „der Reiche Aufkommen und Untergang, der Völkerstämme

Ankunft und Auswanderungen" ihnen wichtiger erscheinen als der Inhalt jener Sagen. Grade über die Blutrache und ähnliche sittliche Verhältnisse das Nähere zu erfahren, wäre beiweitem fruchtreicher als die Kunde von dem Untergange von 20 sogenannten Reichen. Das, wovon uns die Sage unterrichtet, ist nicht nur „von Einfluß auf die Civilisation des Nordens", sondern es ist diese Civilisation selbst. Grade darum sind die Resultate unserer Forschungen über jene Zeiten noch so armselig, weil wir Das, was die Quellen uns in reichem Maße bieten, verschmähen und dafür nach dürftigen Notizen umherspüren, welche ein guter Genius recht absichtlich in ein geheimnißvolles Dunkel gehüllt zu haben scheint. Daher rühren denn auch die Klagen unserer Geschichtsforscher über Dunkel und Mangel an Auskunft, wo der unbefangene Beobachter über die Fülle des von allen Seiten herbeiströmenden Lichtes fast erschrickt.

Außerdem aber erschwert unser Verf. sich die unbefangene Betrachtung der Sage in ihrer Beziehung auf die Geschichte ihrer Zeit auch durch willkürliche falsche Voraussetzungen. Unter Anderm macht er von vorn herein (S. 1 der Einl.) einen Unterschied zwischen mythischer und romantischer Sage, welcher ebenso störend als willkürlich ist. „In dem Romantischen", sagt er, „schwärmt die Einbildungskraft zwischen den halb unkenntlichen und auf mannichfaltige Weise umgebildeten Ruinen der entschwundenen Zeiten, allein unter der Leitung des Gefühls (!). In dem Mythischen wird das Leben der Vorzeit dargestellt, wie es wirklich dem kindlichen Verstande, der jugendlichen Einbildungskraft und dem vollen Herzen erscheint. Dort ist Alles willkürlich, hier das Meiste nothwendig."

Sehr dankenswerth ist es, daß der Verf. hier wenigstens in abstracto einem Theile der Sage objective Wahrheit zugesteht. Dagegen ist es eine durchaus willkürliche und durch nichts begründete Behauptung, daß die Sage von Dietrich von Bern in minderm Grade Wahrheit enthalte als die Sage von Sigurd (diese wird eine mythische, jene eine romantische genannt). Daß in einigen Sagen die subjective Willkür entschiedener hervortritt als in andern, und daß in spätern schlecht bearbeiteten Mythen die historische Bedeutung in den Hintergrund tritt, leugne ich keineswegs; aber die Theilung in zwei Classen wird dadurch noch nicht gerechtfertigt, und ist deshalb verderblich, weil sie einen durchaus willkürlichen Einschnitt macht, wo in Wahrheit nur eine ganz allmälige Abstufung vorhanden ist. Dieser Unterschied mag Manchem unerheblich scheinen; wer aber mit Aufmerksamkeit die Methode, welche in der neuesten Zeit in den verschiedensten Zweigen der Wissenschaft herrschend geworden ist, beobachtet, wird zugestehen, daß grade der hier beschriebene Fehler, häufig wiederkehrend, überall von der verderblichsten Wirkung ist. Nichts fast ist verwirrender als diese Sucht, quantitative Unterschiede willkürlich zu qualitativen zu erheben.

Es bleibt mir nun noch übrig, einige Worte über die Zugaben des Herausgebers zu sagen. Sie bestehen außer einigen zerstreuten Anmerkungen in einer Abhandlung über das Nibelungenlied und in allgemeinen Betrachtungen über Ursprung und Fortbildung der Sage.

In Beziehung auf das Nibelungenlied wird eine Inhaltsanzeige und eine Vergleichung des Gedichts mit der ursprünglichen Sage von Sigurd gegeben. Diese Vergleichung gibt wirklich einige charakteristische Unterschiede an, erhält aber dadurch etwas Schiefes, daß diese Unterschiede als Gebrechen des Gedichtes bezeichnet werden. Unter Andern soll in Siegfried's Geschichte, wie das Gedicht sie gibt, sogar „ein Mangel an poetischer Haltung zu finden sein", nur deswegen, weil diese Geschichte hier etwas anders gehalten ist als in der Sage. Hier tritt also das seltsame, aber gegenwärtig sehr verbreitete Vorurtheil auf, welches der sogenannten Naturpoesie eine höhere Wahrheit zuschreibt als den Erzeugnissen der Kunst. Von untergeordneten Kunstwerken gilt das freilich; aber Genies ersten Ranges wie der Verf. des Nibelungenliedes können, wenn sie eine Sage nach ihren Bedürfnissen umarbeiten, die Bedeutung und die poetische Haltung derselben nur erhöhen. Der Sinn des Nibelungenliedes ist freilich so ganz ein anderer als der der Volsungasaga, daß nicht einmal Sigurd der Hauptheld des Gedichtes ist, sondern sehr gegen Hagen, den Repräsentanten des Vasallenthums, in den Hintergrund tritt. Nichtsdestoweniger ist das Gedicht von noch höherer Wahrheit, bestimmterer Bedeutung und vollkommnerer Haltung als die Sage.

Die allgemeinen Ansichten des Hrn. Lange über die Fortbildung der Sage dürften passender bei Gelegenheit der von ihm versprochenen Geschichte der deutschen Heldensage zu prüfen sein. Hier will ich ihn nur noch bitten, die Schwerfälligkeit seines Periodenbaus, wenn es irgend möglich ist, ein wenig zu mildern. Der Kern seiner Ansichten ist in eine so große Menge von Hülsen verborgen, daß es schwer wird, seiner habhaft zu werden. Als Probe des Lange'schen Styls mag hier der Titel der in Rede stehenden Abhandlung stehen, obgleich diese selbst wol noch halsbrechendere Sätze enthält. Die Abhandlung ist nämlich ein „Versuch, den charakteristischen Unterschied, sowie den allmäligen Fortgang von der mythisch-symbolischen zur mythisch-historischen und mythisch-allegorischen Entwickelungsstufe in der sagenthümlichen Culturperiode, hauptsächlich in Beziehung auf Ursprung und Fortbildung der Nationalepopöen verschiedener Völker, näher zu bestimmen." Der Wunsch, sich möglichst vollständig und deutlich zu äußern, scheint die Veranlassung dieser ungeheuern Schwerfälligkeit zu sein. 17.

Literarische Notizen.

Das neueste Product des Herrn M. Masson: „Thadéus le ressuscité" (Paris 1833), hat bereits die zweite Auflage erlebt und auch in L. Kruse den angekündigten deutschen Uebersetzer gefunden. Wer indessen ein Seitenstück zu „Indiana" oder „Valentine" darin sucht, würde irren. Es handelt sich darin nicht um Durchführung tief aufgefaßter Ideen, sondern die Aufmerksamkeit des Lesers wird nur von den Begebenheiten gefesselt, welche sich an die Person des Helden knüpfen. Dies ist jedoch in hohem Grade der Fall, und mit immer steigendem Interesse begleitet man den armen Thaddeus, Grafen von Wurzheim, der wegen eines vermeintlichen Verbrechens in Berlin 1795 gehenkt und von einem Arzte zwar wieder belebt wurde, allein nichtsdestoweniger todt für die Welt blieb, nach Frankreich flüchtete und nach langen Unglücksjahren wieder in sein Vaterland zurückkehrte, wo er natürlich unter falschem Namen auftritt. Mit den Heeren der Alliirten geht er dann abermals nach Frankreich, befreit seine, von einer elenden Mutter einem Herzog der Restauration verkaufte Tochter und wendet sich endlich, erschöpft von 20jährigen Leiden, nach Berlin, um dort zu sterben. Das Ganze ist sehr lebendig durchgeführt, die Charaktere bleiben sich treu, gegen Ende des Buches überstürzen sich aber die Ereignisse etwas zu sehr. Gegen „Daniel le lapidaire" gehalten, hat Hr. Masson einen großen Schritt zum Bessern mit dieser Arbeit gethan.

Herausgekommen sind in zwei Bänden: „Mémoires de la reine Hortense, aujourd'hui duchesse de St.-Leu", gesammelt und herausgegeben vom Baron W. F. van Scheelten, wurden aber bereits vom „Journal des débats" für falsch erklärt.

Die erste Serie von V. Hugo's sämmtlichen Werken, sieben Bände Romane, ist nun mit „Han d'Islande" vollendet; außer dem genannten enthält sie „Notre-Dame de Paris", welchem drei neue Capitel hinzugefügt wurden, „Le dernier jour d'un condamné" und „Bug Jargal". Ein neues Werk von demselben Verf.: „Littérature et philosophie mêlées", in zwei Bänden, befindet sich unter der Presse. 3.

Redigirt unter Verantwortlichkeit der Verlagshandlung: F. A. Brockhaus in Leipzig.

Blätter

für

literarische Unterhaltung.

Mittwoch, — Nr. 219. — 7. August 1833.

Geschichte der Staatswissenschaft von J. Weitzel. Erster Theil. Stuttgart, Cotta. 1832. Gr. 8. 1 Thlr. 16 Gr.

Ehe Jemand daran denkt, sie aufzuzeichnen, werden die Lehren der Wissenschaft gelebt, aus dem Leben abstrahiren sodann einzelne lichtere Köpfe die Normen, nach welchen sich dasselbe gestaltet, sie zeichnen sie auf, sie bringen sie in ein System, es entsteht eine Wissenschaft. Auch die Wissenschaft lebt anfangs ein mehr oder weniger unbewußtes Dasein, sie bildet einzelne Lehren aus und weiter fort, ohne ihren Zusammenhang in der Kette des Ganzen zu berücksichtigen. Erst ein höherer Standpunkt führt sie auf die Betrachtung ihrer Schicksale, auf die historische Ausbildung ihrer Lehren. Erst wenn die Wissenschaft in das Alter des umsichtig prüfenden Mannes tritt, wird das Bedürfniß nach einer Geschichte derselben fühlbar. Dieses Bedürfniß ist in neuern Zeiten oft auch in Bezug auf die Staatswissenschaften gefühlt worden, und wir weisen denselben diesemnach einen reifern Standpunkt an, als man ihnen noch zur Zeit gewöhnlich zugesteht. Aber es ist in wenigen Jahren viel geschehen. Rasch ist in der letzten Zeit der kühn aufstrebende Jüngling zum Manne gereift. Er ist zum lebenskräftigen und lebensthätigen Manne geworden, denn die Staatswissenschaften sind weniger als die meisten der übrigen Zweige des Wissens, Jurisprudenz, Medicin, Theologie u. s. w., auf eine gewisse Kaste von Gelehrten beschränkt, sie gehören nicht zu den Brotstudien, ihre Lehren sind in unsern Zeiten für jeden Staatsbürger, nicht blos für den Gelehrten vom Fach und den praktischen Staatsmann von Wichtigkeit. Sie vertragen deshalb nicht nur, sondern sie fodern sogar eine allgemein verständliche, den Gebildeten aller Stände zugängliche Behandlungsweise. Ihre Theorien können über das Wohl und Wehe ganzer Staaten entscheiden, sie gehen jeden Menschen an, sie müssen deshalb auch an die rein menschlichen Interessen angeknüpft werden. Dies hat der Verf. der vorliegenden Schrift versucht, er gibt sich uns auf jeder Seite als einen für Menschenwohl und Völkerglück begeisterten Freund des Fortschreitens zum Bessern zu erkennen. Schon die Vorrede läßt uns einige erquickende Blicke in sein tiefes und edles Gemüth thun. Sie zeigt ihn uns als einen weisen, vielerfahrenen Mann, der den Schmerz getäuschter Hoffnungen kennt, die Unzulänglichkeit unserer irdischen Verhältnisse fühlt. Trotzdem hängt er mit Beharrlichkeit an den Idealen, nach welchen schon so vielfach gerungen, die aber leider wol noch lange unerreicht bleiben werden; trotzdem verzweifelt er nicht an der Menschheit und gibt die Hoffnung nicht auf, daß sie ihre Bestimmung noch einmal erreichen werde. Das ist ein doppelter Beweis für die Reinheit und Erhabenheit seiner Denkweise. Er bekennt, daß er über dreißig Jahre mit seinem Gegenstande beschäftigt gewesen; daß er die feierlichsten Stunden seines Lebens ihm geweiht; daß er viel gelesen, um sich zu unterrichten, aber noch mehr gedacht habe; daß er mit dem guten Willen, nützlich zu sein, aufrichtiges Forschen nach Wahrheit verbunden.

Bei diesem Bekenntniß und bei dem guten Klange, den der Name des Verf. im Felde der Staatswissenschaften hat, läßt es sich, wenn seine Schrift den Anfoderungen, die der G e l e h r t e v o n F a c h an dieselbe zu stellen wohl befugt ist, nicht ganz entspricht, nur daraus erklären, daß der Verf. nicht vorzugsweise für diesen, sondern für einen größern Kreis gebildeter Leser habe schreiben wollen. Eine erschöpfende und gründliche innere und äußere Geschichte der Staatswissenschaften hat der Verf. nicht geliefert. Der Zeitraum, den er in seinem ersten Theile abhandelt, würde dann statt einen mäßigen Octavband wenigstens einen Folianten mittler Stärke füllen. Die praktische Ausbildung mancher Staaten und Reiche hätte von dem Verf. nicht übergangen, oder hätte doch, wo er sie erwähnt, ausführlicher betrachtet werden müssen; noch mancher Gesetzgeber, noch mancher Staatslehrer hätte einer besondern Erwähnung und seine Gesetze und Ansichten einer genauern Darlegung und einer sorgfältigen Prüfung bedurft; die von dem Verf. angeführten Schriftsteller hätten specieller citirt und die Beweisstellen genauer nachgewiesen werden können. Es würde zu weit führen, wollten wir das ganze Register der Uebergehungssünden, welcher sich der Verf. in diesem Betrachte schuldig gemacht hat, hier aufführen. Aus Dem, was er gegeben, wird jeder Kundige sofort abnehmen, was von ihm übergangen worden.

Die erste Abtheilung (S. 1—121) seiner Schrift behandelt die Geschichte der Staatswissenschaft von ihrem Entstehen bis zum Untergange des römischen Reiches.

Der Verf. wirft zuerst einen Blick auf die Entstehung der Staatswissenschaft, wobei er den ganz richtigen Grundsatz entwickelt, daß die Praxis der Theorie stets vorausgehe. Als erste Führerin des Menschen nimmt er die Natur an, als die ersten Staaten Naturstaaten. Dann betrachtet er den gesellschaftlichen Zustand, den er aus den Anlagen und Bedürfnissen des Menschen, nach welchen derselbe zur Gemeinschaft mit Seinesgleichen bestimmt sei, herleitet, und geht sodann nach dieser kurzen philosophischen Deduction auf das Positive über. Er betrachtet den Zustand der Staatswissenschaft bei den Assyrern und Babyloniern und hält uns ein Bild des unwürdigen Zustandes vor, in welchem diese Völker dahinlebten; dann gedenkt er Aegyptens, hauptsächlich auf Plinius' Ueberlieferungen gestützt — Syrien und Phönizien erwähnt er kaum — und gelangt zu dem Resultate, daß der Ueberfluß der Natur im Orient die Menschen träg, wollüstig, gleichgültig gegen den Erwerb und zu Sklaven gemacht habe, und daß der Orient erst dann für Freiheit und Sittlichkeit empfänglich werde, wenn die Herrschaft der Natur durch die der Bildung beschränkt werde. Die Bildung besiegt dann die Einwirkungen der klimatischen Verhältnisse, der Mensch wird in eben dem Maß, als er geistiger wird, auch freier. Das ist ganz in der Ordnung. Wenn aber der Verf. aus demselben Satze Gefahr für die Freiheit des Nordens herleiten will, weil hier die Natur, welche Arbeitsamkeit, Mäßigkeit und Sparsamkeit vorschreibt, der Freiheit günstig ist, so können wir ihm darin nicht beistimmen. Fortschreitende Bildung wird gewiß auch im Norden der Freiheit keinen Eintrag thun, und ist die Natur der Freiheit günstig, so kann die fortschreitende Bildung dann um so mehr wirken, weil sie nicht mit der Freiheit ungünstigen klimatischen Verhältnissen zu kämpfen hat. Der Charakter des Orients ist derselbe, welchen Montesquieu dem Despotismus im Allgemeinen beilegt: ein dumpfes Schweigen. Wir dürfen uns deshalb auch nicht wundern, wenn uns der Verf. nichts von der Weisheit babylonischer, assyrischer, ägyptischer oder syrischer Staatsrechtslehrer und Gesetzgeber erzählt. Es gab keine Staatswissenschaft bei diesen Völkern. Moses, auf den der Verf. übergeht, hatte seine Weisheit ebenso wenig von den Aegyptern, als seine Gesetzgebung auf sie zurückwirken konnte. Er stand ganz isolirt da, und die Idee, daß ihm die Gottheit seine Gesetzestafeln unmittelbar mitgetheilt habe, konnte bei dem gänzlichen Mangel analoger Bestimmungen bei den Völkern seiner Zeit und Umgebung, die ihm hätten zum Muster dienen können, sehr leicht entstehen. Wo finden wir bei einem andern Volke des Orients diese Anerkennung der Urrechte des Menschen, diese bürgerliche und religiöse Freiheit, deren Grundsätze in der Gesetzgebung wehen, welche den Namen dieses außerordentlichen Mannes trägt? Der Verf. stellt sie mit Recht hoch über die damalige Zeit. Er läßt ihr eine ausführliche Darstellung und seine ungetheilte Bewunderung angedeihen. Neu erschien uns die Ansicht, nach welcher er in den Propheten ein Surrogat der Preßfreiheit sieht. Es ist allerdings eine merkwürdige Erscheinung und zeigt, daß die Verfassung der Juden auf durchaus liberale Institutionen basirt war, wenn wir Männer auftreten sehen, welche ohne Menschenfurcht und Scheu sowol den Oberhäuptern als dem Volke die Wahrheit sagen durften. Viele Beispiele zeigen uns, mit welcher Rücksichtslosigkeit sie sprechen konnten. „Die Häupter des Volkes Israel gleichen den Wölfen, die hungrig nach Beute sind; sie richten und verwalten für schnöden Lohn. Die Priester lehren nur aus Eigennutz, seine Propheten sprechen nur für Geld, und dann stützen sie sich alle auf Gott. „Ist Gott nicht unter uns!“ ruft ein solcher Seher, und ein anderer: „Jetzt, da das Vaterland in unabwendbarer Noth und Gefahr ist, hofft ihr euch durch die Waffen zu retten, aber es ist zu spät. Ihr habt eure Gewalt misbraucht; ihr habt Die als Sklaven behandelt, die frei sein sollten; ihr habt alle Arten von Ungerechtigkeiten gehäuft. Da seht ihr eure Feinde, die furchtbarer für euch als die Chaldäer sind.“ Wenn bei den vortrefflichen Gesetzen des Moses sich dennoch oft orientalische Willkür in der Regierung der Juden zeigt, so schreibt der Verf. solches der Schlechtigkeit des Volkes zu, das durch lange Sklaverei zu sehr entwürdigt war. Fast noch höher als Moses stellt der Verf. Lykurg, auf welchen er von Jenem übergeht. Doch ist er so weit davon entfernt, in abstracto dessen Ideen zu billigen oder sie gar auf unsere Zeiten anwenden zu wollen, daß er vielmehr an vielen Stellen ausdrücklich erklärt, daß an seiner Gesetzgebung für uns nichts nachzuahmen, ja daß selbst der Schlüssel zur Erklärung derselben nicht mehr in unserm Besitze sei. Ebendeswegen hält er es aber für Unrecht, etwas zu tadeln, was unter den gegebenen Verhältnissen vielleicht ganz angemessen war. Er glaubt, daß man solchem Tadel die Aeußerung des Spartaners gegen den Sybariten, welcher sich auch über Armuth und Leere des spartanischen Lebens wunderte, wol entgegensetzen könne: „Ich kenne wol deine Genüsse, aber du kennst nicht die meinigen.“ In Solon's Gesetzgebung sieht der Verf. nur ein vorübergehendes Heilmittel der Uebel, welche an dem Marke des atheniensischen Staates nagten. Mit Recht lobt er aber aus dem damaligen Standpunkte die Bestimmung Solon's, daß jeder Bürger Partei ergreifen müsse. „Es ist kein schlimmes Zeichen für einen Staat“, sagt der Verf., „wenn man ihm ein solches Gesetz zu geben wagt, und man kann von einem Gesetzgeber kaum eine bessere Bürgschaft seines guten Willens und seiner reinen Absicht und einen stärkern Beweis seiner Achtung vor der Freiheit der Nation verlangen.“ Von Solon geht der Verf. auf Plato und Aristoteles über, von welchen der Erstere das Ideale, der Letztere das Wirkliche im Staatsleben repräsentirt. Der Verf. vertheidigt den Staat des Plato, den „selbst Schüler lächerlich finden“, da die Erfahrung weder dafür noch dagegen zeuge, indem noch keine Versuche damit gemacht worden seien. „Dem gewöhnlichen Menschen ist abenteuerlich, was über das Gewöhnliche geht“, meint er; „den Maßstab des Möglichen findet er in seiner engen Wirklichkeit. Was hätte es aber je Abenteuerlicheres gegeben als Lykurg's Gesetzgebung, Hannibal's Zug gegen Rom und das Leben Napoleon's, wären sie nicht wirklich gewesen?" Dem Werke des Aristoteles über die Politik legt der Verf. „als den kostbarsten Resten des Alterthums für die Staatswissenschaften" eine vorzügliche Wichtigkeit bei und schenkt demselben deshalb eine umständlichere Betrachtung. Damit schließt er aber auch seine Geschichte der griechischen Staatswissenschaft. Von den Grundsätzen, nach welchen die übrigen griechischen Staaten außer Sparta und Athen beherrscht wurden, von der Verfassung des mächtigen macedonischen Reiches erfahren wir nichts. Die philosophischen Schulen der Jonier und Eleaten, der Pythagoräer und Sophisten, der Stoiker und Epikuräer, die Namen eines Herodot und Sokrates, Antisthenes und Aristipp, eines Demosthenes und vieler Andern bleiben unerwähnt.

(Der Beschluß folgt.)

Zeitansichten eines Süddeutschen. Von F. L. Bührlen. Leipzig, Scheible 1833. Gr. 12. 1 Thlr. 6 Gr.

F. L. Bührlen hat sich zwar jüngst über seine bisherige Sphäre hinausgemacht und einen Kunstroman mit einem tüchtigen praktischen Bodensatz geschrieben, der Lob verdient und erhalten hat; auf dem Felde der Politik war er aber bis jetzt, so viel Ref. bekannt, noch nicht erschienen und tritt nun plötzlich mit einem vielsagenden Schilde in die bedenklichen Schranken. Man braucht aber nur wenig hineinzublättern, um zu sehen, daß man sich getäuscht hat, wenn man einen Champion für die Sache, welche von zu vielen seiner Landsleute für die allein gute und echte, für die, die Noth thut, im Autor erwartet. Es wäre im Gegentheile eine Oppositionschrift gegen den aufgeregten Factionsgeist seiner warmblütigen Landsleute, welche mit Ueberhast Alles zertrümmen möchten, was sie von der Vorzeit in Traditionen überkommen haben, um das Gebäude ihrer Hoffnungen aufzuführen; denn Bührlen kämpft mit den Waffen des Gefühls, des Raisonnements und der Laune gegen die Alleinseligmacher und könnte hier und da in der Hitze des Gefechts zu weit gehen; aber auf keinen Fall darf man ihn darum für einen Champion von der andern Seite halten. Er ist auch hier, wie in Allem, was von ihm bekannt, ein verständiger und ruhiger Mann, der die Dinge abwägt, durchfühlt und durchdenkt, bevor er sich ausspricht und für eins erklärt. In seiner Vorrede spricht er sich dahin über sein Buch aus: wenn es der Ertrag der Lebenserfahrung und reinsten Ueberzeugung sei, wenn es keiner selbstischen Absicht diene, sondern einem sittlichen Zwecke, so werde es sich selbst vollständig erklären und verantworten. Ueberzeugt von der Unvollkommenheit der Mittel, Das auszudrücken, was er beabsichtige, gibt er das Einzelne der Discretion preis und will sich durch ein Deuteln nicht beunruhigt fühlen.

Daß nichts Selbstisches, keine eitle Sucht, zu glänzen, den Verfasser trieb, wird ihm jeder Leser gern bezeugen. Es gehörte auch eine besondere Eitelkeit dazu, sich einem Strome entgegenzustellen mit dem Vorauswissen, daß man ihn nicht hemmen kann und ohne einen Effect besten Falls auf die Seite geschoben [illegible] getragen wird. Ohne eine glänzende [illegible], [illegible] den Willen, Etwas zu ändern, was nicht zu ändern [illegible] als rechtschaffener Mann seine Ueberzeugung [illegible] Ueberzeugung ist nicht diejenige, welche ihm zu Ehren verhilft, [illegible] der äußern — auf einer Seite Orden, auf der andern Popularität —, was aber zu der Ehre, daß der Wohlmeinende sich freut, daß ein Wohlmeinender den Muth gehabt, sich zu erklären, wo eine Erklärung nicht Ruhm, nur Gefahr brachte. Um Märtyrer zu werden, wagen Viele viel, aber um ihr Scherflein beizutragen zur Protestation gegen eine grassirende Factionswuth, treten nur Wenige auf. Es heißt da gewöhnlich: sich unterducken ist am besten, es werden ja bessere Zeiten kommen; und diese Lebensphilosophie hat nicht in Frankreich allein den Berg, der anfangs so klein war, groß gemacht, sie hat Verderben gestiftet und stiftet Verderben in vielen Ländern. Es ist eine Antithese, eine Schicksalsironie, daß auch der ruhige Bürger, weil er ein ruhiger Bürger ist, seinen Staat an den Rand des Abgrundes führen kann. Ein solcher ruhiger Bürger ist Bührlen nicht, dagegen hat er sich durch dieses Büchlein verwahrt und uns im Norden die angenehme Ueberzeugung gegeben, daß auch in Süddeutschland Denker und Schreibende sind, welche nicht wie die große durch ihre Zeitungen repräsentirte Menge denken. Und das wäre genug, der Schrift Werth zu geben, wenn sie auch keinen durch ihr Raisonnement hätte.

Was er aber damit meint, wenn er in der Vorrede sagt, er gebe Alles der Discretion preis und wolle sich durch ein Deuteln nicht beunruhigt fühlen, begreift Ref. nicht. Ersteres hat seine Richtigkeit; aber von einem Deuteln kann nicht gut die Rede sein, da Der ein äußerst verstockter Leser sein müßte, der nicht die Deutung im Allgemeinen verstünde, und seine Landsleute werden ihn wahrscheinlich, falls er sich nicht mit ihnen schon im Voraus gesetzt hat, dafür zur Verantwortung ziehen. Ein bedeutungsvolles Wort spricht er in der Beziehung schon in der Vorrede aus, wenn er sagt: „Es gibt neben der gesetzlichen Beschränkung der Presse auch eine solche durch den Terrorismus der Parteien; warum soll, wer ein gutes Gewissen hat, wenn er sich durch jene Schranken beziehungsweise frei bewegte, sich hier beengen lassen?"

Kritisch oder auch nur referirend den Inhalt durchzugehen, kann nicht der Zweck dieser Anzeige sein. Es sind einzelne Aufsätze und Aphorismen des mannichfachsten Inhalts, also schwer durch eine Recension zu umschlingen. Alle Bemerkungen haben ihren praktischen Grund und Boden, es sind Erfahrungsätze, wie z. B. der: „Eine unbändige Neigung zum persönlich öffentlichen Auftreten ist frei geworden und hat sich über alle Stände verbreitet; wer aber seinen Namen nicht durch eine bedeutende Sache zu erhöhen weiß, versucht es wenigstens durch Verunglimpfung eines bedeutenden Namens. Manche, denen es misglückte, berühmt zu werden, wurden wenigstens berüchtigt"; wobei er an das curiose Minimum der Berühmtheit erinnert, daß ein gewisser Journalist an sein Tageblatt durch Räthsel köderte. Wer die schriftliche Lösung einsandte, kam mit Vor- und Zunamen in sein Blatt und wurde ein berühmter Mann. Aphorismen wie jene und viele noch ließen sich als Motto brauchen, und es fehlt einigen darunter nicht an schlagendem Witze. Doch, wenn ein Urtheil im Allgemeinen gefällt werden soll, würde es dahin lauten, daß Neues in überraschend neuen Wendungen ebenso wenig als glänzend Dargestelltes in diesen „Zeitansichten" vorherrschend ist; es ist die Wärme, Innigkeit, die Ueberzeugung, welche ihnen Werth gibt; auch die Phantasie blickt, jedoch nur zuweilen, hervor. Der Dichter läßt sich, nicht unanmuthig, in einzelnen Mischlingen zum Schluß vernehmen, z. B.:

Unsinn! Unsinn! — rufst du aus,
Hast ihn morgen selbst zu Haus.

Das nennt man Licht, was selber brennt.
Mein Sohn, du bist nur transparent.

Ihr nach rechts und links Entzweite,
Laßt doch, obstinate Leute,
Euch in solchem leeren Streite
Von den Ruhigen berathen.
Zwischen Vor- und Hinterseite
Liegt das Gold ja des Dukaten.

Auf, ihr Katzenmusikanten,
Bringt dem starren Obscuranten
Unter wilden Volksschwärmen
Euern Charivarilärmen.

Euer Pereat dem Dunkeln.
Der nur trachtet zu vermitteln,
Gute Sache zu vermunkeln. —
Ihm, der uns mit Wortkarfunkeln
Aus dem Schlafe weiß zu schütteln,
Unserm hohen Patrioten,
Der der Willkür Trotz geboten,
Diesem Manne, hochbetraut,
Schallen Vivats donnerlaut.

Jeder über öffentliche Dinge Schreibende macht eine eigenthümliche Erfahrung. Die Zeit geht wahrnehmbar mit raschem Schritte an ihm vorüber, und was die Welt beim Beginn des Buches ihre höchsten Anliegen und Lebensfragen genannt hat, das ist vielleicht bei Beendigung desselben schon zum Abgethanen hinabgesunken, ein Gleichgültiges, von neuen Zeitinteressen Verdrängtes sagt nämlich der Autor, doch aber findet das auf sein Buch keine Anwendung. 26.

Correspondenznachrichten.

Hamburg im Juli 1833.

Die Besorgniß, daß Hamburg, oder vielmehr die Elbe, was aber eins und dasselbe ist, einmal versanden könnte, eine Furcht, welche gewisse weitsehende Leute wirklich plagen soll, macht sich wenigstens in diesem Sommer nicht laut. Man freut sich des Sonnenscheins, ist lustig und denkt bei den Elb- und Alsterfahrten nicht an Sandbänke, an die man stoßen könnte. Es geht Alles statt. Selbst der Buchhandel klagt nicht, wenigstens nicht zu sehr. Geht es nicht mehr mit dem Liberalismus, geht es vielleicht wieder mit dem Loyalismus; bleibt Börne sitzen, geht vielleicht Jarcke; der Handel muß auf Alles gefaßt sein, also auch auf einen Wandel. Nächst Düsseldorf ist Hamburg Heine's Vaterstadt, und daher erscheint auch mit nächstem hier ein neues Buch von ihm bei Hoffmann und Campe. Heinrich Heine's Papiere stehen bekanntlich auch bei der Handelswelt, namentlich der hiesigen, sehr hoch; doch ist der Curs derer von Salomon Heine noch viel höher. Der zweite Band von Wienbarg's „Holland" ist unter der Presse, über die — es ist aber eine andere —, die hiesigen Zeitungen sehr klagen, denn sie sollen gar keine Meinungen äußern, weder republikanische (da Hamburg bekanntlich eine Republik, wären es eigentlich loyale für einen guten Bürger) noch royalistische, die der Senat als einen Versuch zum Umsturz der Verfassung ansehen könnte. Kämen nicht dann und wann an den unparteiischen Correspondenten freimüthige Meinungen aus Berlin, so meint man — in Hamburg — es wäre mit der Meinungsfreiheit aus. Man druckt die freien officiellen Meinungen aus Berlin und freut sich, daß man so frei sein darf.

Die Sommervergnügungen haben sich seit einigen Jahren hier mit der Theaterlust vermählt. Die hiesigen Sommertheater — vier bis fünf stehende — sind wirklich eine interessante Erscheinung und thun dem großen Stadttheater in der Saison merklichen Abbruch. Wer sitzt nicht lieber an einem schönen Abende im Freien als in der schwülen Luft eines lampenerhellten Saals, wenn man dort wie hier eine Tragödie oder ein Lustspiel mit wirklichen Menschen, Costumen und einem Souffleur vor sich agirt sieht. Und dazu kann man essen und trinken, und die Damen nähen und sticken. Das Sommertheater im Tivoli befriedigt außerdem mäßige Anfoderungen des Theaterfreundes, die andern um desto größere für Die, welche lachen wollen, nur lachen. Die Tragödie thut hier bessere Dienste als das Lustspiel.

Dennoch macht das Stadttheater keine schlechten Geschäfte. Es hat so viel Gäste, daß trotz der Sommertheater und des Sommers doch ein Theil der Einwohnerschaft gefesselt wird, so sauer es ihm auch wird. Man glaubte, das neue Haus mit den gesteigerten Anfoderungen werde den Ruin des Instituts wie der meisten neuen Theater nach sich ziehen; es hält sich indeß trotz und mit der „Stummen von Portici" und „Robert dem Teufel". Schmidt und Lebrun sind gewitzigte Directoren, welche die alte Zeit und die heutige und ihr Publicum kennen. Noch immer ist das Conversationstück im Flor; nur muß nicht schön Wetter sein, sonst sieht man „Die Jäger" lieber im Freien als hinter dem Souffleurkasten. Den großen Succeß, den Herr von Holtei hier als Schauspieler gefunden, verdankt er mit dem Umstande, daß man noch Schauspiele mit Charakterrollen sehen will und unter dem Publicum noch viele feine Kenner des alten Theaters sind, welche in seiner charakteristischen Art, Rollen durchzuführen, einen Anklang an die Schröder'schen Zeiten finden. Im königsstädtischen Theater stand er darin zu vereinzelt; hier wird er nach Verhältniß der Kräfte von allen Mitgliedern der Bühne unterstützt. Er ist der entschiedene Liebling des Publicums, das nur Eins bedauert, nämlich, daß seine Darstellungen immer auf einen schönen Tag fallen. Merkwürdig ist, daß grade das Stück, welches in Berlin erst seinen Ruf als Schauspieler begründete, sein „Lorberbaum und Bettelstab", hier verhältnißmäßig geringen Effect machte, wohingegen eine Kleinigkeit, „Hans Jürge", die in Berlin just mißfiel, dem Dichter und Darsteller die volle Liebe der Hamburger verschaffte und nicht oft genug gegeben werden kann. Lerne noch Jemand einen deutschen Geschmack kennen. Es gibt nur Hamburger, Leipziger, Wiener, Berliner — und nun will man eine reale Normaleinheit, wo die ideelle nicht einmal zu bewirken ist! Holtei's „Alter Feldherr" hat hier eine Umänderung erlitten. Napoleon bleibt weg, und Kosciuszko segnet die Polen zum Untergange ein. Die Wirkung kann man sich denken. Das Stück hatte früher hier misfallen; mit dieser Aenderung und mit Holtei als Kosciuszko machte es Furore. Uebrigens ist nichts Herausfoderndes darin. Unter den Gästen hat das Cornet'sche Ehepaar — Cornet ist ein Liebling der Hamburger aus alter Zeit — dazwischen einen gewohnten Succeß gehabt; nur sind Rivalitäten zwischen berühmten Sängern und Sängerinnen noch schwerer zu beseitigen als bei Schauspielern, und es gab mancherlei Kriege, die besser vergessen werden, während Holtei's Auftreten sehr harmlos blieb. Er mag durch Schaden klug geworden, die Verträglichkeit wie seine Rollen studirt haben und wird vermuthlich weder um eine Seiltänzerbande, noch um sonst etwas wieder Kriege anfangen, die sein erstes Auftreten auf dem deutschen Theater nicht zu seinen Gunsten eclatant gemacht haben. Ueberhaupt ist vielleicht die hamburger Luft von versöhnlicher Natur. Auch die französische Truppe aus Berlin spielt jetzt hier mit Beifall und in ungestörtem Einverständniß mit den Einheimischen.

Man bedauert, daß Krankheitsumstände eine der gewichtigsten kritischen Federn hier, die des geistreichen Zimmermann, wol berufen, einer unserer vorzüglichsten Dramaturgen zu bleiben, so lange unthätig gemacht. Dr. Wurm verschafft dem kritischen Beiblatt zur Börsenliste durch seine taktvollen Würdigungen der bedeutendern Erscheinungen unserer Gesammtliteratur immer mehr Beifall. Dr. Töpfer ist bei guter Laune und wird, während Alles sich zurückzieht von der deutschen Schaubühne, ihr wol noch manches willkommene Scherflein liefern. Aber das hamburger Volksleben ist so reich; sollte hier kein Originallustspiel auftauchen können? Der Versuch, ältere Lustspiele ins Plattdeutsche zu übersetzen, und Bärmann's gelungene Versuche sind nur ein glücklicher Anfang. 192.

Redigirt unter Verantwortlichkeit der Verlagshandlung: F. A. Brockhaus in Leipzig.

Blätter für literarische Unterhaltung.

Donnerstag, — Nr. 220. — 8. August 1833.

Geschichte der Staatswissenschaft von J. Weitzel. Erster Theil.

(Beschluß aus Nr. 219.)

Den Zustand der Staatswissenschaften bei den Römern sondert der Verf. in den unter den Königen, in den Zeiten der Republik (wo er den Lehren Cicero's eine besondere Aufmerksamkeit schenkt) und unter den Kaisern, wovon jeder Zeitraum einen verschiedenen Charakter ansichtragen mußte; dann betrachtet er den Einfluß des Christenthums in Beziehung auf den Staat und schließt mit einem Résumé von Bemerkungen über einige der wichtigsten Punkte der Gesetzgebung und Staatswissenschaft der Alten. Er findet darin drei Grundideen vorherrschend, die den Willen des Menschen und nicht wie die Neuern nur die That mit dem Gesetze in Einklang zu bringen; die, allen Staatsgenossen dieselben Mittel zur Ausbildung ihrer Anlagen darzubieten, und endlich die, unter denselben eine gewisse Gleichheit des Vermögens zu erhalten. Der Verf. führt darauf diese Grundideen weiter aus und läßt sie von den Freunden des Alterthums vertheidigen. Bei dieser Gelegenheit spricht er verschiedentlich in der ersten Person (so sagt er unter Anderm S. 117: „Wir erwarten Alles von der Legalität des Menschen. Ich rechne auf die Moralität desselben") und vertheidigt die Grundsätze der Alten mit einer Lebendigkeit und einem Feuer, daß man ihn selbst für einen Anhänger derselben halten müßte, wenn man nicht in dieser Meinung durch den Schluß seiner Betrachtung wieder irre gemacht würde, welcher so lautet:

Das waren die Grundsätze und Ansichten der Weisen des Alterthums, die ihre Bewunderer und Verehrer auf die angeführte Art zu rechtfertigen suchen. Es lohnt sich der Mühe nicht, dieselben in unserer Zeit zu widerlegen, die sie als irrig und abgeschmackt verdammt. Die Freunde der antiken Staatsweisheit mögen mit diesem Ausspruche der Gegenwart vielleicht nicht zufrieden sein und können sich in diesem Falle auf das Urtheil einer spätern Zeit berufen, die Gericht halten wird über die Alten und über uns, die nun die Alten richten. Es ist so manche Weisheit in dieser Welt zur Thorheit geworden, daß auch die neueste ein solches Schicksal haben kann.

Bei der Deduction der staatswirthschaftlichen Principien (S. 111 fg.) macht sich der Verf. einiger Wiederholungen und Inconsequenzen schuldig. So sagt er (S. 112): „Den Menschen nennen wir reich, dessen Mittel, seine Bedürfnisse zu befriedigen, diese Bedürfnisse selbst übersteigen", und (S. 115): „Der Reichthum besteht, wie wir gesehen haben (?), in dem Besitze der Mittel, die unsere Bedürfnisse zu ihrer Befriedigung nothwendig machen", und gleich auf der folgenden Seite wieder: „Ein Mensch kann sich reich nennen, wenn bei dem Vergleiche der Mittel mit der Anzahl seiner Bedürfnisse die Summe jener diese übersteigt."

Die zweite Abtheilung (S. 122 bis Ende) der besprochenen Schrift enthält die Geschichte der Staatswissenschaft vom Untergange des römischen Reichs bis zur französischen Revolution. Ueber den fünfthalbhundert Jahre andauernden Zeitraum der allmäligen Auflösung des römischen Reichs und die noch längere Zeit, welche die neue Welt gebrauchte, um sich auf den Trümmern der alten zu gestalten, muß der Verf. wol schweigen, da in diesem Zeitraume von staatswissenschaftlichen Principien nicht die Rede war und nur Gewalt und Zufall das Schicksal der Völker bestimmte. Wegen des Mittelalters verweist er uns auf seine „Betrachtungen über Deutschland von der letzten Hälfte des 8. bis zur ersten des 13. Jahrhunderts". Nur mit wenigen, aber kräftigen und treffenden Pinselstrichen charakterisirt er diese Periode. Als Probe seiner individuellen und lebendigen Anschauung und Denkweise geben wir die kräftigen Worte, welche er über die Benutzung der in den Alten uns überkommenen Schätze sagt, da sie bis in die neuesten Zeiten gelten und selbst hier und da heutzutage noch zur Beherzigung empfohlen zu werden verdienen. (S. 131 fg.)

Sogar das Studium der Alten, die nach Eroberung von Konstantinopel im Abendlande bekannter wurden, hat den Gang der wahren Bildung aufgehalten. Die ganze Aufmerksamkeit ward ihnen zugewendet, und in Kunst und Wissenschaft eignete man sich von ihnen nicht nur Form und Gehalt, sondern selbst die Sprache an. Es war eine Auszeichnung, wie Cicero und Livius zu schreiben, mit Aristoteles und Plato zu denken, und der Gelehrte entfremdete sich so seiner Zeit und seinem Volke. Die Wissenschaft ward dürre Buchstabenweisheit, leeres Zungendreschen, mühevolles Forschen nach gleichgültigen Dingen. Allenthalben trat das todte Wort an die Stelle des Gedankens und des Gefühls, von denen Leben ausgeht und die wieder Leben geben. Die Gelehrten machten mit ihrer Sprache und den Gegenständen ihres Strebens eine Kaste aus, die wie in Aegypten mit ihrem abgeschlossenen Berufe vereinzelt im Volke und im Lande stand und wie in Indien ihren Sanskrit hatte. Diese Sprache war nur ein todtes Wort, und wie sie als solches empfangen wurde, so konnte sie auch nur als solches wiedergegeben werden. Was ist das für eine Sprache, in welcher der Mensch nicht denkt und fühlt, in welcher das Kind nicht seine Aeltern hört, der Freund nicht zum Freunde, der Liebende nicht zur Geliebten spricht? Eine Sprache, die keine Kindheit, keine Jugend, keinen Umgang, kein Leben hat? So ward die Wissenschaft als eine heilige Mumie ausgestellt und verehrt; so ward sie zum dürren Reise, von dem herrlichen Baume auf griechischem und römischem Boden losgerissen und wurzellos in eine fremde Erde gepflanzt, die ihr keine Nahrung geben konnte. Und diese Wissenschaft, zunftgemäß bewahrt und mitgetheilt, ist die Weisheit des Abendlandes Jahrhunderte hindurch geworden. So steht es mit aller Weisheit, in die sich die Thorheit verkleidet und die das Erbstück der Thoren und Pedanten geworden ist, die vielleicht in ihrem aufrichtigen Bemühen einem noch schlechtern Zwecke dienen! Die Flüchtlinge aus Konstantinopel, wird behauptet, haben mit den griechischen und römischen Classikern die classische Bildung nach dem Abendlande gebracht. Die classische Bildung! Dann hätten sie uns gebracht, was sie selbst nicht hatten. Den Leib der Alten hat die philologische Anatomie der Neuern gut genug secirt und dargelegt, aber von ihrem Geiste, der zürnend auf die Leiche sieht, in der er sich wiedererkennen soll, ist immer und allenthalben nichts zu spüren.

Mit Machiavelli beginnt der Verf. den neuen Zeitraum der nach langem Schlafe wiedererwachenden Staatswissenschaft. Diesem großen, im Leben viel verfolgten und nach dem Tode oft verkannten Lehrer der Staatsweisheit setzt er ein würdiges Denkmal zu Anfang dieser Periode. Er huldigt der bereits früher von Gentilis und später von Mehren angenommenen, gewiß allein richtigen Ansicht, daß Machiavelli in seinem „Fürsten" nicht ein Bild, wie dieser *sein soll*, habe aufstellen, sondern vielmehr Fürsten und Völkern einen Spiegel vorhalten wollen, um ihnen darin das abschreckende und warnende Bild eines Fürsten, wie sie zu seiner Zeit *wirklich waren*, vorzuhalten.

Das ganze Buch ist Thatsache, beurkundet auf jedem Blatte der Welt- und Völkergeschichte, das die Verbrechen und Laster der willkürlichen Gewalt besudeln; es ist der Beichtspiegel der Tyrannei. Ihre Sünden sind in ihm aufgezählt, nicht damit menschliche Machtrober sie begehen, sondern damit Solche, die es nicht sind und die nur herrschen wollen, die Wege erkennen, die zu ihrem Ziele vor ihnen offen liegen. So lese ich den „Fürsten", das Handbuch der Freiheit, das Todtengericht aller Willkürherrschaft. Im Interesse der Menschheit und gesetzmäßiger Verfassungen kann kaum ein besseres Werk geschrieben werden. Zum Glück hat es die Gewalt, aber zum Unglück auch die Freiheit nicht sogleich verstanden. Beide nahmen den Buchstaben und das Wort ganz buchstäblich und wörtlich, und dieser grobe Irrthum bewahrte den Verfasser vor dem Tode des Märtyrers, gab aber seinen Namen der Schande preis. So wird gelesen und verstanden!

Nach der Reihe macht uns nun der Verf. mit den Lehren eines Thomas Morus, Buchanan, Languet, Bodin, Mariana, Lipsius, Hugo Grotius, Hobbes, Milton, Harrington, Filmer, Algernon Sidney, Locke, Spinoza, Vico, Montesquieu, Destutt de Tracy, Rousseau, Filangieri und Benjamin Constant, Stewart, Smith, Puffendorf, Wolf und Böhmer bekannt. Bis hierher hat der Verf. meistens nur eine äußere Geschichte, eine Geschichte der wissenschaftlichen Bearbeitung der Staatswissenschaften gegeben. An Staatsgrundgesetzen im neuern Sinne des Worts fehlte es in diesem Zeitraume gänzlich; in England entwickelte sich zuerst das constitutionnelle Princip, ward von da nach Nordamerika, von Nordamerika nach Frankreich und von Frankreich nach Deutschland übertragen. Die beiden letztern Länder wird der zweite Theil des Werks umfassen, während der erste nur noch die englische und nordamerikanische Verfassung kürzlich entwickelt. Die Geschichte der englischen Verfassung zerlegt der Verf. in zwei Abschnitte, wovon der erste bis zur Revolution von 1688, der zweite bis auf unsere Zeiten reicht. *Freiheit* nimmt der Verf. auch bei der englischen Verfassung als das älteste Element an, sowie er die Sklaverei überhaupt als eine spätere Erfindung ansieht, deren systematische Ausbildung und wissenschaftliche Begründung einen gewissen Grad der Cultur voraussetzt. Schon in den frühesten Zeiten hatten die Engländer Nationalversammlungen, Provinzialstände und Geschworene, die wol schon vor Alfred dem Großen vorhanden waren. Gewiß aber litten die freisinnigen Institutionen unter dem Könige nicht, welcher in seinem Testamente die goldenen Worte sprach: „Mögen die Engländer immer so frei bleiben wie ihre Gedanken!" Der schöne Wunsch realisirte sich freilich nicht sogleich, und häufig war die Freiheit der Briten mit trüben Wolken umhüllt, aus denen sie aber nur mit erneutem Glanze hervortrat. Unter dem Eroberer Wilhelm trat die rohe Gewalt an die Stelle des Rechts. Das Volk wurde dadurch an Sicherung und Wahrung seiner Rechte erinnert. Johann mußte 1215 die Magna charta unterzeichnen, den Regenten aus dem Hause Stuart, welche zum Absolutismus und Katholicismus neigten, nöthigte das Parlament 1629 die Petition of rights (der Verf. übergeht sie), 1673 die Testacte und 1679 die Habeascorpusacte ab. Der Prinz von Oranien, welchen das Parlament 1689 als Wilhelm III. auf den Thron berief, mußte die Bill of rights unterzeichnen, wodurch Englands Freiheit aufs Neue verstärkt und befestigt wurde. „Die Gesetze Englands", heißt es darin, „sind das unverletzbare Recht des Volks und gehen über den König." Den Act of settlement übergeht der Verf. und führt nur noch die schottische und irländische Unionsacte als wichtige Grundgesetze des britischen Reiches an, worauf er dann einen kurzen Abriß der Grundzüge der englischen jetzt bestehenden Verfassung liefert. Die Reformbill, welche schon jetzt hierin Manches geändert, in deren Gefolge aber noch Vieles von dem Veralteten, das der rein a posteriori gebildeten Form des englischen Staats anklebt, schwinden wird, konnte derselbe dabei wol der Zeit ihres Erscheinens nach nicht mehr berücksichtigen, dem Plane seines Werkes zufolge hätte dies sonst geschehen müssen, da der Verf., obwol er die Geschichte der übrigen Staaten nur bis zur französischen Revolution fortführt, die des englischen bis auf unsere Zeit behandeln will. Den Beschluß des ganzen bisher betrachteten Werkes macht eine kurze Darstellung der Verfassung der vereinigten Staaten von Nordamerika.

Wenn wir erschöpfende Vollständigkeit vermißt und manche Lücke in dem Gegebenen entdeckt, so können wir doch nicht umhin, zu gestehen, daß uns das Lesen des in einer schönen und lebendigen Sprache geschriebenen Werkes einen hohen Genuß verschafft hat. Es weht darin ein so warmes und erhabenes Gefühl für Freiheit und Menschenwohl, ein so gesunder, von allem Schulstaube gereinigter, kräftiger und frischer Sinn, daß wir den Verf., den wir als Gelehrten achteten, auch als Menschen liebgewonnen haben. Möge er sich dieses Gefühl, diesen Sinn auch bei den niederschlagenden Erfahrungen unserer Tage erhalten und ihm nicht die Kraft fehlen, in demselben Geiste den zweiten, der neuern Zeit gewidmeten Theil seines Werkes recht bald zu vollenden. 169.

Correspondenznachrichten.

Berlin, im Juli 1833.

— — Der hamburger Correspondent scheint an der Leber zu leiden. In der That ist sein Zustand bedenklich. Bei aller Gutmüthigkeit der Gesinnung so viel schwarzer Flor vor den Augen; noch immer mitten am Tageslichte Gespenster oder schon Abendnebel beim Sonnenschein. Bereits früher bemerkte ich, daß derselbe aus einer berliner Wachparade — in der alten Befürchtung, man könne darunter verdeckterweise noch wie zur Zeit der schlesischen Kriege ein ganzes Preußenheer verstehen — eine Zusammenziehung der Heereskräfte melancholisch deducirte; jetzt treibt die hypochondrische Besorgniß den wackern Briefsteller, aus den Badereisen verschiedener hohen Herrschaften der ganzen Welt ein bedenkliches Prognostikon zu stellen. Nehmen wir die Sache schlicht und einfach, so kann die Verzögerung der Reise unsers Königs, der erst am 26. Juli gegen seine Gewohnheit so spät in Teplitz angelangt ist, keinen andern Beweggrund gehabt haben als ein etwaniges Zusammentreffen mit Karl X. zu vermeiden, der bis Mitte d. M. noch im Badeorte sich aufhielt. Daß Land und Ort zu einem präsumirten Congresse der drei osteuropäischen Monarchen bestimmt sei, scheint reine Fiction. Wir können unsererseits vielmehr aus ziemlich guter Quelle versichern, daß der Kaiser von Rußland im Laufe dieses Jahres weder nach Polen noch nach Schlesien oder Böhmen geht. Die Möglichkeit einer freundlichen Zusammenkunft des Kaisers von Oestreich und der preußischen Majestät auf einem Schlosse des Fürsten Schwarzenberg in Böhmen wollen wir mit leichtem Herzen und ohne bedrückte Stimmung gern einräumen. Zu einem gegenseitigen Austausch der Ansichten und Meinungen über die portugiesische Angelegenheit sind auch in Teplitz selbst schon bedeutende Organe versammelt, von Seiten Oestreichs Metternich, vom russischen Cabinete Graf Tatitscheff. Zu des Königs von Preußen gewöhnlicher Begleitung, dem interimistischen Kriegsminister General v. Witzleben, dem Geh.-Cabinetsrath Albrecht und dem Generalstabsarzt Dr. Wiebel, gesellten sich diesmal noch der Herzog Karl von Mecklenburg, Commandeur der Garden, und der Minister des Auswärtigen, Ancillon, welche in kurzen Zwischenräumen dem Könige folgten.

In unsern Gesandtschaften treten mehrfache Veränderungen ein, die jedoch zu der Erledigung eines friedlichen Looses im Laufe der großen Angelegenheiten Europas ohne alle hindernde Beziehung stehen. Ein Herr v. Arnim, dessen früheres Auftreten im diplomatischen Fache uns unbekannt blieb, geht als chargé d'affaires nach Brüssel, der bisherige Kammergerichtsrath v. Rönne als Ministerresident in den Vereinigten Staaten nach Neuyork. Hr. v. Jordan, bekanntlich ein Freund Hardenberg's, tritt den durch den Tod des Freiherrn von Maltzan in Wien erledigten Gesandtschaftsposten an, während der Baron v. Miltitz, früher Gesandter an der Pforte, die Stelle des genannten Ministerresidenten in Dresden einnimmt. Der bisherige Geschäftsträger in Stuttgart, Graf Luxi, ist in Folge seines mehrjährig geäußerten Wunsches, der Heimat seiner Familie, den ionischen Inseln, näher zu sein, als Gesandter am Hofe König Otto's von Griechenland bestimmt und zuvörderst mit einer Legation nach Alexandria beauftragt. Der Geh.-Rath Eichhorn ist nach München gereist, angeblich zur Wegräumung einiger Hindernisse, welche der schließlichen Ratification des großen Zoll- und Handelsvereins zwischen Preußen und Baiern noch im Wege stehen sollen. Zieht sich der Abschluß der Verhandlungen und die Stipulation des Vertrages vielleicht doch noch bis zum November hin, wo, wie es heißt, die bairischen Kammern berufen werden?

Durch den Tod des wirklichen Geh.-Reg. Rathes und Directors im Ministerium des königl. Hauses, Karl Georg v. Raumer, ist nunmehr die Stelle eines Präsidenten des Obercensurcolligiums erledigt. Man deutet auf Hrn. v. Rehfues als muthmaßlichen Nachfolger des Genannten, der im Anfange des Juli nach Vollendung des 80. Lebensjahres starb. Er war der Oheim des Verf. der „Geschichte der Hohenstaufen".

Ein glänzendes Festmahl im Jagor'schen Saale versammelte am 24. Juli die Verehrer eines bewährten Veteranen der medicinischen Wissenschaften. Es war der königl. Leibarzt, Staatsrath und Professor Christoph Wilhelm Hufeland, der sein funfzigjähriges Doctorjubiläum feierte oder dasselbe vielmehr Andern zu feiern überließ, während er selbst den glorreichen Tag auf einem still gelegenen Landhause verlebte. Von allen Seiten des civilisirten Europas liefen Glückwünschungschreiben, ein fanden sich Ehrendiplome zusammen, gelangten deutsche wie lateinische Oden und werthvolle Geschenke zur Feier des Tages an, unter denen der rothe Adlerorden erster Classe mit Eichenlaub in Begleitung eines eigenhändigen Schreibens Sr. Majestät des Königs nicht als das minder Bedeutende genannt zu werden verdient. Der Professor Nees v. Esenbeck in Breslau glaubte den Tag nicht schöner und sinnreicher feiern zu können, als indem er einer neu entdeckten Pflanze den Namen Hufelandia beilegte.

Zur Geschichte der Feier des Tieckfestes gehört noch folgender humoristischer Nachtrag. Der dem Andenken des Staatskanzlers von Hardenberg dargebrachte Toast hat dem Hrn. Friedrich von Raumer einen Drohbrief seltsamster Art zugezogen, wo in ein Anonymus mit bitterer Gallsucht über die vermeintliche Verwogenheit seinem Herzen Luft macht, die Erinnerung eines Mannes feiern zu wollen, der den Staat an den Rand des Verderbens gebracht habe, weil er die Bande der herkömmlichen Ordnung löste. Dem Toastbringer wird wohlmeinend und doch drohend angerathen, das Glück des Staats künftig weidlicher in Obacht zu nehmen. Das Komische des Ereignisses wird dadurch noch erhöht, daß der Brief, den Hr. v. Raumer unter seinen Bekannten circuliren läßt, völlig unorthographisch abgefaßt ist.

An dieser Stelle dürfen wir füglich auch der Gedächtnißfeier Leibnitz's gedenken, welche die königl. Akademie der Wissenschaft am 4. Juli durch eine öffentliche Sitzung beging. (Der eigentliche Geburtstag des Mannes, der in Leipzig das Licht der Welt erblickte, war der 3. Juli.) Auf die sonst gebräuchlichen Festivitätsreden folgte eine Preisvertheilung nach Mittheilung des Urtheils über die eingelaufenen Arbeiten. Zu dem durch ein Legat gestifteten Preise für Oekonomie und Agronomie war eine Darstellung der Veränderungen, welche die Pflanzen beim Uebergang in Torf erleiden, als Thema gesetzt worden. Die Abhandlung des Hrn. Professor A. F. Wiegmann in Braunschweig war die gekrönte Preisschrift. Die philosophisch-historische Classe stellte für das J. 1835 als Foderung eine Darstellung des Zweckes, der Organisation, der Leistungen wie der Geschichte des alexandrinischen Museums. An dem Tage der Leibnitzfeier 1835 wird die Entscheidung über den gesetzten Preis von 50 Dukaten erfolgen. Schließlich las Hr. Heinrich Ritter einen Aufsatz über das „Verhältniß der Philosophie zum wissenschaftlichen Leben überhaupt". In öffentlichen Blättern hieß es vor Kurzem von Kiel aus in Betreff des besagten Hrn. Heinrich Ritter, man hoffe ihn „der dasigen Universität einzuverleiben".

Herr Beneke, auch ein Philosoph, sowie man im gemeinen Leben von jeder terra tristis sagt: auch eine schöne Gegend! — ist keineswegs nach Königsberg an Herbart's Stelle berufen. Was hätte Kant's Geist dazu sagen sollen, wenn das altberühmten Katheder Jemand besteigen wollte, der heutzutage noch beim Gestigen stehen geblieben und die Revolutionen des geistigen Lebens, wie sie durch Schelling und Hegel das Innere erschütterten, nicht weiter miterlebt, d. h. mitdurchdacht hat. Kant's Geist hätte nichts dazu gesagt, allein sein edles schlummerndes Gebein hätte ihm die andere Seite zugekehrt. Wie es aber in Hinsicht der Politik und des öffentlichen Lebens Leute gibt, vor welchen die Staatsumwälzungen wie spurlose Gebilde eines willkürlichen Zufalls vorüberziehen, so finden sich auch Philosophen unter uns, die für jeden neuen Durchbruch der innern Geisteswelt blind und stumpf sind. An Herbart's Stelle aber ist, wie es verlautet, der Professor Rosenkranz in Halle berufen. Hegel's Stelle ist noch immer ohne designirten Nachfolger offen. Man sprach neuerlich abermals von der Berufung des Studiendirectors Gabler in Baireuth nach unserer Universität.

Das Gerücht, es seien in Folge der frankfurter Auftritte auch mehre hiesige — man nannte 15 — Studenten gefänglich eingezogen, muß insoweit beschränkt werden, als diese allerdings stattgefundene gefängliche Einziehung nebst Transportation nur Ausländer getroffen, die kurz nach den Unruhen in der Maingegend hierher gekommen waren und auf alsbald erfolgte Requisition eingesteckt wurden. Vielleicht haben sich auch einige hiesige Musensöhne durch Correspondenzen mit süddeutschen Akademikern compromittirt und einen Verdacht erregt, der jedoch, leicht erregt, ebenso leicht schwinden wird. Preußischerseits wurde aus Leipzig Herr Jacobi, als wegen seines „Politischen Büchleins für Deutsche" verdächtigt, requirirt. Er ist von dem Criminalgericht des hiesigen Stadtgerichts fiscalisch belangt und bereits mehrmals vernommen. Man hofft jedoch auf einen für den Angeklagten günstigern Ausgang der Sache.

Herr von Savigny hat der Lehr- und Lernfreiheit auf deutschen Universitäten in dem von Ranke herausgegebenen Journal nach wie vor das Wort geredet. „Die geistigen Kräfte", heißt es unter Anderm, „beschränken und schwächen, aus Furcht, sie könnten zur Zeit eines Kampfes zum Feinde übergehen, ist unzweckmäßig und tadelnswerth." Ganz damit im Contraste hiesigen Blatte eine Stimme vernehmen. Man sei jetzt — also verläßt sich in einem andern, in mephitischem Geruche stehenden lautet diese Stimme — ziemlich wieder auf dem Standpunkte von 1819: nichts als Demagogie unter der Jugend; bei aller Schwäche viel aufbrausende Hitze; gegen diese verrätherische Schwäche der Jünglingsenthusiasten seien „heroische Mittel" gut. Manchen Leuten unserer Tage gefällt doch in der Politik immer noch so ein „Ritt ins alte romantische Land"; sie wollen abenteuerlich und fabelhaft sein und verbleiben, und man möchte mit Tieck, in anderm Verständniß freilich, singen:

> Wunderbare Märchenwelt,
> Die den Sinn gefangen hält — nämlich bornirt!

Unter den beliebten romantisch-heroischen Mitteln gibt es aber eins, was vornehmlich empfohlen zu werden verdient, d. i. Kopf ab! Diese Romantik früherer Gemüthlichkeit wurde im Laufe des Juli hieselbst an einem Mörder, Namens Hobbus, vollzogen, einem in vielfachen Verbrechen erhärteten Bösewicht, dessen Rohheit allerdings der Brutalität des Thiers nahe trat. Das Schauspiel der Enthauptung desselben regte aber tausend niedrige, wüste Triebe im Pöbel auf, die ohne öffentlichen Anreiz und allgemeine Preisgebung der Vollstreckung des Todesurtheils in der dunkeln Tiefe der Menschenseele vielleicht schlummern blieben. Seit 16 Jahren wurde auf der Richtstätte bei Berlin kein Missethäter abgethan; um so zahlloser war die Menschenmenge schon während der Nacht zuvor hinausgeströmt, um Zeuge der romantischen Barbarei zu sein. Alte Weiber zankten sich um das geronnene Blut, das am Gerüste klebte und dem der Aberglaube bekanntlich Wunder zuschreibt; Alles staunte über den Gleichmuth des elenden Todescandidaten, der ohne Beichte, voll Verachtung gegen die ganze Welt — nur eine Prise Taback erbat er sich noch auf der Schleife — dem zeitlichen Ende entgegenging. Das öffentlich angewandte „heroische" Mittel an einem „heroischen" Sünder mag wenig Furcht vor der Sünde eingeflößt haben; wie sich die Abschreckungstheorie längst als nichtig erwiesen hat.

Höhern Orts ist ein Bericht über die Quellen der immermehr um sich greifenden Armuth eingereicht worden. Wir können in dieser Hinsicht auf ein noch unter der Presse befindliches Werk vom Regierungsrath du Bois im Voraus aufmerksam machen, das die Oekonomie des Staats von diesem noch nicht allzu häufig aufgefaßten Standpunkte aus in Betrachtung zieht.

Ludwig Rellstab hat abermals einen Proceß mit dem empfindsamen Ritter Spontini. Nächstens theilen wir ein Näheres darüber mit. Madame Schechner-Waagen wird uns bald verlassen; eine ihrer letzten Vorstellungen als Gräfin in „Figaro's Hochzeit" war der plötzlich eintretenden Heiserkeit ihrer Stimme wegen völlig verunglückt. Darauf kränkelte sie eine Zeit lang, und der angekündigte „Fidelio" wurde öfters vertagt, bis die gefeierte Sängerin plötzlich in Folge eines hohen Befehls abermals und zwar als Iphigenia auftretend annoncirt wurde. Dies wird ihre letzte Gastrolle an unserm Theater sein. Kalkbrenner, der mit dem rothen Adlerorden beschenkt von uns abreiste, verweilt noch auf vaterländischem Terrain; er besucht das Elmenbad bei Magdeburg. Ueber die Leistungen der Demoiselle Sabine Heinefetter auf der königstädter Bühne berichten wir nächstens. 148.

Literarische Notizen.

La vie intime, poésies par M. *Delatour*.

Delatour ist kürzlich durch eine interessante Notiz über Silvio Pellico und eine treffliche Uebersetzung der Memoiren dieses berühmten Italieners bekannt geworden; als Dichter gehört er zu den Jüngern Lamartine's; wenn er seinem Muster an Tiefe und Fülle, an eigenthümlicher Energie der Individualität nachsteht, so ist seine Sprache fester und bestimmter, ein Verdienst, welches wir übrigens verhältnißmäßig nicht sehr hoch anschlagen.

Delatouche an Ludwig Tieck.

Es ist soeben in Paris ein neues Werk von Delatouche erschienen unter dem Titel: „Valée aux loups"; was damit gemeint ist, wissen wir noch nicht. Wir haben das Werk nur durchblättert und manches Bekannte gefunden; das Meiste aber ist neu und dabei trefflich, nur scheint überall das Streben nach Vollendung zu starr, zu angestrengt durch. Es ist eine Sammlung vermischter Aufsätze in Prosa und in Versen; unter den Gedichten haben wir ein prachtvolles Gemälde „Inès" gefunden, welches besser „Le juif errant" betitelt würde. „Phantasus" ist Herrn *Ludwic Tiecke* gewidmet. Hier folgt der Anfang des Gedichts:

> J'aime à voir, déliant aux vents de tes climats
> Les blonds cheveux, semés de flocons de frimas,
> Errer le chaste choeur de tes nouvelles graces!
> Si la Phoebé du nord illumine leurs traces
> Aux penchans des côteaux; sur le front du glacier
> Tu suis leurs pas, volant sur des ailes d'acier;
> Elles viennent charmer les vallons de Norwège,
> Danser sous les vieux pins dont les fleurs sont de neige,
> Et demain le pasteur des tes monts orageux
> Sur le cristal des lacs reconnaîtra leurs jeux.

148.

Redigirt unter Verantwortlichkeit der Verlagshandlung: F. A. Brockhaus in Leipzig.

Blätter

für

literarische Unterhaltung.

Freitag. —— Nr. 221. —— 9. August 1833.

Der Pfirsichbaum.

Die Gesellschaft hatte sich aus dem Garten in getrennten Paaren oder einzeln verloren; nur in den dem Gitterthore nächsten Gängen konnte man den weißen Schimmer der letzten Wandlerin erkennen, der auch bald verschwand. Geheime Laute regten sich in der alleingelassenen Natur; leise Erkennungsworte wechselten in den Wipfeln; ein spielender Hauch besprach sich mit den Blättern, die einander lispelnd begrüßten, als freuten sie sich allein zu sein, als begänne nun erst ihr eignes Leben. Es lösten sich die zarten Zungen, jedes Blättchen lauschte mit horchendem Ohr der wunderbaren Musik. Still und heilig war es geworden; ein tiefer Athemzug ging durch den feierlichen Raum. Irres Seufzen bewegte die Gebüsche, im Laube blätterten stille Gedanken. Narcissen unterhielten heimlich die Tulpen von ihrer Liebe; süße Reden, gewagte Küsse, leise Vorwürfe, lispelndes Zagen. Im Finstern horchten die Cypressen, die Lilien im Nachtkleide flüsterten Geheimnisse von den Rosen; jetzt schwieg es wieder, nur die Pappeln neigten sich murmelnd und beteten im Stillen. Unsichtbar war die Dunkelheit hereingetreten, stillwandelnd goß sie ihr träumerisches Leben über alle Dinge. Allmälig sank das Starre, das Körperliche löste sich in Wesenloses, und nur ihre Seelen wurden sichtbar als verklärte Schatten. Maß und Begrenzung flossen ineinander, das finstere Laub allein stach ab in scharfer Sicherheit, in zarten Umrissen zitterte sein tiefes Dunkel. Die letzten Fäden des Tages waren aufgelöst, die gewöhnliche Bedeutung verschwand, das Märchenhafte begann sich zu regen und spielte mit dem Leben.

Nahe bei dem Pfirsichbaum, der am Breterzaune des Gartens stand, ließ sich ein seltsames Geräusch vernehmen. Ein Bohren, Nagen, Schwirren, Sausen und Weben. Diese Töne wurden von einer Raupe hervorgebracht, die an einem der Blätter hing und, während sie spann, folgendermaßen mit sich selbst raisonnirte: „Jenes Wispern und Säuseln sind Zufälligkeiten, die der Unvernunft der Aeußerlichkeit hingegeben, des Begriffes ihrer selbst entbehren; es ist das stammelnde Verlangen, in meinem Schwirren höhere Lebendigkeit zu finden, rathlos umherirrend, bis es mich gefunden, mich, die sowol dessen wie alles um mich Vorgehenden zusammenfassendes Centrum und eigentlicher Schwerpunkt bin. Zwar hat es das Ansehen, als ob ich hier an diesem Blatte hinge, in Wahrheit aber hängt das Blatt an mir, wie überhaupt an diesem meinem Faden, den ich aus meinen Eingeweiden herausspinne, Alles hängt. Denn es ist fürs Erste klar, daß von einem Hängen ohne diese meine Arbeit nicht die Rede wäre; ferner habe ich das Blatt, auf dem ich mein absolutes Wirken vollbringe, bis auf das Gerippe aufgezehrt; abgesehen nun davon, daß dies Blattskelett meinem Gespinnste auf ein Haar gleicht, der eigentliche Inhalt des Blattes also in diesem Gerippe ruht, hat sich in mir kraft meiner Gefräßigkeit die Substanz des Blattes in diese Fäden verwandelt, die stupide Aeußerlichkeit erlangt daher in meinen Gedärmen ihre eigentliche Gestalt, und die Idee des Blattes besinnt sich in dem ausgezogenen Faden. Indem ich mich nun an diesem meinem Faden begreife, begreift sich der Inhalt des Blattes an ihm. Dieser Begriff, der eigentlich Ich bin, ist das Höchste und Absolute, denn er entspringt an der Warze, die dicht an meinem After liegt, mithin ein Allgemeines und das Wahre der sinnlichen Gewißheit ist. Diese Warze, sag' ich, ist das allgemeine Medium, worin die Besonderheiten der Materie sich zusammenfassen. Die Thätigkeit des Scheidens aber fällt einer andern Kraft anheim, der ungeheuern Macht meines Hintertheils, wie sich dies weiter unten ergeben wird. Das Ineinssetzen dieser auseinanderfallenden Momente punktualisirt sich in dem gemeinsamen Element, in meiner Warze. Die Natur, die nur Einzelnes und Unabhängiges darstellt, ist mithin ein Abfall von meiner Warze, welche die einfache Kategorie ist, die reine Wesenheit. Der Kreislauf aber ist der: das Ding, von dem ich zehre, ist das Sein, welches als Geäder und Faserwerk in Wahrheit mein eigner Faden ist, dergestalt, daß es, sich als Linie setzend, sich in die Breite als Nichtlinie auslegt, im Grunde aber seine eigne Nichtlinie, sich aus dieser negativen Position zurücknimmt und zur frühern Dünne auszieht, deren Sein vielmehr dieses ist, sich als Nichtsein zu setzen und in der Fadenlänge als Einheit aufzuheben."

„Ohne diese Selbstbewegung, deren erstes Moment sich mit dem letzten des fortentwickelten Prozesses verknüpft und zusammenschließt, ohne diese ideelle Selbstausspinnung wird die grüne Substanz nicht, was sie ist. In dem Wort: Entwickelung, liegt das Geheimniß meiner Arbeit. Der

Faden aber, den ich von mir gebe, ist die Idee des grünen Dings, und der Freßproceß das Ab- und Gegenbild der sich schaffenden Substanz. Die Selbstproduction meines Gewebes und ihr Verlauf ist demnach folgender: die Beißzangenpalpen und Kiefertuberkeln sind die ersten ursprünglichen Gestalten des Bewußtseins; in dem Munddrüsensaft liegt die Geschichte meiner Arbeit aufgelöst. Es zerfällt nämlich die Schöpfung, wie ich selbst in drei Inschnitte und Gliederungen, und nichts Anderes ist der große Weltgeist als ein gedritteltes Kerbthier. In dem Bezirke des Kauapparats nun, als dem Vorraum der elementarischen Fortbewegung, ruhen die reinen Gedanken, die geistigen Wesenheiten; der dort vorbereitete Saft ist der sein Wesen denkende Geist, der Logos, das System der reinen Vernunft, der Urschleim der Wahrheit, Gott als Embryo, bevor er sich zur Welt ausgewirkt hat und ein Fürsich geworden ist. Es zerfällt aber dieser Apparat gleichfalls in drei Momente, α) das Moment der Leere, wo nichts gekaut wird, das reine Sein, β) das Moment des Hungers und der Eßbegier, als der Einheit des Sein und des Nichts; eine Art Appetit, der sich selbst versucht und kostet, bis ihm das Wasser in die Zähne läuft, welches nun als bestimmtes Sein erscheint und als Reflexion in ihm selbst in die Wirklichkeit übergeht. Das wichtigste Moment arbeitet sich aber unter diesem Prozesse hervor. Inzwischen hat sich das Aeußere, dieses Blatt, auf einem durchaus unterschiedlichen und rein geistigen Wege erwiesen, ein angefressenes, löcheriges und durchsichtiges zu sein. Es ist nämlich seine Idee in meinem zweiten Segment, dem Mittelleibe angelangt, wo sie in der Form ihres Andersseins erscheint, von den Darmwindungen aber, als dem eigentlichen Symbol des dialektischen Processes, sofort ergriffen, der unaufgelöste Widerspruch zu seiner ideellen Tendenz zurückgebildet, die Operation vom Neuem begonnen und eine frische Zerlegung in Elementarelemente, in Urtheile gleichsam, eingeleitet wird, bis γ) die dritte Kerbung, mein Hintertheil den Proceß abschließt und den Faden als absoluten Begriff entläßt."

Die Nacht hatte unterdessen ihr dämmerndes Zelt aufgerichtet und alle schönen Lichter angesteckt. Wie glänzende Schmetterlinge gaukelten die Sterne auf dem dunkeln See; und sieh, einer beflügelte sich wirklich, wiegte

und trunken ließ er sich
Blüte nieder. Der aber
hob einen der obern Füß
rung und sprach: „Diese
ten sich als unendlichen R
der äußern Anschauung l
nur die sinnliche Vorstell
kür und Ordnungslosigke
keit halten. Ich sollte,
ßen, versucht sein, zu me
Nacken erheben können, l
längliche Wurmgliederung
insbesondere scheinen das
diese Flügelauswüchse nic
gleichen halten. Lege sie
kungen, mit denen du die
sphäre umhertreibst, komm
schen Appetit."

La mort de Figaro. Dra

Eine dramatisirte repu
den comédiens ordinaires d
teradministration sind über
Figaro's erstes Erscheinen
das Stück des Lärmes wer
qui réussira", bemerkt
fern das Urtheil der Kritik
fertigen kann, oder nicht,
hervorgehen.

Beaumarchais kam a
Versailles. In der großen
Uhrmachergeselle Connexion
mögen verhalfen, und Demü
ten. Die Rache entflamm
dienete ihm als Schwert, da
brauchte; die wissenschaftl
ging durch ihn in eine polit
das Vorspiel zu den Deba
ist ein Typus, eine Idee,
Kampfe mit den Pfaffen
trümmert er die Monarch
Republik. Auf dem Gipfel
Blüte aus; er fällt mit
sich in den Orgien des D

diesen hinzugekommen: Pietro, Figaro's Sohn, halb Figaro und halb Pfaff; Florestine, des Grafen Almaviva Tochter, eine gewöhnliche Roman- und Theaterheldin, die sich in den Sohn des Barbiers verliebt, weil er ihr das Leben gerettet; Torrido, der Großinquisitor, und Saint-Prix, ein Franzose aus einer adeligen Familie, der im Jahre 1793, statt auszuwandern, sich gegen die Spanier geschlagen und als Kriegsgefangener in Valencia lebt, denn die Handlung spielt in der Stadt Valencia und im Jahre 1798. Alle diese Charaktere werden sich aus der Analyse des Stückes deutlicher entwickeln.

Figaro und der Graf sind zu Madrid; Letzterer, der aus der Hauptstadt exilirt ist, will sich beim Könige rechtfertigen. Sein ärgster Feind, Torrido, der Großinquisitor, ist in Valencia zurückgeblieben. Torrido liebt Florestine, Almaviva's Tochter, die er zu entführen gesucht; Pietro hat ihn an der Ausführung seines Plans gehindert; Torrido sucht den Grafen und Figaro zu stürzen. Durch die Policeispione hat er erfahren, daß des Grafen Palast der Vereinigungsplatz der Misvergnügten ist; ein Brief Figaro's an Susanne, der dem Inquisitor in die Hände fällt, gibt ihm die Gewißheit, daß wichtige Papiere in dem Schranke des Salons verborgen sind; der Großinquisitor hätte nun nichts Einfacheres zu thun, als seine Feinde festnehmen und den Schrank mit Gewalt aufbrechen zu lassen. Dieses paßte aber nicht in den Kram des Herrn Rosier, und somit sucht Torrido sich durch seinen Einfluß auf die schwachsinnige und devote Gräfin den Schlüssel zu verschaffen.

Im zweiten Acte sind Figaro und der Graf wieder von Madrid zurück; sie haben nicht einmal bis zum Könige dringen können. Der Charakter Figaro's entfaltet sich nun in seiner ganzen republikanischen Energie; er überredet den Grafen, sich an die Spitze der Verschworenen zu stellen; Almaviva empfängt sie in seinem Palaste; Figaro behandelt die Versammlung ziemlich impertinent, und die stolzen spanischen Edelleute lassen sich's gefallen. Man beschließt, das Volk aufzuwiegeln und geht auseinander. Torrido entdeckt dem Grafen das Liebesverhältniß zwischen Pietro und Florestine; diese wird ins Kloster geschickt, Pietro soll nach Salamanca zurück. Die beiden Liebenden werden hierauf allein gelassen und geben sich Rendezvous auf Mitternacht in demselben Saale, wo der Schrank sich befindet.

Im dritten Acte geht es ziemlich confus durcheinander; wir bitten, alle Aufmerksamkeit anzuspannen, um sich in diesem Gewirre zurechtzufinden. Es ist Mitternacht; Torrido erscheint in dem bekannten Salon, er will den Schlüssel zum Schranke holen; die Gräfin hat versprochen, denselben hinter eine Statue der Madonna zu legen, die sich im Salon befindet. Kaum ist Torrido eingetreten, so hört er ein Geräusch und verbirgt sich hinter die Coulissen; Florestine und Pietro schleichen herein und beschließen, miteinander zu entfliehen. Torrido eilt alsbald an die Thüre im Hintergrunde und befiehlt, Jeden festzunehmen, der aus dem Palast kommen würde; die Gräfin gibt den Schlüssel, der Schrank wird eröffnet, Torrido nimmt die Papiere und entflieht; der Graf stürzt herein, findet seine Frau in Ohnmacht; ein Brief Pietro's setzt ihn von dessen Flucht mit Florestinen in Kenntniß. Figaro, welcher Basil in einem Versteck gefunden, zieht dessen Kleider und Alguazilskutte an, bewaffnet sich mit einem Dolche und eilt davon. Dies wäre für einen Act des Lärmens und Durcheinanders genug; nun kommt noch Saint-Prix und berichtet, daß er auf Pietro und Florestine gestoßen im Augenblicke, wo sie von den Häschern der Inquisition hinweggeschleppt worden; Pietro ist gerettet, Florestine aber in der Gewalt der Feinde geblieben.

Den vierten Act füllt Figaro fast allein aus; doch es fällt uns ein, daß wir in dem dritten Acte eine Hauptsache vergessen: Figaro hat nämlich Torrido die Papiere wieder entrissen und ist in den Palast zurückgeeilt, um sie zu verbrennen. Kaum ist dieses geschehen, so wird Figaro festgenommen und in das Gefängniß der Inquisition geführt. Hier trifft er Florestinen, wird vor Gericht gestellt, gesteht ein, daß er sich an der Spitze einer Verschwörung befindet und wird zu vierjähriger Gefängnißstrafe verurtheilt.

Torrido hat Florestinen einen Schlaftrunk beibringen lassen. Unruhig über dessen lange Wirkung, läßt er einen Arzt rufen; dieser ist eben Pietro. Der Inquisitor muthet ihm zu, Figaro zu vergiften; Pietro ersticht ihn; die Kanonen donnern, es ist das Zeichen zum Aufstande; Figaro stürzt herein, um dem Großinquisitor die bevorstehende Strafe zu verkünden; als er den Feind verwundet sieht, nähert er sich auf dessen Bitten, um ihn zu verbinden; Torrido durchbohrt ihn mit seinem Dolche; Beide sterben, Figaro und Torrido, die Inquisition und die Republik, sodaß eigentlich das Stück keinen Schluß hat.

Das ist im Wesentlichen der Bau des neuen Dramas. Die Materialien sind nicht neu, es ist Schutt, der schon zu hundert andern Theaterstücken gedient hat. Der außerordentliche Effect, den das Stück hervorgebracht, ist lediglich in der Rolle Figaro's zu suchen, die mit Schwung und Keckheit geschrieben ist, obgleich, wie wir bereits bemerkt, nicht ohne Uebertreibung. Folgender Monolog Figaro's formulirt die politische Tendenz des Stückes ziemlich vollständig, sowie er die eigenthümliche Manier des Dichters charakterisirt: „Mon tems est fait ici-bas. Eh bien, il n'aura pas mal été rempli. J'ai bataillé, Dieu sait! . . . Et qu'importe à la vérité son organe? qu'importe la forme du bon principe contre le mauvais? que fait le nom, l'habit, l'état? C'est Socrate, Marc Aurèle, Diogène, Figaro! un sculpteur, un roi, un mendiant, un barbier! un trône, l'académie, un tonneau, une boutique à raser! qu'importe, qu'importe mille fois!! Oromaze — Figaro et Arimane — Torrido sont en présence, je serai terrassé. Mais comment échapper à sa destinée? La vérité vous dit un jour, parle! — Mais je ne suis qu'un barbier! — parle, dit elle! — Un chétif, inconnu, méprisé même! — parle, je le veux — oh! ma foi, alors on parle, on crie par dessus les toits; on est présenté, harcelé, macéré, crucifié! — l'on vous tue, il est vrai, mais on a rempli sa mission inévitable, et l'on laisse des disciples pour crier après vous et mourir s'il le faut! — Sainte liberté, mon heure est venue!"

Solche Worte fallen wie elektrische Funken ins Parterre; unter diesen Witzfeuerwerken verschwindet das schlechte Gerüste und die verbrauchte Intrigue. Die Journale verdammten einstimmig das Stück nach dem ersten Abend. Die „Tribune" merkte zuerst die Absicht des Verfassers, die dem „National" anfangs entgangen war. Die „Tribune" frohlockt, sie nennt Herrn Rosier l'un de nous. Kühn ist es vom Dichter, seine Fahne mitten im Lager des Feindes, in einem vom Könige bezahlten Theater aufzupflanzen. Das Uebel ist um so ärger, da die Julitage herannahen. 143.

Romanenliteratur.

1. Bonaventura, oder Leipzigs geheimnißvolles Haus. Novelle von Eduard Freiherrn von der Oelsnitz (von Hohenlinden). Magdeburg, Rubach. 1832. 8. 21 Gr.

Eine Weinstube in Leipzig bringt in der Neujahrsmesse gar heterogene Gäste zusammen, Wollhändler, solinger Fabrikanten, einen poetischen jungen Theologen, seit gestern glücklichen Bräutigam und designirten Pfarrherrn, einen jüdischen Juwelier, dessen Sohn, einen Abenteurer und Spieler, der sich unterschiedliche Namen, auch den des Studenten Anselmus beilegt, eine geheimnißvolle Gestalt, einen Mann von mittlern Jahren, der sich als der wiederaufgelebte Graf St.-Germain geberdet und wirklich so etwas von einem Hellseher und Wundermann an sich trägt. Die ganze Gesellschaft, auch die Kaufleute, wovon der eine sogar auf seinen Skepticismus sich etwas zu Gute thut, ist durch einen Hang fürs Wunderbare, den Glauben an die Verbindung des Uebernatürlichen, Geistigen mit dem Natürlichen, Irdischen sich verwandt, so verschieden auch die Form ist, in der sie es äußern, der Grad und der Genuß ihrer Selbständigkeit. Der junge Theolog legt über die neueste Literatur vortreffliche Ansichten nieder, theils finden sie sich in den Heften seiner Braut, deren Lehrer er war, theils spricht er sie aus, er wird Träger der Geschichte und kommt mit Allen, auch einem verrückten Schneider, der dabei wahrhaft ein poetisches Gemüth zu nennen, mit Frommen und Frömmlern in Conflict, wird an seinem Schwiegervater irre, den er fast gezwungen ist für einen Adepten zu halten, und sieht bei dem geheimnißvollen Grafen Dinge, die lebhaft an den Besuch des Studenten Anselmus beim Archivarius Lindhorst erinnern, kommt mit Bonaventura in Berührung, der zu materiell ist, als daß die himmlische Liebe, welche eine wahrhaft fromme, der Erde fast entrückte Jungfrau ihm einflößt, von Dauer sein könnte, er sinkt in den Schlamm der Unsittlichkeit zurück, ohne das Sehnen nach dem Höhern aufzugeben, welche Entzweiung ihn zum Selbstmord treibt; Glockenmeier, der Theolog, am Ziel seiner Wünsche, ist ungewiß, was in den seltsamen Lebenserfahrungen, die sich in wenig Tagen zusammendrängten, Traum, was Wirklichkeit sei; ihm wie dem Leser bleibt Vieles ein Räthsel. Aber wenn sich auch dies nicht völlig löst, nicht im Symbolischen sich krystallisirt, der frische Strom erhabener und dichterischer Gedanken, der durch das Ganze rauscht, wird auch an ihm sich labend und Kräfte erweckend bewähren.

2. Mesmerische Liebe. Novelle. Das Mädchen von Rhodos. Aus dem Dänischen des S. S. Blicher übertragen. Von L. Kruse. Leipzig, Kollmann. 1832. 8. 1 Thlr. 6 Gr.

Ein gewissenhafter Arzt, der selbst zu Gunsten der Wissenschaft nicht sich erkühnt, an der menschlichen Seele zu experimentiren, macht sich Vorwürfe, daß er nicht entschieden es ablehnte, eine von ihm magnetisirte Somnambule mit einem jungen Manne von charakterloser Weichheit in Rapport zu setzen, welcher, nicht durch des Arztes Schuld, zu dem Verderben Beider innig, durchdringend wird und nur mit dem Tod der ehelich Verbundenen endet. Es ist für den Psychologen wie für Solche, die den Magnetismus als tiefes Studium betrachten, oder auch aus bloßer Liebhaberei als Zeitvertrieb damit tändeln, viel aus der gut geschriebenen, verwickelten Geschichte zu lernen; ein nicht unbedeutender Beitrag zur Seelenkunde, warnt sie aufs Nachdrücklichste gegen Misbrauch der Gewalt, die der Magnetiseur über die Magnetisirte erlangt, die, ein willenloses Werkzeug, nur gehorchen kann. Die zweite Erzählung ist unterhaltend, aber mit der erstern verglichen ziemlich flach.

3. Die Maurin. Romantische Erzählung aus dem 13. Jahrhunderte, von Johannes Krüger. Zwei Theile. Merseburg, Weidemann. 1832. 8. 1 Thlr. 12 Gr.

Mit dem Denken hat sich der Leser in diesem Roman nicht zu bemühen, und ist er kein Neuling, so dürfte er meinen, er habe diese Dinge schon alle gelesen; auch irrt er sich nicht ganz, nur die Scenerei ist verändert, die Personen des schwachen Königs, des buhlerischen, herrschsüchtigen und des tugendhaften Weibes, der schmachtenden, zierlichen, vielfach bedrängten Liebhaberin, des feurigen und gesetzten Liebhabers, harten, ungütigen Vaters, des treuen, schlauen und boshaften Dieners u. s. w., Alles findet er wieder, sammt den herkömmlichen Floskeln, vor Allem reichlich versehen mit sentimentalen Gemeinplätzen. Die vielen Aufzüge, Kriegsabenteuer, Entführungen u. dgl. Behelfe können für den Augenblick ein Scheinleben lügen, aber bald entdeckt sich's, daß Geschöpfe der Art nicht der Idee, nicht der Wahrheit, ja nicht einmal dem schönen Schein, daß sie blos einem trivialen Dutzendroman angehören.

4. Novellen und Erzählungen von Bertha van der Welde. Zweites Bändchen. Leipzig, Voß. 1832. 8. 1 Thlr. 12 Gr.

Dem Muthigen gebührt der Kranz, und so wäre dieser unserer Verf. zu reichen, die in jungen Jahren es unternahm, Scenen zu schildern, die der Jungfrau fremd, ja widerstrebend sein mußten, Porträts zu zeichnen, die eine Vertrautheit mit dem Original bedingen, welche einer jungen Dame kaum anzumuthen ist. Dieser kühne Wurf, nicht unbelohnt vom Gelingen, wurde besonders in der ersten Erzählung: „Lodoiska Soltyk", versucht, in welcher Novelle polnische Patriotkämpfer, Kosciuszko an der Spitze, für Freiheit, Meinung, mit dem Interesse einer fremden Macht kämpfen, mit Arm und Zunge streiten, und der Dämon der Zwietracht mit seinen Fledermausflügeln den innern Brand anfacht, der, verderblicher als jeder äußere Feind, die Zerstörung Polens veranlaßt. Wir lernen die bedeutendsten Männer jener Zeit kennen, nicht immer durch das Medium der Phantasie der Verf. verändert; doch möchten wir ihr alle Thränen, welche Katharina den gefallenen polnischen Helden weiht, zurechnen. Die Trägerin der Geschichte ist eine vornehme Polin, die sich heimlich vermählt, ihr Kind von Wölfen zerrissen wähnt, den Gemahl unter den Todten glaubt, den Verfolgungen eines russisch gesinnten Vaters und aufgedrungenen [illegible] nach Oberschlesien entflieht, wo sie als Einsiedlerin lebt, dort Gewißheit vom Heldentode des Gatten erhält und den Sohn wiederfindet, als er auf dem Sterbebette liegt, worauf sie sanft und selig von der Erde scheidet, denn daß der Sohn ein grillenfangender Schwächling ist, der die Liebe wie ein Kleid wechselt, erfährt die Frau zu ihrem guten Glück nicht, wol aber der Leser. Der Sage, daß eine vornehme Polin als Einsiedlerin auf dem Annaberg in Oberschlesien gelebt, mag eine wahre Begebenheit zu Grunde liegen.

„Isabella Fuentes" versetzt uns an den Hof der Katharina von Medicis, ein schwierigeres Unternehmen als jenes. In so oft behandelten Gegenständen wird das Gleiche zur Nachahmung, das Abweichende zur unbegründeten Willkür, und nur die geübte Meisterhand darf auf einen guten Erfolg rechnen, sodaß wir trotz des Liebreizes der Damen dieser Geschichte, zu denen die neckende Maria Stuart, die sentimentale Elisabeth (damals schon längst König Philipp's Gemahlin) gehören, uns ein wenig beengt fühlen, und die Gesellschaft dieser Guisen und Colignys und Chatillon uns frostig und blaß bedünkt, und wir nicht unzufrieden sind, aus ihr zu scheiden. 18.

Notiz.

Tulpenpreise im 17. Jahrhunderte.

Der Handel mit Tulpen war in den Jahren von 1634—37 am stärksten. Aus den holländischen Handelsbüchern, die Abrah. Munting zu Utrecht im J. 1696 bekannt gemacht hat, ersieht man, daß für eine Zwiebel von derjenigen Art, die Viceroi genannt ward, Dem, der sie zu liefern versprach, folgende Waaren nach dem daneben bemerkten Werthe verschrieben waren:

2 Last Waizen, an Werth . . .	448	Gulden.
4 Last Roggen	558	"
4 fette Ochsen	480	"
8 fette Schweine	240	"
12 fette Schafe	120	"
2 Oxhoft Wein	70	"
4 Tonnen Acht-Gülden-Bier . .	32	"
2 Tonnen Butter	192	"
1000 Pfund Käse	120	"
Ein vollständiges Bett	100	"
Ein vollständiges Kleid	80	"
Ein silberner Becher	60	"
	2500	Gulden.

Die Tulpenart Semper Augustus ist oft für 2000 Gulden angeschlagen worden. Für eine solche versprach einer dem andern 4600 Gulden und dazu noch eine neue zugemachte Kutsche mit zwei Apfelschimmeln, ein anderer 12 Morgen Landes. Der Handel mit solchen Tulpenzwiebeln war sehr einträglich. Munting führt das Beispiel eines Mannes an, der in Zeit von vier Monaten mehr als 60,000 Gulden gewonnen hat. [illegible]

Redigirt unter Verantwortlichkeit der Verlagshandlung: F. A. Brockhaus in Leipzig.

Blätter für literarische Unterhaltung.

Sonnabend, —— Nr. 222. —— 10. August 1833.

Der Pfirsichbaum.

(Fortsetzung aus Nr. 221.)

„Du irrst dich nicht", öffnete der Schmetterling die zarten Lippen, „Freund, auch ich kroch einmal in einem absolutvernünftigen Pelz umher. Nachdem ich aber in Indien das stille Gebet eines Brahmanen angehört, spann ich mich ein in ein andächtiges Netz, und als ich wieder erwacht war, fühlte ich meinen Leib geistig beflügelt und zur beschaulichen Trunkenheit gehoben. Taumeln war seitdem meine süßeste Freude, der Hauch der Blumen mein Athem, das sinnige Schweben über ihnen meine Lust und Philosophie. Und war mir gar vergönnt, die geistige Zunge in ihre Kelche zu versenken, wurde mir in dieser wunderbaren Süßigkeit das Geheimniß meines Lebens klar. Ich empfand, wie ich vordem den Kern der Welt und meines Selbst durchgegrübelt und hohlgefressen hatte, mir leuchtete ein, wie gut der Brahmane that, sich von den Verwirrungen einer dünkelhaften Weisheit in dem klaren Quell der Beschauung rein zu waschen, und wie wahr sein frommes Herz sich ergoß, als er so mit sich selbst sprach: „„Woran und worüber klügelst du, Brahmane? Das Was, um welches du dein Gewebe von erkünstelten Bestimmungen wickelst, was ist denn das im tiefsten Grunde? Wo nimmst du es her, und wie ist es in dich gekommen? Ist dies nicht das Ursprüngliche und Geoffenbarte, und wird es heiliger und besser, wenn es in tausend Formen und Verwandlungen sich selbst äfft und verleugnet? Wenn du die Kügelchen deines Rosenkranzes fallen lässest, so reihst du sie an den geistigen Faden der Unendlichkeit und vertiefst dich bei jeder Perle in die Natur des Wesens, dem du gleichwol die Einheit raubst und es einschließest in ein Werden; auch Er, der Urgeist, soll sein Wesen, wie die Schwalbe ihr Nest, aneinanderlöthen, auch Er soll in den Begriff seine Momente fassen, sie gleich Würfeln hinstreuen und sodann die Bestandtheile seines Ich daraus zusammenlesen. Diese Bewegung, dies allmälige Ausbreiten ist der Faden, an dem du deine Lehre wie eine Gliederpuppe bewegst. Jeder deiner Gedanken, jede deiner Anschauungen ist ein Einiges und Ganzes, und dennoch wie mit einer Kinderklapper rasselst du mit Besonderungen und Einzelheiten. Was ist das Einzelne? Nichts Anderes kann es sein als die Offenbarung des Unendlichen in jeglichem Moment, die zusammengedrängte Qualitätenfülle in dem Punkte der Empfindung. In deiner Wahrnehmung aber zerfällt das Ein und All zum Viel, das Unendliche zur Besonderung, weil die in Gott nur als seiende Wesenheiten aufgelösten Momente sich als Einzelwesen realisiren und in deinen Sinnen finden und begegnen wollen. Dieses Einzelbewußtsein erwacht in dir, wird Gedanken und zerfließt in Gott. Du, der du dies Erwachen fühlst, oder vielmehr bist, erscheinst dir als Element zerstreuter Unterschiede, die aber im All schweben in durchsichtiger Geistigkeit. Du wälzest dich unruhig hin und her auf dornigen Gegensätzen, mit diesen Gegensätzen, was hat es für Bewandniß? Noch hast du diesen Begriff von Widerspruch und Gegensatz, das Gerüste und Sparrwerk deiner Lehren nicht geprüft, weder dir noch Andern klar gemacht. Nur Einen Urgegensatz kann es geben, der tritt aber nie auf in Gott, er ist nur in dir, und selbst da trügerisch und erschlichen: das Ein und das Viel. Allein dein Bewußtsein ist immer ein Sammelpunkt des Viel, und jedes Einzelne Spiegelung des All. So wenig das Bewußtsein sich aufzuheben und wegzudenken vermag, sowie es in seiner Niederlage eigentlich auflebt und, immer nur sich hinter sich selbst verbergend, ein neckendes Spiel treibt mit sich selbst, ebenso wenig kann irgend ein Gedanke, der nichts als dein Ich und Bewußtsein ist, anders als selbstrügerisch sein Gegentheil setzen. Denn jeder Gedanke, Bild deines Selbst, wie jedes Einzelwesen, Bild und Inbegriff Gottes, ist die innigste Verschmelzung dieses Doppel- und Wechselseins. Und diese schwächende Zerstreuung in dir überträgst du auf den in sich ruhenden Gott und jagst und verfolgst ihn durch dein dialektisches Wirrniß. Ist aber Sünde das Wegstreben vom Urgrund und Mittelpunkt, was ist dieses Austreiben Gottes aus seiner gleichschwebenden Heiligkeit, diese Vorstellung eines beweglichen, unsteten, hin- und herirrenden Gottes? Doch die Sünde selbst ist Richtung und Linie zum sphärischen Einigungspunkte; ihr Fortstreben ist nur des Halbmessers Sicherstellung, in der Häresie begegnet sie der Versöhnung, in der Verirrung ist sie eine flehende Sehnsucht. Nach deiner Lehre aber soll Gott zerfallen in und mit sich selbst, ein Kreislauf ohne centrirenden Gedanken; denn nimmst du diesen an, erweist sich dein System als überflüssige Künstelei, der Schwebepunkt des Alls ist gefunden und festgestellt, der Gedanke, wonach Gott sich auslegen und gliedern soll, ist eben Er selbst in anfangloser Vollendung. Wie beklagenswerth warst du Brahmane, als du, in diesem Mühsal verstrickt, die Welt auffaßtest, sowie sie in deiner Umnetzung, in deinem verworren sich durchkreuzenden Selbstbetrug zerfiel. Du verschlossest dein Auge dem allbelebenden Lichte, deine göttliche Seele verging in dem dürftigen Gewebe, die ganze Fülle des Lebens war zu dem Denkgespinnste eingeschwunden, in das dein Dünkel dich und Gott zu bannen sich vermaß. An dem Sande des Zeitenmaßes ließest du die Wesenheiten Gottes verrinnen, berechnetest ihn nach dem Maßstabe der Bewegung, und dem Trugbilde allmäliger Gliederung gemäß entwickelte sich dir der in ewiger Selbstüberdenkung ruhende Geist. Denn die Bewegung, was ist sie anders als das Werden? Dieses aber ist ganz hohl, nichtig und unmöglich. Alles ist, nichts aber wird. Du erschlichst dir dies Werden, verführt von der Täuschung sinnlicher Momentenfolge. Du sagst, Dieses ist, wenn es erscheint, von Demselben aber sagst du, es wird; allein geistig und in Gott ist es von ewig her, das Verhältniß zu dir als Werdendes entspringt aus der Vereinzelung, aus dem Erzittern jeglicher Qualität zum Moment. Diese lebendigen Punkte pulsiren gleichwol nur in deinen Sinnen, die ihrerseits nichts sind als Spiegelungen und Besinnungsmomente des Einzellebens. Das Bäumchen dort pflanztest du vor wenigen Jahren, du senktest den unscheinbaren Keim in den Boden. Kannst du nun sagen, es sei geworden? Diese Rinde, dieser kräftige biegsame Stamm, diese wunderbaren Zweige und das gefächerte Laub, lagen sie etwa in dem kleinen Samen, den du der Erde übergabst? Willst du mit Worten spielen und dich überreden, diese Unendlichkeit von Gestaltungen und Leben hätte das Körnlein bereits in sich gefaßt? Vermöchtest du zu behaupten, das Bäumchen, wie es da ist, so stark und groß gewachsen, hätte der zarte Keim umschlossen? Der größte Unverstand wäre das! Wo kam es nun her? Es scheint ja offenbar, Vieles an ihm sei früherhin nicht gewesen und nachmals wie aus nichts erstanden. Sieh dich vor, das Werden umgarnt dich wieder; du aber, Brahmane, betrachte es genau dieses Werden, bis es, ein inhaltloses Gespenst vor dir zerrinnt. Sage vielmehr, Das, was das Bäumchen ist, diese umgrenzte und gestaltete Fülle von Wesenheiten, war von ewig her aufgelöst im unendlichen Selbstgedanken Gottes, es sei eben jetzt, was es stets gewesen, und verfließe sichtbar vor deinen eignen Augen in das ewige Element, diese Fließung aber sei keine Bewegung, in dem geistigen Gott habe sie die reine Bedeutung des Seins, aber in dir erscheine es in körperlicher Schwankung, weil es, lebendige Eigenschaft Gottes in der neben- und nacheinander werdenden Entfaltung mit allen Wesenheiten ausstrahlend, sich in dir als Einzelsein erkennt. Der Mittelpunkt ist keine Mischung der Sphärenpunkte; ebenso erweist sich dein Bewußtsein, das doch die centrirende Gewalt, die lösende Einigung ist zerstreuter Unterschiede, als reiner Gedanke, in dem die Besonderungen sich verzehren, der aber in Gott wieder aufgeht und verfließt. Ein und derselbe Moment zerstreut demnach die Einzelheiten, bricht und sammelt sie zugleich; sie ruhen aber in Gott, durch deine Seele zu Anschauungen verklärt. Dieses Hinüberzittern in Gott ist die Musik, die in allen Erscheinungen geistig klingt, den leisesten Ahnungen, den tiefsinnigsten Gedanken und flüchtigsten Regungen des Herzens nur vernehmbar und verwandt. Verhülle dich tiefer, Brahmane, und lausche der innern Melodie, versenke dich in die Betrachtung des Erscheinenden und vernimm die geheimnißvollen Klänge, mit denen die Körper hinüberklingen in ihr reines Sein. Wo dein Ohr einem Klange begegnet, bedenk', es ist die ausgehauchte Seele eines körperlichen Lebens, denn die Erscheinung, indem sie sich in das Ewige löst, zerfließt in süßen Gesang. Opferst du dein Auge den Bildern und Gestalten, so weihe sterbenden Tönen dein Ohr, denn jeder Ton ist ein seliger Todeshauch, und jeder Tod eine süße Melodie. Wenn die Luft, Sinnbild geistiger Verhauchung, erbebt, denk' an die ewige Musik, mit der die Dinge vergehen und sich in Gott verzehren. Melodische Töne seien deinem Geiste die süßeste Uebersinnlichkeit, die heiligste Metaphysik; in ihnen zittert vor dir die Welle, die in das Ewige zerrinnt, sie sind die Momente des Ueberfließens in sein stilles Element. Wende dich ab von deinem Wahn und bekenne, nur d e r Gedanke ist Gott ähnlich und wahr, der mit deiner Seele als Gesang verschmilzt; der Gedanke aber, der sich gestaltend regt, will dem wahren Sein entfliehen, büßt aber sofort dieses flüchtige eigenwillige Leben mit einem süßen Tode, er sinkt in seinen Urgrund zurück und ergießt sich, in ihm aufgelöst, in sühnende Vermischung. Mit welcher Leidenschaft suchen sich die Töne! Wie Sereswati ihre unruhigen Wellen ausschickt, bis sie, unter der Erde irrend, ihre geliebte Ganga findet und sich mit ihr vereint, so zittern die Klänge ineinander, vermischen sich und fließen zu tieferer Vereinigung; und wie Sami, das harte Holz voll geheimnißvoller Funken, auf dem Opferherde ganz in Gluten aufgeht und das geborgene und zerstreute Feuer in Eine Flamme mischt, so opfern sich die Melodien und verlodern in Ein sich durch Selbstverzehrung reinigendes Lied. Der Gott der Liebe und Begier verbrannte durch Hara's Feuer, die Götter träufelten Nektar auf die Asche, und sieh', schöner und verklärter erstand die Liebe; jenes Feuer aber und diese Tropfen waren Klänge, die, untergehend in Sehnsucht und sterbend in süßester Verschmelzung, neu aufleben in der geistigen Liebe. Wo du hinhorchst und hinblickst, vernimmst du dieses süße Beben. Was in dir Gedanke geworden, ist ja Melodie zusammenklingender Berührungen; jede Befriedigung ist ein innerliches Lied, weil jede Lust nur das Austönen ist in Gott. Das Wohlgefallen, das du genießest, ist der letzte Athem musikalischen Lebens. Ja, jeglicher Genuß ist ein geistiger Gesang. Du weißt, du denkst, sinnst und fühlst nichts, als was in Einklang mit dir zur Harmonie erstirbt. Dein ganzes Leben ist ein ausgegossenes Sterbelied. Heilige Musik, süße Gegenwart Gottes, du bewegst der Aswatha zitternde Blätter, du spielst im Lichte und tändelst mit dem Donner; den Marmor schmelzt und formt dein Ebenmaß; wo du antönst, opfert sich das Leben und gibt sich gern preis. Der Bajadere zarte Glieder sind Bebungen deiner Seele, deines Maßes liebliche Schwankungen, deines geistigen Gelispels sichtbare Klänge! Du bist das allversöhnende Blut, das Oel, das Wischnu's Füße salbt, die Opferglut, die das Spröde heiligend verzehrt; denn wie der Mond die Wohlgerüche der Lotosblume entlockt, so vermischen die Körper gern ihr Leben mit deinem Hauch. Irrende Seelen sind deine Töne, die das Ewige suchen. Schmerz, Leid, Entzücken, jede Bewegung der Seele ist eine unruhige Prophetenflucht; jeder Klagelaut, jeder Freudenruf und Hülfeschrei sind entfesselte, sehnsüchtige, in Gott versinkende Klänge. Und das ist es nur, was das Herz mit süßer Trauer beschleicht, wenn Töne klagen: es lauschen die wilden Triebe, Leidenschaften schmiegen sich ver-

Europa und Deutschland von Nordamerika aus betrachtet, oder: Die europäische Entwickelung im 19. Jahrhundert, in Bezug auf die Lage der Deutschen, nach einer Prüfung im innern Nordamerika, von Gottfried Duden. Erster Band. Bonn, Weber. 1833. Gr. 8. 2 Thlr. 8 Gr.

Der nackte Titel dieses Werkes dürfte in der aufgeregten Zeit, worin wir leben, Einigen verdächtig klingen und die Vermuthung erregen, daß eine revolutionnaire Richtung darin vorherrschen werde. Wenn man indessen unter revolutionnairer Richtung nur ein Bestreben, die bestehenden Verfassungen umzustürzen, zu verstehen hat, so kann man das Publicum mit der Versicherung beruhigen, daß kein Buch der revolutionnairen Richtung fremder ist als dieses, und daß sein Verf. nichts mit jenen gelehrten und ungelehrten Tollhäuslern gemein hat, welche gegenwärtig von Kathedern und Rednerbühnen das Echo der französischen Propaganda ertönen lassen. Das vorliegende Werk bezweckt allerdings eine Umwälzung, aber in einer Weise, wie sie kein europäischer Staat zu fürchten braucht. Die Aufgabe, welche sich der durch seine Schrift: „Ueber die wesentlichen Verschiedenheiten der Staaten und die Strebungen der menschlichen Natur" (Köln 1822), sowie durch die „Reise nach Nordamerika" (Elberfeld 1829) rühmlichst bekannte Verf. gesetzt hat, ist eine gründliche Untersuchung des Zustandes der europäischen Menschheit, und für dieses Ziel scheint er, so viel aus dem vorliegenden ersten Bande ersichtlich ist, vermittelnde Themas gewählt zu haben, woran bisher in den Reden über das Wohl und Wehe der Völker kaum gedacht worden ist.

Sein Ideengang ist S. 173 im Allgemeinen angedeutet. Dort heißt es: „Der glückliche und unglückliche Zustand der Menschen hat eine innere und eine äußere Wurzel, nämlich eine Wurzel in der menschlichen Natur selbst, und eine andere in den Umgebungen, in der äußern Welt. Um die innere Wurzel kennen zu lernen, muß man sich durch mehre vermittelnde Ordnungen von Vorstellungen durcharbeiten. Die erste vermittelnde Ordnung wird durch die Worte „Zufriedenheit und Unzufriedenheit" angedeutet, wegen der Abhängigkeit des Glückes von Zufriedenheit und Unzufriedenheit. Die zweite vermittelnde Ordnung bezeichnen die Worte: „Ansprüche der Menschen", wegen der Abhängigkeit der Zufriedenheit von unsern Ansprüchen an das Leben. Die dritte Ordnung bieten die Worte: „Ansichten und Strebungen", wegen der Abhängigkeit unserer Ansprüche von unsern Ansichten und Strebungen. Die vierte Ordnung begreift die Bedeutung der Worte: „Entwickelung und Cultur", wegen der Abhängigkeit der Ansichten und Strebungen von Entwickelung und Cultur. Erst nachdem man mit allen zu diesen Ordnungen gehörigen Vorstellungen vertraut geworden ist und die Abhängigkeit des menschlichen Glücks und Unglücks von der innern Wurzel deutlich vorliegt, darf man sich mit der Abhängigkeit von der äußern Wurzel, den Umgebungen befassen, um zu einem definitiven Aufschlusse über unsern Zustand zu gelangen."

Wie sehr der treffliche Verf. von der Schwierigkeit seiner Aufgabe durchdrungen ist, erhellt aus der Einleitung, welche, wie er mit Recht sagt, am wenigsten überschlagen werden darf. Nachdem er darin von der Bedeutung dieser Aufgabe für die gegenwärtige Zeit wahr und eindringend gesprochen und nachgewiesen hat, daß eben die jetzige Generation für die Untersuchung einer solchen Frage herangereift ist, spricht er von der Form der Darstellung und bekennt, daß grade diese ihm viele Mühe gemacht habe. Dies war vorherzusehen, denn da sein Zweck nicht blos der war, den Zustand der europäischen Menschheit richtig darzustellen, sondern auch ihn so darzustellen, daß er nicht als das Resultat der Schule, vielmehr als aus praktischen Wirkungen hervorgegangen erschiene, so mußte es schwer sein, den Ton zu treffen, welcher einer solchen Darstellung leichten Eingang verschaffen könnte.

Die „Briefe über Nordamerika", worin zuerst in einer richtigen, auf eigne Beobachtung und Erfahrung gegründeten Weise über zweckmäßige Ansiedelungen jenseit des atlantischen Oceans geredet wurde, hatten in allen Ländern deutscher Zunge ungemeines Aufsehen erregt. Die Briefe, welche der Verf. seit einigen Jahren fast aus allen Gegenden Deutschlands und der Schweiz erhielt, bewiesen ihm deutlich, daß eine ernste Prüfung unserer gemeinsamen Lage die beste Aufnahme finden müsse, wofern die Art des Vortrags nur nicht zu abstoßend wäre. „Wenn", dachte er, „die aufregende Zeit allerdings mächtig auf die Leidenschaften wirkt und dadurch eine ruhige Prüfung hindert, so ist das doch gewiß bei den auf Auswanderung Sinnenden am wenigsten zu fürchten. Unter ihnen gibt es vorzugsweise Diejenigen, welche mit der größten Empfänglichkeit für die aufregenden Reize zugleich die größte Fähigkeit verbinden, sie ruhig zu verarbeiten." Und nun fand er nach mannichfachen Betrachtungen, daß er seinen Zweck am ehesten zu erreichen hoffen dürfte, wenn er seinen Stoff so behandelte, daß die verschiedenen Abtheilungen seiner Gedankenreihe als Einzelnheiten die Aufmerksamkeit der Leser fesseln könnten. Denn „Vorträge, die von Anbeginn an auf eine große Kette von Sätzen hinweisen, wirken auf den Zuhörer wie ein langer vor dem Blicke ausgebreiteter Weg auf den Wanderer. Wird hingegen die Aufmerksamkeit von dem fernen Ziele durch Zwischenobjecte abgelenkt, so legt man die weitesten Strecken zurück, ohne die Beschwerden zu fühlen." (S. 25.)

Auf die Einleitung folgen nun die Einzelnheiten in der Form von Tagebuchauszügen. Ob der Verf. sein Tagebuch wirklich so geführt hat, wie diese Auszüge es geben, darf wol bezweifelt werden, ist aber auch gleichgültig; denn nur darauf kommt es an, ob sie für die gestellte Aufgabe Bedeutung und Werth haben, und ob sie hinreichenden Anreiz enthalten, um als Aphorismen den Leser zu fesseln.

Referent hat das Werk dreimal mit Aufmerksamkeit durchgegangen, und wenngleich aus einem ersten Bande sich über das Ganze kein sicheres Urtheil fassen läßt, so darf er doch soviel behaupten, daß diese Schrift die ernstlichste Aufmerksamkeit nicht blos des deutschen Publicums und der deutschen Staatsmänner, sondern die aller gebildeten Menschen in Europa wie in Amerika verdiene.

Die obenerwähnten „Briefe über Nordamerika" haben zwar Vieles dazu beigetragen, eine Menge verjährter Vorurtheile in Betreff des Gedeihens der Völker und Staaten zu zerstören; allein das gegenwärtige Werk wird weit mehr leisten. Es ist nicht die Absicht des Referenten, eine eigentliche Recension desselben zu schreiben; sie würde unnütz sein, da das Werk von Jedermann wird gelesen werden, wie es an Jedermann gerichtet ist, und es anmaßend sein würde, wenn ein Einzelner für Alle

antworten wollte. Der Verf. spricht sich in dieser Beziehung sehr richtig so aus: „Meine Behauptungen sind wie die eines Andern nicht mehr werth als die Gründe, worauf sie ruhen, und für die Würdigung dieser Gründe hat der Leser die höchste Instanz in sich selbst.“ (S. 22.)

Ebenso wenig will Referent eine vollständige Uebersicht des Inhaltes dieses ersten Bandes liefern, so viel Anziehendes sich auch aus den Tagebuchsauszügen zusammenstellen ließe, theils aus obigen Gründen, theils, weil es doch bald in andern dazu mehr geeigneten literarischen Blättern geschehen wird. Er beschränkt sich daher auf ein paar Stellen, die ihn besonders angesprochen haben.

Gleich im ersten Auszuge wird von der Wirkung des Aufbruchs aus Europa in einer Weise gesprochen, die nothwendig überall Anklang finden muß, und es finden sich in demselben die Grundideen, die sich in den folgenden Blättern immer mehr entwickeln (über die eigentlichen Ursachen der Unzufriedenheit, über die irrigen Vorstellungen davon und über die Gebrechen der europäischen Gesellschaft), schon alle angedeutet. Auch der zweite und dritte Auszug enthalten manche interessante Stellen; den vierten aber, welcher eine Zugabe zu den „Briefen über Nordamerika“ liefert, sollte billig Niemand ungelesen lassen, dem es nur einigermaßen um richtige Vorstellungen von Nordamerika zu thun ist.

Im siebenten Auszuge heißt es S. 67: „Auf den Bergrücken genoß ich die entzückendsten Aussichten über eine unverwüstete Natur, über die anmuthigsten Wälder und Ansiedelungen, die den Reiz der Wälder erhöhten. Hier wandelte mich oft die Lust an, diese langen Bergreihen und ihre weiten Thäler nach der Weise der Naturforscher, etwa der Mineralogen oder Botaniker, oder auch als Jäger zu durchirren. Sie ziehen sich von der canadischen Grenze mehre Hundert deutsche Meilen gegen Süden, durch verschiedene Klimate hindurch. Ich glaube nicht, daß in irgend einem kleinen europäischen Lande sich solche Wanderungen mit mehr Sicherheit unternehmen lassen als hier in einem Striche wie von Norwegen bis zur Meerenge von Gibraltar. Wo es keine Bettler gibt, da kann es auch nicht viele Straßenräuber geben.“ (S. 69.) „Nächst der großen Ausdehnung des fruchtbaren Bodens ist es dessen reiche Bekleidung mit Wäldern, weshalb ich diesen Erdtheil als eins der ersten Geschenke ansehe, die der Himmel der cultivirten Menschheit verhält. Dann folgen die mächtigen Ströme; obgleich sie seit der Erfindung der Eisenbahnen für die Verbindung der Länder entbehrlicher geworden sind, so bleibt doch der Wechsel, den sie der Oberfläche der Erde geben, unersetzlich. Auf keinen Strom ist dies mehr anwendbar als auf den Ohio. Schon 1200 engl. Meilen von seiner Mündung in den Mississippi dem Rheine an Größe gleich, windet er sich durch ein, von den mannichfachsten Baumgruppen dicht beschattetes Thal, so ruhig und so mild, als wenn er für bessere Wesen ausgegossen wäre, als Menschen sind.“

(S. 146.) „Wie schwierig ist nicht eine Wasserfahrt von Skandinavien in das mittelländische Meer! Wer mag sich den Gefahren und Unbequemlichkeiten einer solchen Reise des bloßen Vergnügens wegen aussetzen? Nun aber stelle man sich vor, daß vom hohen Norden an mitten durch Europa ein großer Strom bis nach Afrika flösse, wie der Mississippi Nordamerika durchströmt. Der Mississippi ist einer klimatischen Scale zu vergleichen, auf welcher man mit geringen Kosten und ohne alle Beschwerden zu jeder Jahreszeit, etwa sechs bis acht Winterwochen ausgenommen, aus einem Klima in das andere gleiten kann, z. B. von einem Landsitze, wo der Winter vier Monate dauert, zu einem Landsitze, wo es nur zwei Wochen Winter ist, oder wo er ganz fehlt, wie unterhalb Natches. Das Reisen in den amerikanischen Dampfschiffen kostet kaum ein Drittel von Dem, was man in Holland zahlen muß, und für die Bagage, selbst wenn sie 400 Pfund beträgt, fodert man gar nichts. Dabei ist die Verpflegung weit besser als in den holländischen. Die amerikanischen Dampfschiffe sind im eigentlichen Sinne wandelnde Gasthöfe, die auf dem Ohio und Mississippi Reisen von mehren Tausend Meilen machen. (Schon die höhere Bauart, daß die Kajüten so hoch wie die höchsten Säle und über dem Wasserspiegel erhaben sind, macht sie viel einladender als die holländischen Schiffe.) Auf dem Missouri fängt die Dampfschiffahrt erst an. Dagegen erscheinen auf dem Mississippi nicht blos wandelnde Gasthöfe, sondern auch wandelnde Waarenlager, wandelnde Schmieden und andere Gewerbstätten, die mit der größten Leichtigkeit bald hier anlanden, bald dort und, nachdem der Zuspruch der Käufer ist, mehre Tage oder Wochen liegen bleiben.“

Eine Menge solcher Züge sind in dem Werke zerstreut, welche der Leser leicht findet, und die ihm das Durchgehen äußerst angenehm machen. Allein nicht auf ihnen beruht der Werth dieser zeitgemäßen und trefflichen Schrift; sondern darin, daß sie eine Probe bestehen kann, die von den mehr pikanten als gründlichen politischen Flugschriften der neuern Zeit keine aushält, die Frage nämlich: inwiefern sind wir nach dem Durchlesen klüger geworden?

Doch Referent glaubt genug gesagt zu haben, um aufmerksam zu machen, was allein sein Zweck war. Man hat bisher über Auswanderungen nach Amerika viel geschwatzt und viel drucken lassen. Wer den Anpreisungen und Anfeindungen, welche sich abwechselnd hervorthaten, geglaubt hat, hat sich gewöhnlich hinternach getäuscht gefunden. Hier redet ein Mann, der selbst gesehen, selbst versucht hat, der die Verhältnisse und Zustände hüben und drüben genau kennt und nur spricht, um zu nutzen. Diejenigen, welche seinen Lehren zu folgen gedenken, finden in diesem neuen Werke manche neue wichtige Notiz über das amerikanische Leben, die besonders kein Auswanderer übersehen sollte. 182.

Notiz.

Bevölkerung von Petersburg.

Nach der neuesten, auf Befehl der Regierung vorgenommenen Schätzung beträgt die Bevölkerung von Petersburg 449,000 Seelen; die Hauptstadt von Rußland ist demnach gegenwärtig nächst London und Paris die bevölkertste Stadt in Europa, dann folgen Neapel und Wien. Eine vergleichende Uebersicht der Bevölkerung und Häuserzahl der fünf genannten Städte dürfte nicht ohne Interesse sein.

	Häuserzahl.	Einwohner.
London	174,000	1,400,000
Paris	45,000	774,000
Petersburg	9500	449,868
Neapel	40,000	360,000
Wien	7500	300,000

Unter den 449,000 Einwohnern von Petersburg gehören nur 154,000 dem weiblichen Geschlechte an.

Die sämmtliche Bevölkerung zerfällt in folgende Classen:

Geistliche	2188
Adlige	34,079
Militairpersonen	39,487
Kaufleute	10,888
Handwerker	24,179
Bürger	36,789
Mittelclasse (?)	66,866
Fremde	7199
Bediente	94,007
Bauern	127,866
Bewohn. v. Dörfern	5566

Geburten männlichen Geschlechts	5198
„ weiblichen Geschlechts	4969
	10,167

Sterbefälle: Individuen männlichen Geschlechts	11,332
„ weiblichen Geschlechts	5530
	16,862

148.

Redigirt unter Verantwortlichkeit der Verlagshandlung: F. A. Brockhaus in Leipzig.

Blätter für literarische Unterhaltung.

Sonntag, — Nr. 223. — 11. August 1833.

Der Pfirsichbaum.

(Beschluß aus Nr. 222.)

„So sprach, sich immer mehr versenkend und ganz sich hingebend tiefsinniger Trauer, der Brahmine. Ich aber hing saugend an der Süßigkeit seiner beschaulichen Rede. Und als die Dämmerung über Thäler, Wälder und Höhen eine ähnliche Stimmung ausgegossen hatte, trug es mich fort in ein tieferes Bergthal, das, nach einer Seite hin im Halbkreis von schroffen Felsenmassen gehütet, nach der andern aber von lieblich vertieften Hainen beschattet lag. Auf den Felsen schwankten einzelne Palmen. Aus zwei Klüften flossen wie aus Augenhöhlen zwei Quellen, die im Thale sich fanden und zu einem stillen See vereinten. Ich flog von Klee auf Blumen, von Blumen auf Blüten, bis ich auf dem Strahle einer mondbeglänzten Lotosblume schwebte, die sich im stillen See beschaute. Da erblickte ich aus der Tiefe des Kelches einen Funken blitzen, der bald wie ein großer Stern sich erhob und, zum schimmernden Kerzenlichte sich verlängernd, allmälig größer und zarter wuchs, bis ein Mägdlein vor mir stand, die sich alsbald in den größer gewordenen Kelch wie auf ein Sopha niederließ. Dieser aber glitt zu meiner Verwunderung vom Stengel nieder in den See, auf dessen lieblicher Fläche wir nun hinfuhren und uns aufs Angenehmste wiegten. Es hatten sich inzwischen von den Blumenstrahlen noch andere zarte Gestalten losgewunden, die unsern Kahn mit silbernen Rudern fortbewegten. Ich aber schwebte an der Spitze des Randes, schlug leise mit den Flügeln und gewahrte zu meiner Freude, daß sie mit jeder Schlagbewegung Funken und Sternchen in die Wellen sprühten. Wundersam klangen die silbernen Ruder, die zart gegliederten Stäben glichen, und obgleich wir mit vieler Schnelle hineilten, während der Kahn jedoch leise und in schaukelndem Ebenmaß sich wiegte, schien das Ufer sich immer weiter zu entfernen, die Felsen traten zurück, die Baumgruppen schwanden immer mehr in die Tiefe. Gleichwol verloren wir sie nicht aus den Augen, sie umgaben uns vielmehr mit anmuthiger Begrenzung. Nie war mir so wohl gewesen, die Sterne hatten nie so schön geleuchtet, der Schwan zog hin in verklärter Ruh, die Sterne der Leier zitterten in leisen Klängen, wie Altarlichter flimmerten die Plejaden, nur das versöhnende Licht des Mondes milderte ihre feierliche Glut. Die stillen Lüfte schliefen in so heiligem Frieden, in so klarer Ruh, daß mir die Nacht vorkam wie eine Braut entschlafen süßen Todes, die auf dem Paradebette läge, angethan in weißen Linnen und Juwelen; das Siebengestirn brannte auf Candelabern vor ihr, und um sie standen die Schatten wie Verwandte und weinten stille Sterne. War es so mild und selig über uns, so verlor sich das Herz in namenloses Träumen vor all den Wundern, die wir im See erblickten. Die heilige Pracht, die aus der Höhe auf uns niederglühte, kühlte das geheimnißvolle Feuer in der sanften Flut; es lächelte uns aus ihr freundlicher und verwandter an. Die Lichter des Himmels schwankten in ihr umher wie Mädchen, die, des festlichen und feierlichen Zwanges ledig, nun im Nachtkleide vor dem Schlafengehen in den Sälen schweigsamfroh und stillvergnügt mit Lichtern hin und wieder wandeln. Je weiter wir fuhren, um so wunderbarer zeigte sich die Tiefe. In mannichfaltigen Bildern sah ich Erscheinungen wie auf der Erde vorüberziehen. Wiesen und Fluren, Gärten, Berge und Wälder schwanden hinter Zinnen und Schlösser; Städte zogen vorüber mit hohen Thürmen und offenen Plätzen, wo sich ein unendliches Treiben und Getümmel regte. Völker von den verschiedensten Trachten und Gestalten drängten sich in buntem Gewühl und wechselnden Massen. Ein Wogen, Schieben und Ueberwälzen. Auf einer breiten Ebene, zu der eine an eisernen Ketten schwebende Brücke führte, sah man unablässig bald in Abtheilungen, bald in entwickelten Reihen, starren Aufstellungen und geschlossenen Gliedern stürmische blutige Verwickelungen. Aber alle Bewegungen, die sich unten auf dem Grunde wild, possenhaft, ungeheuer und verworren zeigten, schwankten in dem See selbst als gefälliges Spiel lieblicher Gestalten. Wie viel ich daselbst noch mehr des Wunderbaren und Unglaublichen sah, sollst du ein andermal von mir hören, verehrte Raupe! Eine Erscheinung aber fesselte meine Aufmerksamkeit, dergleichen ich noch nie zuvor gesehen hatte. Ein thurmähnliches Gebäude fiel mir in die Augen. Du hättest es für ein gothisches Denkmal halten können, dem es in der That der Bauart, den spitzen Selbstwiederholungen, kleinen Nebenthürmchen und Säulchen, den Schnörkeln und Verzierungen und der durchbrochenen Gitterung nach einigermaßen glich. Es war jedoch kein von Mörtel und Stein aufgeführtes Bauwerk, und besah man es genauer, konnte man eine seltsame Zusammenstellung bemerken; den Wespenhäuschen und Nestern glichen die Bestandtheile am meisten, gegen unten zu und um die Mitte hin bräunlich, vor Alter schwarz und eingetrocknet; obgleich die untern festern Bauten weniger denen von Insekten als von Bibern und andern Thierkünstlern ähnlich sahen. Darin aber unterschieden sie sich von dem größten Theil der obern und Mittelnester wesentlich, daß sie von Einer Seite oder Einem Punkte wenigstens sicher und fest zusammenhingen, die letztern dagegen ganz frei zu schweben schienen, indessen, genau besehen, durch heimliche Fäden und Zwischengänge in Verbindung standen. Alle aber waren aufs künstlichste zusammengesetzt, und jedes über- oder angebaute, an Stoff und Materie dem andern ziemlich gleich, wollte es diesem dennoch zuvorthun, mindestens in Art und Form sich vordrängen und auf alle Weise das nächste unter sich bringen, wenn auch nur deswegen, damit sein Schatten darauf fiele, vielleicht aber auch, um den geheimen Zusammenhang geschickt aus den Augen zu rücken. Unter diesen löcherigen Fächernestchen gewahrte man einzelne, deren Anzahl im Verhältniß zu den übrigen freilich gering war, die wie Bienenzellen aussahen. Ein solches Bienenhaus lag unverkennbar gegen den Uebergang zum Mittelstockwerk hin, in dem es immer noch wie flüssig Gold schimmerte, und in welches sichtbare oder versteckte Fäden liefen, mittels deren die zur Zeit geschäftigen, wie aus der Ferne wie Hornissen und Wespen [illegible] Arbeiter sich zuweilen hineinschlichen, um theils ihre eingeschrumpften Leiber an der gestohlenen Süßigkeit zu erquicken, theils diebischerweise ihre eignen Bauten mit dem entführten duftigen Wachs zusammenzukleben. Das Mittelfach hatte am meisten gelitten, es erschien völlig durchsichtig und locker, da seine Wohnungen aus Wespenstacheln netzartig gebildet waren. Diesen entfuhr Eine, deren Bestrebung auf arge Weise die Stachelnestchen mitnahm, fast alle wurden beschädigt und zerbrochen; und kaum hatte sie sich frei gefühlt, als sie mit großer Geschicklichkeit die Eingeweide heraus, Kopf, Haare und Augen einwärts kehrend, sich verwandelte, in welcher Umkehrung sie Wunderliches träumen mochte, denn von Zeit zu Zeit schlug sie zuckend und schwirrend seltsame Wirbel. Aus ihrem Innern entließ sie eine zweite, sie selbst an Größe übertreffende hornissartige Wespe, in deren gläsernem Hintertheil die [illegible] als geometrische Linien auf einem großen starrsehenden Auge sich kreuzend, fest, unbeweglich und fühllos vor sich hinsahen. Neben dieser schimmerte Eine durchsichtig wie Krystall. Sie trug einen goldenen Tropfen in der Brust, und von vier kaum sichtbare helle und hellere Pünktchen strahlten, von andern ähnlichen umhüpft, die hin und über, diese wechselnd, jenen begegnend, sprangen. Nichts [illegible] sich friedfertiger und lustiger aus, als was in der letzten und obersten, in Spitzsäulchen auslaufenden Abtheilung vorging. Da war das fleißige Summen, Fächern und Kleben eigentlich zu Hause. Sie nämlich krochen und flogen aus die Mundhöhle eines Todtenkopfes ein und aus, welcher als Gehäuse eines mit bewunderungswürdiger Kunst angelegten und ausgeführten, das Innere des Schädels vielfächerig überkleidenden Zellwerkes diente. In diesem erschienen die löcherigen, obgleich leeren Höhlungen tiefer, die Wandkanten und Ränder geschlossener und schärfer. Nachdem nun jene darin gehaust und ihr Wesen getrieben hatten, flogen sie abgezehrt, brummend und ärgerlich zur Mundhöhle heraus. Eine machte sich vom Haufen los und wirbelte wie toll immer und ewig um sich selbst. Eine andere fuhr, da sie von den Drehungen der übrigen nichts wissen wollte, wie eine Fliege gegen die Mauer, in grader Richtung stets auf den Schädel los und schien in einer Art wahnsinniger Entzückung den Kopf an ihm zerstoßen zu wollen, während ihr Hintertheil nach dem Himmel schaute, und die Beinchen in den Lüften zappelten. Andere wieder drehten sich schön und sinnreich im Schwarme, nichts Anderes zu bezwecken scheinend, als durch sich selbst vermittels hin- und her-, ein- und aushüpfender Mückenmanoeuvres und Tanzbewegungen ein künstliches Zeltgebäude aufzustellen, aus deren Mitte endlich sich Eine losfliegend wegbegab und für sich dieselben Evolutionen, bald stillhaltend und innerlich summend, bald in Kreisdrehungen und Wirbeltänzen, wobei sie sich unaufhörlich mit den Füßen betastete und begriff, ein drolliges und wüstes Spiel trieb. Die ganze merkwürdige Nestersäule aber umfloß von oben bis hinab ein Gespinnst von langen einzelnen Fäden, an denen hin und wieder zusammengedörrte, noch jetzt mit scharfen Klauen und feinen spitzen Zähnchen versehene Spinnenmumien hingen, welche Fäden sich alle an eine Art von altem, verschrumpftem, eingerunzeltem Weiberhaupt knüpften, das Ganze mit den vielen einzeln hinablaufenden Linien wie ein Schleier überschwebend. Diese Fäden aber, deren wenige bis auf den Boden reichten, noch wenigere in die regsam lebendigen, vielgestaltigen und bedeutsamen Vorgänge hinter ihr verliefen, spann sie auf eine auffallende und sehenswerthe Weise. Sie warf nämlich mit vieler Hast und Behendigkeit die dürren langen Finger über und hinter sich, griff nach den vorüberfliegenden Streiflichtern und Schatten, Daumen und Zeigefinger wie zum Ausziehen von Fäden spitzend, führte sie sodann an ihre ungeheure, einem Rocken ähnliche Nase, woraus, als wäre diese eine wirkliche Kunkel, sie die feinsten und künstlichsten Fäden ausspann. Ein wunderliches Ansehen erhielt dies Geschäft durch die Brille, die vor ihren Augenhöhlen leuchtete; es waren Uhrgläser, die sie für diesen Zweck gebrauchte, die Kunkelnase schien zugleich den Schattenwerfer abzugeben. Dieses niegesehene Schauspiel erregte in dem [illegible] mein Erstaunen, daß ich mich ganz vergaß und ein [illegible] Flirren vor den Augen bekam. Alles [illegible] und schwankte durcheinander; mir kam vor, der See [illegible] und zöge sich zusammen, würde immer enger und schmäler, das Wasser zerrinne und verliefe sich, bis er, zu einem furchenschmalen Bett [illegible], sich wirklich als frischgepflügte Ackerfurche [illegible]. Ich wollte mich ermannen, versank aber nur tiefer in traumartiges Auf- und Niederschweben; der Kahn war so klein geworden wie ein Weizenkorn, das immer tiefer, immer tiefer sank, bis das goldene Körnlein in der Furche ganz verschwand, die jenes Fadengespinnst als weißliches Gewebe, wie man es auf frischaufgeworfenen Aeckern zu sehen pflegt, bedeckte und überwob. Ich aber flatterte und taumelte, mich hebend, senkend, zweifelnd und besinnend, hin und her, auf und ab, bis ich mich losriß und über jenen Teich herflog, die Sinne noch so sehr von Weben und Spinngetöse eingenommen, daß es mich unwillkürlich zu dir hertrug."

Mittlerweile war der Mond im Garten aufgegangen, der Falter erhob sich und flog fort. Philomele hub an, ihre Nachthymnen anzuschlagen, die sie in lyrischen Sprüngen bald auf diesem, bald auf jenem Zweige, bald klagend, bald dithyrambisch und leidenschaftlich ausgoß. Jetzt schmetterte sie auf dem Pfirsichbaume. Die Raupe, die sich bei ihren Schlägen und süßheftigen Klängen nichts denken konnte, wollte entweichen, wurde aber von der Nachtigall bemerkt, die auf sie zuflog, sie auf den Liederschnabel spießte und, während sie, den Raub auf dieser gefährlichen Tonhöhe tragend, ihren Trillerschlag fortschmetterte, unter einem Fortissimo von Jubeltönen verspeiste. Nicht hätte die gute Raupe gedacht, daß sie auf diese Weise zu Gesang werden und ihr Dasein in Liedern aushauchen würde.

J. L. Klein.

La vallée aux loups, par *M. Delatouche.* *)

Witz und immer Witz. Wo man das Buch aufschlägt, sprühen Funken auf. Es ist ein ewiges Knistern und Flimmern, ein betäubendes Antithesengerassel. Alles prangt und prunkt und blitzt und blendet; man ermüdet vor Genuß, man sehnt sich mitunter nach einer Albernheit.

Es ist unter den Classikern eine dritte oder gar eine vierte Coalition zu Stande gekommen: V. Hugo hat bis jetzt seine Schlacht von Jena, seine Schlacht von Austerlitz gehabt; die Alliirten hoffen noch immer, er werde seine Tage von Leipzig und von Waterloo und sein St.-Helena finden. Herr Thiers und die Académie française rüsten sich zu einem großen Feldzuge. Die Duchesnois hatte das Theater verlassen aus Zorn über die Mars, welche die Primadonna des romantischen Dramas geworden und den falschen Göttern zugeschworen; die Duchesnois betritt die Bühne wieder auf Befehl des Ministers. Das Théâtre français wird reparirt: eine Menge Tragödien, welche seit Jahren sich in den Cartons gesammelt, werden aus dem Staube der Vergessenheit hervorgeholt; bereits sind einige einstudirt, neue sind bestellt, die ganze classische Zunft brütet in den Hainen des Parnasses. All dieser Lärm ist durch eine Grobheit des Hrn. Thiers entstanden; in einer Discussion mit V. Hugo sagte er diesem mit seiner bekannten Impertinenz: „Vous n'avez pas lu l'histoire de la révolution." „Je n'ai pas lu la vôtre", war des Dichters passende Antwort. V. Hugo muß nun auf seiner Hut sein. Alles schaut auf ihn. Ein neues Werk des fruchtbaren Dichters ist an der Porte St.-Martin angenommen werden. Der etwas veraltete Streit hat demnach neues Interesse gewonnen.

Herr Delatouche kennt sein Publicum; seit seinem famosen Aufsatze über die „Camaraderie littéraire" hatte er kein Wort mehr über die Romantik verloren; nun diese wieder an der Tagesordnung ist, folgt er ihr auf der Ferse nach. In der Zuschrift an den Herausgeber macht er sich viel mit der so oft besprochenen literarischen Streitfrage zu schaffen, ohne daß man eigentlich erfährt, mit welcher Partei er es hält. Er verschwendet viel Esprit, um zu sagen, daß heutzutage anders gedichtet wird als vor 50 Jahren. Indessen erinnern wir uns nicht, etwas Geistreicheres über diesen Gegenstand gelesen zu haben, obgleich übertriebene Persönlichkeiten, hämischer Neid, leicht verwundbare, rachsüchtige Eitelkeit den Genuß sehr verbittern. Dann folgt ein Prolog in Versen, sehr schön geschrieben, mit vieler äußern Poesie, aber hohl und frostig; unter allen Dichtern, die keine sind, hat noch keiner einem Dichter so ähnlich gesehen als Delatouche. Alle seine Dichtungen sind, wenn man ihnen auf den Grund sieht, kritische Studien, die er meisterhaft darstellt. Nach dem Prologe folgt eine Anekdote über die Albernheit eines Debutanten, dem man anempfohlen hatte, mit Gefühl zu spielen; er gab den Theseus in „Phèdre" von Racine. Als Theramen in der bekannten Erzählung von Hippolyt's Tode sagt:

> Pousse au monstre, et d'un dard lancé d'une main sure
> Il lui fait dans le flanc une large blessure,

da ruft Theseus mit innigstem Affecte aus: Pauvre monstre! Ueber diese Dummheit hat Delatouche zwölf Seiten geschrieben, eine köstliche Persiflage der heutigen französischen Literatur, ein heftiger, eloquenter Ausfall auf die politischen Zeitverhältnisse; allein auch hier stört der Mangel an entschiedener Ansicht, an Begeisterung für irgend etwas. Delatouche hat wie Heine alle Fehler seiner Vorzüge: der Spötter kann nicht lieben; in seinem 16. Jahre ersann sich Heine eine untreue Geliebte, um sie hassen zu können. Schon früher hat Delatouche seine Bearbeitungen des „Erlkönigs" und des „Fischers" von Göthe bekannt gemacht; hier erscheinen sie aufs Neue mit einer bedeutenden Sammlung von „traditions populaires" vermehrt, unter denen „Le navire inconnu" die beste ist. Nach einer Volkssage ist dieses Schiff, das erste, welches Menschenhandel getrieben, nebst der Mannschaft dazu verdammt, ewig auf dem Meere herumzuirren. Wir sind jetzt schon bis zu S. 217 des Buches gekommen und sehen uns vergebens nach der „Vallée aux loups" um, die der Titel verheißt. Die Notizen über die noch ungedruckten Werke von André Chénier sind höchst interessant. Dieser junge Mann, welcher, ohne es zu wissen, der Gründer einer neuen französischen poetischen Schule war, hatte kurz vor seiner Verhaftung sein Manuscript in drei Portefeuilles vertheilt. Das erste enthielt diejenigen seiner Productionen, die er als vollendet betrachtete; in dem zweiten befanden sich die Werke, welche noch der Feile bedurften; und in dem dritten war alles Unreife, Skizzirte, Abgebrochene. Dieses letzte Portefeuille ist das Einzige, was zur öffentlichen Kenntniß gekommen ist. Es wurde den Gebrüdern Baudouin angeboten, die sich damals mit Herausgabe des Theaters von Marie Joseph Chénier beschäftigten; André war noch völlig unbekannt; in der Hoffnung, der berühmte Verf. des „Tibère" werde dem Bruder durchhelfen, brachten sie das Manuscript um ein Geringes an sich; André Chénier mit seinen Bruchstücken steht jetzt in den Reihen der reichsten Geister, die Frankreich hervorgebracht hat; Marie Joseph ist beinahe vergessen. Habent sua fata libelli. Unter den bis jetzt unbekannt gebliebenen Werken von André Chénier, die Delatouche hier anführt, haben wir besonders folgenden Entwurf zu einer Idylle bemerkt; die französische Literatur hat nichts Zarteres, Lieblicheres aufzuweisen: „Junge Mädchen umringen einen Knaben und liebkosen ihn. „Ist es wahr, daß du ein Lied für deine Cousine Pannychis gedichtet?" „Ja, ich liebe Pannychis, sie ist schön, sie ist fünf Jahre alt wie ich, ich habe ihr eine Statue der Venus geschenkt; Pannychis nennt sie ihre Tochter, sie wiegt sie in der Schale eines Granatapfels." „Singe uns dein Lied, wir geben dir Trauben, honigsüße Feigen u. s. w." Und der Knabe singt:

> Ma belle Pannychis, il faut bien que tu m'aimes:
> Nous avons même toit, nos âges sont les mêmes,
> Vois comme je suis grand, vois comme je suis beau;
> Hier, je me suis mis auprès de mon chevreau.

---

*) Vgl. Nr. 220 d. Bl. D. Red.

Par Pollux et Minerve! Il ne pouvait qu'à peine
Faire arriver sa tête au niveau de la mienne.
D'une coque de noix j'ai fait un abri sûr
Pour un beau scarabée étincelant d'azur:
Il couche sur la laine, et je te le destine.
Ce matin j'ai trouvé parmi l'algue marine
Une vaste coquille, aux brillantes couleurs,
Nous l'emplirons de terre, il y viendra des fleurs etc.

Leider befindet sich der größte Theil seiner nachgelassenen Papiere in fremden Händen und gehört zu einer sehr verwickelten Erbschaft; sie sind vielleicht auf immer für die Nachwelt verloren. André Chénier ward während der Revolution hingerichtet; er war 26 Jahre alt; als er das Schaffot bestieg, schlug er sich vor die Stirn, indem er ausrief: „J'avais pourtant quelque chose là!" Nach den lieblichen Schöpfungen Chénier's sind uns die überkünstelten Elegien Delatouche's doppelt zuwider. Wir finden darin Reminiscenzen aus Lamartine und aus Parny; fromme Begeisterung der Liebe und freche Sinnlichkeit; tückische Cokketterien aus der großen Welt und fades Gejammer über die todte Geliebte. Den Schluß machen eine Erzählung: „Le coeur du poëte", deren Held Marie Joseph Chénier ist, und „Poésies diverses". Von der Wolfsschlucht ist nichts zu hören noch zu sehen. 143.

Literarische Nachrichten aus Polen.*)

Wilna.

Bekanntlich ist durch einen kaiserlichen Ukas vom 12. Juni 1832 die wilnaer Universität aufgehoben worden. An die Stelle derselben ist nun eine neue „kaiserliche medicinisch-chirurgische Akademie" getreten. Die Statuten derselben sind durch polnische Blätter bekannt gemacht worden; wir entnehmen Folgendes:

Die wilnaer medicinisch-chirurgische Akademie ist eine höhere wissenschaftliche Anstalt, bestimmt, die Jugend in der Medicin, Pharmacie und Veterinairkunde auszubilden. Sie hat in der allgemeinen Graduirung der Landesobrigkeiten, wie die russischen Universitäten, mit den Collegien gleichen Rang. An der Spitze steht ein Präsident, welcher von dem Kaiser auf Vorstellung des Ministers des Innern ernannt wird, mit einem Gehalte von 8500 Rubel Assign.; die Lehrstühle sind übertragen an 15 ordentliche Professoren (mit einem Gehalte von 5000 Rubel Ass., von welchen diejenigen, welche 10 Jahre untadelhaft fungirt haben, nach Bestätigung des Kaisers zu Akademikern erhoben werden mit einer Gehaltszulage von 500 Rubel) und an 10 Adjuncte (Gehalt 2000 Rubel), von denen die ausgezeichnetsten mit Gehaltszulage von 500 Rubel zu außerordentlichen Professoren ernannt werden. Jeder ordentliche Professor oder Adjunct muß den Grad eines Doct. med. erlangt haben; die Professoren der Physik, Chemie und Naturgeschichte müssen, wenn sie diesen nicht besitzen, Doctoren der Philosophie sein; jeder Adjunct muß außerdem vorher drei Jahre als Arzt prakticirt haben. Die Akademiker und ordentlichen Professoren bilden unter dem Vorsitze des Präsidenten das höhere akademische Gericht, die Conferenz genannt; sie leitet die Angelegenheiten der Akademie, schlichtet die Streitigkeiten der Mitglieder derselben, schlägt die Candidaten zu ordentlichen Professoren und Adjuncten vor, welche dann nur noch der Bestätigung durch den Minister des Innern bedürfen u. s. w. Die Akademie ertheilt die gewöhnlichen ärztlichen Grade von dem eines Dr. med. et chir., eines medicinischen Inspectors und praktischen Arztes herab; sie hat das Recht, zur Beförderung ihrer wissenschaftlichen Arbeiten sich Ehrenmitglieder und Correspondenten zu wählen. Sie hat ihre eigne Censur; Werke und Handschriften, die von der Akademie oder den ordentlichen Mitgliedern aus dem Auslande zum eignen Gebrauche eingeführt werden, unterliegen der Censur nicht; überhaupt kann die Akademie Bücher, Handschriften und andere wissenschaftliche Hülfsmittel jeder Art zollfrei aus dem Auslande einführen, auch werden ihre Versendungen von der Post portofrei befördert, wenn diese ein Pud nicht übersteigen. Jeder Lehrer an der Akademie, der ein Werk liefert, welches die Akademie als Handbuch beim Unterrichte einzuführen würdigt, erhält nach dem Gutachten der Conferenz und mit Bestätigung des Ministers ein Viertel, die Hälfte, drei Viertel oder auch das Ganze seines jährlichen Gehalts als Belohnung und gibt es dann auf eigne Kosten heraus, oder die Akademie läßt das Werk in 600—1200 Exemplaren mit Bewilligung des Ministers abdrucken und übergibt dem Autor alle diese Exemplare. Bei einer zweiten vermehrten Auflage, die vom Autor veranstaltet wird, erhält er die Hälfte, bei einer dritten ein Drittel der Belohnung, welche ihm bei der ersten Auflage gewährt werden; doch kann diese Belohnung bei sehr bedeutenden Veränderungen des Werkes noch vermehrt werden. Die Studirenden bestehen: 1) aus 250 Studirenden des Schatzes, welchen vom Staate Wohnung, Kleidung und eine etatsmäßige Summe zu ihrer Erhaltung ertheilt wird, wogegen sie nach Vollendung ihres Cursus sechs Jahre dem Staate zu dienen haben; 2) aus Stipendiaten der Akademie (arme Studirende, denen einzelne Geldunterstützungen gewährt werden); sie haben nachher zwei bis drei Jahre zu dienen; 3) aus Pensionnairen, welche gegen Bezahlung in der Akademie wohnen und von ihr erhalten und beaufsichtigt werden, und 4) aus freien Studirenden, welche in der Stadt wohnen und bei ihrer Inscription in die Akademie ein für alle Mal 15 Rubel zu bezahlen haben. Alle Zuhörer tragen eine vorgeschriebene gleichmäßige Kleidung. Außer den gewöhnlichen medicinischen und Naturwissenschaften wird russische Literatur und Literaturgeschichte, lateinische und griechische Literatur gelehrt. Der Cursus der Medicin dauert fünf Jahre, der der Veterinairkunde vier Jahre, der für Pharmaceuten und Accoucheurs drei Jahre. Alle Vorträge in der Akademie geschehen in russischer oder lateinischer Sprache, nur die Pharmacie und Veterinairkunde für Zuhörer zweiten Grades kann nach besonderer Erlaubniß des Ministers in der polnischen Sprache ertheilt werden.

Vor einigen Jahren war Wilna, insbesondere die hiesige Universität, der Mittelpunkt für die ganze polnische Literatur, hier war es, wo Mickiewicz seinen Kampf gegen die Classiker begann, wo er seine ersten Lorbern errang. Dieses Leben ist nun seit den letzten unglücklichen Ereignissen erstorben. So können auch als Werke, die in der neuesten Zeit hier erschienen sind, nur wenige genannt werden. Krasziewski hat ein polnisch-russisch-französisches Wörterbuch in zwei Theilen herausgegeben. In polnischen Uebersetzungen sind erschienen: Washington Irving's „Christoph Columbus", Guizot's „Geschichte der Civilisation" und Paul de Kock's Erzählung: „Das weiße Haus", von Kraszewski (5 Thle.). K. J. Pasternak hat Erzählungen unter dem Titel: „Die große Welt einer kleinen Stadt" (2 Thle.) herausgegeben. 177.

*) Vgl. Nr. 174 d. Bl. D. Red.

Literarische Anzeige.

Redigirt unter Verantwortlichkeit der Verlagshandlung: F. A. Brockhaus in Leipzig.

Blätter

für

literarische Unterhaltung.

Montag, — Nr. 224. — 12. August 1833.

Hammelburger Reise, oder meine Abenteuer in der Luft. Elfte Fahrt. Nürnberg, Riegel und Wießner. 1833. 8. 6 Gr.

Der berühmte hammelburger Reisende hat nach jähriger Ruhe — die ihm seine Freunde zwar gern, aber nur unter der Bedingung gönnen, daß er nicht ruht — seine elfte Fahrt angetreten und glücklich vollendet, deren ergötzliche Abenteuer uns das vorliegende Heftchen auf 104 Seiten erzählt.

Er hat seine Reise in einem wiener Wagen vom Jahre 1815 ohne vorgespannte Pferde diesmal durch die Luftregion gemacht, vermuthlich um mit keinem groß- und kleingescheuter Bauern oder Gerichtsherren Händel zu bekommen, oder die im Kauzenlande aufs Neue — zwar ohne Nutzen, aber zu nicht geringer Plage aller ehrlichen, in Eilwagen fahrenden Reisenden — geschärften Paßverordnungen, Visitationen und Arretirungen zu umgehen, was außerdem nur dadurch geschehen kann, daß man kein Student, kein Demagog und — überhaupt kein Reisender ist.

Der Wagen setzt sich durch eine eigne Maschinerie in Bewegung und wird nicht vorwärts — was nach dem Ableben des bekannten Feldmarschalls nicht mehr üblich und beliebt ist — sondern vermöge der allgemeinen deutschen und europäischen Exaltation in die höhern Regionen des Thierkreises — nämlich des himmlischen — getrieben, in denen sein Lauf durch nichts, als durch die Spitzen der vielen steinernen, zu Ehren großer Männer in allen Gauen Deutschlands errichteten Denkmäler gestört wird.

Dort oben begegnet unser Reisender den von Wien zurückkehrenden Naturforschern und Naturphilosophen, mit welchen er ein interessantes Gespräch über deutsche Größen mancherlei Art anknüpft, z. B. über den großen Fuß, auf dem der Deutsche in der großen Welt — so kleinlich es auch in dieser hergeht — lebt; über die großen und kleinen Diebe und Thaler, an welch letztern blos ausgesetzt wird, daß man an ihnen immer noch kein Wachsthum verspüre, während die kleinste Noth und der kleinste Fratz mit der Zeit sehr groß wird.

Beim Abschiede bietet unser Luftfahrer den gelehrten Herren ein Huhn, einen Affen und eine Maus, unter Anpreisung ihrer merkwürdigen Eigenschaften, zum Verkauf an, wobei der Leser mehr als jene vornehmen Herren gewinnen; besonders durch die Geschichte der von einem Urahnherrn für Heinrich IV. gelieferten 30 Millionen Hühner, die unterwegs als Gült-, Pfingst-, Zehnt- und Zinshühner von geistlichen und weltlichen Gutsherren eingefangen werden. Die Maus (mus) gibt reichen Stoff zu Wortspielen mit nationalis-mus, liberalis-mus, servilismus etc.

Nach der Trennung kommt der Reisende auf die christliche Bergspitze Retra, von da in das Land, welches der steinerne Mann regiert, dann in die Gottesstadt des heiligen Augustin's und zuletzt in das Schloß der Vergessenheit, wo sich eine Bibliothek der seit tausend Jahren vergessenen Bücher befindet, unter diesen auch Müller's „Schweizergeschichte", dessen gepriesenes Verdienst scharf — unsers Bedünkens jedoch nicht ungerecht — kritisirt wird.

Wir enthalten uns, weitere Leckerbissen von den gewürzten Gerichten vorzulegen, oder für die Durstigen einige Becher aus dem frischen Springbrunnen sprudelnden Witzes zu schöpfen, und dies um so mehr, als wir den Appetit der Liebhaber des berühmten Windmühlwirthes und seiner Küche zu reizen nicht nöthig haben.

Während wir überzeugt sind, daß in Deutschland tausend Gäste sich mit Heißhunger zur neugedeckten Tafel drängen, mit Lust daran schmausen und gestärkt aufstehen werden, wissen wir aber auch, daß eine nicht geringere Anzahl mit Scheu Platz nehmen, viele Gerichte widrig finden und nach eingenommener Mahlzeit den Teller mit wahrer oder affectirter Unzufriedenheit (um vor hohen Obern oder Standesgenossen keinen falschen oder verdächtigen Geschmack zu verrathen) von sich schieben, auch wol Mund und Finger säuberlich zu waschen nicht unterlassen wird. Es gibt für einen Speisewirth der vorliegenden Art kein genäschigeres, unzufriedeneres und undankbareres Publicum als das liebe deutsche, das zwar gleich den englischen und französischen Feinschmeckern bedient sein will, sich aber am schwächsten Gewürznägelein den Magen verdirbt und jede Suppe versalzen findet. Grade Derjenige, der ihm ein Dutzend Gerichte, eins feiner und pikanter als das andere, schnell hintereinander vorsetzen wollte, würde beim letzten die Schüssel sammt Messer und Gabel um seinen Kopf fliegen zu sehen Gefahr laufen. Dies Misgeschick hat indessen seinen Grund zum Theil in der Natur des Witzes selbst, dessen treffendes sinnbildliches Sprachzeichen das Salz ist. Man kann wol starkgesalzene Speisen gern essen, aber keine Salzpastete. *)

Ein witziger Kopf, der lange mit ungeschwächtem Beifall schreiben will, muß, je reichhaltiger sein Salzlager ist, desto sparsamer damit umgehen, viel laues süßes Wasser dazu gießen und zwischen jedem gesalzenen Bissen den Lesern einige Löffel Mehlbrei in den Mund streichen. Hätte unser reicher Salinenbesitzer die ungeheuere Masse, die er in den vorliegenden 11 dünnen Heftchen so verschwenderisch zum Besten gegeben, daß witzarme Köpfe zeitlebens ihr Rindfleisch damit einpökeln können, in 50 dickbändige Romane versotten, so würde er im Siebengestirn deutscher Witzhelden als Stern erster Größe funkeln, während er jetzt manchem blöden Auge nur in der Milchstraße als ein Schimmer von tausend ineinander fließenden Sternenlichtern sichtbar wird.

Die beste Methode, den Lesern — besonders deutschen — den Witz auf die Länge erträglich zu machen, ist die, daß man nicht blos witzig, sondern humoristisch schreibt. Der Humor, dessen Definition selbst dem größten deutschen Humoristen (wir brauchen ihn wol nicht zu nennen oder nochmals zu citiren) nicht hat gelingen wollen, ist unsers Bedünkens nichts mehr und weniger als — der mit Empfindung gemischte Witz. Schon dadurch, daß der Witzige seine Pfeile auf sich selber abschießt, wird sein Witz humoristisch, weil wir eine Art Mitleid mit dem Selbstmärtyrer empfinden, wiewol wir wissen, daß er sich nicht zu tief verwunden wird und die Haut mit einer Hornsalbe bestrichen hat, wie der Taschenspieler, der über glühendes Eisen mit bloßen Füßen geht, diese mit einer feuerschützenden.

Unser Reisender scheint an seinem eignen Humor irre zu werden oder daran zu zweifeln, wenn er S. 5 mit einem verbissenen Seufzer bemerkt: er habe über seine hammelburger Fahrten das wohlgegründete Urtheil vernommen, daß er es darin nur zu einer gewissen salzsauern Satire, aber nicht bis zur Höhe jenes mannasüßlichen Humors hätte bringen können, welcher darin bestehe, daß man über die Misbehagnisse des menschlichen Lebens so lange die weinerlichsten Gesichter zu schneiden wisse, bis endlich die Zuschauer darüber in ein lautes, aber menschenfreundliches Gelächter auszubrechen gezwungen würden.

Der durch ein solches Urtheil Gekränkte mag sich indessen trösten. Er ist, ohne es zu wissen, ja vielleicht ohne es zu wollen, wirklich humoristisch, und dies sichert ihm noch mehr als sein bloßer Witz für immer einen nicht kleinen Kreis achtbarer Verehrer, wenn seine Jahre auch ein neues Dutzend Fahrten hoffen ließen. Selbst durch seine Wortspiele, die er mehr liebt, als gestrenge Aesthetiker und Kunstrichter gestatten, zieht sich die humoristische Ader und übergoldet die leichten Spielmarken.

Je nach der Art der Empfindung, die sich mit dem Witze amalgamirt, wird dieser selbst verschiedener Natur. So bildet z. B. die Beimischung der Furchtsamkeit und sinnlichen Genußsucht das Komische in den Charakteren eines Falstaff, Sancho Pansa u. s. w. Den Culminationspunkt erreicht der Witz durch Verschmelzung mit der Liebe oder Gutmüthigkeit. Wir sehen ein glänzendes Beispiel hiervon in der vorliegenden Fahrt S. 76—78: „Als der alte Adam von Gott aus dem Paradiese habe gewiesen werden müssen, sei solches nicht geschehen durch einen Schergen, Gerichtsdiener, Höllenwauwau oder durch grinzende Teufelein, die auf den ersten himmlischen Wink gern dazu bereit gewesen; durch kein Verkündigen der himmlischen Indignation, kein Zerreißen der Eingaben und vor die Füße werfen, sondern durch — einen Engel."

Hier bestätigt sich aufs Neue die treffliche Bemerkung des gedachten großen Humoristen, daß Niemand über die Menschen spotten dürfe als Der, welcher sie herzlich liebt.

An dieser Liebe und Gutherzigkeit von Seiten unsers scharfen Satirikers werden Manche zu zweifeln, oder sie auf Rechnung des Zahnarztes, der dem Reisenden auf einer frühern Fahrt die Schneidezähne ausgerissen, oder auch der neuesten Bundestagsbeschlüsse, die gleichfalls manche Zahn- und Schriftlücke gemacht, zu setzen geneigt sein. Sollte der viel ge- und bewanderte Verfasser aus gerechter Scheu vor Tendenzprocessen seine Geißel gegen allzu empfindliche Rücken und Steiße der Ultras beider Factionen manchmal stärker zu schwingen unterlassen haben, so wird ihn kein Besonnener deshalb tadeln, der die Behauptung jenes Cardinals kennt: daß er gegen Den, der ein bloßes Alphabet hinschreibt, den Hochverrathsproceß begründen welle. Der Kluge schweigt, wo Reden nichts nützt, und die Gebrechen unserer Zeit lassen sich am wenigsten mit Worten oder Schreiben heilen, da grade die Vielschreiberei und das Nichtsthun eins der Hauptgebrechen ist. Die echten Freunde des Witzes, welche diesen Schmetterling nicht wegen des kleinen Rüssels, womit er die Blumen sticht, sondern seines gaukelnden Farbenspiels und Flugs willen lieben und den kitzelnden Scherz lieber als den stechenden belachen, verlieren dabei nichts, sondern nur Diejenigen, die Jeden, außer sich, gern verwunden sehen und die Satire für einen Skorpionenschwanz halten. Es fehlt indessen auch für Liebhaber dieser Art nicht an Hieben und Stichen, und wir fürchten, daß sie selbst da ihr eignes Gift hineinflößen werden, wo der Verf. nur scherzend die Haut ritzt, z. B. S. 63, wo er dem steinernen Manne einige der, auf der leichten weichen Erde regierenden Minister von — Stein nennt. Es ist ein eignes Unglück des Witzkopfes, daß er nicht einmal im Allgemeinen ohne handgreiflichen Beweis loben darf, und daß die Leser lieber das ehrliche Lob in schelmischen Tadel übersetzen als umgekehrt.

Daß es an gelehrten Witzen im vorliegenden Werkchen noch weniger fehle, vielmehr für Manche ein embarras de richesse entstehen dürfte, brauchen wir für die

*) „Blos witzige Schriftsteller werden mit jener Kälte aufgenommen, welche der Witz, der selber sogar den Charakter erkältet, sich gefallen lassen sollte. Der Deutsche verzeiht den Witz als Nebensache lieber denn als Hauptsache; er will ihn als Putzkleid, nicht als Amtskleid. Ein gesetzter bedeutender Mann — sagen die Richter und Leser — schreibe seinen guten, reinen, netten, stillen Styl; aber ewiges Witzeln wird Jedem zum Ekel." Jean Paul's „Vorschule der Aesthetik", Abth. II, S. 408.

vertrautern Lesebegierigen wol nicht zu bemerken. Unserm Reisenden fließen bekanntlich in dieser Hinsicht reiche innere und äußere Quellen.

Uebrigens zeigt er sich auch auf dieser jüngsten Fahrt im alten Ueberrocke und mit zwar reinlicher, doch etwas durchlöcherter Wäsche.. Sein Styl ist der unverändert nachlässige, noch viel nachlässiger aber die Interpunction. Mag ersterer auch oft absichtlich und mit Glück vernachlässigt sein, um in der eigenthümlichen Weise zu scherzen, so läßt dagegen die letztere keine Entschuldigung zu und trägt nichts zum Vergnügen bei.

Doch — wer einen alten Freund ohne seine Runzeln

lichkeiten freundlichst willkommen. 142.

Allgemeine Geschichte besonders der europäischen Menschheit, von der Völkerwanderung bis auf die neueste Zeit. Im Verein mit einigen süddeutschen Historikern herausgegeben von Karl Pfaff. Erste Abtheilung. Von der Völkerwanderung bis zum Anfange des 15. Jahrhunderts. Ersten Bandes erste Lieferung. Zweite Abtheilung. Vom Anfange des 15. Jahrhunderts bis zum nordamerikanischen Freiheitskriege. Ersten Bandes erste Lieferung. Stuttgart, Schweizerbart. 1832. Gr. 8. Jede Lieferung 7½ Gr.

„Gebt ihr ein Stück, so gebt es hübsch in Stücken", heißt es jetzt bei vielen unserer größern Unternehmungen. Während mehre Nachbarvölker ganze vielbändige Werke auf einmal erscheinen lassen, zerschlagen wir oft einzelne Bände in eine Anzahl Lieferungen und schneiden es recht appetitlich für den kleinen Mund schmächtiger Geldbeutel zu. Hier wird aber die Sache noch mundrechter gemacht. Eine Gesellschaft Historiker, von denen nur erst Einer genannt ist, hat die europäische Geschichte seit der Völkerwanderung so zu bearbeiten unternommen, daß Jedermann auch ohne alle gelehrte Bildung Alles verstehen kann; daß in 36 Heften (zu 30 Kr.) eine richtige, wohlgeordnete Darstellung nach den Quellen und besten Hülfsmitteln, die aber in der Regel (nur v. Lang und Pfister sind einmal citirt) nicht genannt werden, vollständig, kurz, ohne weitläufige Betrachtungen, mit besonderer Berücksichtigung der deutschen Geschichte, aber auch mit Darlegung Dessen, was in Gewerbsamkeit und Handel, in Kirche, Wissenschaften und Künsten, was für Verbesserung der Gesetzgebung, Staatsverwaltung und Wirthschaft geschehen, lebendig doch nicht blendend, nach dem höchsten Gesetze der Wahrheit gegeben wird. Das ungeheure Feld der Aufgabe ist in drei Theile: 1) von der Völkerwanderung bis Anfang des 15. Jahrhunderts, 2) von da bis zum nordamerikanischen Freiheitskriege und 3) von 1775 an bis auf die neueste Zeit zerlegt und der Abwechslung wegen von den beiden ersten Abtheilungen das Anfangsheft gegeben worden. Da alle Monate ein solches Heft von circa acht Bogen erscheint, wird das Ganze drei Jahre erfodern. Das nächste Heft soll auch die dritte Serie beginnen. So weit aus Prospectus und Vorrede. Nun was geleistet worden.

Ref. hat zwar oben die mercantil-speculative Seite angeschlagen, wünscht aber nicht, daß die Unternehmung blos von diesem Standpunkt aus betrachtet werde. Es ist wahr, bei der Unzahl ähnlicher Unternehmungen muß man das Neue, Eingängliche zum empfehlenden Schilde machen, und es ist wirklich neu, ein in sich zusammenhängendes pragmatisches Geschichtswerk auf einmal von drei Ecken zu beginnen; aber wenn Ref. anfangs über diese praxis multiplex den Kopf schüttelte, so ist beim Lesen das Schütteln allmälig in beifälliges (nicht schläfriges) Kopfnicken übergegangen, und er gesteht, beide Hefte mit wirklichem Vergnügen und mancher Belehrung gelesen zu haben. Er getraut sich nicht, zu errathen, ob beide Lieferungen einen und denselben Verf. haben; denn während die erste kurz und ohne Raisonnement, aber klar und faßlich und sichtbar mit Benutzung guter Hülfsmittel die ersten vier Jahrhunderte des Mittelalters schildert, so ist der Ton des zweiten Heftes, die Zeit von 1414 bis etwa 1448 umfassend, bei gleicher Gründlichkeit lebendiger in der Darstellung, ideen- und reflexionenreicher, aber dadurch auch weit mehr in die Breite gezogen, sodaß wir für Einhaltung der bestimmten Heftezahl fürchten würden, wenn uns nicht eine Ueberschreitung bis jetzt wenigstens als ein Gewinn erschiene. Jedoch wollten wir diesen Wink dem genannten Herausgeber nicht vorenthalten, wenn es wirklich seine Absicht ist, Zeit und Raum, und zwar für jede Abtheilung gleichmäßig einzuhalten. So weit wir uns jetzt schon, wo die neueste Geschichte noch nicht besprochen ist, die gewöhnlich in ihrer Darstellung die politische Glaubensfarbe des Verf. verräth, ein Urtheil über den politischen Grundton bilden konnten, den das Werk halten soll, so müssen wir ihn als den lebendigen, aus der Geschichte selbst geschöpften oder wiederklingenden eines freimüthigen und echten Liberalismus bezeichnen, der religiöse und kirchliche wie bürgerliche und politische Freiheit als höchste Güter der Menschen und das Ringen danach als gesetzlich und ehrwürdig erkennt. Schon das dem Hefte vorgesetzte Motto Johannes Müller's, das kein Radicaler und kein Serviler nachschriebe, schlägt diesen Ton an und trägt diese Farbe: „Bei jeder Schwingung, bei jeder Hebung, bei jeder Umkehr eines Rades an dem mystischen Wagen der Weltregierung schallt von dem Geiste, der auf den großen Wassern lebt, das Gebot der Weisheit: Mäßigung und Ordnung! Wer es überhört, der ist gerichtet! Menschen von Erde und Staub, Fürsten von Erde und Staub, wie schrecklich dieses geschehe, das zeigt die Geschichte."

Das erste Buch (Heft I, S. 1—158) behandelt die Geschichte von 476—762. Warum grade mit diesem Jahr und nicht 768 geschlossen wird, warum in der kurzen Einleitung die große Flut 2328 J. vor Christo (was wol zu spät) und die Varusschlacht 9 J. vor Christo gesetzt wird, lassen wir dahingestellt sein; ja, wir hätten auch wol noch einige andere Bemerkungen zu machen, z. B. warum der notorisch-falsche Schwur der Sachsen zu Goslar (den Erdwin von der Haardt erfunden) hier noch als echt mitgetheilt wird (I, 149); oder warum den Slawen gleich den Deutschen auch Mäßigkeit als Nationaltugend beigelegt wird; oder warum bei den Ordalen die Wasserprobe mit Schwimmen oder Untersinken des Inquisiten, die Ludwig der Fromme übrigens verbot, nicht angeführt ist; warum, während bei Justinian bemerkt wird, daß er das ganze römische Reich habe wieder vereinigen wollen, nicht mit gleichem Rechte Karl's des Großen Plan, alle Völker germanischen Stammes unter seinem Scepter zu vereinigen, erwähnt ist? Allein wir übergehen diese Dinge, die uns leicht zu weit führen würden. Einiges beruht auch wol nur auf Druckfehlern, wie z. B. S. 53 Wahlstätte, wo es Malstätte, S. 93 Lehrbuch des Reichs, wo es Rechts heißen muß. (So wird auch S. 155 die Zahl 803 und Z. 2. das Wort letztern zu ändern sein.) Vom zweiten Buche (762—812) ist nur der Anfang erst vorhanden; wir können also über die historische Begründung der Zahl 812 nichts sagen. Bei Karl dem Großen wird also auch der Druck, unter welchem seine Völker durch die ewigen Kriege litten, und Mehres, was zur Schattenseite des großen politischen Sternes gehört, noch nachkommen. Es versteht sich, daß auch der großen Erscheinung Mohammed's und seiner Lehre ausführlich gedacht ist.

Im zweiten Hefte führt das erste noch nicht vollendete Buch die Zeit von 1414—53 vor. Es ist nicht zu verkennen, daß das Sinken der Hierarchie und die Verboten der Reformation in Huß, Gerson, Ailly den Anhaltspunkt für diese Art der Zeiteintheilung geben, und daß eine neuere Zeit unfehlbar auf einem neuen Kreise von Ideen und Richtungen ruhen muß. Aber jeder Anfangspunkt weist wieder auf einen frühern zurück. Die Waldenser- und Albigenserlehren, das Wiederaufleben der classischen Literatur, die sich mehrenden Universitäten, die Buchdruckerkunst, das päpstliche Exil in Avignon, das Kirchenschisma sind ja ebenso gut als die großen Concilien von Pisa, Kostnitz und Basel Säulen und Pforten einer neuen Zeit in geistiger Hinsicht. Wenn aber der Verf. den Grundsatz, daß das Concil über den Papst sei, vom 6. April 1415 und von Gerson als Urheber zu datiren scheint, so ist übersehen, daß schon die pisanische Synode ihn auszuprägen und geltend zu machen anfing. Die kostnitzer Verhandlungen, der Hussitenkrieg sind natürlich weitläufiger behandelt; daß dies aber auch mit einigen deutschen Staaten, wie z. B. Baiern, geschieht und mit einigen Begebenheiten, als der toggenburger Fehde, wird, wenn es gleichmäßig durchgeführt werden soll, großen Raum erfodern oder einseitig erscheinen, wenn nur die etwa vorhandene Fülle von Materialien und Schriften darüber entscheiden sollte. Eine kurze Probe der Darstellung stehe hier zum Beschlusse. S. 90 heißt es von König Sigismund's Zuge nach Italien zur Krönung 1431: „Geld besaß er zu einem so kostbaren Unternehmen wie immer wenig, aber dafür eine unbändige Reiselust, ohne Zweifel ein Erbstück von seinem Großvater Johann. Dennoch schien ihm anfangs das Glück zu lächeln. Er sah nicht, wie er von den schlauen Italienern hintergangen wurde. Eugen IV. that ganz fröhlich über den angenehmen Besuch. Philipp Maria Visconti, der neue Herzog von Mailand, auf dessen Hülfe und das Bündniß mit ihm gegen Venedig sich Sigismund verließ, reiste davon, wenn er sich näherte, und versicherte stets, er müßte vor Freude sterben, wenn er seinen gnädigen Kaiser sähe. Er setzte sich indessen, von Visconti verlassen, entblößt von Geld und Truppen, zu Mailand die Krone Italiens auf, begab sich sofort nach Siena und vergaß bei einer schönen Sieneserin Papst und Krone. Kanzler Schlick führte den Briefwechsel mit der Dame wegen seines guten Lateins; Aeneas Sylvius hat die Geschichte unter den Namen: „Euryalus und Lucretia", beschrieben. Johann v. Müller bemerkt darüber: Man hört nicht alle Tage Abenteuer eines sechszigjährigen Kaisers, wobei der Reichsvicekanzler die Feder führt, und wovon ein nachmaliger Papst der Geschichtschreiber ist." 118.

Introduction à l'étude de l'économie politique, par *Nestor Urbain.* Paris 1833.

Ein schön gedruckter Band in zwölf Capiteln mit folgenden Titeln: Einleitung, gesellschaftliche Verfassung, Regierungen, gesellschaftliche Bewegung, materielle Mittheilungen, intellectuelle Reichthümer der Nationen, Auflagen, Stufenleiter der Nationen, gesellschaftliche Umwälzungen, Schluß. Man sieht schon hieraus, daß diese Anleitung von den gewöhnlichen Handbüchern der Staatswirthschaft im Plane ganz abweicht. Schon im Anfange kündigt der Verf. an, daß es ihm bedünke, als ob sich eine neue Schule bilde, welche bessere Grundsätze an die Stelle der von J. B. Say entwickelten setze. In Betreff dieses Gelehrten bemerkt der Verf. auch noch, daß er in seinen ersten Grundlinien die Staatswirthschaft sehr gut entworfen habe, wogegen seine spätern weitläufigen Entwickelungen wenig Neues und Nützliches enthalten. Urbain verwirft die Eintheilung der Menschen in die erzeugende oder productive Classe und die verzehrende. Ein Reicher, dessen Launen, Bedürfnisse, Lustbarkeiten u. s. w. zu einem beträchtlichen Geldumsatze Anlaß geben und die arbeitende Classe beschäftigen und ernähren, ist ein sehr nützliches Mitglied des Staats, und solche Consumenten leisten ebenso wichtige Dienste als die gewöhnlichen Producenten. Er bemerkt überhaupt, daß sich die Lehrer der Staatswirthschaft nach dem eignen Charakter ihrer Nation bilden. Adam Smith richtet sein Hauptaugenmerk auf den Gewerbfleiß, und der französische Lehrer auf den Ackerbau.

Sonderbar ist es, daß Urbain wenig auf die Statistik hält. Sie sei zu unsicher und gebe zu wenig wichtige Thatsachen an. Dies mag wahr sein. Allein sie kommt doch der Wahrheit nahe, und sie ist das einzige Mittel, um die Folgen der Staatseinrichtungen beurtheilen zu können. Ohne Statistik würde es weit schlimmer aussehen. Was der Verf. dabei übersieht, ist, daß die Statistik im Einzelnen weit richtiger ist als im Großen und Allgemeinen. Die Bevölkerung eines Fleckens, eines Weilers läßt sich besser angeben als diejenige eines Reiches. Man suche daher die statistischen Berechnungen so viel zu vereinzeln, als möglich ist, und man wird der Wahrheit immer näher kommen.

Von den Saint-Simonianern urtheilt der Verf., daß sie dem Staate einen wichtigen Dienst geleistet haben. Ihre talentvollen Lehrer gingen von positiven Grundsätzen aus. Nur später ließen sie sich durch Phantasieutopien verleiten, bis sie zuletzt nichts mehr in der wirklichen Welt zu ihrem Gebrauche fanden.

Die Eintheilung der Arbeit ist für den Verf. wie für die andern Lehrer der Staatswirthschaft eine Hauptbedingung zum Fortschreiten des gesellschaftlichen Wohlstandes. Bis jetzt besteht diese Eintheilung nur bei den Individuen. Erst wann die Vertheilung der Arbeit unter den Völkern statthaben wird, dürfen wir auf den allgemeinen Wohlstand rechnen. Natürlich müssen dann alle Schlagbäume der Mauthen längst verschwunden, dagegen alle Verbindungsmittel außerordentlich vervollkommnet sein, damit jedes Volk sich bei einem andern leicht Dasjenige verschaffen könne, was es zu Hause entweder schlecht oder auf eine kostspielige Art produciren würde. Der Reichthum der Nationen hängt also seiner Lehre nach von der Leichtigkeit des Austausches und des Umsatzes ab. Auf die Erleichterung derselben müssen Regierungen und Völker hinarbeiten. Ein wichtiges Beförderungsmittel ist die Verbreitung der Aufklärung. Politische Krisen werden zuweilen unvermeidlich, wofern Magnaten und Völker nicht Einsicht genug haben, sie vorherzusehen und zu gestatten, was sonst durch gewaltsame Mittel hervorgebracht wird, oder in bildlichen Ausdrücken, den Damm durchzustechen, ehe ihn der Fluß durchbricht."

Es befinden sich in diesem dünnen Bande manche gute Ansichten, die von einem hellsehenden Manne herrühren. 74.

Literarische Notiz.

Die Revue de Paris über Casanova.

In einem der neuesten Hefte dieser Zeitschrift heißt es von den Memoiren Casanova's: „Daß man sich nicht etwa täusche und den Beifall des Publicums auf Rechnung des etwas ausgelassenen Inhalts setze; wir glauben im Gegentheile, das wahre Verdienst des Werkes trage den Sieg über das in dieser Beziehung etwa Tadelnswerthe in der bisweilen zu offenherzigen Geschichte eines Mannes davon, der mit einer Kühnheit des Geistes ohne Gleichen und mit unglaublichen Hülfsmitteln des Verstandes mitten in das Treiben des 18. Jahrhunderts versetzt ward. Leider ist diese Schilderung das Bild der Epoche, in welcher Casanova lebte. Alle socialen Verhältnisse kommen nach und nach in seinen Mittheilungen zur Sprache, denn alle Lagen des Lebens hat er durchgemacht, mit allen Ständen gelebt, allen Leidenschaften sich hingegeben und im Laufe seines wechselreichen Lebens alle Herrlichkeiten seiner Zeit kennen lernen. Diese originellen Bekenntnisse bilden mit einem andern Werke, den „Mémoires et la correspondence inédite de Diderot", den trefflichsten Beitrag zur Geschichte der Sitten während der letzten Periode des 18. Jahrhunderts." 5.

Redigirt unter Verantwortlichkeit der Verlagshandlung: F. A. Brockhaus in Leipzig.

Blätter für literarische Unterhaltung.

Dienstag, —— Nr. 225. —— 13. August 1833.

Zur Geschichte der neuern schönen Literatur in Deutschland, von H. Heine. Paris, Heideloff und Campe. 1833. Gr. 12. 1 Thlr. 6 Gr.

Wir dürfen es als den meisten unserer Leser bekannt voraussetzen, daß diese neueste Schrift Heine's die Uebersetzung oder den deutschen Text einiger Artikel der „Europe littéraire" enthält, in denen er die Franzosen in die Belehrungen einzuleiten sucht, die er ihnen über den Gang und die Erscheinungen der neuesten deutschen Literatur zu ertheilen gesonnen ist. Er hat es für nöthig erachtet, diese Einleitung weiterer Darstellungen schon jetzt dem vaterländischen Publicum mitzutheilen, damit kein Dritter ihm die Ehre erzeige, ihn aus dem Französischen ins Deutsche zu übersetzen. Nicht nur diesen subjectiven Anlaß müssen wir gelten lassen, sondern wir können mit seiner Veranstaltung um so zufriedener sein, je weniger es einem Uebersetzer gelungen sein würde, die Lebendigkeit und den Glanz der Darstellung zu erreichen, die Heine auch in diesen Blättern in vollem Maße entfaltet und deren Reiz auch Diejenigen empfinden, welche die fundamentale Ansicht nicht theilen und durch mannichfaches Einzelne zurückgestoßen werden. Alle Eigenthümlichkeiten seines epigrammatischen Styles finden sich hier wieder; sinnreiche Gleichnisse und schlagende Ausdrücke, besonders wirksame Adjective, die mit den Substantiven in wilder Ehe leben, eilen in rastlosem Drange an dem Leser vorüber; wir glauben eine bunte Schlange zu erblicken, die „mit klugen Augen" auf ihr Ziel schießt. Von der Macht seines Wortes ist denn Heine auch hinlänglich überzeugt, und er versichert in der Vorrede, Junker und Pfaffen hätten es in der letzten Zeit mehr als je gefürchtet, wodurch wir einigermaßen an jene Krieger der Komödie erinnert wurden, die bei ihrem Auftreten auf der Scene mit besonderm Nachdruck den Ruhm ihrer Waffenthaten verkündigen. An einstimmenden Parasiten, die sich in ihrer Dürftigkeit von den Brosamen nähren, welche von Heine's Tafel abfallen, fehlt es nicht.

Die Betrachtungen über die neuere schöne Literatur in Deutschland, welche in diesen Blättern eröffnet werden, prätendiren, sich an das Werk der Frau von Staël „De l'Allemagne" anzuschließen. Die Gebrechen und Tugenden dieses Werks sind heutzutage hinlänglich anerkannt; einen hohen Vorzug desselben hat uns contrastirend die vorliegende Schrift Heine's lebhaft vergegenwärtigt: den tiefen, sittlichen Ernst, der es durchdringt. Dagegen wird hier mit einer widerwärtigen Frivolität kokettirt, die es schwer macht, da, wo es der Verf. ernstlich zu meinen scheint, an den Ernst seiner Gesinnung zu glauben. Diese Frivolität fühlt sich besonders in ihrem Elemente und zeigt ihre Künste am unermüdlichsten auf, sobald sie sich gegen das unbequeme Christenthum richtet; die ärmlichste Beschränktheit dünkt sich dann ausnehmend frei und geistig. Zwar wird ausdrücklich versichert, unter dem Christenthume werde nur der römische Katholicismus verstanden; aber bei näherer Betrachtung der Polemik dieser Schrift ist nirgend eine Sonderung des Wirklichen im Christenthume von den Trübungen, die es in der Entartung des Katholicismus erlitten hat, zu erkennen. Der Protestantismus, den Heine preist, nicht ohne sich vor dem Verdachte der Parteilichkeit möglichst zu bewahren, stellt sich als ein rein negativer dar, als das fortwährende Verneinen alles Dessen, dem, wie es dünkt, die Welt, dem Christenthume allmälig entwachsen, überlegen ist. Von der Erkenntniß eines ewigen Gehaltes des Christenthums ist keine Spur zu entdecken. Die Fülle desselben wird in die leere Abstraction des Spiritualismus verflüchtigt. Diesem Spiritualismus, der (S. 12) judäischer Spiritualismus und judäisches Gift genannt wird, womit denn schwerlich der „römische Katholicismus" gemeint ist, tritt dann der nicht minder abstracte Sensualismus, der hier verkündigt wird, entgegen. Ohne Zweifel denkt sich Heine unter diesem Sensualismus etwas sehr Concretes; er will „die Genüsse, um die uns der Glaube, das katholische Christenthum so lange geprellt hat" (S. 129); aber er hat seine Meinung nirgend vollkommen und unumwunden dargelegt, es zeigt sich immer noch einige Schüchternheit an ihm. Die folgende Stelle in der Vorrede: „Ich gehöre nicht zu den Materialisten, die den Geist verkörpern, ich gebe vielmehr den Körpern ihren Geist zurück, ich durchgeistige sie wieder, ich heilige sie. Ich gehöre nicht zu den Atheisten, die da verneinen; ich bejahe" — ist sehr verschiedener Auslegungen fähig und hält sich wie Vieles in dieser Schrift unter dem Scheine großer Bestimmtheit im vagen Allgemeinen.

Eine wissenschaftliche Beurtheilung dieser Schrift könnte nur im Zusammenhange philosophischen Denkens gegeben werden; in der Errungenschaft der neuern Philosophie ist mit der echten Würdigung des Christenthums ihre Widerlegung enthalten, die der Stolz der Sache sich deshalb in directer Beziehung unbedenklich erlassen darf.

Heine eröffnet seine Aufsätze mit der triftigen Bemerkung, daß Frau von Stael in ihrem Lobe der romantischen Schule, deren Wesen ihr fremd und unbegreifbar war, fremder Eingebung unselbständig gehorche, und unternimmt es dann, das Wesen der deutschen romantischen Schule darzulegen.

Sie war nichts Anderes als die Wiedererweckung der Poesie des Mittelalters, wie sie sich in dessen Liedern, Bild- und Bauwerken, in Kunst und Leben manifestirt hatte. Diese Poesie aber war aus dem Christenthume hervorgegangen, sie war eine Passionsblume, die dem Blute Christi entsprossen — jene sonderbar misfarbige Blume —, die durchaus nicht häßlich, sondern nur gespenstisch ist, ja deren Anblick sogar ein grauenhaftes Vergnügen in unserer Seele erregt, gleich den krampfhaft-süßen Empfindungen, die aus dem Schmerze selbst hervorgehen. In solcher Hinsicht wäre diese Blume das geeignetste Symbol für das Christenthum selbst, dessen schauerlichster Reiz eben in der Wollust des Schmerzes besteht. Obgleich man in Frankreich unter dem Namen Christenthum nur den römischen Katholicismus versteht, so muß ich doch besonders bevorworten, daß ich nur von letzterm spreche. Ich spreche von jener Religion, in deren ersten Dogmen eine Verdammniß alles Fleisches enthalten ist, und die dem Geiste nicht blos eine Obermacht über das Fleisch zugesteht, sondern auch dieses abtödten will, um jenen zu verherrlichen; ich spreche von jener Religion, durch deren unnatürliche Aufgabe ganz eigentlich die Sünde und die Hypokrisie in die Welt gekommen, indem eben durch die Verdammniß des Fleisches die unschuldigsten Sinnenfreuden eine Sünde geworden, und durch die Unmöglichkeit, ganz Geist zu sein, die Hypokrisie sich ausbilden mußte; ich spreche von jener Religion, die ebenfalls durch die Lehre von der Verwerflichkeit aller irdischen Güter, von der auferlegten Hundedemuth und Engelsgeduld die erprobteste Stütze des Despotismus geworden. Die Menschen haben jetzt das Wesen dieser Religion erkannt, sie lassen sich nicht mehr mit Anweisungen auf den Himmel abspeisen; sie wissen, daß auch die Materie ihr Gutes hat und nicht ganz des Teufels ist, und sie vindiciren jetzt die Genüsse der Erde, dieses schönen Gottesgartens, unsers unveräußerlichen Erbtheils. Eben weil wir alle Consequenzen jenes absoluten Spiritualismus jetzt so ganz begreifen, dürfen wir auch glauben, daß die christkatholische Weltansicht ihre Endschaft erreicht. Denn jede Zeit ist eine Sphinx, die sich in den Abgrund stürzt, sobald man ihre Räthsel gelöst hat.

Dabei ist aber Heine so billig, „den Nutzen, den die christkatholische Weltansicht in Europa gestiftet", anzuerkennen. Indem er das Christenthum in diesem niedern Gesichtspunkte der Nützlichkeit gleichsam einer Arznei, die dem Kranken heilsam ist, von dem Gesunden aber, den sie anwidert, billig verschmäht wird, betrachtet, gesteht er, überall nur die zeitlichen Gegensätze erfassend und ohne Einsicht in das Einigende, die Nothwendigkeit der christlichen Weltansicht zu als „einer heilsamen Reaction gegen den grauenhaft-kolossalen Materialismus, der sich im römischen Reiche ausgebildet hatte und alle geistige Herrlichkeit des Menschen zu vernichten drohte". „Nach dem Gastmahl des Trimalchio bedurfte man einer Hungercur, gleich dem Christenthume. Oder etwa, wie gewisse Lüstlinge durch Ruthenstreiche das schlaffe Fleisch zu neuer Genußfähigkeit aufreizen, wollte das alternde Rom sich

liche Kirche darbietet, sich deutlich zu machen, als sein innerstes und durch alle Entstellungen siegreich durchleuchtendes Wesen zu begreifen. Das krampfhafte Ringen nach Entsinnlichung, die trübe Ascetik, die Flucht von der

Neuere englische Literatur.

1. Travels of an irish gentleman in search of a religion. With notes and illustrations. By the editor of „Captain Rock's memoirs". Zwei Bände. London 1833.

Wer hätte wol jemals erwartet, Thomas Moore, den vertrauten Freund Byron's, den britischen Anakreon, das Banner Roms erheben zu sehen und ihn mit vollen Backen die alleinseligmachende Kirche preisen zu hören? In der That ist es die Aufgabe dieses merkwürdigen Buches, den Protestantismus durchaus als Unglauben, als profan und lästernd darzustellen, die Lehren Roms aber als einzig wahre Religion und die römische Kirche als die allein christliche zu schildern. Die Bibel soll den Laien entzogen, das Ansehen der Tradition, die da älter ist als die vieldeutige Schrift, hergestellt werden. Der Verf. sucht ferner nachzuweisen, daß in den frühesten Zeiten des Christenthums die römischen Lehren schon galten, und stellt dem von ihm verhöhnten, in viele Sekten gespaltenen Protestantismus das Papstthum und seine Religion als ein Ganzes und in sich Einiges gegenüber. Als Belege hat er sich mit der größten Parteilichkeit Stellen aus den Kirchenvätern zusammengelesen, und während er Alles anwandte, den angegriffenen Theil ins grellste Licht zu setzen, alle Mängel des andern verborgen. Wir können uns hier natürlich blos auf nähere Angabe der Behandlung dieses Stoffes einlassen, und auch dazu vermag uns nur das besondere Interesse für die Person des gefeierten Dichters. Herr Moore sagt, er sei, wie Kinder gewöhnlich, im Glauben seiner Aeltern aufgewachsen; indessen wird von mehren Seiten versichert, daß sein Vater der protestantischen und die Mutter nur der katholischen Kirche angehört habe. In solchen Fällen werden in Irland die Söhne zum Glaubensbekenntnisse des Vaters angehalten. Sei Dem wie ihm wolle, Moore's Schwestern sind als musterhafte Katholikinnen bekannt, und er selbst hielt sich bis in spätere Zeit, wo er über religiöse Dinge nachzudenken anfing, für gut katholisch. Viel trug dazu die Bedrückung der Katholiken in Irland bei, wodurch es niedrig erschien, die Reihen der Verfolgten zu verlassen. Indessen konnte M. doch nicht umhin, den Beschuldigungen und Herabsetzungen der katholischen Kirche im Innern bald und bald beizupflichten, welche von unzähligen Flugschriften u. dgl. dagegen erhoben wurden, und als endlich die gleichstellenden Maßregeln der Regierung jenen Ehrenpunkt aufhoben, der ihn an die römische Kirche knüpfte, dankte er Gott, daß es ihm nun freistehe, protestantisch zu werden. Ein Pamphlet, welches ihm damals in die Hände fiel („A protestant's resolution, showing his reasons why he will not be a papist etc."), und worin die Lehre Roms als gotteslästerlich, blutdürstig, blind u. s. w. geschildert wurde, bestimmte ihn zu der raschen Erklärung: „Ich will zur protestantischen Kirche übergehen". Jetzt galt es aber wieder, unter den vielen protestantischen Sekten zu wählen, „und", erzählt M., „es war mir grade zu Muthe, wie Sir Gottfried Kneller, der im Traume sich an den Pforten des Himmels sah, wo St.-Peter als Pförtner die Einlaß Begehrenden um ihren Namen und Glauben fragte und ihnen danach ihre Sitze im Himmel anwies. Sir Gottfried, als die Reihe an ihm kam, erwiderte, er bekenne sich zu keiner Religion. Dann kommt nur herein, versetzte Petrus, und geht hin, wo es Euch gefällt." Die Bestrebungen des Candidaten des Protestantismus erhielten jedoch durch folgende Stelle eines Kanzelvortrags eine eigenthümliche Richtung: „Wie die Gewässer am klarsten sind an ihrer Quelle, so wird auch der Christenglaube am reinsten in der Zeit seiner Begründung gefunden werden." Sofort legte sich M. auf das Studium der Kirchenväter. Zu seinem Erstaunen machte er dabei die Entdeckung, daß von den fünf heiligen Männern, welche wegen ihrer nahen Stellung zu den Aposteln die apostolischen Väter heißen, der eine, St.-Clemens, selbst ein Papst gewesen sei. Er fand ferner von Mehren, „denen das Wort der Apostel noch in den Ohren klang", die Anerkennung eines obersten Priesters, die Verehrung der Reliquien, das Wohlgefällige der Fasten und Spenden, das Ansehen der Tradition, die Gegenwart des Fleisches und das Meßopfer bestätigt und fing nun an zu zweifeln, daß er je dem Papstthum entsagen könne. Vergebens nahm er auch die ketzerischen Schriften zur Hand; allein er vermochte kein anderes Resultat daraus zu ziehen, als daß der Protestanten Vorgeben, die Reinheit des Christenthums hergestellt zu haben, ganz ungegründet sei, indem die ältesten Christen genau den heute noch in Rom geltenden Lehren gefolgt wären. Ein Liebesverhältniß bewog jedoch M., seine Forschungen noch nicht aufzugeben, sondern sie in Deutschland zu erneuern, aber da fand er vollends einen Unglauben, wie er ihn nie erwartet hatte, und so kommt er denn am Schlusse des Buches auf Fénélon's Ausspruch zurück: „Katholik oder Deist, es bleibt keine Wahl", und begrüßt die römische Kirche mit dem Ausrufe: „Heil dir, du einzige und alleinwahre, die da allein der Stab des Lebens ist und deren Tabernakel allein Schutz gibt gegen diese Sprachverwirrung. In den Schatten deiner geheiligten Mysterien laß hinfort meine Seele ruhen, gleich fern vom Ungläubigen, der deiner Dunkelheit spottet, und von dem Borlawten, der umsonst deine Tiefen zu durchdringen strebt, und mit St.-Augustin will ich beiden sagen: Forschet ihr, während ich anstaune; streitet, wo ich glaube."

„Wehe über den Tag", sagt ein englisches Blatt, „wo wir unsern weiland üppigen, heitern und satirischen Freund auf dem Gebiete der Polemik erblicken mußten!" Wer würde damit nicht übereinstimmen?

2. Sketches in Greece and Turkey, with the present condition and future prospects of the turkish empire. London 1833.

Das Verdienst dieses Schriftchens besteht in parteiloser Schilderung von Localverhältnissen und Individuen, welche für Alle, welche theilnehmend auf Griechenlands Schicksal blicken, um so anziehender sein müssen, da sie aus den neuesten Zeiten herrühren. In den Herbstmonaten 1832 kehrte der Verf. von seiner Reise durch Griechenland zurück und gibt hier seine Erfahrungen und Beobachtungen zur Berichtigung des öffentlichen Urtheiles zum Besten. Die Bevölkerung des neuen griechischen Reiches schätzt er nicht über 600,000 Köpfe, verheißt aber die schnelle Verdoppelung derselben durch Einwanderungen aus Thessalien und Albanien, sobald die neue Regierung einigermaßen befestigt sein und das Ansehen von Beständigkeit erhalten haben wird. Wie trostlos es übrigens im Lande aussehen muß, dafür mag folgende Skizze von Athen sprechen. „Indem man durch das Thor kommt, stellt sich ein ungewöhnlich trauriger Anblick dar. Die schwachen Mauern der neuen Stadt umschließen mit ihrem weiten Umkreise nur einen Haufen elender, unansehnlicher Ruinen. Kaum ein Zehntheil der Häuser steht noch, denn Athen war der Schauplatz einer der heftigsten und anhaltendsten Kämpfe während der griechischen Revolution, als die Griechen in der Akropolis von den Türken belagert wurden, welche die Stadt inne hatten. Die Folgen dieser Verheerung sind der Art, daß das unter türkischer Herrschaft 6000 Einwohner zählende Athen, dermalen höchstens 500 aufzuweisen hat." Dem angehängten Versuch über Gegenwart und Zukunft der Türkei entheben wir noch folgende Skizze des regierenden Sultans. „Mahmud ist beharrlichen und entschlossenen Charakters, wie die Vernichtung der Janitscharen vollauf beweist; allein er ist auch habsüchtig, hart und blutgierig und ein Schrecken aller seiner reichen und angesehenen Unterthanen. Wie alle seine Vorfahren sucht er den öffentlichen Beamten den letzten Heller ihres Ueberflusses auszupressen, nur bedient er sich dazu anderer Mittel. Kehrt ein Pascha aus seiner Statthalterschaft oder von einem glücklichen Feldzuge zurück, so befiehlt er ihm, anstatt ihn erdrosseln und seine Güter confisciren zu lassen, eine Moschee, Stückgießerei, ein Zeughaus oder anderes öffentliche Gebäude zum Schmucke der Hauptstadt aufzuführen, was des unglücklichen Beamten Schätze verzehrt. Ist das geschehen, so wird ihm eine andere Expedition aufgetragen, und nach ihrer Ausführung harrt seiner dasselbe Schicksal. Im ganzen Reiche ist Mahmud entweder wegen seiner Grausamkeit gefürchtet, oder wegen seiner Habgier gehaßt. Die Münzen hat er bis auf den sechzehnten Theil ihres frühern Werthes vermindert, durch Abschaffung der Nationaltrachten und den Verkauf der Frauen seiner beiden Vorgänger an den Meistbietenden die theuersten Vorurtheile des Volkes gekränkt; endlich trinkt er gar, dem verbietenden Gesetze zum Trotz, Champagner wie die Christen. In politischen Angelegenheiten ist er äußerst hartnäckig, wird nie zu rechter Zeit Zugeständnisse machen und will zu Allem gezwungen sein. Sollte die Pforte ihren letzten Kampf unter ihm kämpfen, so wird sie wenigstens nicht leichten Kaufs unterliegen."

3. Sunday in London, illustrated in fourteen cuts, by George Cruikshank, and a few words by a friend of his; with a copy of Sir Andrew Agnew's bill. London 1833.

Die bekannte, dem Parlamente vorgelegte Bill zur Beförderung der Heiligung des Sonntags gab jedenfalls den ersten Anstoß zu diesem Volksbüchlein; doch scheint es weit mehr Absicht des mit Hogarth'schem Genie begabten Künstlers und des ihn begleitenden Autors gewesen zu sein, die Geisel der Satire gegen die jetzige Entweihung des Sonntags zu schwingen, als gegen die zur Beseitigung derselben vorgeschlagenen Maßregeln. Wir vermögen freilich nur Proben des Textes zu geben, der sich aber neben Cruikshank's Blättern noch auszeichnet. Wer vermag z. B. die demoralisirenden Wirkungen des überhand nehmenden Branntweintrinkens kräftiger zu zeichnen als in folgender Stelle. „Und im Dämmerlichte des Sonntagmorgens, beim Klange der Mettenglocke öffnen die Schnapstempel ihre Pforten aller Welt. Es gab eine Zeit, wo Schnaps nur in Seitengäßchen und Winkeln, in schmuzigen, obscuren Löchern, Kneipen genannt, zu finden war, jetzt aber, Dank der erleuchteten und väterlichen Verwaltung des ersten Feldherrn unserer Zeit, ist Schnaps ein mächtiger Halbgott, ein gewaltiger Geist geworden, der da hauset in lustigen vergoldeten Tempeln, ihm zu Ehren errichtet in allen Straßen und verehrt von zahllosen Tausenden, so alltäglich vor seinem Schrein ihre Gesundheit, ihr Mark, ihr Geld, ihr Hab und Gut, ihre Weiber und Kinder, ihren Verstand und ihre Freiheit opfern. Dschaggernaut ist nichts gegen ihn, denn seine Anbeter werfen sich nur vor die Räder seines Wagens, um von ihnen zermalmt zu werden, und ihr Jammer ist mit einem Male zu Ende; die Verehrer des großen Geistes Schnaps weihen sich aber einem langen Elende. Um seinetwillen schleppen sie sich durch ein entehrtes, schmuziges Dasein, sehen ihre Kinder hungern und verschmachten, stürzen sich in Mangel bis über die Ohren und sterben endlich als elende, erbärmliche, den Gerichtsdienern verfallene aufgedunsene Wichte. Der Sonntag ist vorzüglich dem Dienste dieses großen Geistes gewidmet. Sobald die frühe Sabbathglocke den Anbruch dieses Tages verkündet, fangen die untern Classen an, den Bierrausch von gestern abzuschütteln, und wandeln in halbbenebelten, ungewaschenen Haufen zu den Tempeln des Schnapses. Dort kann man Alt und Jung, Greise und Mädchen, Großväter und Großmütter, Väter, Weiber und Kinder gleich Maden in einem Fetttopfe sich drücken und drängen und die Schnapsportionen einschlürfen sehen, welche die blanken Priesterinnen des Tempels ihnen gegen kupferne Spenden verabreichen.“ Auf welche Lage der untern Volksclassen lassen solche Skizzen schließen!

4. The invisible gentleman; by the author of „Chartley the fatalist etc.“ Drei Bände. London 1833.

Unter drei Bänden geht es nun einmal nicht; das geheiligte Maß muß voll sein. Das vorliegende Buch hätte unfehlbar gewonnen, wenn es nur zwei Bände füllte, denn so geschickt und überraschend auch mitunter die Verlegenheiten und sonderbaren Lagen geschildert sind, in welche ein junger Mann von Stande durch das Vermögen, sich unsichtbar zu machen, gebracht wird, so kommt Einem die Sache doch zuletzt etwas langweilig vor. Dieselbe Idee ist auch von deutschen Schriftstellern schon durchgeführt worden, und vielleicht waren diese dem englischen Autor nicht ganz unbekannt.

5. Mary of Burgund; or the revolt of Ghent. By the author of „Darnley“, „Richelieu etc.“ Drei Bände. London 1833.

Herr James hat in diesem Romane unstreitig seine bisherigen Leistungen weit übertroffen. Die Spannung dauert bis gegen das Ende der Erzählung, die hauptsächlichsten Charaktere sind fleißig und mit dramatischem Geschicke behandelt, die Zeitperiode, in der sie sich bewegen, sowie die örtlichen Umgebungen reich am mannichfaltigsten Interesse; besonders reizend geschildert ist die Heldin des Buches. Da die deutsche Uebersetzung wol nicht lange warten lassen wird, so mag es einstweilen bei diesen kurzen Andeutungen bewenden.

6. Characteristics of Goethe: from the german of Falk, von Müller etc. with notes original and translated, illustrative of german literature; by *Sarah Austin.* Drei Bände. London 1833.

Werke wie dieses geben mehr als irgend etwas Anderes Zeugniß, daß die deutsche Literatur anfängt in England Boden zu gewinnen. Die geistreiche Uebersetzerin hat nicht nur der Uebertragung selbst den größten Fleiß zugewendet, sondern dieselbe durch eine sehr reichhaltige Sammlung erklärender Noten ihren Landsleuten erst recht genießbar gemacht. Ihr Streben scheint auch Anerkennung zu finden, wenigstens lesen wir in der „Literary gazette“: „Dieses Buch gehört zu denen, welche nicht dankbar genug aufgenommen werden können.“ Daß sich nicht einzelne Irrthümer eingeschlichen haben sollten, ist kaum zu verlangen, dergleichen finden sich selbst in den sonst kenntnißreichen Bemerkungen, welche ein bei der preußischen Gesandtschaft in London angestellter Herr Heller beigesteuert hat. Aus einer genfer Zeitschrift ist hier auch ein recht interessanter Aufsatz über Göthe von Soret aufgenommen worden, welcher vielen deutschen Lesern noch unbekannt sein dürfte. Findet unsere Literatur mehre solcher fleißigen Anbauer wie hier in der Uebersetzerin der „Briefe eines Verstorbenen“, so wird es ihr auch nicht an belehrenden Freunden fehlen. 8.

Notizen.

Zu Barbonne bei Sézanne (Marnedepartement) sind kürzlich am Abhange eines Hügels in einer Tiefe von 4 Fuß 12 menschliche Skelette gefunden worden. Sie waren durch eine Reihe unbehauener Steine getrennt. Jedes Skelett trug eine eherne Halskette. An der Stelle der Arme befand sich ein starker eherner Ring von 2½ pariser Zoll im Durchmesser. Der Vorderste in der Reihe hatte ein zweischneidiges Schwert neben sich liegen. Leider hat man weder Münzen noch Inschriften dabei gefunden, welche über diese Menschentrümmer einiges Licht verbreiten könnten.

In den Flözgebirgen des Departements des Hérault hat man Ueberreste eines Elephas meridionalis (Cuvier) entdeckt. Aus der Vergleichung dieser Ueberreste mit den correspondirenden Knochen der noch vorhandenen jetzt lebenden Gattung ergibt sich, daß das Thier, dem jene angehörten, 20—25 Fuß hoch gewesen sein und 150 Centner gewogen haben muß. Der große asiatische oder ostindische Elephant wird selten 12 Fuß hoch.

Zustand des Christenthums im Reiche der Birmanen.

In diesem Königreiche, 30 engl. Meilen nordöstlich von der Stadt Dibayen, befinden sich fünf kleine Dörfer, die 4—10 Meilen (engl.) voneinander liegen, deren Einwohner sich zur katholischen Religion bekennen. Diese Dörfer sind: Moun-tha mit 25, Kyeung-yo mit 15, Khyan-la-Boowa mit 100, Khyong-yo mit 15, Nga-Beek mit 20 Häusern, zusammen 175 Häuser mit 960 Einwohnern. Dieser Gemeinde stand bisher der Pater Don José, ein Missionar aus Neapel, vor. Sein wahrer Name war Giuseppe Amato; nach seinem Tode, welcher im Anfang des Jahres 1832 erfolgt ist, wurde er durch die neuerdings von Rom gekommenen Pater Antonio Ricca und Domingo Carali ersetzt. Das Sonderbarste dabei ist, daß die Einwohner dieser fünf Dorfschaften von französischen und andern Gefangenen abstammen, welche Alompra im J. 1756 in Syriam machte, und die er in diesen Theil des birmanischen Reichs verpflanzte. Bei vielen dieser Christen erkennt man noch ihren Ursprung an der Farbe ihrer Haut und ihrer Augen. Außer den Abkömmlingen der Gefangenen von Syriam befinden sich in diesen Dörfern und einem andern bei Mouttshobo viele Individuen, welche dieselben äußern Charakterzüge darbieten. Sie erzählen, daß nach einer alten Sage ihre Väter auf der Küste von Arracan Schiffbruch gelitten, und daß sie an diesen Ort geführt wurden zu einer Zeit, welche bis zum 40. Könige, von dem jetzt regierenden Monarchen an gerechnet, hinaufsteige. Vielleicht stammen sie von den englischen Niederlassungen ab, die, wie Dalrymple behauptet, in dem Königreiche Ava und im Norden der Grenzen von China gegen den Anfang des 17. Jahrhunderts bestanden. Außer den Katholiken von Ava und Dibayen zählt man ungefähr 260 Katholiken zu Rangoon unter der Hut des P. Don Ignacio. 143.

Redigirt unter Verantwortlichkeit der Verlagshandlung: F. A. Brockhaus in Leipzig.

Blätter für literarische Unterhaltung.

Mittwoch, —— Nr. 226. —— 14. August 1833.

Zur Geschichte der neuern schönen Literatur in Deutschland, von H. Heine.

(Fortsetzung aus Nr. 225.)

Als die Blüte der heiligen Dichtkunst sieht der Verf. das Gedicht von Barlaam und Josaphat an. Bei aller Trefflichkeit desselben ist es unverkennbar, daß darin das Heilige und Göttliche durch das trübe Mittel mönchischer Askese sichtlich wird, oder, wie Rosenkranz es treffend bezeichnet, „das Ewige ist dem Vergänglichen so entgegengesetzt, daß es nur als Abstraction von demselben, nicht als seine wiedergebärende Durchdringung existirt". Aber die „Lehre von der Abnegation", die in jenem Gedicht allerdings am consequentesten ausgesprochen ist, hält der Verf. für den Kern des Christenthums, dem er dann um so entschiedener seinen Sensualismus entgegensetzt; wie denn die Polemik gegen einseitig und oberflächlich Erfaßtes ebenso leicht als nichtig ist. Neben dem „Barlaam" nennt Heine das Lobgedicht auf den heil. Anno als das beste, der heiligen Gattung, ein Gedicht, das, wie er selbst mit Recht bemerkt, schon weit hinaus in das Weltliche greift. Gänzlich verfehlt ist es, wenn von diesem Gedichte, das in weiten, mächtigen Schritten durch die gesammte Weltgeschichte sich einen Weg zur Verherrlichung des heil. Anno bahnt, vielleicht in dunkler Erinnerung gesagt wird, wie auf altdeutschen Gemälden sei das Beiwerk fast zur Hauptsache geworden, und trotz der grandiosen Anlage sei das Einzelne aufs Kleinlichste ausgeführt, sodaß man nicht wisse, ob man dabei die Conception eines Riesen oder die Geduld eines Zwergs bewundern solle. Seltsam sind die folgenden Worte: „Otfrid's Evangeliengedicht, das man als das Hauptwerk der heiligen Poesie zu rühmen pflegt, ist lange nicht so ausgezeichnet wie die erwähnten beiden Dichtungen"; seltsam, weil es Keinem einfallen wird; den „Barlaam", das Gedicht von Anno und Otfrid's „Krist" in Einem Athem als gleichartige Kunstwerke zu nennen, da bei Otfrid selbstthätige Erfindung des Dichters nicht in Betracht kommt. Die Gedichte, welche zu dem Kreise der deutschen Heldensage gehören, werden zweckgemäß nur berührt; was von dem Epos des weltlichen und geistlichen Ritterthums in gleicher Kürze gesagt wird, bietet nichts dar, was uns zu besonderer Erwähnung nöthigte.

Näher tritt der Verf. dem Wesen der Gedichte des Mittelalters, indem er den bestimmten Charakter, durch den sie sich von der Poesie der Griechen und Römer unterscheiden, zu bezeichnen unternimmt. Er erklärt die Benennungen romantisch und classisch für unsichere Rubriken, für noch verwirrender die Gleichstellung des Plastischen mit dem Classischen. Mit diesen, doch ohne Zweifel in Beziehung auf Deutschland gerügten Wirrnissen steht es in der That nicht mehr so gefährlich, als der Verf. vorgibt; das Unzulängliche solcher Benennungen ist unvermeidlich, da der Geist ganzer Weltalter sich nicht in ein einziges, unmittelbar deutliches Wort bannen läßt; alle dergleichen Ausdrücke haben nur eine conventionnelle Geltung, und es kommt nur darauf an, daß ihr Gehalt durch geschichtliche und philosophische Ergründung der Sache klar und sicher erkannt werde. Indem nun der Verf., durch die Bestimmung seiner Aufsätze genöthigt, den Begriff der romantischen Kunst des Mittelalters den Franzosen deutlich zu machen sucht, ist es ihm nicht zu verargen, wenn auch er keine schlagenden Benennungen erfindet; die Seichtigkeit aber, mit der er die Sache abhandelt, ist merkwürdig. Er erklärt sich zunächst gegen die Benennung plastisch aus dem Grunde, weil die Künstler ihren Stoff immer plastisch bearbeiten, er mag christlich oder heidnisch sein, ihn in klaren Umrissen darstellen sollen; plastische Gestaltung sei in der romantisch-modernen wie in der antiken Kunst die Hauptsache; die Figuren des Dante oder Rafael seien ebenso plastisch als die des Virgil oder der herculanischen Wandgemälde. Gegen dies Alles, in dieser Allgemeinheit hingestellt, wird Niemand füglich etwas Besonderes einwenden können; die Herablassung des Verf. zur Widerlegung so gänzlich roher Ansicht vom Plastischen, wie die von ihm bestrittene ist, läßt sich vielleicht aus der Bestimmung seiner Schrift rechtfertigen; aber selbst dem Publicum, an welches er seine Worte richtet, hätte er die folgende Auseinandersetzung nicht bieten sollen; insofern sie durch die kindliche Selbstgenügsamkeit, die sich darin ausspricht, naiv wird, wissen wir sie allerdings zu genießen.

Der Unterschied (der romantisch-modernen und der antiken Kunst) besteht darin, daß die plastischen Gestalten in der antiken Kunst ganz identisch sind mit dem Darzustellenden, mit der Idee, die der Künstler darstellen wollte, z. B. daß die Irrfahrten des Odysseus gar nichts Anderes bedeuten als die Irrfahrten des Mannes, der ein Sohn des Laertes und Gemahl der Penelopeia war und Odysseus hieß; daß ferner der Bacchus, den wir im Louvre sehen, nichts Anderes ist als der anmuthige Sohn der Semele mit der kühnen Wehmuth in den Augen und der heiligen Wollust in den gewölbtweichen Lippen. Anders ist es in der romantischen Kunst, da haben die Irrfahrten eines Ritters noch eine esoterische Bedeutung, sie deuten vielleicht auf die Irrfahrten des Lebens überhaupt; der Drache, der überwunden wird, ist die Sünde; der Mandelbaum, der dem Helden aus der Ferne so tröstlich zuduftet, das ist die Dreieinigkeit, Gott Vater und Gott Sohn und Gott heiliger Geist, die zugleich Eins ausmachen, wie Nuß, Faser und Kern dieselbe Mandel sind. Wenn Homer die Rüstung eines Helden schildert, so ist es eben nichts Anderes als eine gute Rüstung, die so und so viel Ochsen werth ist; wenn aber ein Mönch des Mittelalters in seinem Gedichte die Röcke der Mutter Gottes beschreibt, so kann man sich darauf verlassen, daß er sich unter diesen Röcken ebenso viele verschiedene Tugenden denkt; daß ein besonderer Sinn verborgen ist unter diesen heiligen Bedeckungen der unbefleckten Jungfrauschaft Mariä, welche auch, da ihr Sohn der Mandelkern ist, ganz vernünftigerweise als Mandelblüte besungen wird. Das ist nun der Charakter der mittelalterlichen Poesie, die wir die romantische nennen. Die classische Kunst hatte nur das Endliche darzustellen und ihre Gestalten konnten identisch sein mit der Idee des Künstlers. Die romantische Kunst hatte das Unendliche darzustellen oder vielmehr anzudeuten, und sie nahm ihre Zuflucht zu einem System traditionneller Symbole oder vielmehr zum Parabolischen, wie schon Christus selbst seine spiritualistischen Ideen durch allerlei schöne Parabeln deutlich zu machen suchte.

Wer nach der Belehrung des Verf. begierig gewesen ist und nur einige historische Kenntniß der Gedichte des Mittelalters besitzt, dem muß bei dieser Darstellung, welche den Gegenstand ganz roh im Aeußerlichen faßt und nicht von dem Wesen, sondern von einem einzelnen Merkmale ausgeht, sogleich auffallen, daß jene Art der Allegorie, in welche der Charakter der mittelalterlichen Poesie gesetzt wird, sich in ganzen Kreisen von Gedichten nicht findet, die dennoch den andern Gedichten, in denen sie allerdings vorhanden ist, unverkennbar verwandt und gleich ihnen der antiken Poesie entgegengesetzt sind. Jene niedere Allegorie, wo zeigt sie sich irgend vorherrschend in der echtchristlichen Poesie Wolfram's, der sie verschmähen mußte, weil er es vermochte, die göttliche Idee in regen Gestalten des Lebens u offenbaren? Wo erscheint sie jemals als charakteristisch in dem Epos des weltlichen Ritterthums, welches dennoch, in der christlichen Weltansicht wurzelnd, dem heroischen Epos des Alterthums in der bestimmtesten Entschiedenheit entgegentritt? Die Lyrik hat der Verf. im Voraus von seiner Betrachtung ausgeschieden, aus dem nichtigen Grunde, weil die lyrischen Gedichte „sich ziemlich ähnlich in jedem Zeitalter wie die Nachtigallenlieder in jedem Frühling" seien. Grade hier war vielleicht der Punkt, von dem der Versuch einer populairen Charakterisirung der romantischen Poesie ausgehen mußte. Wer sich auch nur oberflächlich mit den Erwerbnissen der neuern Aesthetik bekannt gemacht hat, der wird es leicht erkennen, daß das Wahre der Heine'schen Darstellung ein Residuum der Ideen Solger's ist, der bekanntlich die moderne Kunst, als die allegorische, der antiken, als der symbolischen, entgegensetzte. Aber was jener tiefsinnige Geist im Gegensatze zu dem Symbole, der momentanen Offenbarung der Idee, allegorisch nannte, die stete Beziehung des Einzelnen auf das Allgemeine, ist hier größtentheils zum Zeichenhaften eingeschrumpft. Einzelner Mängel des Ausdrucks, wie z. B. des denkwürdigen Ausspruchs, die classische Kunst habe nur das Endliche darzustellen, braucht nicht besonders gedacht zu werden, da das Ganze der Ansicht ungenügend ist. Mit jener Allegorie hat denn auch der Verf. natürlich kein Princip gefunden, welches die übrige Kunst des Mittelalters zu erklären vermöchte. Und so weiß er denn auch von der alten katholischen Kirchenmusik nichts zu sagen, als daß man sie „in ihrer Art nicht genug schätzen kann, da sie den christlichen Spiritualismus am reinsten ausspricht". Ebenso unerquicklich ist, was er über Sculptur und Malerei sagt, und was sich im Ganzen darauf beschränkt, daß er ihre Aufgabe unnatürlich findet, indem sie den Sieg des Geistes über die Materie darstellen sollen und zwar eben durch diese Materie als Mittel der Darstellung. Unsägliches Mitleid mit den Künstlern jener Zeit erfaßt ihn, wenn er jene verzerrten Bildwerke sieht, „wo durch schieffromme Köpfe, lange dünne Arme, magere Beine und ängstlich unbeholfene Gewänder die christliche Abstinenz und Entsinnlichung dargestellt werden soll". Der Tiefe und Innigkeit jener alten Künstler wird nicht gedacht; und indem Heine in der Unvollkommenheit ihres künstlerischen Vermögens grade das Christliche findet (das er lieber in dürrer Abstraction das Spiritualistische nennt), verfällt er ganz in denselben Fehler, den er später an der romantischen Schule rügt, nur dadurch von ihr unterschieden, daß er sich verneinend verhält, insofern aber in weit größerem Irrthum befangen, als er in jener Unbeholfenheit eine bewußte Berechnung sucht, wenn er sich nicht wie öfter im Ausdruck vergriffen hat. Jene Unnatur wußte aber, nach dem Verf., dennoch der menschliche Genius zu verklären; auf Kosten des Spiritualismus gelang es den Italienern, die unnatürliche Aufgabe schön und erhebend zu lösen, besonders in Darstellung der Madonna. Für die Hohlheit dieser Worte kann uns die Witzigkeit des über die Madonna Gesagten nicht entschädigen; sie war „gleichsam die schöne dame du comptoir der katholischen Kirche, die deren Kunden, besonders die Barbaren des Nordens, mit ihrem himmlischen Lächeln anzog und festhielt".

Das Verhalten und Erbleichen des Katholicismus in der Kunst und im Leben in den Zeiten der Reformation wird mit kräftigen und zum Theil wahren Zügen gezeichnet, ohne daß sich jedoch ein höheres Verständniß jener Zeit offenbart. Da eine ewige Geltung des Christenthums nicht anerkannt, der Protestantismus rein negativ aufgefaßt wird, so ist es ganz consequent, wenn sich Heine mit Kennergewicht also vernehmen läßt: „Das blühende Fleisch auf den Gemälden des Tizian, das ist Alles Protestantismus. Die Lenden seiner Venus sind viel gründlichere Thesen als die, welche der deutsche Mönch an die Kirchenthüre von Wittenberg angeklebt." Die Künstler, denen „der Alp des Christenthums von der Brust gewälzt schien" und die sich griechischer Heiterkeit enthusiastisch hingaben, riefen einen künstlichen Frühling hervor, der zu der Periode der neuclassischen Poesie abblühte, die sich von Frankreich aus über die literarischen Länder Europas verbreitete.

Von dieser Fremdherrschaft erlöste das deutsche Theater Lessing. Indem er von Lessing spricht, gedenkt Heine auch Herder's als eines Geistesverwandten, aber nur um ihm seine Hochachtung zu bezeugen. Er kann bei den erhabenen Leichen Lessing's oder Herder's nicht vorübergehen, ohne ihnen „flüchtig die blassen Lippen zu küssen", was sich denn beide als Todte allerdings gefallen lassen müssen. Was über Lessing gesagt wird, ist dem Zwecke der Schrift wohl angemessen. An die Bemerkung, daß Lessing's Bekämpfung des religiösen Aberglaubens die seichte Aufklärungssucht der „Allgemeinen deutschen Bibliothek" befördert, und daß damals die kläglichste Mittelmäßigkeit widerwärtiger als je ihr Wesen zu treiben begonnen habe, reiht sich die richtige Behauptung, daß Göthe's damals schon auftauchende Größe noch nicht allgemein anerkannt gewesen sei. Hier zeigt sich denn die unsichere Hast, mit der Heine seinen verkürzenden Storchschnabel führt; indem er vom „Götz" redet und von den Knalleffecten, den der „Werther" durch seinen Stoff gemacht, fährt er fort: „Die Romane von August Lafontaine wurden jedoch ebenso gern gelesen, und da dieser unaufhörlich schrieb, so war er berühmter als Wolfgang Göthe." Mit Wieland und Ramler werden dann ferner als gleichartig Gefeierte die Beherrscher des Theaters, Iffland und Kotzebue, genannt.

(Die Fortsetzung folgt.)

Du polythéisme romain. Ouvrage posthume par *Benj. Constant*. Paris 1833.

Benjamin Constant hatte den Plan zu einer historischen Trilogie über die Religion entworfen. Sie sollte beginnen mit dem hinlänglich bekannten Werke: „De la religion considerée dans sa source". Auf gegenwärtige Schrift über den römischen Polytheismus in seiner Beziehung zur griechischen Philosophie und zur christlichen Religion sollte eine Geschichte des Christenthums folgen. Der Tod überraschte den Verfasser, ehe noch der zweite Theil der Trilogie vollendet war. Was wir davon besitzen, ist als die letzte Offenbarung einer edeln und schönen Natur höchst schätzbar. Der Inhalt ist kurz folgender. Im Anfange des Buchs wird der römische Polytheismus als das Resultat der Verschmelzung der ältern Religionen Italiens mit dem griechischen Polytheismus dargestellt. Der Verf. nimmt vier Hauptepochen in der Geschichte der römischen Religion an: die erste begreift den Zeitraum von Roms Erbauung bis zur Gründung der Republik, die zweite fängt an bei der Vertreibung der Tarquinier und endigt bei dem Sturze Karthagos; die dritte reicht von dem Falle der mächtigen Seestadt bis zum Kaiser Hadrian; die vierte erstreckt sich bis zum völligen Verschwinden der Vielgötterei. Hierauf folgen scharfsinnige und ausführliche Untersuchungen über die Natur und den Charakter der römischen Gottheiten, über die Feste, das Priesterthum; der Verf. vergleicht den römischen Polytheismus mit dem griechischen in moralischer Hinsicht und findet in ersterm einen bedeutendem Fortschritt. Die Hauptgründe des Verfalls des Polytheismus findet er in der allzu großen Vermehrung der Götter, in dem Misverhältnisse zwischen den Dogmen und der Aufklärung, in der Tendenz der Allegorie, die Religion zu zerstören, und in den Fortschritten der Philosophie. Die griechische Philosophie wird nach Rom gebracht. Die Römer theilen sich zwischen den Systemen, die sich ihnen darbieten; die Philosophie durchläuft von ihrem ersten Erscheinen zu Rom an vier verschiedene Epochen. Auch die Mysterien üben einen merklichen Einfluß auf den Verfall der alten Religion aus. Hier wirft der Verf. einen strengen und tiefen Blick auf das Menschengeschlecht, seine Sklaverei, seinen Unglauben, seine Superstition und seine Verzweiflung. Er schildert die enthusiastischen Versuche des Neuplatonismus und thut dessen Unhaltbarkeit dar. Der Theismus nimmt allmälig überhand. Der Kampf zwischen dem Polytheismus und dem Theismus führt den Fall der alten Religion herbei, und der Theismus setzt sich als positive und siegende Religion fest.

Herr Lerminier, der geistreiche, scharfsinnige Lehrer der Philosophie des Rechts am Collége de France, auf welchen Deutschland vielleicht ebenso stolz sein kann als Frankreich, äußert sich über Benjamin Constant's hinterlassenes Werk folgendermaßen.

„Es scheint uns, als habe B. C. den politischen Charakter der Religion bei den Römern nicht genau genug bezeichnet. Wenn der römische Polytheismus ernster und vernünftiger war als der griechische, so lag dies vorzüglich in der Solidarität des Cultus mit der Politik und dem Rechte; die Religion war zu Rom vor Allem ein Werkzeug des Herrschens: inter instrumenta regni habita. Auch machten sich die Patricier und die Plebejer die religiösen Würden wie die politischen streitig. Das fas und das jus waren zwei verschiedene Seiten einer und derselben Einheit, reipublicae. Die Stadt des Romulus richtete sich nicht nach dem Bilde, welches sie sich vom Himmel machte, sondern sie schuf den Himmel, wie es ihren materiellen Interessen zusagte. Es ist zu bedauern, daß B. C. diese Ansicht nicht in ihrem ganzen Umfange aufgefaßt."

„Andererseits hebt der Verfasser in dem Gemälde, welches er vom Polytheismus macht, den Einfluß, das unaufhaltsame Andrängen der Einheit nicht genug hervor; sie verbarg sich unter dem Schleier der Mysterien, und stets unsichtbar und doch stets gegenwärtig, beschleunigte sie durch fortgesetztes Ringen ihren Sieg. Seit dem Anbeginn der Dinge und Menschen hat die Idee der Einheit in dem Kopfe des Menschen geleuchtet; sie hat ihr Licht im Dunkeln verborgen und ins Mysterium gerettet. Der Verfall der Mysterien wird durch die Geschichte dargethan; ihr Ursprung ist minder klar, aber nur ehrenvoll für den menschlichen Geist."

„Ferner vermisse ich in dem Werke des Hrn. B. C. die Spuren der Kritik, welche unablässig die Theogonie des officiellen Cultus untergrub. Varro that weiter nichts als die griechischen Philosophen abschreiben, indem er behauptete, Götter seien personificirte Elemente. Noch verderblicher wirkte auf den religiösen Glauben des Alterthums die Auslegung Euphemer's, dem zufolge Jupiter ein kriegerischer Fürst gewesen, ein Sohn des Kronos und Enkel des Uranos, eines frommen Astronomen und Eroberers."

„Das nachgelassene Werk B. C.'s enthält keine vollständige Geschichte, stellt die Ideen und Thatsachen nicht in ihrer Hauptansicht und tiefsten Begründung dar, der Styl ist trefflich, hier und da von höchster Vollendung. So wie es ist, mit seinen Mängeln und Vorzügen, zugleich von eigenthümlicher Kraft des Genius zeugend und die Spuren der Schwäche und nahen Auflösung tragend, zieht dieses unvollendet gelassene Denkmal durch einen mächtigen und wehmüthigen Zauber an. Es verbreitet über das Andenken des Verfassers ein innigeres Interesse. Das Sujet verliert sich im Menschen, oder vielmehr der Mensch, dieser glänzende Tribun, dieser große Schriftsteller, dieser kühne Neuerer in der literarischen Kritik, dieser Romanendichter, dieser Redner, dieser unerschöpfliche Publicist, wird für den Leser ein Freund, welcher in seinem Herzen ernste und letzte Worte niederlegt über die Geschichte und das Leben, das er den jetzigen Generationen überläßt, um vor ihnen in das Reich des Unendlichen einzugehen, das uns gehört, die wir nie aufhören, darnach zu streben." 143.

Aus Italien.

Bei der Seltenheit genauerer Nachrichten über den Zustand der Literatur und der Kunst in Sicilien mögen einige Angaben von Interesse sein, welche wir dem „Giornale di scienze lettere e arti per la Sicilia" entnehmen (T. XLII), das zu Palermo in der Tipografia del giornale letterario 1833 in Octav herausgekommen ist. Director dieses, wie es scheint, neuen, aber an ein früheres sich anknüpfenden Unternehmens ist Abate Gius. Bertini; Vicedirector der Baronello D. Vincenzo Mortillaro; Herausgeber (compilatori) D. Gius. Bozzo und Abate D. Niccolò Maggiore. Mitarbeiter gibt es in Palermo: di Chiara, Bivona-Bernardi, Crispi, Cacciatore (der Astronom), Errante, Ragona u. s. w.; in Messina: Carmelo la Farina (der Secretair der Pelitorischen Akademie), und Cocco; in Catania: Gemellaro, Scuderi, Maravigna, Sammartino, Alessi, de Giacomo, Cosentini; in Syracus: Avolio und Landolina Nava; in Girgenti: Politi (der Aufseher des dortigen Antiquariums); in Trapani: di Ferro und Omodei; in Caltanisetta: La Via, Costantini und Li Volsi; in Termini: Palmeri, Romano. Dann gibt es noch Herausgebergehülfen, einen aushelfenden Secretair und einen Ajutante, D. Grasso. Im vorliegenden 124. Hefte findet sich ein mit einem Kupfer begleiteter Brief Cocco's über einige Fische des Meers bei Messina; eine akademische Rede des Prof. Alessio Narbone über die sittliche Ausbildung der untern Volksclassen; ein unbedeutender Brief über eine schöne syracusische alte Silbermünze mit dem Kopfe der Pallas in Vollansicht und εὐκλεια auf dem Helme (von Alessi an den gelehrten Scina gerichtet); ein Aufsatz über die unausweichliche Cholera; eine nichts erörternde Anzeige von Salv. Vigo's „Istoria critica di parechi censimenti per servire alla rettifica del catasto siciliano" (Palermo 1833) und eine Notiz von 25 Zeilen über die „Elementi di filosofia di Vinc. Tedeschi Paterno' Castello" (Catania 1834). Mit Vergnügen wird man dafür in den Kunstnachrichten lesen, daß die Kirche S. Antonio in Palermo, welche durch das Erdbeben vom 5. März 1823 sehr beschädigt ward, ein Gebäude des 13. Jahrhunderts, das späterhin sehr erneuert wurde, jetzt mit mehr Berücksichtigung des Ursprünglichen hergestellt wird, freilich ohne daß das Innere an diesen Vereinfachungen theil nähme. Gerühmt wird eben dort eine Bacchantin des Bildhauers Valerio Villareale in carrarischem Marmor, und eine Marina des palermitanischen Malers Gio. Batt. Romegás, eines Schülers von Chauvin, während seines Aufenthaltes in Rom, und des trefflichen Gudin bei seinem Verweilen in Paris. Der Punkt ist gewählt bei dem kleinen Hafen in der Nähe von Palermo, Acqua di corsari, und ein normannischer Wachtthurm geschickt mit dem Bilde verbunden. Palermo hat jetzt drei Steindruckereien, von denen die des Gio. Batt. Carini die älteste ist, aber keine guten Geschäfte macht. Eine zweite entstand seit dem Januar 1834 durch die Brüder Scondato; neuer noch ist die dritte der Herren Paderni und Scaglione im Erdgeschosse des königlichen Palastes. Eine vierte hat nach den ersten Probeblättern ihre Arbeiten wieder eingestellt. Allen wird empfohlen Fleiß und Sorgfalt auf ihre Arbeiten zu wenden und sich im Bessermachen zu überbieten. Auch in Messina gibt es eine lithographische Anstalt, die aber, nach den Proben zu schließen, noch sehr in der Kindheit ist. Für das Prachtwerk des Herzogs Serradifalco, der „Antichità siciliane", hat Sav. Cavallari schon einen bedeutenden Theil der Platten gestochen. Unterstützt mit einer Liniirmaschine von Voigtländer's Erfindung (in Wien 1829), die er durch einen einfachen Mechanismus wesentlich verbessert hat, sind die architektonischen Platten sehr elegant ausgefallen. Zwanzig davon zeigen den Dom von Monreale und andere heilige Gebäude der normannischen Epoche, welche der Herzog von Serradifalco mit einer Abhandlung „Sulla disposizione degli edifizi sacri dell' epoca normanna" begleiten wird. Dieses genannte Werk soll aber dann erst erscheinen, wenn ein anderes über die Alterthümer von Selinus in das Publicum gegeben ist, zu welchem Cavallari 25 Platten nach von ihm selbst an Ort und Stelle gemachten Zeichnungen gestochen hat. Vorzügliche Geschicklichkeit in Schrift- und Verzierungstechen zeigt Giov. Ferrarotta, ursprünglich ein Goldschmied, dessen Arbeiten vorzügliche Nachfrage bei den Fremden finden. Sowol er als Cavallari haben sich ohne Meister entwickelt. Als ein Verlust wird betrauert der Tod von Gius. Marco Calvino (geb. den 6. Oct. 1785 und gest. zu Trapani den 21. April d. J.), der durch eine Menge, namentlich scherzhafter Gedichte, in denen er glücklicher war, und durch Uebersetzungen in sicilischer Mundart (der „Batrachomyomachia" und Theokrit'scher Idyllen zu Trapani 1827 u. 1830) sich eine Art von Berühmtheit erworben hatte. Zu beklagen wäre, wenn seine Vorarbeiten zu einem neuen Wörterbuche der sicilischen Mundart, zu dem er mit Beiträgen von vielen Gelehrten unterstützt war, unbenutzt bleiben sollten. Ueberrascht wird man sein, in dieser Monatschrift unter den ausländischen Nachrichten die „Annalen der gesammten theologischen Literatur" (II. Band. Leipzig 1832) und Neue's „Fragmente der Sappho" angezeigt zu finden, und unter den im Auslande Verstorbenen neben Barnaba Oriani, Legendre, Cousinery, Monsignor Nicola Maria Nicolai (dem Präsidenten der archäologischen Akademie zu Rom, geb. 1759 und gest. den 18. Jan. 1833, bekannt durch ein 1800 erschienenes Werk über die pontinischen Sümpfe) auch den Freiherrn Cotta von Cottendorf aufgeführt zu lesen. Das „Bullettino bibliografico siciliano del primo gennajo 1833 in avanti" umfaßt acht volle Octavseiten; doch ist nicht zu übersehen, daß die sicilischen Advocaten eine große Menge von Artikeln durch Streitschriften in Anspruch nehmen, die dort, wie es scheint, in Processen gewöhnlich gedruckt werden. Nach italienischer Sitte ist außerdem vieles Nachdruck anderwärts kürzlich erschienener italienischer Werke, z. B. der Werke von Botta, und, merkwürdig genug! nur eine Ausgabe der „Divina commedia" und gar keine des „Canzionero" darunter. 27.

Literarische Anzeige.

Durch alle Buchhandlungen ist von mir zu beziehen:

Hübner (Johann),

Zweimal zweiundfunfzig auserlesene biblische Historien aus dem Alten und Neuen Testamente, zum Besten der Jugend abgefaßt. Aufs Neue durchgesehen und für unsere Zeit angemessen verbessert von David Jonathan Lindner. Die hundertunderste der alten, oder die zweite der neuen vermehrten und ganz umgearbeiteten und verbesserten Auflage.

8. 25 Bogen. 8 Gr.

Eine Empfehlung dieser Schrift, die sich seit dem J. 1714 in der Gunst des Publicums erhalten, über hundert Auflagen erlebt hat und fortwährend in vielen Schulen eingeführt ist, scheint überflüssig. Die neue Umarbeitung hat, ohne den Geist des Ganzen zu ändern, das Buch den jetzigen Ansichten über den Unterricht der Jugend mehr anzupassen gesucht, und die competentesten Männer sind der Meinung, daß dies überaus wohl gelungen sei.

Leipzig, im August 1838.

F. A. Brockhaus.

Redigirt unter Verantwortlichkeit der Verlagshandlung: F. A. Brockhaus in Leipzig.

Blätter

für

literarische Unterhaltung.

Donnerstag, —— Nr. 227. —— 15. August 1833.

Zur Geschichte der neuern schönen Literatur in Deutschland, von H. Heine.

(Fortsetzung aus Nr. 226.)

Die Verdienste der romantischen Schule, die sich gegen diese flache Literatur erhob, werden in Beziehung auf die ästhetische Kritik und in Vergleichung mit Lessing im Ganzen mit Gerechtigkeit gewürdigt, wenn auch im Einzelnen persönliche Gehässigkeit gegen die Schlegel durchblickt. Die Behauptung, daß der Kritik der Schlegel ebenso wie der Kritik Lessing's der feste Boden eines philosophischen Systems gefehlt habe, wird schwerlich irgend einen Widerspruch erfahren; merkwürdig ist es aber, daß Heine sie mit schneidender Schärfe ausspricht, da seine ganze Schrift nicht nur überall an jenem Mangel „in noch viel trostloserm Grade" leidet, sondern auch nirgend das philosophische, wenn auch nicht systematische Streben der Schlegel, die Gründe der Erscheinungen in ihrem Tiefen zu erfassen, ersichtlich ist. Die Keckheit und Entschiedenheit, mit der diese Aufsätze verfaßt sind, können nur bei ganz oberflächlicher Betrachtung als das Ergebniß klarer Einsicht und sicherer Kenntniß erscheinen. Die Bemerkung, daß der Einfluß, den die Fichte'sche Philosophie auf die romantische Schule gehabt, häufig übertrieben worden sei, ist zuzugestehen; wenn dieser geringe Einfluß aber „aus dem ganz einfachen Grunde" erklärt wird, daß die Fichte'sche Philosophie damals schon in sich selbst verfallen gewesen und durch die Beimischung Schelling'scher Sätze ungenießbar geworden sei, so ist dies zwar allerdings sehr einfach, aber daneben auch schief. Sollten diese Dinge überhaupt berührt werden, so durfte es nicht bei so vagen Allgemeinheiten bewenden, sondern es mußte nachgewiesen werden, wie in dem Wesen des Fichte'schen Idealismus seine vollkommene Unfruchtbarkeit für die Aesthetik liegt. Bemerkenswerth ist die Arroganz, mit der von Schelling in unwürdigen und schalen Worten gesprochen wird. „Herr Schelling, der damals in Jena docirte, hat aber jedenfalls persönlich großen Einfluß auf die romantische Schule gehabt; er ist, was man in Frankreich nicht weiß, auch ein Stück Poet, und es heißt, er sei noch zweifelhaft, ob er nicht seine sämmtlichen philosophischen Lehren in einem poetischen, ja metrischen Gewande herausgeben solle. Dieser Zweifel charakterisirt den Mann."

Die eignen künstlerischen Leistungen der romantischen Schule werden in Bausch und Bogen beurtheilt, ohne daß etwas Erhebliches zur Sprache käme. Damit, daß die Franzosen, um sich einen Begriff von dem großen Haufen der mittelalterlichen Poeten zu machen, aufgefodert werden, sich nach dem Narrenhause zu Charenton zu begeben, ist denn doch weder das Echte, das dem Streben der romantischen Schule zum Grunde lag, abgefertigt, noch die mannichfache Verirrung, nicht blos des nachlaufenden Trosses, in ihrer Stellung zum Echten gewürdigt.

An die Bemerkung, daß der politische Zustand Deutschlands der christlich altdeutschen Richtung besonders günstig gewesen sei, schließt sich folgende Schilderung der gemüthlichen Stimmung der Deutschen in jener schwülen Zeit.

Noth lehrt beten, sagt das Sprüchwort; und wahrlich, nie war die Noth in Deutschland größer und daher das Volk dem Beten, der Religion, dem Christenthum zugänglicher als damals. Kein Volk hegt mehr Anhänglichkeit für seine Fürsten wie das deutsche, und mehr noch als der traurige Zustand, worin das Land durch den Krieg und die Fremdherrschaft gerathen, war es der jammervolle Anblick ihrer besiegten Fürsten, die sie zu den Füßen Napoleon's kriechen sahen, was die Deutschen aufs unleidlichste betrübte; das ganze Volk glich jenen treuherzigen alten Dienern in großen Häusern, die alle Demüthigungen, welche ihre gnädige Herrschaft erdulden muß, noch tiefer empfinden als diese selbst, und die im Verborgenen ihre kummervollsten Thränen weinen, wenn etwa das herrschaftliche Silberzeug verkauft werden soll, und die sogar ihre ärmlichen Ersparnisse heimlich dazu verwenden, daß nicht bürgerliche Talglichter statt adeliger Wachslichter auf die herrschaftliche Tafel gesetzt werden, wie wir solches mit hinlänglicher Rührung in den alten Schauspielen sehen. Die allgemeine Betrübniß fand Trost in der Religion, und es entstand ein pietistisches Hingeben in den Willen Gottes, von welchem allein die Hülfe erwartet wurde. Und in der That, gegen den Napoleon konnte auch gar kein Anderer helfen als der liebe Gott selbst. Auf die weltlichen Heerscharen war nicht mehr zu rechnen, und man mußte vertrauungsvoll den Blick nach dem Himmel wenden.

Es ist nicht unsere Absicht, die Wahrheit dieser Schilderung zu bestreiten; wir machen nur darauf aufmerksam, wie durch den Spott, der geflissentlich die Anhänglichkeit der Deutschen an ihre Fürsten als eine treuherzige Beschränktheit lächerlich machen soll, die Heiligkeit jener Treue unbefleckt durchblickt. Ueberdies ist es fast ein Spott auf einem Grabe. Wer von der unbefruchteten Abstraction des Staats reiche Früchte hofft, der wird freilich auf jene kindische Beschränktheit mit dem Selbstgefühl eines Erwachsenen herablächeln.

Unbedingtern Unwillen zu erregen ist das Folgende geeignet:

> Wir hätten auch den Napoleon ganz ruhig ertragen. Aber unsere Fürsten, während sie hofften, durch Gott von ihm befreit zu werden, gaben sie auch zugleich dem Gedanken Raum, daß die zusammengefaßten Kräfte ihrer Völker dabei sehr mitwirksam sein möchten; man suchte in dieser Absicht den Gemeinsinn unter den Deutschen zu wecken, und sogar die allerhöchsten Personen sprachen jetzt von deutscher Volksthümlichkeit, vom gemeinsamen deutschen Vaterlande, von der Vereinigung der christlich germanischen Stämme, von der Einheit Deutschlands. Man befahl uns den Patriotismus und wir wurden Patrioten; denn wir thun Alles, was uns unsere Fürsten befehlen. Man muß sich aber unter diesem Patriotismus nicht dasselbe Gefühl denken, das hier in Frankreich diesen Namen führt. Der Patriotismus des Franzosen besteht darin, daß sein Herz erwärmt wird, durch diese Wärme sich ausdehnt, sich erweitert, daß es nicht mehr blos die nächsten Angehörigen, sondern ganz Frankreich, das ganze Land der Civilisation mit seiner Liebe umfaßt; der Patriotismus der Deutschen hingegen besteht darin, daß es sich zusammenzieht. wie Leder in der Kälte, daß er das Fremdländische haßt, daß er nicht mehr Weltbürger, nicht mehr Europäer, sondern nur ein enger Deutscher sein will. Da sahen wir nun das idealische Flegelthum, das Herr Jahn in System gebracht; es begann die schäbige, plumpe, ungewaschene Opposition gegen eine Gesinnung, die eben das Herrlichste und Heiligste ist, was Deutschland hervorgebracht hat, nämlich gegen jene Humanität, gegen jene allgemeine Menschenverbrüderung, gegen jenen Kosmopolitismus, dem unsere großen Geister, Lessing, Herder, Schiller, Göthe, Jean Paul, dem alle Gebildeten in Deutschland immer gehuldigt haben. Was sich bald darauf in Deutschland ereignete, ist Euch allzu wohl bekannt. Als Gott, der Schnee und die Kosacken die besten Kräfte des Napoleon zerstört hatten, erhielten wir Deutsche den allerhöchsten Befehl, uns vom fremden Joche zu befreien, und wir loderten auf in männlichem Zorn ob der allzu lang ertragenen Knechtschaft, und wir begeisterten uns durch die guten Melodien und schlechten Verse der Körner'schen Lieder, und wir erkämpften die Freiheit; denn wir thun Alles, was uns von unsern Fürsten befohlen wird.

Die thörichte Zusammenstellung Gottes, des Schnees und der Kosacken, gleichsam als Alliirter gegen Napoleon, verdient nicht mehr Beachtung als jeder andere frivole Spaß; über den Aufschwung der Deutschen im Kampfe gegen Napoleon wird jetzt billig mit mäßigerm Stolze gedacht als in dem Enthusiasmus der That und der Siegesfreude; das idealische Flegelthum Jahn's geben wir ohnehin gern preis und erkennen in dieser Beziehung die würdige Ansicht Heine's in vollem Maße an; aber das Bestreben, jene Erhebung der deutschen Stämme den Franzosen gegenüber lächerlich zu machen, zeugt von großer Unwürdigkeit der Gesinnung. Grade das ist das Herrliche in den Franzosen, daß in ihnen das Gefühl der Nationalehre lebendiger waltet als in den Deutschen; eine solche frivole Entäußerung des nationalen Ehrgefühls, wie sie hier sich kundgibt, muß ihnen verächtlich sein, wenn sie auch vielleicht ihrer Eitelkeit schmeichelt.

Mit dem Sturze Napoleon's triumphirt nach Heine's Darstellung die „volksthümlich christlich romantische Schule". Die eilfertige Schilderung, wie durch die Lobpreisung der Kunst des Mittelalters die Künstler dahin gebracht worden, sich in den Schoos der alleinseligmachenden Kirche zu begeben und „die Vernunft abzuschwören", damit der Glaube an ihnen Wunder thue, leidet an mannichfaltiger Verwirrung der Zeiten und persönlichen Verhältnisse. Da es unter uns gangbare Bücher gibt, aus denen man genauere historische Belehrung schöpfen kann, so ist es nicht nöthig, in das Einzelne näher einzugehen. Die Reaction des Protestantismus gegen „die Propaganda von Pfaffen und Junkern, die sich gegen die religiöse Freiheit Europas verschworen", führt die Rede auf Voß, über den viel Treffendes und Billiges gesagt wird. Wenn jedoch Voß als der alte Odin bezeichnet wird, der seine Asenburg verlassen, um Schulmeister zu werden im Lande Hadeln, und der sich von Thor den Hammer geborgt, Verse damit zurechtzuklopfen und Stolberg auf den Kopf zu schlagen, so ist es nur zu bedauern, daß Voß bei dieser Menschwerdung seine beiden Raben, Huginn und Muninn, die Wissenden, mitzunehmen vergessen hat. Die Tüchtigkeit der Voß'schen Polemik gegen Stolberg kann völlig anerkannt werden, ohne daß man doch seine Einseitigkeit und Beschränktheit, besonders in Beziehung auf das Christenthum, das ihm blos als eine moralische Lehre erscheint, verschweigt. Die Stellung des Verf. zum Christenthum hat ihm auch hier volle Gerechtigkeit unmöglich gemacht; daß Voß sich mit Kraft und Klarheit dem einreißenden mittelalterlichen Katholicismus widersetzt, genügt ihm, und, wie wir bereits erwähnt haben, in dem Protestantismus sieht er nur ein Negatives, die Geistesfreiheit, die des Jochs der Autorität sich entladen und die selbständige Entwickelung der Wissenschaft möglich gemacht hat. Davon, daß der Protestantismus den speculativen Inhalt des Christenthums befreit, ist nicht die Rede. Heine hat aber überhaupt von einer tiefern Auffassung des Christenthums keine Notiz genommen. Er spricht nan

maßen: „Mit diesem Namen bezeichnet man in Deutschland diejenigen Leute, die der Vernunft auch in der Religion ihre Rechte einräumen, im Gegensatz zu den Supranaturalisten, welche sich da, mehr oder minder, jeder Vernunfterkenntniß entäußert haben." Diese triviale Erklärung macht es deutlich, daß Heine an jener frühern Stelle, wo er bemerkt, daß Lessing durch die Bekämpfung des religiösen Aberglaubens die seichte Aufklärungssucht Nicolai's und seiner Consorten befördert habe, nur oft Gehörtes ohne die Ueberzeugung, die durch klare Einsicht gewährt wird, nachspricht. Denn wie vornehm auch der sogenannte Rationalismus sich geberden mag, vergebens wird jetzt noch geleugnet, daß seine Jünger nichts sind als das unveränderliche Geschlecht der Nicolaiten, das sich in eitelm Wahne Lessing zum Eponymos erwählt, unkundig des Namens, mit welchem er das flüssige Element ihrer Lehre benannt hat. Daß dem sogenannten Rationalismus nicht blos die dumpfe Beschränktheit der sogenannten Supranaturalisten entgegensteht, die sich „mehr oder minder" jeder Vernunfterkenntniß entäußert haben, sondern daß ein Drittes vorhanden ist, eine lebendige, concrete Anschauung der christlichen Offenbarung, und daß hierin die wahre Wissenschaft und der wahre Glaube ruht, diese durch die neuere Philosophie wiedergewonnene Einsicht wird von Heine ignorirt.

(Der Beschluß folgt.)

Mittheilungen über neuere polnische Literatur.

Polnische Romane sind wie polnische Städtchen in ziemlicher Anzahl vorhanden, aber über die meisten ist wenig zu berichten. „In Polen ist nichts zu holen!" rufen sich die wandernden Handwerker zu, und der Literat ist oft versucht, Dasselbe zu sagen. Am liebsten machen die Polen in nationaler Eigenthümlichkeit einen Husarenritt über die Grenze und eignen sich aus einer fremden Literatur etwas an, ein französisches oder englisches Buch, das sie übersetzen, oder einen deutschen Gelehrten, den sie erobern, wie z. B. letzthin den Kopernikus, den ihnen die gutmüthigen germanischen Grenzanwohner verblüfft überlassen; indessen gibt es auch Originalproductionen, und wir wollen einiger, die wir für bemerkenswerth halten, näher erwähnen. Ein Originalroman ist: „Ragana czyli Plochosc". (Ragana oder Leichtsinn. 3 Theile, Warschau 1830.) Einige wilnaer Studenten bilden unter sich eine literarische Gesellschaft. Jedes Mitglied soll in den Ferien eine Fußreise machen, sie beschreiben und die Schrift vorlesen. Diesen Statuten gemäß begeben sie sich zu verschiedenen Thoren in verschiedenen Richtungen hinaus, wandern, beobachten, schreiben, kehren zurück und lesen sich ihre Reisetagebücher vor. Sie sind alle zurückgekommen, der eine früher, der andere etwas später, je nachdem die Füße dienten, oder das Reiseziel kurz oder lang gesteckt war. Aber einer, Namens Siegmund, bleibt ein ganzes Jahr aus und erscheint erst wieder, als seine gelehrten Mitbrüder von einer zweiten Excursion zurückkehren. Nun heißt es: „Siegmund erzähle, Siegmund lies vor!" Er läßt sich auch nicht lange bitten und langt ein Manuscript hervor, das im Druck drei Octavbände und in der Gesammtzahl 900 Seiten beträgt. Seine Freunde geben ihm zu erkennen, daß er die Zeit gut angewandt habe, obschon er die Vorlesungen der Professoren durch zwei Semester versäumt, und schicken sich an, seine Abenteuer anzuhören. Dieselben sind folgender Art. Siegmund war nordostwärts von Wilna nach Samaiten oder Samogitien gewandert, hatte dort die Ruinen der alten Ordensburgen der deutschen Ritter besucht, war krank geworden und hatte lange Zeit in der Hütte eines samaitischen Bauers liegen müssen. In dieser Krankheit pflegte ihn die Familie des Landmannes, die nur Samaitisch sprach und den Kranken mit Gutmüthigkeit, aber verkehrt behandelte. Siegmund hätte seine Reiselust vielleicht mit dem Tode gebüßt, wenn nicht ein wunderbares Wesen, ein Frauenzimmer, das Niemand kennt und welches die Landleute wie eine Zauberin fürchten und ehren, sich allnächtlich seiner angenommen hätte. Dieses Frauenzimmer wohnt in den Ruinen einer alten Burg und wird von den samaitischen Bauern Ragana genannt, welches Wort in ihrer Sprache, die nach den neuesten Untersuchungen zu den celtischen gerechnet wird, eine Zauberin bedeutet. Als Siegmund durch Ragana's Beistand von seiner Krankheit genesen ist, aber seine Kräfte noch nicht in dem Maße wiedererlangt hat, um seine Fußwanderung zurück zu den akademischen Hörsälen sogleich anzutreten, erfährt er nach und nach von der samaitischen Bauernfamilie, wer ihn eigentlich geheilt habe. Eine Zauberin in einer Burgruine! Wie soll diese einen neugierigen, jugendlichen Reisenden nicht interessiren? Siegmund macht sich eines Abends auf den Weg, durchstöbert die Ruine, kriecht verwegen durch ein schmales Loch in die Tiefe und trifft auf ein junges, schönes Frauenzimmer mit aufgelöstem Haar, in ihrem Blick ist Verzweiflung, in der Hand ein Dolch. Er entwaffnet sie und zähmt ihre wilde Wuth durch Beharrlichkeit, Geduld und häufigen Besuch so weit, daß Ragana ihm ihre Lebensgeschichte erzählt. Daß sie mit dem samaitischen Bauervolk nichts gemein hat, versteht sich von selbst, sie heißt Valerie und ist eine schöne, leichtsinnige Polin aus Warschau, welche Stadt bekanntermaßen eine bewaffnete Sirene im Wappen führt. Wir wollen nicht die ganze Geschichte excerpiren und bemerken, daß darin einsame Landgüter, reiche englische Lords, verliebte Jünglinge, romanhaft liebende Jungfrauen, sich aufopfernde Ammen und dergleichen romantisches Zubehör mehr in bunter Menge erscheint. Hinlänglich scheint es uns zu melden, daß Julian, ein schöner Pole, eine reiche englische Erbin, Miß Karoline heirathen soll, vorher aber es nöthig findet, sich in der Welt etwas umzusehen. Er kommt nach Warschau, wo ihn die leichtsinnige Valerie sieht und mit einem ihrer Anbeter um ein Pfund Confect wettet, den jungen Mann zu ihren Füßen zu bannen. Sie kommt in große Gefahr, dies Pfund Confect zu verlieren, denn der Anbeter verräth Julian den Eroberungsplan, und dieser, ein schnell entschlossener Joseph, nimmt die Flucht und geht nach Krakau. Valerie gibt ihr Confect noch nicht verloren — man sieht wieder einmal, wie aus kleinen Veranlassungen große Dinge entstehen, hier ein Roman von drei Bänden — sie reist dem Flüchtlinge nach, ihr Plan auf ihn gelingt, Julian will sich mit ihr vermählen, Karoline hört es, ihr Herz bricht, sie stirbt. Nun tritt die Nemesis auf; ihr Amt verwaltet der plötzlich zur Besinnung, zur Treue zurückgekehrte Julian. Er verläßt, er verstößt Valerien, aber dies ist ihm nicht genug: sie soll büßen. Er entführt sie auf eine abenteuerliche Weise in einem verschlossenen Wagen aus Warschau, bringt sie glücklich durch die russischen Zollwachen nach Samaiten und fesselt sie in dem unterirdischen Gewölbe einer öden, gebrochenen Burg. Er selbst lebt ihr zur Seite, ein büßender, sich kasteiender Einsiedler, fühlt nach drei Jahren sein Ende herannahen, gräbt ein Grab, legt sich hinein und stirbt, nachdem er vorher Valerien entfesselt, aber ihr zugleich das Versprechen abgenommen hat, noch zehn Jahre lang die wüste Burg nicht zu verlassen. Valerie schwört es, hält ihr Wort und wird aus Langweile eine Schützerin und Rathgeberin des umwohnenden, einfältigen samaitischen Landvolkes, das sie für eine Zauberin hält. In dieser Lage findet sie der Student Siegmund, beredet sie, in die Welt zurückzukehren und vorerst mit ihm nach Wilna zu reisen, wo er an ihrer Seite seine unterbrochenen Studien fortsetzen will. Valerie willigt ein, Wagen und Pferde sind bestellt; da steigt ein Gewitter auf, und ein Blitzstrahl tödtet sie, sodaß Siegmund nach Wilna nicht die schöne Valerie, sondern blos ihre Lebensgeschichte mitbringt. Nachdem wir diesen langen und doch nur summarischen Bericht zu Stande gebracht, wollen wir noch eine im Buche zum Lob und Preis der schönen Polinnen befindliche Stelle ausschreiben: „Herr Mornhoff (so heißt es von einem der darin vorkommenden Männer) war nur in Deutschland und Rußland gewesen und hatte keinen Begriff von den verführerischen Frauen, welche, wie Frau von Staël sagt, mit einer orientalischen Einbildungskraft den biegsamen und lebhaften Geist der Französinnen verbinden, und die man nur in Polen, nach dem einstimmigen Urtheil aller Ausländer, aber nicht der Ausländerinnen zu finden vermag." Diese Bemerkung dürften deutsche und russische Leserinnen dem wilnaer Studenten vielleicht übel nehmen, und er mag sich vertheidigen. Nach innern Gründen, manchen Wendungen und dem Ausdruck im Buche schließen wir jedoch, daß „Ragana" kein wilnaer Student, sondern eine Dame geschrieben hat. Ob sie schön ist, wissen wir nicht, müssen es aber von einer Polin voraussetzen; daß sie Phantasie hat und solche mit dem lebhaften Geist der Französinnen verbindet, bezeugt ihr Buch und wird selbst aus unserm dürftigen Auszuge erkannt werden.

Ein historischer Roman ist: „Dway Sreniawici". (Die beiden Sreniawiten, eine Geschichte aus den Zeiten Wladislaw's des Zwerges, von Konstantin Gaschynski. 3 Theile. Warschau 1830.) König Wladislaw von Polen, wegen seiner kleinen Gestalt der Zwerg genannt, vereinte bekanntlich das durch Erbtheilungen der Nachkommen Boleslaus' zerstückelte Reich in seinen Haupttheilen, vertrieb die Böhmen von Krakau und restaurirte 1320 die bereits untergegangene oder an das böhmische Regentenhaus übergegangene königliche Würde von Polen. In dieser bewegten Zeit spielt der Roman. Der arme Edelmann Gerniawita ist mit seinem Sohne Slawomir ein Anhänger der Piastischen Partei gegen die böhmischen Herrscher und muß während ihrer Uebermacht viel Elend ausstehen. Er trägt es, gestärkt durch vaterländische Gesinnung; aber die widerwärtigen Verwickelungen wachsen, als sein Sohn Slawomir sich in die Tochter des reichen Zbignew von Olesniza verliebt, denn obgleich es sprüchwörtlich in Polen heißt:

> Der Schlachtitsch auf seinem Ackerfeld ohne Knecht,
> Hat mit dem Wojewoden im Schloß gleiches Recht.

so hält doch Zbignew, als alter Aristokrat, so gut wie ein moderner, nichts von dergleichen selbstsüchtigen Redensarten der Armen und versagt dem adligen aber unbemittelten Freier nicht nur die Tochter, sondern verbietet ihm den fernern Zutritt im Schloß. Slawomir begibt sich nun in Kriegsgefahr, übernimmt diplomatische Missionen, theilt manchen Hieb aus und erhält auch seinerseits derbe Stöße, aber die Restauration Wladislaw's, zu der er kräftigst mitwirkt, verbessert seine Glücksumstände, und der stolze Schloßherr auf Olesniza muß ihm am Ende des dritten Bandes die Tochter, die schöne Helene, als Gemahl überlassen. Ein gesprächiger Bedienter, Namens Wanka, der viel zum Ruhme der Polen zu erzählen hat und übel auf die Deutschen zu sprechen ist, hilft nach Kräften dem Romane die gehörige Breite zu geben, und die ganze Geschichte bewegt sich in der von Walter Scott angegebenen Manier ohne sonderlichen Anstoß anständig und ziemlich anmuthig bis zum Schluß.

Neben diesen Romanen gedenken wir zweier erzählender Gedichte, die unter den Gönnern der Romantik viele Bewunderer und Lobpreiser gefunden. Das erste ist: Maria Powiesc Ukrainska". (Marie, eine ukrainische Geschichte von Anton Malczeski. Warschau 1828.) Es geht in Polen die vielfach widersprochene, von Andern wieder behauptete Sage, daß ein hochmüthiger, adelstolzer Vater aus der Familie der Grafen P** seine Schwiegertochter in einem Gartenteiche hat heimlich ersäufen lassen, weil sie, obgleich von adliger Herkunft, doch durch ihre Geburt nicht zu den Magnatenfamilien des Reichs gehörte. Diese Begebenheit soll in den letzten Jahren vor der ersten Theilung und kurz vor Einführung einer strengern, obgleich fremdländischen Rechtspflege, sich zugetragen haben. Der Dichter macht sie zum Inhalt eines in düstern, Byron'schen Farben gehaltenen Gedichts und versetzt den vermuthlich fabelhaften Vorfall an die Grenzen Polens in die Ukraine. Ein Wojewode dortiger Gegend hat einen tapfern, hochgesinnten Sohn, Graf Wenzel, der Marien, die Tochter eines armen Landedelmannes, liebt. Der Vater widersetzt sich dieser Verbindung, gibt sie aber endlich unter der Bedingung zu, daß der Sohn erst einen Kriegszug gegen die oft über die Reichsgrenze streifenden, das flache Land plündernden Tataren unternehme. Wenzel meldet dies dem alten Edelmanne, und dieser, voll Freude über das nahe Glück der Tochter, begleitet den künftigen Schwiegersohn auf seinem Kriegszuge. Graf Wenzel ist tapfer, aber ungeduldig unbesonnen, er geräth in große Gefahr und der alte Edelmann rettet ihm das Leben. Nach erhaltenem Siege reiten sie heim. Wenzel spornt sein Pferd und kommt auf den Flügeln der Liebe um Mitternacht allein vor dem Hause der Geliebten an. Er klopft, aber keine Antwort schallt ihm entgegen. Er harrt eine Weile, endlich bricht er mit Gewalt durch die Pforte. Im einsamen Gemache findet er im Zwielicht der Dämmerung seine Marie kalt und leblos. Er hält sie für ohnmächtig, hebt sie in seine Arme und stürzt auf den Hof hinaus, nach Dienern und Wasser rufend. Alles bleibt still um ihn, endlich aber kriecht ein Dienstknabe hervor, der sich versteckt hatte und sagt mit klagender Stimme:

> O Herr, ruft nicht nach schlimmem Wasser so,
> Zu viel hat sich des Wassers schon ergossen,
> Und was so herrlich leuchtete, erlosch darin!
> Die argen Larven, bösem Willen dienend,
> Versenkten unsre Herrin in dem Teich.
> Des Lebens Glut vernichtete das Wasser,
> Anfachen wird's dieselbe nimmermehr!

Der hartherzige Wojewode hatte, nachdem er den Bräutigam und den Vater zum Kriegszuge verlockt, die unbeschützte Marie bald mit List, halb mit Gewalt von vermummten Männern überfallen und in der eben beschriebenen Art ums Leben bringen lassen, grade zu derselben Zeit, da ihr Vater seinem Sohn das Leben rettete. Die Geschichte ist tragisch und durch die wilde, schaurige Localität menschenöder, nur von Raben und Kriegern durchzogener Steppen reich an düstern Gemälden, wie sie die Byron'sche Dichterschule liebt. Wir übersetzen, freilich ohne den Schmuck des Reims, die Beschreibung der ukrainischen Steppen:

> Weithin streckt sich die Ebne, breit und kahl.
> Das Auge stößt auf nichts, nichts hört das Ohr.
> Die Sonne senkt den schiefen Strahl herab
> Auf schattenlosen Grund, denn Schatten gibt's hier nicht,
> Als den nur, den im Flug der Rabe wirft.
> Und wie? trifft der Gedanke nicht auf einen Ruhpunkt doch,
> Auf eine Spur, ein Denkmal alter Zeit,
> Ein Zeugniß unsrer Väter, unsrer Thaten?
> Nein, nie — es sei, daß in die Erd' er dringe,
> Da findet er verrostet Eisen liegen,
> Gebleicht Gebein längst unbekannter Krieger;
> Auch wol in frischer Asche halbverbrannte Kohlen
> Und dürre Leichen, noch genagt von Würmern.
> Doch auf der Fläche trifft der leere Blick
> Nur leere Dünste, dieses Bild des Nichts!

(Der Beschluß folgt.)

Notizen.

Die französische Uebersetzung von Silvio Pellico's Denkwürdigkeiten ist vom Conseil de l'instruction publique dazu bestimmt worden, zu Belohnungspreisen in den königl. Schulanstalten verwendet zu werden.

Die vorzüglichsten Bilder aus der Sammlung des Chevalier Erard gingen am 22. Juni in London zu folgenden Preisen weg. Die Jahreszeiten von Albano 1100 Pf. St.; ein Bild von Teniers 560 Pf.; Cupido's Erziehung von Correggio 215 Pf.; ein Viehstück von P. Potter 321 Pf.; das Portrait von G. Dow, von ihm selbst, 603 Pf.; eine Landschaft von A. van der Neer 308 Pf.; Karthago von Claude 434 Pf.; eine Landschaft von Cuyp 399 Pf.; der ungerathene Sohn von Teniers für 708 Pf.; der Alchymist für 267 Pf.; eine Landschaft von Claude 231 Pf.; das Portrait von Rembrandt's Mutter von Rembrandt 220 Pf.; eine Landschaft von Wynants und Wouwermann 342 Pf.; ein zugefrorener Kanal von J. Ostade 295 Pf.; eine Landschaft von Both 409 Pf.; eine von A. van der Velde 504 Pf.; Christus dem Petrus den Schlüssel gebend, von Joh. Vincent, 215 Pf.; eine junge Dame von Metzu 267 Pf. und die Geburt des Bacchus von N. Poussin 305 Pf.

Der englische Kardinal Weld, ein reicher und wohlthätiger Mann, aber eifrig im Dienste der Kirche, hat in Rom ein sogenanntes katholisches Lesekabinet gegründet, wo Jedermann, dem darnach gelüstet, antiprotestantische Schriften gratis lesen kann.

Der Kaufmann Demidoff hat in [illegible] ein [illegible] Etablissement gegründet. 2.

Blätter
für
literarische Unterhaltung.

Freitag, — Nr. 228. — 16. August 1833.

Zur Geschichte der neuern schönen Literatur in Deutschland, von H. Heine.

(Beschluß aus Nr. 227.)

Die völlige Vernichtung der romantischen Schule, die Voß durch Enthüllung der katholischen Umtriebe in der öffentlichen Meinung zu Grunde richtete, datirt Heine von Göthe's Aufsatze: „Ueber die christlich-patriotisch-neudeutsche Kunst". Von Stund' an beginnt ihm Göthe's Alleinherrschaft, und von den Schlegeln läßt er seitdem nicht anders die Rede sein, als wie etwa nach dem 18. Brumaire von Barras und Gohier. Diese Uebertreibung der Wirksamkeit jenes Göthe'schen Aufsatzes braucht für Deutsche, die den Gang ihrer Literatur beobachtet haben, nicht auseinandergesetzt zu werden. Leichter ist es freilich, diesen Gang als die Folge einzelner Begebenheiten zu fassen, als im Zusammenhange der innern Gründe zu entwickeln.

Die Opposition entgegengesetzter Parteien, die sich gegen Göthe's Herrschaft vereinigten, insonderheit die Jämmerlichkeit Pustkuchen's wird nicht ohne hier und da treffende Schärfe gewürdigt. Durch das Ganze blickt Heine's wohlbegreifliche Scham, sich selbst unter der „sehr gemischten Gesellschaft der Gegner Göthe's befunden zu haben". Ehrenwerth ist das Geständniß, daß ihn der Neid zur Anfeindung Göthe's angetrieben. Ueberhaupt aber hat ihn, nun Göthe todt ist, „ein unnennbarer Schmerz" ergriffen. Dieser Schmerz ist denn aber keineswegs so mächtig, daß er einen herzlosen Witz zu unterdrücken vermöchte. Das Geistreiche, Pikante ist der Götze, dem Heine seine edelsten Gefühle opfert. Er behauptet, den Mangel an Pietät, mit dem Menzel Göthe bekämpfte, beklagt zu haben, trotz seiner eignen Gegnerschaft. „Ich bemerkte: Göthe sei doch immer der König unserer Literatur; wenn man an einen solchen das kritische Messer lege, müsse man es nie an der gebührenden Courtoisie fehlen lassen, gleich dem Scharfrichter, welcher Karl I. zu köpfen hatte und, ehe er sein Amt verrichtete, vor dem Könige niederkniete und seine allerhöchste Verzeihung erbat."

Die Heuchelei, mit der man durch Lobpreisungen Schiller's Göthe herabzusetzen suchte, wird scharf betont. Aber auch hier zeigt sich in der Art, wie diese Enkomiasten Schiller's abgefertigt werden, die größte Oberflächlichkeit. Mit der Frage: „Wußte man wirklich nicht, daß jene hochgerühmten, hochidealischen Gestalten, jene Altarbilder der Tugend und Sittlichkeit, die Schiller aufgestellt, weit leichter zu verfertigen waren als jene sündhaften, kleinweltlichen, befleckten Wesen, die Göthe in seinen Werken erblicken läßt?" mit dieser Frage, die sich weiterhin möglichst witzig zuspitzt, glaubt Heine die Sache abzuthun. Mit großer Ueberraschung bemerken wir, wie dieser Mann der Bewegung, wie er sich selbst mit Stolz nennt, hinter der Entwickelung wissenschaftlicher Kunstkritik menschenalterweit zurückgeblieben ist. Dergleichen haften an den einzelnen Gestalten des Kunstwerks, die durch den Gedanken des Ganzen entsündigt und geheiligt werden, das kümmerliche Abwägen des Leichtern und Schwerern ist von aller tiefern Erkenntniß der Kunst entblößt und entkräftet nicht einmal die gewöhnlichen Einwendungen gegen Göthe. Denn in der That geht z. B. Menzel in seiner Polemik gegen Göthe, bei aller philisterhaften, des wahren Wesens der Kunst ahnungslosen Beschränktheit weit gründlicher zu Werke als bei dieser Vertheidigung Heine, der sich darauf etwas zu Gute thut, daß er in Göthe nie den Dichter angegriffen, sondern nur den Menschen. Dagegen greift Menzel ohne Zweifel consequent und von dem Standpunkte aus, auf den er festgebannt ist, mit Befugniß den Dichter und den Menschen zugleich in der Gesammtheit seines Wirkens an. In der Erkenntniß der Werke Göthe's als lebendiger Offenbarungen der Einen und ewigen Idee muß seine Rechtfertigung gegen die Angriffe, die gegen ihn unternommen worden sind, liegen. Daß es hierauf ankommt, ist manchen unberufenen Vertheidigern Göthe's ebenso wenig klar gewesen als seinen Gegnern, und so leugnen wir nicht, daß jene halbwahre Vertheidigung Göthe's, die der Verf. den Götheanern in den Mund legt, in der That hier und da vernommen worden ist. Diese eingeführte Apologie hält sich denn nach Möglichkeit in Halbheit und Zwielicht; an die Bemerkung, Beförderung der Moral sei nicht der Zweck der Kunst, reiht sich der Satz, daß die Moral auf Erden immer wechsele, so oft eine neue Religion emporkommt und die alte Religion verdrängt. Von solcher Ansicht der Moral als einer blos conventionnellen, der Religion als einer bestandlos wechselnden läßt Heine die Götheaner ausgehen; er läßt sie die Kunst betrachten „als eine unabhängige zweite Welt, die sie so hoch stellen, daß alles Treiben der Menschen, ihre Religion und ihre Moral, wechselnd und wandelbar, unter ihr sich hinbewegt". Daß er nun dieser Ansicht, die er den echten Verehrern Göthe's andichtet, „nicht unbedingt huldigen" kann, vielmehr „der ersten wirklichen Welt, welcher doch der Vorrang gebührt", die geziemende Stelle einräumt, wäre trotz der ungenügenden Ausdrucksweise alles Lobes werth, wenn sich nur in seiner Bestreitung eine Ahnung der höhern Ansicht zeigte, deren verzerrte Fratze er aufgestellt hat; wenn nur er selbst die ewige und unwandelbare sittliche Idee von jener conventionnellen Moral mit Bestimmtheit unterschiede; wenn er nur klar und unumwunden ausspräche, daß die wahre Poesie als die Offenbarung des Schönen untrennbar sei von der Sittlichkeit, deren Abstraction aber vollkommen in der concreten Erscheinung aufgehen müsse. Er aber preist Schiller, weil er den Geist seiner Zeit erfaßt und für die großen Ideen der Revolution geschrieben habe, und setzt in dieser Beziehung Göthe herab, weil er für die gesellschaftlichen Interessen der Menschheit fühllos gewesen sei; er erkennt den selbständigen Werth der Göthe'schen Meisterwerke an, vergleicht sie aber der Statue, die unter Pygmalion's Küssen lebendig wurde, ohne jedoch Kinder zu bekommen. Unfruchtbar sind ihm die Göthe'schen Dichtungen, sie bringen keine That hervor, wie die Schiller'schen. Daß die Existenz des Kunstwerks, als der Offenbarung des Göttlichen, ihre That ist, wird nicht erkannt, und es zeigt sich die von Solger, dem Niemand Indifferentismus irgend einer Art beilegen wird, mehrmals gerügte Foderung, der Dichter solle für die deutlich erkannten Richtungen der Zeit wirken, die er („Nachgelassene Schriften", II, 4) mit Recht der Foderung, der Dichter solle aufhören, Dichter zu sein, gleichstellt. In dem brausenden Drange der Zeit ist nur für ein leiseres Ohr die harmonische Stimme Göthe's vernehmbar, der sich mit Recht das Zeugniß ertheilen durfte, im Grauen vor den Folgen gewaltthätig aufgelöster Zustände, „am Bestehenden festhaltend, an dessen Verbesserung, Belebung und Richtung zum Sinnigen, Verständigen lebenslang bewußt und unbewußt gewirkt zu haben": ein bescheidenes Selbstgefühl, das den stimmführenden Autochthonen einer neuerschaffenen Erde freilich nicht genügen kann. In Göthe's umfassendem und einträchtigem, mit dem tiefsten sittlichen Ernste eindringendem Studium der Natur, der Kunst und des Lebens sieht Heine Indifferentismus, das Resultat der pantheistischen Weltansicht Göthe's, und er glaubt mit folgender Tirade wirklich etwas recht Bedeutendes gegen Göthe zu sagen:

Wenn Gott in Allem enthalten ist, so ist es ganz gleich, womit man sich beschäftigt, ob mit Wolken oder mit antiken Gemmen, ob mit Volksliedern oder Affenknochen, ob mit Menschen oder mit Komödianten. Aber Gott ist nicht blos in der Substanz, wie die Alten ihn begriffen, sondern Gott ist in dem „Proceß", wie Hegel sich ausdrückt, und wie er auch von den Saint-Simonisten gedacht wird. Dieser Gott der Saint-Simonisten, der nicht blos den Fortschritt regiert, sondern selbst der Fortschritt ist und sich von dem alten, in der Substanz eingekerkerten Heidengott ebenso sehr unterscheidet wie von dem christlichen Dieu-par-esprit, der von seinem Himmel herab mit liebender Väterstimme die Welt regierte: dieser Dieu-progrès macht jetzt den Pantheismus zu einer Weltansicht, die durchaus nicht zum Indifferentismus führt, sondern zum aufopferungssüchtigsten Fortstreben. Nein, Gott ist nicht blos in der Substanz, wie Wolfgang Göthe wähnte, der dadurch ein Indifferentist wurde und statt mit den höchsten Menschheitsinteressen sich nur mit Kunstspielsachen, Anatomie, Farbenlehre, Pflanzenkunde und Wolkenbeobachtungen beschäftigte; Gott ist vielmehr in der Bewegung, in der Handlung, in jeder Manifestation, in der Zeit, sein heiliger Odem weht durch die Blätter der Geschichte, letztere ist das eigentliche Buch Gottes; und das fühlte und ahnte Friedrich Schiller, und er ward „ein rückwärtsgekehrter Prophet", und er schrieb den Abfall der Niederlande, den dreißigjährigen Krieg und die Jungfrau von Orleans und den Tell.

Nicht durch das Beispiel des Meisters ist jene literarische Periode entstanden, die Heine „einst als die Kunstperiode bezeichnet", und die er die politische Entwickelung des deutschen Volks retardiren läßt; sondern durch das Unverständniß desselben, durch das Unvermögen, in die Tiefen der Kunst hinabzusteigen, wo die Wurzeln der Kunst, der Religion und des Lebens sich berühren. Wenn übrigens Heine es an mehren Stellen betont, vielleicht mit Rücksicht auf Hrn. Menzel, daß Er zuerst jene „Kunstperiode" charakterisirt habe, so müssen wir erwähnen, daß Friedrich Schlegel, z. B. in einer Recension von Adam Müller's „Vorlesungen über die deutsche Wissenschaft und Literatur" („Heidelberger Jahrbücher", 1808), ganz dieselbe Ansicht ausspricht, in kräftigen Worten, in die wir, so weit sie gegen die hohle und weichliche Kunstspielerei gerichtet sind, mit vollem Herzen einstimmen, deren Hindeutung auf Göthe aber gleichermaßen auf einer unvollkommenen Auffassung seines Seins und Wirkens beruht. Göthe's ganze Individualität ist in den Werken seines Lebens aufgethan; in reicher, das Kleinste berührender Fülle sind sie dem Studium dargeboten; ein gerechtes Urtheil wird über unbestimmte Lobeserhebungen und beschränkte Anfeindung siegen; aber der Aufregung einer in schroffen Parteiungen zerklüfteten Zeit vermögen wir am wenigsten ungetrübte Anschauung zuzuschreiben.

Die namhaftern Anhänger Göthe's zählt Heine literarhistorisch auf, um sie den Franzosen bekannt zu machen. Schön sagt er von Varnhagen von Ense, er sei „ein Mann, der Gedanken im Herzen trägt, so groß wie die Welt, und sie in Worten ausspricht, die so kostbar und zierlich sind wie geschnittene Gemmen". Die Erwähnung der Collegien, die auf Universitäten über Göthe gelesen worden sind, führt mit dem „Faust" eine Betrachtung der Volkssage vom Faust herbei. Heine läßt das deutsche Volk den Gang seiner eignen Entwickelung in dieser Sage tiefsinnig vorausahnen:

Das deutsche Volk ist selbst jener gelehrte Doctor Faust, es ist selbst jener Spiritualist, der mit dem Geiste endlich die Ungenügbarkeit des Geistes begriffen und nach materiellen Genüssen verlangt und dem Fleische seine Rechte wiedergibt; — doch noch befangen in der Symbolik der katholischen Poesie, wo Gott als der Repräsentant des Geistes und der Teufel als der Repräsentant des Fleisches gilt, bezeichnete man jene Rehabilitation des Fleisches als einen Abfall von Gott, als ein Bündniß mit dem Teufel. — Aber nein, das Wissen, die Erkenntniß der Dinge durch die Vernunft, die Wissenschaft gibt uns endlich die Genüsse, um die uns der Glaube, das katholische Christenthum so lange geprellt hat; wir erkennen, daß die Menschen nicht blos zu einer himmlischen, sondern auch zu einer irdischen

Gleichheit berufen sind; die politische Brüderschaft, die uns von der Philosophie gepredigt wird, ist uns wohlthätiger als die rein geistige Brüderschaft, wozu uns das Christenthum verholfen; und das Wissen wird Wort, und das Wort wird That, und wir können noch bei Lebzeiten auf dieser Erde selig werden; — wenn wir dann noch obendrein der himmlischen Seligkeit, die uns das Christenthum so bestimmt verspricht, nach dem Tode theilhaftig werden, so soll uns das sehr lieb sein.

Mit Widerwillen wenden wir uns von diesen Verunglimpfungen des Christenthums hinweg und ertragen es geduldig, wenn dies uns als Unfähigkeit, diese Ansichten zu bestreiten, oder „die Revolution, die große Tochter der Reformation, welche die Rechte des Fleisches vindicirt", zu begreifen, ausgelegt wird.

Im Widerspruch mit jener Darstellung Göthe's, als eines von der Fortbildung der Menschheit unberührt abseits Stehenden, läßt Heine den Dichter, nachdem er im „Faust" sein Misbehagen an dem Abstractgeistigen und sein Verlangen nach reellen Genüssen ausgesprochen, sich durch den „Westöstlichen Divan" gleichsam mit dem Geiste selbst in die Arme des Sensualismus werfen. Er findet es daher höchst bedeutsam, daß dieses Buch bald nach dem „Faust" erschien. Aber zwischen der Conception des einseitig verkannten „Faust" und der Zeit, wo Göthe den „Divan" dichtete, um den mächtigen Eindruck, den der Orient auf ihn machte, künstlerisch gestaltend zu bewältigen, sodaß er, um einen bezeichnenden Ausdruck hierher zu entlehnen, es erscheinen läßt, wie der Orient den Dichter afficirte, liegt ein langes Leben voll reicher Schöpfungen, die sich einer ähnlichen Misdeutung auf das Entschiedenste widersetzen. Wäre aber jene Deutung des „Faust" und des „Divan" irgend triftig, und wäre jener Sensualismus das der Menschheit neuemportagende Licht, so wäre ja Göthe der mächtige Verkünder dieses neuen Tages und nicht blos wie Schiller „ein rückwärtsgekehrter" Prophet, sondern ein vorwärtsblickender. Die Schilderung des „Westöstlichen Divan", über den in neuerer Zeit eine armselige Kritik ergangen ist, deren unsonnenhaftes Auge für die Sonne der Poesie blind ist, malt mit blühenden Farben „die berauschende Lebenslust, die Göthe in Verse gebracht", und die dem Verf. so sehr im Sinne liegt, daß er den übrigen Reichthum des „Divan" weniger beachtet.

An die Erwähnung von Johannes Falk's Buch über Göthe, das angelegentlich empfohlen wird (auch von uns hier als Gegenmittel gegen manche Behauptungen des Verf.), schließt sich eine lebendige Schilderung der äußern Erscheinung Göthe's. Und nachdem bemerkt worden, daß Göthe in dem bedeutungsvollen Jahre gestorben, wo unsere Erde ihre größten Renommeen verloren hat, schließt die Schrift mit den Worten: „In dem verflossenen Jahre ist kein einziger König gestorben. Les dieux s'en vont; — aber die Könige behalten wir." 193.

Mittheilungen über neuere polnische Literatur.

(Beschluß aus Nr. 227.)

Das andere erzählende Gedicht, mitgetheilt in der Zeitschrift „Halicxanin" (Der Galizier), welche zu Lemberg in zwanglosen Heften erscheint (das Gedicht im ersten Theile 1830), heißt: „Kamien nad L/sklem" (Der Felsen bei Lißkau). Es ist dasselbe in drei Abschnitte oder Gesänge (welche letztere Benennung aber aus der Mode kommt) abgetheilt und hat den bekannten und beliebten dramatischen Dichter Graf Alexander Fredro zum Verf. Bis dahin hielten ihn seine Landsleute für einen Anhänger des Classicismus, daher hat er allen Verfechtern des Romanticismus durch sein erzählendes Gedicht eine unendliche Freude gemacht, denn er hat sich darin als entschlossener Romantiker, als eifriger Jünger d'Arlincourt's und des eignen Landsmanns Mickiewicz erwiesen. Hexen, Räuber, Zaubermittel, rettendes Christengeläut am Ostersonntag, Heidenthum, Christenthum, Alles kommt darin vor; außerdem liegt über dem fantastisch-romantischen Gemälde ein mysteriöses Dunkel, das der Leser, wie ein Träumer sein finsteres Zimmer, nach Belieben mit selbst hinzugedachten Schreckbildern noch mannichfaltiger beleben kann. Nach diesem Ueberblick gehen wir zur nähern Anschauung des Inhalts des Gedichts über. Lisko, von den in- und umwohnenden Deutschen Lißkau genannt, ist ein Städtchen in den Karpathen am San, zunächst der ungarischen Grenze. Die schöne Kaiserstraße, in den neuern Zeiten gebaut, geht hindurch, aber die Umgegend ist rauh und wild, und über dem Städtchen liegt ein hoher Felsen besonderer Gestaltung, wie die Trümmer eines versteinerten Gemachs. Dort sollen nach der Sage Geister, Gespenster und Zubehör hausen; der Dichter versetzt dahin in einem schaurigen Naturgemälde ein gespenstisches Weib in unbestimmten, nebelhaften Umrissen. Zu ihr tritt eine riesengleiche, männliche Gestalt, mit zerstörtem Blick, in blutigen Waffen, ein finsterer Held moderner Gedichte, fremd, ungenannt und unbekannt, aber zweifelsohne ein grausamer Verbrecher. Er wirft dem Weibe Betrug vor, die Vernichtung seines Glaubens und aller Hoffnungen und verlangt Genugthuung. Die Hexe lacht ihn aus und schickt ihn zu den Mönchen ins Kloster; als er aber fortfährt zu wüthen und sein Inneres als einen Krater aller Leidenschaftlichkeit ausschüttet, verspricht sie ihm Hülfe. Damit endet der erste Abschnitt. Der zweite beginnt mit heitern, festlichen Bildern. Die holde Gestalt einer schönen, adeligen karpathischen Jungfrau, Olga, wird in vielen wohllautenden Versen beschrieben. Sie wohnt, ein frohes, kindliches Wesen, auf der Burg des Vaters. Da naht sich derselben in einer furchtbaren, unheimlichen Nacht jener romantische, räthselhafte Held, der zuvor mit der fratzenhaften Alten gesprochen. Sie hat ihm Zaubermittel gegeben und er trägt sie bei sich. Diese sind: eine Lampe, deren Docht aus den Sehnen eines ungeborenen ausgeschnittenen Kindes gewunden wurde, und der hanbartige Fuß einer Fledermaus, dessen Knochen Ameisen nächtlich kahl genagt haben. Eine Heilige, ruht die Jungfrau auf weißem Unschuldslager, als der Sünder mit höllischen Mitteln ihr naht, um ihr unbewußt ihre Liebe sich zuzuwenden. Er beginnt sein grauses Werk; mit dem ausgespreizten Fledermausflügel berührt er die heitere Stirn der Ruhenden, streicht über die Wangen, den Busen, den Leib hinab bis zu den Zehen der kleinen Füße, fünfmal wiederholt er den höllischen Magnetismus und glaubt vollendet zu haben. Er vermag nicht, den ihn selbst tief erschütternden Zauber fortzusetzen und verläßt die Burg. So schließt der zweite Abschnitt des Gedichts. Im dritten wird die Wirkung des Liebeszaubers beschrieben. Olga fühlt sich von einer ihr bis dahin unbekannten Glut durchdrungen, mächtige Sehnsucht reißt sie zum Felsenriff am San, sie wirft sich vor einem Gnadenbilde der Gottesmutter nieder und fleht um Gnade; ihre Seele schwebt im Gebet zum Himmel

Wie der thränende Thau vom Kelch der Lilie
Im Lächeln der Sonne zum Himmel hebet!

sagt der Dichter mit einem schönen Gleichniß. Ihr Gebet bleibt nicht unerhört, aber noch ist die Macht des Liebeszaubers nicht gebrochen. Wieder wird's Nacht und eine furchtbare, stürmische Gewitternacht. Eine weiße Gestalt wandelt über die Pfade des Gebirges, es ist Olga. Ihr Bewußtsein ist von ihr gewichen, aber der Zauber führt sie wie eine bewegliche

Bildsäule zum Felsen am See. Sie tritt in die Hütte des Beschwörers. „Weh", ruft ihm die Drude zu, „du hast meine Gebote überhört. Nicht neunmal hast du den Zauber angewandt, wie ich es dir befohlen, sondern nur fünfmal, und heute, die fünfte Nacht nach jener, ist die heilige Osternacht, deren Macht unsern Zauber, der sonst hinlänglich wäre, grade jetzt vernichtet und uns verdiebt!" In demselben Augenblick ertönt von der Stadt aus die Kirchenglocke, die die Auferstehung des Heilands verkündet, und Hütte, Drude, Beschwörer und auch Olga sind durch eine furchtbare Erschütterung der Natur verschwunden. An der Stätte, wo die Hütte stand und die drei Menschen in der Osternacht sich fanden, erhob sich im Licht der Morgenröthe der wunderbar gestaltete Felsen, den die Umwohner der Gegend bis jetzt anstaunen. Aus dieser Uebersicht des Gedichts geht hervor, daß das Romantisch-Grauenhafte darin nicht gespart ist, aber es wird ein glückliches Maß gehalten; die Anfoderungen des Geschmacks, der Uebertreibungen jeder Art abhold ist, sind nicht verletzt, und die schauerliche Mähr wird in das glänzende Gewand einer bilderreichen, wohlklingenden poetischen Rede gehüllt. 6

Eine Sammlung von Poesie und Prosa im ältern Geschmack ist: „Pisma rozmaite". (Vermischte Schriften von Felix Paul Jarocki, Professor der Zoologie an der warschauer Universität, Mitglied u. s. w. 2 Theile. Warschau 1830.) Solche Bücher, wie diese Sammlung, kommen in Deutschland nicht mehr in den Druck, oder höchstens nur in Landstädten mit Hülfe von Pränumeranten unter freundlich gesinnter Bürgerschaft und der nächsten Nachbarschaft. Es ist die gute alte Zeit, die aus diesen Blättern, an ästhetische Bedürfnisse und Genüsse der Großväter mahnend, dem Leser entgegentritt. Den Inhalt derselben: Oden an Gott, Heroiden, Gedanken beim Wechsel des Jahrs, Ueberschriften an Büsten Cicero's und Newton's, versificirte Fabeln nach Lessing, stößt die jetzige Lesewelt, nach „Childe Harold", „Lalla Rookh" und Heine's „Reisebildern" langend, mit Gähnen zurück, und doch steht die Frage offen: Hat sie durchweg und in jedem Falle Recht? Zum wenigsten dürfen nach unserer Meinung solche Bücher doch noch gedruckt werden, sobald sich Pränumeranten zur Deckung der Kosten finden, und unsere Kritiker sollten in ähnlichen Fällen glimpflicher verfahren und nicht immer und ewig ihr modisches Zetergeschrei über ein neues Buch nach altem Schnitt und altem Geschmack anfangen. Die psychische Speise muß doch am Ende so verschiedenartig sein als die physische, und nicht die ganze Welt und am wenigsten zu jeder Zeit will Gänseleberpasteten. Unser Verfasser sagt daher S. 157, Miscelle 7, nicht mit Unrecht:

Gar oft ergötzt einfache Fabel, gut erzählt,
Das Herz, den Geist und dient ihm zum Gewinn
Mehr als die düstre Mähr vom räthselhaften Held
Gestelzter Worte voll und schwererreichtem Sinn.

Indem wir unsere Mittheilungen schließen und dieselben überschauen, bemerken wir, daß alle von uns jetzt besprochenen literarischen Hervorbringungen noch aus der Zeit vor dem Aufstande sind. Dieser hat zwar mit seinem Pulverdampf und seinen Sensen störend auf die Bestrebungen der Literaten eingewirkt, indeß sind auch spätere Blütchen entkeimt, die wir in einem nächsten Aufsatze zu skizziren gedenken. 44.

Statistische Notizen.

1. Canada.

Die Bevölkerung von Canada mit Inbegriff von Montreal und Quebeck beträgt gegenwärtig, den neuesten Nachrichten aus England zufolge, 495,500 Seelen.

Angebautes Land: 1,002,198 Acres Kornfeld, 1,944,387 Acres Wiesen; in Allem 2,946,585 Acres.

Erzeugnisse des Landbaues: Weizen 2,391,240 Scheffel, Haber 2,341,529 Scheffel, Erbsen 828,318 Sch., Kartoffeln 6795 Sch., Heu 1,228,067 Tonnen (die Tonne zu 40 Kubikfuß), Butter 145,964 Faß.

2111 Schiffe sind den Kanal von Lachine hinaufgefahren, 2500 herabgeschifft. Die Eingangs- und Schifffahrtsgebühren betragen 6682 Pf. St.

2. London.

Die Documente, welche dem Parlamente vorgelegt worden, beweisen, wie zahlreiche und bedeutende Diebstähle in London im Laufe eines Jahres begangen werden; die Verbrechen sind unter folgende fünf Hauptrubriken gebracht worden:

1. Hausdiebstähle, Entwendungen von meist unbedeutenden Sachen, geringen Bijouteriewaaren, durch Bediente, Lehrlinge, Ausläufer u. s. w.	710,000	Pf. St.
2. Diebstähle auf der Themse und den angrenzenden Quais	500,000	„ „
3. Diebstähle und Unterschleife in den Docks	300,000	„ „
4. Diebstähle mittels nächtlichen Einbruchs oder auf der Landstraße	220,000	„ „
5. Falsche Münzen, falsche Banknoten u. s. w.	370,000	„ „
Totalsumme	2,100,000	„ „

Officielle Nachweisungen über den Bestand der englischen Flotte den 1. Juli 1833: Der Admiral der Flotte ist C. Edmund Nugent Esq.

	vom rothen Geschwader	vom weißen	vom blauen
Admirale	10;	16;	18.
Viceadmirale	16;	17;	19.
Gegenadmir.	17;	20;	27.

Schiffscapitains auf ganzem Solde 546, auf halbem 250, im Ganzen 796; Aerzte 12, Chirurgen im activen Dienste 707. Die Flotte besteht gegenwärtig aus 557 Schiffen, das kleinste mit zwei, das größte mit 120 Kanonen. Der Dienst dieser ungeheuern Flotte erfodert 20,000 Matrosen und 12,000 Seesoldaten, die in die vier Stationen: Chatham, Portsmouth, Plymouth und Wolwich vertheilt sind. Das Hauptquartier der Flotte ist zu Gibraltar.

3. Französische Colonien.

Im Jahre 1831 betrug officiellen Urkunden gemäß die Bevölkerung der französischen Colonien auf der Insel Martinique 100,716 Seelen, worunter 23,417 Freie (11,628 Männer und 11,789 Weiber) und 86,499 Negersklaven. Die Einfuhr war bis auf 13,544,477 Francs gestiegen, die Ausfuhr auf 12,421,366 Fr. Auf der Insel Guadeloupe wohnen 119,668 Menschen, von denen 97,330 Sklaven sind; Werth der Ausfuhr 11,638,997 Fr., Einfuhr 16,544,171 Fr. Im französischen Guyana sind 3786 Freie und 19,261 Neger; Geburten 286, Sterbefälle 417. Dieses jährliche Abnehmen der Bevölkerung muß dem Mißverhältnisse zwischen der Anzahl der Frauen und Männer zugeschrieben werden; auf 7483 männlichen Geschlechts kommen nur 6895 Frauen. Der Werth der Einfuhr im Jahre 1831 betrug 1,633,294 Fr., Ausfuhr 1,633,294 Fr. Isle de Bourbon: Totalbevölkerung 100,558 Seelen, worunter 70,285 Sklaven. Einfuhr 7,535,755 Fr., Ausfuhr 9,910,960 Fr.

4. Schwedisches Heer- und Seewesen.

Das schwedische Heer besteht aus 32,694 Mann, nämlich 25,409 Linientruppen, 2580 Mann Artillerie und 4705 Mann Cavalerie. Der Unterhalt der Armee kostet in fünf Jahren 5,750,076 Thlr.

Die Flotte besteht aus 10 Linienschiffen, 8 Fregatten vom ersten Rang, 5 kleinern Fregatten, 10 Hemmemas, 5 Kutters, 24 Galeeren, 4 Halbgaleeren, 25 Schaluppen u. s. w. Das Personal besteht aus einem Admiral, 2 Viceadmiralen, 24 commandirenden Capitains, 16 Capitains, 176 Lieutenants, einem Artilleriecorps von 950 Mann, 11,500 Matrosen; zusammen mit Inbegriff der Angestellten 23,003 Mann. 143.

Redigirt unter Verantwortlichkeit der Verlagshandlung: F. A. Brockhaus in Leipzig.

Blätter für literarische Unterhaltung.

Sonnabend, —— Nr. 229. —— 17. August 1833.

Nordamerika.

1. Three years in North America by *James Stuart*. London 1833. *)

In einer Zeit, wo das alte Europa sich bewegt, aus der Alles ertragenden Duldung einer langen Angewöhnung sich zu erheben trachtet und lieber mit kummervollem Herzen jenseit des atlantischen Oceans eine ruhige, freie, eine von Noth und Hunger befreite Stätte sucht, als in dem geliebten Vaterlande einer herben Gegenwart, einer vielleicht noch verhängnißvollern Zukunft sich preiszugeben; jetzt, wo das alte Europa seine Söhne schaarenweise nach dem Vaterlande Washington's und Jefferson's wandern sieht, muß jede neue Aufklärung über diesen Theil Amerikas von hohem Interesse sein. Wie manche Vorurtheile und Unwahrheiten, die theils Unkenntniß, theils böser Wille ausgestreut, sind in der neuesten Zeit berichtigt worden! Wie manche spießbürgerliche Kleinlichkeit und Besorgniß, welche lieber die Augen vor der Evidenz verschließt, als etwas Gutes, Schönes über den Grenzen ihres Weichbildes anerkennt, ist vor der Erzählung wahrer und gewissenhafter Reisenden in den Hintergrund getreten. Der Fehler lag auf beiden Seiten, bei Denen sowol, welche in den Gefilden Nordamerikas ein anderes Eldorado, das Land der goldenen Berge und der müßigen Seligkeit sich träumten und sie also vorstellten, als bei Jenen, welche der Wahrheit und der Erfahrung zum Trotze die Vorzüge eines freien, reichen, unabhängigen Staats, eines herrlichen, milden Himmels, einer jungen gesegneten und willig gebenden Erde als Hirngespinnste ausgaben. Es kommt jetzt nur darauf an, daß der Auswanderer von vornherein seinen bestimmten Plan fasse und nicht wie ein Abenteurer dort suche, was nirgend besteht, und dessen Zerstörung, wäre es ja vorhanden, er im eignen Busen mit sich trägt.

Zu einer klaren, redlichen Anschauung hat der Bericht Duden's über seine Reise und mehrjährigen Aufenthalt in den westlichen Staaten von Nordamerika viel beigetragen. Er hauptsächlich hat durch seine ruhige, leidenschaftslose Darstellung jene Irrthümer zerstört, welche früher nach der Erzählung Anderer angenommen waren, und deren Einfluß um so größer sein mußte, als sie wesentlich jene Gebrechen berührten, um derentwillen der Europäer auswandern möchte, und die er in gleichem Maße, oder noch verschlimmert, oder durch andere gleich große Mängel in der neuen Welt ersetzt fand. Niemand konnte dabei vermuthen, daß es möglich sei, über Gegenden, die man gar nicht gesehen und untersucht hat, die fabelhaftesten Dinge auszubreiten oder die augenfälligen Vorzüge anderer, die man bereist, zu entstellen. Und doch ist Beides allzu häufig vorgekommen.

Mrs. Trollope hat in ihrer Weise die Unwissenheit oder Leichtgläubigkeit ihrer Mitbewohner der alten Welt misbrauchen wollen. Bei ihr ist es die gelangweilte Aristokratie, welche über die ungekünstelte Natur, und das Volksleben in Nordamerika das Anathem ausspricht. Allein die Zeit dieser Täuschungen, die Zeit der Romane über Amerika wie über einen Strich im Monde ist vorüber, und es wird künftighin keinem Schriftsteller mehr möglich sein, jenes Land als ein Gebiet der Phantasie zur größern Ergötzlichkeit des Publicums auszumalen und zu cariktiren und hinter der großen Entfernung und Unkenntniß des wahren Sachverhaltes einen Freibrief zu erhalten. Nordamerika ist um eine außerordentliche Strecke näher zu uns gerückt, und bald wird der Deutsche in der Classe seiner Erziehungs- und Ausbildungsreisen den ständigen Artikel: Reise nach Nordamerika, Besuch bei den dortigen deutschen Colonien, aufzeichnen.

Nicht sobald hatte Mrs. Trollope ihre Beschreibung der Sitten in Nordamerika herausgegeben, als eine Masse von Berichtigungen, Verwahrungen und Verleugnungen dagegen einliefen, nicht nur von Jenseit des Oceans, sondern auch von den Landsleuten dieser Schriftstellerin. Die englische Sprache hat sich bei dieser Gelegenheit sogar um einen Ausdruck bereichert: Trollopism bedeutet jeden Reisebericht, bei welchem nicht sowol die strenge Wahrheit als die Sucht, dem Leser zu gefallen und ihn um jeden Preis zu unterhalten, den Maßstab abgibt. Man hat die geistreiche Verfasserin beschuldigt, die Nation, welche sie schildern wollte, auf eine unwürdige Weise entstellt zu haben; ihre allgemeinen Betrachtungen wurden ins Lächerliche gezogen, die Mehrzahl der Thatsachen, welche sie erzählt, in Zweifel gestellt; mit Einem Worte, man hat sich ohne Erbarmen über diese aristokratische Empfindlichkeit lustig gemacht, welche von der Demokratie

*) Vgl. hierüber Nr. 150 und 151 d. Bl. D. Red.

der Vereinigten Staaten so viel auszustehen hatte. Hier ist ein neuer Reisender, Herr James Stuart, welcher diese Gegend nach Mrs. Trollope besucht und die Dinge unter einem ganz andern Gesichtspunkt gesehen hat.

Herr James Stuart hat während der Jahre 1828—31 in den Vereinigten Staaten gewohnt. Er hat den Staat von Neuyork im Einzelnen besucht und ist den St.-Lorenzfluß von dem Wasserfall des Niagara bis nach Montreal heruntergegangen; von hier aus ist er auf dem Küstenlande zurückgekehrt, welchem er bis Neuorleans gefolgt ist; sodann ist er den Mississippi und den Ohio hinauf gestiegen und auf diesem Wege zu der Stelle gelangt, von welcher er ausgegangen war. In dem Berichte dieser unermeßlichen Wanderung bewährt James Stuart allenthalben eine erfahrne und gefühlvolle Seele, ein Wohlwollen gegen die Menschen und die Dinge, welche in nichts seine Unparteilichkeit vermindert. Er muß sein, was man in England einen perfect gentleman nennt. Die Ansicht eines solchen Mannes ist von einigem Gewicht, und da er in vielen Gelegenheiten ein ganz entgegengesetztes Urtheil mit Mrs. Trollope ausspricht, so mögen einige Auszüge des Werkes hier ihre Stelle finden.

Die Gleichheit der Bürger unter sich und die Achtung vor sich selbst, welche sie in allen Ständen der Gesellschaft erzeugt, bilden einen der charakteristischen Züge der nordamerikanischen Völker. James Stuart kommt darauf an vielen Orten zurück, besonders indem er von den Dienstboten in den Gasthäusern spricht.

Es war in diesem Gasthause (in Boston) ein amerikanischer Bedienter, welcher in seinem Dienste sehr pünktlich war und ihn nie zu versäumen schien. Allein seine Art und Weise war so verschieden als nur möglich von jener eines englischen Bedienten; niemals zeigte er eine servile Unterwürfigkeit und hätte, ich glaube selbst für ein Kaiserthum seinen Hut nicht abgezogen, wenn er vor den Bewohnern des Gasthauses vorüberging. Dennoch war es nicht Mangel an Höflichkeit, sondern Ueberzeugung, daß er nicht anders sein solle, als die Andern gegen ihn waren. Selbst die Neger und die freien farbigen Leute reden untereinander nur in den angenommenen Ausdrücken: Herr und Frau, sich an, und wenn von einem Abwesenden die Rede ist, so bezeichnet ihn Jedermann im Allgemeinen durch den Namen: Bürger.

Wir speisten in einem schönen Dorfe, Dedham, und in einem vorzüglichen Gasthause. Bei Tische wurden wir durch ein sehr schönes Mädchen bedient, welches die Aufmerksamkeit eines Irländers, unsers Reisegefährten, in einem höhern Grade erregte, als es nach den Gebräuchen des Landes erlaubt ist. Zuerst betrachtete er sie sehr lange, sodann beugte er sich zu seinem Nachbar und sagte ihm so laut, daß es Jedermann hören konnte: Welche schöne Creatur! Das junge Mädchen erröthete und verließ alsbald den Saal. Wir erwarteten nur, daß der Herr des Gasthauses erscheinen und dem Irländer vorwerfen werde, was er als eine Unhöflichkeit und eine ungeziemende Vertraulichkeit erachten mußte; glücklicherweise geschah es nicht. Allein ein Anderer der Gegenwärtigen, ein Einwohner von Boston, nahm das Wort und erklärte dem Irländer, wie sehr verschieden die Gebräuche seines Landes von den hiesigen in Betreff der Art und Weise seien, wie man sich in den zur Aufnahme der Reisenden bestimmten Häusern zu benehmen habe; er sagte ihm, daß der Stand eines Gastwirthes hier als sehr achtbar angesehen sei; daß die Töchter eines solchen Mannes, wiewol ebenso gut erzogen als irgend junge Damen der Gesellschaft, sich nicht zu erniedrigen glauben, wenn sie den Morgen den häuslichen Beschäftigungen widmeten; es sei demgemäß nicht unmöglich, daß die junge Person, über welche er die Bemerkung hingeworfen habe, eine der Töchter des Gastwirthes sei, welche nach beendigtem Mittagessen sich ebenso elegant ankleide als die ersten jungen Damen der Stadt, und auf dem Fuße vollkommener Gleichheit in den angesehensten Familien empfangen werde. Er empfahl seinem Reisegefährten, sich vor dem Wiederholungsfalle zu hüten, er könne leicht einem Gastwirth begegnen, welcher, zur Strafe für solche Beleidigung, ihm ohne viele Umstände die Thüre zeige. Er versicherte, daß Beispiele dieser Art nicht selten seien.

Was James Stuart auf einer seiner Excursionen begegnete, würde wahrscheinlich Mrs. Trollope eine gehörige Anzahl jener angenehmen Witzeleien geliefert haben, deren sie in ihrem Buche in Masse über die Vermischtheit des Ranges in den Vereinigten Staaten gemacht hat. Bei der Rückkehr von diesem Spaziergange wollte James Stuart, sehr zufrieden mit der Person, welche ihn gefahren hatte, dieser seine Erkenntlichkeit bezeigen und lud sie zum Mittagessen ein. Herr Spencer schlug es aus; seine Familie, sagte er, erwarte ihn, und er könne nicht länger ausbleiben.

Wahrscheinlich vermuthen Sie nicht, mein Herr — fügte er bei — daß Sie heute den Obersheriff dieser Grafschaft zum Führer gehabt haben. Wir helfen einander gern aus. Da die Pferde, welche Ihnen mein Nachbar versprochen hatte, nicht angekommen sind, so hat er sich an mich gewendet; ich habe deren gute, und ich würde bedauert haben, einen Fremden warten zu lassen. Nachdem er seine Cigarre ausgeraucht hatte, nahm er Abschied von mir mit einem Händedruck. Wir erfuhren, daß er einer der ersten Handelsleute des Dorfes sei. Seine Mitbürger hatten ihn zu ihrem Friedensrichter gewählt, nicht wegen seiner Bildung, welche in nichts besser war als die übrige, aber wegen seiner Fähigkeiten und seinem guten Rufe. Da sie mit der Art, in welcher er sein Amt versah, zufrieden waren, so erhoben sie ihn zum Rang eines Obersheriffs. Dies erinnert mich an eine Posse, welche am Ende des Revolutionskrieges gespielt wurde, und in welcher die Personen, die die höchsten Aemter in Amerika bekleideten, und die Generale, die in dem Kampfe figurirt hatten, als Schuster, Schneider u. s. w. dargestellt wurden. John Bull war außer sich vor Freude. Er vergaß seine Ausgaben von 200 Millionen, den Verlust der Colonien und ihrer 3 Millionen Einwohner, bis ein boshafter Yankee von der Galerie hinabrief: „Großbritannien, geschlagen durch Schneider, Schuster und Kesselflicker, hurrah!" Da bemerkte der ehrliche John Bull nach einem Augenblicke Ueberlegung, daß er auf seine eignen Kosten gelacht hatte.

Ueber die Gastfreundschaft in den Vereinigten Staaten äußert sich Herr Stuart folgendergestalt:

Das Wohlwollen und die Gastfreundschaft sind hier von aller Ostentation entkleidet; ich spreche indessen von der großen Masse des Volkes und nicht von der sehr kleinen Zahl von Individuen, welche sich als die höhere Classe des Landes betrachten. Eine Einladung zum Essen wird in der Regel so ausgedrückt: „Es wird mir angenehm sein, Sie um 2 Uhr zu sehen." Gemeiniglich wird an dem gewöhnlichen Tische nichts abgeändert, wenn man annimmt; der Freund weiß, daß sein Tisch Alles darbietet, was zu einer guten Mahl gehört. Sie sind der Gegenstand der nämlichen Aufmerksamkeit, wie sie dem Fremden überall begegnet. Man ist bedacht, Ihnen [illegible] zu reichen, was man Ihnen am angenehmsten glaubt, ohne Sie jedoch zu nöthigen mehr zu essen, als Ihnen beliebt. Wenn man Wein aufträgt, so bleibt es Ihnen überlassen, ob Sie welchen trinken wollen oder nicht. Selten wird vom Mittagessen oder von der Qualität des Weines gesprochen, und es ist nicht üblich, den

Gast durch Erzählung des Alters und des Wachsthums des Weines zum Trinken anzureizen. Ich bin weit entfernt, die Aufrichtigkeit der Gastfreundschaft der Amerikaner in Zweifel zu ziehen, wie einige Reisende gethan, obschon in solchem Falle nicht Alles gehalten wird wie bei uns; ich habe im Gegentheil die Ueberzeugung, daß sie selten eine Einladung machen, ohne den wirklichen Wunsch zu hegen, daß sie angenommen werde.

(Der Beschluß folgt.)

Vom Kriege. Hinterlassenes Werk des Generals Karl von Clausewitz. Zweiter Theil. Auch unter dem Titel: Hinterlassene Werke des Generals Karl von Clausewitz über Krieg und Kriegführung. Zweiter Band. Berlin, Dümmler. 1833. Gr. 8. 2 Thlr. 8 Gr.

Im Allgemeinen müssen wir, um Wiederholungen zu vermeiden, bei gegenwärtiger Anzeige auf den Bericht über den ersten Theil des vorliegenden Werkes in Nr. 1 und 2 d. Bl. uns berufen und können nur bemerken, daß die Fortsetzung des Anfanges vollkommen würdig ist. Mehr in die Einzelnheiten der Kriegführung eingehend, ist dieser zweite Theil zwar von weniger allgemeinem Interesse als der erste, aber von gleichem Werthe für den denkenden Militair, ja für den Gebildeten jeden Standes, dem es um klare und richtige Einsicht in das Kriegswesen zu thun ist.

Das fünfte Buch handelt von den Streitkräften: 1) nach ihrer Stärke und Zusammensetzung, 2) in ihrem Zustande außer dem Gefechte, 3) in Rücksicht ihres Unterhaltes und 4) in ihren allgemeinen Beziehungen zu Gegend und Boden. Mit einer, militairischen Schriftstellern selten beiwohnenden Schärfe und Sicherheit des Taktes stellt der Verf. hier die schwankendsten Begriffe fest ohne pedantische Gezwungenheit und ohne Streben nach neuen und überraschenden Ansichten, oft nur versuchweise, und bescheiden anerkennend, daß sie nicht „wie philosophische Definitionen zu irgend einer Quelle von Bestimmungen gebraucht werden können", sondern blos dazu dienen sollen, der Sprache etwas mehr Klarheit und Bestimmtheit zu geben. (S. 6.) Dabei verliert er nie die Erfahrung aus dem Auge, sondern weiß seine Betrachtungen sehr geschickt auf die Geschichte zurückzuführen, über welche — namentlich die neuere — er oft überraschende Ansichten und interessante Aufschlüsse gibt. Was er im fünften Capitel über die Schlachtordnung des Heers (nach ihm aus dem arithmetischen Elemente der Eintheilung und dem geometrischen der Aufstellung bestehend) sagt, dürfte ebenso wol den speculativen als praktischen Militair befriedigen und Allen zu empfehlen sein, welche mit dem Organismus eines Heers sich zu beschäftigen haben. Das achte Capitel: „Wirkungsart vorgeschobener Corps", schließt mit dem Endresultate, daß sie weniger durch eigentliche Kraftanstrengung als durch ihre bloße Gegenwart, weniger durch Gefechte, die sie wirklich liefern, als durch die Möglichkeit derjenigen, die sie liefern könnten, wirksam werden; daß sie die feindliche Bewegung nirgend hemmen, sondern wie ein Pendelgewicht ermäßigen und regeln sollen, damit man im Stande sei, dieselben dem Calcul zu unterwerfen. Wir halten diese Ansicht zwar nicht für neu, erinnern uns aber nicht, sie irgendwo so klar und schön dargestellt gefunden zu haben. In dem zehnten, elften und zwölften Capitel wird von den Märschen gehandelt und dabei eine sehr interessante Parallele des Alten und Neuen gegeben. Beidem läßt der Verf. sein Recht widerfahren, indem er u. A. beweist, daß die Einrichtung der Märsche bei der jetzigen Kriegführung geringern Schwierigkeiten unterworfen sei als bei der frühern, dagegen aber die jetzige Schlachtordnung nicht mehr, wie die Friedrich's des Großen, des bloßen Commandowortes, sondern eines ausführlichen Entwurfes bedürfe. (S. 70.) Ebenso widerlegt er das allgemeine Vorurtheil von der größern Schnelligkeit, mit welcher die Märsche der Neuern ausgeführt worden wären. In dem funfzehnten Capitel redet der Verf. von der so viel besprochenen Operationsbasis und zeigt, daß dieselbe in den Hülfsmitteln, welche die Gegend biete, in den auf einzelnen Punkten angelegten Magazinen und Vorrathsdepots und in dem Gebiete, aus welchem diese Vorräthe gesammelt werden, bestehe. Alles dieses als bestimmte Punkte anzusehen, durch welche die Operationsgrundlage, deren Länge die Größe des Operationswinkels und daher die Güte der Basis bedinge, gebildet werde, sei eine ganz irrige Ableitung von übrigens richtigen Grundansichten. Wir finden dieses völlig klar und einfach und müssen uns um so mehr über die Verblendung wundern, in welcher viele strategische Schriftsteller, der Erfahrung und der Natur Trotz bietend, jene Elemente der Basis, die ja theils voneinander verschieden und unabhängig sind, theils sich in der Wirklichkeit vermischen, geometrisch construiren. In dem achtzehnten Capitel löst der Verf. den Zauber, welcher das Ueberhöhen in der militairischen Welt ausübt, und bringt dasselbe auf wenige einfache Grundsätze zurück. Er erklärt am Schlusse die Ausdrücke von beherrschender Gegend, deckender Stellung, Schlüssel des Landes u. s. w. für Schalen ohne Kern. „Um das anscheinend Gemeine der kriegerischen Combinationen zu würzen, hat man sich vorzugsweise an diese vornehmen Elemente der Theorie gehalten; sie sind das Lieblingsthema der gelehrten Soldaten, die Zauberruthe der strategischen Adepten geworden, und alle Richtigkeit dieses Gedankenspiels, aller Widerspruch der Erfahrung hat nicht hingereicht, Autoren und Leser zu überzeugen, daß sie hier ins lecke Faß der Danaiden schöpften. Die Bedingungen hat man für die Sache selbst, das Instrument für die Hand genommen. Das Einnehmen einer solchen Gegend und Stellung sieht man wie eine Kraftäußerung, wie einen Stoß oder Hieb an, die Gegend und Stellung selbst wie eine wirkliche Größe, während jenes doch nichts ist wie das Aufheben des Armes, diese nichts als ein todtes Instrument, eine bloße Eigenschaft, die sich an einem Gegenstand verwirklichen muß, ein bloßes Plus- oder Minuszeichen, dem noch die Größe fehlt. Dieser Stoß und Hieb, dieser Gegenstand, diese Größe ist siegreiches Gefecht, nur dieses zählt wirklich, nur mit ihm kann man rechnen, und immer muß man es im Auge haben, sowol bei der Beurtheilung in Büchern als beim Handeln im Felde." (S. 139 fg.)

Das sechste Buch hat „Vertheidigung" zur Ueberschrift, wenn auch in demselben viel vom Angriffe und seinem Verhältnisse zur Vertheidigung die Rede ist. Das zweite Capitel gibt dieses Verhältniß in der Taktik und das dritte in der Strategie an. Auch hier werden Begriffe festgestellt und Gemeinplätze beleuchtet und widerlegt. So wird im dritten Capitel gezeigt, daß es in der Strategie keinen Sieg gebe, und daß der strategische Erfolg einestheils in der glücklichen Vorbereitung des taktischen Siegs und anderntheils in der Benutzung des erfochtenen Siegs bestehe. Diese Ansicht ist zwar schon im ersten Theile des Werkes vorgekommen, hier aber doch mehr motivirt. In dem dritten Capitel wird übrigens noch der Satz durchgeführt, daß die Vertheidigung eine stärkere Kriegsform sei als der Angriff. Der Verf. kommt auf diese den gewöhnlichen Ansichten widersprechende Idee in der Folge noch öfter zurück und weiß sie theoretisch und praktisch zu rechtfertigen, indem er u. A. zeigt, daß die Opfer, welche der Vertheidiger bringt, nur mittelbar und später auf seine Streitkräfte wirken und diese Wirkung dadurch weniger fühlbar werde. „Der Vertheidiger sucht also sich auf Kosten der Zukunft im gegenwärtigen Augenblicke zu verstärken, d. h. er borgt, wie Jeder thun muß, der für seine Verhältnisse zu arm ist." (S. 188.) Hierauf wird von einer doppelten Entscheidung in der Vertheidigung geredet, von einer zwiefachen Wirkung, je nachdem der Angreifende durch das Schwert des Vertheidigers oder durch sein eignen Anstrengungen zu Grunde gerichtet werde. Als Beispiele der letztern Wirkungen werden Masséna vor Torres Vedras und Napoleon im J. 1812 angeführt. Der Verf. bleibt aber hierbei nicht stehen, sondern legt noch ein anderes Element auf die Wagschale des Vertheidigers, die Schwäche des Willens, womit der Angreifende den zögernden Fuß vorsetze, gewöhnlich unter dem Vorwande, daß er dem Gegner die Schlacht anbiete, dieser sie aber ablehne, und womit er sein Heer, seinen Hof, die Welt, ja sich selbst täusche. Da mühe sich denn die Kritik in dem Aufsuchen von Ursachen des Nichterfolges ab, dessen Grund doch ganz einfach in der Furcht vor dem feindlichen Schwerte liege. Diese Betrachtungen schließt der Verf. mit dem Bekenntnisse, welches für die Beurtheilung seines Werkes wichtig ist: daß er es nicht darauf anlege, neue Grundsätze und Methoden des Kriegführens anzugeben, sondern das längst Vorhandene in seinem innersten Zusammenhange zu untersuchen und auf seine einfachsten Elemente zurückzuführen. Diese Aufgabe hat er vollkommen gelöst, und es würde um Lehre und deren Anwendung auf das Leben gewiß besser stehen, wenn sich die Kriegsschriftsteller auf dieses bescheidene Streben beschränkt und einen weniger hohen Aufschwung genommen hätten. Theorie und Praktik des Kriegs ständen dann vor dem schlichten Menschenverstande weniger schroff und starr einander gegenüber, und wir hätten manche Abenteuerlichkeiten nicht aufzuweisen, die von jener in diese übergegangen sind. Aber es gehört wol mehr Scharfsinn und gewiß auch mehr Fleiß dazu, den Erscheinungen bis auf ihre Quellen nachzuspüren und ihnen mühevoll ein Resultat abzuringen, als dieses blos dem eignen Productionsvermögen zu überlassen!

Der Beschränktheit des Raumes uns erinnernd, können wir von den meisten übrigen Capiteln des sechsten Buches nur deren Inhalt anzeigen. Neuntes Capitel. Die Vertheidigungsschlacht. Zehntes und elftes Capitel. Festungen. Zwölftes Capitel. Defensivstellung. Dreizehntes Capitel. Feste Stellungen und verschanzte Läger. Vierzehntes Capitel. Flankenstellungen. Funfzehntes, sechszehntes und siebzehntes Capitel. Gebirgsvertheidigung. Hier findet der Verf. ein recht weites Feld, seine Kritik zu üben, indem wol über keinen Zweig der Theorie irrigere Ansichten herrschen und aus derselben in den Krieg selbst übergegangen sind als über diesen. Der Verf. entkleidet diese Lehre ihrer aus der Geologie und sonsther entlehnten prunkenden Bestandtheile und führt sie auf Natur und Erfahrung zurück, das Meiste dabei, mit Recht, dem Takte des Feldherrn überlassend. Achtzehntes und neunzehntes Capitel. Vertheidigung von Strömen und Flüssen. Zwanzigstes Capitel. Vertheidigung von Morästen. Einundzwanzigstes Capitel. Vertheidigung von Wäldern. Zweiundzwanzigstes Capitel. Der Cordon. Dreiundzwanzigstes Capitel. Schlüssel des Landes. Der Verf. zeigt, daß der ursprüngliche Begriff davon, nämlich die Gegend, ohne deren Besitz man es nicht wagen dürfe, in das feindliche Land einzudringen, zwar eben nicht sehr fruchtbar und vielsagend, indeß keineswegs irrig sei; daß ihn aber die Theoretiker zu dem Punkte, welcher über den Besitz des Ganzen entscheide, widernatürlich hinaufgeschraubt und ihm so das Ansehen einer Geheimlehre gegeben haben. „Diese Kabbala hat am Ende des vorigen Jahrhunderts ihren Culminationspunkt erreicht und trotz der überwältigenden Kraft, Sicherheit und Klarheit, womit die Kriegsgeschichte unter Bonaparte's Führung die Ueberzeugungen fortriß, ihr zähes Judenleben in den Büchern noch an einem dünnen Faden fortzuspinnen gewußt." (S. 335 fg.) Diese Lehre sei aber auch in das Leben übergegangen, wie es die Feldzüge des preußischen Heers in den Jahren 1793 und 1794 in den Vogesen und der Feldzug von 1814, „wo ein Heer von 200,000 Mann sich am Narrenseil dieser Theorie durch die Schweiz nach Langres führen ließ", beweisen. Vierundzwanzigstes Capitel. Flankenwirkung. Fünfundzwanzigstes Capitel. Rückzug in das Innere des Landes. Sechsundzwanzigstes Capitel. Volksbewaffnung. In wenigen meisterhaften Zügen wird deren wahrer Charakter angedeutet. Nicht um den Kern des feindlichen Heers anzugreifen, sondern um an seiner Oberfläche, seinen Umgrenzungen zu nagen, müsse sie gebraucht werden; da, wo noch kein Feind ist, müsse sie sich erheben, hinter und neben ihm fortziehen und so, einem Waldbrande gleich, nach und nach auch den Boden treffen, auf dem er einherschreite. Wie ein nebel- und wolkenartiges Wesen dürfe sich der Volkskrieg nirgend zu einer festen Masse verkörpern, gegen die der Feind eine angemessene Kraft richten könne. Siebenundzwanzigstes bis dreißigstes Capitel. Vertheidigung eines Kriegstheaters.

Begierig sehen wir der Fortsetzung dieses wichtigen Werkes entgegen. Fast gleich begierig sind wir aber, die Wirkung zu erfahren, die es schon auf die militairische Kritik und Lesewelt gemacht hat. Es ist uns indeß versichert worden, daß das militairische Publicum in Preußen sich über dasselbe nur mit einer Art vorsichtiger Scheu ausspreche, die wenigstens nicht auf Beifall schließen läßt. 162.

Aus Italien.

Jenseit der Alpen gibt die Versicherung, daß ein Bild von Rafael Sanzio stamme, wenn es Andern nicht so bedünken will, Anlaß zu dem heftigsten Rumor unter den Kunstfreunden, hier blos zu bedenklichem Achselzucken und ein paar gelehrten Notizen. Die neuesten Erfahrungen der Art hat Herr Melchior Missirini gemacht mit dem Zeugniß, das er einer heil. Familie, vordem im Besitze der Familie Gerini zu Florenz, gab, einem Bildchen, das, öfter gestochen (von Jos. Forabosch, Carlo Gregori und Antonio Morghen), jetzt von Aug. Emilio Lapi nach einer Durchzeichnung aufs Neue bearbeitet wird. Marchese Gerini verkaufte das Bild an Niccola Zacchinardi, der, nicht zufrieden mit einem frühern schriftlichen Zeugnisse der florentiner Professoren, am 22. Jan. 1833 sich ein neues ausstellen ließ, daß es ein Bild von Rafael aus seiner frühern Zeit sei, und von dem nur zu wünschen, daß es gläubige Leser finde. Quatremère de Quincy dürfte unbesehens vielleicht das Bedenken äußern, daß Rafael's zarter Takt wol kaum das Kind auf dem Lamme würde haben reiten lassen, wie es hier geschieht, und um dieses Umstandes allein willen vielleicht seine Beglaubigung versagt haben.

Freunden des Dante und der Münzkunde wird eine Nachricht gleichmäßig wichtig sein, die der kunstgelehrte Melchior Missirini in einem Briefe vom 28. März 1833 den Herausgebern der „Biblioteca italiana" mittheilte. Er hat eine Medaille gefunden mit dem Kopfe des Dichters auf der einen Seite, umgeben von der Umschrift: Danthes Florentinus. Auf der sehr vom Roste angegriffenen Rückseite sieht man einen Berg, von dem aus der Löwe, die Wölfin und der Pardel den Dichter bedräuen. Missirini, der sich dieses Fundes höchlich erfreut, weil Pelli trotz aller Bemühung keine Medaille auf Dante herbeischaffen konnte, und Eckhel, darum angegangen, keine nachzuweisen wußte, hält sie für gleichzeitig und für so wichtiger, weil er außer dem Bilde von Orgagna in Sta.-Maria del Fiore, sich keines echten Portraits des Dante erinnerte, da jenes von Giotto in der alten Podesteria in Florenz gemalte verloren sei. Herr Missirini hatte, wie es sonach scheint, merkwürdigerweise keine Kenntniß von der zu Florenz befindlichen, durch Prof. Rauch abgeformten Wachsmaske, einem Abguß über der Leiche, die vor Kannegießer's Uebersetzung der „Göttlichen Komödie" (Leipzig 1825) gestochen und in Deutschland oft vervielfältigt zu finden ist. Missirini's Entdeckung ist auch darum für die Kunstgeschichte wichtig, weil bis jetzt die Medaille auf Franz Cucco III. Ordelaffi, Fürsten von Forlì, vom Jahre 1407 für die älteste italienische Medaille galt; aber wie oft müssen Geschichtsfreunde nachlernen. Galt doch Andreas Verrocchio (1432—88) bis jetzt auch für den Erfinder der Gypsabgüsse und der Wachsfiguren, und wenn's wahr ist, besitzen wir den Abguß von Dante! 27.

Redigirt unter Verantwortlichkeit der Verlagshandlung: F. A. Brockhaus in Leipzig.

Blätter für literarische Unterhaltung.

Sonntag, — Nr. 230. — 18. August 1833.

Nordamerika.

(Beschluß aus Nr. 229.)

An einer andern Stelle rechtfertigt Herr Stuart die Amerikaner gegen die Beschuldigungen, welche man neuerlich gegen sie erhoben hat.

In einer kleinen Entfernung von Louisville, auf der Straße von Shipping-Port, bemerkt man zwei oder drei Häuser, sichtlich von Weibern verdächtiger Aufführung bewohnt, welche die Gewohnheit haben, sich unter der Thüre sehen zu lassen. Dies ist ein Skandal, welchen man allerdings beseitigen muß, ebenso sehr als die noch augenfälligere Abscheulichkeit der nämlichen Art, welche in Natchez existirt; allein es wäre unrecht, nicht beizufügen, daß ich, mit Ausnahme dieser zwei Fälle, kein Beispiel weiblicher Schamlosigkeit in den Straßen irgend einer Stadt oder eines Dorfes der Vereinigten Staaten gesehen habe. Es ist wahrscheinlich, daß die junge verheirathete Frau, von welcher eine neuere Schriftstellerin (Mrs. Trollope) uns erzählt, daß sie in der Nähe eines verdächtigen Hauses gewohnt und die Personen ausgeforscht habe, welche hineingingen, um sie wegen ihres Betragens zu beschämen, in der Nachbarschaft jener Häuser in der Gegend von Louisville sich aufgehalten, denn, wie ich bereits erwähnt, Orte dieser Art finden sich nie anders als außerhalb der Städte. Diese Geschichte wird von der fraglichen Schriftstellerin in der Absicht erzählt, um den Beweis zu liefern, daß die Amerikaner jene Gefühle des Zartsinnes nicht besitzen, auf welche sie Anspruch machen. Eine solche Anekdote war sicherlich nicht geeignet, vor das große Publicum gebracht zu werden und ihre Mittheilung konnte unterbleiben. Der Mangel an Zartgefühl trifft daher mehr Diejenige, welche sie veröffentlicht, als den Freund, welcher sie in den Ergießungen der Vertraulichkeit erzählt hat. Was beweist zudem eine einzelne Thatsache dieser Art in Vergleichung mit Dem, was die nämliche Schriftstellerin an hundert Stellen wiederholt, nämlich daß die Amerikanerinnen zu viele Zeit auf die Sorgen ihrer Familien und ihre häuslichen Obliegenheiten verwenden, in Vergleichung insbesondere mit den Beispielen übertriebener Sprödigkeit, welche sie erzählt?

Noch eine Stelle, welche die Meinung Stuart's über einen den Sitten der Vereinigten Staaten im Allgemeinen gemachten Vorwurf enthält, wird hinreichen, um den Leser in den Stand zu setzen, zwischen ihm und Mrs. Trollope zu entscheiden. Man begegnet daselbst zuweilen Europäern, welche wie jene Dame denken. Einer derselben hat Stuart Anlaß zu folgenden Betrachtungen gegeben:

„Meine Meinung ist, daß alle Diejenigen, welche die Gewohnheiten und die sociale Stellung des Herrn Philips haben, die Lebensweise, an welche sie gewöhnt sind, jener dieses Landes vorziehen werden; aber dies thut nichts zur Sache. Die Amerikaner sind so gänzlich in ihren Geschäften vertieft, daß sie selten die Zeit finden, sich hinzusetzen und während zwei oder drei Stunden anhaltend der Unterhaltung zu pflegen; eine lange Gewohnheit läßt sie vorziehen, zu rauchen und ihren Grog zu trinken, nicht in regelmäßiger Weise, sondern von Zeit zu Zeit, wenn sie Lust dazu verspüren.

Herr Philips scherzt und irrt ganz gewaltig, wenn er die Amerikaner beschuldigt, nicht gentlemen zu sein, weil ihre Lebensweise nicht die seinige ist. Sein Irrthum kommt daher, daß er glaubt, dieser Ausdruck gebühre nur Denjenigen, welche leben wie er leben möchte, oder wie er in seinem Lande lebte. Das nämliche Vorurtheil findet sich häufig bei Personen aller Stände und folgt ihnen sowol in andere Gegenden, welche sie besuchen, als nach Amerika. Das Wort gentleman ist gleichmäßig den Straßenräubern und Beutelschneidern und dem stolzesten Aristokraten von England bekannt. Diese beiden Classen von Menschen sind nur über den Sinn dieses Ausdruckes nicht einig. Aber wenn man ihm die allgemein angenommene Bedeutung beilegt, d. h. diejenige, welche ihn auf jede Person anwendbar macht, die eine gute Erziehung erhalten hat und sich anständig beträgt, so darf ich versichern, ohne einen Widerspruch von Denen zu fürchten, welche die Masse der Bevölkerung der Vereinigten Staaten im Norden und Süden, im Osten und Westen kennen, daß diese ungeheuere Strecke eine beiweitem größere Zahl von gentlemen besitzt als jedes andere Land, welches auf der Oberfläche der Erde besteht oder bestanden hat. Ich bin glücklich, meine Meinung in dieser Beziehung von einem der letzten englischen Reisenden in Amerika getheilt zu sehen, Herrn Ferrall, welcher sagt: „In den Vereinigten Staaten sieht man nur gentlemen."

Die Vereinigten Staaten sind das reizendste Land für den armen, aber industriösen und arbeitsfähigen Mann; er hat die Hoffnung, daselbst politische Rechte, Ansässigkeit und Wohlstand zu erhalten. Es ist somit nicht zu verwundern, daß alle Individuen dieser großen Nation, alte Tories oder einfache Emporkömmlinge in gleichem Maße dafür stimmen, die Dinge, wie sie waren oder jetzt sind, zu erhalten, da sie die Ueberzeugung haben, daß sie Vieles als Austausch des Wenigen empfangen, welches sie der Masse ihrer Mitbürger bewilligen. Herr Ferrall hat ganz wohl verstanden, was ich zu erklären suche, indem er sagt: daß die höchsten Stände etwas von der Glätte verlieren, welche sie haben sollten, durch die beständige Berührung mit jenen ihrer Landsleute, welche in der Civilisation weniger weit vorgerückt sind; daß aber die untern Classen augenfällig gewinnen, was die andern verlieren, woraus folge, daß die Personen, aus welchen sie bestehen, durch ihre gute Aufführung einen auffallenden Vorzug vor den analogen Classen Englands haben.

Doch genug über diesen Gegenstand. Die Amerikaner bedürfen der Rechtfertigung gegen ihre Verächter nicht mehr als Frankreich oder England in ähnlichem Falle. Mögen sie ihren Weg gehen, und möge sie Gott lange vor dem der Mrs. Trollope so theuern high life und den dandies bewahren!

2. Wanderungen im südlichen Amerika, von Karl Waterton.

Ein anderer Reisender und andere Gegend. Waterton ist einer der originellsten Reisenden, die es je gab; er ist Naturalist und hat, durch seine Leidenschaft für die Naturgeschichte und einen entschiedenen Geschmack an Abenteuern verleitet, von 1812—24 vier Reisen nach Amerika gemacht, während welcher er die Vereinigten Staaten, die Antillen, Guyana und Brasilien besucht hat. Guyana ist sein Lieblingsland; zu vier verschiedenen Malen ist er in seine unermeßlichen Einöden gedrungen, und einmal ist er bis zum Ufer des Rio branco, dem hauptsächlichsten Nebenfluß des Rio negro, gelangt. Dies ist nicht Alles; die folgende Stelle zeigt uns, daß Waterton noch andere Dinge gemacht hat, und wie weit sein Geschmack für das Außerordentliche geht:

Wenn du, lieber Leser, den unschuldigen Abschweifungen meiner Feder noch einige Augenblicke vergönnen willst, so kann ich dir sagen, daß ich wie Andere Hohes und Niederes in meinem Leben versucht; denn ich bin bis zur Spitze des Blitzableiters geklettert, welcher auf dem Kreuze über dem Thurme der St.-Peterskirche in Rom ist und habe meinen Handschuh dort gelassen. Ich habe mich auf einem Fuße auf dem Kopfe des Schutzengels auf der Engelsburg gehalten, und jetzt komme ich, um dir zu sagen, daß man mich unter den Fall des Niagara hat steigen sehen.

Diese Thaten sind übrigens nichts in Vergleichung mit dem merkwürdigen Abenteuer, welches dem Herrn Waterton mit einem Kaiman in dem Flusse Essequebo begegnet ist. Waterton wünschte sehr, ein solches Thier zu haben, um es auszubalgen, und er gelangte endlich dahin, seine Wünsche zu befriedigen durch eine geschickte Vorkehrung, welche ihm ein Indianer fertigte. Nachdem der Kaiman in die Falle gegangen war, kam es darauf an, ihn ohne Gefahr der Umstehenden auf das Ufer zu schaffen. Diesen Vorfall und seine Folgen erzählt uns Waterton also:

Wir standen da, still wie die Ruhe, welche einem Sturme vorhergeht. Hoc res summa loco. Scinditur in contraria vulgus. Sie wollten ihn tödten, und ich wollte ihn lebend fangen. Ich ging auf dem Sande auf und ab, den Kopf voll Projecte. Der Kahn war sehr weit entfernt. Ich gab Befehl, ihn an die Stelle zu bringen, wo wir waren. Der Mast hatte 8 Fuß Länge und war nicht dicker als mein Arm. Ich zog ihn aus dem Kahn und wickelte das Segel um das Ende. Nun schien mir gewiß, daß, wenn ich ein Knie auf die Erde setzte und den Mast in der nämlichen Richtung hielte wie ein Soldat, der das Bayonnet fällt und angreift, ich ihn dem Kaiman in den Rachen stoßen könnte, wenn er diesen gegen mich öffnen sollte. Als man diesen Vorsatz den Indianern mittheilte, strahlten sie vor Freude und versprachen mir zu helfen, um das Thier aus dem Flusse zu ziehen. Jetzt seid ihr muthig, sagte ich zu mir selbst, audax omnia perpeti, jetzt, wo ihr mich zwischen euch und der Gefahr seht. Ich versammelte alle Anwesenden zum letzten Male vor dem Kampfe; wir waren vier Wilde aus dem mittäglichen Amerika, zwei Neger aus Afrika, ein Creole von Trinidad und ich, ein weißer Mann aus der Grafschaft York, genau eine kleine Gruppe vom Thurm zu Babel, die Einen gekleidet, die Andern ganz nackt, Alle verschieden in Geschick und Sprache.

Ich nahm nun den Mast in die Hand, setzte ein Knie auf die Erde, ungefähr vier Schritte vom Rand des Flusses, mit dem Entschluß, den Mast in den Rachen des Kaiman zu stoßen, wenn er mir die Gelegenheit geben sollte. Ich befand mich sicherlich in einer einigermaßen unangenehmen Lage und dachte an Cerberus jenseit des Styx. Man brachte den Kaiman bis auf die Oberfläche des Wassers; sobald er in diese höhern Regionen kam, tauchte er mit Heftigkeit unter und sank unter, als man das Seil losließ. Ich sah genug, um durch den ersten Anblick nicht besonders gereizt zu werden. Sogleich sagte ich, daß man Alles wagen und ihn auf das Land schaffen müsse; man zog von Neuem und er erschien, monstrum horrendum, informe. Es war ein interessanter Moment; ich behielt meine Stellung mit Festigkeit, die Augen scharf auf ihn geheftet. Als der Kaiman zwei Schritte von mir war, sah ich, daß er furchtsam und verdutzt war; plötzlich ließ ich den Mast fahren, um mich auf seinen Rücken zu schwingen, wobei ich eine kleine Wendung nahm, sodaß ich im Sitzen das Gesicht in zweckmäßiger Richtung hatte. Sogleich ergriff ich seine Vorderbeine und drehte sie, alle Kraft daran wendend, auf seinen Rücken; sie dienten mir als Zügel.

Nunmehr schien er von seiner Ueberraschung zurückgekommen, und da er sich demgemäß in übler Gesellschaft fand, so fing er an, mit Heftigkeit zu zappeln und schlug mit seinem langen und starken Schwanze auf den Sand; ich war seinen Schlägen entrückt, da ich sehr nahe an seinem Kopfe saß; er fuhr fort zu zappeln und zu schlagen, was meine Stellung sehr unbequem machte. Dieses Schauspiel mußte für einen unbetheiligten Zuschauer sehr interessant sein. Meine Leute schrien vor Triumph und Freude und waren so lärmend, daß einige Zeit verging, ehe ich ihnen begreiflich machen konnte, mich mit meinem Thiere weiter auf das Ufer zu ziehen. Ich fürchtete, daß der Strick reiße, und in diesem Falle war es einigermaßen wahrscheinlich, daß ich mit dem Kaiman in die wässerigen Regionen hinabgestiegen wäre. Dies wäre gefährlicher gewesen als die frühern Spaziergänge Arion's auf dem Meere. Delphini incidens vada caerulea sulcat Arion.

Man zog uns mehr als 40 Schritte auf den Sand. Dies war das erste und das letzte Mal, daß ich auf dem Rücken eines Kaiman ritt. Wenn man mich fragte, wie ich es angefangen, um meinen Sitz zu behaupten, so würde ich zur Antwort geben: „Ich habe einige Jahre vorher mit den Hunden des Lord Darlington Füchse gejagt."

Dieser herrliche Spaß gibt eine Idee von dem Buche, das man, wenn auch nicht als sehr belehrend, doch als ein treffliches Mittel gegen den Spleen empfehlen kann. 171.

Neueste französische Romanenliteratur.

1. Une fantaisie de Louis XIV, par *Bignan*. Zwei Bände. Paris 1833.

Ludwig XIV. ist des ewigen Keifens der Madame de Montespan überdrüssig; der Pater Lachaise läßt ihn zu lange auf Scarron's Witwe warten. Es ist demnach in des Königs Leben eine Lücke, welche die Montespan auszufüllen strebt in der Hoffnung, der Ungetreue werde aus Erkenntlichkeit zu ihr zurückkehren; auf ihre Veranlassung wird die junge Angeline d'Escoraille dem Könige zugeführt. Der leicht zündbare Monarch verliebt sich ernstlich in seine neue Eroberung. Die Montespan erschrickt über den allzu glücklichen Erfolg ihres Plans und entflammt die Eifersucht ihres königlichen Liebhabers, indem sie ihm einen Brief zeigt, den die Escoraille von einem Vetter erhalten, welcher sie heirathen will. Der König wird wüthend und jagt das arme Kind fort, welches reumüthig in einem Kloster stirbt. Man kennt Herrn Vignan als poëte lauréat; seine hochtrabende akademische Sprache paßt ganz zu dem Zeitalter Ludwig XIV.; der Monarch und seine Umgebungen gehen auf Stelzen zum Boudoir wie in den Thronsaal; Styl, Sitten und Leidenschaften sind nach der Schnur gezogen wie die Alleen von Versailles. Das ganze Buch ist correct und langweilig wie der Hof des großen Königs.

2. Un enfant, par *Ernest Desprez*. Drei Bände. Paris 1833.

Eine rührende Schilderung der Mutterliebe, so rein, so fromm gehalten, so zart und so erschütternd, daß selbst einer der Hauptführer der galvanischen Literatur, Herr J. Janin, darüber in Entzücken gerâth. Luise, so heißt die Heldin der Geschichte, ist in der königlichen Erziehungsanstalt von St.-Denis aufgewachsen. Sie vertauscht in ihrem 16. Jahre das glänzende Institut mit einem bescheidenen dritten Stockwerke in einem obscuren Hause der Straße Bourbon Villeneuve. Die goldenen Täuschungen ihres frühern Lebens verwehen unter dem kalten, stürmenden Hauche der Wirklichkeit. Luise sieht sich zu einem, wo nicht kümmerlichen, doch sehr beschränkten Leben verurtheilt, gegen welches sich ihre Sinne, ihre Phantasie und frühern Hoffnungen auflehnen. Gustav Charrière, der Sohn eines reichen Bankiers, verliebt sich in sie; sie läßt sich entführen und gibt sich dem Geliebten hin. Gustav, sobald ihm nichts mehr zu wünschen bleibt, erschrickt vor der Leidenschaft, die er in des Mädchens Busen angezündet; er martert sie aufs entsetzlichste, und nachdem sie niedergekommen, verläßt er die Unglückliche und nimmt seine Tochter mit sich nach Italien. Von ihrem Geliebten verlassen, von der Mutter verstoßen, versinkt Luise nach und nach in jene decente Entsittigung, die man unter den sogenannten femmes entretenues oder femmes de plaisir antrifft. Eines Tages findet sie ihre Tochter in den Tuilerien spielend. Das Kind fürchtet sich vor der Mutter; der Vater entreißt es ihr zum zweiten Male. Von diesem Augenblicke an hat Luise keine Ruhe. Sie reist ihrem Kinde nach über Berg und Thal, durch Feld und Wald, bei Tag und bei Nacht, zu Fuß, hungers leidend, bettelnd. Endlich findet sie ihre Tochter; Gustav stürzt auf sie zu, um ihr das Kind zu entreißen. Der Mutter Schmerz wird zum Wahnsinn; sie eilt mit ihrer Tochter weg. Von dem Verfolger ereilt, ersticht sie dieselbe in ihren Armen.

3. Dalilah, par *Jules de Saint-Félix*. Paris 1833.

Dalilah ist ein hübsches, junges Mädchen und zugleich Königin eines unterirdischen Reiches, wo es wie auf der Oberfläche der Erdkugel Minister gibt, große Herren, Schmeichler, Neider, leidende Völker, Haß und Zorn. Medina ist ein reicher Marquis, der seine frühere Liebe vergißt, gelockt durch den Zauberglanz eines Thrones. Diese wunderbare Geschichte schwebt ohne Stützpunkt im Gebiet des Phantastischen; es liegt keine Idee zum Grunde. Die Darstellung flimmert von prachtvollen Verzierungen; die blendenden Perioden biegen sich unter der Last der Bilder. „Dalilah" ist ein schlechter Roman, dessen Verf. indeß ein herrliches Talent verräth.

4. Jeanne la noire, par *Edouard Ourliac*, auteur de L'archevêque et la protestante. Zwei Bände. Paris 1833.

Sie kennen wahrscheinlich den Herrn Ourliac ebenso wenig als den „Erzbischof und die Protestantin", und Ref. geht es nicht besser. Die französischen Kritiker behaupten, es sei ein bedeutender Fortschritt in gegenwärtigem Romane wahrzunehmen. Wir können darüber nicht urtheilen; auf jeden Fall hat sich der Verf. höchstens von Schilda nach Abdera geschrieben. Im Jahre 1764 durchstreifte eine Zigeunerbande unter ihrem Anführer Trubillo das Gebirge der Corbières, bekanntlich eine Verzweigung der Pyrenäen. Unter den braunen Vagabunden befand sich ein schönes Mädchen mit dem Blicke einer Madonna von Murillo, sie hieß Jano Negro, Johanna die Schwarze. Sie verliebt sich in den jungen Julien Reynaud, der sie verläßt, nachdem sie ihm Alles gewährt, und eine reiche Erbin heirathet. Jano verbirgt ihre Eifersucht und bleibt als Magd bei ihrer Nebenbuhlerin, die sie langsam vergiftet. Sie entflieht, wird Mutter und erhält nach Trubillo's Tode den Oberbefehl über die Bande und plündert und verwüstet die ganze Gegend um Carcassonne. Bei einem Gefechte mit der Maréchaussée unter Reynaud's Befehl fällt Jano's Sohn in seines Vaters Hände, der ihn, ohne ihn zu kennen, seiner Tochter Claire unterschiebt, welche ihm der Tod entrissen. Jano ermordet den Ungetreuen, und ihr Sohn, der sich für den Adoptivsohn Reynaud's hält, ermordet seine Mutter.

5. Salmigondi. Achter und neunter Band. Paris 1833.

Wir finden hier fürs Erste einen conte von Herrn Clavel, in welchem die Freuden des Ehebruchs geschildert werden; Herr Clavel war St.-Simonist. „L'horloge d'or, ou la vie humaine", von Salvandy, ist höchst originell. Der Graf und die Gräfin von Guyenne erhalten von einer Fee die Gewalt, nach ihrem Belieben die Zeit in ihrem Laufe aufzuhalten oder zu befördern. Bald wird die Mutter des Schreiens und Jammerns des Kindes überdrüssig; auf ihren Wunsch wird er plötzlich um einige Jahre älter, in wenig Stunden erreicht er das Jünglingsalter, die Leidenschaften erwachen in ihm; von der Liebe und dem Ehrgeize angetrieben, verschlingt er die ihm zugemessene Zeit; am Ende desselben Tages ist er ein Greis und stirbt vor Entkräftung am Bette der Mutter, welche noch das Milchfieber hat. Die Erzählung ist besser ausgedacht als durchgeführt; es fehlt der Darstellung des Herrn Salvandy an Lebendigkeit; seine Sprachformen sind etwas zu feierlich und schwerfällig für den Inhalt. „Les bas à jour" (Die durchsichtigen Strümpfe) sind eine Anekdote, die in Algier spielt und die dortigen Sitten schildert. Ein französischer Offizier verliebt sich zum Zeitvertreibe in Zohra, die Gemahlin eines alten Moslems. Als sie von einem verliebten Rendezvous nach Hause reiten, zieht Zohra Strümpfe an, um sich unkenntlich zu machen. Keine honnette Muselmännin bedient sich der Strümpfe; nur die Freudenmädchen beflecken ihre Füße damit. Zohra vergißt beim Nachhausekommen sich der verhängnißvollen Fußbekleidung zu entledigen, und wird von ihrem Gatten erdolcht. Diese Anekdote ist von Herrn Eusèbe de Salles, von dem man bereits eine unterhaltende Geschichte der Eroberung von Algier hat unter dem Titel: „Aly le renard". Der Held der nächsten Erzählung: „Michel Perrin", ist ein Landpfarrer, welchen die republikanische Regierung aus seinem Dorfe vertrieben. In Paris angelangt, erfährt er bald, daß einer seiner Schulfreunde, der berüchtigte Fouché, Policeiminister ist. Dieser nimmt seinen alten Kameraden mit offenen Armen auf, versieht ihn reichlich mit Geld und bietet ihm eine bedeutende Stelle in seinem Ministerium an. Der Pfarrer ist voller Freuden, bis er entdeckt, daß er eigentlich weiter nichts ist als ein mouchard; heftige Scene zwischen ihm und dem Minister, der sich über den Zorn des redlichen Pfarrers todt lachen möchte. Dieser wird bald wieder in sein Amt eingesetzt. Leicht und artig erzählt und höchst ergötzlich; die Erzählung ist von Madame de Bawr.

6. Les roueries de Trialph, par Mr. *Lassailly*. Paris 1833.

Der Kritiker müßte dieses Buch verabscheuen und alle Verwünschungen auf des Verf. Haupt schleudern, wenn er es ernstlich nehmen wollte. Trialph ist eine Art Typus, ein lebendiges und ironisches Symbol des Jahrhunderts oder vielmehr der Gegenwart, dessen erkünstelte Leidenschaften den Kopf durchbrausen und umnebeln und nicht in dem Herzen glühen. Es ist indessen diese Distinction so fein, daß sie wol den meisten Lesern entgehen dürfte; die Satire ist so verhüllt, daß sie leicht für Wirklichkeit könnte gehalten werden. Herr Lassailly hätte der Blut- und Mordliteratur, der Krampfpoesie des Tages offen entgegentreten sollen; er würde sich dann der Gefahr nicht ausgesetzt haben, misverstanden zu werden, und mehr Nutzen gestiftet haben. Sein Buch zu analysiren wäre uns unmöglich.

7. Le cheveu du diable, par Mr. *Henr. Berthoud*. Zwei Bände. Paris 1833.

Es gibt hier keine andern Teufel als böse Menschen, die übrigens dem Teufel nichts nachgeben. Lessing sagt in der

„Emilia Galotti": „daß dich den Teufel bei einem Haare fassen, und du bist sein auf ewig." Dieser Gedanke Lessing's ist die Grundlage des Romans des Herrn Berthoud. Im Jahre 1784 lebte in einer großen Stadt in Flandern, Lormuck genannt (wahrscheinlich Lille), ein reicher Tuchhändler Kapatel, der sehr gute Geschäfte machte und dessen Glück blos durch das Betragen seines Sohnes getrübt wurde. Eustache war ein abgesagter Feind des Handels und liebte dabei ein gemeines Nähmädchen. Eines Tages verspätet er sich bei der kranken Ottilie, kommt erst nach 9 Uhr des Abends nach Hause und wird trotz alles Flehens und Klopfens nicht eingelassen. Der Lärm, den er auf der Straße macht, zieht eine Patrouille herbei, die ihn auf die Wache führt. Am andern Tag kommt es zwischen dem alten Kapatel und Eustache zum völligen Bruche; der Vater schlägt den Sohn; dieser vergreift sich an dem Greise und eilt, mit dessen Fluch beladen, nach Paris. Hier lernt er den Secretair eines Marquis, Namens Daniel Correpont, kennen, der ihm bald eine ähnliche Stelle verschafft und nebenbei ihn moralisch zu Grunde richtet. Eustache verliebt sich in eine Tänzerin, Laure Lelaurier, die ihm durch ihre Gönner eine einträgliche Stelle in seiner Vaterstadt verschafft; Rückkehr Eustache's nach Lille, Aussöhnung zwischen Vater und Sohn; Ottilie wird seine Verlobte: allein die schöne Laure entführt ihn nach London, wo er sie heirathet, weil er sie für reich hält; in seiner Hoffnung getäuscht, mishandelt er sie aufs Grausamste. In der Schreckenszeit wird Eustache Mitglied eines tribunal révolutionnaire und verurtheilt seinen alten Vater zum Tode. Laure wird wahnsinnig, Eustache heirathet zum zweiten Male und wird glücklich nach solchen Greueln. Wann und wo der Teufel unsern Helden eigentlich beim Haare faßt, haben wir nicht recht ermitteln können. Das Verspäten des jungen Mannes an jenem verhängnißvollen Abend ist, unsers Bedünkens, zu geringfügig, ein zu dünner Faden, um daran eine solche Last von Jammer und Verbrechen zu knüpfen.

8. Une raillerie de l'amour, par Madame *Desbordes-Valmore.* Paris 1833.

Folly ist ein junger und schöner Oberst aus dem Kaiserreiche. Es ist dieses ein etwas abgenutzter Typus, allein die Damen blendet nun einmal die Uniform und der kriegerische Glanz und die Gefahr des Schlachtfelds. Dem brillanten Offizier gegenüber steht eine junge Witwe, Georgine de Sivalle. Als sie sich zum ersten Male sehen, äußert sich der Oberst auf eine günstige Art über die Ehescheidung, eine Frage, die damals an der Tagesordnung war; darüber entsetzt sich die Witwe, und von dieser Zeit an herrscht zwischen Beiden eine grenzenlose Antipathie. Es findet sich, daß Ernst, welcher eben aus Deutschland kommt, ein intimer Freund des Obersten ist, dem er insgeheim die Hand seiner Schwester Georgine bestimmt. Wie grausam fühlt er sich enttäuscht, als er seinen Freund der Schwester vorstellt und die wechselseitige Abneigung Beider erkennt! Indessen verliert er den Kopf nicht: „Mein Bester", spricht er zum Obersten, „ich hätte deine Verbindung mit meiner Schwester gern gesehen und entsage diesem Projecte mit desto schwererm Herzen, da ich entdeckt habe, daß sie sterblich in dich verliebt ist." Seiner Schwester vertraut er unter dem Siegel des Geheimnisses, der Oberst bete sie an. Der Haß Beider geht allmälig in Liebe über. Dies ist der ganze Roman der Frau Desbordes-Valmore; eine zarte, psychologische Studie, die prosaische Seite der Gefühle, die so mächtig in ihren Elegien ergreifen. Es ist der erste Roman der berühmten Dichterin; da sie ein so erschütterndes Talent zur Schilderung der Leidenschaften besitzt, so wäre zu wünschen, daß sie ihre Compositionen der Art nach einem größern Maßstabe anlegte und ihrer Muse Raum gäbe, die Fittige zu entfalten; indessen wie der französische Dichter Lemierre sagt:

Même quand l'oiseau marche, on sent qu'il a des ailes.

9. Le libelliste, par *Henry Martin.* Zwei Bände. Paris 1833.

Vor ungefähr zwei Jahren erschienen von demselben Verfasser: „Les scènes de la Fronde", in welchen der Anfang dieser Epoche des Aufruhrs geschildert wurde. Der Libellist führt sie fort von der Majorität Ludwig XIV. bis zur entscheidenden Schlacht der Faubourg St.-Antoine. In diesem historischen Romane sucht Herr Henry Martin den Anfang des gewaltigen Einflusses nachzuweisen, welchen die Presse auf die politischen Angelegenheiten ausübt. Er erzählt mit Feuer; seine Gemälde sind lebendig, oft ergreifend und originell.

10. Thaddaeus le ressuscité, par *Michel Masson* et *Auguste Luchet.* Zwei Bände. Paris 1833.

Thaddäus ist eine hohe Person am preußischen Hofe; er wird eines Staatsverbrechens überwiesen und aufgeknüpft. Ein Arzt bringt ihn wieder zum Leben. Der Gerettete verläßt sein Vaterland und kommt nach Paris. Hier verheirathet er sich mit einer der Göttinnen des Directoriums, Namens Clarence, von der er sich aber bald wieder trennt; ihr ausschweifender, zügelloser Lebenswandel erfüllt ihn mit Verachtung und Abscheu. Ohne Vermögen, aller Hülfsmittel beraubt, muß der Todtgeglaubte sich seinen Unterhalt durch die härtesten Arbeiten verschaffen. In diesem Elende verliert er seine Tochter nicht aus den Augen, welche in den unreinen Händen seiner gewesenen Gattin geblieben ist. Der Lauf der Begebenheiten führt ihn aus Frankreich. Unter dem Schutze seines officiellen Todes kehrt er nach Preußen zurück; Clarence meldet ihm das Absterben seiner Tochter. Im Jahre 1815 kommt Thaddäus zum zweiten Male nach Paris und findet seine Tochter wieder, mit welcher ihre Mutter einen schändlichen Handel getrieben. Dieser Augenblick ist von erschütternder Wirkung. Meisterhaft ist der Kampf dargestellt zwischen einer bis zur tiefsten Schande gesunkenen Mutter und dem Vater, der die Elende durch die Frage zermalmt: „Was hast du mit unserer Tochter gemacht?" Das Hauptinteresse, auf welchem die ganze Dichtung beruht, ist die Liebe des Thaddäus für seine Tochter. Sein Charakter ist vielleicht etwas seltsam, aber nicht unmöglich. Die übrigen Personen sind alle interessant; besonders anziehend ist der Doctor Eckstein, welcher Thaddäus wieder zum Leben bringt und sich des Wiedererstandenen warm und thätig annimmt. 143.

Redigirt unter Verantwortlichkeit der Verlagshandlung: F. A. Brockhaus in Leipzig.

Blätter
für
literarische Unterhaltung.

Montag. — Nr. 231. — 19. August 1833.

Der Scholar auf Kloster Berge. *)

Fragment aus der noch ungedruckten Selbstbiographie von St. Schütze.

— — Kloster Berge wählte ich, um mich der Stadt und den Augen meiner Bekannten auf einmal zu entziehen. Es war an einem heitern Herbstmorgen, als ich hinausging, um mich vorläufig dem Abt Resewitz vorzustellen. Ich blieb am Kloster horchend stehen; freundlich einladend klang der helle Glockenschlag; kleinere Glocken regten sich, und hinter den stillen Mauern wurde es lebendig; die Scholaren liefen lustig, zum Theil singend, von den Classen nach ihren Zimmern. Es lag wie ein Fremdreich vor mir, das ich nun betreten sollte. Sobald es wieder still geworden war, öffnete ich die Pforte und suchte die Wohnung des Abtes. Dieser, mit buschigen Augenbrauen und einer kleinen Gestalt, so ehrwürdig in seiner Haltung, daß er weit größer schien als er war, empfing mich mit gelindem Ernst, und wie ich ihm mein Schicksal erzählt und mein Vorhaben kundgethan hatte, fand er kein groß Bedenken und meinte, da ich doch schon wisse, was ein nomen substantivum, ein adverbium sei u. dgl., so sei ich über die ersten Schwierigkeiten schon hinaus. Ich legte dagegen einigen Werth auf meine Erfahrung, ohne zu wissen, wie gering diese ausfallen mußte in einer so beschränkten Lage, für welche ich im Verhältniß zur Welt damals noch keinen Maßstab hatte. Als die Zeit meines Abzugs gekommen war, nahm ich von Allen ganz kurzen Abschied, und in Begleitung meines Vaters verließ ich das Comptoir, das Haus meines Onkels, die Stadt ohne Rührung, vielmehr mit freiem Herzen.

Ich kam unter des Oberlehrers Gurlitt specielle Aufsicht und bezog ein nach Süden gelegenes Zimmer, das mir über Spielhof und Klostermauer einen freien Blick in die Natur gestattete. Ehe ich aber noch zur Annehmlichkeit des neuen Aufenthalts gelangen konnte, mußte ich erst durch eine harte Schale dringen. Diese bestand in dem Verhältnisse zu meinen Mitschülern, die sich nicht Schüler, sondern Scholaren von Kloster Berge nennen ließen und sehr viel Freiheit genossen. Alle liefen zusammen, um, wie ich später erfuhr, „den Ladenschwengel" von 18 Jahren zu sehen, der noch den Einfall bekommen hatte, zu studiren, und da die böse Sitte, Ankömmlinge als Füchse zu necken, hier noch nicht ganz abgestellt war, so sammelten sich des Abends so viele Knaben und Jünglinge um mich her, als nur das Zimmer fassen konnte, alle bemüht, mir etwas anzuhängen und mir allerhand räthselhafte Fragen vorzulegen. Sie fanden sich aber sehr getäuscht, indem sie keinen baumstarken, langen Menschen vor sich sahen, und ich auf Alles, was sie mir vorlegten, so gut, ausweichend oder beschämend antwortete, daß bald an die Stelle höhnender Geringschätzung Verwunderung trat und demnächst Mancher sich zu meinem Beschützer aufwarf, der die unnützen Angriffe von mir abwehrte. Es wurde eine lustige Gesellschaft daraus, die sich an meiner Vertheidigung ergötzte, bis sie Gurlitt auseinandertrieb.

Was mich dagegen angenehm befremdete, war, daß man Abends im Schlafrock in die Betstunden ging. Sowie mit ¼ auf 9 Uhr die kleinen Glocken auf den Gängen angezogen wurden, strömten sämmtliche Scholaren vom alten und vom neuen Gebäude herbei, um in der geräumigen Prima der Abendandacht beizuwohnen, die in der kurzen Rede eines Lehrers und in Gesang bestand, was mir über die Maßen erbaulich klang und auf mein Herz, das schon etwas vom Schicksal erfahren hatte, recht tröstlich und erquicklich wirkte. Meine fromme Hingebung sollte aber bald gestört und sogar in Lachen verwandelt werden, indem die Schüler nach Gelegenheit allerhand Experimente anstellten, jetzt im vollen Chor und dann plötzlich leise oder gar nicht sangen, oder schon in der ersten Abtheilung des Verses mit der Melodie in die zweite fielen, sodaß der Seminarist als Vorsänger seine Noth hatte, den Gesang zu erhalten. Nun nahm es sich in der That seltsam kriegerisch aus, wenn der Vorsänger in den untern Tönen wühlte, während die Schüler in den höhern Tönen sich ergingen, oder umgekehrt mit der

*) Kloster Berge bei Magdeburg (mit seinem Pädagogium) ist im vorigen Kriege so ganz zerstört und abgebrochen, daß es jetzt fast unmöglich fallen würde, die ehemalige Lage desselben anzugeben, wenn nicht in der Nähe ein Teich und eine Mühle das Auge leitete und auf dem Hügel ein Denkstein mit einer Inschrift den Platz bezeichnete, wo das Kloster gestanden hat. Die ganze Gegend wird nun in eine Parkanlage verwandelt, die den Namen Friedrich-Wilhelm's-Garten führt.

Stimme aufstieg, während diese abwärts sangen, sodaß immer zwei Elemente miteinander stritten und eins am andern zur Dissonanz wurde. Hatte nun vollends ein Seminarist sich einmal nicht höflich oder demüthig genug betragen, dann galt es, ihn gänzlich zum Fall zu bringen, worauf er schweigend, als der Melodie unkundig, noch obendrein einen Verweis vom Lehrer hinnehmen mußte. Es war nämlich auf dem Kloster zugleich ein Seminarium zur Bildung künftiger Cantoren, und es herrschte hier die sonderbare Einrichtung, daß die Seminaristen auch bei den Scholaren die Aufwartung besorgen mußten, wodurch denn, wie man sich wol denken kann, nicht immer die beste Ordnung erzielt wurde. Wer sich nicht gleich in solche Unterwürfigkeit finden konnte, dem wurde sie noch besonders von den Scholaren in den Betstunden beigebracht. Die Seminaristen waren es aber nicht allein, über welche die Volksversammlung hier Gericht hielt; ihr Urtheilsspruch traf auch den Lehrer, wenn er eine Ungerechtigkeit begangen oder auch nur das Misfallen der Mehrzahl sich zugezogen hatte; er wurde, wenn er seine Abendrede halten wollte, ohne Weiteres ausgetrommelt. Bei dem zweifelhaften Lampen- und Kerzenlicht konnte er die Thäter nicht leicht herausfinden, und der Gebrauch des Stocks war ihm auf alle Fälle untersagt. Wenn er sich nur den geringsten Schlag, und sei es bei dem Allerschlechtesten, erlaubte, dann zog gleich eine Gesandtschaft zu dem Abt, ihn zu verklagen, und die Kläger bekamen immer Recht. Unter den Schülern aber herrschte bei der Unabhängigkeit der Schule, die auf des Klosters Einkünfte sich verlassen konnte, eine völlige Gleichheit; denn weil man von Seiten der Lehrer bei der Aussicht auf klösterliche Pfarrstellen nicht nöthig hatte, um die Gunst eines Vornehmern zu buhlen, so folgten auch die Schüler diesem Grundsatz und räumten ebenfalls unter sich keinen Vorzug des Standes ein; der Sohn eines Ministers galt so viel wie der Sohn eines Predigers, nach dem Betragen eines Jeden entschied das allgemeine Urtheil. Angelernten oder angewöhnten Stolz wegzuschaffen, dazu eignete sich keine Schule besser als Kloster Berge, das eine abgeschlossene Gemeinde, ja eine Republik für sich bildete. Da die Lehrer indeß ihr Ansehen so schlecht durch den Abt geschützt sahen, so ließen viele es bequem gehen, sodaß man die Schule wol eine Unterrichts-, aber keine Erziehungsanstalt nennen konnte. An Gelegenheit zur äußern, gesellschaftlichen Bildung fehlte es fast ganz und gar. Die Scholaren, unter sich frei und fröhlich fortlebend, behielten daher gegen feine, vornehme Gesellschaften immer eine wilde Scheu, weshalb ich denn keineswegs von meiner Schüchternheit geheilt, sondern nur noch mehr in sie hinein gewöhnt wurde. Damals kümmerte mich das freilich nicht, vielmehr gewann ich den Zustand, größtentheils sich selbst überlassen zu sein, bald sehr lieb, zog dies republikanische, ländliche Jugendleben vor, wenn ich mich auch von den wildern Aeußerungen desselben zurückhielt, ganz nach meinem Sinn.

In den Classen fand ich überall Geist verbreitet, und ich erfreute mich an den Gedanken, die auch aus den geringsten Autoren hervorsprangen, indem ich mich zugleich wunderte, wenn meine Mitschüler nach jeder Stunde so theilnahmlos auseinanderlaufen konnten. Zu den Magdeburgern aber sagte ich im Stillen: o wenn Ihr wüßtet, was die Wissenschaften für herrlichen Genuß gewähren, Ihr würdet Alle die Stadt verlassen und nach Kloster Berge kommen. Ich war dagegen unter ihnen zur Anekdote geworden: Einer erzählt dem Andern lachend, daß ich meinen reichen Onkel und seine Handlung verlassen hätte, weil ich das Geld nicht leiden könnte und mir die Reichthümer dieser Welt eine ganz verächtliche Sache wären. Wenn sie aber hofften, mein Schritt solle mich gereuen, so irrten sie sich sehr; ich lebte jetzt so in meinem Elemente, daß ich nicht im Stande war, mir zu denken, wie ich außer demselben wol noch leben könnte.

Die Lehrstunden unterhielten mich in einer beständigen Abwechselung, indem ich mich oft von andern Mitstreitern umgeben, oft andere Lehrer sah, denn die Classen waren nicht nach dem Lateinischen abgetheilt, sondern jede Wissenschaft hatte ihre Folge für sich, sodaß man z. B. im Lateinischen in Tertia, der untersten Classe, und im Deutschen in Prima sitzen konnte. Alles mechanische Lernen war verbannt, aber desto mehr beschäftigten uns zu Hause öftere Aufgaben zu Selbstübungen und eignen Arbeiten. Ueberhaupt hatte Resewitz, seiner Zeit voraneilend, der Schule eine vortreffliche Einrichtung gegeben; nur Schade, daß er nicht über ihre Ausführung wachte. Durch den Gebrauch einer fast unumschränkten Herrschaft über die schönen Einkünfte des Klosters zu einem glänzenden Wohlleben verleitet, hatte er die Schule fast ganz aus den Augen verloren und so lange reichliche Gastmähler gehalten und dem Adel aus der Stadt Feste gegeben, bis der Convent des Klosters ihn in Berlin verklagte und eine Commission kam, um über seine Ausgaben eine Untersuchung anzustellen, wobei man ihm indeß nichts anhaben konnte, weil der Minister bei seiner Einsetzung außer Acht gelassen hatte, ihm über Küche und Keller etwas Bestimmtes vorzuschreiben. Somit stand er nun mit dem Convent, der aus den ersten Lehrern zusammengesetzt war, in keinem guten Vernehmen, was denn natürlich auf die Schule oft sehr nachtheilig einwirken mußte; davon erlebte ich gleich nach meiner Ankunft ein sehr auffallendes Beispiel. Ich hörte nämlich zu meinem Erstaunen, daß „Die Räuber" aufgeführt werden sollten. Die Lehrer waren damit wenig einverstanden; aber der Graf Castell befand sich damals auf der Schule, dessen überaus kluger, feiner und freigesinnter Hofmeister Stephani mit einem Anhange von Schülern um sich her gleichsam einen Staat im Staate bildete. Dieser hielt eine theatralische Uebung zur Bildung vornehmer Jünglinge für etwas sehr Zweckmäßiges, und er durchschnitt gleich alle Hindernisse, indem er sich selbst an Abt, Aebtin und Fräulein Tochter wandte, Eines durch das Andere stimmte und so höhern Orts die Erlaubniß zum Schauspiel einholte. Da gab es denn große Zurüstungen; man mußte für Decoration, Kleider, Schminke, Bärte und Perücken sorgen, und mancher Schüler, der die

Nacht seine Rolle memorirt hatte, nickte in den Lehrstunden ein. Das Theater stand unter dem Dache, und sowie die Zeit kam, wurden vornehme Augenzeugen aus der Familie des Abts hinaufgeführt. Aus meinem Zimmer riß man mir einen zierlichen Tisch, den ich von Magdeburg mitgebracht hatte, vor der Nase weg. Man gefiel sich auch, Billette auszutheilen. Ich bekümmerte mich aber den Henker darum, ich blieb ruhig in meiner Klause sitzen, bis einer der jüngern Scholaren sich noch meiner erinnerte und mich zum Schauspiele nachholte. Da sah ich denn mitunter Knaben sich wie Helden geberden und hinter Lärm und Schnurrbart das Gepräge eines Mannes suchen, das zu einem Räuber erfodert wurde. In die Rolle des Karl stürzte sich ein schwärmerischer Jüngling aus Prima, der nach der Zeit nur noch mehr schwärmte. Allen ein Muster aber gab Stephani den alten Moor; er rettete das Trauerspiel noch aus der Gefahr, ein Lustspiel zu werden, denn die Meisten zeigten sich eben nicht anstellig, selbst mein kleiner Tisch, der sich einmal mit der Gardine wollte hinaufziehen lassen.

(Der Beschluß folgt.)

Mittheilungen über Griechenland.

Athen, $\frac{1}{13}$. Mai 1833.

Seit meinem letzten Briefe an Sie bin ich wieder nicht weit über diese Stadt und ihre Umgegend hinausgekommen; zum Theil, weil der König von Woche zu Woche hier erwartet wurde und ich das interessante Schauspiel der Anwesenheit des Nachfolgers des Kodros in Athen nicht gern verlieren wollte. Der bedeutendste unter den inzwischen gemachten Ausflügen war auf den Gipfel des Parnes, welcher bisher wenigstens unter den europäischen Reisenden für unerstiegen gegolten hat (vgl. Kruse, „Hellas", II, 1, S. 8). Wir machten uns um die Mitte dieses Monats an einem schönen Morgen in einer Gesellschaft von sechs Personen auf den Weg und schlugen die Straße nach Phylé und Theben ein, welche am Kolonós vorüberführt. Der Kolonós ist ein niedriger stumpfer Felsenhügel, in der von Thukydides (8, 67) angegebenen Entfernung (zehn Stadien) von der Stadt, mit einer vorzüglich in der Abendbeleuchtung ungemein schönen Aussicht auf die Stadt, die Akropolis, die ganze Küste von Cap Kolias bis über den Peiraieus hinaus, und über denselben auf das tiefblaue Meer, mit Aigina und den in der Ferne sanft verschwimmenden Küsten von Argolis im Hintergrunde. Aber die Haine des Poseidon und der Erinnyen, ihre sowie die übrigen hier befindlichen Heiligthümer und der Demos selbst sind gänzlich verschwunden, bis auf einige Reste von Fundamenten an und auf dem kleinen Hügel. Nur einige Hundert Schritte westlich, wo der Oelwald mit seinen Gärten beginnt, grünen Weinstock, Lorber und Olive noch wie zu Sophokles' Zeit, und im schattigen Gebüsche, das des Kephissós immer wache Quellen bewässern und nähren, singt noch die dichtgefiederte Nachtigall ihre helltönenden, herrlichen Weisen. Ein Paar Stadien weiter südlich gegen die Stadt hin liegt ein zweiter ähnlicher, doch kleinerer Hügel, auf welchem sich ebenfalls Spuren alter Gebäude finden. Ich zweifle, daß er mit zu Kolonós zu rechnen sei, theils weil er zu nahe bei Athen ist, theils weil der Name, so viel ich weiß, immer nur im Singular vorkommt (ὁ Κολωνός), also sich nur auf Einen Hügel bezieht. Zur Akademie kann er auch nicht gehören, denn diese lag noch etwas näher an der Stadt (Cic. De fin. 5, 1) und in einer ungesunden Gegend, (Aelian. V. h. 9, 10), womit wirklich die Lage einiger niedrigen, feuchten, fruchtbaren Felder gleich südlich von dem letzten Hügel am Rande des Oelwaldes übereinstimmt, welche das Volk noch jetzt Ankadimia (Ἀγκαδημιά) nennt. Da nun Pausanias (1, 30, 4) den Thurm des Menschenhassers Timon „in derselben Gegend" zwischen der Akademie und dem Kolonós Hippios erwähnt, so lag dieser vielleicht auf der kleinern südlichen Anhöhe. Was übrigens unter dem ehernen Wege (χαλκόπους ὁδός) bei Kolonós zu verstehen sei, darüber wage ich keine Vermuthung. Kruse (S. 289) macht „eine Art von Paß" daraus; aber wo ein Paß in der flachen Ebene?

Der Weg führt nicht weit hinter Kolonós über den Kephissós, und dann in der Ebene fort, den Aigaleos in einigem Abstande zur Linken lassend, in ein kleines durch eine niedrige Hügelreihe von der großen Ebene geschiedenes Thal, das für das Gebiet von Acharnai gilt. Die Lage desselben, seine Entfernung von Athen, viele über die Felder zerstreute Trümmer und ziemlich starker Weinbau sprechen dafür; doch wünsche ich diese ganze Gegend noch einmal näher zu untersuchen. Eine halbe Stunde weiter nördlich liegt noch in der Ebene, doch nur eine Viertelstunde vom Fuße des Parnes, das Dörfchen τὰ Λιοσγιανὰ καλύβια, das schon zu dem großen und reichen Dorfe Chastia (dem alten gleichnamigen Demos) gehört; das letztere liegt noch nördlicher, zwischen den ersten Vorbergen des Parnes. Von hier wandten wir uns östlich über einige felsige Hügel, auf welchen evidente Spuren eines alten Demos und in einigen zerstörten Kirchen verschiedene Inschriften, Sarkophage und andere Reste sind, nach dem großen Dorfe Menidi, das lange für Acharnai galt, bis die neuern Reisenden mit Recht den Demos Paionidai darin erkannt haben. Die Verwandlung des P in M darf Sie nicht wundern; die Aussprache des *Π* ist bei den heutigen Griechen fast noch weicher, als die des P in Sachsen, und mithin geht sein Laut leicht in den von *M* über. So ist auch aus Pentele jetzt Mentéli (Μεντέλη) geworden.

Von Menidi stiegen wir 1½ Stunde lang eine sanft abhängige Fläche hinauf, bis an den eigentlichen Fuß des Gebirges, wo an einer schönen Quelle kühlen Wassers beträchtlich hoch über der Ebene ein zerstörtes Metochi des heil. Nikolaos liegt. Dies scheint Lipsydrion zu sein, ein Platz, welchen nach Herodotos (5, 62) die aus Athen vertriebenen Alkmaioniden, nachdem ihnen ein Versuch, mit gewaffneter Hand die Rückkehr zu erzwingen, mislungen war, gegen die Peisistratiden befestigten. In allen Handschriften des Herodotos steht Λειψύδριον τὸ ὑπὲρ Παιονίης. Die Lesart einiger Ausgaben ὑπὲρ Πάρνηθος ist aus einer Stelle der Lexikographen genommen, welche ich leider nicht zur Hand habe. Da der Zweck dieser Befestigung kein anderer war, als den Gegnern durch Ueberfälle zu schaden, konnten die Alkmaioniden nicht leicht einen günstigern Punkt wählen. Von hier aus die ganze Ebene zwischen dem Pentelikón, Hymettós, Aigaleos und Parnes überschauend, konnten sie jede Gelegenheit erspähen, den Tyrannen und ihren Anhängern Abbruch zu thun. Alte Reste sind hier indeß nicht mehr vorhanden, außer einigen Grabsteinen in der Kirche, die jedoch auch von unten heraufgeschafft worden sein können.

Am folgenden Morgen vor Sonnenaufgang klommen wir bereits, von einem Führer aus Menidi begleitet, das Gebirge hinan. Es bildet über dem Metochi eine steile Wand, an der indeß ein ziemlich bequemer Weg, durch die Lastthiere der Holzhauer gebildet, in schräger Richtung sich hinaufzieht. Die südlichen, nach der attischen Ebene gewandten Abhänge des Parnes sind nur zum Theil mit niedrigen Fichten bedeckt, zum Theil zeigen sie nackte, verschieden gefärbte Felsflächen, welche dem Gebirge, bei hellem Sonnenschein von Athen aus gesehen, eine Farbenpracht verleihen, die mit Worten nicht zu schildern ist. Nach 1½ Stunde war der Rand der Bergwand erreicht, und wir hatten jetzt eine ausgedehnte Gebirgsfläche vor uns, auf der sich mehre kleinere Berge und in einem Abstande von 1½ Stunde der höchste Gipfel der ganzen Gebirgskette erheben. Hier waren wir bereits in der Region der Tannen, welche von schlankem, ziemlich hohem Wuchse, hier oben die Fichten verdrängen und ansehnliche Räume überdecken. Die kleinen Ebenen zwischen den Waldstrecken hatten einen schönen, fast nordischen Graswuchs; einige bestellte Felder gehörten einem rechts von unserm Wege zwischen den Bergen liegenden Kloster der heil. Trioda. Diese ganze Bergfläche heißt Xerolivádi (Ξερολιβάδι *), trockene Wiese); eine reiche Quelle, angeblich mit Heilkräften, am nördlichen Rande derselben, wird Palaiochóri genannt, welcher Name auf einen alten Ort hindeutet, von dem ich jedoch keine Spuren fand. Von der Quelle bis auf den Gipfel ist der Weg beschwerlich, besonders auf der letzten Strecke, wo die Abhänge mit einem Gerölle von Glimmerschiefer bedeckt sind; aber durch welche Aussicht wurden wir oben belohnt! Unglücklicherweise hatten wir keinen ganz hellen Tag getroffen; der Helikon war nur schwach zu erkennen, der Parnassós ganz durch Wolken verdeckt; aber nach Norden überschauten wir fast ganz Boiotien bis über den See Kopaïs hinaus, nach Osten fast ganz Euboia mit seinen mächtigen, noch stark mit Schnee bedeckten Gebirgen, nach Südost einen Theil des aigeiischen Meeres, nach Südwest über den saronischen Meerbusen hinaus tief in die Bergketten des Peloponnes hinein. Wozu Alles einzeln aufzählen? Wir umfaßten mit Einem Blicke die Hauptschauplätze des griechischen Ruhmes, die Schlachtfelder von Marathón und Plataiai und die Enge von Salamis, aber wir sahen auch in trüber Ferne die Gegend, wo Chaironeia lag. Denken Sie sich die tausend geschichtlichen Erinnerungen hinzu, welche sich hier Einem aufdrängen, und Sie werden mir Recht geben, wenn ich sage, daß gewiß keine Aussicht in der Welt an historischem Interesse dieser gleichkommt, sowie ihr wenige an malerischer Schönheit gleichkommen mögen.

Beim Hinuntersteigen nahmen wir nicht denselben Weg, sondern gingen ostwärts auf dem Rücken des Gebirges hin, wo es nach etwa zwei Stunden stark abfällt und sich dann in einer viel niedrigern, sanfter geformten Bergkette zwischen dem Asopósthal und Drogós im Norden und der marathónischen Ebene im Süden bis ans Meer fortsetzt. Von wilden Schweinen (jetzt ἀγριόχοιρα), deren Pausanias (I, 32, 1) auf dem Parnes gedenkt, fanden die jagdkundigen Offiziere in der Gesellschaft Spuren; auch Wölfe gibt es noch dort, aber keine Bären. Außer den Tannen auf den höhern und den Fichten auf den niedrigern Theilen des Gebirges bemerkte ich nur einzelne Eichen, und in den feuchtern Schluchten und Niederungen einige Platanen. Vorzüglich schön waren diese bei Tatói (ἡ Τατόη), einem zerstörten Dörfchen am Fuße des Gebirges, am Eingange des Passes, der von Athen nach Drogós und Chalkis führt. Von Tatói ziehen sich noch einige runde Hügel ein Paar Stadien weit südlich gegen die Ebene hin. Auf einem der letztern erkannt man schwache Spuren alter Befestigungen. Hier lag Dekéleia, von den Lakedaimoniern vorzüglich in der Absicht in Besitz genommen, den Athenaiern die directe Verbindung mit Euboia abzuschneiden, was auch gelang. Die anmuthige Gegend machte die lakedaimonische Besatzung oft zum Spazierengehen ins Freie locken, obgleich in dem coupirten Terrain leicht ein Ueberfall auf sie auszuführen war. Als die Ephoren dies erfuhren, sandten sie der Besatzung einen Brief: „Spaziert nicht!“ (Μὴ περιπατεῖτε, Aelian. V. h. 2, 5). Von Tatói, wo wir unser Gepäck wiederfanden, hatten wir noch einen Marsch von 5–6 Stunden durch die Ebene nach Athen zu machen.

(Der Beschluß folgt.)

Shakspeare's Anachronismen.

Diesem überall zu viel besprochenen und zur Ungebühr wichtig genommenen Gegenstande widmet auch der bekannte Francis Douce in seinen „Illustrations of Shakspeare“ einen besondern Artikel. Er gibt zwar zu, daß die Beobachtung der Gesetze der Chronologie etwas sehr Allgemeines im Mittelalter war, und daß, mit alleiniger Ausnahme Ben Jonson's, kein Autor seit Chaucer bis zu Jakob I. Zeiten dieselbe beachtet habe, scheint aber doch nicht anzunehmen, daß von dem hohen Standpunkte der Bühne zu Shakspeare's Zeiten aus diese Nichtbeachtung für etwas so Unwesentliches gehalten wurde, daß sie in den bei weitem meisten Fällen wol absichtlich konnte begangen worden sein. Von dem Augenblicke des Verfalles der englischen Bühne an erlangten natürlich solche Nebendinge Wichtigkeit. Späterhin trat die nämliche Erscheinung auch in der Schauspielkunst hervor. Zur Zeit der großen Schauspieler im vergangenen Jahrhunderte pflegte ein Garrick den Hamlet in französischer schwarzer Sammetkleidung mit einem dreieckigen Hute, den Macbeth in scharlachenem Rocke mit Tressen, gestickten Tressenbesatze zu spielen, und keinen Menschen verhinderte dieser Umstand, weniger ergriffen oder hingerissen zu werden. Quin soll sogar den Othello mit einer gepuderten Perrücke gespielt haben. Unsere großen deutschen Komödianten beobachteten zu ihrer Zeit ein ähnliches Costum. Das ist freilich jetzt ganz anders und wird als absurd belacht. Aber es ist mit diesen Absurditäten leider auch Das, worauf es ankommt, die echte Kunst der Darstellung verloren gegangen. Wie sich die Aufmerksamkeit der Künstler und Zuschauer auf das äußere Costum wendete, zog sie sich von dem innern Geiste zurück, oder besser, wie sie diesen nicht mehr zu fassen vermochte, hielten sie sich an jenes als an einen höchst unedeln Ersatz. Und so ist es gekommen, daß gegenwärtig nicht leicht ein junger dramatischer Künstler oder Mime in einer neuen Heldenrolle spielen wird, zu der er sich nicht von der Direction das oft höchst abenteuerliche und ungeschickte Costum der Zeit der Handlung mit unerhörter Genauigkeit und unsinnigem Aufwand an Geld und Mühe anschaffen ließ, das Publicum seinerseits aber freilich darum übersieht, wie man ihm anstatt eines Kunstwerkes ein garstiges Puppenspiel vor Augen führt.

Unbegreiflich ist es, wie ein fein wollender Gelehrter wie Herr Douce etwas darauf geben kann, ein langes Verzeichniß von Shakspeare's vermeintlichen Anachronismen und Ungereimtheiten (incongruities) zu sammeln und nicht zu begreifen, daß man ein solches Verzeichniß ins Unendliche fortsetzen könnte. So z. B. hält er es für unschicklich, daß in den „Lustigen Weibern“, die unter Heinrich IV. spielen, von Schillingen Eduard VI., Macchiavell, Guiana und Westindien die Rede ist; in „Maß für Maß“, wo die Handlung in Sicilien und Böhmen zu heidnischer Zeit vorgeht, von christlichen Begräbnissen, dem Kaiser von Rußland und einem italienischen Maler des 15. Jahrhunderts; in den „Irrungen“ in der alten Stadt Ephesus von Dukaten, einer Aebtissin, von Amerika, Heinrich IV. von Frankreich, lappländischen Zauberern, dem Satan und Adam und Noah; in „Macbeth“ von Kanonen und Thalern; in „Heinrich IV.“ von Pistolen und seidenen Strümpfen; in „Lear“ von Türken, der Syphilis, Papier, Nero und einem französischen Marschalle; daß „Hamlet“ lange vor der Einführung des Christenthums in dem europäischen Norden bei St. Patrick schwört und von Wittenberg spricht u. s. w., während wir bei einem flüchtigen Ueberblicke schon in jedem einzelnen Stücke ebenso viele Anachronismen erblicken. Was wäre die dramatische Poesie ohne Anachronismen in Sitten und Charakteren überhaupt? Sind solche Zeitverstöße nicht ihr [illegible] ment? Kann ein großes Drama aus der Vergangenheit in der Gegenwart Anklang oder Eingang finden, ohne deren Welt und [illegible], ohne Zeitgeist und Gesinnung wiederzuspiegeln? Ist also Poesie ohne solche große Anachronismen schlechthin ein Unding, weil kein Dichter aus sich und seiner Zeit herausgehen kann, weil ein lebendiges Gedicht gar nicht anders in einer lebenden Sprache denkbar ist — was kommt dann auf jene kleinen unwichtigen Verstöße an? Je lauterer ein Dichter seine eigne Zeit in seine Dichtungen aufnimmt, desto größer ist er. 158.

*) Ich habe absichtlich Ξερο–, nicht Ξηρολιβάδι geschrieben, weil die Aussprache des η in diesem Worte (wie in einigen andern, z. B. [illegible]) mehr wie ε, denn wie ι lautet.

Redigirt unter Verantwortlichkeit der Verlagshandlung: F. A. Brockhaus in Leipzig.

Blätter für literarische Unterhaltung.

Dienstag, — Nr. 232. — 20. August 1833.

Der Scholar auf Kloster Berge.

Fragment aus der noch ungedruckten Selbstbiographie von St. Schütze.

(Beschluß aus Nr. 231.)

Später kam auch „Menschenhaß und Reue" zur Aufführung, das Stephani mit Geschick in „Menschenhaß und kindliche Reue" verwandelt hatte. Näher traf er das Ziel gesellschaftlicher Bildung durch Bälle, die er zuweilen im Namen des Grafen gab, wozu er hübsche Mädchen aus der Stadt einlud. Da sah man Schüler in den Classen, die sich die Nägel verschnitten, was denn zur Bildung schon ein guter Anfang war. Nachher gingen Einige mit Schnupftüchern vor dem Munde, um anzuzeigen, daß sie eigentlich weinen sollten, so tief säßen ihnen die Tänzerinnen noch im Herzen. Die Liebesträume verzogen sich zum Glück immer bald wieder. Stephani hatte sich auch gegen mich sehr liebreich bewiesen; aber meine Scheu vor Allem, was auf einen vornehmen Schein Anspruch macht, hielt mich von ihm zurück. Ueberdies bildete er eine Partei auf der Schule, und mir war alles Parteiwesen zuwider und verdächtig, weil es leicht zu Ungerechtigkeiten gegen Andere verleitet.

Durch Kloster Berge war ich wieder zum Genuß der Natur zurückgekehrt. Im Sommer besonders gewährte es, frei auf einem Hügel gelegen, so angenehme ländliche Reize, daß ich jeder Schule, jedem Jugendleben einen so schönen Aufenthalt wünschen möchte. Man fragte sich in den freien Stunden, ob man durch das Kornfeld streichen, durch die große Wiese am Elbufer hin wandern oder in den Klostergarten gehen wollte, der, von der Terrasse mit Obstbäumen herabsteigend, in einen Wald voll Nachtigallen endigte und mit hohen Ulmen den altberühmten Poetengang an der Wiese hinzog. Selbst die Classen verloren zum Theil das Drückende ihrer Einschließung durch die Aussicht; an schönen Tagen wurden gleich in den Frühstunden die Fenster ausgehoben, sodaß man zum Unterricht die Regsamkeit der nahen Windmühle, den Pflüger, der den Hügel hinan seine Furchen zog, oder das wallende Korn darüber hin als eine freundliche Zugabe der Natur mitgenießen konnte. Bei drückender Hitze nahmen die Nachmittagsstunden erst um 5 Uhr ihren Anfang, wodurch die oft zwecklosen Hundstagsferien ganz entbehrlich wurden. Zum größern Genuß der ländlichen Freiheit trug alle Sommer einmal das geräumige Klosterschiff die gesammte Schule, mit Küche und Keller versehen, die Elbe hinauf zum Förster in Pechau; Musik, Gesang, ein Mittagsmahl im Grünen, Umherschiffen auf dem Teiche, das Fällen einer Eiche, Spiel und Tanz, zur Rückfahrt ein steigendes Feuerwerk und manche andere Lust machten diese Tage zu den hellsten Sonnenpunkten des Lebens. Die erste Fahrt wurde mir indeß ein wenig durch den besondern Umstand verdunkelt, daß der Abt sich von den Schülern die Erlaubniß hatte abgewinnen lassen, die Nacht ausbleiben zu dürfen, was zu mancherlei Unordnung und Anstoß Gelegenheit gab. Das Nachtlager in der Scheuer, wo die Schüler, statt zu schlafen, sich die Strohbunde an die Köpfe warfen, war schon nicht nach meinem Geschmack. Die Musikanten, diesmal eine ganz gemeine Bande, mit lustigen, zweideutigen Liedern, die sie selbst zu ihren Instrumenten sangen, erregten mir auch allerhand Bedenken. Verdächtiger noch war mir das Erscheinen eines Prädicanten aus der Stadt mit seiner Frau, der man den übeln Ruf gleich ansah. Entschieden anstößig aber mußte mir der Anblick eines Lehrers sein, der, dickleibig, wie er war, ohne Rock und in den Unterbeinkleidern, also halb nackt umherging. Alles Zeichen, in welche Zerrüttung die Schule durch des Abts vornehme Nachlässigkeit gerathen war. Zum Glück kam eine solche Fahrt mit nächtlichem Ausbleiben nicht wieder vor, und der dicke Lehrer war eines Morgens Schulden halber in die weite Welt gegangen.

Für die bedeutendsten Lehrer der Schule galten Gurlitt und Lorenz, jener als Philolog, dieser als Mathematiker. Man schätzte sich glücklich, wenn man erst in Prima saß, um Gurlitt's Unterricht zu genießen, dieses feinen Mannes, der, immer des Nachts bis 1 Uhr Gelehrsamkeit einsammelnd, in den Classen an lehrreichen und nützlichen Kenntnissen überfloß und sie so passend verknüpfte, daß sein Vortrag sowol den Geist zu bereichern als den Geschmack zu bilden geschickt war; aber die eigentliche Erlernung der Sprache wurde doch darüber verabsäumt. Den geheimen Wunsch, Professor auf einer Universität zu werden, den er schon lange gehegt hatte, befriedigte er hier vom Katheder aus, weshalb er denn auch, wenn er eine Stunde ausfallen ließ, nur zu sagen pflegte: Ich lese heute nicht! Er gefiel sich immer darin, den Text zur Grundlage von gelehrten Bemerkungen zu machen, die alle mit dem größten Eifer nachgeschrieben wurden. So rückten wir im Autor nie von der Stelle; die lateinischen Exercitien erhielten gleich in der Classe ihre Abfertigung und lateinische Ausarbeitungen kamen ganz in Vergessenheit. Im Griechischen, zumal im Homer, ging es nicht viel besser. (Doch in spätern Jahren hat Gurlitt, wie ich höre, seine Methode geändert.)

In der Mathematik folgte ich anfangs mit großer Leichtigkeit, ja zuweilen fand ich wol auch andere Beweise als die, welche im Buche standen; aber sowie ich nach Prima kam, war es aus damit, denn hier wurden hinter dem Rücken des ehrwürdigen Lorenz so viele Possen getrieben, daß Aufmerksamkeit, besonders wenn man für das Komische sehr reizbar ist, fast ans Unmögliche grenzte, und bleibt man in der Mathematik nur um einen Schritt zurück, dann holt man den Lehrer nie wieder ein. Lorenz lebte so ganz und gar für seine Wissenschaft, daß, wenn er nur Einen zur Seite hatte, der seinen Eifer theilte, er alle Uebrigen darüber vergaß. Diese führten dann, da er mitten in der Classe seine Tafel aufgestellt hatte, hinter ihm Menuets auf, ohne daß er es bemerkte. Nur einmal drehte er sich um und — zankte nicht, sondern lachte über den neuen Anblick. Es war aber auch zum Lachen, denn auf dem Katheder saß der größte seiner Schüler und spielte, indem er zwei Stücken Holz aneinander rieb, die Geige zum Tanz. Da er nach Art der Geigenspieler den Kopf auf die Seite hielt, merkte er lange nicht, daß der Tanz aufgehört habe, bis der alte Lorenz mit lachendem Gesicht zu ihm hinaufsprach: „So! so! der große Mensch da!" worauf denn Alles wie in einem Lustspiel sich in das lauteste Gelächter ergoß.

Ein paar entfernte Berührungen gab es um diese Zeit, die ich wol miterwähnen darf. Ich pflegte nämlich meine Ferien bei einem Verwandten in Schönebeck zuzubringen, und eines Jahres, wie ich meinen Besuch erneuerte, fand ich zu meiner großen Verwunderung das Zimmer, das ich gewöhnlich einnahm, von einer hohen Person, und zwar vom Prinzen von Oranien (dem jetzigen König von Holland) bewohnt, der damals aus eigner Strenge gegen sich selbst im Hause meines Onkels ganz enge mit drei Zimmern sich begnügte, wovon das eine ihm und seinem Gouverneur zum Wohn-, das andere zum Schlafzimmer und das dritte kleinere seinem Kammerdiener zum Aufenthalt dienen mußte; seine zwei Bedienten wohnten außer dem Hause. In Schönebeck stand ein Cavalerieregiment, und der Prinz war hier, um den Reiterdienst zu lernen. Mit merkwürdiger Selbstbeschränkung lehnte er das Anerbieten des Generals, in seinem Hause zu wohnen, ab, befleißigte sich sehr eifrig des Dienstes, stellte sich Mittags zur Wachparade der Hauptwache gegenüber und erhob sich des Morgens sehr früh, wenn eine Kriegsübung ihn ins Freie rief. Ein gewisser trockener Ernst und eine Gesetztheit, die weit über seine Jahre hinausging, bezeichnete sein äußeres Wesen und verband sich mit der größten Pünktlichkeit und Ordnungsliebe, ohne jedoch dem freundlichen Betragen Abbruch zu thun, womit er Allen, die sich ihm näherten, begegnete. Meine jüngste Cousine, welche vorkommende Gelegenheiten benutzte, sich ihm mit einem festlichen Kuchen darzustellen, trug manches kleine Geschenk zum langewährenden Andenken davon. Für mich aber hatte seine Gegenwart die Folge, daß ich des Nachts unten in der gemeinsamen Wohnstube meiner Verwandten in einem ausgezogenen Schlafschranke zubringen mußte.

Noch eine andere Berührung gab es, eine romantische, die seinen Gouverneur betraf. Wenn ich nämlich mit andern muntern Gesellen, jeder sein Mädchen am Arm, Abends aus dem Busch zurückkehrte, ließen wir nicht selten das Lied hören:

Wenn die Nacht mit süßer Ruh
Längst den Müden lohnet,
Geh' ich auf das Hüttchen zu,
Wo mein Mädchen wohnet,
Wünsch' ihr dann um Mitternacht
Eine sanfte gute Nacht.

Damals ahnte ich nicht, daß dieses Lied voll idyllischer Unschuld dem im Hause wohnenden Prinzengouverneur, der es jetzt wol aus der Ferne vernehmen mochte, als gesangskundigen Dichter angehörte; erst viele Jahre nachher, als ich seine Gedichte recensiren mußte, erfuhr ich, daß dies Lied von — Oberst Stamfort sei.

Die kriegerisch werdende Zeit warf Vieles durcheinander. So berührte jetzt ein Stück der Weltgeschichte die Handlung meines Onkels in Magdeburg, welchem von einem holländischen Hause der Auftrag wurde, im Namen der amerikanischen Freistaaten an den General Lafayette, der auf der Citadelle von Magdeburg gefangen saß, eine Summe zum Geschenk auszuzahlen. Einer aus dem Comptoir begab sich zu ihm, um über den Empfang des Geldes seinen Willen zu vernehmen. Da er es im Gefängnisse nicht brauchen konnte oder nicht brauchen durfte, so sollte es ausgeliehen werden; man fragte, an wen. Mit großer Lebhaftigkeit erhob sich da der General und sagte: „Nur an keinen Regenten, lieber an eine Privatperson, an einen Kaufmann!" wodurch sich augenblicklich der Republikaner zu erkennen gab. Dennoch wurde das Geld — nur eine geringe Summe von 1000 oder 1200 Thalern — in die königliche Bank gethan. Was später bei dem kriegerischen Wechsel des Geschicks daraus geworden, weiß ich nicht.

Mittheilungen über Griechenland.

(Beschluß aus Nr. 231.)

Einige Tage darauf langte die Nachricht an, daß der König und die Regentschaft am 23. Mai in Athen eintreffen würden. Sofort stürzte sich Alles in den kopflosen Taumel der Vorbereitungen zu ihrer Aufnahme, dessen Schilderung Sie mir schenken werden, wenn ich Ihnen sage, daß sich im veilchenumkränzten Athen so ziemlich dieselben Schoppenstädtereien wiederholten, über welche ich in unsern kleinen deutschen Städtchen beim Empfange hoher Reisender so oft hatte lachen müssen. So kam denn der bestimmte Tag heran; und da der König in Megara hatte schlafen sollen, so konnte der Einzug in Athen erst Nachmittags stattfinden. Um Mittag setzte ich mich mit einigen Freunden zu Pferde, und wir ritten nach Daphni, wo eine Deputation von Athenaiern den König begrüßen sollte. Daphni (τὸ Δαφνί) ist ein Kloster in dem Engpasse, welcher, die Bergkette des Aigaleos der Quere nach durchschneidend, aus der athenaiischen in die thriasische Ebene führt, und durch welchen vor Alters der heilige Weg (ἱερὰ ὁδός) ging. Es liegt 1½ Stunde von Athen, an der Stelle, wo am sogenannten bunten Berge (ποικίλον ὄρος) ein Tempel des Apollon stand (Paus. I, 37, 5). Doch von diesen Oertlichkeiten ein anderesmal mehr. Nach langem Harren wurde um 5 Uhr die nahe Ankunft des Königs gemeldet, und die Deputation begab sich hierauf an den Eingang des Passes zurück, von wo der von der Landseite Kommende die erste Ansicht der Stadt und der Ebene hat. Um 6 Uhr erschien der junge König, von seinem Bruder, dem Kronprinzen von Baiern, dem Prinzen Eduard von Sachsen-Altenburg, dem Grafen Armansperg und einem kleinen Gefolge begleitet; die Herren von Maurer, Heideck, Abel und Greiner waren schon des Morgens über See in Athen eingetroffen. Die Anrede der Athenaier beantwortete der König sehr passend: Es sei einer der frohesten Tage seines Lebens, an welchem er ihre weltberühmte Stadt zum ersten Male erblicke; und sowie er Alles thun werde, um ihrem Glücke wieder aufzuhelfen, so hoffe er auch, daß die heutigen Bewohner derselben sich mehr und mehr beeifern würden, sich des Ruhmes ihrer Vorfahren wieder würdig zu zeigen. Dann warf sich Alles zu Pferde und schloß sich dem Zuge an, der in scharfem Trott vorwärts ging, bis schon im Oelwalde die Fluten der Menschenmenge es unmöglich machten, anders als in langsamem Schritt vorwärts zu kommen. Aufrichtige, selige Freude malte sich in allen Gesichtern, und unaufhörlich erscholl es tausendstimmig in die Lüfte: „Ζήτω Ὄθων! ζήτω ὁ βασιλεύς μας! να ζήσῃ πολλὰ χρόνια!" (Es lebe Otto! es lebe unser König! er lebe viele Jahre!) Der König schien tief gerührt und äußerte auch am folgenden Tage, daß ihn ein so herzlicher Empfang in Athen aufs tiefste bewegt habe. Um dem jauchzenden Volke den Anblick seines hoffnungsvollen, jugendlichen Herrschers länger zu gönnen, ging der Zug auf einem kleinen Umwege durch das Thor zwischen dem Areios Pagos und dem Theseion in die Stadt und am Theseion vorüber nach der für den König und den Kronprinzen bestimmten Wohnung, wo der König endlich, durch das Gedränge genöthigt, vom Pferde zu steigen, mit Einbruch der Nacht zu Fuße anlangte. In Wahrheit, welch ein Schauspiel! Ein Volk, ein König, mit Vertrauen sich einander in die Arme werfend, um vereint ein neues Leben zu beginnen, und eine an sich so große Begebenheit noch dadurch gehoben, daß sie auf einem Boden vorgeht, wo an jedem Fußbreit Landes die größten weltgeschichtlichen Erinnerungen haften!

Die folgenden Tage vergingen in einem Sturme, wie er bei solchen Gelegenheiten gewöhnlich ist, sodaß es mir schwer werden würde, Ihnen Alles der Reihe nach zu erzählen. Die Reisenden widmeten fast alle ihre Zeit der Besichtigung der Alterthümer und dem Besuche der nächsten Umgegend, und meinem Landsmann F. und mir wurde dabei die gewiß schmeichelhafte Ehre zu Theil, die hohen Herrschaften fast überall zu begleiten und den neuen Herrscher der Hellenen in seiner künftigen Residenz und ihren Umgebungen herumzuführen. Von dem Kunstsinn des Königs und seiner Liebe für die Alterthümer seines Landes kann die Alterthumswissenschaft das Höchste erwarten; die Ausgrabung und Aufräumung nicht allein der Akropolis, sondern auch des in einem frühern Briefe bezeichneten Theiles der alten Stadt scheint so gut wie beschlossen.

Wenn ich Athen eben als künftige Residenz bezeichnet habe, so ist das doch nur noch anticipirt; freilich ist der seltsame Vorschlag eines von dem Könige mitgebrachten Architekten, die Hauptstadt am Peiraieus anzulegen, so gut wie verworfen worden, aber man hat vorläufig nur beschlossen, in zwei bis drei Monaten die Residenz provisorisch hierher zu verlegen. Der definitive Beschluß wäre vermuthlich schon gefaßt worden, da der König sehr für Athen geneigt ist und die Regentschaftsmitglieder einstimmig dafür entschieden sind, hätte nicht ein erlauchter Reisender den Vorschlag gemacht, Athen, dessen alte Geschichte einmal für allemal geschlossen sei, ganz zu verlassen, seine heiligen Ruinen gar nicht durch die Nähe moderner Wohnungen zu entweihen und eine bis zwei Stunden weit von diesen ehrwürdigen Denkmälern eine neue Ottosstadt zu gründen. Die Vertheidiger der entgegengesetzten Meinung erwiderten hierauf, daß noch durch keinen Neubau den Alterthümern Eintrag geschehen sei; daß es noch in der Hand der Regierung stehe, für ihre Erhaltung alle mögliche Fürsorge zu tragen und die Aufführung neuer Häuser nur in einer angemessenen Entfernung von denselben zu erlauben, und daß es gewiß für König Otto ein schönerer Ruhm sein werde, der Wiedererbauer Athens als der Gründer einer neuen Stadt zu heißen. Inzwischen war durch diesen Widerstreit der Meinungen ein Schwanken in die Entschließungen gebracht worden, und erst die nächste Folgezeit kann lehren, welche Meinung siegen wird.

Der Kronprinz von Baiern ging am dritten Tage Abends mit dem neapolitanischen Dampfboot Franz I., welches, wie Sie aus den Zeitungen wissen, mit einer Gesellschaft Reisender eine Lustfahrt nach den vornehmsten Häfen der Levante macht, über Smyrna nach Konstantinopel ab, der König Tags darauf über Aigina nach Nauplion zurück. In Athen herrscht wieder die gewohnte Stille, nur daß der Häuserbau mit größerm Eifer fortgesetzt wird als zuvor. Seit einigen Tagen hat man auch mit dem Schneiden des Getreides begonnen, welches dies Jahr wegen des langen Winters und kühlen Frühlings ein paar Wochen später gereift ist als gewöhnlich. Man schneidet es mit der Sichel (τὸ δρεπάνι oder δραπάνι), bindet es in Garben (δεμάτια) und bringt es auf die Tenne (τὸ ἀλώνι), wo es nach einigen Tagen, wenn die Sonne es gehörig getrocknet hat, von Pferden und Eseln ausgetreten wird (ἀλωνίζεται). Dieser Theil des Sommers (die eigentliche Erntezeit) heißt noch jetzt τὸ θέρος, während der Sommer im Allgemeinen τὸ καλοκαίρι (das Schönzeitchen) heißt. Die Art und Weise der Ernte ist nicht die vortheilhafteste; das Getreide wird mit vielem Sand und Staub gemischt, und es geht viel dabei verloren. Doch hat der Ackerbau, wenigstens in Attika, früher auf einer noch niedrigern Stufe gestanden. Ein junger albanesischer Bauer, ein geborener Athenaier, mit dem ich gestern darüber sprach, sagte mir: „Siehe, vor der Revolution waren wir noch unwissender als jetzt. Wir kannten blos unsern Ort, gingen höchstens bisweilen ans Ufer, um uns zu baden; und wenn wir ein Kaïki in der See sahen, fragten wir verwundert: wem gehört es? (τίνος εἶναι). In der Revolution sind wir weit herumgekommen, auf die Inseln, nach Morea, überall hin; wir haben vieles Neue gesehen, und wir haben unsere Augen geöffnet und gelernt (κ' ἀνοίξαμεν τὰ μάτιά μας κ' ἐμάθαμεν)." Er mochte nicht Unrecht haben; in der gewaltigen Erschütterung der Revolution hat das Volk unterm Zwange der Noth eine Masse von Vorurtheilen und starren Gewohnheiten abgeschüttelt, zu deren allmäliger Ablegung in Friedenszeiten mehr als ein Menschenalter erfoderlich gewesen wäre. Jetzt ist der Boden gelockert und die neu zu säenden Saaten werden desto schneller wurzeln und keimen. Daß indeß noch Schwierigkeiten genug bleiben, wissen Sie aus meinen frühern Briefen.

6. Juni.

Bevor ich den Brief absende, füge ich nach Gewohnheit das neueste Neue hinzu. Von Ausgrabungen, wovon ich Ihnen am liebsten schriebe, kann ich leider nichts weiter melden; das Geld ist längst daraufgegangen, und von Seiten der Regierung hat noch nichts dafür geschehen können. Aus der Residenz ist das Neueste, daß am Geburtstage des Königs (1. Juni) ein Ritterorden des Erlösers (τάγμα τοῦ σωτῆρος) gestiftet worden ist. Im Innern des Reiches herrscht fortwährend Ruhe und Ordnung. Von der Grenze hört man, wie es scheint, mit Zuverlässigkeit, daß die ausgewanderten Pallikaren, nebst einem Haufen Türken oder Albanesen, die Stadt Arta geplündert und eingeäschert haben. Inzwischen ist es gewiß, daß ein Theil jener Auswanderer (wie man sagt, gegen 500) bereits über die Grenze zurückgekehrt ist und zu capituliren verlangt hat; die Regierung hat sie, insofern sie innerhalb des Königreiches gebürtig sind, mit Verzeihung ihres Ungehorsams begnadigt, auf die Bedingung, sich fortan den Gesetzen unterwerfen zu wollen. Meine schlimmen Prophezeihungen scheinen demnach nicht in Erfüllung zu gehen; ich sage von Herzen: desto besser! Aus Konstantinopel hören wir nur, daß die türkisch-ägyptisch-russische Angelegenheit noch immer nicht beendigt ist, und wir sehen mit gespannter Erwartung der Lösung dieser Frage entgegen. Mit ihr hängt die Lösung einer andern Frage zusammen, welche Griechenland ganz unmittelbar berührt. Ich schrieb Ihnen, glaube ich, von Nauplion aus, daß die Samier die Anerkennung der türkischen Herrschaft aufs bestimmteste verweigert und sich um Schutz an die königlich-griechische Regierung gewandt hätten. Dieser hat ihnen natürlich nicht bewilligt werden können; dagegen ist ihnen griechischerseits versprochen worden, falls sie ihre Unabhängigkeit gegen den Sultan nicht zu behaupten vermöchten und sich zur Auswanderung entschlössen, ihnen im Königreiche ebenso viele Ländereien anzuweisen, als der Flächenraum ihrer Insel beträgt; wogegen die Samier sich anheischig gemacht haben, in diesem Falle bis auf den letzten Mann ihre Insel zu verlassen und in das Land der Freiheit überzuwandern. Diese Nachricht können Sie als authentisch betrachten. So können wir denn in unserm an merkwürdigen Begebenheiten reichen Zeitalter erwarten, das große Beispiel der Auswanderung der Phokäer durch die Samier wiederholt zu sehen. Aber besser noch, wenn es ihnen gelingt, den ungleichen Kampf mit dem Sultan siegreich durchzukämpfen. 125.

Les pleurs. Poésies nouvelles par *Madame Desbordes-Valmore.* Paris 1833.

. . . l'oiseau que ta voix imite
T'a prêté sa plainte et ses chants
Et plus le vent du nord agite
La branche où ton malheur s'abrite
Plus ton ame a des cris touchans.

Sur la lyre où ton front s'appuie
Laisse donc résonner tes pleurs,
L'avenir du barde est la vie,
Et les pleurs que la gloire essuie
Sont le seul baume à ses douleurs.

Diese Stanzen, die wir aus einer Zuschrift des Sängers der „Méditations" an die Dichterin entnommen, scheinen sie zu vorliegenden Poesien begeistert zu haben. Es sind Klänge eines tief verwundeten Gemüths, die meistens unwillkürlich unter dem Hauche der Inspiration ausströmen, selten blos durch anstrengende Kunst mehr dem Geiste als dem Gefühle abgezwungen worden; das Gefühl ist wie bei den meisten dichtenden Frauen die eminenteste Facultät der Mad. Desbordes-Valmore, sodaß der Gedanke meist ganz in der elegischen Thränenflut untergeht.

Dans tous mes souvenirs je sens couler des larmes,
Tout ce qui fit ma joie enfermait mes douleurs.

Dieses ewige Weinen ermüdet, und wenn man den mächtigen Quartband ihrer Poesien durchgegangen, so ist man durch das eintönige Rauschen dieser Thränen-Katarakte am Ende so abgestumpft und eingeschläfert, daß man, um nicht ungerecht gegen die Sängerin zu werden, sich den ersten Eindruck ihrer Gesänge durch die Erinnerung muß zu vergegenwärtigen suchen, um so mehr, da es mitunter an Klarheit fehlt und Reminiscenzen und fehlerhafte, verworrene Constructionen nicht selten sind. Als besonders gelungen müssen wir ihre Schilderungen der Liebe anerkennen; in dieser Beziehung steht Mad. Valmore unübertroffen in der neuesten französischen Literatur, und selbst über Mad. Tastu. Man lese z. B. folgende Strophen aus dem Gedichte „L'amour":

Le même ange peut-être a regardé nos mères
Peut-être une seule ame a formé deux enfans.
Oui, la moitié qui manque à tes jours éphémères,
Elle bat dans mon sein où tes traits sont vivans!

Sous le voile de feu j'emprisonne ta vie;
Là, je t'aime innocente et tu n'aimes que moi,
Ah! si d'un tel repos l'existence est suivie,
Je voudrais mourir jeune et mourir avec toi.

Und folgende Stelle in der Elegie: „Toi, me hais-tu?"

. . . .

Quand je sens tes doux yeux bruler sur ma paupière,
Dis, n'est-ce pas ton coeur qui regarde mon coeur?

Toi, qui m'as seule aimée, écoute, si tu changes,
Je te pardonnerai sans t'imiter jamais;
Car de cet amour vrai dont s'adorent les anges,
Je sens que je t'aimais.

Et j'en demande à Dieu pardon plus qu'à toi-même,
Je ne veux pas revivre où l'on dit que l'on aime,
Si l'on t'y donne un bien qui ne sera plus moi,
Et si Dieu m'y destine un autre ange que toi!

Und wir könnten noch hundert Stellen wie diese abschreiben. So oft der Hauch der Liebe über die Lyra der Sängerin weht, entlockt er ihr entzückende Melodien. 143.

Literarische Notizen.

Vom Bischof Grégoire erschien bereits ein Bändchen mit dem Titel „Nouvelle littérature nègre", und es ist daher nichts Neues, daß es auch Schriftsteller unter den Negern gibt. Auf Haiti gibt es Bücher und Zeitschriften, und es kommt jetzt sogar eine Revue unter dem Titel: „Le nouveau monde littéraire" heraus. „In einer der letztern Nummern", sagt die „Revue de Paris", „fanden wir einen merkwürdigen Artikel von einem gewöhnlichen Schriftsteller, der sich aber noch Landesfitte einen Titel zulegt und Graf de la Marmelade nennt. Es ist eine Geschichte des Kaisers Christoph im Negerstyl. „Ich lieben und bewundern den großen Mann, du horchen mich dir erzählen seine großen Kriege, und wie er's angebreht, schwarz auf weiß zu setzen; er sehr gut mit dem Soldaten im Felde, allein manchmal hart bei den Musterungen; er speisen alle Tage sechs kleine Weiße zu seinem Frühstücke für sich, u. s. w." Lüstern machen solche Proben eben nicht, das muß wahr sein!

Die Expédition scientifique de Morée, welche unter Direction des Obersten Bory de St.-Vincent steht, hat das 20. Heft mit den Resultaten ihrer Thätigkeit erscheinen lassen. Ein Theil der geologischen Forschungen der Hrn. Puillon, de Boblaye und Theodor Virlet ist darin enthalten.

In Paris wird angekündigt: „Mes années de douleurs, par *P. Maroncelli*". Maroncelli war bekanntlich Leidensgefährte von Silvio Pellico.

Erschienen sind die 21. und 22. Lieferung der „Histoire scientifique et militaire de l'expédition française en Égypte".

In Paris ist ein Abdruck des in Italien mit vielem Beifall aufgenommenen neuen Romans „Ettore Fieramosca" von Massimo d'Azeglio, einem Schwiegersohne Manzoni's, erschienen. Er hat nur einen Band, gehört zur Classe der historischen Romane und bewegt sich in der Zeit der Eroberung Neapels durch Ludwig XII. und Ferdinand den Katholischen.

3.

Redigirt unter Verantwortlichkeit der Verlagshandlung: F. A. Brockhaus in Leipzig.

Blätter

für

literarische Unterhaltung.

Mittwoch, —— Nr. 233. —— 21. August 1833.

Relation über einundvierzig Dichter der neuesten Zeit.

Zweiter und letzter Artikel. *)

Wir wenden uns zu unserer dritten Classe. Da diese für unsere Zeit die wichtigste ist und, nach unserm Ermessen, die neueste Poesie, namentlich die Lyrik, ihr die schönsten Blüten, die sie aufzuweisen hat, verdankt, so sei es uns erlaubt, etwas ausführlicher über ihre Entstehung, ihren Charakter und ihr Verhältniß zur zweiten Classe zu sprechen.

Auch dem oberflächlichsten Betrachter ist es bald einleuchtend, daß die lyrischen und lyrisch-epischen Gedichte eines Uhland, Schwab, Kerner, W. Müller, Heine, Chamisso, Rückert einer eignen neuen Schule angehören, welche sich von derjenigen, aus der die Gedichte der obengenannten zweiten Classe hervorgegangen sind, wesentlich unterscheidet. Man wende gegen den Ausdruck: neue Schule, nicht ein, daß Göthe schon im vorigen Jahrhundert Lieder und Romanzen gedichtet, die denen der neuesten Zeit und zwar namentlich denen der eben genannten Männer so nahe stehen, daß er als Vater auch dieser Gattung betrachtet werden kann; Göthe steht in jener Zeit einzig da, hier aber, wo es sich um die Schilderung eines herrschenden Gesammtcharakters handelt, wird man zugeben, daß dieser in der lyrischen Poesie des 18. Jahrhunderts nicht jener der Göthe'schen Gedichte ist, sondern daß Schiller's, Matthisson's, Bürger's, der Stolberg und Aehnlicher lyrische Erzeugnisse seine wahren Träger sind. Dies erhellt schon aus der allgemeinen Theilnahme, die Letztere genossen und die sich bis in die niedern Volksclassen verbreitete, während die Göthe'sche lyrische Muse dazumal von gar Wenigen wahrhaft und mit der That geliebt wurde, ja dem größten Theile der Nation recht eigentlich fremd und unbekannt war.

Wir können daher wol mit Recht von einer neuern lyrischen Schule sprechen. Was ihre Entstehung betrifft, so würde sie, dem Angegebenen zufolge, nicht unmittelbar von Göthe abzuleiten sein. Vielmehr tritt zwischen sie und die Schiller-Matthisson'sche noch eine Vermittlerin, die am besten als die Schlegel-Tieck'sche Schule bezeichnet werden kann. Auch über das Verdienst der letztern ist zur richtigen Ansicht von der Entstehung unserer neuesten Einiges hinzuzufügen.

Das seit Ende des vorigen Jahrhunderts angeregte und neu belebte Studium der neuern europäischen Nationalliteraturen hatte dem Mittelalter und seiner Kunst neue Achtung verschafft. Wenn bis dahin das Wort: gothisch, als gleichbedeutend mit barbarisch und geschmacklos gegolten hatte, so lernte man jetzt die Herrlichkeit wie der ältern Baukunst und Malerei, so der mittelalterlichen Poesie erkennen. Natürlich konnte bei den beredtesten Lobrednern derselben, den Brüdern Schlegel und Tieck, der Wunsch nicht dahinten bleiben, daß eine Annäherung an sie, ja eine Durchdringung mit der neuern Poesie eine Wiedergeburt der letztern herbeiführen möchte. Darum sagte A. W. Schlegel in der Zueignung der „Blumensträuße italienischer, spanischer und portugiesischer Poesie“ nicht ohne Begeisterung zu den alten Dichtern sprechend:

> Mit euch zu leben und den deutschen Ahnen,
> Ist was mir einzig das Gemüth kann laben.

und:

> Das echte Neue keimt nur aus dem Alten,
> Vergangenheit muß unsre Zukunft gründen,
> Mich soll die dumpfe Gegenwart nicht halten,
> Euch, ew'ge Künstler, will ich mich verbünden u. s. w.

Wenn nun auch nicht zu leugnen ist, daß das Streben dieser Schule in vielfacher Hinsicht ein verfehltes genannt werden, und daß der eigentliche dichterische Werth der Schlegel'schen Poesien wol nicht sehr hoch angeschlagen werden kann, sowie daß Tieck's eigenthümlicher Glanzpunkt auch nicht seine lyrischen Poesien sind, so bleibt das Verdienst der genannten Männer doch immer dies, durch Wort und That der abstracten Reflexion in der lyrischen Poesie entgegengetreten zu sein und auf reinere Formen, mit Ausscheidung alles Unwesentlichen, Störenden, Erzwungenen, zuerst dringend hingewiesen zu haben. Natürlich mußten sie dahin wirken, daß die ganze Ansicht vom volksthümlicher Poesie eine höhere und ernstere ward, daß das geschichtliche Costum und Colorit treuer in den lyrisch-romantischen Dichtungen bewahrt wurde. Besonders die Bürger'sche und Stolberg'sche Schule hatte in die Romanze und Ballade einen gewissen Bänkelsängerton hineingebracht und durch plumpe, unwitzige Scherze, durch komische Dummheit den eigentlichen Volks-

*) Vgl. den ersten Artikel in Nr. 201 — 203 d. Bl. D. Red.

charakter zu treffen gewähnt. Zu bekannt sind der „Ritter Plump von Pommerland", der „Bruder Graurock", die „treuen Köter" u. s. w., um ins Gedächtniß gerufen zu werden. Auch edlere Dichter verfielen mehr oder weniger in diesen Ton, und Schiller z. B. beginnt sein Lied auf Eberhard den Greiner bekanntlich folgendermaßen:

Ihr — Ihr dort draußen in der Welt,
Die Nasen eingespannt,
Auch manchen Mann, auch manchen Held,
Im Frieden gut und stark im Feld,
Gebar das Schwabenland.

Wie ganz anders beginnt dagegen Uhland's Romanzencyklus auf denselben Helden:

Ist denn im Schwabenlande verschollen aller Sang,
Wo einst so hell von Staufen die Ritterharfe klang?
Und ist er nicht verschollen, warum vergißt man ganz
Der tapfern Väter Thaten, der alten Waffen Glanz?
Brich denn aus deinem Sarge, steig' aus dem düstern Chor
Mit deinem Heldensohne, du Rauschebart, hervor!
Du schwingst dich unverwüstlich noch greise Jahr' entlang,
Brich auch durch unsere Zeiten mit hellem Schwerterklang.

Uhland ist es nun eben, welcher die neuere Schule eröffnet; ihm folgten die oben genannten übrigen Dichter: Schwab, Müller u. s. w. Es ist nicht zu leugnen, daß diese freie Lyrik besonders durch den deutschen Freiheitskampf geweckt wurde. Zwar nicht jene eigentlichen Freiheitssänger meinen wir; die fast nichts als

Freiheitshort,
Zwingherrnmord,
Schlachtendrang,
Todesgang,

zu reimen wußten, diese können nicht als Wiederhersteller der deutschen Lyrik angesehen werden; unmittelbar rief die große Freiheitszeit, wenn wir einige wenige Lieder von Schenkendorf und Rückert, und noch wenigere von Arndt und Körner ausnehmen, nichts hervor, was bleibenden poetischen Werth hätte, wol aber mittelbar. Das neue Leben, welches das deutsche Volk durchdrang, die größere politische Freiheit, welche sich namentlich in den süddeutschen Staaten entwickelte und überall sich zu entwickeln wenigstens versprach, die erhöhte religiöse Begeisterung, die sich in vielen Individuen regte: alles Dies weckte die dichterischen Gemüther. Nicht zwar Diejenigen, welche jene neu errungenen Güter selbst zu abstracten Themas ihrer Gesänge machten, wohin wir namentlich den Nachwuchs burschenschaftlicher Sänger rechnen, ehren wir als die neuen Lyriker, sondern Diejenigen, welche, von jenen frischen Lebensprincipien durchdrungen, den Stoff, den sie behandelten, sei er, welcher er wolle, frei und lebendig gestalteten. So entstanden denn Lieder, welche als der rein objective Ausdruck des Zustandes der Empfindung, Romanzen und Balladen, welche als eine edle, deutsche, volksthümliche Darstellung des Geschehenen im lieblichen Widerschein der Auffassung des Dichters bezeichnet werden können. Man wird gegen diese unsere Charakteristik nicht einwenden, daß eine objective Lyrik ein Widerspruch sei, und daß, hinsichtlich der Romanze, wenn diese im Wiederschein der Auffassung des Dichters vor die Augen tritt, wir ja eben die Reflexion haben, die wir an der ältern Schule aussetzten; denn nach unsern von vorn herein gemachten Bemerkungen kann es nicht unklar sein, daß wir jene Objectivität der Lyrik darin suchen, daß der Dichter unmittelbar sein Inneres uns vor die Seele stellt, ohne erst seiner Subjectivität in Reflexionen Rechenschaft über die Affecte desselben zu geben, wie dies gleich im ersten besten Uhland'schen Liede deutlich wird, wenn es z. B. heißt:

Lebe wohl, lebe wohl, mein Lied,
Muß noch heute scheiden,
Einen Kuß, einen Kuß mir gib,
Muß dich ewig meiden.
Eine Blüt', eine Blüt' mir brich
Von dem Baum im Garten,
Keine Frucht, keine Frucht für mich,
Darf sie nicht erwarten.

Hier ist von abstracten Begriffen: Trennungsschmerz, Wiedersehen u. s. w. nicht die Rede, sondern der Schmerz selbst, die Hoffnungslosigkeit selbst spricht. Und was die Romanze betrifft, so ist hier die Einmischung der Persönlichkeit des Dichters etwas ganz Anderes als das oben an der ältern Schule Gerügte, wo der Dichter nicht sein Gemüth als das eines Individuums zum Reflex der Geschichte nimmt, sondern sich zum bloßen Vermittler, ja Handlanger zwischen dem einfachen Factum und allgemein abstracten Reflexionen herabwürdigt. Darum steht es wieder Uhland so wohl, wenn er als echter Romanzensänger z. B. in einem Liede, wo er die Pracht und Herrlichkeit eines Ritterfestes zu beschreiben beginnt, sich selbst unterbricht und sagt, es sei unthunlich:

Denn wer nicht saß in der Halle,
Es nicht beschreiben kann.
Und wär' ich auch gesessen
Dort in der Gäste Reihn,
Doch hätt' ich das Andre vergessen
Ob all dem edeln Wein.

Als besonders charakteristisch für die neuere lyrische Schule ist auch noch die Zurückführung und Aneignung mancher für ihre Stoffe ganz besonders geeigneten Versmaße, z. B. Niebelungenstrophe, des trochäischen Tetrameters und Dimeters, zu erwähnen. Wie stattlich beginnt z. B. Platen's treffliches Gedicht: „Das Grab im Busento":

Nächtlich am Busento lispeln bei Cosenza dumpfe Lieder,
Aus den Wassern schallt die Antwort, und in Wirbeln klingt es wieder.
Um den Fluß, hinauf, hinunter ziehn die Schatten tapfrer Gothen,
Die den Alarich beweinen, ihres Volkes besten Todten.

Und wer möchte alle den Reichthum neu belebter und neu geschaffener Formen in Metrum und Sprache aufzählen! Die Sprache hat wieder Kraft und Reinheit und Leben gewonnen durch Verscheuchung todter Abstractionen und durch Zurückführung schlagender, concreter Ausdrücke und Redeweisen, weil man die verkannte wieder achten lernte, sie, die noch Schiller eine schwankende, unbiegsame, breite, gothische, rauhklingende genannt hatte. Durch dies Alles ist die neue Schule, wie gesagt, eine freie geworden, und es passen auf sie ganz Uhland's Worte:

Nicht an wenig stolze Namen
Ist die Liederkunst gebannt;
Ausgestreuet ist der Samen
Ueber alles deutsche Land.

Singst du nicht dein ganzes Leben,
Sing' doch in der Jugend Drang!
Nur im Blütenmond erheben
Nachtigallen ihren Sang.

Kann man's nicht in Bücher binden,
Was die Stunden dir verleihn,
Gib ein flüchtig Blatt den Winden,
Muntre Jugend fängt es ein.

Aber freilich diese letztern Worte, in denen die Hauptsache liegt, wollen viele unserer neuesten Dichter von untergeordnetem Range nicht genug beherzigen; sie sollten nur Das geben, was die Stunde, der poetische Moment wirklich darbietet; sie sollten, um mit Göthe zu reden, Gelegenheitsdichter im edelsten Sinne des Wortes sein. Aber sie wollen meist Gedichte „in Bücher binden" lassen, und glauben, daß es mit der bloßen Schule gethan ist. Diese kann aber den Moment der poetischen Conception, der zu jedem wahren Gedichte nöthig ist, nicht hervorrufen, sondern blos negativ, befreiend wirken, ohne ihn erzeugt sie an sich bloße Manier.

Diese Bemerkung führt uns unmittelbar auf die uns vorliegenden Gedichte, über die im Einzelnen nur noch zu berichten ist, selbst. »Man würde uns entschieden misverstehen, wenn man das Lob, das wir über die Gattung, zu der sie gehören, aussprechen mußten, schon als ein Lob über sie selbst ansähe. Die Charakteristik der Gattung war nöthig, um das ihnen Gemeinsame vorläufig anzudeuten, und dabei mußte sich denn von selbst ergeben, daß eben die Gattung die einzig wahre, echt poetische sei. Aber viele der Gedichte selbst ermangeln dennoch der Poesie, eben weil der Dichter in dem Wahn befangen gewesen zu sein scheint, als ob jeder von Außen hergenommene Stoff schon an sich, auch ohne daß er innerlich poetisch empfangen und geboren ist, wenn er nur in einer einfachen, volksthümlichen Sprache vorgetragen werde, ein Gedicht gebe. Wenn wir uns nicht scheuen, dies selbst über ausgezeichnetere Dichter, z. B. Schwab, W. Müller, Chamisso u. s. w. auszusprechen, so nehmen wir, dies zu thun, bei den gegenwärtigen, minder bedeutenden um so weniger Anstand. Die meisten ihrer Gedichte, wenn sie bei einer gewissen Natürlichkeit auch nicht positiv beleidigen, wenn man nichts gegen ihre Form auszusetzen hat, lassen doch den Leser bei ihrer Kahlheit vollkommen kalt, eben weil sie nicht erlebt, sondern gemacht sind. Andere verfallen gar in das Extrem und gerathen, indem sie recht einfach und natürlich, dabei aber auch tiefsinnig und bedeutend sein wollen, in eine höchst widrige Manier, welche wir am besten mit dem Namen der Pseudo-Heine'schen bezeichnen können; den Pseudo-Heine'schen, sagen wir, theils insofern sie das wahrhaft Poetische, was Heine hat, nachmachen wollen, theils insofern sie ihm selbst auf den Fußtapfen, wo er nicht mehr er selbst, sondern sein eigner Nachäffer ist, getreulich folgen. Aber trotzdem findet sich doch fast bei Allen einzelnes Vortreffliche; denn wer sollte nicht irgend einmal einen poetischen Moment innerlich erleben und diesen frei und rein in seiner eignen, lebendigen Gestalt ohne störende Reflexion aus sich heraus objectiv hinstellen können? Dazu befähigt ihn eben die neuere Schule.

(Der Beschluß folgt.)

Grundzüge zu Vorträgen über die Geschichte der Völker und Staaten des Alterthumes, vornehmlich der Griechen und Römer. Mit besonderer Berücksichtigung der Quellen entworfen von Rudolf Lorenz. Leipzig, Vogel. 1833. Gr. 8. 1 Thlr. 4 Gr.

Wenngleich unsere Bl. sich vorzugsweise auf die Gegenwart und ihre Geschichte beschränken, so mag es doch auch gestattet sein, mit wenigen Worten einer Schrift über die Geschichte des Alterthums zu gedenken. Ref. glaubt dies um so eher thun zu können, da die genannte Schrift des Hrn. Lorenz, der als Lehrer an der Landesschule Pforte angestellt ist, durch ihre Methode besondere Aufmerksamkeit verdient. Wir erhalten nämlich in derselben keine ausgeführte Darstellung, wie in den Handbüchern von Heeren, Bredow, Haacke und Andern, sondern nur aphoristische Andeutungen, die der Vortrag des Lehrers ergänzen und vervollständigen soll, um auf diese Weise die alte Geschichte in derjenigen Ausführlichkeit lehren zu können, die der Verf. für die obern Classen in Gelehrtenschulen für geeignet hält. Daher ist die Geschichte Griechenlands und Roms vorzugsweise berücksichtigt worden; aber auch das aus der Geschichte der übrigen Völker Beigebrachte reicht nach unserm Ermessen vollkommen hin. So würden wir z. B. es für unzweckmäßig halten, wenn der jüdischen Geschichte ein größerer Raum gegeben wäre als der, welcher ihr hier vergönnt ist. Daß geographische Uebersichten hinzugefügt, manche Abschnitte aus den Staatsalterthümern und der Sittengeschichte aufgenommen und einzelne Notizen aus der Kunst- und Literaturgeschichte berücksichtigt sind, wird gewiß Niemand tadeln, zumal da dies Alles in fruchtbarer Kürze und mit großer Klarheit (die überhaupt ein wesentlicher Vorzug dieses Buches genannt werden muß) gegeben ist, also den eigentlich historischen Partien keinen Eintrag thut.

Bis hierher findet eine gewisse Aehnlichkeit mit einigen andern Grundrissen und Compendien der alten Geschichte, namentlich mit dem von A. Arnold zu Gotha in den Jahren 1820 u. 1821 herausgegebenen Abrisse statt. Aber ganz eigenthümlich ist dem Verf. die Art und Weise, wie er die Quellenschriftsteller benutzt und angeführt hat. Nach Angabe und Charakteristik der Quellen im Allgemeinen, theils vor der Geschichte eines Volkes, theils vor den einzelnen Perioden (wo der Verf. sich zumeist nach Heeren mit verdienter Belobung dieses ausgezeichneten Historikers gerichtet hat) ist bei jedem Hauptabschnitte ein Hauptschriftsteller zu Grunde gelegt und aus ihm fortlaufend angeführt worden, was den Text irgendwie erläutern konnte oder eines allgemeinern Interesses werth schien. Wo ein solcher Schriftsteller ausreichte, ist das Material durch Anführung anderer nicht aufgehäuft worden. Diese weise Sparsamkeit muß besonders hervorgehoben werden, da sich überall zur Gnüge das eigne Quellenstudium des Verf. zeigt, dem es gar nicht eigenthümlich zu sein scheint, überall blos fremden Autoritäten zu folgen. Die Urtheile über die einzelnen, benutzten Schriftsteller in der Vorrede sind lesenswerth, namentlich die über Plutarch auf S. xi, den wir uns freuen hier so ehrenvoll erwähnt zu sehen. Wer an seiner Wirksamkeit auf jugendliche Gemüther zweifelt, der kennt die Jugend nicht, die durch die haarspaltende Kritik mancher Neuern nur verwirrt, nicht aber belehrt werden kann.

Durch die eben beschriebene Methode in Anführung der Quellen hat Hr. Lorenz auch Raum gefunden, manche treffliche Aussprüche und Kernworte alter Schriftsteller in der Ursprache anzuführen, welche gewiß sehr erwecklich sind und durch die belehrenden Zusätze des Lehrers noch eindringlicher gemacht werden können. Wir nennen auf S. 131 jenes πάταξον μέν, ἄκουσον δέ des Themistokles, S. 157 μάλα μηχανικός zur Charakteristik des Derkyllidas, S. 265 von Camillus: vir unicus in omni fortuna, S. 275 Cicero's Wort: honos alit artes bei Gelegenheit der geringen römischen Kunstfertigkeit in den ersten Jahrhunderten der Stadt, S. 286 Florus' Wort Capua Hannibalis Cannae, S. 342 Cassius' ἔσχατος Ῥωμαίων, S. 343 Fulvia, gladio cincta; nihil muliebre praeter corpus gerens aus Florus und Vellejus, S. 386 Seneca's strenges Wort: vomunt, ut edant: edunt, ut vomant, S. 399 Probus' Ausspruch: brevi milites necessarios non habebimus. Ebenso passend erscheinen uns die kurzen mit Fragezeichen bezeichneten Sätze, die entweder traditionnelle Erzählungen als nicht ganz glaubwürdig erkennen lassen, wie von Hannibal's Grausamkeit und Treulosigkeit (S. 283), von Regulus' Gefangenschaft (S. 287), von Valerius Publicola's Armuth (S. 255); oder Andeutungen über die Verfälschung einzelner historischen Facta enthalten, wie in der Geschichte des Coriolanus (S. 257), in der Schilderung der Amphiktyonen (S. 113), in der Erwähnung der Ruinen von Palmyra (S. 397); oder endlich zur Aufmerksamkeit anregen sollen, wie bei den zu Pompeji veranstalteten Ausgrabungen (S. 381), oder bei der Geschichte des Kaisers Julianus (S. 407). In der letzten Beziehung haben wir die Erwähnung der neu entdeckten etrurischen Vasengemälde vermißt, sowie, um doch auch etwas zu rügen, wir uns bei Hannibal's Zug über die Alpen (S. 284) noch entschiedener für den kleinen St.-Bernhardsberg als Uebergangspunkt ausgesprochen haben würden. Nach Polybius' Erzählung und nach Deluc's Kritik kann Ref. hieran kaum zweifeln; die Mittheilungen eines kenntnißreichen preußischen Militairs, des Generallieutenants von Carlowitz, bestärken ihn auch in dieser Ansicht.

Die angeführte Literatur ist zweckmäßig und gut ausgewählt. Sie bezeugt ebenfalls, daß der Verf. in diesen Studien ganz heimisch ist; wozu soll man also da über Eins oder über das Andere mit ihm rechten? Auf S. 257 ist die neueste Ausgabe der Fragmente des Ennius erwähnt, aber ihr Herausgeber nur mit den Buchstaben E. S. bezeichnet. Warum ist Ernst Spangenberg's verdienstvoller Name nicht beigefügt worden? Bei den Abkürzungen des Namens Beaufort auf S. 240 ist die Erläuterung ganz richtig hinzugesetzt.

Zum Schlusse noch Eins. Der Verf. wünscht in der Vorrede, daß die Lehrlinge sich nach Anleitung der von ihm aufgeführten Quellen historische Adversarien anlegen mögen. Ob dies aber mit dem gegenwärtigen Stande unsers Gymnasialunterrichtes verträglich ist? Ref. widmet dem historischen Unterrichte mit vorherrschender Neigung einen großen Theil seiner amtlichen Wirksamkeit und wünscht also die lebendige und fleißige Betreibung der Geschichte auf Gymnasien gewiß von ganzem Herzen. Ja, es ist ihm schmerzlich, zu sehen, wie sehr diese Lehrerin des Menschengeschlechtes und dieser Spiegel des Lebens oft hinter dem mathematischen Unterrichte zurückstehen muß, der für sich auf vielen Schulen vier, gar fünf Stunden in Anspruch nimmt, während die Geschichte in denselben Anstalten mit Mühe zwei Stunden für sich erobern kann, und die Geschichte der neuern Zeit wol gar ganz ausgeschlossen bleibt, eine Einrichtung, mit der Ref. sich nie einverstanden erklären wird. Aber trotz dieser Werthschätzung des historischen Unterrichtes wollen wir uns doch mit der pflichtmäßigen Wiederholung des Gelehrten und vom Schüler Nachgeschriebenen (denn dies hält Ref. gleichfalls für unerlaßlich) gern begnügen und nur bei einer ausgezeichneten Neigung zur Geschichte dieselbe bei einzelnen Schülern vorzugsweise hegen und pflegen. Denn eine schriftliche Wiederholung oder gar eine Ausarbeitung entzieht den alten Sprachen, die nun einmal, und auch mit Recht, die Bildung in den Gelehrtenschulen begründen, zu viele Zeit und raubt den Lehrlingen die Gelegenheit, durch eine tüchtige Aneignung der Form, nicht etwa Philologen zu werden, wol aber in den Geist der antiken Welt einzudringen. 197.

Literarische Notizen.

1) Souvenirs d'un sexagénaire. Der zweite Band der Memoiren von Arnault ist kürzlich erschienen. Nächst den Memoiren der Herzogin von Abrantes ist kein anderes Buch so reich an Anekdoten und Charakterzügen über die bedeutendern Personen aus der Republik und dem Kaiserreiche. Der zweite Band ist ein schätzbarer Beitrag zur Geschichte der damaligen Literatur, und zwar schätzbarer als die Literatur selbst.

2) Struensée, par *F. Arnoult* et *Fournier*. Die Verf. sind bereits durch ein geschickt angelegtes Drama: „L'homme au masque de fer", bekannt geworden, welches auf dem Odeontheater gegeben wurde. Dieselbe Gewandtheit haben sie im Baue ihres Romans gezeigt; das Spiel der Intriguen und Leidenschaften verfolgen sie mit festem Blicke. Der Hauptcharakter ihres Talents ist logische Consequenz, sicherer und weit sehender Verstand, vielleicht fehlt es im Ganzen an Poesie; Charaktere und Sprache sind gesund, wahr und züchtig, was in gegenwärtiger Wuth- und Schwelgperiode kein geringes Verdienst ist.

3) Contes de la semaine, par M. *Violet*. Jede Woche bringt Hr. Violet eine Erzählung von 100 Druckseiten fertig. Die erste Lieferung enthält: „Gerolamo, ou le Marquis de Rocabella". Wir wissen nicht, was widriger sein mag, eine solche Erzählung zu schreiben oder zu lesen.

4) Confidences, par *Jules Lefevre*. Etwas dunkel, was vielleicht von zu ängstlicher Anstrengung herkommt; der Dichter hält sich zu lange mit einzelnen Gedanken auf; er wird der Sprache nur durch wiederholte Versuche Herr werden. Originell ist er als Künstler in jedem Fall; als Denker gehört er Lamartine an. Dieser große und glückliche Sänger hat sich ein großes Reich in der französischen Poesie gestiftet; neben ihm ist es kaum mehr möglich, sich selbständig und unabhängig zu erhalten; selbst V. Hugo in seinen „Feuilles d'automne" steht unter Lamartine's Einfluß. „Amour et foi", von Turquety, ist gleichfalls ein Gedicht aus derselben Schule.

5) Histoire des anciennes villes de France, par *Vitet*. Hr. Vitet ist Generalinspector der geschichtlichen Denkmale Frankreichs, hat also Gelegenheit genug, die nöthigen Materialien zu einem solchen Werke zu sammeln. Die erste, kürzlich erschienene Lieferung enthält die Geschichte von Dieppe. Diese wichtige und lebhafte Seestadt liegt an dem Flüßchen Deppe; es lagen hier blos einige Fischerhütten, als Wilhelm der Eroberer sich nach England einschiffte; nach der Eroberung entstand ein so lebhafter Verkehr mit England, daß sich allmälig die Stadt Dieppe bildete. Schiffer aus Dieppe entdeckten die Küste von Guinea und gründeten daselbst die ersten Factoreien. Duquesne ist in dieser Stadt geboren; in der Nähe ist das Thal von Arques, wo die Schlacht zwischen Mayenne und Heinrich IV. vorfiel. Das Buch mag interessant sein, wir hätten lieber ein anderes von dem Verf. gelesen, ein Buch wie die „Barricades".

6) La rose blanche et la rose rouge, par *Jules Sand*. Hier ist offenbar das Publicum gefoppt, Jules Sand ist unmöglich George Sand; die Ankündigung des Buchhändlers lautet aber, wie folgt: „Ehe Indiana erschien, war der Name Sand unbekannt, und dennoch war La rose blanche schon unter diesem Namen erschienen. Der Herausgeber hat dieselben in dem nämlichen Formate herausgegeben wie die Indiana und Valentine. Der Name des Verf. überhebt uns alles Lobes." Wer da nicht genau zusieht, der glaubt, es wäre hier die Rede von einem und demselben Sand; darauf ist es angelegt. 143.

Redigirt unter Verantwortlichkeit der Verlagshandlung: F. A. Brockhaus in Leipzig.

Blätter für literarische Unterhaltung.

Donnerstag, — Nr. 234. — 22. August 1833.

Relation über einundvierzig Dichter der neuesten Zeit.

Zweiter und letzter Artikel.

(Beschluß aus Nr. 233.)

33. Gedichte von August Schumacher. Arolsen, Speyer. 1832. Gr. 8. 2 Thlr.

Eine ziemlich starke Sammlung (508 Seiten), wenigstens im Vergleich mit sämmtlichen übrigen uns vorliegenden, welche großentheils Kunde davon geben, daß ihre Verfasser nicht zeitig genug die Welt mit den Kindern ihrer Muse beglücken zu können glaubten. Auch der Inhalt der Schumacher'schen Sammlung ist sehr mannichfaltig; wir finden ihn unter die Ueberschriften: Lieder, Sonette, Gesellige Lieder, Kriegslieder, Romanzen und Balladen, Elegien u. s. w. vertheilt. Der Verf. zeigt sich großentheils als einen eifrigen Nachahmer Göthe's, jedoch nicht ohne eignes Verdienst. Für die Nachahmung Göthe's zeugen schon ganz äußerlich die kurzen zweizeiligen Motti, die er den einzelnen Rubriken vorgesetzt hat, z. B. den Elegien:

> Hätte mehr euch zu erzählen,
> Wollt' ich mich mit Wehmuth quälen.

Aber auch der Form und den Gedanken der Gedichte selbst sieht man es deutlich an, daß häufig dem Verf. ein analoges Göthe'sches Gedicht vorgeschwebt hat. So finden sich z. B. eine ganze Anzahl von Nachahmungen der Müller- und Wanderlieder Göthe's. Ausgezeichnetes freilich dürfen wir auch hier nicht suchen; um aber doch von dem Bessern eine kleine Probe zu geben, mag der Anfang eines Gedichts, welches „Der Gemsjäger und sein Weib" überschrieben ist, hier stehen:

Er.

> Vorüber ist die Mitternacht,
> Bin noch zu rechter Zeit erwacht,
> Schlaf fort, schlaf fort, mein junges Weib,
> Ich suche andern Zeitvertreib.

Sie.

> Stiehlt er sich weg, der Bösewicht?
> Wart' Schelm, so heimlich geht es nicht!
> Dich halt' ich fest mit Arm und Lippen;
> Zu deinen kalten Felsenklippen,
> Hinauf in Wind und Nebelzug
> Kommst du noch immer früh genug.

Er.

> Ist nur so dunkel noch im Thal,
> Die Höh' grüßt schon der Sonnenstrahl,
> Das Wild muß bald zu Berge fliehn,
> Drum, liebe Rösel, laß mich ziehn!

Sie.

> Noch hast du keine volle Nacht
> Mit deinem Weibe zugebracht;
> Der Tag vergeht in Angst und Noth,
> Du jagst das Wild, dich jagt der Tod.

Er.

> Den Tod lacht frisches Leben aus,
> Froh, Liebchen, kehr' ich dir nach Haus.

So wird das Zwiegespräch noch lange fortgesetzt und dadurch etwas gedehnt. Wir wählten das Gedicht auch deshalb zur Probe, weil es einen nicht uninteressanten Vergleich mit dem Schiller'schen „Gemsjäger" abgibt.

34. Saitenklänge von C. Th. Hecker. Danzig, Gerhard. 1832. 8. 1 Thlr.

Unter sämmtlichen eine der besten Sammlungen. Doch will dies leider immer noch nicht viel sagen, wie der geehrte Leser einsehen wird. Wir finden hier Nachahmungen von Uhland, Heine, Platen. Unter den letztern zeichnen sich einige Gedichte in Ghaselenform aus, z. B.:

> Weil von deinen beiden Augen hold mir nur das Eine war,
> Und von deinen beiden Händen Eine nur die meine war,
> Darum hatt' ich auch so lieb dich, denn du sahst und merktest nicht,
> Wenn ich auf der andern Seite auch vergnügt beim Weine war.

35. Gedichte von Adolf Ritter von Tschabuschnigg. Dresden, Arnold. 1833. 8. 21 Gr.

Fast lauter Heine, und zwar in crassester Manier. Auf den ersten Griff finde ich:

In der lieben Gasse.

> Da bin ich wieder nach manchem
> So hingeschwundenen Jahr,
> Die Häuser sind noch so finster,
> Das Pflaster schlecht wie es war.
>
> Am Blaurock zählt' ich die Jahre,
> Am Herzen, verschossen wie er,
> Man kennt schon jeden Faden,
> Lang' halten beide nicht mehr.
>
> Dort drüben an der Ecke,
> Da gibt es ja guten Schmaus;
> Sonst bin wol ich dort gestanden,
> Nun dusten Würste heraus u. s. w.

Wer sich ein bischen in den Heine eingelesen hat, kann solches Zeug die Stunde dutzendweis machen.

36. **Gedichte von August Schnetzler.** München, Mich. Lindauer. 1833. 12.

Diese Gedichte gehören nur theilweise unserer dritten Classe an; viele von ihnen dagegen in die zweite, z. B.:

An mich.

Warum willst du nach Idealen ringen,
Da lebensfrische Wirklichkeit dir blüht?
Warum dich in das Reich der Sterne schwingen,
Da Lilli's Auge wie die Sterne glüht? u. s. w.

Grade diese Auffoderungen und Vorsätze, die Welt recht real fassen zu wollen, zeugen für den hohlsten Idealismus.

37. **Psalter und Harfe.** Eine Sammlung christlicher Lieder zur häuslichen Erbauung von B. J. Ph. Spitta. Pirna, Friese. 1833. Gr. 12. 16 Gr.

Man wird sich wundern, geistliche Lieder in dieser Gesellschaft zu finden. Allein sie gehören wesentlich unserer dritten Classe an und sind, namentlich im Vergleich zu dem vielen Erbärmlichen, Kraft- und Saftlosen, was die neuere geistliche Liederpoesie hervorgebracht hat, sehr zu empfehlen. Der Verf. zeigt echt christliche Gesinnung, hat doch noch Inhalt seines Glaubens, sodaß er nicht blos immer von Glaube, Liebe, Hoffnung spricht, aber zu sagen vergißt, was er denn glaubt, liebt, hofft. Er hält sich gleich frei von der modernen sentimentalen Reflexion, wie von dem spielenden, herrnhuthischen Pietismus. An einzelnen Gedichten ist sogar der Einfluß Heine'scher Poesie — man wundere sich nicht, oder wundere sich vielmehr — stark sichtbar, doch gewiß nicht zum Nachtheil des religiösen Geistes:

Abendfeier.

Wie ist der Abend so traulich,
Wie lächelnd der Tag verschied;
Wie singen so herzlich erbaulich
Die Vögel ihr Abendlied!

Die Blumen müssen wol schweigen,
Kein Ton ist Blumen beschert,
Doch, stille Beter, neigen
Sie alle das Haupt zur Erd'.

Wohin ich gehe und schaue,
Ist Abendandacht. Im Strom
Spiegelt sich der blaue
Prächtige Himmelsdom.

Und Alles betet lebendig
Um eine selige Ruh',
Und Alles mahnt mich inständig:
O Menschenkind, bete auch du!

38. **Telyn.** Lieder, Romanzen, Balladen von F. Griebel. Kiel 1832. 8. 12 Gr.

Sehr mäßige Producte, sodaß sie weder Anstoß geben, noch auch besondere Begeisterung im Leser wecken. Einzelnes ließe sich wol hören, wenn wir es nicht tausendmal besser bei Göthe und Uhland hätten.

39. **Neckarharfe.** Herausgegeben von Friedrich Richter. Tübingen, Osiander. 1832. 8. 20 Gr.

Außer Gedichten vom Herausgeber befinden sich deren von Heinrich Loose, Odoardo, Ludwig Seeger und zwei Ungenannten in der Sammlung. Alle laboriren an Ueberschwenglichkeit, namentlich die von Herrn Seeger, welcher uns gern die bodenlose Tiefe seines Gemüthes aufdecken möchte, damit wir genießen, was sein Freund, Herr Richter, besingt:

Unendlichkeit
Unter Thränen empfunden!
Kostbarer Gewinn
Frommer, heiliger Stunden.
Vergänglichkeit,
In Wonne überwunden,
Ist Thränenschauer
Süßer, heiliger Stunden.

Herr Richter nimmt manchmal, da er der einfachen, volksthümlichen Form mächtig ist, einen guten Anlauf, z. B.:

Ade.

Das Mädel ging,
Das Mädel schwieg,
War ihr zum Sterben weh';
Das Mädel fing
Zu weinen an,
Und stieg und stieg
Den Berg hinan:
Ade, Ade, Ade!
Der Bursche nimmt
Den Hut sich ab
Und wirft ihn in die Höh;

— — nun denkt man, soll's kommen; bis jetzt ist ein Präludium gewesen, welches man sich gefallen lassen möchte; aber laut auflachen muß man, wenn es fortgeht:

Der Bursch ergrimmt:
Zu lassen dich.
Ein dreifach Grab!
Und mordet sich.
Ade, Ade, Ade!

Möge Gott dem armen Burschen seine Sünde eher verzeihen als wir Herrn Richter diesen poetischen Selbstmord!

40. **Das Hermannslied** von A. W. G. Rugo. Jena, Frommann. 1832. Gr. 12. 1 Thlr.

Wir halten die ganze älteste germanische Geschichte bis herab auf die Zeiten der Karolinger gleich schwierig für den Historiker und Dichter. Diese Schwierigkeit scheint uns vorzüglich darin zu bestehen, daß der Charakter jener Zeiten uns nicht in einem bestimmten Lichte entgegentritt, vorzüglich wegen des Mangels einheimischer Quellen; fast Alles, was wir aus den ersten Jahrhunderten des germanischen Lebens wissen, erscheint im Reflex antiker Berichte. So kommt es denn, daß die Schilderung jener Zeiten eine höchst gefährliche Aufgabe ist: auf der einen Seite läßt sich das Riesige und Reisige der Erscheinungen eines Hermann, Marbod u. s. w. nicht verkennen, und der Geschichtschreiber wie der Dichter muß es zum integrirenden Moment seiner Darstellung machen; auf der andern Seite aber haben eben jene Erscheinungen, nach den Berichten, die uns nun einmal vorliegen, etwas Prosaisches, indem ihnen das kalt Berechnete, verständig Politische, was ihnen nach der Auffassung der römischen Berichterstatter anklebt, den poetischen Hauch, der z. B. die spätere, rein romantische Zeit umweht, benimmt. Dies Poetische soll dann gewöhnlich von Außen her hinzugethan werden, z. B. in der Schilderung des Verhältnisses von Hermann und Thusnelde, aber wir können nicht leugnen, daß dies in allen Darstellungen, so viel wir deren kennen, misglückt zu sein scheint. Kann man sich des Lächelns erwehren, wenn z. B. ein in neuester Zeit hoch gepriesener Geschichtschreiber von Hermann und Thusnelde sagt: „Sie sahen sich und sie verstanden sich"? Wie ganz anders würden sich jene Sagen behandeln lassen, wenn wir von ihnen auf einheimischem Boden stetig fortgepflanzte Gesänge hätten!

Bei so mislichem Stande der Dinge muß jeder Versuch auf diesem Gebiete billig beurtheilt werden, und wir können Herrn Rugo das Zeugniß nicht versagen, daß er gestrebt hat, seine Aufgabe auf angemessene Weise zu lösen. Zu dem Ende hat er nicht ein fortlaufendes Epos in gleichbleibendem Versmaße, sondern einzelne Romanzen oder Balladen gegeben und zwar 26 an der Zahl, mit den Aufschriften: „Fürst Hermann's Aufruf"; „Der Aufstand"; „Die Winfeldsschlacht"; „Fürst Hermann's Mahnung"; „Roms Schrecken"; „Thusnelde liebt u. s. w." Allein bei allem Streben nach Objectivität hängt der Darstellung doch sehr viel moderne Reflexion an, und fast hätten wir deshalb das Werk in unsere zweite Classe gestellt, wenn uns nicht der Vergleich mit andern Behandlungen desselben Stoffes immer noch zugerufen hätte, hier herrsche verhältnißmäßig noch viel Objectivität. Aber was soll man sagen, wenn Thusnelde in Ravenna zu ihrem Söhnchen spricht:

Bei des Mondes bleichem Schein,
Schlaf, mein Knab', so arm und klein!
Und im Schlafe lächle du
Trost dem Mutterherzen zu.

Oder wenn sie früher, wo ihre Liebe zum Hermann geschildert wird, spricht:

— o Strom, o Winde,
Was tobt ihr doch in Luft?
Viel mehr als Strom und Winde
Tobt's in Thusneldens Brust!

Da ich ihn sah im Schimmer
Der Römeradler stehn,
Mein Blick, er mochte nimmer
Von Hermann's Blicken sehn.

Sein blaues Auge brannte
Des Sieges Glut und Lust;
Ach, eh' ich's noch erkannte,
Entflammte mir's die Brust!

Da wird man freilich gleich an Klopstock's „Lied eines deutschen Mädchens": „Ich bin ein deutsches Mädchen, blau ist mein Aug' u. s. w.", erinnert.

41. Fremde Blumen. Eine Gabe aus der Fremde von Don Federico Vagamundo. Altenburg, Hofbuchdruckerei. 1833. 8. 21 Gr.

Wir schließen unsern Bericht mit der Anzeige dieses Büchleins, welches eigentlich nicht in denselben gehört, da hier nur von neuesten Dichtern gesprochen werden sollte, die gegenwärtige Sammlung aber nur Uebersetzungen älterer und ausländischer Dichter enthält; doch mag sie hier erwähnt werden, insofern die Uebersetzung wenigstens aus neuester Zeit ist. Der Verf. hat dieselbe auf Reisen in Frankreich und Spanien verfertigt, jedoch sehr defultorisch, wie es scheint; denn wir finden hier lauter kleine Stückchen aus den verschiedensten Literaturen, nämlich

Zu bedauern ist, daß überall nur so Abgerissenes geboten wird, zum Theil nur einzelne Scenen von 10—15 Versen aus Dramen des Kalidasa u. s. w. Doch scheinen

sitzen, ohne besondern Werth. 189.

Diesen interessanten Gegenstand behandelt Arago in dem „Annuaire pour l'an 1833, présenté au roi par le Bureau des longitudes". Er stellt zuvörderst aus Schübler's und Pilgram's Beobachtungen den Satz fest, daß der Mond nicht nur überhaupt Einfluß auf unsere Atmosphäre übe, sondern auch, daß in Folge dieses Einflusses häufiger gegen den zweiten Octanten als gegen eine andere Epoche des Mondenmonats hin Regen falle, und daß endlich zwischen dem letzten Viertel und dem vierten Octanten am seltensten Regen eintrete.

dem Monde bei, welcher im Monat April beginnt und entweder am Ende desselben, oder gewöhnlicher im Laufe des Mais sich füllt. Sie behaupten, daß er in diesen beiden Monaten eine verderbliche Wirkung auf die jungen Schößlinge der Pflanzen ausübe, und wollen des Nachts bei klarem Himmel bemerkt haben, daß die dem Lichte des Mondes ausgesetzten Blätter und Knospen sich rötheten, d. h. erfroren, wenn auch immer das Thermometer in freier Atmosphäre mehre Grade über dem Gefrierpunkt gestanden habe. Sie führen gleichfalls an, daß, wenn die Strahlen des Mondes von Wolken aufgefangen und also verhindert würden, auf die Pflanzen zu treffen, diese Wirkungen unter Umständen, die hinsichtlich der Temperatur übrigens ganz dieselben wären, nicht stattfänden. Diese Phänomene scheinen anzudeuten, daß das Licht unsers Trabanten mit einer gewissen kältenden Einwirkung ausgestattet sei, obgleich man niemals die geringste Rechtfertigung einer so seltsamen Vermuthung dadurch gewonnen hat, daß man die stärksten Brenngläser oder die größten Reflectoren gegen den Mond richtete und die besten Thermometer in ihre Brennpunkte stellte. Deswegen sind nun gegenwärtig die Wirkungen des Aprilmondes von den Philosophen in die Classe vulgairer Vorurtheile verwiesen worden, während die Gärtner von der Richtigkeit ihrer Beobachtungen überzeugt bleiben. Eine vor einigen Jahren von Dr. Wells gemachte Entdeckung befähigt uns, wie es den Anschein haben dürfte, diese zwei sich widersprechenden Annahmen mit einander zu vereinigen."

„Es hatte nämlich vor Dr. Wells Niemand die Vermuthung gehegt, daß irdische Substanzen, ausgenommen in dem Falle einer sehr raschen Ausdünstung, zur Nachtzeit eine andere Temperatur annehmen können als die der sie umgebenden Luft. Diese wichtige Thatsache ist jetzt außer Zweifel gesetzt. Wenn man kleine Massen Baumwolle, Flaum u. s. w. an die freie Luft bringt, so ist häufig die Erfahrung gemacht worden, daß dieselben eine Temperatur von 6, 7 auch 8 Graden unter der der sie umgebenden Atmosphäre annehmen. Derselbe Fall findet mit Vegetabilien statt. Wir können daher von den Angaben eines in freier Luft aushängenden Thermometers nicht auf den Kältegrad schließen, dem eine Pflanze in der Nacht ausgesetzt ist. Die Pflanze kann hart gefroren sein, derweil die Luft fortwährend einige Grad Wärme enthält. Diese Abweichungen der Temperatur zwischen festen Körpern und der Atmosphäre gehen nur bis zu 6, 7 oder 8 Grad des Centesimalthermometers, wenn der Himmel völlig klar ist. Bei bedecktem Himmel werden sie unmerklicher."

„Ist also in April- und Mainächten die Temperatur der Atmosphäre häufig blos 4, 5 oder 6 Grad über Null, so können die dem Mondlichte, d. h. dem klaren Himmel ausgesetzten Pflanzen trotz den Angaben des Thermometers erfrieren. Scheint im Gegentheile der Mond nicht und ist der Himmel überhaupt bedeckt, so sinkt die Temperatur der Pflanzen nicht unter die der Atmosphäre, und woferne dann das Thermometer nicht Null anzeigt, frieren sie nicht. Die Gärtner haben daher ganz Recht, zu behaupten, daß unter den angegebenen Umständen eine Pflanze erfrieren könne. Sie irren aber allerdings darin, daß sie diese Wirkung dem Monde zuschreiben. Das Mondlicht ist in dem Falle wirklich nur das Merkmal einer klaren Atmosphäre, die einzig und allein den nächtlichen Pflanzenfrost verursachen kann. Der Mond hat gar keinen Theil daran und die Wirkung wird immer dieselbe sein, wenn er auch unter dem Horizonte steht."

„Dieselbe Entdeckung des Dr. Wells mag denn nun gleichfalls eine Behauptung des Plinius und Plutarch, die auch in Westindien gegenwärtig allgemein für Thatsache gehalten wird: daß der Mond auf Gegenstände, die man seinen Strahlen aussetze, Feuchtigkeit ausströme, und daß sein Licht die Fäulniß animalischer Substanzen befördere — dahin berichtigen, daß die Luft einen Theil ihrer Feuchtigkeit auf die Oberfläche eines Körpers absetzt, der kälter ist als sie, und daß sich dadurch eben nichts mehr und nichts weniger als das Phänomen des Thaues erzeugt. Daß thierische Stoffe aber schneller feucht als trocken in Fäulniß übergehen, ist bekannt."

Die Behauptung, daß der Mond die menschliche Gesichtsfarbe schwärze, weist Herr Arago mit der Thatsache zurück, daß man eine Platte Silberchlorit, welche chemische Mischung bekanntlich am schnellsten von allen Substanzen durch Licht die Farbe verändere, dem in dem Focus eines großen Brennglases aufgefangenen Mondlichte eine lange Zeit aussetzen könne, ohne daß dieselbe ihre ursprüngliche Weiße nur im geringsten verliere.

Zum Schlusse dieser Mittheilungen erlauben wir uns noch die Anzeige zu geben, daß des Astronomen und Professors Plana in Turin erwartetes großes Werk über die Theorie des Mondes in drei Quartbänden vor einigen Monaten erschienen ist. 159.

---

1. Cölestin. Ein Roman von Ernst Ortlepp. Leipzig, Fest. 1833. 8. 1 Thlr.
2. Das Siebengestirn der Kriegshelden. Lebens- und Todtenkränze von Ernst Ortlepp. Leipzig, Engelmann. 1833. Gr. 16. 1 Thlr. 4 Gr.

Die vielgeschäftige Feder des Verfassers, die sich schon in mannichfachen Ausspritzungen über die verschiedenartigsten Gegenstände vor dem Publicum gezeigt hat, überschüttet uns hier wieder mit zwei neuen Gaben. Der erst genannte Roman mit dem himmlischen Namen auf der Stirn ist ziemlich gewöhnlicher Abkunft, aber mit einem gewissen Fleiß und gutmüthiger Redlichkeit in der Gesinnung ausgearbeitet, der man nicht gram werden kann. Ein junger Mensch hat studirt, verschmäht aus Neigung zur Dichtkunst jede strengere Berufswissenschaft, schwärmt umher, verliebt sich, geräth unter Schauspieler, erlebt à la Wilhelm Meister einige theatralische Abenteuer und reflectirt dabei über Beruf zur Kunst, über Shakspeare, Göthe, Weber's „Freischütz" und ähnliche Dinge, wird dann Hauslehrer bei einem reichen Grafen, verliebt sich wieder, hat Unglück und tröstet sich endlich mit der Aussicht auf eine neue Liebschaft. Dies sind die ganzen Fata des Helden dieses Romans, und selten ist uns wol unter den neuern Erscheinungen in dieser Gattung ein Buch von so durchweg simpler und armer Erfindung vorgekommen. Hängt dies zum Theil mit etwas Lobenswerthem zusammen, indem nirgend nach pikanten und raffinirten Scenen gehascht, sondern Alles in schlichter und natürlicher Weise aneinandergestellt wird, so fürchten wir doch, daß das Lesepublicum sich bei dieser Einfachheit nur wie mit magerer Kost versorgt finden wird. In der That fehlt dem Stoffe fast aller Reiz der Unterhaltung, abgesehen von künstlichern Motiven, die der Darstellung gänzlich abgehen. In dieser Gattung scheint sich unser Verfasser nicht mit Glück zu versuchen, da für den Roman die bloße Federgeläufigkeit nicht auslangt, sondern ein reicheres Talent der Erfindung und Phantasie vorausgesetzt werden muß.

Besser hat uns Nr. 2 zugesagt: „Das Siebengestirn der Kriegshelden", das unter des Verfassers lyrischen Gaben vielleicht am meisten poetische Farbe und Schwung hat. Die sieben angesungenen Helden sind: Alexander der Große, Hannibal, Julius Cäsar, Karl der Große, Gustav Adolf, Friedrich der Große und Napoleon. Das Büchlein ist mit sieben zierlichen Vignetten geschmückt, die ebenso viele und meist gelungene Allegorien auf die verherrlichten Helden darstellen. 38.

Literarische Anzeige.

Redigirt unter Verantwortlichkeit der Verlagshandlung: F. A. Brockhaus in Leipzig.

Blätter
für
literarische Unterhaltung.

Freitag. —— Nr. 235. —— 23. August 1833.

Bemerkungen eines Reisenden über Italien im Jahre 1833.

Wer Italien von der Schweiz aus betritt, hat einen überraschenden Anblick. Es öffnet sich ihm plötzlich ein anderes Land, andere Häuser, andere Sitten.

Vom heitersten Himmel begünstigt, waren wir von Zürich nach Chur geeilt, hatten im Vorbeigehen Bad Pfäfers mit seinen lebenslustigen Geistlichen besucht und die Via mala mit ihren erhabenen Schönheiten bewundert, aber immer fühlten wir uns noch im Vaterlande: Gasthöfe, Gesichter, Sprache waren noch deutsch. Unser Kutscher wünschte bei dem Bruder seines Herrn, dem Posthalter im Dorfe Splügen, mit uns zu übernachten, und fuhr deswegen den trefflichen Gasthof zu Ander vorbei. Nur einen Augenblick hielten wir hier an. Der Wirth entließ uns nicht ganz heiter, als er bemerkte, daß wir nicht bleiben wollten. Der Mann hatte überhaupt etwas Melancholisches in der Physiognomie, vielleicht daß ihm seine Unternehmung nicht nach Wunsch rentirte. Wir trafen in einem schönen Saal zwei Engländer und eine junge Engländerin, die sich in dieser Einsamkeit schon Wochen lang aufhielten und nicht genug die Eleganz und gute Bewirthung zu rühmen wußten. Ich war erstaunt, ein so schönes Hotel hier zu finden. „Die Engländer haben in Europa die Gasthöfe verbessert", sagte der Mann der jungen Frau, „und so werden Sie es noch finden bis Chiavenna, dann aber — beginnt Italien."

Wir hatten auch schon am nächsten Tage Gelegenheit, die Wahrheit dieses Ausspruches zu bestätigen. In dem Fremdenbuche auf Splügen und in dem des guten Albergo Conradi zu Chiavenna lasen wir Warnungen in allen Sprachen vor dem prellenden Wirth in der alten Post (posta vecchia) zu Domaso, und ich pries die wohlthätige Einrichtung solcher Angaben, die die Reisenden zu einer redlichen Brüderschaft machte. Jedermann geht jetzt an letzterm Orte in die Krone.

Wenn man nun Hesperien von seiner nördlichsten Grenze bis zu seiner südlichsten durchmißt, so bietet sich leicht die Bemerkung dar, daß nordische Cultur und Behaglichkeit von uns aus dorthin immer weiter vordringen, während die alte italienische Originalität mehr und mehr verlöscht. Die Lombardei, ja Piemont, so italienisch sie auch sind, tragen doch noch die Stempel östreichischer und französischer Cultur an sich. Man fühlt sich in Mailand noch immer etwas in Deutschland, in Piemont wie in Frankreich; man findet noch die Einrichtungen jener Länder als Folgen ihrer langen Herrschaft. Mit dem Eintritt in das Gebiet des Papstes hört aber Nordeuropa auf und das Alterthümliche behauptet in seinen Vorzügen wie in seinen Fehlern seine ungestörte Herrschaft. Sie nimmt noch zu, je weiter man südlich dringt, nur die ersten Hotels der großen Städte machen eine angenehme, leider nur zu flüchtige Ausnahme. Genua, Siena, Florenz, Bologna, Perugia, Terni, Rom, Terracina, Mola di Gaeta und Veletri sind gut. Was dagegen die so gepriesenen Hotels des Herrn Reichmann in Mailand und Franz in Rom betrifft, so können wir sie keineswegs rühmen. Betten und Wirthstafel waren schlecht, die Bedienung faul. Als ich in ersterm Tage lang vergeblich verlangt hatte, die abgerissene Schelle meines Zimmers wiederherzustellen und zuletzt unten laut schalt, kam die elegante Frau Wirthin heraus und erwiderte auf meine Beschwerde sehr zierlich: der mécanicien wäre vorige Woche nach Turin gereist, und sie erwarte nur seine Rückkunft, um mich sogleich zu befriedigen. Wirklich wurde auch während unsers ganzen Aufenthalts in Mailand der Draht nicht wieder angeknüpft.

Immer befanden wir uns besser in den Gasthöfen der Italiener als der jener halb nationalisirten Deutschen. Wer sich in die Landesgebräuche, auch der Gasthäuser von zweitem Rang zu finden weiß, wird immer die Speisen schmackhaft, die Betten gut, das Weißzeug auf Verlangen reinlich finden; was dem Reisenden anfangs ungewohnt vorkommt, findet er zuletzt nicht mehr erheblich. Der Herr Wirth in Arezzo sperrte freilich die Augen angelweit auf, als ich meine Stiefeln herausstellte, um sie gewichst zu haben; so etwas war ihm noch nicht vorgekommen. Im Hussaro in Pisa sollen die Zimmer voll Wanzen sein (die uns übrigens in keinem Gasthofe Italiens, außer in Nepi, vorgekommen). Längs des Arno, also in Pisa und Florenz, sowie auch in Neapel leidet man sehr von den Mücken, wahren Moskiten, welche durch ihre schmerzhaften Stiche oft das Gesicht entstellen; allein dergleichen Unbilden sind doch im Ganzen Kleinigkeiten. Nur vor Nepi, eine halbe Tagereise von Rom, dem schmuzigsten aller Nester, mit dem abscheulichsten aller Gasthöfe, hüte sich jeder Reisende! Auch Spoleto sah so aus, doch hielten wir daselbst nicht an.

Genug indeß dieser Notizen, mit denen wir nur Andern einen Dienst erweisen wollen. Man wird sie in manchen Schriften wol vollständiger antreffen, wenngleich J. J Rousseau's Ausspruch, daß die Erfahrungen der Aeltern an den Nachkommen verloren sind und Jeder seine eigne Schule durchmachen müsse, auch hier gelten möchte. Wir eilen sogleich bis Neapel.

Ich hatte in meiner Phantasie Neapel überschäzt: Die enthusiastischen Schilderungen, jenes immer wiederholte „vedi Napoli e muori", die eleganten Bilder, Alles hatte mir diese Stadt wie ein zauberisches Paradies vorgemalt, das zu erreichen ich kaum die Zeit erwarten konnte. Besorglich durcheilten wir die pontinischen Sümpfe, die doch so schlimm nicht aussehen; endlos schleppte sich der Weg bis Capua — da begann bereits die Enttäuschung. Das Bestürmen von ekelhaften Bettlern ward ärger als je, mit ihren schmuzigen Hüten fuhren sie Einer nach dem Andern in unsern Wagen, und auch die Erfrischungen im Kaffeehaus sahen nicht sehr einladend aus. Endlich erschien die ersehnte Parthenope; eine Stadt mit flachen Dächern, wollte der Himmel, auch mit horizontalen Straßen! aber Neapel ist in einem Halbkreis steile Felsen hinangebaut, und nur der untere Theil eben. Dieses wird nun freilich am meisten von den Fremden bewohnt, die daher nur selten zu klettern genöthigt sind. Unsere allerdings höchst reizend gelegene Privatwohnung war aber oben am Berge, und obschon von der herrlichsten Aussicht über das Meer, rechts den Posilipp, links den Vesuv und seinen Bergkranz, unter uns die Stadt, wurde dieser Genuß doch oft durch die Strapazen auf dem harten, schmuzigen Lavapflaster herabgedrückt. Jene ansteigenden Straßen sind zu schroff und für die Verhältnisse der Gebäude zu schmal; bei feuchtem Wetter stürzen daher auch häufig die Pferde, und es ist zu verwundern, daß nicht die Wagen auch Unglück nehmen. Gewiß ist indeß, daß Menschen wie Thiere bei alle dem wüsten, wilden, rauschenden Getreibe eine Gewandtheit, gleichsam einen Takt zeigen, den man in nordischen Ländern nicht in dem Grade trifft. Zwar soll den Miethkutschern, die mit wissentlicher Nachlässigkeit einen Fußgänger verletzen, Galeerenstrafe drohen; aber auch der Fleischerbursche rennt, eine mit frischem Gedärm behangene lange Stange auf der Schulter, mitten durch geputzte Herren und Damen, ohne daß ich gesehen, daß er sie verunreinigt hätte; kein Pferd, kein Hund ist bösartig, nur die in den Straßen ebenso frei herumlaufenden nackten schwarzblauen Schweine, die Esel und die Ziegen und anderes Gethier sind unangenehme Begegnung. Reinlichkeit der Straßen fehlt ganz, und da der Neapolitaner auf den Geruch nicht ekel ist, so kommt er wol selbst mit nicht rein abgetretenen Stiefeln in die Gesellschaft oder ins Theater und belästigt damit sehr unangenehm den Nachbar. Unter der französischen Herrschaft — so sagte man uns — war die Straßenreinigung eingeführt worden; mit der Rückkehr der alten Regierung wurde sie förmlich wieder abgeschafft. Aller Abwurf fliegt auf die Straßen und sammelt sich, bis die heftigen Gußregen ihn in einem langsamen Schlammstrom hinwegschwemmen. Die Einwohner nennen dies recht charakteristisch Lava. Doch man sieht endlich auch hierüber hinweg und ergibt sich dem unmittelbarsten Lebensgenusse. Die Herrlichkeit des hiesigen Klimas gilt als Sprüchwort; schon die Römer priesen sie. Kaum einige schlechte Tage, wenn die Tramontane weht, und gleich wieder der heiterste, blaue Himmel. Milde Lüfte wehen schon im Januar, ja, es wird wol schon heiß, wenn man höher, etwa nach der Floridiana oder St.-Elmo hinaufsteigt; fast völlig nackte Kinder spielen dann schon auf den Straßen, und junge Gemüse stehen seit Weihnachten zum Verkauf. Tritt indeß von Mitte December an schlechtes Wetter ein, so ist der Zustand dann auch wirklich sehr unbehaglich. Alle Feuchtigkeit dringt in die Häuser und die Bauart derselben schützt nicht vor der empfindlichsten Kälte. Da keine Thür schließt und die Fenster selbst in vielen Wohnungen unten eine große Oeffnung zum Abfluß des hereingeregneten Wassers haben, die platten Dächer (astricco und loggia genannt) gleich Becken die Regenflut aufsammeln und gußweise wieder abströmen lassen, so weiß sich der nordische Ankömmling, zumal wenn er sich unwohl glaubt, mit Rollen, Polstern und Decken kaum zu schützen. Er verstopft, wo er kann, bleibt bis gegen Mittag im Bett und hält Füße und Hände über ein messingenes Kohlenbecken. Nur der echte Neapolitaner spürt nichts hiervon, selbst die so zart scheinenden, immer im schmachtenden Ton sprechenden Damen lachen über unsere Empfindlichkeit; die Herren gehen im leichten Frack aus, wenn uns unter dem dicken Mantel noch friert, und kommt man in eine Wohnung, so findet man Thüren und Fenster aufgesperrt, da man den Zugwind zu lieben scheint; nur vor einem fürchtet sich der Italiener: dem Zugwind im Nacken. Er warnt wol selbst den Fremden, der in der Hausflur zu lange stehen bleibt oder sich mit dem Rücken gegen die offene Thüre sezt. Heftige Rheumatismen habe ich selbst augenblicklich darauf empfunden.

Indeß verschwindet von Jahr zu Jahr die alte Bauart sowie die nationalen Trachten und machen auch hier der neuern Cultur Platz. Die Wohnungen der Vornehmern sind nett, zumal wegen zahlreicher Zimmer luftig und angenehm zu nennen. Wer aber blos die ersten Gasthöfe und die Paläste der Großen und Reichen gesehen, der wird sich von einer Einrichtung, wie wir sie schildern wollen, keine Ansicht gebildet haben. Nur die Treppen mit ihren unsaubern Ecken und Löchern zum Austilgen der Fackeln werden ihm auch da bei Grafen und Herren begegnen. Will er uns aber z. B. in die Wohnung eines übrigens ganz achtbaren, würdigen Mannes vom zweiten Rang begleiten, um dessen Visite zu erwidern, so wird er ungefähr Folgendes finden. Er steigt mit uns eine gewaltige Anzahl steinerne Stufen hinauf (denn je höher wohnend, desto vornehmer) und umgeht möglichst die verunreinigten Ecken der Treppe. Eine dicke, vormals angestrichen gewesene Holzthüre hat in der Mitte ein Loch, aus dem an einem schmuzigen Bindfaden ein Klötzchen heraushängt, woran man zur Schelle zieht. Es wird geöffnet. Das Vorzimmer zeigt ein Bett, einen langen, grün angestrichenen Holzkasten mit Deckel, unter welchem die Vorräthe der Küche aufbewahrt werden; sonst wenig Möbel, an den Wänden uralte, rußige, kaum mehr zu erkennende Bilder. Es öffnet sich die Stubenthür. Sie hat wie alle hier die Einrichtung, daß die obere Angel kurz wie bei uns, die untere dagegen eine Viertelelle lang ist, sodaß die Thüre beim Aufgehen sich schief in die Höhe sperrt und so durch ihr eignes Gewicht mit lautem Knall wieder zufällt; etwas Kalk von der Wand oder der Decke fällt dann gewöhnlich hinterdrein. Auch die Zimmer der Damen sind ziemlich einfach: ein leichtes Sopha, Strohstühle, etwa eine Vase unter dem Spiegel; im hintern Zimmer breite Betten, offen, ohne Vorhänge. Wir werden zum Herrn des Hauses geführt. Ein kleiner Schreibtisch, mit messingenem Dintefaß darauf, steht auf einem Binsenteppich, dahinter ein alter seidener Sessel, zu den Seiten ein Bücherbret mit etwas Büchern, davor jederseits ein Sessel für den Besuch. Am Fenster, dem Sitze des Hausherrn gegenüber, steht ein Gestell mit einer ellengroßen, weiten Tasse (tazza), mit altem Moos angefüllt, darauf zwei große Steckmuscheln und ein Schwamm; auf dem Boden daneben staubige Oleanderstöcke auf Säulenpostamenten; zu den Seiten des Fensters alte Eckschränkchen, vor dem einen ein großes eisernes Vorlegeschloß, unter dem andern ein Schlafsessel mit wollenem Fußteppich davor, an den Wänden Bilder aus dem Werke über Herculanum. Von den gewöhnlich finstern Küchen sprechen wir nicht. In ihnen findet sich hier zu Lande auch der Ort, der am wenigsten dahin gehört, ein Gebrauch, der sich schon seit Pompeji vererbt hat, denn auch dort hat man diese Einrichtung gefunden.

(Der Beschluß folgt.)

Romanenliteratur.

1. Schlesischer Bildersaal. Eine Sammlung historischer Novellen, Erzählungen und Sagen schlesischer Vorzeit, herausgegeben von C. Philipp's Witwe. Zweiter Theil. Breslau, Schulz und Comp. (ohne Jahrzahl). 8. 16 Gr.

Die drei Erzählungen, welche den Inhalt der Sammlung ausmachen, haben Das mit einander gemein, darzustellen, wie sich im Mittelalter die äußersten Enden berührten, rohe Kraft und tiefes, selbst zartes Gefühl, was in mächtigen Strömungen sich durchdringt, kreuzt, und wobei das Zarte meistens erliegt. Das erste Gemälde: „Die Tataren vor Breslau", hat aber noch etwas Besonderes für sich allein: ein schönes Fischermädchen, das als Knappe in Krieg zieht und ein bedeutender Hebel wird, die Tataren zu vertreiben. Amazonen, zumal in zierlicher Pagentracht, sind wir im Roman und auf der Bühne schon gewohnt; aber diese heldenmüthige Schöne wirkt noch Größeres als alle ihre Mitschwestern, sie, die in ihrer Bedrängniß zu den heidnischen Göttern Zuflucht nimmt, ist Ursache, daß sich der Meergott Wladrus vor seinem Hinscheiden bekehrt und taufen läßt, welcher kühne Einfall in die sonst bei allem Kriegstumult doch zahme Geschichte recht bizarr hineinschaut.

2. Novellen und Erzählungen von M. F. Reya. Erstes Bändchen. Dinkelsbühl, Walthr. 1832. 12. 1 Thlr.

Auch in diese Erzählungen, an welchen die Einbildungskraft keinen Theil genommen und die ein Jeder, der einigermaßen zu sprechen weiß und die Gegenden um Erlangen kennt, bei einer Landpartie den schmauchenden Männern, den renommirenden Studenten, den strickenden und an ihrem Putz zupfenden Damen vorerzählen könnte — auch in diese mischt sich etwas Seltsames: ultraliberale Begriffe von Freiheit, Constitutionen u. s. w. vielleicht zum Beweis, daß eine gewisse Art von Schwärmerei mit der allerentschiedensten Nüchternheit bestehen könne.

3. Sonnenblicke und Nebelwolken, von J. J. X. Pfyffer zu Neueck. Luzern, Meyer. 1831. 8. 10 Gr.

Die letzte und längste Geschichte: „Das treue Breneli", ist das Beste im Büchlein, kräftig und frei von fader Mattigkeit. Die erste Geschichte läßt zuweilen zweifelhaft, ob der Brabanter ein Kronthaler, ob er ein Mensch sei, aber nie, daß der Humor blos bis zum Willen gelangt. Die Gedichte haben das Verdienst der Kürze und sind daher eine recht leidliche Zugabe.

4. Der Guckkasten. Ein humoristischer Roman. Von Zweibein. Auch unter dem Titel: Zweibein's sämmtliche Werke. Erster Band. Der Guckkasten. Leipzig, Kollmann. 1833. 8. 1 Thlr. 3 Gr.

Zweibein freut sich mit den Fröhlichen, trauert mit den Weinenden, liebt und wird geliebt, weiß eine gute Tafel zu schätzen, ist aber auch empfänglich für Poesie und Natur, ergibt sich dann und wann dem Witz der Laune, damit das Leben nicht der mangelnden Aufrüttelung wegen versumpfe; kurz, er ist ein harmloser und doch nicht gehaltloser Mensch, einer, von dem man wünschen kann, daß es viele Seinesgleichen auf Erden gäbe!

5. Die Bekanntschaften im Kinglischen Bade und die Ahnung. Von F. A. Grassett. Mit einem Titelkupfer. Neuhaldensleben, Eyraud (ohne Jahrzahl). 8. 1 Thlr.

6. Die Cur, nebst andern interessanten Erzählungen. Von Demselben. Mit einem Titelkupfer. Ebendaselbst (ohne Jahrzahl). 8. 1 Thlr.

Genrebilder aus der niederländischen Schule, zwar nicht von einem Teniers und Mieris, aber doch von einem nicht ungeschickten, nicht ungeübten Schüler. Fließt die Quelle des Humors nur sparsam, so verlegt auch kein Schlamm, den die überströmende zurückließ, das Auge, eine unschuldige Fröhlichkeit belebt diese Vogelschießen- und Wirthshausscenen, die kleinen Verlegenheiten der liebenden Jünglinge und Männer, der artigen Mädchen, um die sie sich bewerben, der ehrlichen Vettern, Basen und alten treuen Hausdiener, die es so gut mit ihrer Herrschaft, ihren Pflegbefohlenen meinen. Blos die Ahnung erhebt sich in höhere Sphären und liefert nicht unwichtige Beiträge zur Geschichte der Seele.

7. Die Schauerruine der alten Riesensteinburg, oder: Ritter-, Räuber- und Geistergeschichten der Vorzeit. Von Artemisia. Weimar, Gräbner. 1833. 8. 20 Gr.

Obenhin gehörte und begriffene Geschichten, mit eignen Sentenzen verbrämt und durch Ballhorn erläutert.

8. Novantiken. Bilder der Vergangenheit und Gegenwart. Von Karl Gräbner. Zweiter Band. Mit einer lithographirten Abbildung. Weimar, Gräbner. 1833. 8. 1 Thlr.

Größere Gewandtheit der Feder als im vorigen Band, auch Spuren, daß das Vernommene sich wirklich im Innern gestaltete, wenn schon an Form der dickköpfigen Suleima mit dem Eulengesicht, der Titellithographie, gleichend. Die erste Erzählung hat gute Motive, aber der Verf. zeigt eine große Unerfahrenheit in der Dämonologie; er verwechselt Märchen und Sage, läßt in dieser den Geist eines Mönchs einem Jüngling, der den Herumspukenden erlösen soll, Geld auszahlen, so oft er's begehrt, was nur die Sache eines verzauberten Prinzen, einer Fee in Schlangengestalt u. s. w. und gegen alles Gespensterdecorum ist. Ein honetter Geist kann als Schatzhüter Geldgeschäfte im Großen betreiben, aber mit kleinen, öfter sich wiederholenden Auszahlungen gibt er sich nimmermehr ab,

9.

10. Die Familie Ahlburg. Eine durchaus wahre Erzählung von A. Leibrock. Leipzig, Kollmann. 1838. 8. 1 Thlr. 6 Gr.

Wohlgemeinte, wohlvorgetragene Familiengeschichte, welche das Verderbliche schlechter, verweichlichender Erziehung und das Unheil darstellt, das entsteht, wenn der Mann den thörichten Launen einer gefallsüchtigen, eiteln Frau nachgibt.

Blätter
für
literarische Unterhaltung.

Sonnabend, —— Nr. 236. —— 24. August 1833.

Bemerkungen eines Reisenden über Italien im Jahre 1833.

(Beschluß aus Nr. 235.)

Wie aber könnten wir Pompeji erwähnen, ohne bei dieser Wunderstadt zu verweilen! Wären auch noch so viele Cloaken in den Straßen, übler Geruch in den Schauspielhäusern, Stehl- und Betrügsucht des gemeinen Volkes bis zur Verworfenheit, immer werden das prächtige Meer, der erstaunliche Vesuv, die reizenden Inseln und Gestade und jene Petrefacte einer untergegangenen Menschheit reichlich dafür entschädigen.

Als vor etwa hundert Jahren ein Bäcker in Resina einen Brunnen in seinem Hause graben wollte, sank er plötzlich durch den Boden und fiel hinab in ein prächtiges Zimmer mit schönen Marmorstücken und Zierathen. Einige Zeit darauf bot er sie einem Prinzen Elboeuf zur Ausschmückung seiner neuen Wohnung in Portici an. Dieser, aufmerksam gemacht, verfolgte die Ausgrabung und gewann schon nach wenigen Tagen eine schöne Statue des Hercules und eine Kleopatra mit Inschrift. Bald darauf fand man 24 schöne Säulen von blumigem Alabaster und so immer weiter. Man entdeckte das Theater, die Straßen, einige Wohnungen, Kaufläden und Landhäuser von Herculanum und hätte diese Erforschungen gern fortgesetzt, wenn dieses Alles nicht grade unter der Hauptstraße von Portici und den Häusern von Resina gestanden hätte. Man gab daher Herculanum wieder auf (nur neuerlich sind am untern Theile der Stadt Portici die sogenannten scave nuove wieder vorgenommen worden, woran auch bei unserer Anwesenheit noch gegraben wurde) und gedachte des ganz vergessenen Pompeji. Wunderbar genug war schon seit dem Mittelalter, wer weiß noch früher, die Erinnerung an den Ort, wo diese Stadt gewesen, untergegangen. Nur Alfons I. entdeckte im Jahr 1450, als er einen Aquäduct führen ließ, der quer durch Pompeji ging, Straßen, Häuser, ja den Isistempel, doch ohne Folgen. Bis zum Jahre 1748 hatte man ganz aufgehört zu wissen, wo Pompeji gelegen. Diese ansehnliche Stadt, älter als die Belagerung von Troja, vielleicht größer als Göttingen, steigt jetzt mit jedem Jahre wieder mehr aus ihrer vulkanischen Asche empor. Zahn's Meisterwerk wird sie uns prächtiger als alles Bisherige vor Augen legen. Wir wollen hier nicht oft genug Beschriebenes wiederholen, nur einige Bemerkungen beifügen.

Eine der bemerkenswerthesten Erscheinungen ist die tiefe Schwermuth, die sich vieler Frauen bemeistert, wenn sie Pompeji besuchen. Wir wurden von mehren Einheimischen hierauf aufmerksam gemacht; und allerdings ist es erklärlich. Die Ansicht einer völlig ausgestorbenen Stadt, deren friedliche Bewohner mit einem Male in ihrer ganzen bürgerlichen Existenz vernichtet wurden, muß heftig auf die Stimmung des zärtern, häuslichern Geschlechts wirken, um so tiefer, als man gewöhnlich zuerst von der Seite der Gräber hereintritt, deren schöne Monuments mit wohlgehaltenen Inschriften die Schicksale längst vergangener Familien erzählen. Das weltbekannte Haus des Arrius Diomedes, in dessen Kellergängen man das Skelet der Hausfrau nebst 16 andern fand, worunter Kinder, die sie an der Hand gehalten, ergreift noch schmerzlicher. Hier erblickt man noch unverändert, nur verödet, die Wohnung einer reichen, im Behagen lebenden Familie. Das Museum zu Neapel zeigt einen Glaskasten, mehre Stücke verhärteter Tufasche, eines mit dem Abdruck einer Weiberbrust enthaltend, die vielleicht von der Frau des Hauses herrührt. Jenem Eindrucke zufolge muß sie jung und von Wuchs schön gewesen sein. Man fand an ihr noch goldene Ringe, Geschmeide und etwas Geld. Einen eignen Anachronismus fand ich in mehren Büchern, die Pompeji beschreiben. Es heißt hier immer, das besagte Haus sei das des Arrius Diomedes, des Freundes Cicero's gewesen, der hier auch eine Villa besaß und dem jener öfters schöne Gastmäler gegeben. Nun aber wurde Pompeji erst im Jahre 79 nach Chr. verschüttet: wie alt müßte dieser Freund da gewesen sein!

Die neuen Ausgrabungen gehen nur sehr *langsam* vor sich, was theils in den großen Kosten, theils in der weisen Absicht seinen Grund hat, immer Frisches aufzudecken. Denn nach eines bejahrten Custoden Versicherung ist jetzt schon viel von Dem wieder zu Grunde gegangen, was er und sein Vater gesehen. Thöricht ist daher das Verlangen Derer, welche wünschen, daß Pompeji ganz mit Einem Male ausgegraben werden möchte. In hundert Jahren vielleicht wäre dann Alles wahrhafte Ruine! Gegenwärtig ist etwa erst der fünfte Theil des Ganzen entblößt. Abgeschmackter ist ein anderer Wunsch, der, daß die dort Angestellten in antikes Costum gekleidet sein sollten. Welchen herrlichen Anblick müßten nicht ein Dutzend Aufwärter und Straßenarbeiter, als römische Senatoren gekleidet, gewähren!

Eher ließe sich der Vorschlag entschuldigen, ein ganzes Haus vollständig möblirt zu conserviren, wenn nicht auch er unausführbar wäre. Nichts ist vollständig aus der alten Zeit erhalten; die glühende Asche hat das Meiste verdorben, nur hier und da Holz, Eßwaare und Gewebe geschont; in Herculanum hat der Lavastrom sogar Bronze geschmolzen und Marmor calcinirt. Es wäre daher völlig unmöglich, alles Hausgeräthe, männliche und weibliche Anzüge; Putz und Inhalt der Gefäße wiederherzustellen, da von all diesem nirgend mehr etwas existirt. Und wie reich die Alten sich einzurichten verstanden, davon geben grade die aufgedeckten Häuser Zeugniß. Wunderschöne Brunnen in Muschelgrotten, Blumen- und Gemüsegärten, Bäder in ihren drei Abtheilungen, Ueberfluß an Zimmern. Jedes Haus hatte zwei Theile, den einen für die Familie, den andern für das öffentliche Leben. Vorn elegante Vorhöfe, Hallen, Säulengänge mit Mosaikfußböden. Exedra hieß der große Saal zum Empfang der Freunde, im triclinium wurde gespeist, im tabulinum empfing der Hausherr Diejenigen, welche geschäftshalber zu ihm kamen. Er hatte außerdem noch eine Bibliothek, eine Pinakothek. Oecus war das Arbeitszimmer der Frauen. Im innersten Theile des Hauses befand sich das lararium, eine Art Kapelle, den Hausgöttern, die im atrium standen, geweiht. Die Küche, den Keller findet man im entlegensten Theile des Hauses oft unterirdisch; Alles nach eigner, zarter Weise ausgeschmückt; selbst die Küche hatte ihre Gemälde. Die Gemächer der Frauen gingen meist in den Garten, der elegant unterhalten wurde. Das xystum war ein Blumenparterre mit Küchenkräutern. Jedes Haus hatte zwei, seltener drei Stockwerke, und die Terrasse und platten Dächer wurden auch damals schon mit Gewächsen geziert. Die untern, nach der Straße gehendem Boutiquen und Kaufläden sahen grade so aus wie die jetzigen in Portici. Man möchte wünschen, daß ein guter Dichter mit Benutzung der vorhandenen Materialien Pompeji zum Gegenstand eines Theaterstückes machte, das freilich dort in der Nähe, in Neapel aufgeführt werden müßte. Es existirt zwar ein solches: „L'ultima giornata di Pompei", wir haben es aber nicht gesehen, und es soll von sehr gewöhnlicher Erfindung sein.

Nimmt man die noch in unsern Zeiten vorgekommenen Verwüstungen des Vesuvs, die Lavaergüsse, welche 1794 zwei Drittel von La Torre del Greco verwüsteten und den ungeheuren Aschenregen von 1822, der auf neun deutsche Meilen weit die Luft verfinsterte und sich am Fuße des Vesuvs theils als Staub theils als Schlammregen niederließ, zur Erklärung zu Hülfe, so kann man sich die Katastrophe von Pompeji schon mit vieler Klarheit verdeutlichen. Seit undenklichen Zeiten hatte der Berg geschwiegen; man betrachtete ihn als einen völlig erloschenen Vulkan, und Plinius und Strabo sprachen von seinen Feuerausbrüchen nur wie von einer alten Sage. Was Wunder also, wenn die Bewohner Pompejis ganz sorglos dahinlebten? Als aber auch das entsetzliche Unglück hereinbrach, bei dem sich die Wenigsten zu benehmen wußten, war es doch eigentlich nur die Asche, vor der man flüchtete. Und es ist sehr wahrscheinlich, daß die Stadt nicht so total bedeckt worden, daß man nicht kurz darauf ihre Spur hätte wiederfinden sollen. Viele Häuser findet man auch jetzt beim Aufgraben entleert, an andern sieht man Oeffnungen in die Wände gemacht als Ausgänge. Die Besitzer haben daher entweder gleich oder doch bald nachher ihre meiste Habe gerettet, freilich viele auch nicht; sie werden sich zerstreut, entmuthigt einen andern Wohnsitz aufgesucht haben. Verlassen mußte Pompeji werden für immer, und um so mehr, als auch alle nachbarlichen Orte, von denen so viele noch vergraben liegen, mit verwüstet wurden. Flüchteten doch am 23. October 1822 die sämtlichen Bewohner von La Torre del Greco in solcher rasenden Verzweiflung, daß laut des amtlichen Berichtes des Syndicus der Stadt an die Behörde von Neapel von 16,000 Bewohnern nur sechs im Orte blieben. Mit der Zeit also erst verschwand Pompeji von der Oberfläche der Erde. In den ersten christlichen Jahrhunderten mögen einzelne hervorragende Theile, Thürme und Mauerspitzen allmälig abgetragen und anderwärts verwendet worden sein. Zuletzt ebnete sich der Boden, überzog sich mit Vegetation, und die noch jetzt in Pracht über der neuaufgedeckten Stadt wuchernden Weinstöcke, lacrymae Christi, und die Baumwollenfelder besiegeln die Rückkehr der Natur über Menschenwerk.

14.

Nachrichten über russische Literatur.

Der arbeitsselige russische Geschichtsforscher Basilius Berg hat neuerdings ein nützliches Handbuch für Geschichtschreiber und Geschichtsfreunde herausgegeben: „Sistematitscheskye Spiski Bojaram, Okolnitschim etc." (Systematisirte Verzeichnisse der Bojaren, Okolnitschen und zarischer Rathsmänner vom J. 1468 bis zur Abstellung dieser Würden. Petersburg 1833.) Das Buch enthält, was der Titel verspricht, nämlich in Ordnung gebrachte Namenlisten der hohen Beamten des alten Rußlands. Zur Anfertigung dieser Listen sind von dem Verf., außer den geschichtlichen Werken Müller's, die im Archiven aufbewahrten Verzeichnisse der Wojewoden, Beschreibungen von Krönungsfeierlichkeiten und zarischer Begräbnisse, sowie eine große Anzahl von Urkunden, Kaufbriefen und Todtenlisten benutzt worden. Es ergeben sich daraus folgende in verschiedenen Zeiträumen stattgefundene Ernennungen. Vom Großfürsten Iwan innerhalb 43 Jahren 47 Bojaren; vom Großfürsten Basilius in 28 J. 52; vom Zar Iwan dem Gewaltigen in 52 J. 116; vom Zar Theodor I in 15 J. 23; Boris Gudunof in 7 J. 12; dem falschen Demetrius während 10 Monate 24; Basilius Schuiski in 4 J. 9; Michael in 32 J. 63; Theodor II. in 6 J. 23; unter den folgenden Regierungen bis zur Aufhebung der Bojarenwürde von Peter I. wurden 85 Bojaren ernannt. Der letzte Bojar, Feldmarschall Fürst Iwan Trubezkoi, starb 1750, die untergegangene Würde lange überlebend.

Der wegen des weichen Wohlklangs seines Verses und seiner sinnigen Schwermuth beliebte Dichter N. Jasykof hat seine in Almanachen und Zeitblättern zerstreuten Gedichte gesammelt und zur Freude der Freunde vaterländischer Dichtkunst herausgeben: „Stichotworenja". (Gedichte von N. Jasykof. Petersburg 1833, 12.) Er gehört der neuern, mit Welt und Menschen wenigstens in ihren Versen unzufriedenen Dichterschule an, und ein kleines, treu übersetztes Gedicht mag einstweilen als Beleg der Behauptung und als Aushängeblättchen der Dichtungen dienen, bis von der Borg oder andere gleich ihm glückliche Uebersetzer aus dem Russischen größere Mittheilungen liefern.

Mein Gebet.

O Fügung künft'ger Zeit, ich fleh' zu dir:
Erleichtere nicht mir meiner Tage Pein,
Doch eiserne Geduld verleihe mir
Und wandle mir das Herz zu Stein,
Daß unverändert ich fortan besteh',
Und ungebeugt am dunkeln Ziel vergeh';
Wie oft die Welle ungebrochen bleibt,
Bis sie die Flut aufs trockne Ufer treibt.

Ein angehender Literatus, Herr A. Weltmann, der sich durch eine fleißig ausgearbeitete Uebertragung des altrussischen Heldengedichts: „Igor's Zug gegen die Polowzer", in die neurussische Schriftsprache bekannt gemacht, hat einen neuen historischen oder sagenhaften Roman in drei Theilen geschrieben: „Kaschtschei bessmertny" (Der unsterbliche Kaschtschei). Die Zeit der Handlung fällt in die frühern Kriege gegen die Tataren während ihrer Zwingherrschaft über Rußland, und der Name auf dem Titel ist der eines zauberhaften Ungethüms, das oft genug in den ältern russischen Volksmärchen erscheint und seltsam gezeichnet wird. Schon dies fabelhafte Ingredienz gibt dem Weltmann'schen Roman seine Stellung zwischen historischer Dichtung und dem phantastischen Märchen und macht denselben einigen Romanen von Baron Fouqué ähnlich. Um deutschen Lesern einen Blick in die russische Märchenromantik zu erleichtern, übersetzen wir eine Stelle des Romans. Iwa Olelkowitsch, einer der Helden des Buchs, so gewaltig und riesig, wie nur irgend einer der nordländischen Recken in Fouqué's Romanen, liegt in schwerer, eiserner Rüstung, die er nicht hat abthun können, weil er darin festgeschmiedet ist, gefangen im Kerker und hat folgenden Traum: „Da schien es ihm, als gehe er in der Meeresflut unter und stehe an den krystallnen Palastthoren des Seekönigs Wirbel. Das ganze Wasserreich kommt alsbald über den fremden Gast, den Wanderer sonder Rast, den Iwa Olelko's Sohn, in Aufregung und Aufruhr. Die mächtigen Seeritter, vom Haupt bis zum Schweif in glänzender Schuppenrüstung, umkreisen ihn, schlagen mit den Floßfedern klirrend an den Harnisch; der Weißfisch in perlenfarbenem Küraß schmiegt sich, der Schlammfisch biegt sich und schlägt mit dem Schweif an Iwa's eherne Rüstung; der aufgeblasene Brachs hält still und erhebt staunend den Kamm; eine Wache von schwarzgepanzerten Seekrebsen, mit ungeheuern Scheren bewaffnet, zieht sich zurück, reißt die Augen auf und klappert mit den Schuppen. Das Lärmen der Fische wird von König Wirbel vernommen. Er schickt seinen grauen Rathmann, den Walfisch ab, um zu hören, was draußen in der Meerflut vorgehe. Der Walfisch begibt sich zu den Palastthoren hinaus, staunt Iwa Olelko's Sohn an und kehrt schweigend zum König zurück, dem er berichtet, daß in seinem Reich ein Bewohner der Erde angekommen sei, ein Mensch in eisernen Schuppen. König Wirbel fuhr empor, schäumte, zischte, brauste. „Man führe ihn zu mir!" sprach er. Die Kämmerlinge, hübsche Goldfische, eilen ihn zu rufen. Ein Seepferd schwimmt unter seine Füße und trägt ihn in die Gemächer des Palastes; am Eingang stehen der Schwertfisch und der Sägefisch auf der Wache. Iwa erblickt hier, auf einem Perlenthron sitzend, einen ungeheuern Wasserschwall, die Augen sind Wasserblasen; die Nase eine blaue Woge, der Mund ein Schlund, die Haare Schaum, der Bart ein Wasserfall. „Wohlan", spricht der König Wirbel, „ungebetener Gast, eiserner Kämpfer voll wilder Hast! ich habe vernommen, daß man auf der Erde sich auf Kriegskunde und Kriegslist verstehen soll; deshalb denk ich mit euerm Heldenthum einen Versuch zu machen. Ich gebe dir den Befehl über ein Meer und ein Heer, an Reitersleuten, so man Heringe nennt, zwei Millionen, an schwergerüstetem Fußvolk, Krebsen, anderthalb Million, außerdem allerhand bewaffnetes Fischvolk, eine Million und dreimalhunderttausend Köpfe; damit sollst du mir den nichtswürdigen Kaschtschei, der ein ganzes glühendes Sandmeer unter seine Botmäßigkeit gebracht hat, mit Krieg überziehen. Nimm mir den Kaschtschei gefangen, überschütte sein Sandmeer mit Wasser und siedle dort Fische an. Dienst du mir mit Eifer, sonder Geifer, mit Nutz sonder Trutz, so geb ich dir zwei Eimer trockenes Wasser, was bei euch Edelgestein oder Demant genannt wird, und vermähle dir meine geliebte Tochter Quelle; weigerst du dich aber mir zu dienen, so verbanne ich dich ins Eismeer zur festen Haft!" König Wirbel schwieg und ließ seine geliebte Tochter rufen. In das Gemach ergoß sich alsbald die helle, glänzende Quelle; in ihren Adern blitzte der leuchtende Regenbogen, ihr Gewand war perlender Schaum; auf dem goldenen Estrich des Seepalastes ihres gewaltigen Vaters floß sie sanft dahin und flüsterte süße Laute in einer Olelko's Sohne unverständlichen Sprache. Ihr nach ergossen sich allerlei Wellen, ihre Ammen und Wärterinnen und Kammerzofen und schlugen sprudelnd, spritzend an die krystallenen Wände. „Meine geliebte Tochter Quelle", sprach König Wirbel, „hier ist dein Freier, umfange ihn lieblich wie üblich." Die Quelle gehorcht und ergießt sich grade auf Iwa zu. Olelko's Sohn tritt zurück, aber es gab keine Rettung. Die Quelle warf sich an seine Brust, umfing ihn." Da auf diesen Schreck Held Iwa erwacht, verlassen wir ihn und seine Undine. Weltmann's Roman ist neue Dichtung, er benutzt aber alte Bilder, Vorstellungen und Redensarten, und die Leser mögen nach den mitgetheilten Proben urtheilen, ob die alte russische Märchenwelt zu den Gestaltungen romantischer Dichtung nicht eine ergiebige Fundgrube eigenthümlichen Gehalts darbietet.

Von dem bereits durch den Roman „Strelzy" rühmlichst bekannten Konstantin Masalski ist ein neuer Roman erschienen: „Tschernoi jaschtschik". (Der schwarze Kasten. Petersburg 1833.) Er enthält eine Schilderung der großen Kaiserstadt an der Newa in historischen Scenen aus dem Jahr 1723, also vor 110 Jahren, zu einer Zeit, wo die Stadt erst seit 20 Jahren existirte und sehr verschieden von der gegenwärtigen war. Die damaligen Zustände, insofern sie durch Belesenheit und Phantasie wieder ergriffen werden können, sind lebendig und anziehend dargestellt und die Novelle wird nicht blos von den Einwohnern Petersburgs mit Interesse gelesen werden. Diesen vergegenwärtigt sie ihre Altvordern am Ort, in ihren Freuden und Leiden, öffentlichen Vergnügungen und häuslichen Gastereien auf eine anschauliche Weise.

Wilhelm Karlhof, dessen Name russischen Lesern nicht unbekannt ist, hat zwei Bände Erzählungen und Novellen herausgegeben: „Powesti i raskasy" (Petersburg 1832 — 33). Der Verf., seinem Stande nach ein Kriegsmann, hat die mannichfaltigen Feldzüge der russischen Heere in jüngst vergangener Zeit mitgemacht. Daher trifft man in den verschiedenen Erzählungen, deren Scene bald im Norden, oder dem Westen und im Süden Rußlands, sowie in den Nachbarländern sich entwickelt, viel locale, mit den lebhaften Farben eines Augenzeugen ausgeführte Schilderungen. Man durchblickt auf diese Weise den Norden Rußlands, das alte finnische Biarmien, die Heimat des Verf., von der er mit Begeisterung spricht, dann einen Theil von Sibirien, das jüngste Kriegstheater in der Türkei, Polen während seines Kampfes, lernt eine Menge von Localitäten, Personen und bunter Schicksale kennen und legt das Buch befriedigt, oder doch nach hinlänglicher Unterhaltung und mit vielen neuen Bildern geistiger Anschauung versehen, aus der Hand.

Wir enden unsere Notizen mit der Erwähnung eines kleinen erzählenden Gedichts: „Watuplenye". (Der Regierungsantritt Alexander's Fürsten von Twer, von Konstantin Bachturin. Moskau 1833.) Da die neuern Erzählungen Blut und Mord als fast nothwendiges Ingredienz der poetischen Mixturen dieser Art enthalten, so ist hier die Blutrache erzählt, die ein Fürst von Twer über den Mörder seines Vaters verhängt. Dieser

Letztere wird auf dem Todtenhügel des Ermordeten um Mitternacht erwürgt. Die Verse sind mannichfaltiger Art, es gibt gute und schlechte, doch sind die letztern in größerer Anzahl vorhanden. 44.

Fragmens littéraires de Lady Jeanne Grey, reine d'Angleterre, traduits en français et précédés d'une notice sur la vie et les écrits de cette femme célèbre, par *Ed. Frère*. Rouen 1832.

Ed. Frère ist ein sehr thätiger und einsichtsvoller Buchhändler in der französischen Provinzialstadt Rouen, bei welchem eine ziemlich bedeutende Zahl historischer Werke über die Normandie im Verlage erschienen sind, unter Anderm die unter dem Namen: „Roman de Rou", bekannte historische Chronik dieser Provinz aus dem 12. Jahrhundert, deren Druck seit langer Zeit verlangt worden war. Vor Kurzem hat Ed. Frère eine Schrift über die ältesten in der Normandie veranstalteten Druckschriften herausgegeben. Auf diese folgt nun eine Ausgabe der literarischen Bruchstücke Johanna Grey's, des weisen Mädchens, welches das Unglück hatte, von einer bedeutenden Partei zum leeren Throne berufen zu werden, und diese kurze Ehre mit dem Leben büßte. Die Engländer, welche gern ihre Geschlechter bis auf die Eroberung Englands durch die Normannen zurückführen und ihren Adel auf den von Wilhelm dem Eroberer geschehenen Raub des englischen Bodens zu stützen suchen, behaupten, die Familie Grey sei ebenfalls normannischen Ursprungs. In diesem Falle stände es einem Schriftsteller aus der Normandie wohl an, sich mit dem Leben und den wenigen Schriften der jungen und gelehrten Königin Englands abzugeben.

Ed. Frère erzählt zuerst die Geschichte Joh. Grey's; obschon er keine neuen Umstände anzugeben hat und nur bekannte Thatsachen erzählt, so liest man sie doch gern hier wieder, zumal da sie anspruchlos und einfach erzählt werden. Besonders ist hierbei Sharon Turner benutzt worden.

Was nun die literarischen Bruchstücke Joh. Grey's betrifft, wenn anders dieser Titel richtig ist, so hat bereits ein Engländer, Harris Nicolas, dem man mehre ähnliche Werke verdankt, sie unter dem Titel: „The literary remains of Lady Jane Grey", gesammelt und bekannt gemacht. Da wir dieses Werk, welches nach dem gewöhnlichen Brauche der englischen Geschichtsforscher nur zu einer geringen Anzahl von Exemplaren abgedruckt worden und daher im Auslande wenig verbreitet ist, nicht vor Augen haben, so können wir nicht sagen, inwieweit Ed. Frère ihm gefolgt ist; wahrscheinlich hat der französische Herausgeber blos die französische Uebersetzung beigefügt. Wenn aber auch sein ganzes Verdienst nur hierin bestände, so wäre dadurch doch schon den Liebhabern solcher literarischen Vermächtnisse berühmter Personen auf dem Continente ein Dienst geleistet.

Die sogenannten literarischen Bruchstücke Joh. Grey's bestehen meistens aus Briefen, 1) an den Pastor Bullinger zu Zürich, 2) an ihren Vater, den Herzog von Suffolk, dem sie einige Wochen vor ihrem Tode aus dem Gefängnisse schrieb, 3) an ihre Schwester Lady Katharine Grey, ein liebevolles Andenken, geschrieben in der Nacht vor ihrer Hinrichtung; ferner ihr Gebet im Gefängnisse. Zu diesen wenigen Schriften hat man noch einen Brief und eine geistliche Conferenz beigefügt, von denen es aber zweifelhaft ist, ob sie wirklich von ihr herrühren. Der Verf. hat auch ihre Proclamation ans englische Volk gegeben, die sie aber wahrscheinlich blos unterschrieben hat. Zuletzt liefert er ein Verzeichniß der über Joh. Grey erschienenen Schriften, wie auch der Dichtungen, welche über sie verfertigt worden sind, aber nur so weit sie dem Verf. bekanntgeworden sind. Aus der deutschen Literatur ist daher nichts über sie angeführt worden. In Frankreich haben de la Place, Frau von Staël, Brifaut sie zur Heldin eines Trauerspiels genommen, und Chevalier hat ein Gedicht über sie verfertigt. Auch ist noch ein altes Trauerspiel von Calprenède unter dem Titel: „Jeanne d'Angleterre" (1638), vorhanden. Aus der englischen Literatur hat der Verf. nur ein einziges Trauerspiel, von Rowe, anzuführen; vielleicht sind noch andere vorhanden, die ihm unbekannt geblieben sind.

Das Werkchen ist schön gedruckt und mit einem Umrisse nach dem gemalten Portrait Johanna's von Holbein geziert, wofern ein bloßer Umriß eine Zierde genannt werden kann. 74.

Ein Brief Oxenstierna's.

In dem Stadtarchiv von Kirn an der Nahe (Kreis Kreuznach, Großherzogthum Niederrhein), der ehemaligen Hauptstadt der Wildgrafen von Salm-Kirburg, fand ich neben andern geschichtlich interessanten Documenten das folgende eigenhändige Schreiben Oxenstierna's. Geschichtlich merkwürdig ist es, weil es die verzweifelte Lage des schwedischen Heers nach der Schlacht bei Nördlingen in einfachen, ungeschminkten Worten bezeichnet. Außerdem hat es aber noch den anderweitigen Werth, daß es auf den Charakter und die Gesinnung des großen Mannes selbst ein sehr anziehendes Licht wirft. Aus diesen Gründen dünkt es mir des öffentlichen Mittheilens werth, da es noch ungedruckt ist. Ich gebe es mit diplomatischer Treue hier wieder, indem ich nur noch bemerke, daß die abgekürzte Zuschrift lautet:

„An die gesampten Hrn. Hrn. Rheingrafen et cet. et cet."

„Demnach durch Göttliche verhängnuß deß Evangel. Bundts Armein, Jüngsthin vor Nördlingen die schwere niederlag erlitten, Vnd dahero billich, wo man sich nicht anderst gäntzlich deß feindeß discretion vnd gnad vnterwerffen will, auff alle mittel vnd weeg Zutrachten, wie daß werck müglichst vnd auffs schleunigst zu redressiren, Vnd die Soldatesca neben anderm contentement, um etwas zu refraichiren vnd zu encouragiren; Vnd aber zu diesem mahl kein zuträglicher mittel sich eräugnen wollen, dann solche so viel müglich, mit etwas versicherten Quartieren, auff eine kleine zeit zu accommodiren, Inmaßen derentwegen eine disposition gemacht, vnd die Regimenter hin vnd wider assigniret werden müssen, gestatten Ew. Ld. itzigem Zustandt nach, Innhalts der Beylage*) deren vnterschiedliche Zugetheilt worden; Als ersuche Ew. Ld. Ich gantz frl. die geruhen sich dieses ohnvermeydenliche werck, denen besten recommendirt sein, Vnd zu dem ende bey den Ihrigen die ohnbeschwerdte Anstalt machen Zulaßen, daß die Soldatesca mit willen angenommen, vnd mit gudter ordre auch die ordinanz Ihnen der gebürr nach, so viel müglich, richtig gereicht werden: damit nicht in entstehung dessen durch disordre noch mehrere verlegenheit, schaden vnd Landsverderben verursacht werde, Ich kan zwar ohnschwer absehn, daß dise Einquartirung nicht sonder beschwerdt, der vorhin meistens theils verderbten Armen Leuth abiaufen kan: Alldieweil es aber zu deß gemeinen wesens vnd Ew. Ld. selbst eigenem Landt vnd Leuth bestem vnd conservation angesehen, Vnd die necessitet vor dießmal kein ander consilium statt finden laßen will; Vnd man iezo dishponiren muß, nicht wie man solt, oder gerne wolt, sondern wie man kan vnd mag; Als muß Ew. Ld. Ich deß hohen Verstandts, daß Sie dieses necessitirte consilium wohl apprehendirnt alle vergelegenheit bono Reip. condoniren, vnd umb so viel mehr sich angelegen sein laßen werden, daß alles mit bester müglichster ordnung angeordnet werden mög. Ew. Ld. damit deß Allerhöchsten Schutz ereulich befehlendt. Datum Maintz den 25. Feb. 1634. Ew. Ld. dienstwilliger Axel Oxenstierna mpp."

W. Oertel.

*) Es ist dies die Dislocation zweier Regimenter in die Stadt Kirn und die umliegenden Orte der Grafschaft.

Redigirt unter Verantwortlichkeit der Verlagshandlung: F. A. Brockhaus in Leipzig.

Blätter für literarische Unterhaltung.

Sonntag, — Nr. 237. — 25. August 1833.

Aus Rahel's Nachlaß.

Daß die Frau, aus deren Briefen und Denkblättern das Nachfolgende mitgetheilt wird, und unter deren Namen bis jetzt noch nichts im Druck erschienen ist, zu den gewaltigsten und edelsten Geistern ihrer Zeit gehörte, wird der Leser aus diesen Mittheilungen selbst erkennen. Sie sind einer Sammlung entnommen, die der Gatte der Verstorbenen ihren Freunden zum theuern Andenken als Handschrift widmete. Wiewol hierdurch dieser Schatz tiefster Geistesoffenbarungen schon in würdigen Kreisen verbreitet und der Gefahr des Unterganges für die Nachwelt entrückt ist, so schien es dennoch ungerecht, so Viele, die solchen Vortheil entbehren, ganz des Antheils an einer Gabe zu berauben, für deren Werth sie vielleicht empfänglich sind, und auf die wie auf alle geistige Gaben die Welt ein Recht hat. Mögen denn diese Mittheilungen freundlich und dankbar nach Verdienst empfangen werden, und möge die Aufnahme, die sie finden, dazu beitragen, den Urheber dieser dem Genuß eines geschlossenen Kreises noch vorbehaltenen Sammlung zu bestimmen, sie ganz der Oeffentlichkeit zu übergeben.

Rahel Antonie Friederike Varnhagen von Ense, geborene Rahel Levin, nachher unter dem Familiennamen Robert bekannt, wurde geboren zu Berlin am ersten Pfingstfeiertage des Jahres 1771 und starb daselbst am 7. März des Jahres 1833.

Von der Persönlichkeit der Verstorbenen hat ihr Gatte, indem er den Eindruck schildert, den sie bei ihrer ersten Bekanntschaft auf ihn machte, in durchaus wahren und treffenden Zügen folgendes Bild entworfen:

„Zuvörderst kann ich sagen, daß ich in ihrer Gegenwart das volle Gefühl hatte, einen echten Menschen, dies herrliche Gottesgeschöpf, in seinem reinsten und vollständigsten Typus vor Augen zu haben, überall Natur und Geist in frischem Wechselhauche, überall organisches Gebild, zuckende Faser, mitlebender Zusammenhang für die ganze Natur, überall originale und naive Geistes- und Sinnesäußerungen, großartig durch Unschuld und durch Klugheit, und dabei in Worten wie in Handlungen die rascheste, gewandteste Gegenwart. Dies Alles war durchwärmt von der reinsten Güte, der schönsten, stets regen und thätigen Menschenliebe, der lebhaftesten Theilnahme für fremdes Wohl und Weh. Die Vorzüge menschlicher Erscheinung, die mir bisher einzeln begegnet waren, fand ich hier beisammen, Geist und Witz, Tiefsinn und Wahrheitsliebe, Einbildungskraft und Laune, verbunden zu einer Folge von raschen, leisen, graciösen Lebensbewegungen, welche, gleich Göthe's Worten, ganz dicht an der Sache sich halten, ja diese selber sind und mit der ganzen Macht ihres tiefsten Gehalts augenblicklich wirken. Neben allem Großen und Scharfen quoll aber auch immerfort die weibliche Milde und Anmuth hervor, welche besonders den Augen und dem edeln Munde den lieblichsten Ausdruck gab, ohne den starken der gewaltigsten Leidenschaft und des heftigsten Aufwallens zu verhindern.“

Ebenso richtig wird ihr Verhältniß zur Mitwelt im allgemeinen Umrisse durch folgende Worte ihres Gatten bezeichnet:

„Eine Frau, die nicht durch Stand und Namen, noch durch Schönheit und glänzende Verhältnisse die Blicke der Welt hat auf sich ziehen, noch durch schriftstellerische oder künstlerische Verdienste berühmt werden können, sondern einzig durch das unbefangene, gleichmäßige Walten einer in sich stets wahren Persönlichkeit, durch ihr einfaches tägliches Leben auf die umgebende Welt gewirkt und dabei gleichwol den Besten ihrer Zeit gleichgestanden, überall so tiefen und eigenthümlichen Eindruck gemacht und eine so beharrliche Aufmerksamkeit und zuneigungsvolle Achtung, ja eine so allgemeine Wohlgesinnung erworben, eine solche Frau wird zu allen Zeiten als eine werthe und seltene Erscheinung gelten dürfen.“

Daß hier größere Bruchstücke eines schon vorhandenen Werkes mitgetheilt werden, was nach dem für d. Bl. eingeführten Brauch sonst nicht zu geschehen pflegt, wird gewiß dadurch als gerechtfertigt erscheinen, daß der Inhalt jenes Werkes selbst, obgleich ein ganzes schönes Leben in seinem Kreis umfassend, doch auch nur aus einzelnen, in sich abgeschlossenen und vollendeten Geistesergießungen, also kleinen Kunst- und Denkwerken besteht, mithin hier nicht bloße Fragmente gegeben werden; daß das Werk nur als Handschrift und in wenigen Händen vorhanden ist, die folgenden Mittheilungen also auch in dieser Beziehung die volle Geltung von Originalien haben; und endlich dadurch, daß diese köstlichen Reliquien durch ihren Werth an Stoff und Form für Freunde der Literatur und Bildung vom höchsten Interesse, also für d. Bl. vorzüglich geeignet sind.

Da ich außer den in der Sammlung abgedruckten noch mehre ungedruckte und völlig unbekannte Aufsätze der verstorbenen Verfasserin besitze und zu deren Mittheilung berechtigt bin, so wird mir die Freude gewährt sein, auch diese der Redaction und den Lesern d. Bl. als eine hoffentlich werthe und willkommene Gabe darzubringen. 191.

An Dr. Veit in Göttingen.

Berlin, den 18. Nov. 1798.

— Nun will ich Ihnen genau sagen, was ich von meinem unrichtigen Schreiben weiß, ohne mich im geringsten entschuldigen zu wollen: weil ich mich durch Ihre Frage gar nicht angeklagt fühle. Ich mag mir wirklich noch so viel vornehmen, auf die Orthographie, während ich lese, Acht zu geben, so geschieht's fast niemals, und bringe ich es einmal gleich anfangs beim Lesen dahin, so lese ich gar nicht, sondern sehe nun nur wieder, wie die Wörter geschrieben sind; dessen werde ich gar bald überdrüssig und lese wieder; das ist nun entsetzlich traurig für mich, und der Geringste kann daher mehr lernen als ich, und es wäre entsetzlich, wenn mir nicht der Ausweg zum Trost übrig gelassen wäre, daß ich der schlechten Seite meines Kopfes gar nichts Schuld geben kann, und daß es grade die gute ist, die mir diesen Streich spielt. Es ist wahr, daß ich immer an das Wesentliche denke, wovon ich lese, und daß ich alle Mittel dazu nur so schnell als möglich brauche und sie dann vergesse. Ich ordne mir Alles, was ich höre und lese, zu einem Ganzen, und werd' ich in diesem Geschäft auch oft an Dinge erinnert, die hier nicht eigentlich hingehören, so lege ich auch die geschwind an ihren Ort und packe weiter, aber ohne jemals an die Mittel zu denken, die ich nun einmal habe und sie auswendig weiß. Daher lerne ich nichts, und daher kann ich auch sehr schwer Jemand etwas lehren. Alle, die mir Unterricht geben, fangen an, mir etwas herzupredigen, das immer aus einem Gesichtspunkt genommen ist, woraus ich diese Sache nicht nehme. Nun sprechen sie stundenlang ohne allen Zusammenhang für mich, ich höre aber doch mit der größten Anstrengung zu, denn unter allen diesen Dingen sagen sie doch etwas, das ich schon längst einmal gern habe wissen wollen, und was ich in meinem Kram brauchen kann; so ist mir's noch mit allen Meistern gegangen, und so verstehe ich erst jetzt, was sie mir sonst gesagt und ich noch behalten habe; wie ich nie Antworten in der Art verstehe, wozu ich die Fragen nicht gemacht habe; und so ein Meister sagt einem Antworten dutzendweise hintereinander her, und die soll man behalten! Ich glaube aber nicht wie Sie, daß ich, wenn ich französisch schreibe, weniger Fehler mache. — Es ist mir recht innerlich lieb, daß Sie jetzt fleißig sind; Kenntnisse sind die einzige Macht, die man sich verschaffen kann, wenn man sie nicht hat. Macht ist Kraft, und Kraft ist Alles. Findet man dann einmal am Ende, daß alle unsere Speculationen ein in Nichts zerfließendes Blendwerk waren, so bleiben uns dann die wirklichen brauchbaren Kenntnisse, die uns Andern vor- oder nachstehen machen, und die schon an und für sich genug gewähren, um auch noch unser Vergnügen daraus zu machen. — Ich bin der erste Ignorant der Welt, der dabei so viel auf Kenntniß hält; und nicht aus erschrockner Unwissenheit wie die Andern, nein, ich weiß, was es auf sich hat. Nun kann mir nichts in der Welt mehr helfen, und ich muß mich so aufbrauchen, kann auch an wenig andern Menschen Trost finden, und wenn sie auch von Kenntnissen strotzten, denn was sind sie dabei dumm, weitläufig und pedantisch! Glauben Sie aber ja nicht, daß ich die einzige Zierde meiner Unwissenheit, die Sorglosigkeit darüber, diese einzige Liebenswürdigkeit, verloren habe. — Apropos! wenn ich französisch schreibe, fällt mir schlechterdings kein deutsches Wort ein.

An Gustav von Brinckmann in Stockholm. 1801.

Der Mensch als Mensch ist selbst ein Werk der Kunst, und sein ganzes Wesen besteht darin, daß Bewußtsein und Nichtbewußtsein gehörig in ihm wechseln. Darum liebe ich Göthe so, und habe mir erlaubt, zu sagen, der Dichter als Künstler müsse alle seine Stimmung am Ende brauchen wie der Bildhauer seinen Marmor — und gewissermaßen entheiligt auch der Dichter sich immer: so lange er selbst leidend fühlt, wird er nicht Dichter, und er wird schlecht Dichter, wenn er leidend dichtet; dies wechselt bei dem großen Göthe ja in solcher Präcision, daß er ewige Thränen der Bewunderung erregt; und ist Bewunderung nicht die eigentlichste Rührung und das Andere nur Mitleid? Warum lieben Sie denn die harmonische Ausbildung unserer Anlagen über Alles, und wollen sie im Gefühl nicht erlauben? Warum soll der Dichter am Ende selbst nur eine lyrische Stimmung sein? In einer Stimmung kann keine Harmonie sein. Daß dieser Mensch überhaupt Dichter sein muß, ist Zwangs genug; das Uebrige muß frei geschehen; darin übt dieser Künstler der Menschheit überhaupt nach, und dies allein, dieser Wechsel nur macht ihn zum Dichter! Und in welcher rührenden Vollkommenheit Göthe! Dies mein Refrain für die Ewigkeit. So ist's auch mit der Liebe, die auch beiweitem nicht so natürlich ist, als man sie verschreit. Erst fühl' ich, daß ich lieben kann, dann will ich lieben, dann muß ich lieben. Dies constituirt eine große Leidenschaft — etwas rein Menschliches — derselbe Wechsel. Der sie schildern kann, ist ein Dichter, der sie fühlt, ein Liebender, der sie erklärt, ihre Bestandtheile bis zum möglichsten Bewußtsein auflöst, ein Philosoph. Wie oft werden ekelhaft in einem Menschen und in der Beurtheilung eines Menschen diese drei Dinge verwechselt! [illegible]

Sie wundern sich, daß ich zu Gott beten kann? Geht unser Nachdenken über uns selbst doch oft so weit, daß wir keinen Beweis für unsere Existenz haben, und wir müssen uns fühlen: heißt das nicht uns selbst anbeten? Wenn das Bedürfniß aufs höchste gestiegen ist, so fühlen wir Gott, und dann beten wir! Auch hier ist der Wechsel; hier am Ende der Dinge, für uns, schmerzhaft und groß, aber immer derselbe; erkennen müssen wir ihn, wenn auch nicht in jedem Augenblick fühlen. Das ist kein Mensch, der sich nicht oft ganz fühlt; das ist kein denkender Mensch, der nicht dem Wechsel von Bewußtsein und Nichtbewußtsein nachspäht, und das nennt Ihr Schüler den Bruch. Aus diesem Bruch geht unser Arbeiten an, unser Leben, bewußt oder unbewußt, diesen aufzulösen. Ob wir damit zufrieden sein wollen, wissen wir nicht; denn das ist unsere Grenze, und es geschieht nur mit halbem Bewußtsein, wenn wir unzufrieden sind; sind wir ohne Bewußtsein zufrieden, so ist das religiös, sind wir's mit Bewußtsein nach dem Nachdenken, so würde ich's fromm nennen.

(Die Fortsetzung folgt.)

Der Freibeuter. Historischer Roman aus der ersten Hälfte des 18. Jahrhunderts von **Ludwig Storch**. Drei Theile. Mit einem Steindruck. Leipzig, Taubert. 1832. 8. 4 Thlr. 8 Gr.

Seitdem durch Cooper in Amerika und Eugène Sue in Frankreich die Seegemälde zu Ehren gekommen, sind dergleichen auch in dem, von allem Seewesen ziemlich entfernten Deutschland versucht worden, und grade die Neuheit der Sache mag diesen Versuchen einen besondern Reiz dargeliehen haben. Die großen Naturbilder, an denen dieser Stoff reich ist, sind auch gewiß kein verwerfliches Material eines Romans, aber freilich fodert ihre Behandlung eine besonders geübte und erfahrene Hand. Der Verf. des „Freibeuters" hat bis jetzt keine unzweifelhaften Proben einer solchen Geschicklichkeit an den Tag gelegt, und auch der gegenwärtige Versuch wird durchaus nicht für eine solche gelten können. „Um diesen Roman dem Leser auch von einer Seite interessant zu machen, die außer dem Bereich Dessen, was durch Darstellung und Sprache erlangt werden kann, liegt", müssen wir vorab mit ihm erklären, daß John Norcroß, der Held dieses Romans, kein Geschöpf seiner Phantasie sei, und Das, was in seinen wunderlichen Schicksalen etwa anziehend sein mag, keineswegs dem Verf. verdankt. Norcroß war wirklich der seltsame Abenteurer, als welchen der Verf. ihn schildert, und all die kühnen, wilden und fast rasenden Plane, die er ihm hier unterlegt, trieben wirklich durch seinen außerordentlichen Kopf. Die Geschichtsbücher seiner Zeit erwähnen des nordischen Kapercapitains Norcroß, eines getreuen Dieners Karl XII. von Schweden und an abenteuerlicher Sinnesart diesem seinem Meister und Gönner sehr verwandt, mehr als einmal; sein Leben, sein Schicksal, sein Ausgang war derselbe, den der Verf. ihn durchlaufen läßt, wie die von ihm selbst hinterlassene Lebensgeschichte, eine Frucht 16jähriger Gefangenschaft, nachweist. Dies Buch, ursprünglich englisch geschrieben und nichts weniger als unparteiisch, war eine Lieblingslecture in der Mitte des verflossenen Jahrhunderts. Es zeigte den äußerst kühnen, äußerst freisinnigen und von keinem Geschick zu beugenden Mann; ein Anhang, der in Dänemark dazu erschien, stempelte ihn zum gräßlichen Bösewicht und sofort ist Norcroß' Name mit diesem unverdienten Makel auf unsere Zeit herabgekommen. Ein Bösewicht war Norcroß nun wol nicht, aber ein Mensch ohne Maß im Haß und Rachbegier, ohne Grundsätze, voll Abscheus gegen Zwang und Despotismus, voll rasender Entwürfe, vielleicht von weicher Seele, gewiß von unbeugsamem Charakter. Aus dieser viel gelesenen Lebensgeschichte hat der Verf. nun mit einigen Zuthaten, wie sie der moderne Roman verlangt, diesen „Freibeuter" gebildet, weder ein Werk des Genius, noch einer besondern technischen Geschicklichkeit, in Bezug auf den guten Geschmack und dessen Gesetze weder besonders zu loben, noch sehr glücklich im Einzelnen oder erfreulich durch Darstellung und Formgebung. Das ganze Interesse des Buchs beruht daher auf dem allerdings interessanten Charakter des Helden, den der Verf. jedoch allzu treu aufgefaßt hat, als daß daraus ein wirklicher Romanheld hätte entstehen können. Wie viel Mühe er sich auch gibt, die einzelnen Thaten seines Helden zu adeln und aus dem Wirbel gemeiner Wirklichkeit in die poetische Region zu erheben, wie sehr er sich auch bemüht, ihm hier und dort große Gesinnungen in den Mund zu legen, Norcroß bleibt doch, was man mit Recht eine gemeine Seele nennt; ihn zu adeln, als Mensch und in seiner ganzen Lebensrichtung zu erheben, das ist dem Verf. durchaus nicht gelungen. Wir haben ganz kürzlich ein ganz ähnliches Bild wie Norcroß in einem englischen Buch, „Trelawney's Abenteuer", gesehen; aber wie weit bleibt des Verf. Kapercapitain hier in allen Beziehungen hinter dem De Ruyter dort zurück? Norcroß war Karl XII. Freund und Schützling; daß er nach seines Gönners Tode ein Gegenstand der Verfolgung in Schweden war, während sein Beschützer Görz auf dem Schaffot blutete, kann seinen Charakter nicht verdächtigen; wol aber macht es seiner Einsicht wenig Ehre, daß er durchaus in Dänemark Dienste begehrte und diesen unsinnigen Plan nicht eher aufgab, als bis man ihn in den Kerker warf und, da er hier mehrmals entfloh, endlich in einen Käfig sperrte, in dem er nach sechzehnjährigen Leiden seinen Tod fand.

Die Geschichte dieses seltsamen Menschen, bei dem sich List mit Beschränktheit, Kühnheit mit unmännlichem Mangel an Beherrschung, Ehrsucht mit einem fehlerhaften Begriff von Ehre vereinigt, ist mit der eines jungen Mannes in Verbindung gebracht, der hier Flarmann, dort Lord Palmestone heißt, in der That aber der wahre Sohn Jakob's von England und also der echte Prätendent ist, während sein Trugbild, der prätendirende Prätendent, eines Müllers Kind ist. Die Geschichte, wiewol nicht ganz ohne historische Grundlage, ist dennoch so abenteuerlich und wird uns so wenig glaubhaft gemacht, daß wir sie selbst als Romaningredienz nicht besonders lieb gewinnen können. Das Uebelste aber ist, daß der Verf. seine Fabel selbst so führt, daß wir keinen von seinen beiden Helden achten können und zuletzt selbst an ihm zweifelhaft werden, wenn er gemeine und verwerfliche Gesinnung in der Glorie des Heldenthums erscheinen läßt. Der rauhe, kühne und unbändige Norcroß wird durch seine überzarte Liebe zu Friederike von Gabel nicht bloß lächerlich, er wird, da er verheirathet ist und Kinder hat und zugleich den Zärtlichen gegen Gattin und Kind spielt, völlig verächtlich und albern. Aehnliches widerfährt dem jungen Flarmann. Die Frauen aber, Christine, Friedrike und Rosamunde endlich sind vollends ganz unerträglich und wirklich ohne allen Bedacht und wider allen guten Geschmack erfunden. Rosamunde ist Norcroß' böser Genius; sie hat ihn geliebt, ist verschmäht worden und verfolgt ihn nun. Sie ist es, der er sein trauriges Ende nächst seiner eignen Unbesonnenheit besonders zu danken hat.

In alle Dem ist nichts Erfreuliches, nichts Wohlgedachtes, nichts, was den Dichter bewährte. Noch weniger hiervon ist in der Darstellung selbst anzutreffen. Der Verf. läßt Könige und Minister sprechen, ohne eine Vorstellung davon zu haben, wie solche Personen sich ausdrücken. Wer sich hiervon überzeugen will, darf nur die beiden ersten Capitel des zweiten Bandes durchlaufen, wo Karl XII. die Rolle eines Professors spielt und einen Proceß instruirt, der voll der gemeinsten Schimpfnamen und mit allen seinen Zuthaten so geschmackwidrig ist, daß er in der That ekelhaft wird. Hier fürwahr haben wir an eine Mystification geglaubt, da wir den Namen des Verf. bis jetzt noch nicht vor solchen Gemeinheiten à la Schaden u. s. w. erblickt haben. Das Ganze muß wol ein Jugendwerk sein; der Stempel des Ungeübten, Uebertriebenen und Maßlosen ruht auf der ganzen Arbeit, ja selbst auf der Gesinnung, die diese eingegeben hat. Wir sind daran gewöhnt, den Verf. gegen Fürsten, Adel und Minister declamiren zu hören, allein ein so maßloses, geschmackwidriges Schimpfen haben wir noch niemals als hier bei ihm angetroffen. Die Minister, die Edelleute heißen promiscue Hunde und Schurken, ja der Grimm des Verf. wird sogar zur Ironie, und nachdem Norcroß in seinem Bauer steckt (den er übrigens sich selbst gewünscht hat), ruft der Verf. aus: „Ein König, so edel wie die Götter der Erde, die Hirten der Völker alle (!), übte also seine schlechte Rache an einem Mann u. s. w. Seht, so handeln die Könige der Erde zu allen Zeiten!" Zur Ehre des Verf. hoffen wir, daß dies Buch entweder gar nicht von ihm herrührt und höchstens von ihm flüchtig überarbeitet ist, oder daß es eine seiner Schülerarbeiten sein wird.

Wie dem auch sei, das geschichtliche Skelett in diesem Romane ist nicht ohne einiges Interesse. Die tollkühnen Entwürfe des Freibeuters, der bald den Kronprinzen von Dänemark, bald Peter den Großen mitten aus ihrer Hauptstadt stehlen will, sein Verkehr mit Karl XII. und Görz, seine kühnen Thaten, seine Listen in der Gefangenschaft und die verzweifelten Mittel, welche ihm dreimal glücklich aus dem Kerker helfen (einmal, indem er sich nackt, den ganzen Körper mit Oel beschmiert, gradezu unter die Wache stürzt und entkommt), all dieses liest sich mit einer Theilnahme, die freilich von jedem Kunstinteresse ziemlich weit entfernt ist. In dieser Beziehung steht Norcroß dem Trenck zur Seite. Seine Leiden in dem Käfig zu Friedrichshafen drei Schritt lang und drei Schritt breit, begafft von müssigem Volk, mit seinen Mäusen beschäftigt, die seine Gesellschaft, seine Freunde geworden sind, besucht von seiner wahnsinnigen Geliebten, wie ein wildes Thier angeschmiedet und stets dennoch mit Entwürfen zur Befreiung, zur Rache beschäftigt, haben allerdings etwas zur Theilnahme Aufrufendes, und würden dessen noch mehr haben, hätte ihn der Verf. unserer Achtung würdiger dargestellt. Flaxmann, der heimliche Prätendent, am dänischen Hofe erkannt, von Karl XII. einmal aus der Gefangenschaft befreit, fällt im Kampfe und stirbt in Christinens Armen, der er vergibt; sein Geheimniß bleibt, unausgesprochen, dem Leser zur Lösung. Friederike wird, wie gesagt, wahnsinnig. In diesem Zustande besucht sie ihren eingekäfigten Geliebten. „O das ist nun aus uns geworden", seufzte Norcroß tief auf, „sieh, welch erbärmlich Ding das Menschenleben ist. Solche Früchte bringt es dem kühnsten Träumer. Frisch und kraft sprang ich mitten hinein (?), wie ein Halbgott. Das konnten sie nicht vertragen. Da haben sie mich denn in einen Vogelbauer gesetzt. Ha! ha! man muß lachen darüber, weil es der Thränen nicht werth ist." „Die Gewalt der Könige, der schändliche Despotismus hat mich und Euch in den Staub geworfen", erwiderte Friederike, „das sind die Segnungen der Könige auf Erden!" „Und unsere schöne (?) Liebe!" sagte Norcroß. „Wird einst noch schöner leuchten", entgegnete Friederike u. s. w. Diese Liebe ist aber, wie gesagt, eine höchst unschöne, denn Norcroß hat Frau und Kind und liebt nebenbei auch diese. Was wir ihm jedoch noch weniger als dies verzeihen können, ist seine Albernheit. In Dänemark, das er so lange bekämpft hat, fodert er nach seiner Flucht aus Schweden mit lächerlichem Trotz Dienste. Er verlangt den König zu sprechen, um ihm seinen Plan vorzulegen, den Czar Peter zu stehlen. Der Kronprinz lockt ihm diesen Plan ab, indem er einen seiner Lakaien die Rolle des Königs spielen läßt. Er erkennt nun den gefährlichen Menschen in ihm und weist ihn ab. Ein kleines Reisegeld wird ihm, mit der schriftlichen Bedingung gegeben, sich nicht wieder in Dänemark zu zeigen. Er geht, und kommt wieder. Jetzt setzt man ihn fest. Mit ungeheurer Anstrengung entkommt er, indem er über den Sund schwimmt, nach Schweden. Hier ergießt er sich in Schmähungen gegen Dänemark, gegen Schweden, gegen die Könige; er läßt sich von Neuem von dänischen Emissairs verhaften, entkommt abermals und flüchtet nach Hamburg. Hier dieselben Unbesonnenheiten, dieselben Drohungen von Rache an dem Kronprinzen und dieselbe Albernheit, mit der er sich endlich von dem dänischen Lieutenant Kreuz verhaften läßt. In Friedrichshafen neue Flucht aus dem Kerker, und als er wieder gefangen ist, die alberne Rodomontade, doch zu entkommen, und wenn man ihn auch in einen eisernen Käfig sperrte. Darauf der bekannte Erfolg. Er ward 66 Jahr alt in seinem Bauer. Das Titelkupfer zeigt ihn uns 1743, 63 J. alt, gemalt, von seinen Mäusen umgeben.

Es war vielleicht nicht ohne Schwierigkeit aus diesem Stoff einen erträglichen historischen Roman zu bilden; für unmöglich können wir es jedoch nicht erkennen. Nur mußten, außer dem Muth, auch die edlern Seiten des Herzens ganz anders hervorgehoben werden, als es hier geschehen ist. Der bloße Muth und das bloße Leiden macht noch keinen tauglichen Romanhelden, und für einen einfältigen Helden können wir uns niemals begeistern. Dem Verf. aber ist diese Verwandlung eines kühnen Kapercapitains in einen solchen so gänzlich misglückt, daß wir zuverlässig von ihm das Geständniß zu vernehmen erwarten, dieser „Freibeuter" sei eine ihm untergeschobene Arbeit, die nicht mehr als Namen und Vorrede von ihm erhalten hat.

84.

Literarische Anzeige.

Bibliothek für Jäger und Freunde der Jagd.

Der Unterzeichnete macht die Jäger und Jagdliebhaber auf nachstehende anerkannt vortreffliche Werke seines Verlags aufmerksam, die zu den dabei bemerkten, zum Theil herabgesetzten Preisen durch alle Buchhandlungen bezogen werden können:

Döbel's (H. W.) neueröffnete Jäger-Praktika. Vierte, zeitgemäß umgearbeitete Auflage. In Verbindung mit einer Gesellschaft praktischer Forstmänner herausgegeben von K. F. L. Döbel und F. W. Benicken. Drei Theile. Mit vielen (schwarzen und illuminirten) Abbildungen, Planen und Vignetten. 1828. Gr. 4. 75 Bogen auf weißem Druckpapier. 10 Thlr. Jetzt für sechs Thaler.

Jester (F. E.), Ueber die kleine Jagd zum Gebrauch angehender Jagdliebhaber. Neue, verbesserte und beträchtlich vermehrte Auflage. Vier Theile. Mit Kupfertafeln. 1823. 70 Bogen. 5 Thlr. Jetzt für drei Thaler.

Behlen (S.), Lehrbuch der Forst- und Jagdthiergeschichte. 1826. Gr. 8. 46 Bogen. 2 Thlr. 16 Gr. Jetzt für 1 Thlr. 8 Gr.

Winckell (G. F. D. aus dem), Handbuch für Jäger, Jagdberechtigte und Jagdliebhaber. Zweite, vermehrte und ganz umgearbeitete Auflage. Drei Theile. Mit Kupfern, Tabellen und Musik. 1820—22. Gr. 8. 170 Bogen. 11 Thlr.

Der reiche Inhalt dieser vier Werke läßt sich hier nicht anführen, man wird aber Alles darin abgehandelt finden, was dem Jäger irgend von Wichtigkeit sein kann. Wer alle vier Werke, die im Ladenpreis 28 Thlr. 16 Gr. kosten, zusammen nimmt, erhält sie für achtzehn Thaler.

Leipzig, im August 1833.

F. A. Brockhaus.

Redigirt unter Verantwortlichkeit der Verlagshandlung: F. A. Brockhaus in Leipzig.

Blätter für literarische Unterhaltung.

Montag, — Nr. 238. — 26. August 1833.

Aus Rahel's Nachlaß.

(Fortsetzung aus Nr. 237.)

An Varnhagen.

(Berlin) Sonnabend, den 9. Dec. 1808.

Heute kommen unsere Truppen herein: jetzt! Die Offiziere — 300 Couverts — speist die Stadt im Komödiensaale; der erste Rang ist für die Offiziere genommen, übrigens ist Freikomödie, Harlekin und ein unbedeutendes Stück. Die ganze Stadt ist hin, um sie zu sehen, ich nicht. Den ganzen Morgen hab' ich häufige, bittere Thränen der Rührung und Kränkung geweint! O, ich habe es nie gewußt, daß ich mein Land so liebe! Wie Einer, der durch Physik den Werth des Bluts etwa nicht kennt; wenn man's ihm abzieht, wird er doch hinstürzen. Ich kann aus losgelassenem Schmerz nicht hingehen, jeder Reitknecht mit preußischen Pferden, der vorbeigeht, pumpt mir einen Strom von Thränen ab. Ich sprach laut im heftigsten Schluchzen zu meines Freundes Büste. Ja ich bin von meinem Lande genährt und erzogen und denke und bin doch modificirt über Alles wie die Besten darin. Dies wäre mir in jedem Lande geschehen; aber ich habe ja in meinem gelebt, sehen und denken und Antheil nehmen lernen; und wahrlich ein Jeder war hier geschützt, und das fühlte ich immer. Was mich unaussprechlich kränkte diese Woche, war, daß mir ein preußischer Militair begegnete, dem Jungen nachliefen und alle Menschen nachsahen; und ich wußte nicht, ob es ein Offizier, ein Unteroffizier oder ein Soldat war! Vielleicht kannst du noch nicht fühlen, was das heißt — für einen Berliner, unter Friedrich II. zum Theil erzogen. Wie ein Schweizer Berge kennt, ein Franzose Höflichkeit übt, ein Engländer von seinem Parlamente weiß, so wußte hier bis auf die albernste Demoiselle Jeder, was gut marschiren, aufsitzen u. dgl. war, ohne zu wissen, daß sie es wissen. Und nun schloß ich nur, es sei ein Preuße, und erkannte den Grad nicht mehr! Nun aber kein Wort mehr! und ich beschwöre dich auch, mir nichts über Politik zu antworten. Mein Kopf ist ganz angegriffen, so beschäftigt mich der Welt Lauf. Borniren thut mich mein Land doch nicht; was Närrisches darin vorgeht, ärgert und frappirt mich genug, und die große Weltbewegung und die Cadavergestalten, die sie verdrängen muß, ergötzt mich doch! Gott, wie himmlisch schön sieht in diesem Augenblick meine lange breite Straße aus! dicker Schnee, heller Sonnenschein und Ein dicker Strom Menschen strömt durch, so weit man sehen kann, du weißt wie weit, von den Soldaten zurückkommend! Und denke dir meine abgelegene Gegend, eine Meile! Vom bernauer Thor kommen sie her; o könntest du die malerisch-schöne Straße sehen! die schöne, wirklich schöne Stadt! Alle Franzosen sagten es auch. Ich hatte nicht geglaubt, daß noch so viel Kutschen in der Stadt wären. Der Lärm! O, wärst du hier! Ich thue nichts als vom Fenster nach meinem Brief laufen und weinen. Von weitem nach der Mohrenstraße marschiren jetzt welche. So viel Pelze und Damen glaub' ich, sind in der Welt nicht. — Nun hab' ich welche gesehen, ein Trupp ging hier vorbei; sie sahen gut aus, wie Franzosen, sehr gut; und wie aus dem Krieg, und doch wohlbehalten. — Ich komme von Mamma! Ich habe mich geirrt, Freikomödie ist nicht; aber die Ränge sind in Beschlag genommen. Lies doch die Zeitungen, da steht Alles drin! Adieu!

An Varnhagen in Tübingen.

Mittwoch, den 23. Dec. 1808.

— Ich habe in keinem Ereigniß Glück. Bin ich glücklich, so kommt's von meinem innern Reichthum, und daß ich nie Unwürdiges wählte und also frei bin. Bis jetzt nun habe ich unter den Auspicien, im strengsten Verstande unter den Flügeln von Friedrich II. gelebt. Jeden Genuß von Außen her, jedes Gut, jeden Vortheil, jede Bekanntschaft kann ich von seinem Einfluß herleiten; dieser ist über meinem Haupte zersprengt, ich fühle es besonders schwer! Sein eigner Geist — und grade weil er meinem so unähnlich ist, will ich ihm blind gehorchen und nicht aus meinem Geiste Elend weiter spinnen — befiehlt schnell eine kühne Wahl; auch er hätte sich schnell entschlossen, ich folge seinem Winke!

1800.

Man ist nie mit einem Menschen zusammen, als wenn man mit ihm allein ist. Ich gehe noch weiter, man ist es nie eigentlicher, als wenn man an ihn in seiner Abwesenheit denkt und sich vorstellt, was man ihm sagen will.

Es gehört mit zu den Kenntnissen, wie man das Leben behandeln sollte, zu wissen, daß man Berechnungen anstellen soll, wo das Herz und ein edles Gemüth sich sträubt, zu rechnen, und daß man es wagt, sich dem Zufall zu ergeben, wo Alles berechnet werden könnte.

Wenn ich mich verrechnet und folglich geirrt habe, und es ist mit Scharfsinn geschehen, so bin ich zufrieden. Hab' ich aber richtig vermuthet, und der Ausgang gibt mir Recht, so kann ich zufrieden sein, und wenn ich noch so dumm zu Werke gegangen bin.

Darum scheut man sich, und nicht genug, Manches auszusprechen, weil man es gleichsam in die Welt aus der übersinnlichen hineinhebt und für die Wirkung nicht mehr stehen kann. Das fühlt der Dümmste oft, und der Kluge ist oft nicht klug genug, auf dies Gefühl zu lauschen.

Es ist aber auch nicht gut, auch nur das Geringste zu verschweigen: und wenn man Alles sagen könnte, wäre Alles besser. Auf diese Vollkommenheit müßte sich jedes Individuum üben, wie die Menschheit sie erwarten muß.

In der geringsten Stube ist ein Roman, wenn man nur die Herzen kennt.

Was heißt das, Satisfaction haben? Die hat man immer, wenn man mit sich in Ordnung ist; das heißt aber nur, das Nothwendige nicht vermissen; daß auch Anderes mir genügen, ist allein der schöne Ueberfluß, der glücklich macht.

Den 13. Januar 1800.

Gibt es Wunder, so sind es die in unserer eignen Brust; was wir nicht kennen, nennen wir so. Wie überrascht, wenn auch nicht beschämt, wenn uns die Begeisterung wird, sie zu gewahren!

Düngen Sie mit Verzweiflung, aber sie muß echt sein, und Sie werden vortreffliche Ernte haben.

Da eine willkürliche Einrichtung statthaben konnte, so ist es kein Vorurtheil, daß ein Weib nicht Liebe bekennen darf. Der Liebe Verdammniß zum Sterben ist Verschmähung. Bei einem Weibe kann sie das Gewand von Keuschheit und Schüchternheit nehmen, bei einem Manne steht sie gewandlos, tödtend da.

Den 24. März 1800.

Symptome der Liebe gibt's. Wenn man folgende Periode von Mad. Genlis ganz auf sich anwenden kann: „Mais je n'ai plus ni caractère ni volonté! insensé, faible et méprisable, *je n'attends rien de vous*, et sans but comme sans espérance je cède malgré moi au charme irrésistible que je trouve à vous aimer", so kennt man eins. Das andere ist, wenn Einen jede körperliche Berührung, außer der des geliebten Gegenstandes, unwillkürlich und unwiderstehlich ekelt.

Die ganze Welt ist eigentlich ein tragischer Embarras.

Einen gepackten Reisewagen und einen Dolch sollte ein Jeder haben, daß, wenn er sich fühlt, er gleich abreisen kann.

Es gelingt Einem beinah nie eine Sache, von der es Einem nicht nachher leid thut, daß sie Einem gelungen ist, und es mislingt keine, daß es Einen nicht nachher freute.

October 1801.

Man charakterisirt jetzt häufig Dichter und Gedichte, und sehr oft steht der Name Göthe an der Spitze, am Ende und in der Mitte. Die seine Werke in Rangordnung bringen wollen, nennen bald dieses bald jenes erst, bald erklären sie den Göthe aus dem Einen, bald aus Andern stückweise, und scheinen so hin und her zu rathen, aus welchem er wol ganz zu erkennen sei? Warum stellen sie nicht Einmal die simple Frage auf: Aus welchem von seinen Werken könnte man wol schließen, ob er wol alle übrigen gemacht haben könne? Ist diese Frage zu beantworten, so hätte man den Anfang seiner Rangordnung gleich gefunden, und sie könnte ihren Fortgang nehmen. Ich würde „Tasso" auf diese Frage nennen. Und Jeder, der etwas nennt, müßte Gründe angeben.

So lange das Recht noch auf der Seite der Tollheit ist, so wagt man noch immer etwas, sich unter die Ungebildeten zu mischen.

Negerhandel, Krieg, Ehe! — und sie wundern sich und flicken.

Die Menschen, die die kleinen Gefälligkeiten des Lebens nicht deutlich fodern, von denen denkt man leicht, daß sie sie gar nicht bedürfen, vermissen und zu genießen verstehen. Hieraus lassen sich Klugheitsregeln zum Gebrauch ziehen.

März 1803.

Das Fühlen ist etwas Feineres als das Denken. Das Denken hat das Vermögen sich selbst zu erklären, das Fühlen kann das nicht, und ist unsere Grenze; diese Grenze sind wir selbst. Es weiß nur, daß es existirt. Mit Grenzen ließe sich Alles definiren; und die Grenze, die das nicht mehr erlaubt, umschließt unser eignes Wesen, und ist folglich ein Theil desselben.

Denken ist Graben und mit einem Senkblei messen. Viele Menschen haben keine Kräfte zum Graben, auch Andere keinen Muth und Gewohnheit, das Senkblei ins Tiefe sinken zu lassen.

Schlechte Scribenten. Wer wird sich denn dadurch, daß sie sich drucken lassen, zu ihrem Umgang zwingen lassen!

19. Februar 1805.

Wenn Jemand sagte: „Sie glauben wol, es ist so etwas Leichtes, originell zu sein! Nein, man muß sich viel Mühe geben; und es kostet ein ganzes Leben voll Anstrengung", so würde man ihn nur für verrückt halten und gar keine Frage mehr anstellen. Und doch wäre die Behauptung ganz wahr und dabei ganz simpel. Original wäre gewiß jeder Mensch und müßte es sein, wenn die Menschen nicht beinah immer ganz unverzehrte Sprüche in ihren Kopf annähmen und auch so wieder hinausließen. Wer sich ehrlich fragt und sich aufrichtig antwortet, ist mit Allem, was ihm im Leben vorkommt, immerfort beschäftigt und erfindet unablässig, es sei auch noch so oft und lange vor ihm erfunden worden. Es gehört Ehrlichkeit zum Denken, und es gibt gewiß beinah so wenig absolute Stumpfköpfe als Genies. Einem imbécille fehlt das Vermögen im Kopfe zum Denken; und einem Genie wird dies so leicht durch das glückliche Zusammentreffen und Zusammenstimmen seiner Eigenschaften, daß es beinah ist, als nähme ein anderes Wesen diese Operation in ihm vor. Imbécilles wären gewiß immer originell; es gibt aber beinah keinen reinen; sie haben meist noch Verstand genug, unehrlich zu sein.

1805.

Nun weiß ich mit einem Male, warum es mich so empört, wenn ein Mensch, was ihm ungesund ist, immer wieder genießt: nicht allein, weil es von der unangenehmsten Wirkung und thierisch ist, sondern weil es nicht einmal thierisch ist; die Thiere wissen, was ihnen heilsam ist, und vermeiden das Gegentheil. Es heißt die Vernunft selbst auf eine thierische Weise gebrauchen, dieses natürliche Gefühl zu übertäuben und nicht zu achten."

Die meisten Menschen wissen gar nicht, was das ist: schätzen und verehren. Sie bedienen sich aber doch sehr häufig des Ausdrucks — und Einer macht den Andern immer irre; aber ganz behaglich im Irren. Abscheulich.

Es schwebt beinah auf jedem Menschen eine Verdammniß; sie begreifen sie aber nicht; sie fühlen sie beinah nicht. Ich kenne meine, und es thut mir nicht leid. Unheilbar!

Wenn es Einem lange schlecht geht, mit einem Worte, in einem gewissen Alter wird man ganz blasirt über Schlechtes — wie ich neulich zu F. sagte — das sind aber schlechte Menschen, die es über Gutes werden.

A n t w o r t.

„Ich hab' Unrecht, denn ich kann nicht beweisen, daß ich Recht habe. Und das ist ja sehr Unrecht."

„Schwache und begrenzte Menschen sind ganz nothwendig oft undankbar." Es gibt wirklich schwache Herzen, wie Köpfe. Undankbar ist nicht, wenn man nicht dankt; undankbar ist, wenn man annimmt, was man nicht leisten würde.

„Il n'y a guère que les secrets cachés par l'amour propre, qui soient exactement gardés." Wahr! aber auch die, die uns zu viel in Anderer Augen schmeicheln würden.

Unschuld ist schön; Tugend ist ein Pflaster, eine Narbe, eine Operation. 1811.

(Der Beschluß folgt.)

Wahrheit ohne Vorurtheil zur Beachtung dessen, was gegenwärtig noch noth thut, dargelegt vom Geheimenrath J. W. Pastorf. Rotterdam, Hartmann. 1832. Gr. 8. 15 Gr.

Wir wollen es unentschieden lassen, ob man in diesem Specimen der Beschränktheit und schriftstellerischen Unmündigkeit mehr Vorurtheil oder Wahrheit findet; jedenfalls aber sind die allertrivialsten Wahrheiten, die es enthält, so confus ausgedrückt, daß man sie kaum wiedererkennt, und mit Irrthümern, Unrichtigkeiten und schiefen Ansichten dermaßen untermischt, daß wenig oder gar nichts davon übrig bleibt. Das Schriftchen ist „dem würdigen Doctor Herrn Ernst Münch" gewidmet und gehört seiner politischen Farbe nach, wenn man überhaupt bei dergleichen Galimathias, welcher bald den Absolutismus bald die liberalen Principien vertheidigt, von einer solchen reden kann, dem System der gerechten Mitte an. Wir würden in Verlegenheit sein, wenn wir dem Leser mittheilen sollten, was der Verf. eigentlich will, da derselbe, allem Anschein nach, selbst nicht mit sich darüber im Klaren gewesen ist. Wir wollen hier nur als Pröbchen der reifen Denk- und gewandten Ausdrucksweise des Verf. den Anfang seines Kunstwerkes mittheilen und glauben, daß der Leser uns ein weiteres Eingehen auf dergleichen Raisonnements gern erlassen und aus dem Mitgetheilten schon zur Genüge erkennen wird, wes Geistes Kind der Herr Geheimerath sei.

„In gegenwärtiger Zeit", so beginnt das merkwürdige Opus, „in welcher die meisten Menschen durch das Versprechen ständischer Verfassung (der Singular!) mehr oder minder aufgeregt wurden (in gegenwärtiger Zeit wurden keine ständischen Verfassungen versprochen, noch weniger ist ein solches Versprechen ein Grund und zwar der einzige Grund der Aufregung, vielmehr wurden früher versprochene Verfassungen in neuesten Zeiten gegeben und als Beruhigungsmittel mit Glück angewandt) und viele sie mehr oder minder stürmisch einzuführen verlangten (soll heißen: verlangten, daß sie eingeführt würden), ohne einmal zu wissen, was eigentlich eine landständische Verfassung ist (sei)? ist es wahrscheinlich (?) mehr denn zu nöthig (?) einigermaßen (?) diesen Begriff landständischer Verfassung, die (!) durch die Bundesacte selbst gar nicht bestimmt ist, möglichst deutlich festzusetzen. Spätere Erläuterungen (worüber?) gaben deutlich zu verstehen, daß nur allein auf Monarchie sie sich gründen (!) und sie einzig und allein vom Monarchen ausgehen solle (wo steht das geschrieben? gibt es nicht unter den neuern Verfassungen eine Menge paciscirte, d. h. mit frühern Landständen gemeinschaftlich entworfene und verabschiedete Verfassungen?) und sie durch seinen Willen Function erhalten müsse (eine fungirende Verfassung!) wenn sie gültig sein könnte (!). Daß dies in jeder Hinsicht ganz ohne Vorurtheil betrachtet, eine sehr gerechte Foderung (!) ist, ist mehr denn zu (!) einleuchtend, weil, man mag eine Volks- oder Landesverfassung annehmen (was ist eine Volksverfassung und wodurch unterscheidet sich dieselbe von einer Landesverfassung), welche man will (!), jederzeit in der Hand eines Einzigen die Macht des Herrschers oder Regenten liegt (als historische Behauptung unwahr, und als rationelle des Beweises entbehrend). Zerfleischt Anarchie ein Volk (wie kommt die Anarchie hier her? der Verf. scheint außer Monarchie und Anarchie keinen Zustand der Herrschergewalt, Regierungsform dürfen wir nicht sagen, wenngleich der Verf. Anarchie für eine Art derselben zu halten scheint, zu kennen), so wechselt mehr oder minder schnell und eilt die Herrschermacht von einem zum andern. (Anarchie heißt Herrscherlosigkeit.) Nur, wenn diese Macht sich auf Achtung gründend lebenslänglich in einer Person vereinigt, welche nicht Herrscher sondern Regent ist (!): gründet sich durch ihn vermittels seiner Umgebung (welche man auch Hofschranzen zu nennen pflegt) eine wirkliche landständische Verfassung, das ist eine Verfassung, welche das Land oder vielmehr dessen Bewohner in jeder Hinsicht bestehend und aufrecht erhaltend durch weise Gesetze und Veranstaltungen macht — (!!!)". Gott erhalte einem Jeden seinen gesunden Menschenverstand! 169.

Aus Italien.

Das Aprilheft der „Biblioteca italiana" von diesem Jahre erzählt die Abenteuer eines noch lebenden Italieners, welche an Marco Polo's oder an Pergami's Schicksale erinnern und daher auch jenseit der Alpen vielleicht unterhalten. Ein junger Bursch, Antonio Reghellini, 1784 zu Vicenza geboren, der Sohn eines früh verstorbenen Seidenwebers, der, im Waisenhause seiner Vaterstadt von den Somaschen erzogen, zum Goldarbeiter noch zu schwach war, als er dort entlassen wurde, gefiel sich nicht als Cameriere, wozu ein Verwandter ihn aufnahm, und hatte noch weniger Lust zum Soldatenstande, der durch die Conscription ihm bevorstand, entlief daher im J. 1802 nach Triest, wo er im Herrendienst sein Glück versuchen wollte. Zahlreiche Briefe an einen Grafen Branzo Loschi in Vicenza, bei dem eine Muhme unsers Reghellini in Diensten steht, erzählen die fernern Schicksale dieses Mannes, die nach solchem Anfange nicht die Wendung vermuthen lassen, die sie genommen. In Triest gelang es ihm, in Dienste eines englischen Seeoffiziers zu treten, in dessen Gefolge er erst aus Palermo, dann aus Lissabon, 1806 auf einmal aus Bengalen schreibt. Aber ein späterer Brief aus Sardhana vom J. 1818 versichert, daß seine Erlebnisse von 1803—12 nur in Reisen, Gefahren und Erduldetem bestanden hätten, daß er aber 1812 auf Empfehlung des englischen Obersten Fegan und anderer Engländer in den Dienst einer zum katholischen Glauben sich bekennenden Fürstin von Sardhana, mit Namen Begam Sombrow Achet Maone Scaa, der Adoptivschwester des in Delhi residirenden Kaisers, Akbar Scaa, getreten sei, die, mehr als 70 Jahr alt und eine kinderlose Witwe, ihn wie einen Sohn behandle und die Verwaltung von 64 Dörfern übertragen habe. (Eine anderweitige Nachricht in den „Nouvelles annales de voyages" erzählte, daß die Beherrscherin von Sardhana [29° 12′ N. Breite und 77° 31′ der Länge von Greenwich], die Witwe eines 1777 verstorbenen Sombrow, ursprünglich eines Metzgers aus Strasburg, dem Nedjeff Khan das Fürstenthum übertragen hatte, selbst zuerst Bajadere war.) Ja, sogar an eine Adoptivtochter der Fürstin, das legitime Kind eines Capitains Movet und einer Asiatin, wurde Reghellini am 20. Juni 1812 mit einer Aussteuer von 150,000 Rupien von Begam Sombrow katholisch vermählt, und außer der Mitgift der Frau wurde er von seiner Gönnerin bei diesen Festen mit Geld, Geschmeide, Hausrath, einem Pferde und einem schönen Elefanten beschenkt, auf dem er spazieren und zuweilen auf die Tigerjagd reitet. Reghellini scheint mit seiner jungen Frau (sie war 13 Jahr alt, als er ihr vermählt ward) sich eingerichtet zu haben, denn Pieri Jaan (die Liebe der Seele auf indostanisch), oder Vittoria nach ihrem christlichen Namen, brachte ihm bis zum Tage des Briefes (15. Mai 1818) zwei Söhne und zwei Töchter. Späterhin scheint er, mit der Regierung der Prinzessin unzufrieden; desto eifriger erweist er sich stets für die Verbreitung der katholischen Kirche in Tibet und Nepaul, schreibt selbst an den Präfecten der Propaganda und sucht die Stelle eines Procurators der Missionen nach. 1826 muß er als Bundestruppenführer der Engländer an der Belagerung von Burtpour Theil nehmen, deren Plünderung 10 Millionen eingetragen haben soll. Aber immer bitterer wird Reghellini's Stimmung gegen die Begam und die Engländer, als die Erstere nach Delhi zieht und die Engländer zu Erben einzusetzen beabsichtigt. Dieses Letztere scheint sich nach den spätern Briefen (der letzte ist vom 19. April 1832) zu bestätigen, wo indessen die Verfügungen der noch immer lebenden Begam ihm besser zu gefallen scheinen. Italien wiederzusehen, fühlt er wol Sehnsucht; aber verweichlicht, fürchtet er für europäische Sitten nicht mehr zu passen. Für seine Familie hat er stets eifrig gesorgt. 27.

Correspondenznachrichten.

Stuttgart, 10. August [illegible].

Unter den Blättern, welche sich gegenwärtig im südlichen Deutschland trotz den Schranken einer vorsichtigen Censur Bahn zu brechen suchen, verdient der seit dem 1. April d. J. bei Schweizerbarth erscheinende „Unparteiische", gewissermaßen eine Fortsetzung des am Schlusse des vorigen Jahres eingegangenen encyklopädischen Blattes „Hesperus", eine besondere Auszeichnung. Der Redacteur dieser Zeitschrift, Dr. Friedrich Rotter, früher Mitarbeiter am „Ausland" und an der „Allgemeinen Zeitung", war nach André's Tode Redacteur des „Hesperus". Nach dem mit dem Eigenthümer des „Hesperus" geschlossenen Vertrage war es demselben jedoch keineswegs gestattet, dieses Blatt in derjenigen Farbe zu halten, welche seiner Neigung mehr zugesagt hätte, und mehre, namentlich in der letzten Zeit gegen den Geist des „Hesperus" laut gewordene Klagen dürften in diesem Verhältnisse ihre Erklärung finden. Der „Unparteiische" nun bestrebt sich, „den gesammten Culturzustand des deutschen Volkes, sowie die Momente, welche vom Auslande her auf denselben einwirken, in seinen Bereich zu ziehen und in Bezug auf Staat und Kirche, Literatur und Kunst, Handel und Gewerbe jedem Wahrheitsfreund ein offenes Organ, der ganzen Nation ein beglaubigtes Archiv zu werden". Unter den bis jetzt erschienenen Aufsätzen möchten wir zunächst auf den durch eine beträchtliche Anzahl von Blättern des April- und Maiheftes durchlaufenden Artikel: „Die würtembergische Regierung und die aufgelösten Kammern", aufmerksam machen, welcher ebenso sehr durch Freimüthigkeit und Tiefe historischer Begründung der Rechtsidee als durch anständige Mäßigung die Aufmerksamkeit jedes nicht blos würtembergischen, sondern deutschen Constitutionsfreundes erregen muß. Ebenso haben uns sämmtliche, mit „Ps" unterzeichnete Aufsätze, worin wir die Chiffer eines der berühmtesten deutschen Gelehrten und Freundes constitutioneller Ideen nicht zu verkennen glauben, sehr angezogen. Neuerer Zeit dürfte besonders das ausführliche Sendschreiben Carové's an den Herausgeber: „Ueber das römisch-katholische Cölibatgesetz", Beachtung verdienen worin sich der Verf. auf nicht minder gründliche als geistreiche Weise gegen jede, wenn wir so sagen dürfen, frivole und nicht aus dem Geiste der Religion selbst hervorgehende Verwerfung des genannten Gesetzes ausspricht und damit zugleich eine bündige Erklärung über sein bekanntes Werk abgibt, welches jene Materie sehr ausführlich behandelt. Auch gibt der „Unparteiische" in diesem Augenblicke die Verhandlungen der Assise zu Landau ausführlicher als irgend ein anderes deutsches Blatt. Früher erschienen in demselben vollständige Berichte über die Organisation und Eröffnung der züricher Hochschule; aus dem Gebiete der Literatur hat er die archäologischen Unternehmungen Professor Gerhard's, das lexikographische Werk des Sprachforschers Graff, ferner Uhland's und Lenau's Gedichte, sowie den geistreichen Roman: „Maler Nolten", von E. Mörike, näher beleuchtet. Unter den Beiträgen zur Biographie ausgezeichneter Deutschen, welche dieses Blatt in fortlaufender Reihe gibt, wird namentlich Ebel's Leben Interesse erwecken. Seit dem Juli d. J. ist der „Unparteiische" durch ein gar zweckmäßig eingerichtetes „Sonntagsblatt" vermehrt worden, welches einen wöchentlichen Bericht über die wichtigsten Vorkommenheiten sowol im bürgerlichen als im wissenschaftlichen Leben liefert. Ebenso hat der Herausgeber seit dem genannten Monat angefangen, jedem Blatt eine Anzahl Miscellen beizufügen, worin theils neue Erscheinungen der schönen Literatur besprochen werden, theils aus der Sphäre der Kunst und Wissenschaft das Neueste zur Kunde der Leser gebracht wird. Bei der jetzigen politischen Lage Deutschlands ist es im Interesse freier Discussion sehr zu wünschen, daß das vaterländische Publicum Zeitschriften dieser Art, welche durch streng gehaltenen Anstand sich ein Recht auf Freimüthigkeit erwerben, kräftig unterstützen möge. 196.

Redigirt unter Verantwortlichkeit der Verlagshandlung: F. A. Brockhaus in Leipzig.

Blätter für literarische Unterhaltung.

Dienstag, —— Nr. 239. —— 27. August 1833.

Aus Rahel's Nachlaß.

(Beschluß aus Nr. [illegible].)

An Frau von F.

Berlin den 14. Dec. 1807.

Lesen Sie diesen Brief, als käme er erst in acht Tagen an. Ich hatte ihn gestern geschrieben. Es ist ein guter.

Obgleich Sprechen und Schreiben zu gar nichts hilft, so sollte man gar nicht aufhören, zu sprechen und zu schreiben! Diesen finstern Satz, wovon jede Hälfte nur für sich allein wahr ist, nur zum Scherz! Ich bin diesen Morgen nicht deutlich gewesen, und Sie haben mich auch nicht recht verstanden. Mir ist Das, wovon die Rede war, zu wichtig; auch ist es auf einen Punkt gekommen, wo es deutlich werden muß — um so mehr, da vom nunmehrigen Halbverstehen nur ein Falschverstehen entstehen müßte — um es nicht nach allen meinen Kräften und meiner besten Einsicht mit Ihnen zu verfolgen.

Was wir eigentlich unter dem Worte Mensch verstehen, ist doch die Creatur, welche mit ihres Gleichen in vernünftiger Verbindung steht, in einem Verhältnisse mit Bewußtsein, an welchem wir selbst zu bilden vermögen und auch genöthigt sind, immerweg zu bilden. Wir mögen sein wie wir wollen, wir mögen machen was wir wollen, wir haben das Bedürfniß, liebenswürdig zu sein. Diesem schönen, reinen, menschlichsten, lieblichsten Triebe folgen wir Alle. Im höchsten Sinne genommen — aber auch bis auf das Zersplittertste hinab — das ganze Lebensgewebe des Menschen als Menschen ist nichts als dies ins Unendliche modificirt. In Ihnen, als in einem zarten lebhaften Gemüthe, ist dieses Bedürfniß dann auch sehr lebhaft. Was in der Welt ist aber liebenswürdiger — und glücklicher — als eine aufgeschlossene Seele für Alles, was Menschen betreffen kann! und was hinwieder gibt eine reinere Laune als eben dieser Zustand, der sich selbst durch seine Dauer erhöht und propagirt! Die ganze Welt gewinnt Sie; und Sie die ganze Welt! Kommen Sie davon zurück — welches die Irrmeinung noch so vieler Guten ist — daß man nur Eines mit ganzer Seele fassen kann. Prägen Sie sich recht ein, es entsprosse Ihnen einen Augenblick die Ueberzeugung, was liebenswürdig ist, und Sie sind es! nicht, wie Sie mir heute schrieben, „eine Arbeit ist es", die ich fodere — wozu Sie jetzt unfähig sind, wozu man immer unfähig ist — sondern einen Augenblick von Ueberzeugung, einen Augenblick gesunder Ansicht fodere ich.

Mehr gedemüthigt als ich wird man nicht; mehr Kummer genießt man nicht; größeres Unglück in Allem, worauf man den größten und kleinsten Werth setzt, erlebt man nicht, mehr sieht man nicht untergehen; eine gepeinigtere Jugend bis zu 18 Jahren erlebt man nicht, kränker war man nicht, dem Wahnwitz näher auch nicht; und geliebt habe ich. Wann aber sprach die Welt mich nicht an, wann fand mich nicht alles Menschliche, wann nicht menschliches Interesse: Leid und Kunst und Scherz! In dem Augenblick, wo Schmerz und zerreißendes Vermissen die Seele auseinanderzerrt, kann man, muß man nicht Geistesschätze ergraben wollen. Alsdann muß man vom Vorrath zehren, von Vorrath an den Schätzen, von Vorrath an dem höchsten menschlichen Interesse, am menschlichen Interesse. Antworten Sie mir nicht, daß Gaben der Natur nur dazu fähig machen, und z. B., daß ich mich nicht mit Ihnen vergleichen soll. Wer so raisonniren kann wie Sie über manche Gegenstände, der hat Kräfte; nur sein Interesse ist falsch gerichtet.

Ein gebildeter Mensch ist nicht der, den die Natur verschwenderisch behandelt hat; ein gebildeter Mensch ist der, der die Gaben, die er hat, gütig, weise und richtig, und auf die höchste Weise gebraucht; der dies mit Ernst will; der mit festen Augen hinsehen kann, wo es ihm fehlt, und einzusehen vermag, was ihm fehlt. Dies ist in meinem Sinne Pflicht und keine Gabe, und constituirt für mich nur ganz allein einen gebildeten Menschen. Darum, wende ich Sie, endlich mit Ihren Augen auf Das zu sehen, was Sie eigentlich verabsäumen. Dies ist, sich mehr zum Allgemeinen — à généraliser — zu erheben, daß nicht immer Allgemeines Sie auf Einzelnes führe, sondern umgekehrt. Dies ist höchst liebenswürdig; dies würde Sie ganz liebenswürdig machen. Dies können Sie erlangen; denn dies kommt plötzlich, durch einen Gedanken, wie bei Ihnen das Gegentheil auch nur durch einen Gedanken. Auch wiederhole ich, was ich schon gesagt habe: sogar gesund werden Personen, wie wir, nur wenn sie den höchsten Ekel vor Kranksein fassen; wenn sie durchdrungen davon sind, daß Gesundsein höchst liedenkwürdig ist. Sie können sich meinen Drang nicht denken; mit einem Trank möchte ich Ihnen diese Ueberzeugung eingeben! Aber es gelingt, ich bin sicher! Sein Sie nur recht kokett!

Montag, den 15.

Bis hierher hatte ich schon gestern Abend geschrieben; aber dann bekam ich wie aus blauer Luft plötzlich einen Fieberanfall; er dauerte bis zwei in der Nacht; mit allem Zubehör außer Kopfweh; ich erspare Ihnen die Beschreibung, bitte Sie aber, heute nicht zu kommen, ich bin ihn mir, als den dritten Tag, gewärtig und diesmal außerordentlich schreckhaft dabei, mit Lachen und Weinen. Morgen ist's vorbei und dann besuchen Sie mich; das geringste Erblassen, jedes Zucken von Ihnen würde mich unleidlich machen. Gestalten hinderten und erschreckten mich gestern bis zu Herzklopfen und Schweiß. Ich habe ein Bad genommen, fühle aber schon jetzt, daß ich's heute Abend noch habe. Sehen Sie auch meine verschiedenen Hände.

Ich habe Ihren Brief gelesen und schicke meinen doch ab! Eben schrieb ich Ihnen meine Gesundheit ab, als ich Ihren erhielt. Fassen Sie sich. Denken Sie nicht immer an Tollheit; es kann eine Liebhaberei werden. Zerstreuung! Mir wird der Kopf immer schwerer! Kommen Sie morgen! Ich bin ja sanft, dünkt mich; sanfter kann ich auch nicht sein; ich verstehe nur Das zu sagen, was ich denke, Anderes sehr schlecht; und was ich Ihnen sage, Liebe, sagte ich, beim Allmächtigen! mir selbst und habe es mir gesagt. Leben Sie wohl! über mich sein Sie ganz ruhig, ich habe nur einige schlechte Stunden. Leben Sie wohl! Es ist gut, daß Sie sich gestern mit den Menschen zwangen und Sie unterhielten und im Gang erhielten. Es zerstreut, weil es beschäftigt. Sie werden schon immer geschickter werden. Ich denke viel an Sie! Adieu. Ich kann gar nicht mehr! Lesen Sie meinen großen Brief, als käm' er erst in acht Tagen an!

1806.

Ich habe erfunden: die Gemeinen verstehen sich untereinander; sie haben sich ordentlich eine Münze des Verständnisses erfunden, wo kein Heller reiner Gehalt darin ist; aber davon leben ihre Geister, andere Nahrung fodern sie nicht. Und am Ende der Rechnung zahlen sie sich selbst damit aus; und der Umlauf geht wieder los. So verstehen sich vortrefflich Y und Z und alle ihren nobeln Sentiments und billigen sich ernsthaft! Hätten die Gewächse der Erde Sprache, so lobten sich die niedrigern und ärmern auch; und wer weiß, ob nicht Todtenblumen sich mit Gewalt in köstliche Vasen stellten und in prächtigen Zimmern und Lauben stänken! Solchen Wirrwar möcht' ich sehen! Wie Pferderebellion! Alles möchte ich deutlicher und härter! Weichten, durch Zauber veranstaltet, auch; wie käme da ein Jeder zu dem Seinigen: das Gold schrollte in die Erde zurück.

An Varnhagen.

Berlin den 6. Nov. 1808.

Ueber die Darstellungen der Gegenden denke ich bei weitem anders als du! Sie darzustellen, oder sie beschreiben, ist schon ein unendlicher Unterschied, und bald muß ein Dichter das Eine, bald das Andere. Du z. B. hast in deinem dresdner Briefe die Brücke ganz göttlich beschrieben, und willst du je in einem Gedicht eine Beschreibung, so brauchst du nie eine bessere zu machen. Göthe aber z. B. hat durch seinen ganzen „Hermann und Dorothea" durch — ohne daß Einer so gütig ist, daran zu denken — von der ersten Zeile bis zur letzten so genau eine Gegend, einen Tag, und sein ganzes Wetter und Schreiten dargestellt, daß er ein Element seines Gedichtes ist und wie ein wahrer Tag, eine wahre Gegend es machen hilft. Das weiß ihm meines Wissens noch keine gedruckte Zeile Dank. Wer da nicht die Gegend sieht, von der Göthe spricht, dem fehlt die Camera obscura, von der Jean Paul spricht; und Göthe hat es so eingerichtet, daß sie wirklich beinah fehlen kann und nur der sie nicht sieht, den man etwa zweimal hintereinander an denselben Ort führen und ihm einbilden kann, es seien verschiedene.

1808.

— Die berühmten Römerinnen sind es recht umsonst. Gerechter Gott, was ist es leicht und natürlich, sein Vaterland zu lieben, wenn es Einen nur ein bischen wiederliebt! Man thut es ja schon ohne Gegenliebe. Ich will gar nicht mehr unglücklich sein und viel Armuth still ertragen, wenn ich nur daran denke, daß unsere Soldaten keine Prügel mehr bekommen. Der Magistrat hatte ihnen Röcke entgegengeschickt; tausend schöne Züge von Eintracht und Einsicht und schnell geheilter Thorheit gehen hier vor; ich weiß aber nicht, welche heilsam sind der Post zu vertrauen, und welche nicht. Könnt' ich doch nur nach meinem Tode mein Land glücklich sehen! Das wäre Existenz genug! Scharf ist den Soldaten Artigkeit anbefohlen und wird auch geübt; doch laufen noch rohe Geschichten mitunter. Ein Kaufmann hier — der Name ist mir nur entfallen — bekam vier Gemeine von den Husaren zur Einquartierung — wir haben jetzt unsere eignen Truppen fürs erste mit Wohnung, Licht und Holz zu versorgen — ein Lieutenant ohne Billet kam mit und blieb; der Wirth ließ ihm höflich andeuten, daß er auf sein Haus kein Billet habe; der Lieutenant aber ward murrend und ging nicht; die Wirthin kam, es ihm höflich auseinanderzusetzen, daß er nicht bleiben könne; er widersprach ihr und blieb; nun kam der Mann und sagte es ihm nachdrücklicher, worauf der Mensch denn endlich sagte, sie könnten thun, was sie wollten, aber sie würden es schon sehen, er ginge nun, da er einmal da wäre, nicht weg; und so stürzt er dem Vater in die Arme. Es war ihr seit zwei Jahren todt geglaubtes Kind. Schlittschuh zu laufen war er ausgegangen und nicht wieder zurückgekommen. Sie hatten Trauer um ihn getragen; er aber war nach Kolberg gegangen, hatte sich anwerben lassen und so hat er sich zum Lieutenant geschlagen. Nun wurden aber die Aeltern böse, daß er sie in Gram und Angst gelassen hätte; er aber sagte, das habe er müssen, wegen des Augenblicks, den er nun erlebt habe. Ist das nicht eine schöne Geschichte?

Versuch einer Geschichte der niederlausitzischen Landvögte. Von J. W. Neumann. Mit mehren Urkunden. Zwei Theile. Lübben, Gotsch. 1831—32. Gr. 8. 2 Thlr. 4 Gr.

Wie man sonst in des Feindes Land hinein eroberte und eine Mark gründete als Schutz des früher gewonnenen und Grundlage des weiter zu gewinnenden, so ist mit diesem Werke auch in eine der dunkelsten Territorialgeschichten des deutschen Mittelalters eine historische Eroberung und Mark gemacht worden, freilich auch darin jenen mittelalterlichen Staatsanstalten ähnlich, daß Vieles darin noch schwankend und unbestimmt (auch vielleicht mit den vorhandenen Mitteln noch nicht bestimmbar) ist. Es ist auffallend, wie wenig die Geschichte der Niederlausitz noch bearbeitet worden, und diese darin selbst hinter Oberlausitz zurücksteht, die doch lange nicht einmal ein geschlossenes Territorium wie dies Markgrafthum Niederlausitz war. Fehlte doch lange genug sogar eine vollständige Uebersicht der Regenten des Landes vom Markgraf Gero an, dem großen dux des limes Sorabicus, der endlich gebrochenen Herzens sein Schwert auf dem Altar der Apostelfürsten in Rom niederlegte und in einer Klosterkutte 965 starb (s. Böttiger „Geschichte von Sachsen", I, 46); und doch sind die Regenten gewöhnlich das Erste, woran sich historischer Eifer übt. Der Verf. sucht den Grund davon nicht in dem Mangel an Nachrichten selbst, sondern in dem seit dem 16. und 17. Jahrhunderte zu sehr herabgekommenen und verarmten Städten, deren öffentliche Anstalten weit hinter denen der Oberlausitzer zurückblieben, und welche nur wenig für Wissenschaft und Unterricht (Vorbedingungen für Geschichtsliebe und Geschichtstudium) thun konnten. Die Beamten und besonders die Geistlichen waren zu dürftig besoldet, als daß sie viel kostbare Sammlungen hätten anlegen, überhaupt viel historische Nebenstunden hätten haben können. Frühere Sammlungen und Bearbeitungen gingen zum Theil verloren; erst 1738 traten eine Anzahl Gelehrte zusammen, um in den sogenannten „Destinatis literariis et fragmentis Lusatiae" (12 Theile und einige Hefte 1738—46) zu retten, was zu retten wäre, und zu einer Geschichte des ganzen Markgrafthums oder einzelner Theile niederzulegen. Die großen Verdienste des Generalsuperintendenten Worbs in neuerer Zeit werden mit Recht gerühmt.

Da nun eine Geschichte der niederlausitzischen Landvögte, der Stellvertreter der meist im Auslande lebenden Markgrafen und spätern Landesherren, daher auch wol promarchiones genannt, zugleich eine allgemeine Darstellung der Verfassung und Verwaltung des Landes und der Veränderungen, welche damit vorgegangen sind, enthalten muß, so ist schon mit einer Geschichte der Landvögte bedeutend gewonnen und, da der Verf. mit Fleiß, Geduld und Urtheil diese Arbeit geliefert, diesem gewiß kein kleines Verdienst deshalb beizumessen, welches noch durch die Bescheidenheit erhöht wird, mit der er seine den Ständen des Landes geweihte Arbeit als Versuch den Freunden der Geschichte vorlegt. Er will diesen Versuch gar nicht als ein opus omnibus numeris absolutum, sondern mehr als eine Auffoderung und Veranlassung für Andere zu ähnlichen Arbeiten (vielleicht auch zur Mittheilung verschiedener Ansichten) betrachtet wissen; denn nur durch historische Bearbeitung vieler einzelner Theile entsteht erst eine brauchbare allgemeine Geschichte eines Landes.

Sehr verständig wird die ganze Aufgabe in einen allgemeinen und einen besondern Theil zerlegt, sodaß der erste das Institut der Landvögte, und was damit im weitern Sinne zusammenhängt, der zweite Theil, was über Existenz und Wirksamkeit der einzelnen Landvögte auszumitteln gewesen, entwickelt. Welche bisher weniger bekannte Hülfsmittel dem Verf. zu Gebote standen, darüber geben die Vorreden Auskunft. Bekanntere Schriften sind die „Destinata" von Worbs, Leutsch, Hoffmann, Sommersberg's u. A. Sammlungen, Mattha über Lübben, der „Sachsenspiegel" u. A., die gewissenhaft unter dem Texte angeführt sind. Zuerst beschäftigt sich Hr. Neumann mit der Verfassung der Niederlausitz in den frühesten Zeiten und ihrer allmäligen Veränderung nach deutschen Sitten und Gewohnheiten. (Daß auch noch heute von altslawischen Sitten sich Einiges erhalten hat, so sehr übrigens Feudal- und Kirchenwesen gegen das Slawenthum angekämpft, beweist der Brauch, auf den Stellen in Wäldern, wo ein Mensch durch irgend ein unglückliches Ereigniß umkam, Holzhaufen zu errichten, welche den Namen „todter Mann" führen, und welche jeder Vorübergehende durch einen hingeworfenen Ast gern vergrößert. Auch Leitern und Stangen, mit denen Leichen nach auswärtigen Kirchhöfen gebracht wurden, werden an der Grenze der Feldmark abgeworfen und dort liegen gelassen.) Der Verf. erörtert nun da, um seiner Aufgabe näher zu treten, die Stellung und Bedeutung der castellani, welche nur irrig mit den deutschen Burggrafen verwechselt oder ihnen gleich gesetzt worden wären und wol von der ehemaligen Verbindung der Niederlausitz mit Polen herrührten. Die meiste Aehnlichkeit möchten sie mit den böhmischen Burggrafen haben. Außer den Markgrafen soll es nun auch über die Reichsdomainen und vorbehaltenen Gefälle und Rechtsfälle Pfalzgrafen, hervorgegangen aus den alten Sendboten oder missis dominicis, in der Niederlausitz gegeben haben, von denen Ref. bisher nichts gewußt hat und an die er auch nicht glaubt, bis die Stelle in Lambert von Aschaffenburg, wo von ihnen die Rede sein soll, näher nachgewiesen ist. Doch seine Zweifelsgründe gehören nicht hierher. So hat er auch bisher das Koyne (Cuine), wo Friedrich Barbarossa einen Fürstentag hielt, eher bei Altenburg als in dem großen Bannforst bei der Stadt Forst gesucht, wo noch jetzt ein Dorf Koyne liegt; doch ist er dem Verf. für diese Nachweisung dankbar.

Der zweite Abschnitt handelt von Vögten, advocatis, Ursprung und Bedeutung dieser Benennung und den niederlausitzischen Vögten insbesondere. Daß das Wort Vogt nicht von advocatus herkomme, sondern mit fauth eines Ursprunges sei, woraus nach Andern vogetom, foedum, feudum entstanden, kommt Ref. nicht wahrscheinlicher vor als die Ableitung der majordomus von Mordomen oder Blutrichtern. Doch wir wollen den Rec. nicht über die Hecke springen. Die ganze (Nr. III) nun folgende Untersuchung über die advocati Lusatiae ist gründlich, doch eines Auszugs nicht wol fähig. Wenngleich sich schon im 13. Jahrhundert, besonders seit Heinrich dem Erlauchten Spuren von Landvögten finden, so sind doch theils ihre Namen nicht mit Bestimmtheit zu ermitteln, theils müßte auch ihre Stellung und Wirksamkeit, die der Abwesenheit der Landesherren vornehmlich ihr Entstehen verdankte, noch sehr unsicher und schwankend sein. Wie nun dieses Verwaltungs- und Rechtsinstitut sich bis zur höchsten Vollkommenheit, die es nach allen sonstigen Verhältnissen überhaupt erreichen konnte und die unstreitig in die Zeit Ferdinand I. und Maximilian II. zu setzen sein dürfte, ausgebildet hat, wird im vierten bis achten Abschnitte entwickelt. Da die Landvögte als Vertreter der Markgrafen außer den allgemeinen Berathungen, außer dem Kriegswesen auch die oberste Gerechtigkeitspflege handhabten, so gibt dies Veranlassung, besonders die Rechtsverfassung des Landes zu erörtern. Es hatte sich ein eignes Gewohnheitsrecht und fester Gerichtsbrauch gebildet, und beides fand seinen Platz in den Sammlungen der alten deutschen Gewohnheitsrechte, sodaß die Sammlung des „Sachsenspiegel" nicht das Gesetz für die Lausitz wurde, sondern die lausitzer Gewohnheitsrechte mitenthielt und insoweit von selbst zur Anwendung kommen mußte, als dies der Fall war. Daher kommen auch in der Niederlausitz die pares curiae vor. Das höchste Gericht blieb des Landvogts Landgericht, von dem nur die Ehrengerichte des Adels unabhängig gewesen zu sein scheinen. Nebenbei bildete sich in den vom Landvogte gehaltenen öffentlichen Versammlungen der Mannen, wo außer der Rechtspflege auch Berechnungen über Gegenstände der Gesetzgebung, über Krieg und Frieden, Steuern und Abgaben vorgenommen wurden, schon das Fundament der ständischen Verfassung aus. Wie die Beden die Natur einer bestimmten Abgabe einnahmen, wie sich der Zustand der Bewohner des platten Landes seit der Verbreitung des Lehnwesens durch den mächtigen Adel immer mehr verknechtete oder in Hörigkeit überging, wie sich ein selbständiges Lehnrecht ausbildete, wie sich das Verhältniß der weltlichen Macht zur Kirche feststellte, die meißnischen archidiaconi Lusatiae die obersten geistlichen Richter wurden, wo diese geistlichen und weltlichen Autoritäten ihren Sitz hatten, sehe man selbst nach. Kaiser Karl IV. gründete bei der Vereinigung der Niederlausitz mit der Krone Böhmen ein oberstes Gericht: auditorium regium (nachher Oberamt), zu Lübben, an dessen Spitze der Landvogt stand, und von welchem nur an die königliche Kammer appellirt werden konnte, sowie es selbst für die untern Richter Appellationsinstanz war. Auch das römische Recht fand nun nach und nach seinen Eingang, daher zwei Doctoren mit jährlich 100 Fl. Rheinisch in dem vom Kaiser Ludwig eingerichteten Landgerichte angestellt wurden. Unter Kaiser Ferdinand I. erscheint der Landvogt als völliger Statthalter des Königs von Böhmen, als oberster Beamter, und hat zur Leitung der Rechtsangelegenheiten einen Kanzler (früher blos Privatschreiber, jetzt öffentlicher Beamter). Beide heißen in Beziehung auf ihren Rechtswirkungskreis das Oberamt. Auch Kaiser Ludwig's Landgericht wurde wieder neu organisirt und hatte außer dem Landrichter, wozu die Stände drei Candidaten vorschlugen, über welche der Landvogt begutachtete, sechs Beisitzer, wovon zwei der Herrenstand und die Prälaten, zwei die Ritterschaft und zwei die Städte wählten. Von dieser ersten Instanz ging die Appellation an den Landvogt, der dann aus acht Personen ein eignes Appellationsgericht zu bilden hatte. Doch unterblieb dies häufig, weil der Landvogt lieber von Facultäten oder Schöppenstühlen responsa einholte. Endlich wurde auch das Landgericht bloßes Spruchcollegium und versammelte sich zweimal jährlich am Sitze des Landvogts, dem als Oberamt das Verfahren blieb.

Was von S. 183 an über die Fortschritte der Reformation im Lande gesagt wird, ist natürlich nur ganz kurz. Die vom Official entferntesten Orte, Forste, Sorau, reformirten trotz der meißner Bischöfe Verbot zuerst. Ferdinand I. brauchte keine eigentliche Gewalt gegen die neue Lehre; dagegen suchte der Bischof von Meißen die der Reformation anhängenden Geistlichen in seine Gewalt zu bekommen, warf sie ins Gefängniß, oder gab sie dem Hungertode preis. Zu seinen Türkenkriegen verwendete Ferdinand selbst manches Kloster. Nach der völligen Erwerbung des Landes durch Sachsen 1635 wurde nicht nur die sächsische Lehnsverfassung eingeführt, der Landvogt, der selten im Lande war, ließ sich von einem Verweser vertreten, der nun als Oberamtsverweser auftritt, und Herzog Christian von Merseburg errichtete, uneingedenk der alten Privilegien, nach dem Tode des letzten Landvogts, Heinrich Joachim von der Schulenburg, 1665 mit Einstimmung der Stände eine Oberamtsregierung zu Lübben. Den Beschluß dieses Theils machen 20 Urkunden (meist Lehnbriefe) aus den Jahren 1374—1505.

In dem zweiten (besondern) Theile hat nun der Hr. Verf. mit großem Fleiße die Reihe der Landvögte von Kunz von Wirzburg 1369 an aufzustellen gesucht und das Wichtigste aus den Lebensumständen und der Verwaltung eines Jeden beigebracht. Das ältere Verzeichniß derselben im ständischen Archive und in den „Destinatis" zählte nur 35 auf; hier sind 42 aufgeführt, indeß noch nicht alle mit diplomatischer Gewißheit, die indeß mit den vorhandenen Mitteln kaum zu erreichen war. Manche Lebensbeschreibungen haben außer dem besondern noch ein allgemeines Interesse, indem S. 66 fg. der Hussitenkrieg in seiner Verzweigung in die Lausitzen, S. 80 ein Eingriff des westfälischen heimlichen Gerichts, S. 375 ein furchtbarer Hexenproceß erzählt werden u. s. w.

Bei des Hrn. Verf. genauer Kenntniß seines Vaterlandes würde es höchst erwünscht sein, wenn er nun auch Dasjenige sammelte, was sich über die städtische Entwickelung in der Niederlausitz auffinden läßt, bei dem allgemeinen Theile aber nicht blos auf Rauschnick's mehrmals angeführtes „Bürgerthum und Städtewesen" Rücksicht nähme. Ein großes Vorbild und auch für die Niederlausitz brauchbare Materialien gibt Tzschoppe und Stenzel's „Urkundensammlung zur Geschichte des Ursprungs der Städte u. s. w. in Schlesien und der Oberlausitz" (Hamburg 1832, 4.). An Materialien kann es nicht fehlen; was hat nicht allein Weinart, der doch mitunter sehr lückenhaft ist („Litteratur der sächsischen Geschichte", Leipzig 1805 [1790]), für Materialien dazu nachgewiesen, und wie viele sind in diesen 40 Jahren hinzugekommen.

20.

Notiz.

Jacquemont's Reise im Orient.

Herr V. Jacquemont, ein französischer Gelehrter, ist am 7. December 1832 in Bombay gestorben. Dieser kühne Reisende, welcher einen großen Theil des Orients durchwanderte, hat eine Menge Briefe und andere Documente hinterlassen, welche seine Familie nächstens im Drucke herausgeben wird. Einstweilen theilen wir folgende höchst interessante Notizen aus einem Briefe des Hrn. Jacquemont an einen seiner Freunde mit: „Den größten Theil des verflossenen Jahres habe ich außerhalb der englischen Besitzungen in Pendschab und Kaschemir zugebracht. Der König der Seikhs, Runjet Singh, ist mir sehr zugethan; ich wurde in seinen Staaten unter dem bescheidenen Titel: „Haut et puissant seigneur V. Jacquemont" aufgenommen und mit allen akademischen Würden des Orients bekleidet (im Original sind sie auf persisch angegeben), d. h. der Plato der Welt, der Sokrates der Christenheit u. s. w. wobei wol zu merken, daß Runjet Singh der mir diese Ehrentitel beilegte, weder lesen noch schreiben kann. Dabei zeigte sich derselbe sehr freigebig und versah mich und meine Karavane aufs Reichlichste mit allen Bedürfnissen. In Kaschemir sind weder die Berge so hoch, noch die Frauen so schön, noch die Einwohner so arge Betrüger, als man sagt. Meine Brieftasche ist voll Briefe von Königen. Der Nachfolger des Porus schrieb mir aller acht Tage. Seit den sechs Monaten, die ich unter Mohammedanern und Hindus zugebracht, bin ich sehr tolerant geworden; die Religion ist der Hauptgegenstand des Gesprächs bei den Völkern des Orients. Ich habe gelernt, nur mit der tiefsten Ehrfurcht von dem Propheten zu reden, da die Moslims ihrerseits unserm Propheten stets das Prädicat „Excellenz" beilegen. Wenn ich je Lust hätte, bigot zu werden, so würde ich mich zuerst zum Islam bekehren. Nur einen Vorwurf habe ich dem Gesetze Mohammed's zu machen, die Erniedrigung der Frauen. Im Oriente ist es für eine honette Frau eine Schande, lesen und schreiben, tanzen oder singen zu können; dergleichen Künste sind blos den öffentlichen Mädchen erlaubt, daher die Lauheit der ehelichen Liebe, die verdächtige Freundschaft für schöne Knaben und Jünglinge. Es bleiben mir aus diesem Lande eine Menge angenehmer Erinnerungen, der Reichthum machte mich nicht geizig. Ich kaufte Gefangene los, kleidete nackte Waisen u. s. w., indeß handhabte ich strenge Gerechtigkeit. Eines Tags beklagte sich mein Secretair bei mir, einer der Soldaten von der Escorte habe ihm seinen Shawl gestohlen. Auf meine Anzeige fragte mich der Anführer, ob ich für gut fände, den Schurken hängen, oder ihm blos Nase und Ohren abschneiden zu lassen. Ich ließ im Angesicht der ganzen versammelten Wache seinen Säbel und seine Flinte zerbrechen, zahlte ihm 14 Monate Sold aus, den ihm der König Runjet schuldig war, und jagte ihn fort. Darüber machten die dortigen Dichter prächtige Dithyramben, in denen sie mich mit Soliman (Salomon) verglichen."

148.

Redigirt unter Verantwortlichkeit der Verlagshandlung: F. A. Brockhaus in Leipzig.

Blätter für literarische Unterhaltung.

Mittwoch, — Nr. 240. — 28. August 1833.

Römisches Leben. Von **Friederike Brun**, geb. Münter. Zwei Theile. Mit den Ansichten der Villa di Malta und der Kapelle von St.-Peter und Paul. Leipzig, Brockhaus. 1833. 8. 3 Thlr. 18 Gr.

Die edle Greisin, Verfasserin dieser Blätter, gehört zu den beneidenswerthen Geistern, deren Blütezeit in jene Periode unserer Literatur fiel, wo selbst die deutsche Gelehrsamkeit an dem guten Geschmack theil zu nehmen anfing, den die Winckelmann, Fernow, Göthe, Heinse, die Stolberg, Solger u. A. ihr zu vermählen gewußt hatten. Eine schöne Periode, wo die Scienz bei der Kunst, die Kunst bei der Scienz in die Schule ging, wo beide sich als Schwestern erkannten, sich als solche umarmten und einen Bund schlossen, der leider zu früh — und mit beiderseitiger Schuld — gebrochen wurde. Seitdem haben Wissenschaft und Schönheitsinn sich wieder voneinander entfernt, und indem sie gesonderte Bahnen verfolgen, steht zu fürchten, daß die deutsche Gelehrsamkeit wieder, wie sonst, eine mit dem Leben unbekannte Pedantin, die deutsche Kunst aber eine ebenso mit der Wirklichkeit des Lebens zerfallene Phantastin werden möchte, als sie ehedem war. Die Verf. dieser Blätter hat, wie gesagt, in der Zeit ihrer glücklichen, schwesterlichen Ehe gelebt, und alle ihre Schriften weisen auf diese glückliche Zeit zurück, als deren Erzeugniß sie zu betrachten sind. Geschmack und Wissen sind die Hüter ihres Studirzimmers, und Geschmack und Wissen sind auf jedem Blatte anzutreffen, über das ihre Feder gerauscht hat.

Friederike Brun ist eine literarische Schwester der nun verewigten Elise Recke. Ist sie an Kraft der Gedanken vielleicht auch geringer als ihre Mitschwester — und Beide stehen in dieser Beziehung weit unter der Stael, vielleicht selbst unter der Genlis in ihrer besten Zeit — so sind Beide doch eben hierin allen übrigen deutschen Schriftstellerinnen zuverlässig überlegen. An Phantasie wird sie vielleicht nur von Luise Brachmann, an Fähigkeit des Ausdrucks kaum von der Schopenhauer, an Erfindungskraft zuweilen von Fr. Lohmann, an Zartsinn von der Hanke übertroffen — in der Vereinigung von Geschmack und Wissen hat sie unsers Erachtens unter den deutschen Schriftstellerinnen keine Nebenbuhlerin. Doch eben dies war unserer Ansicht nach mehr eine Mitgift ihrer Zeit als ihrer individuellen Natur.

Ihre römischen Erinnerungen umfassen die vorliegenden beiden Theile. Das römische Leben ist nun, und seitdem diese Erinnerungen niedergeschrieben wurden, von so vielen Seiten betrachtet worden, daß eine neue zu entdecken, wie reich dies Leben auch sei, zu den Unmöglichkeiten gerechnet werden muß. Ueberdies ist es eine längst vergangene Zeit, von der die Verf. spricht, und kaum wandelt hier und da noch einer von den geistreichen Freunden, von denen sie erzählt, mit ihr unter den Sterblichen umher. Dieser Gedanke ist nicht ohne seine natürliche Wehmuth; ja, diese Wehmuth mag einer von den geheimen Reizen sein, welche zu dieser Lectüre hinziehen. Mögen Viele an diesen stillen Reizen sich gleich uns erfreuen. Briefe an ihre Tochter, welche das Herbstleben in Albano, die Irrfahrten in dem entzückenden Naturschauplatz schildern, welchen der See von Nemi und Albano, Genzano, Citta Lavinia, Frascati und die Campagna einschließen, nehmen den ersten Abschnitt ein. Die Wellen des französischen Revolutionsmeers hatten auch diese stille und geheiligte Gegend erreicht und sie mit Schlamm und Unrath überführt. Die Verf. klagt über ein Elend, das ihrem Blick überall begegnet und von dem ein späterer Reisender nur wenig anzutreffen sicher sein kann. Wir zeihen sie hier der Kurzsichtigkeit. Allerdings entbehrt der Bewohner der römischen Campagna und Latiums der Behaglichkeiten des nordischen Lebens; aber er bedarf ihrer auch nicht, um zufrieden zu sein. Kein Steuerexecutor drängt ihn, und der Oelbaum, die Rebe, die Kastanie und die Pinie haben ihre Früchte zu allen Zeiten umsonst getragen.

Den zweiten Abschnitt nehmen Wanderungen in Rom mit Zoega und Fernow ein. Wir preisen der Verf. antiquarische Gelehrsamkeit unsern Lesern nicht an, aber ihren für Schönheit jeder Art offenen, jedem Gefühle zugänglichen und jeder Empfindung mächtigen Sinn. Lernen wir auch nichts aus ihren Schilderungen, so lernen wir doch, wie ein echt weibliches Gemüth die großen Erinnerungen des Alterthums in sich aufnimmt, und wie sich Größe, Heroismus, Bürgertugend in der Seele eines fühlenden weiblichen Wesens zurückspiegeln. Wir nehmen theil an den kleinen Aengsten und Sorgen dieses Wesens, weil es stets liebenswürdig ist, und auch uns ergreift ihr Schmerz bei dem Gedanken, dies römische Volk könne wol gar einmal aussterben! Ohne Zweifel ist Vieles in diesem Buche irrig, mehr noch antiquirt, und manches ohne lebhaftes Interesse; allein die schmeichelnde, gefällige Form einer kunstlos-graziösen Darstellung und der reiche Erguß von Betrachtung, die dem großen Lebensquell der weiblichen Natur, dem Herzen, entfließt, leistet Ersatz für diese Mängel. Eine rauhe Kritik verträgt ein solches Buch nicht: es ist für Frauen geschrieben — denn an Frauen sind diese Briefe gerichtet — und Frauen von Gefühl und Lernbegierde empfehlen wir es auch.

Die Verf. hat Italien viermal wiedergesehen. Es gewährt ein eignes Interesse, in diesem Buche zu vergleichen, mit welchen Augen Fr. Brun dies Land der Vorliebe für edle Seelen, wie die ihre ist, zum ersten Male sah, wie sie es 1803 zum zweiten Male, 1807—10 zum dritten Male und endlich 1817 wiedersah. Die Erscheinung bleibt dieselbe, oder fast dieselbe, die Scenenveränderung ist in dem Schauenden selbst vorgegangen. Dies ist lehrreich. Lasset die Jahre zwischen den Beschauer und das Beschaute treten, und der Gegenstand wird ein anderer. Hier finden wir denn auch die Gegenstände, die Scenen und die Bilder wieder, welche den Gedichten der Verf. zur Grundlage dienten; und wen sie zum Freunde ihrer Muse gewonnen hat, dem müssen diese Erinnerungen eine werthe Gabe sein. Bisweilen klingen einzelne Stellen aus jenen formlos und in Prosa hier deutlich an, und es gewährt kein geringes Vergnügen, diese erste Erfassung des Stoffes mit seiner kunstmäßigen Vollendung zu vergleichen, wie z. B. bei dem Gedicht „Via Appia" der Fall ist.

Ein anderer Werthstheil dieses Buchs beruht in den antiquarischen Urtheilen Zoega's und Fernow's, die wir hier aus frischer Hand empfangen und so, wie sie bei Betrachtung des Gegenstandes selbst gegeben wurden. Dies ist für den Kunstfreund, den Antiquar, den Kunsthistoriker; doch dies Buch ist auch für andere Leser geschrieben. Das Gefühl des Friedens, der Entäußerung von aller Leidenschaft und einer fast seligen Ruhe, aus der alle diese Schilderungen hervorgegangen sind, ergreift den Leser unwillkürlich mit; es ist ein durchaus beschwichtigendes, beruhigendes Werk, dessen Durchlesung beinahe dasselbe süße und namenlose Gefühl mittheilt, welches uns bei der Ueberschauung Roms an einem schönen Maiabend vom Monte Mario oder von der Tasso's-Eiche herab zu ergreifen pflegt.

Neben dem jedoch fehlt es keineswegs an wissenschaftlich werthvollen und durch ein eigenthümliches Gepräge frischer Lebensfülle anziehenden Nachrichten. Am reichsten hieran ist die Periode des zweiten Wiedersehens von Rom, oder der Aufenthalt von 1802 und 1803. In dieser Epoche hatte die Verfasserin Zeit gehabt, ihre Vorbereitungen zu den antiquarischen Studien zu vollenden und, wenngleich krank und kränkelnd, doch Frische der Lebenskraft und Jugendfülle genug bewahrt, um sich an den ewigen Resten des Alterthums zu erwärmen, zu begeistern. In dieser Zeit ist ihr vertrauter Umgang mit Canova, über den wir auf treffliche Urtheile stoßen, mit Fernow und vor allen Andern mit Zoega für ihre Leser äußerst fruchtreich. Von der bloßen überhinschwebenden Schwärmerei ist sie zur eigentlichen Betrachtung, zum wissenschaftlichen Geist derselben durchgedrungen, und während sich in den spätern Erinnerungen die Lebendigkeit und die Wärme der Anschauung allmälig verliert, herrscht in diesen jene Verschmelzung von Glut und Besonnenheit vor, die wir zu den Seltenheiten unter den Erscheinungen in der Kunstwelt rechnen müssen. Der Theil ihres Werks, der diese Periode umfaßt — der Schluß des ersten und der Anfang des zweiten Theils — ist daher auch unbestritten der verdienstvollste Theil des Ganzen. Der Umgang mit Gmelin und Angelica Kaufmann fällt gleichfalls in diese Zeit, die Bekanntschaft mit Thorwaldsen — den die Verfasserin nicht nach seinem vollen Verdienst würdigt, vielleicht von dem schönen Schein Canova's bestochen —, die so äußerst anziehenden Ausflüchte in die Gebirge Latiums, in welchen sie für einen völlig classischen Führer gelten kann, und die mit einem Reiz beschrieben sind, der vielleicht für das vorbehaltene Eigenthum einer weiblichen Feder gelten muß. Der spätern Zeit (von 1807) gehört der vortreffliche Aufsatz über die malaria und die aria cattiva an, welche durchaus nicht zu verwechseln sind und welcher das Ueberzeugendste und Befriedigendste darbietet, was wir über diesen schwierigen Gegenstand kennen. Zum Schluß kommt Alles darauf hinaus, daß in Rom nur der gepflasterte Boden völlig gesund und unverdächtig ist, daß die offenen Seiten der Hügel, welche nach der Campagna blicken, in dem Maße gefährlicher sind, je offener sie werden, und daß der Fremde gesicherter ist als der Eingeborene, der Kränkliche mehr als der Gesunde.

An jede Stelle, die sie besucht, weiß die Verfasserin eine historische Erinnerung zu knüpfen; die alte Geschichte ist ihrem Geiste und mehr noch ihrem Gefühle beständig gegenwärtig.

Auf der Treppe der Sca.-Scala ward erbärmlich gerutscht. O Anbetung im Geist und in der Wahrheit, wann wirst du in Rom erscheinen?... Allein hier ward Marc Aurel geboren, er, der werth gewesen wäre, ein Christ zu sein, dessen reine und große Seele Gott angebetet hätte im Geist, dessen Herz selbst durch die steinerne Apathie der Stoa nicht verhärtet wurde.

Ueber Canova sagt sie:

Canova kam Abends traulich mit uns Thee zu trinken. Er hat gleich viel Freude an uns Dreien. Meine Art, Kunstwerke zu sehen, hat mich ihm empfohlen. Canova's Wesen spricht stille Tiefe aus. Er ist gefühl- und geistvoll, mit Würde bescheiden und unendlich angenehm. Kein übertriebenes Lob, nicht Bände von Sonetten, Madrigalen, Stanzen und Canzonen haben ihn aus seiner naiven Anspruchslosigkeit heraussingen können. Er malt zuweilen mit dem Meißel, wie Mengs mit dem Pinsel meißelte. Es ist Misbrauch des Talents, den Marmor, so zu sagen, biegen zu wollen, denn in diesen überweichen Gliedern sind keine Knochen, und man fürchtet, de les voir s'affaisser.

Dies treffende Urtheil ist von der strengen Kunstkritik längst unterschrieben worden. Ueber Angelica Kaufmann sagt die Verfasserin:

Was sie Treffliches geleistet, ist unnachahmlich; sie selbst hat Niemand nachgeahmt; aus dem tiefsten Verfall der Kunst hat sie sich selbständig aufgerichtet. Reichthum an bildungsfähigen, leicht faßlichen und darstellbaren Künstlerideen, eine Phantasie, die nur im Reiche des Edeln und Zartschönen waltet, und unberechenbare Grazie bilden ihre Vorzüge. Ihre Zeichnung ist ohne auffallende Fehler, wenn auch etwas weiblich-schüchtern, ihre Draperie voll Anmuth, ihre landschaftlichen Beiwerke oft dichterisch.

In solchen Urtheilen belegt die Verf. ihren Beruf zur Kunstkritik, und wir stoßen auf kein Urtheil in diesem Buche, das nicht von einer Seite her wenigstens treffend zu nennen wäre. Von ihrer antiken Belesenheit zeugt die Reise in Latium und Stellen wie S. 155:

Bis hierher — in den Garten Barberini, welcher die Stelle des alten Tempels der Glücksgöttin von Präneste einnimmt — kam Pyrrhus der Kühne; von hieraus hat Hannibal's Adlerblick über Rom geschwebt. Hierher zogen sich die 500 getreuen Pränestiner nach der glorreichen Vertheidigung von Casilinum zurück. Hierher reiste August in zwei kleinen Tagereisen; hier starb Marius, der Sohn; hier wüthete Sylla; hier las Horaz seinen Homer; hier wohnte der geliebte Marc Aurel und — jetzt das Elend, und in einem verwilderten Garten, in welchem Bäume umhauen und Bäume verschneiden die einzigen Spuren von Cultur sind — ein Bild sittlicher Verwilderung.

Von ihrer Fähigkeit der Schilderung, der Wärme und Lebendigkeit ihrer Bilder zeugen hundert Stellen in der lateinischen Reise, welche in dieser Beziehung durchweg meisterhaft zu nennen ist und die dem bekannten Gemälde Waiblinger's von dieser Landschaft in keinem Punkte nachsteht.

Die letzte Hälfte des zweiten Theils ist den Erinnerungen von 1807 gewidmet, in welchen Bonstetten, Oehlenschläger, Karoline von Humboldt und ihr Gatte zu den uns nun schon vertrauten Gestalten noch hinzutreten. In diesen Abschnitten ist von römischer Geselligkeit, jedoch vorzugsweise von der der Fremden in Rom, viel die Rede. Hier aber wird eine gewisse Ermattung der Empfindung bemerkbar, unstreitig die Wirkung lange anhaltender Kränklichkeit und tiefer sinkender Lebenskräfte. Nur die Schilderung des alten Aricias, das mit Reinhardt besucht wird, läßt noch einmal (1809) die vorige Kraft der Landschaftmalerei und die ehemalige Begeisterung für Natur und Kunstschönheit durchblicken. Wen aber sollte auch Nemi und Genzano, Aricia und der albanische Zaubersee nicht begeistern? Den Beschluß machen einzelne Sommerscenen aus Rom — die Ueberschwemmung der Piazza Navona z. B., und endlich Briefe von Freunden aus Rom an die Verf., von Karoline v. Humboldt und Keller, die bis zum Jahr 1829 hinaufreichen und von einzelnen anziehenden Entdeckungen Bericht geben.

So schließen diese römischen Erinnerungen, an deren Reiz die Persönlichkeit der Verf. und der darin geschilderten Personen einen nicht geringen Antheil haben mag, die jedoch, hiervon auch abgesehen, ihren bleibenden Werth und ihr dauerndes Verdienst geltend machen. Sie beleuchten das römische Künstlerleben durch einen Zeitraum von mehr als 30 Jahren und sind Dem hülfreich, ja fast unentbehrlich, der hierüber zur Uebersicht und klaren Anschauung gelangen will. Von ihren individuellen Vorzügen, von dem stillen Reiz dieser Lecture haben wir genug zur Ueberzeugung, doch beiweitem nicht genug für unsere eigne Befriedigung gesagt. 39.

Byron über Liebe.

Eines Tages erzählte Byron der Gräfin Blessington, er habe bei einem französischen Schriftsteller einen Gedanken gefunden, welcher ihm vieles Vergnügen mache, und den er für ebenso originell als wahr halte. Er führte die Stelle darauf an: „La curiosité est suicide de sa nature, et l'amour n'est que la curiosité." Lachend und sich die Hände reibend setzte er hinzu: „Ja, ja, der Franzos hat Recht. Neugier tödtet sich selbst und Liebe ist nur Neugier, wie ihr Ausgang beweist." Lady B. bemerkte darauf, daß er vergeblich Das zu glauben affectire, was er gesagt habe, und daß sie zu viel von ihm halte, um seine Worte ernsthaft zu nehmen. „Sie müssen aber doch auf jeden Fall zugeben", fuhr der Lord fort, „daß die Liebe die eigennützigste aller Leidenschaften ist. Sie beginnt, besteht und endigt in Selbstsucht. Wer denkt wol getrennt vom eignen Glück an das des geliebten Gegenstandes, oder achtet darauf! Während der Dauer der Leidenschaft wünscht der Liebende die Geliebte glücklich, weil der entgegengesetzte Fall seiner Wonne Eintrag thun würde. Jener französische Autor kannte die Menschen vortrefflich, der sie mit dem Großtürken in der Oper vergleicht, welcher seine Sultanin wegen einer andern verläßt und der Weinenden auf ihre Thränen erwidert: Verbirg deinen Kummer und respectire mein Vergnügen. Das ist eine nur allzu treffende Satire auf die Männer, denn ist's mit der Liebe vorbei:

Ein paar Jahr älter,
Ach! wie viel kälter
Im Aug' behält er
Die vormals Ersehnte!

Verlassen Sie sich darauf, meine Knüttelverse enthalten mehr Wahrheit wie die meisten, welche ich geschrieben habe. Ich hörte behaupten, daß Liebe nie ohne Eifersucht sei; ist das so, dann beweist es, daß sie im Egoismus wurzelt, denn nun und nimmermehr entspringt Eifersucht aus einer andern Quelle. Wir sehen das von uns geliebte Wesen in der Gesellschaft eines Andern vergnügt, und wollen sie bei uns lieber traurig wissen, als ihr jenen Genuß erlauben. Ist das nicht egoistisch? Und woher kommt es denn, daß Verliebte anfangs nur miteinander glücklich sind? Daher, daß ihr beiderseitiger Egoismus und ihre Schmeicheleien der Eitelkeit zusagen. Sie finden diesen Genuß nirgend anders, und werden von ihm aneinander gefesselt. Haben sie sich genauer kennen lernen und sind ihre Schmeichelworte erschöpft, ohne daß sie eine neue Täuschung zu Hülfe rufen, oder nur die alte verlängern können, so suchen sie einander nicht mehr vorzugsweise auf. Die Gewohnheit führt sie jetzt zusammen und sie schleppen eine Beiden lästige Kette, die aber häufig keins von Beiden den Muth hat zu brechen. Glauben Sie mir, die einzige beständige Liebe ist die Eigenliebe, und Widerwärtigkeiten, welche sie treffen, machen einen dauerndern Eindruck wie alle andern." 3.

Die „Zeitung für die elegante Welt" enthält in Nr. 160 als Correspondenz folgenden, „Brockhausiana" (!) überschriebenen Artikel:

Bei der Betrachtung der gesammten deutschen Journalistik würde Leipzig und mithin Sachsen eine verhältnißmäßig untergeordnete Rolle spielen. Wir würden zu wenig vertreten sein, wenn wir unsern kritischen Einfluß mit dem Süddeutschlands, Berlins, Hamburgs abwägen wollten. Doch dürfte es immer vorzüglicher sein, in literarischen Verhältnissen, wo es sich nicht um Handhabung kritischer Rechte handelt, sondern wo es Jedem frei steht, zu schweigen oder nicht, wenig Stimme zu haben, als eine Einwirkung auf den kritischen Gesammtzustand zu äußern, die an sich einseitig ist und in der Art, wie sie sich geltend macht, verderbenbringend auf das Ganze wirkt. Und doch kann ich diese Anschuldigung nicht zurückhalten, denn einen Alp nehme ich vielen deutschen Autoren und Lesern von der Brust,

und die Ehre erfodert, daß — — — *) der norddeutschen Literatur bei uns frühzeitig gerügt — — — werde, damit die Süddeutschen nicht zuerst zornentbrannt ihre Locken schütteln. Ich wette, schon lange schaut der Leu von Stuttgart unwirsch mit unverwandtem Auge nach dem leipziger Ungethüm und läßt sich durch die hingeworfenen Bissen biographischer Lobhudeleien nicht irre machen. Hoffentlich bin ich verstanden worden, ich meine die Blätter für literarische Unterhaltung, redigirt von der Firma Brockhaus. Der Name Brockhaus hat einen guten Klang in der deutschen Buchhändlergeschichte, und die Würdigung der Verdienste der noch lebenden Gebrüder bleibt einem Urtheile über unsern Buchhandel vorbehalten. Das Gute, das man ihnen verdankt, wird durch die Uebel, die sie der Literatur zugefügt, ziemlich paralysirt. Ich gedenke hier anderer Unternehmungen nicht, bei denen der mercantilische Vortheil nach den veränderten politischen Verhältnissen ein allzu großes Schwanken bewirkte, ich müßte da die Männer angreifen, die sich a's Windfahnen brauchen ließen. Jetzt gilt es, das Unwesen der literarischen Blätter zu rügen, die von denselben Handelsleuten verlegt und redigirt werden. Ich halte es nicht für unrühmlich, auch namenlos gegen die Unbilden, die unser literarisches Gemeinwesen erdulden muß, zu kämpfen, nicht um mir durch diese negativen Verdienste einen Namen zu suchen, sondern um durch die Probe literarischer Ehrlichkeit und Offenheit ein öffentliches Vertrauen zu gründen. Wie viele deutsche Schriftsteller sind indignirt über das unwürdige Treiben, sie haben es längst durchschaut — was zaudern sie, vor das Publicum zu treten mit ihrer Verrinischen Rede? Es mag nicht Furcht sein, persönliche Vortheile zu opfern, ein solcher Verdacht trifft die größere Menge nie, aber Scheu ist es, die Meinung frei zu äußern, und Furcht, in dergleichen Fehde von jedem Anonymus — zu werden. Ein Feind literarischer Händel, wie ich immer war, hoffte ich die Müllnerperiode durch unsere jungen höhern Interessen abgeschlossen. Man glaube aber nicht, daß darum jedwedem Falschen und Verkehrten die Thür geöffnet; nur die Waffe, die Art der Kriegführung ist eine andere, eine edlere geworden. Kampf wird sein, so lange der Irrthum waltet. Doch lehrt uns die neue Zeit, über die kleinen Seitentreffen der Zeitschriften die große Schlacht der Weltverhältnisse nicht zu vergessen, sich nicht zu geberden, als stände Deutschlands Wohl auf dem Spiele, wenn eine schlechte Zeitschrift mehr oder minder existire. In Blättern, wo Verleger und Redacteur in einer Person vereinigt sind, wie in obengenannten Brockhaus'schen, wird das Ganze nur von dem Triebrade persönlicher Gunst und mercantilischer Interessen in Bewegung gesetzt, daß es keiner Auseinandersetzung bedarf, wie nachtheilig die Verbreitung einer solchen Kritik auf den Zustand unserer Literatur wirken müsse. In den meisten Beurtheilungen herrscht nur ein unfreundliches Coteriewesen. Es findet sich unter vielem Gewöhnlichen und Schlechten ebenso oft Geistreiches und Tüchtiges, aber das Meiste verdankt einer Clique seine Entstehung, die in Berlin ihren Sitz aufgeschlagen und in Dresden und Leipzig wohlbekannte Filiale hat. Die alten bekannten Gesichter des Freimüthigen begegnen uns in Chiffern maskirt. Ludwig Tieck's Sprößling, Alexis, mit der weiten Ruhmen- und Vetterschaft urtheilt über die Herren Poeten und Schriftsteller, und der Politik weist der sanfte Herr von Raumer die ebene Reformstraße an. Was sehr abweicht von dieser Musterkarte, ist des Tadels gewärtig. Ein keckes Abschweifen aber, ein Ultraismus auch der bedeutendsten, poetischsten Männer wird entweder ignorirt oder — — — nach Schulmanier herabgewürdigt und in schülerhaften Aufsätzen aus englischen Zeitschriften mit übersetzt zu Boden gestampft. Dem Heine lassen sie kaum Anerkennung geben, und doch verdammen sie ihn nicht völlig, denn der gute Willibald liebt ihn doch. Wüßten sie nur, wie er sie in einer gewissen Vorrede bedient habe, sie würden genug haben, sie würden ihn völlig zu vernichten drohen. Aber Börne, jener grimme Börne, der die Zeitschrift mit einem besondern Ehrentitel zu belegen sich bewogen fühlte, wird in gelindem Fegefeuer langweiliger Schmähartikel dem Publicum vertrieben. Man mag über solche Köpfe urtheilen, wie man will, aber es ist der Nation unwürdig, wenn sie zuläßt, daß — — — — — — — — — — — — — — die verfolgte Vaterlandsliebe mit Füßen trete, ohne nur einen Sinn für die poetische Größe und productive Kraft des Einen oder des Andern zu besitzen. Und nicht diese Zugführer, sondern viele Männer der Linie schätzen sie in einseitiger Arroganz nur darum mehr oder weniger gering, weil sie nicht nach dem beliebten Takte pfeifen mögen. Sie desavouiren das Schöne nicht völlig, aber sie würdigen es nicht gebührendermaßen. Ein fester Kreis von Männern hat sich gebildet, die eben über gewisse Punkte einig wenig in ihren Urtheilen decliniren. — — — — —
— — — — — — — — — — — — — —
— — — — — — — — — — — — — —
— — — — — — — — — — — — — —
— — — — — — — — — — — — — —
— — — — — — — — — — — — — —
— — — — — — — — — — — — — —
— — — — — — — — — — — — — —
— — — — — — — — — — — — — —
— — — — — — — — — — — — — —
—. Das ist eine prosaische Andeutung, um das Publicum zu warnen, den dortigen Stimmen unvorsichtig Gehör zu schenken. Gefährliche Schriften für junge Leute, verführerisch, hört ihr! Wahr zu sein und eine leidenschaftslose Sprache zu reden, war meine Absicht, doch ist es wahrscheinlich, daß, wenn Alles fruchtlos gewesen, und Niemand die gute Sache verficht, ich mich baldigst anschicke, einen stärkern Bogen zu spannen. Ein niederschlagendes Gefühl übermannt mich, wenn ich — — — — durchdenke. In Frankreich wäre schon längst durch ein Manifest der besten Schriftsteller im Volke öffentlich protestirt worden.

G. S.

*) Die durch Striche bezeichneten Stellen sind Censurlücken der „Zeitung für die elegante Welt“.

Wir hielten uns für verpflichtet, unsern Mitarbeitern und Lesern diesen Artikel mitzutheilen, der freilich durch die Censur, ganz gegen unsern Wunsch, viele Kraftausdrücke eingebüßt hat; aber wir würden uns zu entehren glauben, wenn wir uns gegen diesen Ausfall irgend vertheidigten. Wir sind uns eines redlichen Strebens bewußt, der Theil des Publicums, an dessen Urtheil uns überhaupt gelegen sein kann, erkennt dieses an, und so werden wir, unbekümmert um solches Geschrei, unsern Weg fortwandeln. Charakteristisch für den Verfasser, Herrn Gustav Schlesier, dürfte nachstehender Brief desselben vom 11. Mai 1833 sein:

Ew. Wohlgeboren,

Beiliegende Recension habe ich die Ehre Ihnen als Einleitung zu Beiträgen für die Blätter für litterarische Unterhaltung zu übersenden. Findet Selbige Ihren Beifall, so ersuche ich Sie mir neue Bücher philosophischen, staatswissenschaftlichen, politischen wie poetisch-litterarischen Inhalts zu überschicken. Die Aufnahme der Recensionen von Büchern, welche das Zeitinteresse ansprechen, wünschte ich beschleunigt. Ich behalte mir die Ehre vor, mich Ihnen gelegentlichst vorstellen zu lassen, und verharre mit Hochachtung

Ew. Wohlgeboren
ergebenster Gustav Schlesier.

Leipzig, den 11. Mai 1833.

N. S. Ich wohne Place de répos, vier Treppen, bei Mad. Ettler.

Den in diesem Schreiben erwähnten Aufsatz sandten wir, da er nicht für die Bl. geeignet schien, zurück.

D. Red.

Redigirt unter Verantwortlichkeit der Verlagshandlung: F. A. Brockhaus in Leipzig.

Blätter für literarische Unterhaltung.

Donnerstag, —— Nr. 241. —— 29. August 1833.

Skizzen aus England.

Von J. B. Adelan.*)

3. Aberglauben.

In dem westlichen Theile von England, namentlich in den unbesuchtern Thälern von Wales und die wilden Küsten entlang gehen noch die wunderbarsten Sagen von Feen, Elfen, von Gespensterschiffen, welche Unfälle zur See verkünden, und von verborgenen Schätzen, welche von Kobolden bewacht werden. Die Treuherzigkeit und Gläubigkeit, mit welcher man das wildeste Märchen erzählt und anhört, setzen den Reisenden in Erstaunen. Folgende Erzählung habe ich mit mannichfachen Veränderungen mehrmals gehört.

Einen Theil der Cardiganbai und die schöne Scenerie umher überschauen heute noch die Ruinen eines niedergebrannten Pachterhauses, auf einer ansehnlichen Höhe des terrassenförmig sich hebenden Strandes gelegen —, schwarzes Gemäuer, von Eulen bewohnt, von dem Sturm durchheult, nur im höchsten Nothfall der nächtliche Aufenthalt eines versprengten Zigeunertrupps oder eines verirrten Hirten.

Dieses Haus hatte Thomas Llanlyn inne, eine ehrliche, gute Haut, wie nur eine in der Umgegend Butter nach Aberystwith lieferte. Seine Frau war ebenso hitzig als er kaltblütig, und die Nachbarn wollten sein stetes Hantiren und Schaffen auf den Feldern nicht sowol seiner Arbeitslust als dem Wunsche anheimgeben, seinen Tag in Frieden und fern von der zanksüchtigen Ehegenossin hinzubringen. Wie dem auch sei, die Frau gebar einen wunderschönen Knaben, und Thomas blieb volle acht Tage in seinen vier Wänden und freute sich eines bisher noch nicht gekannten Glückes. Seine etwas geschwächte Ehehälfte erholte sich indessen wieder, und der erste Beweis der wiederkehrenden Kräfte war ein nicht sehr zierlicher Holzschuh, der bei einer gewissen, uns nicht bekannten Gelegenheit an den Kopf des guten, in seinem Glücke schwelgenden Thomas flog; — eine Flut von Scheltworten folgte, und Thomas verließ die Wiege und ging bitterlich weinend in das Feld hinaus.

Als er Abends nach Hause kam, fand er seine Frau in Thränen. Er hatte sie nie weinen gesehen. Ihr Auge war fast wahnsinnig grell, auf die Wiege gerichtet: statt des wunderholden Knaben lag ein häßlicher Wechselbalg darin — das ganze Scheusal war fast nichts als Kopf, und der ganze Kopf fast nichts als Mund oder Rachen, oder wie man es nennen will. Thomas sah, wie zerknirscht seine Frau war; er machte ihr keine Vorwürfe, sondern tröstete sie und verwies sie auf das Walten des Himmels, dessen Hand hier sichtbar sei. Der Friede des Hauses ist seitdem nicht mehr gestört worden. Nach einem Jahre ward Thomas abermals Vater eines schönen Knaben, und der Sprößling des Friedens gedieh ebenso hold, als der Wechselbalg täglich scheußlicher, mürrischer und boshafter wurde. Er lag, zusammengerollt wie ein Igel, in der Kaminecke und murrte und knurrte und brummte und summte vom Morgen bis in die Nacht; nie war er aber lauter, als wenn Thomas mit seiner Frau betete; er heulte und schrie dann so gräßlich, daß es den Donner der unten an die Felsen schlagenden Wellen übertönte.

Alljährlich einmal kam auf eine Woche aus Aberystwith ein lustiger, toller Geselle, ein Schneider, in den Pachthof herauf, um zu nähen und zu flicken, was in dem Hause zu nähen und zu flicken war. Da er durch sein Singen und Jubeln ebenso viel Lärm in das Haus brachte, wie das kleine Ungethüm durch sein Knurren und Schreien, so begab sich Thomas Llanlyn an seine Arbeit im Felde, und dessen Frau ging, ihren Säugling im Arme, in die Küche, in den Keller, in die Ställe, kurz überall hin, nur so selten als möglich in die Stube, wo der Schneider und der Wechselbalg waren.

Die kleine Ungestalt faßte sichtbar schnelle Zuneigung zu dem fröhlichen Nadelhelden. Wenn der Schneider ein lustiges Lied begann, schwieg jener bis zu dem letzten Laut und gab dann durch ein gewisses katzenartiges Schnurren seinen Beifall zu erkennen.

Als er nun einst ein sehr vergnügtes, nicht allzu sittliches Lied beginnen wollte, erhob sich der Kleine von der Erde und begann zum größten Schrecken des Schneiders folgendermaßen zu sprechen: „Höre, Zuckermännchen, gehe doch an den Schrank dort in der Ecke und nimm ein Ei heraus, du wohlgezogene Nadelbüchse, und lege es in die Asche für mich, oder ich schreie so laut, daß du drei Tage taub wirst.“

„Kannst du sprechen, du liebliches Püppchen?“ fragte

*) Vgl. Nr. 198 und 199 d. Bl. D. Red.

der Schneider, der sich allmälig von seiner Angst erholte; „hab' ich es doch sogleich gedacht, du seist nicht auf dem Acker meines Freundes Thomas Llanlyn gewachsen. Aber höre nur, du Mädlichkeit? Keinen Nagel breit weiche ich von meinem bequemen Sitze hier, wenn du mir nicht sagst, wer du bist und woher du kommst, denn ich bin überzeugt, daß es mit dir kein natürliches Bewandtniß hat."

„Du hast nie ein wahreres Wort gesagt, Ritter von der Schere", versetzte das Ungethüm; „denn ich bin aus dem Elfengeschlecht und von unserm König hierhergesendet, um das Volk in dem Hause hier zu strafen, und — ich will dir es nur gestehen, ich war auch nicht ganz so, wie ich hätte sein sollen, und da schlug unser König zwei Fliegen mit Einer Klappe. Aber mit dem nächsten Vollmond ist meine Strafzeit überstanden, und dann darf ich zurückkehren und wieder mit den Meinigen auf dem grünen Anger um die Hubertslinde tanzen."

„Gut", sagte der Schneider, „und wo und wann wurdest du geboren?"

„Pah, Mensch, was schwatzest du? Ich bin nie geboren worden — ich war einst ein so zierlich geflügelter Engel, wie man nur einen sehen konnte, und so schön, so gut und glücklich, als der Tag lang war; da entstand ein schrecklicher Krieg, denn Die, welche jetzt Teufel sind, empörten sich und wurden gestürzt und fielen köpflings tief in die Hölle hinab. Ich und alle die Meinigen wir nahmen keinen thätigen Antheil an dem Kampfe, wir hielten es weder mit Gott noch mit dem Teufel; und da wir weder gut noch schlecht, noch dies noch jenes waren, wurden wir verstoßen, verbannt, oder wie du es nennen willst; wir kamen nicht in die Hölle, sondern sollten uns hier auf- und niedertreiben durch die Welt, bald des Guten, bald des Bösen wegen, bald fröhlich, bald traurig, bis zu dem Tage des Gerichts; und ich fürchte, wenn wir uns nicht bessern, werden wir zuletzt Alle sammt und sonders in die Hölle geworfen. Doch nichts mehr davon, mein guter Lappendieb, denn es ist ein betrübter Gegenstand. Du bist ein guter, fröhlicher, leidlicher Gesell und weißt, wie man ein Ei schmackhaft bereitet, und so komm zu mir unter die Hubertslinde in der ersten Vollmondnacht, und ich will sehen, ob ich dein Glück machen kann."

Die Woche vor dem Vollmond hörte man den Kleinen nicht mehr brummen und schreien; er nahm keine Speise und keinen Trank mehr zu sich, und eines Morgens fand man ihn kalt und steif in seiner Wiege ausgestreckt. Thomas und seine Frau waren nicht sehr betrübt, ein Wesen loszuwerden, das sie als eine Strafe und als eine Schmach betrachteten, und Thomas nahm leichten Herzens das unheimliche Geschöpf unter seinen Arm, trug es auf den nächsten Kirchhof und scharrte es an der nördlichen Seite der Mauer ein, wohin nie ein Strahl der Sonne fällt.

Zwanzigmal des Tages überlegte es der Schneider bei sich hin und her, ob er in der Vollmondnacht zu der Hubertslinde gehen sollte oder nicht; Neugier und Gewissensangst warfen ihn von einer Seite zu der andern. Wie der Mensch war, läßt es sich denken, daß die Neugier doch endlich den Sieg davontrug. So ging er denn, von dem vollen Mond umglänzt, zur bestimmten Zeit hinaus auf den grünen Anger, auf dem die Linde stand. Als er unter dem schönen Baum nicht ohne große Herzensangst hinging, fühlte er etwas von den Zweigen des Baumes auf seine Schulter fallen, und wie er hinschaute, sah er das niedlichste Herrchen von der Welt wie einen alten Bekannten dort sitzen.

„Es freut mich, Schneiderchen, daß du gekommen bist. Du sollst dich überzeugen, daß die Elfen ihr Wort halten. Folge mir jetzt. Vor allen Dingen aber nimm diesen Schwamm in deine linke Hand; er wird dich, so lange du ihn hältst, so leicht, so dünn und klein machen, wie ich selbst bin. Und noch eins — wenn dir dein Leben lieb ist, so sprich den Namen Gottes nicht aus und denke nicht daran, ein Vaterunser zu beten; man liebt dergleichen einmal nicht in unserm Bereiche."

Da der Schneider einmal so weit gegangen war, dachte er, er wollte die Sache bis an das Ende treiben, und so nahm er den Schwamm, und in einem Nu wurde er klein — klein — kleiner als ein Kegel, und er konnte sich nicht genug wundern, daß er trotz der Kürze seiner Beine schnell wie ein Gedanke vorwärts kam. Mit Windeseile ging es die Meeresküste entlang, bis sie zu dem Felsenthor kamen, das in das Reich der Elfen führt. Hier nahm der kleine Herr einen Schlüssel aus seinem Westentäschchen, steckte ihn in das Schlüsselloch, und ehe Einer Amen sagen kann, waren sie in dem schönsten Palast von der Welt. König Salomon und König David hatten kein solches Hausgeräthe, keinen solchen Reichthum in ihren Gemächern und Küchen.

„Und nun, Schneiderlein", sagte der kleine Elfe zu dem verblüfften Gefährten, „brauchst du vielleicht etwas Geld?"

„Ach", rief der Schneider, „ach, du lieber G—, ich will sagen, Blitz und alle Wetter, was fragst du lange? Du weißt, daß ich arm bin wie eine Kirchenmaus."

„Gut, dann komm mit mir und fülle deine Taschen, so viel in sie geht."

Sie gingen einen von riesengroßen Glühwürmern erleuchteten Gang hinab und kamen an ein großes Thor, das mit Eisengittern vermacht war. Der kleine Elfe berührte dieses Thor mit seinem Finger, es sprang auf, und sie traten in eine Art Gewölbe, in welchem große Kisten voll Gold standen.

„Jetzt eile dich, Schneiderchen, und fülle deine Taschen", sagte der Elfe.

Der Schneider ließ sich dies nicht zweimal sagen. Er stopfte die blanken Goldstücke in seine Taschen, daß diese bald strotzten, und als er nichts mehr unterzubringen wußte, rief er freudig aus: „Gott sei Dank, jetzt bin ich reich genug für alle Zeiten!"

Er hatte diese Worte kaum gesprochen, als ein wahrer Höllenlärm entstand: es schallte wie herabbrechendes Donnern, Wasserströme schienen durch die Felsen zu brechen, Pulverminen loszugehen, ein Prasseln wie Stein-

Mit dem ersten Schiffe ging er nach Newyork, wo er lebte und starb, und wo seine Kinder bis auf diesen Tag als reiche Leute leben.

(Der Beschluß folgt.)

Revisions-Rechtfertigungsschrift in Sachen des quiescirten Hofkapellmeisters Georg Sebastian Thomas in Darmstadt, Klägers, Revidenten, gegen S. k. H. den Großherzog zu Hessen und bei Rhein u. s. w., Beklagten, Revisen, wegen Pension, übergeben dem großherzoglich hessischen höchstpreißlichen Oberappellations- und Cassationsgerichte in Darmstadt. Heidelberg, Oßwald. 1833.

Der nunmehrige quiescirte Hofkapellmeister Thomas in Darmstadt war seit 1801 bei der großherzoglichen Hofkapelle daselbst erst als Accessist, dann in höhern Graden, zuletzt seit dem 10. Jan. 1830 als Hofkapellmeister mit 2200 Fl. jährlicher Besoldung angestellt. Diese Besoldung war auf die Hofkapellmusikkasse, also die Civilliste angewiesen. Am 4. April 1830 starb Großherzog Ludwig I., und am 31. Juli 1830 wurde er von der Generalintendanz der großh. Hofkapelle in Kenntniß gesetzt, daß der Großherzog Ludwig II. ihn mit einem Gnadengehalte von 1000 Fl. in Pensionstand gesetzt habe.

Eingereichte Vorstellung um Belassung im activen Dienste oder um Erhöhung der Pension war ohne allen Erfolg, und so sah sich Kapellmeister Thomas genöthigt, mit Bewilligung des Großherzogs am 12. April 1832 den Weg Rechtens gegen denselben beim Oberappellations- und Cassationsgerichte in Darmstadt zu betreten.

Ein Gutachten des heidelberger Spruchcollegiums hatte dem Kläger die Aussicht eröffnet, daß er nach der hessischen Verfassung, nach den hessischen Gesetzen und nach den Acten rechtlichen Anspruch darauf machen könne, nach dem Edicte vom 12. April 1820, der sogenannten Dienstpragmatik, behandelt zu werden, d. h. neun Zehntel seines bisherigen Gehalts als Pension zugewiesen zu bekommen.

Es versteht sich von selbst, daß eine genauere Erwägung der hier schwebenden Rechtsfragen nicht in den Kreis dieser Bl. gehört. Nur allgemeinere Andeutungen können hier an ihrem Platze sein.

Die Klage war gerichtet gegen den regierenden Großherzog als Inhaber der Civilliste und als Allodialerben seines Vaters, insofern Kapellmeister Thomas als Hofdiener betrachtet werde. Wolle man ihn aber als Staatsdiener ansehen, so werde der Großherzog als Staatsoberhaupt, in welchem alle Staatsgewalten sich vereinigen, ebenfalls in Anspruch genommen. Nach gepflogenen Verhandlungen erfolgte am 12. Febr. 1833 das Urtheil des höchsten Gerichtshofes, besagend, daß die Klage in erwähnter letzter Beziehung gegen den Hrn. Beklagten unzulässig, auch nicht beim zuständigen Gerichte (des Centralfiscus) angebracht, im Uebrigen aber, soweit sie gegen den Hrn. Beklagten wegen des Bezugs der Civilliste und in der Eigenschaft als Allodialerben des Großherzogs Ludwig's I. gerichtet wäre, als unbegründet abzuweisen sei unter Verurtheilung des Klägers in sämmtliche Kosten des Rechtsstreits.

Dagegen hat nun Kapellmeister Thomas das Rechtsmittel der Revision ergriffen. Ein sehr ungewisses Rechtsmittel; denn es besteht einzig darin, daß ganz derselbe Gerichtshof, blos mit Ausschluß des bisherigen Re- und Correferenten, und mit Bestellung neuer, wiederholt sich der Erwägung der Sache unterzieht. Beinahe blos dann also, wenn der frühere Entschluß nur durch schwankende Majorität gefaßt wurde, läßt sich eine Aenderung desselben in der Revisionsinstanz hoffen. Die Revision soll hier nur auf die Eigenschaft des Revidenten als Hofdieners gegen den Großherzog als Inhaber der Civilliste und als Erben des Großherzogs Ludwig I. gehen. Alle Rechte als Staatsdiener gegen den Centralfiscus behält Revident sich dabei vor.

In jener Hinsicht sucht der Revident darzuthun: daß der jetztregierende Großherzog der wahre Beklagte sei, da er die Civilliste beziehe, und da die bestehenden Hausgesetze und Verordnungen deutlich zu erkennen geben, daß der Nachfolger in der Regierung auch in die Allodialverlassenschaft seines Vorfahren allein succedire, wie auch dies der jetztregierende Großherzog im Jahre 1830 der Ständeversammlung officiell habe erklären lassen, und wogegen der Umstand rechtlich nichts ausrichten könne, daß der Großherzog aus freiem, gutem Willen die ihm angefallene Erbschaft mit seinen drei Brüdern getheilt haben solle. (Das in erster Instanz urtheilende Gericht hatte hierauf besondern Werth gelegt und gemeint, die Frage der ausschließlichen Allodialerben sei im Verhältnisse zu Dritten, zu vermeintlichen Erbschaftsgläubigern ganz irrelevant.) Für den äußersten Fall nehme jedoch Revident ein Viertel seines Anspruchs von dem Großherzoge mit geeignetem Vorbehalte gegen die übrigen Miterben in Anspruch.

Der Verfolg der Revisionsrechtfertigungsschrift sucht nun im Interesse des Revidenten darzustellen: den Begriff von Hofdiener, und zwar mit und ohne öffentlichen Charakter (Privatdiener); daß des Revidenten Beschäftigung unter die letztere Bezeichnung gefallen, und er nicht unter das großh. Hausgesinde zu versetzen sei; daß seine Anstellung eine lebenslängliche gewesen, obgleich im höchsten Patente dies nicht ausdrücklich sich bestimmt fände, es aber daraus hervorgehe, daß die Anstellung sich nicht auf die Lebensdauer des Regenten beschränke, oder überhaupt etwas über die Dauer des Vertrags enthalte. Man erfährt hierbei, daß alle vorgekommenen Pensionnirungen der Art früherhin mit Belassung des ganzen Gehalts vor sich gingen, was aber, nach Obigem, Revident nicht einmal für sich in Anspruch nimmt; wogegen er das Recht auf umfassende Pensionnirung als geschehen aus der Natur des Civilwitweninstituts und einigem andern dahin Gehörigen abzuleiten bemüht ist.

Soweit die andeutenden Auszüge. Das zu erwartende Urtheil in der Revisionsinstanz will Kapellmeister Thomas in öffentlichen Blättern bekannt machen. Wir wünschen ihm, daß er

Anlaß habe, sich darüber zu erfreuen. Insofern aber zwischen Rechtsansichten hindurch auch nothwendig politische Ansichten sich leicht geltend machen, so möchten letztere, was das höchste Tribunal betrifft, nicht grade zu den liberalen zu zählen sein, womit auch die öffentliche Meinung des Landes übereinstimmt. Beleg dafür ist u. A., daß gedachtes Tribunal den Satz aufstellt: „Es findet gegen den Souverain selbst in bürgerlichen Sachen keine Klage statt, weil die Gerichte seines Staats keine Jurisdiction über ihn haben", — eine Ansicht, die auf Blackstone fußt, aber nicht auf Klüber u. A. beruht, und womit insbesondere das östreichische Gesetzbuch, Theil 1, Hauptstück 1, §. 20, in einem löblichen Widerspruche sich befindet. 53.

Briefe aus Frankreich, oder das neue Frankreich und das neue Belgien. Ein Zeit- und Sittengemälde in belletristisch-artistischen Fresken und humoristisch-satirischen Briefen eines Reisenden. Von August Traxel. Erster Theil. Köln, Arend. 1833. Gr. 12. Preis für zwei Theile 1 Thlr. 12 Gr.

Dies Büchlein, das „dem edelsten Manne, dem unbescholtensten, redlichsten und besten Menschen, dem Weltbürger Lafayette, in Ehrfurcht und Liebe verehrungsvoll gewidmet" ist, trägt alle Fehler und Vorzüge einer politischen Modeschrift an sich, womit die ephemere Literatur der Tageswelt überhäuft wird. Bei dem etwas à la Börne legeren, schlumperichten und schnakischen Gedankengang immer noch hier und da ein Witzlein, als Pointe, viel Spreu und ein beiläufiges Körnchen. In unserm Verf. nehmen wir aber trotz aller Flüchtigkeit des Geredes und Geschwätzes einen festen Hinterhalt einer guten Gesinnung wahr, wie sich nachher belegen lassen wird. Das Büchlein hat schon, bevor es das Licht der Welt erblickte, als Manuscript also, Schicksale gehabt, die seine Verspätigung verschuldeten. Man betrachtete den Verf. von höherer Seite mit argwöhnischen Blicken, da einige seiner aus Köln nach Paris gesandten Privatbriefe zum Druck benutzt waren und man auf den Verdacht kam, Hr. Traxel sei der Verf. aller aus Preußen nach Frankreich geschriebenen Nachrichten und jedenfalls ein ganz fürchterlicher Mensch, wenn nicht gar ein Hoch- und Landesverräther, der in der Wolfsschlucht zu Hambach Freikugeln gießen half. So kam es, daß man seine Papiere zum Durchstöbern eine Zeit lang an sich behielt und sie erst später, als es das Interesse der in ihnen angeregten Gegenstände erheischen möchte, als unverdächtige den Händen des Autors zur beliebigen Verfügung anheimstellte.

Die Briefe an sich nun sind auf einer Reise von Aachen über Spaa, Verviers, Lüttich, Mecheln, Antwerpen, Brüssel, Valenciennes nach Paris verfaßt und nehmen fast ebenso sehr Gelegenheit, über historische Localitäten der durchreisten Gegenden, als über die Bagatellbegebenheiten des ephemeren Revolutions- und halben Unterjochungskrieges in Belgien Witz, Laune und ernsthafte Betrachtungen zu ergießen. Der Briefsteller schreibt in der Zeit, wo die Revolutionsmanie vom Westen und die Cholera als physische Ergänzung der Juliübelkeiten von Osten her auf den armen Deutschen, der, zwischen beiden gefangen, in der Angst nicht ein und nicht aus wußte, herüberdrohte. Um sich nun die Angst zu vertreiben, machte sich unser Autor blos eine kleine Bewegung durch diese Reise, ohne aus der beängstigenden Sphäre freilich herauszukommen; blos um sich zu bewegen, ohne sonstigen reellen Zweck, was bei Männern der Bewegung in unserm mit Gewalt thatkräftig sein wollenden siècle du mouvement auch im Großen nicht weiter auffallend erscheinen darf. Wo unser Cholera- und Politikflüchtling (nicht politische Flüchtling) still hält, um sich ein wenig Ruhe zu gönnen, da setzt er sich hin und macht — Witze. Daß bei dieser Absichtlichkeit oft schlechte, seltener schlagende zum Vorschein kommen, ist verzeihlich und natürlich, und Hr. Traxel kann sich in dieser Hinsicht mit dem verlaufenen Gil Blas von Santillana trösten, der ehrlicher als sonst geschieht, seine Witzmaxime offenbart, indem er sagt, er mache immerfort Witze und das Publicum vergäße bei dem ersten guten die neunundneunzig schlechten allemal. Trotzdem haben wir manche hübsche Körner gefunden und tischen unsern Lesern einige davon auf:

„Das Périer'sche Ministerium glich auf ein Haar dem Lügenbaron von Münchhausen. Es wollte sich grade sowie er an seinem eignem Zopf aus dem Sumpfe hervorarbeiten."

„Die Revolutionen in Europa waren doch etwas werth, sie haben die Schriftsteller vom Mährenschreiben und Theaterlobhudeln abgebracht."

„Um den pariser Pöbel zahm zu halten, muß man ihn behandeln wie die Kinder am Weihnachtsabend. Neben dem Geschenk muß auch die Ruthe liegen."

„Talleyrand ist es, der dem schiefsehenden (schielenden) Grafen Girardin auf die Frage: Wie gehen die Geschäfte? antwortete: Wie Sie sehen, General."

„Die Belgier haben sich bei Löwen wie Löwen geschlagen — um die Biertonnen des Generals d'Hoogvorst."

„Belgien ist ein schöner Gemüsegarten; der Bock ist zum Wächter gestellt."

„In Frankreich spielt das Volk Écarté: es möchte den König gern in der Hand haben."

„Die moderne Freiheit ist in dem Weltdrama, was Mephistopheles in Göthe's Faust unter den zechenden Studenten. Er macht sie berauscht und dann sagt er: Irrthum, laß los der Augen Band und merkt euch wie der Teufel spaße."

„Figaro sagte vor nicht langer Zeit einmal, die Franzosen spielten in Belgien Komödie. Das ist wahr, sie haben so gut gespielt, daß die Kritiker ihnen sogar Beifall schenkten und sie am Ende — herausriefen."

„Das juste milieu kennt die Farbenlehre. Es geht aus dem Blauen ins Rothe und aus dem Rothen ins Weiße. Das heißt: Frankreich wird einmal wieder zur alten Dynastie zurückkehren."

„In Paris gibt's zwei Théâtres des variétés. Das eine davon ist der Palast der Tuilerien." 151.

Notiz.

Sporting papers.

„Solltest du, günstiger Leser, nicht zu den Geweihten gehören, so wollen wir zu deiner Erbauung und Nachachtung beschreiben, was ein sporting paper ist", heißt es im Text zu Cruikshank's „Sunday in London" —; „Ein sporting paper erscheint nur Sonntags und bezeichnet sehr passend alle religiöse Beobachtung des Sabbaths als Spott und Betrug, sowie alle Policeibeamten als Pestbeulen und Pfaffen; dagegen nimmt es Alfanzereien, Weinhäuser und dergl. in Schutz und befördert den künstlichen Ausdruck. Es berichtet über die Genealogie von Preiskämpfern und Bullenbeißern, erzählt von ihren Thaten und den auf sie gemachten Wetten, sowie von den außerordentlichen Leistungen, zu welchen berühmte Rosse durch Peitsche und blutige Sporen gebracht wurden. Es zählt ferner die Zahl der Schüsse und der durch den tapfern Meisen- und Sperlingsklub zum rothen Haus in Battersea-Fields getödteten Vögel auf, zeigt sämmtliche Stierhetzen, Dachs- und Entenjagden mit allen Nebenumständen an, entscheidet über streitige Wett- und Spielschulden und beschäftigt sich mit Allem, was sporting characters, d. h. Raufbolde, Spieler und Gauner interessiren kann." 5.

Redigirt unter Verantwortlichkeit der Verlagshandlung: F. A. Brockhaus in Leipzig.

Blätter für literarische Unterhaltung.

Freitag, —— Nr. 242. —— 30. August 1833.

Skizzen aus England.

Von J. B. Adrian.

(Beschluß aus Nr. 241.)

4. London im Mai.

Die Festlichkeiten, die Lust, die Spiele, welche sonst der Mai den Londnern brachte, sind wie vieles Gute veraltet, und man spricht kaum noch von den Freuden, welche mit den sich öffnenden Kelchen der Blumen und mit dem sprossenden Grase hier einzogen. Nennt man mir das Fest der Kaminfeger? Wer dieses langweilige Vergnügen mit angesehen hat, wird zugeben, daß es den Zuschauer in eine Stimmung versetzt, welche der gleichkommt, wenn man einen zerlumpten, kranken, heisern Bänkelsänger ein fröhliches Lied singen hört. Die armen kleinen Bursche, deren Aeffereien und Späße dieses Fest ausmachen, sind die Parias von London. Alle Welt betrachtet sie als den Auswurf der menschlichen Gesellschaft. Die Waisenhauskinder preisen ihr Loos, wenn sie sich mit diesen Unglücklichen vergleichen, und die kleine Bettlerbrut, welche einen lahmen oder blinden angeblichen Vater oder Großvater durch die Straßen führt, ist viel zu stolz, um mit einem Kaminfegerjungen das Grübchenspiel zu spielen. Doch fühlen sie sich am ersten Mai ein wenig, denn ein Heer zerlumpter Rangen, welche sie gestern kaum von der Seite ansahen und die Nasen über sie rümpften, folgt ihnen heute auf den Fersen und jubelt ihnen zu und läßt sich aus Rücksicht ihrer augenblicklichen Auszeichnung so weit herab, einige von ihnen als seine guten Bekannten anzuerkennen und sich zu erinnern, daß sie „am letzten Mittwoch" mit einem der jetzt in prunkendem Wamms und den hübschen Hosen daherstolzierenden Herrchen Marmorkugeln gespielt hat.*)

Die hammersmither Kutscher thun sich heute viel zu gut auf die schönen Blumensträuße, welche ihnen die Schenkmädchen in den 15 Wirthshäusern, an denen sie von Kensington Gravel Pits bis nach St.-Paul's anhalten, auf die Hüte stecken! Welche Koketterie sie mit diesen Blumen treiben, diese modernen Phöbusse, auf ihren hohen Kutschensitzen!

London ist jetzt voller Leben, voller Lust! Die schöne Bondstreet zeigt sich in ihrer ganzen Herrlichkeit: offene Wagen mit reizenden, wonnig blickenden Damen besetzt, schöne, geputzte Fußgängerinnen, liebliche Kinder, Blumen in den Händen, Vergißmeinnicht in den Augen, Rosen auf den Wangen.

In den Theatern beginnen die Benefizvorstellungen. Alles, was vornehm ist und vornehm sein will, überläßt dem an solche Freuden weniger gewöhnten Mittelstande den Raum und sucht andere Vergnügungen.

Die ersten Stände mischen sich auf dem Strand in das Gewühl der lauten, geschäftigen Menge; ihre Wagen, ihre Pferde sind ganz verblüfft, sich plötzlich in diesen unmodischen Regionen umherzutreiben. Alles eilt nach Somerset-House. Die Ausstellung ist hier geöffnet. Die Kunst muß gefördert und nebenher der Effect beachtet werden, den die Portraits der hohen Kunstgönnerinnen auf die Besucher der Ausstellung machen.

Ein verirrter Schmetterling flattert über den Köpfen der Fußgänger auf Ludgate-Hill dahin, und sie wundern sich, was dies zu bedeuten habe, und ihr Staunen kennt keine Grenzen, wenn sie auf Covent-Garden die Menge Blumen sehen, welche hier zum Verkauf ausgestellt sind. Wahrlich, schon Blumen — Blumen mitten im Winter; denn in London beginnt der Winter mit dem Anfang des Mais.

Der ehrliche Vetter vom Lande findet sich jetzt, wie er alljährlich zu thun pflegt, zu London ein, um die Merkwürdigkeiten der Hauptstadt zu sehen. Nachdem er so glücklich gewesen ist, sich in einer Seitengasse des Strandes eine Wohnung gesichert zu haben, glaubt er steif und fest, er wohne in dem Westende, in dem Modetheil der Stadt und sei von Herzögen und Lords umgeben. Er geht täglich mit exemplarischer Ausdauer die Parlamentsstraße auf und ab, und kehrt dann auf das Land zurück und erzählt von den Wundern, die er gesehen, und von den Fashionables, welche man ihm gezeigt hat.

*) Mrs. Montague vermißte der Sage nach jahrelang ihren einzigen Sohn und begann jeder Hoffnung, ihn wiederzusehen, zu entsagen, als man ihn in der rußigen Kleidung eines Kaminfegerjungen entdeckte. Von dieser Zeit an gab sie jährlich am 1. Mai allen Kaminfegerjungen der Stadt in ihrem glänzenden Hause am Portmansquare und dem daranstoßenden Garten ein reichliches Mahl, „damit sie sich doch eines glücklichen Tages im Jahr erfreuten". Diese Festlichkeiten in dem Montague-House haben seit dem Tode der Dame aufgehört, aber der erste Mai ist fortwährend der Fest- und Freudentag des kleinen rußigen Volkes.

Die Squares stehen jetzt in ihrem vollen Glanze. Welcher sammetne, frischgrüne Rasen! Welche duftige Blütenbäume! Welche Menge Blumen! Welche Scharen holder Kinder, die darin umhergaukeln! Die Parks endlich sind die lieblichste Nachahmung des Landes, die man in der Stadt nur finden kann. Der Hydepark ist es werth, daß man an einem Wochentage um fünf Uhr des Abends hingeht, wäre es auch nur, um zu sehen, wie Fußgänger und Reiter und Reiterinnen sich dort ergötzen. Aber Sonntags um vier Uhr! Nein, einen solchen Anblick findet man auf Erden nicht wieder. Der Greenpark ist Sonntag Nachmittags auch nicht zu verachten; die jungen Leute beiderlei Geschlechts, welche ihn in allen Richtungen durchirren, machen ihn, von fern gesehen, einer Aue ähnlich, welche ganz mit bewegten wilden Blumen übersäet ist. Und wenn es der Modewelt einfällt, den Kensingtongarten in ihren Schutz zu nehmen, so gewährt die große Allee, von dem Pavillon aus gesehen, einen ebenso lieblichen Anblick wie das beste von Watteau's Gemälden.

Opere di *Silvio Pellico da Saluzzo*. Erster Band. Padua 1831.

Der literarische Verkehr zwischen Deutschland und Italien ist noch immer sehr gering. Der erste jetzt lebende Tragiker der Italiener, Silvio Pellico, ist uns erst seit Kurzem und zwar nicht als solcher, sondern durch seine Leiden bekannt geworden, die er als Carbonaro in den Kerkern Mailands, Venedigs und des Spielbergs bestanden hat; wären die darüber von ihm in Turin erschienenen „Memorie“ *) nicht durch einen pariser Nachdruck schnell bekannt geworden, so würden wir vielleicht noch lange nichts von ihm erfahren haben. Und doch ist er ein Dichter, von dem die Minervagesellschaft, welche in Padua seine Werke herausgab, mit Recht sagen konnte: „Tale è la fecondità del suo ingegno e tale la bellezza del suo stile poetico, che impari sarebbe ogni encomio, che tributar gli volessimo“. Um so mehr freut es uns, das deutsche Publicum mit diesen Arbeiten etwas genauer bekannt zu machen, vielleicht dadurch einen Nachdruck zu veranlassen oder wol eine Uebersetzung herbeizuführen. Wir theilen zu dem Zwecke unsere Ansichten über die im ersten Bande, es sind deren drei, enthaltenen Trauerspiele mit, von denen jedes das obige Urtheil der Minervagesellschaft rechtfertigen wird. Die Handlung ist einfach, ohne von Episoden durchkreuzt zu sein, aber um so mehr spannt sie immerfort die Aufmerksamkeit, bis der Knoten, immer mehr und mehr geschürzt, auf ganz natürliche Art gelöst wird. Die Charaktere sind fest und sicher gezeichnet und treu gehalten. Die Situationen ergreifen, je überraschender sie sind, und die Sprache ist blühend, ohne je in Schwulst auszuarten. Sie hat nichts von Alfieri's Trockenheit, aber eine Kürze, die kein überflüssiges Wort finden läßt. Sein erstes und ältestes Stück, vor dem Jahre 1820 geschrieben, ist „Eufemio da Messina“. Eufemio, ein Sicilier, erbittert gegen seine Mitbürger, floh zu den Saracenen und reizte sie zum Einfalle in seine Insel (825—880). Der Vater hatte die von ihm geliebte Braut einem Andern geben wollen und sie, die dies nicht duldete, in ein Kloster zu gehen genöthigt. An der Spitze der Barbaren sucht Eufemio sie sich wieder zu gewinnen. Dies der Hauptgedanke. Vier Personen, außer den Comparsen, sind hinreichend, ihn ins Leben zu rufen und die Zeit von fünf Acten zu füllen: Der König Siciliens, Theodor, seine ins Kloster verbannte Tochter Ludovica, Eufemio, ihr Heißgeliebter, der Anführer der Saracenen und sein Vertrauter, Almanzor. Ein furchtbarer Kampf beginnt beim Aufziehen des Vorhanges. Die Sicilier sind geschlagen, von allen Seiten tauchen die Saracenen auf, sie zu verfolgen. Almanzor ist im Begriff, den König Theodor niederzustoßen, als Eufemio dazu kommt und ihm das Leben rettet, aber die Hand der Tochter verlangt.

— — I voti suoi tremendi
Per Ludovica proferì!

Eufemio, von Liebe zu ihr, von Haß gegen die ganze Insel entbrannt, sendet Almanzor in die Stadt Messina:

— — — Du schwörst ihr Untergang.
Wird nicht des Königs Tochter mir ins Lager!!,
Hergeführt!

Und wie soll Messina, wie soll die ganze Insel verwüstet werden:

— — Intera
Seminerò la vasta isola d'ossa
E di ruine, sì, che mai più aratro
Non la fecondi, ove negar si ardisca
L'unico don, ch'alla mia patria chieggo.

Den Vater, den König behält er inzwischen als Geißel. Actus! Im zweiten Act kommt Almanzor aus der Stadt zurück. Mit Mühe hatte ihm der Bischof gegen die wüthende Menge geschützt. Ludovica wird nicht ausgeliefert. Eufemio kämpft zwischen der Rache, die ihm die Liebe einathmet, und der Pflicht, die das Vaterland fodert. Theodor wird ihm vorgeführt. Er droht ihm, er bittet ihn, Ludovica in seine Arme zu liefern; nun steht der greise Fürst erschüttert da. Schon ist das Schwert gegen ihn gezückt, da öffnet sich Messinas Thor. Ludovica kommt heraus. Eufemio stürzt in ihre Arme, indeß der Vater sie verflucht! Wie ergreifend schließt der Act:

Te il Saracino esercito adunato,
Vegga e sultana al mio fianco t'adori.

ruft Eufemio der Halbtodten zu. Der dritte Act beginnt mit einer Zusammenkunft, welche Ludovica mit dem erbitterten Vater erbeten hat. Jetzt erfahren wir, warum sie aus Messina kam. Der christliche Fanatismus hatte sie auserwählt, eine Judith zu werden. Sie sollte den gefürchteten Feind Messinas ermorden, wenn er als Geliebter in ihren Armen entschlummerte. Ihr Schweigen, die Folge der Bestürzung war für Einwilligung genommen, und sich ihrer selbst nicht bewußt, war sie zum Thore hinausgeführt worden. Jetzt ist der Vater versöhnt, denn Eufemio erwartet sie, mit ihr vermählt zu werden und:

— — — — Ihn
— — zu sehen, ihn zu tödten
Sei dir ein Augenblick!.

Nur unter dieser Bedingung nimmt er seinen Fluch zurück. Der furchtbarste Sturm gegen Messina eröffnet den vierten Act. Die Stadt steht in Flammen. Der Verabredung gemäß, daß Eufemio von der neuen Judith ermordet und das Lager der Saracenen in voller Unordnung sei, hatten die Bürger einen Ausfall gethan. Doch die Liebe ließ jenen Meuchelmord nicht zu, Messina büßte es mit der Niederlage seiner Krieger. Ludovica, gepeinigt vom Gewissen, getrieben von Verzweiflung, daß sie das Vaterland hätte retten können, trifft auf dem Schlachtfelde den tödtlich verwundeten Vater, der sie nicht gleich kennt, der mit Schaudern erfährt, daß sie nicht den Gemahl ermordet hatte, der endlich von ihr und der Welt scheidet:

Una avvi al tuo delitto amenda:
Con quel sacro pugnal vendica, o figlia,
Il genitor, i cittadini, il culto.

Aufs Neue also steht Eufemio's Leben auf dem Spiel, denn halbwahnsinnig glaubt sie vom Schatten des gestorbenen Vaters umschwebt zu sein:

— Per la notturna aura, oh spavento!
Egli discende, e più terribil tuona
La voce sua. — Di quest' eccidar favelli?
T'intendo: Eufemio! I passi miei tu guida!

*) Deutsch übersetzt unter dem Titel: „Meine Gefangenschaft in den Kerkern zu Mailand rc.“ von *r. Leipzig 1833.

Die grause Katastrophe ist da. Finstere Nacht, nur von einigen Fackeln erhellt, deckt die Bühne beim Beginn des fünften Acts. Almanzor sucht mit einigen Kriegern Ludovica auf, welche aus dem Lager, als der Angriff auf Messina erfolgte, entflohen war. Ihr Wächter war dafür bereits unter Eufemio's Schwerte gefallen, der jetzt über Messinas Geschick blutige Thränen weinen möchte, denn umsonst hatte er der wilden Krieger Wuth zu zähmen versucht. Er war in den verwüsteten Dom gekommen:

— — ei serra.
D'ambo i parenti miei l'ossa onorate,
Che diceasar non so; ben mi ricordo,
Che m'appellavan scelerato, e lunghi
Metteaa singulti! — E nel avel' fremeano!

Und doch reißt ihn die Phantasie noch weiter. Der ermordete Bischof Pacomio schüttet, wie er glaubt, den blutigen Mantel über ihn aus:

— Su te spargo la morte!
— Eccolo! — ove m'ascondo? — Egli m'insegue!
E oh quanta turba di piangenti spettri
Sorge a suoi lati!

Welche Aufgabe für Mimik und Declamation. Und diesem Entsetzen folgt der Jammer der Verzweiflung:

— — I cari figli al petto
Ogni madre si stringe, ed alla vita
Verria tornargli co pietosi amplessi.
Io tutta spensi quella stirpe! e avanzo
Di lei sol resta un parricida!

Er wirft sich auf die Knie, er verflucht den Propheten; er würde von den wüthenden Sarazenen ermordet, wenn nicht Almanzor ihn schirmte, denn:

A dio punirlo, a noi piangerlo spetta!

ruft er ihnen zu. Er tritt an Almanzor alle seine Gewalt ab, denn sein Geschick ist erfüllt, Alles hat er gethan, um Ludovica zu besitzen, und sie ist verschwunden! Alle verlassen ihn. Einsam wankt er auf dem Schlachtfelde umher. Da findet er Theodor's Leichnam und Ludovica, sich ihm nahend, glaubt, daß er ihn versöhne, und stößt ihm den Dolch in die Brust. Er stirbt:

Süß ist mir doch von deiner Hand der Tod!

Einer Niobe gleich, versteinert, weiß sie nur einzelne Worte zu sammeln; ihr letzter Laut ist:

Io sono
Io, che l'uccisi!

So ergreifend, so erschütternd dies Gemälde ist, so machte es doch den Dichter weniger berühmt, als seine „Francesca da Rimini", die, als man ihn gefangen von einem Kerker zum andern schleppte, bereits auf allen Theatern, in Jedermanns Munde war und noch jetzt immerfort gegeben wird, ja sogar von Felice Romani *) zu einer Oper verarbeitet ist. Auch hier sind nur vier Personen thätig. Der Herr Lanciotto von Rimini, sein Bruder Paolo, der Herr von Ravenna, Guido, und endlich seine Tochter Francisca, die Gemahlin Lanciotto's. Das so oft abgesponnene Thema der feindlichen Brüder ist hier auf eine neue Art variirt. Die beiden Brüder sind sich zugethan, wie es immer sein sollte. Aber Lanciotto sieht mit Befremden, daß seine Gemahlin immer mehr der Einsamkeit und Schwermuth nachhängt. Ihr Bruder war im Kampfe mit Paolo geblieben, und so scheint die Trauer um den Todten die Ursache ihres Schmerzes zu sein. Aber sie hat den Mörder desselben im Stillen geliebt, ehe sie, den Kampf zwischen ihrem und Lanciotto's Hause zu endigen, in seiner Abwesenheit ihre Hand dem Letztern gab, und immerfort nagt diese Liebe an ihrem Herzen, und nicht minder brannte Paolo im Stillen für sie. Als er in der Ferne für den Thron von Byzanz kämpfte, hoffte er nur sie einmal heimzuführen. Jetzt kommt er, des Krieges müde, zurück und erfährt vom Bruder, daß er schon ihr Gemahl sei, daß sie ihn tödtlich hasse. Guido, dieser Ansicht nicht minder preisgegeben, sucht seine Tochter auf Paolo's Dasein vorzubereiten und sie zur Versöhnung zu stimmen. Mit seinen Bitten vereinigen sich die des Gemahls. Sie Alle wissen nicht, welchen Kampf die Unglückliche mit ihrem Herzen bestehen muß. Da erscheint der Geliebte, von ihrem vermeinten Hasse überzeugt, aber auch schon von Haß gegen den Bruder entflammt, der sie ihm geraubt hat. Die Liebe macht bei Francesca ihre Macht geltend. Sie gesteht, daß sie ihn verabscheuen sollte und nicht kann. Sie bittet ihn nur, zu gehen, diesen Augenblick den letzten sein zu lassen, wo sie sich gesehen hätten. Aber auch dem hereintretenden Gemahl geht nun ein schreckliches Licht auf!

Essa amarlo? E fingea? No! Dall' Inferno
Questo pensier mi vien! — —
— — — Il mio fratello!
Fratello m'è! Più orribile è il delitto!

Er läßt den Bruder vor sich kommen. Alles gesteht dieser ihm. Francesca und ihr Vater stürzen sich unter die feindlich entbrannten Brüder. Paolo wird mit Gewalt von der Wache seines Bruders fortgeführt, Francesca entgeht mit Mühe dem Mordstahle des erzürnten Gatten. Paolo hat sich durch Geld von der Wache zu befreien gewußt und eilt noch einmal zur Geliebten. Ihr Entschluß steht fest:

— — Eternamente,
Quanto io deggia al mio sposo e a' generosi
Suoi sagrificii, sentirò. Solenne
Protesta or odi. Se l'ingiusto fato
Lui seppellisce pria di me, perpetue
Conserverò le vedovili bende,
Ne coll' amarti mai, fuorche in silenzio,
Offenderò la sua santa memoria!

Doch da stürzt der Gemahl herein, blind hat ihn die Wuth gemacht; er stößt ihr das Schwert in die Brust; Paolo, verzweifelnd, setzt ihm ebenso wenig Widerstand entgegen; er stirbt:

— — Eterno
Fia il nostro amore! — Ella è spirata. Io muojo!

Das „Eterno fia il nostro amore" bezieht sich ohne Zweifel sowie Francesca's letztes Wort:

— — Eterno
Martir — sotterra — simè ci aspetta!

auf die schöne Episode in Dante's „Hölle" *), wo Francesca's und Paolo's Schatten vereint dahinschweben, nachdem sich der Dichter ihr Geschick hat erzählen lassen.

Das dritte Trauerspiel ist eine Kerkerblume, gezogen unter den heißen Bleidächern Venedigs, wo der Dichter als Carbonaro 1821 monatelang schmachtete. Schon insofern ist es beachtungswerth; noch mehr wird es dies sein, insofern man ihm nirgend eine Spur seines Ursprungs abmerkt. Alles ist aus einem Guße. Wir gestehen, daß wir mit der Grundidee, mit der Fabel nicht einverstanden sind. Sie leidet an zwei Gebrechen. „Ester d'Engaddi" heißt das Stück. Es spielt nach der Zerstörung Jerusalems, wie sich eine Menge Juden unter dem Anführer Azaria im Thale Engaddi verborgen hielten und den Römern kräftigen Widerstand leisteten. Der Vater von Azaria's Gattin Esther ist ein Christ und so in diesem Thale von den fanatischen Juden geächtet. Oben auf den Felsen haust er, nachdem er als Christ den Römern entgangen war. Nur im Geheimen kann er bisweilen mit der geliebten Tochter zusammenkommen, und bei einer solchen Gelegenheit gewahrt ihn der Hohepriester, der, in Esther von schändlicher Liebe entbrannt, ihr nur die Wahl läßt, entweder seine strafbare Liebe zu erwidern, oder als Ehebrecherin ihrem bald vom Kampfe heimkehrenden Gatten angezeigt zu werden, was ihr dann Schande und Tod bringen muß. Zu spät entdeckt der betrogene, vom Heuchler bethörte Gatte ihre Unschuld; sie stirbt, als Opfer des bittern Wassers, das Moses (4 B., C. 5) für die leugnende Ehebrecherin vorgeschrieben und das der Hohepriester mit Gift geschwängert hatte. Wir dürfen wol nicht bemerken, daß

*) In Musik gesetzt von Generali.

*) Ges. V, Vers 28 ff.

die Liebe des alten Hohepriesters sehr unwahrscheinlich, der jammervolle Tod der Unglücklichen aber niederdrückend ist. Und dies scheint uns in der Anlage der doppelte Fehler. Wollen wir aber wenigstens den ersten etwa durch das Beispiel der Susanna rechtfertigen und das Geschick der Esther damit entschuldigen, daß sie nicht gleich im allerersten Augenblicke dem Gatten entdeckte, was ihr der Hohepriester zugemuthet, wie er das Dasein ihres Vaters in den Bergen zu entstellen gedroht habe, so werden wir dann immerfort nur entzückt sein, wenn wir finden, wie eigenthümlich die Charaktere gehalten sind: der fromme Eleazar, der tapfere Azaria, die liebevolle Gattin, die getreue Tochter, der heuchlerische Priester, das fanatische, blind seiner Leitung folgende Volk. Und mit welcher Kunst, die aber Niemand absichtlich nennen wird, weiß der Dichter die Handlung immer mehr zu verwickeln, die Erwartung immerfort zu spannen. Besonders ergreifend sind die Scenen zwischen dem Hohepriester und dem schuldlosen, seiner Leidenschaft fallenden Opfer, der Esther, zwischen dem Azaria, dessen Eifersucht von Jenem angefacht ist, und der Armen, die ihre Unschuld nur durch Worte vertheidigen kann. Bald droht jener Heuchler seinem Opfer:

— — Il padre tuo
Posa là su que' monti, in romito antro;
Spesso furtivo ei scende. —
Se per te no — per l'esul vecchio or trema!

Bald sucht er in ihrem Busen den Ehrgeiz zu erregen:

— Giovin sei; del regno mio te erede
Lascio; novella Debora tu imperi
Ai figli del deserto, e in guerra e in pace
Assoluta, adorata, unica, imperi!

Besonders ergreift der Schluß des dritten Acts. Esther ist mit dem Vater zusammen gewesen, dem sie ein Körbchen mit Früchten gab. Eben eilte er in die Klüfte hinweg, als Azaria sie, von dem Hohenpriester bethört, im Zelte suchte, sie nicht fand und nun auf sie trifft. Er jagt dem flüchtigen Vater nach, den er für einen Buhlen hält, und Esther's Schicksal schreitet der Vollendung entgegen. Umsonst ruft sie dem ganzen Volke zu, wer der Entflohene sei, daß ihn der Hohepriester gar wohl kenne, daß dieser Heuchler sie mit unkeuscher Liebe verfolge. Das fanatische Volk glaubt ihr weder das Eine noch das Andere. Vom alten Eleazar meint es, daß er unter den Qualen starb, die ihm als einem Christen die Römer bereiteten. Den Hohenpriester schützt sein Alter, seine Würde gegen jeden Verdacht, und so bleibt es dabei:

— — L'amara
Componete, o Leviti, aqua tremenda,
Onde abbrevar si debbe Ester sospetta!
E a cui, — se pura è l'alma sua, niun danno,
E, se adultera, recherà morte.

sagt der Heuchler. Azaria kann der Liebe zur Unglücklichen nicht entsagen. Er wünscht, daß sie sich selbst den Tod gebe, um ihre Schuld zweifelhaft zu lassen. Dann will er selbst an ihrer Seite sterben. Sie willigt nicht ein, sie bittet nur, daß er sich für den kleinen Abel, ihren Sohn, erhalte. Was die Sprache der Unschuld und Liebe Beredtsames haben kann, hat hier der Dichter zusammengehäuft und wir bedauern nur, aus Mangel an Raum nicht Stellen zum Belege ausheben zu können. Nur einige Jamben stehen hier:

— — Io dolce
Presagio n'ho; caro ti fia la madre
Ricordar del tuo Abel! Breve trionfo
Ha la calunnia; cadrà un dì la larva,
Che in Jefte ascondò l'avversario antico,
Il rio Satana; allor la mia innocenza
Canteran meste le figlie d'Engaddi!

Ja, Jefte's, des Heuchlers, Larve fällt, noch ehe ihr Auge bricht. Alles bot er noch im Kerker auf, sie für seine Liebe zu gewinnen. Den Vater soll sie sicher in Engaddi wohnen sehen, der Gemahl von ihrer Unschuld überzeugt werden, das bittere Wasser ihr unschädlich sein, sobald ihm von ihr ein

— irrefragabil pegno
d'amistà illimitata —

geworden ist. Ihre Tugend hat zwischen solcher Schande und dem Tode keine Wahl. Sie trinkt das Gift aus dem geweihten Gefäße. Da stürzt der greise Eleazar herbei, zu spät, ihre Unschuld zu erhärten; Jefte's Bosheit wird von einem seiner Vertrauten ins volle Licht gesetzt. Sein eignes Bekenntniß löst jeden Zweifel. Die Unschuld ging zu Grabe, aber ihr Mörder ward nicht minder ein Opfer der Grube, die er ihr bereitet hatte! *) 195.

Notizen.

Slawische Bibelübersetzung.

Der verstorbene Franziskanermönch Kostanczoc hat im dalmatisch-bosnischen Slawisch eine Uebersetzung der ganzen Vulgata hinterlassen, welche jetzt in Ofen gedruckt wird; drei Theile sind fertig davon. Bisher hatten diese Slawen noch keine Bibelübersetzung, da doch die weit geringern Zweige in der niedern und obern Lausitz, die kaum eine halbe Million Menschen in sich fassen, seit 1584 mehre Uebersetzungen der ganzen heiligen Schrift erhalten haben. Eine Uebersetzung im horvazischen und bulgarischen Dialekte muß erst erwartet werden.

In Warschau erscheint jetzt eine Reihe polnischer Uebersetzungen der besten englischen, französischen und deutschen Romane. Frühere Lieferungen enthielten mehre Romane von Walter Scott, Kock und A. Die neueste Lieferung bringt Ricord's „Juliane oder der befreite Galeerensklave" (4 Thle.). Für die nächste Lieferung, die bald erscheinen soll, ist Spindler's „Jude" angekündigt. 177.

*) Ueber den zweiten Band berichten wir nächstens. D. Red.

Redigirt unter Verantwortlichkeit der Verlagshandlung: F. A. Brockhaus in Leipzig.

Blätter für literarische Unterhaltung.

Sonnabend, —— Nr. 243. —— 31. August 1833.

Die Tochter des Kaufmanns Sholobow. Historischer Roman von J. Kalaschnikow. Aus dem Russischen übersetzt. Vier Theile. Petersburg, Brieff. 1832. Gr. 8. 3 Thlr. 20 Gr.

Es ist ein Anderes, ob sich der Dichter einen festen Boden vorhandener Wirklichkeit wähle, um die eigentlichern Interessen seiner Muse auf diesem gegebenen Theater und vor diesen vorhandenen Coulissen zu produciren, und ein Anderes, wenn der Dichter dies Terrain mit seinen historischen Erscheinungen selbst zum ersten wie letzten Zweck und Ziel seiner Poesie erhebt. Diese letztere Intention gehört der Scottomanie an, und der sogenannte historische Roman wird gleicherweise ebenso sehr ein geographischer, weil er ein treues Bild oft einer entlegenen Ländereck, wo des Dichters Gemüth heimisch geworden, zu liefern wagt. In dieser Beziehung hat der Roman Kalaschnikow's das eigenthümliche Interesse, Sibirien, ein in mancher Hinsicht uns und selbst Westrussen noch fabelhaft erscheinendes Land, zum Gegenstand seiner Darstellung zu haben und dasselbe in seinen Naturwildnissen sowie in der beginnenden Entwickelung gesellschaftlicher und staatischer Verhältnisse treulichst zu copiren. Es ist namentlich der südliche Theil des Gouvernements Irkutsk, welcher hier zur Anschauung gebracht wird; gegenwärtig arbeitet der Verf. an einem andern Roman, welcher, soviel verlautet, den nördlichen Theil Sibiriens und Kamtschatka zu schildern erzielt. In der Ueberzeugung, daß die Scottomanie, obgleich sie im Gebiete der productiven Regsamkeit nicht gradezu revolutionnirt, die Reise um die Welt machen werde, dürfen wir uns dereinst nicht wundern, wenn über kurz oder lang Baschkiren und Hottentotten, der Feuerländer wie der Samojede, jeder mit der historisch-geographischen Copie seines Erdwinkels auf dem weltliterarischen Handelsmarkt erscheint und von der leipziger Messe die Uebersetzung seines Werkes erwartet. Jeder hat hierzu sein gutes Recht, da nicht Tiefe des speculativen Geistes, der die geheime Wurzel des innern Lebens erspäht und, aus ihrer Wesenheit die Erscheinungen der Gemüthswelt erklärend, das gesammte Dasein äußerlich wie innerlich im lichten Scheine einer tiefern Verklärung harmonisch entfaltet, zu dieser Form der epischen Poesie die Befähigung ertheilt. Eine bloße Aufklärung über die Außenwelt, eine Cultivirung durch Handel und Gewerbe, ein erwachendes Bewußtsein über gesellschaftliche Formen des heimischen Lebens werden überall genügen, um in jeder Wüste, auf jeder Erdscholle einen nationalisirten Walter Scott entstehen zu lassen, während in Deutschland die Entfaltung der Poesie in ihren tiefgeistigen Richtungen, die zum Theil als in sich cirkelförmig abgelaufen der Vergangenheit angehören, mit der Lösung philosophischer Probleme, die das innerlichste Mark der Welt mit der verzehrenden Kraft des Gedankens zu durchdringen erzielten, nicht blos der Zeit nach zusammenfiel, sondern ihrer Verwandtschaftlichkeit gemäß Hand in Hand mit ihr ging. Ein friedfertiges Nebeneinanderwandeln war beiden Elementen in ihrer fortschreitenden Entwickelung keineswegs verstattet, vielmehr erzeugte sich bei dem inbrünstigen Drange zur gegenseitigen Weiterbildung ein lebhafter Widerstreit, und wo der forschende Gedanke, dem sichern Sitze der Ichheit ebenso sehr wie dem Objecte der Welt sich entfremdend, in das weite Nebelmeer der Abstraction sich verlor, war es die Aufgabe der Poesie, die innere Fülle der natürlichen Seele und den unerschöpflichen Reichthum der concreten Welt mit aller Wärme der begeisterten Liebe zur Anerkennung zu bringen. Von solcher intensiven Verwandtschaftlichkeit der Poesie mit der gedankenmäßigen Enträthselung der geheimnißvollsten Wesenheit des absoluten Daseins ist in den Literaturen fremder Völker nur bei einzelnen Erscheinungen die Rede; nur in Deutschland ist sie durchgreifender Charakter einer ganzen Hauptperiode gegenseitiger Gesammtdurchbildung im Gebiete des Denkens und Dichtens. Der Scott'sche Roman, sofern wir seiner eigenthümlichen Gestaltung ein bewußtes Princip unterlegen dürfen, entspricht in seinem ersten Werden aber ganz dem ursprünglich nichtdeutschen Abstrahiren von der Region der innern Gefühlswelt, in deren mystischen Tiefen sich unter uns allerdings so manche Abirrung bis zum Wahnsinn erzeugte, denn er schlägt den ganzen Menschen, mit Aufgebung des Problems zur Erfassung seiner geheimen Innerlichkeit, in die Außenwelt, wo natürlich oder geschichtlich bedingte Verhältnisse und eine blos praktische Moral, die das Band des gesellschaftlichen Lebens ist, ihn formt und modelt. Nur durch die Verbrüderung mit der alten Regsamkeit psychologischer Forschung, mithin nur in Deutschland kann er zur wahrhaft fortgeschrittenen Dichtungsform unserer Tage werden.

Die russische Natur hat eine Geschichte ihres innern geistigen Werdens weder schon hinter sich, noch überhaupt dazu einen eigenthümlichen Anlauf genommen; selbst die durch Rußland repräsentirte Idee der Vermittelung und Verschmelzung des Orients mit dem Occident ist noch keineswegs dort zum Bewußtsein ihrer selbst gekommen. Mithin kann es für keinen Nachtheil angesehen werden, wenn die russische Poesie, so früh bei ihrem Erwachen schon, innerlicher Gefühlsrichtungen, es sei in rein subjectiver, lyrischer oder in sonstiger Form, sich entschlägt und zur Copie der vorhandenen Aeußerlichkeit sich wendet. Der Russe weiß Fremdes mit technischer Fertigkeit sich anzueignen und dem eignen Gebiet seines Daseins von außen her zu vindiciren; so kann er durchaus Erfreuliches liefern, wenn er seinen und seines buntgemischten Völkerhaufens seltsamen Charakter, freilich noch ganz unenträthselt und unbegriffen, aber in Bezug auf alle äußern Verhältnisse fast maschinenmäßig getreu abprägt. „Sibirien ist gesegnet, aber die Menschen drinnen sind unsinnig": dies altsibirische Sprichwort gibt — wie Redensarten im Munde des Volkes oft pflegen — die schwache Ahnung, in welcher die Nation ihre eigne Wesenheit dunkel gefaßt zu haben scheint; aber bei der dämmernden Ahnung bleibt es, und die traumartige, nebelhafte Dumpfheit lastet auf der Seele mit einer dämonischen Gewalt. Ein getreuerer Spiegel von irgend einer Volksthümlichkeit, als Kalaschnikow in vorliegendem Romane hinstellt, ist kaum erdenklich. Neben der seltsam schauerlichen Naturgestaltung des Landes sind die Buräten, die Schamanen und andere vereinzelte Völkerindividualitäten in der durchaus rohen und brutalen Phantastik ihrer der Nichtigkeit des geistigen Lebens verfallenen Eigenthümlichkeit dargestellt. Die einfache, ungeschminkte Darstellung gibt bald eine Schilderung der Masse, bald hebt sie einzelne Persönlichkeiten als Repräsentanten ihrer Gattung hervor, und unter diesen ist die wahnsinnige Schamanin besonders merkwürdig, die, von der Todeslust, wie sie ihrem Volke eigen ist, mystisch, aber stumpf und ohne individuelle Anregung ergriffen, eine schlafende Räuberhorde vernichtet und sich dann selbst lebensmatt in die Glut eines lodernden Wachfeuers stürzt. Den mit Vorliebe von Kalaschnikow geschilderten Räuberscenen entspricht im Reiche der Natur die Wildniß der unzugänglichen Gebirge, wo der verirrte Mensch, von den Schrecknissen, die ihn umringen, betäubt, im Kampfe mit raubbegierigen Bestien selbst verwildert. Eine Parallele zwischen dem verödeten Sohne jener Wüsten und einem geistig bewußten Europäer müßte eine wundergleiche Wirkung erregen; allein an künstlerische Gestaltung ist bei unserm Russen nicht zu denken. Nehmen wir deshalb die instinktmäßige Treue des Gemäldes für um so sicherer, weil sie durch Verstandesreflexion nicht getrübt erscheint, obschon auch eine tiefere Werthschätzung ihr entgehen muß, da sie aller Weihe der Vernunft und der Ahnung der geheiligten Menschenwürde enthoben ist.

Zu Dem, was als geographisch wichtig resultirt, gehört folgende Angabe der Temperatur in Sibirien (S. 76):

Mit den ersten Tagen des Novembers traten die Fröste ein und der Schnee knarrte unter den Füßen. Je kürzer die Tage wurden, desto mehr nahmen die Fröste zu, bis zuletzt die stärksten eintraten, welche in Sibirien drei Hauptperioden haben; am 6. December, um Weihnachten und am 6. Januar. Mit Ausgang Januars beginnt das Thauwetter. Die Kälte in Irkutsk, besonders um Weihnachten, steigt in manchem Winter bis 35° Réaumur; in den nördlichen Gegenden aber von Kirensk an, d. h. 8° oberhalb Irkutsk, ist die Kälte selten geringer als 40° und steigt oft noch mehr. Die Quecksilberthermometer verlieren ihre Wirksamkeit, denn das Quecksilber friert gänzlich. Bei einer Kälte von 30° werden die Häuser in Irkutsk trotz des starken Heizens nie hinreichend warm und sind von Außen mit feinem daunenartigen Schnee bedeckt; die Fenster sind mit dicken Schichten von Reif überzogen; in den Zimmern hört man, hauptsächlich bei Nacht, das Krachen der durch die Kälte springenden Balken; sogar die Erde spaltet sich krachend, und auf den Straßen sieht man breite Risse in verschiedenen Richtungen. Theils durch den Nebel, welcher aus der Angara aufsteigt, und theils durch die Kälte verdickt sich die Luft zuweilen am Morgen so sehr, daß sie den Athem benimmt. Ueberhaupt ist die Luft dann mit gefrorenen Dünsten angefüllt.

Personen, besonders alten Weibern, die trotzdem auf der Gasse lange Unterhaltungen führen, widerfährt es natürlich nicht selten, daß ihre Nase eine plötzliche Röthe überzieht, wo dann der liebevolle Freundschaftsdienst in der Ordnung ist, sich gegenseitig eine Hand voll Schnee ins Gesicht zu werfen, und Jeder den Andern so lange frottirt, bis die Gefahr des Erfrierens überstanden ist. Zu Hause steht auch zur völligen Recreation hinter dem Ofen ein Krug mit karumschem Thee, den man aus kübelgroßen hölzernen Tassen zu sich nimmt.

Alle diese Sittenschilderungen der Urnatur des heimischen Volkes dienen jedoch nur zum Hintergrunde der eigentlichen Romansituationen, die das Proscenium unserer sibirischen Bühne einnehmen. Hier treffen wir eine von der Regierung eingesetzte Beamtenwelt, und ein Gewebe von Bureauintriguen zieht sich bis zur Ermüdung vor unsern Augen hin und wieder. Erfüllte uns die Betrachtung einer der dumpfen Naturwildheit verfallenen Menschenmenge mit Schreckbildern, die uns mit ihrer wüsten Ungebundenheit peinigten, so entrückt uns der Blick auf diese russische Beamtenclasse den angeborenen aber verlorenen Adel der Menschenbrust fast noch weiter, denn hier scheint das aufdämmernde Licht eines im Bezirke des Verstandes sich erfassenden Bewußtseins zu keinem andern Endziel heranzubrechen, als um die rohe Unmittelbarkeit der Ureinwohner zur Befriedigung der Habgier und des ungefesselten Hochmuths zu benutzen. Gleich in der ersten Scene knüpfen sich die Fäden an, welche sich durch den ganzen Verlauf hinspinnen. Ein russisches Gerichtszimmer in Irkutsk wird uns eröffnet; die vier Ringe an der Diele verrathen sogleich die Manier, wie man den jungen angehenden Schreibern die großen Wahrheiten des Diensteifers einflößt. Die Knute erweist sich alsbald als der nervus rerum, als der deus ex machina, als der Hebel des ganzen Romanstoffes. Ein junger Copist, Alexei, der tugendhafte Held des Stückes, beleidigt wider Willen einen trunksüchtigen Vorgesetzten, der seinen Unmuth sofort auf die scheußlichste Weise an dem Unglücklichen auslässt. Plötzlich wendet sich die Situation. Der Secretair erscheint. Ueber die willkürliche Mishandlung, die man an einem Unschuldigen vollzogen, empört, wird vice versa der Prügelnde jetzt der Geprügelte, und er liegt schnell im Block, an dessen Ketten er seine hündische Wuth ausbeißt. Später freigelassen, ist er nun Alexei's bitterster Feind, sucht durch allerlei Chikane und mit Hülfe intriganter Weiber den jungen Mann zu stürzen und durch amtliche Befehle ihn zu ewigen Reisen zu verdammen, sodaß der Aermste von seiner zärtlich geliebten Braut, der Tochter des Kaufmanns Sholobow, getrennt wird. Das Band der Liebe wird auf diese Weise wirklich zerrissen, die Spitzbubenränke entzweien sogar die Verlobten, bis sich das Geschick an den Uebelthätern selbst vollzieht und Beide einer ungetrübten Verbindung endlich entgegensehen. Einige nationale Charakterzüge sind merkwürdig genug, und sie können nach Kalaschnikow's Darstellung um so mehr für echt volksthümlich gelten, weil seine sämmtlichen Romanfiguren nichts weniger als persönliche Individualitäten, sondern lediglich Vertreter ihrer Gattung sind. Zu diesen Zügen gehört unter andern die Sucht der Eheweiber, ihre Männer zu bestehlen, was sich in mancherlei Scenen ganz harmlos bei unserm ehrlichen Poeten zu Tage fördert. Alle jene scheinbar ungezügelte Barbarei der Gesinnung, die von der Roheit der Vierfüßer ihrer Wüsten nur durch die listige, dem russischen Charakter ebenfalls inwohnende Verschlagenheit sich unterscheidet, ist jedoch durch einen andern Zug des Gemüths fortwährend gezügelt, und es ist wunderbar, wie die wüste Natur vor sich selbst und einer innern Macht zusammenbeben muß. Dies ist die Macht des Aberglaubens. Sie fesselt seinen Hang zur Grausamkeit, vor ihren Schauern erstirbt der Kitzel der Wollust und die sonst fessellose Gier zum unrechtmäßigen Besitz. Ein zufälliges Rascheln im Laub, ein Luftzug, der an einem Heiligenbild vorüberstöhnt, jagt dem Sünder eine Todesangst ein, bis seine List ihm zu einer rationalistischen Erklärung verhilft, und er rasch und hastig, ehe ein neuer Schauer ihn überwältigt, den unsichtbaren Mächten eine unbewachte Minute abgewinnt.

Die berauschte Stimmung, in der Sagoskin seinen „Roslawlew" schrieb, fehlt Kalaschnikow gänzlich; je nüchterner und kälter aber des Letztern Schilderung ist, für [illegible] glaubwürdiger und treuer darf sie gehalten werden. [illegible] so muß denn, wenn der Hülferuf eines zertretenen [illegible] vielleicht für immer verschollen sein wird, die [illegible] der eignen Dichter, in denen das erwachende [illegible] im Schooße der Nation sich gegen sich selbst [illegible], anklagend sich verlauten lassen.

F. G. Kühne.

Reiseliteratur.

[illegible] durch das südliche Frankreich. Von Baysse de [illegible]rs. Aus dem Französischen. Quedlinburg, Basse. [illegible] 8. 1 Thlr. 12 Gr.

[illegible] Reisebücher des seligen Bollmann sind leider jetzt in [illegible] ziemlich vergessen, sonst würde man, um das vor[illegible] zu charakterisiren, nur zu sagen brauchen, es sei [illegible] in derselben Art. Es enthält dasselbe nämlich die Beschreibung von vier Reiserouten durch das südliche Frankreich, und zwar nur durch den mittlern Theil desselben. Der Verf. scheint zum Theil sehr genau mit den Localitäten bekannt, namentlich in Auvergne und Rouergue, wo er seine Jugend zugebracht hat, wo er uns nun wieder zu dem väterlichen Stammschloß, zu des Abt-Oheims Kloster u. s. w. führt, und wo sich subjective Empfindung, aber eben deshalb auch eine größere Farbenfrische in alle Schilderungen mischt. Auch durch die öde Sologne, durch das einförmige Limousin nach dem reizendern Quercy hin begleitet uns der Verf., sodaß er gar manches Annehmliche durch die Beziehung seiner Subjectivität in die Darstellung zu bringen weiß. Weniger ist dies der Fall bei den Reisen von Lyon rhoneabwärts nach Niederlanguedoc. Was die Aufzählung der berühmten Männer jeder Stadt und Gegend und die Notizen aus ihrem Leben anbetrifft, so haben diese ziemlich alle das Ansehen, als wären sie aus irgend einem Repertorium ausgezogen, und auch sonst zeigt der Verf. nicht eben gründliche Bildung. Die einzige Wissenschaft, für welche er sich lebhafter zu interessiren scheint, ist Geognosie; aber auch in dieser Beziehung kommt er selten dazu, daß er allgemeinere Anschauungen der Construction der Landschaften und reichere Angaben der Beziehung der Bodenbeschaffenheit zur Vegetation in ihren einzelnen Theilen, zum Ackerbau und überhaupt zum Menschenleben mitzutheilen vermöchte; an einzelnen Bemerkungen hingegen, die zu solchen allgemeinern Zusammenstellungen Material gewähren, ist Vorrath genug — also z. B. von den Trüffeln in Limousin und Quercy, von der Käsewirthschaft in Auvergne (z. B. S. 107 und 117) u. s. w., aber Alles steht vereinzelt.

Einzelne Körner der Belehrung und Unterhaltung wird jeder Leser auffinden; nur eben übersetzt und mit so hübschem Aeußern ausgestattet zu werden, war dies literarische Product doch, ohne schlecht zu sein, nicht bedeutend genug.

2. Taschenbuch zur Verbreitung geographischer Kenntnisse. Eine Uebersicht des Neuesten und Wissenswürdigsten im Gebiete der gesammten Länder- und Völkerkunde. Herausgegeben von J. G. Sommer. Für 1833. Eilfter Jahrgang. Mit sechs Kupfer- und Stahltafeln. Prag, Calve. 1833. Gr. 16. 2 Thlr.

3. Jahrbuch der Reisen und neuesten Statistik. In Verbindung mit einigen Gelehrten herausgegeben von K. F. Vollrath Hoffmann. Erster Jahrgang. 1833. Mit drei Stahlstichen und einer Karte. Stuttgart, Hoffmann. 1833. Gr. 8. 2 Thlr.

Unternehmungen wie die, denen diese Werke angehören und von denen die eine schon bis zum 11. Jahrgang gediehen ist, gehören gewiß zu den angenehmsten Erscheinungen der Literatur, und man kann deshalb die zweite eben beginnende nicht anders als willkommen heißen. Die Erdkunde, wo sie sich zu lebendiger Anschaulichkeit des Bodens, seiner Producte und der sie benutzenden Menschen fortgestaltet, ist vielleicht die reizendste von allen Wissenschaften. So sehr sie nun aber auch diese lebendige Anschaulichkeit neuerdings, selbst da wo eine systematische Behandlung eintritt, vornehmlich durch Ritter's unsterbliche Bemühungen erlangt hat, so sind doch die Quellen dieser Darstellungen immer theils speciellere Länderbeschreibungen, theils Reisebeschreibungen — und jemehr durch kühne und wissenschaftlich ausgezeichnete Reisende in unserer Zeit der Umfang der Erdkunde jährlich wächst und fortwährend alle vorhandenen Lehrbücher überwächst, je größer wird das Bedürfniß Derer, die sich für diese Wissenschaft interessiren, durch eigne Lectüre der Reisebeschreibungen stets au courant der Wissenschaft zu bleiben. Zu diesem Ende müßte freilich bei deutschen Auszügen der in fremden Sprachen und bei wohlfeilen Auszügen der in theuern Prachtwerken erscheinenden Reise- und Länderbeschreibungen nicht blos Das im Auge behalten werden, was durch seine Anschaulichkeit den Leser unterhält, sondern es müßten die zerstreut und breiter ausgeführten Notizen der ausführlichern Beschreibungen, die in ihrer Ausführlichkeit oft auch in Einzelnheiten auseinanderfallen, in Gemälde wissenschaftlicher Anschaulichkeit gesammelt und so die höhern Resultate zusammengedrängt werden. Wissenschaftliche Anschaulichkeit unterscheidet Ref. hier von gewöhnlicher — denn wie oft wird z. B. von dem nur an gemeine Anschaulichkeit gewöhnten Manne eine Ebene, welche durch Stromrinnen tief ausgerissen ist, sodaß die Kanten des Thalwegs des Flusses von der Sohle dieses Thals aus wie Bergkanten erscheinen, wirklich für ein Berg- oder Hügelland gehalten? Diese gemeine Täuschung wird gebildetere Reisende nicht gefangen nehmen, aber daß oft der wissenschaftlich höherstehende Vermittler zwischen uns und dem Reisebeschreiber — daß dieser statt einen bloßen Auszug gemeiner Anschaulichkeiten und Reiseabenteuer zu geben, aus dem Ensemble der neugegebenen Notizen uns höhere Resultate zusammenzuziehen vermag, wird sich nicht leugnen lassen. Das dies bei dem Werk sub Nr. 3 noch mehr der Fall ist als bei dem sub Nr. 2 ist gewiß, allein in höherm Maße ist es auch hier nicht der Fall; denn hätte der Herr Herausgeber in diesem Sinne gearbeitet, so würde sicherlich er so gut wie der Recensent des Douville'schen Reisewerkes in dem „Foreign quarterly review" bemerkt haben, daß diese Reise nie wirklich gemacht, daß ihre Beschreibung bis auf einzelne sehr vermittelte Nachrichten ein Lügenmachwerk ist trotz der goldenen Medaille der Société de géographie.

Doch, bei Gerichten, die man im Ganzen mit Vergnügen zu verzehren bereit ist, soll man die Sünden der Köchin im Einzelnen nicht zu streng nehmen. Gehen wir also in unserm eignen Interesse mit Wohlwollen an den Inhalt des Einzelnen.

Nr. 2 beginnt mit einer allgemeinen Uebersicht der neuesten Reisen und geographischen Entdeckungen, welche Fortsetzung eines ähnlichen Artikels im letzten Jahrgange ist. Eine solche Uebersicht über das ganze Gebiet des Neuen und Wissenswürdigen müßte zugleich die Wahl des ausführlicher mitgetheilten Einzelnen rechtfertigen. Dies ist hier nicht der Fall, aber der Artikel darum doch sehr dankenswerth. Es folgt hierauf eine geographische Skizze von Dalmatien von Prof. Franz Patter in Spalato; sie enthält viele genaue und genauere Angaben über Dinge, die weniger oder unsicherer bekannt waren, ist aber zu sehr unter abstracte Rubriken gebracht, als Flüsse, Gebirge und Boden, Naturproducte u. s. w., und eine Skizze des Ensembles in der Art, daß nun das Terrain unserm Auge in seiner Hauptformation plastisch wie ein Relief aus dem Meere und den Nachbarländern hervorträte, fehlt. Eine Totalvorstellung, wie sie uns Ritter von jeder individuell heraustretenden Landschaft, die er irgendwo beschreibt, gibt, suchen wir in dieser Beschreibung Dalmatiens umsonst. Ein dritter Artikel: das südwestliche Sibirien nach v. Ledebour, ist ein höchst interessanter Auszug von Ledebour's „Reise durch das Altaigebirge." und dürfte leicht der wissenschaftlich gehaltvollste Theil dieses Jahrganges sein, denn Trant's Reise durch den Peloponnes, die hierauf folgt, ist in einem sehr dürftigen und sich nur an höchst äußerliche Einzelnheiten hängenden Auszuge mitgetheilt, sodaß, wenn hier nicht grade die schöne in Stahl gestochene Ansicht von Mistra hinzukäme, man über die Aufnahme grade dieses Artikels (da sich über denselben Gegenstand leicht weit interessantere hätten anfertigen lassen) fast böse sein könnte. Unbedingt könnte man das auch über die höchst flüchtigen, wissenschaftlich ebenso unbedeutenden Skizzen aus dem Eisak- und Etschthale in Tirol sagen, wenn nicht auch hier ein schönes Blatt mit einer Ansicht von Roveredo sich aussöhnend dazwischenstellte. Eine kurze, interessante Schilderung des Volksstammes der Tudas in den Neilgherrys beschließt diesen Jahrgang, dem noch recht viele Genossen folgen mögen.

Nr. 3 enthält zuerst einen Artikel, überschrieben: „Das Alpengebirge für Reisende, geschildert vom Herausgeber", welcher selbst ein rüstiger Alpenreisender und lange in der Schweiz war, der also ihre eigenthümliche Natur kennt, und daß er sie zu fassen wisse, schon früher in seinen „Umrissen zur Erd- und Staatenkunde vom Lande der Deutschen" gezeigt hat. Die Schilderung ist interessant und ebenso kurz als brauchbar gefaßt, obwol in sofern nicht vollendet, als dem nächsten Jahrgang eine Schilderung der Bewohner des Alpengebirges vorbehalten ist. Höchst interessant sind die folgenden beiden Aufsätze: „Die Insel Otaiti oder Otaheite nach Beechey" und „Die Insel Java nach Pfyffer". Weniger sind dies die Bemerkungen über Lissabon und die Bewohner Portugals nach J. F. von Weech's Reise, theils weil, um über ein europäisches Land recht anschaulich und doch charakteristisch zu schreiben, weit mehr historische Gelehrsamkeit und physiognomisches Genie (wir reden hier nicht blos von den Gesichtern der Menschen, sondern von dem Gesicht des Landes und Volkes im Allgemeinen) erfodert wird, als wenn man von Ländern, wie Java und Otaiti ist, schreibt, theils weil in solchen Bemerkungen immer noch zu viel Abgerissenes und Problematisches bleibt. Ueber Portugal namentlich sollte Niemand schreiben, der nicht Offenheit und Liebe genug besitzt, in die dort eigenthümlichen politischen und kirchlichen Lebensmotive einzugehen; der sich gegen vieles Schöne also auch in seiner politischen Befangenheit abschließt, wie fast alle Reisende thun, die aus Ländern nach Portugal kommen, wo eine äußerlich höhere Bildung und eine mechanisch bessere Administration ist. Einfachere Anschauungen und deshalb weit anziehendere Schilderungen bietet der folgende Aufsatz, der ebenfalls ein Auszug aus von Weech's Reise ist: „Die Pampas und ihre Bewohner in Südamerika". Dasselbe gilt von den Begegnissen und Beobachtungen eines englischen Malers auf Tristan d'Acunha und Neuseeland. Den Beschluß der Abhandlungen machen die Auszüge aus J. B. Douville's „Reise nach Kongo und dem Innern des nördlichen Afrikas in den Jahren 1828—30", welche Auszüge aus den oben angeführten Gründen besser weggelassen wären. Eine Mittheilung oder vielmehr ein Katalog über den Stand der britischen Marine im Herbste 1832 auf 19 Octavseiten beschließt diesen Band, dessen Nachfolgern wir ebenfalls mit freudiger Erwartung entgegensehen. 69.

Literarische Notizen.

J. G. Lockhart, Walter Scott's Schwiegersohn, kündigt an: „The life of Sir Walter Scott", mit Auszügen aus Scott's Briefen und Tagebüchern. Das Werk wird in Kurzem erscheinen.

Bénoni Mathieu hat in Toulon ein Lustspiel in provenzalischer Sprache: „Patroun praíré vo lou pescadou tourounnea", herausgegeben.

Valery gibt ein umfassendes Reisewerk über Italien: „Voyages historiques et littéraires en Italie pendant les années 1826, 27 et 28, ou l'indicateur italien", in vier Bänden heraus. Das Ganze ist in 23 Bücher getheilt, von welchen bereits 17 zu Paris erschienen sind. Jedes Buch wird zur Bequemlichkeit des Reisenden einzeln broschirt ausgegeben.

Die erste Lieferung der Zeitschrift: „Le polonais, journal des intérêts de la Pologne", ist zu Anfange des Augusts in Paris erschienen. Sie enthält unter Anderm: „Consolation" vom Grafen von Montalembert; „Réunion de la Lithuanie à la Pologne"; „Chronique polonaise depuis la chûte de Varsovie jusqu'au 1 juillet 1833".

Die „Souveniers d'Orient" von Henri Cornille schildern eine Reise von Konstantinopel nach Griechenland, Jerusalem und Aegypten in den Jahren 1831—33.

Von den „Heures du soir, livre des femmes" ist der fünfte Band erschienen, der eine nachgelassene Erzählung von Mad. Cottin „L'isola bella" enthält. 9.

Redigirt unter Verantwortlichkeit der Verlagshandlung: F. A. Brockhaus in Leipzig.

Blätter

für

literarische Unterhaltung.

Sonntag, —— Nr. 244. —— 1. September 1833.

Zur Nachricht.

Von dieser Zeitschrift erscheint außer den Beilagen täglich eine Nummer und ist der Preis für den Jahrgang 12 Thlr. Alle Buchhandlungen in und außer Deutschland nehmen Bestellung darauf an; ebenso alle Postämter, die sich an die königl. sächsische Zeitungsexpedition in Leipzig, das königl. preuß. Grenzpostamt in Halle, oder das fürstl. Thurn und Taxische Postamt in Altenburg wenden. Die Versendung findet wöchentlich zweimal, Dienstags und Freitags, aber auch in Monatsheften statt.

Skizzen aus Spanien. Von V. A. Huber. Zweiter Theil. Auch unter dem Titel: Jaime Alfonso, genannt: el Barbudo. Skizzen aus Valencia und Murcia. Göttingen, Vandenhoeck und Ruprecht. 1833. Gr. 16. 2 Thlr. 18 Gr.

Die Leser des ersten Theils der „Skizzen aus Spanien" werden gewiß mit Begierde diesen zweiten Theil ergreifen und sich in ihren Erwartungen nicht getäuscht sehen. Das Urtheil, welches wir früher in d. Bl. *) ausgesprochen haben, finden wir hier abermals bestätigt und unsern Wunsch, die reizenden Skizzen fortgesetzt zu erhalten, auf das Erfreulichste durch einen zweiten und dritten Theil erfüllt. Wir beeilen uns, hoffentlich nicht zu spät, aus diesen Theilen Einiges mitzutheilen, um zu einem Genusse einzuladen, der nicht blos Unterhaltung für den Augenblick gewährt, sondern in jedem denkenden Leser eine Fülle nachhaltiger Betrachtungen wecken muß.

Wir überlassen es dem wißbegierigen Leser, die Einleitung: „Ueber landschaftlichen Charakter und Bau der iberischen Halbinsel", aufmerksam durchzugehen und den Bemerkungen des Wanderers, der geistreich an Ort und Stelle beobachtet, Gerechtigkeit widerfahren zu lassen, begeben uns aber hier sofort an die Skizzen selbst. Der Verf. versetzt uns zuerst nach Valencia, wo dessen schöne Ebene oder Huerta, die der Guadalaviar mit einem Netze von Kanälen bewässert, ein lebendiges Bild sich vor uns aufthut. Wir treten in eine Choza oder Hütte an dem Wege von Valencia nach dem Dorfe Ruzafa und lernen die ganze malerische Umgebung und Einrichtung derselben, aber auch ihre Bewohner in einem reizenden Stillleben kennen. Da erscheint uns zuerst eine ehrwürdige Witwe, Doña Ana oder Tia (Tante) Ana, über deren frühere Verhältnisse uns erst im Laufe der Geschichte einiger Aufschluß wird, mit ihren Kindern. Eins von diesen ist der 19jährige blonde Florencio, auch Florenzuelo genannt, ein angehender Estudiante, eifrig mit der Lecture alter Chroniken beschäftigt; das andere die kecke Tochter Mercedes (Merceditas). Während diese mit Mühe den lesenden Bruder herbeiruft, ihr bei der Bewässerung des Gartens zu helfen, hat sich der redliche alte Cura des Orts, Don Geronimo, eingefunden, in dessen Gegenwart Florencio den Seinigen zu großer Erbauung aus der Chronik den Tod des Cid vorliest. Wir erfahren dann die ganze Bildungsgeschichte des zum geistlichen Stande bestimmt scheinenden Jünglings, der, in dem großen, musterhaft eingerichteten Waisenhause von San-Vicente in Valencia erzogen, dann in das Collegio der Universität zu Valencia aufgenommen worden war und schon als Kind durch seine Schönheit und sein munteres Wesen, mehr aber noch als Jüngling die Gunst der Frauen und Mädchen sich erworben hatte, die ihm bis jetzt nicht gefährlich gewesen war. Nun aber sehen wir ihn um Mitternacht aus der mütterlichen Hütte schleichen und den Weg ins Dorf hineilen, von wo er eben erst vor Sonnenaufgang zurückkehrt, und es wird uns berichtet, daß die Nachbarn und Nachbarinnen des alten reichen Blay Talens, der am andern Ende des Dorfes wohnte, dessen Tochter Gesualda am folgenden Morgen nicht genug zu necken und zu fragen wußten wegen des Sängers, der in der Nacht vor ihrem Fenster seine Stimme und Guitarre so gar lieblich und schmachtend habe vernehmen lassen.

Aus Ruzafa begeben wir uns mit Doña Ana und ihren Kindern am Tage aller Seelen nach Valencia und betreten die alte ehrwürdige Kathedrale (span. Seo) der Stadt, wo wir der Feier des hohen kirchlichen Festes, der Vorzeigung der Reliquien u. s. w. mit Andacht beiwohnen, bis ein Feuergeschrei diese unterbricht. In dem Gedränge der Gläubigen ist Mercedes, von Mutter und

*) Vgl. Nr. 37 und 38 f. 1829. D. Red.

Bruder getrennt, einer Wachskerze zu nahe gekommen und von dieser ihr Gewand in Flammen gesetzt worden. Schreck und Bestürzung lähmt alle Hände, und Mercedes scheint rettungslos verloren, als plötzlich aus einem dunklern Winkel der Kirche ein Mann hervorstürzt, seinen weiten Mantel über sie wirft, und indem er sie rasch hineinwickelt und fest an sich drückt, die Flamme in einem Augenblicke erstickt und dann mit der Geretteten zur nahen Seitenpforte hinauseilt. Der Retter, in welchem Viele gar den heiligen Martin hatten erkennen wollen, ist Mosen (abgekürzt von Mosenyor, ein Titel, der in Valencia jedem Caballero oder Gentleman beigelegt wird) Benept Soler, ein junger Mann, den wir bald näher kennen lernen werden. Die strenge Mercedes, die ihren Retter schon länger gekannt zu haben scheint, gibt zu Hause nach diesem Ereigniß so viele Zeichen einer veränderten, sanftern Sinnesart, daß sie, vollends als sie einmal ein Lied von Liebe singt, dem Kopfschütteln der Mutter und dem Necken des Bruders nicht entgeht. Diesen faßt sie, ihn zu beschwichtigen, bei der schwachen Seite, indem sie ihn bittet, ihr aus seiner Chronik vorzulesen, und Florencio hat kaum die Geschichte der Doña Urracá und ihrer heimlichen Liebe zum Cid, und wie König Don Sancho durch den Verräther Bellido Dolfos seinen Tod fand, beendigt, als die Mutter mit Mosen Benept Soler eintritt und diesen der Tochter vorstellt, damit sie ihm für die Rettung ihres Lebens danke. Mercedes zeigt sich bei diesem Zusammentreffen wahrscheinlich anders als bei dem ersten, nämlich stolz, spröde und eigensinnig; Soler, nicht minder stolz und beharrlich, fühlt sich, trotz allem Abstoßenden, was Mercedes äußert, doch angezogen, und so wird ein Verhältniß angeknüpft, das von vorn herein einen unerfreulichen Charakter zeigt. Schneller schließt sich Florencio an Soler, denn obschon ein angehender Geistlicher, besitzt er doch eine leidenschaftliche Lust und große Anlage zu allerlei Leibesübungen, Waffen- und Waidwerk, worin ihm der gewandte und kühne Soler längst als Muster erschienen war, ohne daß er dafür bei diesem die geringste Anerkennung seiner eignen Vorzüge zu finden hoffen darf.

Es kommt das Fest des heil. Martin, welches zugleich das erfreulichste Volksfest für Valencia und die ganze Huerta ist. An diesem Tage nämlich wird die Wasserjagd auf der südlich von der Stadt gelegenen großen Lagune, der Albufera, frei, und die zahllosen Schwärme von Wasservögeln aller Art werden nun auf einige Stunden einem wahren Vernichtungskriege preisgegeben. Das Bild, welches uns der Verf. von diesem Feste entwirft, ist eins der anmuthigsten, die uns je vorgekommen und in Zeichnung und Colorit dem Künstler vortrefflich gelungen. Wir finden hier nach Beendigung der Wasserjagd bei der Torre del Palmar unsere Freunde wieder, machen hier aber auch die Bekanntschaft eines neuen, eigenthümlichen Charakters, des Tio Barrasca. Dieser catalonische Seemann, ein kühner und glücklicher Schleichhändler, ist auch ein alter Freund Soler's, mit welchem ihn Aehnlichkeit der politischen Gesinnung, Unmuth über getäuschte Hoffnung auf das Wohl des Vaterlandes und auf Anerkennung geleisteter Dienste, Freigeisterei und Haß gegen das Pfaffenwesen verbindet. Als Zuschauer hat er sich bei dem Volksfeste eingefunden, und unter manchen kräftigen Flüchen, wie „Cap sagranat!" „Cap de sen!", ja selbst „Damn your eyes!" gibt er Soler, trotz dessen Einreden, Verliebtheit und Stutzerei schuld und läßt ihn deutlich merken, daß er ihn bald in einer andern, vielleicht seiner frühern Laufbahn wiederzufinden hoffe und durch ihn auf die jungen Bursche der halben Huerta bei nächster Gelegenheit rechne. Soler wird aufgeregt; er hatte bisher in einem Taubenschießen, wahrscheinlich der zuschauenden Mercedes zu gefallen, Florencio Schuß auf Schuß gewinnen lassen; da Florencio aber, durch den Beifall der Umstehenden übermüthig und eitel gemacht, Soler verhöhnt, so bewährt dieser seine Virtuosität als Schütze durch ein so glänzendes Kunststück, daß er als stolzer Sieger den Platz verläßt und das anziehende Volksfest an der Albufera ein Ende nimmt.

Uns aber erwartet ein neues, höchst eigenthümliches Schauspiel; wir sollen Zeugen eines patriarchalischen Gerichtshofes, der sogenannten Cort de la Seo sein. Dieser Gerichtshof wird an einem der nächsten Donnerstage nach dem Martinstage vor der Kathedrale in Valencia eröffnet und hat die Anordnung der Bewässerungsangelegenheiten der Huerta, die Schlichtung der Streitigkeiten zwischen den Anwohnern und Benutzern der Kanäle, denen Valencia seine Fruchtbarkeit verdankt, zu besorgen. Wir wollen, da der ganze Vorgang so höchst volksthümlich und interessant ist, ihn von dem Verf. selbst beschreiben lassen.

Mit dem Schlage 10 Uhr tritt in der zahlreichen und bis dahin durch nicht selten in Streit und Schelten ausartendes Gespräch vielfach bewegten und lauten Versammlung auf dem Kirchenplatze eine tiefe Stille ein; die kleinere Pforte in dem großen Thor der Kathedrale öffnet sich, und die Richter, vier alte Bandleute, ehrwürdig anzuschauen, mit langem, schneeweißem Haar treten heraus, hinter ihnen in städtischer Kleidung ein Escribano, eine Rolle Papier in der Hand. Auf ihre Stäbe gelehnt, murmeln sie ein kurzes Gebet, machen dann das Zeichen des Kreuzes, wobei die ganze versammelte Menge ihrem Beispiel folgt, und lassen sich auf einer eigens dazu bestimmten steinernen Bank nieder. Der Escribano setzt sich seitwärts auf einen niedrigern Stein, breitet seine Papiere auf seinen Knien aus, setzt ein kleines Dintenfaß neben sich und sieht nach seiner Feder. Einige Geistliche oder andere ältere und angesehenere Leute, welche die Richter in ihrer Nähe unter dem versammelten Landvolk bemerken, treten halb auf ihre Einladung, halb nach Gewohnheitsrecht hervor und nehmen, jedoch in ziemender Entfernung, ebenfalls unter dem Portal auf der steinernen Bank Platz; ein paar Kanalaufseher (celadores) treten heran, um als Gerichtsdiener der Befehle des Gerichtes gewärtig zu sein, und auf einen Wink des ältesten Richters ruft der erste Celador mit lauter Stimme: „Die Cort de la Seo dieses Tages ist eröffnet, in Gottes Namen, Amen!" und die Verhandlungen beginnen. Die streitenden Parteien oder Solche, gegen die von Seiten der Celadores Klage erhoben wird, sowie auch die Zeugen werden aufgerufen, treten vor unter das Portal, um auf die Fragen der Richter zu antworten oder ihre Rechtfertigung vorzubringen, dann erfolgt nach kurzer, leiser Berathung der vier Richter das Urtheil, selten auf geschriebene Verordnungen, meistens auf Herkommen oder Billigkeit gegründet, und von diesem Urtheil gilt keine Berufung auf irgend ein anderes Gericht. Der Escribano hat, sehr gegen seine Neigung und gegen den Gebrauch und Misbrauch, der bei andern Gerichten herrscht, nichts bei der ganzen Sache zu thun, als das Urtheil aufzuschreiben und zu beglaubigen; Kosten sind bei dem ganzen Verfahren keine, denn auch für den Escribano selbst ist das Geschäft eine Ehrensache, die ihm freilich eben dadurch wieder anderweitigen Vortheil bringt als Veranlassung oder als Beweis des Vertrauens der Landleute.

(Die Fortsetzung folgt.)

Staatswissenschaftliche Versuche über Staatscredit, Staatsschulden und Staatspapiere nebst drei Anhängen, enthaltend zwei Uebersichten der englischen und französischen Finanzen seit dem 11. Jahrhundert und eine Zusammenstellung aller im europäischen Handel vorkommenden Staatspapiere von Edward Baumstark. Heidelberg, Reichard. 1833. Gr. 8. 3 Thlr.

Mit diesem Werke führt sich ein junger Mann in die gelehrte Welt ein, der in der oft etwas plumpen Darstellung noch im höchsten Grade den Anfänger verräth, aber in der Sache ein Studium und eine Gründlichkeit an den Tag legt, die ihm allenthalben eine ehrenvolle Aufnahme zusichern. Es ist wahr, daß wir über den Credit und die Schulden der Staaten sehr viele und sehr ausgezeichnete Werke von Nebenius, Gönner, Bender besitzen; allein da sie in keine Polemik eingehen und die neuesten Erscheinungen auf diesem Gebiete nicht erreichen, so müssen sie dem vorliegenden Werk einen Platz neben sich gönnen.

Der erste Versuch handelt „Ueber das Wesen und die letzten Gründe des Staatscredits". Wie aller Credit auf redlichem Willen und zureichendem Vermögen beruht, so gründet sich auch der Staatscredit auf den Zustand der bürgerlichen Gesellschaft in intellectueller, moralischer, rechtlicher und politischer Hinsicht und auf den wirthschaftlichen Zustand der Regierung und der Nation. Damit ist nichts Neues ausgesprochen, aber in der Durchführung findet der Verf. Gelegenheit, manche berichtigende Bemerkung anzubringen. Auf die intellectuelle Bildung nimmt der Credit wenig Rücksicht. Rußland und Spanien fanden ihn so gut wie England und Preußen. Mehr wirkt der moralische Zustand ein, indem er die Prämie für die Gefahr, also einen Bestandtheil des Zinses afficirt. Am meisten wirkt der Rechtszustand. Das Hypothekenwesen, die Gerichtsordnung, das Wechselrecht fließen unendlich auf die Darleiher ein. Auf den Staatscredit hat das öffentliche Recht, die Staatsverfassung eine große Wirkung. Mit Recht bemerkt aber der Verf. gegen Zachariä, daß man Constitutionen noch nicht als Hebel des Credits betrachten dürfe; denn es kann die Mitwirkung der Repräsentanten dem Bestande einer Regierung ebenso gefährlich als vortheilhaft sein. Auch ist es unwahr, daß die constitutionellen Staaten stets die verschuldetern sind. Es verhalten sich nämlich Einkünfte und Schulden in England wie 1 : 15; in Frankreich wie 1 : 4,6; in Spanien wie 1 : 10; in Oestreich wie 1 : 5,6; in Preußen wie 1 : 3; in Baiern wie 1 : 3,8; in Würtemberg wie 1 : 2,9.

Bei der Existenz eines Staatensystems ist auch die Stellung eines Staats zu den übrigen von großem Einfluß auf den Credit, weil das Bestehen einer Regierung davon abhängig ist. Landmacht und Marine treten als bedeutende Umstände hervor, aber häufig mehr im schlimmen als guten Sinne. Der wirthschaftliche Zustand der Regierung wirkt auf den Credit zuerst durch Domainen, meistens in sehr günstiger Art, dann durch Regalien und insbesondere durch das Münzwesen. Der Verf. trägt diese Materie sehr vollständig vor und beweist sehr ausführlich, a) daß nicht blos die Abnahme, sondern auch die Zunahme der Geldmenge auf das Volksvermögen ungünstig wirke, daß daher auch Verbote der Geldausfuhr die natürliche Proportion stören; b) daß die Münzverschlechterungen verschiedenen Nachtheil haben, nämlich daß Erhöhung des Nominalwerthes ohne Aenderung des Realwerthes blos den inländischen Verkehr, Minderung des Gehaltes bei gleichem oder höherm Nominalwerthe auch den ausländischen Verkehr treffe. Aus der englischen und französischen Münzgeschichte werden treffende Beispiele angeführt, von welchen hier nur eins eine Stelle finde. Die Kaufleute stellten Mazarin vor, daß die Münzverschlechterung dem Auslande überaus zu statten käme. „Vor dem Kriege", sagten sie, „kauften die Fremden auf Credit und bezahlten im Curse von 8 Livres per Pistole. Im J. 1636 stieg die Pistole auf 10 Livres und die Ausländer vortheilten ¼. Eine königliche Ordonnanz gebot die Annahme der Münzen ohne Unterschied des Gewichtes; der Fremde feilte sie ab." Außer den Domainen und Regalien hat auch das Steuerwesen großen Einfluß auf den Credit. Der Verf. verweilt natürlich nur bei der Capitalrentensteuer. Den in neuester Zeit von vielen Seiten verlautbarten Wünschen einer solchen tritt er entschieden entgegen, erstens, weil die Katastrirung und Erfassung der Capitalien schwer hält; zweitens, weil die Capitalien nicht in dem Betrage, sondern in der wechselnden Nutzung ihren Werth haben; drittens, weil die Capitalisten schon durch die Kosten, welche andere Steuern den Gewerbsleuten machen, betroffen werden, indem der Gewinn der Anwendung den Zinsfuß mitbestimmt; viertens, weil man die Capitalien nicht besteuern kann, ohne auch die öffentlichen Fonds einzuschließen, die öffentlichen Fonds aber keine Steuer tragen, ohne die Staatsanleihen zu vertheuern. Man kann die Gründe den heutigen Steuerverhältnissen siegreich entgegenhalten, aber man darf nicht vergessen, daß ihr Fundament eben nur in den schlechten Steuerverhältnissen des Augenblickes liegt. Auch die Art der Creditbenutzung, das Staatsschuldenwesen insbesondere wirkt auf den öffentlichen Credit mächtig ein. Der Verf. geht umsichtig die einzelnen Benutzungsarten des Credits durch. Ueber die Gestaltungen der Zwangsanleihen (Bank, Bankvorschüsse, schwebende Schulden) wird ein Genügendes beigebracht und durch die englische wie durch die französische Finanzgeschichte erläutert. Ausführlicher mußte vom Papiergelde die Rede sein. Der Verf. erklärt sich gegen die günstigeren Urtheile über dasselbe, die in Deutschland vorzüglich durch Rau begründet wurden. Er kann nur gedecktes Papiergeld zulassen, weil die Regulatoren seines Preises, nämlich a) der Gebrauchswerth im Verkehre, b) der Credit der Regierung, c) die Nachfrage nach demselben und d) das Verhältniß zum Metallgelde sich in keiner Art genügend bestimmen lassen. Namentlich hält er dafür, daß die Regierung sich keine Grenze setzen könne, da die Honorirung selber Beischaffung von Zahlmitteln mittels neuer Emissionen anfodert, und daß das zur Ausfuhr oder Einschmelzung einladende Sinken des Metallgeldwerthes ein solches Zuströmen der Noten zur Realisirung in sich schließe, welches jedes Ueberschreiten der bereitliegenden Baluta verbietet. Diesen Ausstellungen würde Vieles entgegnet werden können. Die Regierungen haben in neuerer Zeit eine Furcht vor Uebertreibung des Papiergeldes bekommen. Mehre Provinzialstände Preußens baten um Vermehrung des Papiers, ohne die Regierung dazu bewegen zu können! Wenn das Metallgeld wegen des Papiers bleibend zur Ausfuhr und Einschmelzung kommt, so ist die Summe desselben und noch mehr dessen Einrichtung eine sehr fehlerhafte. Würde jedes Papiergeld das ganze Metall in den Schmelztiegel oder in das Ausland treiben, so dürfte auch kein mit Metall gedecktes statuirt werden. Man würde ja die Baluta zur Ausfuhr oder Einschmelzung herauslocken und dann wäre weder Münze noch Papier im Verkehre! Eine absurde Folgerung, aber sie ist aus den Prämissen gezogen! Am umständlichsten spricht der Verf. von den öffentlichen Anleihen, ohne jedoch eine wesentliche Berichtigung der bekannten Lehrsätze zu liefern. Er begeht dagegen S. 338 einen Irrthum. Hamilton hat sich nicht so sehr gegen alle Tilganstalten, als vielmehr gegen die herrschenden Operationen erklärt. Von dem Einflusse des wirthschaftlichen Zustandes der Nation spricht der Verf. ganz zuletzt und ganz kurz. Hier ist nicht genug hervorgehoben, daß der innere Credit des Staats verzüglich von dem Reinertrage und von der Masse der Leihcapitalien berührt wird, während der äußere Credit vorzüglich auf den Rohertrag und auf den Wohlstand der Mehrzahl sich stützt.

Die folgenden Versuche beziehen sich auf zwei Ungeheuer der neuesten Finanzliteratur. Der zweite Versuch verbreitet sich über das Staatsobereigenthum und seinen Zusammenhang mit dem Staatscredite. Seit 300 Jahren circulirt durch die meisten politischen Schriften die Idee des Staatsobereigenthums, dominium eminens, welches das Privateigenthum durchdringen und beschränken soll. Der Verf. hat Unrecht, Hugo Grotius und Hobbes als die Väter dieser Idee anzusehen. Sie ist so alt als die Vorstellung eines Urvertrags. Schon im Justinianus, wo der Urvertrag nur ein wenig hervorschimmert, ist der Kaiser dominus. Im Mittelalter kam durch das Lehnswesen der Begriff eines Obereigenthums auf das gesammte Land in die Köpfe. Hugo Grotius und Hobbes haben jedoch diese Vorstellung durch die Theorien des Staatsvertrags wissenschaftlich gestützt. Da man sie zur Einziehung von Privilegien u. s. w. anwenden wollte, fand sie immer an den liberalen Schriftstellern die beredtesten Vertheidiger. Zachariä hat aber zuerst in seiner Broschüre: „Ueber das Schuldenwesen der europäischen Staaten", das Staatsobereigenthum auf die Staatsschulden bezogen und wider Willen die ganze Gefährlichkeit desselben enthüllt. Nach ihm stehen die Staatsgläubiger in keinem Vertragsverhältnisse zur Regierung und müssen sich eine Aufopferung ihrer Foderungen in jedem Nothfalle widerfahren lassen!! Der Verf. hat es leicht, diese grundfalsche Ansicht gehörig zu widerlegen. Recht zweckmäßig schließt sich der dritte Versuch über die St.-Simonistische Ansicht vom Staatsschuldenwesen an Zachariä's Paradoxien an. Die St.-Simonianer wollen eine nach der Capacität eingerichtete Vertheilung der Einkünfte. Zur Erreichung dieses Zweckes war es nothwendig, daß sie die „Gemeinde" in den Besitz der disponiblen Capitalien der Reichen zu setzen streben und das Mittel in den Anleihen erblicken. Die Regierung deckt alle außerordentlichen Ausgaben durch Schulden, die sie bei den müßigen Capitalisten macht und schont dadurch den Producenten, dem sie nur die Zinsen für die Schulden auflegt. Die Staatsschulden sollen nicht durch Steuern getilgt werden, sondern vielmehr wahrhaft „ewige Schulden" sein, denn die Steuern nehmen das Geld den Producenten ab. Um jedoch den Schuldpapieren eine Art Beschäftigung zu geben, soll eine Nationalbank mit Banknoten errichtet werden, und soll Jedem für Banknoten einen Schuldschein, für einen Schuldschein Banknoten zu federn freistehen u. s. w. Auch die Widerlegung dieser Finanzchimären fällt dem Verf. nicht schwer.

Die folgenden drei Versuche beleuchten einige praktisch-wichtige Punkte des Creditwesens. Der vierte Versuch beleuchtet die Regulatoren des Curses der Staatspapiere, a) den Werth der Papiere für den Capitalisten und Papierhändler, b) die gehabten Anschaffungskosten der Verkäufer, c) den marktüblichen Preis der Papiere, d) die Zahlungsfähigkeit des Verkäufers, e) den Werth der Tauschmittel, f) die Concurrenzverhältnisse. Der Leser dürfte wol fragen, ob unter die angeführten Momente auch die Meinung von der Regierung, die Constellation der politischen Verhältnisse zu rechnen sei? Der fünfte Versuch gibt die Handelsgeschäfte mit Staatspapieren an. Es ist davon nichts Erhebliches zu sagen. Dagegen liefert der letzte Versuch von dem Einflusse der Staatsschulden auf Europa einen reichen Stoff zu den wichtigsten Betrachtungen. Für die Privatwirthschaft haben die Staatsschulden nur den Nachtheil, daß sie neue Capitalverluste veranlassen. Namentlich hängt der Bankrott wie das Schwert des Damokles über den Staatsgläubigern. Mit Recht rügt der Verf. den Leichtsinn, mit welchem Zachariä den Bankrott als eine heroische Cur des Ganzen mittels Aufopferung einzelner Glieder behandelt, und weist durch Zahlen nach, daß ein Staatsbankrott die Ersparnisse der ärmern Familien zerstört. England hat nämlich 283,487 Gläubiger. Davon beziehen nach einer ältern Angabe nur ungefähr 10,000 über 300 Pf. jährliche Zinsen, 92,000 Individuen beziehen nur 5 Pf. jährlich, 42,000 nur 10 Pf. und etwa 100,000 zwischen 10 und 50 Pf. jährlich. Ein Bankrott mittels Vernichtung eines gezwungenen und ausschliesend circulirenden Papiergeldes ist der fürchterlichste, weil sein Betrag für die Einzelnen gleich ist dem Producte aus der Summe des Papiergeldes, aus dem Procente der Entwerthung und aus der Zahl der gemachten Umläufe des Papiergeldes. Jedoch ist es unbegreiflich, daß der Verf. Schön die Ansicht unterschiebt, als sei ein Papiergeldbankrott nur dem Procente der Papierentwerthung gleich. Schön spricht von der „Erschütterung eines sonst richtigen", d. h. ungezwungen, neben dem Metallgelde circulirenden Papiergeldes, welche Erschütterung durch außerordentliche Kriegsereignisse (durch momentane Einstellung der Honorirung, durch momentane Suspendirung der Acceptation an den Steuercassen) entstehen könnte. Offenbar kann bei einer solchen Erschütterung nur der Besitzer des Papiergeldes, nicht aber der Gläubiger überhaupt leiden. Der Nationalverlust ist daher in diesem Falle wirklich nur im äußersten Falle der momentanen Entwerthung der Papiersumme gleich. Auf die Volkswirthschaft haben die Staatsschulden vorzüglich hinsichtlich der Vertheilung des Nationaleinkommens übel eingewirkt. Die Preise der liegenden Güter sind außerordentlich gesenkt, die Zinsen gesteigert worden. Rücksichtlich der Staatsverfassung ist kaum zu verkennen, daß die Staatsschulden die Verschworenen des demokratischen Princips sind, sowie sie hinsichtlich der Verwaltung als Friedensengel sich jetzt preisen lassen. Diese Wirkungen sind aber nur factische, nichts weniger als nothwendige!

Damit haben wir dem Leser eine gedrängte kritische Uebersicht des Buches vorgelegt und überlassen ihm, zu entscheiden, ob er dasselbe sich aneignen wolle. 150.

Literarische Notizen.

In Paris erscheinen nächstens: „Mémoires de Tallemant des Réaux, pour faire suite à la collection des mémoires relatifs à l'histoire de France". Tallemant schrieb zur Zeit, wo Pascal seine „Lettres provinciales" verfaßte; er schildert vorzüglich das Privatleben seiner Zeitgenossen; seine Gemälde sind häufig satirisch und werden in jedem Falle höchst interessant sein.

Eine wichtige Erscheinung in der belletristischen Literatur ist: „Cyprès et palmistes par Mr. *Poirie de Ste.-Aurèle*". Der Verf. ist zwar nicht zu Paris geboren, aber seine Gedichte haben den Fehler, daß sie zu parisisch aussehen; er ist abgemessen, viereckig, antithetisch wie Delavigne, dem er an die Seite gesetzt wird. Man lese nur folgende Strophe:

Où le corps immortel des femmes adultères,
Chamarré de bijoux, ses chèvrons militaires,
Couronne d'impudeur un front de Séraphin,
Vit de luxe et d'amour, sourit à qui le raille,
Repose dans la paix et laisse à la canaille
La vertu, la soif et la faim.

Der 17. Band von Sismondi's „Histoire des Français" enthält die Fortsetzung der Regierung Franz I. bis zur Thronentsagung Karl V. Die 16 ersten Bände kosten zusammen 128 Francs.

Man kündigt ein neues Drama von V. Hugo an: „La sanglante Marie".

Herr Firmin Didot kündigt die Herausgabe der „Lettres écrites d'Egypte et de Nubie" von Herrn Champollion dem Jüngern an. Diese Briefe enthalten eine vollständige Beschreibung der ägyptischen Denkmäler, das authentische Portrait des Königs Sesostris wie auch die Abbildung des Königs von Juda, den der Pharao gefangen nahm. Beigefügt ist eine Notiz über die ägyptische Geschichte, welche der Verf. für Mehemmed Ali verfaßte. 143.

Redigirt unter Verantwortlichkeit der Verlagshandlung: F. A. Brockhaus in Leipzig.

Blätter

für

literarische Unterhaltung.

Montag. — Nr. 245. — 2. September 1833.

Skizzen aus Spanien. Von V. A. Huber.
Zweiter Theil.

(Fortsetzung aus Nr. 244.)

Vor diesem Gerichtshof werden Benept Soler und Blay Talens aufgerufen, Ersterer angeklagt, unbefugterweise gewisse neue Bewässerungsgräben auf seinem Grundeigenthum gezogen zu haben, wodurch der Nachbar Blay Talens sein eignes Bewässerungsrecht gefährdet sah. Der eigenmächtige, hochfahrende Soler trotzt dem gegen ihn ausfallenden Ausspruche der Cort, wird aber schnell und auf entschiedene Weise zur Ruhe verwiesen, in welche er sich noch mehr findet, als der Gerichtshof selbst einen Granden von Spanien, den Marques de Dosaquas, der vor der Cort zu erscheinen sich geweigert hatte, sich persönlich zu stellen und stehend und mit entblößtem Haupte eine Art von Verweis aus dem Munde des alten Landmannes, der hier als sein Richter mit bedecktem Haupte vor ihm saß, anzuhören und dann die Geldstrafe, in die er verurtheilt worden, zu zahlen zwingt. Soler ist durch diesen Vorfall und das Zureden der Freunde inzwischen so sehr auf andere Gedanken gekommen, daß er nicht nur dem Gerichtshof eine förmliche Abbitte leistet, sondern auch dem alten Talens Freundschaft anbietet und — ihn sogar um die Hand seiner Tochter Gesualda angeht. Dies findet allgemeinen Beifall, heimlich auch bei Talens, der aber seine Zustimmung nicht rein auszusprechen wagt, weil „ein rothes Fähnlein" im Hinterhalte wehe, womit die Nachbarn ihn verspotten. Dies rothe Fähnlein ist nichts Anderes als — seine Hausehre, Doña Emerencia del Portalet, über die er, sich ermannend, zu siegen verspricht.

Soler's Sinnesänderung wurde weniger durch den Wunsch erzeugt, die Nachtheile des gegen ihn ausgefallenen Urtheils zu vermeiden und seinen Einfluß in der Huerta durch die Verbindung mit einer reichen Familie zu vermehren, als durch die Erbitterung gegen Florencio oder eigentlich gegen Mercedes, die ihn durch Trotz und Sprödigkeit tief gekränkt hatte. Von der andern Seite hatte er die Reize der schönen, schüchternen Gesualda nicht unbemerkt gelassen, und so sehen wir ihn jetzt mit seinen Freunden und Blay Talens den Weg nach Ruzafa einschlagen, wo er ihnen ein Gastmahl versprochen hat. Je mehr man sich aber dem Dorfe nähert, desto mehr sinkt der Muth des ehrlichen Talens, und als er endlich in seine Wohnung tritt, entwickelt sich eine der ergötzlichsten Scenen des ganzen Buches. Doña Emerencia hat nämlich bereits durch eine Gevatterin das in der Stadt Vorgefallene erfahren und will nichts davon hören, daß ihre Tochter einen Ketzer, Freimaurer und Erzliberalen heirathen soll. Blay Talens schilt und poltert ihr mit wachsendem Muthe entgegen; Gesualda vergießt bittere Thränen und klagt um ihren Florenzuelo, den sie verlieren soll. Aber damit schüttet sie Oel in das Feuer; beide Aeltern kehren nun ihren Zorn gegen sie und wollen von der Liebe zu dem Bettelstudenten nichts hören; der Lärm erreicht die äußerste Höhe, als Pater Graciano eintritt. Dieser in Ruzafa sehr verehrte, stattliche Pater aus dem benachbarten reichen Kloster von San-Miguel de los Reyes vernimmt die streitenden Parteien, verweist mit salbungsvollen Reden Jedem sein Unrecht und hat nach halbstündigen Ermahnungen es bei Gesualda so weit gebracht, daß er die zwar immer noch weinende, aber doch gehorsame Tochter ihren Aeltern zuführt, und bald darauf sitzen Alle zusammen in Soler's Hause, wo sie mit lautem Jubel empfangen wurden, beim fröhlichen Mahle.

Trübsinn herrscht inzwischen in der Hütte der Tia Ana und bei dem spärlichen Mittagsessen, welches sie mit Mercedes genißt. Da stürzt in der höchsten Aufregung Florencio herein mit der Nachricht, daß Soler mit der Tochter des alten Talens verlobt sei. Mercedes erstarrt anfangs, geräth aber bald in die gewaltsamste Bewegung und ergreift mit funkelnden Augen ein Messer; doch schnell faßt sie sich zu erkünstelter Ruhe, und mit einem vielsagenden Blick das Messer auf den Tisch legend läßt sie ein tief eindringendes Wort gegen Florencio fallen, welches bei diesem innigst gekränkten und der Verzweiflung nahen Jünglinge seine Wirkung nicht verfehlt. Wie sich Mutter und Schwester zurückgezogen, eilt er mit dem Messer davon und in das Haus Soler's. Dieser unterhandelt eben mitten im lustigen, lauten Treiben seiner Gäste mit Gesualda um den ersten Kuß, als er, von hinten getroffen, vorn über den Tisch stürzt, während ein rother Blutstrahl, aus seinem Halse sprützend, die entsetzte Braut überströmt, welche mit dem Ausruf: Florencio! in eine tiefe Ohnmacht fällt. Aufruhr, Bestürzung, Verfolgung des Mörders; der Alcalde mit Gerichtspersonen begibt sich nach der Hütte der Witwe, aber schon an der Gartenthüre derselben tritt ihnen Florencio mit einem Bündelchen und einigen Büchern entgegen, die blutige That unumwunden bekennend. Er läßt sich ruhig ins Gefängniß führen und bittet nur, das Gebet der Mutter und Schwester, die früh genug ihr Unglück erfahren würden, nicht zu stören.

Soler ist gefährlich, aber nicht tödtlich verwundet; alles Mitleid wendet sich daher dem armen Florencio zu, der das ganze Elend eines spanischen Gefängnisses tragen muß. Gewinnsüchtige Escribanos ziehen seinen Proceß in die Länge, der ihm im besten Falle immer noch die Aussicht auf 20 Jahre Presidio, d. h. Zwangsarbeit, in einem der festen, zu Spanien gehörigen Plätze auf der Nordküste Afrikas verspricht. So vergeht der Winter. „Als aber die arme Witwe schon einmal ausgepfändet worden war; als der Knecht nicht mehr bezahlt werden konnte; als der Garten verwilderte und für das nächste Jahr kaum mehr eine Ernte versprach; als die Mittel, wodurch man bisher diese oder jene kleine Gunst von dem Kerkermeister erkauft hatte, immer spärlicher wurden, und Florencio's Gesicht immer hagerer und schmuzig blasser hinter dem Eisengitter heraussah, seine Stimme schwächer, seine Aeußerungen bitterer und kläglicher wurden, — da mußte irgend etwas geschehen." Mercedes hält geheime Betrachtungen mit dem guten Cura Don Geronimo, der der armen Familie treuen Beistand geleistet hatte, und endlich treten Beide eines Morgens früh, angeblich um einem Gelübde zu genügen, eine Wallfahrt nach dem wunderthätigen Bilde Unserer lieben Frau von der See zu Elche an.

So treffen wir unsere Pilger auf den steilen Felsenpfaden des rauhen, dürren Gebirges an, das sich vom Cabo de Gata bis Alicante an der Küste hinzieht. Sie sind in hohem Grade erschöpft und noch nicht im Stande, von der Höhe herab das Ziel der Wanderung zu erblicken. Der Cura betet inbrünstig und laut, leise spricht ihm Mercedes die Litaneien nach, als eine dritte, rauhe Stimme Amen! sagt. Ein Mann tritt hervor, den untern Theil des Gesichts mit dem Mantel verhüllt, den breitkrempigen Hut tief in die Stirne gedrückt. Im Gespräche mit ihm erfahren wir, daß Mercedes nicht eigentlich nach Elche, sondern zum großen Erstaunen des Fremden nach dem Thurm von Carus will. Eben dahin geht auch des Fremden Weg, und so wird er Führer der Pilger. In der Tiefe eines Kessels liegt schauerlich der Thurm, aus dem fürchterliches Hundegebell schallt, welches der Fremde zu beschwichtigen vorangeht. Mercedes besteht inzwischen mit vielem Muthe ein Abenteuer gegen verdächtige Gesellen, welches ihr ohne die Dazwischenkunft des Fremden, dem jene Gehorsam leisten, leicht hätte das Leben kosten können. Man gelangt nun in das Innere des Thurms, von welchem wie von dem Fremden selbst eine sehr anziehende Beschreibung erfolgt. Mercedes zweifelt nicht länger, daß er der Barbudo sei, der berüchtigte Räuber Jaime Alfonso, der von seinem starken Barte den Beinamen Barbudo erhielt. Aber diesem Barbudo gibt sie sich als Schwester zu erkennen, bringt ihm den Segen der Mutter und fleht ihn an, den Bruder Florencio von Ketten, Tod und Schande zu erretten. Unsere Leser werden in dem Buche selbst, wenn auch nur vermuthungsweise, Alles mitgetheilt finden, was den Sohn der Tia Ana in eine Laufbahn führte, in welcher er der Schrecken dieses Theiles von Spanien ward. Er empfängt die Schwester und den Cura freundlich und herzlich, sagt auch nach einigen zuvor abzumachenden Geschäften seinen Beistand zu und schickt seine Gäste zu Bette. Am andern Morgen finden sich diese allein, besteigen die Zinne des Thurms und sehen sich hier einer nahen Felskuppe gegenüber, auf welcher bald der Barbudo erscheint. Auf einem schmalen Stege holt er sie zu sich herüber und bringt sie auf den Rand des Felsenkessels zu einer Schlucht, wo er sie mit ein paar Maulthieren unter der Obhut

sem durch List, gegen den Befehl des Bruders, die Erlaubniß zu verschaffen, einen Felsenvorsprung zu besteigen und die Ursache längst vernommener Flintenschüsse zu erfahren. Hier übersieht sie nun die Palmenebene von Elche und in dieser einen Zug beladener Wagen und Karren, von Bewaffneten begleitet, welche von versteckten Schützen beschossen werden und ihrerseits tapfer wieder schießen. Durch einen hinzugekommenen Hirten erfährt Mercedes, daß es ihr Bruder mit seinen Leuten ist, der eben die Güterwagen des Tio Fenoll, des reichsten Fuhrherrn der Gegend, angreift, weil Fenoll gegen allen Gebrauch und alle Sitte (!) sich durchaus nicht hatte dazu verstehen wollen, mit dem Barbudo einen Contract wegen sichern Geleits

der Sache eine andere Wendung gibt und die Tochter Fenoll's, Rita, in seine Gewalt bekommt.

(Der Beschluß folgt.)

Die ehemaligen Klosterschulen und die jetzigen niedern evangelischen Seminarien in Würtemberg. Dargestellt von C. G. Wunderlich, Ephorus des evangelischen Seminars in Schönthal, im Vereine mit seinen Amtsbrüdern, den dortigen Professoren G. A. Hauff und C. W. Klaiber. Stuttgart, Löflund. 1833. Gr. 8. 12 Gr.

Würtemberg wird um seine philologisch-theologische Bildungs- und Vorbildungsschulen, welche die Frömmigkeit und Gewissenhaftigkeit seiner Fürsten vor Jahrhunderten gegründet und ihre weise Sorgfalt in der neuesten Zeit umgestaltet hat, vom Auslande mit Recht beneidet. Seine Klosterschulen sind nicht nur die Seminare für die evangelische Landesgeistlichkeit und den Lehrerstand in Würtemberg, sie sind von jeher auch die Pflanzstätten deutscher Gelehrsamkeit gewesen, und es haben in ihnen, besonders in dem letztverflossenen Jahrhunderte, die berühmtesten Universitätslehrer, Väter der Kritik und Exegese, Erneuerer der Kirchen- und Dogmengeschichte, Gründer weltherrschender philosophischer Systeme den Grund zu ihrer Bildung gelegt. Um so mehr mußte es aber auch das Ausland befremden, daß auf dem letzten würtembergischen Landtage der ernstliche und ausführlich motivirte Vorschlag zu gänzlicher Aufhebung der angeblich veralteten und zweckwidrigen niedern Seminarien in ihrer jetzigen Gestalt und zu Verbindung derselben mit den Landesgymnasien gemacht worden ist, und das nicht etwa von einem revolutionirenden Radicalen, sondern von einem devoten Mitgliede der ministeriellen Majorität, nicht etwa von einem misgünstigen, auf die Vortheile und Vorrechte der Theologen eifersüchtigen Laien, sondern von einem Manne, der eben jenen Klosterschulen die Nahrung, Erziehung und gelehrte Bildung seiner Jugend zu danken hat.

Ohne ausgesprochene polemische Tendenz stellt sich jener Motion die vorliegende, größtentheils aus amtlichen Quellen geschöpfte Schrift entgegen, welche nachweisen will, wie aus den Klosterschulen in Würtemberg die evangelischen niedern oder Vorbereitungsseminarien sich entwickelt, welche Einrichtung jene gehabt und diese nach und nach erhalten haben. Sie beabsichtigt dadurch die, auf der Verwechselung des Neuen mit dem Alten beruhende falsche Ansicht von den Seminarien zu beseitigen. Dieser Zweck wird durch die unparteiische, historische Darstellung, aus welcher wir den Lesern d. Bl. einiges Wesentliche mittheilen wollen, vollkommen erreicht.

Nachdem Herzog Ulrich im J. 1534 die Kirche in Würtemberg zu reformiren begonnen, veranstaltete er auch eine Reformation der Klöster und Abteien des Landes (1535). Indessen beschränkte sich seine „Klosterordnung" auf Bestimmungen wegen des Bibellesens und einigen Unterrichts in den Wissenschaften und freien Künsten, ohne daß die Klöster, die man als abgesonderte Anstalten fortbestehen zu lassen gemeint war, mit der Kirche in eine nähere Verbindung gebracht werden sollten. Erst Herzog Christoph traf, als der augsburgische Religionsfriede (1555) vollkommene Religionsfreiheit nebst dem ruhigen Besitze der eingezogenen Klostergüter zugesichert hatte, eine Veranstaltung, durch welche das Klosterleben den Zwecken der Kirche förderlich werden sollte und konnte. Bis dahin war die einzige Pflanzschule für künftige Religionslehrer die Stipendiatenanstalt in Tübingen gewesen, die höchstens 70 Stipendiaten zählte. Um nun das Bedürfniß von 62 Städten und 400 Dörfern, aus welchen das Land damals bestand, zu befriedigen und für diese „Kirchendiener zum Lehr- und Predigtamt" zu erziehen, wurde den im Lande befindlichen Klöstern die Bestimmung gegeben, statt der Mönche junge Leute aufzunehmen, die durch eigne Lehrer unterrichtet und zum Kirchendienste zubereitet würden. Christoph ließ für diese „Klosterschulen" durch den berühmten Joh. Brenz eine ausführliche Ordnung entwerfen, welche unter Beibehaltung mancher alten Formen und Einrichtungen doch in Hinsicht auf die Besetzung dieser Anstalten, die Religionsübungen und die Beschäftigung der Zöglinge sehr bedeutende Abweichungen von dem bisher Bestandenen bemerken läßt und den Verf. als einen würdigen Zeitgenossen eines Erasmus, Reuchlin und Melanchthon darstellt, welcher auf den Grundsatz baute, daß die Tüchtigkeit des protestantischen Religionslehrers nicht blos auf der Bekanntschaft mit der heil. Schrift und auf einem frommen Sinne, sondern auch auf gründlicher wissenschaftlicher Bildung beruhen müsse, deren sicherste Grundlage und bedeutendstes Förderungsmittel das Studium des classischen Alterthums sei. Die Ausführung des entworfenen Planes begann mit dem J. 1556, und 13 Klöster wurden in Schulen umgeschaffen, darunter vier höhere zu Bebenhausen, Herrenalb, Hirsau und Maulbronn; die Leitung erhielten theils protestantische Prälaten, theils protestantische Coadjutoren katholischer Aebte. Die Oberaufsicht und Visitation hatte Joh. Brenz. Ihre Organisation wurde schon im J. 1559 durch eine erweiterte Klosterschulordnung verbessert. In beiderlei Klosterschulen sollten neben den Religionsübungen täglich sechs Lehrstunden gegeben werden, wovon in den niedern Klöstern eine der Erklärung des theologischen Compendiums, vier der lateinischen und griechischen Sprache, namentlich der theilweisen Erklärung Cicero's, Virgil's und Ovid's, des Neuen Testaments oder der „Cyropädie" Xenophon's, endlich eine Stunde dem abwechselnden Vortrage der Logik und Rhetorik gewidmet waren. In den höhern Klöstern, in welche die schon erstarktern Schüler versetzt wurden, kamen die schwerern Schriften Cicero's (Reden), Demosthenes, die lectio sphaerica, Theorie der Musik und Arithmetik hinzu, ohne daß die Stundenzahl vermehrt worden wäre.

Die für die Behandlung des Unterrichts in den alten Sprachen gegebenen Vorschriften bezweckten nicht blos, wie man nach dem damaligen Stande der Philologie vermuthen konnte, grammatikalische Festigkeit, Wörtervorrath und Phrasen, sondern auch richtige Auffassung des Gelesenen, Uebung des Verstandes und Bildung der Urtheilskraft; für die lateinischen Stylübungen sind den Lehrern genaue Vorschriften gegeben, für die höhern Klosterschulen auch eigne Ausarbeitungen zur Anwendung der Regeln der Logik und Rhetorik vorgeschrieben, auch für die Sonntage Disputirübungen angeordnet. Musik wurde theoretisch und praktisch getrieben; „ehrbares und unärgerliches Saitenspiel und Gesang" war den Zöglingen nach dem Mittag- und Abendessen, „zu einer Wiedererquickung" nicht verwehrt. Zwei Nachmittage waren stundenfrei, Spaziergänge selten und nur unter Inspection erlaubt, die Jahresferien kurz zugemessen. Die Alumnen wurden vom Staate „aus Gnaden" gekleidet, jeder hatte sein Gemach sauber und rein zu halten und „sein Bett selbst zu betten". Statutenmäßige Strafen waren Entziehung des Tischweins, Einkerkerung, selbst bei Wasser und Brot, nach Umständen die Ruthe, endlich die Entfernung aus dem Kloster. Diese Klosterordnung wurde mit den Ständen verabschiedet. Im Ganzen waren es gegen 200 Klosterschüler, die „letzlich gen Tübingen in das Stipendium zu vollkommenem Lauf ihrer Studiorum verordnet, und von dannen zu den Ministerien an gebührenden Ort angenommen" wurden.

Nach Christoph's und Brenz's Tode wich indessen neben Dem, daß sie minder wesentliche äußere Veränderungen erfuhren, das rege Leben aus diesen Klosterschulen, und nur die starre Form blieb, der tödtende Buchstabe herrschte. Das Hauptgebrechen derselben war die naturwidrige Strenge der Anforderungen an Knaben und Jünglinge. Diese ermangelten zum Theil vor, zum Theil während ihrer Entwickelungsperiode der ihnen so nothwendigen sorgfältigen Beobachtung und Erziehung; dagegen unterlagen sie einer strengen Gesetzgebung, die, aus dem Mönchsthume stammend, mehr als jugendlichen Ernst und männliche Kraft, zumal fürs Entbehren, voraussetzte, durch eine Menge bis ins Einzelne gehender Vorschriften erziehen und durch zum Theil herabwürdigende, aber doch beharrlich beibehaltene Strafen Folgsamkeit erzwingen wollte. Auch die täglichen Religionsübungen waren mehr beschwerlich als erbaulich und lehrten die Bibel zwar kennen, aber nicht lieben. Diese Hauptgebrechen dauerten fort. Das Studium der classischen Literatur aber, das erheiternde, für Entbehrungen Ersatz gewährende ward hintangesetzt: Demosthenes und Xenophon wurden verdrängt, vom Griechischen wurde nur das Neue Testament und des Chrysostomus Abhandlung vom Priesterthume gelesen und erst im Jahre 1777 Geßner's „Chrestomathia graeca" eingeführt. Die Römer Cicero, Virgil und Ovid erhielt nur das Bedürfniß des Lateinlesens, Schreibens und Redens. Selbst die sparsam zugemessene Erholungszeit wurde beschränkt, und in Beziehung auf Wohlanständigkeit und Schicklichkeit wurden die Zöglinge mit der Zeit seltsamen Bestimmungen unterworfen. Als die Perücken allgemeine Mode wurden (1721) erhielten die Alumnen den ernstlichen Befehl, im Sommer solche abzulegen und indessen ihre Haare wachsen zu lassen; „im Fall aber bei einem oder dem andern ein besonderer, erweislicher Umstand und Nothfall sich erzeigte, daß er solche zu tragen nöthig haben würde, so ist derselbe dahin anzuhalten, die Concession hiezu bei fürstl. Consistorio zu suchen". Im J. 1746 wurde „Weltförmigkeit in Kleidung und sonsten" verboten, „in specie sind die umgewandten Modeschuhe simpliciter abgestellt", und die mönchische Kutte verbot jede andere Mode. Die Klosterpräceptoren waren nur Lehrer und Aufseher, außerdem standen sie den Jünglingen fern, und diese, ganz auf sich selbst gewiesen, in die Mauern des Klosters eingegrenzt, geriethen bei Verpönung beinahe aller, selbst der unschuldigsten Spiele, bei der vielseitigen Beschränkung in der Lebensperiode, in welcher der Drang nach Freiheit und Kraftentwickelung am stärksten ist, auf Abwege aller Art.

Inzwischen würde es, wie die Verf. unserer Schrift bemerken, ungerecht sein, wenn wir jetzt um solcher Mängel willen ein allgemeines Verdammungsurtheil über diese Anstalten aussprechen und den Einfluß der Verhältnisse und des Zeitgeistes auf die Erzieher und die Erziehungsgrundsätze nicht anerkennen wollten. Sie erinnern in dieser Beziehung hauptsächlich an die ganz auf die Reinhaltung der Lehre gerichtete Tendenz der protestantischen Kirche während des 16. Jahrhunderts und die dadurch erzeugte eifrige Polemik und starre Dogmatik; dann an die Auflösung der gesellschaftlichen Bande, der Zucht und Ordnung im 17. Jahrhundert in Folge des dreißigjährigen Krieges, an alle Nachtheile, welche dadurch für die Wissenschaft wie für die Sitten herbeigeführt wurden; endlich an die Beschaffenheit der Jugendbildung der Lehranstalten, der öffentlichen und häuslichen Erziehung während der ersten zwei Jahrhunderte seit der Errichtung der würtemburgischen Klosterschulen. Sie weisen nach, daß von der herrschenden Strenge nicht jede Rücksicht auf die Bedürfnisse der Jugend, nicht alle wohlwollende Aufmerksamkeit ihrer unmittelbaren Vorgesetzten ausgeschlossen gewesen sei, und lenken unsere Blicke von der Schattenseite der Klosterschulen auf die gründlichen Kenntnisse, welche die zum Kirchen- und Lehramte bestimmte Jugend in den für den Theologen nöthigen Fächern gewann, sodaß sie sich später auf der Kanzel und auf den Lehrstühlen noch immer vor dem größten Theile des übrigen protestantischen Deutschlands auszeichnete, auch zum Theil für den Staat in mancherlei Verhältnissen mit Ehre und Nutzen wirkte.

Verbesserungen im Einzelnen wurden auch vom Anfange des vorigen Jahrhunderts an theils gemacht, theils vorbereitet von einzelnen Klosterlehrern, namentlich von dem berühmten Joh. Albr. Bengel, der von 1713—41 Klosterpräceptor zu Denkendorf war. Dieser, bei gründlicher Kenntniß der alten Sprachen und gediegener theologischer Bildung, suchte mit ebenso viel Geist als Religiosität, mit ebenso viel Eifer als Besonnenheit die Grundsätze der Spener-Francke'schen Schule gegen das Mönchische in der Einrichtung der Klosterschulen geltend zu machen, und äußerte in Beziehung auf Behandlung der Lehrgegenstände, Anleitung zu fruchtbarem Privatstudium und Erziehung der Jünglinge zu wahrer Religiosität eine ganz ausgezeichnete Wirksamkeit. Für die Annahme, Vorbereitung und Anwendung milderer Grundsätze war nun die Bahn gebrochen. Im J. 1720 wurde von zwei Klosterlehrern der Vorschlag zu einer Revision der Klosterstatuten gemacht, ein Vorschlag, der freilich erst nach beinahe 40 Jahren einiges Gehör fand. Dennoch enthielten die neuen, im J. 1757 bestätigten Statuten, die sich nur auf die Obliegenheit der Alumnen bezogen, großentheils bloße Modificationen der ältern Statuten. Doch wurde der classischen Literatur wieder mehr Raum gegeben, die schon von Bengel zu Denkendorf eingeführte Geschichte in den Studienplan aufgenommen, der Geographie, Arithmetik und Geometrie wurden einige Stunden gegönnt und in den höhern Klöstern das letzte halbe Jahr die ersten Anfangsgründe der Moral und Metaphysik „zu einigem praegustu" gestattet. In den nächsten Jahrzehenden traten allmälig immer weitere Verbesserungen des Unterrichts ein; Xenophon kehrte nach 200jähriger Verbannung in die Klöster zurück (1785); schon von Bengel war der Cornelius Nepos in den Lehrplan aufgenommen worden; in den neunziger Jahren folgten Livius, Homer; der Unterricht in der Muttersprache wurde eingeführt, und ein gemeinschaftlicher Studienplan für das niedere und höhere Kloster entworfen (1794). Zugleich machte die Oberbehörde auch die religiöse Bildung und Erziehung in den Klöstern zu einem Gegenstand ihrer besondern Aufmerksamkeit. Den Lehrern wurde unmittelbarer, liebreicher und väterlicher Umgang mit den Alumnen zur Pflicht gemacht; in Hinsicht auf die Benutzung der Erholungszeit wurde allmälig mehr Freiheit gestattet; doch war zu Ende des vorigen Jahrhunderts noch keine völlige Freiheit zu Ausgängen während der „Recreation" eingeräumt, und die Erlaubniß dazu mußte jede Woche aufs Neue mit einem lateinischen Gedichte erkauft werden. Die Kleidung war noch immer dieselbe wie vor zwei Jahrhunderten: eine schwarze Kutte ohne Aermel machte einen wesentlichen Bestandtheil derselben aus.

(Der Beschluß folgt.)

Literarische Notizen.

Die „Revue de Paris" theilt den Brief eines Erbuchhändlers, Jacques l'Art, mit, worin ihr etwas zum Verkauf angeboten wird, was der Schreiber loszuschlagen sich genöthigt sieht. Bisher habe ihn eine gewisse Achtung vor diesem Besitzthume, welches er auf die bündigste Weise erworben, davon abgehalten — heißt es darin — dasselbe öffentlich zum Verkauf ausrufen und sonst ausbieten zu lassen; allein jetzt sei es dahin gekommen, daß er es dem Meistbietenden zuschlagen lassen werde, wenn es die „Revue" nicht ankaufen wolle. Es sei nämlich ein Schriftsteller, ein Mann, gesund und für alle Fächer passend, der sein vollkommenes Eigenthum sei. Mit gleicher Vortrefflichkeit flössen Proverbes, fantastische, historische und Marineerzählungen aus seiner Feder, er übersetze außerdem aus dem Spanischen, Deutschen, Englischen und Italienischen, schreibe im Sprunge alle kurze Waare für Feuilletons, und in Kunstartikeln komme ihm Niemand gleich. Nur Eins sei dabei zu bemerken, er habe nämlich noch einige Verbindlichkeiten gegen Zeitschriften zu erfüllen und werde daher erst nach einem, höchstens nach zwei Jahren einen sichern und reinen Ertrag abwerfen können. Wir wissen leider nichts mehr über diese Sache, als daß die „Revue de Paris" sie von der Hand gewiesen hat.

Die so pomphaft begonnene „Europe littéraire", welche auch den Baron J. von Rothschild unter seine trois cents fondateurs zählt, scheint ein schmähliches Ende zu nehmen. Misverständnisse unter den Begründern, Nichteinzahlung mancher Actienbeiträge u. dgl. hatten es dahin gebracht, daß das kaum angefangene Journal, welches nur 1200 Abnehmer hat, am 10. August an den Meistbietenden verkauft werden sollte. Da sich kein Liebhaber dazu fand, die vorhandenen Mittel der Unternehmung aber zu Ende waren, so ergibt sich das Weitere von selbst.

Die Wiederherstellung von Napoleon's Standbilde auf der Säule des Vendômeplatzes hat Kupferstecher, Lithographen und Schriftsteller in gewaltige Bewegung gesetzt, und es sind eine Menge Gelegenheitsbilder und Schriften darüber erschienen, die auch im Publicum viele Käufer gefunden haben müssen. Wir nennen von letztern: „Couplets à l'occasion de la réinstallation de la statue de N.", von einem Sergeantmajor der Nationalgarde des pariser Weichbildes, Namens Rousselet, welche schon die dritte Auflage erlebten; „Napoleo reversus, vel de ejus statua in suo sedili rursus collocata, die 28. mensis Julii a. 1833", eine Ode in sapphischem Versmaße von J. Gors[illegible]; „Les voeux d'un réfugié italien au jour de l'inauguration de la statue de N.", eine italienische Ode mit danebengedruckter französischer Uebersetzung; ferner: „La couronne d'immortelles, ou Napoléon sur la colonne; Napoleon à la garde nationale, au peuple ouvrier", von Ch. Moreté; „Napoléonienne"; „L'empereur 27. 28. 29. juillet"; „Ode sur l'inauguration de la statue etc., dédié à Joseph Napoléon", von J. [illegible]; „Le revenant de Ste.-Hélène, couplets en l'honneur etc.", eine Dithyrambe; „Réinstallation de la statue de Napoléon"; „Cantate sur Napoléon etc." Mehrere dieser Poesien tragen die Autorschaft von Militairs der ehemaligen großen Armee zur Schau. Ueber die Säule selbst ist das umfassendste und beliebteste Unternehmen: „La colonne de la grande armée d'Austerlitz ou de la victoire", eine Darstellung derselben in [illegible] Blättern, Kupferstich von A. Tardieu, das Blatt 10 Centimes.

3.

Redigirt unter Verantwortlichkeit der Verlagshandlung: F. A. Brockhaus in Leipzig.

Blätter für literarische Unterhaltung.

Dienstag, —— Nr. 246. —— 3. September 1833.

Skizzen aus Spanien. Von V. A. Huber. Zweiter Theil.

(Beschluß aus Nr. 245.)

Nachdem er diese hinaufgetragen, wo Mercedes und der Cura sich befanden, treten sie gemeinschaftlich den Zug durch das Gebirge an, werden unterwegs durch eine Caravane von Saumthieren verstärkt, und gelangen am andern Tage in den Flecken Sax. In der Posada, deren Wirth mit dem Räuberhauptmann im Einverständnisse erscheint, erhalten die Mädchen und der Cura einen besondern Verschlag; der Barbudo aber erhält den Besuch des Escribano von Sax, der ihm vorwirft, daß gegen alles Versprechen und gegen „die Hauptbedingung bestehender Freundschaft" der Ort und die Umgegend nicht verschont bleibe von der Ausübung der freien Kunst, zu welcher sich der Barbudo bekennt. Während dieser zornig die Beschuldigung als unwahr zurückweist, bringen Landleute einen in der Nähe des Dorfes überfallenen, übel zugerichteten und ausgeplünderten Mann. Es ist Fenoll, der seiner Tochter nachgeeilt war, und dem der Barbudo freies Geleit versprochen hatte. Der Escribano will Protokolle aufnehmen, aber der Barbudo schreitet ein und liefert uns das merkwürdigste Beispiel von Räuberjustiz. Auf einen Wink hatten sich einige seiner Leute entfernt; nach einigen Stunden kehren sie mit einigen geknebelten, blutenden Männern zurück, eben den Buschkleppern, die dem Barbudo ins Handwerk pfuschen und seinem Namen Schande machen Er hält strenges Verhör und strenges Gericht; beide Verbrecher müssen ihre Schuld mit dem Leben auf der Stelle bezahlen. Wir zweifeln nicht, daß den Lesern und noch mehr den Leserinnen bei dieser Schilderung der Athem ein wenig stocken wird. Würdig benimmt sich bei diesem ganzen Vorgange der Cura, gegen welchen der Barbudo nachher höchst originelle Ansichten über seinen Beruf und sogar die Nothwendigkeit desselben entwickelt. Endlich läßt er dem Tio Fenoll seine Geldkatze und einen Geleitszettel zustellen und schickt den Cura und Mercedes auf zwei Maulthieren wohlversehen und wohlbegleitet nach Valencia zurück, wohin er ihnen bald zur Rettung Florencio's folgen will.

Mercedes findet die Hütte in Ruzafa verschlossen und erfährt von den Nachbarn, daß ihre Mutter, durch Auspfändung alles Eigenthums beraubt, an der Kathedrale von Valencia Almosen empfange. Mit Tagesanbruch eilt sie hin, und da sie die Mutter unter den Portalen der Kathedrale nicht antrifft, wo viele Bettler auch die Nacht verschlafen, zeigt ihr ein mitleidiger Sereno (Nachtwächter), der Doña Ana in glücklicherer Lage gekannt, ein Haus auf der Plaza mayor, in dessen Portal auf einem Strohlager die Mutter schläft. Beide Frauen werden nun Bettlerinnen am Portal der Seo; doch aller Armuth ungeachtet will Doña Ana nichts von dem Gelde annehmen, welches die Tochter vom Barbudo mitgebracht; sie nöthigt Mercedes, es in den Opferkasten zu werfen. Dies sieht ein Franziskaner und spottet; es ist der Barbudo selbst, der zur Rettung seines Bruders erschienen ist. Tio Borrasca wird mit ins Interesse gezogen und die Nacht darauf Florenzuelo glücklich befreit. Wie? wollen wir dem Leser nicht verrathen, der hier eine der anziehendsten Rettungsgeschichten zu lesen bekommt. An der Torre del Palmar wartet Tio Borrasca mit seinem Boote; dort nehmen auch Mutter und Schwester von den Brüdern Abschied, und nachdem der Barbudo noch ein abenteuerliches und bedenkliches Zusammentreffen mit einem vornehmen Kunstgenossen, Don Bernaldino Marti gehabt, der ihm indessen aus Achtung Leben und Freiheit schenkt, fährt die Barke von dannen. Doña Ana und Mercedes kehren zu ihren Kirchenthüren zurück, Erstere in strenger Buße, die Andere nicht minder von der Welt zurückgezogen mehre Jahre fortlebend, bis eines Tages das Gerücht einer großen, gegen Ferdinand VII. und seinen treuen Statthalter Elio entdeckten Verschwörung sich in Valencia verbreitet. Mercedes ist eines Morgens sehr früh auf der Straße, als unter dumpfem Trommelklange und in Begleitung einer ungeheuern Menschenmenge ein Haufen zum Tode verurtheilter Männer in Armensünderkapuzen vorüberzieht. Mercedes erkennt Soler, der sie anredet und ihr an der Schwelle des Grabes seine langverhehlte Liebe bekennt; sie stürzt ohnmächtig zu seinen Füßen hin, er aber muß mit dem Zuge hinaus auf das Glacis der Citadelle, um dort erschossen zu werden. Das Urtheil wird vollzogen, doch unvollkommen; die Verurtheilten sind schlecht getroffen. Nachdem im Andrange des Volkes die Soldaten den Unglücklichen den Rest gegeben, oder sie eigentlich niedergemetzelt hatten, findet man beim Fortschaffen der Leichen den Leichnam Soler's fest von einer verstümmelten weiblichen Leiche umschlungen: es ist die unglückliche Mercedes. Doña Ana wartet vergeblich auf die Rückkehr ihrer Tochter; nach wenigen Tagen stirbt auch sie im Hospital de la Merced.

Florencio lebte indessen bei seinem Bruder, dem Barbudo, dessen Geschäfte an Ausdehnung, aber auch an Gefahren zugenommen hatten, und bringt Ordnung in diese Geschäfte, indem er Buch führt über die Verträge mit den Maulthiertreibern, Fuhrleuten oder Kaufleuten, die Bezahlung der festgesetzten Tribute u. s. w. Aber auch im Felde bewährt sich sein Muth, seine List und Tapferkeit, für die er bald ein höheres Ziel sucht und dieses in der Sache der Apostolischen findet, für die er Kreuzzüge unternimmt und als Estudiantillo berühmt wird. Geräth er in die Klemme, so kommt ihm der Barbudo zu Hülfe, dem eigentlich wenig um Apostolische und Liberale zu thun ist, sondern nur um einen Indulto (Amnestie), den er nicht erhält. Dennoch läßt sich der Barbudo von dem alten Fenoll, mit dem er seit jenem Abenteuer in das freundschaftlichste Verhältniß gerathen war, zu einer Expedition gegen Orihuela bewegen, da Elche und Orihuela längst miteinander im Streite lagen, und jetzt das liberale Elche die Gelegenheit wahrnehmen wollte, dem servilen Orihuela Eins einzutränken. Allein die Expedition mislingt auf eine tragisch-komische Weise, und der Barbudo muß es sich zu seinem Aerger von Florencio und Andern vorrücken lassen, daß er ein Feind des Throns und des Altars, ein Spießgeselle der Ketzer, Juden und Freimaurer geworden sei.

Der Einmarsch der Franzosen im Jahr 1823 hatte schon stattgefunden, als Fenoll in der Posada zu Sax seinen Freund Jaime noch für die Sache der Liberalen zu gewinnen suchte, doch mit ebenso wenigem Erfolge, als Florencio ihn veranlassen will, sich den Apostolischen anzuschließen. Er vertheidigt mit guten Gründen seine Neutralität und folgt einer eignen Politik. Durch diese bestimmt, bringt er einen französischen Stabsoffizier in seine Gewalt, dem er Eröffnungen und Wünsche mittheilt, die bereitwillig aufgenommen werden. Den Franzosen ist ein solcher Bundesgenosse willkommen; der Barbudo erhält Hauptmannsrang und leistet bei seiner großen Kenntniß des Landes gegen das Heer der Cortes die ersprießlichsten Dienste. Nachdem der letzte Haufe unter Don Bernaldino Marti zerstreut ist, wird Jaime auf das ehrenvollste entlassen.

Und so finden wir ihn zuletzt vor der Thüre seines eignen freundlichen Hauses zu Sax als wohlgemuthen, friedlichen Bauer. Bei ihm wohnen, von dem eignen Gute vertrieben, Fenoll und Rita, aus welcher und Florencio er ein Paar zu machen hofft. Aber Florencio, des Landlebens überdrüssig und wieder dem geistlichen Stande zugewendet, hat die Gunst eines vornehmen Prälaten in Murcia für sich in Anspruch genommen und tritt als Secretair in dessen Dienste. Rita geht bald darauf in ein Kloster, und Fenoll findet den Tod in einem Gefechte, welches aus der Verbannung zurückgekehrten Constitutionnellen, denen er sich angeschlossen, geliefert ward. Der Barbudo lebt nun allein und ruhig in seinem Besitze fort, wird aber bald aus dieser Ruhe gerissen. Als er eines Abends vom Felde heimkehrt, findet er einen Auflauf nicht weit von seinem Hause und das Volk um einen auf einem Esel fest gebundenen Gefangenen versammelt unter dem Rufe: Tod dem Negro! Dieser Gefangene ist Don Bernaldino Marti, der dem Barbudo in harten Schmähreden vorwirft, daß man durch seine Verhaftung die mit ihm (dem Barbudo) und den Franzosen geschlossene Convention gebrochen habe, und auch der Barbudo vergesse, wer ihm bei Torre del Palmar das Leben geschenkt. Das regt den Barbudo auf; er setzt den Gefangenen sofort in Freiheit, nimmt ihn in sein Haus, von wo Don Bernaldino auf die Wächter und das Volk schießt, und befördert seine Flucht zum Tio Borrasca, der weiter hilft. Aber schon nach einigen Tagen wird Jaime von Soldaten abgeholt und nach Murcia gebracht; vergebens unternimmt Florencio, der, um den Bruder zu retten, seinen Prälaten verlassen und die alten Genossen um sich versammelt hatte, ein kühnes Wagstück, welches ihm sein junges Leben kostet; die Hinrichtung des Barbudo wird unverzüglich vollzogen.

Wir lassen dahingestellt, was in diesen Skizzen Erfindung sein mag oder nicht, sie besitzen in jedem Falle historische Wahrheit und poetische Schönheit. Sie entwickeln ein lebendiges Gemälde der neuesten Zeit aus einem Lande, das man auch nach diesem Buche kaum ein europäisches nennen möchte. Civilisation, Gesittung und sogenannte Aufklärung befinden sich dort noch in ecclesia pressa; aber darum besitzt der Charakter des Volkes auch noch jene Frische und rohe plastische Kraft, die unter den Händen der Cultur sich bald abzunutzen pflegt. Individuen, wie dieses Buch sie zeichnet, und wie sie gewiß in Spanien zu Tausenden existiren, darf man bei uns nicht suchen wollen, wo man ihnen höchstens poetische Realität zugestehen wird. Alles erinnert an eine Zeit, die für uns seit Jahrhunderten nicht mehr da ist, in Spanien aber noch zum großen Theile besteht: an das Mittelalter mit seinen patriarchalischen, ritterlichen und gewaltthätigen Institutionen. Für uns ist es eine verkehrte Welt, wenn wir den Heiligen über dem Heiland erblicken, wenn jeder Machthaber ungestraft auch den Tyrannen spielt, wenn der Richter hab- und raubsüchtig das Recht beugt, und der Räuber Justiz übt, oder Handel und Wandel beschützt, oder von politischen Parteien angeworben wird; in Spanien ist dies wenigstens im vorigen Jahrzehend noch geschehen und nicht von Hrn. Huber erfunden. Aber darum ist Spanien ein durchaus poetisches Land, während wir vor lauter Verstand, Moral und nützlich weisen Einrichtungen nur selten einmal und etwa nur als Theegäste in den Garten der Poesie gelangen oder aus fabelhaften Schilderungen erfahren, daß er jenseit der Alpen und Pyrenäen liegt.

Die lebendige Darstellung, die wir schon im ersten Theile der „Skizzen" schätzen gelernt, finden wir auch in diesem Theile wieder. Vielleicht ist sie mitunter zu lebeidig, wenigstens zu wortreich, oder durch zu viele ver- und eingewickelte Sätze, die namentlich das Vorlesen erschweren, entstellt. Sed ubi plura (plurima) nitent — muß die Kritik schweigen. Herrlich ist der spanische Spruchreichthum, den wir aus Cervantes, Quevedo u. A. kennen, von Hrn. Huber benutzt worden. *) 102.

Die ehemaligen Klosterschulen und die jetzigen niedern evangelischen Seminarien in Würtemberg. Dargestellt von C. G. Wunderlich, G. A. Hauff und C. W. Klaiber.

(Beschluß aus Nr. [illegible].)

Ein lang vorbereiteter, durchgreifender Verbesserungsplan wurde endlich im J. 1807 ins Werk gesetzt, nachdem in dem Organisationsmanifest vom 18. März 1806 die Vereinigung der beiden niedern Klosterschulen von Blaubeuern und Denkendorf sowie der beiden höhern von Bebenhausen und Maulbronn ausgesprochen und diesen beiden Klosterschulen officiell der Name: Seminarien, beigelegt worden war. Indessen wurden die Gebrechen und das Fehlerhafte in der Organisation dieser vereinigten Seminare bald erkannt und wieder vier abgesonderte Anstalten errichtet (Blaubeuern, Urach, Maulbronn, Schönthal), bei deren jedem ein Ephorus (an der Stelle der alten, häufig von ihren Instituten abwesenden Prälaten), zwei Professoren und — dies eine ganz neue Zugabe zu dem Lehrerpersonal — zwei Repetenten angestellt sind. Für diese vier Seminarien wurde im J. 1819 eine neue Instruction entworfen, welche 1826 und 1830 noch durch besondere Vorschriften ergänzt worden ist. In dieser neuen Gestalt zeigen jene Schulen nun folgendes Bild.

Dreißig Jünglinge, welche im 14. oder in der ersten Hälfte des 15. Jahres stehen und in einer unter Leitung des Studienraths vorgenommenen Concursprüfung (Landexamen) sich nach Fähigkeiten und Kenntnissen als aufnehmungswürdig erwiesen haben, treten als ein Jahrescurs (promotion) in das Seminar ein, mit der Verbindlichkeit, sich dem evangelisch-geistlichen Stande zu widmen und sich im Dienste der Kirche gebrauchen zu lassen, ohne Bewilligung nicht aus diesen Verhältnissen, nicht in fremde Dienste zu treten, und im Falle der schuldhaften Nichterfüllung dieser Verbindlichkeiten die auf sie verwendeten Kosten dem evangelischen Kirchengute zu ersetzen. Bei der wissenschaftlichen Bildung dieser Zöglinge nun ist das Princip des Humanismus zu Grunde gelegt, und das Studium der Meisterwerke der alten Classiker ist ihnen zur Hauptbeschäftigung gemacht. Sach- und Sprachkunde sollen dabei in möglichster Vereinigung betrieben, die Lehrlinge zu gründlichen Philologen gebildet, aber auch zugleich an diesen Meisterwerken der Geschichte, der Poesie, der Redekunst und der Philosophie ihre Geisteskräfte allseitig entwickelt und diese als praktische Belehrungsmittel über Geschichte, Poesie, Rhetorik, Aesthetik und Philosophie und als Hauptmittel einer umfassenden Bildung des Geistes und Gemüths benutzt werden. Das allzu Gelehrte, das blos der Ostentation Gewidmete ist dabei sorgfältig zu vermeiden. Bei jeder Promotion werden in einer bestimmten Stufenfolge zuerst historische Schriftsteller, ganz oder im Auszuge, nebst epischen Dichtern, sodann neben Historikern Redner und Lyriker und zuletzt die gehaltvollsten Historiker nebst Philosophen und Dramatikern gelesen. Damit sind Ausarbeitungen verbunden, welche den ganzen, vierjährigen Cursus hindurch jede Woche außer den öffentlichen Lehrstunden gefertigt und von den Professoren abwechslungsweise corrigirt und beurtheilt werden; außerdem sind zu Uebersetzungen aus dem Stegreife (Extemporaneen) wöchentlich einige Stunden bestimmt. Dem Studium der deutschen Sprache, Poesie und Literatur sind besondere Unterrichtsstunden gewidmet und damit Ausarbeitungen deutscher Aufsätze, Declamations- und andere Uebungen verbunden. Außerdem wird die Lecture deutscher classischer Schriften empfohlen und geleitet, dem übertriebenen und verderblichen Lesen zerstreuender, blos die Phantasie beschäftigender und vom erustern Studiren abhaltender, wol gar unsittlicher Producte aber mit allem Ernste gewehrt. Der französischen Sprache werden den ganzen Cursus hindurch wöchentlich zwei Stunden gewidmet und damit Compositionsübungen verbunden. Wie die Classiker, so werden auch die griechischen Schriften des Neuen und die hebräischen des Alten Testaments nicht blos grammatisch-philologisch interpretirt, sondern auch zur Realerklärung das Nöthige beigebracht und die Anlässe benutzt, welche sie zur Beförderung praktischer Religiosität darbieten.

Von den wissenschaftlichen Fächern wird der Mythologie Ein Semester hindurch eine besondere Lehrstunde gewidmet. Den geschichtlichen Unterricht betreffend, wird im ersten Semester eine kurze Uebersicht der Weltgeschichte in Verbindung mit den allgemeinsten Umrissen der Geographie wöchentlich in drei Stunden gegeben, in den folgenden drei Jahren die alte, die mittlere und die neue Geschichte in zwei Stunden wöchentlich gelehrt, im letzten Semester aber eine reflectirende Uebersicht über das Ganze gegeben; die deutsche Geschichte wird besonders berücksichtigt. Die alte Geographie wird im ersten, die neuere und physische im zweiten Jahre, die mathematische im zweiten Semester des dritten Jahrescurses, je in Einer Stunde wöchentlich gelehrt. Von der alten Geographie sind die besten General- und Specialkarten, und von der neuern gute General- und Höhenkarten in den Arbeitszimmern der Zöglinge aufgehängt. Auch die mathematischen Studien werden nicht vernachlässigt: während der drei ersten Jahre des Curses werden wöchentlich drei, während des letzten Jahres aber zwei Lehrstunden gegeben und in denselben Arithmetik, Algebra, Geometrie, auch Trigonometrie vorgetragen.

Die Physik soll mehr als Vorbereitung auf den künftigen akademischen Unterricht in dieser Wissenschaft vorgetragen werden; ebenso soll der Unterricht in der Philosophie nur propädeutisch sein, jedoch so, daß vom zweiten Jahre des Curses an wöchentlich eine Stunde der Anthropologie, später der Logik gewidmet wird. Bei dem Unterrichte in der Religion wird als Hauptgesichtspunkt festgehalten, daß die Zöglinge durch denselben zur Religion gebildet werden. Zu diesem Endzwecke wird in den zwei ersten Seminarjahren in zwei Stunden wöchentlich die Religion am Leitfaden der biblischen Geschichte vorgetragen, und im dritten Jahre wird damit eine Geschichte des Christenthums verbunden und der zusammenhängende Vortrag der Glaubens- und Sittenlehre nach Vernunft und Offenbarung angefangen, im vierten Jahre endlich dieser Unterricht ausschließend fortgesetzt. Indessen sind von der Oberbehörde hierin auch Abänderungen gestattet worden. Mit diesem theoretischen Unterrichte sind fortlaufende praktische Uebungen verbunden. Im Singen werden den ganzen Cursus hindurch nach Classen wöchentlich vier bis fünf Lehrstunden und ebenso viele den dazu Lust tragenden Zöglingen in der Instrumentalmusik gegeben. In allen Fächern endlich, wo es nöthig befunden wird, erhalten einige Lehrstunden die stärkern Zöglinge besonders, andere die schwächern. Kein Seminarist hat an Einem Tage mehr als sechs Unterrichtsstunden zu besuchen; dem so wichtigen und bildenden Selbststudium wird hinreichende Zeit übriggelassen.

Es wird aber auch Sorge dafür getragen, daß die Zöglinge die Bedingungen erfüllen und erfüllen können, unter welchen allein der öffentliche Unterricht für sie fruchtbar werden kann. Kurz nach ihrem Eintritte werden sie von den Professoren über die Art, ihre Studien einzurichten, belehrt, und während des ganzen Cursus werden in jedem Semester wenigstens zwei Besprechungen mit jedem Zöglinge einzeln angestellt, von den Repetenten ihnen in allen einzelnen Fällen Auskunft ertheilt; von jedem Lehrer aber wird in jedem seiner Lehrfächer von Zeit zu Zeit eine Wiederholungsstunde gehalten. Kein Zögling kann sich von einer öffentlichen Lehrstunde dispensiren; er hat auch in seinem Privatstudium auf jeden Lehrgegenstand Rücksicht zu nehmen, in-

*) Ueber den dritten Theil hoffen wir nächstens berichten zu können. D. Red.

dessen bleibt hierbei noch Vieles seiner Neigung und freien Wahl überlassen, und diese wird von den Lehrern selbst befördert.

In Beziehung auf die sittliche und religiöse Bildung der Seminaristen ist die höchste Aufgabe der Lehrer, welche zugleich ihre Erzieher sind, diese, die Zöglinge zur freiwilligen Leistung Dessen, was von ihnen zu fodern und zu erwarten ist, und zur herzlichen Liebe und Achtung des Guten zu lenken. Sie suchen durch ihren Unterricht, durch ihr Beispiel zu erziehen. Dazu werden die Zöglinge gleich bei ihrem Eintritte in das Seminar in zwei Abtheilungen getheilt, von denen jede unter die unmittelbare Aufsicht eines Repetenten gestellt wird. Die zwei Wohn- oder Arbeitszimmer, welche jeder Abtheilung eingeräumt sind, befinden sich zu beiden Seiten des Repetentencabinets; auch schlafen die Repetenten in der unmittelbaren Nähe der Zöglinge. Während der Zeit des Studirens sind ihre Seitenthüren offen, und sie haben die beständige Aufsicht über die sittliche Aufführung der Seminaristen. Das Verhältniß, in welches sie sich zu diesen setzen, ist das des ältern und reifern Freundes, der sich jenen traulich nähert und mittheilt, ihre Arbeiten leitet, durch gütliches Mahnen und Erinnern auf sie wirkt und ihnen in vorkommenden Fällen Rath ertheilt. In den Erholungsstunden bilden sie im Hause ihre Gesellschaft, lesen, turnen mit ihnen; sie begleiten sie auf den in jedem Semester einigemal ihnen gestatteten Ausflügen in die Umgegend, veranlassen sie zu Spielen im Freien, begleiten sie auf Spaziergängen und suchen ihnen so das vermißte Familienleben zu ersetzen. Auf ähnliche Weise nimmt jeder Professor die eine Hälfte der Promotion in besondere Vorsorge und Obhut, und sämmtliche Lehrer theilen sich ihre Wahrnehmungen in regelmäßig alle 14 Tage abzuhaltenden Conventen mit. Der Ephorus verbindet in Rücksicht auf Erziehung und Unterricht die Zöglinge, Nebenlehrer, Repetenten und Professoren zu Einem organischen Ganzen unter sich und mit der Oberbehörde (dem königl. Studienrathe).

Besondere Belohnungen des Fleißes und Wohlverhaltens finden nicht statt. Strafen werden möglichst sparsam angewendet. Kartenspiel, Tabackrauchen, Wirthshausbesuch werden mit Incarceration bestraft. Noch berichtet das Buch über Zeugnisse, Platzbestimmung (Location), gymnastische Uebungen, Krankenzimmer, Hausordnung, ordonnanzmäßige Kleidung und Kost der Zöglinge. Statt des Weines erhalten dieselben eine Entschädigung von 60 Fl. in zehn Raten; für die zweckmäßigste Anwendung dieses Geldes sorgt der Ephorus. Zur Führung der Seminarpolicei u. s. w. ist ein Famulus und ein Gehülfe angestellt.

Die ganze Schilderung im Buche und wol schon in dem gedrängten Auszuge, den wir hier mitgetheilt haben, macht den Eindruck von blühenden, mit dem Zeitgeiste in Einklang stehenden, für ihre Zwecke vollständig und vernünftig organisirten Anstalten, und ohne daß jenes Vorschlags, die Seminare mit den städtischen Gymnasien zu vereinigen, mit einer Sylbe in der Schrift erwähnt wäre, geht die Verwerflichkeit desselben doch aus ihr hervor, weil man nach dieser wahrhaften und actenmäßigen Darstellung sich gestehen muß, daß es ein muthwilliger Leichtsinn wäre, 300jährige Institute, an welchen wie an jedem Menschenwerke fortwährend zu ändern und zu bessern sein mag, die aber ihrer Haupteinrichtung nach der Absicht ihrer Gründer und ihrem Zwecke, der Erziehung und Bildung von evangelischen Geistlichen und von Humanitätslehrern, entsprechen und allen billigen Wünschen Genüge leisten, an welchen noch außerdem Nichttheologen gastweise theilnehmen können, aufzuheben und an ihrer Stelle mit neuen, kostspieligen, unsichern Experimenten den gewagten Anfang zu machen. 168.

Notizen.

Herr Cristal, Advocat am pariser Appellationsgericht, hat ein Trauerspiel geschrieben, betitelt: „La passion de Jésus-Christ", in fünf Acten und in Versen. Im ersten Aufzuge eröffnet der Apostel Matthäus die Scene mit dem heil. Paulus, der aber die Reise nach Damascus noch nicht gemacht hat. Beide suchen sich einander zu bekehren; Paulus geräth aber über die Zumuthung seines Freundes, zu Christus überzugehen, in Zorn:

Y penses-tu, Mathieu, moi citoyen romain!
Je me prostituerais à ton Galiléen!

In diesem Tone geht es fort durch die fünf Aufzüge. Im letzten sieht man Jesus Christus, mit Dornen gekrönt und das Kreuz auf dem Rücken, über die Bühne schreiten. Albin berichtet dem Hohenpriester Kaiphas den Tod des Erlösers, ganz wie es im classischen Trauerspiel Brauch ist; dann öffnet sich der Hintergrund; Donner und Blitz; man sieht den Calvarenberg und drei Kreuze; eine Stimme ruft:

Eloi! Eloi!
Alla.
Quel lamentable cri!
Dieselbe Stimme.
Lamma sabacthani!

Zu den „Victoires, conquêtes etc." ist nachträglich eine 103. Lieferung erschienen, mit welcher der 29. Band beginnt; er enthält die Schlacht von Navarin, das Portrait des Marineministers und einen Plan von der Bai von Navarin.

Man vollendet gegenwärtig in Bermingham einen Concertsaal, welcher 65 Fuß breit, 45 Fuß hoch und 140 Fuß lang ist. Er enthält eine ungeheure Orgel von 65 Fuß Länge und 45 Fuß Höhe. Die schwerste Pfeife hat 5 Fuß 3 Zoll im Umkreise und ist 30 Fuß hoch. Die Orgel enthält 10 Octaven und 60 Tasten. Die ganze Masse des Riesenînstruments füllt einen Raum von 380 Fuß aus und wiegt über 40 Tonnen.

Vor dem 11. Jahrhundert war außer Rom und Cordova keine Stadt gepflastert. Im Jahre 1184 verordnete Philipp August durch ein Edict, die Straßen von Paris zu pflastern. Von dieser Zeit an nahm Frankreichs Hauptstadt, früher Lutetia genannt (von lutum, Koth) den Namen Paris an. In dieser Epoche war London noch nicht gepflastert; mehre Hauptstraßen wurden erst im 15. Jahrhundert gepflastert, die Straße Holborn 1417. 143.

Blätter
für
literarische Unterhaltung.

Mittwoch, —— Nr. 247. —— 4. September 1833.

1. Der Bukkanier. Historischer Roman aus den Zeiten Cromwell's. Aus dem Englischen von Johann Sporschil. Drei Theile. Braunschweig, Vieweg. 1833. 8. 3 Thlr.
2. Der Bucanier. Ein historischer Roman aus der Zeit Cromwell's. Aus dem Englischen von Louis Lax. Drei Bände. Aachen, Mayer. 1833. 12. 3 Thlr. *)

Ein echter Melodramenroman, d. h. ein Quodlibet von einem halben Dutzend Begebenheiten, aus deren jeder ein nettes Melodram hätte gesponnen werden können! Wir müssen einige dieser causes célèbres etwas näher betrachten, um uns daraus nach und nach ein Bild des ganzen Romans zusammenzusetzen.

Die Hauptfigur des Romans ist, wie der Titel schon angibt, einer jener Seeräuber des 17. Jahrhunderts, welche durch furchtbare Grausamkeit sowie durch Muth und Geschicklichkeit sich einen Namen erworben haben. Dieser Räuber ist nun aber nicht von jener feinern Sorte, wie etwa Walter Scott's Pirat, sondern er tritt mit aller Ungeschlachtheit auf, mit welcher unsere Phantasie die gemeinen Seeräuber ausstattet. Da nun aber zu fürchten war, daß die baare, nackte Roheit dem empfindsamen Leser nicht munden möchte, so wurde diesem Roßtbeef eine Sauce von weichlichen Sentiments und geistloser Moral beigegeben. Der Mann nämlich ist zwar ein wahrer Tiger, wenn er in Leidenschaft geräth, bei kaltem Blute aber vermeidet er das Morden, wenn es ohne Unbequemlichkeit angeht; ja, er ist so edel, daß er Diejenigen, welche ihn zum Morden dingen, haßt und verachtet. Uebrigens nimmt er an der Handlung des Romans fast gar keinen Theil. Alles, was geschieht, geschieht ohne ihn; er ist ein durchaus müßiger Zuschauer und erfüllt daher die Obliegenheiten einer Hauptfigur schlecht genug. Sein einziges Streben während des ganzen Verlaufs der hier erzählten Begebenheiten läuft darauf hinaus, sich Pardon von der Regierung zu verschaffen und dadurch, wie er sich ausdrückt, ein ehrlicher Mann zu werden. Damit nun aber dieses bei dem alternden Räuber allerdings natürliche Verlangen nach Ruhe einen empfindsamern Anstrich erhalte, wird dasselbe vorzugsweise als eine Folge von Vaterliebe dargestellt und dem Manne mithin als absonderlicher Edelmuth angerechnet. Man sieht indessen hieraus, daß uns in dem vorliegenden Romane nicht einmal die Roheit in ihrer Kraft, deren Anblick denn doch eine einigermaßen erfreuliche Seite hat, sondern die Roheit im Kampfe mit der eignen Hinfälligkeit geschildert wird, wie sie sich in schwächlicher Verzweiflung der bürgerlichen Ordnung in die Arme wirft. Am Ende des Romans sehen wir daher den guten Räuber für seine Enkel Spielzeug schnitzen.

Neben diesem Ehrenmanne stehen nun zwei andere Schächer. Der eine von ihnen, Sir Robert Cecil, ist ein Vater seiner Unterthanen, ein vortrefflicher, zärtlich liebender Gatte und Vater, kurz, ein Ausbund von Tugend, hat sich aber unglücklicherweise den Fehler zu Schulden kommen lassen, für seinen Bruder, um ihn zu beerben, einen Meuchelmörder zu dingen. Nun sollte man meinen, dieser Mann werde nach der Weise vieler Melodramfiguren, die wie er halb Engel und halb Teufel sind, außerordentliche Gewissensbisse fühlen. Aber damit ist es diesmal nicht arg; die That selbst wird vielmehr als ziemlich gleichgültig behandelt und würde durchaus zu keiner Verwickelung geführt haben, wenn nicht ein unangenehmer Umstand dabei einträte. Der gute Baronet hat nämlich seltsamerweise dem Räuber, der den Mord ausführen sollte, schriftliche Instructionenen ertheilt!! Nun droht der Helfershelfer natürlich, diese Papiere vorzuzeigen, wenn der Baron nicht thut, was Jener will. Darüber grämt sich nun der Mann etwas, aber nicht aus Furcht vor Strafe, sondern aus dem zarten Grunde, weil alsdann seine Tochter, welche die Unschuld selber ist, etwas davon erfahren und den Vater verachten würde. Ein so zärtlicher Vater ist der gute Brudermörder!

Hier drängt, wie man sieht, ein Unsinn den andern. Daß ein sonst höchst gutmüthiger, überdies charakterloser Mensch seinen Bruder eines Vortheils wegen, also in Folge kalter Berechnung ermorden läßt, ist durchaus unmöglich, und diese grobe Verzerrung des menschlichen Geistes ist nur deshalb hier angebracht, um möglichst viel Jammern und Wehklagen in den Roman hineinzubringen. Denn freilich ist nichts leichter, als eine Menge erschütternder Scenen vorzuführen, wenn man einem tieffühlenden und schwächlichen Manne ohne alle Rücksicht auf Wahrscheinlichkeit ein schändliches, freche Verleugnung der natürlich-

*) Vgl. eine Notiz in Nr. 156 d. Bl. D. Red.

sten Regungen des menschlichen Herzens voraussetzendes Verbrechen zuschreibt. Nichts ist alsdann leichter, als dem flüchtigen und gedankenlosen Leser, aber auch nur diesem, vorzuspiegeln, daß hier ein ungeheueres Unglück geschehen sei, während der aufmerksamere Leser über die Sottise des Schriftstellers lacht.

Ebenso ist der ganz unmotivirte Umstand, daß der Mörder schriftliche Instructionen erhält, blos deshalb hereingebracht worden, weil der Verf. das Gemüth des Lesers auf eine recht grobe, handgreifliche Weise in Schrecken setzen wollte. Bei einem gewandtern, feiner fühlenden Schriftsteller würde die Drohung, den Vorfall etwa durch Angabe einiger nähern Umstände zu verrathen, oder auch die Mahnung des erwachenden Gewissens die beabsichtigte Wirkung schon gethan haben. Unser Verf. dagegen scheint die Brust des Lesers in dreifaches Erz gehüllt sich vorzustellen, und um dieses zu durchdringen, bedarf es nun freilich eines vollständigen juristischen Beweises, welcher die Gefahr als ganz unvermeidlich vor die Augen stellt. Endlich ist die affectirte Furcht vor dem Urtheile der Tochter bei sonstigem Stumpfsinn wahrhaft lächerlich und mit einer Ungeschicklichkeit geschildert, von welcher man sich keinen Begriff machen kann, wenn man das Buch nicht gelesen hat.

Der andere der beiden Nebenschächer, Sir Willmott Burrell, ist nun erst ein vollkommener Melodramenheld, nämlich ein ganzer Teufel, aber zugleich ein so entsetzlich dummer, plumper Teufel, wie wol wenige seines Gleichen sind. Dieser Mensch nämlich knüpft eine zärtliche Verbindung mit einer Jüdin an; sie erwidert seine Neigung zwar, will aber ihre Ehre seinen Lüsten nicht opfern. Und was thut nun wol der Mann, um sie zu verführen? Er verheirathet sich mit ihr und verläßt sie dann ohne weitere Umstände, um eine Andere zu heirathen, läßt aber wieder einen schriftlichen Ehecontract in ihren Händen. Aber das ist noch gar nichts, denn das Mädchen ist überdies die Tochter eines hochgeachteten Freundes von Cromwell, dem strengen Gebieter unsers Bösewichts, und das Mädchen, welches später heirathen will, ist ebenfalls eine verehrte Freundin desselben furchtbaren Mannes. Wenn nun dieser Burrell als ein Mensch geschildert würde, welcher, von ungebändigter Leidenschaft verblendet, ohne alle Berechnung, ja ohne Bewußtsein zu handeln pflegte, so wäre es nicht ganz unmöglich, daß er so gradezu in den offenen Abgrund des Verderbens hineinspränge. Statt dessen aber wird er als ein kalter Egoist, als ein schlau berechnender Bösewicht geschildert, welchem eine Menge von Ränken zu Gebote stehen. Und nun wird dem Leser zugemuthet, daß er glaube, dieser Mensch habe in Paris keine bequemere Liaison finden können, als eine betrügerische Ehe mit einer so gefährlichen Person!

Die übrigen Charaktere des Romans sind durchaus unbedeutend. Cromwell ist eine wahre Caricatur. Es kann nur Ekel erregen, wenn wie hier das seichte Raisonnement eines modernen Stubengelehrten einem geistvollen Manne der Vorzeit in den Mund gelegt und dort noch als besonders erhabene Weisheit gerühmt wird. Von den drei weiblichen Hauptfiguren wird zwar viel Schönes gerühmt, und der Verf. scheint sich mit denselben vorzugsweise etwas zu dünken, aber die eine von ihnen, Constanze Cecil, ist so gut wie gar nicht gezeichnet, die andere, Franziska Cromwell, ist jämmerlich verzeichnet, und nur die dritte, Barbara Zwerk, zeigt einige nicht ganz mislungene Züge auf.

Das wird hinreichen, uns einen Ueberblick über die Gegenstände zu verschaffen, welche uns in dem Romane vorgeführt werden. Es ist nur noch übrig, einige Worte über die Methode des Verfassers zu sagen. Bisher nämlich haben wir nur gesehen, daß Das, was uns hier geschildert wird, ein so undankbarer Stoff ist, daß eine höchst gewandte Darstellungsweise dazu gehört, um ihn einigermaßen erträglich zu machen. Jetzt müssen wir diese Darstellungsweise selbst untersuchen. Von vorn herein wollen wir nun hier jede Anfoderung aufgeben, welche wir etwa an einen wirklichen Dichter machen würden. Wir wollen also nicht verlangen, daß das Gemälde, welches uns hier vorgeführt wird, immer von wirklicher poetischer Bedeutung, und daß des Verf. Darstellung der Art sei, daß man sieht, er habe die Bedeutung desselben begriffen. Das wäre zu viel verlangt. Wir müssen uns vielmehr daran gewöhnen, daß wir hier nichts weiter haben als ein Chaos von Begebenheiten, welches nach keiner andern Regel geordnet ist, als etwa nach dem Grade, in welchem die einzelnen Scenen den Gaumen eines durch schlechte Lecture verdorbenen Publicums zu reizen geeignet sind.

Was nun zuerst die Art betrifft, wie unser Verf. die Zeit, in welche die Erzählung verlegt ist, schildert, so wollen wir es gern verzeihen, daß die eigentlich handelnden Figuren des Romans keine Spur von dem Charakter jener Zeit aufzeigen, denn das begegnet auch gewandtern Schriftstellern, z. B. Walter Scott. Auch bei diesem wird die Geschichte in der Regel nur durch einige untergeordnete und für die eigentliche Handlung des Romans fast gleichgültige Personen repräsentirt, und die Hauptfiguren sprechen und handeln in der Weise des 19. Jahrhunderts. Aber Scott weiß wenigstens die Figuren, an welchen die darzustellenden sittlichen Verhältnisse vorzugsweise anschaulich gemacht werden, wirklich mit einigen so charakteristischen Zügen auszustatten, daß man sieht, er habe sich in jene Verhältnisse mit Eifer und Vorliebe hineingedacht und das Wesen derselben, wenn nicht begriffen, doch geahnt. Neben diesen Darstellungen erscheint nun aber die Schilderung unsers Verf. wie ein Bericht einer Unterbehörde, welcher etwa einen Orden für die darin beschriebenen Menschen auswirken soll. Statt die Sache selbst sprechen zu lassen, glaubt der Verf. durch seine Bemerkungen und Urtheile etwas zu schildern, und gibt uns daher seichte Späße oder pomphafte Lobeserhebungen, wo wir eine einfache Darstellung der Sache erwarten. Ich will nicht sagen, daß Walter Scott ganz frei von diesem Fehler sei, aber er liefert wenigstens neben seinem allerdings auch zuweilen seichten Raisonnement jene anschaulichern Schilderungen. Unser Verf. dagegen wird, wenn er nun wirklich Beispiele von Muth oder von fester Anhänglichkeit an einen verehrten Gebieter — zur Schilderung feinerer Seelenzustände erhebt er sich natürlich noch weniger — berichtet, so trocken und so dürftig, daß er das selbst fühlt und immer wieder versucht, dem Uebel durch sein Raisonnement abzuhelfen. Ueberdies werden hier nur zwei Eigenthümlichkeiten jener Zeit mit einiger Sorgfalt gezeichnet, nämlich die rohe, aber wackere Gemüthsart der Seeräuber und der Pharisäismus der damaligen Puritaner, und Beides ist bereits beiweitem vollständiger und gewandter dargestellt worden.

Von welcher Art aber die Reflexionen unsers Verf. sind, mag uns ein Beispiel zeigen. Th. III wird erzählt, Lady Franziska Cromwell habe ihre Kammerfrau heftig angeredet; diese sei darüber unwillig geworden und habe eine schnippische Gegenrede „bei sich selbst gemurmelt". Zu diesem Ereignisse werden nun folgende Bemerkungen gemacht:

Wie viele Fallen sind nicht Denjenigen gelegt, welche hoch emporklimmen wollen, selbst wenn sie dies auf ehrbare und fromme Weise zu thun beabsichtigen. Wenn eine Schar sie preist, sind sie die Zielscheibe einer andern; das Gesindel zischt den Adler aus, und zwar um so mehr, je höher er fliegt; aber was würde es für seine Schwingen geben! In der engherzigen Brust der Kammerfrau der Lady Franziska antwortete ein Echo jener geheimnißvollen Stimme (!), wenn sie jedoch plötzlich hätte werden können, was Franziska Cromwell war, wie groß wäre da ihr Triumph nicht gewesen! Wie so eigen sind nicht die Wirkungen des Guten und Bösen im menschlichen Herzen! und wie nothwendig ist es, sie zu studiren und sich selbst kennen zu lernen! (Wenn der Verf. diese Wahrheit wirklich beherzigt hätte, so würde er minder schlechte Romane schreiben.) Die Kammerfrau liebte ihre Gebieterin, und wenn Lady Franziska sie nicht auf eine ungerechte und harte Weise ausgescholten hätte, so würde sie nicht gedacht haben: „Mein Gott, wer ist sie denn auch im Grunde!" Der Geist des Bösen war in diesem Momente in Beiden thätig, in der Gebieterin als einer triumphirenden Tyrannin, in der Zofe als einer unehrerbietigen Sklavin (!!).

Ich habe keine Worte, um die Erbärmlichkeit dieses Raisonnements zu schildern; aber es bedarf dessen wol auch nicht, denn dasselbe trägt ja den Stempel seines Werthes sichtlich genug an der Stirn. Nichtsdestoweniger muß man eigentlich den Zusammenhang der Stelle mit dem Ganzen kennen, um ein recht treues Bild von der ganzen Ungehörigkeit und Sinnlosigkeit dieses Geschwätzes zu haben. Und nun denke man sich, was herauskommt, wenn der Verf. sich erkühnt, z. B. über Cromwell zu reflectiren. Man lese zu diesem Ende das zweite Capitel des dritten Theils, welches mit folgender Sentenz beginnt: „Zwei Dinge gibt es, welche die Menschen bis zu einem merkwürdigen Grade in Unterwürfigkeit erhalten: moralische und körperliche (!) Furcht." Ebensoweise würde es gewesen sein, wenn der Verf. gesagt hätte: „Zwei Dinge gibt es, welche bis zu einem merkwürdigen Grade naß machen, nämlich kaltes und warmes Wasser." Solches Waschweibergeschwätz findet man aber auf jeder Seite, und zwar oft an Orten, wo es die Erzählung auf eine ganz ungehörige Weise unterbricht. So schildert er unter Anderm im zwölften Capitel des zweiten Theils die Art, wie die bereits erwähnte Jüdin erzogen worden ist. Mitten in dieser Erzählung nimmt er Gelegenheit, von der Nothwendigkeit der Emancipation der Juden zu sprechen, und nun folgt eine seitenlange Tirade über dieses Thema, welches ganz im alltäglichsten Zeitungsschreiberstyle abgefaßt ist.

Nach dem bisher Gesagten wird Niemand eigentliche Charakterzeichnung in dem vorliegenden Romane suchen. Schon die schreienden Widersprüche in den Charakteren, welche ich im Anfange dieses Berichts geschildert habe, können Jedermann von vornherein überzeugen, daß die Charakterschilderungen unseres Verf. nur Aufzählungen von beliebig zusammengewürfelten Eigenschaften sind; denn das sich wesentlich Widersprechende kann nicht vereinigt, und das aus solchem Zusammengesetzte kann nicht als ein in sich einiges Ganze dargestellt werden. Unser Verf. geht aber weiter. Auch diejenigen Züge in den Charakteren seines Romans, welche der Vereinigung fähig wären, sind keineswegs einander so genähert, daß aus ihnen ein mit sich einiger Charakter sich gestaltete. So sind z. B. die Regungen der Vaterliebe und des Ehrgefühls allerdings nicht schlechthin unvereinbar mit der Roheit eines Räubers, und wenn der Verf. einige Gewandtheit gehabt hätte, so hätte er das durch eine rohe Außenseite hindurchblickende tiefere Gefühl in seinem Helden zu einem anziehenden Gegenstande der Betrachtung machen können. Natürlich hätte dann die Schilderung so beschaffen sein müssen, daß man in den Aeußerungen des Gefühls noch den rohkräftigen Seemann, und ebenso umgekehrt in den Ausbrüchen der Roheit den tiefer fühlenden Ehrenmann hätte erkennen müssen. Hiervon ist nun aber in dem Romane keine Spur; vielmehr äußert unser Held sich, wenn er gefühlvoll sein soll, ganz wie ein weichlich empfindsamer Stubengelehrter, und wenn er den rohen Seemann herauskehrt, so ist er wieder ein ganz gemeiner Räuber. In beiden Fällen aber ist er so geistlos und so alltäglich, daß man durchaus nicht begreift, wie die eine von jenen beiden Denkungsarten sich mit der andern zusammengefunden hat.

Aber die kunstmäßige Vermittelung zweier verschiedenartiger Eigenschaften zu einem Charakter gehört allerdings schon zu den feinern Aufgaben der erzählenden Kunst; wir wollen es daher unserm Verf. nicht allzu übel nehmen, daß er an dieser Klippe gescheitert ist. Dagegen dürfen wir uns freilich mit doppeltem Rechte darüber beklagen, daß er auch diejenigen Charaktere, welche nur Eine Eigenschaft aufzeigen, nicht nur sehr matt gezeichnet, sondern meist auffallend verzerrt hat. Diese Charaktere sind sonst das eigentliche Paradepferd der gewöhnlichen Romanciers, und die gewandtern unter ihnen wissen mitunter durch Zeichnung einer solchen einzelnen Charakterbesonderheit den Schein der wirklichen Charakterzeichnung ziemlich täuschend hervorzubringen. Unserm Verf. dagegen gelingt das herzlich schlecht. Er erhebt sich nämlich fast nie über die Beschreibung, und auch diese ist gewöhnlich sehr dürftig, ein nacktes Urtheil, entfernt von aller Anschaulichkeit. Er gefällt sich darin, seine Bösewichter recht oft „schändlich, verrucht u. s. w." zu nennen und seine Tugendhelden mit ebenso allgemeinen und folglich nichtssagenden Lobeserhebungen zu behängen. Eine wirkliche dramatische Haltung hat unter allen Figuren des Romans nur eine, der

Prediger Fletword; dessen Reden bestehen aber auch fast ganz aus puritanischen Redensarten, welche aus andern Darstellungen derselben Redeweise entlehnt sind. Die übrigen Figuren zeigen, wenn sie sprechen, theils gar keine Farbe, theils eine falsche. Namentlich macht es eine sehr komische Wirkung, daß ihnen oft Reflexionen in den Mund gelegt werden, welche allenfalls im Namen des außerhalb des Ereignisses stehenden Schriftstellers hätten ausgesprochen werden können, welche aber im Munde der von den Begebenheiten bedrängten und von Empfindungen bestürmten, handelnden Personen durchaus müßig, ja oft lächerlich erscheinen.

In der Art, wie unser Verf. die Gemüthsbewegungen schildert, erkennt man sehr deutlich die Manier unserer meisten Schauspieler, keineswegs aber die Art, wie Menschen von gesundem Menschenverstande, geschweige denn vernünftige, sich wirklich äußern. Als Beispiel könnte eine Stelle aus dem ersten Theile gelten, welche Constanze Cecil schildert, wie sie im Begriffe ist, den Vater zu fragen, ob er wirklich ein Mörder sei.

Das Gesagte reicht wol hin, um zu zeigen, daß der vorliegende Roman nur für solche Leser geschrieben ist, welche zufrieden sind, wenn ihnen bunte, rasch wechselnde Bilder vorgeführt werden, ohne Rücksicht darauf, ob dieselben schön oder häßlich, bedeutungsvoll oder sinnlos, anziehend oder abschreckend sind. 173.

Neuere polnische Dichter.

In Polen hat bekanntlich die Poesie durch Mickiewicz einen neuen Schwung erhalten. Als Nachfolger dieses Schöpfers der romantischen Schule nennt man gewöhnlich nur Anton Eduard von Odyniec *) und Slowacki. Die Gedichte des Letztern sind zu Paris in zwei Theilen erschienen; der erste Theil enthält lyrische Gedichte, der zweite zwei Tragödien. Während einige polnische Kritiker in diesem jungen Dichter eine der Hauptgestalten der romantischen Schule zu schauen erwarten, sagen andere über seine Tragödien: „Diese beiden Gedichte Slowacki's gleichen einem Tempel in korinthischer Bauart, mit reichen und an sich schönen Verzierungen, dem nichts weiter fehlt, als — daß der Gott selbst nicht den Tempel bewohnt."

Außer diesen beiden haben aber in Polen noch mehre andere neuere Dichter die Aufmerksamkeit auf sich gezogen; meistentheils haben sie sich nicht streng an Mickiewicz angeschlossen, auch haben sich über ihren Werth die Urtheile der polnischen Kunstrichter selbst noch nicht festgestellt. Wir nennen hier: Anton Malczewski, dessen episch-heroisches Gedicht von einigen polnischen Kritikern als vortrefflich gepriesen wird, nach andern aber, wie uns scheint mit größerm Rechte, zwar das Gepräge eines bedeutenden, aber noch nicht durchgebildeten Talents an sich trägt und zugleich in den Gedanken, den Bildern, selbst in der Ausdrucksweise nicht wenig zu wünschen übrig läßt. Karl Sienkiewicz, ein gelehrter Mann, der sich über die polnische Literatur die ausgebreitetsten Kenntnisse erworben hat; viele seiner Aufsätze und seiner besonders durch Glätte ausgezeichneten Gedichte sind in verschiedenen Zeitschriften mitgetheilt, einige besonders gedruckt worden. Unter Anderm hat er Walter Scott's „Jungfrau vom See" übertragen, welche Uebersetzung von einigen polnischen Kritikern für die vorzüglichste aller bisherigen Uebersetzungen in polnischer Sprache angesehen wird. Joseph Korzeniowski, der sich besonders durch zwei Tragödien: „Aniela" (Angelika) und „Mnich" (Der Mönch) einen Namen erworben. Der Dichter gedenkt nächstens eine Sammlung seiner Poesien herauszugeben, welche außer jenen beiden bereits gedruckten Tragödien noch vier andere enthalten wird: „Pelopidowie", „Wróżka i zemsta", „Elfryda" und „Bitwa pod Mozgrawą". Die „Aniela" wird von einigen, nach unserm Urtheile zu sehr dafür eingenommenen Kritikern die einzige Tragödie in polnischer Sprache genannt, die dieses Namens würdig sei. Korzeniowski hat auch eine Abhandlung über die Poesie in Warschau herausgegeben.

Ferner verdienen folgende neuere Dichter der Erwähnung: Kasimir Brodzinski als Literat, Kritiker und Dichter gleich ausgezeichnet und berühmt, Alexander Chodzko, dessen Poesien in Petersburg 1829 erschienen sind, Massalski, Goslawski, Julian Korsak, Raimund Korsak, Xaver Godebski, durch zwei Komödien, Timon Zaborowski, durch nationale Gedichte („Dumy podolskie") ausgezeichnet, Starzynski, der polnische Béranger, Albert Mier, Theodor Zaleski und der zwar gegen die romantische Schule kämpfende, doch verdienstliche Kosmian; Constantia Piotrowski ist besonders glücklich in kleinern Gedichten; Simon Konopacki ist voll Naivetät und Innigkeit; Goszczyński, Verf. des „Schlosses zu Kaniow", wird, weil sich in diesem Gedichte neben manchen Schönheiten so viel Unnatürliches, Erzwungenes und Grauenhaftes findet, nicht allgemein anerkannt; Franz Kowalski, heiter und witzig, hat Molière's Werke in fließende polnische Verse übertragen; Kropinski, Tragödiendichter und Uebersetzer, wird besonders geschätzt; Morawski ist oft unvergleichlich in kleinern Gedichten.

Franz Salesius Dmochowski, der Sohn eines in Polen hochberühmten Uebersetzers des Homer und Virgil, ist fortwährend bemüht, sowol durch Uebersetzungen als Originalwerke zur Förderung der polnischen Literatur beizutragen. Julian Ursin Niemcewicz und Ludwig Osinski sind zu berühmt, als daß sie hier einer besondern Erwähnung bedürften.

In Galizien sind in neuerer Zeit ebenfalls mehre bedeutende polnische Dichter erstanden. Unter andern *): Stoczkiewicz, der durch eine Uebersetzung von Kleist's „Frühling" berühmt ist, Jaszowski, Kopystynski, der Graf Borkowski, der früh verstorbene Niezabitowski, vor allen aber Johann Nepomuk Kaminski, seit 24 Jahren Director des polnischen Theaters in Lemberg, der mit bewunderungswürdiger Sprachgewandtheit eine fast unzählbare Menge kleiner und großer dramatischer Gedichte aus mehren europäischen Sprachen übersetzt und bearbeitet (Mehres von Schiller, Körner's „Hedwig", Calderon's „Don Gutierre" u. A.), aber auch höchst anziehende Originalwerke geliefert hat; sehr beliebt ist sein volksthümliches dramatisches Gedicht: „Krakowiaki i Górale" (Die Krakowiaken und Gebirgsbewohner). An das Tiefste der menschlichen Brust schlagen seine Sonette an. Seit 1822 beschäftigt er sich außerdem aufs Eifrigste mit Forschungen zu einer philosophischen Zergliederung der polnischen Sprache. 177.

*) Von Odyniec's Poesien ist jetzt eine Sammlung (Posen 18[illegible], 4.) erschienen, über welche wir zu berichten gedenken.

Notiz.

Nicht der bekannte Historiker, Regierungsrath und Professor Friedrich von Raumer, sondern dessen Vetter, der Regierungsrath Karl Wilhelm von Raumer, der Herausgeber des „Codex diplomaticus brandenburgensis continuatus", ist beim königlichen Archive in Berlin angestellt worden.

*) Ueber den Grafen Fredro s. Nr. 161 d. Bl. für [illegible].

Redigirt unter Verantwortlichkeit der Verlagshandlung: F. A. Brockhaus in Leipzig.

Blätter

für

literarische Unterhaltung.

Donnerstag, —— Nr. 248. —— 5. September 1833.

Miscellen über Literatur, Kunst und öffentliches Leben in Paris.

Viertes Artikel. *)

Napoleon auf der Säule des Vendômeplatzes.

An dem Fuße der Vendômesäule steht ein alter Mann, welcher Blumensträuße und Immortellenkränze feil hält; ihm nähert sich ein Invalide der ehemaligen Kaisergarde mit der Frage: „Wie viel Sträuße gibst du mir für 20 Sous?" „Zehn." Der Käufer nimmt 10 Sträuße, macht den Kreis um die Riesensäule und wirft seine Blumen eine um die andere auf ihre Fußeinfassung: „Da, mein Kaiser, mein Napoleon, mein großer Mann, mein Held!" Da der Verkäufer dies bemerkt, nähert er sich ihm, reicht ihm die Hand und sagt: „Das ist schön, daran erkennt man den alten Braven der kaiserlichen Armee; ich auch bin Invalide jener Zeit!" „Wie", antwortet ihm der Käufer, „du warst Soldat des Kaisers und treibst Handel mit den Blumen, statt sie zu seinen Füßen zu legen?" „Je nun, ich thue es, um mein Leben zu fristen; allein ich habe dem großen Manne heute Morgen schon zwei Kränze dargebracht." „Wahrscheinlich welke?" erwidert der Andere. „Nein, sondern die schönsten, diese Frau hier ist mein Zeuge; übrigens wenn man mir so kommt, bin ich im Stande und werfe den ganzen Korb voll auf die Säule." „Thue das", sagt ihm sein beharrlicher Kamerad, „ich helfe dir!" Und in der That, Beide fassen den Korb und leeren ihn auf den Marmor der Säule. „Damit ist es aber nicht genug", spricht nun der Verkäufer; „hier sind deine 20 Sous, ich mag sie nicht!" „Und ich auch nicht", war die Antwort. Der Streit dauerte eine Zeit lang fort und endigte mit der friedlichen Vereinigung der beiden Veterane bei einer Flasche Bier, wo sie den Ergießungen ihrer Erinnerungen und dem Enthusiasmus für ihren Kaiser vollen Lauf ließen.

Dergleichen Scenen mögen wol viele in den Tagen bis zur Einweihung der Bildsäule vorgefallen sein; Schade daß man sie nicht alle kennt; doch steht zu erwarten, daß in kurzer Zeit eine Sammlung von Gelegenheitsanekdoten und Erzählungen zum Vorschein kommen werde. Der Tag des 28. Juli gehörte ganz der großen historischen Figur; alle Blicke waren auf sie gerichtet, Alles wollte die Statue des Mannes sehen, welcher in seinem Leben der Schrecken der Welt war, der, kaum todt, von der nämlichen Generation so hoch gestellt wird. Alles hatte die Blicke starr auf die entfernten Züge geheftet, als ob man jetzt zum ersten Male das Gesicht Napoleon's erblicken sollte. Wenn es, wie man gar wol Ursache hat anzunehmen, in der Berechnung der großen Rathgeber Louis Philipp's oder in dessen Eingebungen selbst lag, die Aufmerksamkeit von sich durch die Anregung eines tiefern Nationalgefühls bei dem Anschauen eines monumentalen Geistes abzulenken, so ist dies in einem Betracht vollkommen gelungen, denn von allen Gefühlen der Größe, der Bewunderung und des Stolzes, welcher die Gestalt des Kaisers in der versammelten Menge anregte, schlug keines für die Festbereiter; allein man kam dennoch auf sie zurück, und nicht selten glitt ein Blick von der strahlenden Höhe der Statue auf die seltsame Musterkarte seiner officiellen Verehrer.

Als man die Bildsäule auf ihr luftiges Piedestal zog, fand man ein kleines Papier mit einer Stecknadel an den Ueberzug derselben angeheftet; es enthielt die Worte des Feldgeschreis der letzten Zeit: „Keine Bastillen!" Oft, wenn man an den Lebenden verzweifelt, wendet man sich an die Todten und glaubt einen heißen Wunsch der Erfüllung näher, wenn man ihn vor den Ohren eines steinernen Patrons ausgesprochen; oder glaubte der Schreiber jener Worte, daß auch der eherne Napoleon noch mächtig genug sei, um den verhaßten Vorsatz seiner Nachfolger zu hintertreiben?

Eine Gesellschaft von Schriftstellern hat die sich kund gegebene Theilnahme für das Kaiserreich benutzt, um ein Journal anzukündigen, welches die interessanten Vorfälle, Anekdoten, Begebenheiten und Auftritte während der Herrschaft Napoleon's in populairer Sprache erzählen soll, ein Unternehmen, was vielleicht im Anfange gedeiht, sicherlich aber keinen Bestand erhält. Die Tagesgeschichte selbst ist so reich und kritisch, daß der Volkssinn sich nicht dazu verstehen kann, in der Vergangenheit sich zu vertiefen und hinter dem raschen Fortgange der Gegenwart und Zukunft zurückzubleiben, so tief und so aufrichtig das Volk sich auch verneigt, um einem großen Helden die gebührende Verehrung zu erzeigen. Es fehlte schon bisher nicht an Geschichten Napoleon's, alle Straßen in der Nähe der Vendômesäule wimmelten von Ausrufern, welche bald Lieder, bald Gedichte, bald Geschichten des Kaisers darboten. Unter dieser Masse, von unbedeutendem Werth und nur auf Absatz berechnet, zeichnete sich eine Erzählung aus, welche ich schon vor mehren Wochen in einem literarischen Wochenblatte mit wahrem Vergnügen gelesen habe. Ob der Verf. sie in der Absicht geschrieben, sie bei Gelegenheit der Erhöhung der kaiserlichen Statue zu verbreiten, weiß ich nicht, sicherlich aber war es ein sehr glücklicher Gedanke des Redacteurs des Sonntagsblatts „Le bon sens", Cauchois-Lemaire's, diese populaire Geschichte Napoleon's in allen Straßen der Hauptstadt auszubieten. Es ist die Geschichte des Kaisers, von einem alten Soldaten in einer Scheune erzählt. Ich habe nie etwas Vollkommeneres, so sehr das Gepräge der Originalität Tragendes gelesen als diese Erzählung von Balzac. Jede Sprache hat ihre erworbenen Eigenheiten, die Sprache der Soldaten ist allenthalben eine besondere, und die französische ist wirklich unnachahmlich in ihrer gutmüthigen Einfachheit und naiven Schlauheit. Da die Erzählung zu lang ist, so stehe hier nur eine summarische Anzeige, der Anfang und das Ende: Goguelat, der Erzähler, ist ein alter Infanterist der Kaisergarde. Gondrin, unbeweglicher Zuhörer, ist einer von den Pontonniers, welche bei dem Rückzuge von Moskau in die Beresina gegangen sind, um den Brückenbock zu befestigen, der

*) Vgl. den ersten und zweiten Artikel in Nr. 190—192, 213—216 d. Bl. Den dritten Artikel theilen wir nächstens mit. D. Red.

Einzige seines Corps, welcher davongekommen; er ist taub seitdem. Genestas ist ein alter Cavalerieoffizier, der durch Benassis, den Landarzt, heimlich in die Scheune eingelassen wurde. Beide sind im Heu versteckt, um die Erzählung der Soldaten anzuhören. Die Feierstunde hat begonnen und ein alter Bauer soeben die Volkssage der muthigen Buckeligen beendigt. Die anwesenden Weiber lieben diese Geschichten nicht, die ihnen Angst machen, sie ziehen die Abenteuer von Napoleon vor, damit stimmt auch der Feldschütz ein, und Alle wenden sich an Goguelat, ihnen vom Kaiser zu erzählen. „Der Abend ist schon zu sehr vorgerückt", sagt der Infanterist, „und ich kürze die Siege nicht gern ab." „Thut nichts, erzählt nur! Wir kennen sie alle; Ihr habt sie uns so oft erzählt, aber wir hören sie immer wieder gern." Nach einigen Hin- und Herreden, in welchen Goguelat lieber etwas minder Wichtiges erzählen wollte, um dem großen Gegenstande durch eine unwürdige Eile nicht zu schaden, läßt er sich durch dringendes Zureden endlich bewegen. Er steht von seinem Heubündel auf und übersieht die Versammlung mit ernstem Blicke. Er ergreift seine Jacke an den beiden vordern Spitzen, hebt sie in die Höhe, als ob er den Sack wieder aufladen wolle, worin ehemals seine Effecten, seine Schuhe, sein ganzer Reichthum waren. Hierauf stützt er seinen Körper auf das linke Bein, tritt mit dem rechten etwas vorwärts und schickt sich an, die Wünsche der Gesellschaft zu erfüllen. Seine grauen Haare streicht er auf eine Seite der Stirn, um diese zu bedecken, und richtet den Kopf gen Himmel, um sich zu der Höhe des Mannes zu erheben, den er beschreiben will. Die Erzählung beginnt mit der Geburt Napoleon's, als dem ersten Wunder, denn es braucht nicht erst gesagt zu werden, daß Alles in seiner Lebensbahn wunderbar und übernatürlich ist. Seine Mutter sah an dem Tage seiner Geburt die Welt in Feuer und empfahl ihn dem Schutze Gottes gegen das Versprechen, daß Napoleon die heilige Religion, welche damals daniederlag, wieder aufrichte. Goguelat durchgeht nun sein Auftreten bei Toulon, er hebt hervor, wie man ihn nicht als Lieutenant oder Hauptmann, sondern sogleich als General gesehen habe; er schildert seinen Zug nach Italien und die Wunder von Muth und Tapferkeit, welche seine Gegenwart in dem Heere hervorgebracht, seine Expedition nach Aegypten, seine Rückkehr nach Frankreich, die Feldzüge in Deutschland, Spanien, Rußland und Frankreich; er glaubt an die Unverwundbarkeit Napoleon's, an den kleinen rothen Mann, welcher ihm bei allen wichtigen Vorfällen erschien, und an die Unsterblichkeit des Kaisers, er leugnet seinen Tod. Die Beschreibungen des ägyptischen Feldzugs, der Schlacht an der Moskwa, des Ueberganges über die Beresina sind meisterhaft. Bei jedem dieser erstaunlichen Auftritte fragt Goguelat: „War das natürlich, konnte das ein einfacher Mensch thun?" Seine Erzählung endigt mit der Verbannung des Helden auf eine verlassene Insel des Oceans, auf einen Felsen 10,000 Fuß über der Welt. „Da", schließt Goguelat, „muß er bleiben, bis der rothe Mann, zum Glück von Frankreich, ihm seine Gewalt wiedergeben wird. Manche sagen, er sei todt! Halt' dich dran, todt! Da sieht man wohl, daß sie ihn nicht kennen. Sie sprengen diese Flause aus, um das Volk anzuführen und es ruhig zu halten in ihrer Baracke von Regierung. Habt Acht! Das Wahre an der Sache ist, daß seine Freunde ihn allein in der Wüste gelassen haben, um eine Prophezeihung über ihn zu erfüllen, denn ich habe vergessen, Euch zu sagen, daß sein Name, Napoleon, bedeutet: Löwe in der Wüste. Und dies allein ist wahr. Alles Andere, was Ihr über den Kaiser erzählen hört, ist dummes Zeug, was keinen Menschenverstand hat; denn, begreift wohl, einem Menschenkinde hätte Gott nicht das Recht verliehen, seinen Namen roth zu zeichnen, wie er ihn auf die Erde geschrieben, welche sich dessen stets erinnern wird. „Es lebe Napoleon, der Vater des Volkes und der Soldaten! Es lebe der General Ablé!" schrie der Pontonnier. Hierauf folgt eine Schlußscene, die den Abend und die Soldatenerzählung würdig endigt; die versteckten Zuhörer werden elektrisch zum Vorschein gebracht. „Wie habt Ihr es angefangen", fragt eine Bäuerin den Erzähler Goguelat, „um nicht in dem Graben von der Moskwa zu bleiben?" „Weiß ich's ... Wir waren ein vollständiges Regiment, als wir hineingingen, davon blieben 100 Grenadiere in Allem übrig, weil die Infanterie allein im Stande war, ihn zu nehmen. Die Infanterie, merkt Euch wohl, ist Alles in der Armee!" ... „Potz Teufel, und die Cavalerie denn!" schrie Genestas, welcher vom Heu herabglitt und mit einer Blitzesschnelle in der Mitte der Versammlung erschien, sodaß er dem Muthigsten einen Schrei des Schreckens entpreßte. „He da, alter Kamerad, du vergißt die rothen Lanciers von Poniatowski, die Kürassiere, die Dragoner und das ganze Erdbeben! Wann Napoleon, ungeduldig über das langsamere Herannahen des Siegs, während der Schlacht zu Murat sagte: Sire, schneiden Sie mir das entzwei! ... dann ging es erst im Trab, sodann im Galopp. Eins, zwei! und die feindliche Armee war entzweigeschnitten wie ein Apfel mit dem Messer. Eine Cavaleriecharge, mein alter Kumpan, das ist eine Colonne von Kanonenkugeln." „Und die Pontonniers?" rief der Taube. — „Nun, Kinder", sprach Genestas, ganz beschämt über seinen Ausfall, indem er sich in der Mitte eines stillschweigenden und erstaunten Kreises sah, „hier sind keine Policeispione; hier ist, um auf das Wohl Frankreichs und das seinige zu trinken. ..." „Es lebe der Kaiser!" riefen alle Anwesende wie aus Einem Munde.... „Still, Kinder!" sagte der Offizier, mit Mühe seinen tiefen Schmerz verbergend; „still, er ist gestorben, und seine letzten Worte waren: Ruhm, Frankreich, Schlacht! Freunde, er hat sterben müssen, er; aber sein Andenken — nimmermehr!" Goguelat machte ein Zeichen von Unglaubigkeit; darauf sprach er ganz leise zu seinen Nachbaren: „Der Offizier ist noch im Dienste, und sie haben den Befehl, zu sagen, der Kaiser sei todt; müßt's ihm nicht anrechnen, denn, merkt's Euch wohl, der Soldat kennt nichts als seinen Befehl!" ... Beim Herausgehen aus der Scheune hörte Genestas eine alte Frau sagen: „Dieser Offizier ist ein Freund des Kaisers und des Herrn Benassis." Darauf stürzten alle Personen der Abendversammlung an die Thüre, um ihn noch im Mondschein zu sehen, und sie erblickten ihn, wie er den Arm des Arztes ergriff. „Ich habe eine Unbesonnenheit begangen. Laßt uns schnell zurückkehren! Diese Adler, diese Kanonen, diese Feldzüge, ich wußte nicht mehr, wo ich war." „Nun, was sagen Sie zu meinem Goguelat?" fragte ihn Benassis. „Mein Herr, mit solchen Erzählungen wird Frankreich stets die 14 Armeen der Republik im Leibe haben und bestens im Stande sein, eine kleine Kanonenunterhaltung mit Europa zu führen!"

Gleichzeitig mit diesem originellen Abriß einer großen Periode wurden viele Gedichte auf den Kaiser verbreitet, darunter mehre von Béranger und Victor Hugo. Folgendes sind die zwei Endstrophen eines Gedichts von Victor Hugo mit der Ueberschrift: „Er".

Histoire, poésie, il joint du pied vos cimes,
Eperdu, je ne puis dans ces mondes sublimes
Résumer rien de grand sans toucher à son nom;
Oui, quand tu m'apparais, pour le culte ou le blâme,
Les chants volent pressés sur mes lèvres de flamme,
Napoléon! soleil dont je suis le Memnon!

Tu domines notre âge; ange ou démon, qu'importe!
Ton aigle dans son vol, haletant nous emporte.
L'oeil même, qui te fuit, te retrouve partout.
Toujours dans nos tableaux tu jettes ta grande ombre;
Toujours Napoléon, éblouissant et sombre,
Sur le seuil du siècle est debout!

Die Ehre des 28. Juli 1833 gehörte allein dem Bilde des Kaisers. Der Moment war großartig und imposant, in welchem die unverhüllte Bildsäule vor den Augen des Volkes erschien. Der Vendômeplatz war rund um mit Menschen angefüllt, in den herrlichen Hotels waren alle Oeffnungen bis auf das Dach hinauf besetzt. Die verschiedenen Stockwerke mit dem glänzendsten Damenschmucke und wallenden Tüchern und Federn waren dem vollen Hause einer ungeheuern Opernvorstellung nicht unähnlich. Als die Decke fiel, klatschte die zahllose Menge und die Luft erbebte unter dem Rufe: Es lebe der Kaiser!

Die Vendômesäule umgaben 12 kleine Säulen, welche eine goldene Kugel und die vorzüglichsten Schlachten Napoleon's und die Namen der ersten Generale trugen. Das Piedestal und die obere Galerie waren mit Blumenkränzen und Immortellen geschmückt, welche von dem braungrünen Grunde der Säule sehr lebhaft abstachen. Jeder der vier Adler an den Ecken des Fußgestells trug einen Lorberkranz im Schnabel und war mit dreifarbigen Bändern behängt. Ueber den Effect und den künstlerischen Werth der von dem Verfertiger gewählten Form und Tracht war viel und mancherlei gestritten worden: Viele tadelten, daß man nicht die antike Tracht eines römischen Kaisers wie bei der ersten Statue gewählt; Andere billigten die so sehr historische Kleidung des glücklichen Feldherrn, Alles war gespannt, die Wirkung der angenommenen Gestalt zu beurtheilen. Sie war günstig und angenehmer, als man durchgängig zu erwarten schien. Es ist wahr, es ist nichts von der alterthümlichen Form eines Cäsar's, fliegendes Gewand und baares Haupt mit der Lorberkrone vorhanden; allein es ist Napoleon, wie ihn die Armee, das Volk, die Welt in seiner größten Glücksperiode gesehen: er trägt seinen kleinen dreieckigen Hut, den Degen von Austerlitz und den grauen Ueberrock, in der rechten Hand hält er ein Fernglas, die linke hat er in die Weste gesteckt, seine Blicke sind gradeaus gerichtet und haben die Tuilerien vor sich. Man fürchtete, daß die moderne Kleidung in so großen Verhältnissen sich ungünstig darstellen werde; auch dies ist nicht der Fall, der Künstler hat seine Schwierigkeiten siegreich bekämpft und die Entfernung der Statue bei Berechnung ihrer Größe so glücklich in Anschlag gebracht, daß die Deutlichkeit der Umrisse nichts verliert und die Züge des Mannes völlig erkennbar sind. In dem offenen Ueberrocke, der etwas zurückgeschlagen ist, ist eine gewisse Leichtigkeit und Grazie nicht zu verkennen. Manche finden den Hut etwas zu groß, Andere wollen bemerkt haben, daß die ganze Statue auf eine Seite sich neige, eine Wahrnehmung, die ich, wiewol sehr unbedeutend, bestätigt fand. Sie gab zu hundert verschiedenen Auslegungen Anlaß. Die matteste von allen kam von den Karlisten, welche einen traurigen Tag begingen; sie sagten: „Der Kaiser selbst zeigt Euch, im Angesicht des versammelten Volkes und dieser unzählbaren Menge, daß die rechte Seite die einzig wahre ist, denn er selbst neigt sich auf diese rechte Seite!?" Eins der kleinen republikanischen Blätter gibt eine andere Auslegung: „Der Kaiser, nachdem die Hülle von seinen Augen genommen, erkundigt sich sehr erstaunt nach Allem, was um ihn herum vorgeht. Ein Arbeiter erzählt ihm, was er weiß, und nennt ihm die umstehenden Personen, den König, den Kronprinzen, dessen Aussehen dem Kaiser besonders auffällt, die Minister, den Generalstab und das Gefolge; plötzlich erfaßt den Kaiser ein solcher Grimm, daß er sich auf diese Gesellschaft herunterstürzen will; aber der Künstler hatte eine solche Anwandlung vorhergesehen und die Gestalt so fest angeschraubt, daß sie zufolge der Anstrengung nur eine kleine Biegung auf die rechte Seite erhalten hat." In der That, der Augenblick der Inauguration des Kaisers, diese unendliche Bühne bildeten ein Schauspiel, das künstlerisch ebenso schön als historisch unvergeßlich bleibt; aber um es zu genießen und sich der Anschauung ganz hingeben zu können, mußte man die Handlung in ihrem großen Charakter auffassen und die einzelnen Acteurs des Dramas vergessen. Welche Reflexionen drängten sich hervor bei der Erscheinung des so lange verfolgten, verbannten und verpönten Bildes! Welches wären die Töne gewesen, hätte das Erz plötzlich seine Sprache gefunden? Im Jahr 1814 wurde die frühere Bildsäule von der Säule herabgenommen, und es war nicht die Schuld der glorreichen Urheber dieser großen That, wenn sie nicht dazu gelangten, das Kunstwerk zu zerstören. Es ist übrigens Gerechtigkeit, zu sagen, daß die Idee und der erste Schritt hierzu nicht von den fremden Mächten ausging, sondern von ehr- und ruhmvergessenen Franzosen selbst, welche durch diesen Eselstritt gegen den gefallenen Löwen dem neuen Herrn zu gefallen glaubten. Während mehrer Tage versuchten sie vergebens, die Statue mittels eines Schiffsseiles, welches sie an ihren Hals angebunden hatten und durch Pferde ziehen ließen, umzureißen; es ging nicht; sie wollten eine Mine anlegen und förmlich zerstören, was sie nicht blos wegnehmen konnten. Hieran wurden sie von der fremden Militairgewalt gehindert, und sie schlugen nun einen minder lärmmachenden und ebenso sichern Weg ein: sie erwirkten den Befehl, daß der Künstler, welcher die von Chaudet gefertigte Statue auf der Säule befestigt hatte, sie herunternehmen mußte, und Folgendes ist der deshalb ausgefertigte Tagesbefehl:

„In Gemäßheit der von uns dem Herrn von Montbadon ertheilten Ermächtigung, auf seine Kosten die Bildsäule Bonaparte's herunterzunehmen, und in Folge der Erklärung von Montbadon, daß Herr Delaunay, wohnhaft zu Paris auf dem Platze St.-Laurent, Faubourg St.-Denis, und Erzgießer, allein im Stande sei, die Herabnahme dieser Statue zu bewerkstelligen, befehlen wir dem genannten Delaunay, bei Vermeidung militairischer Execution diese Arbeit auf der Stelle zu beginnen, in der Art, daß sie bis Mittwoch, 6. April, um Mitternacht, vollendet sei. Im Generalquartier am 4. April 1814. Der Oberst, Adjutant S. M. des Kaisers von Rußland, Platzcommandant Graf von Rochechouart." Hierunter stand: „Sogleich zu vollziehen. Pasquier, Policeipräfect."

Wirklich war nach drei Tagen die kaiserliche Gestalt von ihrem Piedestal verschwunden; sie kehrte in die Werkstätte des Herrn Delaunay und von da während der hundert Tage in den Besitz der Regierung zurück. Eine Stimme sagte damals: „Da es ihnen nicht gelungen, sich so hoch zu erheben, als er stand, haben sie ihn so tief herunterreißen wollen, als sie selbst sind." Ueber die spätere Verwendung des Meisterwerkes von Chaudet haben einige öffentliche Blätter Zweifel erregt und die Behauptung aufgestellt, es existire noch, und zwar in den Händen eines Privatmannes; allein die Wahrheit ist, daß es eingeschmolzen und zum Guß der Bildsäule von Heinrich IV. verwendet wurde. Die authentischen Beweise hierüber müssen in den Ministerien liegen, und die Personen, welche die Arbeit geleitet haben, sind bekannt. Auch besteht die desfallsige ausdrückliche Erklärung des Gießers Mesnel. Vergebens bot er den Bourbons 20,000 Pfund Erz, um Chaudet's Arbeit dafür einzutauschen; die Restauration bestand auf der Einschmelzung. Indessen wurde der Regierung ein kleiner Betrug gespielt, der dem Scharfsinne des Künstlers Ehre macht und einst von hohem Interesse für die Nachwelt sein kann. Der nämliche Gießer, welcher mit dem Ciseliren der Bildsäule Heinrich IV. beauftragt war, benutzte die Gelegenheit seiner Arbeit, um eine kleine Figur Napoleon's nach dem Muster von Delaunay in den rechten Arm von Heinrich IV. einzuschließen. So wurde die kleinliche Rache der Bourbons zum Theil vereitelt, und das Bild des verehrtesten aller ihrer Vorfahren mußte dazu dienen, um die Gestalt und das Andenken ihres großen Feindes auf die Nachwelt zu übertragen.

(Die Fortsetzung folgt.)

Bernhard Mergy, oder die Bartholomäusnacht. Historisch-romantisches Gemälde aus dem 16. Jahrhundert. Nach dem Französischen frei übersetzt von Karl von Lützow. Zwei Theile. Braunschweig, Vieweg. 1832. 8. 1 Thlr. 12 Gr.

Ein kurzer, trefflich erzählter, allerliebster Roman voll treffender Localstudien, wirkungsvoller Charakteristik und anziehender Scenerie, frei und sehr sprachgewandt übersetzt. Es ist ein Bild im Geiste Walter Scott's, das Große, die Weltbegebenheit gemalt durch das Kleine, der Zwiespalt der Herren durch die Händel der Diener. Der Verf. begnügt sich, die großen Parteihäupter hinter dem Vorhange operiren zu lassen, und zeigt uns, was sie denken und sinnen, an dem Treiben ihrer Anhänger. Die Sitten, die Denkart der Zeit, ihre Irrthümer, ihre Leidenschaften sind mit der Sicherheit eines Meisters und einer hinreißenden Farbengebung dargestellt, und es ist in der That außerordentlich, wie allgemein verbreitet historische Studien dieser Art jetzt in Frankreich sind. Hierin liegt der Reiz solcher Romane; man kann sie nicht durchblättern, ohne daraus zu lernen. Der Verf. ist Meister in dieser Art lehrreicher Bilder. Wir sehen aus seinem Gemälde, wie eigentlich die ganze vorgebliche Begeisterung für die Religion auf beiden Seiten nichts weiter als ein Mantel ist, die allgemein herrschende Rauf- und Raubsucht, die Leidenschaft, die politische Eifersucht anständig zu bedecken. Messe oder Predigt, das ist an sich aller Welt höchst gleichgültig, nur der Sieg über den Gegner, seine Plünderung, seine Beute, das ist es, was neben der nationalen Leidenschaft für Fehde und Rauferei den Religionskrieg nährt und erhält. Und in der That, dies ist die historische Wahrheit. Die Religionsspaltung erzeugte den politischen Haß, die Raufsucht. Die Religion ward vergessen, aber die politische Eifersucht, die Lust an Fehde und Beute, an Sieg und Streit, diese blieben. Nur die Priester vergaßen das Hauptthema nicht; sie hetzten, aber die Bartholomäusnacht war nichtsdestoweniger mehr ein politischer als ein religiöser Staatsstreich.

Der Rahmen dieses höchst anziehenden Geschichtsgemäldes, das wir den „Barricades" und den „Etats de Blois" dreist an die Seite stellen, bildet die Schicksale zweier Brüder, Bernhard und Georg Mergy, von denen der Letzte, nicht etwa aus Ueberzeugung, sondern aus Leichtsinn zum Katholicismus zurückgetreten ist, beides brave, gutherzige Jungen, die sich nichtsdestoweniger feindlich begegnen müssen, sodaß Georg von Bernhard's Hand fällt. Dazwischen tritt die Liebe einer hochgestellten Dame spanischer Abkunft, Diana von Thurgis, und eine reiche Gruppe von Raufbolden, Priestern, Freibeutern, Zigeunern und Gastwirthen, alle durchweg kurz, aber energisch und mit geringem Mittelaufwand äußerst lebendig gezeichnet. Alles in diesem Bilde ist Leben, Thatkraft, anziehende Gruppe, sehr verschieden von der langstyligen und behaglichen Breite englischer und amerikanischer Genrebilder dieser Art. Natürlicher Hergang, Kürze, Lebensfülle, treffende Wahrheit sind die Vorzüge dieses Romans vor zahllosen andern; nirgend Länge und Geschwätz wie bei Walter Scott's landsmännischen Nachahmern, welche für tausendjährige Leser zu schreiben so oft das Ansehen haben. Wir bedauern, all das Rühmliche, was wir von diesem musterhaften kleinen Romane zu sagen haben, nicht durch eine detaillirte Analyse desselben bekunden zu können, die Züge tiefer Menschen- und Sittenkenntniß sind so häufig darin anzutreffen, daß jeder Auszug daraus Unterhaltung gewähren würde. Mit feiner Kunst bricht der Verf. fast in der Mitte ab, der Vorhang fällt, und dem Leser bleibt überlassen, den Roman zu seinem Schlusse zu führen. Auch dies ist ein Verdienst für Den, der da weiß, wie matt Romanenschlüsse meistens zu sein pflegen. Geistvoll gewählte Motti zieren die einzelnen Capitel dieses Werks der Phantasie, des Wissens und des Geschmacks, das auf alle Weise durch seine anspruchlose Form gefällt.

105.

Miscellen.

In Rußland erhalten die an Universitäten angestellten Professoren, wenn sie eine bestimmte Reihe von Jahren wirklich Vorlesungen gehalten haben, höhere Titel, einen Orden und, wenn auch nicht den Adel selbst, doch Adelsrechte, wie höhern Rang &c.; das mag noch angehen. Aber wenn man in frühern Zeiten einen Doctoradel hat annehmen wollen, so gehört dies zu den Lächerlichkeiten einer wenig aufgeklärten Vorzeit. Aber wirklich fanden sich Gelehrte, die zu Unterstützung dieser Ansicht anführten, daß Vater Ulpian in den Pandekten nobilis und nobilissimus geworden sei; daß der Glossator Bartolus behauptet habe, jeder Doctor, der 10 Jahre lang Vorlesungen gehalten habe, ipso facto Ritter und nach 20 Jahren Graf werde &c. Den wichtigen Unterschied zwischen Edelleuten und Doctoren, was ihre Entstehung, ihren Ursprung, um mich so auszudrücken, ihre Geburt anlangt, scheint mir sehr richtig die Aeußerung des Kaisers Sigismund auf dem Concilium zu Basel anzugeben, der zu Fiscellius, der Doctor und Ritter zugleich und beim Eintreten in den Saal unentschlossen war, ob er sich auf die adelige oder gelehrte Bank setzen solle, sagte: „Ne tu, George, nimis ridiculus es, qui militiam litteris antepouis, cum scias, ex idiotis me vel sexcentos uno die equites creare posse, at ex eodem genere ne unum quidem doctorem!"

Man äußert jetzt bisweilen spottweise, das sei ein guter Mensch, der reich sei, und braucht manchmal beide Bezeichnungen, wenn auch nicht synonym, aber doch in einer solchen Verbindung, daß man — nicht etwa annimmt, jeder Reiche sei auch gut, sondern damit sagen will, oft glaube der Reiche, weil er reich sei, oder nur durch sein Geld, um seines Reichthums willen gut zu sein; denn nicht jeder Reiche macht einen guten Gebrauch von seinen Glücksgütern, zeichnet sich durch Güte, durch Wohlthun aus. Anders war es im Mittelalter, wo bonus homo (in rein juristischer Beziehung ein Freier) ebenso wie dives homo gleichbedeutend war, und einen guten, reichen, wohlthätigen Menschen bezeichnete, wo es sich namentlich um Schenkungen an Kirchen und Klöster handelte.

Der ebenso wahre als treffliche Ausspruch des Cicero: „Nihil est simul et inventum et perfectum", ein tüchtiger Schildspruch für die Bekenner alles Vorwärtsschreitens der Weltcultur, nicht blos des Mendelssohn'schen Kreislaufs in der Bildung des Menschengeschlechts, gilt nicht allein von Erfindungen und deren möglichster Vervollkommnung, sondern auch von Urtheilen über historische Thatsachen. Auch hier wird das Menschengeschlecht mit der Zeit klüger, ruhiger, umsichtiger. So behauptet Göthe in seiner „Italienischen Reise", Abthl. II, S. 382, daß das Hinarbeiten auf die Existenz den Alten überhaupt eigen gewesen sei; aber viel richtiger noch und schärfer beurtheilt Manso dies Urtheil, indem er der Meinung ist, daß jenes Hinarbeiten auf die Existenz nur von den Griechen, aber das Hinarbeiten auf den Effect ebenso von den Römern wie von den Neuern gelte.

Müllner hat sehr lange Schiller's Wort: daß die Kunst nur durch die Künstler gefallen, nicht blos im Munde, sondern in der Feder geführt. Hier hat nicht der Lebende allein, auch der Todte recht! Aber der Grundsatz gilt auch von den Gelehrten. Ihren Stand setzen am ärgsten die Genossen herunter, und sie haben dazu einen privilegirten Spielraum in den kritischen Blättern, in den Correspondenzartikeln, in den ewig wiederkehrenden, oft nur aus Eigennutz geführten Federkriegen. Nur Gelehrte haben den Gelehrten Plagiate, literarische Umtriebe und Bücherdiebstähle vorgeworfen. So erging es dem, wenn auch sonderbaren, aber vielseitig gebildeten, noch lange nicht genug gewürdigten Gelehrten Schurzfleisch, der in einzelnen Exemplaren in seiner Bibliothek die Bezeichnung: „abstuli etc." eingeschrieben und sich Bücherdiebereien zur Ehre angerechnet haben soll. Besonders behauptet man dies von dem seltenen Buche des Joh. Sybonius von der Pulververschwörung. Eine ähnliche Mauserei wirft man dem nachmaligen Papst Innocenz X. vor, der ein Buch, die Geschichte des tridentinischen Concils von Paolo, entwendet haben soll.

15.

Redigirt unter Verantwortlichkeit der Verlagshandlung: F. A. Brockhaus in Leipzig.

Blätter für literarische Unterhaltung.

Freitag, — Nr. 249. — 6. September 1833.

Miscellen über Literatur, Kunst und öffentliches Leben in Paris.

Vierter Artikel.

(Fortsetzung aus Nr. 248.)

Der nämliche Herr von Pasquier, welcher jenem russischen Befehle das Exequatur beisetzte, ist jetzt Präsident der Pairskammer und hätte vielleicht eine active Rolle auf dem Vendômeplatze vor dem Bilde gespielt, welches er einst in den Koth zu schleifen verordnete, wenn nicht die Presse im Voraus die Namen aller Derer bezeichnet hätte, welche theil an jenem so nationalen Act genommen haben. Darum fand Hr. von Pasquier gerathener, sich in das Hôtel der Chancellerie zu begeben, um in größerer Entfernung und im Stillen seine Gefühle von Bewunderung und Verehrung für den „Usurpator" auszudrücken. *) In dem nämlichen Gebäude befand sich auch Hr. Guizot, dieser ergebene Diener der ältern Bourbons, welcher ihnen nach Gent folgte, um den Prinzen von Artois (nachmals Karl X.), dieses „Muster von Ritterlichkeit", zu sehen und ihm die Huldigung seiner unbedingten Treue darzubringen. Er ist heute Minister einer Dynastie, welche den Platz seiner alten Herren auf dem Throne Frankreichs eingenommen, und feiert die Julirevolution, deren aufrichtige Anhänger er in zierlicher Kammersprache „das caput mortuum der drei Tage" genannt. Welcher Wechsel des Schicksals, und welche Consequenz der Charaktere! Die Schlacht von Waterloo öffnete ihm die Thore von Paris und den Weg zu seinem Glücke, und die Julirevolution, der Sieg über seine frühern Gönner, verschaffte ihm den Sitz im Ministerium und Stimme in dem Rathe, welcher die Erhebung des Kaisers auf die Triumphsäule seiner unvergeßlichen Feldzüge beschloß! Auch er fand nicht für gut, sich auf dem Platze selbst zu zeigen. Neben ihm stand der Herzog von Broglie, der Schwiegersohn der Frau von Stael, der unversöhnlichsten Feindin Napoleon's, die, wie ein Oppositionsblatt erzählt, den Wunsch äußerte, die Franzosen möchten bei Marengo geschlagen werden. Broglie ist heute Minister der auswärtigen Angelegenheiten und hat die Würde, den Ruhm und die nationale Größe Frankreichs jenen auswärtigen Mächten gegenüber zu wahren, welchen Napoleon während 15 Jahren gewohnt war seinen dictatorischen Willen in kolossalen Zügen vorzuschreiben. Bei einer Feierlichkeit, welche so innig den Ruhm der großen Armee berührt, welche dem Wunderdenkmal der Vendômesäule zur Verherrlichung der Kriegsthaten des französischen Heers die Krone aufsetzt, sollte der Kriegsminister nicht fehlen, er, der jener alten Armee angehört, der unter ihr gewachsen, gestiegen und berühmt geworden, er, der im Jahr 1814 den letzten Kanonenschuß gegen die Feinde Frankreichs gethan, der im Jahr 1815 zum Majorgeneral ernannt und nach der Julirevolution mit dem ruhmvollen Auftrage beehrt wurde, die während der Restauration in Auflösung verfallene Armee neu zu organisiren, damit sie geeigneten Falles im Stande sei, die Unantastbarkeit der wiedererwählten dreifarbigen Fahne zu bewahren! Wem anders, wem mehr als Demjenigen, der der großen Armee Alles dankt, was er ist, Rang und Größe, Titel und Reichthum, gebührte es, der Priester ihres Cultus zu sein? Aber Herr Soult fühlte beim Herannahen der drei Tage eine unwiderstehliche Lust, sich zu baden, seine Gesundheit, welche bisher allen Arbeiten des Ministeriums und selbst dem wenig delicaten Angriff des plumpen Obersten von Bricqueville in der Kammer widerstanden, die auch wahrscheinlich in einiger Zeit, vielleicht jetzt schon hergestellt sein wird, erheischte eine Entfernung von der Hauptstadt und der schwülen Luft der Julitage; Herr Soult war sicher untröstlich über diese Nothwendigkeit, allein er gehorchte dem dringenden Gesetze der Selbsterhaltung und ging. Schade darum, denn auch er würde der Reflexion reichen Gegenstand geliefert haben, und auch ihm gegenüber würde man ausrufen können: Welche Charaktere, welche Consequenz! Als im Jahr 1814 die wankelmüthige Göttin den Kaiser verließ, erkannte alsbald Hr. Soult, mit wie großem Unrecht er der Spur eines „Abenteurers" gefolgt; er fand nichts Besseres zu thun, als sich in die Arme der alten Legitimität zu werfen. Im Jahr 1815 war Napoleon in dem Sinne des Hrn. Soult wieder zum „Helden und großen Manne" emporgestiegen; am Ende des nämlichen Jahres nannte ihn der Marschall einen „Tyrannen und Usurpator"! Soult hatte im Jahr 1815 wol die Ernennung zum Majorgeneral angenommen, und wenn der Sieg die französischen Waffen bei Waterloo begünstigt hätte, so wäre Napoleon fortan das Idol seiner Creaturen gewesen. Dieses Gefühl bricht wider Willen durch die Rechtfertigung, welche Soult erscheinen ließ; er sagt zwar das Gegentheil, aber die Thatsachen, die beste aller Logiken, zeugen gegen ihn. „Als ich meine Ernennung zu

*) Im Jahr 1816 nannte er die Handlung, zu welcher sein Befehl die Legitimation ertheilte, einen Act nationaler Gerechtigkeit; es ist interessant, das „Journal des débats" aus jener Zeit zu lesen, welches nicht Worte, nicht Süßigkeit, Demuth und Anbetung genug finden kann, um die Glorie, die Göttlichkeit der fremden Befehlshaber und Truppen zu preisen, und in gleichem Sinne wie Herr Pasquier von der Herabnehmung der kaiserlichen Statue spricht. Nichts natürlicher, als daß das „Journal des débats" gleichen Gang gemacht wie die übrigen klugen Feinde des gestürzten Mannes. Es gibt Leute, deren Consequenz in der Charakterlosigkeit, deren Ehre in der Sublimität der Schamlosigkeit besteht, für welche die Form Alles, der Grund Nichts ist, denen es hinreicht, mit der Fahne das Gewissen zu wechseln, und die nichts einfältiger finden, als einem Monarchen die Treue und die Heiligkeit des Wortes zu bewahren, nachdem ihn das Glück verlassen. „Wird heute, wo die Statue wieder auf die Säule gestellt wird", so fragte ein Blatt, „dieser Mann (Hr. Pasquier), welcher Großkanzler von Frankreich ist, im Namen der Pairskammer, die den Marschall Ney gerichtlich morden ließ, an diesem großen Acte von Nationalgerechtigkeit theil nehmen? Die Bejahung ist wahrscheinlich. In diesem Falle wird die Vorstellung mit Ensemble gespielt werden, die Bande ist vollständig, es fehlt nur Einer noch — Sir Hudson Lowe!"

der Stelle eines Majorgenerals erfuhr, gehorchte ich, nicht wie eine Creatur Bonaparte's hätte thun können; die ganze Armee weiß, daß ich von jeher nur zu klagen hatte gegen diesen Mann, und daß Niemand seine Tyrannei aufrichtiger haßte als ich! Ich gehorchte, nicht wie ein Feind des Königs Ludwig XVIII. hätte thun mögen. Ich habe von ihm neue Beweise der Hochachtung und des Vertrauens erhalten, und Undank ist mir fremd.“ Ich weiß nicht, welchen Eindruck diese rhetorische Antithese auf das Gemüth des letzten Herrn gemacht; es dünkt mir aber, daß das Raisonnement des Hrn. Soult von der nämlichen Stärke ist wie seine Anhänglichkeit und Integrität. Wahrhaft ausgezeichnet ist die Keckheit, mit welcher derlei Wortfolge als Argumente und Vertheidigung vorgetragen wird. Kein Feind hätte blutiger geißeln können! Warum aber, wenn es ihm so wenig Mühe kostet, friedliche Sätze für feindliche Dinge zu finden, ist er nicht bei der Einweihung seines „großen Helden“ oder „des Tyrannen und Abenteurers“ erschienen? Keine bessere Gelegenheit, abermals eine Tirade über seine Ergebenheit und Treue, und Dankbarkeit, in der er so stark ist, loszulassen! Statt seiner erschien in Begleitung des Königs General Sebastiani, ein gebrochener, kranker Mann, von Napoleon zu Ehren und Würden erhoben und zum General gemacht; aber ihn zum Krieger zu machen war, nach dem Ausdruck eines Biographen, dem großen Manne nicht verliehen. „Er führte die Armee de surprise en surprise“ (von Ueberraschung zu Ueberraschung, oder aber: von Ueberfall zu Ueberfall). —

— — — — — — — — — — — — —
— — — — — — — — — — — — —
— — — — — — — Diese Zeiten sind verschwunden, von all jenem Glanz ist nur eine körperliche und geistige Austrocknung zurückgeblieben, grade genug, um die denkwürdige Leichenrede über das Schicksal Polens zu halten: „Polen ist bestimmt, unterzugehen! Die Ruhe herrscht in Warschau!“ und Italien, das schöne Italien, seinem Verderben zu überliefern. Seit seiner letzten Rückkehr aus Italien ging die Bosheit seiner Feinde so weit, einen förmlichen Stumpfsinn an ihm bemerken zu wollen. So lange der Kaiser noch Fürsten machen und Fürstenthümer verleihen konnte, schien Sebastiani ihm ergeben; nach dem Abschiede von Fontainebleau trat er in die Reihe Derer, welche den Stein auf ihren gefallenen Wohlthäter warfen, auf den Mann, dessen Machtvollkommenheit allein die ärmliche Mittelmäßigkeit des Undankbaren verdecken konnte. Die beiden übrigen Minister, welche sich auf dem Platze zeigten, waren Herr von Argout, dessen Name durch sein Verbrennen der dreifarbigen Fahne im Jahre 1814 bekannt geworden, und Herr Thiers, der wortreiche Minister der öffentlichen Arbeiten, welcher auf den geistreichen Einfall gerieth, seinen Namen unter das mächtige Patronat der kaiserlichen Bildsäule zu stellen und dem erstern durch sein Eingraben auf den Sockel Napoleon's einen Uebergang auf die Nachwelt zu sichern. In diesem Kunststücke, was Viele dem Günstlinge Louis Philipp's als eine lächerliche Eitelkeit deuten, liegt vielleicht eine versteckte Bescheidenheit, die auf eine richtige Auslegung wartet. Hr. Thiers als Chef der öffentlichen Arbeiten vertritt in Hinsicht auf die Emporrichtung Napoleon's das Ministerium des Bürgerkönigthums; — — — — —

— — — — — — — — — — — — —
— — — — — — — — — — — — —
— — — — — — — — — — — — —
— — — — — — — — — — — — —
— — — — — — — — — — — — —
— — — — — — — — — — — — —
— — — — — — — — — — Wenn heute das Volk nach dem Hinscheiden Napoleon's mit inniger Verehrung vor seinem Bildnisse sich versammelt und sein Andenken feiert, so geschieht es vor Allem, um jener hohen Tugend willen, die über die langen und großen Unfälle und Bedrückungen hervorstrahlt: die Nationalität! Napoleon war vor Allem Franzose, liebte die Größe und den Ruhm seines Vaterlandes, setzte ihn über Alles, und sprach ihn in seinem letzten Worte noch aus. Dieses letzte Wort war das Vermächtniß, wodurch er sich selbst das unvergeßliche Andenken der Nation sicherte. Während seine Freunde zur Entschuldigung seines ungemessenen Ehrgeizes von ihm sagen werden: er liebte seinen Glanz und seine Größe um des Glanzes und der Größe Frankreichs willen! wird die Geschichte auf den Grabstein der Bourbons schreiben: sie haben in Frankreichs Reichthum und Größe stets nur ihr eignes Wohlsein und Glück geliebt! Der Herzog von Orleans schrieb im J. 1804 an den Bischof von Landaff: „Dies läßt mich, wäre es möglich, nur noch lebendiger, als ich bisher gethan, die Wohlthat des großmächtigen Schutzes würdigen, welcher uns durch Ihre edle Nation vergönnt wird. Ich habe mein Vaterland so früh verlassen, daß ich kaum die Gewohnheiten eines Franzosen besitze, und ich kann in Wahrheit sagen, daß ich Anhänglichkeit für England empfinde, nicht allein aus Dankbarkeit, sondern auch aus Geschmack und Neigung. Ich kann in der Aufrichtigkeit meines Herzens ausrufen: Möchte ich diese gastfreundliche Erde nie verlassen! Allein wenn ich an dem Wohlsein, an dem Gedeihen und Glücke Englands ein lebhaftes Interesse nehme, so geschieht dies nicht allein aus persönlicher Stellung und Gesinnung, sondern auch in meiner Eigenschaft als Mensch; die Sicherheit von Europa, jene der Welt selbst, das Glück und die zukünftige Unabhängigkeit des menschlichen Geschlechts hängen von der Erhaltung und der Unabhängigkeit Englands ab, und das ist die edle Ursache des Hasses von Bonaparte gegen Sie und jenes der Seinigen alle. Möge die Vorsehung seine unheilvollen Plane vereiteln, und dieses Land in seiner glücklichen und wohlhabenden Stellung erhalten. Dies ist der Wunsch meines Herzens, dies ist mein heißestes Gebet.“ *)

Dies sind die Ministranten des großen Opferdienstes, welcher am 28. Juli an dem Piedestal der Vendômesäule gefeiert, dies sind die Acteurs der Parodie von Enthusiasmus, der mit kaltem Blute gespielt wurde. Vergebens haben diese Künstler geglaubt, die Aufmerksamkeit des Volkes zu ihrem Vortheile distrahiren, ja sogar eine Popularität für sich wecken zu können. Der Volkssinn, überall viel klarer und scharfsinniger, als man ihm die Ehre anthut ihn zu glauben, schritt durch die Spiegelfechtereien der Gewalthaber durch, er verbeugte sich vor dem großen Todten, warf seinen mächtigen Schatten auf das erborgte falsche Licht seiner Weihrauchstreuer und sah diese nur insoweit an, um Jedem die ihm gebührende Taufe zu ertheilen. „Wir wissen wohl, warum grade dieser Tag gewählt wurde, um den verstoßenen Sohn in sein väterliches Haus zurückzuführen, wir wissen wohl, warum der 28. Juli die Feier der kaiserlichen Bildsäule und die Verherrlichung der großen Armee sehen sollte, wir wissen es und halten Euch Rechnung davon; aber wir werden uns durch den engen Maßstab Eurer Handlungsmotive nicht abwenden lassen, die wahre Größe zu sehen, da, wo sie wirklich ist, d. h. oben, wo Napoleon steht, nicht unten, wo Ihr Euch verliert! Rechnet nicht auf Popularität wegen dieses Acts, Ihr seid weit hinter der Aufgabe zurückgeblieben! Sagt uns aufrichtig, so lange noch ein Athemzug in dem Sohne des Kai-

*) Im Jahre 1821, als die Nachricht von dem Tode Napoleon's in den Tuilerien eintraf, herrschte große Bestürzung und Traurigkeit unter den alten Anhängern des Kaisers, besonders war General Rapp sehr niedergeschlagen. Ludwig XVIII., der dies bemerkte, sagte ihm: „General, ich habe Ihren Schmerz sehr geachtet, und weit entfernt, Ihnen deswegen zu zürnen, erblicke ich darin eine neue Bürgschaft Ihrer Treue und Anhänglichkeit für mich.“ Rapp antwortete mit Thränen in den Augen: „Wie sollte ich den Kaiser nicht beweinen, da ich ihm Alles, bis zu der Ehre, Ew. Majestät zu dienen, verdanke!“ Nach einer Weile, während der König sich über das Genie und die Kriegstalente Napoleon's unterhalten hatte, sagte er: „Dieser Mann hat allen Ruhm genossen!“ „Eine, der größte hat ihm gefehlt,“ bemerkte eine Stimme. „Und welcher?“ fragte Ludwig XVIII. „Derjenige, die Krone den legitimen Königen von Frankreich wiedergegeben zu haben!“ —
— — — — — — — — — — — — — — —
— — — — — — — — — — — — — —

ses lehte, so lange der Name Napoleon II. noch mit einem Faden von Möglichkeit an ein lebendes Wesen sich knüpfte, habt Ihr da je daran gedacht, den Ausspruch der französischen Siegesheere auf das leere Fußgestell zu erheben? War er etwa im vorigen Jahre dieser Auszeichnung minder würdig als heute, sind seine Titel unter dem brennenden Sande von St. Helena gewachsen, oder ist Eure Furcht, Eure entsetzliche, panische Angst vermindert, seitdem der unglücklichste aller Prinzen sein farbloses Leben erlöschen sah? Und wenn Ihr von Stärke, von Größe, von selbstbewußter Großmuth, von freiwilliger Anerkennung der Auszeichnung und des Genies sprechen, wenn Ihr in der Wiedererrichtung der kaiserlichen Statue eine nationale Gerechtigkeit, ein Vergessen des frühern Hasses und Streites gewahren wollt: wo ist die Asche des Gefeierten? Soll sie ewig unter dem Felsen verlassen bleiben, auf welchem Sir Hudson Lowe den angstvollen Geboten aller Throne so hülfreichen Vorschub geleistet hat? Wo sind die Brüder, wo sind die Neffen des Kaisers, wo ist seine Familie, wo seine beweinenswerthe Mutter, vor welcher das Grab unbarmherzig flieht? Wie, Ihr sprecht von Großmuth und Gerechtigkeit, und an dem Tage, an welchem einige hunderttausend Menschen aller Zungen und Stämme um den Opferherd versammelt sind, ist denen allein der Zugang untersagt, die durch die Bande des Blutes mit dem Gefeierten verbunden sind; sie, die seit drei Jahren um die Wohlthat betteln, auf französischer Erde die Beweise ihrer nationalen Anhänglichkeit und Treue ablegen zu können? Kein Bonaparte unter dieser Menge, sie sind proscribirt, die Regierung des Bürgerkönigthums hat sie mit gleichem Maße gemessen wie die Restauration; während es mit einer Hand dem Erzbilde Weihrauch streut, hält es mit der andern den lebenden Gliedern seiner Familie das Verbannungsgesetz entgegen. Zwischen Größe und Kleinlichkeit, zwischen Großmuth und Selbstsucht, zwischen Stärke und bebender Furcht ist dies die richtige Mitte!"

(Die Fortsetzung folgt.)

Holland in den Jahren 1831 und 1832 von Ludolf Wienbarg. Erster Theil. Hamburg, Hoffmann und Campe. 1833. 8. Preis für zwei Theile 2 Thlr. 16 Gr.

Der zweite Theil dieses angenehmen Buches soll noch erwartet werden, wie es scheint. Von jeher hat sich der gegenwärtige Recensent darüber geärgert, wenn man behaupten wollte, man müsse über gewisse bekannte und bereiste Länder, wie z. B. Italien, nichts mehr schreiben. Grade solche sind es, die unser Interesse in eben dem Grade lebhafter anregen, als wir Portraits bekannter Personen lieber sehen als die Bildnisse Fremder. Es liegt zwar ein eignes Interesse darin, von fernen unbekannten Zonen abenteuerliche Kunde zu erhalten; allein der Antheil, welcher dadurch geweckt wird, ist ein ganz anderer als der, welchen wir bei Reisebeschreibungen cultivirter und besuchter Länder nehmen, in denen wir heimisch sind, oder bald heimisch zu werden hoffen. Ja, je vertrauter man mit Oertlichkeit, Sitten und Gewohnheiten eines Landes ist, je mehr man sich im Stande fühlt, ein eignes Urtheil darüber zu haben, je willkommener wird Einem die Ansicht einer fremden Individualität, je gespannter wird man darauf sein. Also je mehr Reisende nach Italien, je mehr werden Reisebeschreibungen dieses Landes gelesen werden, nicht, um sich auf einen Besuch in diesem Lande vorzubereiten, sondern um eignes Urtheil, eigne Erfahrung mit fremder zu vergleichen.

Wir wählten diesen Eingang, damit unsere Leser nicht, wie es mancher Deutsche pflegt, das Buch beim Anblick des Titels geringschätzig aus der Hand legen und etwa ausrufen möchten: „Holland? das liegt ja dicht bei Deutschland, davon schreiben ja die Zeitungen alle Tage, wozu sollen wir erst Bücher darüber lesen? Ja, wenn es Grönland, oder wenn es Timbuktu wäre!" Wir sind überzeugt, daß Diejenigen, welche Holland nur ein klein wenig kennen, wie z. B. der Rec., nicht so ausrufen, sondern sich freuen werden, etwas über dieses Land zu lesen, zumal aus der Feder eines so gebildeten Verf. wie der unserige und aus einer so interessanten Epoche wie die der Jahre 1831 und 1832. Ueberdies ist Holland zwar ein sehr bekanntes Land, aber doch ein sehr wenig gekanntes und daher, zumal in der neuesten Zeit, oft sehr verkanntes; wenigstens bis auf den berühmten (für Belgien berüchtigten) zehntägigen Feldzug und die Belagerung der Citadelle von Antwerpen, welche beide Facta die Ehre Hollands ein wenig wieder in integrum restituirten, urtheilte fast ganz Deutschland aus einer achtungswerthen, aber misverstandenen Liberalität unbeschreiblich verkehrt über Holland und Belgien. Das Buch unsers Verf. ist sehr geeignet, richtige Ansichten über das jetzt so viel besprochene Land zu verbreiten; er scheint sich lange genug dort aufgehalten zu haben, um den Charakter des Volkes und seiner Institutionen kennen zu lernen, und hat sich eifrig darum bemüht. Sein Buch ist nicht Das, was man unter einer Reisebeschreibung insgemein zu verstehen pflegt, sondern es verknüpft Historisches älterer und neuester Zeit, Geographisches, Topographisches, Geselliges, Romantisches u. s. w. miteinander. So liest es sich ungemein angenehm, und wollen wir an der Form eine Ausstellung machen, so wäre es die, daß es sich in der Art der Darstellung, des Scherzes u. s. w. mitunter zu nahe an Heine's Weise anschließt, die dessen eigne bleiben muß und uns auch in glücklicher Nachahmung nicht behagen würde. Ein Buch, welches wie das vorliegende so viel Einzelnes enthält, ist schwer in das Ganze eines Urtheils oder einer Darstellung seines Inhalts zu fassen. Es ist eine fortlaufende Kette von Bemerkungen, Schilderungen, Einfällen, in denen kein Bau, keine Anlage zu suchen noch zu erwarten ist, daher sei es uns gestattet, Einzelnes, was uns besonders gelungen schien und die Wahrheit schlagend trifft, herauszuheben. Wir wollen dabei weniger das Holländisch-Oertliche beachten als Das, was mit der Zeit und ihrer Stimmung zusammenhängt. Der Verf. sagt S. 20: „Alles fand ich, wie ich's mir gedacht, nur die Menschen nicht. Der Krieg mit Belgien hatte sie völlig aus den Angeln ihrer Gemüthsart gehoben; das bedächtige Volk war durch ein neues Gefühl, Ritterthum, Ehre, in ein fremdes Element hineingeplumpt, die Jungen erhitzten die Alten, die Zeitungsschreiber Alle." Ganz so fand der Rec. die Holländer bei einem Besuch, den er ihnen im Jahre 1832 selbst machte; nur möchte er nicht sagen, daß sie in ein ihnen fremdes Element hineingeplumpt seien. Die vaterländische Begeisterung ist, wie der Verf. späterhin oftmals selbst bemerkt, durchaus kein fremdes Element für den Holländer, sondern sie glänzt rühmlich in seiner ganzen Geschichte. Wohl aber ist in dem übrigen Europa die irrige Meinung ziemlich eingewurzelt gewesen, daß der Holländer, weichlich und phlegmatisch, nur auf kaufmännische Interessen gerichtet, einer edlern Energie kaum fähig sei; der Rec. muß gestehen, daß er diese Meinung theilte, aber durch seinen Aufenthalt in Holland ganz davon zurückgekommen ist. Er fand in allen Ständen und sogar in der Sprache, die von dem Deutschen ganz besonders schief beurtheilt wird, eine große Lebhaftigkeit; zwar nicht eine leicht aufflackernde, sondern eine aus tieferm Gemüth entspringende, die aber dafür auch desto länger andauert. Ganz vollkommen einverstanden müssen wir uns aber mit dem Verf. in Betreff Dessen erklären, was er über den Charakter der Holländer S. 63 im Allgemeinen sagt: „Fasse ich aber das Allgemeine zusammen, was der Gemüthsart Aller zum Grunde liegt, so möchte ich es als eine grobe, aber eben darum starke und ausdauernde moralische Kraft bezeichnen." Es würde jedoch zu weitläufig sein, die Ausführung dieses Satzes durch den Verf., wodurch er sich wahrhaft als Denker bekundet, in ihrer ganzen Breite aufzunehmen, und wir verweisen daher den Leser auf das Buch selbst. In seinen Schilderungen hebt der Verf. mit Geschick das Anziehende heraus, und seine Feder zeigt dabei eine plastische Lebendigkeit. Wir heben davon namentlich seine Beschreibung der Dünen, des Ortes Scheveningen und seiner Einwohner heraus. Bei Gelegenheit der Besichtigung des Antikencabinets im Haag kommt der Verf. auf Göthe. Seine Apostrophe an denselben ist schön geschrieben und edel gedacht (S. 79 fg.). Dennoch wird er ihn von den Anklagen, welche die Mitwelt gegen ihn ausgesprochen, durch rhetorische Wendungen nicht reinigen können. Wir glauben, daß die wahre Verehrung dieses großen, außerordentlichen Mannes nicht nur mit der vollen Erkenntniß seiner Schattenseiten sehr wohl vereinbar ist, sondern sogar nicht ohne dieselbe bestehen kann. Uns näher über diesen mehr als anziehenden, über diesen wichtigen Gegenstand auszulassen, ist hier nicht der Ort. Das Capitel „Portraits der königlichen Familie" hat viel Anziehendes, und besonders richtig scheint uns Das, was er in Betreff des Königs und der Anlage des philosophischen Collegiums zu Löwen sagt, und woran er die allgemeinen Ursachen der Revolution der Belgier im Jahre 1830 mit Geschick knüpft. Merkwürdig war uns die Notiz, daß Schill's Kopf, der bis zum Jahre 1817 auf der Anatomie zu Leyden in Spiritus aufbewahrt worden, seitdem spurlos verschwunden ist. Wir gestehen, daß uns diese Einzelnheit unbekannt war. Sehr eigenthümlich ist das Capitel „Delft und die Familiengruft der Nassauer". In dem Capitel „Leyden" vergleicht der Verf. etwas gezwungenerweise die Holländer mit den alten Aegyptern; dies ist z. B. eine der Stellen, in welchen er nicht zum glücklichsten die Manier Heine's nachzuahmen sucht. Seine Darstellung der Belagerung von Leyden wird Jedermann mit großem Interesse lesen. Wir beschließen die Aushebungen aus dem interessanten Büchlein mit einer Lobrede, die wir dem Verf. für seine wackere mannhafte Vertheidigung der Ehre Deutschlands halten, indem er nämlich den von den Harlemern für Lorenz Koster vindicirten Ruhm der Erfindung der Buchdruckerkunst für Guttenberg rettet. Ich selbst habe mich im Jahre 1832 zu Harlem über die aller Geschichte widersprechende und auf nichts gegründete Behauptung, daß der Küster Koster die Buchdruckerkunst erfunden haben solle, schwer erbost. Um so mehr erfreut mich die Gründlichkeit und Gelehrsamkeit, mit der der Verf. den bündigsten Beweis gegen die eitle holländische Träumerei führt. Der Verf. schließt sein Büchlein mit diesem Aufsatz; wir wollen unsere Erwähnung desselben mit dieser Notiz schließen. 76.

Baierns Heerzug nach Griechenland, contradictorisch erörtert nach Grundsätzen des Rechts und der Politik. Mit Urkunden. Stuttgart, Brodhag. 1833. Gr. 8. 9 Gr.

Die also betitelte Schrift will die in Baiern, bald nach den Staatsverträgen vom 7. Mai und 1. November 1832 zwischen der dreigliedrigen Conferenz in London und Baiern wegen des Königreichs Griechenland erhobenen Fragen, ob das Bündniß Baierns mit der griechischen Regierung, und die Truppensendung nach Griechenland mit den Interessen des bairischen Staats, mit seiner Staatsgrundverfassung, mit dem Rechte des deutschen Bundes und den Grundsätzen des Völkerrechts vereinbar sei? von Neuem vor das Gericht der öffentlichen Meinung bringen. Der Streit für und wider ward früher besonders von der münchner politischen und der hanauer Zeitung geführt, und die schon in diesen beiden Zeitungen gedruckt gewesenen Aufsätze sind daher hier zusammengestellt worden. Die Zusammenstellung hat als ein staatsrechtliches Actenstück in Betreff der vielleicht künftig einmal welthistorischen bairisch-griechischen Frage ein gewisses Interesse, und so mag man es immer billigen, daß der Herausgeber jene Aufsätze (drei von jeder Seite) zusammengestellt hat. Möchte es auch in der That schwer sein, das diesfällige Verfahren der bairischen Regierung aus dem staatsrechtlichen Gesichtspunkte ganz zu rechtfertigen, so sind wir doch derjenigen Meinung, welche in diesen Tagen ein Freund des alten und neuen Griechenlands, der zugleich im wahren Sinne des Worts ein Philanthrop und Kosmopolit ist, gegen uns aussprach: es wäre schön, wenn die Beglückung des alten zerrütteten Landes (nämlich Griechenlands) einem deutschen Stamme aufbehalten wäre! Diese Meinung und der in ihr ausgesprochene Wunsch kann nur bestehen und Sinn haben, wenn, namentlich noch in der nächsten Zukunft, auch von Baiern aus für Griechenland geschieht, was nach Demjenigen, was schon geschehen ist, auch erwartet werden kann. Denn der Zustand des griechischen Landes und Volkes verlangt solche Unterstützung, und auch der Herausgeber der vorliegenden Schrift macht in einem Nachworte grade diese nothwendige Sorge gegen Diejenigen geltend, die die Interessen der Völker nur aus dem materiellen Standpunkte und nach dem Buchstaben der Gesetze beachten und beachtet wissen wollen. Die sämmtlichen Völker der Erde sind nur eine Brüdergemeinde, und wohl dem Volke, **das, wenn auch nicht ohne Opfer, dem andern zur Civilisation und zur allseitigen Wiedergeburt verhelfen kann! Die Wohlthat wirft ihre Strahlen auch auf den Wohlthäter selbst nicht** vergeblich zurück, und im Uebrigen darf der Patriotismus den Kosmopolitismus nicht ausschließen; jener veredelt nur sich selbst, wenn er sich mit diesem vermählt. 80.

Literarische Notizen.

Jean Paul fängt an, auch bei den Engländern die Bewunderung zu ernten, welche er selbst für viele britische Dichter hegte. Das „New monthly magazine" z. B. spricht sich über ihn unter Anderm folgender Art aus. „Auf dem rauhen, vielgipfeligen Parnasse der Deutschen stand ein Mann, abgesondert von den Andern, und ließ seltsame poetische Weisen ertönen, die aber im Ganzen nur Wenige vernahmen. Unter den vielen mit Talent begabten Männern, welche Deutschland im letzten Jahrhunderte gebar, ist Jean Paul der merkwürdigste, wo nicht der größte. Er war der deutscheste von Allen, der freieste Denker, der kühnste Schwimmer im Oceane der Ideen, der vollkommenste Meister seiner Sprache und einer der tiefsten Philosophen, welcher je zugleich ein großer Dichter, oder einer der erhabensten Dichter, welcher je ein großer Philosoph war. Seine Gedanken paßte er nicht der Sprache an, sondern er nahm diese unermeßliche, schöpferische Sprache und comprimirte sie zu seinen Gedanken; nie belebte ein mächtigerer Zauberer das todte Wort; nie erhielten Ideen eine kostbarere Fassung. Niemand brachte mehr eignes Vermögen in den literarischen Verkehr als Jean Paul, und besaß obendrein die Gabe, Gold zu finden, wo ein oberflächliches Auge nur Schlacken sah."

In London kam in zwei Bänden heraus: „Narrative of the expedition to Portogal in 1832 under the orders of his imperial Maj. Don Pedro", von Lloyd Hodges, ehemaliger Oberst im Dienste der Königin von Portugal. 3.

Redigirt unter Verantwortlichkeit der Verlagshandlung: F. A. Brockhaus in Leipzig.

Blätter
für
literarische Unterhaltung.

Sonnabend, —— Nr. 250. —— 7. September 1833.

Miscellen über Literatur, Kunst und öffentliches Leben in Paris.

Vierter Artikel.

(Fortsetzung aus Nr. 249.)

Nachdem der König über eine Stunde in dem Hôtel de la chancellerie, wo seine Familie war, verweilt hatte, während welcher Zeit die Nationalgarde den brennenden Strahlen eines Gewitterhimmels ausgesetzt war, bewegte sich der Minister Thiers auf einem großen Gaule gegen die Vendômesäule, er gab das Zeichen, und die Hülle fiel von dem Bilde des Kaisers. Die mechanische Operation war kleinlich und lächerlich, allein der Augenblick selbst war ungeheuer und kolossal, er war so groß, daß man die Marionnettenzüge der Pygmäen darüber vergaß! Welches war der Charakter, mit welchem die Masse diese Feier aufnahm? Welches war das Gepräge und der Ausdruck der Parteien, welchen Reflex warf diese Versammlung auf ihren wechselseitigen Standpunkt? Welche Folgerungen können sie für sich daraus ziehen?

Wer am 28. während einer Stunde den Boulevards entlang gegangen war, konnte ermessen, daß es an diesem Tage zu keinem Anstoße, zu keinem Conflict kommen, daß der Tag ruhig vorübergehen werde. Das Volk kam in Strömen, und da es Sonntag war, festlich gekleidet und geputzt, die Weiber und Kinder im nämlichen Anzuge kamen mit, Alle, um einen vergnügten Tag zu feiern, um zu jubeln, zu singen, zu trinken und den Sonntag so gut als möglich hinzubringen, von Aufstand und Barrikaden war in allen diesen Köpfen keine Spur; jedem Tag das Seinige, eine Revolution gehört dem Werktage an und nicht dem Sonntag, wo ohnehin gefeiert wird. Von allen den Parteien, welche auf dem Vendômeplatz ihre Repräsentanten hatten, waren nur zwei, von welchen möglicherweise ein Anstoß ausgehen konnte: die republikanische und die Partei der Regierung selbst; jene aus Aufrichtigkeit und mit dem ernstlichen Entschluß, ihre Fahne aufzupflanzen oder zu sterben; diese unter der Anführung des Hrn. Gisquet, um einen falschen Auflauf zu machen und den Vortheil vorgetroffener Maßregeln zur Vernichtung ihrer Feinde anzuwenden. Es geschah von Beidem nichts. Die republikanische Partei hatte seit Wochen und auf das Bestimmteste erklärt, daß sie an diesem Tage der Nationalgarde das Feld der Meinungsäußerung allein überlassen, daß sie nicht nur keinen Aufstand suchen, sondern einen solchen aus allen Kräften vermeiden werde, und sie hat Wort gehalten; es ist sogar mit Grund zu vermuthen, daß im Augenblick der großen Feierlichkeit auf dem Vendômeplatz nur sehr Wenige von der republikanischen Partei zugegen waren. Nur im Fall eines Angriffs, erklärten die Organe dieser Partei, werde sie sich mit allem Nachdruck vertheidigen, selbst auf die Gefahr hin, einen allgemeinen Brand zu entzünden, den man an sich umgehen wollte, und falls ein Theil der Nationalgarde, der sich gegen die Fortificationen ausspreche, von dem andern beleidigt würde, werde sie die Partei der Ersteren nehmen. Diese Aeußerungen, welche mit Nachdruck und Ernst gemacht wurden, und die für ihre Ausführung einige Gewähr in dem Kampfe des Klosters St.-Méry hatten, erhielten vollen Erfolg. Die Partei Gisquet, trotz ihrer zahllosen offenen und verkleideten Agenten, erlaubte sich keine eclatante Beleidigung auf dem öffentlichen Platze, sie begnügte sich mit isolirten Vexationen, Verfolgungen und Arrestationen; allein eine Handlung, welche eine planmäßige Provocation im Großen verrathen hätte, fiel nicht vor. Als solche zähle ich nicht die zahlreichen Verhaftungen in den Wohnungen und die Aufgreifung einzelner Personen auf den Straßen; dergleichen ist zu gewöhnlich, als daß es eine besondere Aufregung hervorbringen könnte; zudem hatten die Republikaner dies erwartet und berechnet. Da beide Partrien entschlossen waren, das Handgemenge zu vermeiden, so war es natürlich, daß nichts vorfiel; aber interessant bleibt diese Erscheinung und die spätern Ausfälle der ministeriellen Organe für den unbetheiligten Beobachter. Die Regierung hatte für den Tag des 28. eine Truppenmacht versammelt, sich mit Munition und Artillerie versehen, wie der vorsichtige Feldherr am Vorabend einer großen Schlacht es thut; nicht weniger als etwa 80 Stück Geschütz und verhältnißmäßig Truppen aus allen Waffengattungen waren in der Stadt und um die Tuilerien aufgestellt, die Policei war verdoppelt und viele neue Anwerbungen gemacht; gegen wen? Die Regierung fürchtete nichts von den Karlisten und ebenso wenig von den Napoleonisten, die Rüstungen gingen lediglich gegen die Republik; gegen die Republik, welche vor drei Jahren noch eine Anomalie in der Sprache war; die Republik, die vor zwei Jahren noch in keiner öffentlichen Discussion genannt und erwähnt, höchstens im Besitz eines einzigen Blattes und einer kleinen Zahl offen auftretender Anhänger war; die Republik, welche nur spottweise genannt und von den Verehrern der neuen Dynastie verhöhnt wurde, bald aber aus der engen Zurückgezogenheit auf die Straße, in die vielarmige Presse, in die Versammlungen, in die Wahlcollegien, in die Adressen und Discussionen, in die Reihen der Nationalgarde und der Linie, in die öffentliche Meinung überging und heute die obligate Ehre jeder königlichen Phrase, Erwiderung und Anrede besitzt! Der Feind, gegen den man ein schlagfertiges Heer aufstellt, muß nicht so ganz die Geringschätzung verdienen, welche die Blätter der Regierung in den letztern Tagen in sonderbarem Widerspruch mit diesen Rüstungen gegen ihn geäußert hatten. Nichts ist unzusammenhängender als die hier befolgte Taktik. Man fing damit an, die Republik als ohnmächtig und ohne Kraft zu hohnnecken, ließ ihr aber eine geschlossene Schlachtlinie entgegenstellen. Die Republikaner erwiderten: „Was wir sind und was wir können, werden wir seiner Zeit beweisen, der Augenblick ist nicht gekommen, wir werden und wollen uns ruhig verhalten, Ihr zweifelt übrigens nicht an unserm Muthe." Während der drei Tage füllten die Journale des Ministeriums ihre Columnen mit furchtbaren Complotten und anarchischen Verschwörungen an, die man glücklicherweise entdeckt habe, und nachdem die drei Tage vorüber sind, sagen sie den unbeweglich gebliebenen Feinden: Hatten wir nicht Recht, Euch als ohnmächtig und ohne Muth zu persifliren: Ihr habt Euch nicht gezeigt, die Republik hat sich versteckt, während das Königthum das Haupt stolz und frei emportrug! Kaum sind zwei Tage über dieser Bravade verstrichen, so fällt das „Journal des débats" in einen andern Ton und schildert die Anarchie und den Aufruhr furchtbarer als jemals! Wo die wahre Stärke dieser beiden Gegner sei, jedenfalls wo die Ruhe, die Haltung, die Würde nicht seien, ist hiernach nicht mehr räthselhaft. Diese ängstliche, nimmer rastende Geschäftigkeit, dieses wechselvolle Arbeiten läßt einen unsichern Grund erspähen; die Republik stört die Nachtruhe der jüngern Bourbonenlinie, das ist von schlimmer Vorbedeutung; nach einer schlaflosen Nacht sind Blick und Hand unsicher, und Beides möchte ihr zum Siege nothwendig sein, das beweisen ihre eignen Vorkehrungen.

Der 28. Juli war eine große Lehre für zwei andere Parteien, deren Ohnmacht auf die Masse des Volkes fernerhin keinem Zweifel mehr unterliegt, die napoleonistische und die legitimistische Partei. Ist ein Endresultat, das Ergebniß der Erscheinung, für beide gleich, so gestaltet es sich auf gänzlich verschiedene Weise und bietet ein doppeltes Bild dar, welches unter sich keine Aehnlichkeiten hat. Wir haben oben von dem Enthusiasmus des Volkes bei Enthüllung der Statue gesprochen und der Ergießungen der Menge erwähnt. Es ist hier der Augenblick, diese Gefühle und die Physiognomie des Moments näher zu betrachten. Das Volk war voller Erinnerungen, es war stolz auf den Besitz eines großen Helden, es blickte mit Selbstgefühl auf die Zeit des Consulats und des Kaiserthums zurück, es jubelte bei der Enthüllung des Kaisers, es klatschte Beifall und erfüllte die Luft mit seinem Rufe: Es lebe der Kaiser! Aber, war es das Gefühl einer Volksversammlung, welche sich beim Anblick eines lebenden oder todten Bildes zur Handlung entflammte, war es die Bewegung, wie sie in dem Herzen schlägt, wenn der Redner die Tribune besteigt und dem Volke das Gemälde seines Elends in unverhüllten Zügen und zugleich den Retter zeigt, war es die Anrufung eines theuern Namens als Palladium gegen augenblickliche Gefahr, als Ermuthigung zu bevorstehendem Kampf, war es der Laut einer Schilderhebung? Nein, im entferntesten nicht! Nicht dem lebenden Napoleon, nicht einem Repräsentanten seines politischen Systems, nicht dem Nachfolger und Wiederhersteller der Kaiserzeit, sondern dem Genie, dem großen Feldherrn, dem Manne Frankreichs und seiner nationalen Größe —, dem unglücklichen, in der Todesstunde Frankreich noch umfassenden Helden, dem todten Napoleon galt dieser hehre, reine, geschichtliche Opferdienst! Die Gegenwart, die Zukunft als Theater von Handlungen waren dieser Feier fremd. Das Herz, der Mund riefen, das Volk rief, die Nationalgarde rief, die Linie rief und die goldbestickten Schauspieler stimmten ein. Niemanden fiel es ein, die Quelle dieses Rufs wo anders als in der angedeuteten Erinnerung zu suchen, ihre Bedeutung weiter als auf eine Apotheose zu ziehen. Und wenn die Gesammtfamilie des Kaisers in diesem Augenblicke auf dem Vendômeplatze erschienen wäre und in den Jubelruf eingestimmt, die Fahne ihrer Partei hochgeschwungen und zum Kampfe aufgefodert hätte, das Volk hätte diesen Aufruf nicht erwidert; es würde mit warmem Gefühle auf die Angehörigen eines großen Namens, jetzt von französischer Erde Verbannten geblickt, es würde die Brüder Napoleon's, die ihr Exil gebrochen, gegen die Mishandlung der Policei geschützt und die Großmuth einer mächtigen Nation an die Stelle eines Reactionsgesetzes erhoben haben; allein, keine Insurrection zu Gunsten dieser Gäste, keine Revolution im Interesse der Bonaparte, keine Restauration der Kaiserzeit! Das Volk liebt den Kaiser in der Vergangenheit als Repräsentanten einer großen Epoche, strahlend von Ruhm und Ehre, und hat über den Früchten seines Wirkens und den Fortschritten der Civilisation die Tyrannei und Unterdrückung der Freiheit vergessen, denn jene sind geblieben, und diese sind mit ihm verschwunden. Ganz entgegengesetzte Aufnahme würde die Aeußerung der legitimistischen Partei erfahren haben; für sie lebt in der That kein Schatten von Sympathie im Volke; Alles, Gegenwart und Zukunft mögen ihm ungewiß und zweifelhaft, es selbst in seinen Affectionen schwankend sein, nur eins ist ihm unzerstörlich bewiesen, die alten Bourbons sind der abgeschlossenen Vernichtung anheimgefallen, und nichts vermag sie in die Gegenwart wieder zurückzuführen. Wenn an diesem Tage eine Stimme den Ruf: Es lebe Heinrich V., oder Karl X., hätte vernehmen lassen, so hätte die Sensation eine doppelte sein können. Vielleicht, wenn grade der Moment übel gewählt worden, wenn der Ruf eine Opposition gegen die Feier des Tages angedeutet, würden die nämlichen Hände, welche die Familienglieder Napoleon's schützten, diese legitimistischen Irrgänger mit strafender Faust ergriffen und gezüchtigt haben; wahrscheinlicher aber hätte man über den Ruf als über etwas Aberwitziges gelacht und den Rufer durch seine unheimliche Verlassenheit verhöhnt und verspottet; der Effect hätte der nämliche sein können, wie wenn dermalen der „Constitutionnel" in seiner bewundrungswürdigen Einfalt über die Jesuiten schreit und ihre Gefährlichkeit schildert.

Folgt daraus, daß das Volk das dermalige System der Regierung liebe; daß seine Sympathie der jüngern Bourbonenlinie und dem Bürgerkönigthume Louis Philipp's erworben sei? Hat der 28. Juli dem Letztern Veranlassung gegeben, sich diesem Glauben zu überlassen und sich für einen glücklichen Nachfolger der ältern Linie zu halten?

Die Revue der Nationalgarde und der Linie.

Bei dem Anblicke der Volksmenge, welche sich auf dem Wege des Königes und auf dem Vendômeplatze drängte, bei Betrachtung ihrer Haltung und der oft sehr lange andauernden Bewegungs- und Leblosigkeit fielen mir die Worte eines jungen, beredten und geistreichen Professors am Collége de France, Lerminier's, ein: „Frankreich hat die Größe seiner Monarchie zur Zeit, als die Monarchie Frankreich erhob und consolidirte, geliebt, Frankreich hat Philipp August, Philipp den Schönen, Ludwig XI., Heinrich IV., Richelieu, Ludwig XIV., die Republik, den Kaiser geliebt, — und seitdem nichts mehr!" Das war das Bild des 28. Juli in Hinsicht auf die gegenwärtige Regierung, und was auch die ministerielle Presse aus den Auftritten dieses Tages folgern möge, derlei Einzwängung isolirter, nach Belieben herausgerissener Thatsachen in die Formen einer Regierungslogik ist das Zeichen einer kranken Stellung; das Volk war kalt und stumm gegen Alles, was von der Regierung kam: dies ist in drei Worten der Charakter des Tages. Die Revue der Nationalgarde war ein Gegenstand, auf welchen seit Wochen alle Augen geheftet waren und der von der ministeriellen nicht minder als von der Oppositionspresse nach Kräften bearbeitet worden war. Wird die Nationalgarde rufen: „Es lebe der König!" oder wird sie rufen: „Nieder mit den Bastillen!" Dies war die Frage, der Tag erschien, und nachdem er vorbei war, bestand beinahe so viel Zweifel als vorher, mindestens versuchte die Presse des Ministeriums, die Sache auf eine mehr als kecke Weise für sich zu deuten. Die Nationalgarde hat „Vive le roi" gerufen, und einen andern Ruf haben wir nicht gehört, also! Mit diesen Wendungen ist heute auf die Dauer nicht mehr durchzukommen, und die Regierung muß sich die Thatsachen sammt allen charakteristischen Bearbeitungen und ihren Consequenzen, wie sie waren und sind, gefallen lassen. Daß die Nationalgarde bisher eher im Sinne der Regierung als in jenem des Volkes sich geäußert, war Niemanden unbekannt, eine unanime oder nur sehr energische Aeußerung gegen die Regierung lag daher nicht in der Wahrscheinlichkeit; woher hätte sich plötzlich eine solche Schärfe, eine Entschiedenheit des Willens entwickeln sollen in einem Corps, welches man auf alle nur ersinnliche Weise geschmeichelt und geködert, das man mit Ehrenkreuzen und Bändern und Versprechungen überhäuft, das man als die lieben Freunde und Stützen der Monarchie auf den Händen getragen, dem man noch Tages zuvor Mann für Mann die Erklärung des „Moniteur", daß die Befestigungsarbeiten eingestellt seien, ins Haus geschickt hatte? Und dennoch: welches war der Ausdruck seiner Gesinnungen, namentlich in Betreff des Lieblingsprojects der bürgerlichen Monarchie? Die Zahl der gegenwärtigen Nationalgardisten hat nach Vergleichung aller gegenseitigen Controversen und Aufstellungen 50,000 nicht erreicht; Paris allein, ohne die Bannmeile zählt deren allein 80,000. Diese ausfallenden Stimmen können wol nicht für die Forts zählen. Von den erschienenen haben einige Compagnien: „Vive le roi", die andern: „A bas les forts", die dritten: „Vive l'empereur" und manche gar nichts geschrien. Gewiß aber ist es, daß das feierliche in dem „Moniteur" und den Privatmittheilungen gemachte Versprechen, die Forts nicht fortzubauen, von entschiedenem Einflusse auf einen großen Theil des Bürgermilitairs war. Das Volk hat allerwege nichts gerufen und ließ die ganze Parade als ein bestelltes, ihm fremdes Spiel nebst König, Generalstab, Gefolge und bestelltem Trosse der Schreier an sich vorüberziehen. Unter diesen Umständen ist es klar, daß die Rufenden wie die Schweigenden nach den Motiven ihres Thuns von unendlich größerm Gewicht gegen die Regierung sind als die Jubelnden für. Das Project der Forts ist vor der Nationalgarde selbst zerfallen, der König kann sie ohne Verletzung seiner Versprechen, die er in dem officiellen Blatte gegeben, die er auf dem Vendômeplatze persönlich und unumwunden wiederholt hat, nicht fortbauen, und die Zustimmung der Kammern wird hierin der Nation gegenüber nichts ändern. Denn wie man auch deuten und interpretiren möge, die Nationalgarde selbst in ihrer kleinsten Fraction ist nicht Anhängerin der Forts, und ihre minder laute Opposition beruht auf der Voraussetzung, daß sie nicht zu Stande kommen. Sollte dies dennoch versucht werden, so würde sich die Regierung in entschiedenem Maße diese friedliche Bürgerschaft entfremden und deren Vertrauen untergraben. Wird aber die Regierung von den Entwürfen aufrichtig absehen wollen und können? Einstweilen hat sie sich dahin demüthigen müssen, ihre Worte und Handlungen zu verleugnen, von ihrem Vorhaben, den Bau ohne Geld und ohne Bewilligung der Kammer zu errichten, abzustehen und diese Volkssouverainetät, deren Namen ihr seit lange schon ein Greuel geworden, in ihrer vollen und directesten Supremacie anzuerkennen. Dies sind die Thatsachen des Augenblicks und mit einiger Unbefangenheit könnte die Regierung daraus sich selbst ein Prognostikon für die Zukunft bilden. Vergebens haben ihre besoldeten Blätter eine Flut von wahrheitswidrigen und den richtigen Gesichtspunkt verrückenden Phrasen darüber hingegossen, von den Departements selbst liefen solche Nachrichten ein, welche den verwegensten Muth der Entstellung niederschlagen mußten: „Nieder mit den Forts", „Es lebe die Freiheit", „Es lebe die Nation!" die Marseillaise und Pfeifen gegen die Strophe der Parisienne, in welcher der Herzog von Orleans gepriesen wird, das ist der Typus des 28. Juli, sowie er beinahe durchgängig in den Departementsstädten gefeiert wurde. In Summa läßt sich das Ergebniß der dritten Julifeier in politischer Beziehung dahin resumiren: Kälte, entschiedene Indifferenz gegen die jetzige Dynastie und Regierung; die Forts werden nicht gebaut, weder ohne, noch mit Einwilligung der Kammern! Ist dies gegen oder für die Regierung?

(Der Beschluß folgt.)

Ueber J. C. Dahl, Domcapitular in Mainz, verstorben am 10. März 1833.

Das Hinscheiden eines Mannes, der mit Geist und Kraft in wissenschaftlichen Bestrebungen Gründlichkeit und Fleiß vereinigte, in dessen Persönlichkeit Gelehrter und Mensch gleich achtungswürdig erschien, ist ein Verlust für die gelehrte und gebildete Welt überhaupt, selbst wenn seine Bestrebungen nur ein engeres, abgesondertes Feld umfaßten, da im Gebiete des Wissens nichts isolirt dasteht. In diesen Rücksichten ist das Hinscheiden Dahl's ein Verlust für die Welt; aber ein größerer ist es für seine Freunde, für alle Die, welche in geistiger Berührung mit ihm standen. Darum sei es Einem vergönnt, der in den beiden letztern Beziehungen zu ihm stand, über den verdienstvollen Mann in d. Bl. zu dem Theile des Publicums zu reden, dem er angehörte, und ihm so ein verdientes Denkmal der Achtung und Verehrung zu setzen. Johann Konrad Dahl wurke 1762 in Mainz geboren. Ueber seine Jugendverhältnisse im Vaterhause, welche einen so mächtigen Einfluß auf das gesammte Leben ausüben, ist leider wenig bekannt, und die vielen vertraulichen Briefe, welche der Verf. dieser Zeilen in einer Reihe von Jahren von Dahl erhielt, in denen er so rückhaltslos über manches Ereigniß seines spätern Lebens spricht, schweigen hierüber, einige Andeutungen ausgenommen, fast gänzlich. Nach diesen aber scheinen seine Jugendverhältnisse nicht die glänzendsten gewesen zu sein. Auf die Wahl des geistlichen Standes scheint seine fromme Mutter großen Einfluß gehabt zu haben.

Dahl gewann seine erste wissenschaftliche Bildung auf dem Gymnasium seiner Vaterstadt, das damals eine ehrenvolle Stelle unter den Bildungsanstalten Deutschlands einnahm. Der Fleiß, der sein ganzes Leben auszeichnete, der ihn nicht eine Stunde müßig sein ließ, beseelte ihn schon hier, und die ernste wissenschaftliche Richtung seines Lebens und Geistes, die große Vorliebe für geschichtliche Studien gewann hier ihre Grundlage. Neben dem Studium der Theologie und Philosophie, zu denen er nach vollendeten Gymnasialstudien auf der Universität seiner Vaterstadt überging, blieb Geschichte mit ihren Hülfswissenschaften sein Lieblingsstudium; insbesondere begann ihn hier schon die Geschichte seiner Vaterstadt und des Rheinlandes überhaupt mit voller Stärke zu fesseln, und ihr Dunkel reizte mächtig den Forschungsgeist des Jünglings. Im Jahre 1782 trat er in das Seminar von Ingolstadt, wo die ernsten Berufsstudien ihn ganz fesselten; als er aber nach empfangener erster höherer Weihe in das erzbischöfliche Seminar von Mainz übertrat, öffnete sich ihm auch wieder jener theure Kreis von Anregungen für seine Lieblingsideen, obgleich ihm nur wenige freie Stunden blieben.

Mit dem Jahre 1786 war sein theologischer Studiencursus absolvirt. Er verließ das Seminar mit den unzweideutigsten Beweisen der Liebe und Hochachtung seiner Obern und trat nach empfangener Priesterweihe sein erstes Amt in Oberursel im jetzigen herzoglich nassauischen Amte Königstein an. Sein Berufskreis ließ dem wissenschaftlichen Sinne Dahl's Muße genug zum fortgesetzten, fleißigen Studium, obwol auf der andern Seite die isolirte Lage des Ortes, die Entfernung von größern Büchersammlungen, zum Quellenstudium so unentbehrlich, ihn vielfach hemmte. Die Zeit selbst mit ihren politischen Stürmen war nicht so ganz ernsten Studien günstig. Immer heftiger stieg das Wetter der Revolution im Westen auf, den fernhin drohend leuchtenden Blitzen folgte der Donner bald und der Alles mit sich fortreißende Sturm. Dahl war indessen nicht der Mann, den dieser Taumel in seinen benebelnden Kreis zog. Mehr nach Innen lebend, trug er im Innern seine Welt, und die dunkle Vergangenheit hatte mehr Reiz für ihn als eine Gegenwart, die alle Formen einriß, Wesentliches nahm und nur den verhallenden Klang schöner Worte gab ohne Wesen und Werth. Ruhig und klar in sich, bildete er sich bald sein Urtheil, und an ihm erwies sich so recht die Wahrheit jener Worte Schlegel's, der Historiker sei ein rückwärtsgekehrter Prophet. Dieses gereifte Urtheil über die Kämpfe und Richtungen der Zeit ließ ihn sicher durch die nahende Sturmflut steuern, in die ihn sein Schicksal so recht tief stürzen zu wollen schien; denn im J. 1794 wurde ihm der Ruf an die Pfarre des Johannisstiftes in Mainz. Wie es auch um ihn stürmte, er stand ruhig und fest. Treu erfüllte er in den stürmischen Tagen der Stadt seine Pflicht, und war sie zur Beruhigung seines Herzens erfüllt, dann eilte er in das stille Stübchen zu seinen Büchern und Handschriften und forschte den Schicksalen vergangener Zeiten nach, die arge Gegenwart und ihre schmerzlichen Erfahrungen vergessend in den Grüften der Vergangenheit. Die Stürme endeten, das Chaos klärte sich auf, und Dahl athmete freier wie Tausende und begrüßte mit Freuden eine bessere Zukunft, obwol so mancher

Seufzer aus der Brust des Patrioten sich in die Freude des Menschenfreundes stahl. Ihn grade berührte die kommende Zeit nicht freundlich. Die schönen Verhältnisse, in denen er mit gleichgesinnten und strebenden Freunden stand, sollten getrennt, er sollte dem Kreise entrissen werden, in dem sein Streben so reiche Nahrung und Unterstützung gefunden hatte. Bei einer neuen Organisation kirchlicher Verhältnisse ging die Pfarre, die er bisher besessen, ein, und er vertauschte sie mit der Pfarre in Budenheim, einem Dorfe am Rhein. So unwillkommen ihm dies sein mußte, so war dennoch die Entfernung von Mainz nicht so groß, daß alle literarische Verbindung wäre gelöst worden. und die Jahre, die er in Mainz gelebt, hatten des Stoffes viel geliefert, den die ländliche Stille zu sichten, zu ordnen, zu verarbeiten begünstigte. Um diese Zeit wurde Dahl dem Landgrafen von Hessen-Darmstadt durch schriftliche Arbeiten und anweitig bekannt und in Folge dessen als Stadtpfarrer nach Gernsheim berufen. Freundliche Lebensverhältnisse, reichliches Auskommen, wenige Amtsgeschäfte, da ein Kaplan sie theilte, und eine dauernde Gesundheit gaben ihm hier die Muße, die Mittel und die Heiterkeit der Seele, die so nothwendige Trias zu geistiger Thätigkeit. Er gab sich jetzt ungetheilt seinen Lieblingsstudien hin, die ihn mehr und mehr zur Special- und Particulargeschichte hinzogen. Gernsheim, der Ort, wo er sich glücklich fühlte, was es hauptsächlich, was ihn jetzt beschäftigte. In den Archiven und Quellenschriften forschte er nach den Schicksalen der Stadt bis zu ihren ersten Anfängen hin und trat dann endlich mit einer „Beschreibung des Amtes und der Stadt Gernsheim" hervor, welche die Blicke der Freunde der Particulargeschichte mit Recht und nach Verdienst auf ihn lenkte. Die Bahn war jetzt gebrochen. Der Beifall feuerte ihn mächtig an. Schon lange hatte ihn das geschichtlich so merkwürdige Kloster Lorsch, in dessen Urkunden er so manches Licht in dunkeln Partien der vaterländischen Geschichte fand, angezogen. Er hatte lange für seinen Zweck gesammelt. Nach vieljähriger Forschung trat er endlich mit seiner trefflichen „Beschreibung des ehemaligen Fürstenthums Lorsch in historischer, topographischer und statistischer Hinsicht" hervor, welche ihm viele Verehrer und großen Beifall erwarb. Dahl's Geist hatte keine Ruhe. So groß dessen Receptivität war, ebenso groß seine Productivität. Nur Eins möchte man fast bedauern, daß nämlich Dahl seine Kraft zu viel in Einzelheiten zersplitterte. Dahl ging indessen hier von dem richtigen Gesichtspunkte aus. Wie der Architekt aus einzelnen Werkstücken seinen Riesenbau aufthürmt, so der Historiker. Das Studium der Einzelnheiten führt allein zu allgemeinen Resultaten, und die einzelnen Thatsachen bilden die Historie. Ist Licht im Einzelnen, so gestaltet sich klar und bestimmt der Umriß ganzer Zeiträume. Zudem hatte durch sein fortgesetztes Streben, das Einzelne bis in seine kleinsten und fernsten Beziehungen zu verfolgen, sein Studium erst rechten Reiz für ihn gewonnen. Nicht Das war es, was seine Freunde eigentlich tadelten, sondern das Unterlassen der Construction der gewonnenen Einzelheiten zu einem allgemein interessanten Ganzen. Er besaß Kraft und Mittel genug, größere Partien zu umfassen. Nicht leicht war Einer wie er berufen und befähigt, eine rheinische Städtegeschichte zu liefern, und er würde gewiß Vorzügliches geleistet haben. Hätte ihm des Lebens Quell länger geflossen, vielleicht würde er es noch unternommen haben. Studien hatte er viele dazu gemacht, sein Nachlaß muß Zeugniß davon geben. Wol wäre es zu wünschen, daß ein Literator diesen ordnete; Vieles muß sich finden, was der literarischen Welt nicht sollte vorenthalten werden.

Viele specialgeschichtliche Abhandlungen ließ Dahl in Journalen drucken, die zum Theil längst eingegangen sind, wie z. B. in der „Charis", in Rousseau's „Hermione", Vogt's und Weitzel's „Rheinischem Archive", den „Frankfurter gemeinnützigen Blättern" und der „Didaskalia". Sie beziehen sich auf einzelne rheinische Orte, seine Vaterstadt, besonders ihre alten Kirchen, und rheinische alte Familien. In Gottschalk's „Ritterburgen Deutschlands" lieferte er (sowie später in der „Didaskalia") die Geschichte vieler rheinischen, hessischen und nassauischen Burgen. Sein Panorama der Rheingegend ist in vielen Händen. Zu seinen letzten Arbeiten gehören: eine Abhandlung über die Verbreitung und Verbesserung der Buchdruckerkunst durch Peter Schöffer, welche mehre patriotische Bürger der Stadt Gernsheim drucken ließen, um den Fonds zu einem Denkmale für den verdienstvollen Schöffer in Gernsheim zu gründen, und das kleine im Auftrage des Prinzen Friedrich von Preußen, Erbauers der Burg Rheinstein, geschriebene Werkchen: „Die Burgen Rheinstein und Reichenstein". Viele Beweise ehrender Anerkenntniß erhielt Dahl: der Fürst Primas, der König Max von Baiern und der Kronprinz Ludwig von Baiern ertheilten ihm mit den schmeichelhaftesten Aeußerungen große goldene Medaillen. Viele gelehrte Gesellschaften ernannten ihn zum Mitgliede. Mit den ausgezeichnetsten Männern des Vaterlandes stand er in enger Verbindung durch den Ruf, den er sich erworben. Dieser vermittelte auch seine Theilnahme an der großen „Encyklopädie" von Ersch und Grüber, für die er bis zu seinem Ende arbeitete.

Dahl's vielseitige Verdienste wurden auch von seinem Landesherren nicht verkannt, der ihn 1817 zum Stadtpfarrer in Darmstadt, zum Kirchen- und Schulrathe ernannte. Diesem Amte stand er mit Treue und Eifer vor, bis endlich im Jahre 1829 dem schon hochbetagten Manne die ruhigere Stelle als Domcapitular in seiner theuern Vaterstadt zu Theil wurde. Hier rief ihn der Todesengel am 10. März 1833 zum ewigen Frieden. Er hatte lange und viel an Brustkrämpfen gelitten. Noch 16 Tage vor seinem Tode schrieb er dem Verf. dieser Zeilen freundliche, liebevolle Worte, sagte ihm, wie schwer es ihm werde, seinen Lieblingsstudien zu entsagen. In dem Schreiben weht die Ahnung baldigen Scheidens mit leisem, wehmüthigem Anklange. Er schied sanft und friedlich, wie sein Leben war, von Vielen tief betrauert. Dahl war ein milder, liebenswürdiger Charakter, ohne Stolz, ohne Eigennutz. Sein Herz war jedem edeln Eindrucke offen und voll umfassender Menschenliebe. Wie oft er auch in literarische Fehden verwickelt war, nie kämpfte er bitter und leidenschaftlich. Gern erkannte er fremdes Verdienst an, freudig unterstützte er jedes literarische Streben mit Rath und That.

Er war treu als Freund, achtungswerth als Gelehrter, liebenswürdig als Mensch. Ehre seinem Andenken, Friede seiner Asche! 181.

Literarische Notizen.

Vom General Dermoncourt wird in Paris angekündigt: „La Vendée et Madame", worin viel authentische und wichtige Aufschlüsse über die Vorgänge in der Vendée erwartet werden, bei denen der Verf. sehr thätig war. Zur Zeit der Verhaftung der Herzogin von Berri commandirte er im Departement der Unterloire.

In den literarischen Ankündigungen der pariser Blätter finden sich auch „Mémoires d'une célèbre courtisane des environs du Palais royal", oder „Leben und Abenteuer der Mademoiselle Pauline, genannt Witwe der großen Armee".

In England wird angekündigt: „Der Freischutz"; or, the free shot, a popular legend, litterally translated from the German of *A. Apel.*"

Ein Octavband von 388 S.: „The Americans by an American in London", ist gegen Mrs. Trollope und Capitain Hall gerichtet, greift die Sache aber ganz verkehrt und persönlich an. Dergleichen Antikritiken sind auch überhaupt überflüssig, denn das Buch der Trollope namentlich entbehrt aller Autorität, und über Capitain Hall täuscht sich Niemand mehr.

Redigirt unter Verantwortlichkeit der Verlagshandlung: F. A. Brockhaus in Leipzig.

Blätter

für

literarische Unterhaltung.

Sonntag, —— Nr. 251. —— 8. September 1833.

Miscellen über Literatur, Kunst und öffentliches Leben in Paris.

Vierter Artikel.

(Beschluß aus Nr. 250.)

Die Obelisken von Luxor.

Die Bevölkerung von Paris hat während der drei Tage eine Menge von Schauspielen, Darstellungen und Monumenten gesehen; es schien, als ob die Regierung mit besonderm Fleiß darauf bedacht gewesen sei, die Sinne des Volkes durch eine große Abwechselung der Gegenstände zu fesseln und die geistige Aufmerksamkeit, die aus der Erinnerung entstehende Reflexion zu zerstreuen. Wir kennen das hauptsächlichste der Denkmäler, Napoleon auf der Vendômesäule; die übrigen, das große Feuerwerk, das mächtige Concert in dem Tuileriengarten, das papierene Kriegsschiff in der Seine ohne Bewegung und Leben, waren nur vorübergehende Bilder, sie gehören in das gewöhnliche Programm fürstlicher Festlichkeiten. Aber es bleibt uns ein letztes Denkmal zu erwähnen, das, von Jahrtausenden herkommend, bestimmt ist, auf neuer Erde abermals Jahrtausende in die Zeit der Zukunft hinüberzudauern. Paris wird zwei ägyptische Obelisken, gewöhnlich die Obelisken von Luxor genannt, besitzen; der eine ist bereits in Frankreich gelandet, und die nachgeahmten Formen der beiden Monumente stehen die eine auf der Place de la concorde (Place de la révolution), die andere auf der Esplanade der Invaliden. Sie sind nicht Früchte der Eroberung, man fand bei der Expedition nach Aegypten die Schwierigkeiten des Transports, besonders wegen der durch die Engländer abgeschnittenen Communication zu groß und verzichtete auf deren Verpflanzung nach Frankreich; sie sind ein Geschenk und ein Beweis der freundschaftlichen Gesinnung Mohammed Ali's für Frankreich. Dennoch machen sie einen tiefen unbeschreiblichen Eindruck auf den Beschauer.. Ihre Form, ihre Höhe, ihre Farbe, ihre Geschichte und Entstehen, Alles ist so fremdartig, verschieden, ehrwürdig, alt und erinnerungsvoll unter den schönen Gebäuden der Weltstadt. Glückliches Paris, in welchem die Schätze der alten und der neuen Welt zusammenfließen, welches mit jedem Tage sich bereichert in Allem, was die Erde Schönes, Merkwürdiges und Großes besitzt. Welcher Anblick dermalen auf der Place de concorde: links die Tuilerien, die Schöpfung der Katharine von Medici, in welchen Ludwig XIII. einen Schutz gegen das unheimliche Gefühl des Schicksals seines Vaters suchte, die Tuilerien mit ihrem so ungleichen und dennoch so imposanten, weiten und freundlichen Plane, dem herrlichen Garten vor dem Schlosse, welcher auch ohne das Kunstwerk von Versailles den Namen von Lenotre verewigen würde, und den glänzenden Fontainen, welche wie ein Silberstreif die Linie nach dem mittlern Pavillon durch die hochbelaubten Kastanienbäume ziehen; rechts die elysäischen Felder mit ihrem wimmelnden Guckkasten aller wandernden Industrien und heimatlosen Künste; im Hintergrunde dieses schönen Waldes der Triumphbogen de l'étoile, welcher, Dank sei es der Unverletzlichkeit eines so historischen Werkes, wol auch beendigt werden wird; hinten die großartigen Gebäude aus dem Zeitalter Ludwig XV., das Ministerium der Marine, das Garde-meuble, die Rue royale und die Madeleine, einst zum Tempel des Ruhmes bestimmt, heute seiner endlichen Verwendung wie Frankreich seinem definitiven Schicksale entgegensehend; vorn die Seine, der Pont de la concorde, darauf die kolossalen Bildsäulen von Duguesclin, Duquesne, Condé, Richelieu u. A., jenseit die Deputirtenkammer mit ihrem Peristyle und die freundlichen Quais der Seine, mitten auf dem Platze der hellrothe Monolith, der wie eine schlanke Pappel in die Höhe schießt und seine Spitze über seine Umgebungen stolz hervorblicken läßt. Es gibt nichts Großartigeres als diesen Platz; man möge das Auge öffnen oder schließen, überall ist die Geschichte, die Vergangenheit, ein Panorama der Zeit!

Die beiden Obelisken sind von beinahe gleicher Größe, der eine hat 75, die andere 72 Schuh Höhe; der kleinste ist nach Frankreich gebracht, bis zur Landung des zweiten werden wol zwei Jahre vergehen. Herr Delaborde hat vor Kurzem eine kleine Schrift über diese ägyptischen Werke verbreitet, die interessante Details enthält. Er setzt ihr Entstehen in die Regierungszeit von Sesostris und erkennt in ihnen die unsterblichen Zeichen seines Ruhmes und seines Genies.

„Alle Völker hatten Tempel und Paläste; das Heiligthum der Gottheit und die Wohnung der Könige waren immer von den Wohnungen des Volkes unterschieden; aber die Aegypter allein setzten vor diese Gebäude große Zeichen, welche ihre Bestimmung andeuteten. Dies war der Zweck der Obelisken, einer Art von hohen Pyramiden, von Säulen, deren Seiten in Gestalt einer Nadel abgeschnitten und mit dem Namen des Fürsten, welcher sie erbaut, und jenem des Gottes, welchem sie geweiht wurden, beschrieben waren. Die Auslegung, welche Champollion, der Verf. der ägyptischen Sprachlehre, von den Inschriften gibt, stimmt mit den Formeln überein, welche durch Hermapion, den letzten Griechen, welcher die Hieroglyphensprache scheint gekannt zu haben, überliefert worden sind."

„Die Obelisken sind somit wesentlich historische und geheiligte Denkmäler, und ohne Zweifel verdanken sie dieser doppelten Eigenschaft und der Achtung vor ihrer Schönheit, daß sie so lange unverletzt geblieben sind. Als der grausame Kambyses die Denkmäler in Aegypten zerstörte, schien seine Wuth beim Anblick der Obelisken sich zu besänftigen, und er ließ den Brand von Theben aufhören, ehe er sie erreichen konnte. Augustus ging weiter; er faßte den Entschluß, sie in die Hauptstadt der Welt zu versetzen. Er hatte Rom in Backsteinen gebaut gefunden und wollte es, wie er sagte, in Marmor verlassen, er gedachte daher, es noch zu verschönern durch einen bis dahin unbekannten Stein, den Granit, welcher wie man sagte, die Sonnenstrahlen zurückwarf und mit Goldtropfen übersäet zu sein schien."

Herr Delaborde gibt nun eine nähere Beschreibung der Art und Weise, wie zwei der ägyptischen Obelisken unter Augustus nach Rom gebracht und der eine auf dem Circus, der andere auf dem Marsfeld aufgestellt worden sind. Die Mühe und die unsaglichen Schwierigkeiten des Transports, welche man zu bekämpfen hatte, grenzen an das Fabelhafte und geben einen Begriff von der Mangelhaftigkeit der mechanischen Fertigkeiten und Kenntnisse jener Zeit. Ohne Zweifel haben die Römer damals zu ergründen gesucht, wie die Aegypter so ungeheure Blöcke aus ihren Steinbrüchen ziehen, wegfahren und aufrichten konnten; allein vergebens, sie fanden keine Spur mehr davon, selbst die Tradition davon war seit langer Zeit erloschen.

Um einen der Obelisken von Theben nach Alexandrien zu bringen, mußte ein Kanal vom Nil an bis an den Fuß des Obelisken gegraben werden. Hier in zwei Kähne, welche durch das zweifache Gewicht des Monoliths, wovon die eine Hälfte bald wieder weggenommen wurde, halb untergetaucht waren, lud man den umgelegten Obelisken und brachte ihn durch ein ebenso langwieriges als kostspieliges Mittel weiter.

Diodorus von Sicilien spricht von Abhängen, von künstlichen Bergen, welche dazu dienen, die verschiedenen Steinschichten aufzurichten u. s. w. Plinius endlich erzählt die offenbare Fabel, daß man 20,000 Mann nöthig hatte, um einen von den Obelisken aufzustellen, und daß man den Sohn des Königs an die Spitze band, um den Arbeitern mehr Muth oder mehr Geschicklichkeit zu geben.

Caligula brachte einen dritten Obelisken nach Rom; das Schiff oder das Floß, dessen er sich bediente, war so groß, daß es unter dem Kaiser Claudius hinreichte, um die Grundlage einer Seite des Hafens von Ostia zu bilden.

Diese Obelisken waren keine von den größten, man schien vor der Schwierigkeit des Transports der andern zurückzuweichen. Konstantin wollte in dieser Beziehung seine Vorgänger übertreffen und einen der großen Obelisken von Theben nach Byzanz schaffen. Es gelang ihm, ihn bis nach Alexandrien zu bringen; allein bei seinem Tode änderte sein Sohn Konstantius die Bestimmung desselben, und ließ, um ihn nach Rom zu führen, ein Floß bauen, welches an Größe Alles übertraf, was man bisher Aehnliches erdacht hatte; es wurde von 300 Ruderern geführt, und der Hauptmast konnte von zwei Männern nicht umfaßt werden. Die übrigen Anstalten waren im Verhältnisse, und mehre tausend Hände waren nach dem Zeugnisse von Ammianus Marcellinus nothwendig, um den „mit Schrift bedeckten Berg" aufzurichten.

Die Aufpflanzung eines andern Obelisken zu Konstantinopel, unter der Regierung von Theodosius, läßt auf noch geringere Geschicklichkeit schließen: man brauchte 32 Tage zu dieser Arbeit.

Bei der Völkerwanderung wurden die Obelisken von Rom mit seinen übrigen Denkmälern begraben, und es vergingen acht Jahrhunderte, ehe man daran dachte, sie aus ihrem Staube auszugraben, ehe Rom wirklich die Hauptstadt der civilisirten Welt wurde. Sixtus V. kam zuerst auf den Gedanken den Obelisken des Caligula wieder aufzurichten. Bei dem eröffneten Concurse wurden mehre Entwürfe und Plane vorgelegt; der von Fontana erhielt den Vorzug: es war nichts anders als die Wiederholung der von Ammianus Marcellinus umständlich beschriebenen Scene, die Anwendung von 800 Personen, von 80 Pferden, von 100 Winden, einem Walde von Gerüsten, dreifach mehr als die erfoderliche Kraft; eine Operation, die dennoch als wundervoll galt und in 20 großen Abbildungen auf die Nachwelt übertragen wurde.

Seit jener Zeit war von Obelisken keine Rede mehr; man beschränkte sich auf eine unvollkommene Nachahmung einiger dieser Monumente in verschiedenen Steinschichten, was ihren Charakter ganz veränderte.

„Seit zehn Jahrhunderten war Aegypten in die Barbarei zurückgefallen, und kaum konnten einige Reisende in dieses Land dringen, wo Pythagoras und Plato die Inspirationen des Genius der Künste geholt hatten, als ein großer Mann unternahm, ihm die Existenz und den Ruhm wiederzugeben. Seine Armee begrüßte zuerst durch einen Sieg die Pyramiden und schritt sodann gegen Theben vor; allein hier blieb sie plötzlich stille stehen und klatschte mit den Händen bei dem Anblicke der herrlichen Monumente, welche sich vor ihr entfalteten. In ihrem Enthusiasmus hätte sie gern die Denkmäler sammt den Fahnen der überwundenen Feinde in die Hauptstadt zurückbringen oder mindestens einige Fragmente davon der öffentlichen Bewunderung ausstellen mögen; allein der Krieg mit England hatte alle Verbindung unterbrochen. Dreißig Jahre sind seit der Besitznahme eines berühmten Landes verflossen, und es wäre von jener Expedition nichts Großes geblieben, wenn nicht zuletzt die Idee gekommen wäre, die Obelisken nach Frankreich zu bringen. Wem gehört diese Idee? Viele ausgezeichnete Personen streiten sich darum; allein die hauptsächlichste Ehre gebührt Denjenigen, welche sie so geschickt, so glücklich ausgeführt haben, und die französische Marine nimmt deren ganzes Verdienst in Anspruch."

Ich übergehe hier die genaue Beschreibung der Schwierigkeiten, welchen der Transport ausgesetzt war. Ein erstes Project, nach welchem die Obelisken auf einem ungeheuern Floß von Theben bis an das Meer gebracht und hier von einem Dampfschiffe weiter geschleppt werden sollten, erhielt den Beifall der niedergesetzten Commission nicht. Es wurde vielmehr entschieden, daß in Toulon das Transportschiff gebaut werden und Luxor heißen solle, nach dem Namen eines Dorfes, welches auf den Ruinen von Theben steht. Das Commando des Schiffes wurde dem Schiffslieutenant Verninac und die Leitung der Wegnahme und des Transports des Denkmals dem ehemaligen Schüler der polytechnischen Schule und Ingenieur der Marine Lebas übertragen, welche ihre Aufgabe mit ebenso viel Talent als Ausdauer gelöst haben. Das Erste, was sie nach einer äußerst beschwerlichen Reise den Nil hinauf an Ort und Stelle vornahmen, war, die Obelisken aufzuräumen, ihr Fußgestell, welches in einer ziemlichen Tiefe eingegraben stand, aufzudecken. Nachdem dies geschehen, erblickten sie die beiden Monumente in ihrer ganzen Gestalt, sowie es zu wünschen ist, daß sie in Paris aufgerichtet würden. Sie sind beide von bewunderungswürdiger Arbeit und vollständig erhalten; der größere hat 25 Metre oder 75 Schuh in der Höhe, der kleinere ist um drei Schuh niedriger. Um diese Verschiedenheit so viel als möglich zu verbergen, hatte man den kleinern vor dem größern und auf einem erhöhten Fußgestell errichtet; drei verticale Reihen von Hieroglyphen bedecken zwei Seiten dieser beiden Monumente. Die mittlere Reihe ist 15 Centimeter tief eingegraben, die beiden andern sind kaum eingeschnitten, und diese Verschiedenheit der Arbeit macht den Reflex und das Spiel des Schattens mannichfaltig. Die vielen Cartuschen auf den vier Wänden zeigen alle den Namen und Vornamen von Rhamesses oder Sesostris und enthalten ihr Lob und die Erzählung ihrer Arbeiten.

Der bloßgelegte Sockel zeigt auf der nordöstlichen und auf der südwestlichen Seite die Gestalten von vier Affen mit Hundsköpfen, welche auf ihrer Brust die nämliche Inschrift von Rhamesses: Liebling Ammon's, der Sonne wohlgefällig u. s. w. tragen, die man noch auf der Basis des Denkmals selbst findet.

Es ist schwer, die Epoche und den Rang dieses Fürsten in der Reihenfolge der wichtigsten Pharaonen der ägyptischen Dynastie mit Bestimmtheit anzugeben; allein es ist gewiß, daß es der nämliche Krieger ist, dessen auf den Monumenten von Oberägypten und Nubien eingeschriebene Eroberungen sich nach Syrien, Aethiopien und selbst nach Griechenland ausdehnten. Nach einer Stelle im Tacitus verschwindet aller Zweifel über die Identität dieses Rhamesses mit dem Sesostris des Herodot und des Strabo und dem ersten Könige der neunzehnten Dynastie von Manethon. Sein Bildniß, seine Tracht, sein Name und Vorname finden sich auf den größten Monumenten und hauptsächlich jenen von Ipsambul und Derri.

Die Verschiedenheit der Dimension der beiden Obelisken mag ihren Grund haben in der Schwierigkeit, gleichzeitig aus einem einzigen Steinbruche, jenem von Syene, welcher den schönsten rothen Granit enthält, dergleichen Massen zu ziehen. Man mußte vor Allem in den Bergen eine Masse Granit, ohne Spalt oder Fehler, von 90 Fuß Länge und ungefähr 12 Schuh Breite finden; man mußte diese Masse aus dem Steinbruche herausschaffen und sie in Bewegung setzen, ohne ihren so dünnen Schaft zu zerbrechen und selbst ohne die Ränder zu verletzen. Eine solche Operation gelang nicht immer, und einen Theil ihrer Schwierigkeiten hatte Hr. Lebas ebenfalls zu überwinden, und zwar bei einem Mangel von Hülfsmitteln aller Art, an Holz, Eisen, Strickwerk; in einem Lande, das beinahe wüste ist, unter einer brennenden Sonne, zu welcher sich noch die Geißel der Cholera gesellte. Alle Schwierigkeiten aber wurden glücklich besiegt. Der kleinere Obelisk wird bald die Seine herauf nach Paris gelangen, und die Frage, welche allgemein das Publicum und die Kunstrichter beschäftigt, ist: welchen Platz wird man diesem Meisterwerke des Alterthums anweisen? Delaborde ist der Ansicht, daß, wenn man die beiden Obelisken zusammen besäße, es vielleicht passend wäre, sie ihrer wahren Bestimmung nach zu verwenden, sie als Erkennungszeichen vor eines der großen Gebäude der Hauptstadt, wie das Pantheon, welches dem Nationalruhme geheiligt ist, oder den Louvre, welches die Meisterwerke der Kunst und die Wohnung der Könige enthält, zu setzen. Wenn aber nur einer der Obelisken ankommen sollte, und einstweilen, da lange Zeit bis zur Ankunft des zweiten verstreichen wird, wünschte er den ersten auf den Place de la concorde aufgepflanzt zu sehen, da wo der Versuch in diesem Augenblicke wirklich mit einer genauen Nachbildung gemacht ist. Er begründet seine Ansicht hauptsächlich darauf, daß der Obelisk, mittels seines geringen Volumens weit entfernt, die Gebäude, von welchen er umgeben ist, unangenehm zu durchschneiden oder zu maskiren, im Gegentheil zu ihrem Totaleindruck und zu ihrer Zierde beitragen, daß er ihnen als Mittelpunkt, als Ziel, als Begleitung dienen und seine glänzende Farbe auf allen Seiten von dem grauen und weißen Grunde der Bauten dieses kältern Klimas abstechen werde. Ganz besonders würde sein Effect erhöht, wenn einmal der Platz von den Gräben und den unansehnlichen kleinen Pavillons, welche ihn entstellen, befreit wäre, und die Säule sich in der Mitte von vier kolossalen Fontainen erheben würde.

Nichtsdestoweniger bestehen wichtige Einwände gegen diesen Platz, Einwände, welche aus der Natur und der historischen Bedeutung der Obelisken entnommen sind. Diese sind nicht bestimmt, isolirt zu sein, sagt man. Dies hat seine Richtigkeit; allein man muß hier die Ideen unterscheiden, welche man in den verschiedenen Epochen an diese Denkmäler knüpfte. Als die Aegypter sie vor ihre Tempel pflanzten, waren sie für jenes Volk einer so riesenmäßigen Phantasie nur ein kleiner Theil ihrer ungeheuern Bauwerke. Die Obelisken von Luxor gingen einer Pylone von ihrer Höhe und mit Bildhauerarbeit bedeckt voraus, welche den Eingang zu Reihen von Granitsäulen von 12 Fuß im Durchmesser bildete. Seitdem der Genius der Künste die Denkmäler auf kleinere, aber vollkommenere Verhältnisse zurückgeführt hat, wie z. B. die Gebäude von Rom und Athen, betrachtete man die Obelisken an und für sich, und man fand in ihnen eine besondere Schönheit sowol in dem Stoff als in der Arbeit, groß genug, um isolirt gestellt zu werden, und in dieser Weise wurden sie wirklich in den zwei merkwürdigsten Epochen der Kunst, in dem Zeitalter von Augustus und in jenem der Wiedergeburt aufgepflanzt.

Von ungefähr zwanzig Obelisken, welche die Römer aus Aegypten kommen ließen, wurden nur vier, und zwar die kleinsten, vor Gebäude gestellt, zwei vor den Tempel der Isis und zwei vor das Grabmal des Augustus lange nach seinem Tode. Alle übrigen wurden isolirt, und so wurde gleichfalls in dem modernen Rom damit verfahren: man errichtete sie auf den Plätzen von St.-Peter, der Porta del popolo, des Monte citorio, und nirgendwo sind sie den Gebäuden, welche sie umgeben, nachtheilig. Der Obelisk von Theodosius zu Konstantinopel hat gleichfalls den Platz, welchen er einnahm, heute Atmeidan, behauptet.

Die von Delaborde vorausgesehenen Einwände sind wirklich gemacht worden und viele andere noch, begleitet mit neuen Vorschlägen; nicht gegen die Wahl des Platzes für den zweiten Obelisk, welcher auf der Esplanade der Invaliden den Beifall Aller vereinigt, vielleicht auch, weil man ihn nicht stets in unmittelbarer Nähe und unter dem spähenden Auge der Kritik hat, sondern hauptsächlich gegen den Versuch auf dem Revolutionsplatze, weil die Säule dem Anblick des Peristyls der Deputirtenkammer und der Madeleine schade und, von dem Triumphbogen aus gesehen, zu viel auf den Hintergrund der Tuilerien sich aufdrücke und dadurch dem Garten seine Tiefe raube. Anstatt des Revolutionsplatzes möchten Einige den Carousselplatz, Andere das Louvre, Andere das Pantheon, noch Andere die Terrasse des Pont neuf bezeichnet sehen. Alle wären der Zierde würdig, besonders aber hat mich die letzte Idee angezogen. In der That, die beiden Obelisken, oder auch nur einer an der Stelle der Reiterstatue von Heinrich IV., welche auf einen andern schönen Platz gestellt würde, auf dem Pont neuf, welcher die beiden Arme der Seine hinauf in das alte Paris, einerseits nach dem Quai des Hôtel de ville, nach St.-Germain l'Auxerrois, dem Louvre und den Tuilerien, anderntheils nach der Richtung des Pantheon, dem Faubourg St.-Germain, dem Institute und der Seine abwärts blickt: die kühnen Spitzen auf diesem Platze möchten von einem wahrhaft malerischen Eindrucke sein. Uebrigens ist nicht zu leugnen, daß der Obelisk auf dem Revolutionsplatze einen außerordentlichen Reiz gewährt; einen Reiz, welcher erst dann in seiner ganzen Schönheit auffallen würde, wenn man den Platz desselben wieder beraubte. Im Uebrigen, je länger man das Monument selbst betrachtet und mit geistigem Auge verfolgt, desto mehr tröstet man sich über sein zukünftiges Schicksal, denn wo es auch hingesetzt werden möge, da, wo es stehen wird, ist der schönste Platz. 171.

Dramatische Dichtungen. Mit Unterhaltungen über die dramatische Literatur und das Theater. Von Karl Weichselbaumer. Zweiter Band. Ulm, Stettin. 1832. 8. 2 Thlr. 8 Gr.

Der Verf., als dramatischer Dichter und Dramaturg zugleich auftretend, behauptet seit längerer Zeit einen ehrenwerthen Platz in der Reihe unserer productiven Schriftsteller und hat denselben auch durch seine neuesten, in diesem Bande zusammengestellten Arbeiten wieder erfreulich zu bethätigen gewußt. Man erkennt in ihm überall den denkenden Künstler, der sich selbst von seinem Thun und Darstellen genaue Rechenschaft gibt und bei aller Mäßigung und Begrenztheit, die er, durch einen künstlerischen Verstand geleitet, in seinen Schöpfungen zu beobachten weiß, doch zugleich in einer nicht gewöhnlichen Kraft der Begeisterung sich erhält. Der vorliegende Band bietet zwei fünfactige Trauerspiele in Versen: „Virginia" und „Die Barden", und ein Lustspiel in Prosa: „Die Täuschenden". Wir möchten der tragischen Muse des Verf. den Vorzug geben. In dem erstgenannten Trauerspiele behandelt er die erschütternde Geschichte der römischen Virginia mit einer ebenso großen Einfachheit als wahrhaft tragischen Haltung in der Entwickelung der Verhältnisse. Die Darstellung ist gedrängt und in rasch vorübergeführten Scenen zum Ziele dringend, die Charaktere gruppiren sich zu einem guten dramatischen Effect zueinander, und ein steigendes Interesse leitet zu der lebhaft motivirten Katastrophe hin, die als Idee des Ganzen im irdischen Untergange einen Sieg der sittlichen Freiheit edler Gemüther veranschaulicht. Zugleich ist es die bürgerliche Freiheit während einer entarteten Periode Roms, welche hier, gleich der sittlichen des in der Mitte stehenden weiblichen Charakters, in einem tragischen Conflict mit den Umständen sich begriffen zeigt und auf

viduellen Sphäre in eine erweiterte historische hinaushebt. Appius Claudius selbst ist mit besonderer Ausführlichkeit und Lebendigkeit gezeichnet, Virginia, die reine, keusche, heldenmüthige Römerin, tritt in leiser gemalten Zügen, aber nicht minder anschaulich hervor, und die übrigen Figuren, die sich um sie herumreihen, besonders der Vater und der Bräutigam der Virginia, sind als kräftige Römergestalten anziehend vorübergeführt. Weniger hat uns das zweite Trauerspiel: „Die Barden", zusagen wollen. Hier offenbart der Verf. oft eine Lust, das Schreckliche und Gräßliche zu häufen, das, ungeachtet es in einer kunstmäßig geregelten Darstellung auftritt, doch den poetischen Eindruck des Ganzen schwächt und theilweise aufhebt, vornehmlich deshalb, weil es zugleich das Maß der Wahrscheinlichkeit zu sehr überschreitet. Wir treten hier in einen verwickelten Knäul von blutigen Verhältnissen, in welchen der Dichter die Frevelhaftigkeit einer dem Schicksale vorgreifenden Rache, die das Unheil, das sie bereitet, auf ihr eignes Haupt entladet, hat verbildlichen wollen. Dies führt ihn zu einer Reihe sehr absichtlicher und raffinirter Scenen, welche mit vielem Kraftaufwand, aber ohne eigentliche Schönheit hingestellt sind und uns, ohne die Zwecke der Tragödie an uns erreicht zu haben, wieder entlassen. Auch sind die, die Haupthandlung repräsentirenden Charaktere nicht genug mit menschlicher Wahrheit ausgestattet, um sie über den bloßen Schein von Theaterfiguren hinauszuheben. Doch dürfte es, von guten Schauspielern gespielt, immer noch zu den besten Darstellungen gehören, welche die neuere dramatische Kunst uns vorzuführen pflegt. Der Verf. scheint es überhaupt bei allen seinen Schöpfungen durchgängig auf eine gewisse Bühnengerechtheit anzulegen, die ihm nicht selten glücklich gelingt und ihn zugleich vor manchen formlosen Ausartungen anderer Dramatiker bewahrt. Aber dieser Zweck, der bei dem heutigen Verfall der Theaterkunst ein gewagter und zweideutiger ist, hat ihn mitunter auch wol daran gehindert, die innern und psychologischen Motiven seiner Charaktere ausführlicher zu entwickeln; er hat ihn verführt, Manches abgerissener und des bloßen Effects halber hinzustellen, was einer zusammenhängendern Begründung bedurft hätte. Solche Mängel finden sich in beiden der hier besprochenen Tragödien vor, namentlich aber in der letztgenannten. Das Lustspiel: „Die Täuschenden", ist ebenfalls für die Bühnenaufführung geeignet und enthält einige gelungene Scenen, die freilich aus etwas zu absichtlich gemachter komischer Verwickelung hervorgehen. Beachtenswerth aber sind die hinten angehängten dramaturgischen Unterhaltungen, die viele geistreiche Bemerkungen, besonders über die Ausübung der literarischen und theatralischen Kritik mittheilen. 38.

Historisch-statistische Darstellung der Insel Fehmarn. Ein Beitrag zur genauern Kunde des Herzogthums Schleswig von Georg Hanssen. Altona, Hammerich. 1832. Gr. 8. 2 Thlr.

Der Verf. dieses schätzbaren Beitrags zur Statistik der Herzogthümer Schleswig und Holstein hat die Materialien zu demselben während eines zweimaligen Aufenthalts auf der Insel Fehmarn selbst gesammelt, und wenn auch Manche, die wol im Stande gewesen wären, über einzelne wichtige statistische Verhältnisse befriedigende Belehrung zu gewähren, ihm nur ungenügende Auskunft gaben, weil sie sein Interesse für die Sache für unberufene Neugier hielten und ihm aus derselben Ursache manche mündliche und schriftliche Quellen verschlossen blieben, so hat er dagegen durch einsichtsvolle und genaue Aufmerksamkeit diesen Mangel, so weit es möglich war, zu ersetzen gesucht, und er hat auch Männer, Beamte und Privatpersonen gefunden, welche ihm nicht allein zu mündlicher Auskunft bereit waren, sondern ihm auch, so weit sie es vermochten, die Benutzung [illegible] genauern Kenntniß der Heimat beizutragen, wird gewiß mit um so größerm Danke von seinen Landesgenossen anerkannt werden, als grade jetzt den genannten Herzogthümern zahlreiche und seit längerer Zeit als nothwendig anerkannte Reformen bevorstehen, bei dem eigenthümlichen Zustande dieser Landschaften aber, bei der großen Mannichfaltigkeit ihrer administrativen, juridischen und volkswirthschaftlichen Verhältnisse solche Reformen nur heilsam werden können, wenn sie aus einer sorgfältigen Einsicht und Berücksichtigung dieser Verhältnisse hervorgehen. Allerdings nimmt eine sehr specielle Statistik eines nur kleinen, nicht in allgemeinere Verhältnisse eingreifenden Landes zunächst und hauptsächlich nur die Aufmerksamkeit des Einwohners in Anspruch, indessen hat der Verf. seinem Gegenstande dadurch noch ein allgemeineres historisches Interesse gegeben, daß er den gegenwärtigen Zustand nicht allein der bürgerlichen Verhältnisse, sondern auch der Volkswirthschaft und des geselligen Lebens nach urkundlichen Quellen aus der Vergangenheit geschichtlich zu entwickeln gesucht hat. Um unsere Leser mit der Form, in welcher das Material verarbeitet ist, und mit der Reichhaltigkeit und Genauigkeit der Arbeit bekannt zu machen, theilen wir noch eine Uebersicht des Inhalts mit. Nach einer Darstellung der natürlichen Beschaffenheit, der Bevölkerung und der Eintheilung der Insel wird das politische Verhältniß derselben zum Landesherrn und ihre Besteuerung sowol der ganzen Insel in früherer Zeit als auch der Landschaft und der Stadt insbesondere erörtert; die Berücksichtigung der streitigen Verhältnisse zwischen Stadt und Landschaft führt zur Entwickelung des Communalwesens dieser und jener; Gewerbewesen, Armenwesen, Schulwesen und eine Charakteristik der Einwohner bilden den Inhalt der letzten Abschnitte. Offen und bestimmt hat der Verf. die Mängel des gegenwärtigen Zustandes der Insel dargelegt, nicht durch Raisonnement, sondern durch einfache Zusammenstellung von Thatsachen; möge ihm dafür auch der Lohn für seine Arbeit werden, daß dieselbe die Verbesserung jener Mängel beschleunige und befördere. 16.

Literarische Notiz.

„Georg von Frundsberg, oder das deutsche Kriegshandwerk zur Zeit der Reformation. Dargestellt durch F. W. Barthold." (Hamburg 1833.) Allerdings ein braves Werk; doch wissen wir nicht, da die Quellen nicht vollständig genannt sind, ob dabei auch noch benutzt worden: Stenzel's „Geschichte der Kriegsverfassung Deutschlands" (Berlin 1820), freilich hauptsächlich nur aus der Zeit des Mittelalters, dagegen in Häberlin's „Neuesten deutschen Reichsgeschichte" (Band V), die weitläufige [illegible] von Spies: „Ueber die deutsche Militairverfassung unter Karl V.", Machiavell's „Kriegskunst" und Kurz's „Oestreichs Militairverfassung in ältern Zeiten" (Linz 1825). Zur gewünschten Auskunft über die noch vorhandenen Denkmale Frundsberg's, das ihm vom Kaiser wegen der Schlacht bei Pavia zuerkannte Schwert des Königs Franz, dermal noch in Mindelheim aufbewahrt, wäre auf kürzestem Wege zu gelangen gewesen in: Zimmermann's, Stadtpfarrers in Mindelheim, „Geschichte der Stadt und Herrschaft Mindelheim" (1821), S. 251—346: die Herrschaft Mindelheim unter den Herren von Frundsberg, und S. [illegible] über das daselbst verwahrte Schwert Franz I.; desgleichen [illegible] die sehr vermehrte Crusius'sche Stammtafel der Frundsberg. Ein natürlicher Sohn des bairischen Herzogs [illegible], genannt Georg Dux, Stammvater der jetzigen [illegible] Hegnenberg, hat, wie es in seinem Adelsbriefe steht, den König Franz mit helfen gefangen nehmen und daher in sein Wappen vier trauernde schwarze Lilien erhalten; s. Lang, „Adelsbuch des Königreichs Baiern" (München 1815), S. 31.*) 36.

*) Wir berichten nächstens ausführlich über das Barthold'sche Werk. D. Red.

Hierzu Beilage Nr. 9.

Redigirt unter Verantwortlichkeit der Verlagshandlung: F. A. Brockhaus in Leipzig.

Beilage zu den Blättern für literarische Unterhaltung.

Nr. 9. 8 September 1833.

Philosophische Schriften und Aufsätze von Franz Baader. Vom Verf. gesammelt und neu durchgesehen. Zweiter Band. Münster, Theissing. 1832. Gr. 8. 2 Thlr. 8 Gr.

Wir haben das Eigenthümliche der Ansicht und Manier des Verf. bereits in der Anzeige des ersten Bandes dieser Schriften dem Publicum bemerklich zu machen gesucht. *) Ein System würde man diese Ansicht nur dann nennen können, wenn man dieses Wort in der weitern Bedeutung nimmt, wie es in der Geschichte der Philosophie gewöhnlich ist, wo man darunter die subjective Weltanschauung eines Philosophen versteht, gesetzt auch, daß sie objectiv nur schwach gestützt ist, die einzelnen Gedanken nur lose verbunden sind. Nach dem gegenwärtigen höhern Standpunkte der Wissenschaft aber ist System die Einheit der einzelnen wissenschaftlichen Erkenntnisse in ihrem innern nothwendigen Zusammenhange, die sich dem Begriffe nach ebenso natürlich entwickeln müssen, wie eine Pflanze aus dem Samenkorne durch Metamorphosen ihrem Ziele zustrebt. Dies ist freilich ein Musterbild, aber ein nothwendiges, dem wir uns immer mehr annähern sollen, aber auch können; deswegen nennen wir des Verf. Weise lieber Manier, weil sie mehr rhapsodisch, springend, nicht selten kühn, dabei jedoch selbst in ihrem dunkeln, labyrinthischen Gange anziehend und geistreich ist. Sehr bezeichnend nennt er sie in der Vorrede seine Studien, aber solche, welche von Andern studirt sein wollen und eine Aufgabe für den Leser sind, sein eignes speculatives Talent hieran zu üben und zu fördern. „Für Pietisten wie für Rationalisten im engern Sinne beider Benennungen, deren Scheu vor Mystik, d. i. vor den Tiefen der Erkenntniß, doch bei beiden auf Vornehmthuerei und Bettelstolz beruht, ist also diese Schrift freilich nicht; aber auch nicht für jene Philosophen, welche, wie sie sagen, ihr System abgeschlossen und sich in selbem als in ihrer Burg und maison de force verschlossen haben, deren bornirtes Concept zu verrücken ich mir seit vielen Jahren besonders angelegen sein ließ, selbst auf die Gefahr, daß sie mich, den sie verrückenden, selbst für verrückt, d. h. für unsystematisch, unklar hielten." (Vorrede IV). Sehr wahr bemerkt der Verf. noch in der Vorrede über Hegel's Vermittelung in Beziehung auf Göschel's Monismus des Gedankens, daß zwar Gott uns denkend unser Denken durchdringt, und wir uns durch ihn gedacht finden, aber deshalb Gottes Gedanken unsern Gedanken uneindringbar sind, und daß es eine der Religion widerstreitende Behauptung ist, daß Gott, der Weltgeist, wie ihn Hegel nennt, erst durch das Geschöpf sich Inhalt gibt, und der Allesbestimmende erst durch den Schöpfungsact sich selber bestimmt, erfüllt, d. i. verwirklicht, und daß er nicht das Geschöpf zu und in sich vollendend und verklärend erhebt, sondern daß er aus ihm erst zu sich selber kommend, selbes wo nicht als Saturnus aufspeisen, so doch wenigstens seiner radicalen Schlechtigkeit und Nichtintegrirbarkeit wegen, fallen lassen muß. Auch stimmen wir dem Verf. in Demjenigen bei, was er hierbei von der Religion sagt, daß sie nicht (wie Schleiermacher will) blos in eine Abhängigkeit des Geschöpfes von Gott zu setzen ist, welche auch die Teufel haben, sondern daß sie dem Menschen, von der ihn unfrei haltenden Spannung und Zerwürfniß mit Gott befreiend, wieder Lust und Liebe zu ihm macht, aber auch, von der Selbstsuchtschwere (Eigenschwere), Menschenschwere und Weltschwere befreiend, die rechte Lust und Liebe zu selber wiedergibt, weil sie ihm Kraft verleiht, selbe zu tragen.

Dieser zweite Band enthält folgende Schriften und Aufsätze des Verf. I—III) „Ueber die Extase oder das Verzücktsein der magnetischen Schlafredner" (Leipzig 1817). Hier stellt er im ersten Stücke folgende Sätze auf: 1) Es gibt für eine und dieselbe Region, Welt, eine doppelte Gemeinschaft, eine leibliche und eine außer dem Leibe oder die magische. 2) Dieser magische Verkehr folgt ganz andern Gesetzen als der körperlich-sinnliche und verhält sich zu diesem wie eine organische Gemeinschaft zu einer nichtorganischen. 3) In diesem Zustande der temporairen Entkörperung (gleichsam einer theilweisen Entbindung der Psyche) kann sich die für ihn höhere und tiefere (unterirdische) Region spiegeln. 4) Im Normalzustande decken sich beide Sphären als concentrische Kreise, sind jedoch leicht zersetzbar; das fixirte Nebeneinanderbestehen oder Außereinandergehaltensein Beider führt nothwendig zur Verrücktheit. 5) Es hat zu allen Zeiten Menschen gegeben und wird ihrer wol geben, welche per fas oder nefas sich in den Besitz des Kunststückes gesetzt haben, jene Desorganisation beliebig in sich hervorzubringen, und das wache Bewußtsein in jenem magischen und höhern beliebig niederzuhalten, wie einige Menschen beliebig die Bewegung ihres Herzens hemmen können. In dem zweiten Stücke nennt der Verf. magisch schon jene Gemeinschaft, in welcher ein einzelner beweglicher Körper, als gravitirend, mit dem Universum steht. Damit wird aber jene Erklärung des Magischen Nr. 1 wieder aufgehoben, weil dann Alles magisch ist, und wenn es die Gravitation ist; warum soll denn nicht auch der Magnetismus, die Electricität &c. magisch sein? Das dritte Stück ist besonders gegen Kieser's „System des Magnetismus" gerichtet. Herr B. ist mit Recht gegen eine wirkliche Versetzung der Seele aus dem Kopfe in die Gangliennerven des Bauches, wie Kieser annimmt, und es widersprechen ihr auch die bestimmten Angaben der Somnambulen selbst, sowie sie die Hauptmomente unerklärt läßt. Ein anderer Irrthum K.'s, den aber mit ihm viele Schriftsteller theilen, besteht darin, daß er das magnetische Erwachen als einen Schlafzustand dem gemeinen Wachen entgegensetzt, da doch der magnetische Schlaf dem gemeinen und folglich das magnetische Erwachen dem gemeinen Wachen entgegensteht. Deshalb protestiren die Somnambulen feierlich dagegen, daß sie schlafen, und behaupten, daß ihr Wachen ein höheres sei, und ihre Wahrnehmungen viel klarer, bestimmter und umfassender als im gewöhnlichen Leben. Es ist deshalb nicht weniger irrig, daß K. die höhern Geisteskräfte, Vernunfterkenntniß und Willensfreiheit, im Magnetismus unterdrückt sein läßt, da doch die höhere Anschauung der Somnambulen, psychologisch betrachtet, nicht aufs Gefühl, sondern nur auf Vernunft und Phantasie bezogen werden darf. Hr. B. dagegen verfällt in den Irrthum, wenn er das Verrücktsein aus dem fixirten Außereinandergehaltenbleiben beider Kreise, des leiblichen und magischen, erklären will. Dies wird schon durch die Erfahrung widerlegt, daß bei Verrückten das Irresein oft nur auf den kleinen Kreis weniger Vorstellungen beschränkt ist, während sie im Uebrigen sich als Gesunde verhalten. IV) „Ueber Divinations- und Glaubenskraft. Sendschreiben an den Fürsten Gallyzin" (Sulzbach 1822), mit Beziehung auf die von dem Bauer Martin Michel und dem Fürsten von Hohenlohe unternommene psychische Heilungen, enthält eine neue Ansicht der Divinationsgabe, indem er dreierlei Vermittelungsweisen zwischen dem Nahen und Fernen annimmt, sodaß a) Ereignisse und Gestaltungen, welche in tiefern, schwerer beweglichen Regionen später zum Vorschein kommen, in den leichter beweglichen desselben Systems gleich als in einem Wetterglase früher sich bemerklich machen; b) dieses vermittelnde Agens oder Medium nicht ein blos physisches, sondern ein physisch-psychisches ist; c) die Vermittelung in das divinirende Subject fällt, welches somit als Janus bifrons und als das zugleich niedrigere und höhere Agens durch die That sich erweist. Darauf macht Hr. B. dann die Anwendung auf die Glaubensgabe. Sehr treffend sagt er: „Was der Athem zur Muskelbewegung, das ist der Glaube zum Wirken, und darum scheue und hasse ich den Zweifler wie jenen, der mich zu ersticken droht." Und von den

*) Vgl. Nr. 15 und 16 d. Bl. f. 1832. D. Red.

Wundern: „Die Gesetze des Lebens, dessen Bewegungs-, Bildungs- und Affinitätsgesetze sind durchaus Wunder für die anorgischen (so schreibt der Verf. fehlerhaft statt anorganischen) Naturen, wie jene Lebensgesetze wieder dem höhern Gesetze des Geistes, diese endlich dem Göttlichen als höchstem und alleinigem Wunder weichen.“ V) „Bemerkungen über einige antireligiöse Philosopheme unserer Zeit“ (Leipzig 1824). Das eine dieser Philosopheme, von Kant veranlaßt, aber von Fichte mit Bestimmtheit ausgesprochen, stellt einen falschen Begriff der Spontaneität intelligenter Naturen auf, indem es behauptet, daß der Mensch dieses Gesetz, die Vernunft, nicht in sich hat, sondern daß diese Spontaneität absolut ist, und daß also der Mensch selbst Quell und Urheber des Gesetzes ist, es ganz von sich hat, folglich nicht, wie die Religion lehrt, des Gesetzes Organ (Gottes Bild), sondern als Gesetzgeber Gott selber ist. Ein zweites Philosophem gibt zwar zu, daß dem Menschen seine Vernunft als Anlage gegeben ist, behauptet aber, daß dieser im Gebrauch und der Ausübung dieser Anlage ganz nur sich überlassen bleibe, folglich Alleinwirker, nicht Mitwirker mit der göttlichen Vernunft sei. Ein drittes naturphilosophisches Philosophem stellt einen falschen Begriff der Materie auf, indem es von dem vergänglichen, die Verderbniß in sich tragenden Wesen dieser Welt behauptet, daß solches unmittelbar und ewig aus Gott hervorgegangen und als der ewige Ausgang (Entäußerung) Gottes dessen ewigen Wiedereingang (als Geist) ewig bedingt. Wie das erste Philosophem rein gottesleugnerisch ist, das zweite deistisch, so ist das dritte materialistisch. Man hat keineswegs den Materialismus aufgegeben, wenn man zwar die crasse Atomistik aufgibt, dafür aber die Materie ewig aus Gott hervorgehen läßt und zu dem ewigen Leibe Gottes macht. Und soll vollends, wie Hegel meint, die materielle Natur der Abfall der Idee von sich sein, weil sie schon in der Aeußerlichkeit die Bestimmung der Unangemessenheit mit sich trägt, so gelingt Gott die Offenbarung seiner niemals, und er unterliegt dem tantalischen Streben eines Künstlers mit untauglichem Stoffe. VI) „Ueber Katholicism und Protestantism“ (in v. Kerz' „Katholischer Literaturzeitung“, 1824). Erfreulich ist darin der Gedanke, daß dieser Streit nie wieder in einen persönlichen ausarten solle. Möchte es doch so sein! Aber, meint der Verf. wol nicht mit Unrecht, ein Protestantismus, welcher wieder neue und neueste nicht nur gegen die augsburgische Confession etc., sondern gegen das Evangelium selbst protestirt, kann doch nicht für jenen evangelischen alten Protestantismus gelten, mit welchem z. B. zur Zeit des westfälischen Friedens ein Vertrag getroffen worden ist. Diese neueste protestantische Exegese ist eben daran, wie die siebente magere Kuh in Pharao's Traum ihren Magen (die Bibel) aufzuspeisen, und wenn die Jakobiner die bloße Vernunft unter der Figur einer entblößten öffentlichen Dirne als déesse de la raison auf den Altar stellten, so sehen wir die erstern deutschen Denker selbe als eine (vom Vater und Sohn) gekommene Witwe gleich einer indischen dem dialektischen Feuer der Selbstvernichtung zuschwören. VII) „Ueber das durch unsere Zeit herbeigeführte Bedürfniß einer innigern Vereinigung der Wissenschaft und Religion“ (im „Staatsmann“, 1824). Besonders gegen den zerstörenden Geist des Revolutionismus in der Wissenschaft gerichtet, welcher, von der absoluten Selbständigkeit der Vernunft ausgehend, weil diese nichts Höheres über sich erkennt, zu keiner andern Ausbeute gelangt, als zu einem gründlichen Hasse und Verachtung aller bestehenden (bürgerlich- und religiös-) socialen Institute, insofern sich diese auf die Ueberzeugung gründen, daß nur Dasjenige Autorität für den Menschen hat, was nicht sein Selbstgemächte ist. VIII) Recension der Schrift des Professor Heinroth: „Ueber die Wahrheit“ (in der „Katholischen Literaturzeitung“, 1824). Diese, sowie IX) die Recension von Bonald's „Recherches philosophiques sur les premiers objets des connaissances morales“ (1. u. 2. Thl., Paris 1818) ist nicht wol eines Auszugs fähig. X) „Ueber drei Classen von Menschen, in welchen sich nothwendig die politische wie die religiöse Gesellschaft (Staat und Kirche) stets getheilt befindet“ („Staatsmann“, 6. Band). Betrachtet man nämlich die drei Stufen und Grade des Verbrechens, oder der moralischen Verderbtheit, welche jeder einzelne Mensch durchgehen kann, oder wirklich durchgeht, so überzeugt man sich auch, daß zu jeder Zeit und in jeder Nation sich Menschen finden müssen, welche auf einer dieser Stufen inne stehen. Der erste Grad ist der Lehrlingsgrad des Verbrechens, nämlich das Streben nach dem Vergnügen oder materiell sinnlichem Genuß, wobei das Verbrechen sich nur in der Gestalt eines Mittels zum Zweck darbietet, wie Mephistopheles sich als Pudel anbietet. Auf der zweiten Stufe, als Geselle des Verbrechens sucht der Mensch nicht mehr das Verbrechen blos um des Genusses willen, sondern zugleich mit diesem, und endlich als Meister des Verderbens ist ihm das Verbrechen selbst der Zweck, und er assimilirt sich ganz der spiritualistischen satanischen Natur, welchen Meistergrad die galanten Franzosen „perdre les femmes“ nannten. Dieser dreistufigen Initiation zum Bösen entspricht aber eine gleichfalls dreistufige zum Guten, indem der Mensch auch das Gute, als Pflicht, zuerst als Mittel um des Nutzens willen, dann neben diesem, und zuletzt um sein selbst willen, frei und [illegible] thut. XI) „Fragment aus der Geschichte einer magnetischen Hellseherin.“ Sie behauptete, es gebe dreizehn verschiedene Plagegeister, von denen sie leiden müsse: Lucifer, dessen Geschäft sei, die Creatur überall zu zwicken und zu stechen, Anziam, zu zerfleischen und zerkratzen, Arcas, bei den Haaren zu ziehen, Mercorbuan, zur Wollust zu reizen u. s. w. XII) Recension der Schrift: „Essai sur l'indifférence en matière de religion par M. l'abbée de Lamennais“ (Thl. 1—IV, 3. Auflage, Paris 1818—23). XIII) „Ueber die Freiheit der Intelligenz. Eine Rede bei Eröffnung der Ludwig-Maximiliansuniversität in München“ (1826). Besonders gegen den Irrthum gerichtet, daß man, getäuscht durch einen falschen Freiheitsbegriff, die Freiheit der Intelligenz durch die Religion gefährdet hielt und umgekehrt. Falls aber die Religion nicht in die innerste Region des Gedankens eindringt, können die Verbrechen des Gedankens weder gerügt noch versühnt werden, und die Philosophie muß sich durch ihre Abgeschlossenheit von den Tiefen der Religion, sich auf einem bornirten und niedrigen Standpunkte haltend, nothwendig verflachen, sowie sie, in jene Tiefen eingehend, auch selber tiefer wurzelt und höher sich erhebt. Aber nur durch die vereinte Bemühung des weltlichen Gelehrten mit dem Priester kann das große Problem unserer Zeit, der Reunion, Restauration und Weihe der Wissenschaft durch Religion, glücklich gelöst werden. XIV) Aufsätze aus der „Eos“, 1829—30, woraus wir Folgendes ausheben. „Christus hat aller Indifferenz und Lauheit den Stab gebrochen, indem er sagt: Wer nicht für mich ist, der ist wider mich. Jede wahre Liebe ist religiöser Natur, und wenn das Bewundern des Nichtbewundernswerthen für einen Beweis der Unwissenheit gilt, so ist auch das Nichtbewundern des Bewundernswerthen ein solcher Beweis, und mit Recht sagt ein französischer Schriftsteller: „Ne pas aimer est la plus grande preuve de l'ignorance.“ Das wahrhaft Bewundernswerthe oder Göttliche wirkt daher als ein Reagens, indem es dem Geiste nahe gebracht, sowol dessen Hoffart und Stolz als Niederträchtigkeit kundgibt, indem er sich gegen dasselbe verschließt. Herr der Welt ist nur Der, welcher der Lust zu ihr und selbst jener, sie zu beherrschen, entsagt; denn nur diese Lust macht ihn den Weltmächten faßlich. XV) „Ueber die sichtbare und unsichtbare Kirche“; nicht genügend. XVI) „Ueber Religions- und religiöse Philosophie“, woraus wir nur den Gedanken ausheben, daß wahre Philosophie eine Erhebung des Erkenntnißvermögens ist, und daß man die Wahrheit frei nicht durch Unterwerfung unter ein Höheres, nur dienend [illegible], aber auch nur bewundernd begreift und [illegible] liebe, und daß beide im Irrthum sind, sowol die Begriffsphilosophen, welche die Begriffsfreiheit nur durch Gefühllosigkeit, als die Gefühlsphilosophen, welche sie nur durch Begriffslosigkeit führen wollen.

Dem ersten von uns bereits angezeigten Bande dieser Schriften hat der Verf. seitdem eine Beilage (1. Heft, Münster [illegible]) folgen lassen, worin sich zwei Aufsätze befinden, ein älterer, aber bis jetzt noch nicht erschienener: „Ueber die sich so nennende [illegible] tionelle Theologie in Deutschland", welcher besonders die Bedeutung und Wirksamkeit des Gebets hervorhebt, und ein ganz neuer: „Ueber den Begriff der Zeit", deren bloße Anzeige hier genügen mag. Hieran schließt sich die kleine Schrift: „Ueber eine bleibende und universelle Geistererscheinung hienieden. Aus einem Sendschreiben an die Frau Gräfin v. Wielhorski, geb. Prinzessin Biron v. Kurland" (Münster, Theissing, 1833, gr. 8., 6 Gr.), worin der Verf. den sinnreichen Gedanken ausspricht, daß, wie die Trennung der Geliebten vom Liebhaber diesen zum Dichter und Bildner macht, so uns die Aufgabe geworden, die durch unsere Schuld von uns gewichene Idea (Sophia), die uns aber in der Nacht des Erdenlebens als himmlisches Gestirn, als Geist erscheint, durch thätige Formation ihres Leibes zu uns herniederzuziehen und mit uns als Braut zu vermählen und so das Ideal zu verwirklichen. Dazu kommt noch eine kleine lesenswerthe Schrift: „Ueber das Verhalten des Wissens zum Glauben. Aus einem Sendschreiben an den Dr. Schlüter in Münster." Auch unter dem Titel: „Erste Beilage zum ersten Bande seiner Schriften" (Münster, Theissing, 1833, gr. 8., 8 Gr.). **Tt.**

Paris, oder das Buch der Hundert und Ein. Aus dem Französischen übersetzt von Theodor Hell. Zweiter bis vierter Band. Potsdam, Riegel. 1832. 12. Preis des Bandes 18 Gr. *)

Das Werk der Hundert und ein französischen Schöngeister, welches hier in seinen Fortsetzungen vor uns liegt, ist theils beim Erscheinen des ersten Bandes bereits völlig und ausreichend von uns charakterisirt worden, theils so verbreitet und bekannt, daß unsere kritische Pflicht uns hier nur noch wenige Andeutungen darüber abfodert. Es ist ohne Zweifel ein vielfach unterhaltendes, für die Sittengeschichte Frankreichs, das bekanntlich in Paris zu finden ist, lehrreiches und so weit lesenswerthes Werk, wenngleich jene puddingartige Verarbeitung der allerverschiedensten Glaubensbekenntnisse, der entgegengesetztesten Ueberzeugungen und der in einen Todkampf gegeneinander verwickelten Meinungen kaum einen Totaleindruck aufkommen läßt und dies Buch daher zu dem allerresultatlosesten macht, das vielleicht jemals geschrieben und gedruckt worden ist. Wer zuletzt siegen wird, St.-Simonist, oder Katholik, protestirender Gallikaner oder Römling, Ultra, Republikaner oder gläubiger Legitimist, das steht penes deos. Wir, unsers Zeichens, sind der Meinung, daß keiner von Allen den Sieg davonträgt; aber was wir hier sehen, das ist der Kampf, die Vorbereitung des Sieges, das Wirken, Weben, Auf- und Abfluten der Meinungen, und dieser Anblick ist interessant. In der „Deputirtenkammer", einem Beitrag des scharfäugigen Bazin, sehen wir launig gehaltene Portraits der vorzüglichsten Wortmacher der französischen Kammern, an deren ewig unvergänglichem Ruhm wir trotz „Courrier" und „Gazette" zu zweifeln sehr viel Neigung haben. In Lemercier's „Akademischen Bewerbern" stellt sich ein anderes Schauspiel menschlichen Ehrgeizes, nicht minder anziehend als das eben entwickelte dar. Man sieht, daß auch das Musenreich, so gut wie die politischen Reiche, der Eitelkeit, der Zerwürfniß, dem Neid, der Anfeindung, der Kabale endlich offensteht. Delrieu's „Findelkinder" zeigen uns eine Kehrseite des Lebens in sentimentalem Lichte; wir lächeln bei Jouinet's „Omnibusreise" und machen ein sehr ernstes Gesicht bei Luchet's Schilderung von Lafayette's Salon. In diesem Salon steht die Dampfmaschine, welche das schöne Product: öffentliche Meinung, in Frankreich fabricirt. Oeffentliche Meinung, o du unergründliches Wort! du Sphinx unserer Zeit, du geheimnißvolles Orakel, du Schiboleth der träumenden Welt, du großes Räthsel, das seines Oedipus noch immer gewärtig ist! Wer wird dich jemals zu lösen vermögen! Wenn zehn Journalisten in einem von 30 Millionen Menschen bewohnten Lande sich das Wort geben, dieselbe Lüge zu verbreiten, so entsteht über diese eine „öffentliche Meinung", und diese „öffentliche Meinung" gibt nun das Gesetz für 30 Millionen Menschen — nein, mehr — da diese 30 Mill. Franzosen sind, für die ganze civilisirte Welt! Ist das nicht schön, herrlich, unvergleichlich? Ist das nicht ein Fortschritt unserer Zeit, der genugsam in die Augen springt! Wehe Dem, der nicht in die Hände klatscht, um die neue Göttin zu begrüßen! Er ist ein Dummkopf, ein Abtrünniger, ein Lästerer des Altars der Vernunft! Doch wohin schweifen wir aus? Nodier's Polichinell ruft uns zurück. Der heitere ergötzliche Schalk ringt mit den „Beiden Simonisten von St.-Priest" um den Vorzug des Spaßhaften. „Die Virtuosen" von Castil Blaze und Kératry's „Gelehrte von ehemals" führen uns zu etwas ernsterer Betrachtung zurück. Schon gut! Die Zeiten sind nicht mehr; und was nicht mehr ist, das achtet unsere Zeit keinen Pfifferling werth. Vielleicht mit Recht? Es scheint so, denn die Blätter, welche im vorigen Herbst abfielen, haben im heutigen Frühjahr auch keinen Werth mehr, außer insofern, als sie zur Production und zur Befruchtung des Frühjahrs dienten. Warum aber achten wir denn das Alterthum? Weil es an sich achtbar war.

Wir durchlaufen den dritten Band mit gleich flüchtigem Fuß. „Das Duell" von Ducange sagt uns nur, daß wir in einer sittlichen Beziehung noch immer hinter dem Alterthum und hinter dem ganz modernen Nordamerika zurückstehen. Warum war dort und hier jedes barbarische Ehrengesetz stumpf und ohne Blut? Weil die wahre Ehre den Schemen jener falschen erdrückte. Wird der Sieg der wahren Ehre bei uns immer ein frommer Wunsch bleiben? Werden wir, vom Feudalismus und Gottesgerichtsglauben emancipirt, niemals Das abstreifen, was Ausfluß beider und nichts anders ist? Ich möchte das 20. Jahrhundert um Antwort fragen? Das 19. sagt: Nein! — „Monthyon's Preis", von Andrieux, ist so rührend wie die Absicht des Stifters. Der fromme Mensch glaubte an Tugend. Vergessene Thorheit! Eugène Sue und Balzac belehren uns, daß es keine gibt, oder nur eine, die ein schlaueres Laster ist. Arme Welt, die ihnen glauben wollte! „Der Assisenhof", von Bouquet, ist ein Genrebild, voll Natur, durch und durch wahr, und geschickt genug, die alten Juristen zu überzeugen, daß sie vollkommen recht haben. So lange es im Volke keine Weisheit gibt, klopfst du umsonst um Gerechtigkeit bei ihm an! Das Thema ist weit; aber ich bin bereit, jeden Streit fallen zu lassen, wenn du mir beweisst, daß das Volk weise sei, d. h., nach Kant, zu den besten Zwecken stets die besten Mittel wähle. „Die Schauspieler von ehedem und die von jetzt" hat Bonjour gut auseinander gehalten. Man sollte nicht glauben, wie groß der Unterschied zwischen zwei Leuten ist, von denen der Eine die Kunst und der Andere das Geld liebt, das sie mit sich führt! „Der französische Hof von 1830" läßt mehr erwarten, als Menechet gibt, aber Janin gibt mehr als „Die kleinen Handwerker" erwarten lassen. Chateaubriand's „Tuilerien" sind gelehrter als Chateaubriand gewöhnlich ist. Es ist übrigens französische Gelehrsamkeit, das heißt blendende, die aufs Wort annimmt und aufs Wort ausgibt. Lamartine's Harmonie (Ode): „Die Revolutionen", greift in ein tiefes Thema, aber es ist den Dichter nur um Harmonie zu thun, wenig um Wahrheit und Bedeutung; die Uebersetzung aber ist meisterhaft.

Im vierten Bande tritt Peyronnet's „Vincennes" uns entgegen, unstreitig ein viel besseres Werk, als das siebenjährige Wahlgesetz von demselben Verf. Wer mit dem Gefangenen nicht mitfühlt, der ist ein Stock, eine Wurzel, ein Kaliban höchstens. Die Dichtung und ihre Form ist ein Meisterstück von Gefühl, Selbstbeherrschung, Adel. Wollte Gott, Peyronnet wäre immer Dichter gewesen! „Kirche, Gotteshaus, Synagoge", von Jouy, ist eine moderne Paraphrase von Lessing's Ringmythe, ganz annehmlich und ganz wirksam. „Die Feste", von Pommier, sind in Mercier's Art recht hübsch geschildert. Eug. Roch erschüttert im „Père Lachaise"; Arago macht im „Narrenhaus" unter Lachen beben; Sophie Gay erheitert in den „Vorlesungen" und Duval macht im „Journalistenlehrling" unter Zürnen lächeln. „Konstantinopel und Paris" von zwei Verfassern geben ein reizendes

*) Ueber den ersten Band (in einer andern Uebersetzung) vgl. Nr. 180 d. Bl. f. 1832. D. Red.

Doppelbild, und Soumet besingt den guten Erzbischof von Paris mit warnenden, warmen Tönen. Das Gerippe des Zeitschiffes kracht, das Meer verschlingt das Wrak und morgen schwimmt eine neue stolze Meeresbraut dahin, um bald auch ihrerseits im Schlamm der Flut erdrückt zu liegen; das ist die Zeit. 84.

Briefe aus Wien über den Herzog von Reichstadt. Mit seinem Portrait. Bern, Dalp. 1831. 8. 10 Gr.

Wie es zugegangen ist, daß diese im Jahre 1831 angeblich geschriebenen Briefe erst im Jahre 1832 in den Buchhandel gekommen sind, weiß Ref. nicht, jedenfalls aber verliert die Welt an der verspäteten Bekanntmachung nur wenig; denn durch das bald nach dem Tode des jungen Napoleon erschienene „Schreiben an *** über den Herzog von Reichstadt. Von einem seiner Freunde" (man nennt als Verf. den östreichischen Oberstlieutenant von Prokesch, Ritter von Osten) sind die vielen falschen Nachrichten, welche über den Prinzen und seine Umgebung verbreitet waren, nach unserm Dafürhalten gründlich widerlegt. Der Verf. dieses, auch in unsern Bl. (Nr. 20 d. J.) besprochenen Sendschreibens ist von inniger Liebe und Zuneigung zu dem Prinzen erfüllt, aber auch von dem edelsten Wahrheitsgefühle und zugleich fern von jener erkünstelten Bewunderung Napoleon's, in der sich jetzt so manche Jüngere gefallen. Der Verf. der vorliegenden Broschüre dagegen ist ein begeisterter Anhänger Napoleon's aus der neuen Schule und liebt nur aus diesem Grunde den Sohn des gewaltigen Kaisers; das Pikante in seiner Darstellung steht ihm daher höher als die Wahrheit, seine Erzählungen beruhen nur auf dem Gerüchte, er ist nie in des Prinzen unmittelbare Umgebung gekommen, ja nicht einmal in seine Nähe außer im August 1829, wo er ihn zwei Compagnien Grenadiere exerciren sah (S. 42 fg.), und nach seiner Art daraus sonderbare Schlüsse zieht.

An Unwahrscheinlichkeiten mancher Art ist das Büchlein trotz seiner wenigen Seiten nicht arm. So wiederholt der Verf. jene Fabel, daß des Vaters Name lange dem jungen Prinzen verborgen geblieben sei, daß er ihn erst nach dem Tode desselben und zwar aus dem „Hof- und Staatsschematismus des östreichischen Kaiserthums" erfahren habe (S. 19). Wie tief und ergreifend sind dagegen die Worte, mit denen der Verf. des „Schreibens über den Herzog von Reichstadt" (S. 7, 18) diese Verleumdungen zurückweist, und wie schön ist das Verhältniß zu seinem kaiserlichen Grosvater (S. 8) geschildert. Unser Verf. stellt dasselbe zwar auch nicht als ein ganz liebeleeres oder unzärtliches dar, aber er läßt stets die Furcht des Kaisers Franz hindurchblicken und die Aengstlichkeit, daß ihm der Enkel dereinst noch schaden könne. Die Kaiserin Marie Luise aber erfreut sich seines besondern Lobes und Preises: sie heißt nicht allein „schön" und „liebreizend", nein, es wird ihr auch S. 36 eine große „Theilnahme an Frankreichs Schicksal nach der Juliusrevolution" zugeschrieben, und es sollen „Thränen des Schmerzes über ihre Wange geflossen sein", als sie wahrgenommen habe, daß Napoleon's Andenken unter den Franzosen nicht stark genug gewesen sei, den Sohn desselben auf den nach Karl X. Entthronung erledigten Thron zurückzurufen. Woher mag wol unser Verf. dies Alles wissen? „Sein Wunsch", sagt dagegen Prokesch S. 17 von dem Prinzen, „den Thron seines Vaters zu besteigen, war lebhaft, aber der Ruf der Haufen in den Straßen von Paris, die seinen Namen als Fahne der Unordnung vorantrugen („der begeisternde Ruf des Volks: „Vive Napoléon II" mischte sich in den Siegesruf über die Congregation", sagt S. 32 unser Verf.), verlockte ihn nicht. Er rechnete wenig auf die Familie seines Vaters (Joseph Bonaparte's Schritte haben gezeigt, daß er daran Recht hatte), wenig oder gar nicht auf verdecktes Spiel der Partei, die man die seinige nannte, aber er rechnete mit Zuversicht auf die Nothwendigkeit, die nach seiner Ansicht für Frankreich wie für Europa bestand; er hoffte, daß der Wunsch von Frankreich ihn dahin zurückführen und alle Mächte Europas diesen Wunsch billigen würden."

Daß die Wiener den Prinzen lieb hatten, sagt Prokesch an mehren Stellen seines Schriftchens, daß sie ihn aber le fils de l'homme nach der Erscheinung des bekannten Gedichtes von Méry und Barthélemy genannt hätten (S. 30), ist eine ebenso große Uebertreibung als die, daß die Wiener die „drei Tage der Juliusrevolution als schöne Tage der Freiheit gepriesen und nicht genug hätten hören können von der Thatkraft der wackern Franzosen" (S. 35). Wer so schreiben kann, kennt die Wiener nicht.

Der dritte Brief handelt zuerst von der Erziehung des Prinzen. Der Verf. meint zwar, daß die „östreichischen Prinzen gut erzogen würden"; aber es sei dies doch nur ein „Treibhausleben", und in der „Baumschule des östreichischen Hofes" hätte ein solcher Prinz nicht gedeihen können. Dies ist ebenso ungerecht als falsch: die Details bei Prokesch (S. 10, 27 fg.) und in Montbel's „Mémoires sur le duc de Reichstadt" (Paris 1832) würden schon zur Genüge darthun, wie sorgfältig Fürst Metternich und Graf Dietrichstein des Prinzen Erziehung geleitet hatten, wenn es nicht schon längst bekannt wäre, wie gründlich und wissenschaftlich ernst die Prinzen des östreichischen Hauses erzogen werden. Die Erziehung in St.-Cloud oder in den Tuilerien würde kaum so vernünftig gewesen sein.

In der Schilderung der vorherrschenden Neigung des Herzogs zu militairischen Uebungen ergänzen sich beide Verf., doch ist die Schilderung bei Prokesch weit anschaulicher, da sie aus seinem persönlichen Umgange mit dem Fürsten entnommen ist. Die Ausbildung seines strategischen Ueberblicks, seine Lieblingsgespräche über militairische Ereignisse, seine Lieblingslecture, seine Popularität bei den Soldaten — all Dieses tritt in der Schrift von Prokesch uns in geistreicher und lebendiger Rede entgegen (S. 22—26), während der Verf. des Briefes nur einmal den Prinzen hat sein Bataillon exerciren sehen und sonst nur vom Hörensagen zu berichten weiß.

Kurz, die vorliegende Schrift trägt zu sehr den Charakter einer Parteischrift — wenngleich von der bessern Art — an sich, als daß sie darauf Anspruch machen dürfte, den Leser ein anschauliches Bild von dem Sohne Napoleon's zu geben. Das beigegebene Bildniß des Prinzen ist das Bild eines hübschen jungen Mannes. Ueber die Aehnlichkeit desselben mit dem Originale vermag Ref. nicht zu urtheilen, da er den Prinzen nie gesehen hat. 39.

Aphorismen.

Politik.

Jede größere Macht, welche durch ihre längere Dauer schon beweist, das Schicksal habe auf sie im Staatensysteme wesentlich gerechnet, findet auch gewisse Regeln ihrer Politik vorgeschrieben, welche als unveränderlich erscheinen. Solchergestalt würde sich für dergleichen Staaten gleichsam eine eiserne Politik ausbilden, und es müßte immer leichter und bequemer werden, auf einen solchen eisernen Thron zu sitzen. Welche Aussicht für die Thronerben!

Werth der Anekdoten.

Man hat die neuere Geschichtschreibung wegen ihres Haschens nach Anekdoten getadelt. Allein Anekdoten sind dem jetzigen Geschichtschreiber namentlich in dem Falle unentbehrlich, wenn sie Nationalzüge darstellen. Denn in ihnen besteht fast allein noch die Nationalgeschichte, seitdem die Nationen reducirt sind auf die Rolle des Chors im griechischen Drama: auf bloße Betrachtung ohne thätige Theilnahme an der Handlung. Diese Passivität mag ihr Gutes haben, aber sie hat etwas Historisch-Steriles. Also wenigstens das Surrogat der Anekdoten zu doch einiger Belebung der neuern Geschichte! 178.

Redigirt unter Verantwortlichkeit der Verlagshandlung: F. A. Brockhaus in Leipzig.

Blätter
für
literarische Unterhaltung.

Montag, —— Nr. 252. —— 9. September 1833.

Die hohe Braut. Ein Roman von H. Koenig. Zwei Theile. Leipzig, Brockhaus. 1833. 8. 4 Thlr.

Der Verfasser, als tapferer Vorkämpfer der edelsten politischen und religiösen Freisinnigkeit bekannt und geachtet, tritt uns hier zum ersten Mal von einer neuen Seite, als Romandichter, entgegen und läßt auch in dieser neuergriffenen Form die trefflichen Eigenschaften eines gediegenen, kräftigen, für Wahrheit und Recht lebhaft begeisterten Charakters wiederfinden. Solche Männer müssen sich in unsern Tagen der Poesie bemächtigen, um auf eine durchgreifende Weise zeitgemäße Umgestaltungen in ihr zu bewirken und neue Interessen für das dichterische Darstellungstalent wenigstens anzuregen, wenn sie auch nicht Kraft und Beruf haben sollten, selbst das Höchste einer künstlerischen Durchbildung zu erreichen. Obiger Roman, der ohne Zweifel zu dem Besten gehört, was in unserer Zeit in dieser Art geschaffen worden, enthält in der That viele frische, reiche Elemente in sich, die bisher in der Poesie noch nicht auf solche Weise zu Gegenständen und Motiven der Darstellung gedient haben. Dies sind die Elemente einer freiern Weltanschauung von dem Gesichtspunkt einer kräftigen, natürlichen, in einer gewissen historischen Gesundheit sich fühlenden Volksentwickelung aus.

So sehen wir in Herrn Koenig zunächst einen praktischen Mann mit scharfem, tüchtigem Lebensblick, festem, auf ein bestimmtes Ziel des Wollens und Strebens in der Welt gerichtetem Muth und einer mannichfach erfahrenen und bewährten Gesinnung. Er ist kein jugendlicher Dichter mit einem idealen Apollohaupt; die Rosenzeit spielender Träume und Gefühle hat er hinter sich, und, oder wir müßten uns sehr irren, mancher rauhe Sturm des Lebens ist mit tiefen Furchen über seine Stirn hingefahren. Von einer klaren, hellen Verstandesanschauung ausgehend, langt er jedoch immer bald auf der schönsten Stufe einer gedankenreichen Begeisterung an, die sich vornehmlich an den Zeitbewegungen entzündet, an tiefen Blicken in die Geschichte überhaupt nährt und innerlich stark genug ist, um in ihren Aeußerungen productiv zu werden. Diese Art der Productivität, unterstützt und ergänzt durch eine mehrseitige Kenntniß des Menschen und des Lebens, hat „Die hohe Braut“ geschaffen, und es zeigen sich in diesem Roman, der mit großer, sichtlicher Liebe und dem damit verwandten Fleiß in der Ausführung geschrieben ist, alle anerkennenswerthen Früchte einer solchen, gewissermaßen aus dem menschlichen Charakter des Dichters hervorgehenden Entstehung, aber natürlich auch die Nachtheile davon. Letztere lassen sich zwar hier schwer umschreiben, aber sie sind doch in einem gewissen fehlenden Etwas vorhanden, das anfangs bei dem drängenden und geschickt geleiteten Interesse der Begebenheiten sich nicht in dem Maße hervortretend zeigt, dennoch allmälig, besonders bei eintretenden Ruhepunkten und Ueberblicken bemerklich wird; und dies Fehlende ist jener leise Duft, jener poetische Aether, der, unsichtbar, aber doch zu empfinden, über den Gestalten des Dichters schweben muß. Läßt sich jedoch diese feine poetische Atmosphäre eines Kunstwerkes ersetzen, so hat es der Verf. durch den auf der andern Seite so glänzend entwickelten Reichthum in Erfindung, Darstellung und Gesinnung gethan.

Der historische Boden dieses Romans ist eigentlich ein zweifacher; einmal sind es die factischen Begebenheiten, und dann ist es die Geschichte der Ansichten, der Meinungsumwälzungen, worauf er sich hauptsächlich bewegt und seine wesentlichsten Gestalten entwickeln läßt. Die Zeit ist die erste französische Revolution in ihren frühern Stadien bis zum glorreichen Auftreten Bonaparte's als General in Italien; der Schauplatz ist Savoyen und Nizza in dem interessanten Moment ihrer Französirung, wo die neuen, von den Nachbaren herübergedrungenen Freiheitsideen, nicht weniger aber die absichtlichen Umtriebe der französischen Propaganda den italienischen Volkscharakter in eine seltsame Bewegung und Gährung versetzt haben. Während die Bilder und Gestalten der großen blutigen Welttragödie selbst im Hintergrunde der Darstellung verhüllt bleiben, werden unsere Blicke zunächst auf einzelne und scheinbar abgelegene Districte menschlicher Verhältnisse gelenkt, die in der Ferne von dem Nachhall jener ungeheuern Revolutionsbegebenheiten ergriffen zu werden anfangen. Der Verf. setzte auch seine eigentliche Aufgabe nicht darein, aus der factischen Revolutionsgeschichte dieser Zeit Gemälde zu liefern, seine Zwecke erscheinen vielmehr immer vorherrschend auf die innere Entwickelungsgeschichte der Ansichten und Meinungen, wie sie in dem Umschwung der damaligen Weltperiode bis in die kleinsten Fibern der Gesellschaft und des Gemüths wiederempfunden werden mußte, gerichtet. Diese Seite des Romans ist in der That vortrefflich ausgeführt; in den vielfach eingestreuten Reden und Gesprächen lassen sich geistreiche und durchdachte Auffassungen der Zeitbewegungen vernehmen; nicht minder werden sie in den vorgeführten Verhältnissen und Conflicten, die dem unmittelbaren Romanstoff angehören, oft kühn gezeichnet, selbst hier und dort mit Energie ironisirt. Weniger einverstanden haben wir uns finden können mit der Art und Weise der Charaktere, welche jene Zeitconflicte und deren Wandelungen in ihren persönlichen Gesinnungen und Schicksalen repräsentiren sollen. Der junge Jäger Giuseppe, der so ziemlich die Mitte der fast zu vielfach ineinander geschlungenen Fäden der Geschichte einnimmt, dürfte wol auch eigentlich als der Held des Romans anzusehen sein, besonders da der grundthümliche Kampf der Zeit, Umsturz der bestehenden Verhältnisse, in seinem individuellen Lebensgeschick sich als Haupttendenz wiederholt. Eine frische, naturkräftige, edelgeartete Gestalt, wird er uns bald, selbst in seinen wilden Charakteräußerungen, lieb und anziehend, bis er in seinem Verhältniß einer kühn gehegten und nicht verheimlichten Neigung zur Tochter seines Gutsherrn, eines gemäßigten, aber doch an den Standesvorrechten festhaltenden Aristokraten, immer bedeutender auftritt und das an ihm genommene Interesse allmälig sogar in das öffentliche Zeitinteresse hinübergreift. In jenem unglücklichen Verhältniß nämlich, in dem sich der niedrig geborene Jüngling zur Marchesentochter zu erheben unterfängt, ist er bereits auf die schwindelnde Bahn der Zeit hinausgetreten, die an allen bevorrechteten Unterschieden der Gesellschaft niederzureißen begonnen hat. Der Adel Frankreichs hat seine Paläste verlassen müssen und zieht darbend als ein flüchtiger Auswanderer umher; seine Standesprivilegien sind erloschen, weil die natürlichen Rechte in der Zeit stärker geworden sind. Der italienische Adel, bei der im Werke stehenden Revolutionnirung dieser Landestheile das gleiche Loos vor Augen sehend, hält, so lange er noch im Besitz ist, darum nur um so eifersüchtiger an dem alten unverletzlichen Recht der hohen Geburt fest. Der Marchese Maivi hat zwar seinen Bauern Abgaben erlassen und Steuern vermindert, aber seine Tochter von dem Schulzensohn Giuseppe geliebt und erstrebt, ja vielleicht begünstigt zu wissen, erträgt sein Adelstolz nicht und führt ihn zu bedrohenden Schritten gegen den kecken Jüngling. Dieser, die Regungen einer zum Höchsten sich berufen fühlenden Natur in sich verhöhnt sehend von den Fesseln des Herkommens, fällt, in Verwirrung und Verzweiflung umhergetrieben, in die Hände der revolutionnairen Propagandisten, die im Gebirge ihr Wesen treiben, um das Volk für die sogenannten neuen Ideen der Freiheit und Gleichheit aufzuwiegeln. Giuseppe nimmt anfangs nur widerwillig und ohne eignen innern Anklang Theil an diesen Umtrieben, bis sich ihm endlich die Idee der neuen Freiheit, welche die Verhältnisse der menschlichen Gesellschaft gleichartiger umgestalten soll, mit der Idee der von ihm erstrebten hohen Braut, die ihm nur in und mit jener Umgestaltung selbst zugeführt werden zu können scheint, immer mehr identificirt. Obwol er aber jetzt, selbst als Spion und Emissair, thätig zu werden anfängt, um den nach Savoyen eindringenden Franzosen Aufnahme und Gelingen zu erleichtern, sieht er sich doch auf dieser Bahn bald in unheilvolle Zustände und Zerwürfnisse gerathen und, einem der Schande, ja öffentlicher Hinrichtung preisgegebenen Verbrecher gleich, seinen guten Ruf vor den Menschen zernichtet. Jetzt schlägt sein ganzes Streben plötzlich zu dem entgegengesetzten um; er flieht die Männer der Freiheit und ihre Sache und begibt sich, verkleidet und durch andere Umstände in seinem nunmehrigen Plan begünstigt, an den Hof des Königs Victor Amadeus nach Turin, um dort in dem gegen die andringenden Franzosen zusammengebrachten Heer Dienste zu nehmen und so gewissermaßen auf loyale Weise seine Revolutionsirren zu sühnen. Wunderbar genug zeigt sich dem Loyalen Fortuna günstiger; der Schulzensohn Giuseppe wird durch Muth, Kühnheit und bald glücklich vollbrachte Thaten der Liebling des Königs, er wird Hauptmann, Major, Oberst, endlich sogar geadelt, und so sieht er denn durch die auf diese Weise errungene Ebenbürtigkeit die Kluft zwischen sich und seiner hohen Braut ausgefüllt. Die Marchesentochter Bianca, die unterdeß schon mit einem Grafen Rivoli vor dem Altar gestanden, der aber noch in der Kirche durch den Dolchstoß eines Meuchelmörders ihr entrissen wird, beschenkt nunmehr den Glücklichen mit ihrer Hand, mit der er das höchste Ziel seines Strebens und zugleich seiner eigensten, wahrsten Entwickelung und Gesinnung sich gewonnen. Obwol dieser Schluß an sich einen wohlthätigen Eindruck im Gemüth des Lesers zurückläßt, so müssen wir doch bekennen, daß wir uns mit diesem ganzen Umschlagen in Giuseppe's Charakter nicht haben einverstehen und befreunden können. Der Uebergang vom Revolutionnair zum Loyalen ist zwar, besonders bei einem so motivirten Charakter, keineswegs schroff und unpsychologisch zu nennen und wird hier hinlänglich durch innere Ausführungen der Gemüthszustände belegt, aber der ganze Gang der Verhältnisse und die Sinnesart Giuseppe's selbst hatte den Leser zu sehr an die Erwartung einer tragischen Lösung und eines nothwendigen Unterganges inmitten aller dieser Conflicte gewöhnt, sodaß der Roman für ihn durch die erwähnte Wendung einen plötzlichen, fast willkürlichen Ruck zu erhalten scheint. Dazu kommt, daß man durch die Art und Weise der Darstellung, und zwar nicht ohne Absicht derselben, lange dazu verführt wird, in Giuseppe den Mörder von Bianca's Verlobten zu glauben und darum nur um so mehr in dem Bilde des Jünglings sich verwirrt, ohne daß der Verf. für die Förderung des Effects dadurch etwas mehr bei uns erreichte als eine keineswegs wohlthätige Spannung. Wir wünschten aber wirklich, daß er sich dieser und einiger andern Kunstgriffe, um die Leseaufmerksamkeit anzureizen, lieber gänzlich enthalten hätte, da er derselben bei dem Reichthum seiner ihm anderweit zu Gebote stehenden Mittel in der That nicht bedurfte. Uebrigens ist der Aufwand von Geist und Darstellungstalent nicht zu verkennen, mit welchem sonst der Charakter Giuseppe's durchgeführt ist; und besonders interessant erscheint es, wie der durch äußere und innere Verwirrungen aller Art keck hindurchschreitende Jüngling, von seinem guten Naturgefühl geleitet, immer von eigentlichen Verbrechen zurückgehalten wird, so nahe er auch jedes Mal daran hinanstreift.

(Der Beschluß folgt.)

Neuere englische Literatur.

1\. England and the English, by *Edward Lytton Bulwer*. Zwei Bände. London 1833.

Mit diesem Werke beabsichtigte der Verf. seinem Vaterlande und seinen Landsleuten einen Spiegel vorzuhalten, in dem Beide erkennen sollen, wie es mit ihnen steht. Das ganze Werk ist in fünf Bücher, und diese sind in eine verschiedene Zahl von Capiteln eingetheilt. Das erste Buch beschäftigt sich hauptsächlich mit Abschilderung des englischen Nationalcharakters und kommt dabei natürlich auch auf die Ungeselligkeit der Engländer zu sprechen. Die Hauptursachen davon findet er im vorherrschenden Betriebe des Handels und in dem uralten Einflusse einer sehr eigenthümlichen Gestaltung der Aristokratie. Der Handel, bemerkt er im Bezug auf die erstere Angabe, mindert offenbar den Durst nach Vergnügungen. Ermüdet von dem wirren Treiben des Tages, suchen seine Geweihten Erholung innerhalb ihrer vier Pfähle und bedürfen des Abends eher Ruhe als Zerstreuung. In Wahrheit finden wir auch eine gewisse Abneigung gegen letztere, die sich wesentlich von der Ernsthaftigkeit unterscheidet, als Eigenheit von Handelsvölkern, und sie ist bei den Amerikanern und Holländern ebenso auffallend wie bei den Engländern. Der Auseinandersetzung des Einflusses der Aristokratie widmet Hr. B. ein ganzes Capitel, kommt dann auf die veränderte Gesinnung der Engländer gegen Fremde zu sprechen: „denn", sagt er namentlich, „wir verabscheuen die Franzosen nicht mehr. Die Zeiten sind vorbei, wo Franzosenhaß die erste Nationaltugend war." Von den Mittelclassen sagt B., daß sie einen gewissen gesunden Verstand besäßen, welchen er aber den höhern wie den niedrigsten Ständen nicht zutraut. Den Adel namentlich schildert er als unbesonnen, nach frivolen Absonderlichkeiten haschend, durch Schulden in den Händen der Juden und Kaufleute, die über drei Viertel des Eigenthums der ganzen Pairschaft mit Beschlag belegt hätten. Während man sich daheim mit seiner Albernheit gebrüstet, habe sich der Europa durchstreifende junge Adel dem Continente nur durch Ungereimtheiten bekannt gemacht. „Dabei ist es aber nicht geblieben, sondern Die, denen man als [illegible] wandernder Albernheit noch Nachsicht schenken konnte, wurden förmlich zu diplomatischen Repräsentanten der Nation erhoben. Das oligarchische Verfahren, Männer für hohe Ämter nicht nach ihrer Fähigkeit dazu, sondern wegen ihrer Verbindung mit der herrschenden Partei zu wählen, hat unsere Gesandten [illegible] unserer Narrenhäuser erscheinen lassen, und [illegible] der britischen Nation am kaiserlichen Hofe of [illegible] und ernst war Niemand anders als der jetzige [illegible] von Londonderry."

Das gesellschaftliche Leben mit seinem Club- und Etiquettewesen wird [illegible] geschildert; Zögern, Hummen und Dehnen [illegible] Verf. die drei Grazien der englischen Conversation. [illegible] verzüglich das Capitel über die literarische [illegible] wird nirgend geschont. Die arme [illegible] aus ihrem Glaube führen auch zu den [illegible] laws, [illegible] verworfen wird. Als gesellschaftliche [illegible] Theile der Bevölkerung führt der Verf. [illegible] Lage zu verbessern, an. Bei allem Mangel [illegible] Kenntnissen. Sie besuchen den [illegible] und [illegible] die [illegible] der Jugend. Ihr [illegible] lassen sie [illegible] erkannt, [illegible] Ihre Stimme erklingt zuerst und hält am längsten aus, wenn es gilt, gegen irgend eine Ungerechtigkeit in der Welt zu eifern. Sie machen gemeine Sache mit dem geplünderten Polen, mit dem von stillen Dragonaden zerfleischten Irland, mit den Sklaven auf Jamaica und mit den hindustanischen Menschenopfern. Die aristokratische und Volkserziehung, die Presse, die Literatur und die Künste liefern Stoff zu reichhaltigen Abschnitten. Charakteristiken mehrer Tagesschriftsteller, wie D'Israeli, Hazlitt, Southey u. A. fehlen nicht; Byron, Wordsworth, Shelley, Scott werden nicht minder besprochen. Von der Philosophie sagt B., sie werde nur noch in Form der Staatswissenschaft angebaut; auf diesem Felde wären jetzt alle ausgezeichneten Köpfe zu finden, welche sich sonst auf metaphysische und andere Forschungen gelegt haben würden. B. nimmt seine Landsleute auch gegen vielerlei Beschuldigungen in Schutz, welche ihnen vom Auslande aufgebürdet werden, so z. B. gegen die Neigung zum Selbstmord, gegen die Vorliebe für Raub- und Mordgeschichten in den Zeitungen u. s. w. Indessen sind wir wol schon zu verschwenderisch mit dem Raume gewesen, um darauf noch eingehen zu können, und wünschen dem mit echter Menschenkenntniß und Menschenfreundlichkeit geschriebenen Werke zum Schlusse dieser Anzeige einen recht wackern Uebersetzer, den es wahrlich nöthig hat, um nicht verhunzt zu werden.*)

2\. Godolphin. Drei Bände. London 1833.

Dies Buch hat in England einiges Glück gemacht, weil einiger Skandal darin verborgen scheint, und den liebt man dort bekanntlich sehr. Indessen thut uns leid, einen offenbar mit lebendiger Phantasie und gewandter Darstellung begabten Verf. seine Kraft nur auf das Bizarre, nicht auf das Natürliche verwenden zu sehen, und er wird es Niemand verargen, wenn man seinen Spleen sehr unbehaglich findet. Leben und Dichtung wollte er geben, allein in seiner Weise werden sich dieselben so wenig verbinden wie Oel und Wasser. Dies fällt um so mehr ins Auge, als allgemein bekannte Personen in seinem Romane auftreten, wie z. B. Sheridan, Lady Jersey, Lord Dudley, und sich nach seinem Spleen geberden müssen, wodurch sie ihrem Charakter ganz untreu werden. Mit der Aristokratie geht er übrigens nicht allzu säuberlich um, ein englisches Blatt will jedoch hinter seinen satirischen Ausfällen getäuschte Eigenliebe bemerken.

3\. The library of romance, edited by *Leitch Ritchie*. Vol. V. The bondman. London 1833.

Diese Erzählung unterscheidet sich vortheilhaft von ihren nächsten Vorgängern, worüber wir in Nr. 209 d. Bl. berichteten. Gewohnte Leibeigenschaft wird wie alle Uebel durch Gewohnheit zwar leicht zur andern Natur, allein es wird immer Individuen gegeben haben und noch geben, die knirschend ihr unmenschliches Joch tragen und nach der Freiheit trachten. Einem solchen Charakter begegnen wir in dem Helden dieses empfehlenswerthen Buches. Er erlangt auch wirklich die Freiheit, verliert sie aber von Neuem und wird vom unerträglichsten Despotismus zu Boden getreten. Da ergrimmt sein von Natur wackeres Herz, und Rache nistet darin ein, denn auf Recht kann er nicht mehr hoffen. Einen Uebersetzer hat der „Bondman" schon in den „Originalien" gefunden.

4\. The parson's daughter. Drei Bände. London 1833.

Herr Theodor Hook, der Verf. dieses Werkes, gehört zu den talentvollsten Schriftstellern in diesem Fache, und während ihn ein englisches Blatt den Horaz der Novellendichter nennt, preist ihn ein anderes als würdigen Schüler und Erben des Verf. des „Waverley". Kein Zweiter, setzt es hinzu, schildert seine Zeit so lebendig und mit so viel Talent. Herr Hook hat es vorzüglich mit Bildern aus dem englischen Familienleben zu thun, und ein solches hat er auch in dieser Novelle geliefert, die zugleich die Blöße des Herkommens und der Verkehrtheiten der englischen Aristokratie auf eine Weise berührt, wie man es

---

*) Es sind bereits mehre deutsche Uebersetzungen des Bulwer'schen Werkes angekündigt, und wir werden Gelegenheit haben, ausführlicher darüber zu berichten. D. Red.

von ihm zufolge seiner bisher ausgesprochenen Ansichten nicht erwartet hätte. Anordnung, Styl, Charaktere, Alles spricht von der Gewandtheit des Verf., und wer mit englischer Sitte und Denkweise vertraut werden will, wird in der „Parson's daughter" eine reiche Fundgrube für seine Wünsche entdecken.

5. History of the american theatre, by *William Dunlap*. Zwei Bände. London 1833.

Die Amerikaner scheinen nichts gethan zu haben, um ein Theater zu erhalten; als ihnen aber aus England eine vollständig ausgerüstete Gesellschaft zugeführt wurde, fand diese ein empfängliches Publicum. Es war der Nachfolger von Garrick im Goodman's-Field's-Theater zu London, Namens Hallam, welcher sein Glück in Amerika versuchen wollte, nachdem er 1750 in England bankrott geworden war. Mit seinem Bruder Lewis und den bessern Mitgliedern der Goodman's-Field's-Gesellschaft traf er die nöthigen Vorbereitungen, Garderobe und alle möglichen Requisiten wurden angeschafft, und so segelte im Mai 1752 diese theatralische Expedition ab und landete nach sechs Wochen glücklich zu York Town in Virginien. Hallam selbst war noch in England zurückgeblieben. Die damalige Hauptstadt von Virginien, Williamsburg, war das nächste Ziel der Truppe, die hier Erlaubniß zum Spielen erhielt, sich in einem leer stehenden Speicher in der Vorstadt einrichtete und darin das erste ordentliche Theater in Amerika eröffnete. Obgleich innerhalb des Umkreises der Hauptstadt gelegen, war der Wald doch so nahe, daß man aus seinen Fenstern wilde Tauben schießen konnte, die in Menge vorhanden waren. Die Direction hatte nicht daran gedacht, ein Orchester aus Europa mitzubringen, es fand sich indessen ein Musiklehrer, welcher mit seiner Harfe einstweilen das ganze Musikchor repräsentirte. Und so wurde denn am 5. September 1752 in Williamsburg die amerikanische Bühne mit Shakspeare's „Kaufmann von Venedig" eröffnet, dem eine damals in England beliebte Posse folgte. Das Publicum ließ es an Theilnahme nicht fehlen und Dasselbe war der Fall in andern Orten, welche die Gesellschaft nach und nach besuchte. Nur in Philadelphia setzten sich die Quäker gegen ihre Vorstellungen, allein die Mehrzahl der Bevölkerung drang durch, daß 24 Abende unter gewissen Nebenbedingungen gespielt werden konnte. Hallam besuchte mit seiner Truppe auch die westindischen Inseln. Das erste bekannte amerikanische Drama wurde 1765 von Thomas Godfrey aus Philadelphia herausgegeben, und heißt: „The prince of Parthia". Als der erste amerikanische Congreß 1774 alle Theater schloß, ging die Truppe nach Westindien, und erst nach 1783 kehrte sie von da in die Vereinigten Staaten zurück, fand aber anfänglich keine große Theilnahme. Schon 1790 konnte jedoch eine zweite Truppe errichtet werden, 1796 wurde in ungemein kurzer Zeit ein neues Schauspielhaus in Boston erbaut u. s. w. Die Kritik nahm sich der Bühne ebenfalls lebhaft an. In Newyork bestand eine Gesellschaft, welche nach jeder Vorstellung entweder über das Stück, wenn es ein neues war, oder nur über die Schauspieler urtheilte und ihre Aussprüche bekannt machte. Washington Irving schrieb damals unter dem Namen Jonathan Oldcastle Theaterberichte, und bald flossen aus allen Federn dramatische Arbeiten für die Bühne, von denen aber nur sehr wenige zur Aufführung taugten. Das erste amerikanische Stück, welches auf die Bühne kam, war „The contrast", von William Tyler. Die vorliegenden Bände enthalten ungemein viel Einzelnheiten, biographische Notizen von Schauspielern und Schriftstellern u. dgl., welche nur für Amerika berechnet sind, allein nichtsdestoweniger geben sie eine reiche Ausbeute zur Geschichte der Kunst und des öffentlichen Lebens jener in der That neuen Welt, und erst die spätere Zeit wird Herrn Dunlap's Arbeit gehörig zu schätzen wissen, wenn sie selbst zur Seltenheit geworden ist.

6. Two expeditions into the interior of Southern Australia, during the years 1828—31; with observations on the soil, climate, and general resources of the colony of New South Wales. By Capt. *Charles Sturt*. Zwei Bände. Mit Karten und Abbildungen. London 1833.

Unter den zahlreichen Eroberungen der Engländer in allen Theilen der Erde ist vielleicht keine von größerer Wichtigkeit als die des Continents von Australien. Wenn man die frühere Geschichte der westindischen Colonien, die lange Reihe von Unglücksfällen, welche auf die britischen Ansiedler in Ostindien einstürmten, sich lebhaft vergegenwärtigt, wird man sich mit der ausgesprochenen Ansicht befreunden und den Werth einer Colonie zu schätzen wissen, welche alle Eigenschaften des Bodens und Klimas besitzt, um das Leben mit seinen gewöhnlichen Uebeln erträglich zu machen. Nach vielen authentischen Berichten und insbesondere auch nach dem vorliegenden Werke ist der Continent von Australien, von dem die Colonie Neusüdwallis nur einen kleinen Theil einnimmt, ein fruchtbares Land. Noch ist jedoch für die Erforschung seines Innern verhältnißmäßig wenig gethan und, namentlich seit Oxley's von seinen Nachfolgern bestätigter Vermuthung, der westliche Theil für ein großes Bassin gehalten worden, über welches man nur mit großer Noth vorzudringen vermöchte. Um diesen Vermuthungen endlich auf den Grund zu kommen, erhielt Capt. Sturt Befehl, die in seinem Buche beschriebenen Reisen ins Innere vorzunehmen. Er wurde dabei von Herrn Hume, zwei Soldaten und acht Deportirten begleitet, mit denen er von Sydney nach dem Macquarie aufbrach. Als Hauptentdeckung dieser Expedition ist die Bestimmung über den Lauf des Macquarie anzusehen, dessen Gewässer, nachdem sie durch die bekannten Sümpfe und Riede geschlichen, einen kleinen See bilden, dessen Ueberfluß in die Morrisetsbriche und von da in den Castlereagh fällt, der in westnordwestlicher Richtung, unter dem 30° 52' S. B. und 147° 8' Ö. L., etwa 90 englische Meilen NNW. von Mount Harris entfernt, in den Darling mündet. Ob dieser Fluß seine südliche Richtung behält, oder westlich sich wendet, konnte wegen der steigenden Schwierigkeiten, besonders wegen Mangels an süßem Wasser nicht erforscht werden, da Salzquellen seine Gewässer ungenießbar machen. Dies war auch ein Grund, weshalb die zweite Expedition nach dem Murrumbidschi abgeordnet wurde, der unter dem 31° Br. und 149° L. entspringt und westlich in den Murrayfluß fließt, dessen Lauf zu bestimmen die neue Aufgabe war, wozu Sturt am 3. November 1829 mit einer gleichen Begleitung abging. Er konnte indessen nur so weit vordringen, um zu sehen, daß in derselben Länge, wo die andern Flüsse sich in Sümpfe verwandeln, der Murrumbidschi noch lustig einherströmte; auch erfuhr er, daß derselbe den Lachlan aufnimmt, was für eine bedeutende Senkung des Landes gegen Süden spricht. Die interessantesten Mittheilungen über die Eingeborenen, über die Beschaffenheit des Landes u. s. w. begleiten diese geographisch nicht unwichtigen Resultate.

Literarische Notizen.

Von Rozet's „Voyage dans la régence d'Alger" ist der dritte Band und die dritte Lieferung des Atlasses erschienen. Von Taylor's „Voyage pittoresque en Espagne, en Portugal, et sur la côte d'Afrique, de Tanger à Tétouan" ist die erste Lieferung ausgegeben. Das Werk ist auf [illegible] Lieferungen berechnet.

Die vor Kurzem erschienenen „[illegible] de Nubie en 1828 et 1829", von [illegible] den eine Angabe von drei bisher [illegible] erhalten.

Die neue Ausgabe der „Oeuvres de J. Delille", mit Anmerkungen von Parseval-Grandmaison, de [illegible], [illegible] Gouffier, Aimé-Martin, Descuret, ist mit der [illegible] vollendet. Sie kostet 80 Fr.

Blätter

für

literarische Unterhaltung.

Dienstag, —— Nr. 253. —— 10. September 1833.

Die hohe Braut. Ein Roman von H. Koenig. Zwei Theile.

(Beschluß aus Nr. 252.)

Auf der andern Seite des Romans, wir könnten sagen auf der legitimen, treten uns nicht minder treffende Bilder entgegen. Die Hofhaltung des Königs Victor Amadeus zu Turin, die um diesen Zeitpunkt der französischen Revolution ein so bewegtes Schauspiel darbot, ist meisterhaft geschildert; das Thun und Treiben der emigrirten französischen Noblesse, die hier einen Zufluchtsort gefunden, wird mit Laune und Ironie in manchen pittoresken Figuren veranschaulicht; vor Allem aber verdient die hier uns begegnende Portraitirung des Grafen Artois, der sich hier ebenfalls genial, liederlich, leichtsinnig und selbst liebenswürdig herumbewegt, sodaß man den nachmaligen Karl X. in ihm kaum ahnen möchte, unsern lebhaftesten Beifall. Die Einführung dieser Gestalt in den Roman ist im höchsten Grade glücklich und gelungen zu nennen, weil die Beziehungen zur Gegenwart, die sich daran knüpfen, so lebhaft sind; wie denn dies überhaupt mit zu dem uns so nahe tretenden Interesse dieses Romans gehört, daß sich aus jenem Zeitstoff oft auf die nachdrücklichste Weise und wie von selbst Anspielungen auf die nächste Zeitgeschichte unserer Tage herübertragen, die der Verf. nicht selten mit trefflichen Witzkörnern gewürzt hat.

Wir können uns nicht enthalten, folgende zur Charakteristik des Grafen Artois dienende Gesellschaftsscene, zu der er sich mit lustigen Brüdern am Charfreitag um ein üppiges Mahl vereinigt hatte, dem Buche hier zu entnehmen:

Meine Herren, sprach der Prinz (Graf Artois) mit spaßhafter Feierlichkeit, da wir heut so gute Gelegenheit haben, uns der löblichen Frömmigkeit des Fastens zu befleißigen, so dürfen wir auch die Weisheit unserer Mutter Kirche nicht ungerühmt lassen. Die Kirche oder Niemand in der Welt hat es verstanden, in allen Stücken zwei Vortheile mit Einem Wurf zu gewinnen. Hören Sie mich, meine Herren! Können wir nicht den Adel und den Pöbel im Staat mit den mündigen und unmündigen Geschwistern in einem Haus vergleichen?

Viel Gnade für den Pöbel! wendete Einer ein, wenn der Adel sein Bruder sein will.

Ich bin heute gnädig gestimmt, versetzte der Prinz, und es ist auch ein Tag für gute Werke; vor Allem aber gilt mir's um meinen Vergleich. Also Unmündige und Mündige. Die Unmündigen müssen geleitet werden, das versteht sich. Dazu sind nun Kirchengebote, vor Allem das Fasten, ganz vortrefflich. Man kann das rohe Volk nicht besser bewältigen, als wenn man sich seines Magens bemächtigt. Der Magen wird an das Gewissen geknüpft, und dann geht der rohe Mensch mit diesem Quer- und Doppelsack wie ein ungleich bepackter Esel durchs Leben. Ungleich, sage ich, denn je mehr er in sein Gewissen nimmt, desto leerer muß er den Magen lassen. Glauben Sie mir, meine Herren, der Pöbel wüßte gar nicht, daß er ein Gewissen hat, wenn es nicht mit seinem Magen in Verbindung gebracht würde. Wenn dem Bauer der Magen knurrt, wird er sich bewußt, ein rechtschaffener Christ zu sein. Wie sieht es nun aber mit den Mündigen aus? werden Sie fragen; gelten denn auch für sie jene Kirchenvorschriften, z. B. das Fasten? Nicht anders, meine Herren! Nur ist hier der Fall umgekehrt, sodaß nämlich der Magen durch das Gewissen gereizt werden muß. Bei dem Pöbel ist der Magen um des Gewissens willen, beim Adel das Gewissen um des Magens willen da. Sie begreifen es nicht gleich! Sagen Sie mir doch, meine Herren, ob uns nicht bei den vielfältigen guten Bissen, an denen es uns nie gebricht, das Essen zuweilen zum Ekel wird? Sehen Sie, darum werden uns von der besorgten Mutter Kirche von Zeit zu Zeit gewisse Speisen verboten, weil eben das Verbotene reizt und am besten schmeckt.

Als man dem Prinzen Beifall zulachte, reichte er den Lachern Schüsseln mit Fleischspeisen hin, indem er sie bat, einen so günstigen Charfreitag nicht unbenutzt zu lassen.

Was gilt denn nun aber von den Pfaffen? fragte der Baron von Quinto. Wir können sie nicht zum Pöbel rechnen, und doch dürfen sie auch die Fastengebote nicht übertreten wie der Adel.

Baron, antwortete der Prinz, Sie legen es ganz darauf an, mich zum Lobredner der Kirche zu machen, denn eben entdecke ich ja noch eine dritte Seite ihrer Fastenpolitik. Da nämlich die Pfaffen den Weizenzehnten zu beziehen haben, so könnte nichts Klügeres geschehen, als durch öfteres Verbot des Fleisches die Klöster zu nöthigen, desto mehr Ueppigkeit auf die Mehlspeisen zu verwenden und dadurch den Werth des Weizenmehls zu steigern. Wem verdanken wir diese Mannichfaltigkeit leckerer Mehlspeisen als den Klöstern und mittelbar der christlichen Kirche? Mehlspeisen sind etwas Christliches, besonders auch in der Oblatenform. Ich fasse nun Alles zusammen und sage: zum Unterschied von dem ungleich bepackten Pöbel ist der essende Pfaff ein gleich bepacktes Maulthier, weil er es versteht, dem Gewissen und dem Magen zugleich genugzuthun. Der Adel allein ist demnach frei zu nennen, indem er sich über alles Verbotene hinaussetzt und alles Köstliche zu genießen weiß.

Diese letzte Erklärung lasse ich mir gefallen, mein Prinz, versetzte der Baron Quinto. Als ich aber vorhin Ihre Lobrede auf die Kirche anhörte und, andächtig bewegt, von diesem Wildpret kostete, glaubte ich schon, die Prophezeiung der Wahrsagerin von dieser Nacht wolle an Ihnen in Erfüllung gehen.

Alle stutzten und sahen einander verwundert an. Der Prinz lachte und hieß den Baron die Geschichte erzählen. Nahe am Thore von Susa wohnte eine alte Wahrsagerin, Sabina, die, von den Bürgern gescheut oder verachtet, in den höhern Kreisen viel Aufsehen machte und mehr oder weniger heimlich um Rath gefragt wurde. Der Prinz war neugierig auf sie geworden und hatte sie mit dem Baron in jüngster Nacht besucht, da sie ihm denn manches Geheime aus seinem vergangenen Leben andeutete, was, wie der Prinz erklärte, Niemanden in der Welt und kaum seinem vertrauten Kammerdiener bekannt sein konnte. Als nun der Prinz dadurch in ein ängstliches Staunen versetzt war, hatte sie ihn denn auch einen Blick in die Zukunft thun lassen und zuletzt die feierliche Warnung ausgesprochen: „Hüte dich, Karl, vor Priestern und Jesuiten; laß sie dir die Füße, nicht aber den Kopf waschen, sonst nehmen sie dir dabei die Krone Frankreichs ab."

Es ist eigens peinigend, sagte der Prinz zu der verwunderten Gesellschaft und sah selbst sehr verblüfft aus. Die Geheimnisse der Vergangenheit sind ihr bekannt, und so nöthigt sie uns auch für ihre Vorhersagungen einen beängstigenden Glauben ab. Und doch wo in aller Welt ist nur eine Spur von Anlagen zum Betbruder und Pfaffenknecht an Karl von Bourbon, an dem liederlichen Artois zu entdecken? Wenigstens müßten doch die Fäden des Aberglaubens, aus denen die Pfaffen ihre Leitseile spinnen, an mir wahrzunehmen sein.

Der Baron Quinto ließ sich wegwerfend über die Prophezeiung und die Prophetin aus, worauf der Prinz erwiderte: Dem sei nun wie ihm wolle; falls aber das Undenkbare doch in Erfüllung zu gehen bestimmt ist, so wollen wir wenigstens die Mädchen dafür sorgen lassen, daß den Pfaffen einst so wenig Gutes wie möglich an mir übrigbleibe.

Sollen wir noch etwas tadeln, so ist es, daß der Dichter den Eindruck des Ganzen durch zu viel unnütze Zwischenhandlungen, die den Raum der Darstellung etwas vollgepfropft erscheinen lassen, gestört hat. Die ganze Episode von der deutschen Baronsfamilie hätte fast fortbleiben können, mindestens die zu umständlich ausgeführte Bekehrungsgeschichte der katholisirenden Baronin Großmutter, die freilich witzig genug abläuft und ein Lieblingsthema des Verf. wiederzuklingen scheint. Indeß des Vortrefflichen in diesem Roman ist so viel, daß ihm eigentlich nichts bei uns zu schaden vermag. Einzelne Provinzialismen der Sprache abgerechnet, erscheint auch der Styl kraftvoll, reich, nervig und für den mannichfaltigsten Ausdruck gebildet, wie er in wenigen deutschen Werken der neuesten Zeit angetroffen wird. 58.

Opere di *Silvio Pellico da Saluzzo*. Zweiter Band. *) Padua 1831. **)

Wenn der neue Trauerspieldichter Italiens, Silvio Pellico in seinem Vaterlande viel allgemeinern Volksenthusiasmus erregte als ehemals Alfieri und noch früher Maffei; wenn die Arbeiten dieser mehr gelesen und bewundert als dargestellt und genossen wurden, so mag es wol daher kommen, daß er meistens den Stoff aus Italiens Geschichte selbst nahm und so das Volksinteresse besonders in einer Zeit rege machte, wo der Italiener allenthalben mit den Ideen von der Unabhängigkeit, von der Selbständigkeit seiner Halbinsel beschäftigt ist. In dem zweiten Theile seiner Werke haben wir ein Trauerspiel und vier Cantiche. Das Trauerspiel gehört zu den besten, welche je auf Italiens Bühne gebracht worden sind: „Iginia d'Asti", ein furchtbares Gemälde aus den Zeiten der wüthenden Kämpfe zwischen Ghibellinen und Guelfen; ergreifend durch die Handlung, hinreißend durch die Sprache, durch die Situationen, fesselnd durch die mannichfachen Charaktere, erschütternd durch die Katastrophe. In der Stadt Asti *) hat eben der Consul Evrardo seine auf ein Jahr beschränkte Regierung niedergelegt, aber die Stimmen fielen wieder auf ihn und seinen heimlichen Nebenbuhler Glano zu gleichen Theilen, und das Loos soll entscheiden, ob er wieder an der Spitze stehe, oder dieser. Der Senat hat jedoch zugleich das Gesetz gegeben, daß jeder des Todes sterben soll, der einen Guelfen Aufenthalt verleiht, und ehe das über die Consulwahl gezogene Loos entscheidet, soll dies von den beiden Candidaten beschworen werden. Alle Worte des milden Arnoldo, des Bruders von Evrard, um das Grausame dieses Gesetzes darzustellen, waren umsonst gewesen:

— — Al genitore
Che il traviato suo figlio ricovra,
Più l'esiglio non basta! È reo di morte,
Chi di natura non calpesta i dritti,
E al patibol la sua prole non tragge!
Il fratello al fratello il seno squarci,
E la sposa allo sposo, e il figlio al padre,
O rei fansi di morte! —

Die Parteienwuth war mächtiger als die Stimme der Vernunft und Mäßigung. So suchte er denn nur den ehrgeizigen Bruder abzuhalten, den Eid abzulegen, und ihn zu bereden, auf das Consulat zu verzichten, denn unter den vertriebenen Guelfen sei einer:

Ch'ebbe parenti ghibellini, e il sangue,
Che correa nelle vene a que' parenti,
In nostra madre pur corse —.

Noch mehr: Evrard hatte diesem Guelfen, ehe er zu dieser Partei sich schlug, die eigne Tochter zur Gemahlin versprochen, und noch ist in dem Herzen der Jungfrau die Liebe nicht verloschen. Doch der Ehrgeiz überwindet alle Bedenklichkeit. Er schwört, er greift in die schicksalsschwere Urne und zieht das Loos. Schon aber ist das Schicksal bereit, ihn und sein ganzes Haus zu zermalmen. Giulio, der Guelfe, der Iginia, Evrard's Tochter hatte heimführen sollen, kam heimlich nach Asti und ward vom Nebenbuhler des Consuls wohl erkannt. Was aber will er? Im zweiten Acte erfahren wir es. Er bahnt sich auf dem Balle, den der Consul gibt, den Weg zu Iginia, ohne von der Erzieherin derselben, Roberta, abgehalten werden zu können, und die Jungfrau bekämpft vergebens die gefährliche Neigung, welche in ihrem Herzen für den [illegible] della patria glüht; denn hat er nicht im Kampfe das Leben ihres Vaters geschont, hat er ihm nicht die Freiheit [illegible], und alles dies ihretwegen? Und weshalb kam er jetzt, [illegible] den aufs Spiel setzend? Ihr und ihm noch einmal [illegible] zu sichern, denn:

Sui Ghibellini impreveduto nembo
Rugge!

Ein furchtbares Unternehmen ist im Werke. Die Guelfen, mit vielen Bürgern der Stadt vereint, [illegible] Morgens, die Herrschaft der Ghibellinen zu stürzen [illegible]

Dann fallen nur die Bösen fallen, [illegible]
Doch alle nicht; ich werde [illegible]

Kaum hat sie das Schreckliche erfahren, als [illegible] Giulio wird schnell verborgen; aber schon tritt der [illegible] Glano herein. Der Consul hört mit Schmerzen und [illegible], daß Giulio in seinem Palaste sein soll; bald hört er, [illegible] nur durch einen Sprung vom Balcone dem [illegible] Glano entgangen war, und jetzt [illegible] Unglück einbrechen, das der Ehrgeiz [illegible] Iginia [illegible]

*) ed ultimo sagt das letzte Wort S. 175. Dies bezieht sich aber nur auf die bereits damals einzeln im Drucke verbreiteten Arbeiten. Seit diesem vol. ultimo ist ein dritter in Turin erschienen, auf den wir später noch zurückkommen.

**) Vgl. über den ersten Band Nr. [illegible] d. Bl. D. Red.

*) Am Tanaro, jetzt von 21,000 Menschen bewohnt.

herin Roberta wird im Namen des unmenschlichen Gesetzes vor den Augen des Consuls verhaftet, der nur als Bürge für den Augenblick die Freiheit der Tochter bewirken kann. Groß ist sein Kampf zwischen Ehrgeiz und Vaterliebe, denn Alles hat er für die Tochter gethan; geglaubt hat er, daß Fürsten sich um ihre Hand bewerben sollen, daß ihre Söhne einen Thron besteigen können. Fast sollte man glauben, daß hier Wallenstein's Bild dem Dichter vorschwebte. Er fleht sie an, ihm Alles zu entdecken und, so Roberta preisgebend, sich zu retten, ihm den Weg zur Macht zu bahnen, denn dann:

Liberator della città m'appello.
Liberatore prence è un titol solo!

Gern theilt sie ihm mit, was sie von Giulio erfuhr, doch Roberta's Schicksal will sie theilen, und in dem Augenblick erscheint der böse Genius ihres Vaters, Giano, sie ins Gefängniß zu holen. Der Senat hat es so, auf seinen Rath hin, befohlen. Doch das Verhör zu leiten, ist dem Vater zu schwer. Sein Bruder führt die Unglückliche den Richtern vor, und ein edler Wettkampf zwischen Roberta und Iginia beginnt. Jede will sich allein die Schuld beilegen, von Giulio's Gegenwart etwas gewußt zu haben. Iginia's Geist wird vor Jammer und Schmerz irre. Das Urtheil lautet: Tod für Beide, und der Consul wird geholt, es zu unterzeichnen. Alle entfernen sich; sein Todfeind allein beeilt sich triumphirend, es ihm zu übergeben. Teuflisch tritt hier der Charakter dieses Ungeheuers hervor:

Du wolltest herrschen? — So viel kostet Dir
Der hohe Consulstuhl! —

sagt er ihm höhnend. Der Kampf Everard's zwischen Vaterliebe und Ehrgeiz ist mit einer Meisterhand gezeichnet. Schon will er unterschreiben, aber der Muth entsinkt ihm; die herrliche Gestalt, die Milde, die Frömmigkeit der Tochter steht vor ihm:

— — Natur, du siegst!
Nein, so verhärtet kann der Mensch nicht sein!
Mein Haar ist grau? Bedarf ich noch des Thrones?

Doch der Teufel erscheint aufs Neue; mit Tagesanbruch müssen die Häupter der Schuldigen fallen. Schneidende Vorwürfe macht er dem unglücklichen Vater:

— — Wer rühmte sich,
Als Bürger unerreichbar dazustehn?
Wer stellte sich mit Stolz und Uebermuth
Den Andern stets als Beispiel dar?

Er läßt ihm nur die schauderhafte Wahl, der Henker seiner eignen Tochter und so der Abscheu Aller zu werden, oder selbst als Staatsverbrecher, als Mitwissender ihres Verbrechens zu erscheinen, und so entreißt er ihm gleichsam die Unterschrift. Das Schicksal des armen und des gefolterten Vaters eilt zu Ende. Zwei Bürger eröffnen den fünften Act. Es ist noch düsterer Morgen; der Eine erzählt dem Andern Iginia's Klagen um die Freundin, wenn die Vernunft auf Augenblicke zurückkehrt. Roberta ist die Glücklichere. Der Todesengel rief sie ab, als ihr Iginia's Geschick kund wurde, ohne daß der Henker sein Schwert nöthig hatte. Noch kann der Zuschauer auf Rettung der armen Liebenden hoffen, denn die Bürger harren nur auf Giulio's verabredetes Zeichen, und wilde Gährung herrscht unter Allen, als die Todtenglocke lautet. Beim Scheine der Fackeln öffnen sich die Pforten der Gefängnisse, aus denen zuerst mehre Bewohner Asti's zur Hinrichtung abgeführt werden. Mit ihrer Hülfe war Giulio über die Mauern entkommen, und darum büßten sie. Zuletzt erscheint Iginia, von ihrem milden Onkel Arnold geleitet und getröstet. Die ganze Scene hat von nun an ungemein viel Aehnlichkeit mit der, wo Schiller's Maria Stuart Abschied nimmt, und da Silvio Pellico der deutschen Sprache mächtig war, mag er sie wol vor Augen gehabt haben. Man höre nur:

— I tuoi amplessi
Prena, mia buona; Rienza e genitori,
E fratelli ti restano. Solinga
Io sulla terra rimanea. Bisogno
Ho di morir! — Laura — Eloisa, liete
Sieno, Eloisa, le tue nozze!

Das Zeichen, sie zum Schaffot zu bringen, wird gegeben. Da wankt sie hin, ergeben wie ein Lamm in ihr Geschick. Unmittelbar darauf tönt der Ruf in der Ferne: All' armi! all' armi! der Verrath im Innern bricht los, Giulio sprengt die Thore. Zu spät! Schon fiel ihr schönes Haupt. Der grausame Vater wird zu des von Schmerz und Rache zerrissenen Giulio's Füßen gebracht und stirbt vor Verzweiflung, ehe ihn noch Giulio's Schwert trifft, der fortstürzt, alle Ghibellinen zu morden. Die Bühne wird leer. Nur der sanfte Arnold bleibt und beklagt das Geschick der Stadt mit wenigen, ergreifenden Worten:

Oh la città divise orribil sorte!
Stragi a stragi succedano! Il buon cade
O inferocisce, ed emula i tiranni!

Welche Wirkung das Stück, gut dargestellt, auf der Bühne haben müsse, wird aus dieser Skizze wol abzunehmen sein. Wahrlich man sieht es ihm nicht an, daß es unter den Bleidächern Venedigs geschrieben sei. Gleich nachher begann der Dichter eine kleine Reihe Cantiche, wie er sie nannte. Sie rühren angeblich von einem Troubadour aus Saluzzo her, der im 12. Jahrhunderte lebte, ohne daß man weiter etwas davon erfährt. Es sollen den vier hier mitgetheilten „Pietose novelle", welche er sang, noch 16 andere folgen. Indessen erinnert die Sprache und Darstellung eben nicht an den Ton der Troubadours, und wir möchten fast meinen, daß der Dichter diese Maske vornahm, um ungestört im Kerker schreiben und gelegentlich seinen Klagen Luft machen zu können. Die erste, „Tancreda", erinnert wieder an Schiller's „Jungfrau von Orleans." Die Heldin wuchs in den Bergen Piemonts auf bei ihrem Vater, der seinem Lehnsherrn untreu geworden war und deshalb bittere Reue fühlt. Er hatte sich zu den Arabern gewendet und durch seine Mannschaft ihnen den Sieg verschafft, aber Hohn statt des erwarteten Lohnes geerntet. Jetzt will er wieder gut machen, was er verbrach. Tancreda läßt sich nicht bewegen, zurückzubleiben, so sehr er auch bittet und fleht, denn:

— Più di lui possente è il divin cenno,
Che in Tancreda commanda. Invasa, assorta
In non terreni sguardi a intelligenze
Invisibili parla.

Schon dies wird unsere Parallele mit Schiller's Jungfrau rechtfertigen. Aber der Ruf einer „ispirata vergin guerriera" verbreitet sich schnell unter den Hirten. Alle eilen gegen ihre Unterdrücker zu den Waffen

E cui dubbia è di dio la onnipotenza,
E disdegnoso a umil donzella niega
Farsi seguace e a sue promesse insulta,
Irredimibil fia preda di morte!

Wir könnten die Parallele noch viel weiter belegen. Höchst dramatisch rettet sie dem Ritter Lionel, dem Sohn vom Herrn des Landes, im Kampfe das Leben. Als Siegerin steht sie da, vorher der unerschrockenen Löwin „gleich und jetzt ein zitternd Lamm". Sie entbrennt von Liebe zum Geretteten, aber, dem Himmel verlobt, und „de' suoi prodigj stromento" erstickt die Flamme des keuschen Herzens, und als ihr Vater bei einem Ausfalle der Sarazenen blieb, als sie an dem Herrscher der Ungläubigen seinen Tod gerächt hatte, verschwindet sie. Keiner, auch nicht der trostlose Lionel, sah sie wieder.

— Al cielo —
La santa col suo fido angiol volava.

Daß die ganze Sage höchst romantisch bei aller Einfachheit und höchst ergreifend in den einzelnen Momenten sei, wird dies Wenige angedeutet haben. Eben dies von der zweiten Cantica: „Rosilde", gesungen vom Troubadour, als er unglücklich und vom Vaterlande fern lebte, weil er vermuthlich den Zorn des Kaisers Friedrich rege gemacht hatte. Hier vornehmlich scheint uns Pellico die Maske des Troubadours vorgenommen zu haben, seine Klagen auszustöhnen. Rosilde ist die Gemahlin eines Ritters; als sie von einer Krankheit befallen ist, gelobt dieser für ihre Rettung nach Rom zu wallfahren. Sein Flehen wird erhört, aber auf der Wallfahrt fällt er einem Hunnen in die Hände, der in der Ebene dem Reisenden auflauert und von ihm ein ungeheures Lösegeld verlangt. Rosilde verwandelt Alles in Geld, aber es reicht nicht. Er entläßt ihren Gemahl, um nun sie zurückzuhalten und sie mit seiner Liebe zu verfolgen, bis der Theure gewaltsam die Mauern der Raubburg sprengt, aber das treue Weib getödtet findet.

> — Fra pochi anni recisa
> Fu dal dolor la vita di quel prode;
> Chiuse le sue infelici ossa nell' arca
> Tanner, dov' eran di Rosilde ossa.

Die Situationen von Rosilde's Gatten geben aber dem Dichter eben die beste Gelegenheit, alle Leiden eines Gefangenen und also seine eignen mit lebendigen Farben zu malen. Oft glaubt man von den Schilderungen, welche er in seinen Denkwürdigkeiten vom Aufenthalte unter den Bleikammern Venedigs, von den Casematten des Spielbergs in Prosa entwirft, das poetische Bild wiederzuerkennen. So steht der unglückliche Gefangene

> — — Alle doppie
> Sbarre aggrappato della sua finestra,
> Ed ore ed ore immobilmente figge
> Sovra l'ampio orizzon l'occhio bramoso.

Die Scene, wo sich Pellico ans Fenster in der Bleikammer *) klammert, wo er auf dem Spielberg in das Thal auf solche Art hinabschaut **), wird jedem Leser dabei einfallen. Ebenso schildert er das unnennbare Bedürfniß des Menschen, Menschen mindestens zu sehen, zu hören, das in seinen Denkwürdigkeiten an mehr als einem Orte so ergreifend dargestellt ist:

> — — E un indistinto
> Tormentoso, bisogno al solitario
> Il veder l'uomo — almen da lunghe.
> Anco i nemici quasi ama, se ascolta
> Lor selvaggia canzon, —
> Che pur l'ungaro canto è umana voce!

Die ganze nun folgende Stelle, welche den Gedanken in Bildern weiter ausführt, gehört zu dem Schönsten, was ein Dichter schuf, wie denn überhaupt diese Cantica einen Ueberfluß an Gemälden häuslichen Glücks, ehelicher Liebe, gegenseitiger Hingebung im Gegensatze wilder Raublust und Grausamkeit hat, den uns nur leider der beengte Raum nicht anzudeuten erlaubt. Freunde der italienischen Dichtkunst müssen sich schon gedulden, bis ein Nachdruck Pellico's Arbeiten in viele und auch ihre Hände bringt, wenn sie nicht Gelegenheit haben, das Original zu beziehen. Die dritte Cantica: „Eligi und Valafrid", scheint ein Seitenstück zur „Bürgschaft" unsers Schiller zu sein. Man verstehe uns nicht unrecht. Pellico hat hier keine Nachahmung gegeben. Die Verwandtschaft der Idee kann sogar ganz zufällig sein. Eligi und Valafrid sind von frühester Jugend an Freunde, bis sie als Ritter in verschiedene Dienste treten. Jener ist am Hofe des Königs von Burgund, und als dieser von Valafrid im Kampfe verwundet wird, befiehlt er, daß hinfort jeder seiner Vasallen vornehmlich den kühnen Feind angreife. Dem will sich Eligi als Freund von ihm nicht fügen. Im Gegentheil, als im nächsten Treffen Valafrid gefangen wird, läßt er ihn frei. Dafür soll er nun mit dem Tode büßen und, was noch schlimmer ist, vorher alle Ritterehren verlieren. Als aber das schreckliche Urtheil vollzogen werden soll, erscheint Valafrid, den Freund zu retten. Sich selbst überliefert er dem zürnenden König, und dieser handelt, wie Dionys der Tyrann:

> Sorgete, ergi, sorgete! Ahi! dove tratto
> Venn' io dal ira?

*) Denkwürdigkeiten, S. 113.
**) A. a. O. S. 109.

Was außer dieser Hauptidee in der dritten Cantica besonders anzieht, ist der Charakter eines Eremiten, der dem gebeugten Eligi im Kerker die letzte Beichte abnimmt und ihn zu dem schmähligen Tode vorbereitet. Mit seinem Eintritte in das Gefängniß beginnt höchst dramatisch die Cantica. Höchst dramatisch sagen wir; denn in der That scheint Pellico nicht lange erzählen zu können. Alles gestaltet sich gleich bei ihm zu Gespräch und Handlung, und namentlich ist diese ganze Cantica so gehalten. Am mindesten hat uns die vierte: „Adello", zugesagt. Hier ist die Handlung sehr gedehnt, das Interesse getheilt und das Ende nicht der Erwartung entsprechend. Adello ist ein junger Ritter, der aus Piemonts Alpen nach Italien hinabzieht, bei einem reichern Ritter Dienste nimmt und sich in dessen Töchterlein verliebt, bis er sie nach mancherlei Fehden und Abenteuern als Gemahlin eines Andern wiederfindet, um sie bald nachher verwelken zu sehen. Sein Schicksal selbst verfiel dem Kreise der Sagen, welche voneinander abweichend berichten. 195.

Miscellen.

Es wäre zu wünschen, daß Schriftsteller und Redactoren bei biographischen Notizen oder Angabe von Citaten sich der größten Genauigkeit befleißigten. Beides ist bei einiger Kenntniß sehr leicht. Dennoch citirte neulich eine belletristische Zeitschrift den bekannten Vers Virgil's:

> Iliacos intra muros peccatur et extra

mit den Worten peccatur intra et extra (als Beweis freimüthiger Metrik), und eine andere etwas einschläfernde Zeitung die poetische Wahrheit desselben Dichters mit den Worten

> Sunt lacrymae rerum mentemque mortalia tangunt.

In der Wahrheit, d. h. in der Lebendigkeit ist freilich das Sterbliche sehr kurz, aber in der Verskunst wenigstens die erste Sylbe in mortalia lang. Daß dieselbe Zeitschrift den Geburtstag des Schriftstellers von Justi nicht wußte, ist verzeihlich. Geschichtsforscher, sie mögen nun um der Wissenschaft willen oder wegen Belehrung und Erheiterung in den Quellen der Vergangenheit schöpfen, sollten mit Strenge und Umsicht die Wahrheit aufzufinden suchen. Ist diese Ansicht nicht abzuleugnen, so ist es zu verwundern, wie Münch in der „Geschichte der neuesten Zeit" (Heft 2, S. 107) die Birmanen von Asien nach Afrika versetzen, und der pseudonyme * r die Worte des Tacitus: „in pedite robur est" (Ann. I, 60, 67), mit „Schuhe machen den Soldaten" übersetzen kann, da es doch nur von dem Fußvolke zu verstehen ist.

Der Mensch lerne am Thiere, nicht blos in der Fabel, sondern in der Wirklichkeit! Plinius („Hist. nat.", VIII, 50) erzählt, daß auf einem schmalen Stege über einen reißenden Strom eine Ziege der andern begegnet sei; aneinander vorbeizugehen sei unmöglich und umzukehren gefährlich gewesen. Was nun zu thun? Die eine habe sich geduldig niedergelegt und die andere über sich hinwegschreiten lassen. Wenn die Menschen, setzt Plinius hinzu, auf diese Weise einander auszuweichen verständen, dann würde es weit weniger Streit, Verwirrung und Mißvergnügen geben! Merken Sie sich diese Lehre, meine Herren Parteimänner!

Nichts deutet den Charakter der Franzosen trefflicher an, als was Sterne in „Yorick's empfindsamer Reise" von seinem Friseur sagt, der auf die geäußerte Befürchtung, daß die eine Locke nicht halten werde, erwiderte: Sie mögen sie in den Ocean tauchen, und doch wird sie halten. Auch hier liegt, wie in den Worten: „Vive l'empereur," vive le roi", bei der Feier der Julitage 1833 das Große mehr in den Worten als in der Sache!

Was Hilarius (lib. VII „De Trinit.") sagt: „Hoc ecclesiae proprium est, ut tum vincat, cum laeditur, tum intelligat, cum arguitur, tum obtineat, cum deseritur", gilt mit vollem Rechte von der protestantischen Kirche. 15.

Blätter für literarische Unterhaltung.

Mittwoch, —— Nr. 254. —— 11. September 1833.

Allgemeine Geschichte der neuesten Zeit, von dem Ende des großen Kampfes der europäischen Mächte wider Napoleon Bonaparte, bis auf unsere Tage, von E. Münch. Sechs Bände. Ersten Bandes erste bis dritte Lieferung. Stuttgart, Scheible. 1833. Gr. 8. Subscriptionspreis jeder Lieferung 5 Gr.

„Die Zeit ist eine Sphinx, die sich in den Abgrund stürzt, wenn ihr Räthsel gelöst ist", sagt ein geistreicher Deutscher. Aber die räthselgebende Sphinx ist die griechische, geflügelte, nicht die flügellose ägyptische mit dem Männerkopfe am Löwenrumpfe; sie kann also wiederkehren und ist wiedergekehrt, so oft eine neue Lebensfrage an die Menschheit zu thun war. Solche Lösungen mögen Epochen der Geschichte machen. Als in dem großen Quadriennium von 1812—15 die Frage verneinend gelöst wurde, ob im 19. Jahrhunderte noch eine Weltmonarchie in dem Sinne der Perser, Römer, Hunnen, Mongolen, oder auch nur Karl's des Großen möglich sei, hat sich das räthselhafte Ungeheuer zum letzten Male zugleich mit seinem Helden in das Meer gestürzt. Aber nicht für immer; sie hat nur ihren unglücklichen Oedipus als Prometheus den Zweiten an den Felsen von Helena geschmiedet, wo auch der leberfressende Adler ihm nicht fehlte, wol aber der erlösende Hercules. Statt seiner kam ein anderer Götterbote, der Mercurius Psychopompus. Die Sphinx aber ist wieder im Anzuge.

Die Eintheilung der Geschichte in alte, mittlere und neue ist bekannt und angenommen, wenn auch die Grenzen noch verschieden gezogen und Unterabtheilungen auf abweichende Art gemacht werden. Jetzt aber stellt sich eine neue Eintheilung der neuen Geschichte seit dem 16. Jahrhunderts heraus. Man ist ziemlich allgemein übereingekommen, eine neuere Geschichte von der französischen Revolution an zu datiren. Wie die Reformation oder die geistige Revolution des 16. Jahrhunderts die Hierarchie zu brechen und kirchliche und religiöse Freiheit wiedereinzuführen trachtete; wollte man in der Revolution die Bande der Feudalität vernichten und zu bürgerlicher und politischer Freiheit sich emporringen. Wie es der Reformation nicht an Gegnern fehlte, und diesen nicht an Bollwerken, welche in der Inquisition, den Jesuiten, tridentiner Schlüssen, schmalkaldischen Kriegen gegen jene aufgeführt wurden, so hat auch die Revolution ihre Reactionen in Coalitionen, Bücherverboten und Censuren, Congressen und ähnlichen Dingen gefunden; wie der gereinigte Lehrbegriff aber zu einer Zwingherrschaft der symbolischen Bücher führen wollte, führte die Revolution die politische Zwingherrschaft der Franzosen herbei. Wir haben die Schriften der Reformatoren ins Feuer, die Schriften der Revolutionsmänner in verschlossene Kasten, oder, wie in München, in Schweinshäute wandern sehen, um gleich im Aeußern das Verächtliche ihres Ursprungs anzudeuten. Doch dort wie hier konnte der Geist nicht gebannt werden; aber im Kampfe mit dem Gegentheil läuterte sich die Wahrheit heraus, dort wie hier mußte man sich zu Concessionen oder zur Toleranz entschließen, und selbst das Alte gewann, weil es nur noch in einer gemilderten Form sich aufrecht erhalten konnte.

Herr Münch — ein Mann, der viel erlebt und so viel und vielerlei geschrieben hat, daß er einen Recensenten allein beschäftigen könnte; der aber überall einen Geist zeigt, der von den Erscheinungen, die er beschreibt, menschlich ergriffen ist, nach Unabhängigkeit in seinen politischen Ansichten unverkennbar strebt, ohne einen vornehmen Indifferentismus zu heucheln, dem die Ignoranz und Geistesarmuth so gern als Aegide vorhält — hat sich durch „hochachtbare Stimmen im Publicum und innig geliebter Freunde" gedrängt und gedrungen gefühlt, neben den noch fortlaufenden andern schriftstellerischen Unternehmungen, von denen, wenn wir nicht irren, die meisten bereits in d. Bl. besprochen worden sind, auch eine „Allgemeine Geschichte der neuesten Zeit von dem Ende des großen Kampfes der europäischen Mächte wider Napoleon Bonaparte bis auf unsere Tage" in sechs Bänden zu schreiben. Er statuirt also eine neueste Zeit, sodaß wir nun bereits eine neue, neuere und neueste Zeit haben. Zu dieser kommt nun in der That gar, und zwar noch vor dem Jetzt der Gegenwart, welches auch schon an Venturini, Schneller, Buchholz, Mengel u. A. seine Beschreiber gefunden hat, eine allerneueste Zeit, wenn man annehmen muß, daß die zweite französische Revolution mit ihren Folgen und Nachahmungen wieder einen Abschnitt oder eine Epoche bildet. Auch haben wir in der That gegen eine solche Eintheilung der Geschichte wenig einzuwenden, wenn man sie als Gedächtnißhülfsmittel, als eine Art Fachwerk in dem Archive unserer Erfahrungen betrachtet und ein durchgreifendes Theilungsprincip anwendet. Nur kann sie mit dem Fortrücken der Jahre nicht bleibend sein, sondern wird sich später Zusammenschmelzungen in größere Zeitmassen wieder gefallen lassen müssen.

Auf einige sich nothwendig aufdringende Fragen, z. B. ob unsere Tage schon zu einem solchen Unternehmen geeignet und reif sein möchten; ob jetzt schon, trotz der unzähligen Denkwürdigkeiten, Memoiren, Biographien, die innern Fäden der Thatsachen gehörig nachgewiesen werden können; ob der Geschichtschreiber sich selbst schon so über die Begebenheiten zu stellen vermöge, daß er sie besitze, nicht sie ihn; ob die politischen Verhältnisse der Art seien, daß auch die erkannte Wahrheit gesagt werden dürfe, selbst wenn sie bitter schmecke, herbe Lehern gebe, oder große Blößen aufdecke — darauf gibt der Verf. zum Theil in dem Vorworte einige Antwort, und da dieses dem Leser den Maßstab des zu Foderenden wie des zu Leistenden an die Hand gibt, da das Geleistete später an die vorausgemachten Versprechungen gehalten werden muß, so ist es billig, auch hier mit diesem Vorworte selbst eine nähere Bekanntschaft zu machen.

Sehr wahr wird bemerkt, daß der Strom der Ereignisse in steigendem Verhältnisse so riesenhaft anschwelle, daß selbst Theilnehmer daran von alle dem Einzelnen, was an ihnen vorüberging, kaum eine bleibende Erinnerung sich bewahren und von dem Ganzen eine vollständige Uebersicht gewinnen mögen, daß also eine schriftliche Verzeichnung, kritische Sichtung des Wesentlichen vom Außerwesentlichen, klare, lebendige Aufstellung der mannichfachen Gruppen von Epochen, Systemen, Revolutionen und Reactionen, Parteien und Parteihäuptern, Kämpfen und Tragödien, Friedensschlüssen und Congressen und von den hervorstechendsten Charakteren im Guten wie im Schlechten und deren Werkzeugen und Opfern höchst nöthig sei. Gefahr drohe der Wahrheit nicht blos durch die Entstellungen des Parteigeistes, sondern auch von Seiten der Machthaber und Stimmführer und deren Leidenschaften. Mit allen diesen Schwierigkeiten und Hindernissen bekannt, will es dennoch der Verf. „versuchen, in diesem Werke von Zeitgenossen zu Zeitgenossen zu reden, als gehörten sie einem andern Geschlechte an, und als lägen ihre Begebnisse und Schicksale ein halbes Jahrhundert weiter von ihm entfernt. Die zerstreuten einzelnen Züge sollen zu einem möglichst getreuen Spiegelbilde gesammelt und alle Stimmen und alle Ansprüche vernommen werden." Die Darstellung soll einen leidenschaftslosen und unbefangenen Charakter erhalten; der Verf. will zu vergessen suchen, daß auch ihn Begeisterung und Unwille, Liebe und Haß für und wider Personen und Systeme mannichfach erfaßt habe. Wie in einem historischen Drama sollen die Parteien mit sich und über sich redend aufgeführt, mit Gründen und Gegengründen, hingestellt und vernommen werden. Dann würdigt der Verf. sein Verhältniß zur Aufgabe, was er zu derselben an Erfahrungen, Ansichten und Kenntnissen, selbst an Vorarbeiten und Vorsätzen hinzubringe, unter denen er wiederholt anführt, daß er keiner Partei den Hof machen, keines der herrschenden Systeme einseitig umarmen werde. Auch werde er die ruhigste und würdigste, eine einfache zugleich und klare, Jedermann verständliche Sprache wählen und sich von Rücksichten keinerlei Art so leicht einschüchtern lassen. Schließlich verlangt der Verf., daß der Parteigeist sein Urtheil über ihn so lange, bis völlig ausgeredet worden, vertagen möge; diese einzige Gerechtigkeit fodere er von seinen Gegnern, während er ohne Gefahr vor billige Leser, die nicht zum Voraus den Stab zu brechen geneigt oder entschlossen sind, hintreten zu können glaubt. Der Ref. kann sich das Zeugniß geben, daß er gewiß nie die Billigkeit bei seinen Anzeigen aus den Augen gesetzt, noch weniger sich einer Partei hingegeben hat, glaubt also selbst vor Beendigung auch nur des ersten Bandes über die vorliegenden drei Hefte auf Verlangen referiren zu dürfen. Dadurch wird er sich aber nie das Recht verkümmern lassen, etwa weil Herr Münch eine Notabilität unter den Schriftstellern und deshalb vielleicht nach Einiger Meinung über allen Tadel erhaben ist, auch wenn es nöthig wäre, tadelnde Bemerkungen zu machen, oder vorgetragene Ansichten in Zweifel zu ziehen. Mögen dann der Herr Verf. und der Leser des Werkes selbst ihren Werth und ihre Wahrheit beurtheilen.

(Der Beschluß folgt.)

Grundzüge der Criminalpsychologie; oder: Die Theorie des Bösen in ihrer Anwendung auf die Criminalrechtspflege von J. C. A. Heinroth. Berlin, Dümmler, 1833. Gr. 8. 2 Thlr.

Das schätzbare Buch ist bestimmt, der Strafgerechtigkeitspflege auf doppeltem Wege zu dienen, indem es das moralische Bewußtsein des Menschen, worauf sich seine geistige Freiheit gründet, als das einzige untrügliche Kennzeichen und Merkmal nachzuweisen unternimmt, an welchem das Verbrechen, die Absicht Schaden anzustiften, erkannt werden kann und, darauf gestützt, die wahre Beschaffenheit gesetzwidriger Handlungen aufdecken will, die bisher, aus bloßen Krankheitsumständen abgeleitet, der Untersuchung des Arztes allein übertragen und seinem Schiedsrichteramte unterworfen wurden. Das letzte ist ihm unserer Meinung nach vollkommener gelungen als das erste; wie denn wirklich zuweilen großer Misbrauch mit dem unbedingten Vertrauen auf eine Wissenschaft getrieben wird, welcher Unfehlbarkeit beizulegen der besonnene Heilkünstler selbst weit entfernt ist. Wenn sich aber der Verf. in seiner Vorliebe für die Psychologie, der Niemand inniger huldigt als wir, bis dahin versteigt, ihr eine Unfehlbarkeit beizumessen, die uns die Schranken menschlicher Erkenntniß zu überschreiten scheint, so wagen wir nicht, ihm zu folgen, und erklären uns daraus, daß er auch in würdigen Rechtslehrern Gegner erblickt, mit denen bei einer gemäßigtern Ansicht leicht geworden sein würde sich zu verständigen. Der allgemeine Zweck menschlicher Strafgerechtigkeitspflege ist unleugbar Verminderung des moralischen Uebels in der Welt, und sie würde ihrer hohen wohlthätigen Bestimmung untreu werden, wenn sie im Vertrauen auf theoretische Speculationen irgend etwas unterließe, was diesen Zweck befördern kann und in ihrer Macht steht. Nun steht es nicht in ihrer Macht, allen Menschen die sittliche Vollkommenheit zu ertheilen, wodurch jeder Antrieb Böses zu thun verschwinden müßte; wol aber „ihnen die Ueberzeugung einzuflößen, auf böse That werde unausbleiblich ein Uebel folgen, welches größer sei als die Unlust, die aus dem nicht befriedigten Antriebe zur That entspringt". Das ist die Lehre Feuerbach's mit seinen eignen Worten, das ist die von dem

Verf. angefochtene Abschreckungstheorie, welche sich bestrebt Uebel zu entfernen, ehe sie zur Wirklichkeit heranreifen; und wir begreifen nicht, wie sie einem Beobachter der menschlichen Natur, dem die Ausführbarkeit einer Maßregel etwas gilt, anstößig sein könne. Wir wollen nicht über Worte streiten, wo es darauf ankommt, die Wohlthätigkeit und Anwendbarkeit gesetzlicher Einrichtungen zu erwägen. Mag der Verf. befugt sein, nur Das Verbrechen zu nennen, was in der Absicht geschieht, Andern zu schaden, so ist gleichwol klar, daß grobe Fahrlässigkeit und Uebereilung, mit Recht culpa lata genannt, wenigstens ebenso viel und, wie wir zur Ehre der menschlichen Natur hoffen, ungleich mehr Böses bewirkt als beabsichtigtes Vergehen, dolus. Kein billiger Richter wird den ersten Menschen, der, wie die uralte semitische Sage berichtet, das Unglück hatte, seinen Bruder zu erschlagen, für einen vorsätzlichen Todschläger, für einen Mörder erklären, da die Sage gerecht genug ist, hinzuzufügen, ihm wie seinen Aeltern und Geschwistern sei bis dahin der Tod gänzlich unbekannt geblieben, er habe gar nicht vermuthen können, sein Bruder werde durch einen Schlag das Leben einbüßen; daher sehen wir auch, daß zwar die Verwandten sich von dem Stifter des Unheils abwenden, die Gottheit selbst aber ihm keine weitere Buße auflegt als Reue. Er war ja nicht strafbarer als ein unwissendes Kind, das seine Mutter verletzt, indem es ihr widerstrebt. Aber Entschuldigungen solcher Art können dem nicht zu statten kommen, der mit ihm bekannten tödtlichen Waffen tödtlich verwundet; und wir würden keiner Gesetzgebung einreden, die sich bewogen finden dürfte, härter, als bis jetzt zu geschehen pflegt, sogar den Unverdächtigen zu bestrafen, der sich auch nur im Scherz und Spiel erlaubt, eine solche Waffe gegen Menschen zu richten. Die That, die Unvorsichtigkeit liegt am Tage; die Absicht, zumal wenn sie das Erzeugniß schnell vorübergehender Aufwallung gewesen, ist nur dem Auge der Allwissenheit stets erforschlich. Der Unbescholtenste, der nie von dem Pfade des strengsten Sittengesetzes abgewichen, wird sich doch gestehen, daß es Augenblicke gegeben, wo ihm schwer geworden, sich darauf zu erhalten, und daß er seinem guten Geschick verdanken müsse, die Versuchung nicht unwiderstehlich gemacht zu haben. Menschenkenntniß ist allen Verhältnissen des Lebens unentbehrlich und wird weder von erfahrenen Rechtsgelehrten noch von Aerzten unter Verdienst geschätzt. Da nun der Mensch nur als beseeltes Wesen Leben und Willen hat, und Keiner das Bedürfniß abweisen kann seiner selbst und Anderer sich bewußt zu sein, so treibt Jeder Seelenkunde nach dem Maß seines Verstandes, ob auch das Wort der Schule nie zu seinen Ohren gekommen ist. Die Kenntnisse und Geschicklichkeiten eines Mannes kann in der Regel nur ein Mann richtig beurtheilen; seinen Charakter erräth eine unbefangene Frau schneller, scharfblickender und treffender, und wir haben von Personen, die weder lesen noch schreiben konnten, Bemerkungen gehört, die nur etwas wohlklingender ausgedrückt zu werden brauchten, um einem Labruyère Ehre zu machen. So oft die Meinung der Dienerschaft eines Hauses über die Sittlichkeit und Gemüthsstimmung ihrer Herrschaft der ihrer vornehmern Umgebung widerspricht, ist zehn gegen eins zu wetten, daß jene minder verblendet sei. Alle rechtlichen Untersuchungen strafbaren Vergehens haben von jeher die psychologischen Momente nie außer Acht gelassen, Ankläger, Vertheidiger und Richter fassen sie mit gleichem Eifer ins Auge, und selbst der unwillkürliche Verdacht, der manchen gerichtlich Losgesprochenen nicht selten durch sein ganzes Leben begleitet, gründet sich gemeiniglich darauf, man dürfe sich zu einem solchen Menschen der angeschuldigten That wol versehen. Nur hat die strafende menschliche Gerechtigkeitspflege sich einer Untrüglichkeit nicht anmaßen wollen, welche der Allwissenheit allein gebührt, und auch dem höchsten Grade der Wahrscheinlichkeit die Wirkung nicht beigelegt, zu welcher Gewißheit berechtigt. Unleugbare Beispiele haben die Möglichkeit dargethan, daß Jemand einer That geziehen und leider dafür bestraft werden können, wo eine sonderbare Verkettung von Umständen die Schuld Dessen zu erweisen schien, der viel größere Verbrechen bei viel geringerer Veranlassung begangen und doch an dem bestraften keinen Theil genommen hatte. Nun aber ist und bleibt das erste und unumstößlichste Gesetz aller richterlichen Verwaltung, Niemand dürfe für ein Verbrechen büßen, das nicht unwidersprechlich am Tage liegt, und es sei ein geringeres Unglück, den Schuldigen entschlüpfen zu lassen, als den Unschuldigen zu verurtheilen. In diesem Grundsatze vereinigen sich die mehr oder minder vollkommenen Gesetzgebungen aller gebildeten Staaten und lassen die eingeführte angemessene Strafe, die poena ordinaria, nicht stattfinden, wo die Schuld nicht augenscheinlich dargethan ist. Nur über die Sicherstellung aller Staatsbürger gegen den bösen Willen eines höchst verdächtigen Angeklagten sind die Maßregeln ebenso verschieden als die Länder und Völker selbst, und es läßt sich keine Richtschnur darüber aufstellen, die nicht in jedem besondern einzelnen Falle von Neuem erwogen werden müßte. Wir treten dem Verf. vollkommen bei, Nachsicht gegen einen anerkannt schlechten Menschen sei ein Verstoß gegen die Sicherheit, auf welche alle Angehörigen der Staatsgesellschaft ein Recht besitzen, und haben schon oben unsere Ueberzeugung geäußert, daß grobe Vergehungen, ob auch absichtlicher böser Wille nicht erwiesen werden kann, nie unbestraft bleiben sollten. Eine lange Verjährung gewisser Strafen haben die meisten Gesetzgebungen aus Ursachen angenommen, die uns ehrenwerth scheinen; aber wir gestehen, es ist uns anstößig gewesen, zu bemerken, daß einige sich haben entschließen können, einen Verbrecher, der aus Mangel zureichender Beweise losgesprochen worden, aller Strafe und Anklage für immer zu entbinden, obgleich eine spätere Zeit den ermangelnden Beweis ans Licht bringt. Auch haben wir uns nie zu überreden vermocht, das eigne Geständniß des Schuldigen sei ein unerlaßlicher Beweis seiner Schuld, und glauben mit dem Verf., daß es Fälle gibt, wo dieses Geständniß wenig oder nichts entscheidet. Selbst Die, welche aus religiösen Beweggründen ein hohes Gewicht darauf legen, weil sie dafürhalten, dieses Geständniß allein vermöge den Verbrecher mit der Gottheit zu versöhnen, übersehen, daß grade das Bewußtsein, sein Leben hänge von diesem Geständniß ab, die Lippen Dessen versiegeln kann, der sein Leben liebt. Nur wenn ihn die Gewißheit beseelt, daß dadurch bei Menschen nichts zu retten sei, kann der Wunsch bei ihm erwachen, sich wenigstens nach dem Leben der göttlichen Ungnade zu entziehen. Hingegen scheint uns der Verf. das Geschäft des Vertheidigers eines peinlich Angeklagten nicht aus dem richtigen Gesichtspunkt anzusehen. Mit Recht bestimmen die Gesetze, daß Niemand ungehört verurtheilt werde; aber keinem schwerer Vergehungen Beschuldigten ist so viel Kenntniß, Besonnenheit und Fassung anzumuthen, daß er Alles für sich zu sagen wisse, was zu sagen ist. Darum haben sie ihm einen rechtskundigen, unparteilichen Wortführer zugestanden oder angewiesen, welchem obliegt, nichts zu übergehen, was zur Rechtfertigung oder Entschuldigung des Bezüchtigten gereichen kann. Es ist ein schwerer, selten willkommener Beruf, die Anklage, den Thatbestand und das gerichtliche Verfahren gegen den ihm von der obern Behörde angewiesenen Schutzbefohlenen mit ehrenwerther Wahrhaftigkeit, freimüthig und ohne Menschenfurcht der strengsten Prüfung zu unterwerfen und alle Gründe des Rechts und der Billigkeit aufzubieten, die dem Inquisiten zu statten kommen können. Er ist dazu bestellt, jede unbefugte oder ungesetzliche Strenge der Untersuchung mit so viel Scharfsinn und Geschicklichkeit aufzudecken, als ihm irgend beiwohnen mag, und es widerstreitet seiner heiligen Pflicht, einem vielleicht minder besonnenen Ankläger oder Untersucher in die Hände zu arbeiten und zur Sprache zu bringen, woran diese nicht gedacht. Er ist, was die Kanzleisprache der römischen Kirche einen gesetzlich beauftragten advocatus diaboli nennt, und verdient ebenso wenig Tadel als dieser, wenn er seinen Proceß gewinnt. Er darf ja nicht unterlassen, wo die That selbst keinem Zweifel unterliegt, auf die Möglichkeit zu deuten, daß der Thäter sie in einem Anfall überhingehender oder bleibender Geistesabwesenheit oder Geistesverirrung begangen habe, und muß nichts verschweigen, was für die Wahrscheinlichkeit eines solchen Zustandes spricht. Damit ist seine Pflicht erfüllt und die des Richters beginnt. Das Gericht hat zu entscheiden, ob eine solche Wahrscheinlichkeit abzuweisen oder anzunehmen sei, und inwiefern sie der Untersuchung eines kundigen Arztes bedürfe, um ihre Gewißheit zu ermitteln.

Es ist das unleugbare Verdienst dieses von einem philosophischen Heilkünstler und angesehenen akademischen Lehrer geschriebenen Buches, seine Kunstgenossen sowol als Rechtsgelehrte und jeden gebildeten und menschenliebenden Leser aufmerksam gemacht zu haben, wie viel die Psychologie beitragen kann, eine solche Untersuchung vor verderblichen Irrthümern zu bewahren. Aber eine Darstellung, die nirgend in Weitläufigkeit und Sophisterei ausartet, überall faßlich bleibt, überall von tiefer Menschenkenntniß und eigner scharfsichtiger Beobachtung zeugt, und an der wir nichts auszusetzen wissen, als daß sie dieser Beobachtung eine Untrüglichkeit beilegt, die wir keinem Erdensohne einzuräumen uns getrauen, muß selbst gelesen und studirt werden, und würde in jedem Auszuge Unersetzliches und Unentbehrliches verlieren. Einige flüchtige Andeutungen mögen hier genügen. Es gibt keinen äußern Menschen ohne den innern, der den Willen erzeugt, von welchem allein die Zurechnungsfähigkeit einer That abhängt. Der Verf. unterscheidet sehr scharfsinnig reinen, unreinen, verderbten, bösen, freien und unfreien Willen. Ein böses Princip ist nicht einzuräumen, wol aber ein Princip des Bösen; mit andern Worten: man darf nicht behaupten, die Gottheit selbst sei nicht gut, oder bezwecke das Gegentheil des Guten, das Böse. Da sie aber vernunftbegabte Wesen nicht zu seelenlosen Maschinen herabwürdigen, sondern ihnen Freiheit des Willens ertheilen wollte, so konnte sie ihnen das Vermögen nicht vorenthalten, ihre Vernunft zu misbrauchen und statt des Guten dessen Gegentheil zu wählen. Gibt es geistige Wesen, die nicht Menschen, die mehr sind als Menschen, und Böses wollen, so läßt sich allerdings denken, daß sie streben, den Willen des Menschen zu verderben; aber ihre Macht ist ebenso wenig unwiderstehlich als die eines menschlichen Rathgebers, und der vernunftbegabte Mensch kann sich ihr mit Erfolg widersetzen. Die erste Entwickelung des Bösen im Menschen, dessen Ausbreitung im Innern und Äußern, dessen Förderungsmittel sind meisterhaft nachgewiesen, und Erzieher und Pfleger der Jugend können nichts Lehrreicheres beherzigen. Den vollständigen Begriff des Verbrechens bezeichnet der Verf., als „die von einer Person oder von mehren und ihrem Verein ausgehende Verletzung einer Person oder mehrer, oder eines ganzen persönlichen Vereins an Dasein oder Besitzthum, oder an beiden, entsprungen aus unreinem, entweder verderbtem oder bösem Willen, durch den äußern Reiz eines Gegenstandes der Begierde oder des Abscheus und Hasses, zunächst zur Neigung, zum Hange, zur Begierde gesteigert, sodann zu Gedanken, Vorsatz und Entschluß der bösen That gereift, und begünstigt durch Zeit, Ort und Umstände, zur Ausführung gebracht und verwirklicht". Daran schließt sich eine psychologische Eintheilung und Construction der Verbrechen, womit der erste theoretische Theil endet, die Lehre von den Verbrechen. Der zweite, praktische, erörtert die Lehre von Ausmittelung der Schuld. Höchst gelungen und auch Dichtern, bildenden und darstellenden Künstlern, denen die Erreichung der höchsten Wahrscheinlichkeit für die Naturwahrheit selbst gelten muß, und gewiß von allen Empfänglichen gern gelesen, ist die Schilderung der äußern Kennzeichen der Schuld, entweder bei gerührten, leichtsinnigen und abgehärteten Schuldbewußten, oder bei bewußtlos Schuldigen. Dankbar gestehen wir, viel daraus gelernt zu haben und in unserer Ueberzeugung gestärkt zu sein, daß solche Zeichen bei dem Schuldbeweise nicht übergangen werden müssen, wie sie denn unsers Wissens von keinem ehrenwerthen Criminalgerichte jemals übergangen worden; daß sie aber, wie der Verf. behauptet, zu einem vollständigen Schuldbeweise allein hinreichend sein sollten, will uns nicht einleuchten. Der unerschütterliche Glaube an den Heldenmuth der Unschuld, unter allen Bedrängnissen und Unfällen und Qualen des Lebens gereicht seinem Herzen und seinem Gewissen zur Ehre; nur müßten wir auf alle Ergebnisse unserer Erfahrung, die Niemand weniger überschätzen kann als wir, Verzicht leisten, wenn wir seiner Behauptung Raum geben wollten, die Unschuld könne nie aus der Fassung gebracht werden, ihr schmecke eine Brotrinde im schmuzigen Kerker ebenso gut als in unverdächtiger und ehrenvoller Freiheit. Unser günstiges Gestirn hat uns selbst vor peinlichen Verfolgungen bewahrt; doch sind wir von unserm eignen Dasein nicht inniger überzeugt als von der traurigen Wahrnehmung, daß alle Trostgründe der Vernunft, der Freundschaft und der Liebe nicht immer vermögen, Personen von seltener Reinheit und Geistesstärke, aber von leicht gereiztem Ehrgefühl oder zarter Empfindlichkeit gegen unverschuldeten Argwohn und schnöde Behandlung zu kühlen und einen Lebensüberdruß abzuwehren, der sich auch durch äußere Zeichen offenbart. Den Beschluß des gehaltreichen Ganzen macht eine Anwendung psychologischer Theorien auf bekannte Criminaluntersuchungen, unter denen sich auch die befindet, welche gegen Fonk in Köln stattgefunden. Da der Mann gestorben ist und nicht mehr gefährdet werden kann, so gestehen wir ohne Rückhalt, daß auch uns seine Vertheidiger nicht überreden können, ihn alles Verdachts zu entbinden; daß auch uns psychologische Gründe abhalten, jede Wahrscheinlichkeit der Schuld von ihm abzuwälzen; und daß wir sogar noch etwas weiter gehen als Hr. H., denn wir erlauben uns nicht, gleich ihm, einen allbekannten Einführer und Ausführer verbotener Waaren, der sogar zu diesem Zwecke unrechtmäßigen Erwerbes Leute ausdrücklich besoldete, für einen Mann zu erklären, der als Mensch und Bürger im besten Rufe gestanden, und wundern uns, daß Hr. H. seine eigne, zwar strenge aber kaum zu widerlegende Theorie vergessen, vermöge deren eine böse That die Mutter und Schwester vieler folgenden wird. Doch halten wir uns ebenso wenig für befugt, Den, welcher ein Verbrechen wiederholt begangen, wegen eines andern zu verurtheilen, das ihm nicht bewiesen worden, und den Beweis der Wirklichkeit, auf blos psychologische Kennzeichen gestützt, für vollständig zu erklären. Auch wir würden uns für verpflichtet gehalten haben, ihn bewandten Umständen nach der Untersuchung und ihrer rechtlichen Folgen zu entlassen, und hätten der Zeit anheimgestellt, ob sie das Verborgene ans Licht bringen oder, wie geschehen ist, mit ewiger Nacht bedecken wolle. Es ist nur zu gewiß, daß manches Böse auf Erden unbestraft bleibt, weil der Schuldige sich dem sterblichen Auge entzieht; aber verhüte der Genius der Menschheit, daß jemals um der Wahrscheinlichkeit willen bestraft werde, wo Gewißheit allein den Menschen verpflichtet, seinen Bruder zur Strafe zu ziehen. 95.

Literarische Notizen.

Das neueste (vierte) Heft für 1835 der in Lemberg erscheinenden Ossolinski'schen-Zeitschrift enthält eine polnische Uebersetzung eines Theils der „Todtenkränze" vom Baron von Zedlitz.

Blätter für literarische Unterhaltung.

Donnerstag, —— Nr. 255. —— 12. September 1833.

Allgemeine Geschichte der neuesten Zeit u. s. w., von E. Münch. Sechs Bände. Ersten Bandes erste bis dritte Lieferung.

(Beschluß aus Nr. 254.)

Wie einverstanden Ref. nun mit der Nützlichkeit und Zeitgemäßheit des Unternehmens im Allgemeinen ist, so muß er doch vor Allem fragen, für wen es eigentlich bestimmt sei. Das Vorwort gibt keine entschiedene Antwort darauf, man müßte denn, was der Verf. von der für „Jedermann" verständlichen Sprache sagt, als Antwort nehmen, daß es für „Jedermann" bestimmt, also ein Buch für's Volk sei. Darin könnte allenfalls bestärken, daß nur, was dem Historiker vom Fache nie genügen könnte, ganz im Allgemeinen vor einem Hauptabschnitte einige Werke als Quellen angeführt sind, wie etwa beim ersten Capitel des ersten Buches beim wiener Congresse und über Napoleon Klüber, Gagern, Flassan, O'Meara und Las Cases genannt sind. Allein Ref. zweifelt auch auf der andern Seite, daß ein sehr gemischtes Publicum oder gar ein „Jedermann" eine mehr als seitenlange Periode, wie S. 19 u. 20, ganz mundrecht finden, oder manchen wol etwas über die Gebühr geschraubten Ausdruck und historische Anspielungen ganz verstehen werde. Was sind z. B. das „Fallbeil des contrat social", die „Gletscherkette einer neuen Länderformation", die „revolutionnairen Katarakten" u. s. w. für einen Leser der bezeichneten Art? Hören wir eine ähnliche Stelle der Einleitung im Zusammenhange:

Von dem großen Rathe der gekrönten Amphyktionen zu Wien über die Schicksale Europas bis zu dem kleinen Rathe der politischen Rechenmeister über die holländisch-belgische Frage zu London — welch' ein Panorama für das Auge eines künftigen Geschichtschreibers, der mit ruhigem Auge es übersehen und mit ungehemmter Hand dem Pinsel es anvertrauen kann; oder für die titanische Phantasie eines neuen Shakspeare's, um den Kampf der weißen und der rothen Rosen noch einmal, wiewol auf einem größern Schauplatz und mit veränderten Gestalten und Erscheinungen, sowie den König Lear der Civilisation (?), nur mit verstärkten Klagetönen, an den Augen und Ohren seiner Zeitgenossen vorübergehen zu lassen.

Eine andere Frage, deren Lösung wir indeß geduldig von dem Werke selbst in dessen weiterm Verlaufe erwarten wollen, wird die sein, wie sich der Verf. in der Oekonomie seines Unternehmens verhalten wird. Frühere Erfahrungen haben gezeigt, daß der Verf. mit manchem Baumeister das Schicksal hat, den anfänglichen Kostenplan bei zu breiter Grundlage überschreiten zu müssen. Das Ganze bei solcher Reichhaltigkeit des Stoffes und mancher schon gesammelten Materialien — man denke an des Verf. Geschichte der Cortes in Spanien und des Repräsentativsystems in Portugal, an die historischen Uebersichten von letzterm Lande, sowie von Brasilien und Columbia, der Concordate u. s. w. — in sechs Bänden zusammenzuzwingen, wird bei der Umständlichkeit und Ausführlichkeit, wie jetzt schon vom wiener Congresse erzählt wird und welche dem Verf. zuzusagen scheint, eine halbe Unmöglichkeit sein. Sodann wird sich, je näher der Verf. der laufenden Zeit kommt, noch die eigne Schwierigkeit offenbaren, sich nicht zu weit vorzuwagen, um nicht von den Ereignissen compromittirt und zu Zurücknahme des früher Gesagten oder zu Einlenkungen gezwungen zu werden. „Unsere Tage", welches der auf dem Titel angegebene Schlußpunkt ist, wird, wenn der sechste Band gedruckt wird, lange nicht mehr das Jahr 1833 sein, und so hat eigentlich, wenn das Jahr 1830 überschritten ist, das Werk kein Ende mehr, wenn nicht die Geschichte selbst für einen Schlußpunkt sorgt.

Doch lassen wir solche Fragen und Sorgen, welche der Verf. vielleicht unzeitig und voreilig nennen könnte, und halten wir uns an Das, was in diesen drei Heften (von S. 1—286 des ersten Bandes) vorliegt.

Die dem Vorworte folgende Einleitung von S. 17—110 enthält einen kurzen Blick auf jenes oben angeführte Panorama von 1815 bis jetzt. Da dem Verf. indeß Alles unter den Händen wächst, so ist dieser kurze Blick unter fast 100 Seiten nicht abzuthun gewesen. Belehrend ist er allerdings, aber auch im Vorgefühl, daß man dies Alles so ziemlich noch einmal und weit ausgeführter wird lesen müssen, etwas gedehnt. Am meisten machte uns eine Aeußerung in dem Vorworte vor einem leicht möglichen Misverständniß bange. Er sagt nämlich S. XIII, und nicht „Jedermann" möchte es verstehen:

Die Idee der Nothwendigkeit in den Schicksalen der Völker und ihrer Lebensentwickelung, verbunden mit der größten und vollsten Freiheit des menschlichen Willens, schwebt mir als die hauptsächlich festzuhaltende bei der Darstellung vor; sie allein mag die herben Gegensätze versöhnen, auf welche wir bei der Betrachtung so vieler Versuche und Misgriffe, Fort- und Rückschritte unsers Geschlechts für seine Erhebung und Beglückung, zumal in den neuesten verhängnißvollen Krisen, stoßen müssen.

Indeß der Verf. sorgt in seiner Darstellung dafür, daß die Freiheit des Willens als durchgreifender und wirksamer erscheint und die Nothwendigkeit mehr als unsichtbares Gängelband des menschlichen Geschlechts im Ganzen in den Hintergrund tritt, oder eigentlich aus dem Spiele bleibt.

In der vorläufigen Musterung der einzelnen Staaten steht Frankreich und mit Recht voran; das Lob, welches Royer-Collard, dem „Bayard der Constitutionnellen", und Martignac gezollt wird, aber auch spätere Aeußerungen überhaupt sprechen für die gemäßigte und damit auf historischer Grundlage ruhenden Ansicht des Verfassers. Mit gutem historischen Gewissen kann man nicht Ultra sein. Die 231 misliebigen Abgeordneten von 1830, S. 30, sind wol nur durch einen Druckfehler um 10 gewachsen, sowie die spanische Cortesconstitution nicht von 1813, sondern von 1812 zu datiren ist. Als Spaniens Zukunft nach Ferdinand VII. Tode wird S. 40 ein Kampf des Karlismus mit seinen Gegnern auf Leben und Tod, dessen Ende nicht vorauszusehen ist, dessen blutiges Opfer jedoch das arme Land selbst sicherlich werden wird, vorausgesagt, sowie der schönen ehrgeizigen Königin nur Rückkehr nach Frankreich, oder völliges Anschließen an die Cortes für sich und ihre Infantin übrig bleiben werde. Wenn nach S. 33 die Cortesconstitution von 1813 (1812) das edelste unter allen Fabrikaten neuerer Staatsweisheit genannt werden kann, so hoffen wir doch im Verlauf der eigentlichen Darstellung Spaniens, die wol bis auf Ferdinand's Wiederkehr zurückgehen muß, die Urtheile durch Darstellung der Mängel motivirt zu sehen, welche sich in der Anwendung dieser Verfassung für Spanien ergeben. Ueber die Griechen ist eine vom Verf. 1827 zu Donaueschingen gehaltene Rede auf Verlangen verschiedener Freunde aufgenommen worden, die in ihrer declamatorisch-pathetischen Sprache sehr von der andern Darstellung abweicht, indeß, wenn sie ja abgedruckt werden mußte, wenigstens hier noch besser als in der ausführlichern Darstellung ihren Platz erhielt. Ueber einzelne Behauptungen mag Ref. nicht mäkeln, wol aber mag er eine Stelle mittheilen, welche gewiß von zwei verschiedenen Seiten auch verschieden aufgenommen werden dürfte, dem Referenten aber sehr gefallen hat. Es heißt nämlich S. 98 über den aachner Congreß von 1818:

Als die liberale Welt diese Kriegserklärung des Monarchismus gegen die Ideen der Zeit gelesen, steigt der deutschen Jugend das Blut siedender als je in den Kopf, und sie fodert mit allzu — ritterlich-unbesonnener Hitze auch ihrerseits die bestehende Ordnung der Dinge zum Zweikampf heraus; bei einem andern Theile aber entfacht sich assassinische Begeisterung, welche zum Unrecht, ja zum Verbrechen verführt. Der Dolch eines jener Jünglinge durchsticht das Herz eines der meist verhaßten Volksverräther, aber auch damit die Hoffnungen der Nation und die Reformen von oben für eine ganze Generation; vielleicht für länger. Der bisher neutrale Argwohn macht verzweiflungsvollem Schrecken Platz, dieser aber einer allzu energischen Vertheidigung gegen wirkliche zugleich und eingebildete Gefahren. Für die Sünden der Einzelnen wird die Nation in Belagerungstand erklärt, und die Jugend, die Gelehrtenwelt, der Unterricht selbst, die Wissenschaft und die Aufklärung unter Policei gestellt. Die Inquisition von Mainz, die karlsbader, die wiener, die johannisberger Beschlüsse treten hintereinander ins Leben. Ein Geist gegenseitigen Mistrauens, gegenseitiger Anklage, gegenseitiger Mishandlung äußert sich durch alle Verhältnisse des öffentlichen wie des Privatlebens und gibt dem offenen Charakter des deutschen Volkes eine bisher ganz fremde Richtung. Die Parteinamen von Liberalen und Servilen, von Aristokraten und Revolutionnairen, Fürstendienern und Volksfreunden erhalten schärfere und gehässigere Betonung, und jeder Theil hält mit jesuitischem Gewissen gegen den andern jede Täuschung, ja jede Ungerechtigkeit für erlaubt, welche dem angenommenen Systeme oder den mit Leidenschaft erfaßten Theorien Bestand und Sieg gewähren und verbürgen zu können scheint. Hinfür leben sich in einer und derselben Nation zwei völlig voneinander getrennte Staats- und Volksleben fort. Die Sache der Parteien des Auslandes wird zur einheimischen gemacht, und ihr Haß und ihre Liebe, ihre Triumphe und ihre Niederlagen werden mitgefeiert, mitgefühlt. — Da die Liberalen die Maßregeln gegen sie wie eine Art Christenverfolgung betrachten, so gewinnt das Verhältniß an Innigkeit und Stärke u. s. w.

Das erste Buch beginnt mit S. 113 „von dem wiener Congresse bis zum Congresse von Aachen" (1814—18), und ist in den 11 vor uns liegenden Capiteln noch nicht vollendet. Der wiener Congreß selbst konnte allerdings als Grundlage der neuen Gestaltung nicht von der Darstellung ausgeschlossen werden, gehörte aber mehr noch in die Einleitung, aber nicht in dem Umfange, als er hier, keineswegs „gedrängt", wie gesagt wird, geschildert ist. Neues haben wir zwar nicht in dieser Darstellung gefunden, als etwa, daß England eine Staatsschuld von 20 Milliarden (Francs, Gulden, Thaler, Pfund?) habe; daß Alexander im Gespräche mit Metternich und Talleyrand das harte Wort habe fallen lassen: daß der König von Sachsen nicht der Erste sei, welcher als Gefangener in Rußland sterben könne (S. 141); dagegen streitet der Verf. gegen die beliebte Annahme, als wenn erst die Rückkehr Napoleon's von Elba nach Frankreich (der Ausdruck Entweichung sei hier unpassend, weil er nicht Gefangener gewesen) den Zwiespalt des Congresses über Polen und Sachsen, der schon zu jenem prophylaktischen Bunde vom 3. Januar geführt, wieder beigelegt habe; dies Bündniß vom 3. Januar 1815 sei blos eine Vorsichtsmaßregel für den schlimmsten Fall gewesen. Daß Frankreich sogar den Krieg gewünscht habe, wird aber in den „Memoiren eines deutschen Staatsmannes von 1788—1816" (Leipzig 1833), S. 294, aus dem Munde des Herzogs von Dalberg, doch wenig glaublich, behauptet. Gegen die Vogelfreierklärung Napoleon's durch die Congreßmächte erklärt sich auch der Verf.

Doch Ref. bricht hier mit der Hoffnung ab, in einiger Zeit über die Fortsetzung dieses bedeutenden Unternehmens berichten zu dürfen. Der Corrector wird zu bitten sein, etwas sorgfältiger seine Pflicht zu thun, dem Herrn Verf. aber legen wir den Wunsch ans Herz, in der Wahl mancher Ausdrücke und Worte, wie „Zertheiltheit", „Korruptheit", „Don Pedro ist gespielt worden", „der Zeitgeist hat hier eingekehrt", „Einstallirung", „Intrige", „[illegible]", „Einvernahme des Willens", „Vereinigung der Handelsverhältnisse", „justemilianische Mäßigung", etwas minder kühn zu Werke zu gehen; das Ganze gewinnt sonst ein Ansehen der Flüchtigkeit, welches einem Werke dieses Inhalts, solchen Verfassers, so bedeutenden Umfanges und Werthes nur Abbruch thun könnte. 10.

Correspondenznachrichten.

Berlin, August 1833.

— — Die „Preußische Staatszeitung" hat sich über die Feier des dritten Augusts genugsam ergossen und die Regungen des Patriotismus auch in den bescheidensten Winkeln der Monarchie mit officiellster Pünktlichkeit ans Licht gezogen, sodaß ich bei dem besten Willen, von den freiwilligen und unfreiwilligen Festlichkeiten Bericht zu erstatten, still erröthend schweigen muß. Nur von den hergebrachten Feierlichkeiten, wie sie in hiesigen Kunst- und wissenschaftlichen Instituten nach altgewohnter Weise stattfanden, sei in der Kürze die Rede. Auf der Universität wurde wie immer die Preisvertheilung veröffentlicht und die von Neuem für das nächste Jahr zur wissenschaftlichen Concurrenz junger Gelehrten festgestellten Aufgaben bekannt gemacht. Die theologische Facultät hat eine historische und dogmatische Darlegung des Unterschieds zwischen Erbsünde und eigentlicher Sünde; die philosophische eine Aufstellung des Verhältnisses zwischen den Aristotelischen und Kant'schen Kategorien; die historische eine Schilderung der Gestalt und Verwaltung der Mark Brandenburg unter Johann Sigismund als Thema erwählt. Der Professor Marx, der frühere Herausgeber der „Musikalischen Zeitung", der seit einigen Semestern über die Geschichte der Tonkunst auf der Universität Vorlesungen hält, hatte zu der königlichen Geburtsfeier eigens eine Festmusik componirt.

Die königliche Akademie feierte den dritten August durch eine öffentliche Sitzung, in welcher gleichfalls die gewöhnliche Preisvertheilung stattfand und eine vom Musikdirector Rungenhagen neu componirte Cantate ausgeführt wurde. Der geschätzte Musiker dirigirt bekanntlich seit Zelter's Tode in der hiesigen Singakademie. Professor Tölken sprach in einer Rede über den Einfluß der akademischen Wirksamkeit auf Kunstproduction, unter Anderm auch von der baldigen Eröffnung einer Concurrenz für dramatische Werke. Für musikalische Künstler steht bereits seit längerer Zeit eine gleiche Bestimmung fest, und man sieht dieserhalb einer nähern Mittheilung behufs einer Aufgabe für Componisten entgegen. Für Maler ist aus der „Odyssee" die Scene, wo Ulysses die Freier tödtet, mit genauer Angabe der einzelnen dabei verschiedentlich betheiligten Personen und in ziemlich complicirter Gruppirung als Thema gestellt. Der Preis ist nach wie vor die Summe von 1500 Thlrn., indem dem Sieger in je drei Malen 500 Thlr. zu einem dreijährigen Aufenthalt in Italien verabfolgt werden.

Im königlichen Opernhause wurde am hohen Geburtsfeste eine neue Oper von Hummel: „Mathilde von Guise", aufgeführt, die insofern neu war, als man sie noch nicht öffentlich gehört hatte; an sich selbst war sie durch die Schuld der Bühnendirection alt genug geworden, denn sie war bereits vor zehn Jahren vom Componisten eingesandt. Die Operintendantur hatte entweder die Absicht, dem Publicum nichts Neugeborenes und Unkulpat selbst darauf eine Injurienklage seinerseits hätte basiren können. Darauf suchte der Ritter Spontini bei dem Policeigericht Schutz, weil er als königlicher Beamter auf seinem eignen Territorium, im Gange des Opernhauses nämlich, von besagtem amtlosen Recensenten zur Rede gestellt sei. Vor Kurzem erfolgte jedoch auch vom Policeigericht ein freundlicher, trostvoller Bescheid zur Ruhe. Aller weltlichen Dinge Ausgang ist Ruhe. Herr Spontini will auch ruhen; allein man soll seine Ruhe für eine Ruhe auf Lorbern halten und sie nicht stören. Vor einiger Zeit hieß es, die Caradori-Allan würde aus London hieher zurückkehren, um zu einer italienischen Aufführung des „Barbier von Sevilla" mitzuwirken; man wollte wissen, unsere Sänger und Sängerinnen, die ihr Italienisch nicht gleich bei der Hand haben mögen, studirten schon neunundneunzig Vormittage am wälschen Text. Man erwartet auch eine neue Oper von dem hiesigen jungen Künstler W. Taubert: „Der Zigeuner", mit Text von dem Sänger E. Devrient.

Die fleißige königstädter Bühne producirte am Dritten des Erntemonats eine neue Oper vom Ritter Rastrelli: „Salvator Rosa", deren Stoff aus Hoffmann's Novelle „Signor Formica" entlehnt ist. Recht aufgelegt zu Kunstleistungen ist man hier zu Lande am besagten Dritten eben nicht; man will sich blos tobend amusiren, leben und leben lassen — unter Anderm denn auch seinen König. Einen Componisten, von dem ein neues Werk an diesem tumultuarischen Festtage aufgeführt wird, habe ich immer nur still bedauern können; denn nach beendeter Aufführung bricht aus allen Logen und Regionen, je höher je brausender, das alte Volkslied: „Heil dir im Siegerkranz, Vater des Vaterlands", hervor, mit einer patriotischen Naturkraft, vor der alle Kunst zusammenbricht.

Vor einigen Tagen, es war am 30. August, Mittags 12 Uhr, sah man einen altmodischen, gelben Reisewagen aus dem königl. Palais abfahren; die großen, riesenlangen Leiblaquaien saßen mit taffetüberzogenen Hüten auf dem engen Kutscherbock; ein Reisekoffer war hinten aufgeschnallt, selbst der Bettsack fehlte nicht. Im Wagen saß ein Dreiundsechziger mit der alten blauen, rothumstreiften Mütze und im einfachen, vormals grauen Feldmantel, der manchen Sonnenschein und Regen schon erprobt hat. Der alte Mann mit der schlichten Biederkeit in seiner Miene war Niemand anders als der Herrscher über 13 Millionen; in so schlichter Einfalt fuhr er am genannten Tage nach Schwedt seinem Schwiegersohne, dem Kaiser aller Reußen, entgegen. In glänzenden Reiseequipagen von englischem Geschmack und mit vielen reichbeladenen Beiwagen fuhren die Prinzen und Prinzessinnen des Hauses dem Könige einige Tage vertheilt nach.

Von diesen Potenzen der Außenwelt sei es schließlich erlaubt zu einer stillern Größe des innern Lebens überzugehen, die aus der Welt der Wirklichkeit dahingeschwunden und, für uns unwiederbringlich verloren, nur noch in den Denkmalen, die sie sich selbst gesetzt, angeschaut und gefeiert werden kann. Es ist Rahel, die im März des laufenden Jahres im noch nicht zurückgelegten 62. Jahre entschlafene Frau Varnhagen von Ense, die Schwester des zu Baden-Baden verstorbenen Ludwig Robert. Was sie war und dachte, lebte, liebte und litt, hat ihr trauernder Gatte aus ihren Briefen und hinterlassenen Papieren zu einem Buche des Andenkens für ihre Freunde zusammengestellt, das anfangs nur in einem engern, ursprünglichen Freundes- und Gönnercirkel in einigen Exemplaren cursirte, bei dem steigenden Antheil jedoch, den diese merkwürdigen Expectorationen eines ebenso tiefen wie zarten Geistes erregten, bereits in immer weitern Kreisen Aufsehen und Bewunderung hervorruft. Welcher Sphäre er auch angehöre, es legt Niemand das Buch aus der Hand, ohne von leiser, wunderbarer Rührung bewegt und von der erquickenden Ueberzeugung überrascht zu sein, es habe fern von lärmendem Geräusch der literarischen Außenwelt sich ein bescheiden edles Frauengemüth am Tiefsten, das die Geister hervorgerufen, still genährt, heimlich geweidet und, das Zarteste einem Freundesbriefe anvertrauend, im Einklange, ja oft im prophetischen Vorklange Dessen, was sich in der Literatur erzeugte, Offenbarungen voll der innersten Weihe zu Tage gefördert. Wer nur die Abschnitte aus den Denkwürdigkeiten liest, in denen Herr Varnhagen von Ense sein Zusammentreffen mit Rahel erzählt, zufällige Begegnisse, aus denen sich bald der engste Verkehr gestaltete, dem muß schon mehr oder weniger mit deutlichern oder noch dämmernden Umrissen die zarte Geistesgestalt vor Augen treten und, mit den Zügen, die das Bildniß vor dem Titelblatte darstellt, zusammengefaßt, als eine gewissermaßen ewige Figur im Angedenken verbleiben. In der ersten Frische der Jugend hatte die feingewebte Seele Rahel's eine Leidenschaft erschüttert, die, nach des Gatten eigner Aeußerung, an Schmerz und Größe, Erhebung und Unglück alles von Dichtern Gesungene übertraf. Aus diesem Begegniß mochten sich denn auch wol die Fäden zu dem zarten Gespinnst zusammenziehen, das den eigenthümlichen Gemüthszustand Rahel's später bildete; die schwankende Gesundheit, die leichte Nervenreizbarkeit, der ewige Durst nach Enthüllung des tiefsten Geheimnisses, das drängende Bedürfniß nach feinster Geistesnahrung und dann auch wieder die unerwüstliche, sanfte Dulderhüte, die, in schweren Körperleiden geprüft, nie abließ, für die ganze weite Menschenwelt ein warmes Herz offen zu halten. Zu diesen innern Gütern gesellte sich — fast scheint es wunderlich — eine Fülle des schlagendsten, oft scharfen Witzes, der — nur weiblich grazios — einen Shakspeare'schen Anflug zu erreichen vermochte, eine Verstandesconsequenz, ein durchdringender Feintakt, der sich selten mit Weichheit der Gefühle paart. Auf dem Altare dieses Herzens hatte Prinz Louis von Preußen, der stürmische Held von Saalfeld, die reinsten Empfindungen seiner Freundschaftsneigung dargebracht; Männer wie Friedrich von Gentz, Friedrich Schlegel, beide Humboldt, beide Tieck und ein glänzender Aristokratenkreis hatten hier gehuldigt, gegeben und empfangen, und ihre Bekanntschaft mit dem nachherigen Gatten war in den zweiten Frühling ihres blüten- und schmerzenreichen Lebens gefallen. Der reiche Schatz von interessantesten Beziehungen, in die uns die Briefe einführen, liegt uns noch nicht ganz erschlossen vor; wir haben im Getriebe anderer Geschäfte nur genascht, wo wir schon hätten genießen können; nur dies Eine berühren wir noch, daß die Verewigte in ihren gesellschaftlichen Kreisen viel früher schon auf Göthe als eine neue Sonne des innern Lebens hinwies, bevor die Schlegel ihn als eine solche öffentlich priesen. Dieser kleine Hinweis mag genügen. Wir durften dies Buch nicht unerwähnt lassen, wofern wir nicht auf Berichterstattung des Schönsten, was Berlin angehört, verzichten wollten. *) 148.

Neueste französische Literatur.

1. Nouveaux proverbes dramatiques par *Theodore Leclercq*. Paris 1835.

Die frühern allerliebsten kleinen Lustspiele, die Herr Leclercq so bescheiden Sprüchwörter nennt, führen dem Verf. den ersten Rang unter den Glitzmatern seiner Zeit zu. Man kann nicht mehr Witz mit gesünderm Verstande, mit freier, leichter Darstellung verbinden. In keinem Erzeugnisse der französischen gleichzeitigen Literatur findet sich der gesellschaftliche Zustand Frankreichs so vollständig, so wahr und so ergötzlich abgedrückt als in diesen, dem Anscheine oder vielmehr dem Titel nach so frivolen Producten des Hrn. Leclercq. Das Sprüchwort ist unter seinen Händen nicht blos eine mehr oder minder sinnreiche Combination, der gewagte Wurf eines zwecklosen Scherzes, der Dichter ist nur nach langen und tiefen Beobachtungen, nach reiflichem Ueberlegen bei dieser Form stehen geblieben. Sie läßt ihm mehr Freiheit als das Theater, welches immer mehr oder weniger von dem bon plaisir eines Ministers abhängt; auch gestattet sie feinere Nuancen, längeres Verweilen bei Entwickelung der Charaktere, die in der Perspective der theatralischen Darstellung verschwinden, wo das Fortschreiten der Handlung, das rasche Steigern des Interesses die Hauptsache bleibt. Hr. Leclercq hat aus dem Sprüchworte gemacht, was Béranger aus dem Liede schuf. Die beiden letzten vor uns liegenden Bände enthalten: „La rancune", „Le séminariste", „L'orpheline", „La méchante langue", „L'inconsiant", „Le juste-milieu", „Pair ou non", „Le voyage", „La matinée d'un prélat", „Le substitut" etc.

2. Sakontala à Paris, roman de moeurs contemporaines par M. *Eusèbe de Salle*.

In diesem Roman wagt sich Herr Eusèbe de Salle an einen Gegenstand, welchen bereits ein großer Meister, Hr. B. Constant, behandelt hat. Er schildert nämlich einen schwachen und aller Aufopferung unfähigen Mann, den die Gewohnheit an eine Frau fesselt, die er nicht mehr liebt. Adolf in der bekannten Novelle von B. Constant ist gleichfalls ein egoistischer Schwächling. Es war gefährlich, den Wettstreit mit einem solchen Nebenbuhler einzugehen; die Kühnheit des Hrn. de Salle läßt sich blos durch eine Albernheit entschuldigen; er hat „Adolf" nicht verstanden, er findet ihn langweilig, er bedauert, daß der beredte Publicist in dieser Novelle es verschmäht hat, das hohe Talent zu entfalten, das in dessen ernstern Schriften glänze! Er findet in „Adolf" eine abstracte Meditation, und kein Drama. Aber das ist es ja eben, was in solchen psychologischen Studien verlangt wird: die Gedanken und Gefühle sollen allein das Interesse fesseln; nur hohe Geister wie Constant, wie Frau von Staël, wie Jean Paul, wie Göthe (im „Werther") können das Drama entbehren. Ref. gesteht unverhohlen, daß er sich um die Katastrophe der Jean Paul'schen Romane so wenig bekümmert hat als der Schriftsteller selbst, daß er das Ende der „Unsichtbaren Loge" nie begriffen, daß er nicht einmal weiß, wie der „Titan" ausgeht, und daß er seit seinen Jugendjahren fast täglich einige Seiten von Jean Paul liest. Doch hören wir nun, wie Hr. de Salle seine Aufgabe gelöst. Sakontala ist in Indien geboren, wo sie einen Engländer heirathet. Nach dem Tode ihres Mannes trifft sie in London einen jungen Franzosen, Calixte, der um ihre Hand wirbt, die sie aber ausschlägt; eine Clausel im Testamente ihres Mannes beraubt sie aller Rechte, wenn sie zu einer zweiten Ehe schreiten sollte. Lady Graham begnügt sich also damit, die Maitresse ihres Geliebten zu sein, und folgt ihm nach Paris. Sie hat eine schöne Tochter; Herr Calixte verliebt sich in diese und nebenbei noch in ein intriguantes Weib. Lady Graham wird wahnsinnig; in ihrer Raserei zupft sie den Treulosen an der Nase, indem sie sagt: „Il (ihr Geliebter) n'aurait pas conservé sa tête d'éléphant, si j'avais su l'affubler d'une bonne paire de cornes de buffle!" Calixte verfällt in eine Brustkrankheit und heirathet die [illegible]; sie schiffen sich nach Ostindien ein und ertrinken am Vorgebirge der guten Hoffnung. [illegible]

Notizen.

Es ist ziemlich auffallend, daß Casanova im [illegible] Capitel des neunten Bandes seiner Memoiren bereits der Cholera gedenkt, jedoch in einer Weise, welche zeigt, daß er sich unter dieser Krankheit eine Art von Melancholie, ein hypochondrisches Leiden denkt. [illegible]

Von den „Voyages dans l'intérieur du [illegible]" von Auguste de Saint-Hilaire ist, die erste und zweite Abtheilung, jede von zwei Bänden, erschienen. Die erste [illegible] die Reise in die Provinzen Rio Janeiro und Minas geraës, die zweite in den Diamantendistrict und das Küstenland, [illegible] Geschichte Brasiliens vom Anfang der Regierung [illegible] bis zur Abdankung Pedro I.

*) In Nr. [illegible] haben wir ausführliche Mittheilungen aus Rahel's Nachlaß gegeben, denen in einer der nächsten Lieferungen neue folgen werden. D. Red.

Redigirt unter Verantwortlichkeit der Verlagshandlung: F. A. Brockhaus in Leipzig.

Blätter

für

literarische Unterhaltung.

Freitag, —— Nr. 256. —— 13. September 1833.

Selbstbiographie von Aug. Friedrich Wilhelm Crome. Ein Beitrag zu den gelehrten und politischen Memoiren des vorigen und gegenwärtigen Jahrhunderts. Stuttgart, Metzler. 1833. Gr. 8. 2 Thlr.

Selbstbiographien von Personen, von denen Merkwürdiges erlebt und selbst Beachtungswürdiges geleistet worden, haben für Leser, welche Das, was Bildung und Schicksale von Menschen betrifft, vorzüglich interessirt, ungemein viel Anziehendes, wofern sich das Leben ungeschminkt in seinem Zusammenhange von Ursachen und Wirkungen als ein Gemälde vor Augen stellt, wo Licht und Schatten abwechseln und Mancherlei vorkommt, was zum Nachsinnen reizt und sympathetische Gefühle weckt.

Dem Verf. der vorliegenden Selbstbiographie hat das Geschick eben keine glänzende Rolle beschieden; er war nicht im Fall, Thaten zu verrichten, die Aufsehen erregen und der Posaune des Ruhms starke Klänge entlocken; aber er gehört zu den Seltenen, die selbst Schöpfer ihres Lebensglücks wurden, die sich in einem selbstgewählten Fach menschlicher Kenntnisse, dessen Ausbildung Vielen erwünscht und nützlich ist, durch vorzügliche Leistungen ausgezeichnet und dadurch die Aufmerksamkeit und Achtung der Zeitgenossen erworben haben, die endlich so glücklich waren, durch ihre Wirksamkeit in allen Kreisen, welche die Vorsehung ihnen anwies, Gutes zu stiften oder Böses zu hindern und dies von Vielen anerkannt zu sehen. So lange die Wissenschaft der Länderkunde unter den Sterblichen geschätzt wird, werden Crome's Verdienste um sie in rühmlichem Andenken bleiben. Er war einer ihrer ersten Begründer und ein wahrer Mehrer ihres Reichs. Vorzüglichen Ruhm brachte ihm seine vortreffliche umfassende Productenkarte, wodurch die nützliche Länderkunde wesentlich erleichtert und befördert wurde. Ueberhaupt war sein Sinn in allen seinen Unternehmungen auf das Gemeinnützige gerichtet. Schon von Natur hatte er vorzügliche Anlagen zum Lehramt, und diese Anlagen wurden durch frühzeitige, fortgesetzte und mannichfache Ausübung in hohem Grad ausgebildet. Ueber den Gang seiner Ausbildung gibt der Verf. umständlichen Bericht. Die Schilderung seiner Erziehung im väterlichen Hause, seines Universitätslebens in Halle, wo er Theologie studirte, dann der Lehrzeit, die er als Mentor im Schoose von ein paar adeligen Familien in Preußen zugebracht hat, trägt ganz das Gepräge lebendiger Wahrheit. Auch Crome erfuhr, welche Wohlthat es ist, von rechtschaffenen, religiösen Aeltern mit weiser Strenge so erzogen zu werden, daß eine gesunde Seele in einem gesunden Körper sich entfalte. Durch Unterrichtgeben mußte er sich in Halle mit Noth durchbringen; Semler und Nösselt waren seine vorzüglichen Lehrer. Er lobt diese, bemerkt aber (S. 37) im Allgemeinen: „Den Professoren fehlte es oft bei wirklicher Gelehrsamkeit an einem guten Vortrage und an einer zweckmäßigen Lehrmethode, sowie auf der andern Seite die nöthige Aufsicht über die Studien und über die Verwendung von Geld und Zeit bei den Studiosen gänzlich vermißt wurde. Auch ward zu viel Unnützes, Unbrauchbares für das wirkliche Leben in futuram oblivionem gelehrt". Pädagogik wurde gar nicht gelehrt. Diesen Mangel fühlte er lebhaft, als er eine Hofmeisterstelle übernommen hatte. Sein Oheim, der berühmte Büsching, hatte ihn dazu empfohlen. Die Bekanntschaft, die er zu Berlin mit Teller, Spalding, Ramler, Mendelssohn und Engel machte, war ihm für seine Bildung sehr zuträglich, und sein näherer Umgang mit Büsching gab zuerst seinen Studien eine bestimmte Richtung. Inzwischen fuhr er noch fort, sich für den geistlichen Beruf vorzubereiten. Die Probepredigt, die er in Gegenwart der Consistorialräthe hielt, handelte von dem Werthe der Leiden für die moralische Erziehung der Menschen. Sie fiel gut aus. Selbst sein Oheim Büsching war davon entzückt und umarmte ihn, als er nach gehaltener Predigt in die Sacristei trat, obgleich er wenige Tage zuvor des Oheims Unwillen sich zugezogen hatte. Es fiel nämlich bei einer Mahlzeit die Rede auf „Werther's Leiden", die eben erschienen waren. Crome lobte sie. Dies misbilligte Büsching höchlich, weil die Schrift den Selbstmord in Schutz nehme; er sprang vom Tisch auf und erklärte: Crome schicke sich nicht für einen Theologen, wenn er so anstößige Meinungen hege; er wolle von jetzt an nichts mehr mit seiner Anstellung als Geistlicher zu thun haben, und damit lief er aus dem Zimmer. Als er aber nachher jene Probepredigt gehört hatte, ward er andern Sinnes, er rief aus: „Vetter, jetzt bin ich Ihnen von Herzen wieder gut!" und damit lief er, das Tuch vor den Augen, davon. Dieser Zug ist charakteristisch. Geistliche Stellen wurden ihm nun angeboten. Aber ein inneres Gefühl hielt ihn ab, sie anzunehmen, worüber er sich selbst nicht genaue Rechenschaft geben konnte.

Von besonderm Werth ist Crome's Schilderung der berühmten Basedow'schen Erziehungsanstalt zu Dessau, bei welcher er als Lehrer für den historisch-geographischen Unterricht 1779 eintrat und fünf Jahre verblieb.

Basedow hatte bei einem robusten Körper einen viel umfassenden Geist, einen durchdringenden Verstand und einen festen Willen, mit Muth und Entschlossenheit, Ausdauer und Arbeitsamkeit verbunden. Aber in der Form gab er viele Blößen. Er griff die längst verjährten Vorurtheile der damaligen Schulmonarchen mit Kraft an und machte sich dadurch das ganze Heer von Schulmännern zu offenbaren Feinden. Seine Gehülfen waren beiweitem nicht so kräftig als er. Es fehlte seiner Anstalt an einem hinlänglich bedeutenden und bleibenden Fonds, und was ihm noch mehr schadete, war der Mangel an einem durchaus tüchtigen Director. Dazu war Basedow selbst nicht geeignet. Der Gesetzgeber kann nicht immer selbst Richter sein, und der große Montesquieu wäre vielleicht ein schlechter Justizminister gewesen. Dies begriffen aber Basedow's schwache Tadler nicht. Campe hatte zwar treffliche Eigenschaften zur Direction, aber weil ihm die Verwaltung der Oekonomie auch aufgebürdet wurde, so erlag er der Last; die Oekonomie ging schlecht und Campe verließ Dessau. Nichts vermochte ihn zur Rückkehr zu bewegen. Ihm folgte Wolke, ein braver Mann und guter Erzieher kleiner Knaben, aber der Leitung einer so großen Anstalt keineswegs gewachsen. Der oftmalige Wechsel der Lehrer war dem Gedeihen der Anstalt auch sehr hinderlich, wenngleich meist treffliche Männer angestellt waren. (Von ihrer Einrichtung sagt Crome viel Vortheilhaftes.) In ihr sah man Zöglinge aus den mehrsten europäischen Staaten vom 8. bis zum 18. Jahre vereinigt, die das Gepräge der Gesundheit, des frohen Muths und der innern Zufriedenheit an der Stirne trugen. Sie waren der Ordnung wegen in acht Abtheilungen gebracht, jede zu acht Individuen, einen Lehrer an der Spitze; sie standen unter beständiger Aufsicht. Der Ton der Lehrer war väterlich und das Vertrauen der jungen Leute zu ihren Vorgesetzten rein kindlich. Daraus ging ein freiwilliger unbedingter Gehorsam hervor. Strafen fanden sehr selten statt, und nur an der Ehre, doch so, daß das Ehrgefühl noch mehr geweckt wurde, auch zuweilen ein kleiner Abzug am Taschengelde, der dann zum gemeinschaftlichen Vergnügen verwendet wurde. Körperliche Strafen kamen in der Regel gar nicht vor, und es ward nur alsdann eine Ausnahme gemacht, wenn grobe Beleidigungen gegen Mitschüler verübt waren, oder wenn ein offenbarer Widerstand gegen Lehrer sich zeigte (nur zweimal in fünf Jahren). Alsdann aber wurde die Strafe öffentlich mit einer Feierlichkeit vollzogen, welche tiefen Eindruck machte, wenn sie auch an sich höchst gelinde war.

Sonderbar war die Veranlassung von Crome's Austritt aus dem Institut; es war die erste Herausgabe seiner Productenkarte. Obgleich die Zahl der Subscribenten sich auf 3000 belief, so fand sich doch lange Niemand, der den Verlag übernehmen wollte. So beschränkt war damals noch dieser Industriezweig in Deutschland. Nicht ein Buchhändler, sagt Crome, hätte ihm 100 Gulden für diese Arbeit gegeben. Das Philanthropin hatte selbst eine Buchhandlung, wollte aber den Verlag des Werks, ungeachtet des großen Lobes, das Büsching und Ebeling ihm ertheilten, ebenso wenig übernehmen als dem Verf. erlauben, es auf eine andere Art erscheinen zu lassen, aus Besorgniß, das Unternehmen möchte mißglücken und dem Ruf der Anstalt schaden. Deshalb trennte sich Crome von ihr und übernahm die Herausgabe seiner Karte selbst. Diese war nach einem ganz neuen stereographischen Netz entworfen, und die einzelnen Hauptproducte jedes Landes waren darauf durch Zeichen dargestellt, die man unten auf der Karte erklärt fand. Sie wurde von Pingeling in Hamburg trefflich gestochen. Das Werk gelang vollkommen. Es wurde im ersten Jahre zwei Mal und in drei Jahren zum dritten Mal aufgelegt, in Wien nachgestochen und auch in England und Frankreich nachgebildet. Zur Erläuterung schrieb Crome ein Buch, das vielen Beifall fand. Ihm ließ er ein anderes folgen: „Ueber die Culturverhältnisse der europäischen Staaten". In diesen und andern ähnlichen Werken war es sein Hauptgesichtspunkt, die Kenntniß vom wirklichen industriellen Leben in den Staaten zu verbreiten. Die zwei Jahre, während deren er als Privatgelehrter diese Werke ausarbeitete, widmete er mit Eifer dem Studium der Statistik und Kameralwissenschaften. Er bekam durch Euler einen Ruf nach Petersburg, dann einen andern als Professor nach Leipzig. Allein er hatte Dessau liebgewonnen und zog eine Anstellung als Lehrer des dasigen Erbprinzen vor. Deswegen schlug er auch eine außerordentliche Professur in Göttingen aus, welche ihm durch Heyne angetragen wurde. Später, 1787, nahm er jedoch den Ruf nach Gießen an, wo er 44 Jahre verlebte. Die Zahl der Studirenden belief sich damals dort auf 500. Sie wäre größer gewesen, wenn nicht Gießens Besuch den benachbarten Nassauern wegen politischer Mishelligkeiten wäre verboten worden. Der Fonds der Universität trug wenig über 40,000 Gulden, aber ihr Einkommen wurde später bis auf 70,000 Gulden und mehr erhöht. Da der Fonds für die Bibliothek noch gering war, so wurde Crome von dem Fürsten ein jährlicher Beitrag von 300 Gulden zur Anschaffung von Büchern über sein Fach angewiesen. Sein Vorfahrer auf dem Lehrstuhl der Statistik und Kameralwissenschaften war Schlettwein (ein strenger Physiokrat). Crome's Hauptbestreben war nun, in den Vortrag dieser Fächer mehr Ordnung und Zusammenhang zu bringen. Eine schöne Frucht seiner Arbeiten ist das Werk: „Ueber die Culturverhältnisse der europäischen Staaten mit einer Größen- und Verhältnißkarte dieser Länder" (Leipzig, 1792). Die Karte hatte das Eigenthümliche und Neue, daß man den Flächenraum der europäischen Staaten und ihre Bevölkerung in der Art übersehen konnte, wie sie stufenweise aufeinander folgten. Die nämliche Karte wurde 1817 neu gezeichnet und dem Werke: „Uebersicht der Staatskräfte der sämmtlichen europäischen Länder" beigefügt.

Seinen Studien ward bei Anlaß der Wahl und Krönung Leopold II. in Frankfurt eine neue Bahn geöffnet. Crome wohnte dieser Feierlichkeit im Gefolge der kursächsischen Wahlgesandtschaft bei. Hier knüpfte er manche wichtige Bekanntschaft. Am wichtigsten aber war für ihn eine Privataudienz, die er ungesucht beim Kaiser erhielt, der ihn sehr gut aufnahm und sich lange mit ihm unterhielt. Als nämlich Crome der Schrift Leopold's über die Criminalgesetzgebung mit Lob erwähnte, fragte ihn der Kaiser: was ihm denn in dieser Schrift als merkwürdig aufgefallen, oder was ihm darin gefallen oder misfallen habe? Crome erwiderte: vorzüglich drei Punkte seien ihm merkwürdig erschienen, zuerst die Aufhebung der Todesstrafe, zumal in einem italienischen Staate.

Kaiser: Ich hätte meine Toscaner vorher jahrelang zur Ehrliebe und Rechtlichkeit gewöhnt und gleichsam erzogen. Deshalb sagte auch Jedermann in Toscana, wenn ein bedeutendes Verbrechen bekannt wurde: das hat gewiß kein Toscaner begangen, sondern ein Römer oder ein Piemonteser, und das war in der Regel auch der Fall. Ich werde Ihnen von Wien aus eine Tabelle schicken lassen, woraus Sie ersehen werden, wie die Verbrechen in Toscana von 1765—90 allmälig abgenommen haben und zuletzt fast bis auf ein Zehntel verschwunden sind. Der Regent, der seine Unterthanen nicht zu erziehen weiß, kennt oder erfüllt seine Pflichten nicht. Crome: Sodann finde ich merkwürdig die Aufhebung des Verbrechens der beleidigten Majestät. Kaiser: Der Regent, welcher nicht versteht, die Liebe und Achtung seiner Unterthanen in dem Grade zu gewinnen, daß er ebenso sicher unter ihnen ist wie ein Vater unter seinen Kindern, der verdient keinen besondern Schutz vom Staat wenigstens nicht mehr Schutz als ein jeder Beamter der Regierung oder als ein jeder anderer Staatsbürger. Jene barbarischen, byzantinischen Gesetze gegen das crimen laesae majestatis waren ebenso grausam als ungerecht. Wir bedürfen ihrer jetzt nicht mehr in unsern Staaten.

(Die Fortsetzung folgt.)

Der Basilisk, oder Gesichterstudien. Eine Novelle von Theodor Mundt. Leipzig, Wolbrecht. 1833. 12. 1 Thlr.

Bei dem gegenwärtigen Stand und Zustand der Romantik darf ein Altgläubiger mit einem modernen Schriftsteller über den Charakternamen dieser Erzählung (Novelle) nicht rechten. Noch sind von den neuen Kunstverständigen für die Extreme des Schauerlichen und Läppischen, welche die Romantik unserer Zeit fast ausschließlich behandelt, Namen nicht ersonnen worden, und so müssen wir es uns denn gefallen lassen, daß wir auch durch Hrn. Mundt eigentlich getäuscht werden.

Wir leugnen nicht, daß wir von der Tiefe der Anschauung, welche wir an Hrn. Mundt entdeckt zu haben glauben, immer etwas Bedeutendes erwarten; und obgleich uns die vorliegende Leistung übereilt und deshalb verfehlt scheint, so finden wir in derselben doch jene Tiefe der Anschauung als Grundton wieder. Hr. Mundt will uns eine Reihe kranker Gemüther von Bedeutung vor die Seele stellen. Der unglückliche Aberwitz: aus den Lineamenten eines Gesichts die Seele des Menschen erkennen zu wollen, macht einen alten Minister wahnsinnig, als er sieht, daß er sich getäuscht habe. Aus der hellen Reinheit ihrer Gesichter lesen zwei funfzehnjährige Wesen, daß sie für einander bestimmt sind. Ein regelmäßig schönes Gesicht aber ist der Basilisk, der Alle unglücklich macht, die mit ihm in Verbindung stehen; und in ihm hat sich der alte Physiognom, der Minister, geirrt.

Diese physiognomische Idee ist die Aufgabe, welche Herr Mundt sich in seiner Novelle stellt, und wir möchten sie wol der Göthe'schen Wahlverwandtschaftsidee vergleichen. Sie ist vielleicht weniger materiell, aber auch weniger subtil und schlüpfrig; allein ihre Ausführung bedurfte eines tiefern Studiums der Natur des menschlichen Gemüths. Dieses hat Hr. Mundt nicht vorangehen lassen. Alle seine Charaktere sind mislungen; er hat über dem großen psychologischen Problem die Psychologie im Kleinen versäumt, und dies ist die Uebereilung, welche wir beklagen.

Daneben wählt Hr. Mundt eine schwülstige, schwüle Schreibart für sein nebelhaftes Sujet. Er erzwingt das Colorit seiner Bilder durch Beiwörter; seine Menschen reden in hochtrabenden Phrasen und seine Kinder philosophiren. Durch diese Behandlung wird die Erzählung unmäßig breit und ermüdend. Das Ganze ist von der Exposition an schauerlich, und grausenhaft ist das Ende. Mitten darin stoßen wir auf einige Scenen, die wir mit der beabsichtigten Würde des Ganzen nicht zu vereinigen wissen. Besonders zeichnen wir unter Anderm die Geschichte von dem Haushahn und die Figur des Todtengräbers aus. Sollte jene vielleicht eine Hoffmann'sche Phantasie und dieser eine Shakspeare'sche Gestalt sein? In jedem Falle haben beide uns sehr gestört.

Ungeachtet wir diese Arbeit nicht loben können, so leugnen wir doch nicht, daß der Verf. auch darin vielversprechende Anlagen verrathen hat. Wenn Hr. Mundt sich nicht verleiten läßt, Novellen im Geiste der oberflächlichen Romantiker unserer Tage aus dem Aermel zu schütteln; wenn er anhaltende Studien jedem Sujet, jedem Charakter widmet; wenn er, mit einem Worte, classische Leistungen zum Muster nehmen, die zeitgenossischen aber mit ihrem Genialitätsdünkel vergessen will: wir sind überzeugt, er wird, er kann Gutes leisten. Müllner, Grillparzer — kurz alle die Gespensterseher und Fatalisten, wie sie heißen mögen, sollte aber Hr. Mundt meiden. Seine Phantasie ist nicht fröhlich und frei; sein Herz ist beklommen. Er muß eine heitere Seite dem Leben, er muß der Menschheit Vertrauen abgewinnen und nicht in der kranken Natur, sondern in der gesunden Sträuße sammeln, aus denen er seine Kränze winde.

124.

Macchiavell, son génie et ses erreurs. Par *A. F. Artaud.* Zwei Bände. Paris 1833.

Das Buch, welches wir hier anzeigen, gehört unstreitig zu den erfreulichsten Erscheinungen der französischen gelehrten Literatur unserer Zeit. Es ist die Frucht der fleißigsten und unparteiischsten Untersuchungen über Alles, was Macchiavell betrifft, und gewiß war nicht leicht Jemand geeigneter, so gründlich über den berühmten Secretair zu schreiben als grade der Verf., welcher nicht nur durch seine frühern Schriften (namentlich seine Uebersetzung des Dante) sich schon als einen genauen Kenner italienischer Bildung und Literatur bekannt gemacht hat, sondern auch durch seinen langen Aufenthalt in Florenz, besonders seinen Zutritt zu den Bibliotheken, so viele Documente sammeln konnte, die andern Gelehrten abgehen. Auch hat er schon die Glückwünsche seiner Collegen von der Académie des incriptions erhalten, und ebenso wird sein Werk in Deutschland mit Beifall aufgenommen werden. Es ist in historischem Geiste geschrieben, unabhängig von dem Treiben der Tagespolitik. Der Verf., derselbe, welcher schon 1820 den anonymen Artikel: Macchiavell, zur „Biographie universelle" geliefert hatte, sagt selbst in der Einleitung: nicht leicht habe ein Pfarrer so viel für seinen Heiligen collectirt als er für seinen Dämon; Alles habe er angenommen, Lob wie Schmähung, Geschenke und Hiebe für denselben, um die Acten des großen noch nicht entschiedenen Processes über Macchiavell zu vervollständigen. Aussprüche deutscher Schriftsteller konnte er jedoch nicht sehr viele sammeln, und es bleibt Manches in einer zweiten Ausgabe zu ergänzen. Auch wird er mit Dank alle Mittheilungen hierüber annehmen. Die Untersuchung der ihm bekannten Urtheile nimmt die beiden letzten der 50 Capitel ein und ist chronologisch geordnet, sowie das ganze Werk. Man verfolgt Macchiavell's Leben und schriftstellerische Thätigkeit von Jahr zu Jahr, und es ist gewiß nicht das geringste Verdienst von Hrn. Artaud, ein neues Licht über diese Zeitfolge verbreitet zu haben. Seine Meinung über den „Principe" geht dahin, daß in Macchiavell durchaus keine Nebengedanken, Ironie, Satire, dabei obwalteten, man ihn aber außerordentlich oft falsch verstanden habe. Das Motto ist: „Ure, seca partes aliquas, reliquum collige, ama." Doch wir brechen ab, da wir uns nur beeilen wollten, das deutsche gelehrte Publicum auf dieses Werk aufmerksam zu machen, ohne damit einer gründlichern, ins Einzelne gehenden Recension irgend vorzugreifen. Es genüge noch hinzuzusetzen, daß das Werk aufs Prachtvollste ausgestattet ist; man findet darin unter Anderm das einzige bis jetzt in Frankreich bekannte authentische Portrait des Florentiners, mit dessen Wappen, ein Facsimile von demselben und eines von Franz I., sowie zwölf andere noch nicht herausgegebene, oder doch wenig bekannte anziehende Documente. Vieles ist in mittelalterlicher Schrift abgedruckt. 200.

Aus Italien.

Lasinio's Umrisse nach den Gemälden des Campo santo zu Pisa erschienen 1812 zu Florenz bei Molini mit Unterstützung des Cardinals Despuig, sind aber jetzt so selten geworden, daß nur für sehr hohen Preis sie in Italien aufgetrieben werden. Indessen verfallen die Gemälde täglich mehr, aller Sorgfalt ungeachtet, und selten vergeht ein Monat, schrieb schon 1809 Ritter Rossini an Ippolito Pindemonte, ohne daß auf der einen oder der andern Seite ein Stück Kalkanwurf sich von der Mauer löse oder ein Kopf u. s. w. vor den Augen durch die Einwirkung der Seeluft verschwinde, welche die Farben zerstört. Nur Nachbildungen, die noch bei Zeiten gemacht werden, können den Nachkommen eine Vorstellung der Werke sichern, die dort einst vor Augen standen; daher ist es gewiß sehr verdienstlich, daß Lasinio's Sohn, Paul, auch ein Meister in der Kunst der Umrisse, unter dem Titel: „Pitture a fresco del Campo santo di Pisa dis. ed incise da *Gius. Rossi* e dal Prof. Cav. *Paolo Lasinio* figlio (Florenz 1832), eine neue Darstellung jener berühmten Fresken besorgt, die den vielen Fremden durch etwas kleineres Format noch willkommener als die frühere sein wird, obgleich für die gestaltenreichen Werke des Benozzo Gozzoli u. s. w. kaum ein Format groß genug gewählt werden kann. In dieser neuen Ausgabe sind die in dem frühern Werke weggelassenen Fragmente mitaufgenommen und der Text, wo möglich, bereichert.

Prof. Nicola Wisemann beim Archigymnasium zu Rom hat in der Accademia di religione cattolica einen Vortrag gehalten, der zwar zunächst polemisch gegen die protestantischen Missionsanstalten war: „La sterilità delle missioni intraprese dai protestanti per la conversione de' popoli infedeli dimostrata dalle relazioni degli stessi interessati nella medesima. Dissert. letta ecc. dall' accademico *Nic. Wisemann*, membro della Soc. R. di letteratura di Londra" (Rom 1831), und selbst mancherlei Bedenken gegen die Unbefangenheit des Referenten veranlassen konnte, aber besondere Betrachtungen über das Missionswesen im Ganzen zu erwecken im Stande ist, die bei Katholiken und Protestanten nicht ohne Nutzen sein sollten. Daß Prof. Wisemann z. B. über die Missionen der Brüdergemeinden so eilig hinweggeht, gehört zu den Ungenauigkeiten seines Berichts, die man zu seiner Entschuldigung der Unkenntniß der Sprache zuschreiben muß, in der sie geschrieben sind. Das wenigste Ueble, was er den andern protestantischen Missionen nachsagt, möchte grade auch diesen nachzusagen sein und vielleicht sogar positives Gute. Ob aber Missionen überhaupt Gutes nachzurühmen sei, könnte bedenklich scheinen, obgleich dem Prof. Wisemann alle derartige Zweifel nur bei den Bekehrungen beifallen, deren die Protestanten sich rühmen, ohne zu argwöhnen, daß sie ebenso sehr auf die katholischen Missionen sicher anzuwenden seien. Die ganze Schrift ist bei aller Gelehrsamkeit ein trauriger Beleg für den noch leider bestehenden hochmüthigen Sektengeist der katholischen Kirche, den verkappter und allzu gutmüthiger Indifferentismus als bis auf den Keim verschwunden uns einreden möchten.

Durch Champollion's Tod sehen die Italiener, die Gefährten seiner Reise durch Aegypten waren, sich als berufen an, seine ägyptischen Forschungen in vollem Glauben an seine Enträthselungen fortzusetzen. So liest Rosellini in den „Monumenti dell' Egitto e della Nubia disegnati dalla spedizione scientifico-letteraria toscana in Egitto, distribuiti in ordine di materie" (Pisa 1832), wovon der erste Theil des ersten Bandes, die geschichtlichen Denkmale enthaltend, nunmehr ausgegeben ist, alle Königsschilder, die ihm auf der Tafel von Abydos, sowie in den Gräbern von Beni Hassan vorkamen, nach Champollion's Grundsätzen und bringt dadurch Königsreihen heraus, die über die 17. Dynastie hinaufreichen, obgleich Peyron in Turin in dem Aprilheft der „Bibl. ital." d. J. aus sehr triftigen Gründen darthut, daß erst mit der 18. Dynastie, als die Hyksos durch die Pharaonen wieder vertrieben waren, die Denkmäler in Aegypten beginnen. Dreister beinahe scheint die Folgerung, zu der man sich nach der erlangten Fertigkeit im Lesen der Königsschilder berechtigt glaubt, daß man an zweifelhaften Stellen Manetho nach den Denkmälern berichtigen dürfe; und doch gibt es auch dazu Beispiele bei Rosellini. Wie viele Aufschlüsse darf man sich bei solchem Vertrauen in diesen dunkeln Regionen versprechen? Daß Aegyptens Literatur aber im Allgemeinen die Aufmerksamkeit der neuern Italiener anrege, beweisen auch nachfolgende Werke, deren Titel wir zum Trost der Aegyptologen abschreiben, ohne mehr als ihr Ansichttreten hier melden zu können: „Fundamenta hermeneutica crypticae veterum gentium sive Hermeneutices hierographicae libri III, auctore *Cataldo Janessio*, regio-bibliothecario et academico Herculanensi" (Neapel 1830). — „Tabulae Rosettanae hieroglyphicae et centuriae sinogrammatum polygraphicorum interpretatio per lexicographiam Temurico-Semiticam" (Neapel 1830). — „Hieroglyphica Aegyptia tum scripta, eaque ex Horo-Apolline, aliisque veteribus scriptoribus selecta, tum insculpta, eaque ex obelisco Flaminio potissimum desumta et symbola aliquot Pythagorica per lexicographiam Temurico-Semiticam tentata" (Neapel 1830). — „Tentamen hermeneuticum in hierographiam crypticam veterum gentium et disquisitio de natura, auctoribus et lingua hierogrammatum Abraxeorum, sive problemata, theoremata, etyma et lemmata selecta ex hierographia Hebraeorum, Syrorum, Phrygum, Graecorum, Italorum, Scandinavorum, Aegyptiorum, Persarum, Indorum et Sinensium per lexicographiam Temurico-Semiticam tentata" (Neapel 1831).

Mit der 62. Lieferung, der letzten des dritten Bandes, ist die „Pinacoteca del palazzo R. delle scienze ed arti di Milano, pubblicata da *Michele Bisi*, incisore col testo di [illegible] Gironi" (Mailand 1812—33) geschlossen, ein Werk, das durch das Verdienst der Zusammenstellung und den Werth der Kupfer neben den bedeutendsten ähnlichen Museographien seinen Platz verdient. Rascher, aber was die Kupfer betrifft, auch weniger gepflegt, schreitet das „Museo della R. accademia di Mantova" (Mantua, seit 1830, jetzt beim vierten Hefte des zweiten Bandes) fort, bis jetzt nur plastische Arbeiten in schwarzer Kunst darstellend; der Text ist ausreichend und verständig. Als Museographie, aber nicht durch Kupfer über alle Theile erläutert, kann mit diesen Werken „Il Vaticano descritto ed illustrato da *Erasmo Pistolesi*, con disegni a contorni diretti dal pittore *Cam. Guerra* (Rom 1829 fg., Großfolio), verbunden werden, ein Werk, das um so mehr [illegible] erscheinen muß, da die Platner-Bunsen'sche Beschreibung noch lange nicht den ganzen Vatican gegeben haben wird und dann zur Vergleichung mancherlei Anlaß darbietet. Durch eine Actiengesellschaft ist die Fortsetzung und Vollendung des Werkes gesichert. 77.

Redigirt unter Verantwortlichkeit der Verlagshandlung: F. A. Brockhaus in Leipzig.

Blätter für literarische Unterhaltung.

Sonnabend, —— Nr. 257. —— 14. September 1833.

Selbstbiographie von Aug. Fr. Wilh. Crome.

(Fortsetzung aus Nr. 256.)

Auf Crome's dritte Bemerkung in Betreff der Entschädigungskassen, welche Leopold bei allen Criminal-, Justiz- und Policeibehörden hatte errichten lassen, worein die sämmtlichen Strafgelder fielen, versetzte der Kaiser: „Sollte ich die Thränen nicht abtrocknen lassen, die wegen ungerechter Behandlung der Staatsbehörden waren vergossen worden. Diejenige Regierung, die nie gefehlt haben will, ist eine der schlechtesten, die es gibt. Sodann fragte er Crome, ob er das Werk: „Governo della Toscana", kenne? Crome kannte es nicht. „Es enthält", sagte der Kaiser, „eine kurze Darstellung der ganzen Staatsverwaltung von Toscana von 1765 — 90 und ist gleichsam ein compte rendu, welches ich meinem Volke als ein Denkmal meiner Regierung hinterlassen habe." Auf Crome's Wunsch, das Werk zu lesen, sagte der Monarch: „Ich will es Ihnen zuschicken lassen, und wenn Sie Italienisch verstehen, wird es mir lieb sein, wenn Sie es ins Deutsche übersetzen und mit einem Commentar versehen; in Deutschland wird man es sonst nicht recht verstehen. Da Sie in dem Gebiet der Staatswissenschaft geschrieben haben, so wird Ihnen dies nicht schwer sein; es sollen Ihnen Beiträge dazu von Wien aus geschickt werden." Crome nahm den Auftrag dankbar an mit dem Wunsche, einige Aufklärungen über manche Punkte der toscanischen Regierung erhalten zu können, die ihm unbekannt sein möchten. „Am besten ist es", erwiderte der Kaiser, „ich gebe Ihnen sogleich selbst eine kurze Uebersicht von dem Plan und Zweck des Werkes." Und nun entwarf ihm der Monarch einen kurzen Abriß seiner Regierungsgeschichte in Toskana. Sodann sicherte er Crome für seine Bemühung eine von den fünf Präbenden der protestantischen Reichsstifter zu, die er als primas preces zu vergeben hatte. Durch Fahrlässigkeit der Reichskanzlei wurde jedoch während der kurzen Regierungszeit Leopold II. keine dieser Pfründen vergeben. Als Crome nun der Wahl und Krönung Franz II. im Gefolge der königl. preußischen Gesandtschaft beiwohnte, benutzte er den Anlaß, um die Sache zu betreiben. Er wurde Franz II. vorgestellt. Dieser war über die Nichterfüllung des Versprechens seines Vaters sehr erstaunt, fügte aber hinzu: „Was mein Vater Ihnen versprochen hat, das muß und werde ich Ihnen halten. Schicken Sie mir nur die Uebersetzung des „Governo", wenn sie abgedruckt sein wird, gradezu an mich adressirt, mit der Post nach Wien; die Präbende soll dann nicht fehlen." Als er jedoch nachher mit Mühe bei dem Reichsvicekanzler Fürsten Colloredo vorgelassen wurde und ihm sein Anliegen wegen der Präbende bescheiden vortrug, antwortete dieser kurz und schneidend: „Sie kriegen sie nicht!" Betroffen fragte Crome: „Warum nicht, da ich doch das Versprechen von zwei Kaisern erhalten habe, auch etwas dafür leiste?" „Gleichviel", war die Antwort; „Sie hätten sich zuerst bei mir melden müssen. Ich habe jetzt schon 105 Supplikenauf fünf protestantische Präbenden; wollen Sie vielleicht der 106. Aspirant sein?" Auf weitere Vorstellungen wurde endlich die ganze Sache vom Fürsten in Zweifel gezogen. Dies empörte Crome's Ehrgefühl, und er erklärte, daß er auf die Präbende resigniren würde, wenn der Kaiser sein Wort nicht erfüllen könne. So schied er vom Fürsten wenig beruhigt. Doch auf den Rath des sächsischen Gesandten Grafen von Löben begehrte und erhielt er am folgenden Tage eine Audienz beim Kaiser und erzählte diesem haarklein, was ihm mit Colloredo begegnet war. Der Monarch rief unwillig aus: „Was, habe ich denn nicht das Recht, die Präbenden zu vergeben, oder hat dies ein Anderer?" Er fügte bei, er werde die Sache nicht vergessen; Crome möchte sich nur unmittelbar bei ihm melden, er möchte nur bald die Uebersetzung des „Governo della Toscana" ihm zusenden. Acht Wochen darauf erhielt er wirklich sein Diplom für das Stift zu Goslar. Er verkaufte die Präbende für tausend Dukaten. Aufgefodert gab er die Wahlcapitulationen Leopold II. und Franz II. mit einem Commentar heraus. Schon früher war ihm die Handschrift eines Herrn von ***, ehemaligen Adjutanten Friedrich II., eine Geschichte des siebenjährigen Krieges mit Zeichnungen und Planen, zur Redaction mitgetheilt worden. Crome übernahm sie, weil die Handschrift ihn sehr ansprach, indem sie über Vieles Aufschlüsse gab, was noch ganz unbekannt war. Er eröffnete eine Subscription und ließ zugleich den von ihm umgearbeiteten Abschnitt: „Die Einschließung und Uebergabe des sächsischen Heers zu Pirna", in dem „Journal für Staatskunde und Politik", das er mit Jaup herausgab, abdrucken. Dies erregte Aufsehen zu Berlin. Mehre, selbst Herzberg schrieben an Crome, um den Namen Desjenigen zu erfahren, der ihm die Materialien geliefert, wobei bemerkt wurde, daß die Erscheinung eines solchen Werkes in Berlin nicht gern gesehen würde. Crome durfte die Anfrage nicht befriedigen. Inzwischen schickte Friedrich Wilhelm II. den Oberstlieutenant von Pful an ihn nach Gießen, um mit ihm über die Handschrift zu unterhandeln und sie ihm abzukaufen, auch ihm eine Stelle im Departement der auswärtigen Angelegenheiten anzubieten. Allein Crome durfte als Mann von Ehre weder die Handschrift aushändigen noch den Verfasser nennen, daher zerschlug sich die Unterhandlung; doch beendigte der Herzog von Braunschweig die Sache, indem er ihm ein Schreiben im Auftrag des Königs schickte, worin dieser mit tausend Reichsthalern für die Herausgabe des Werkes pränumerirte; zugleich rieth ihm aber der Herzog auf eine feine Art, die Herausgabe des Werkes abzulehnen, aber in keinem Fall den übersandten Wechsel zurückzusenden. Crome schickte sonach die Handschrift an den Verfasser zurück, der sein Werk später selbst bekannt machte.

Der französische Revolutionskrieg verursachte auch Crome manche Ungelegenheit. Auch er entging, obgleich völlig schuldlos, der überhand genommenen Jakobinerriecherei nicht, die häufig zum Vorwand diente, um die unedeln Leidenschaften des Privathasses und der Rachsucht zu befriedigen oder mit dem Untergange unschuldiger Menschen das eigne Emporkommen zu befördern. Die Erzählung (S. 234—239), wie eine Denunciation gegen ihn heimtückisch angesponnen, aber glücklich entlarvt worden, ist ein Beitrag zur Geschichte der Zeit. Im Sommer 1796 wurden die Vorlesungen in Gießen durch das Vordringen der französischen Heere unterbrochen. Wegen der Roheit und Raubsucht der Republikaner suchten damals Viele von den gebildetem Classen nur in der Flucht ihr Heil. Im Jahr 1797 setzten sich die Franzosen wieder auf dem rechten Rheinufer fest, und General Hoche nahm sein Hauptquartier in Gießen. Daher wurde daselbst von der Regierung zu Darmstadt eine Kriegscommission und in diese auch Crome als Mitglied ernannt. Als solches leistete er, der französischen Sprache kundig, Stadt und Land treffliche Dienste. Er schildert den General Hoche als einen gebildeten und wohldenkenden Mann, der bei hellem Kopf und entschlossenem militairischen Sinn keineswegs hart war. Von den spitzbübischen Kriegscommissarien, der wahren Pest der französischen Armee, schickte er ein ganzes Corps über den Rhein zurück. Indessen konnte er nicht hindern, daß die Commissairs, die das Directorium in Paris ernannte und die nicht unter seinem Befehl standen, die Universität ihres Münzcabinets beraubten und die besten Bücher in Verschläge packen ließen, um sie über den Rhein schaffen zu lassen. Als Crome sich widersetzte, ließen die Commissairs ihn arretiren und ihm die Bibliotheksschlüssel wegnehmen. Doch General Championnet, verständig und wohldenkend, bewirkte als Commandant zu Gießen die baldige Entfernung dieser Commissairs. Crome wurde von den französischen Generalen als Statistiker, von dem sie Manches lernen zu können glaubten, hervorgezogen und freundlich behandelt, was ihm Gelegenheit gab, manche Verwaltungsangelegenheiten ohne Geldgeschenke abzuthun. Doch hatte er mitunter manchen argen Strauß zu bestehen und mußte sich manches persönliche Opfer gefallen lassen. Einmal gelang es ihm, eine ungeheuere Lieferung vom Lande abzuwenden, und ein anderes Mal die ungerechte Requisition eines Obersten Merlin (Neffen des Directors in Paris) zu vereiteln. Wie er dies bewirkte, ist (S. 255—263) auf eine sehr anziehende Art erzählt. Nicht minder ist es die Erzählung (S. 265 fg.) von einem andern Vorfall, wo ein Dorf wegen einer vorgefallenen Schlägerei zwischen Ortsbewohnern und französischen Soldaten sollte eingeäschert werden. Crome rettete das Dorf, indem er eine schöne Frau, die bei dem Vorfall zugegen gewesen war, als Zeugin einführte, wobei ihm der rechtliche Sinn des Generals Haquin sehr zu statten kam. Auch rühmt er sehr das Benehmen der nachfolgenden Commandanten Grouchy und Bernadotte. Letzterer zeigte sich überall als einen sehr uneigennützigen, liberalen und edelmüthigen Mann. Er war Kenner und Liebhaber der Wissenschaften, daher auch Gönner und Freund der Gelehrten. Er führte eine schöne Sammlung von Landkarten und eine Auswahl neuer Bücher bei sich. Auch war er in den militairischen und Staatswissenschaften sehr bewandert und sprach gern darüber an seiner Tafel. Crome hielt ihm auf seinen Wunsch täglich des Morgens eine statistische Vorlesung in französischer Sprache, wodurch er sich die Zuneigung des Generals in hohem Grade erwarb. Dem General wurde von der Universität ein Ehrendiplom zugestellt, und dieser gab ihr als Ehrendoctor ein glänzendes Fest. Er behandelte Stadt und Land mit aller Schonung. Dafür dankte ihm, als er sein Hauptquartier nach Landau verlegte, der Landesfürst in einem Schreiben, worauf dieser ihm erwiderte: er wünsche dem Lande Ruhe und Erholung, die aber erst dann sicher erfolgen würden, wenn man sich von dem zwecklosen Kriege mit Frankreich losmache, wie Preußen und Hessen-Kassel längst gethan; er würde die Sache in Paris unterstützen. Bedrohliche Umstände bewogen auch bald hernach den Hof zu Darmstadt, mit Frankreich insgeheim ein Abkommen zu treffen, das die Wirkung einer Neutralität haben sollte. Crome wurde zum Unterhändler erkoren. Er wurde deshalb im Februar 1799 nach Mainz zu dem Oberfeldherrn Bernadotte gesandt. Er kam zur rechten Stunde, denn schon war die Besetzung Darmstadts durch französische Truppen zu Paris beschlossen worden. Es gelang ihm, die Ausführung dieses Beschlusses zu hintertreiben und zu bewirken, daß gegen Rückberufung des darmstädtischen Corps von 3000 Mann von dem Heere des Erzherzogs Karl das Land von allen Kriegsbeschwerden befreit würde. Nach dem Abschluß eröffnete Crome dem Obergeneral: sein Fürst lasse ihm eine Domaine im Lande anbieten. „Est-ce que vous me croyez juif?" antwortete Bernadotte rasch; „je ne connais pas votre prince, j'ai fait cet accommodement avec votre patrie, par amitié pour vous et seulement pour vous. Plus un mot et hâtez-vous d'aller à Darmstadt." Die Uebereinkunft wurde von dem Landgrafen freudig aufgenommen, indem ihr Inhalt alle Hoffnung übertraf. Weil indessen einige Tage vorbeigingen, ehe Crome mit der Ratification nach Mainz zurückgeschickt wurde, so trat ein Vorfall ein, der sein Friedenswerk bedrohte. Es hatte nämlich General Ney, der Philippsburg berennte, an den Obergeneral berichtet: ein deutscher Spion aus dieser Festung habe ausgesagt, daß ein Bataillon Hessen-Darmstädter dort als ein Theil der Besatzung läge. Ueber diese (falsche) Nachricht sehr aufgebracht, schickte Bernadotte den General Oudinot nach Darmstadt, um eine kategorische Auskunft zu begehren. Mit diesem General wurde nun Crome vom Fürsten mit seiner befriedigenden Antwort an Bernadotte nach Manheim geschickt. Der Spion erhielt 60 Stockschläge; Crome blieb aber, um Alles zu berichtigen, 13 Wochen im Hauptquartier. Bernadotte weigerte sich sogar, ein schönes Pferd, das der Langraf für ihn nach Manheim geschickt, anzunehmen. „Dites à votre prince", sagte der General, „qu'il sera le premier prince allemand, duquel j'accepterai un présent, en cas que j'en aurais besoin." Der Fall ist aber nie eingetreten. Später, als der Mord der französischen Gesandten bei Rastadt erfolgt war, wurde Crome zu Bernadotte nach Simmern geschickt, um von dort mit Empfehlungen von seiner Hand nach Paris abzugehen. Die Reise fand Schwierigkeiten, zumal die nöthigen Pässe waren vergessen worden. Doch wurden sie überwunden und Crome von Bernadotte sehr gütig und theilnehmend aufgenommen. Er gab ihm Empfehlungsbriefe nach Paris an das Directorium, vorzüglich an Barras und andere einflußreiche Männer. Als er aber mit diesen nach Darmstadt zurückkam, um Creditiv, Instructionen, Wechsel und weitere Verhaltungsbefehle mitzunehmen, hatte die Sache sich anders gekettet. Der darmstädtische Gesandte zu Paris, Baron von Pappenheim, hatte die Reise Crome's nach Paris als überflüssig vorgestellt, um sich allein der Unterhandlung zu bemächtigen. Nun mußte Crome an Bernadotte schreiben: er sei krank geworden, und bitte den General, Darmstadt bei dem Directorium zu vertreten und dessen Angelegenheit zur Beförderung zu empfehlen. Bernadotte erfüllte diese Bitte, jedoch mit dem Bedauern, daß Crome nicht selbst nach Paris reise, indem er in wenigen Wochen auch dort sein würde.

(Der Beschluß folgt.)

Zur Naturgeschichte.

Brasiliens vorzüglich lästige Insekten, von J. E. Pohl und V. Kollar. Besonderer Abdruck aus der Reise im Innern von Brasilien von Dr. Pohl. Mit einem ausgemalten Kupfer. Wien 1832. Gr. 4. 1 Thlr. 3 Gr.

Brasilien ist eines der Länder, welche, in vielfacher Beziehung in neuerer Zeit als wichtig erscheinend, von nicht wenigen Reisenden besucht worden sind. Alle, welche die staunenswerthe Herrlichkeit seiner Tropengegenden schildern, stimmen aber auch auf der andern Seite ein Klagelied über schädliche Thiere, z. B. giftige Schlangen, besonders aber über die zahllose Menge lästiger und gefährlicher Insekten an. Nichtsdestoweniger waren wir bis jetzt uber diese letztern sehr im Dunkel geblieben, denn die meisten Reisenden, keine Naturforscher von Profession, begnügten sich die Landesnamen jener Quäler zu nennen und allenfalls eine so ungenügende Beschreibung hinzuzufügen, daß man derselben ebenso gut hätte entbehren können. Der Prinz von Neuwied, dem wir so viele schöne Aufklärungen über die Naturgeschichte Brasiliens verdanken, hat davon geschwiegen; die Ausbeute, welche Spix und Martius von ihrer Reise zurückbrachten, ist nur zum Theil veröffentlicht worden, und was die Insekten betrifft, so erschien davon erst ein Theil, Käfer enthaltend. Um so willkommener muß daher diese Abhandlung, nicht blos dem Kenner, sondern auch dem Laien sein, dessen Wißbegierde doch gern mit so vielfach erwähnten Geschöpfen genauer bekannt sein möchte.

Da hier der Ort nicht ist, Mittheilungen für Jenen zu machen, der ohnehin das Original nicht entbehren kann, so beschränken wir die gegenwärtigen auf allgemein Interessantes, nur bemerkend, daß die Verf. den Umfang der Classe der Insekten in Linné'schem Sinne genommen haben, d. h., daß sie auch noch Spinnen u. s. w. dazu zählen.

Den Reigen eröffnet die brasilische Vogelspinne (mygale Blondii), von den Brasiliern Nhamdu guaçu genannt, welche nicht mit der gewöhnlichen Vogel- oder Buschspinne von den Antillen zu verwechseln. Es ist ein ganz rauhhaariges, dunkelbraunes, oder rostfarbenes Thier, Brust und Leib haben jedes die Größe einer gewöhnlichen welschen Nuß, und mit ausgestreckten Füßen hat diese Spinne ziemlich den Umfang einer mäßigen ausgebreiteten Hand. Sie beißt nicht allein mit ihren starken, fast zollangen Kiefern, sondern es bringt aus diesen durch eine kleine Oeffnung an der Spitze auch ein giftartiger Saft in die Wunde, der Entzündung und Fieber verursacht, und dessen Wirkungen durch Oeleinreibungen gehoben werden. Nicht minder bringen auch die Haare einen Reiz auf der Haut hervor, was um so lästiger ist, als dieses Thier gar nicht zu den seltenern gehört und nur zu oft die Nachtlager der Reisenden im Freien heimsucht.

Ein anderes verwandtes, bis jetzt noch unvollständig gekanntes Thier ist der Afterskorpion (thelyphonus caudatus), der einem Scorpion sehr ähnlich ist, aber keinen Schwanzstachel, sondern einen peitschenartigen, vielgliederigen Schwanz hat. Von seinen starken Kiefern kann man auf einen heftigen Biß schließen, der für giftig gilt. Er ist ebenfalls schwarzbraun und wird wegen seines säuerlichen Geruches auf Cuba von den dortigen Colonisten le vinaigrier genannt. Aber auch Skorpione, schon in Italien so gefürchtet, fehlen in Amerika nicht. Der hier beschriebene (scorpio americanus) ist mit dem Schwanze gegen drei Zoll lang, blaßgelblich und braun gefleckt. Die Portugiesen nennen ihn escorpion, die Brasilier jacaiaiira. Er findet sich öfters auch in Häusern, indessen werden die Wirkungen seines Stiches mit dem Schwanzstachel ebenso übertrieben, wie die der europäischen, denn sie bestehen nur in einer schmerzhaften Entzündung mit Fieber, welche schon durch Umschläge von nassem Lehm gehoben wird. Der Tausendfuß (scolopendra morsitans), portugiesisch craja, bei den Brasiliern japurucu genannt, rostbraun von Farbe, gegen sechs Zoll lang und einen halben Zoll breit, an jeder Seite mit 21 Füßen, erregt mit seinem Bisse eben solche Zufälle wie der Skorpion durch den Stich.

Ein viel gefährlicheres Insekt ist aber der schon lange berüchtigte Sandfloh (pulex penetrans), dem hinsichtlich der Plage unsere wohlbekannte Art gar nicht zu vergleichen ist. Nicht wie diese sucht er die Bewohner in den Betten auf, sondern allenthalben im Freien, in sandigen Gegenden, an staubigen Orten und in der Asche der Feuerplätze lebend, vorzüglich zur trockenen Jahreszeit sich ungeheuer vermehrend. Am liebsten nistet er sich an den Füßen, besonders zwischen den Nägeln der Zehen ein. Nässe, vorzüglich aber Citronensaft wird ihm tödtlich, weshalb man denn auch die Zimmer mit Citronensaft austreibt, seine sonstigen Aufenthaltsorte damit begießt, um wenigstens die Wohnungen von dem lästigen Thiere zu befreien. Er ist nicht so scheu wie sein flüchtiger Gattungsverwandter, sondern bleibt beharrlich an seiner Stelle; sich tief in die Haut grabend, sodaß eine besondere Geschicklichkeit dazu gehört ihn mit Nadeln oder feinen Messern wieder zu entfernen. „Obgleich viel kleiner, als der gewöhnliche Floh", heißt es in unserm Werke, „verursacht er doch durch einen anhaltenden Reiz die heftigsten und bedenklichsten Zufälle, zumal wenn er in größerer Anzahl sich einnistet. Entzündung, bösartige Geschwüre, der Brand und selbst der Tod, vorzüglich bei Thieren, wo das Herausziehen der Flöhe nicht so leicht bewerkstelliget werden kann, sind Folgen ihrer Einnistung." Ein solcher Fall — in dem der Reisende Natterer auf diese Weise seinen Jagdhund einbüßte — hat indessen Veranlassung gegeben, das Thier genauer kennen zu lernen, indem die Pfoten dieses Hundes nach Wien eingesendet wurden. Man sieht unten an denselben (eine Pfote ist mit abgebildet) mehre braune Flecken, die Stellen andeutend, in welchen Sandflöhe sitzen. Wenn man einen solchen Sandfloh ausschält, so bleibt eine Vertiefung zurück, er selbst aber gleicht in seiner weißlichen blasenförmigen Gestalt einer kleinen Mistelbeere. An der Blase sieht man an der, der Haut zugekehrten Seite Kopf und Füße des Flohes, an der andern eine kleine, mit einem braunen Ring umgebene Oeffnung, den After. Die scheinbare Blase ist nichts als der zu ungeheurer Größe angeschwollene, mit unzähligen, fadenartig aneinanderhängenden Eiern gefüllte Leib des Weibchens. Man fand nur solche angeschwollene Weibchen, auch keine Maden oder Larven in den Füßen; es scheint also, daß nur die befruchteten Weibchen diese Theile aufsuchen, auch ihre Eier auswärts ablegen, welche dann ihre Verwandlung, wie die des gemeinen Flohs bestehen mögen. Es ist also das Männchen dieses Insekts noch unbekannt. Sonderbar ist es, daß dies Insekt in den Füßen der Neger schwarz erscheint. Eingeborene und Neger unterscheiden beide genau, indem sie den weißen bicho do cachorro (Hundsfloh), den schwarzen bicho de pé nennen. Man darf nicht glauben, daß Stiefeln sicher schützen, denn trotz ihnen, wird man oft von diesem Floh befallen. Sobald man daher ein Jucken an den Füßen bemerkt, muß man so schnell als möglich das Insekt aus der Haut schälen lassen, denn sonst bildet sich binnen 24 Stunden der Sack mit den zahllosen Eiern, und später entsteht ein Geschwür. Am besten verstehen sich die Neger auf das Herausschälen des Sackes. Zerreißt dieser Sack, so entsteht ein Geschwür. Um dieses zu verhüten, wird die Wunde mit Tabacksasche oder Tabackssaft, Citronensaft oder Calomel behandelt. Wird der eingedrungene Floh gänzlich vernachlässigt, so entsteht ein fürchterliches, oft bis auf die Knochen eindringendes, die Abnahme des Glieds erheischendes Geschwür. Zwei andere Insekten welche gleichfalls Gattungsverwandten bei uns haben, sind die amerikanische (ixodes americanus) und die gekerbte Zecke (ix. crenatus). Jene gehört zu den größten, denn sie ist, wenn sie nicht vollgesogen ist, drei Linien lang, zwei breit. Sie kommt in Reisebeschreibungen unter den Namen nigua, pique, Holzlaus vor, heißt portugiesisch carrapato, bei den Brasiliern jatebucu. In der Gestalt gleicht sie sammt der folgenden ganz unserm bekannten, so häufig in Wäldern lebenden, Holzbock. Sie ist schmuzigroth oder braun, auf dem Rückenschilde mit einem lichtgelben länglichen Fleck. Wie die deutsche Art lebt sie in Wäldern, hängt sich den anstreifenden Menschen und Thieren augenblicklich an, verursacht Brennen, Jucken, später Entzündung, die selbst in Brand übergehen kann. Die gekerbte Zecke, portugiesisch carrapato miudo, ist nur anderthalb Linien lang, auch schmäler, grau und braun gescheckt und um Rio Janeiro so häufig, daß sie sich zu Tausenden an die Kleidung anhängt, sowie man an einen Strauch nur anstreift. Man muß dann die Kleider über ein loderndes Feuer hängen, wo sie herabfallen und im Feuer zerplatzen. Der Körper aber muß mit einem Absud von Rauchtaback abgewaschen werden, um der schmerzhaften Operation der Ausschälung des in die Haut eingedrungenen Thiers zuvorzukommen. Dieses scheint übrigens nicht sowol durch sein Saugen den bedeutenden Reiz hervorzubringen als vielleicht mehr durch einen einfließenden, das Blut für das Einsaugen modificirenden Saft. Wie auch bei unserer einheimischen Art, darf man das in die Haut eingedrungene Insekt nicht herausziehen wollen, indem sonst der leicht abreißende Kopf in der Wunde bleibt und üble Zufälle erregt. Ref. bemerkt hierbei, daß gegen den Holzbock Einschmieren mit Oel das beste Mittel ist, es raubt dem Insekt die Luft, das nun von selbst vertrocknet und abfällt. Auch die Wunde heilt dann leicht, wenn man bei Jucken nicht kratzt.

(Der Beschluß folgt.)

Notizen.

Göthe über den Nachdruck.

Im achten Bande von Göthe's nachgelassenen Werken („Aus meinem Leben, Wahrheit und Dichtung", Theil IV) erwähnt Göthe, daß man in Berlin nicht allein (im Jahre 1775) den Nachdruck für etwas Zulässiges, ja Lustiges gehalten habe, sondern daß auch Karl Friedrich von Baden und Joseph II., jener seinen Macklot, dieser seinen Edeln von Trattner begünstigt hätten, ja, daß es ausgesprochen gewesen sei, daß die Rechte, sowie das Eigenthum des Genie dem Handwerker und Fabrikanten unbedingt preisgegeben wären. „Als wir uns", fährt Göthe (S. 18) fort, „einst hierüber bei einem uns besuchenden Badenser beklagten, erzählte er uns folgende Geschichte. Die Frau Markgräfin, als eine thätige Dame, habe auch eine Papierfabrik angelegt; die Waare sei aber so schlecht geworden, daß man sie nirgend habe unterbringen können. Darauf habe Buchhändler Macklot den Vorschlag gethan, die deutschen Dichter und Prosaisten auf dies Papier abzudrucken, um dadurch seinen Werth in etwas zu erhöhen. Mit beiden Händen habe man dies angenommen." „Wir erklärten zwar", setzt Göthe hinzu, „diese böse Nachrede für ein Märchen, ergötzten uns aber doch daran." Der Name Macklot ward zu gleicher Zeit für einen Schimpfnamen erklärt und bei schlechten Begebenheiten wiederholt gebraucht, wie denn Göthe selbst (S. 90) in einem tollen Fratzenspiele die Macklotur auf eine sehr ergötzliche Weise anzubringen wußte.

Ob das wol wahr ist?

In der Mühle zu Zahel (im Mecklenburgischen) hatten die Franzosen nach dem Gefecht bei Wahren am 1. November 1806 viele Blessirte versammelt. Wollten sie sich nicht mit der Pflege derselben befassen, oder sollte man ihren Verlust nicht beurtheilen, kurz, sie zündeten selbst das Gebäude an und hinderten Die durch Säbelhiebe, die aus den Flammen herauszukriechen suchten. Ein Augenzeuge verglich die Töne der Verbrennenden, welche nach und nach in leiser werdendes Geächz sich verloren und endlich verstummten, mit den eines immer mehr hinabgestimmten Kirchengesanges in dem Maße, wie die Singenden sich nach und nach aus der Kirche entfernen. Diese fast unglaublich scheinende Barbarei wird in den „Memoiren eines deutschen Staatsmannes" (Leipzig 1833), S. [illegible], erzählt. Ist die Geschichte wahr, so darf freilich die Nichtachtung aller Kameradschaft und die fühllose Grausamkeit, von welcher der französische Feldzug des Jahres 1812 so manche Beispiele lieferte, weniger befremden. Uebrigens war die Demoralisation der Napoleon'schen Heere schon im Jahre 1806 groß genug.

Theaterpolizei am Ende des 18. Jahrhunderts.

In denselben „Memoiren eines deutschen Staatsmannes" wird von dem Herausgeber (S. [illegible]) erzählt, daß der Verfasser auf einer Reise durch Pommern in [illegible] das Schauspiel besucht habe. Im Parterre hielt der Gerichtsdiener, mit weitreichender Hetzpeitsche bewaffnet, auf Ordnung, und wurden die Zuschauer zu laut, so schwang er die Peitsche mit dem Zuruf: „[illegible] den — " [illegible]

Redigirt unter Verantwortlichkeit der Verlagshandlung: F. A. Brockhaus in Leipzig.

Blätter für literarische Unterhaltung.

Sonntag. —— Nr. 258. —— 15. September 1833.

Selbstbiographie von Aug. Fr. Wilh. Crome.

(Beschluß aus Nr. 257.)

Crome hatte schon vor seiner diplomatischen Sendung von der Krone Schweden einen sehr vortheilhaften Ruf nach Greifswald erhalten, aber abgelehnt. Nachher erhielt er einen nach Dorpat. Er wollte diesen nicht annehmen, erbat sich aber bei diesem Anlaß von der Regierung zu Darmstadt die Einführung eines Facultätsexamens für abgehende Kameralisten. Bis dahin hatte man geglaubt, für diese passe auch das juristische Examen; denn man hatte keine Idee vom Kameralstudium. Weil aber über Kameralwissenschaften kein Examen stattfand, so hörten die Studirenden solche nur obenhin. Crome's Antrag eines solchen Examens wurde gutgeheißen. Damals wurde auch in Gießen für die Bildung der Offiziere die gute Einrichtung getroffen, daß ihnen ein besonderes Collegium über einzelne Theile der Mathematik und eines über Statistik in Verbindung mit Geschichte gelesen wurde. Im J. 1804 bekam Crome einen Ruf auf die Universität Landshut. Er nahm ihn an; aber während die Ausfertigung seiner Anstellung zögerte, ward er bewogen, die Stelle in Gießen mit Gehaltsverbesserung wiederanzutreten. Bald hernach schloß er eine höchst glückliche Ehe. Im folgenden Jahre (1805) zog Marschall Bernadotte mit seinem Heer von Hanover über Gießen nach Franken. Er empfing die Abgeordneten der Universität mit vieler Güte und gab hierauf ein glänzendes Fest, wobei er und seine Familie sich sehr liebenswürdig bezeigten. Im J. 1807 veranlaßte ein unangenehmer Vorfall eine gefährliche Spannung zwischen dem französischen Militair und den Studirenden zu Gießen. Man benutzte den Anlaß, um auszuwirken, daß die französische Besatzung verlegt und Gießen mit einer neuen verschont wurde. Wie er einen jungen Engländer, der in Gießen studiren wollte, von der Festnehmung durch die Franzosen rettete, wird S. 335 fg. erzählt.

Im J. 1813 erfuhr Crome die Bitterkeit der Miskennung wohlmeinender Absichten. Vier Wochen vor der Schlacht von Lützen bekam er ein Schreiben aus dem französischen Hauptquartier des Inhalts: man wünsche dort von einem bekannten deutschen Gelehrten eine Druckschrift zu erhalten, wodurch die Völker beruhigt und ihnen bewiesen würde, daß es für Deutschland ebenso nothwendig als zweckmäßig sei, die öffentliche Ruhe und Ordnung in jedem einzelnen Lande aufrecht zu erhalten, keine Privataufstände aufkommen zu lassen, am wenigsten tumultuarische Volksbewegungen, die nur zu unnützem Blutvergießen führten und Plünderungen zur Folge hätten, ohne etwas Anderes als Befriedigung unedler Privatleidenschaften zu erzielen; vielmehr sollten die deutschen Völker fest an ihre Fürsten sich halten. Nach hergestelltem Frieden würde der Kaiser Napoleon der deutschen Nation Ruhe und Schutz gewähren, ohne ihr die französische Gesetzgebung und Sprache in den Gerichtshöfen aufzudringen, noch die Fürsten und deren Unterthanen in ihren Gerechtsamen zu beschränken, auch ohne den Handel ferner durch das Continentalsystem einzuengen, sobald nur der Friede mit England zu Stande gekommen sei. (?) Kurz, der Kaiser werde sich die Liebe der Deutschen zu erwerben wissen. Als Motiv zu dieser Schrift wurde angegeben: die eigne Ueberzeugung, daß bei Privataufständen (wie damals in Westfalen) zu viele Collisionen und Leidenschaften zum Vorschein kämen, als daß sie je etwas Ersprießliches von Bedeutung für das Ganze bewirken könnten u. s. w. Hier möchte wol der Gedanke sich aufdringen: Fistula dulce canit, volucres dum decipit auceps, und es war wirklich merkwürdig, wie die Feinde der deutschen Presse diese doch in den Tagen der Verlegenheit gern zu ihrem Vortheil hatten benutzen wollen. Doch Crome sah nur auf den Nutzen, den die verlangte Schrift in Deutschland durch Abhaltung von gemeinschädlichen Misgriffen stiften konnte, und er setzte sich über die mögliche Misdeutung hinweg. Doch verzögerte er absichtlich die Antwort, bis nach den Schlachten von Lützen und Bautzen die Einleitung zur Friedensverhandlung in Prag getroffen wurde. Nun erhielt er aber ein zweites Auffoderungsschreiben. In dieser Lage schrieb er, ohne bei seinem Hofe, den er auf keine Weise in Verlegenheit bringen wollte, anzufragen, nach seiner Ueberzeugung eine Flugschrift. Er theilte sie der französischen Behörde zur Einsicht mit und wollte ihr dann noch die letzte Feile geben. Allein anstatt seiner Handschrift erhielt er gedruckte Exemplare von Leipzig, ohne Brief und ohne alle weitere Erklärung, die auch später nie erfolgt ist. Von einem Honorar war nie die Rede. Allein nach dem deutschen Sieg bei Leipzig brach der Sturm über diese Schrift und deren Verfasser los. Selbst Viele Derjenigen, von denen sie vorher sehr war gelobt worden, stimmten in die Verdammung ein. Crome schwieg, und mit Recht. Denn wie hätte er bei der damaligen nationalen Aufregung seiner Absicht, die auf Mäßigung eines blinden Eifers und Abhaltung der Anarchie gerichtet war, Anerkennung verschaffen mögen? Uebrigens hatte der Sieg der Deutschen Crome's Schrift überflüssig gemacht. Diese ging nur dahin, daß man dem Sieg nicht durch partielle Aufstände zuvoreilen solle. Crome entschloß sich bei der obwaltenden Misstimmung gegen ihn zu einer gelehrten Reise, die er im Anfang der Herbstferien nach der Schweiz antrat, wo er fünf Monate verweilte. Zu Basel zog ihn die Bekanntschaft des Staatsraths Ochs vorzüglich an. Dieser gelehrte, geistreiche, thätige Mann, ebenso fein gebildet als kenntnißreich, hat um die Stadt Basel nicht nur als ihr Geschichtschreiber, sondern auch als Staatsmann große Verdienste. Er wird jetzt (1833) sehr vermißt. Crome fand an ihm einen feinen Weltmann und seine Unterhaltung angenehm und lehrreich. Zu Bern war damals Herr von Haller noch als Professor angestellt. Er zeigte sich unserm Reisenden gefällig und theilte ihm sein Werk über die „Restauration der Staatswissenschaft" in Handschrift mit. Doch die theokratisch-aristokratische Tendenz der Schrift war Crome ganz zuwider. Zu Thun lernte er den geschickten Physiker Dr. Koch kennen, der ihm für den Pilgerzug in die Gletscher erwünschte Belehrung gab. Er besuchte das Eismeer bei Grindelwald. Hernach ging er nach Ifferten zu Pestalozzi, bei dem er vier Wochen wohnte, um dessen Institut kennen zu lernen. Dieser treffliche Mann erschien ihm als ein rüstiger, munterer Greis voll Geist und Leben, der ungeachtet seines Mangels an feinerer äußerer Bildung und seines züricher Dialekts doch Jedermann durch seine Offenheit, Rechtlichkeit und Herzensgüte, sowie durch sein thätiges Interesse für das Wohl der Menschheit gewann. Crome hält seine Methode für den Elementarunterricht, besonders in ihrer mathematischen Richtung, für so vortrefflich, daß er glaubt, sie sollte bei der Verbreitung zum höhern Unterricht überall angewendet werden, weil sie eher zum Denken, zum Gebrauch des Verstandes führt als der ganze Wortkram der zu früh erlernten und zu schnell wieder vergessenen grammatikalischen Regeln, wodurch so viel Zeit und Kräfte verloren gehen. Crome hielt selbst während seines Aufenthalts in Ifferten täglich auf Pestalozzi's Verlangen eine statistische Vorlesung im großen Saale des Instituts und auch einigemal die Reden beim sonntäglichen Gottesdienst im Betsaale. Zu Lausanne fand er zwei Freunde und vormalige Mitlehrer am Philanthropin zu Dessau, Pidou (Landamann) und Professor Olivier. In dem lieblichen Vevay verweilte er neun Wochen in der Erziehungsanstalt, welcher damals Türk vorstand. Er gab hier geographische Lehrstunden. Er besuchte von dort aus das Salzwerk zu Bex und bereiste den Canton Wallis. Den Cretinismus im untern Wallis schreibt er der Unreinlichkeit in den erbärmlichen niedrigen Wohnungen, den schlechten Nahrungsmitteln und dem häufigen Trinken von Schnee- und Eiswasser zu und bemerkt, daß, wenn wohlhabende Einwohner ihre Kinder frühzeitig nach Oberwallis oder sonst nach gebirgigen Orten bringen, sie keine Cretins werden, wenn es auch die Geschwister waren. Vom St.-Bernhard erzählt er: ein Mitglied des dortigen Hospitiums habe viele punische Inschriften, die in den Felsen eingehauen sind, copirt, mit dem Vorhaben, sie stechen zu lassen. Diese Inschriften sollen den Uebergang Hannibal's über den St.-Bernhard darthun. Was Crome vom Canton Neuenburg berichtet, ist ganz richtig. Nach seiner Rückkehr nach Gießen hatte Crome von dem Schwindel der Deutschthümelei noch Manches zu dulden. Am 18. October 1814 wurden dem wackern Manne von den aufgeregten Studiosen die Fenster eingeworfen, wobei seiner Gattin ein dreipfündiger Stein dicht am Kopfe vorbeiflog. Auch wurde eine Morddrohung an seine Hausthüre angeschlagen; doch er verhielt sich ganz ruhig. Nur ließ er eine Art Selbstvertheidigung in das „Morgenblatt" einrücken. Später sah er aber ein, daß auch diese ganz unnöthig war. Während dem wiener Congreß gab er eine Schrift heraus: „Deutschlands und Europens Staats- und Nationalinteresse", die im J. 1817 neu und vermehrt erschien und im Ganzen gute Aufnahme fand. Im J. 1820 machte er den ersten Band seiner geographisch-statistischen Darstellung der „Staatskräfte von den sämmtlichen zu dem deutschen Bunde gehörigen Ländern" (Leipzig) bekannt, welchem dann noch drei Bände folgten. Am 26. März 1829 feierte der verdienstvolle Greis sein 50jähriges Amtsjubiläum, und es war ihm vergönnt, das Glück dieses Tages mit Frohsinn zu fühlen. Sein Landesherr verlieh ihm bei diesem Anlaß das Commandeurkreuz seines Ordens, und von verschiedenen Akademien erhielt er Ehrendiplome. Ein Jahr später schloß er seine öffentlichen Vorlesungen; er verließ hochgeehrt die Lehrkanzel, von welcher er 44 Jahre hindurch viele nützliche Kenntnisse verbreitet hatte. Im folgenden Jahre bezog er mit seiner geliebten Lebensgefährtin eine Wohnung im gesund und freundlich gelegenen Rödelheim unweit Frankfurt. Hier benutzte er seine Muße, um seine Selbstbiographie zu schreiben, und brachte heitere, ruhige Tage hin, bis der Todesengel kam und ihn am 11. Juni 1833 mit sanfter Berührung aus den Armen einer treuen und geliebten Gattin entführte.

Seine Biographie, wovon hier nur ein kurzer Umriß gegeben werden konnte, wird durch viele Schilderungen merkwürdiger Personen, Erzählungen und Anekdoten, auch Naturbeschreibungen belebt, wodurch sie den Reiz der Mannichfaltigkeit erhält und Züge zum Gemälde des Zeitalters darbietet. 199.

Zur Naturgeschichte.

(Beschluß aus Nr. 257.)

Wenn auch nicht gefährlich wie die Sandflöhe, doch nicht minder schädlich, ja noch schädlicher sind die Termiten, von denen wir in unserm Deutschland zwar keine verwüstenden Gattungsverwandten, dagegen andere, wenn auch eher abzuhaltende Stellvertreter in den sogenannten Motten, Pelzkäfern u. s. w. besitzen. Die Termiten, portugiesisch cupim, sind übrigens schon lange bekannt, besonders eine Art, deren hohe, kegelförmige Wohnungen man sammt dem Insekt fast in jedem Lehrbuche der Thiergeschichte abgebildet findet. Man kann ihre Freßbegierde in der Kürze damit schildern, daß man sagt, nur Steine und Metalle widerstehen derselben. Die östreichischen in Brasilien reisenden Naturforscher büßten durch diese Thiere ihre ganze Wäsche ein, und während ihrer Anwesenheit in Rio Janeiro wurden 50 Kisten ostindischen Nankins in dem Mauthhause zur Hälfte zernagt. Wenn diese Fresser genöthigt sind, einen Gegenstand zu verlassen, so machen sie sich aus dem Pulver des Zerstörten und einem eignen Schleim gewölbte Gänge bis zu einer andern Beute hin, welche sie in der Nähe wittern. Die Termiten sind gleich den meisten Insekten einer Verwandlung unterworfen. Aus dem Ei kommen die Larven, welche man gewöhnlich mit dem Namen Arbeiter belegt Diese sind am verderblichsten. Sie gleichen dem vollkommnen Insekte, sind aber weicher und flügellos, ihr Kopf ist verhältnißmäßig größer und hat undeutliche oder gar keine Augen. Die Nymphen oder Puppen gleichen den Larven, nur erscheinen an ihnen Spuren von Flügeln. Als vollkommene Insekten verlassen sie des Abends oder Nachts in großen Schwärmen ihre Wohnungen und scheinen sich, gleich den Ameisen, in der Luft zu begatten. Bei Sonnenaufgang verlieren sie die Flügel und werden nun ihren zahlreichen Feinden, Vögeln, Ameisen u. s. w. zur Beute. Am befruchteten Weibchen, welches sich ins Innere der Colonie begibt, schwillt ebenfalls der Leib durch die Eier, wie beim Sandfloh, zu einer ungeheuern Größe an. Es soll unter diesen Thieren wie bei den Ameisen Geschlechtslose geben, Soldaten genannt, ausgezeichnet durch stärkern und längern Kopf, schmale, lange, gekreuzte Kinnbacken. Sie sollen die Wohnungen vertheidigen und die Arbeiter antreiben, wie man sagt. Von diesen Insekten finden sich in unserm Werke zwei Arten beschrieben, der zerstörende Termite (termes devastans), auch weiße Ameise, und portugiesisch cupim genannt, welcher in Brasilien die Häuser belästigt und Alles zernagt; und der haufenbildende Termite (term. cumulans), bei den Brasiliern insaube, welcher die Cupim-Haufen baut, die von den Brasiliern sururulo genannt werden. Diese Haufen sind meist kegelförmig, oft über klafterhoch, zuweilen auf Bäumen zwischen den Aesten stehend, aus einer röthlichen, eigenthümlichen Masse, deren Hauptbestandtheil zerkleinerte Baumrinde — wie es scheint nach Art der Wespennester, erbaut. Durchschnitten gleicht so ein Bau wegen der vielen Gänge im Innern einem Waschschwamm. Diese Art zerstört oft ganze Plantagen und macht sie durch ihre eignen Ansiedelungen zur fernern Bebauung untauglich.

Wenn bei uns dann und wann Gartenbesitzer über einigen Schaden, durch Ameisen ihnen zugefügt, klagen, so läßt sich solcher gar nicht mit dem vergleichen, den einige Arten dieser Thiere in Brasilien anrichten, weshalb sie schon in den ältesten Zeiten Rey do Brasil (König von Brasilien) genannt wurden. Unter diesen steht die schon länger bekannte, aber hier genauer beschriebene und schön abgebildete großköpfige Ameise (formica cephalotes) obenan. Die Portugiesen nennen sie sabuva. Es ist bekannt, daß es unter den Ameisen dreierlei Individuen gibt, nämlich Männchen, Weibchen und Geschlechtslose, welches letztere die eigentlich Thätigen, die Arbeiter, und flügellos sind. Von der eben genannten Art sind die Arbeiter nur fünf Linien lang, die Weibchen aber noch einmal so groß. Jene zeichnen sich durch ihren großen Kopf aus. Diese Art wird besonders dadurch furchtbar schädlich, daß sie Bäume so entblättert, daß sie wie Besenreißig aussehen. Das Laub verbraucht sie in ihren unterirdischen Wohnungen. Kommt sie in die Häuser, so unterminirt sie dieselben und zerstört Alles, was ihr aufstößt. Die Arbeiter einer solchen Colonie tragen oft in einer Nacht einen ganzen Sack voll Mais (türkischen Weizen) körnerweise auf ihren großen Köpfen weg. Sie wird aber auf der andern Seite nützlich, indem sie alle andere Insekten, namentlich Spinnen und Termiten in den Häusern vertilgt, ja sogar Mäuse und Ratten sollen vor ihr die Flucht ergreifen. Dagegen ist ihr Biß schmerzhaft, und macht eine schnell sich entzündende Wunde, die in ein böses Geschwür ausartet. Die wilden Eingebornen essen indessen die Leiber der Weibchen. Ungeachtet ihrer mindern Größe ist die alles verzehrende Ameise (formica omnivora), welche von ein bis vier Linien Länge angetroffen wird, nicht weniger schädlich, wie schon ihr Name andeutet, ungeachtet ihre Augen so klein sind, daß man sie kaum bemerkt. In ungeheuern Scharen besucht diese Art die Häuser und stellt besonders dem Zucker nach, mit dem man sie sogar gleich herbeilocken kann, wenn man über Nacht nur wenig davon verstreut. Besonders wird sie auch Insektensammlungen verderblich, welche man nur sichern kann, indem man die Füße der Tische in Wasser stellt oder die Kasten an getheerten Seilen aufhängt. Eine dritte Art endlich ist die ätzende Ameise (formica caustica), merkwürdig wegen des flachen, plattenförmigen Kopfs, des an jeder Seite mit sechs Stacheln versehenen Rückenschildes, und den kurzen, behaarten, in eine Seitenrinne von jenem passenden Fühlhörnern. Sie lebt auf Sträuchern, besonders auf Böhmerien, hat einen weniger schmerzhaften Biß, gibt aber einen brennenden Saft von sich, der auf einige Stunden einen nesselartigen Ausschlag bewirkt.

„Als eine der größten Plagen", sagen die Verf. unsers Werkes, „werden von allen Reisenden die Mosquitos geschildert, welche Menschen und Thiere bis in ihre Wohnungen verfolgen und vorzüglich des Nachts peinigen. Diese lästigen Thiere gehören einer Gattung zweiflüglicher Insekten an, deren einige Arten auch in Europa als sehr unwillkommene Gäste in den Sommerabenden bekannt sind, nämlich der Gattung culex, Schnaken oder Gelsen." Sie haben nur eine einzige Art abgebildet, die lästige Schnake (cul. molestus), Musquit, portugiesisch mosquitto, welche unserer gemeinsten Schnake, wie man sie in großer Anzahl im Sommer besonders an den Ufern der Gewässer antrifft, auf den ersten Anblick sehr ähnlich ist. Nur die Weibchen dieser Insekten sind die eigentlichen Blutsauger, deren Stiche in Brasiliens heißem Klima oft Entzündungen hervorrufen, welche sich ja schon in unserm gemäßigten Klima oft nach denselben zeigen. In Brasilien schützt man sich in den Häusern dadurch gegen diese Thiere, daß man vor Sonnenuntergang die Fenster schließt und die Bettstätte durch einen Vorhang von dichtem Musselin, der deshalb Mosquitteiro genannt wird, von allen Seiten verwahrt. Die geringste Oeffnung in diesem reicht aber hin, dem Feinde Eingang zu verschaffen und somit allen Schlaf zu verscheuchen. Im Freien muß man, um sich einigermaßen zu sichern, die ganze Nacht hindurch ein großes Rauchfeuer unterhalten, um nicht im Gesicht, besonders aber an den Ohren und an den Händen unaufhörlich zerstochen zu werden. Da diese Insekten selbst das Rindvieh bis zur gänzlichen Abmagerung zu Tode peinigen, so sind manche Gegenden des südlichen Amerika blos um dieser Plage willen von den Ansiedlern wieder verlassen worden. Wiedemann, in seiner Beschreibung außereuropäischer zweiflügeliger Insekten führt allein 16 Arten dieser Gattung aus Amerika auf. Hierzu kommen aber noch Arten der Gattung Anopheles, welche ebenfalls den Reisenden beschwerlich fallen.

Den Schluß der im vorliegenden Werke aufgezählten Insekten macht die halsstarrige Mücke (simulium pertinax), welche die Portugiesen ebenfalls mit dem Namen mosquitto bezeichnen, die Ureinwohner boraxudo nennen. Sie ist nicht minder lästig als die eigentlichen Mosquitos, aber nur noch beschwerlicher, da sie so klein, denn sie ist nur eine Linie lang. Gattungsverwandten haben wir leider auch in Deutschland genug, die indessen mehr durch ihre Zudringlichkeit als durch ihre unbedeutend schmerzhaften Stiche beschwerlich fallen, denn sie setzen sich scharenweise ins Gesicht und auf die Hände und kriechen zu Nase, Ohren und Augen hinein. Gefährlich wird aber eine Art, die eben deshalb schon lange bekannte sogenannte Columbatscher Mücke, welche jährlich in Temeswarer Banate in dichten Wolken erscheint und das Leben der Menschen und Thiere bedroht, indem sie eben zu allen Oeffnungen des Leibes eindringt und so häufig das Ersticken des Rindviehs verursacht. Als Larven leben diese Mücken im Wasser. Schon in unsern Gegenden kann man erstere in klaren, schnell fließenden, schattig gelegenen Bächen in großer Zahl, mit dem Hinterleibe an Pflanzenstengeln, Steinen ansitzend, bemerken. Neben dem Kopfe haben sie ein paar federbuschähnliche Organe. Zur Verwandlung spinnen sie eine Art Köcher, in dem die Nymphe steckt, die ebenfalls ähnliche Organe hat.*)

Werfen wir nun noch einen Blick auf unsern Gegenstand zurück, so finden wir, daß die Verf. noch gar Manches hätten hinzufügen können, wovon sie vielleicht nur die Scheu abgehalten hat, die Sache nicht in ihrer ganzen Schreckbarkeit darzustellen. Denn so haben sie z. B. die Wespen übergangen, deren Nester so häufig sich in Wäldern finden; sie haben die Bienen übergangen, welche einen vortrefflichen, leider aber giftigen Honig liefern. Freilich bietet unser deutsches Vaterland auch allerlei solche Plage dar, indessen sind die Verfolgungen dieser Thiere bei uns theils weniger lästig, theils auch Bisse und Stiche wegen des gemäßigten Klimas bei schneller und zweckmäßiger Behandlung weniger gefährlich. Dort berühren sich die Extreme irdischer Herrlichkeit und irdischer Qual.

Zum Schlusse müssen wir noch der sehr gut ausgeführten, von Zehner gezeichneten, von Jos. Jung gestochenen Kupfertafel gedenken, welche alle die beschriebenen Thiere in natürlicher Größe oder auch ganz oder nach einzelnen Theilen vergrößert in ihren natürlichen Farben darstellt und dem auf schönes Velinpapier gedruckten Werke zu wahrer Zierde gereicht. 170.

*) Die ganze Verwandlungsgeschichte, höchst interessant, in Thon's „Entomologischem Archiv“, Bd. II, Hft. 2, Taf. 3. Ref. hatte Gelegenheit, sie in der Natur zu beobachten, und findet sie sehr treu von Verdat geschildert.

Officielles Gutachten über die Vision Karl XI., Königs von Schweden.

Die „Revue de Paris“ enthält folgende Mittheilung, welche ihr von der schwedischen Gesandtschaft in Bezug auf einen Artikel über jene Vision Karl XI. gemacht wurde, der im vierten 1829 erschienenen Bande des genannten Journals enthalten ist. „Auszug aus dem Schreiben eines hohen, bei dem schwedischen Archivwesen angestellten Beamten. — Sie wünschen zu wissen, was von der unter dem Namen der Vision Karl XI. bekannten Sage zu halten sei, welche angeblich durch einen eigenhändigen Bericht des Königs, unterschrieben von mehren sogenannten Augenzeugen, beglaubigt sein soll. Dieser Bericht war zu verschiedenen Zeiten Gegenstand der genauesten Nachforschungen, besonders zu Anfang der Regierung Gustav III., auf welchen die Worte der Erscheinung sich beziehen, wenn die Gelangung der Ulrike Eleonore zum Throne als Regierungsperiode gerechnet wird; allein nie hat man auch nur eine Spur von der Existenz einer Urkunde dieser Art, oder einer authentischen Relation überhaupt auffinden können. Aus diesen Nachforschungen hat sich vielmehr bestimmt ergeben, daß in Schweden erst nach dem 1741 erfolgten Tode der Königin Ulrike Eleonore, der Schwester Karl XII. und Tochter Karl XI., von jenem Gesicht etwas verlautet hat, folglich 44 Jahre nach ihres Vaters Hinritt und beinahe 50 Jahre nach dem Zeitpunkte, wo das Ereigniß vorgefallen sein soll. Klar ist außerdem, daß der Verfasser der dem Ganzen zu Grunde liegenden Schrift, von der mehre gedruckte, allein wesentlich von einander abweichende Ausgaben in Schweden noch existiren, nicht nur kein Zeitgenosse Karl XI. war, sondern auch den hauptsächlichsten Kunde vom Hofe dieses Monarchen entbehrte. Zwei Nachrichten von jener Begebenheit kannte ich schon, eine dritte fand ich in der „Revue de Paris“. Die älteste setzt dieselbe in die Nacht vom 16.—17. December 1676, allein die Geschichte und Karl XI. eigenhändiges Tagebuch belehren uns, daß er sich damals 180 Stunden von Stockholm befand. Wahrscheinlich bemerkte der Verf. der zweiten diesen Widerspruch und gab dafür den 2. April 1697 an, der am 5. gestorbene König war an diesem Tage aber gewiß nicht mehr im Stande, eine Vision im Ständesaale mitanzusehen, der im entferntesten Theile des Schlosses sich befindet. Nach der von der „Revue“ mitgetheilten, welche augenscheinlich nach Gustav III. Tode in Schweden verfaßt ist, hätte der König die Erscheinung im alten Palaste von Riddarholm, bekannt unter dem Namen „Kungshus“, gehabt, allein Karl XI. hat diesen nie bewohnt. Dieses Gebäude diente nur während des Wiederaufbaus des alten stockholmer Schlosses zur Residenz, und dieses wurde, während Karl XI. Leiche auf dem Paradebette ausgestellt war, ein Raub der Flammen. Die unter den uns früher bekannten Nachrichten als Augenzeugen unterschriebenen Senatoren führen den Titel Reichsräthe; allein zu Karl XI. Zeit hießen sie königliche Räthe, und nahmen jenen ältern Titel erst nach dem Tode Karl XII. wieder an. Endlich findet man unter allen drei Nachrichten die Namen von Personen, von denen die einen nicht zu Karl XI. Zeit lebten, wie z. B. die Senatoren U. W. Bielke, A. Oxenstierna u. E. Brahe, und die andern nicht die ihrer Unterschrift beigefügten Würden besaßen, wie Karl Bielke, Groß-Drost, und ein gewisser Baumgarten, königl. Leibarzt. Noch eine Menge anderer Beweise dafür, daß die ganze Sache, wer weiß in welcher Absicht, erfunden worden, ließe sich aus den Nachrichten darüber aufzählen, allein ohne Zweifel reicht das Angeführte dazu schon hin ... Paris, 13. Juni 1830. Für die Richtigkeit der Graf von Löwenhjelm.“ 8.

Literarische Notizen.

Es erscheint eine neue Zeitschrift: „L'instituteur, journal des écoles primaires“, zu deren Mitarbeitern Barante, Villemain, Bignon, Debelleyme, Cormenin, Felix Bodin, Eschassériaux, Las Cases der Vater, Jouffroy, Taillandier, Etienne und Andere gehören.

Victor Augier hat den ersten Band einer „Encyclopédie des juges de paix“ herausgegeben, die aus sechs Bänden bestehen soll.

Von Lissot's neuer Ausgabe der „Oeuvres complètes de *Voltaire*“, die aus 72 Bänden bestehen soll, ist die dritte Lieferung erschienen. Von Baudot's Ausgabe in 70 Bänden die 20. Lieferung. Auch in Nancy erscheint seit 1828 eine neue Ausgabe der sämmtlichen Werke Voltaire's in 18., wovon bereits 75 Bändchen ausgegeben sind.

In Beziehung auf die neue religiöse Gesellschaft: „Die Templer“, sind unlängst in Paris zwei kleine Schriften erschienen: „Histoire de la condamnation d'un Templier en 1830“, und „Militia templi, ad majorem Dei gloriam. Rapport ministeriel au Grand-maître.“

Albert Montémont hat eine „Bibliothèque universelle des voyages effectués par mer ou par terre dans les diverses parties du monde“ begonnen, die von den ersten Entdeckungsreisen bis auf unsere Zeit gehen soll. Sie ist auf 36 Bände angelegt.

Laurentie hat den zweiten Band seiner „Histoire des ducs d'Orléans“ herausgegeben. Das Werk wird aus vier Bänden bestehen.

Redigirt unter Verantwortlichkeit der Verlagshandlung: F. A. Brockhaus in Leipzig.

Blätter

für

literarische Unterhaltung.

Montag, —— Nr. 259. —— 16. September 1833.

Dorat's Tod. Von M. Enk. Wien, Gerold. 1833. Gr. 12. 16 Gr.

Der französische Dichter Dorat, ein Poet von geringem Ruhme, dessen Streben es jedoch sein fast 50jähriges Leben hindurch war, vor der Welt, d. h. vor Paris, einer zu scheinen, ließ sich, als die Aerzte ihm dieses Leben absprachen und nur noch zwei Stunden bis zu seinem Tode gaben, in einem Zustande, der ihn kaum fähig machte, sich auf den Füßen zu halten, — frisiren, und so setzte er sich in seinen Großvaterstuhl, um zu sterben.

Diese Anekdote hat den Verf. des oben genannten Werkes veranlaßt, dasselbe zu schreiben — doch nein, das wäre unrichtig; er hat ihm nur einen Titel und eine Form gegeben. Die Cholera kam 1831 nach Wien, und der lebensfrohe Wiener, der nie an den Tod gedacht, legte sich mit Fanatismus auf die Todesfurcht. Bei derselben Gelegenheit dachten aber sehr Viele, die bis da gelebt hatten, ohne zu wissen, daß sie lebten, nun mehr mit Wissen daran, daß sie lebten, und Andere, aber sehr Wenige fragten sich: was denn Leben sei? und unter den Wenigen war der Verf. Einer, welcher sich darüber philosophisch zur Rede stellte und sich die Frage auf vielfache Weise zu beantworten strebte. Und aus diesen Bestrebungen ist denn das Buch erwachsen, welches „Dorat's Tod" heißt, weil unter allen Denen, die gelebt haben und darnach gestorben sind, Keiner durch sein factisches Dasein so wenig zur Erklärung des großen Welträthsels beigetragen hat. Dorat's Tod war kein Tod, weil kein Leben dadurch unterging. Dorat's Tod, das Gegentheil von Tod — Leben, dünkt daher dem Verf. ein gutes Schild zu einem Werke über das Leben, obwol sein Freund der Meinung ist, es sei ein zu geringfügiger Zug, um ihn als Titelblatt zu einem so schwerhaltigen Buche wie das des Lebens zu brauchen. Die Ausstellung ist nicht richtig. Je schwieriger, dunkler und tiefer ein Werk ist, um so weniger ist es möglich, ihm einen Alles darin bezeichnenden Titel zu geben. Ein gleichgültiger, von einem Nebenumstande hergenommener ist jedesmal einem andern vorzuziehen, welcher, beziehungsvoll, doch nur einen Theil des Inhalts repräsentirt und deren Anschauung eine falsche Richtung gibt.

Der Verf. findet auf empirischem Wege außerordentlich viel Erklärungen, was das Leben sei; auf demselben Wege wird er indeß gleich darauf per argumenta ad hominem von dem Ungenügenden und Unzureichenden der gewonnenen Erklärung überzeugt; er verbessert, ergänzt, arbeitet durch, bis er am Ende genöthigt ist, den Fund von vorhin ganz fahren zu lassen, indem er einen neuen, weit glänzendern macht. Indeß gelingt ihm dies Suchen und Finden bis zum Ende des Buches, 228 Seiten durch, und er weiß uns dabei durch anmuthige Bilder aus dem Leben zu unterhalten; denn man wähne nicht, ein streng-philosophisches Buch in die Hände zu nehmen: es ist eine Unterhaltungsschrift, nur mit philosophischem Kerne, allenfalls ein Philosoph für die Welt, und die unterhaltenden Bilder versteigen sich mitunter in die poetische Region.

Gälte es ein kurzes und bündiges Urtheil über das Buch in Art eines Verdictfällens (was eigentlich nie über eine literarische Erscheinung und ein Product der Kunst geschehen dürfte), so müßte ich sagen: das Buch ist gut; denn es hat viel mehr gute als schlimme Eigenschaften, es ist geistreich concipirt und mit Geist und Anmuth ausgeführt, es geht, wenn auch nicht gründlich, doch ausführlich sein Thema durch; es fliegt nicht oberflächlich über die Erscheinungen weg, noch vertieft es sich so, daß man im Sumpf des Grübelns stecken bleibt und freie Aussicht und Luft verliert; die Schreibart ist gut, der Mann, der es schrieb, ein Mann von guten Kenntnissen, feinem Sinne, humaner Bildung, und seine Tendenz ist detto, detto, detto. Nichtsdestoweniger ist das gute Buch um deshalb noch nicht eines, was auf viel mehr Anspruch hätte, als ein — gutes Buch zu sein. Des Freundes Ewald (im Buche) Kritik ist eine gar herbe, wenn er zum Autor sagt:

Da du deine Berufspflichten nicht zu vernachlässigen pflegst, so kann es halb und halb gleichgültig scheinen, auf welche Art du die übrige Zeit verdirbst, da du doch einmal zum Zeitverderben einen unwiderstehlichen Drang spürst. Muß das nun aber durchaus durch Schriftstellerei geschehen, so wünschte ich wenigstens, daß du etwas Anderes schriebst als solches grillenfängerische Zeug, woran schwerlich Jemand Gefallen finden kann, der nicht ein ebenso arger Grillenfänger wie du selbst ist. Dir selbst thust du aber damit beiweitem den größten Schaden. Denn Andere bringst du doch nur um ihr Geld und um ihre Zeit, dich selbst aber bringst du um allen Muth, alle Lust und alle selbständige Kraft des Geistes, das

Leben frisch und kräftig zu ergreifen; und es sollte mich eben nicht wundern, wenn du am Ende nicht mehr wüßtest, ob du über das Leben wie Demokritus lachen, oder wie Heraklitus darüber weinen sollest.

Die Recension des Freundes Belling (auch im Buche) ist eine noch viel herbere und strengere, indem er, des Autors gefundene Definitionen durchgehend, sagt:

So zerfließt und zerrinnt, zerstäubt und zerflattert denn Alles, und wenn Sie nicht mit einer Apotheose der Flachheit enden wollten, welche alle Erscheinungen gedankenlos an sich vorüberziehen läßt, so sehe ich nicht ein, wie sie anders enden können als mit einer Invective gegen das Leben. Sie stehen am Ziel — denn das gefundene Resultat ist — ein Nichts.

Zwar kommt er über dieses Nichts hinaus und findet, daß der Begriff des Lebens nicht im Gefühl des Daseins, noch im Bewußtsein des Daseins, noch in alle Dem, was er bis da gefunden, beruht, sondern darin, daß es eine fortschreitende Entwickelung für die Ewigkeit ist, oder noch besser, daß leben nichts Anderes ist als das Bewußtsein des Fortschreitens in unserer sittlichen Entwickelung für die Ewigkeit. Allein dieses Resultat hinkt so dürftig nach, daß dieser kleine positive Schluß gegen die große negative Masse des ganzen Werkes nicht das Gewicht hält, und das Motto aus Immermann's „Periander":

— Leben?
Das ist der Stein uns vorgeworfen,
An dem wir funfzig Jahr die Zähn' uns stumpfen;
Ein albern Schaugepräng, ein fades Elend,
Ein hohler Sarg, um welchen Satyrn tanzen,
Ein Garten, vollgepfropft mit matten Freuden,
Von scharfen Reuethränen bald ertränkt;
Ein müder Cirkellauf von kranker Lust
Und wildem Schmerz und wimmerndem Verzagen;
Ein Räthsel, von Verzweiflung aufgelöst,
Der wüste Traum des tollgewordnen Staubes;
Zu leer, als daß man drüber reden möchte,
Zu schwer, als daß man davon schweigen kann;
Ein Seufzer, über Gräber hingeweht,
Ein klägliches, unsäglich bittres Nichts!

was großmächtig vorn gleich hinter dem Titel steht, sein volles, schweres Gewicht zu behalten scheint.

Ref. hat beim Lesen den Autor gewissermaßen liebgewonnen, auch das Buch; und doch fragt er sich, trotz Allem, was zur Beantwortung in demselben gesagt ist, weshalb solch ein Buch schreiben? Macht eine Dialektik der Art den Autor glücklich? oder fördert sie ein Kunstwerk? Ersteres gewiß nicht; er fühlt sich selbst unbehaglich, wie eine und die andere Erklärung, was Leben sei, aus den Händen entgleitet, und ist seelenfroh, daß er zuletzt in der Religion einen positiven Halt gewinnt. Eine Klarheit, die uns nur Leere zeigt, ist nie ein freudiges Product der Thätigkeit. Ebenso wenig ist das Product ein Kunstwerk, denn ihm mangelt jene ursprüngliche Begeisterung, aus der jedes Kunstwerk hervorgegangen sein muß, was auch nachher der technische Fleiß daran gearbeitet haben mag. Eine gewisse Dürre, Zurückhaltung weht durch die ganze Fassung und macht einen nicht unpeinlichen Eindruck. Wir sprechen dem Autor keineswegs eine poetische Ader ab, es sind im Gegentheil Episoden da von echt dichterischer Erfindung und Ausführung, von tiefer Empfindung; aber sie darf nur nirgend recht zum Ausbruch kommen. Wo die Poesie Herrin werden will über die Reflexion, ruft ihr der Meister zu: bis hierher und nicht weiter! wie er sich denn dessen selbst wohl bewußt ist, indem er sagt:

Ich mußte mich auf bloße Andeutungen beschränken und es darauf ankommen lassen, was der Leser in seinem eignen Innern diesen Entsprechendes finden und zu meinem Buche mitbringen werde. Die poetische Färbung mußte dabei nothwendig verlieren, allein sie kam nicht in Berechnung bei einem Werke, das von vorn herein auf eine nüchterne Anschauung der Wirklichkeit basirt war. Wenn ich hie und da ein paar Pinselstriche dieser Art gethan habe, so geschah es nur, um das Ganze ein wenig aufzufrischen, oder wo ich auf diese Weise mit irgend einer Seite meines Gegenstandes mich am leichtesten abfinden zu können glaubte.

Und doch hätten wir mehr dieser einzelnen Pinselstriche gewünscht, wie z. B. die Schilderung der verschiedenartigen Ehen der drei Gebrüder, die gottergebene Braut des Hauptmanns Belling u. s. w., denn sie sind sehr zart und zeigen von einer feinen, scharfen Auffassung des Lebens. Im Ganzen ist das Buch eine für das Jahr 1833 der deutschen Literatur fremdartige Erscheinung, denn es wurzelt offenbar auf einer Bildung, welche unserer sogenannt romantischen in Deutschland vorausging. So schreibt man jetzt nicht mehr, am allerwenigsten in dem jetzigen Oestreich. Diese correcte, präcise und etwas nüchterne Schreibart (letzteres sei, wenn man das Vorige las, kein Tadel) aus einer französischen Literaturepoche mahnt in etwas an die Schriften von West, mit dem oder bei dem der Autor in die Schule gegangen sein möchte. 26.

De l'influence de la philosophie du 18ième siècle sur la législation et la sociabilité du 19ième, par *E. Lerminier*. Paris 1833.

Der Verf. hat sich bereits durch seine frühern Schriften einen so ausgezeichneten Ruf unter den Denkern und Schriftstellern des neuern Frankreichs erworben, daß mehres von ihm sonst zu Erwähnende hier mit Stillschweigen übergangen werden darf. Seine 1829 erschienene „Allgemeine Einleitung zur Rechtsgeschichte" hat ihn zuerst bekannt gemacht, und sein Buch wurde in Deutschland, auf welches er, sowie seine Collegen im Professoramte, Michelet, St.-Marc Girardin und Ampère, sehr viele Rücksicht nahm, mit großer Freude empfangen. In seiner um zwei Jahre spätern „Rechtsphilosophie" stellt er weniger eigne, neue Ansichten auf, als er die Theorien der großen Lehrer mit ungemein glänzender Darstellungsgabe durchgeht, ihre Unzulänglichkeit zu erweisen und einige Hauptfragen der Menschheit näher zu bestimmen sucht. Vor einem halben Jahre erschienen seine „Lettres à un Berlinois", worin er sich, als ziemlich heftig zur Opposition gehörend, über die politischen und intellectuellen Verhältnisse seines Vaterlandes, namentlich gegen die sogenannten Doctrinaires ausspricht. Die Vorlesungen oder vielmehr die Reden, die er am Collége de France über vergleichende Geschichte der Gesetzgebungen hält, und aus welchen seine „Philosophie du droit" sowie das gegenwärtige Buch hervorgegangen ist, ziehen außerordentlich zahlreiche Zuhörer herbei und haben einen bedeutenden Einfluß auf die Richtung der studirenden Jugend. Um sich einen lebhaften Begriff hiervon zu machen, muß man wirklich, wie Rec. oft Gelegenheit hatte, einer solchen Vorlesung beigewohnt, die zuweilen bis zum Ueberströmen gewaltige Beredtsamkeit des Vortrags bewundert und seine unmittelbare Wirkung auf das Auditorium mitangesehen haben. Es ist der Schwung eines Dithyrambus, und auch in dem Buche des Verf. findet man mehr oder weniger diesen Anflug wieder. Seine Schreibart ist namentlich bei Charakteristiken hinreißend, vielleicht zu blendend; aber Manches, was bei einem andern Schriftsteller der romantischen Schule als gesucht erschiene, fließt hier ungekünstelt aus einer feurigen Phantasie. Ueber alle diese Punkte hat sich übrigens Herr L. selbst in der Vorrede hinlänglich ausgesprochen, sodaß wir uns unmittelbar zu dem Inhalte des anzuzeigenden Werkes wenden können. Es ist in drei Abschnitte getheilt, wovon in dem ersten die Fortschritte des Aufklärungsgeistes in Frankreich, von Fénélon an, und sowie er sich zuletzt besonders in Voltaire, Diderot und Rousseau ausbildete, dargelegt werden. In dem zweiten werden die politischen Folgen und Anwendungen dieser neuern Tendenz in den Hauptstaaten Europas (außer England) bis zur Abfassung des „Code civil" bezeichnet; der dritte, von der Kaiserzeit bis zur Julirevolution gehend, bespricht die gegenwärtige Richtung der Geister und die Zukunft, welche Europa, insbesondere Frankreich, in Beziehung auf Religion, Philosophie, Gesetzgebung und einige andere damit in Verbindung stehende Gegenstände erwartet. Den Beschluß machen mehre belegende Anhänge (pièces justificatives).

Bei der Beurtheilung des Buches ist nun vorerst ein Punkt zu bemerken, welcher überall in demselben hervortritt. Hr. L wendet sich nämlich wie in den meisten seiner frühern Schriften, und wie auch die von ihm gepriesenen französischen Philosophen des vorigen Jahrhunderts, an ein doppeltes Publicum zugleich: an das gelehrte, dann aber auch und wol noch mehr an das allgemeinere, welches hauptsächlich durch das Literarische, nicht Scholastische der Form und den Glanz des Ausdrucks angezogen werden will. Damit steht denn in Verbindung, daß er sich nicht sehr genau an das vorgeschriebene Thema hält, mehr bei allgemeinen, oft vagen Sätzen stehen bleibt, anstatt in das Concrete seines Gegenstandes einzugehen, und so die präcise Auffassung und Würdigung des Ganzen seiner Ansichten häufig sehr schwierig macht. Der Aufschwung des menschlichen Geistes im 18. Jahrhunderte und die Kraft, womit er seine Selbständigkeit eroberte, wird mit Meisterzügen geschildert, und wir möchten unsern Lesern besonders den wahrhaft begeisterten Abschnitt über Rousseau empfehlen. Aber etwas übertrieben scheint uns doch die Bewunderung für dieses Jahrhundert. Seine praktischen Verdienste um Verbreitung der Toleranz und des regen Gefühls für Menschenwerth sowie um die Zerstörung einer Menge entehrender Vorurtheile in den Ansichten des Volkes, welche beiweitem mehr dem Despotismus der Gewalthaber als der vorgewendeten Religiosität der Unterthanen zur Stütze dienten: diese Verdienste des damaligen literarischen Frankreichs, denen auch Deutschlands größte Männer, Lessing, Kant, Schlözer, Herder, Schiller so Vieles zu danken hatten, sollen von dem Menschenfreunde nie vergessen werden. Dabei darf man aber doch gewiß nicht außer Acht lassen, daß die Wissenschaft eben damals in Frankreich sehr niedrig stand. Welche theoretisch neue Idee hat die „philosophie" hervorgebracht? Welche bedeutende Wahrheit im Gebiete des Denkens hat sie zuerst aufgestellt? In der That wir kennen keine. Descartes, Pascal, Bayle, Leibnitz hatten wol mehr und tiefer gehende Ideen als ihre Nachfolger in Frankreich. Die Psychologie blieb mit Condillac fast gänzlich stehen, das Allermeiste von Rousseau's Ansichten findet sich schon bei Hobbes und Locke, selbst die Idee von der Gleichheit der Menschen war gewiß nach den Stoikern, dem Evangelium und den Anabaptisten nichts Neues, und was die gerühmte Unabhängigkeit des Denkens von allem positiv-religiösen Stützpunkte betrifft, so kannte schon das ganze Heidenthum sehr wohl diese Richtung und diese Art von Kraft des Geistes. Theoretisch haben also wol die „philosophes" wenig geleistet; aber darin besteht ihre charakteristische Größe, daß sie mit einem bewundernswürdigen Aufwande von Muth, Eifer und Talent ihre (obgleich nicht neuen und oft oberflächlichen) Ansichten über die menschlichen Dinge rastlos entwickelten, in ihren so mannichfaltigen unmittelbaren Anwendungen zeigten und durch eine hinreißende populaire Darstellung mit Flammenschrift in die Gemüther der Menge eingruben, welche, durch dieselbe Unterdrückung von Seiten der Regierung, sowie des Adels und der Klerisei aufs Aeußerste getrieben, mit ihnen einen Bund auf Leben und Tod schloß. Ueberhaupt möchte die ganze Schilderung unsers Verf. wol besser für deutsche als für französische Leser berechnet sein. In Deutschland, besonders im Norden ist man allzu oft ungerecht und undankbar gegen die Verdienste jener Bekämpfer der Vorurtheile; man fertigt sie zu leicht mit ein paar vornehmen religiös und historisch klingenden Wörtchen ab, ohne die eigenthümliche Kraft, die edle Begeisterung z. B. eines Rousseau, Turgot, Condorcet und so vieler Andern zu ahnen und zu bedenken, wo heute die Völker Europas ständen ohne jenes herculische Auflehnen gegen verjährte die Menschheit niederdrückende Zustände. In Frankreich hingegen, wo immer die Ansichten des vorigen Jahrhunderts über Psychologie, trotz der schottischen Schule und den Leistungen mehrer neuern Philosophen (worunter Hr. L. selbst), noch sehr verbreitet und von außerordentlichem Einflusse sind (Rec. hat sich hiervon überzeugen können, obgleich der Verf. S. 322 es nicht anzuerkennen scheint), da wäre es sicher nicht übel gethan, auch auf die verderblichen und heillosen Seiten jener Geistesrichtung, z. B. bei Voltaire und bei Diderot, eindringend hinzuweisen. Dies ist es immer noch, was Noth thut. Holbach und Helvetius werden wol von Hrn. L., wenn von ihnen die Rede ist, verspottet, aber dies ist doch beiweitem nicht genug. Was wurde damals bei den meisten Schriftstellern, genau besehen, aus dem innewohnenden Gesetze der Sittlichkeit? was aus allen ernstern und heiligern Ueberzeugungen, die doch allein dem Menschen seine Würde verleihen, indem sie den Geist über den Körper erheben, und die wahrhaftig an sich wichtiger sind als alle Aufklärungen und Freiheitsbäume in der Welt? Es ist uns leid, daß Hr. L. nach den so schönen Abschnitten über Kant in seiner „Introduction" und seiner „Philosophie du droit" nicht etwas strenger, man möchte sagen mit mehr Entrüstung zu seinen Landsleuten von der argen Schattenseite der sogenannten Philosophie des 18. Jahrhunderts gesprochen. Grade von ihm vorgebracht, würde es am meisten Eindruck machen. Auch von Dem, was über das Christenthum gesagt wird, möchte Manches von dessen Vertheidigern zu rügen sein. Dasselbe steht wol noch ganz anders hoch und fest, als der Verf. glaubt, und wir sehen nicht ein, inwiefern denn die neuere Wissenschaft es so sehr überflügle. Da Rec. einmal in der Aufzählung Dessen, was ihm unrichtig erscheint, begriffen ist, so will er noch auf zwei Punkte aufmerksam machen: nämlich auf den S. 327, 347, 359 und 360 aufgestellten aber wol schwerlich wissenschaftlich zu rechtfertigenden Unterschied zwischen axiome und dogme, science und idéalisme, und dann das auf S. 357 ausgesprochene Urtheil: „unter den bedeutenden Schriftstellern des neuern Europa über das Staatswesen hatten nur Rousseau und Bentham sich gänzlich von dem Joche der historischen Ueberlieferungen losgemacht". So verstanden, als seien diese die Einzigen gewesen, welche glaubten, Alles, was sie behaupteten aus ihrer bloßen Vernunft abzuleiten, ist der Satz zu offenbar unrichtig; denn z. B. welcher deutsche Professor bis zu Kant's Zeiten meinte nicht mit gleicher Bestimmtheit Dasselbe von sich, wenn er in seinem Jus naturae zum öftesten eben gutrömisches Recht vortrug? Allein der Satz ist auch unrichtig, wenn man ihn (wie es wol ohne Zweifel sein soll) von einer wirklichen Geistesunabhängigkeit der beiden Publicisten versteht. Wir wollen nicht davon reden, daß in dem „Contrat social" der Genfer sehr hervorleuchte (sein Verf. hat es auch selbst kein Hehl); aber wie Manches ohnedem hat Rousseau von seinen Ansichten durchaus nicht in den reinen Abstractionen der Vernunft, sondern eben nur in dem durch die Geschichte Dargebotenen und in praktischen Bedürfnissen gefunden? Diesem mangelt dann natürlich die absolute philosophische Geitung. Wenn er immer in der reinen Theorie geblieben wäre, so würde er wol auf das Resultat gekommen sein, daß eine Construction des Staats, welche ganz den Foderungen der Vernunft genüge, an und für sich unmöglich sei, man also wissenschaftlich nicht auf diese Vernünftigkeit (sie läßt sich gar nicht denken, und sobald etwas daran abgeht, so existirt sie nicht mehr) die Pflicht zum Gehorsam gegen die Gesetze gründen könne. Auch würde er wol, wenn er nicht so oft in der Erfahrung nach Stimmenmehrheit entscheiden gesehen hätte, bei der Stimmeneinheit stehen geblieben sein; denn (nach seinen Grundsätzen) wie hat der Mensch das Recht (wenn auch nur bedingungsweise) seine Stimme, seinen Willen, das Befolgen seiner innigsten Ueberzeugung aufzugeben? und woher hält Rousseau das durch Zufall bestimmte Privateigenthum für wesentlich zum Staate? Woher ist bei ihm die ganze eine, gewiß auch vernünftige Hälfte des menschlichen Geschlechts so ohne die mindeste Nachfrage von allem politischen Rechte ausgeschlossen? Doch gewiß eher, weil er nun einmal um sich her nicht etwas Anderes sah, als weil es die Grundregeln unsers Denkens so verlangten! Hierzu kommt, daß gar manche andere Denker, nur z. B. Thomas Morus, Hobbes, Thomasius, Kant, Fichte, Hugo *), St.-Simon, sich in ihren Speculationen gewiß ebenso unabhängig von allen historisch gegebenen Staatseinrichtungen zu machen wußten, und daß Manche hiervon, wie auch schon Plato und der richtig verstandene „Geist des Christenthums", auf einigen Punkten sogar noch weiter gehen als Rousseau. Damit soll nichts gegen die hohe Bewunderung gesagt sein, welche dieser stets jedem das Gute Liebenden einflößen wird, aber es scheint uns klar, daß seine Größe, sowie die seiner Mitstreiter eben mehr in der praktischen Wirkung, die er hervorzubringen verstand (Rousseau großentheils durch sein Gemüth), als in der Neuheit und dem absoluten Werthe seiner Lehrsätze liege. Wir haben, wie schon erwähnt, grade das Tadelnswerthe des vorliegenden Buches aufgesucht, eben weil wir überzeugt sind, daß es ihm sowie den frühern des Verf. an Lobsprüchen gar nicht fehlen könne. 200.

Notizen.

Das deutsche Studentenleben sonst.

Petrus Rebuffus nennt 180 Freiheiten, deren sich die Studenten in alten Zeiten zu erfreuen gehabt hätten. Wir machen der Merkwürdigkeit halber die wesentlichsten hier namhaft. 1) Die Scholaren können die Handwerker, welche ihnen mit Pochen, Schlagen oder auch Singen hinderlich sind, aus ihren eignen Häusern vertreiben. 2) Ein Scholar kann Jemand zwingen, daß er ihm sein Haus, Kammer und Pferde vermiethe. 3) Wenn ein Scholar von einem Ort abzeucht, kann er von gemeinen Dingen einen Theil fodern. 4) Wann ein Scholar die Flucht nimmt, macht solches ihn nicht der Missethat, so geschehen, verdächtig, sondern es ist vermuthlich, daß er seine Ältern besuchet und nach Geld trachtet. 5) Wann ein Scholar etwas verliehen hat, obwol die Zeit, solches zu nehmen, nicht verlaufen, hat er doch Macht, solches wieder zu fodern, wann er anderswohin sich begeben will. 6) Wann ein Student unerbarlich lebt, und ein anderer Hausgenoß auch, so kann wol dieser, aber nicht der Student fortgetrieben werden. 7) Studenten, wann sie gelehrt worden sind, werden für Edle gehalten. 8) Arme, aber gesunde und starke Studenten, die betteln, können nicht zu der Arbeit gezwungen werden, wie auch nicht die Edeln. 9) Ein Student, welcher eines Professoren Sohn, behält das Bürgerrecht seines Vaters. 10) Ein Doctor ist schuldig einen armen Studenten zu ernähren. 11) Ein Doctor kann in Sachen seiner Studenten zu einem Richter nicht verworfen werden; Studenten aber können den ordentlichen Richter verschlagen. 12) Wann ein Vater auf der Universität oder Schul seinen Sohn besucht, kann er daselbst wegen anderer Handlungen, Kaufpacten und Verträgen mit Recht nicht belangt werden, es sei denn, daß er aus einer andern Ursach dem Ort verpflichtet sei. 13) Wer Blutsverwandten, Dienern und Boten der Studenten Schaden zufügt, muß solchen vielfach vergelten. 14) Die Doctoren und Studenten sind nicht schuldig, die schriftlichen Befehle, Abschiede und Erkenntnisse des Papstes zu vollziehen. 15) Die Güter der Studenten sollen nicht gefangen werden. 16) Ein Student, dessen Würdigkeit und Geschicklichkeit öffentlich bekannt, soll nicht examinirt werden. 17) Ein Student kann einen ungelehrten Doctor aus dem Examen verwerfen. 18) Ein Doctor soll von den Armen nichts nehmen. 19) Die Veränderung des Namens ist einem Studenten nicht verboten. 20) Die Unbilligkeit, welche einem Studenten widerfährt, wird geachtet als ob sie Allen widerfahren. Das Haus eines Studenten beleidigen, ist Kirchenraub. 21) Wenn ein Student getödtet, aber der Thäter nicht gefangen wird, so sind die zehn nächsten Häuser fünf Jahre lang unter dem Verbot der Kirche. Wenn einem Studenten etwas gestohlen wird, muß die Nachbarschaft dafür haften. 22) Ein Student, der falsche Münzen unwissend ausgibt, wird nicht gestraft, denn es ist vermuthlich, daß er mehr die Rechte als das Geld kenne. 23) Ein Student auf einem akademischen Ort kann wegen Handlungsweise, die er anderswo getroffen, nicht belangt werden, auch nicht wegen Verpflichtungen die vor dem Studiren geschehen, auch nicht wegen Missethat auf einer andern Universität verübt. 24) Studenten genießen aller Freiheiten der Bürger der Stadt, worin sie wohnen, dergestalt, daß sie wohl ihres Nutzens, aber nicht ihres Schadens theilhaftig sind. 25) Die Diener, Aufwärter, Schreiber und andere beigehörige Personen der Studenten, auch daher ganze Collegien genießen der Freiheiten derselben. 26) Dieser Freiheiten genießen auch die Historienschreiber, Rechen- und Grammatikmeister, nicht aber Diejenigen, welche Alphabetknaben lehren und unter den Schützen noch lernen, auch im Geringsten nicht Diejenigen, welche verbotene Stücke treiben.

Diese Angaben finden sich auch in: „Der akademische Roman, worinnen das Studentenleben fürgebildet wird u. s. w., von Eberhardo Guernero Happelio" (Ulm 1690).

Das „Foreign quarterly review", woran viele Deutsche mitarbeiten, bringt in Nr. 23 eine Anzeige der ersten Lieferung von Göthe's nachgelassenen Werken, oder eigentlich nur von seinem „Faust". Rührt diese Anzeige wirklich von einem Ausländer her, wie wir bei den Artikeln dieses als nicht [illegible] Maßstab englischer Kritik zu haltenden Journals [illegible] fragen müssen, so ergeht es manchem Leser der [illegible] des „Faust" jenseit des Kanals ebenso wie es manchem [illegible] ergehen mag, — er versteht sie nicht. Wunderlich klingt es freilich, daß der Verf. dieses Artikels in die erste Hälfte des „Faust" ebenso wenig eingedrungen zu sein meint, und er kann [illegible] wenigstens nicht für sich anführen, daß ihm des Dichters [illegible] [illegible] Hang zum Räthselhaften [illegible] [illegible] sei. Wir hoffen übrigens [illegible], daß es den geistreichen Männern, denen bei uns das [illegible] Verständniß des zweiten „Faust" und die Einsicht in [illegible] und [illegible] Nothwendigkeit, wie wir [illegible], gegönnt worden [illegible] gefallen möge, ihre klare [illegible] [illegible] zu [illegible] [illegible] verworrensten [illegible] in klare Darstellung [illegible] [illegible] bereiten.

*) Rec. läßt sich dadurch, daß er mit Hugo in einem genauen Verhältnisse steht, nicht abhalten, hier daran zu erinnern, daß er [illegible] es, welcher sich nach Vernunftideen und folgerecht am [illegible] über alle unsere positiven Gesetzgebungen erhebt. Herr [illegible] Fries nennt dessen Rechtsphilosophie consequenter [illegible] als Kant's eigne Rechtslehre.

Blätter
für
literarische Unterhaltung.

Dienstag, —— Nr. 260. —— 17. September 1833.

Zwei Jahre in Petersburg. Ein Roman aus den Papieren eines alten Diplomaten. Leipzig, Brockhaus. 1833. 8. 1 Thlr. 16 Gr.

Die Ankündigung eines Romans, der aus dem Nachlaß oder auch, wie es gegenwärtig der Fall ist, aus der geheimen Brieftasche eines erfahrenen Staatsmanns seine Fäden herauszieht und diese mit Gebilden der Phantasie verspinnt, kann nicht anders als auf doppelte Weise unsere regste Aufmerksamkeit in Anspruch nehmen. Außer der Befriedigung poetischer Interessen, die wir meinen hier erwarten zu dürfen, obschon die Ankündigung sich in dieser Hinsicht mit keiner Autorität verbürgt, hoffen wir noch weit mehr, uns ein Genüge in dem Gelüste zu verschaffen, nicht unbedeutende, bisher geheim gebliebene Aufklärungen über politische Bezüge der Gegenwart zu erhalten. Zumal ist Rußland, auf das uns der Titel verweist, diese in ihrem Wandel wunderbare Schnecke, die aus ihrer weitgewölbten ehernen Brustschale nach dem Orient und Occident ihre Fühlhörner nur dann und wann ausstreckt, in der Welt der politischen Erscheinungen ein Convolut geheimster Motive und ungekannter Bedingnisse, deren Decke ein alter, langbewährter Diplomat, dem die Feder nicht mehr mit Ketten, welches Metalls sie auch sein mögen, gebunden ist, verschiedentlich zu lüften wol im Stande sein möchte. Was kann, wie gesagt, glücklicher sein als diese Verschmelzung von Dichtung und Wahrheit oder von Wahrheit und Dichtung, wie wir die Worte, je nachdem die Wagschale der vorherrschenden Interessen sich hinneigt, vor- oder nachstellen mögen.

Fassen wir nun zunächst den Gewinn ins Auge, der hier aus den Papieren des anonymen Staatsmanns, die allerdings dem Romane zum Grunde liegen mögen, für uns resultirt, so ist derselbe durch die treffliche Darstellung zweier Persönlichkeiten besonders schätzenswerth, und wir vermuthen als Quelle der Beobachtungen ein geübtes, ebenso fein als scharfbegabtes Auge, dem keineswegs blos die äußern Convenienzen und das Costum der Erscheinungen am petersburger Hofe aufzufassen vergönnt war, sondern dem auch ein tieferer Blick in die Falten des menschlichen Herzens mannichfach gelungen ist. Es ist zuvörderst Friedrich Maximilian Klinger's biederfeste eiserne Kraftnatur, von der uns ein prägnantes Bild geliefert wird, das Allem entspricht, was die Betrachtung seiner Werke und sonstige Mittheilung von Zeitgenossen und Lebensgefährten über seinen Charakter aufhellend beisteuerte. Noch bedeutsamer und an bisher geheim-gebliebenen Motiven reich genug ist die Schilderung Kaiser Alexander's I., des vielverkannten, in allen seinen Handlungen gemisdeuteten Herrschers, der mit einer Seele voll der reinsten, heißesten Menschenliebe den Thron bestieg und, von allen Seiten behindert, im schneidendsten Kampf mit den dämonischen Gewalten seiner heimischen Localität, deren zweiter Schöpfer im Reiche des Geistes er zu werden gedachte, dem düstern Loose allseitiger Verkümmerung seiner liebsten Pläne entgegenging. Diese beiden Portraits sind den Lesern d. Bl. bereits mitgetheilt, und darauf verweisend, enthalten wir uns, über diese zwei Einlagen des Romans, die freilich mit dem Ganzen geschickt verwebt sind, aber doch ihre eigenthümliche, besondere Quelle des Entstehens verrathen, ein Mehres mitzutheilen; nur Alexander's Verhältniß zur angeblichen Prophetin Frau von Krüdener und des Getäuschten und ebenso bitter Enttäuschten Umgang mit derselben in Heilbronn und Paris machen wir noch namhaft wegen mehrer auch für den Historiker bedeutsamer Winke über die Entstehung der Idee einer heiligen Allianz.

Von sachlichem Interesse ist noch Manches anzuführen, was jedenfalls der Feder eines in Rußland lebenden aufmerksamen Beobachters entflossen ist und somit werthvoll erscheint, selbst wenn wir den Glauben, es sei Alles und Jedes in diesen Mittheilungen dem Geheimpulte eines Staatsmannes entnommen, allzuweit ausdehnen und auflösen müssen. Besonders neu ist die Schilderung des Zustandes, in welchem der russische Adel der Aufhebung seines Begriffes als solcher immer mehr entgegengeht. Die Maßregeln der Krone, die auf Kosten der Aristokratie sich einen tiers état zu erschaffen strebt, verrathen den sichersten Tact. Schon darin, daß der Adel, nur wiefern er im Dienste der Krone steht, sich in seiner Würde anerkannt fühlt und sieht, liegt die Vernichtung des Geburtsadels; dadurch, daß jeder Militair- wie Civilbeamte mit dem Lieutenantsrang der bürgerlichen Sphäre enthoben wird und kraft des Gesetzes zum Adel gehört, steht dem Streben nach diesem Range Thür und Thor offen, und der Begriff einer bevorzugten Kaste fällt gänzlich zusammen. Durch ihre Verschwendung und Prachtliebe hat

Adels geworden; seine übermäßige Verschuldung knechtet ihn und nöthigt ihn zu dienerischer Thätigkeit im Solde der Krone. Zu den sonstigen Mittheilungen über Local- und Nationalinteressen gehört die Schilderung einiger russischen Volksfeste, der „Brautschau", die im großen Sommergarten am zweiten Pfingstfeste gefeiert wird, und des „Sémik" am ersten Sonntage nach Himmelfahrt in der Vorstadt Jemskoya, die nur von Kaufleuten und Handwerkern bewohnt wird. Die schon mehrfach von andern Seiten her ausgesprochene Bemerkung von dem allmäligen Verschwinden aller russischen Volksthümlichkeit in Petersburg tritt auch hier mit der Schilderung des allmächtigen Anwachses fremder Elemente zu einer bedeutsamen Bestätigung vor Augen. Die Nichtrussen in Rußland drohen fast ein Staat im Staate zu werden, und bei dem ungetreuen Aufgeben des Eignen, das besonders den vornehmen Russen charakterisirt, steht mehr eine Umschmelzung als eine Verschmelzung im Laufe der Zeiten zu erwarten. An der Brust der Amme saugt der Russe schon die fremde Sprache ein, deren gewandten Gebrauch wir an ihm bewundern; wie kann sich da der Stolz auf eigenthümliche Nationalität behaupten! Die Häßlichkeit seiner Landesweiber nöthigt ihn nicht weniger, Alles, wofür er warm und lebendig fühlen will, vom Auslande, namentlich aus Deutschland, herbeizuziehen, um seine kraftbegabte, genußsüchtige, aber in sich selbst sich verödet fühlende Natur an fremden Gebilden zu vergeistigen. Daß aber der Russe, wie zu fürchten steht, sich nach und nach ganz entwöhnt, vom alten Zarensitze aus Stirn und Auge nach dem Orient zu richten; daß er fortfährt, im Widerstreit mit der verfeinerten Cultur des Occidents seine Barbarenstärke abzuschleifen, macht seine Stellung für uns zu einer drohenden Bedeutsamkeit.

(Der Beschluß folgt.)

Ein Besuch bei Sir Walter Scott.

Das nachstehende Fragment ist bisher nicht bekanntgemacht, es ist ein Theil eines Buches, welches demnächst in London erscheinen soll und den ehemaligen Marineminister Karl's X., Baron d'Haussez, zum Verf. hat. Die „Europe littéraire", welche dieses Capitel mittheilt, scheint deren mehre aus besonderer Begünstigung erhalten zu haben. Es ist leicht zu bemerken, daß dieses Fragment bereits vor dem Tode Walter Scott's geschrieben war: „Unter dem Anscheine, großes Gewicht auf Zurückgezogenheit zu legen, hatte Walter Scott sich auf eine Weise eingerichtet, um sich eine große Berühmtheit zu schaffen und während seiner Lebenszeit zu genießen. Es ist nicht ein Vorwurf, welchen ich ihm mache; es ist ganz einfach eine Thatsache, welche ich darthue, hätten, in feinen und ausdrucksvollen Zügen die Enthüllung des Geheimnisses suchen zu müssen, in welches der Verf. so vieler geistvollen Leistungen sich verborgen hatte. Auch sah er sich, wie man versichert, genöthigt, ihrem fehlgehenden Scharfsinn zu Hülfe zu kommen und, durch die Nachsuchungen ebenso sehr ermüdet als die Suchenden selbst, auszurufen: „Hier bin ich!"

„Sir Walter Scott hatte bereits seit mehren Jahren seinen Namen auf seine Werke gesetzt, als ich eine Reise nach Edinburg machte. Er befand sich in einem Landhause, Namens Abbotsford, 36 Meilen von der Hauptstadt entfernt."

„Von meinem Wunsche, ihn kennen zu lernen, unterrichtet, überschickte er mir ein sehr höfliches Schreiben, worin er mich einlud, ihn zu besuchen. Marschall Bourmont begleitete mich."

„Der Weg, welchen wir in sieben Stunden zurücklegten, führt durch eine Gegend, welche gebirgig ist, ohne malerisch zu sein, angebaut, wiewol leer an Wohnungen, und die sich durch nichts auszeichnet, als durch die Einförmigkeit eines Thales, dessen Tiefe, vier Meilen von Abbotsford, durch die Straße eingenommen wird. Man kommt in geringer Entfernung an Melrose vorbei, einer kleinen Stadt an einem Flusse, welcher in seinem raschen Laufe zahlreiche Maschinen in Bewegung setzt. Zwei Meilen weiter findet man den Tweed und gelangt über einen steilen Abgang zu einem Schlosse von gothischer Bauart, an dem Fuße eines sehr hohen Hügels, auf welchem ganz neuerlich gemachte Pflanzungen einen Park von großer Ausdehnung umgeben. Vor dem Schlosse befindet sich ein kleiner Hof, welcher durch eine auf der andern Seite mit Zinnen versehene Mauer gebildet wird. Die Aussicht, beschränkt durch das Gebirge, geht nur auf eine Wiese, an deren Ende der Tweed fließt, dessen ruhiges Wasser die Landschaft verschönert, ohne sie zu beleben."

„Erst im Hofe kann man das Ganze des Gebäudes übersehen und sich Rechenschaft über die Sonderbarkeiten seiner Bauart geben. Sir Walter Scott, welcher den Gegenstand seiner hauptsächlichen Werke aus dem Mittelalter schöpfte, hat sich zur Aufgabe gemacht, den Styl der Gebäude jener Zeit in aller Originalität, mit allen ihren Fehlern, ja bis in ihre zahlreichen Unbequemlichkeiten zu reproduciren."

„Nach Außen erscheint die Originalität, welche man den Schlössern des 11. und 12. Jahrhunderts vorwirft, in aller Ungemessenheit. Der Baumeister mußte großen Aufwand von Erinnerung und Phantasie machen, um, wie er gethan, in der Form und Größe der Fenster und der unzusammenhängenden Zierathen abzuwechseln, mit welchen er die Façaden mehrer Flügel von Wohngebäuden, die eins an das andere angebaut sind, um eine einzige Wohnung daraus zu bilden, überladen hat. Ein vorspringender Säulengang führt zu einem ziemlich großen Gemach, dessen Wände ganz mit Waffen, Rüstungen aller Länder, aller Zeiten und merkwürdigen Gegenständen jeder Art bedeckt sind. Links geht eine kleine Thüre auf einen sehr engen Treppenabsatz, von wo man in einen Speisesaal gelangt, von diesem in ein Empfangszimmer, auf welches ein unendlich großes Zimmer mit einer Bibliothek folgt, kostbar durch die Anzahl und die Auswahl der Bücher, die mit vielem Geschmack in einer Decoration von gothischem Style geordnet sind. Auf einer der Seiten der Bibliothek findet sich eine Thüre, welche zu dem Arbeitscabinet führt. Eine enge, steile Treppe, mit sehr hohen

Stufen zeigt den Weg zu dem obern Stockwerke, in welchem man mehre wenig geräumige Zimmer angebracht hat, die unter sich durch einen Gang in Verbindung stehen, dessen Breite nicht gestattet, daß zwei Personen neben einander gehen."

„Das Geräth dieser seltsamen Wohnung entschädigt durch seine Originalität für deren Unbequemlichkeit. Beinahe alle Mobilien sind historisch, und ihre ursprüngliche Bestimmung ist durch Inschriften angegeben, welche auf eingelegte Kupfertafeln gestochen sind. Man kann sich eine Idee von dem Reichthum und der Mannichfaltigkeit dieser Sammlung machen, wenn man bedenkt, daß alle Vornehmen der drei Königreiche es sich zur Pflicht gemacht haben, sie mit den merkwürdigsten Gegenständen ihrer Schlösser zu bereichern, und daß sie auf diese Weise eine Art von Museum von alle Dem geworden ist, was das Land, wo die Feudalherrschaft sich am längsten erhalten hat, in dieser Beziehung Kostbares besaß."

„Der Hausherr besitzt in seinem Aeußern nichts, was der Idee entspräche, die seine Werke oder sein Geschmack veranlassen können. Er ist weder ein Lehnsherr des Mittelalters noch ein Romanenheld. Beim Absteigen vom Wagen sahen wir einen Mann von ungefähr 55 Jahren, ziemlich dick, mittlerer Statur, von kaltem und ernstem Aeußern, mit einem ausdruckslosen Gesicht auf uns zukommen, so eifrig, als es ihm ein Gebrechen gestattete, das ihm die Hülfe eines Stockes unentbehrlich machte. Einige sehr blaßblonde Haare mischten sich mit andern ganz weißen, welche in platten Locken auf Stirn und Schultern herabfielen. Kleine blaue Augen, beinahe ohne Blick, eine gerundete Nase, volle Wangen, etwas Ungewisses in der Haltung des Kopfes, etwas Kranthaftes in seiner ganzen Person, alles dies gab ihm kein ausgezeichnetes Ansehen. Dieser Mann war Sir Walter Scott. Er empfing uns mit einer Gastfreundschaft ohne Pomp, sparsam in Worten, aber sehr zuvorkommend in Handlungen. In wenig Augenblicken waren wir bewillkommt, eingeführt, quartirt und mit den Gewohnheiten des Hauses bekannt gemacht. Unser Gastherr entschuldigte sich wegen der Unmöglichkeit, uns französisch zu unterhalten, was er sehr wohl versteht, aber nicht spricht. Die wenige Uebung, die wir im Englischen hatten, ließ uns dies sehr schmerzlich empfinden, da wir verhindert wurden, gehörigerweise einen Geist zu würdigen, welchen zu studiren wir gekommen waren. Wir mußten uns ergeben. Wir traten in das Empfangszimmer, uns voran zwei ungeheuere Bergwindhunde und zwei kleine schottische Dachshunde, welche den Baronet stets begleiten. Wir wurden der Miß Scott vorgestellt, welche in die Art, uns zu empfangen, eine Ziererei von Würde legte, die strengere Richter wol anders benennen könnten. Drei oder vier Nachbarn und einige Familienglieder ergänzten die Gesellschaft, welche wir in Abbotsford vereinigt fanden. Miß Scott ist zwar die Tochter einer Französin, spricht aber unsere Sprache nicht und zeigte sich wenig geneigt, in der übrigen zur Belebung eines Gespräches beizutragen, welches der Vater durch Gemeinplätze zu unterhalten suchte. Vergebens versuchten wir den Gegenstand zu behandeln, welcher diesem am angenehmsten sein mußte, das Lob seiner Schriften, oder auch den, welcher seiner Liebhaberei und seinen Studien am meisten entsprechen mußte, indem wir über die Geschichte des Mittelalters sprachen; unsere Bemühungen konnten eine Unterhaltung nicht erwärmen, welche die Abgebrochenheit der Antworten unsers Gesellschafters jeden Augenblick fallen ließ. Sir Walter Scott führte uns zu den Zimmern, welche uns angewiesen waren. Ich setzte mich, um mich umzukleiden, in einen Lehnstuhl, welchen Maria Stuart gestickt hatte, dem Bildnisse von Henry Darnley, ihrem Gemahl, gegenüber. Auf einem, dem Grafen von Essex zugehörig gewesenen Tische stand ein kleiner Spiegel, welcher die Züge von Anna Boleyn wiedergegeben hatte. Dieses Geräth, die Erinnerungen, welche es zurückrief, eine gewisse Vergleichung, deren ich mich nicht erwehren konnte, erschütterten mich. Selbst verbannt, stand ich vor diesen großen Misgeschicken; meine Lage flößte mir Sympathie für sie ein. Nichts stimmt mehr zum Mitgefühl als das Exil.

„Als ich zum Empfangzimmer zurückkehrte, fand ich Miß Scott in einem sehr ausgesuchten Anzuge, welcher auf ihre Stimmung den günstigsten Einfluß auszuüben schien. Von diesem Augenblick an war und blieb sie vollkommen liebenswürdig. Sie ist von ausnehmender Schönheit, welche das Negligée, in welchem wir sie überrascht hatten, und der große Strohhut, der ihr von zwei großen schwarzen Augen belebtes regelmäßiges Gesicht verbarg, nicht hatten sehen lassen.

„Das Mittagessen, in sehr schönem Silbergeschirr aufgetragen, war gut, aber ganz englisch. Nachdem es zu Ende war, zogen sich die Damen zurück, und wir blieben zu Tische, wo sich die Unterhaltung noch eine Stunde verlängerte, ohne uns jedoch einen merkwürdigen Zug unsers Gastherrn zu bieten."

„Wir fanden das Empfangzimmer um die Bibliothek vergrößert, deren geöffnete Thüren und die an der gothisch gewölbten Zimmerdecke aufgehängten Leuchter uns ihre Größe und schönen Dimensionen erkennen ließen. Der Marschall Bourmont nahm dort Platz mit Sir Walter Scott, welchen er auf das Gebiet der Politik bringen wollte. Während ihrer Unterhaltung, welche lang war und stets in der Sprache jedes der beiden Unterredenden geführt wurde, hatte ich mich gänzlich zu Miß Scott und den Personen, welche sie umgaben, gewendet. Mitternacht kam, ohne daß wir den Ablauf mehrer Stunden gewahr wurden, trotz und vielleicht wegen der Schwierigkeit, die wir hatten, unsere Ideen auszutauschen."

„Am folgenden Morgen acht Uhr schon war ich aufgestanden und durchlief die Umgegend der Wohnung. Sir Walter Scott folgte mir und war so gefällig, mir alle Aufschlüsse zu ertheilen, welche ich wünschte. Er schlug mir vor, seine Bibliothek im Einzelnen zu sehen. Hier konnte ich nun die Art seines Geistes beurtheilen und mich überzeugen, daß, um zu glänzen, seine Einbildungskraft der Feder bedürfe. Karg in Reflexionen, drückte er sie nur sehr kurz und wenig erhaben aus. Einigermaßen weit und tief gehende Betrachtungen fehlten ihm ganz. Der Beobachter, welcher so glücklich den Charakter Ludwig's XI., der Elisabeth, der Maria Stuart, die Gebräuche und Sitten der Zeiten, in welchen die Hauptpersonen seiner Romane lebten, studirt und dargestellt hat, scheint seine Erinnerung in seinen Schriften ausgegeben und sein Gedächtniß gänzlich davon geleert zu haben. Mit einem Wort, der Verf. des „Waverley", der „Puritaner", des „Quentin Durward", des „Alterthümlers" und so vieler andern Werke von ausgezeichnetem Werth ist in der geselligen Unterhaltung ein sehr gewöhnlicher Mensch, nicht weil ihm der Wille abgeht, Geist und Kenntnisse an den Tag zu legen, sondern weil ihm die Fähigkeit, mindestens die Gewandtheit dazu mangelt."

„In Allem, was Walter Scott sagt und thut, herrscht jene Liebhaberei für die Einzelnheiten, deren Uebermaß seinen Werken soviel an Werth benimmt. Wenn er spricht, dehnt er sich über die kleinlichsten Dinge aus. In der Einrichtung seines Schlosses, in der Art der Verzierung desselben findet man wieder jene Neigung, die Gegenstände unter allen ihren Formen zu sehen, sie in allen ihren Kleinlichkeiten zu beschreiben, für Alles, selbst für Das, was des Interesses am wenigsten würdig ist, einen Platz zu finden. Er weiß nichts zu beseitigen; es ist für ihn ein Bedürfniß, Alles, was ihm unter die Hände fällt oder durch den Kopf geht, zu bearbeiten. Neben diesen werthlosen Dingen findet man andere wunderschöne, welche mit seltenem Talent und Geschmack auf das zweckmäßigste benutzt sind. Vielleicht muß man dieser unaufhörlichen Incohärenz den originellen Charakter der Werke dieses Autors zumessen, welcher für alle Classen, für jedes Alter, für alle Länder, für seinen Buchhändler und sich geschrieben hat. Er hat in der That seine Phantasie an allen Gegenständen und Personen geübt, vom Bettler bis zum König, und Allen ihre individuelle Sprache zugetheilt. Ohne jemals Frankreich besucht zu haben und tief in dessen Sprache eingedrungen zu sein, hat er die Charaktere in den merkwürdigsten Epochen der französischen Geschichte mit derselben Genauigkeit geschildert, welche seine Darstellungen vaterländischer Zustände aufzeichnet. Er hat das Ergebniß seiner Forschungen der gegenwärtigen Generation, die sich an einigen Scenen ergötzt, wie der Nachwelt gewidmet, welche die Sitten einer entschwundenen Zeit zurückwünschen und nur bei den sublimen Schilderungen von Sitten und wunderbar gezeichneten Charakteren verweilen wird. Sir Walter Scott, nachdem er das Vermögen seines Buchhändlers gegründet und dessen Ruin getheilt, hat in der Herausgabe seiner Werke einen Gewinn von mehr als drei Millionen und einen Namen gefunden, welcher, weit entfernt, ihm jemals bestritten worden zu sein, vielleicht über die Grenzen hinaus erhoben wurde, welche eine im mindesten nicht strenge Gerechtigkeit ihm zuerkannt haben würde. Auch läßt das Land, welches diesem großen Schriftsteller das Leben gab, sich sehr angelegen sein, eine lebhafte Bewunderung für sein Talent und eine nicht minder aufrichtige Hochachtung für seinen Charakter zu bezeigen. Er ist der Gegenstand aller Unterhaltungen, die Merkwürdigkeit der Gegend. Seine Büste, sein Bildniß sind allenthalben. Man sammelt und macht seine unbedeutendsten Worte und Handlungen bekannt. Man sucht ihn auf, man umgibt ihn, man beurtheilt ihn während seiner Lebzeit, wie nach seinem Tode nur die am günstigsten gestimmte Nachwelt thun könnte, und man wird zu seinem Lobe sagen, daß alle diese Auszeichnungen die Einfachheit und Güte seines Charakters nicht verdorben haben. Wir entfernten uns von Abbotsford voll Erkenntlichkeit für die Zuvorkommenheit unsers Gastherrn, welcher mir sehr bald einen Beweis der Aufrichtigkeit des mir erzeigten ganz besondern Wohlwollens dadurch gab, daß er mir die vollständige Sammlung seiner Werke, sehr kostbar gebunden, zuschickte und dagegen mein Bildniß sich ausbat." 171.

Münchens öffentliche Kunstschätze im Gebiete der Malerei, geschildert von Jul. Max. Schottky. München, Franz. 1833. 8. 1 Thlr. 12 Gr.

Herr Schottky ist ein äußerst schreibfleißiger Mann. Ein Buch von ein paar Alphabeten in kürzester Frist aufs Tenakel zu schaffen, ist ihm gar keine Mühe; und haben nur Andere vor ihm über den Gegenstand vielerlei drucken lassen, so bringt er auch wol einen Folianten zu Stande. Nach seiner Beschreibung von Prag, die gerade soviel gibt, als sich aus den erreichbaren Quellen zusammenschreiben ließ, beginnt er jetzt eine Beschreibung der Kunstschätze Münchens (auch unter dem Titel: „Ueber Münchens Kunstschätze und künstlerische der Oeffentlichkeit gewidmete Bestrebungen." Erste Abtheilung), die in einem Augenblicke, wo München die Augen der Kunstfreunde aller Länder auf sich zieht, doppelt erwünscht sein muß, auch weil sie alle im Kunstblatt beigebrachten Notizen an Ort und Stelle nachzusehen erspart, indem man sie hier Wort für Wort abgedruckt findet. In gleicher Weise erzählt sie aus den ihm bekannten oder zugängigen Werken mit gleicher diplomatischer Genauigkeit Alles, was über die einzelnen Sammlungen Münchens sich nacherzählen ließ, und man muß die Selbstverleugnung eines Mannes bewundern, der sich nach der vertrauten Bekanntschaft mit den Kunstsammlungen Wiens, Dresdens, Berlins und Prags doch noch zu einem eignen Urtheile nicht reif glaubte, und die Geduld, welche nicht blos den Inhalt der fremden Angaben zu wiederholen sich begnügte, sondern Zeile vor Zeile sie abzuschreiben für besser hielt. So finden die Leser denn hier außer der Vorrede, die möglichst kurz ist, Andeutungen über Münchens frühere und gegenwärtige Kunstgeschichte, über Maximilian I. Kunstkammer, dann ins Einzelne gehende Angaben von der Pinakothek, von der königl. Gemäldegalerie, von der königl. Bildergalerie zu Schleißheim, von der Boisserée'schen Sammlung (wo aber der Verf. S. 192 das Jahr anzuführen vergessen, wo die Sammlung vom König erkauft wurde, und den Kaufpreis anzugeben sich wol gehütet hat), drauf von Privat-Bildersammlungen. Zuerst spricht er von der herzogl. Leuchtenberg'schen Galerie; von der Sammlung des Prof. Hauber, von der Sammlung des Staatsraths Ritter von Kirschbaum, von der Sammlung des Geh. Raths von Klenze, von der Sammlung des Canonicus Speth, über die im Anhange noch eine zweite Mittheilung gegeben wird; endlich von der Sammlung des Hrn. Inspector Günther. Sind auch diese Angaben nichts weiter als katalogähnliche Aufzählungen, so ist es doch angenehm, diese an einem Platze beisammen zu wissen, und man fühlt sich versucht, dieses für den wesentlichsten Theil von Hrn. Schottky's Buche anzusehen. Für die Frescogemälde in den Arkaden des Hofgartens gab es sehr viele Vorarbeiten; verdienstlicher scheint der Fleiß in den Angaben vom Kupferstichcabinet, der Sammlung der Handzeichnungen und der Elfenbeinschnitzwerke, weil er Vorgesprochenes nachschreiben mußte, wenigstens findet man keine Gänsefüße und Citate. Dann wird von den Malereien der königl. Porzellanfabrik, von den Leistungen in Glasmalerei, von der Lithographie, geschichtlich vom Kunstvereine, von den Kunsthandlungen, der Kunstakademie gesprochen. Die aus guten Quellen gezogenen Nachrichten sind fortgeführt bis zu dem Datum der Vorrede. Nicht zur Sache gehörig sind die im Anhange beigebrachten Briefe von Göthe an Hrn. Eugen Neureuther und ein casus pro amico die Nachrichten über Sennefelder's sonst sehr interessante Erfindungen.

Schwerlich wird Jemand Hrn. Schottky die Ehre beneiden, dies Buch geschrieben zu haben; demungeachtet werden Viele es kaufen. 81.

Notizen.

Das französische Ministerium des Unterrichts hat Herrn Francisque Michel nach England geschickt, um in den dortigen Archiven und Bibliotheken Sammlungen für die alte Geschichte und Literatur Frankreichs zu veranstalten.

Im Jahre 1638 wurde durch das Zusammenwirken mehrer Personen in Europa und Amerika die erste Buchdruckerpresse in den jetzt Vereinigten Staaten zu Cambridge aufgestellt. Das erste dort herausgekommene Buch war: „Appeal of the free man", das zweite der „Almanach von Neuengland", beide erschienen 1639. In Boston wurden seit 1676, in Philadelphia seit 1686, in Neuyork seit 1693 Bücher gedruckt, allein dennoch gab es um 1700 nur vier Druckereien in den damaligen Colonien. Zu Anfang dieses Jahrhunderts zählte man deren in den Vereinigten Staaten schon 800, und 1830 gab es 1800. Im Durchschnitt wurden ums Jahr 1800 jährlich hundert Originalschriften gedruckt; 1825 war ihre Zahl auf 590 gestiegen, und daneben wurden 257 Werke nachgedruckt, wozu seitdem noch Uebersetzungen aus dem Deutschen und Französischen gekommen sind. Vor 1704 gab es keine Zeitschriften in diesen Colonien, seitdem erschien aber das erste Journal in Boston bis zum Jahre 1776 unter dem Titel: „Neuigkeitsbriefe". In Philadelphia kam die erste Zeitschrift 1719, in Neuyork 1733 heraus, und 1775 gab es 37 in Allem; 1801 zählte man 203, 1810 schon 358 und heutzutage weit über 1000. Benjamin Franklin versuchte 1741 in Philadelphia die Herausgabe eines allgemeinen literarischen Magazins, was aber nur ein halbes Jahr lang erschien. Aehnliche Versuche Anderer scheiterten ebenfalls, und 1775 gab es nur das im nämlichen Jahre von Thomas Payne begonnene: „Magazin von Pennsylvanien". Erst lange nachher brachen sich auch diese Bestrebungen Bahn; 1810 erschienen 24 solche periodische Schriften, deren Zahl jetzt gegen 100 beträgt. Das englische „Quarterly review" und „Edinburgh review" wird regelmäßig nachgedruckt. Von den einheimischen Periodicals sind A. H. Everett's in Boston herausgegebenes: „North american review" und das „American quarterly", von Walsh in Philadelphia, welche seit 1815 und 1827 bestehen und zu 3—4000 Exemplaren gedruckt werden, die ausgezeichnetsten. Das 1832 begonnene „American monthly review" widmet sich nur der Kritik vaterländischer Schriften. 3.

Redigirt unter Verantwortlichkeit der Verlagshandlung: F. A. Brockhaus in Leipzig.

Blätter

für

literarische Unterhaltung.

Mittwoch, —— Nr. 261. —— 18. September 1833.

Zwei Jahre in Petersburg. Ein Roman aus den Papieren eines alten Diplomaten.

(Beschluß aus Nr. 260.)

Betrachten wir nun den Roman im Romane, so haben wir hier die Geschichte der Irrnisse und Gefährdungen eines reinen weiblichen Gemüthes inmitten der Verfolgungen und Verlockungen der vornehmen Welt. Klara, eine eben verheirathete, noch mädchenhaft schüchterne junge Frau, tritt mit aller Offenheit der natürlichen Seele, mit dem raschen, unbewußten Erröthen der jugendlichen Unschuld aus dem unbefangenen Kreise ihres friedlichen Landlebens, das bisher ihr Paradies gewesen, plötzlich in die petersburger Hofregionen. Ihr Gemahl, Graf Nordeck, an den sie mehr das Band der Achtung als der Liebe knüpfte, wird auf kaiserlichen Befehl zu einer Reise an der Seite des Monarchen genöthigt und kann nicht umhin, die unerfahrene Unschuld ihrem Geschick und ihrem Schutzengel allein zu überlassen. Eitelkeit, Heuchelei, zügellose, aber mit dem Schleier der Vornehmheit übertünchte Sittenlosigkeit, seichte Koketterie, Nachstellung und Intrigue, alle Gewalten eines raffinirten Salonlebens umringen alsbald die sich anfangs stark fühlende Seelenreinheit, die uns Klara personificirt; aber der Himmel ihrer lachenden Unschuld trübt sich allmälig, die Strahlen ihrer Tugendsonne brechen sich schwächer im unausgesetzten Kampfe mit düstern Wolken, die verderbenschwanger über sie hinziehen. Eine Menge Repräsentanten der vornehmen Sündenwelt passiren an unserm Auge vorüber: Graf Butbu, ein geckenhafter delicater Vagabond, bald hier, bald da wie ein Irrlicht erscheinend, überall mit der Prärogative, den Ton angeben zu dürfen; Kammerherr Bülow, ein seichter Heiterling voll bequemer Geschwätzigkeit, und viele Andere, deren äußere Erscheinung mit einer Schärfe und Feinheit der Beobachtung geschildert wird, wie sie nur dem Auge einer Person zu Gebote stehen können, die lange in den vornehmen Kreisen mit einem Ueberdruß der empörten Seele sich bewegt hat. Es ist aber ganz die Polemik, wie sie eine sinnreiche und erfahrene Dame gegen das Männergeschlecht zu führen versteht, und wie sie in Frauenromanen, besonders in den Schriften der Johanna Schopenhauer oder Fanny Tarnow oft mit so sicherm Tact und jenen kleinern Nuancirungen im Beobachten und Reflectiren geübt wird, die der männlichen Aufmerksamkeit entgehen. Die Natürlichkeit des Seelenzustandes wird dann stets mit jener Zartheit angepriesen, wie sie einem alten Diplomaten am wenigsten zu Gebote steht, und auch in der Kunst soll die natürliche Unbefangenheit eines auf der Kindheitsstufe befindlichen Volkes sammt seiner vollen Bewußtlosigkeit als das lediglich Erstrebenswerthe erscheinen. Den Standpunkt einmal eingeräumt, so wird Niemand umhin können, die durchgebildete, umfassende, allseits fertige Ansicht in ihrer gelungenen Ausführung als etwas Interessantes und ein freundlich ansprechendes Bekenntniß einer schönen Seele anzuerkennen. Allein hundert Belege bieten sich statt eines, um die Autorschaft eines männlichen Individuums hinwegzuleugnen; man höre die Schilderung des Grafen Nordeck und frage sich, ob dies die Anschauungsweise eines alten Diplomaten sein könne (S. 54): „Nordeck war ein edler Mann, aber er hatte seit früher Jugend am Hofe und in der großen Welt gelebt, und das kann man nicht, ohne gegen den sittlichen Unwerth der Menschen, mit denen man lebt, abgestumpft zu werden. Die Gefühllosigkeit, die Lüge, die Eitelkeit, die Selbstsucht, die die Maschinisten des Weltgetriebes sind, machen es uns auf die Dauer unmöglich, in unsern Urtheilen und Gefühlen wahr und uns selbst treu zu bleiben u. s. w." Spricht so ein Mann, der Weltverhältnisse in aller Tiefe ihrer Bedeutsamkeit kennen lernte und in Kreisen sich bewegte, wo die Beziehungen des Verstandes das gemüthliche Fötusleben der in natürlicher Harmlosigkeit befangenen Seele allerdings verdrängen und die scharfen Gegensätze des Lebens und des Geistes innen und außen zum ernsten Kampfe erwachen! Es ist so ganz der Lieblingsgedanke der Frauen, das Herz lediglich als das geistige Paradies des Menschen anzusehen: ein Gedanke, den wir aber — so sehr es uns Frauen gegenüber leid thut — für nichts anders als philosophisch wie religiös gleich falsch ansehen müssen. Die ganze Darstellung der vornehmen Zirkel mit der Toilettenwichtigkeit der kleinen Künste des Anstandes und der feinen Sitte verräth die Feder einer gemüthlichen und gebildeten Dame, von der der Roman im Romane herrührt, und welche die etwa vorhandenen und beigesteuerten Papiere eines Staatsmanns in den oben angedeuteten Partien geschmackvoll zu benutzen verstanden hat. Nur

Frauen polemisiren so empfindsam gegen die verderbte Männerwelt und suchen mit einer sentimentalen, wenngleich liebenswürdigen Schwärmerei darzustellen, wie „dieser gifthauchende Verkehr mit der vornehmen Welt, das Eingehen und Antheilnehmen an ihren Interessen unsere moralische Kraft austrocknet und den frommen sittlichen Ernst, der die einzig sichtbare Grundlage treuer Pflichterfüllung ist, lähmt". Einer bestimmten Individualität die Autorschaft zuzuschreiben, scheint außer dem Bereiche der öffentlich auszusprechenden Hypothese zu liegen, und der bescheidenen Vermuthung wollen wir hiemit die engste Grenze stecken. Aber selbst Manches in der Darstellung Klinger's, der hier in den sittlich entarteten und schwächlich verderbten Sphären der Geselligkeit als ein riesenkräftiger Koloß mit spartanischer Tugend auftritt, weist auf weibliche Stickereiarbeit. Der Held wird zu sehr anbetungsweise gefeiert und mit einer weiblich exaltirten Hingebung, sodaß das Urtheil die volle Würde des Mannes und auch die Grenze seiner Geisteskraft nicht recht beherrscht. Hierhin gehören nicht allein Wendungen wie: „geistesgroß wie Wenige u. s. w.", sondern der ganze Styl, und unter einigen Gedanken auch dieser: „Gewiß gehörte Klinger auch zu jenen großen Geistern, die über ihre Zeitgenossen erhaben u. s. w." Mangel an logischer Verbindung wird stets, trotz sonstiger herrlicher Vorzüge, ein weibliches Geistesproduct bezeichnen. Was ist die Zeit, dies Abstractum als Corpus genommen, denn wol anders als der Gesammtsinn der bedeutendsten Geister, die sie erst bilden, und ohne die sie ein Product ohne Factoren, völlig charakterlos, ja zeitlos wäre. Heroische Naturen, sagt man, schaffen sich erst eine Zeit, allein die Zeit und deren Bedingungen, Hemmnisse und Anreizungen bilden sich auch andererseits ihre Individuen und rufen in ihnen sich die Träger ihrer Eigenthümlichkeit hervor. Je inniger diese Wechselwirkung beider Gewalten, der objectiv werdenden und der individuell producirenden, desto reifere Gebilde, desto größere Persönlichkeiten treten in die Wirklichkeit.

Können wir nun nicht umhin, in der Bearbeitung etwaiger vorhandener Papiere eines alten Diplomaten eine weibliche Hand herauszufühlen, so verrathen die gleich anfangs mitgetheilten Ansichten über die Bildungsmaximen und die Lehrmethode beim Unterricht der jüngern Welt eine Dame, die über Erziehung viel gedacht hat und einen reichen Schatz lehrreicher Erfahrungen den Lesern mittheilt. Besonders hat sie dem Werden der jungen Mädchenseele in allen feinen Schattirungen und Nuancen der sich entfaltenden Blütenknospe still und eifrig zugelauscht, und Klara's Geschichte in den Irrnissen der vornehmen Geselligkeit zeigt uns nicht einen alten Diplomaten, sondern eine feinfühlende, zarte, erfahrene Diplomatin des menschlichen Herzens und des höhern Gesellschaftslebens, dessen Intriguen und politische Maximen auch die anfänglich harmlos dahinlebende Klara betäuben und verwirren. Ein Freiherr von Leist, der raffinirteste Verführer weiblicher Tugend, der unter der schimmernden Aalglätte seiner glänzenden Persönlichkeit eine finstere Seele voller Galle und Gift verbirgt — denn so hört ein empörtes Frauenherz am liebsten einen Don Juan geschildert —, hat die Unerfahrene in den Fesseln der Galanterie gefangen und es gewagt, sie an den Abgrund ihres Verderbens zu locken; aber ihr Schutzengel, die plötzliche Empörung ihrer nur eine Zeitlang eingeschlummerten reinen Seele, rettet sie aus seinen Armen. Gleichwol umringt sie der Verfolger, der in Folge kleiner Gewährungen ein Recht auf sie zu haben affectirt, auch später noch nach dem Erwachen ihres sittlichen Stolzes. Auf einer Maskerade sucht er ihr Unwohlsein, das sie in ein entlegnes Zimmer nöthigt, zu benutzen, um freche Anmaßung mit Hohn und Spott zu vereinigen; da tritt Graf Nordeck, maskirt, zwischen Beide als rettender und rächender Engel. Er ist heimlich zurückgekehrt und sieht den Umfang des Verderbens, dem seine liebenswürdige Gattin nahe war. Aber sie hat sich standhaft bewährt, die Treue ist erprobt: „Bis zu dieser Prüfung", sagt er der weinenden Klara, „war deine Tugend nur ein glücklicher Zufall; von nun an ist sie dein ehrenvoll erworbenes und bewahrtes Eigenthum." Jeder Ausspruch und der ganze Styl der Diction ist der treueste Spiegel des edelsten Gemüthes. 131.

Ueber den Charakter und die Aufgaben unserer Zeit in Beziehung auf Staat und Staatswissenschaft. Erstes Heft. Vom Staate überhaupt und die Geschichte seiner Wissenschaft. Von Friedrich Schmitthenner. Gießen, Heyer, Vater. 1832. 8. 20 Gr.

Der Verf. hatte die obengenannte Schrift ursprünglich als Einleitung zu den vor einigen Jahren von ihm herausgegebenen „Grundlinien der Staatswissenschaft" bestimmt. Es sollte in derselben das Wesen des Staats weiter auseinandergesetzt, die Geschichte seiner Wissenschaft, der Stand derselben und die Anfoderungen an ihre weitere Fortbildung dargestellt werden, und zwar zunächst für Studirende. Später entschloß er sich, diesen Plan zu erweitern und die Schrift auf ein größeres Publicum zu berechnen. Sie ist zu drei Heften angelegt, wovon das erste die Entwickelung der politischen Interessen und Doctrinen, welche unsere Zeit bewegen, geschichtlich darstellen, das zweite gleichsam eine Statistik der politischen Interessen und Potenzen der Gegenwart sowie eine Prüfung der innern Wahrheit, der Bedeutung und Macht der herrschenden Doctrinen geben und das dritte die Gestalt der Zukunft deuten soll. Der Verf. hat sich dabei möglichste Unparteilichkeit und Farblosigkeit zum Ziel gesetzt. Der Vorsatz desselben, blos im Interesse der Wahrheit, ohne Rücksicht auf den Beifall irgend einer Partei zu schreiben, ist ehrenwerth. Ob aber eine solche gänzliche Parteilosigkeit uns Erdenkindern in irdischen Verhältnissen möglich sei, ist eine Frage, die wir bereits in diesen Bl. *) früher erörtert und verneinend beantworten zu müssen geglaubt haben. Gehen wir auf die nähere Betrachtung Dessen, was uns der Verf. in dem vorliegenden ersten Hefte geboten, ein, so finden wir, daß dasselbe, wie uns auch schon der Titel anzeigt, in zwei Bücher zerfällt, wovon das erste von dem Wesen des Staats und der Staatswissenschaft handelt, das zweite die Geschichte der Staatswissenschaft geben soll. Das erste Buch handelt auf 48 Seiten von dem Begriffe (S. 1—8), dem Zwecke (S. 9—13), der Entstehung des Staats (S. 14—44) und von der Staatswissenschaft (S. 45—48). Daß der Verf. auf diesen wenigen kleinen Octavseiten nicht viel mehr als ein Skelett geben konnte,

*) S. Nr. [illegible] d. Bl. f. [illegible].

leuchtet a priori ein. Bei der Entstehung des Staats hat sich derselbe am längsten aufgehalten. Weshalb er nicht dieses „Hauptstück", wie er die verschiedenen Abtheilungen seiner „Bücher" untereintheilt, vorausgeschickt und erst den Staat ins Dasein gerufen, ehe er von dem Begriff und Zwecke desselben handelt, vermögen wir um so weniger einzusehen, da er selbst durch die Worte, mit welchen er sein Werk beginnt, sich auf den historischen Standpunkt zu stellen scheint. „Nackt und aller Hülfe bedürftig fällt der Mensch auf den Strand des Lebens, ein unendlich reicher aber unentwickelter Keim" beginnt der erste §. des ersten Hauptstücks im ersten Buche. Der Staat ist dem Verf. das System der höchsten öffentlichen Institutionen, welche auf das äußere Leben, auf Recht, Wohlfahrt und Bildung sich beziehen. Wir wollen mit ihm über diese Definition nicht rechten. Es ist mit den Definitionen, wie Jeder weiß, welcher dergleichen zu fabriciren hat, ein mislich Ding. Will man sie recht richtig und philosophisch machen, sodaß sämmtliche, auch die weniger bedeutenden Merkmale des zu definirenden Gegenstandes darunter begriffen sind, so werden sie häufig dunkel und bedürfen einer Menge Erläuterungen, wenn der gesunde Menschenverstand errathen soll, was gemeint ist; will man sie aber für diesen leicht begreiflich und bezeichnend machen, so werden sie in der Regel zu eng und umfassen nur die hervorstechendsten Merkmale. Der Staat ist „ein ethischer Organismus", führt der Verf. ferner aus. „Ethisch heißt Alles, was sich auf den Willen bezieht. Ein ethischer Organismus ist demnägst (demnach?) derjenige, wo die einzelen (einzelnen?) Functionen durch mit freiem Willen begabte Glieder, d. h. Personen, vollzogen werden." Nachdem der Verf. zu widerlegen gesucht hat, daß der Staat sich nicht selbst Zweck sei, widmet er seiner Behauptung: „der Zweck des Staats ist Autarkie" *), einem sehr kleinen §., in welchem man aber vergebens nach einer erschöpfenden Begründung dieses folgereichen Ausspruchs sucht. Eine solche konnte aber wol bei einer so wenig ausgemachten Frage, welche von Männern wie Kant, Heidenreich, Schmalz, Feuerbach, Wolf, Behr, Lueder, Spittler, Rotteck, Jordan und mehren Andern ausdrücklich verneint wird, nicht entbehrt werden. Ob die Ansicht des Verf. die richtige sei, kann hier nicht untersucht werden. Wir bekennen uns nicht zu derselben, halten sie vielmehr in Staaten, wo die Regierungsgewalt nicht durch bündige Verfassungen beschränkt ist, für höchst gefährlich, da sie nur zu leicht als Aushängeschild benutzt wird, um unter ihrer Firma die eigennützigsten Zwecke des Despotismus zu verfolgen und willkürlich über Hab, Gut und Leben der Staatsangehörigen zu verfügen. „Mit dem Zauberworte: „Das allgemeine Wohl erheischt es", sagt Jordan in seinen „Versuchen über allgemeines Staatsrecht", „vermag man einen Jeden, der seinen krittelnden Mund über Staatsverfügungen u. dgl. öffnen will, wie mit einem Medusenhaupte in einen schweigenden Stein zu verwandeln. Denn wie kannst du, der du nicht am Steuerruder, sondern nur in der Kajüte des Staatsschiffes sitzest, wissen, was das allgemeine Wohl des Staats erheischt? Mit diesem schlagenden Argumente kann man jeden Zweifel gegen die Statthaftigkeit und Zweckmäßigkeit einer Staatshandlung widerlegen und beseitigen, und wer, wenn ihm zum allgemeinen Wohle oder Besten die Haut über die Ohren gezogen wird, dabei die Nase rümpft oder gar murrt, der ist ein unruhiger Kopf, wenigstens kein echter Patriot!" — Ebenso dürftig ist das vierte Hauptstück, die Staatswissenschaft, ausgefallen, welche der Verf. auf drei Seiten, sage drei kleinen Octavseiten, abhandelt; daß hier weiter nichts gegeben werden konnte als trockene Definitionen und Distinctionen, ist leicht einzusehen. Das zweite Buch (S. 49—212) soll uns die Geschichte der Staatswissenschaft geben. Hätte der Verf. in dem dem ersten Hefte vorgesetzten Titel: „Vom Staate überhaupt und die Geschichte seiner Wissenschaft", statt des Wörtchens, die: von der gesetzt, so würde das nicht blos an und für sich besser geklungen haben, sondern auch der Wahrheit weit näher gekommen sein. Denn weit davon entfernt, uns eine vollständige Geschichte der Staatswissenschaft zu geben, wozu es auch wol eines eignen, selbständigen, bändereichen Werkes bedurft hätte, gibt uns derselbe eine ziemlich vollständige und als bahnbrechend werthvolle Geschichte der Nationalökonomie und etwas von der Geschichte der übrigen Disciplinen der Staatswissenschaft. Auch wenn der Verf. auf dem Titelblatte seiner Schrift nicht bemerkt hätte, daß er Professor der Kameralwissenschaften sei, so würde man solches gar leicht aus der auffallenden Vorliebe schließen können, mit welcher er seine Fachstudien behandelt. Er entschuldigt sich zwar in der Vorrede damit, daß die „Noth des Volks offenbar im Steigen sei, und die nach der bisherigen Wissenschaft abgeleiteten Gegenmittel (!) nicht genügend scheinen". Allein ob die sonst recht schätzenswerthen geschichtlichen Deductionen des Verf. die Noth des Volks vielleicht in Zukunft mittelbar erleichtern werden, überlassen wir dem Urtheile des Lesers. Daß die jetzige Generation davon nicht satt wird, läßt sich wol mit ziemlicher Gewißheit annehmen.

Der Verf. theilt seine Geschichte der Staatswissenschaften in drei Perioden. Die erste Periode umfaßt die alte Welt (S. 56—71). Der Verf. wirft darin im ersten Abschnitt einen Blick auf den Orient, im zweiten auf die Griechen und im dritten auf die Römer. Die zweite Periode behandelt das Mittelalter (S. 72—77) und die dritte die neuere Zeit (S. 77 — Ende). Sie ist bis auf die Julirevolution fortgeführt und umfaßt deshalb auch die neueste Zeit, welches wir für Diejenigen bemerken, die nach der gebräuchlichen geschichtlichen Terminologie und Periodisirung zwischen einer neuern und neuesten Zeit unterscheiden. Sie zerfällt in zwei Abschnitte, wovon der erste den Zeitraum von 1300—1650 umfaßt, die Ueberschrift: „Entwickelung der subjectiven Freiheit", führt und in zwei Unterabtheilungen: a) Innere Entwickelung (1300—1500), b) Kampf um Geltung (1509—1650) zerfällt. Der zweite Abschnitt, welcher bis auf unsere Zeit fortgeführt ist, hat die Ueberschrift: „Entwickelung der äußern Freiheit", und zerfällt ebenfalls in zwei Unterabtheilungen: a) Entwickelung des Gedankens (1650—1775) und b) äußere Gestaltung.

An dem ganzen Werke des Verf. haben wir aber die erkünstelt gelehrte Schreibart zu tadeln, die Menge ungebräuchlicher, auch dem gebildeten Leser, der nicht grade den Gegenstand, worüber der Verf. spricht, zu seinem besondern Studium gemacht und sich in die eigenthümliche Kunstsprache des Verf. hineingedacht hat, unverständlichen Worte und schwer aufzufassender Wendungen und Ausdrucksweisen und die schulmäßige Form, in welche das Ganze gegossen. Der Verf. erbittet sich zwar in letzter Beziehung in der Vorrede unsere Entschuldigung, da er zunächst für Studirende geschrieben habe. Allein wenn ihm später, nach derselben Vorrede, mancherlei Gründe bestimmten die Schrift auf ein größeres Publicum zu berechnen, so hätte er sich auch die Mühe geben sollen, sie in eine Form umzuschmelzen, welche sie für einen größern Kreis von Lesern genießbar macht. Die geschraubten und gesuchten Ausdrücke finden aber in der Bestimmung für Studirende keineswegs ihre Rechtfertigung. Für junge Leute, welche eine Wissenschaft erlernen wollen, kann man sich nicht deutlich, verständlich und plan genug ausdrücken. Die Tiefen der Wissenschaft zu erfassen, ist für den Jüngling an und für sich schon eine schwierige Aufgabe, und man braucht die Zugänge dazu nicht noch mit einer Dornenhecke von gelehrten Ausdrücken, deren mühevolles Durchbrechen die jugendlichen Kräfte nutzlos ermüdet, zu umzäunen. Wann werden die deutschen Gelehrten endlich den Wahn aufgeben, daß ihre Weisheit an Werth verliere, wenn man sie mit bloßem gesunden Menschenverstande zu erfassen im Stande sei? Neben diesem Tadel, welcher vorzugsweise das erste Buch der vorliegenden Schrift trifft, wollen wir dem Verf. aber keineswegs

*) Für den des Griechischen unkundigen Leser bemerken wir, daß Autarkie (αὐτάρκεια) soviel als allgemeines Wohl (salus publica) bedeutet. Aristoteles bediente sich desselben insbesondere, um das allgemeine Staatswohl näher zu charakterisiren.

die Anerkennung versagen, daß er seinen Stoff durchdacht und sich auf einen möglichst unabhängigen, unparteiischen und deshalb im Ganzen richtigen, vernunft- und zeitgemäßen Standpunkt zu erheben vermocht hat, sowie auch sein Schriftchen an einzelnen sehr bezeichnenden und lebensvollen Bildern, an schönen und wahren Stellen nicht arm ist. Wir theilen dem Leser, um ihn mit der Denk- und Ausdrucksweise des Verf. näher bekanntzumachen, eine Stelle aus dem vorletzten §. mit, in welcher er, nachdem er zuvor die Idee des constitutionnellen Erbkönigthums als in Deutschland historisch und rechtlich begründet und von den ausgezeichnetsten Publicisten anerkannt hingestellt hat, die Frage zu beantworten sucht, woher es komme, daß die Idee der Volkssouverainetät dennoch habe Boden gewinnen können. „Wie kommt es nun", heißt es hier, „daß einer Idee gegenüber, die so viele Gründe der Vernunft und im positiven Recht verkörpert, die ganze Kraft der Wirklichkeit für sich hat, die wesenlose Doctrin der Volkssouverainetät so weit verbreiteten Anhang im Götzendienst (?!) finden konnte? Die Frage beantwortet sich leicht. Nicht das eben dargestellte constitutionnelle System, sondern der Absolutismus hat in ihm sein Extrem hervorgerufen wie ein Polignac die Julirevolution. Man kennt die komische Angst des kläglichen Wichtes im Lustspiele, der die Formel des Geisterbanners abgehorcht und durch ein frevelndes apparois den unheimlichen Geist heraufbeschworen hat, den er nun, in der Verwirrung das fortbannende disparois vergessen (d?), durch sein eintöniges apparois fortzuweisen sucht. So der Absolutismus gegenüber dem Geiste der Revolution. Dem Typhoeus vergleichbar, der, unter den Aetna gebannt, zuweilen sich erheben will und mit donnerndem Getöse Flammen speit, unter dem ungeheuren Gewicht aber stöhnend zurücksinkt, schwebte der Geist der Revolution in Spanien, in Portugal, in Neapel, in Piemont die Völker rührend empor; ebenso oft erlag er unter den Maßregeln der heiligen Allianz. Wie stark aber immer noch der Unheimliche war, welche Kraft sogar die liberalen Ideen gewonnen hatten, zeigte sich nur zu deutlich in dem vollkommenen Sieg, mit welchem in Frankreich, aller Gegenstrebungen ungeachtet, die Schlacht der Wahlen gewonnen ward, in der Begeisterung, mit der sich das Volk in Paris schlug, in der beispiellosen Raschheit, mit der, gleichwie durch einen Zauberschlag, das System der Regierung umgewandelt war, in der Sympathie, die das Ereigniß durch ganz Europa fand. Durch die drei heillosen Ordonnanzen hatte man ihn vollends zu bannen gemeint; aber sie waren nur das apparois, die Sturmglocken begannen zu heulen, die längst verhallten Klänge der Marseillerin wurden wieder laut, und mit einem Schlage, von dem ganz Europa bebte, erschien der Geist."

Wie sich dieser Geist aufführen und entfalten werde, das scheint unsern Verf. etwas besorgt zu machen; dabei legt er aber einzelnen Erscheinungen wol zu große Wichtigkeit bei. „Bei Einigen eine sonderbare Verwirrung der Ansicht", charakterisirt er im letzten §. unsere Zeit, „bei Andern ein schnöder Sansculottismus der Gesinnung hervortretend. Niebuhr hatte die schreckliche Vision, die Civilisation Europas werde untergehen, indem er selbst versank. Hegeln legten seine Schüler mit Thränen ins Grab; ihrer Pietät ward gespottet. Göthe starb; ein Aristokrat weniger! schrieb ein Vandale (!)." Der Aeußerung eines Einzelnen, auch wenn sie das Gepräge des rohen Uebermuthes an sich trägt, einen solchen Werth beizulegen, um daraus einen unglückweissagenden Schluß auf den Charakter der Zeit zu ziehen, nennt man zu deutsch: aus der Mücke einen Elefanten machen. 169.

Literarische Notizen.

Professor Sebastian Ciampi gab eine bisher unbekannte Uebersetzung der „Moralischen Versuche" Albertano Giudice's von Brescia, von dem Notar Gofredia del Grazia von Pistoja verfaßt, in Florenz heraus. Es ist dies das merkwürdigste und echteste Denkmal des alten toscanischen Dialekts, den man daraus auf das genaueste so kennen lernt, wie er vor Dante's Zeiten bestand. Vorrede und Noten des Herausgebers sollen erstens darthun, wie wenig oder gar nicht die Geschichte der Sprache des italienischen Volkes vor Auffindung dieser Handschrift bekannt war; zweitens, wenigstens annäherungsweise bestimmen, wann die Sprache des Volkes zuerst in Bekanntmachungen und literarischen Werken allgemein angewendet zu werden begann, drittens, zu zeigen, worin eigentlich Dante's und seiner literarischen Zeitgenossen Hauptverdienst als Väter der italienischen Sprache bestand, und viertens, die Neuerungen anzugeben, welche sich Verfasser und Abschreiber späterer Manuscripte gestatteten.

Das wohlbekannte literarische Journal, die „Antologia" von Florenz ward nach zwölfjähriger ehrenvoller Dauer im vergangenen April durch einen Befehl der toscanischen Regierung unterdrückt. Ein Aufsatz in der letzten Decembernummer über den Untergang Griechenlands zu der Römerzeit mit einer flüchtigen Anspielung auf die östreichische Herrschaft in der Lombardei soll die Ursache dieses Beschlusses gewesen sein. Der Artikel hatte die in Toscana vergleichsweise nachsichtige Censur passirt, und die besagte Nummer damit schon länger als zwei Monate in ganz Italien, in Mailand wie irgend anderswo, frei circulirt, ohne von der Behörde die geringste Rüge nach sich zu ziehen, als das in Modena, wie es heißt, unter hohem Schutz erscheinende Journal „La voce della verità", einen heftigen Angriff auf die „Antologia" wegen ihrer allgemeinen Tendenz und dieses besondern Aufsatzes machte. Der Befehl zu Unterdrückung der „Antologia" erschien bald darauf, und dieser, der allgemeinen Haltung der toscanischen Polizei unangemessene Schritt brachte auf die Florentiner einen bedeutenden Eindruck hervor, die ohne Verzug eine Unterzeichnung eröffneten, um den Eigenthümer des Journals, Hrn. Vieusseux, für diese Einbuße zu entschädigen. Die „Antologia" war eines der beiden vorzüglichern italienischen Journale, und ihr Aufhören wird sich als einen wirklichen Verlust fühlbar machen.

Manno, der Historiograph Sardiniens, hat unlängst zwei seltsame kleine Bücher erscheinen lassen. Das eine heißt: „De' vizi de' letterati", und sein Inhaltsverzeichniß führt nachstehende Ueberschriften an: Von zu jugendlichen Literaten; von Literaten, die immer jugendlich blieben; von zu alten; von [illegible]; von pedantischen, unfruchtbaren, blumenreichen, [illegible], dünkelhaften, feilen u. A. Wir finden auch einige Capitel von den einen Zweig des Wissens ausschließlich bewundernden Literaten, von Encyklopädisten, von Sprachfreiheiten, von Sprachtyrannei, von der Nachmachung alter Werke und [illegible] Classicismus und Romantismus. Der Titel des [illegible] Buches lautet: „Della fortuna delle parole", oder [illegible] und schlimmen Glück einzelner Wörter, und handelt von Wörtern, die einst edel waren und gemein geworden sind, [illegible] gemeinen, die dagegen in guter Gesellschaft Aufnahme fanden, von Worten historischen oder heiligen Ursprungs, von solchen, die sich anderer Statt anmaßten, oder die eine [illegible] Lüge sind u. s. f. Das Ganze soll in einem sehr guten [illegible] geschrieben sein.

In englischen Blättern werden auch „[illegible] della prima vera, pubblicati dalla Contessa [illegible] di [illegible]" und „Franco Allegri, Racconto delle [illegible] proprie e d'altri memorabili fatti del secolo XVI" (5 Bde.) als erschienen angezeigt.

Von dem bekannten Robert Southey bereitet die englische Presse zwei neue Werke: „Lives of literary and scientific men" und „History of the Moors", vor; [illegible] Montgomery u. A. mit. [illegible]

Redigirt unter Verantwortlichkeit der Verlagshandlung: F. A. Brockhaus in Leipzig.

Blätter für literarische Unterhaltung.

Donnerstag, — Nr. 262. — 19. September 1833.

Dr. Ludwig Gotthard Kosegarten's Reden und kleine prosaische Schriften. Herausgegeben von Gottl. Christ. Friedrich Mohnike. Drei Bände. Stralsund, Struck. 1831—32. Gr. 8. 2 Thlr. 12 Gr.

Der Herausgeber dieser Sammlung hat sich einer sehr verdienstlichen Mühe unterzogen. Kosegarten ist einer von denjenigen deutschen Dichtern, die zwar einen ausgebreiteten Ruf ihres Namens, aber nicht in gleichem Maße Anerkennung ihres Talentes genießen. Es mag nun allerdings nicht unrichtig geurtheilt sein, wenn man seinen Dichtungen hier und dort eine gesuchte Ueberschwenglichkeit und Mangel an wahrer Kraft und einfacher Innigkeit vorwirft. Seine Phantasie geht mehr in die Breite als in die Tiefe; sein Schwung wird oft mehr von den Worten getragen, als durch Gedankenreichthum und Ideenfülle gehoben. Und es ist dies um so merklicher, je fühlbarer auf der andern Seite das einfach Schöne, die lyrische Gemüthlichkeit und das eminente beschreibende Talent in seinen poetischen Erzeugnissen sich geltend macht. Diese Vorzüge der Poesie Kosegarten's treten theilweise auch in seinen kirchlichen und akademischen Reden hervor, besonders aber ist hier an seinem eigentlichen Platze, was dort nicht selten gerügt werden durfte, das Ausspinnen und Darlegen eines Gegenstandes in eine gewisse anschauliche Breite. Die Reden Kosegarten's, und vor allen seine sogenannten Uferpredigten gehören in dieser Hinsicht zu dem Trefflichsten, womit er die deutsche Literatur bereichert hat. Der Herausgeber schildert auch die Persönlichkeit desselben ganz übereinstimmend damit. Kosegarten war von der Natur zum Redner geschaffen; sein Rednertalent war seinem Dichtertalent zum wenigsten gleich. Er arbeitete seine, auch die akademischen Reden wörtlich aus; aber auch auf dem Katheder machte er von dem Concept so wenig Gebrauch als auf der Kanzel, oder bei seinen Vorlesungen. Mehre Stunden lang konnte er sprechen, ohne daß er zu dem eigentlichen Concept seine Zuflucht nahm; er hatte es gewöhnlich zusammengerollt in der Hand; nur bei wichtigen Abschnitten kam er dann und wann dem Gedächtnisse, aber auch nur auf Secunden, zu Hülfe. Deshalb hatte er bei dem Concepte wol zuweilen ein besonderes Blatt, auf welchem blos die Anfangsworte der einzelnen Absätze verzeichnet waren. Zuweilen hielt er längere Zeit inne und gönnte dem aufgeregten Geist einige Ruhe, durchstrich auch wol mit einem kleinen Kamm, den er bei sich trug, das nach allen Seiten schlicht herabhängende schwarze Haupthaar. Dann floß das Wort ihm wieder gleich einem reißenden Strome. Man sah es dem lebhaften Manne an, wie alle seine Geisteskräfte arbeiteten, wenn er auf dem Katheder redete. Sein Gedächtniß war wahrhaft bewunderungswürdig; oder vielmehr es war nicht blos Gedächtniß, welches ihn fähig machte, Das zu leisten, was er leistete, denn ein eigentliches Memoriren war nicht vorangegangen; sein Geist und Gemüth reproducirten vor der öffentlichen Versammlung Das, was sie in der Stille des Arbeitszimmers geschaffen hatten. Man denke, was es sagen will, Reden, wie die auf den Tag zu Clermont, auf Karl den Großen und auf Bugenhagen u. a., in denen eine Menge Namen und Jahrszahlen vorkommen, und zu deren Vortrage eine Zeit von zwei bis drei Stunden erfoderlich war, so zu halten, wie er sie hielt. Und es war wenig Unterschied, ob er deutsch oder lateinisch sprach. Zu den Vorstudien und der schriftlichen Ausarbeitung hatte er in der Regel nur wenige Tage gebraucht, wie er dieses auch selbst zu Anfange einiger Reden sagt; an ein vollständiges Memoriren war also schon dieserhalb nicht zu denken. Weil er aber in einer erhöhten Stimmung des ganzen geistigen Menschen seine Reden ausarbeitete, so prägte sich das Ausgearbeitete seinem Geiste sofort so tief ein, daß er es fast auf dieselbe Weise wiederum reproduciren konnte. (Vorrede zum zweiten Bande, S. XIX—XXI.)

Der erste Band enthält in seiner größern Hälfte die Uferpredigten. An der nordöstlichen Küste der Halbinsel Wittow, unfern dem Vorgebirge Arkona, der nördlichsten Spitze von Deutschland, liegt in einer tiefen Uferschlucht das Dorf die Vitte, vorzüglich von Fischern bewohnt und schon in den ältesten Urkunden des Landes vorkommend, wornach der Verbreiter des Christenthums auf Rügen, Absalon, Bischof von Roeskilde und späterhin Erzbischof von Lund, die alte Kirche auf Wittow, das älteste christliche Bethaus auf der Insel Rügen, erbaute und widmete. Seit undenklichen Zeiten hat die Sitte bestanden, daß nahe bei diesem Dorfe, und eigentlich für die Bewohner desselben in einem schönen geräumigen Thal, Angesichts des Meeres, in den Monaten September und

October an acht aufeinanderfolgenden Sonntagen nachmittägiger Gottesdienst unter freiem Himmel gehalten wird, theils von dem Pastor zu Altenkirchen, theils von dem Gehülfen desselben. Dieser Gottesdienst führt den Namen der Uferpredigten. Von den Zeiten der Reformation her kann man diesen Ufergottesdienst, der bis in heidnische Zeit hinaufreichen mag, da Absalon mehre heidnische Gewohnheiten mit Beziehung auf den neuen Glauben des Christenthums beibehalten haben soll, in ununterbrochener Reihe verfolgen, und wenngleich schon seit langer Zeit der Heringsfang an dieser Küste vom Wittow lange nicht mehr so bedeutend ist als in den Tagen der Vorzeit, wo diese Gottesdienste im Freien um die Zeit des Aufenthalts der Heringe an der Küste von Rügen daselbst eingeführet worden zu sein scheinen, so hat sich doch die schöne Sitte des Ufergottesdienstes bis auf unsere Tage vererbt. So fand es Kosegarten vor, als er im Jahr 1792 Pastor zu Altenkirchen wurde, und er widmete sich dieser eigenthümlichen Christenfeier mit einer besondern Vorliebe und Begeisterung, sodaß bald Hunderte aus der Nähe und Ferne von allen Gegenden der Insel an den Sonntagen der Herbstzeit nach der Witte zogen, um die Uferpredigten des geistvollen Mannes zu hören, dem wie Wenigen die Gabe geworden war, aus voller Brust zu dem Volke zu reden, in ihm die Ahnung des Heiligen zu wecken und es emporzuheben auch da, wo es ihn nicht verstand. Noch heute wird auf der Insel von Kosegarten's Ufergottesdienste mit Theilnahme gesprochen. (Vorrede des ersten Bandes, S. v—vii.)

Diese Predigten sind eine fortlaufende Feier Gottes in der Natur. An solchen biblischen Texten, welche die Schöpfung im Ganzen und Großen, oder in einzelnen Bestandtheilen und Erscheinungen zum Gegenstande haben, entwickelt der Redner seine lebensvolle Weltansicht und seine fromme Gemüthlichkeit. Es ist darin kein tieferes Eindringen in das eigenthümlich Christliche unsers Glaubens zu erwarten; nicht einmal von der Seite, von welcher die christliche Ansicht das Naturleben unter einem bestimmtern Gesichtskreise aufzufassen pflegt, wie dort, wo das Seufzen der Creatur hervorgehoben und ihr Warten auf die Offenbarung der Freiheit der Kinder Gottes mit dem Sehnen des Geistes in den Gläubigen nach Erlösung verglichen wird. Dagegen herrscht allenthalben, was man eine vielseitige religiös-moralische Auffassung der Natur und des Lebens nennt, mit Anerkennung der hohen Würde und hülfreichen Kraft des Evangeliums; eine Auffassung, welche allerdings, wie der Herausgeber im Vorworte sagt, sich gegen das Ende mehr und mehr von der vorherrschend teleologischen Richtung zur theologischen erhebt und verklärt. Das Hauptverdienst dieser geistlichen Reden ist ihre ungemeine Gemüthlichkeit, welche von einer bilderreichen Phantasie begleitet und in einem überaus klaren, faßlichen und eindringlichen Vortrage dem Hörer und Leser entgegengebracht wird. Besonders schön durch die Innigkeit der Naturauffassung im gläubigen Gemüthe und durch die vielseitige praktische Behandlung sowie durch einen richtigen rhetorischen Tact der Mäßigung ist die erste Uferpredigt über die wechselseitige Annäherung des Schöpfers und der Geschöpfe, worin uns eine der anregendsten Stellen die über das Nahen Gottes in der Natur zu sein bedünkt (S. 11 fg.):

> Die Natur ist die erste, älteste, allgemeinste und allgemeinverständlichste Heroldin, Predigerin und Offenbarerin Gottes. Den Meister lobt sein Werk. Den Dichter lobt sein Lied. Den Baumeister lobt sein Gebäu. Den Baumeister Himmels und der Erden lobt sein schöner Himmel und seine schöne Erde und die unaussprechliche Herrlichkeit seiner ganzen weiten Schöpfung. Ihn loben die Sonnen und die Monden und die Sterne. Ihn feiern die Fluren und die Triften und die grünen Wiesen. Ihm adeln die Vögel und die Herden und die wilden Thiere. Ihm frohlockt das blaue Meer und die unzähligen Leben, welche in ihm wimmeln. Ihn preisen die Regenschauer, womit er unsere Fluren tränket; ihn die Sonnenstrahlen, womit er unsere Saaten reift; ihn die Schneegestöber, womit er unsere Aecker wärmt — ihn auch die verheerenden Kräfte, womit er uns züchtigt: die Sturmwinde, womit er unsere Saaten geißelt; die Schloßenwetter, womit er unsere Halme knickt; die Wetterflammen, womit er unsere Hütten verzehrt; die Wolkenbrüche, womit er unsere Aecker ersäufet. Ihn preisen, ihn verklären, ihn verherrlichen sie. Sie preisen, sie verklären, sie verherrlichen seine unwiderstehliche Macht, seine Alles berechnende Weisheit, seine unausschöpfliche Liebe. O wie verklärt und wie verherrlicht ihn nicht unser kleines Wittow! Wer hat über unsere Ebenen die Schnur gezogen, und wer hat sie lothrecht abgeschnitten in die Tiefen des Meeres? Wer hat unser Eiland in den Abgrund gewurzelt, und wer hat jene ewigen Dünen aufgepflanzt an unsern Ufern? Wer wehret der Wuth des Meeres, daß es uns nicht verschlinge? und wer gebeut der donnernden Brandung, kraftlos zurückzuprallen von unsern Gestaden? Wer deckt unsere Fluren mit jährlich wiederkehrendem Grün? Wer schmückt sie mit den allerüppigsten Saaten? Wer schwellt sie mit seinem Thau und Regen? Wer wiegt sie mit seines Mundes Odem? Wer reift sie mit seiner Sonne Strahlen? Wer ist's, der uns die Herde so treulich und so jährlich behütet? Wer sättigt unsere Herden mit duftendem Klee? und wer füllt ihre Euter mit Milch die Fülle? Wer kühlt den Brand unserer Sommertage mit frischen Seelüftlein? und wer hat jenes blaue Jasmund aufgethürmt, daß es unser holzentblößtes Eiland mit seinen Forsten wärme? Wer nähret euch, ihr arbeitseligen Witter, in eurer Uferschlucht? Wer führt den reisenden Lachs, und wer den wandernden Hering jährlich und sicher in eure Buchten und in eure Netze? O der ewigen Kraft, o der anbetungswürdigen Weisheit, o der nie erlöschenden Liebe, die auf unserer Erdscholle uns so treulich nährt! O Wittow, Wittow! du bist mit nichten die verächtlichste in der Myriade der Schöpfungen Gottes. Schöngeschmückt bist du vor Tausenden! hochbegabt vor Zehntausenden! Ebenso schön, ebenso fühlbar, ebenso herrlich und so wunderbar hat der Ewige sich uns verklärt als so manchem stolzen Volke, das das erste der Schöpfung und der Liebling der Natur sich dünkt!

(Der Beschluß folgt.)

Taschenbuch der neuesten Geschichte von Wolfg. Menzel. Dritter Jahrgang. Geschichte des Jahres 1831. Zwei Theile. Mit 22 Portraits. Stuttgart, Cotta. 1832—33. 16. 3 Thlr. 16 Gr.

Als Referent vor einigen Jahren in Stuttgart im Theater war, drängte sich ein junger Mann kräftig durch den Mittelraum im Parterre und antwortete auf das Wohin? einigen Bekannten: „Ihr wißt ja, daß ich auf die linke Seite gehöre", und arbeitete sich links bis nahe an die Logen hinan. Nimmt man eine solche Linke im gemilderten deutschen Sinne, so finden wir Hrn. W. Menzel auch in der deutschen politischen Literatur wie dort im Theater auf der linken Seite, zu ebner Erde indeß, nicht in den Logen, wo für Historiker, die die Tage der Gegenwart schildern wollen, noch kein Platz ist. Denn wie sehr man auch schon die allerneuesten Ereignisse der Geschichte vindiciren möchte, so ist doch das nur Chronik oder Mosaik, wozu etwas Raisonnement den Kitt hergeben soll. Wenn es aber gilt, durch möglichst getreue Schilderung und durch möglichst vollständige Wiederaufzählung der neuesten Thatsachen gleichsam hier die Lection der Zeit zu repetiren, sich in dem Wirrwar von mehr als 1000 merkwürdigen Begebenheiten und Ereignissen nach Zeit und Ort zurecht zu finden, so finden wir diese Taschenbücher und besonders das vorliegende, dem auch noch eine nekrologische Uebersicht und eine chronologische Tabelle (II, 386—415) angehängt sind, sehr geeignet, und Ref., dem manchmal das: Herr bleibe bei uns, denn es will Abend werden! ganz unwillkürlich in seinen Umgebungen einfällt, hat sich im Stillen über manche Stelle dieses Taschenbuches gefreut, was er ehrlich eingesteht, wenn er gleich nie zu den Lobhudlern des Hrn. Menzel's gehört, dieser es auch am allerwenigsten um ihn verdient hat.

Da dieses Taschenbuch sein Geschlecht und seinen Adel nicht wie Napoleon von sich selbst datirt, sondern schon Ahnen oder Vorfahren aufzuweisen hat, so setzt Ref. billigerweise des Werkes Wesen, Geist und Haltung als bekannt voraus. Lobenswerth ist, daß keine Einleitung von so ungeheurer Ausdehnung wie bei andern den Stoff gleichsam erst vorkaut, den wir zu genießen haben sollen. Mit weniger als drei Seiten ist der Charakter des Jahres als eines Reactionsjahres (analog den Hunger-, Brot-, Weinjahren) gegeben, denn was der Verf. Restaurationen nennt, die sich in diesem Jahre, wie Jahrs vorher die Revolutionen Schlag auf Schlag folgten, sind am Ende doch nur Reactionen.

Wenn auch der Verf. mit Frankreich beginnt (die justemilieu-Politik habe sich den Vorwurf der Furcht und Ehrvergessenheit zugezogen, man habe Polen um den Preis von Belgien geopfert, denn Belgien wurde anerkannt als eine Concession der heiligen Allianz an England unter der stillschweigenden Bedingung, daß man ihr Polen überlasse), so ist doch der Hauptaufsatz Polen und Rußland gewidmet (I, 104—254, II, 1—158). Daß Spazier dabei benutzt ist, hat der Verf. kein Hehl und Ref. kein Recht zu tadeln. Es ist interessant zu sehen, wie sich nun allmälig das Urtheil über einzelne Unternehmungen der Polen und einzelne Individuen immer mehr läutert, und Ref. hat noch einmal das peinliche Gefühl im vollen Maße gehabt, was ihn schon früher bei den gräßlichen Misgriffen oder Verrätherien einzelner hoher Schwert- und Wortführer in Polen ergriffen hatte. Man wird doch versucht, zu fragen: wo hätten auch im Falle des glücklichsten Waffenerfolgs die Polen den leitenden und gestaltenden, gleichsam den Napoleonskopf für ihren neuen Staat hergenommen, wo solche Leidenschaften oder Schwächen selbst ihren gefeiertsten Namen innewohnten? Wahrscheinlich wären sie abermals von Revolution zu Revolution getaumelt, bis sie endlich noch einmal ihren Nachbarn zur Beute geworden. Ihre besten Soldaten waren keine Staatsmänner, ihre besten Staatsmänner keine Feldherren. — Belgien und Holland folgt im ersten Band, und Italien macht den Beschluß. Daß Leopold von Belgien vor seiner Abreise aus England der großen Pension völlig entsagt habe, wie es S. 276 heißt, ist kaum gegründet, denn er wies ihr nur eine andere Bestimmung an. Ebenso möchte die Conjectur, daß die Conferenz durch die 18 Artikel Leopold hätte fangen wollen und, als er nicht mehr zurückgekonnt, dieselben mit den weit lästigern 24 vertauscht, vielleicht auch den ganzen holländischen Feldzug nur improvisirt habe, um dadurch die Rückkehr zu der frühern Unterhandlungsbasis zu motiviren, nichtig erscheinen, wenngleich das Verfahren der heiligen Allianz mit deren Grundsätzen von religiöserer Regierung der Völker im J. 1831 nicht so ganz leicht in Einklang zu bringen sein möchte.

Im zweiten Bande folgt auf die Fortsetzung von Polen und Rußland: Spanien, Portugal und Brasilien, dann (wol weniger passend, als es am Schlusse gewesen wäre) Amerika; hierauf der Orient (d. h. Türkei und Griechenland), Skandinavien, die Schweiz (sehr dankenswerth, weil mühsam); Deutschland als Ganzes und in seinen einzelnen Staaten. Von der sächsischen Verfassungsurkunde vom 4. Sept. 1831 heißt es II, S. 362: „Sie war weit weniger freisinnig als die hessische, obgleich sie verhältnißmäßig und im Vergleich mit dem allererbärmlichsten verfassungsmäßigen Zustande, den sie verdrängte, ein bedeutender Fortschritt genannt werden muß. Erstens war es eine nicht octroyirte, sondern contrahirte Verfassung; sodann erweiterte sie das Wahlrecht, obgleich das feudalistische Element darin nicht ganz beseitigt wurde, und das Petitions- und Motionsrecht, gestattete Oeffentlichkeit der Verhandlungen, hob ein für allemal alle ältern Gesetze und Verordnungen auf, die mit der Verfassung im Widerspruch standen. Dagegen blieben einige wichtige Punkte, Frohndenablösung, Municipalverfassung, Ministerverantwortlichkeit ꝛc. noch dahingestellt, und, was die meiste Aufmerksamkeit erregte, die Presse wurde gänzlich den Bundesbeschlüssen unterworfen und überdies auch der allgemeine Grundsatz aufgestellt, daß die Ausführung eines Bundestagsbeschlusses niemals erst von der Zustimmung der sächsischen Stände abhängig sein soll.“ Des Perfectibilitätsprincipes in derselben ist nicht gedacht. Der Advokat Mondorf wird Mosdorf zu lesen sein. Von Nassau heißt es S. 375: „Eine kleine Landschaft unter den Kanonen einer großen Festung darf sich auf keine große Emancipation Rechnung machen.“

S. 380 folgt eine sogenannte „kleine Chronik“, die es mit Cholera, der Insel Ferdinandea (Graham), Erdbeben, Orkanen, Nordlichtern zu thun hat, dann der schon erwähnte Nekrolog und die chronologische Tabelle. Die 20 Portraits in Steindruck sind eine angenehme Zugabe. — An einigen Ausdrücken wie ein „Pairsschub“ (für Creirung; während das also etwas ganz Andres als Gaunerschub ist) und „er verschanzte Lissabon bis an die Zähne“ hat Ref. einigen Anstoß genommen, möchte sie wenigstens selbst auf des Verf. Autorität hin nicht weiter brauchen. 118.

Briefe in die Heimath. Geschrieben auf einer Reise nach (in) England, Italien, der Schweiz und Deutschland von Ludwig Wolff. Herausgegeben von Georg Lotz. Zwei Bände. Hamburg, Herold. 1833. 8. 2 Thlr. 16 Gr.

Der Verf. dieser Briefe steht nicht auf derjenigen Höhe allgemeiner Wissenschaftlichkeit, oder ist nicht so vertraut mit irgend einem besondern Zweige der Kunst oder der Gelehrsamkeit, daß wir aus seinen Reisebemerkungen etwas wirklich Neues lernen könnten. Indeß fehlt ihm doch weder Urtheil noch Geschmack, und da er kurz und bescheiden berichtet, was ihn besonders anregt bei den Gegenständen, welche diese Reise an ihm vorüberführt, so liest sich seine Briefsammlung ganz angenehm und ist als eine Recapitulation für Den, der dieselben Gegenstände gesehen hat, nützlich und erfreulich. Dies an sich geringe Verdienst wird durch eine ziemlich gefällige Darstellung erhöht, und so mögen diese Briefe unter dem großen Haufen von Reiseerinnerungen aus Italien und der Schweiz mit durchgehen. Anziehender ist für uns der Theil dieses Buches, der von England berichtet, theils weil hierüber weniger Gutes geschrieben ist, theils auch weil die englischen Verhältnisse an sich eine mannichfaltigere Ansicht zulassen als die italienischen und französischen und dem Beschreiber eher verstatten, selbständig und originell zu sein. Der Verf. ist todt; seine Reise ist eine Gesundheitsreise, d. h. eine solche, die strenge Forschung von selbst ausschließt. Dergleichen darf der Leser daher nicht erwarten; wol aber mag er rhapsodische Bemerkungen von Interesse und eine flüchtige Schilderung des Gesehenen darin suchen. Der Verf. hat offenen Sinn und Seele für Alles, was sich ihm darbietet. — Auf dem Schiffe verweigert ein Engländer eine Pardie Sach: We never play on sunday. England macht einen sehr günstigen Eindruck auf ihn. Das Solide, innerlich und äußerlich genommen, scheint ihm das Charakteristische der englischen Zustände zu sein. Das Wort: comfortable, ist nur in England zu verstehen. Wol wahr für Den, der, wie ein Hamburger leicht vermag, die englische Sitte schnell zu der seinigen macht; doch aber dies wird nicht Jedem leicht, und wehe der fremden Sitte in England! Der Verf. erfährt dies an sich selbst; denn in Hull erregt seine lange Pfeife fast einen Aufstand. Von Hull nach York war die Reise angenehm; minder nach Leeds. Von hieraus wird Fulneck die Herrnhutercolonie besucht. Die Nachrichten über diese, hier Moravians genannt, waren uns sehr interessant. Wir verdenken dem Verf. sein Gefallen an England nicht; er fand Blutsverwandte dort, und das erklärt Alles. In Fulneck-inn las der Verf. einen Anschlag: „God is the love", überschrieben, in dem Reisende gebeten werden, sich während ihres Aufenthaltes den „few rules" der Colonie zu accommodiren, d. h. „not to throw away their time, nothing to say to the news of town, nor to the business of others, neither to the misconduct of others, not to receive a doubtfull disputation, nor to pay visits on the Day of Lord"; und so fort in sonderbaren Verordnungen, die durch disputirende und Ale trinkende Gäste auf der Stelle übertreten wurden. — Die Briefe aus Manchester, dem der Verf. 160,000 Einwohner gibt, und London sind ziemlich unbedeutend; doch schildert er die verschiedenen gottesdienstlichen Handlungen der Methodisten, Episcopalen, Unitarier ꝛc. recht anziehend. Die Klage über die Verstümmelung der Shakspeare'schen Stücke auf englischen Theatern ist bekannt. Die Pietät für Calderon wie für Shakspeare hat sich aus Spanien und England nach Deutschland geflüchtet. Von Liverpool langweilige Seereise durch die Säulen des Hercules nach Neapel (3145 Seemeilen, vier Wochen Reise). Von dem Eindrucke, den diese neue Welt auf sein Gemüth macht, weiß der Verf. manches Sinnreiche und Gefällige zu erzählen. Was das Material seiner Berichte betrifft, so sind sie jedoch überaus oberflächlich und leer. Der Verf. ist krank und bringt nicht viel vor sich. Was er sieht, ist das Gewöhnliche, und selten ist die Art, wie er sieht, ungewöhnlich. Am besten ist noch, was zu seinem Fache gehört, die medicinischen Anstalten, der botanische Garten u. s. w. geschildert.

So lassen wir ihn denn nach Rom reisen, von wo aus er auch nichts besonders Anziehendes zu schreiben weiß. Das hundertmal Erzählte aber noch einmal erzählen, verlohnt wirklich nicht der Mühe. Alles dies mochte daher in Briefen an Freunde und Verwandte gut und passend sein, gedruckt, ist es nicht viel mehr als der Schatten eines Nichts. Die Bäder und Krankenanstalten Italiens, wie sie der Verf. schildert, sind uns mehr werth als seine Museennotizen; für reisende Mediciner wird sich dies Buch daher auch besonders als ein Reisebegleiter empfehlen lassen, um so mehr, als der Verf. keinen der Orte unbesucht läßt, die durch irgend eine Anstalt oder eine Persönlichkeit ausgezeichnet sind. Die italienische Reise endet in Mailand. Die Briefe aus der Schweiz sind wie nicht geschrieben zu betrachten; die aus Deutschland, aus Leipzig, Dresden, Regensburg, Braunschweig, Lüneburg sehr bedeutungslos, und so schließt dies Buch, zu neun Zehntheilen ohne besonderes Interesse, zu einem Zehntel von mittelmäßigem. Für den Mediciner haben wir seine Empfehlbarkeit nicht in Abrede gestellt. 130.

Miscellen.

Friedrich Kind, dessen Wirken und Leben eine nähere Beleuchtung verdient und darum eine Ausgabe seiner Werke und Briefe letzter Hand sehr wünschenswerth ist, glaubt in der „Abendzeitung" von 1822 und der „Morgenzeitung" von 1827, daß Schiller bei seinem Gedichte: „Die Kindesmörderin", einer Erzählung von Sturz gefolgt sei; allein nach einem Briefe Schiller's an Dalberg (s. „Schiller's Briefe ꝛc.", 1819, S. 69) scheint dies nicht wahrscheinlich zu sein. Vielmehr ist zu vermuthen, daß diese Dichtung durch Göthe's Idee in dieser Beziehung (S. Werke Th. 19, S. 253 fg.) erzeugt worden ist.

Zufällig fand ich neulich eine Schilderung des wahren Historikers; sie steht in Bodinus' „Meth. ad facil. histor. cognit. Cap. 4.", und heißt also: „quis dubitat, quin historicus vir gravis, integer, severus, intelligens, disertus et quasi communis ad privatae vitae omniumque rerum magnarum scientia instructus esse debeat?" Ich möchte wol wissen, ob diese Charakterschilderung auf irgend einen Historiker angewendet werden könnte, und welcher von den Alten oder Neuern diesem Bilde gleicht? Gehört übrigens zu jenem Bilde, wie nicht zu leugnen, die strengste Unparteilichkeit, so finden wir solche wenigstens nicht bei den Alten, die eine parteiische Liebe für Vaterland und vaterländische Institute beseelte.

Leben — Tod.

Die Errichtung der Bildsäule Napoleon's auf der Vendômesäule in den diesjährigen Julitagen zu Paris erinnert mich an eine vorgeschlagene Inschrift auf die Triumphsäule, die zu Napoleon's Leben schon mit dessen Statue geschmückt wurde. Sie lautet so:

Quam super hostili votivam ex aere columnam
　Stat bene, Gallica gens, Martis imago tui!
Hinc licet ad coelum properans, non immemor orbis,
　Invigilat populis, quos ditione beat.
Tempus et invidiam calcat pede: regna peribunt;
　Nomen at aeternum Napoleonis erit!

Denke ich mich nun auf dieser Säule stehend und über die Länder und Meere hinwegschauend, gleichsam das Bild der Vergangenheit und Zukunft im Blicke vereinend, so erblicke ich das Grab Napoleon's auf Helena, das, einen ergreifenden Contrast zu dessen Leben bildend, noch der historischen Inschrift entbehrt, zu der ich manchem Anklange in jener folgend (Mars-invidia-mors, hier tempus), einige Verse vorschlagen würde, die ich zufällig in den „Lettere familiari di *M. Remigio Fiorentino*" (1582), S. 207 finde. Sie sind auf dem Grabmahle eines Marchese di Pescara zu lesen und lauten:

Quis gelido jacet hoc sub marmore? Maximus ille
　Piscator, belli gloria, pacis honos.
Numquid et hic pisces caepit? Non. Ergo quid? Urbes,
　Magnanimos reges, oppida, regna, duces.
Dic quibus haec caepit piscator retibus? Alto
　Consilio, intrepido corde, potente manu.
Quae tantum rapuere ducem? Duo numina, Mars, Mors,
　Ut reperent quidnam compulit? Invidia.
Cui nocuere? Sibi. Nam vivit fama superstes,
　Quae Martem et Mortem vincit et Invidiam.

Wir überlassen dem Leser und seinem Gefühle einen Commentar zu beiden Inschriften, zum Damals und Jetzt, zur Zeit und Ewigkeit zu machen!

Die Urtheile so mancher Kritiker und die Schlüsse neuerer Philosophen erinnern mich unwillkürlich an die Erzählung in Lucian's „Lügenfreund", wo Dinomachus bemerkt, daß, wenn der Fußkranke geheilt sein wolle, er einen Zahn von einer auf bestimmte Weise getödteten Spitzmaus nicht in eine frisch abgezogene Löwenhaut binden und so auf die Füße legen solle, sondern letzteres die Haut einer Hirschkuh sein müsse, weil diese behend sei und die meiste Stärke in den Füßen habe. Dem widerspricht Kleodemus und versichert nach der Mittheilung eines [illegible], daß es darum keine Hirschhaut sein dürfe, weil der Löwe noch behender sei als der Hirsch; denn, setzt er als Grund hinzu, der Löwe jagt und fängt den Hirsch, nicht der Hirsch den Löwen. 16.

Redigirt unter Verantwortlichkeit der Verlagshandlung: F. A. Brockhaus in Leipzig.

Blätter für literarische Unterhaltung.

Freitag, — Nr. 263. — 20. September 1833.

Dr. Ludwig Gotthard Kosegarten's Reden und kleine prosaische Schriften. Herausgegeben von Gottl. Christ. Friedr. Mohnike. Drei Bände.

(Beschluß aus Nr. 262.)

Die letzte Uferpredigt, die zwar geschrieben und gedruckt, aber wegen eingetretener Verhinderungen nie gehalten worden ist, betrifft die Einweihung des neuen Gotteshauses in der Vitte, dessen Entstehung Kosegarten selbst S. 215 fg. folgendermaßen erzählt:

Ich meines Theils, als ich, dem Rufe Gottes und des Königs gehorchend, zu euch kam vor nunmehr 25 Jahren, war nicht wenig erfreut, zu finden, daß eine so würdige und erbauliche Sitte wie die beschriebene (des Ufergottesdienstes) bei euch obwalte. Mit Verlangen erwartete ich die Zeit, wo auch mir vergönnt sein würde, mit euch mich zu erbauen in dem großen Heiligthume der Natur. Noch gedenke ich des Tages, wo ich zum ersten Mal meines Wunsches theilhaftig zu werden hoffte. Groß war die Erwartung meinerseits, nur um ein Weniges geringer vielleicht von der eurigen, in Folge der parteiischen Vorliebe, womit ihr bald anfangs eurem euch kaum bekannt gewordenen geistigen Führer entgegengekommen wart. Allein die Gestalt der Dinge war grade dies erste sehnlich erwartete Mal nicht günstig unsern Wünschen. Der Himmel trübte sich. Die See grollte. Der Sturm war auf. In Strömen stürzte der Regen hernieder. Von Minute zu Minute wuchs die Gewalt des Sturmes, also, daß das fürchterlich brandende Meer nicht nur wildtobend hereinschlug in die enge Uferspalte, worinnen ihr zu Trotz des nahen Elements, das jeden Augenblick euch mit dem Untergang bedroht, euch angesiedelt habt, sondern daß auch die morsche Hütte, innerhalb deren lehmernen Wänden wir uns zusammengedrängt hatten, während des frommen Dienstes uns nicht zu schützen vermochte vor dem überall hereindringenden Regen und vor der Wuth des Sturmes. Damals schon faßte ich den Vorsatz, dafern mir das Leben gefristet würde, dafür zu sorgen, daß irgend ein anständigeres und zweckmäßigeres Obdach die Versammelten aufnehmen möchte unter ähnlichen Umständen. Viele Jahre jedoch verflossen, bevor ich, was ich mir vorgenommen, auszuführen vermochte. Dann endlich faßte ich mir ein Herz, zu dem Könige davon zu reden, welcher, gemäß dem ihn beseelenden frommen Sinn, nicht nur das Unternehmen löblich fand, sondern auch seiner Regierung aufgab, alles Holz, dessen ich dazu bedürfen würde, mir aus seinen Forsten zu reichen. So aufgemuntert, zögerte ich nicht länger. Ich schrieb meine Briefe. Ich sandte sie in die Nähe und in die Ferne; und nicht leichtlich ist einer derselben ganz leer zu mir zurückgekommen. Es sind mir Beisteuern gesendet worden zu dem frommen Werk von dem König, der auf seinem Stuhl sitzt, und von dem Tagelöhner, der um das Brot arbeitet; von der Kaisertochter, die auf goldgesticktem Teppich ruht, und von der Dienstmagd, die ihre ganze Habe unter'm Arme trägt. Solcher kaum gehofften Bereitwilligkeit auch für die Zukunft vertrauend, begannen wir ohne weitern Aufschub unsern Bau. Zehn Jahre sind verstrichen, seit wir mit gottesdienstlicher Feier den Grundstein legten an einem der letzten schönen Tage des bereits zu seinem Untergang sich neigenden Spätjahres. Im folgenden Frühlinge fingen wir an die Mauern zusammenzufügen aus den Felsblöcken, die irgend eine unbekannte Naturkraft zu uns hergeschleudert hat aus nicht zu berechnender Ferne. Als es am Sande gebrach, dessen wir zu einem bindenden Mörtel bedurften, trat Er ins Mittel, der „seine Engel zu Winden macht und seine Diener zu Feuerflammen". Es geschah, was seit dem grauesten Menschengedenken nicht geschehen war. Sieben Tage und sieben Nächte stand aus dem Osten der Sturm, also, daß auch die Grundvesten unserer Insel erzitterten und das fürchterlich empörte Meer uns ganz und gar schien begraben zu wollen in seinem nassen Bett. Als aber der Elemente Aufruhr endlich nachgelassen und die Wasser wieder abgeflossen waren, lag, siehe! des erwünschten Sandes unerschöpfliche Fülle in hohen schimmernden Bänken niedergesetzt am Fuß der Höhe grade, auf der wir unsern Bau begonnen hatten. Da kam neue Kraft in unser Gebein und frische Freudigkeit in unsere Gemüther. Redlich halft ihr, geliebten Freunde und Nachbarn, mit eurer Anspannung, Vieh und Fahrniß, mit den Kräften eurer eignen Arme und mit denen eures Gesindes u. s. w.

Nicht zu beständigem Gebrauche sollte dieses Bethaus für die Zeit des Ufergottesdienstes dienen, sondern nur bei durchaus ungünstiger Witterung, und so ist es noch immer gehalten bis auf diesen Tag. In diesen Mittheilungen aus Kosegarten's Uferpredigten zeigt sich die große Lebendigkeit und Innigkeit des Vortrags und die umsichtige Bewegung seiner Phantasie, die Alles in allerlei Beziehungen aufzufassen wußte. Ein Fehler, der in einigen dieser Reden dem Eindruck des Ganzen schadet, ist das zu absichtliche und weitläufige Eingehen in das Detail, so z. B. in der Predigt über die Vögel unter dem Himmel, in der andern über den Sand am Meere, wo man wirklich glauben könnte, sich in eine ornithologische, mineralogische oder chemische Vorlesung verirrt zu haben, wenn nicht auch hier das unermeßliche Material eines trockenen Gegenstandes mit bewundernswürdiger Popularität und Anschaulichkeit behandelt wäre. Eine gewisse Manier ist freilich auch in der Darstellungsweise, in den erklärenden Correlaten eines Satzes, in den Wiederholungen, Steigerungen der Ausdrücke u. s. f. nicht zu verkennen, und es dürfte sich darin besonders eine Aehnlichkeit mit Dräsecke zeigen, welchem Kosegarten übrigens weder in der Tiefe und Originalität der Gedanken; noch in der Geziertheit der Form gleichkommt. Trotz den berührten Mängeln dieser Uferpredigten sind wir gewiß, daß kein für Religion und Natur empfindender Leser dieselben ohne innige Ansprache seines Herzens aus der Hand legen wird.

Hymnologische Aufsätze, in ihrer Art von großem Werthe, beschließen den ersten Band. Sie enthalten Briefe und amtliche Schreiben des Verf. über die Einführung des neuen pommerschen Gesangbuchs auf Rügen und über eine von ihm entworfene Sammlung von Kirchenliedern aus der ältern Periode der protestantischen Kirche. Sie dienen manchem neuern Widerspruche gegen Agenden- und Gesangbuchsreformen zum würdigen Exempel der Mäßigung sowol als des Freimuths und erfreuen doppelt, wenn man bedenkt, wie begeistert für die alten Gesänge Luther's, Paul Gerhard's und anderer ältern geistlichen Liederdichter ein der modernen Zeit durch seine theologische Bildung und Ansicht wie durch seine poetische Eigenthümlichkeit angehörender Dichter sich aussprechen konnte.

Der zweite Band gibt die akademischen Reden, welche Kosegarten zu Greifswald als Professor der Geschichte gehalten. Darunter zeichnen sich namentlich die am Napoleonstage im Jahr 1809 gesprochene, die Hingebung des Leonidas, der Tag zu Clermont, das tausendjährige Gedächtniß Kaiser Karl's des Großen, und Dr. Johannes Bugenhagen aus, welche letztere hier zum ersten Mal im Druck erscheint und wol als das Trefflichste anzusehen ist, was Kosegarten als Redner vor einem gebildeten akademischen Publicum je geleistet hat. Die Rede auf Napoleon — sagt der Herausgeber — machte in jener bewegten, von Leidenschaften entgegengesetzter Art aufgeregten Zeit in der Provinz ein großes Aufsehen und zog, verbunden mit der ungewohnten Weise seiner Versetzung nach Greifswald (unter dem französischen Gouvernement), ihrem Verfasser nicht wenig kränkende Nachreden zu, die späterhin auch in auswärtige Blätter flossen, sodaß er sich ganze sechs Jahre nachher zur Abfassung seines „Funfzigsten Lebensjahres" veranlaßt sah. Es wurde diese Rede schon im J. 1809, gleich nachdem sie gehalten worden war, gedruckt und zum zweiten Mal 1812 in der hier gelieferten, von der erstern nur wenig abweichenden Gestalt. Noch in spätern Jahren pflegte Kosegarten, den alles Ausgezeichnete lebhaft ergriff, zu sagen, er habe ein jedes Wort in dieser Rede sorgsam erwogen. Die bei der Säcularfeier der Reformation im J. 1817 gehaltene Rede auf den Reformator Pommerns, den Pommeraner Johannes Bugenhagen, enthält zwar mehre historische und genealogische Unrichtigkeiten im Detail, welche der geschichtskundige Herausgeber im Vorworte namhaft macht, gibt aber im Ganzen ein lebensvolles Bild, welches noch immer seinen eigenthümlichen Werth neben der jüngsten monographischen Arbeit über Bugenhagen behält. In diesen künstlerischen Reden übrigens macht sich wiederum mehr das descriptive als das pragmatische Talent oder die poetische Seite des Historikers geltend. Es fehlt zwar nicht an schönen Bemerkungen über den tiefern Zusammenhang der geschichtlichen Begebenheiten und Verhältnisse, so in der Rede auf Leonidas, auf den Tag zu Clermont, über die historische Bedeutung der hellenischen Großthaten, über die Ursachen und Wirkungen der mittelalterlichen Kreuzzüge; aber dennoch treten diese Bemerkungen als solche mehr in den Hintergrund gegen das historische Gemälde, die epische Ausspinnung eines großen Ereignisses, einer merkwürdigen Persönlichkeit.

Bei Veranlassung dieser akademischen Reden ist mit besonderm Ruhme und als Spiegel unserer Zeitverhältnisse und des Benehmens der dabei Betheiligten das Verhältniß Kosegarten's zur greifswalder Hochschule zu erwähnen, wie es von dem Herausgeber bezeichnet wird. Er verstand als Rector, den fremden Gewalthabern und Beamten, sowie andern der Anstalt Feindlichgesinnten gegenüber, die Rechte der hohen Schule und ihrer Angehörigen so wahrzunehmen, wie es sich gebührte; was aber das Regiment über die Jünglinge betrifft, dasselbe mit Ernst und Milde zu führen. Er wußte, aus welchen guten Gründen von den weisen Stiftern der Hochschulen den jungen Bürgern derselben ein privilegirter Gerichtsstand verliehen worden ist, und daß ihre Lehrer zu ihren Richtern gemacht sind, nicht aus Härte gegen sie, sondern aus Schonung, indem der wissenschaftliche Jüngling zu Verirrungen geführt werden kann, für welche das bürgerliche Gesetz keinen Maßstab hat; daß in jener Einrichtung eine Verknüpfung der richterlichen Gewalt und des väterlichen Ansehens liegen sollte, sodaß der akademische Jüngling auch in dieser forensischen Verbindung mit seinen Lehrern gewissermaßen die Verhältnisse des Vaterhauses, nur in einem ausgedehntern Umfange wiederfände; daß also nirgends weniger als in diesen Staaten der Terrorismus an seiner Stelle ist. Es sagte ihm sein Inneres, daß die Jugend nicht schlecht ist; deshalb erschienen ihm Handlungen des Leichtsinns und Ausbrüche leidenschaftlicher Heftigkeit nicht als Verbrechen; er bewies durch die Führung seines Rectorats, daß der mit Milde gepaarte Ernst nie seine Kraft an den jungen Gemüthern verliert. Mit ausnehmendem Eifer vertheidigte er das Bestehen der kleinen Universität und sprach sich gegen den Plan einer Aufhebung derselben und der Verwendung ihrer Einkünfte zu andern Staatszwecken heldenmüthig aus. Er hat darin vor wenigen Jahren Nachfolger gefunden im deutschen Süden, wo gleichfalls von Verlegung einer Hochschule von ihrem durch das Alterthum geheiligten Sitze die Rede geworden, und mit Veränderung der akademischen Ordnungen und Bräuche schon ein Anfang gemacht worden war, aber durch den Freimuth einheimischer und fremder Gelehrten und durch die Einsicht und Energie eines an die Spitze der Geschäfte berufenen Staatsmannes eine Reformation im Geiste und innerhalb der Formen des akademischen Instituts selbst erwirkt worden ist. Möge es solchen Beispielen nicht an Nacheiferung fehlen in den jüngsten Tagen, wo durch die Unvorsichtigkeit der deutschen Jugend und durch den Frevelmuth Solcher, die sie zu verführen wußten, den theuern Verfassungen und Freiheiten der Universitäten eine neue Gefahr angedroht ist und einzelne Stimmen sich mit der Foderung erheben, die kleinern Hochschulen, oder vielmehr die Hochschulen der kleinern Bundesstaaten eingehen zu lassen.

Die akademischen Dissertationen Kosegarten's bringt der dritte Band. Sie enthalten schätzbare Mittheilungen aus der Literaturgeschichte, z. B. über die berühmten Italiener Aonius Palearius, Thomas Campanella und Cassandra Fidelis; eine interessante Untersuchung über die Bekanntschaft der neutestamentlichen Schriftsteller mit der profanen Literatur von Griechenland; schöne Uebersetzungen des Hymnus von Kleanthes und des Orphischen Hymnus auf die Erde ins Deutsche und ins Schwedische. Einige noch ungedruckte Gedichte Kosegarten's sind dem zweiten Bande angehängt. 46.

Lois de Manou traduites du sanscrit, par Mr. *Loiseleur de Longchamps.* Ouvrage publié sous les auspices de la société asiatique de Paris.

In der königl. Druckerei zu Paris werden nach und nach folgende Werke auf Kosten der Regierung herauskommen:

Der „Schah Nahmeh", Geschichte der Könige von Persien, in Versen, von Ferdouzi, übersetzt von Mohl, eine von den hiesigen Orientalisten allgemein geschätzte Arbeit. Die englische Uebersetzung dieser alten mythischen Geschichte von Persien ist blos ein Auszug.

„Vendidad-Sadé", ein Buch der Zend-Avesta, übersetzt und mit einem Commentar versehen von Herrn Burnouf.

Die Geschichte der Dairis oder der geistlichen Kaiser von Japan, von Klaproth.

Diese drei Werke befinden sich bereits unter der Presse. Hierauf werden folgen: Raschieddin Geschichte der Mongolen, übersetzt und commentirt von Etienne Quatremère, und die arabischen Sprüchwörter von Meidani, übersetzt von demselben, und endlich ein türkisch-französisches Wörterbuch, von dem verstorbenen Kieffer.

Die Académie des inscriptions et belles-lettres hat das alte Project wiederaufgenommen, die Benedictinergemeinschaft von St.-Maur herzustellen. Sie ist gesonnen, eine Sammlung von Chroniken, die sich auf die Kreuzzüge beziehen, herauszugeben. Zu diesem Zweck hat sie eine Commission von fünf Mitgliedern ernannt. Die ganze Sammlung wird 8—9 Foliobände umfassen.

Die englische Gesellschaft für Uebersetzungen aus den orientalischen Sprachen läßt ihrerseits folgende Arbeiten französischer Gelehrten drucken:

„Harir ansa", oder die Geschichte der Familie Hari, ein Nachtrag zu dem großen epischen Gedichte: „Mahâbharata", aus dem Sanskrit von A. Langlois, von dem man bereits einen Band „Mélanges de littérature sanscrite" hat und eine Uebersetzung von Wilson's „Theater der Indus".

Persische Chronik von Tabari, von Erschaffung der Welt bis zum Jahre 302 nach der Hedschra (914 n. Chr.), von Dubeux.

Die arabische Grammatik: „Alfiya", didaktisches Gedicht von 1000 Versen; Uebersetzung und Commentar sind von Bacy. Die Orientalisten sehen mit Sehnsucht diesem wichtigen Werke entgegen.

„Li-Ki", dem Confucius zugeschrieben, übersetzt von Stanislas Julien. — Nach dieser Uebersicht der neuesten Arbeiten der französischen Orientalisten gehen wir nun zu dem obenangezeigten Werke von de Longchamps über.

Manu ist nicht wie Moses ein historischer Gesetzgeber. Die Hindu legen diesen Namen vierzehn Personen bei, deren jede einer Periode vorsteht, nach deren Verlauf die Welt durch eine vorübergehende Zerstörung verjüngt wird. Diese vierzehn Perioden zusammengenommen, bilden einen großen Zeitumlauf, welcher sich mit der Vernichtung alles Geschaffenen schließen wird. Bereits sind sieben Manu's erschienen. Derjenige, welcher für den Verfasser des Gesetzcodex, über den wir berichten, gehalten wird, ist der erste von allen. Die Orientalisten, namentlich Chézy, sind der Ansicht, daß der Codex des Manu höchstens bis zum 13. Jahrhundert hinaufsteigt, da der berühmte Reformator der Religion der Brahminen, Buddha, nicht darin erwähnt wird; dieser lebte bekanntlich ungefähr tausend Jahre vor Christus.

Die Gesetze des Manu wurden durch Brigu aufgestellt, einer heiligen Person, geboren aus dem Herzen oder der Haut Brahma's, deren Existenz ebenso problematisch ist als die des Manu.

Der Codex des Manu enthält zwölf in Distichen abgefaßte Bücher: 1. Die Schöpfung; 2. Sacramente, Noviziat; 3. Ehe, Pflichten des Familienoberhaupts; 4. Erwerbsmittel; 5. Abstinenzregeln, Reinigung der Weiber; 6. Pflichten des Anachoreten; 7. Regenten und Kriegsmänner; 8. Richter, bürgerliche und Criminalgesetze; 9. Handeltreibende Kaste, Sklaven; 10. Vermischte Kasten, Zeiten der Noth und der Bedrängniß; 11. Buße und Sühnung; 12. Seelenwanderung, endliche Glückseligkeit.

Das erste und letzte Buch enthalten Glaubensartikel, religiöse Offenbarungen, welche außer dem Bereiche der Kritik liegen. In zehn andern Büchern findet sich viel Wichtiges und Interessantes über das bürgerliche Leben.

Die Verfassung der Hindus hat mit allen Märchen, die aus dem Oriente zu uns gekommen, das gemein, daß man, um sie zu begreifen, eine Menge unglaublicher Absurditäten annehmen muß, ohne welche indessen das Vorhandene nicht da wäre. Für die Hindus ist Brahma das einzige Wesen, der Weltgeist, die göttliche Quelle, aus welcher alle Wesen strömen, um dahin zurückzukehren. Sein Hauch, seine Seele durchdringt die Materie unter allen Gestalten und theilt ihr ein Leben mit, welches durch die äußere Hülle ins menschliche modificirt wird. Alle organisirten und lebenden Geschöpfe haben ein Bewußtsein. Die Sträucher, der Rasen, alle Gewächse empfinden Lust und Schmerz. Die verschiedenen Modificationen der Materie sind eine mehr oder weniger schöne oder häßliche Hülle, unter welcher die Seele Brahma's allmälig auf einander folgende Strafen oder Belohnungen erhält, jenachdem sie einen guten oder schlechten Gebrauch von dem ihr zugemessenen Theile von Freiheit gemacht hat.

Diese fortwährende Seelenwanderung, das Grunddogma der Hindureligion, dient zugleich dem wirklichen und irdischen Leben zum Muster und zur Basis.

Die Hindus werden bekanntlich in vier Kasten eingetheilt: die Brahminen, die Kschatriyas (Krieger), die Vaisyas (Hirten, Acker- und Handelsleute), die Soudras (Sklaven). Im siebenten Buche wird besonders von den Kschatriyas gehandelt, vom Kriege und den Verhältnissen zu den fremden Nationen; es ist vom höchsten Interesse, da es über die ältere Kriegskunst und Diplomatik der Hindus Aufschluß gibt. Das achte und neunte Buch beschäftigt sich mit den Richtern und Strafen; der Brahmine, versieht das Richteramt von Rechtswegen auch kann es einer der beiden folgenden Classen übertragen werden. Der König aber, der zugäbe, daß ein Soudra (Sklave) einen Richterspruch fälle, setzt sein Reich in eine Bedrängniß, ähnlich derjenigen einer Kuh, die in einen Morast gefallen ist. Dieser Abschnitt enthält folgende merkwürdige Worte: „Ein tugendhafter Fürst darf sich die Güter eines großen Verbrechers nicht zueignen."

Das neunte Buch bietet dem Denker und Rechtsgelehrten Stoff zu interessanten Studien; es setzt das Verhältniß der Ehegatten und der Kinder gegen die Aeltern fest. „Welche Eigenschaften der Mann auch besitzen mag", sagt das Gesetz des Manu, „die rechtmäßige Ehefrau erlangt durch ihre Verbindung mit ihm dieselben Eigenschaften, gleichwie der Strom durch die Verbindung mit dem Ozean." Weiter heißt es: „Das Weib wird vom Gesetze betrachtet wie das Feld und der Mann wie der Same". Dem Ehemanne, welcher keine Kinder zeugen kann, steht es zu, einen seiner Verwandten zu wählen, der ihn gesetzmäßig zum Vater machen kann, und da ihm das Feld gehört, so ist die Frucht sein Eigenthum". Das Weib befindet sich demnach im Zustande der Sklaverei. Indessen empfiehlt Manu dem Manne aufs dringendste, das Weib zu achten und zu ehren. „Die Häuser, denen die Weiber fluchen, welchen die schuldige Achtung versagt worden ist, gehen zu Grunde, als wären sie durch ein Zauberopfer der Zerstörung geweiht." Uebrigens weiß man, daß in den Dramen der Hindu das Weib immer eine wichtige Rolle spielt voll Anmuth und Würde; die Männer erzeigen ihren Frauen die zärtlichste und aufmerksamste Liebe. Die Gesetze, welche sich auf die Erbfolge beziehen, sind höchst verwickelt, wie denn dies auch wol nicht anders möglich ist. Obgleich die Ehen zwischen Personen von verschiedenen Kasten von der öffentlichen Meinung gemisbilligt werden, so sind solche Mesalliancen dennoch häufig. Das Gesetz des Manu erkennt sie als rechtmäßig an, indem es ein eignes Ceremoniel dafür und die Rechte der aus diesen Ehen entstehenden Kindern festsetzt. Wenn man sich die Theilung in vier Kasten vergegenwärtigt, wenn man an die verschiedenen Ehecombinationen denkt, die zwischen vier Männern und vier Weibern aus den vier verschiedene Kasten stattfinden, so wird man sich von den verschiedenen Erbschaftsrechten der Kinder einen Begriff machen können. Wenn z. B. ein Brahmine vier Weiber hat aus vier verschiedenen Classen und von jedem Weibe ein Kind, so erhält der Sohn, dessen Mutter der ersten Kaste angehört, drei Theile an der Nachlassenschaft, der Sohn der Kschatriya zwei, der Sohn der Vaisya anderthalb, der Sohn der Soudra nur einen Theil, und dieses ist eins der einfachsten Beispiele; man beurtheile danach die übrigen.

Dadurch daß dem Hindu das Leben ein stetes Fortschreiten ist, dessen letzter Zweck höchste moralische Vollendung, ist er unzähligen Bußen, Reinigungen und Sühnungen unterworfen. Das Gesetz, welches diese festsetzt, befindet sich im elften Buche. Jungen Gelehrten, welche sich mit dem Studium der Hinduliteratur beschäftigen, ist das Studium dieses Abschnittes besonders zu empfehlen.

Trotz seines hohen Alterthums steht der Coder des Manu noch in großem Ansehen bei den Hindus; es ist vielleicht das Buch, dessen Kenntniß den Fremden, die Indien, in welcher Absicht es auch sein mag, besuchen, am unentbehrlichsten ist.

Wir haben bereits bemerkt, daß des Buddhaismus im Coder des Manu nicht erwähnt wird; wir fügen noch hinzu, daß von dem barbarischen Gebrauch, welcher die Witwen zwingt, sich lebendig auf den Leichen ihrer Männer zu verbrennen, sich nicht die mindeste Spur darin findet. 143.

Handbuch einer allgemeinen Geschichte der Poesie von Karl Rosenkranz. Erster Theil: Geschichte der orientalischen und der antiken Poesie. Halle, Anton. 1832. Gr. 8. 2 Thlr. 16 Gr. Zweiter Theil: Geschichte der neuern lateinischen, der französischen und italienischen Poesie. Ebend., 1832. 1 Thlr. 4 Gr.

Der durch literarhistorische, philosophische, theologische und leider auch poetische Arbeiten mehrfach bekannte Verf. wollte diesmal, seinem eignen Bekenntniß zufolge, nichts als nur „brauchbare Waare für den Büchermarkt" liefern, und diesen Zweck hat er ohne Zweifel mit dem vorliegenden Werke erreicht; wenigstens dürfte es unbillig sein, bei der Beurtheilung einen höhern Maßstab anzulegen, als der Verf. selbst bei seiner Arbeit gewollt hat. Herr Rosenkranz besitzt unleugbar die gehörige Gewandtheit, Belesenheit und Uebersichtlichkeit, welche zum Literator befähigt; er hat vielfache Sprachkenntnisse, eine frische tüchtige Auffassung und meist unbefangenen Blick, und da er, wie er in dem vorausgeschickten humoristischen Sendschreiben selbst bekräftigt, sich diesmal aller ihm sonst zum Vorwurf gemachten philosophischen Terminologie enthalten gewollt, so wird diese Arbeit dadurch allerdings eine Empfehlung mehr für viele Leser gewonnen haben. Solche Bücher, wie das vorliegende, zu machen, ist zwar in der That kein großes Kunststück. Aus vielen Büchern hat unser Verf. wieder ein Buch entstehen lassen, er hat das Beste seinen literarhistorischen Vorgängern geschickt zu entnehmen gewußt, meistentheils auch die Urtheile aus ihnen compilirt und so mit möglichst wenig eigner Zuthat eine Mosaik zu Stande gebracht, die sich nicht übel ausnimmt. Fragen wir nun: cui bono? so ließe sich für den praktischen Nutzen eines solchen Handbuches wol Manches anführen. Es ist freilich in seinen einzelnen Daten zu unvollständig, um zu einem literarischen Nachschlagebuch zu dienen; aber um sich in kurzer Zeit eine rasche Uebersicht über den Entwickelungsgang einer Literatur zu gewinnen, dazu ist es sehr zweckdienlich angelegt, und der Verf. hat sich hier nicht selten durch eine gute Gliederung und Organisirung seines Stoffes ein Verdienst erworben. Ein dritter Theil wird das Werk beschließen. 38.

Notizen.

Auch in Frankreich haben nun nach dem, von den deutschen Naturforschern gegebenen Beispiele Gelehrtenversammlungen begonnen, die jedoch, wie die britischen Versammlungen (die dritte wurde dieses Jahr in Cambridge gehalten), sich nicht auf die Pfleger der Naturwissenschaften und der nahe verwandten Gebiete beschränken zu wollen scheinen. Dieser congrès scientifique wurde vom 20.—25. Juli d. J. in Caen gehalten. Es hatten sich nur 140 Gelehrte eingefunden, weil die Versammlung in eine Zeit fiel, wo die Gerichtshöfe und höhern Lehranstalten keine Ferien haben. Auch hatte man die Idee einer solchen rein wissenschaftlichen Vereinigung nicht richtig aufgefaßt, die Gelehrte aus allen Fächern aufnehmen sollte, und überdies glaubte man, der wissenschaftliche Congreß sei gegen die literarische Centralisation der Hauptstadt gerichtet. Allerdings hatten die Unternehmer den Zweck, den Antheil zu zeigen, den die Departements und ihre Gelehrtenvereine an den industriellen, wissenschaftlichen und literarischen Bestrebungen der Gegenwart nehmen, aber, wie unser Berichterstatter sagt, die Versammlung zu Caen hat die, auch sonst schon gemachte Beobachtung bestätigt, daß man zwar vor 1830 gegen jene Centralisation anstrebte, seitdem aber andere Ansichten sich geltend gemacht haben. Die Versammlung theilt sich in sechs Sectionen: 1. Nationalökonomie, 2. Geologie und Naturgeschichte, 3. mathematische Wissenschaften, Physik und Ackerbau, 4. Archäologie und Geschichte, 5. Literatur und schöne Künste, 6. Arzneiwissenschaft.

In den französischen Departements gibt es 195 Städte, welche öffentliche Bibliotheken besitzen, die zusammen 2,600,000 Bände zählen. Davon kommen auf Paris mit 15 öffentlichen Bibliotheken 1,378,000 Bände. In 822 Städten mit 3000 bis 18,000 Einwohnern gibt es gar keine öffentlichen Bibliotheken.

Das „London medical journal" behauptet, die Dauer des Menschenlebens lasse sich nach der Zahl der Pulsschläge berechnen. Jene Dauer zu 70 Jahren und die Zahl der Pulsschläge zu 60 in einer Minute angenommen, würden auf jene Zeit 2,707,520,000 Pulsschläge kommen. Bringt der Mensch aber durch Unmäßigkeit im Genusse sein Blut in schnellere Bewegung, sodaß 75 Pulsschläge auf die Minute kommen, so sind jene 2700 Millionen Pulsschläge in 56 Jahren vollzählich, und die Lebensdauer ist um 14 Jahre verkürzt worden. 9.

Redigirt unter Verantwortlichkeit der Verlagshandlung: F. A. Brockhaus in Leipzig.

Blätter für literarische Unterhaltung.

Sonnabend, —— Nr. 264. —— 21. September 1833.

Deutsche Geschichte mit besonderer Rücksicht auf Religion, Recht und Staatsverfassung von George Phillips. Erster Band in zwei Abtheilungen. Berlin, Dümmler. 1832. Gr. 8. 3 Thlr.

Seit dem verstorbenen Krause, dessen tiefe Gelehrsamkeit und Scharfsinn ebenso schwer zu ersetzen ist, als sein Styl ihn aller Welt ungenießbar machte, die sich nicht überwinden mochte, diese unschmackhafte Speise um ihrer köstlichen Nahrung willen zu verzehren, ist Niemand auf den Gedanken gekommen, die Geschichte des deutschen Volkes bis auf ihre Uranfänge zurückzuführen, diese in die möglichste Klarheit und Gewißheit zu setzen und aus denselben die Entwickelung der allmälig aus- und ineinander übergehenden Rechtszustände unter den Deutschen aller Zeiten anschaulich vor Augen zu stellen, aus dem Gesichtspunkte und zu dem Zwecke, um aus dem im Zusammenhange zu übersehenden Lebensbilde des Volks die zuverlässigsten Begriffe über die religiösen und rechtlichen Vorstellungen desselben und deren Gestaltung und äußere Darstellung zu entnehmen, als Herr Dr. Phillips. Dies Unternehmen ist überaus verdienstlich. Es ist dies etwas ganz Anderes als eine eigentliche und bloße Rechtsgeschichte, in welcher nur die Ausbildung der Rechtsinstitutionen und Rechtssätze selbst gezeigt wird, ohne Schritt vor Schritt dabei dem politischen und dem bürgerlichen Leben und den Zuständen der Nation zu folgen und eben dadurch eine Uebersicht der gesammten Ursachen und Triebfedern und ihres Zusammenwirkens zur Hervorbringung der Erscheinungen zu gewinnen, welche zur Wirklichkeit gediehen sind. In Ansehung vieler einzelner Rechtsverhältnisse hat zwar unser Verf. treffliche Vorgänger gehabt, in der neuern Zeit vorzüglich an Eichhorn; aber grade für die Verbindung und Durchwirkung des Ganzen mußte er sich die eigne Bahn bereiten und sich seinen Ideengang selbständig schaffen. Es ist folglich ein Originalwerk im vollen Umfange des Worts, was der Literatur zugegangen ist, zunächst zwar bestimmt für die Berichtigung und Erweiterung der deutschen Rechtsgeschichte und des deutschen Rechtes selbst, durch seine Schreibart und faßliche Darstellung zugleich aber auch geschickt, allen Denen eine lehrreiche Unterhaltung zu gewähren, welche in ihrer Heimat zu Hause zu sein und zu wissen wünschen, welche Bewandniß es eigentlich mit allen den Dingen hat, die auf sie von allen Seiten wirken und auf welche sie wieder zu wirken haben. Wir können dessen Lecture nur lebhaft anempfehlen, da die Ehrfurcht vor dem hehren Sinne des deutschen Volksstammes, die Liebe des Vaterlandes und die Aufklärung über Das, was in Deutschland Rechtens war und noch ist, vielfältig dadurch gewinnen werden.

Aus der Originalität dieser Arbeit ergibt sich schon, daß der Verf. weit mehr dem Studium der Quellen als der Hülfsmittel obgelegen, aus jenen vorzüglich geschöpft und zu diesen nur seine Zuflucht behufs der Erklärung oder Bewahrheitung jener genommen habe, was ihm ganz besonders zum Verdienste gereicht. Doch haben wir uns gewundert, daß derselbe Wilhelm's „Erdbeschreibung des alten Germaniens" und Meyer's „Geist, Ursprung und Entwickelung der Rechtsanordnungen", nebst deren ausführlicher Beurtheilung im „Hermes" des Jahres 1822 ganz außer Acht gelassen hat, bei deren Benutzung wol Einiges sich anders gestaltet haben würde, als vorliegt. Dem Verf. kommt Vieles zu statten, was seine Arbeit befördert hat. Die alten Dialekte des urdeutschen Idioms sind ihm geläufig, und er ist dadurch und durch eine große Belesenheit in den ältesten Rechtssammlungen aller Volksstämme in den Stand gesetzt, mit etymologischem Scharfsinne die Urbegriffe herauszufinden und mit vielem Witze das Zusammengehörige zu vergleichen. Daß bei einer solchen Richtung und der fortgesetzten Uebung einer solchen Beschäftigung es sehr schwer ist, das rechte Maß zu beobachten und nicht aus dem regelrechten und sich immer bewußten Streben nach Entdeckungen in eine Sucht zu verfallen, welche auch da noch sucht, wo das Wahre schon herausgesucht und nur Blendwerk noch zu finden ist, und welche unnatürlich das von Natur gar nicht oder wenigstens nicht in der Art Verwandte verbindet, das ist leicht zu begreifen und allzu menschlich, als daß es nicht hätte begegnen sollen. Es ist eben das Loos des menschlichen Forschens, daß, indem es die Wahrheit erstrebt, durch die Bestrebung selbst dieselbe immer zugleich in etwas verletzt oder entstellt wird, weil sie beim Erfassen gedrückt, gezerrt oder mit Unwahrem zusammengefaßt wird. Es gibt keinen Irrthum, dem nicht eine Wahrheit zum Grunde läge, aus deren Verunstaltung jener entsteht. Eins der hervorstechendsten Beispiele erläutere dies.

Dem ganzen germanischen Heidenthume — heißt es — liegt ursprünglich der Begriff der Einheit zum Grunde. Diese Einheit der Religion beruht auf einem Bunde zwischen der Gottheit und den Menschen, wie dies auch durch das Wort religio (von ligare, binden) ausgedrückt wird und natürlich nirgends so sehr sich ausspricht als in dem Christenthume, welches zwei Bündnisse zwischen Gott und den Menschen, den alten und den neuen Bund, kennt. Der Bund mit der Gottheit führt aber auch zu einem Bunde, zu einer Einheit unter den Menschen, mit denen die Gottheit, oder die mit der Gottheit jenen Bund geschlossen haben. Das Wort nun, welches in den verschiedenen germanischen Dialekten grade jene Einheit der Religion, d. h. die Religion bezeichnet, ist A (gleichsam der Anfang), Ae, Aew, E, Evva, unser heutiges Ehe. Daher wird auch der Priester als der Wächter, der Bewahrer der Religion, E-warto genannt, und so bezeichnen auch die christlichen Schriftsteller die Bündnisse, die der allein wahre Gott mit den Menschen aufgerichtet, durch die Ausdrücke: die alte Ehe, oder die neue Ehe. Hierher gehört noch A-sega und E-sago (gesetzsprechend) und ewig, auch das englische awfull. Ja selbst in der gegenwärtigen Bedeutung des Wortes: Ehe, blickt der Begriff eines durch göttliche Einwirkung unter zweien Menschen verschiedenen Geschlechts geschlossenen Bündnisses hindurch; daher denn auch die sacramentalische Bedeutung der Ehe in der Kirche. Ein anderer Ausdruck, welcher oft mit Ehe im weitern Sinne gleichbedeutend gebraucht wird, ist Laga (Lagh, Law, Low). Das Wort entspricht unserer Grundlage; es umfaßt Dasjenige, was zum Grunde gelegt ist und nunmehr feststeht, das positive Gesetz. Sowie etwa der durch die übrigen Bücher des alten Testaments sich immer mehr entfaltende Pentateuch die Laga für den alten Bund ist, so hat jede heidnische Religion ihre traditionnelle Laga als den Inbegriff der in ihr feststehend gewordenen oder vielmehr im Kampfe behaupteten Glaubens- und nachmals Rechtssätze.

Unstreitig enthält dieser Satz viel Treffliches, aber auch viel Ueberspanntes. Wir wollen uns nicht dabei verweilen, ob überhaupt ein einzelner Vocal die Wurzel eines Wortbegriffes sein kann. Daß das deutsche A wie das Aleph der Hebräer zugleich ein Consonant gewesen sein möchte, ist zu bezweifeln. Selbst bei den Hebräern ist das Aleph wol häufig einer von den drei Wurzelbuchstaben, aber nie für sich allein ein Wurzelwort. Unstreitig aber ist es wahr, daß die mannichfaltigen Begriffe des menschlichen Geistes nur nach und nach erst durch Unterscheidung und Spaltung der Merkmale und deren anderweitige Verbindung, mehr noch durch die Unterscheidung und Vergleichung der sich immer mehr vervielfältigenden Erfahrungen entstanden sind, und daß daher, je weiter man sie auf ihren Ursprung zurückführt, man immer mehr auf gemeinschaftliche Stammbegriffe, also auch auf Urwurzeln der Worte kommen muß, die zu deren Bezeichnung gebraucht worden sind. Daß diese Forschung oft auf überraschende Verwandtschaften von Begriffen stoßen werde, welche anscheinend sehr verschiedenartige, aber doch in einem Grundmerkmale übereinstimmende Gegenstände umfassen, ist vorauszusehen, sowie es ausgemacht ist, daß solche Entdeckungen ungemein viel zur Berichtigung der Vorstellungen von dem wahren Wesen oder der Entstehungsart solcher Begriffe beitragen müssen. So ist es eine köstliche Bemerkung, daß das Wort Ehe unmittelbar aus der gemeinsamen Wurzel aller derjenigen Ausdrücke entspringt, welchen das Merkmal der Einheit oder der Uebereinstimmung des Willens sowie eines Bundes

zur Verwirklichung einer solchen Uebereinstimm
wohnt. Das Wesen der Ehe, welche die einf
ebendeswegen natürlichste Vereinigung zu diese
ist, wird dadurch so klar, daß, wäre solches fr
mein begriffen worden, manches Kopfbrechen
Zweck und die Natur der Ehe damit erspart w
würde. Allein daraus folgt doch noch keineswegs
Ehe selbst der Urbegriff der ganzen religiösen u
lichen Vereinigung unserer Altvordern gewesen
Vorstellung, die bis zum Ueberdrusse wiederholt
nur eine Ausgeburt des Mysticismus ist, der
mit dem Begriffe der Ehe und was dem anh
eignen Ergötzlichkeit gern gespielt hat. Unbezwei
fen alle religiösen und moralischen Ideen aus
quelle, mithin auch die Rechtsbegriffe, woraus
selbst die Nothwendigkeit der Uebereinstimmung
giösen und bürgerlichen Einrichtungen in der e
wickelungsperiode der Völker ergibt. Allein da
gion, die Ethik und die Rechtslehre ganz ander
stände angehen und sich selbst gleich in den
Grundsätzen ihrer formellen Ausbildung von eine
terscheiden, so muß das ungetrübte Gefühl und
tere Vorstellung der natürlichen Denkkraft auch
die leisen und immer merklicher werdenden Unte
gen und Abweichungen mit den aufkommenden
vornehmen, je nachdem sie in das Gebiet der
der andern Disciplin zu stehen kommen. Möge
Thatsache oder das Bedürfniß oder die Noth
einer innern Vereinigung der Geister, wenigst
Willens, der Urbegriff aller Gesellschaft sein, so
noch die Anwendung desselben auf die Gesell
Kirche, des Ehestandes und des Staates gar me
schiedene Merkmale noch hinzuthun nach Ma
Verschiedenheit des Gegenstandes oder der En
ursache jeder dieser Gesellschaften. Wenn die
und die Ehe aus dem Bedürfnisse der Liebe
gen, so verdankt die bürgerliche Gesellschaft ih
dem äußerlichen Bedürfnisse der Rechtssicherheit,
Mittel ihrer Beschaffung ist gegenseitige Verbür
selben. Das Wesen des Bürgerthums besteh
dieser Rechtsverbürgung, in der Unterordnung
des Einzelnen unter den Gemeinwillen für
Dies ist wirklich die Grundlage des ganzen alem
schen Staatsrechtes, die sich in dem schroffsten
des Gesammtschutzes und der Aufgebung des Ei
unter dem Gemeindebeschlusse oder der vollständig
losigkeit wegen Behauptung des Eigenwillens
ganzen natürlichen Freiheit ausspricht. Eine
meindeverfassung war übrigens [illegible]
die ganze Gemeinde eines Volkes [illegible]
schaften sich theilte, welche einander [illegible]

(Die Fortsetzung folgt.)

Das Christenthum von Albert Goßler. Köln, 1833. [illegible] 16 Gr.

„Den [illegible] wird das Evangelium [illegible]",
von dem das Christenthum den Namen führt, und

hing ihm an und erstaunte, als er in der köstlichen Bergpredigt mächtig die Herzen ergriffen und nicht wie die Schriftgelehrten gepredigt hatte. Ihr Armen! Ihr Bedauernswerthen! Was hat man Euch späterhin als Evangelium aufgedrungen. Die Deutungen und Zusätze der nachherigen Schriftgelehrten, haben sie nicht eine Dunkelheit und Verwirrung in den Lehrbegriff, in die kirchliche Gemeinschaft und in die menschlichen Verhältnisse, zwischen Staat und Kirche, in das eheliche und häusliche Leben gebracht, worin bis auf den heutigen Tag Niemand zu helfen und uns in ein Christenthum zu führen vermag, wie es sein Stifter lehrte, wenn wir uns an seinen Geist halten, Das, was er und seine Jünger zeitgemäß für Juden und Heiden einkleiden mußten, entkleiden, und das Eine, was Allen noth ist, von Dem scheiden, was sich zum Theil wol auch in der Bibel findet, aber doch nur Hülle für jenes Zeitalter war und historisch zu dem Christenthum gerechnet werden kann, aber nicht bei Verlust der Seligkeit als unerläßlicher Glaubensartikel aufzudringen ist. Wie viel weniger gäbe es selbst auf unsern Landtagen über die Verbindung zwischen Staat und Kirche, über die kirchlichen Gesellschaften zu einander, über die Ehe überhaupt, über gemischte Ehen, Ehescheidungen u. dgl. zu hadern, hätten nicht die christlichen Schriftgelehrten im Namen der christlichen Kirche, wie sie glaubten oder vorgaben, Fesseln angelegt, Formen bestimmt, Gesetze gegeben und aufgezwungen, die dem Christenthum, wenn es richtig verstanden wird, entweder ganz fremd sind, oder ihm wol gar widersprechen. Erwägen wir noch, was die jedesmalige Philosophie aus biblischen Worten und Reden herausgesponnen, oder die Speculation hineingetragen, wie sie sich, um beliebter und annehmlicher zu werden, auch mit Federn anscheinender Christlichkeit geschmückt hat, sowie bekanntlich die jetzigen idealistischen Philosophen die ganze alte Dogmatik zur Schau tragen, nur in einem andern Sinne: dann ist es freilich klar, wie so mancher Denker, so Viele, die doch auch ihren gesunden Menschenverstand nicht verleugnen mochten, Das, was ihnen als Christenthum dargeboten wurde, verwarfen oder wol gar verspotteten. Auch Herr G., der, wie viele junge Autoren zu thun pflegen, sich nicht näher bezeichnet hat, weil diese Herren es für unmöglich halten, nicht von Jedermann in der Gelehrtenrepublik gekannt zu sein, gibt uns ein Christenthum, von dem wenigstens Ref. gestehen muß, es sei nicht das biblische, sondern das Gohler'sche. Obschon Druck und Papier schön ist, so war es uns doch unmöglich, das Büchlein ganz zu lesen, und unmöglich, das Gelesene ganz zu fassen. Aber um uns zu rechtfertigen und unserm Publicum zu zeigen, was man dem ehrlichen deutschen Christen Alles zumuthet, als Lehre des Evangeliums hinzunehmen, wollen wir nur einige Sätze herausnehmen. Der Inhalt beginnt mit einer Einleitung, die ein Licht anzünden soll, um nachher die rechte Bahn nicht zu verfehlen. Der Verf. bedient sich auch neuer Worte, die er vorher verdeutlichen will. Man vernehme N. 9, S. 6: „Amim ist ein neu erfundenes Wort" (concedimus), „aber klarer Zusammensetzung" (negamus). — „Theile des Ganzen, Glieder des Leibes sind wechselseitig amin einander. — Amim kann als Hauptwort gedacht werden, wie als Gliederwort für den Leib eines Zusammenhanges von Haupt und Gliedern." — „Geist ist die Mitte für Alles, Geist ist Amin Allem, der Geist Gottes ist das Amim für Alles; der heilige Geist ist das Amim Gottes." — N. 12. S. 11: „Ein großer Unsinn ist die gewöhnliche Ansicht, Gott sei nur unendlich, Gott sei nur Geist nicht auch Seele wie Leib." „Gott ist Geist, Seele, Leib, nach der Schrift, nicht zwar hier auf Erden für unsere Augen, allein doch im Gegentheile im Himmel der Ewigkeit. Gottes Leib ist die Gemeinde als solche im Werden, ist Christus das Haupt der Gemeinde als solche im Gewesen, Anfang wie Ende heißt sein Name, ist sein Leibgewesen in aller Kreatur." „Es ist eine gewöhnliche aber schriftwidrige Vorstellung, als wenn der Mensch nicht Gott, und unser Planet nur ein einzelnes Nebendei der Schöpfung, und sein Bewohner der Mensch, in Ewigkeit seine Entwickelung nicht bis zu der — erstgeschaffner Geister — erheben könne. Der Mensch ist nur im Geiste Gott; gewird es in der Seele; wird es im Körper; allein der Vater ist vollkommen, der Sohn wie der heilige Geist geworden es im Vater, die Menschen werden es sein, weil sie es sollen." „Das Ganze aller Welt ist der dreieine Gott; vollkommen wie unvollkommen; ein werdender Mensch im Ganzen; vollkommen im Vater, unvollkommen im Vater, Sohne, h. Geist; werdend zur Unvollkommenheit in den Erden-Menschen als Gliedern des einen Menschen, der da ist der Vater Alles in Allem, Gott über Alles im Sohne wie in der Gemeinde amim heil. Geiste. So ist die Auffassung der heil. Schrift, ein Ganzbild voller Entwickelung, anderswie ein zerrissener Unsinn; doch immer bildend." In den sechs folgenden Abschnitten, unter den Rubriken: „Von den Grenzen des Lebens", „Von der Geschichte und von der Zukunft", „Der Beweis Gottes an das menschliche Herz", „Der Beweis Gottes in der Gemeinde die sichtbar auf Erden wirkt", „Der Beweis Gottes im Geiste", „Das Himmelreich" — wird uns nun das Christenthum des Verf. mitgetheilt, und wir könnten aus jeder Seite Sätze der Weisheit vorlegen, bei welchen man ausrufen möchte: „Gohler, du rasest, die große Kunst macht dich rasend", Apostelg. 26, 24. Doch nur noch einige Proben (S. 65): „Gottes Sündung ist die Vernichtung alles Zeitmenschlichen in seinem Sohne Jesu Christo in dieser Welt; das ist die Gesundung aller Ewigkeitsmenschen, daß sie Christi Blut aus Christi Annahme in ihnen entwickeln zur Zerstörung aller Bosheit der Kinder der Finsterniß u. s. w." S. 119, bis wohin wir muthig vorgeschritten sind: „Etwas vor Gott kann im Nichts formleiben, aber selbst nicht wieder Nichts werden, weil es ewig etwas ist. — Formleib ohne ewigen Inhalt ist unmöglich weil Gott ist. Formleib zur ewigen Nichtsheit mit ewigem Inhalt zur Vollglanzentwickelung in dem Worte Gottes das der Sohn ist, ist Körper im Glanzbilde aller vorewigen Zustände, in der Zeit durch das Nichts, nach Gottes Wohlgefallen. — Keimleib der Gemeinde ist durch das Nichts gekörpert in eine Form der Vergänglichkeit, eine Zeit dieser Welt, zur Vervollkommnung für die Ewigkeit nach dieser Zeit in unvergänglicher, allgestaltiger Gottheit. Das ist Nichts des Zeitmenschen, ewiges Verderben seines Formleibes angefangen von Ewigkeit her durch Gottes allmächtiges Erlösungswort. Sein ist nie ohne Nichts, weil es gestaltlos ist mit ewigem Inhalte zur Gestaltung durch das Wort." Was würden die ersten Zuhörer Jesu zu einem solchen Christenthum gesagt haben? Der Titel locke Niemanden; hier ist nicht Christus.

Ein uns zugleich mit zugekommenes Werklein:

Schlüssel zur Offenbarung St.-Johannis, oder Uebersetzung und Erklärung dieses heiligen Buchs, mit Rücksicht auf die neuern Weltbegebenheiten, dargeboten durch einen Kreuzritter. Karlsruhe, Braun. 1833. Gr. 12. 1 Thlr. 8 Gr.

können wir nur den Wenigen empfehlen, die alle apokalyptischen Bilder gern deuten oder sich deuten lassen, unter dem Antichrist Rom verstehen und Napoleon in Cap. 17, 10, finden, sowie in dem letzten antichristischen Thiere und in seinen Unterkönigen die Freigeister seit der französischen Revolution. Nach der Meinung unsers Kreuzritters, wie er auf seiner prophetischen Rosinante voraussieht, wird das Papstthum durch jene Ungläubigen, als Gottes Schergen, untergehen; die Bösen werden durch die Bösen bestraft; sie müssen dem Thiere mit aller ihrer Königsmacht beistehen; „man kann unmöglich daran zweifeln". S. 284: „Rom ist gefallen, sie ist gefallen", d. h. „seit der Revolution hat sie sich jetzt wieder erholt von dem ersten Fall; aber der zweite und letzte wird sie von der Erde vertilgen. Die Stadt selbst, die Residenz der geist-weltlichen Macht, soll nun zu Trümmern gehen durch Krieg, Brand, vielleicht auch Erdbeben. Doch werden ihre Ruinen stehen bleiben, und in ihnen werden böse Geister und Schatten und allerlei Raubvögel hausen." Wo der edle Ritter nur das Alles her wissen mag? Uebrigens ist er so menschenfreundlich, zu glauben, daß die frommen Katholiken nicht alle, sondern möglichst wenige die Missethaten mitbüßen werden. Rec. bedauert auch diese Wenigen, meint jedoch, unser Verf. gehöre zu den rücklings gekehrten Propheten, die hinterher gut weissagen können. Die exegetischen Schwächen mögen die theologischen Journale aufsuchen. 68.

Romanenliteratur.

1. Neueste Biographien der Wahnsinnigen. Aus Familienpapieren und Criminalacten bearbeitet von J. K. von Train. Zwei Bände. Mit einem Titelkupfer. Meißen, Goedsche. 1833. 8. 2 Thlr. 9 Gr.

2. Die Schauergruft in der Waldkapelle, oder die Opfer des Verhängnisses, der Leidenschaften und Verbrechen. Zwei Bände. Mit einem Titelkupfer. Von demselben. Meißen, Goedsche. 1833. 8. 2 Thlr. 9 Gr.

Es gibt Schriften, die zwar denselben Verf. als geistigen Vater anerkennen, jedoch an Gehalt, Gattung und Art grundverschieden sind, wo nur die gemeinsame Abstammung ihr Rubriciren rechtfertigen kann. Dies ist hier nicht der Fall; Richtung, Zweck, Triebfedern der Handlungen, ein gewisser Typus der flüchtig portraitirten Handelnden, sogar die hier und da verworrene, nachlässige Schreibart, Alles ist in beiden Sammlungen völlig gleich. Der erste abweichende Schritt von der Bahn der Tugend führt unaufhaltsam dem Abgrund zu und tödtet den Leib, wenn der Fehltritt auch nicht immer die Seele mordet. Selbstverschuldetes Unglück, oder durch den bösen Willen, die Thorheit Anderer herbeigeführt, zieht Wahnsinn und Selbstmord nach sich, wer Hand an sich legte, findet seine Ruhestatt in der Schauergruft. Bald schlug böse Tücke, ein Gewebe von Leichtsinn, Lüge und Hinterlist die Todeswunde, öfterer die eigne Sündhaftigkeit; wer sich seinen Lüsten hingibt, ohne Kampf, ohne Willen dazu, wird ihr leibeigner Knecht, gemishandelt und endlich, wenn der Sklave ihnen keine Nahrung mehr reichen kann, verächtlich aus dem Wege geräumt; diese Warnung ist augenscheinlich dargethan, nur in zu üppigen Farben. Wiederholen sich die unreuigen Sünderinnen aus wilder Sinnlichkeit, so gibt's noch mehr Räuber in diesen Erzählungen, vom ganz gemeinen verstockten Bösewicht an bis zum edeln Verirrten, den mehr die Verkettung der Umstände als des Herzens arger Trieb zu Verbrechen drängte, vor denen sogar im Augenblick der Aufgeregtheit sein besseres Selbst zurückschauderte. Ein solcher Verbrecher aus Zufall ist der in der „Räuberbraut", welcher einige Familienzüge, auch in seinen Schicksalen, in der Liebe, die er einflößt, mit dem „Schwarzen Fritz" von Karoline Pichler hat. Was den Erzählungen zum vorzüglichen Verdienst gereicht, ist das Gepräge der Wahrhaftigkeit, innerer und äußerer, wodurch denn zugleich der Vortheil erreicht wird, daß Ueberlieferung und Erfindung sich durchdrangen, eins wurden, und daß keine Knalleffecte, keine geschminkte Empfindelei, müßiges Vernünfteln, das Uebertreiben und Auspinseln des Gräßlichen sich breit machen konnte. Ohne solchen Puppenflitter spannen die Erzählungen und befriedigen die Leser; sie würden auch dem Kenner genügen, wenn sie sorgfältiger überarbeitet wären, dem Geschmack und Zartgefühl kein Wunsch übrig bliebe.

3. Der wilde Jäger vom Grauenstein. Räubergemälde von Moritz W. von Olschen. Zwei Bände. Dresden, Schumann's Verlags-Comptoir. 1832. 8. 2 Thlr.

Schnellfingrige Fabrikarbeit durch gute, aber stumpfgewordene Patronen.

4. Novellen von Otto von Deppen. Erstes Bändchen. Danzig, Gerhard. 1832. 8. 1 Thlr. 12 Gr.

Die erste Novelle: „Adele und die Anhänger Schill's" interessirt durch Situationen und hübsche Bildnisse, nur ist das Interesse nicht ohne den garstigen Beisatz, den beschämenden, daß man Gefallen am Unechten, an dem eigentlich Romanhaften fand, welchen Vorwurf man sich noch mehr beim Lesen der zweiten machen kann. Diese Anatolka ist nun wol eine allerliebste leichtfertige Polin, nicht überspannt wie Adele, aber auch nicht original wie diese, denn daß eine zierliche Iris sich als Juno in das Herz eines liebe- und abenteuerlustigen Jünglings einschmuggelte und darin festwurzelte, auch nach aufgehobener Täuschung, ist eine oft erzählte, alte, aber keineswegs veraltete Geschichte. Die beiden kürzern Novellen haben den guten Conversationston mit den ältern Schwestern gemein, die Connexionen verbergen unter heiterer Ironie und witzigem Spott einen ernsten, tiefen Sinn und kräftig gesunde Sittenlehre.

5. Pietro Mancino, der Bandit. Novelle und Sittengemälde aus dem römischen Volksleben. Von H. C. R. Bernol. Auch unter dem Titel: Räuberleben in Italien. Novellen und Sittengemälde nach italienischen Volksgesängen. Zweiter Theil. Neuhaldensleben, Eyraud (ohne Jahrzahl). 8. 1 Thlr. 12 Gr.

Wahre Schilderung des Räuberhandwerks in Italien, in seiner Eigenthümlichkeit, den Ursachen, die ihm Ausbildung und Dauer gegeben, es gewissermaßen als einen Staat im Staate sanctioniren und auch edlere Naturen, denen das Rohe, gemein Begehrliche widersteht, in diesen Sumpf hinabziehen, indem diesen Römern trotz des vielen natürlichen Verstandes und der scharfen Urtheilskraft die Intelligenz sich verdunkelt, wenn es gilt, ihrer Rachsucht Genüge zu leisten. Bei irrigen Begriffen vom Recht, ungewohnt ihre Leidenschaften zu zügeln, für deren Ausbruch sie bei der Menge Mitleid und Beihülfe, beim Priester Verzeihung finden, haben sie ganz eigne Moralgesetze sich gebildet, die ihnen keine Gewissensbeschwerde zulassen, sobald sie nur an jene, an bestimmte Aeußerlichkeiten sich halten, was alles des Umständlichern im Buche zu lesen ist.

6. Winterabende. Erzählungen von Moritz Berger. Dresden, Schumann's Verlags-Comptoir. 1832. 8. 1 Thlr.

Die anziehendste dieser kleinen Erzählungen und Abhandlungen, eignes Product und von fremdem Boden geholt, ist die erste, „Die limeriker Handschuhe", in welcher humoristische, gutherzige, schnellaufbrausende Irländer von kurzer Ueberlegung, raschem Handeln und Urtheilen eine gar ergötzliche Rolle spielen. 18.

Literarische Notizen.

Brosset hat seine neu verbesserte, mit den Nachrichten der morgenländischen Geschichtschreiber verglichene Ausgabe der „Histoire du Bas-Empire" von Lebeau bis zum 14. Bande fortgeführt.

Lapa und Alexander Mesnier haben den Prospectus einer „Histoire parlementaire de France" ausgegeben. Das Werk soll aus sechs Quartbänden bestehen.

Der erste und zweite Band der „Mémoires de maréchal Ney" von seinen Angehörigen herausgegeben, sind bereits erschienen.

Von den „Souvenirs de la Pologne, historiques, statistiques et littéraires", herausgegeben von einer Gesellschaft polnischer Gelehrter, sind die 9.—11. Lieferung in Paris erschienen. Das Werk wird aus 12 Bänden, jeder zu 12 Lieferungen, bestehen.

Arnault, der Dramatiker, hat einige Bände seiner „Souvenirs d'un Sexagénaire" herausgegeben, die mit acht Bänden vollendet sein werden.

Die „Lettres de Napoléon à Joséphine pendant la première campagne d'Italie, le consulat et l'empire; et lettres de Joséphine à Napoléon et à sa fille", (2 Bde., Paris, Didot) liefern interessante Beiträge zur Charakteristik Napoleon's. Die „Mémoires sur la reine Hortense", vom Baron van Scheelten (2 Bde., Paris 1833) herausgegeben, hat die Herzogin von St.-Leu für unecht erklärt. 9.

Blätter
für
literarische Unterhaltung.

Sonntag, —— Nr. 265. —— 22. September 1833.

Deutsche Geschichte mit besonderer Rücksicht auf Religion, Recht und Staatsverfassung von George Phillips. Erster Band in zwei Abtheilungen.

(Fortsetzung aus Nr. 264.)

Diese Vorstellung von dem Bürgerthume der germanischen Völker ist nicht blos historisch richtiger, sondern auch dem edeln, einfachen und rechtlichen Sinne derselben viel angemessener als die Vorstellung des Verf., welcher die Rache und den Krieg (S. 90) zur Unterlage derselben macht. Aus der Verbürgung folgt von selbst die Nothwendigkeit der Vergeltung oder Herstellung jeder widerrechtlichen Beeinträchtigung, entweder positiv durch Schadenersatz oder, wo dieser nicht zu erlangen ist, negativ durch verhältnißmäßige Schädenzufügung und Erduldung. Dies aber führt noch nicht zum Kriege, weil innerhalb des Gesetz- und Rechtsgebotes kein Widerstand rechtlich zulässig ist. Der Krieg ist immer ein außerrechtlicher und außergesellschaftlicher Zustand, welcher eben durch die gegenseitige Rechtsverbürgung nach Möglichkeit verhütet werden soll. Es ist grade das umgekehrte Verhältniß von Dem, was der Verf. darstellt.

Wird der Friede gebrochen, so tritt die beleidigte Sippe rächend auf — schreibt derselbe —; das Verhältniß der Gleichheit, der Ehe zwischen ihr und der ihr jetzt feindlichen Sippe ist gestört. Das frühere Verhältniß soll nun wiederhergestellt werden, es soll ein neuer Zustand eintreten, der mit dem Zustande vor dem Friedensbruche übereinstimmt, nach diesem sich richtet. So viel von ihrem Blute, von ihrer gemeinschaftlichen Wehrhaftigkeit, die eine Sippe durch die andere eingebüßt hat, so viel muß nun auch diese wiederum verlieren, dann erst ist die Gleichheit wiederhergestellt. Daraus aber entspringt der Krieg. Der Krieg also will einen neuen Frieden nach dem alten richten; er ist demnach die Wiederherstellung, und dies ist auch die Bedeutung der Rache sowie des Rechts. Folglich ist Recht nicht die Ehe, der Friede selbst, sondern die Wiederherstellung desselben, und somit ist der Ursprung des germanischen Rechts in dieser seiner eigentlichen Bedeutung wiederum Kampf und Krieg in Folge der Verletzung der Ehe oder des Friedens.

In dieser Vorstellungsweise ist viel Verwirrung. Der Zweck des Krieges ist an sich niemals, dadurch Frieden zu gewinnen, sondern dieser ist nur der Erfolg eines Krieges, durch welchen nicht ans Ziel zu gelangen, d. h., die Ueberwältigung oder Vernichtung einer durch einen feindlichen Willen regierten Kraft nicht auszuführen ist. Die Aufgabe des Krieges ist immer die Ueberwindung, nöthigenfalls die Vernichtung des Gegners. Mit dem Besiegten wird kein Friede gemacht; sein freier Wille hört mit dem Vermögen seiner Ausübung auf; er wird der Sklave des Siegers. Nur so lange beide Theile noch den Willen bethätigen können, durch fortgesetzten Kampf das Recht des Stärkern geltend zu machen, haben sie es in ihrer Macht und Freiheit, von diesem Rechte durch Uebereinkommen abzustehen und gemeinschaftlich festzusetzen, unter welchen Bedingungen und Maßgaben der gegenseitige Rechtszustand erhalten, fortbestehen und geachtet werden, und wie und wofür der Kampf aufhören soll. Freiheit, Recht und Friede sind daher unzertrennliche Begriffe. Der Unfreie hat kein Recht und keinen Frieden. Friede aber bedeutet nicht blos die vertragsweise Aufhebung eines ausgebrochenen Krieges, sondern überhaupt den Zustand der Rechtssicherheit, die Anerkennung und Gewähr des Rechtszustandes. Daher Burgfriede, Stadtfriede, Landfriede, sich im Frieden eines Andern befinden, dem der Rechtsschutz des Befriedigten obliegt. Unter Denjenigen, die einander ihre Rechtssicherheit verbürgt haben, kann daher ohne gänzliche Aufhebung dieses Bürgschaftsbandes gar kein Krieg stattfinden, wohl aber Fehde; denn Krieg und Fehde sind eben darin unterschieden, daß die letztere den Kampf zwischen Mitbürgern, die thätige Selbsthülfe innerhalb der Staatsgenossenschaft bezeichnet. Die gegenseitige Rechtsverbürgung enthielt weder eine gänzliche Verzichtleistung auf alle Selbsthülfe und Eigenmacht, noch eine Begebung des Gebrauchs der eignen Kraft und Waffen zur Selbstbeschützung, noch eine Verpflichtung, sein Recht vor dem Richterstuhle der Genossenschaft suchen und erwarten zu müssen. Wie würden Männer, deren höchster Stolz ihre Waffenkraft, und bei denen Freiheit und Befolgung des eignen Willens gleichbedeutend war, einer solchen Schmach sich unterwerfen mögen! Es bedurfte erst kräftiger Einwirkungen der Religion und der Kirche und vieler trauriger Erfahrungen über die Störung des öffentlichen Friedens durch das Fehderecht, bevor dasselbe nur nach und nach in der Ausübung eingeschränkt werden konnte, und die Staatshoheit der Obrigkeit mußte erst zur Reife gekommen sein, bevor solches nach langem und blutigem Widerstreben gänzlich abgeschafft werden konnte. Aber in der ersten und ursprünglichen Rechtsverbürgung war das Fehderecht selbst mit verbürgt, weil dasselbe selbst nur eine Anwendung der angebornen Freiheit und Gleichheit war, und weil Derjenige keiner Bürgschaft und keines Schutzes der Gemeinde bedurfte, vielmehr dadurch in seiner Freiheit beeinträchtigt worden wäre, der irgend einen Rechtsstreit selbst auszutragen oder auszufechten gewillt war. Wer sich also für beleidigt hielt, in dessen Belieben stand es lediglich, ob er den Rechtsschutz seiner Bürgschaftsgenossen aufrufen, oder den Beleidiger zur Sühne seiner Rechtsverletzung in Güte oder durch Waffenzwang anhalten wollte. Im letztern Falle aber stand es auch ebenso in dem Ermessen des Beleidigers, entweder die Fehde anzunehmen, oder sich unter die gemeinsame Bürgschaft zu stellen. Wählte er das Letztere, so mußten die Waffen ruhen, weil es eine Verletzung des eingegangenen gemeinsamen Friedens gewesen wäre, nicht den eignen Willen dem allgemeinen unterzuordnen, in welchem jener nicht aufgehoben wurde, aber nur Gültigkeit hatte, so weit er von dem letztern gebilligt wurde. Daher war ein jeder Rechtsstreit nichts Anderes als eine Behauptung des vermeinten Rechts vor der Gemeinde zur Gewinnung des Gemeindewillens. Eben darum sprach auch jede Part selbst das Urtheil in ihrer Sache vor der Gemeinde; aber nur dasjenige Urthel erlangte die Kraft eines Rechts, welches den Beifall des Gerichts erhielt. Die Aufgabe des Gerichts aber war die Wiederherstellung des gestörten Friedens durch Aufhebung der anzuerkennenden Rechtsverletzung, wobei, so weit irgend möglich, der Inbegriff des angegriffenen Gesammtvermögens durch Entschädigung auf den vorigen Werth im Verhältnisse zur Gesammtheit zurückgebracht werden mußte. Wo aber dies nicht möglich war, mußte das Gesammtvermögen des Beleidigers so weit vermindert oder gar vernichtet werden, als nöthig erschien, denselben ferner unschädlich zu machen oder wenigstens das vorige Verhältniß der Kräfte, wiederherzustellen. Hieraus erhellt das Wesen der Composition, nämlich der Erkaufung des Friedens durch Entrichtung des angenommenen Werthes der Beschädigungen; hieraus erhellt auch, daß in der Regel jedes begangene Unrecht durch solche Composition wieder gutzumachen war, und daß hingegen Strafen, d. h. eine Entziehung eines Gutes oder Rechts des Beleidigers, nur selten und nur als äußerste Aushülfe vorkamen.

Der Verf. zeigt auch selbst, daß die Freiheit in der Befugniß und der Macht der Selbstvertheidigung Dessen bestanden habe (S. 91), wofür in der bürgerlichen Vereinigung Gewähr geleistet wurde, insofern er selbst es nicht mehr mochte oder konnte. Dieses Vermögen der Eigenwehr gewährte die Wehrhaftigkeit, ohne welche Niemand sich selbst schützen, noch den Schutz der Mitbürger verbürgen, mithin auch selbst kein Mitbürger werden konnte, oder ein Wehrmann, ein Wer oder Wesand. Zum vollen Bürgerthume genügte aber noch nicht diese persönliche Fähigkeit, sondern die unerläßliche Bedingung dazu war noch einerseits der Besitz einer Wehre, d. h. eines Antheils an dem Staatsgebiete, auf welchem allein die Verpflichtung zur gemeinsamen Vertheidigung ruhte, und andererseits die ausdrückliche Aufnahme in die Staatsgenossenschaft vermöge der Wehrhaftmachung bei Denen, welche durch die Eingeborenheit schon darauf einen Anspruch hatten, oder durch feierliche Einverleibung Derer, welchen aus freien Stücken das Bürgerrecht verliehen wurde. Ebenso konnte das erlangte Bürgerrecht nur durch einen ausdrücklichen Act wieder verloren werden, entweder durch feierliche Entsagung, oder zur Strafe durch Achtserklärung, oder durch Aufgebung der Freiheit.

Sehr schön zeigt der Verf., daß die ganze Gewehre, der ganze Inbegriff alles Dessen, was Gegenstand der Wehre ist und sein kann, in dreifacher Beziehung verletzt werden konnte, nämlich: erstens seine Person mit allen den Rechten, welche aus der Persönlichkeit fließen; zweitens sein Recht und Vermögen des Schutzes Anderer; endlich drittens seine Wehre, sein Eigenthum mit Allem, was solches umschließt und dazu gehört, als der Gegenstand seines Aufenthaltes und seines Habens und der Bedingung seines Bürgerthumes, weshalb eben die Eigenthumsübertragung einer solchen Wehre symbolisch nur mittels des Speeres oder Schwertes geschehen konnte. Nur darin irrt der Verf., daß er dies Letztere nicht gehörig beachtete und um deswillen gemuthmaßt hat: „es wären die Grundstücke um deswillen als Hauptgegenstand der Wehre angesehen und deshalb auch selbst also benannt worden, weil alle Schutzbedürftige vertheidigt waren, sobald es dem freien Manne gelang, das Grundstück zu wehren, in dessen Grenzen jene sich befanden". So wenig aber im Eigenthum befindliche Grundstücke Wehren waren, so wenig war an sich das Schutzverhältniß abhängig von dem Aufenthalte auf der Wehre. Gewiß folgte aus der Gewehr selbst die Befugniß eines jeden Arimans, jeden Angriff auf irgend eine Person oder Sache innerhalb seiner Wehre abzuwehren; aber seine Gewehr in Ansehung aller der Personen, die er zu schützen befugt oder verbunden war, bestand auch außerhalb seiner Wehre, und durfte durch keinen Angriff der Person oder des Vermögens der Schützlinge gekränkt werden. Auch umschreibt der Verf. dieses Schutzverhältniß viel zu eng, wenn er dasselbe auf die verschiedenen Schutzbedürftigen beschränkt, welche in irgend einer Art von Vormundschaft oder Hörigkeit sich befanden. Auch die ganz freien Trutz- und Schutzbündnisse gehören hierher wie die Gefolgschaften, späterhin der Lehnsverband und der Bürgerbund selbst. Wie Jeder zur Selbstvertheidigung befugt war, war auch einem Jeden unbenommen, einem Andern seinen Beistand zu geloben, und diese Zusage wurde verspottet, seine Ehre wurde verletzt durch jeden Angriff Dessen, dem er beizustehen sich anheischig gemacht hatte.

(Die Fortsetzung folgt.)

Jahrbuch [illegible] für 1833, von J. F. Schnelle. Auch unter dem Titel: Das Jahr 1831 in seinen Staatsumwälzungen und Hauptereignissen vollständig dargestellt. Stuttgart, Hoffmann. 1833. Gr. 8. 2 Thlr. 12 Gr.

Nur nicht weiter! könnte sich der [illegible] dieses Jahres verstorbene Schneller mit besserm Rechte als manche Andere sagen, der es nur auf eine populäre und [illegible] gar vergängliche Ewigkeit angelegt hatte. Schneller's Wirken als Mensch, Staatsdiener mehrer Staaten, als Schriftsteller wird so lange Geltung haben, als noch hier und da ein guter Muth für eine gute Sache, ein freies Wort für ein wahrhaft freies Volk und Land Anerkennung findet und finden darf. Es ist ein reiches Leben in diesem Manne gewesen. Mit Gedanken und Worten, mit Feder und Schwert hat S. gewirkt. Aber welche Zeit ist auch seit seiner ersten Schrift: „Ueber Preußens Demarcationslinie" (1795), und seit seiner Theilnahme am Kampfe gegen die Franzosen bei Wagenstatt (1796) vor ihm vorübergegangen. Die Zeit und sein oft trübes Geschick haben ihn zum Manne und zum Schriftsteller erzogen. Der Poesie entsagte er bald; ist doch die Geschichte selbst ein Epos im Geiste Gottes gedichtet! Wer mit geistig-offenen Augen Paris, London, Venedig und Belgrad gesehen, hat auch das Dazwischenliegende nicht übersehen. Wer von 1795 — 1833 seine Zeit studirt, hat einen reichen Erfahrungsschatz gewonnen und hat sich gewiß auch für das Vorausgegangene orientirt, denn die Geschichte ist eine Prophezeihung auch nach rückwärts. Aber in Forschung wie in Darstellung gehört der lebhafte Rheinländer (zu Strasburg 1777 geboren) seiner Zeit an, und mancher Unmuth über dieselbe verleugnet sich nicht in seinen Schriften und scheint mit den Jahren sich wie in der Sache so auch im Ausdrucke gesteigert zu haben. Möglich, daß dem Sechziger oder Siebziger, wenn mit den Haaren auch die Leidenschaften bleichen, die stille Ruhe mehr gekommen wäre, welche die Betrachtung eines verflossenen thätigen Lebens und des über menschlichem stehenden höhern Waltens gewähren mag. Auch die Geschichte ist eine Offenbarung und kann, wohlverstanden, zum Abschlusse mit sich selbst führen.

Nun vom Schriftsteller zu seinen Schriften, welche jedoch nicht vollständig von der Verlagshandlung auf dem letzten Blatte angegeben sind, und von denen Ref. leider beiweitem nicht alle kennt. Der Verf. ist nicht frei von Subjectivität; aber auch bei Darstellung der neuesten, von einem in der Zeit selbst mitthätigen Manne dieselbe verlangen zu wollen, heißt zu viel gefodert. Ein „Jahrbuch neuester Thaten und Zeiten für 1833", wie gegenwärtiges Buch auch noch betitelt ist, kann nichts Anders geben als eine Rechenschaft, wie die Zeit sich in dem Geiste des Darstellers eingeprägt und abgedruckt habe, wobei also zwei Größen, Zeit und Geist, zusammenwirken müssen. Denn ewig wahr ist des Dichters Wort:

> Was ihr den Geist der Zeiten nennet,
> Ist doch im Grunde nur der eigne Geist,
> In dem die Zeiten sich bespiegeln.

Auf die Rechnung dieser beiden Coefficienten mögen wir nun manches scharfe und selbst herbe Urtheil, manchen zu lebhaften Ausdruck, den die objective Geschichtsdarstellung kaum billigen könnte, und namentlich die von dem Verf. oft angewandte Ironie setzen, welche Ref., als der Würde der Geschichte nicht entsprechend, um so mehr verbannen möchte, als sie wirklich von Lesern für Ernst genommen und damit also der Zweck völlig verfehlt werden könnte. Freilich das [illegible] ist noch heute und grade heute wahr, und Manches mag sich auf diesem Wege allein dem [illegible] unerbittlichen Censor [illegible] haben, um [illegible] zu reden. Auch würde der Verf., hätte er eine Vorrede zum Buche gegeben, in derselben [illegible] haben, daß das Jahr 1831 so wenig als das [illegible], welches [illegible] für eine [illegible] ist.

Der [illegible] des Jahres 1831 schien einer Vorrede oder einer Ouverture zu bedürfen, in welcher die bevorstehenden [illegible] nur kurz angekündigt und übersichtlich angedeutet würden. Dazu indeß kommen uns 78 Seiten von 670 [illegible]; es konnte also an Wiederholungen nicht fehlen. Indeß hat der Verf. diesem Theile des Werkes, den er „[illegible]" überschrieben, auch Manches ausschließlich vorbehalten, wie die auf die Schilderung der Brechkrankheit der Cholera (als allgemeiner europäischer Erscheinung, während sie im Buche selbst bei den einzelnen Staaten circulirt) folgende Darstellung der geistigen Krankheit des St.-Simonismus. Haben sich auch die Herren in neuerer Zeit beim Suchen nach dem „freien Weibe", was sie wenigstens im Orient nur antithetisch finden dürften, etwas verlaufen, so verdiente doch das Merkwürdige der Erscheinung und Das, was jedenfalls wahr, also bleibend in ihren Ansichten ist, eine Würdigung. Die theokratische Form war ihr größter Misgriff; solche Actien sind sehr gesunken; die meisten Franzosen möchten lieber ihre eignen „Generalmenschen" über ihr Hab und Gut, auch bei noch ungünstigerm Verhältniß zwischen Arbeit und Lohn bleiben, und die „Nutzung des Menschen durch den Menschen" wird nur mit der menschlichen Gesellschaft selbst aufhören.

Der Verf. zählt nun an den fünf Fingern fünf weltgeschichtliche Ereignisse in diesem Jahre auf, läßt uns jedoch ungewiß, ob er beim Daumen oder dem kleinen Finger angefangen hat. Fast scheint das Erstere der Fall zu sein, da es ein pollex truncatus ist, der Europa lange schmerzen wird. Es steht nämlich voran die polnische Revolution, dann folgt die großbritannische Reformbill, dann die Abschaffung der erblichen Pairswürde in Frankreich, die Aufregung in Deutschland und das Aufgeben des Systems der armirten Intervention in die innern Angelegenheiten anderer Völker. Hätte doch statt dieses fünften nicht einmal vollständig durchgesetzten Punktes (Antwerpen! Ancona!) lieber eine allgemeine Entwaffnung als schon ausgeführt dastehen können! Nicht uninteressant ist die Entwickelung der Aufregung in Deutschland; sie hing, nach S. 35, an den zwei großen Gedanken der nationalen Einigung und der constitutionellen Freiheit, „welche zwei Ideen eine solche innere Erhabenheit besaßen, daß sie offenbar nicht von dem gemeinen Manne ausgingen, sondern von dem gelehrten (soll doch wol heißen höher oder wissenschaftlich gebildeten) Stande, welchen die Aristokraten und Serviles, die Adeligen und die Schmeichler eines planmäßigen Strebens nach dem Umsturze des Bestehenden und nach Einführung von Neuerung durch Umwälzung beschuldigten". „Die Nationaleinigung, eine Vorstellung, welche allmälig viel tiefer eindrang, als man beim ersten Anblicke glauben sollte, entsprang aus dem Gedanken, wie entscheidend Deutschland [illegible] den mittlern Zeiten auftrat, wie unbedeutend eine deutsche Gesammtstimme in der Politik der Neuzeit unter den Hauptmächten Europas geworden, wie Unzulängliches der deutsche Bundestag der Fürsten in Frankfurt leiste, welche ungeheure Summe die Unterhaltung so vieler kleiner, großthuender Souveraine koste, wie leicht bei den verschiedenen Ansichten der Cabinete Deutsche gegen Deutsche zu fechten gezwungen werden könnten, und welche große Gefahren dem zerstückelten Vaterlande bevorständen, wenn die Einen der Fürsten dem Norden, die Andern dem Süden sich anschlössen. Die Anhänger der nationalen Einigung — unter sich nicht einig, ob sie vom Zeitlaufe allmälig zu erwarten oder durch eine Heldenthat (doch nicht à la 3. April 1833? Ref.) zu erringen, auch nicht einig, was mit den abgetrennten Fürstenhäusern geschehen könne oder solle — übersahen in kecker Begeisterung bei Beurtheilung dieser großen Staatsumwälzung die ungeheuern Hindernisse, welche in der ursprünglichen Vielheit der Volksstämme, in der jahrhundertalten Anhänglichkeit an abgesonderte Beherrscher, in der Verschiedenheit der Religion, in den bedeutenden Vortheilen mehrer Hauptstädte, in dem unleugbaren Gewinn mancher Art bei dem Kleinstaatenwesen und im Gegensatz von Nord und Süd lagen." Bei Dem, was der Verf. über die Verfassungen sagt, bedauert er wiederholt (S. [illegible] und 341), daß man seinen Lieblingsgedanken, in den neuen Verfassungen nach Amerikas Beispiel eine bestimmte Zeit zu gesetzlichen Revisionen aufzunehmen, nirgends (?) befolgt habe.

Die Staaten folgen sich nun in folgender Ordnung und Weitläufigkeit: Portugal (von S. 75); Spanien (S. 88); Frankreich (S. 99); Großbritannien (S. 167); Deutschland (S. 201); Belgien (S. 285); Holland (S. 310); Eidgenossenschaft (S. 332); Italien (S. 361); Griechenland (S. 375); Türkei (S. 396);

Oestreich (S. 412); Preußen (S. 438); Dänemark (S. 454); Schweden und Norwegen (S. 475); Polen (S. 479); Rußland (S. 510); Asien (S. 530); Afrika (S. 540); Amerika (S. 548); Australien (S. 565).

Die auffallende, Oestreich hinter der Türkei angewiesene Stellung könnte man verändert wünschen. Was über die zeitgemäß fortschreitende Entwickelung des deutschen Bundes von Welcker in Freiburg in der badischen Kammer zur Sprache gebracht wurde, nämlich eine zweite Kammer aus den Mediatisirten und aus freigewählten Abgeordneten der deutschen Stämme und Stände, wird (S. 214) als ein Vorschlag besprochen, gegen welchen Hofjuristen, Hofjunker und Hofräthe declamiren und den drei preußische und noch mehr drei östreichische Staatsbeamte sogleich niederschlagen würden. Verfährt der Verf. streng mit Oestreich, so liegt in der gegen Preußen gebrauchten Ironie Etwas, was Ref. in Geschichtsbüchern nie billigen wird, und was auch von dem ridendo dicere verum sehr verschieden ist. Unter den deutschen Staaten wird Baden sehr hervorgehoben, Hanover am schwersten angeklagt. Bei Braunschweig ist dem Ref. aufgefallen, wie mitten hinein, wahrscheinlich durch eine an den Rand des unrechten Blattes später beigeschriebene Bemerkung (und es finden sich auch im Style manche Flüchtigkeiten!), die Unzufriedenheit in Gera über das parteiische Loosen der Recruten zu stehen gekommen ist, was den Ref. an den Spaß erinnerte, den sich ein lustiger Vogel in der braunschweiger Messe machte, indem er einen eben damals vom leipziger Magistrat verordneten Hundeschlag in einem foliogroßen Maueranschlage zufällig mit nach Braunschweig brachte und dort an einem öffentlichen Platze anklebte.

Wie über Polens Unglück geurtheilt werde, läßt sich nach der Denkweise des verewigten Verf. wol schließen. Doch hat sich Ref. gewundert, Frankreichs Benehmen dabei, besonders in Beziehung auf die Verzögerung der polnischen Kriegsunternehmungen fast ganz unberücksichtigt gelassen zu sehen. Aber man muß mit Lob erwähnen, daß gewöhnlich die Stimmen beider Hauptparteien aus Zeitungen oder parlamentarischen Verhandlungen oder Flugschriften beigebracht werden. Die Art indeß, beiderlei Aeußerungen gegen einander zu halten, läßt freilich immer den Mann erkennen, der dem System der Bewegung im Gegensatz der Stabilität gehuldigt hatte.

„Scharf besehen", sagt der Verf. (S. 572) am Schlusse des Rückblickes, „war die Reform des Jahres größte Aufgabe. Medium position war unter Grey siegreich über die Radicalen; juste-milieu war unter Périer siegreich über die Jakobiner; Neid und Haß und Bosheit waren geschäftig, den Lord Russel in England, den Marquis Lafayette in Frankreich und Karl von Rotteck in Deutschland als Revolutionnaire zu verschreien, welche eine unbesonnene Bewegung, ein mouvement précipité wollen. Aber die Ehrenmänner verlangen nur einen zeitgemäßen Fortschritt, mouvement progressif. Die londoner Conferenz richtete über Europa; der frankfurter Bundestag richtete über Deutschland; über die Conferenz und den Bundestag richtete die öffentliche Meinung, niedergelegt in das wahrheitliebende Tageblatt und in das furchtlose Jahrbuch." 20.

Miscellen.

Wenn man die Gesetze und Verordnungen nach ihrer Veranlassung und ihrem Zwecke näher betrachtet, so findet man oft in denen des Mittelalters eine wunderbare Uebereinstimmung mit denen des Alterthums. So bestimmt eine in der wiener Stadtordnung vom J. 1340 enthaltene Verfügung: daß die Fischer ihre Waare stehend und zwar ohne Schuhe, auf der bloßen Erde stets mit entblößtem Kopfe verkaufen sollen.*) Aehnliches ist in den Statuten der Stadt Verona verordnet worden, die im J. 1450 gegeben sind.*) Die Anordnung lautet im Eingange so: item quod nullus piscator vel piscium aut gambarorum venditor illos vendendo sedere praesumat etc. In einem Lehnbriefe der Stadt Eschwege vom J. 1555 **) steht: „Auch daß sie ein Recht haben, wer auff dem Markte zu Eschwege Fische feil habe und sich bei die Fische setze, der habe die Fische verlohren und die Fische gebühren ihnen, es were dann, daß ein Frow schwanger gienge, daß wir ihnen auch also leiden." Auch in den „Leipziger Statuten" (1701, 4. Nr. XXXII), S. 292, ist verordnet: „daß man soll lebendige oder frische Fische stehende verkaufen und unverkauft nicht wieder von dem Markte tragen u. s. w." Wie schon gedacht, sind solche sonderbare Anordnungen nicht erst im Mittelalter entstanden. Schon in Athen war den Fischverkäufern verboten, ihre Fische auf dem Markte mit frischem Wasser zu versehen. Ebenso befahl Aristonikus, daß die Fischverkäufer, so lange sie Fische feil hätten, stehen sollten. Wenigstens erzählt dies Athenäus „Deipnos.", lib. 6, cap. 6 u. 8, wo es nach Schweighäuser's Uebersetzung, S. 366—369, heißt: „Aristonicus legem dedit aureum, ne desidentes in foro piscarii obsonia vendant, totum sed stantes diem etc."

*) Rerum austriac. scriptores ed. Adr. Rauch. Vindob. 1794. Vol. 3, p. 86.

Irrt Ref. nicht ganz, so gaben vor Kurzem d. Bl. einen Aufsatz, der treffliche Winke für die buchhändlerische Welt enthielt.***) Sie betrafen das Geschäftsleben der Gegenwart und gaben manche Andeutungen für ältere und jüngere Genossen dieser Corporation. Es wäre für den Literatur- und Geschichtsfreund gewiß nicht uninteressant, wenn die wenigen Züge und Striche zu einem Gemälde des buchhändlerischen Treibens im classischen Alterthume aufgefaßt und zusammengestellt würden. Ref. hat Manches dazu gesammelt, aber die innere Mosaikfassung überläßt er billig Unterrichteteren. Nur Weniges sei hier geboten. Unsere schriftstellerischen und buchhändlerischen Anzeigen und Einladungen finden ihre Quelle in den Recitationen, die namentlich zu den Zeiten August's von der ungemessensten Unverschämtheit zeugten. Nicht zu übersehen sind hier die pilae, columnae, tabernae, an welchen die Verzeichnisse der neuerschienenen Werke angeheftet wurden. Daß von einem Honorare des Schriftstellers im Alterthume nicht die Rede war, ist bekannt; Martial XI, 4, ist ein Beleg dafür!

Man sage mir, was man will, aber das Sujet zu Marschner's „Vampyr" ist, wenn auch operngemäß und für Musik an sich geeignet, aber ärger als „Don Juan", „Freischütz" und „Faust". Das Geheimnißvolle, Märchenhafte des Vampyrismus verführt jugendliche Hörer und Schauer mehr als die Verdorbenheit des Casper, die Verführungskunst des Don Juan und die Irreligiosität des Faust, die offen vor der Menge liegt, während das ahnende Gefühl hinter den Schleier im Leben des Ruthven zu schauen sucht!

Annizapta wird Elisabeth, Kaiser Albrecht's Gemahlin genannt; wenigstens steht dies Wort nach Herrgott, „Monum. Austr." auf der Halsbinde ihres Kranzes; aber der Autor kann es nicht entziffern. Ebenso wenig kann Hanselmann in seinem Werke: „Die Macht der Römer in Franken", dieses Wort deuten und erklären. Aber dieses Wort: Annizapta Ananisapta ist ein magisches Wort, welches ein Talisman gegen das kalte Fieber, die fallende Sucht und andere Krankheiten, namentlich im Ehestande sein sollte. Diese Erklärung findet man in Weier „De praestigiis daemonum" (1586), S. 826. 15.

*) Statutorum civit. Veronae libri V. Venetiis 1747. Lib. 4. cap. 101.

**) Steht in Ledderhose's „Kleine Schriften" (Eisenach 1790), Bd. 3, S. 289.

***) Vgl. Nr. 108 und 112 d. Bl. D. Red.

Redigirt unter Verantwortlichkeit der Verlagshandlung: F. A. Brockhaus in Leipzig.

Blätter

für

literarische Unterhaltung.

Montag, —— Nr. 266. —— 23. September 1833.

Deutsche Geschichte mit besonderer Rücksicht auf Religion, Recht und Staatsverfassung von George Phillips. Erster Band in zwei Abtheilungen.

(Fortsetzung aus Nr. 265.)

Vollständig ist der Umfang Dessen, was die Gewehre in sich begreift, nicht zu erkennen, ohne ganz in die Wehreinrichtung und in die damit in engster Verbindung stehende Landeintheilung der einzelnen Stämme einzugehen, da hierin eine außerordentliche Verschiedenheit nach Maßgabe der Beschäftigung und Lebensart derselben und der bürgerlichen Verfassung überhaupt stattfand. Anders war es bei den Hirten und Jägern, anders bei den Ackerbauern. Bei einigen Stämmen war das ganze Staatsgebiet auch Staatseigenthum, dessen Besitz periodisch unter den Staatsgenossen gewechselt, verlooset, oder zum Nießbrauche verliehen wurde. Anderwärts wurde zwar das Staatsgebiet größtentheils Privateigenthum; aber es unterschied sich dieses, je nachdem es mit dem Bürgerthume verknüpft war, oder als Allodium zu uneingeschränktem Rechte besessen wurde, und Beides mit örtlich eigenthümlichen Bestimmungen. Die Salgüter der Franken sind etwas ganz Anderes als die Wehren der Sachsen. Alle diese Unterschiede sind vom Verf. nicht in Acht genommen, noch weniger herausgehoben worden. Daraus folgt aber von selbst, daß, was auch örtlich richtig geschildert worden ist, doch darum noch nicht für eine allgemeine Einrichtung angesehen werden darf.

Ebenso hat der Verf. viel zu wenig auf den ersten politischen Zustand der verschiedenen Völker Rücksicht genommen. Es verursachte einen wesentlichen Unterschied, ob ein Volk einen geschlossenen Stamm unter einem Fürstengeschlechte ausmachte, oder ob es das Gefolge eines Eroberers bildete, oder ob es die Gesammtheit Derer ausmachte, die, aus ihren Wohnorten vertrieben, sich eine neue Heimat suchten, und welche in ihrer Noth oder Eroberungslust vielleicht aus Völkern des verschiedensten Ursprungs zusammengetreten waren. Nur in dem erstern Falle kann das Alles passen, was der Verf. aus dem Zusammenhalten und der Ausbreitung der Geschlechter unter einer gemeinschaftlichen Religion abgeleitet hat. Aber selbst unter dieser Voraussetzung geht der Verf. viel zu weit. Schon die weit verbreitete bürgerliche Eintheilung nach Zehn- und Hundertschaften hätte den Verf. darauf führen müssen, daß solche unmöglich nach der verwandtschaftlichen Sippschaft durchzuführen war, sowie, daß unvermeidlich mit der zunehmenden Bevölkerung auch die Grundbesitzthumsverhältnisse sich mehrfach umgestalten mußten, sodaß die verschiedenen Perioden sorgfältig zu unterscheiden sind. Es ist auch bei den Deutschen keine Spur davon, daß die Familienältesten oder die Erstgeborenen in jeder Sippe die durch die Geburt schon zu obrigkeitlichem Ansehen berufenen Personen gewesen wären, und dies vermöge gleichmäßiger Vererbung der priesterlichen Würde und Verrichtungen. Vielmehr wissen wir, daß ihre Priester und Obrigkeiten verschiedene Personen und von verschiedenem Ansehen waren; daß alle freie Männer gleichen Ranges und mit gleicher Stimme in der Gemeinde betheilt waren; daß sie jedoch dem Alter, der Erfahrung oder Weisheit, der Tapferkeit und dem Rufe, auch dem Reichthume Achtung zollten und den dadurch ausgezeichneten Männern den Vortritt, Vorsitz und das Vorwort in ihren Versammlungen gern gestatteten, und daß diese davon, weil sie immer die Vordersten, oder Fürsten, die Vornehmsten waren, ein bleibendes und mit der Zeit erbliches Ansehen erlangten, welches auf doppelte Weise eine Standesungleichheit erzeugte. Denn nicht nur wurde es herkömmlich, daß die obrigkeitlichen Plätze durch sie meistentheils eingenommen wurden, zu welchen ursprünglich die Aeltesten, Aldermannen, Grauen, Weisen, späterhin Diejenigen berufen waren, denen sich die freie Wahl der Gemeinden anvertraute, sondern auch selbst Diejenigen, die nicht selbst zu obrigkeitlichen Würden gelangten, sonderten sich doch vom übrigen Volke ab, genossen einen höhern Rang, nahmen damit eine vorzüglichere Stellung in der Gemeinde ein und sicherten sich dieselbe durch engeres Zusammenhalten. So die Thane in England, und in Frankreich und Deutschland die verschiedenen Adelsstufen mit den Herzögen und Fürsten an der Spitze.

Daß aber der Verf. diesen neuen Adel, den ganzen niedern und den allergrößten Theil des hohen Adels, von den alten Königs- und Fürstengeschlechtern der Germanen ableitet, ist einem solchen Geschichtskundigen kaum zu verzeihen. Möge es sein, daß die Grundidee und selbst die Bezeichnung unsers heutigen Adels sich von den uralten Adalingen herschreibe und von diesen auf jenen übertragen worden sei, so ist doch außer allem Zweifel, daß auser dieser rein geistigen Verbindung kein anderes Band zwischen Beiden besteht, und daß die Zeitrechnung einen gewaltigen Sprung machen müßte, um von den Adalingen auf den Adel überzugehen. Denn jene waren bis auf sehr wenige Ueberbleibsel, welche sich unter den übrigen Fürsten verloren und ihren Geburtsvorrang auf keine Weise weiter zu behaupten vermochten, längst untergegangen, als der neue Adel sich als den Stand des Ueberrestes der ehemaligen Freien im Mittelalter ausbildete, welche zum Theil noch die Standesehre und die Bürgerrechte bewahrten, die früher allen Freien zugestanden hatten. Von einer dreifachen Stufe der Freiheit oder des Adels, wie sie der Verf. (S. 116) träumt, nämlich der Freien, hohen Freien oder des Adels, und der höchsten Freien oder Königsgeschlechter, weiß weder Tacitus noch irgend eine Quelle der deutschen Geschichte etwas. Der Verf. vermengt hier mancherlei. Zuvörderst nimmt derselbe Würdenamen, welche die Amtsstellung in der Stufenfolge der obrigkeitlichen Verwaltung bezeichneten, wie Cyning, Eorl, Twelfhyndesman, Sexhyndesman, für Standesnamen, wie Adaling, Than, Fürst, Baron, Pair u. s. w. Dann aber täuscht ihn die Aehnlichkeit der Worte Adaling und adelig, obgleich beide etwas sehr Verschiedenes bezeichnen. Adaling heißt aus einem Geschlechte abstammend und wurde nur immer von den Abkömmlingen des einzigen Geschlechtes in einem Volksstamme gebraucht, von welchem die unmittelbare Abstammung von Odin oder einem andern Gotte, was auch füglich Stammvater übersetzt werden kann, geglaubt, und welches eben darum für so heilig gehalten wurde, daß eine Vermischung dieses Geschlechtes mit andern Erdenkindern zur Sühne der Gottheit mit der so seltenen Todesstrafe belegt wurde. Dieselbe Vorstellungsweise finden wir noch heutzutage bei den Türken, einem Volke, das wahrscheinlich mit den Deutschen aus einem Stammlande hervorgegangen ist, und bei welchem nur das Geschlecht Mohammed's den grünen Turban tragen darf und in der männlichen Geschlechtsfolge rein erhalten werden muß. Aus jenen heiligen Geschlechtern wurden denn auch ausschließlich die Könige derjenigen Völker genommen, wo deren waren, woher auch deren Name stammt, nämlich Geschlechtsverwandte. Allein so wenig alle deutsche Völker Könige hatten, noch weniger gab es, in denen ein Adalingshaus sich vorfand, sei es, daß solche in den Kriegen oder durch Mord, der nicht selten vorkommt, untergegangen waren, oder daß die Völker vertrieben oder zusammengelaufen waren. Weil aber Cyning ein Würdenamen war, nannten auch diejenigen Völker, die sich eine solche höchste Obrigkeit frei wählten, ohne ein Adalingsgeschlecht zu besitzen, dieselbe ebenso, weshalb sich der Königsname erhalten hat, nachdem kein Adaling in alter Stammreinheit längst mehr existirt hat. Der neue Adel hingegen trägt grade den Namen, der ihm vermöge seines Ursprungs gebührt, da er es ist, der den Stand der Freien unter den Staatsbürgern fortgesetzt hat. Denn adel oder odel heißt frei und hat nie im Deutschen etwas Anderes geheißen, was leicht aus einer Menge von Urkunden zu erweisen ist. So erklärt das Statut der Stadt Cottbus selbst diejenigen Wenden für adelig, welche in die städtischen Innungen aufgenommen werden würden, so anrüchig die Wenden den Deutschen waren. Erst durch den Gebrauch des Lateinischen ist, weil dort ein Adeliger durch nobilis bezeichnet wurde, auch im Deutschen aus einem Adelsmanne ein Edelmann geworden, was freilich noch kein edler Mann zu sein braucht.

In einer Zeit, in welcher dem geschichtlichen Entstehen der Einrichtungen und Verhältnisse ein so großer Werth beigelegt wird, schien diese Erinnerung uns unerlaßlich. Wir tadeln keineswegs diese historische Richtung; im Gegentheil wir möchten sie aus allen Kräften noch mehr anfachen; denn nirgends kann deutscher Sinn und Achtung vor dem natürlichen Rechte der Vernunft und klare Einsicht in die bürgerlichen Zustände besser geschöpft werden als in der vaterländischen Geschichte. Nur ist das erste Erfoderniß der historischen Erkenntniß geschichtliche Richtigkeit und Lauterkeit, und nichts ist schädlicher, als Romane und Phantasiegebilde in die Geschichte einzuschwärzen oder dafür auszugeben.

Wie stark aber der Glaube in dem orthodox katholischen Verf. ist, und wie geneigt, Schatten für Körper zu halten, davon nur ein Beispiel.

Daß in spätern Zeiten allerdings bisweilen mit den Ordalien ein frommer Betrug gespielt worden sein mag, soll nicht in Abrede gestellt werden. Darum ist aber noch gar nicht unmöglich, daß nicht auch viele Menschen wirklich das Ordale ohne Betrug glücklich überstanden haben, und zwar durch Unterstützung übermenschlicher Kräfte. Die heidnische Gottheit, die in dem Ordale um ihren Willen befragt wurde, war wirklich ein Geist, wenn auch ein böser Geist; und wie sollte im Gegensatze dazu Gott, den man bei dem in die christliche Zeit übertragenen Ordale um Seinen Beistand anrief, nicht im Stande sein, die Hand des Unschuldigen vor der, der Natur gemäßen Verletzung zu bewahren? Auch durch die griechischen Orakel haben ja übermenschliche Wesen, Geister gesprochen. Denn man kann wol schwerlich dem aufgeklärtesten Volke des Alterthums eine so gänzliche Verblendung zutrauen, daß es sich Jahrhunderte lang durch seine Priester wird haben betrügen lassen.

Hätte der ehrliche Cicero und seine Collegen einen so mächtigen Glauben gehabt, würde er uns nicht berichtet haben, daß sie nicht ernsthaft bleiben konnten, wenn sie einander begegneten. Wie wol irgend einem Cardinal zu Muthe sein mag, wenn er sich beeilt, dem bisherigen Collegen, der als die neue Heiligkeit ausgerufen wird, die Füße zu küssen! oder wie den Priestern, welche die Messe ob der Wunder lesen, welche Heiligenbilder und Reliquien noch im 19. Jahrhundert wie im 15. aus unerschöpflichem Reichthume ihrer Kraft zu verrichten fortfahren! Die Hochschule zu Berlin ist durch Hegel, Steffens, Philipps, Hengstenberg ein neuer Brunnquell eines Aberglaubens geworden, der ja grade seinen Beruf und Würde darin findet, der Aufklärung zu widerstehen und die Ordnung der Natur all den Wundern zu unterwerfen, an welchen diese zweifelt, welche jener aber nicht fahren lassen mag. Es hat indessen doch Alles seine Zeit, auch Alles seinen Nutzen und Schaden. Wer nur in seinem Glauben fest und in seinem Wissen zu Hause ist, den stört weder der Unglaube noch der Aberglaube, die Unwissenheit oder der

Aberwitz Anderer. Er macht dazu gelassen ein NB., wie wir es hier angebracht haben, und läßt Jeden treiben, was Der nur selbst zu verantworten hat, der es thut.

(Der Beschluß folgt.)

Alterthumswissenschaften und ältere französische Literatur.

1. Essai sur l'histoire et les antiquités du département du Haut-Rhin par Mr. *de Golbéry*. Mühlhausen.

In diesem Werkchen gibt der Verf. eine Uebersicht der im Departement des Oberrheins noch vorhandenen Denkmäler. Bei aller Kürze bietet dieser Versuch, der sich auf das Zeugniß der Chroniken, der Legenden und Volkssagen stützt, viel Belehrendes und Anziehendes dar. Der Verf. beginnt mit den architektonischen Ueberresten aus der Zeit der Gallier und Römer. Man findet im Elsaß wie in manchen andern Theilen Frankreichs einige jener seltsamen Denkmäler, deren Zweck wol ein ewiges Räthsel bleiben wird. Am Oberrhein bilden diese Steinhaufen geschlossene Kreise, gleich Festungswerken; am Oberrhein sind es feste, dicke Mauern, die sich mehre Meilen in die Länge erstrecken, und welche sogar die höchsten und unzugänglichsten Anhöhen nicht unterbrechen. Die beträchtlichste ist die Heidenmauer bei Rippweiler (Ribeauviller); sie ist ohne Mörtel. Die unbehauenen Steine haben meist 13—14 Zoll in der Länge und sind 8—10 Zoll breit. Die Mauer selbst hat 6 Fuß in der Breite; an gewissen Orten hat sie jetzt noch 8—10 Schuh Höhe; aus den hier und da zerstreuten Materialien zu schließen, muß sie aber früher bedeutend höher gewesen sein. Herr Golbéry widerlegt mit evidenten Gründen die Ansicht derjenigen Gelehrten, welche diese Mauer für eine Vertheidigungslinie der Römer halten. Die Bauart hat nichts Römisches; und werden Mauern, auf Anhöhen von 1000 Fuß errichtet, den Feind wol gehindert haben, diese zu erklimmen? Dem Verf. zufolge haben die Gallier, gezwungen, einen Theil ihres Gebietes an die Barbaren abzutreten, diese Mauer als Scheidungslinie erbaut. Auch sind noch tumuli vorhanden; in einigen hat man schichtenweise geordnete Knochen gefunden, in andern blos die Ueberreste einzelner Krieger. Eine große Anzahl dieser alten Gräber ist noch nicht durchsucht worden und enthält wahrscheinlich noch manches Wichtige und Interessante. Das ist Alles, was aus der grauen Vorzeit übriggeblieben. Die Städte sind sämmtlich verschwunden, blos ihre Namen sind in den Itinerarien aufbewahrt worden; dies beweist, daß sie lange vor der römischen Herrschaft gegründet worden. Im Mittelalter findet der Archäolog eine reichere Ausbeute; hier bieten sich ihm besonders jene Burgen dar, jene unüberwindlichen Paläste der Feudalherren, wo so viele große Häuser ihren Ursprung haben und über denen so viele blutige und rühmliche Erinnerungen schweben; sodann die Menge frommer Stiftungen, Abteien, Klöster und wunderthätige Kapellen. Dieser Theil der Schrift des Herrn Golbéry ist beiweitem der wichtigste; hier wird die Darstellung oft sogar höchst malerisch. Auch einige Volkssagen erzählt der Verf. und erregt dadurch das Verlangen, daß er sich einer besondern Arbeit über diesen Gegenstand unterziehen möge. Es sind dergleichen Ueberlieferungen im Elsaß eine Menge und unsers Wissens noch wenig bekannt. An jeden alten Thurm, an jede Chronik knüpft sich eine Sage oder eine Legende. Es wäre zu wünschen, daß ähnliche antiquarische Notizen über sämmtliche Departements Frankreichs entworfen würden. Die Kenntniß der Alterthümer und des französischen Mittelalters wird dadurch sehr gefördert werden.

2. Mémoires de la société des antiquaires de Normandie.

Im Jahre 1821 wurde zu Caen, Centralstadt der Normandie, eine antiquarische Gesellschaft gegründet, die jetzt über 200 Titular- und correspondirende Mitglieder zählt. Es ist ziemlich schwer, von ihren Arbeiten eine systematische Uebersicht zu geben; wir müssen uns darauf beschränken, die wichtigsten Facta, welche die fünf tüchtige Bände starke Sammlung ihrer Memoiren enthält, anzudeuten. In einem „Mémoire sur l'architecture religieuse" sucht Herr von Caumon die verschiedenen Variationen nachzuweisen, denen die Baukunst in kirchlicher Hinsicht im Mittelalter unterlegen. Herr Gerville erklärt durch die Architektur der Kirchen und Schlösser die Verhältnisse, den Verkehr, welche sich von dem 11. Jahrhundert an zwischen den Engländern und Normännern bildeten. Herr Augustin Thierry in seiner übrigens vortrefflichen „Geschichte der Eroberung von England durch die Normänner" schildert diese meistens als Abenteurer und Vagabunden. Diese Ansicht widerlegt Herr Galeron in der „Statistique de l'arrondissement de Falaise".

Herr Baugeois, welcher sich mit einer Beschreibung der keltischen Denkmäler beschäftigt, macht unter Anderm die Bemerkung, daß die noch heute besuchten Klöster, Kirchen und Wallfahrtsorte sich in der Nähe keltischer Denkmäler befinden oder an deren Stelle errichtet worden; daß man die Sitten und Gebräuche und periodische Versammlungen benutzt habe, um die gegenwärtigen Ceremonien und Andachtsübungen den ältern zu substituiren. Die Normänner machten so viele Eroberungen im Auslande, daß ihre häufigen Invasionen nicht gestatten, die Sitten und Künste, die sie von Norden aus mitbrachten, genau nachzuweisen; ihre Siege und Plünderungen machen den Forscher häufig irre. In der Normandie selbst hat die Archäologie Vieles zu Tage gefördert: bei La Hague, zu Falaise, zu Vieux, zu Lillebonne hat man gallische Wohnungen und Gräber, Theater und Trümmer von Städten ausgegraben. Herr Estancelin theilt ein höchst merkwürdiges „Mémoire" über die von ihm entdeckten Alterthümer mit. Der gelehrte Herausgeber des berühmten Romans „De Rou", Herr Fr. Pluquet, gibt nächstens den „Roman des ducs de Normandie" heraus, der nicht weniger als 25,000 Verse enthält. Die Nachforschungen, welche sich auf die römischen Straßen beziehen, werden mit Glück fortgesetzt, besonders von Herrn de Gerville im Departement de la Manche, und von Herrn Vengeois im Arrondissement von Mortagne u. s. w. Die Gesellschaft der Alterthumsforscher der Normandie hat sich demnach um die französische Geschichte höchst verdient gemacht; ähnliche Vereine haben sich kürzlich zu Caen und Poitiers gebildet. Die Herren Passy, Dibon und Desnoyers bereisen Großbritannien, um daselbst die normännischen Denkmäler in Augenschein zu nehmen. Es wäre zu wünschen, daß diese Wanderungen bis an die Küste des baltischen Meeres, bekanntlich dem ursprünglichen Vaterlande der Normänner, fortgesetzt würden.

3. Li romans de Garin le Loherain, publié pour la première fois et précédé de l'examen du système de Mr. Fauriel sur les romans Carlovingiens, par Mr. *Paris*. Erster Band. Paris 1833.

Herr Paris, der sich bereits durch die Herausgabe der „Judith aux longs pieds" einen Namen erworben, verfolgt mit muthiger Ausdauer seine mühevolle Laufbahn. Während er eine vollständige Arbeit über die chansons de Geste vorbereitet, legt er uns die Originalquellen selbst vor. Der roman de Garin ist vielleicht der wichtigste von allen Romanen der douze pairs de France. Der Commentar des Herrn Paris läßt wenig zu wünschen übrig. Des Herausgebers Polemik gegen Herrn Fauriel betrifft die romans de Geste, die Letzterer Carlovingiens betitelt, obgleich sie eine Menge Gedichte begreifen, die sich weder auf die Fürsten aus dem Hause Karl's d. Gr. noch auf die französischen, gleichzeitig lebenden Barone beziehen. Ferner weist ihnen Herr Fauriel einen provenzalischen Ursprung an, was Herr Paris ebenfalls widerlegt. Die Sammlung des Herrn Paris verdient in jedem Betrachte den Romanen de la rose und du rénard von Herrn Méon, wie auch dem Roman: „Robert Wace", von Herrn Pluquet, an die Seite gesetzt zu werden. Bei dieser Gelegenheit erinnern wir den verdienten dänischen Gelehrten, Herrn Abrahamson, daß er eine Herausgabe des Romans: „Bruce d'Angleterre", versprochen hat.

4. Les vaux de Vire édits et inédits d'Olivier, Basselin et

de Jean le Houx, poëtes virois, avec discours préliminaires, choix de notes et variantes etc., par *Julien Travers*.

Die Poesien von Olivier Basselin werden hier zum dritten Male neu aufgelegt. Man kann Basselin als den Vater der bacchischen Poesie in Frankreich betrachten. Er lebte zu Vire in der Normandie; seine Lieder dichtete er beim Schmause in Gesellschaft lustiger Brüder; die Engländer ermordeten ihn gegen die Mitte des 15. Jahrhunderts, dieses scheint wenigstens aus folgenden Versen einer complainte hervorzugehen, die damals auf ihn gemacht wurde:

Hélas, Ollivier Vasselin (für Basselin)
N'orrons-nous point de vos nouvelles?
Vous ont les Engloys mis à fin.

Dieses ist Alles, was man von dem Leben und dem Tode des Dichters von Vire weiß, dessen Lieder die Geistlichkeit damals so gewaltig gegen ihn aufbrachten, daß Le Houx, ein Dichter wie er, weil er sie herausgegeben, sich gezwungen sah, nach Rom zu gehen, um sich vom Papste die Absolution zu holen. Basselin's Lieder sind höchst naiv und ergötzlich. Seiner Frau, die ihn einen Trunkenbold schalt, antwortet er:

Hélas! que faict un pauvre ivrogne?
Il se couche et n'occit personne,
Ou bien, il dict propos joyeulx:
Il ne songe point en usure,
Et ne faict à personne injure,
Beuveur d'eau peut-il faire mieulx?

Alle seine Lieder athmen leichtsinnigen Genuß, gutmüthiges Schwelgen; indessen mußte denn doch sein Leben nicht so lustig und friedlich dahinströmen, wie er es sagt. Es war damals die Zeit der Kriege zwischen den Engländern und Franzosen. In einem bisher ungedruckt gebliebenen vau-de-Vire, den uns Herr Travers hier mittheilt, freut sich der Dichter, daß das Land die lästigen, oft grausamen Gäste los ist:

Les Engloys — — —
Cuydoyent toujours vuider nos verres,
Mettre en chartre nos compagnons,
Tendre sur nos huys des sidones (Leichentücher).
Et contaminer ces vallons.
. . . .
Dieu a féru ces enraigiés
Et la dernière des batailles (Schl. von Forigni im Cotentin 1450).
Par leur trépas nous a vengiés.

Jehan Le Houx war Advokat und lebte im 16. Jahrhundert. Er war ein großer Bewunderer Basselin's und dichtete mehre vaux-de-Vire, die denen seines Musters gleichgestellt werden. 145.

Das Bombardement von Antwerpen im Jahre 1830. Historisch-romantisches Gemälde aus Belgiens neuester Geschichte von Friedrich Bartels. Weimar, Gräbner. 1833. 8. 1 Thlr.

Das Gute anzuerkennen, wo immer es sich findet, ist des Kritikers höchste Freude, das Schlechte, wenn es zuversichtlich und in einer der Menge imponirenden Form auftritt, zu brandmarken, ist ernste Pflicht; aber das Mittelmäßige oder auch das Schlechte, wenn es mit Schüchternheit und einer gewissen unschuldigen Naivetät auftritt, zu verwerfen, wird oft schwer. Die Kritik würde in solchen Fällen lieber schweigen, wenn sie nicht ausdrücklich aufgefodert wäre, zu sprechen. Der Verf. sagt im Vorworte: „So reichhaltig die Geschichte der neuesten Zeit dem Novellisten den Stoff bietet, so schwer ist es auch, ihn unbeschadet der historischen Wahrheit in das Gewand der Romantik zu kleiden. Jeder kennt die Weltbegebenheit, die der Novellist bearbeitet; sie ist ihm zu nahe, als daß er nicht schnell die Wahrheit von der Dichtung erkennen sollte. Und doch soll die Geschichte nicht entstellt, die Erdichtung angenehm sein, beide sollen vereint das Ganze, das gefällige Erzeugniß beseelen. Wie weit mir das gelungen sein mag, wird der strenge Kritiker und Recensent bald genug verkünden. Es soll mir aber sehr angenehm sein, wenn ich auf die Fehler aufmerksam gemacht werde, die ich mir in dieser beliebten Romanenmanier habe zu Schulden kommen lassen."

Diese Naivetät erscheint wahrhaft rührend, wenn man sich nun genöthigt sieht, zu sagen, daß der ganze Roman nur ein Fehler sei; und doch geht schon aus diesem Vorworte hervor, daß die untergeordnete Bemühung, die historischen Thatsachen richtig zu erzählen, dem Verf. vorzugsweise als die Aufgabe des historischen Romans erscheint. Hiernach wundern wir uns nun nicht mehr, wenn dem vorliegenden Romane alle innere Wahrheit, alle poetische Bedeutung, ja überhaupt Sinn und Zusammenhang abgeht. Ein Malerjüngling mit langen Haaren und weißem Kräglein wird uns mit durchaus weichlich unbestimmten und oft verzerrten Zügen vorgeführt; er verliebt sich, wird wider seinen Willen Anführer einer Bande von Mordbrennern, und kommt zuletzt eben dazu, als seine Geliebte in einem von den Kugeln des Generals Chassé angezündeten Hause verbrennt. Ein wunderlicher Mönch, ein revolutionnairer Bischof und ein politisirender Dichter sollen dem Gemälde Mannichfaltigkeit geben, können es aber nicht, weil sie selber nicht gezeichnet sind.

Mehr aber als alles dieses setzt uns die seltene Nachlässigkeit des Styls in Verwunderung. Ich spreche ungern hiervon, weil dergleichen mehr vor das Forum des Schullehrers als des Kritikers gehört. Wo aber die Fehler so auffallend sind, wie hier, müssen sie doch erwähnt werden. Ganze und halbe Sätze sind oft ausgelassen, und Subject und Prädicat stehen gar häufig in wunderlicher Beziehung zu einander. Mitunter scheinen es Fehler des Abschreibers zu sein. Der Verf. hätte doch aber sein Manuscript noch einmal durchlesen sollen, nachdem es abgeschrieben war. Und doch findet sich in dem Romane zuweilen eine Spur feinern Gefühls, und überdies ist er frei von den meisten Thorheiten unserer Moderomane; ich würde ihn daher sehr gern der Lesewelt empfohlen haben, wenn der Verf. nur etwas mehr Verstand gezeigt hätte. 173.

Notiz.

Nur mit wenigen Worten werde hier der neuen Ausgabe des „Corpus juris canonici" gedacht, die nach der Bearbeitung von Aem. Ludw. Richter, Privatdocenten in Leipzig, die Kaiser'sche Buchhandlung daselbst unternommen hat. Das Ganze soll in einem Bande in Großquart erscheinen. Bereits liegt die erste Lieferung davon vor, im Aeußern sehr gut ausgestattet. In derselben spricht sich der Herausgeber (er ist der nämliche, von dem im J. 1831 eine kleine Monographie: „Papst Clemens XII. an die Sachsen im J. 1738", gedruckt worden, s. d. Bl. Nr. 156 f. 1831, und der auch mehre Artikel im zweiten Bande von Alex. Müller's „Handbuch des Kirchenrechts" bearbeitet hat) in einer besondern Vorrede über die Gründe einer neuen und verbesserten Ausgabe des „Corpus juris canonici" sowie über die dabei von ihm benutzten Hülfsmittel und über die Art und Weise aus, wie er bei seiner Bearbeitung verfahren sei und was er dabei bezweckt habe. Daß er ein Exemplar der editio Romana zur Vergleichung vor sich gehabt, werden namentlich Kenner zu schätzen wissen. Im Ganzen wollte er den Text von allem Fremdartigen reinigen und in seiner ursprünglichen Einfachheit möglichst wiederherstellen. Dazu sind unter Andern viele frühere Ausgaben der ganzen Sammlung sorgfältig von ihm verglichen worden. Die übrigen kritischen Zeitschriften werden sich über die eigenthümlichen Verdienste dieser neuen Ausgabe zu seiner Zeit weiter aussprechen; aber jedenfalls hilft sie, bei dem in neuerer Zeit besonders erweiterten Studium des Kirchenrechts, einem fühlbaren Bedürfnisse ab. 98.

Redigirt unter Verantwortlichkeit der Verlagshandlung: F. A. Brockhaus in Leipzig.

Blätter für literarische Unterhaltung.

Dienstag. —— Nr. 267. —— 24. September 1833.

Deutsche Geschichte mit besonderer Rücksicht auf Religion, Recht und Staatsverfassung von George Phillips. Erster Band in zwei Abtheilungen.

(Beschluß aus Nr. 266.)

Ungleich mehr einverstanden sind wir mit der Ausführung des Verf. in der zweiten Periode, der Ausbildung der monarchischen Verfassung in den meisten germanischen Reichen. Zwar tummelt sich der Verf. in diesem Abschnitt weit mehr in den übrigen europäischen Ländern herum, welche von den Deutschen erobert worden waren, als im deutschen Vaterlande selbst, wo die Veränderung der Landesverfassung viel langsamer ging und sich ganz anders ausbildete als in jenen Ländern. Zwar stört auch hier der wiederholte Gebrauch des Wortes Ehe für bürgerliche Gesellschaft. Zwar ist auch hier die behauptete Patriarchalität und das priesterliche Ansehen der obrigkeitlichen Personen und Angesehnern unter den Staatsgenossen und ein hieraus schon damals allgemein vorhandener und die Königsthrone umgebender Erbadel eine ungeschichtliche Vorstellung, welche manche andere Ansicht mehr oder weniger unrichtig gefärbt und gegen welche der Verf. selbst mehre Urkunden angeführt hat, z. B. S. 293 und 463, aus denen erhellt, daß der Stand der Priester ein ganz besonderer und von der Obrigkeit verschiedener Stand war, und namentlich der Oberpriester dem Könige untergeordnet, und daß den Priestern sogar das Waffentragen verboten war, außer wenn sie bei feierlichen Processionen auf dem Zelter saßen. Zwar bewirkt auch hier der Mangel hinreichender chronologischer Unterscheidung und Aufmerksamkeit mitunter noch, daß Mancherlei zusammengerafft worden ist, was in der Zeit weit auseinanderliegt, oder sich ganz und gar umgestaltet hat. Dahin gehört vorzüglich, daß die Berufung zu obrigkeitlichen Stellen von dreierlei zusammenwirkenden Bedingungen abhängig gewesen sei, nämlich der erbpriesterlichen Abstammung, der Wahl des Königs und der Zustimmung des Volkes. Ueberhaupt hat, da die ursprüngliche Souverainetät des Volkes in allen germanischen Stämmen nicht ausgesprochen und bemerklich gemacht worden ist, auch der Uebergang der freien Volkswahl zu der königlichen Ernennung der Beamten und zu der Erblichkeit der Würden, insbesondere aber der gesetzgebenden und richterlichen Gewalt aus den Volksversammlungen an die Könige und Stände in allen Reichen, nicht so deutlich und genügend ausgeführt werden können (S. 454 fg.), wie grade diese außerordentlich wichtige und in geschichtlicher wie politischer Beziehung beachtungswerthe Umwälzung erheischt hätte, von welcher alles Uebrige abgehangen hat, Staatsverwaltung und Rechtspflege.

Nichtsdestoweniger ist doch die Ausbeute der fruchtbaren Forschungen des Verf. der Mühe werth, welche darauf verwendet werden mußte. Unstreitig hat außerhalb Deutschland das Gefolgswesen am meisten dazu beigetragen, die Anführer der erobernden Gefolge den alten Königen an die Seite zu stellen und neue Königsgeschlechter und Vornehme oder Fürsten zu bilden; was denn auf das Reich der Franken unvermeidlich wieder zurückwirken mußte. Trefflich ist die Unterscheidung der gesetzlichen Kriegsfolge von dem freiwilligen Gefolge Derer, die auf Eroberung oder Raub ausgingen (S. 488), nicht minder die genaue Auffassung der wesentlichen Verschiedenheit der Dienst- (Ministerialität) und der Lehnsverfassung (Feudalität) (S. 507), indem die Lehnstreue keine eigentliche Dienstverpflichtung, sondern eine wechselseitige Gewährsobliegenheit in sich faßte, bei welcher auch der Vasall seine ganze persönliche und bürgerliche Freiheit ferner behauptete. Die Ministerialität bewirkte daher auch eine Standesveränderung, die Feudalität nicht; der Diener trat in ein Hörigkeitsverhältniß zu seinem Herrn, womit die freie Staatsbürgerschaft nicht bestehen konnte, was bei dem Vasallen nicht der Fall war, weshalb denn auch die allgemeine Huldigung (homagium) niemals den Lehnseid (vasallaginm) in sich fassen konnte, vielmehr die staatsbürgerlichen Rechtsverhältnisse durch den Lehnsvertrag an sich unberührt blieben. Eben deswegen ist es aber auch nicht richtig, daß der höchste Lehnshof mit dem Hofgerichte allgemach überall verschmolzen wäre (S. 535); vielmehr blieben die Lehnscurien und die Gerichtshöfe des Staats in ihrer ganzen Stellung sowie in Ansehung des Verfahrens gar sehr unterschieden, indem auf jene die Veränderungen in der Staatsverfassung nicht einwirkten, welche bei diesen Umgestaltungen nach sich zogen. Auf der andern Seite ist auch diejenige Hörigkeit, welche durch die Ministerialität bewirkt wurde, wesentlich verschieden von dem Zustande der Unfreiheit in den ältern Zeiten, indem sie nicht die persönliche Standesfreiheit, sondern nur die Ingenuität, die Theilnahmschaft an der souverainen

Staatsgemeinde aufhob. Allein es dauerte nicht lange, so überwuchs die Macht und das Ansehen der Ministerialen weit die Bürgerehre und wurde eine Hauptursache des Unterganges des alten Standesunterschiedes, nach welchem das Wehrgeld sich richtete, und des Ansehens der Volksgemeinde überhaupt, nicht bloß durch die immer zunehmende Verminderung des Heerbannes, sondern auch durch die damit im innigsten Zusammenhange stehende Abnahme des Umstandes (der anwesenden Stimmberechtigten) in den Volksversammlungen und Gerichtsmalen. Wie aus der freien Waffenverbrüderung und Verbürgung (mannitium) ein Aufgebot zum Heeres- und Gerichtsdienste (bannitium) entstanden war, so erwuchs aus diesem, nachdem die Volkssouverainetät in die Majestät aufgegangen war, der Königsbann oder Königsfriede, von welchem jeder andere Friede und Gerichtsbarkeit im Lande ausging und nur vermöge Auftrags verwaltet wurde. Doch nimmt der Verf. hievon mit vollem Rechte die Patrimonialgerichtsbarkeit im ganzen Umfange aus (S. 496), die sich über alle Personen und Sachen erstreckt, deren Gebrauch im freien Willen eines Freien stand. Denn es würde ein Eingriff in eben diese seine Freiheit und in sein Eigenthum gewesen sein, seine Gewehr über dergleichen Personen oder Sachen zu beschränken. Die Exemtion derselben von den ordentlichen Gerichten des Staats ging unmittelbar aus dieser Gewehr hervor, brauchte daher auch nicht erst besonders erworben oder beigelegt zu werden, wird daher auch durch diejenigen Urkunden, welche davon sprechen, nicht erst begründet, sondern nur als bestehend anerkannt. Wie aber Hand in Hand mit dieser politischen Umgestaltung die Entrichtung des Wehrgeldes immer seltener werden, wie an dessen Stelle Bußen und Strafen treten mußten, wie solchergestalt auch an die Stelle der Privatgenugthuung für alle Arten von Friedensbrüchen die öffentliche Genugthuung treten, und wie um deswillen die alte Alles umfassende Gerichtsbarkeit sich in die Civil- und Criminalgerichtsbarkeit theilen mußte, darüber enthält dieser Band noch keine Belehrung, vielleicht weil diese Umänderung nur eben im Beginnen war und erst später vollendet wurde.

Dagegen findet man hier schöne Bemerkungen über das Aufkommen und Wachsthum der Majestät und Hoheit der Regenten. In dieser Beziehung ist von großer Wichtigkeit, daß fast alle deutsche Eroberer und Staatenstifter sich nur als Stellvertreter und Beamte des Kaisers betrachteten, und daß sie deshalb auf der einen Seite ihn als ihren Oberherrn ehrten, andererseits sich auch in ihren Gebieten die Ausübung aller seiner Rechte beilegten (S. 476 und 486). Um deswillen hörte, außer bei den Angelsachsen, das Wehrgeld des Königs zuerst auf, an dessen Stelle der Begriff der Unverletzlichkeit und der Bestrafung eines jeden Angriffs auf dieselbe aus dem römischen Rechte trat, welche bald sich über Alles ausdehnte, was den Königen angehörte oder ihren Willen und Befehl vollbrachte, namentlich auf ihre Gehülfen und Diener. Als Stellvertreter des Kaisers waren ferner die besiegten Römer und alle übrige in der Zahl immer mehr zunehmende Freie, welche kein Staatsbürgerrecht hatten, der Oberherrschaft und den Befehlen der Könige gänzlich unterworfen, und die Volksgemeinde hatte hier nichts einzureden, so lange ihr Friede dadurch nicht bedroht war. Je mehr daher die Zahl der Freien abnahm, desto mehr mußte die uneingeschränkte Herrschaft der Könige sich ausbreiten und sich gewöhnen, ohne Anfrage und Zustimmung der Gemeinde zu verfahren, anzuordnen und zu herrschen. Sehr viel endlich trug die Einführung des römischen Rechts, theils als Hülfsrecht für Alle, besonders aber als Hauptrecht der gesammten Geistlichkeit und aller Derer, die keines angebornen Rechtes genossen, dazu bei, die Rechtsgrundsätze des despotischen römischen Rechts vorzüglich in das gerichtliche Verfahren und in das Criminalrecht einzuführen und die vaterländischen und angestammten, damit unvereinbaren Rechtsbegriffe zu färben oder ganz in Schatten zu stellen. Daß grade in dieser Periode die politische Verbindung und Vereinigung mancherlei deutscher Völker es mit sich brachte, die vormalige Rechtlosigkeit der Fremden außer Kraft, und an deren Stelle die Rechtsregel zu setzen, daß Jedermann nach dem angebornen Rechte seiner Nation gerichtet werden müsse, konnte um so weniger dagegen viel ausrichten, da einerseits grade die Verschiedenheit des Rechtes der einzelnen Stämme die Beobachtung dieser Regel auf die Dauer unausführbar machte, andererseits die Fremden, welche selbst keine eigne Gewehr hatten, als Hörige und Getreue der Könige angesehen und in deren Gerichten belangt werden mußten (S. 494).

Wodurch der Verf. sich vorzüglich auszeichnet, das ist durch häufig sehr gelungene Ableitung der Ausdrücke für alte Rechtsbegriffe. So stammt z. B. das Wort Herr, unstreitig von dem alten Comparativ von hoch, Herior, der höher steht, ab, wie der Superlativ Heriosto zuweilen anstatt des Königstitels vorkommt. Sehr wahrscheinlich ist ferner die Ableitung des Ausdrucks Vasall von Wehr oder Wer, Bar, Baro, Wars oder Warus, Bassus, Bassus oder Vasall, zur Bezeichnung, daß diejenigen Getreuen, welche eine Lehnsverbindung auf sich genommen hatten, darum immer noch Wehrmänner, Barone geblieben seien. Sonderbar aber ist es, daß der Verf., ungeachtet er selbst bezeugt, daß die lateinische Uebersetzung des Grafentitels durch comes nur nach der Aehnlichkeit der Stellung der deutschen Grafen und römischen comites [illegible] (S. 487), wie die Herzöge oft auch patricii genannt wurden, dennoch das Wort Graf (Gerava) durch ein Anagramm von Gefera (der Gefährte) abstammen lassen will.

Erzählungen, Skizzen und Gedichte von Ludwig Rellstab. Drei Bände. Berlin, Duncker und Humblot. 1833. 8. 4 Thlr.

Diese Sammlung, von einem heitern Sermon in [illegible] Laune eingeleitet, weiß uns sogleich angenehm für sich zu stimmen, da sie so harmlos und anspruchslos [illegible]. Wie [illegible] es auch einem wackern [illegible] des [illegible], wenn er sich von Zeit zu Zeit einmal, auf seinem [illegible] hend, in den Sorgenstuhl niederläßt und seine Kleinen, die er hier und dort in einer literarischen Schäferstunde erzeugt hat, nun behaglich um sich her versammelt, um in ihnen die süße Würde eines Familienvaters, die ihm auch der boshafteste Kritiker nicht verleiden kann, zu genießen. Eine solche Revue auf dem Sorgenstuhl ist zugleich der Selbstbetrachtung des Autors förderlich, und wir sehen, Herr Rellstab hat in dem Vorwort zu seinen hier gesammelten erzählenden, dichtenden und kritisirenden Schriften dies Geschäft mit einer solchen Strenge gegen sich verrichtet, daß er seinen Recensenten schon fast entwaffnet, theils sogar überboten hat. Wir für unsern Theil gestehen dem Verf. gern ein bedeutendes Talent der Darstellung zu, das sich in seinen gelungenern Dichtungen mit einer noch glücklichern Frische und Munterkeit der Lebensauffassung verbindet; eine gewisse Offenheit und Ungezwungenheit macht Alles, was er mittheilt, interessant, eine gesunde, unverkümmerte Ansicht tritt uns überall erfreulich entgegen; aber höchst selten ist es ihm gelungen, alle diese schönen Gaben zu einer wirklichen Kunstmäßigkeit in sich durchzubilden. Er ist meistentheils zu sehr Schriftsteller, zu wenig Künstler. Zu dem letztern fehlt es ihm an Ruhe, zu dem erstern drängt ihn eine Beweglichkeit und Raschheit der Feder, wie sie wenige Autoren in diesem Maße besitzen möchten. Wenn er aber, den Mangel an künstlerischer Durchbildung und Durcharbeitung in vielen seiner Darstellungen selbst empfindend, deshalb die Art und Weise seines Berufs anzuklagen scheint, der den Schaffenden zu sehr mit der flüchtigen Welle des treibenden Augenblicks fortreißt, so möchten wir ihm ein mehrfaches Warum? zurufen. Warum läßt sich ein Autor wie Rellstab von einem Beruf zu sehr bedingen, dem er nicht nöthig hätte, ein solches Uebergewicht über sich einzuräumen? Warum läßt er den Zeitungsschreiber Hand anlegen an den Dichter? Warum dehnt er sich nicht zwangloser aus mit seinen ansehnlichen Kräften, um diese in sich selbst ihre Existenz begründen zu lassen? Warum macht er sich nicht freier? Die Kunst verlangt immer eine gewisse müßiggehende Bräutigamsstimmung! sie hat schon ihre schönste Zeit verloren, wenn sie erst den Unmuth der überladenen Geschäftsstirn aufzuklären sich die Mühe geben soll. Um so achtungswerther ist freilich ihre Kraft, wenn sich dennoch mitten im Tumult von tausend Zerstreuungen und Abmühungen manches Vollendete und Erfreuliche durchdringt, und bei Rellstab, dem Zeitungsredacteur, dem Theaterkritiker, dem berliner Tagesreferenten, dem Besucher aller Morgen-, Mittags- und Abendconcerte, grenzt es mitunter fast an das Wunderbare, daß er nur noch die Zeit dazu übrig behält, um für den Dichter so viel zu retten, als sich in manchen seiner ansprechenden Novellen unverkennbar zeigt.

Rellstab's Novellen halten sich mehr in dem erzählenden Typus, und er hat ihnen deshalb auch mit Recht den Namen: Erzählungen, beigelegt. Dieser Typus ist eben nicht der künstlichste, aber er hat in seinem einfachen Unterhaltungston etwas Empfehlendes für viele Leser. Er schließt sich natürlich und ungesucht an das gewöhnliche Leben an, führt ohne große Vor[illegible] [illegible] geradewegs in die Zustände ein, die er schildern will, und hat den Vortheil, Verhältnisse und Verwickelungen oft durch ein paar erläuternd dazwischengeworfene Worte lösen zu können, ohne daß er sich an eine besonders genau motivirte [illegible] seiner Gestalten zu binden brauchte, da der Verfasser, der Erzähler, den Faden der Ereignisse immer mit einer gewissen subjectiven Autorität in seiner Gewalt behält. Eine [illegible] plastische Kunstschöpfung entsteht freilich selten auf diese Weise; da fehlt es meistentheils am dramatischen Heraustreten der Charaktere, das lebendig genug wäre, um uns von dem freien und wirklichen Handeln derselben zu überzeugen; es fehlt an künstlerischen Gruppen, Motiven, Gegensätzen, Farbenwechsel des [illegible], [illegible] und Schatten der Composition. Dagegen ist der echt plastische und künstlerische Typus der Novelle wol nirgends bis zu solcher Vollendung in dieser Dichtungsart ausgeprägt worden, als in Tieck's „Dichterleben“, welche Novelle [illegible] für den höchsten Grad der Kunstleistung, deren diese Gattung in ihrem Organismus fähig ist, erklären möchten. In ihr ist Alles dramatisch herausgetreten, bildnerisch für das Auge gestaltet; nirgends greift der Verf. mit seiner Hand aus den Coulissen heraus, um die Uebergänge der Ereignisse und Charakterentwickelungen durch sein Zuthun zu vermitteln; seine Gestalten leben, bewegen sich, sprechen, denken, handeln wirklich, bedürfen darum keiner Nachhülfe, keiner Vermittelung, sondern bereiten sich lebenskräftig und unvermeidlich ihr eignes Schicksal aus sich selbst. Inwieweit hinwiederum auf der andern Seite der erzählende Typus eine wirkliche kunstmäßige Behandlung zuläßt, hat am meisten vielleicht Heinrich von Kleist gezeigt, der in seinen vorherrschend erzählenden Novellen oft die höchsten Zwecke der Kunst befriedigt.

Unter den in der vorliegenden Sammlung enthaltenen Novellen Rellstab's kommt einem höhern Grade von Kunstmäßigkeit vielleicht nur eine nahe. Dies ist: „Donna Anna, ein Bruchstück aus dem Leben der Künstler und Vornehmen“, die schon bei ihrer frühern Mittheilung in einer Zeitschrift viel Interesse erregte. Die weibliche Hauptgestalt dieser Novelle, Anna, die wunderbare Darstellerin der Mozart'schen Donna Anna aus dem „Don Juan“, deren Lebensgeschick sich seltsam mit dem jener tragischen Gestalt verknüpft, ist mit tiefer Innerlichkeit entworfen und in der interessantesten Steigerung ergreifender Seelenzustände durchgeführt. Kann dies ganze Genre, in dem sich die Novelle bewegt, auch eigentlich nicht als neu ergriffen angesehen werden, da eine Erinnerung an Hoffmann's Vorgängerschaft hier nicht zu verhindern ist, so wird man doch dem Verf. seinerseits die Anerkennung einer geist- und phantasiereichen Erfindung, durch die er die hier vorgehende Handlung mit der großartigen Katastrophe aus dem „Don Juan“ gleich großartig und erschütternd in Verbindung gesetzt hat, nicht versagen dürfen. Die originell erdachte, neue Lösung des „Don Juan“ tritt kühn und riesenhaft in die übrigen Ereignisse der Novelle ein und wird durch den Einfluß, den sie auf dieselben gewinnt, um so bedeutsamer. Treffende Reflexionen, begeistert ausgeführte Lebensansichten reihen sich an diese Erfindung an; bewegte menschliche Zustände treten daraus in den anziehendsten Conflicten hervor. Auch ist die Darstellung reich an einzelnen Scenen und Schilderungen, die oft mit glänzender Ausmalung hingestellt sind, besonders die Scene im Sturm, Anna's Flucht auf dem Rosse und ihre Errettung durch den Prinzen. Nur die etwas fatalistische Wendung, welche die Dichtung nach einigen Seiten nimmt, macht keinen angenehmen Eindruck; daß z. B. Anna's Mutter auf derselben Stelle unter denselben Umständen das gleiche Schicksal wie Anna erlitten, welches sich an ihr gewissermaßen rächend wiederholt, schlägt etwas zu sehr in die verbrauchte Tragik der weiland Februarverhängnisse. Sonst ist uns der Verf. überhaupt eigentlich in komischen Darstellungen lieber als in tragischen. Besonders die naive Komik, der ungezwungene launige Styl gelingen ihm am besten und werfen manche frische Blüte ab, wie z. B. hier in der humoristischen „Reise durchs Riesengebirge“, in welcher die parallele Durchführung der beiden entgegengesetzten Charaktere, Schepphäuser's und Hyacinth's, die sich immer verschiedenartig über dieselben Gegenstände, die sie sehen, äußern, sehr angenehm ergötzt. Andere Erzählungen in dieser Sammlung sind: „Die Gewerke“, ein kleines Genrebild aus dem Leben der Zünfte im Mittelalter. Diese Erzählung bewegt sich eigentlich in lauter ängstlichen Verhältnissen, die auf eine peinliche Weise spannen; über einen solchen Stoff hätte etwas mehr Poesie von innen aus gegossen werden sollen, um ihn zu verschönen und weniger schroff erscheinen zu lassen. Wie kommt auch vor eine so leichte Skizze die schwerfällig prosaische Einleitung über Gewerbefreiheit? Ein durch und durch gelungenes Bild ist dagegen die Schweizergeschichte: „Die Gemsjäger“, die sehr anmuthig und anschaulich erzählt ist. „James Stry“ ist eine englische Geschichte, wie es viele gibt. Unbegreiflich ist uns aber der etwas ins Wunderliche und Genrehafte fallende Ton, in welchem der Verf. diese Erzählung gehalten. Sie scheint eines seiner Jugendproducte zu sein. „Die Brüder", eine Erzählung im Volkston genannt, ist eine rührende einfache Geschichte aus der Zeit der deutschen Befreiungskriege, fast zu einfach, um hier ihren Wiederabdruck zu rechtfertigen.

Ueber die in der Sammlung befindlichen lyrischen Gedichte hat der Verf. schon im Vorwort ein strenges Gericht gehalten. Man liest darunter seine Griechenlieder, die zu der Zeit, welche sie hervorgerufen hat, schon in einem einzelnen Heft gedruckt erschienen und zu den frühesten Versuchen des Verf. gehören. Interessanter sind die kritischen und vermischten Skizzen, die sich aus den zahlreichen Journalbeiträgen des Verf. hier ausgewählt finden. Die Aufsätze zur Charakteristik Maria von Weber's, über Schiller's „Jungfrau von Orleans" und Gluck's „Iphigenia in Tauris", wobei mit Recht einmal auf die Gediegenheit und Trefflichkeit des Operngedichts selbst aufmerksam gemacht und ein interessanter Vergleich zwischen der Scenerie desselben und der in Göthe's „Iphigenie" befolgten durchgeführt wird, sind werthvolle Mittheilungen einer unbefangenen tüchtigen Ansicht. Die Skizze: „Paganiniana", behält noch immer unvermindert den geheimnißvollen Reiz, durch den sie bei ihrer ersten Bekanntwerdung in einem Journal die Aufmerksamkeit auf sich zog. Auch der humoristische Correspondenzbericht aus dem Harz, aus der „Zeitung für die elegante Welt" wiederabgedruckt, liest sich noch wieder und liefert eine Probe, bis zu welchem Grad einer gewissen geistreichen Kunstfertigkeit sich die Journalschriftstellerei in unsern Tagen ausgebildet und gesteigert hat, in Bezug auf die gediegene Fortentwickelung des stabilen Körpers der Literatur freilich keine wohlthuende Erscheinung. M.

Allgemeines Handwörterbuch der philosophischen Wissenschaften, nebst ihrer Literatur und Geschichte. Nach dem Standpunkte der Wissenschaft bearbeitet und herausgegeben von W. T. Krug. Zweite verbesserte und vermehrte Auflage. Erster und zweiter Band. A—M. Leipzig, Brockhaus. 1832—33. Gr. 8. Subscriptionspreis für jeden Band 2 Thlr. 18 Gr.

Mit Theilnahme für die gute Sache des gesunden Verstandes und für die Anerkennung unserer Zeitgenossen begrüßen wir bereits nach wenig Jahren die zweite Auflage eines Werkes, das schon bei seiner ersten, sorgfältig gepflegten und lange vorbereiteten Erscheinung, dem allgemeinen Bedürfniß und dem Ruf seines Urhebers entsprach. Es war gleich anfangs, was es sein sollte, möglichst vollständig, deutlich, kurz und bequem. Wir reden nicht aus Vorurtheil und ehrenwerthem Hörensagen, sondern aus eignem täglichen Gebrauch: es hat uns niemals im Stiche gelassen und nicht ein einziges Mal irregeführt. Dazu mußten sich aber freilich auch Eigenschaften bei einem Manne vereinigen, die zwar das Haupt einer philosophischen Schule nicht immer begünstigen, dann es aber auch nicht bevollmächtigen, eine historisch-kritische Uebersicht alles Dessen zu gewähren, was auf dem ganzen Gebiete seiner Wissenschaft bisher nicht nur Wichtiges und Bleibendes, sondern auch eine Zeitlang Merkwürdiges und Aufsehenerregendes geleistet worden; denn der Mangel dieser Kunde hat selbst Köpfe, die Besseres zu bilden fähig waren, manche Hypothese von Neuem zu erfinden verleitet, die lange vor ihrer Geburt verwelkt und begraben war. Hr. Krug besitzt neben reifer Urtheilskraft ausgebreitete Belesenheit und Bücherkenntniß, welcher, wie sich darlegt, unvergleichliche Hülfsmittel zu Gebote stehen, und hat nicht verschmäht, auch populairer Philosophen, auch ausgezeichneter philosophischer Dichter, die auf ihre Zeitgenossen nicht selten allgemeiner wirken als Schulgelehrte, ehrenvoll zu erwähnen. Er ist ein gründlicher Philolog, dessen Spracherklärungen und Ableitungen der Kunstwörter und Redensarten um so viel mehr Dank verdienen, weil sie entweder räthselhaft gewählt, oder in erweiterter und verengter Bedeutung genommen, sogar misbraucht, Streitigkeiten veranlaßten und unterhielten, bei denen die Wahrheit nicht gewann. Belehrung über Sätze, Begriffe, Thatsachen und Meinungen, welche der Leser vorzüglich von diesem Buche begehrt, wird ihm mit einer Klarheit und Bündigkeit ertheilt, die nichts zu wünschen übrigläßt. Von echtphilosophischem Gleichmuth und seltener Unbefangenheit zeugt besonders die nichts entstellende Darlegung fremder Ansichten und Bestrebungen, sodaß dem Hörer die Wahl bleibt, ob er es mit ihnen halten, ob er ein strengeres oder milderes Urtheil fällen wolle, als Hr. Krug mit gedrängten und bescheidenen Worten zu dem seinigen macht. Daher kann dieser Rathgeber von Jedem befragt werden, zu welcher Schule er sich auch bekennt, und der darf nicht besorgen, daß ihm mehr zugemuthet werde, als er vor seiner eignen ruhigprüfenden Vernunft zu verantworten weiß. Wir kennen kein encyklopädisches Real- und Nominalwörterbuch der Philosophie in irgend einer Sprache, das diesem an die Seite gesetzt werden dürfte: Deutschland darf sich dieses geistigen Erzeugnisses rühmen, das Ausland wird es nicht unbenutzt lassen, und wir müßten uns sehr irren, wenn es nicht Manchem zu Statten gekommen wäre, der sich wohl hütet seiner zu erwähnen. Das Dasein der Vermehrungen und Verbesserungen dieser zweiten Auflage ergibt sich schon aus der Bogenzahl. So viel wir bemerken können, bestehen sie mehrentheils in literarischen und geschichtlichen Zusätzen, die bis auf die neueste Zeit fortgeführt sind; und das ist sehr begreiflich, da Hr. Krug seine leitenden Grundsätze, seine theoretischen Ansichten nicht geändert hat, wie auch seine erkenntlichen Leser um Vieles nicht wünschen möchten; indessen zweifeln wir keineswegs, daß er, wie kein Kenner sich jemals selbst genügt, über einige Gegenstände wichtiger Erwägung hier und da sich noch bestimmter ausdrücken, noch zeitgemäßer warnen oder aufmuntern wollen. Hr. Krug selbst verspricht, sich am Schlusse des letzten Bandes darüber zu erklären, und das kann uns nur zum Gewinn gereichen, weil man den ganzen Umfang eines Werkes dann am richtigsten versteht, wenn man den Meister darüber vernommen hat. 95.

Notizen.

Die Académie des inscriptions et belles-lettres hat am verflossenen 2. August ihre jährliche Sitzung gehalten. Es ist dieses Jahr kein Preis ausgetheilt worden. Die für künftiges Jahr zum Concurs ausgesetzte Preisfrage ist: „Die Poesie der Hebräer mit der arabischen zu vergleichen, nachzuweisen, worin sie einander ähnlich sind und worin sie von einander abweichen, sowol in Hinsicht auf die Redefiguren und die äußern Kunstmittel, als auch in Beziehung auf die verschiedenen, bei beiden Nationen gebräuchlichen Gattungen". Im Jahre 1835 wird die Akademie zwei andere Preise austheilen; die Aufgaben sind: 1) „Durch Thatsachen aus der Architektur, den Bildwerken, Inschriften und Vasen, vorzüglich den schwarzen mit Basreliefs darzuthun, aus welchen Elementen sich die hetruskische Nation gebildet; was in der Kunst der Hetrusker ihr Eigen ist, und was sie den Aegyptern, den Lydiern und Griechen entlehnt haben." 2) „Zu untersuchen, welches vom 11. Jahrhundert bis zur Gründung des Kaiserthums von Konstantinopel der politische Zustand der griechischen Colonien an den Ufern der Propontis und des Pontus euxinus gewesen." Die Abhandlungen müssen in französischer oder lateinischer Sprache abgefaßt sein und vor dem 1. April 1835 eingeschickt werden.

Reise der Königin Hortense.

Es sind unter dem Namen der Königin Hortense so viele apokryphische Schriften sowol in Frankreich als in England verbreitet worden, daß die Königin sich entschlossen hat, eine Beschreibung ihrer letzten Reise in Frankreich und Italien herauszugeben. Sie hat das Manuscript dem pariser Buchhändler Levasseur zugesandt, der den Druck übernommen. 148.

Redigirt unter Verantwortlichkeit der Verlagshandlung: F. A. Brockhaus in Leipzig.

// Blätter
für
literarische Unterhaltung.

Mittwoch, —— Nr. 268. —— 25. September 1833.

1. Proben altholländischer Volkslieder. Mit einem Anhange altschwedischer, englischer, schottischer, italienischer, madekassischer, brasilianischer und altdeutscher Volkslieder. Gesammelt und übersetzt von O. L. B. Wolff. Greiz, Henning. 1832. 8. 20 Gr.

2. Holländische Volkslieder. Gesammelt und erläutert von Heinrich Hoffmann. Mit einer Musikbeilage. Auch unter dem Titel: Horae belgicae, Pars II. Breslau, Graß, Barth und Comp. 1833. Gr. 8. 1 Thlr.

Die Poesie der Holländer hat lange Zeit das Schicksal einer unverdienten Zurücksetzung und Nichtachtung erleiden müssen, und unter den übrigen europäischen Literaturen ist ihr kaum noch die ihr gebührende Stelle angewiesen worden. Die große Verwandtschaftlichkeit des Idioms, die sie uns vorzugsweise anzunähern scheint, ist aber gerade das Hinderniß, welches sie so lange von uns entfernt gehalten hat und die innigere, ernstere Befreundung erschwert, und ein geistreicher Literaturkenner, Herr O. L. B. Wolff sagt in dem Vorwort zu seiner oben zuerst genannten Sammlung in dieser Beziehung sehr richtig:

> Die Mundart der Holländer hat für das deutsche Ohr, mögen auch die erhabensten Dinge in ihr ausgesprochen werden, immer etwas Komisches, ja sogar Lächerliches, und es geht ihr, wie manchem Menschen, der nun einmal das Unglück hat, sich nie vor seinen Genossen von einer vollkommen ernsten Seite zeigen zu können, sondern, so viel Mühe er sich auch gibt, immer in seinem Wesen, sei es nun in seiner Aussprache, seinen Manieren, seiner Haltung oder sonst irgendwo, einen feindlichen Dämon mit sich herumschleppen muß, welcher den Spott der Andern, diesen unwillkürlich, aufregt und anreizt. Mancher sehr ernsthaft gemeinte Ausdruck im Idiom der Niederländer erscheint uns skurril, und schon der Klang der Sprache ruft uns so manchen wunderlichen Charakterzug, so manche komische Seite dieser Nation vor die Seele, daß wir, ohne eine nähere, tiefer eindringende Bekanntschaft, uns gar nicht einbilden können, als sei es nur möglich, daß ihre Dichtkunst etwas Höheres, über die Interessen des gewöhnlichen Lebens hinaus Schreitendes behandele.

Dennoch ist die moralische Kraft und nationelle Gesinnung dieses Volkes, die sich auch in seinen poetischen Bestrebungen keineswegs unfruchtbar erwiesen hat, von so charakteristischer Stärke und Eigenthümlichkeit, daß es wol der Mühe verlohnt, aus seiner Literatur ein ernsteres Studium zu machen. Der holländische Nationalcharakter, durch seinen Patriotismus anziehend und durch seine derbe Festigkeit originell, hat sich in der neuesten Zeitgeschichte auch besonders von dieser Seite her wieder interessant gezeigt, und es scheint jetzt ein günstiger Zeitpunkt, die Aufmerksamkeit des Publicums auf eine noch wenig von ihm gekannte literarische Provinz hinzulenken. Das that Herr H. Hoffmann (von Fallersleben) schon in dem ersten Theile seiner „Horae belgicae“, worin er, die Frucht mehrjähriger Forschungen und einer diesem Zweck gewidmeten literarischen Reise durch Holland selbst, gründliche vorbereitende Einleitungen in die holländische Literaturgeschichte gab. Ihm folgte Herr Wolff mit den obengenannten „Proben altholländischer Volkslieder“, die er vornehmlich nach der Sammlung, welche Le Jeune im Jahre 1828 veranstaltete, auswählte und übersetzte. Eine vollständigere und genauere Kenntniß des holländischen Volksliedes wird uns jedoch erst jetzt durch die im zweiten Theile der „Horae belgicae“ gegebene reichhaltigere Sammlung, welche mit der Auswahl der bezeichnendsten Originale zugleich eine interessante geschichtliche Uebersicht dieses Volksliedes mittheilt und auf eine vielseitige Quellenbenutzung sich stützt.

Abgesehen von dem Interesse, das alle Volkslieder dem Literator gewähren, nämlich den Urtypus gewisser Lieder auch bei den verschiedensten Nationalitäten wiederklingend zu finden, und das auch bei denen der Holländer sich mehrfach bestätigt, ist es bei diesen Volksliedern vornehmlich die überall durchtönende frische Derbheit, der gesunde Anhauch einer unverkümmerten guten Natur, welche sie eigenthümlich charakterisirt. Am originellsten und volltönendsten aber äußert sich dieser Charakter in patriotischen Beziehungen, wo der volksthümliche Nationalstolz angeregt wird, wie z. B. in dem von Wolff in seiner Auswahl übersetzten „Siegeslied auf die Niederlage der Franzosen bei Oudenaarde den 11. Juli 1708“, das so anhebt:

Spart, Hollands edle Herren,
Jetzt nicht den Traubensaft,
Auf, windet Lorberkränze
Den Helden, reich an Kraft.
Laßt hören die Musketen
Zum Trotze den Bourbonen,
Fügt Trommeln und Trompeten
Zum Donner der Kanonen.

Laßt nicht die Freude schweigen;
Vendome mit seinem Heer
Muß euern Fahnen weichen,
Und wagt es nimmer mehr.
Der Staaten Brandemoris*)
Den fand er viel zu heiß,
Der Ritter von St.-Joris
Schwimmt schon in seinem Schweiß.

Burgund mag auch nicht essen
Der Britten Pudding jetzt;
Berry verschmäht den Käse,
Den man ihm vorgesetzt.
Die Suppe aus den Töpfen
Ist besser nun für All',
Als so mit blut'gen Köpfen
Zu spielen Fangeball.

Man kann die Volkslieder der Holländer mit Hoffmann füglich in zwei Classen theilen, in geistliche und weltliche. Erstere, insofern nicht ohne einen gewissen mystischen Charakter, als das Minnethum frommer Seelen mit dem Bräutigam Jesus Christus in ihnen vorherrschend zum Thema zu dienen pflegt, zerfallen vornehmlich in Weihnachts- und Oster-, Marien- und Erbauungslieder und sind nicht selten auf Weisen weltlicher Lieder gedichtet (s. Hoffmann, S. 1 fg.). Wie die Weihnachtslieder, meist im einfachen, kindlichen, naiv rührenden Ton gehalten, die Erzählungen von der Geburt Christi zum Gegenstand haben, so beziehen sich auch die Osterlieder auf den Inhalt der biblischen Geschichten, die sie entweder einfach und treu nacherzählen, oder auch zu Allegorien ausbilden, wie z. B. in dem schönen, sinnreichen Liede:

Och hoe lustelic is ons die coelo wei ghedaen!

worin Christus, die Nachtigall, an dem grünen Maibaum, dem Kreuze, emporklimmt und so laut die sieben Worte singt, bis sein Herz bricht; so stirbt die Nachtigall, Alles um der Liebe willen zu einer schönen Jungfrau, der christlichen Kirche (a. a. O. S. 6). Die Marienlieder, der Verehrung der heiligen Jungfrau gewidmet, sind in den mannichfachsten Weisen vorhanden; am zahlreichsten aber finden sich die eigentlichen Erbauungslieder, alle mehr oder weniger um die Vorstellung sich drehend, daß Christus der Bräutigam und die ganze christliche Kirche und jede fromme Seele darin seine Braut ist (a. a. O. S. 9). Zu diesen gehört das herrliche Gedicht: „Des Sultans Töchterlein", von dem Wolff eine sehr gelungene Uebersetzung geliefert, eins der schönsten, zartesten und seelenvollsten, die vielleicht je gedichtet worden. Ob es eigentlich holländischen oder deutschen Ursprungs sei, dürfte zweifelhaft bleiben; im deutschen Volksliede ist es wenigstens ebenfalls vorhanden (mitgetheilt in „Des Knaben Wunderhorn"), obwol dort in einem anders ausgehenden Schluß.

Die weltliche Liederpoesie der Holländer war im Mittelalter mit der der Deutschen fast verschmolzen, und die Erstern besaßen ursprünglich wenig Originale. Erst gegen das Ende des 16. Jahrhunderts ging das lebhafter rege gewordene Nationalgefühl auch in die Poesie über, und der sonst so überwiegend vorherrschende deutsche Charakter begann aus den holländischen Volksliedern zu verschwinden, ohne daß sie jedoch in dieser Abtrennung von ihrer deutschen Wahlverwandtschaft einen eigenthümlichen poetischen Werth zu behaupten gewußt hätten. Bald fing jedoch die holländische Volkspoesie in der Mitte des 17. Jahrhunderts an, sich mit der Kunstpoesie immer mehr zu identificiren; „Bürger und Bauer", bemerkt Hoffmann, „sangen so gut wie der verliebte Stubengelehrte von Venus und Cupidootje, von Jupijn, dazu war Jupiter geworden, und von andern heidnischen Göttern und Göttinnen, und es gibt Lieder, welche eine ebenso genaue Kenntniß der Mythologie wie der heiligen Schrift voraussetzen". Nur zwei Gattungen des Volksliedes erhielten sich dauernder; dies waren die Zamenspraken (Zwiegespräche oder Wechselgesänge zwischen zwei Personen) und die Deuntjes oder nieuwe Liedjes. Von den letztern heißt es a. a. O. S. 76:

Etwas poetischer ist die zweite Art, die Gassenhauer, wie man sie am passendsten nennen kann; es sind Straßenlieder voll Schilderungen grober Sinnlichkeit und voll Züge der ärgsten Gemeinheit. Man begreift kaum, wie es möglich war, daß ein Volk, was sich vor der ganzen Welt durch seine Liebe zur Reinlichkeit und Nettigkeit auszeichnet, in seinen Volksliedern das Häßliche und Schmuzige so gern hatte. Auch die ältere Volkspoesie liebt den Scherz und scheut sich zuweilen nicht, um eines witzigen Einfalls willen das sittliche Gefühl zu beleidigen; solche Schamlosigkeit und Frechheit, wie sie sich in diesen echten Gassenhauern zum Theil ausspricht, ist ihr aber doch fremd geblieben, und sie konnte schon deshalb keine sehr nachtheilige Wirkung auf die spätere Poesie äußern. Höchstens stammen aus dieser frühern Zeit die anstößigen, jedoch gegen jene Gassenhauer noch anständigen Jäger- und Reiterlieder, wenn sie nicht etwa aus dem benachbarten Deutschland herübergekommen sind.

Eine Volkspoesie — bemerkt der Verf. schließlich — ist in dem frühern Sinne schon jetzt nicht mehr in Holland; wenn das Volk singt, so hat es nichts als einzelne gute Lieder der neuesten gefeierten Dichter und übersetzte Operntexte des Auslandes; solchen Ersatz aber für die verschollenen schönen Lieder der Vorzeit, wie die Gesellschaft tot Nut van't Algemeen so gern gewähren möchte, scheint das Volk nirgend haben zu wollen. Von einer gewissen Bänkelsängerei, wie sie gewiß in Holland noch hier und da vorkommt, läßt sich wenig Ersprießliches für die Wiederbelebung der Volkspoesie erwarten. Auch früher, im 17. und 18. Jahrhundert sangen die Bänkelsänger; ihre Erzeugnisse sind aber unbedeutend. Hierher gehört z. B. das Lied vom ewigen Juden, der in England gesehen worden ist. 140.

Bilder aus Italien. Von Aloys, Freiherrn von Oefele. Zwei Theile. Frankfurt a. M., Sauerländer. 1833. 8. 2 Thlr. 20 Gr.

Die Klagen über die Masse von italienischen Reisebeschreibungen, Gemälden, Bildern, Tagebüchern, Skizzen, Wanderblättern, Pilgermappen, Briefen u. s. w. sind ebenso alt als ungerecht. Das Publicum läßt die übelgelaunten Recensenten toben und schelten und freut sich jeder neuern Gabe, die ihm jenes schöne Land auf eine auch nur einigermaßen anziehende Weise näher rückt. Die Lesewelt zerfällt in zwei Theile: der eine war in Italien, der andere nicht. Jener wird immer wieder mit erhöhtem Genuß zu den Blättern greifen, welche gleichsam als neue Keime an dem sorgfältig gepflegten Baume seiner Erinnerung aufschießen; er sieht seine Erlebnisse, seine Freuden und Leiden, seine Genüsse und Plackereien in dem Lande der

*) Brandemoris, Branntwein.

Orangen und Banditen, der Kunst und der Pfäfferei im Spiegelbilde wieder vor seinen Augen vorübergehen und träumt sich wohlfeilen Preises in jene Zauberwelt zurück, deren Reiz wie der Reiz der Kinderjahre in demselben Verhältniß wächst, in welchem man sich ihm mehr und mehr entrückt sieht. Wer nicht in Italien war, macht sich in der Regel eine so hinreißende Vorstellung von dem Zauber dieses Landes, daß er da, wo er seine Vorstellung durch eine geschickte Hand gleichsam verwirklicht sieht, in die Genüsse der Reisenden mit der wärmsten Theilnahme eintritt; bei den nicht zu umgehenden Enttäuschungen und Entbehrungen, den Prellereien und Gefahren aber sich dem behaglichen Gefühle überläßt, dem Sturme vom gesicherten Hafen aus zuzusehen.

Der Leser wird der unsichtbare Begleiter des Reisenden. Er wird vor allen Dingen sich von dessen Persönlichkeit unterrichtet sehen wollen. Der Grad seiner Theilnahme, seines Vertrauens wird dadurch bedingt. Er fragt nach dem Paß, den diesem die Natur mitgegeben, nicht nach dem, welchen die Policei ausgefertigt. Nichts ist wichtiger, als der erste Eindruck. Der männliche Theil der Leser ist hier so schwach wie der weibliche. Alles ist auf die Persönlichkeit des Reisenden zurückzubeziehen. Wer gefallen will und kann, sieht die Welt und das Leben ganz anders an als der Mürrische und Abstoßende. Wer an Allem Theil nimmt, in Alles mit regem, heiterm Sinn eingeht, findet auch überall Theilnahme und Anknüpfungspunkte; das Interesse, das er den Personen und Sachen leiht, ist ein wohl angelegtes Kapital, das seine reichen und sichern Zinsen trägt. Ein geübter Blick, Menschenkenntniß, geprüftes Urtheil stehen weit über todter Gelehrsamkeit, mit der gewöhnlich Dünkel, Vorurtheile, ein schiefer Kopf und ein kaltes Herz in den Reisewagen steigen. Der bequeme, an tausend Bedürfnisse Gewöhnte wird auf der Reise der koketten Schönheit eines Landstädtchens gleichen, die sich in der Residenz nicht heimisch finden kann. Wer in dem Sumpfwasser der Standesvorurtheile, der geistigen Beschränktheit hinsichtlich allgemeiner politischer Fragen aufgewachsen und erzogen ist, wird jetzt überall an harte Felsen geworfen werden, die gar kein Erbarmen mit seinem schwachen Kopfe haben werden. Doch — zu unserm Buche.

Wir denken uns Hrn. von Oefele, den wir, wohlgemerkt, nur aus seinem Buche kennen, als einen kleinen, sehr compendiösen Mann von 40—45 Jahren; sein Aeußeres so nett und zierlich wie sein Wuchs; seine Haltung von Geübtheit im Umgange mit den höhern Kreisen der Gesellschaft zeugend; lebendig wie die meisten kleinen Leute; gesprächig und mittheilend, wenn er gut aufgelegt ist, aber ebenso in sich gekehrt, wenn er seine bösen Stunden hat; eigensinnig und rechthaberisch in manchen Dingen wie alle Hagestolze, denn er ist Maltheserritter, folglich ein Hagestolz im strengsten Sinne des Wortes; dann geht aus der Art, wie er seine Witzpfeile schnitzt und spitzt, hervor, daß er Diplomat gewesen, wie er dies denn auch ehrlich eingesteht. Der Titel seines Buches nennt ihn königlich bairischen Regierungsrath; ist dies ein Titel, oder hat er wirklich Sitz und Stimme in der Regierung? Da heißt es, wie der Dichter sagt:

Je ne sais les destins d'une tête si chère.

Für einen Freiherrn ist Herr v. Oefele ungemein liberal und für einen wohlhabenden, eingefleischten Junggesellen fügt er sich in das von einer italienischen Reise nicht zu trennende Ungemach der Wanzen, der schlechten Nachtquartiere und der erbärmlichen Küchen, auf dem Lande vorzüglich, der Bettelei und der Kniffe der Betturini mit einer wirklich bewundernswerthen Resignation. Da er mehr zu seinem Vergnügen als aus wissenschaftlichen oder künstlerischen Absichten reist, haftet sein Blick vorzüglich auf dem Leben der Italiener; mit Landschaftsmalereien quält er den Leser fast gar nicht, und wer eine Schilderung der mediceischen Venus oder der Cartons von Rafael und dergl. in diesen „Bildern aus Italien" sucht, der wird sich getäuscht sehen. Die bunten Begebnisse, Schicksale, Abenteuer, Leiden und Freuden einer Reise zu Land und zu Wasser, von München nach Verona, Bologna, Florenz, Pisa und Livorno, von da mit dem Dampfschiffe nach Neapel und zu Lande über Rom in die Heimat zurück, gehen in einer anspruchslosen, aber stets ansprechenden Darstellungsweise vor den Augen des Lesers vorüber; die Bemerkungen über das Land und die Sitten seiner Bewohner, über das Charakteristische der Oertlichkeiten, über Leben und Treiben der verschiedenen Stände, vom gekrönten Haupte bis zu der kahlen Glatze des Bettlers herab, schließen sich jenen Reiseskizzen an; einzelne Andeutungen über Kunst und Alterthum tragen das Gepräge eines gebildeten und für alles Treffliche und Schöne empfänglichen Geistes.

Der Leser wird aus dem Gesagten abnehmen, daß wir diejenigen Bilder für die ausgezeichnetsten erklären müssen, welche das italienische Leben und Treiben, das Eigenthümliche des Volkes und der Sitten auf die interessanteste Weise darstellen. Dahin gehören im ersten Theil: „Die Apenninen", „Leiden der Betturinfahrt", „Livorno", die „Dampfschifffahrt nach Neapel", „Meine vier Quartiere zu Neapel", und „Das Fest des heil. Januarius"; im zweiten: „Neapels Theater", „Caserta", „Charakteristik der Neapolitaner", „Räuber in Italien", „Das moderne Rom" und „Mein Abenteuer mit dem Duca R...." 56.

Notizen über russische Literatur.

An die vielen Schriften der Polen und Polenfreunde über die letzten Ereignisse an der mittlern Weichsel, am Niemen und am Bug reiht sich nun auch die kleine Schrift eines Russen: „Pochodnyja i putewyja Zapiski" (Feldzugs- und Reisedenkblätter während des polnischen Kriegs im Jahre 1831. Petersburg 1832). Der Verf., der sich nicht genannt hat, aber nach dem Inhalte des Buches ein Offizier der kaiserlichen Garden zu sein scheint, verließ Petersburg am 24. Februar a. St., ereilte die vorrückenden Garderegimenter zu Tykoczin im Königreiche Polen und blieb von da an beim Heer bis zur Einnahme Warschaus. Seine Berichte erstrecken sich aber nicht blos auf die eignen Erlebnisse während der Campagne, wie es vielleicht zu wünschen gewesen wäre, sondern umfassen alle die verschiedenen Kriegsvorgänge und Insurrectionsversuche innerhalb der ehemaligen Grenzen des Reiches Polen. Durch den innern Umfang, den er dadurch den Denkblättern gegeben, ist seine Erzählung, die auf 171 Octavseiten beschränkt ist, zu summarisch ausgefallen, und ein Leser, der die Zeitbegebenheiten auch nur durch die gewöhnlichen Tagsblätter kennt, erfährt hier nicht den geringsten Umstand, über den er bereits nicht vollständiger unterrichtet wäre. Die zerstreuten Reflexionen und Bemerkungen über das Land bleiben demnach die einzige Ausbeute des Buches. Den Aufstand sieht der Verf. nur wie eine Insurrection des Adels an, der den Verlust seines ehemaligen eigenmächtigen Schaltens und Waltens im Lande nicht verschmerzen kann. Die Städter, jugendliche Hitzköpfe unter den bemittelten Bürgersöhnen sowie einige speculirende jüdische Geldmäkler ausgenommen, nahmen nur durch Terrorismus überrumpelt und gezwungen Antheil. Am auffallendsten zeigte sich dies nach seiner Meinung in Lithauen, Podolien und Wolhynien, wo die Insurgenten nur im Felde und auf den adeligen Höfen sich hielten und nirgend zum dauernden Besitz einer Stadt gelangen konnten. Die ganze Bewegung beschränkte sich dort auf eine Anzahl Adelige mit ihren Zuzöglingen; der Landmann und die Städter blieben derselben fremd, schon weil derselbe und zum Theil auch die letztern eine andere Sprache, nämlich die russinische, einen Dialekt der russischen, sprechen und zur griechischen Kirche gehören.

Neben dieser geschichtlichen Darstellung des polnischen Aufstandes nennen wir eine poetische: „Minteshalki" (Die Insurgenten, eine Erzählung aus dem Kriege gegen den polnischen Aufstand, von M. Markow. Petersburg 1832). Ein Pole Harbowski liebt eine schöne Polin Thevra, diese weist aber seine Liebe zurück, denn ein russischer Offizier, Arkadius, hat ihr Herz gewonnen. Hardowski bietet alles auf, um die geliebte Landsmännin nicht in russische Hände fallen zu lassen, und das Schicksal steht ihm bei, denn der Aufstand bricht aus und die Liebenden werden getrennt. Theara gehört einer Familie an, deren Mitglieder an dem Kampfe thätigen Antheil nehmen, daher auch sie sich bewaffnet und in die Reihen der Kämpfer tritt. In der Schlacht bei Ostrolenka wird sie tödtlich verwundet und von ihrem Geliebten, dem siegreich vorrückenden Arkadius, in einer elenden Lage gefunden. Sie stirbt in seinen Armen, worauf er den verhaßten Hardowski in einem Zweikampfe tödtet und im Sturm auf Warschau den Tod sucht und findet. Man sieht aus dieser Skizze, daß die Erfindung der Fabel dem Verf. keine große Anstrengung hat kosten können, aber die Verse sind schön, und manche Schilderungen, z. B. der Schlacht bei Ostrolenka, des Einzugs in Warschau, gelungen zu nennen. Auch dürfte man einzelne eingeschobene Scenen und Züge unterhaltend finden, wie z. B. den Studenten, der in einer Schenke müden Bauern und Sensenmännern von der Erhabenheit ihrer Anstrengungen vorredet, sowie den französischen Volontair, der der Revolution herzlichst müde ist, aber nach den herrlichen, lustigen Emeuten verlangt. Die schöne, kriegerische Theara und mit ihr vielleicht manche, obgleich unkriegerische Landsmännin, wird folgendermaßen beschrieben:

Ihr süßes Wort ist Lautenklang,
Ihr Gang ein leichter Blütenduft
Im Wonnemond, ihr Auge leuchtet
So blau und hell wie klarer Himmel.
Die Rosenknospe bietet nicht
So zarten Schimmer wie die Wangen;
Den weißen Lilienhals hinab
Fällt weicher Locken goldne Pracht.
Ihr seht ein schönstes Frauenbild,
Glaubt zarte Jungfrau zu verehren —
Doch ist's ein hochgesinnter Mann,
Dem nur der Schmuck des Barts entging.

Einen verwandten Gegenstand, nämlich den alten Zwist der Polen und Russen, behandelt ein erzählendes Gedicht historischer Gattung von größerm Umfange: „Bogdan Chmelnizki, Poëma" (Bogdan Chmelnizki, ein Heldengedicht in sechs Gesängen. Petersburg 1833). Chmelnizki war bekanntlich ein glücklicher Kosakenanführer, dem es gelang sein Heimatsland, die Ukraine, polnischer Herrschaft zu entreißen und als Hetman desselben sich dem Zaren von Rußland zu unterwerfen. Die Hauptbeschwerde der Ukrainer bestand in der Bedrückung des griechischen Glaubens, und Chmelnizki hatte außerdem eine persönliche, bittere Kränkung zu rächen, die ihm durch einen polnischen Würdenträger zugefügt worden war. Der furchtbare Kosakenkrieg, der 1648 an der südwestlichen Grenze Polens ausbrach und das Land vom Dnieper bis an den San und fast bis zur obern Weichsel verwüstete, hat durch seine Einwirkung auf den schnellen Verfall Polens eine europäische Bedeutung erhalten. Chmelnizki's Kämpfe, Schicksale und Kriegsfahrten sind nun der Gegenstand dieses Gedichtes, dessen Verf. ein Kleinrusse ist (die ehemalige polnische Ukraine heißt nämlich jetzt Kleinrußland) und oft mit vaterländischer Wärme singt. Ehe die Kriege ausbrachen

— — — Saß die Kosakin,
Im schwarzen Haar den blauen Blumenkranz,
Und harrt des Gatten. Da erschallt
Jenseits des Wäldchens kräft'ger Stimme Jodeln —
Er naht und singt, und über ihm erblitzt
Die breite Sense.
Sie fliegt empor, sie eilt ihm froh entgegen
Und wirft die Arme um den braunen Nacken —
Es ist der Taube weiß Gefieder,
Das um des mächt'gen Aares Hals sich schmiegt!

Diese idyllischen Zeiten gehen aber vorüber; es kommt das eiserne Zeitalter, die Herrschaft der Polen. Die Bedrückungen, durch welche die Kosaken zum Abfall vom griechischen Glauben und zur Union mit der katholischen Kirche genöthigt werden sollen, beschreibt der Verf., vielleicht mit poetischer Uebertreibung, folgendermaßen:

heißt es:

Es soll Romantiker die Fabel lehren:
Friedfertig mit einander zu verkehren.

Ein neues Gedicht ernster Gattung ist: „Mirosdanije" (Schöpfung der Welt von W. Sokolowski. Moskau 1832). Der Dichter hat nicht ohne Geschick und Würde den schweren Gegenstand behandelt, den er sich gewählt, und welcher in seiner Erhabenheit eine seltene Tiefe des poetischen Gefühls und großen Gedankenreichthum erfodert, um mit Glück bearbeitet zu werden. Das Gedicht zerfällt in sieben Abschnitte, die den sechs Schöpfungstagen und dem Ruhetage des Schöpfers entsprechen. Ein Epilog beschreibt den Sündenfall.

(Der Beschluß folgt.)

Redigirt unter Verantwortlichkeit der Verlagshandlung: F. A. Brockhaus in Leipzig.

Blätter

für

literarische Unterhaltung.

Donnerstag, —— Nr. 269. —— 26. September 1833.

Memoiren eines deutschen Staatsmannes, aus den Jahren 1788—1816. Leipzig, F. Fleischer. 1833. Gr. 12. 1 Thlr. 12 Gr.

Auch in d. Bl. ist oft geklagt worden, daß der Deutsche zu — tief gelehrt sei, um oberflächlich nach Weise unserer anmuthigen Nachbarn über dem Rheine Memoiren zu schreiben. Schnell aufzufassen, angenehm und bequem wiederzugeben, à la prima oder in leichten Conturen große Weltbegebenheiten hinzuwerfen auf das geduldige Papier und ihnen gleichsam die Individualität des Künstlers aufzudrücken, das verlangt man von einem Memoirenschreiber.

Wir verlangen noch mehr. Von einem Maler fodern wir, daß er mit Kunstsinn gesehen, aufgefaßt und das Aufgefaßte in sich verarbeitet und individualisirt habe. Nur erst dann malt er leicht und mit voller Seele, und sein Gemälde spricht uns an. Von einem Memoirenschreiber verlangen wir dasselbe. Er muß in den Begebenheiten, die er zeichnet, thatkräftig gelebt und in sie eingegriffen haben. Nicht Vermuthungen und Schlüsse, sondern Thatsachen will man von ihm erfahren, und wenn auch nur von seinem individuellen Standpunkte aus, soll dennoch Wahrheit in seinen Anschauungen und Erzählungen der erlebten Vergangenheit herrschen.

Der deutsche Staatsmann (Graf Schlitz), welcher uns in dem angezeigten Werke seine Erinnerungen mittheilt, ist nun wirklich nicht so tief gelehrt, daß er dadurch gehindert würde, eine nicht gemeine Fähigkeit zum Beobachten, Auffassen und Wiedergeben zu entwickeln. Eine gewisse Leichtigkeit der Darstellung zeichnet besonders die letzten fünf der elf Capitel aus, in welche das Buch zerlegt ist. Freilich muß man dabei nicht an Lebensabschnitte denken; die Häufung der Materialien scheint über die Glieder des Buchs und deren Ebenmaß lediglich entschieden zu haben. Wir rügen dies als einen Mangel. Besonders werden Memoiren leicht ermüdend, wenn sie in jedem neuen Abschnitte nicht eine neue wichtige Epoche oder Thatsache behandeln, welche gleichsam im Voraus spannt und den Abschnitt als nothwendig bedingt. Doch wir wollen mit unserm Staatsmanne darüber nicht ins Gericht gehen. Graf Schlitz, der Adoptiv- und Schwiegersohn des letzten preußischen Gesandten am Reichstage zu Regensburg, des berühmten Grafen Schlitz-Görz, hatte eine gute Bildung erhalten, ehe er die Laufbahn betrat, welche die vor uns liegenden Memoiren schildern. Wir schließen aus den Bruchstücken seines Tagebuchs in den ersten Capiteln der Memoiren, daß er gut gebildet gewesen sei; ein edles Herz wendet sich darin immer wieder zu dem Edeln; aber eine gewisse Schwüle und Nebelhaftigkeit drückt auch des Jünglings Gemüth, das bald in Widerspruch mit sich und der Welt geräth. Sonst erzählt uns Graf Schlitz von seiner Erziehung und Bildung nichts, und nur mit Unsicherheit läßt sich aus den Andeutungen ein Schluß auf die wirkliche Befähigung des Grafen zum Staatsmanne bilden.

Von Halle und aus der Schweiz nach Berlin zurückgekehrt, fand Schlitz durch den Grafen Herzberg eine Anstellung bei der preußischen Gesandtschaft in Wien an Joseph's Hofe. Er lernt Wien mit seinen leichtsinnigen Damen, lernt Kaunitz, lernt die Diplomatie, lernt Joseph verachten, zerfällt mit seiner Laufbahn als Staatsmann und will eben eine landwirthschaftliche Reise antreten, als Graf Görz, den er kurz vor seinem Abgange nach Wien in Berlin kennen lernte, ihn zu einer Gesandtschaftsreise an den Hof des Herzogs Max von Zweibrücken einladet, um einen Erbvertrag zwischen Braunschweig und dem einstigen Erben des bairischen Kurhuts zu Stande zu bringen, welcher dem bekannten Tauschvertrage Joseph's mit dem Kurfürsten von Baiern entgegengestellt werden soll. Nach Beendigung dieses, durch Görz mit Feinheit verdeckten und eingeleiteten Geschäfts geht Schlitz nach Regensburg zurück, verliebt sich in die zweite Tochter des Grafen Görz, seine nachmalige Gattin, ist sentimental, edel, untreu, liebt aber doch wirklich, heirathet sie, kauft sich in Mecklenburg an, wohnt, nachdem er sich in den Bädern zu Spaa, Aachen, Pyrmont, Ems jährlich erholt hat, dem Congreß in Rastadt (1797—98) für den mecklenburgischen Hof bei und erzählt uns einige kleine charakteristische Anekdoten von dem Benehmen der französischen und einiger deutschen Gesandten, sowie eine, welche den Mann näher bezeichnen soll, welcher den Mord der französischen Gesandten aus Rache herbeizog. Daß diese Anekdote die Wahrheit enthalten möge, bezweifeln wir nicht, aber die Beweise fehlen. Man war längst davon überzeugt, daß ein Gesandter mit einigen rohen Offizieren von Barbaczi's Husaren dieses schändliche Complott geheim verabredet gehabt habe; allein daß jener Gesandte bei der Ankunft der Franzosen in Augsburg in der Angst sein Bubenstück den vier Wänden seines Zimmers im Gasthofe verrathen habe, ist eine Anekdote, die nichts beweist, da Schliz diesen Verrath nicht angehört hat.

Schliz sieht Mecklenburg wegen seiner freien Verfassung als sein Vaterland an. Er widmet sich nun hier dem Landleben und den ständischen Verhandlungen, und wir werden hier genauer mit seinem wirklich herzhaft einseitigen Aristokratismus bekannt. Die Auflösung des deutschen Reichs stellt Schliz als etwas Unnothwendiges, Unerwartetes, ohne die französische Revolution nicht Denkbares hin, und wir wollen nur bemerken, daß ihm als steifen Aristokraten diese Nothwendigkeit entgangen ist, weil er nicht erfahren hatte, wie höchst gleichgültig das Institut der Reichsverfassung dem Volke geworden war. Wer auf das Bestehende seine besten Speculationen gründet und sie damit scheitern sieht, kann allerdings oft Nothwendigkeiten nicht begreifen. Allein dies war das Loos aller damaligen Staatsmänner. Fürsten und Herren befanden sich im Reiche wol leidlich; wie aber die deutsche Nation, die Masse des Volks dabei zurechte kam, ob überhaupt von einem Volke, von einem Rechte, vor welchem die Gerechtigkeit für Alle gleiche Kraft hat, dabei die Rede sein konnte, ist eine andere Frage. Wollten wir hier in die Literatur vor der Revolution zurückgehen, so würde leicht zu ermitteln sein, daß es in Deutschland längst gegohren hatte, und daß nur ein kräftiger Anstoß zu kommen brauchte, um die Gährung zum Durchbruch zu bringen. Die plumpe Masse der Privilegien, welche den dritten Stand niederdrückte, war zu handgreiflich geworden. Nachdem der wohlthätige Einfluß der freien Städte zerstört und die Aristokratie Herr über sie geworden war, mußte die letztere fallen; denn der Geist rächt sich am Geiste zunächst, die Idee an der Idee. In der Geschichte der Menschheit ist keine That ohne Folgen, kein späteres Ereigniß ohne Zusammenhang mit einem frühern. Die ewige Rechtsidee kann nicht ewig einer künstlichen Gerechtigkeit dienen (vgl. S. 177—185). Dies kann man der Aristokratie nicht oft genug wiederholen.

Wäre Graf Schliz noch am Leben, so würden die bisher betrachteten ersten sechs Capitel seiner Memoiren ihn von der gezwungenen Steifheit des Zustandes vor der Auflösung des deutschen Reiches zur Gnüge überzeugen. Selbst auf die Darstellung scheint dieser Charakter Einfluß gehabt zu haben; denn von jetzt an bewegt sie sich beiweitem leichter und gewandter. Schliz tritt bald nach 1806 (Cap. 7 u. 8) als strelitzischer Gesandter in Paris auf, um über des Herzogs Beitritt zum Rheinbunde zu unterhandeln, und gibt uns Mancherlei vom Hofe Napoleon's, das, wo nicht immer neu, doch immer interessant ist, und nur bisweilen von ihm mit übertriebener Neigung zur Medisance erzählt wird. Hierauf folgte der Congreß zu Erfurt. Schliz hatte wegen der kurhessischen Capitalien eine schwere Probe zu bestehen. Bekanntlich wollte Jerome, als Nachfolger des Kurfürsten, dessen Gelder von den Schuldnern einkassiren. Wir erfahren aus den Memoiren nicht,

Leider ließ sich Schliz nach langen
leiten, gegen eine Quittung
150,000 Thlr. zu zahlen. Später
Fürst von Hessen wegen des Ganzen nochmals in Anspruch; es entstand ein Proceß, der zwar in erster Instanz zu Schliz's Gunsten, in den folgenden aber gänzlich zu dessen Nachtheil entschieden ward. Man hat geglaubt, daß Graf Schliz durch diesen unglücklichen Ausgang der Sache verarmt sei; allein glaubwürdige Männer wollen versichern, daß er noch ein beträchtliches Vermögen gerettet habe.

Genug, der alte ritterliche Aristokratismus in Schliz bestand diese Probe nicht, und vielleicht liegt in der Verheimlichung dieser betrübten Affaire ein Aufschluß über Schliz's Charakter von frühester Zeit an. Er fühlt früh den Mangel an Selbständigkeit und Klarheit, und dieser Mangel möchte den stolzen Titel: „Staatsmann", welchen der Herausgeber auf diese Memoiren gesetzt hat, sehr problematisch machen. Ein Diplomat, ein Unterhändler ist noch lange kein Staatsmann, so wenig wie List und Klugheit Weisheit ist. Schliz hat lebenslänglich in seiner staatswissenschaftlichen und staatsrechtlichen Ansicht den breiten Weg des Aristokratismus getreten, und seine Inconsequenzen sind seine größten Fehler. Das Benehmen desselben bestätigt die herrschende Meinung von der Aristokratie als Stütze der Thronen; sie hält nicht fester als ihr eigner Vortheil.

Zuletzt erscheint Schliz auf dem wiener Congreß als heimlicher Abgesandter der mecklenburgischen Ritterschaft. Die Frage über Verleihung landständischer Verfassungen hatte ihn aufgescheucht; er hatte den mecklenburgischen Rittern begreiflich gemacht, wie ihre Privilegien in Frage kommen könnten, und legt sich nun für ihre Rechnung in Wien aufs Horchen. Nicht undeutlich läßt Schliz merken, wie in das bekannte bairische Votum die clausula salvatoria eingeflossen sei, daß Baiern die Einführung landständischer Verfassungen wolle, und die althergebrachten Gerechtsame der Stände, da wo sie noch bestehen, erhalten werden sollten. Man weiß, mit welchem Jubel von der Aristokratie diese Wohlthat, mit welcher Betrübniß aber von der Nation aufgenommen wurde. Schliz benutzte seine alte Bekanntschaft mit dem Könige von Baiern, dem ehemaligen Herzoge Max von Zweibrücken, schlau für diesen Zweck. Vielleicht ist die spätere, ja schon die neueste Zeit gerecht genug, dem Grafen Schliz für seinen Witz zu danken. Ohne dieses und andere Hindernisse würde sich der Gedanke repräsentativer Verfassungen voreilig entwickelt haben; mit ihnen geht er langsam in das Leben ein, und nach tausend bedächtigen Prüfungen mag die deutsche Nation vielleicht den Ruhm vor allen Völkern erwerben, eine musterhafte Verwirklichung der Idee der Volksrepräsentation neben das monarchische Princip zu stellen.

So also finden wir den Grafen Schlitz auf dem Culminationspunkt seiner Thätigkeit als Staatsmann (!). Wir bedauern indessen, in seinen Memoiren einer Verheimlichung von Namen zu begegnen, welche mancher interessanten Schilderung Leben und Reiz nimmt. Der Reichstag zu Regensburg, die Kaiserkrönung Leopold's II., sowie der Congreß in Wien verlieren viel durch diese Bedenklichkeit. Nur wer in diesen diplomatischen und aristokratischen Regionen sich bewegt hat, wird mit ungestörter Bereitwilligkeit den Anfangsbuchstaben und Punkten folgen. Auch scheint Schlitz hinter dieser Methode eine gewisse Ungerechtigkeit gegen Männer von andern Ansichten, als die seinigen sind, zu verbergen. So z. B. wird Herr von Gagern als Lebender zwar nur unter Punkten, Herr von Stein aber namentlich mit derben Worten abgefertigt. Hätte doch Schlitz dem Hrn. von Gagern in der Angelegenheit über die hessischen Gelder folgen mögen! Er that es nicht, und die spätere Reue macht ihn empfindlich gegen den klügern Mann.

Sucht man in Memoiren aus der Geschichte seiner Zeit Neues, so darf man auch diese Memoiren nicht lesen. Sucht man über Vorhandenes und Bekanntes sich aus Memoiren ein sichreres Urtheil und helleres Licht zu verschaffen, so wird man auch diesen Beitrag zur Zeitgeschichte mit Nutzen lesen, wird sich die Medisance, mit welcher nach alter deutsch-französischer Hofsitte Charaktere geschildert und verhöhnt werden, gefallen lassen, wird den Aristokraten in selbstgefälliger Haltung mitten unter Seinesgleichen nicht zu streng beurtheilen und am Ende doch rufen: nur mehr dergleichen! wenn man sich auch bei diesem Rufe eines gewissen mephistophelischen Sentiments nicht ganz zu enthalten im Stande ist. 124.

Reise in Ungarn im Jahre 1831. In den Comitaten a) diesseits der Donau: Pesth, Gran, Neograd; b) jenseits der Donau: Comorn, Raab, Oedenburg, Eisenburg, Zala, Veszprim, Stuhl-Weissenburg; diesseits der Theiß: Zips, Saros, Abauj, Torna und Gömör. Von S. von Ludvigh. Pesth. Leipzig, Wegand'sche Buchhandlung. 1832. Gr. 8. 1 Thlr.

Es ist schlimm, wenn Leute, denen es an gesundem Menschenverstande gebricht, sehenswerthe Sachen gesehen haben und von dem Kitzel ergriffen werden, sie öffentlich zu beschreiben. Schon im Gespräch können die Berichte solcher Unglückskinder für den Verständigen zu wahren Seelenqualen werden; aber schlimmer ist es noch, wenn sie ihre Beobachtungen sogar durch den Preßbengel verkörpern. In diesem Fall ist der misanthropische Verf. dieses Büchleins, Gerichtsadvocat seines Zeichens, und in diesem Fall sind wir mit ihm. Die Bildung dieser Classe von Leuten in Östreich muß sträflich vernachlässigt sein, da sie in der Regel nicht einmal den gewöhnlichen Gebrauch ihrer Muttersprache inne haben. So ist es denn auch ein wahres ungarisches Husarendeutsch, in dem dies Buch geschrieben ist, und die Gesinnung, die Wissenschaft, die Gefühle und die Ansichten eines Lakaien sind es, aus denen diese Schilderung hervorgegangen ist. „Eine Reise wollte ich mit weitläufigen Bemerkungen herausgeben", sagt der Verf., „aber es wurden nur Skizzen daraus — denn wer kann gegen den reißenden Strom?" Dank sei dem reißenden Strom, der den Verf. in seinem grausamen Vorsatz verhindert hat! Er hat nur „berührt, was er Convenienz und mannichfaltiger Dämme wegen" berühren durfte, d. h. nichts von Dem, was uns in der Schilderung eines Landes, wie Ungarn ist, interessiren kann; denn Wirthshausscenen und Händel mit Fuhrleuten sind für den gebildeten Leser kein anziehender Stoff. Der Verf. durchreist die Comitate von Pesth, Gran, Neograd, und jenseits der Donau: Comorn, Raab, Oedenburg, Eisenburg, Zala, Veszprim, Stuhl-Weissenburg, Zips, Saros, Torna, Gömör und Eperies, ohne daß wir viel mehr von ihm erführen, als auf welcher Art von Karren, Stuhl- und Stellwagen er durch Feld und Wald reist, und was ihm und seinen Begleitern in Wirthshäusern begegnet. Versucht er es ja einmal, über Land, Volk, Gesinnung und Leben des Volks eine Bemerkung einzuschalten, so wird regelmäßig ein zurückschreckender Unsinn daraus, oder es begegnet uns eine Gesinnung, die zu bezeichnen uns das Wort fehlt, wenn es nicht die widerwärtigste Kriecherei und ein wahrer Bedientensinn ist. Eine Probe seiner Philosophie wird dies zu belegen ausreichen. „Kleine Nuancen, welche Bescheidenheit zu verschweigen gebietet, geben mir Anlaß folgende Abschweifung zu thun: der Mensch, besonders große Herren, wollen in Allem bewundert sein, nichts kann Einem ihre Gunst eher rauben, als wenn man ihnen Blößen zeigt, oder gar so kühn ist, sie auf Laster aufmerksam zu machen. Ueberhaupt ist es eine eigne Kunst — in regula — mit Großen umzugehen", und nun folgt, was Lucian sagt, und eine furchtbare Diatribe gegen den Liberalismus, welcher, wie der Verf. sagt, ein blos Platonischer Begriff ist.

Diesem höchst simpeln Denker begegnet es auch, stoßweise poetisch zu werden. Wie dies geschieht, vermögen wir dem Leser nicht zu sagen; wol aber wollen wir ihm eine Probe solcher poetischen Verzückung nicht vorenthalten.

Ein schöner Traum ist mir die Zeit
In Szalik, Bartfeld und Eperies —
Hin ziehet oft die Phantasie
Und denket Sie,
Die Guten, deren herzlicher Verein
In meinem Herzen hell und rein
Fortglimmen wird in süßem Schwung
Erquickender Erinnerung.

Wir lassen den „Verein" im Herzen des Verf. „fortglimmen", beklagen, daß so viel Schönes zu sehen nicht einem gebildetern Geist, als der seinige ist, zum Loose fiel, und bitten ihn, künftig seine Reiseerinnerungen für sich zu behalten und das Reisebeschreiben Andern zu überlassen, die es besser verstehen als er. 89.

Notizen über russische Literatur.

(Beschluß aus Nr. [illegible].)

In der Abtheilung der Romanenliteratur ist gleichfalls über einige neue Originalproductionen zu berichten. Zuerst nennen wir: „Rylski, Roman nrawoopisatelnyi" (Rylski, ein sittenbeschreibender Roman. Petersburg 1833). In der „Molwa" oder der Fama, einer Beilage zu der in Moskau erscheinenden russischen Zeitschrift: „Der Teleskop" befindet sich eine Recension dieses Romans, die wir, da sie nicht lang ist, übersetzen, um dadurch unsere Leser mit dem Buche bekanntzumachen und zugleich ein Pröbchen russischer Kritik mitzutheilen. „In dem kurzen, siebenzeiligen Vorberichte", so hebt der russische Rec. an, „sagt der Verf., daß einige abgesondert entworfene Charakterschilderungen dem Romane zur Grundlage dienen, und daß derselbe übrigens ohne alle Ansprüche auf Schriftstellerruf in den Druck gegeben wird. Was den erstern Punkt betrifft, so bemerken wir, daß ein paar abgesonderte Charakterskizzen kaum zu einer Erzählung, viel weniger zu einem Roman hinlänglich sind; rücksichtlich des zweiten gestehen wir offen, daß uns die Behauptung unglaublich erscheint, denn wer läßt etwas drucken, ohne Anspruch auf den Schriftstellernamen? Doch diese Untersuchung geht uns weiter nicht an. Mag „Rylski" immerhin Novelle oder

Roman mit Ansprüchen oder ohne Ansprüche sein, wir gehen zu dessen Beurtheilung über. Das Buch ist gut geschrieben, der Styl ist rein, correct, der Handlung entsprechend, aber die Handlung selbst ist nicht anziehend. Ein junger Mann, früh verwaist, aber vermögend, hat in Moskau studirt, tritt im Kriegsdienste und befindet sich beim Regiment im Kaukasus. Es ist Kylski. Dort macht er die Bekanntschaft einer schönen, gefallsüchtigen Gräfin Okin, wird der Hausfreund ihres Gatten und bald darauf durch sie veranlaßt, den Kriegsdienst wieder zu verlassen, um mit ihr nach Petersburg zu reisen. Hier findet er durch seine schöne Freundin eine Anstellung bei einem hohen Staatsbeamten, der von einem ränkesüchtigen, dem Trunk ergebenen Weibe nach Gefallen gelenkt wird. Kylski misfällt diesem Weibe und zieht sich dadurch die Ungnade seines Chefs zu. Die Gräfin Okin reist unterdeß nach Moskau zu ihrem kranken Gemahl, Kylski verliebt sich in eine andere Gräfin, Namens Tomski, und wird wiederum der Hausfreund des Mannes. Die verlassene Freundin, die Gräfin Okin, verwandelt sich nun in eine Verfolgerin. Kylski erhält ungesucht seine Dienstentlassung, tröstet sich über dies Misgeschick und reist mit der Gräfin Tomski und ihrem Gemahl in ein Bad. Indessen wird hier sein Verhältniß zur Gräfin so offenkundig, daß der Graf sich mit ihm schlägt und ihn verwundet. Die Gräfin Tomski geht in sich, bereut ihre Fehltritte und stirbt. Kylski trauert um sie und kehrt nach Petersburg zurück, wo er wieder eine Anstellung im Staatsdienste sucht, aber nicht findet. Der Secretair eines Ministers sagt ihm: „Die Stelle, die Sie wünschen, kostet 10,000 Rubel; bringen Sie mir das Geld und Sie sollen das Amt haben." (S. 155.) Unser mit wenig Zartsinn versehener Held versucht in Ermangelung des Geldes zur Bestechung sein Glück auf dem frühern Wege zu machen, nämlich durch die Gunst der Frauen. Er gefällt einer Gräfin Belski, und diese wirkt ihm bei ihrem Gemahl eine Anstellung aus. Aber der Graf Belski wird für ein Dienstvergehen plötzlich verabschiedet, und Kylski verabschiedet die Gräfin. Sein neuer Chef, der Nachfolger des Grafen Belski, ist ein strenger, anhaltende Arbeitsamkeit fodernder Vorgesetzter, weshalb Kylski den Dienst abermals zu verlassen wünscht, seine Entlassung aber nur mit Mühe erhält. Hierauf verliebt er sich diesmal auf erlaubte Weise in Fräulein Julie Tanin, heirathet sie und lebt glücklich. Unsere Leser mögen nach diesem Auszuge urtheilen, ob gegenwärtiger Roman einen einzigen anziehenden Charakter aufstellt. Ein Mann, der auf verwerflichen Wegen durch die Gunst zuchtloser Frauen Anstellung im Dienste, Belohnung, Auszeichnungen erschleicht, ein solcher Mann ist verächtlicher als eine feile Buhldirne. Man wird dagegen einwenden, daß Aehnliches sich häufig ereigne. Wir geben es zu, aber fragen: warum denn einen solchen Menschen zur Hauptperson im Romane machen? Wir müssen außerdem noch einen Tadel geradezu heraussagen. Nachdem man „Kylski" gelesen, sagt man sich selbst: „Alles dies kann wahr sein, aber es ist nicht anziehend, langweilt sogar." Was kann hiervon die Ursache sein? Der Umstand, daß bloße Wahrheit noch nicht hinlänglich ist, um Aufmerksamkeit, Neugier und Antheil zu erwecken, sondern es muß dieselbe noch ein gefälliges, dem Kunstsinne genügendes Gewand umgeben. „Kylski" ist nur ein Rahmen zu einem Gemälde; es werden Facta erzählt, die Folgen derselben angegeben, aber die geheimen Triebfedern der Handlungen sind nicht angedeutet, die Charaktere nicht entwickelt, das Geschehene nicht begründet; es mangelt die Darstellung jenes geheimen Weltlaufprocesses, in dessen Gährung das Geschick der Menschen sich gestaltet." — Wir haben die ganze Recension übersetzt und glauben einen nicht zu verwerfenden Beitrag zur Beurtheilung russischer Romane, des Zustandes der Literatur und der gesellschaftlichen wie der ästhetischen Kritik geliefert zu haben. Was übrigens die anfängliche Erörterung betrifft, ob „Kylski" Novelle oder Roman sei, so glauben wir den Zweifel unmaßgeblich dahin entscheiden zu dürfen, daß, da „Kylski" 211 Seiten zählt, er aus diesem Grunde eher Roman als Erzählung ist. Uns fällt hierbei der alte Einfall ein, da Jemand sagte: Endigt das Theaterstück mit einer Heirath, so ist's ein Lustspiel, wird nichts aus der Heirath, so ist das Stück ein Trauerspiel.*) In ähnlicher Art stellen wir den Satz auf: Zählt eine Geschichte (versteht sich eine Liebesgeschichte) unter 200 Octavseiten, so ist's eine Erzählung, zählt sie aber deren gegen 300, oder zerfällt sie gar in mehre Bände von solcher Seitenzahl, so ist's ein Roman.

Gleichzeitig mit „Kylski" erschien: „Kniashna Menschikowa" (Die Fürstin Menschikow. Moskau 1833). Diese Erzählung erinnert an Lafontaine's zu seiner Zeit viel gelesenen Roman: „Fedor und Marie", der auch vor vielen Jahren ins Russische übersetzt worden ist, aber jetzt wenig Verehrer zählt, indem man die darin beschriebene Liebe zu schwärmerisch, zu süßlich findet, in den Charakteren die nöthige Nationalität vermißt und auch an den zu großen Abweichungen von der Geschichte Anstoß nimmt. Der gegenwärtige Roman ist nun historisch treuer, die Personen richtiger und volksgemäßer gezeichnet, aber das Ingredienz zu der wirklichen Geschichte, selbst nach dem Urtheil russischer Kritiker etwas matt und farblos. Als kleine historische Ausbeute mag daraus folgende Anekdote mitgetheilt werden. Der Fürst Menschikow schenkte einem Khan der Kalmucken einen vierspännigen Wagen, den dieser zu seinem feierlichen Audienzsaal erhob, nachdem er zuvor, um seinen Gästen Umwege und mögliches Stolpern zu ersparen, die Deichsel hatte abhauen lassen. Das Portrait der schönen Maria Menschikow und eine Abbildung der Kirche, die der Fürst in Beresow, seinem Verbannungsorte, hat bauen lassen, nebst der Ansicht seines dortigen Wohnhauses schmücken das Büchelchen, das man im Ganzen nicht unbefriedigt aus der Hand legt. — Zwei andere Originalromane sind: 1) „Ruski Kandid" (Der russische Candide, ein gutgemeinter historischer Roman aus jüngstvergangener Zeit. Petersburg 1833). 2) „Merinosowaja Schal" (Der Shawl von Merinos, eine satirische Erzählung mit beigefügter Poesie. Ebendas. 1833). Beide sind so wenig ausgezeichnet, daß besonders ein ausländisches Publicum sich vollkommen mit der Kenntniß der Titel begnügen kann. Bemerkenswerther dagegen ist, daß ein beliebter Novellenschreiber, Marlinski (dessen wahrer Name Bestuschew ist) seine zerstreut gedruckten Schriften gesammelt hat: „Ruskija Powesti i raskasy" (Russische Novellen und Erzählungen. 5 Theile, Petersburg 1832 u. 1833). Der Beisatz: „Russische", soll blos anzeigen, daß es nicht übersetzte, sondern Originalerzählungen sind, denn übrigens ist die Scene der verschiedenen, mit Leichtigkeit und gefälliger Erfindungsgabe geschriebenen Erzählungen nicht immer im eigentlichen Rußland, sondern bald im Kaukasus, bald im alten Livland, der ehemaligen deutschen Ordensprovinz, und mitunter auch ganz im Auslande.

Nach einer Berechnung in der moskauer Zeitschrift: „Der Telegraph", gibt es in Rußland gegenwärtig, die politischen und eine militairische Zeitschrift sowie die blos wissenschaftlichen Tagesblätter, als statistische, medicinische und technologische, nicht miteingerechnet, neun Zeitschriften für Kritik und allgemeine literarische Unterhaltung, nämlich in Petersburg vier: 1) Der Sohn des Vaterlands oder das nordische Archiv, von N. Gretsch und Th. Bulgarin. 2) Die nordische Biene. 3) Die literarische Beilage zum Invaliden. 4) Zeitschrift für Kinder. In Moskau drei: 1) Der Telegraph, von N. Polewoi. 2) Der Teleskop. 3) Die Zeitschrift für Frauen. In Odessa: Der Bote von Odessa. In Kasan: Die Ameise an der Wolga. Diese Journale erscheinen sämmtlich in russischer Sprache. Die in Finnland, in den deutschen Ostseeprovinzen und in den polnischen Gubernien in deutscher oder polnischer Sprache herauskommenden Zeitschriften sind hier nicht berücksichtigt.

44.

*) Andere Zeiten, andere Gebräuche und Gesetze! Die Welt rückt vorwärts. Die alte Demarcationslinie des harmlosen Lustspiels gilt nicht mehr, seitdem Raupach seinen „König Enzio", nämlich ein Trauerspiel gedichtet, das mit einer Heirath und Beilager endet.

Redigirt unter Verantwortlichkeit der Verlagshandlung: F. A. Brockhaus in Leipzig.

Blätter für literarische Unterhaltung.

Freitag, — Nr. 270. — 27. September 1833.

Geschichten des Königreichs Neapel von 1414—43. Von August Grafen von Platen. Frankfurt am Main, Sauerländer. 1833. Gr. 12. 1 Thlr. 16 Gr.

Wenn der Dichter der „Verhängnißvollen Gabel" zum Historiographen herabsteigt, so haben wir ein Recht, etwas Außergewöhnliches in diesem Gebiet zu erwarten, und die „Geschichten des Königreichs Neapel" lassen diese Erwartung nicht zu Schanden werden. Wir haben es hier in der That mit einem liebenswürdigen Buche zu thun, und mit einem solchen, das dem ausruhenden Dichtergeiste wenigstens zu weit mehr Ehre gereicht, als der traurige Ödipusstreit mit Immermann oder die noch traurigere literärische Balgerei mit Heine einem Dichter, wie Graf Platen ist, jemals abwerfen konnte. Steigt er vom Pegasus herab, so geschehe es wenigstens, um aus dem ewig jugendlich-frischen Quell der Geschichte zu trinken und an Klio's Hand einen Gang durch den alten Hain der Vergangenheit zu machen. Trifft er bei diesem dann auf eine so schattig wonnige, so tiefdunkle Stelle, als die Geschichte der vielverleumdeten Johanna II., Königin von Neapel, ist, und bleibt er an einer solchen Stelle stehen, erhellt er das Dunkel durch Wegräumen und Ausbiegen verdunkelnder Wucherpflanzen, lästigen und häßlichen Gestrüppes, bis er zur Heilung durchgelangt, so verdient er unsern aufrichtigen Dank, fast ebenso sehr — oder mehr — als für einen Band neuer, klangvoller, aber nicht sehr poetischer Sonette, oder für eine neue, spitzige, elektrische, aber nicht tief eindringende „Gabel".

Diesen Dank hat der Dichter, der sich Schiller's historischen Ruhm zum Ziel gesetzt haben mag, durch die gegenwärtigen Geschichten Neapels von 1414—43 wohl verdient. Zur Arbeit gereizt, einerseits von dem Dunkel dieser Periode, andererseits von dem Anlaß, den er darin fand, ein Land und Gegenden, die er liebte und vor Augen sah, mit glühenden und schönen Farben zu skizziren, Namen und Charaktere zu feiern, die ihm theuer waren, um ihres Klanges und ihres Ruhmes willen, ist er mit allen diesen Wünschen zum Ziele gelangt. Er hat die dunkle historische Periode, verdüstert durch ein Uebermaß widersprechender, parteinehmender und darum unzuverlässiger chronistischer Nachrichten, taghell gelichtet, drei Charaktere, den riesigen Braccio von Perugia, Sforza, den Vater Francesco's, Herzogs von Mailand, und König Alfons I., die ihm theuer waren, mit feierlicher, ehrenrettender Feder geschildert und die Umgebungen seiner lieben Parthenope, Gaeta, Bonifazio, Ischia und viele andere naturschöne Orte in ihrem Anblick vor 400 Jahren so reizend, so kräftig, so meisterhaft gemalt, daß schon dies Verdienst den zum Historiker gewordenen Dichter bewährt.

Als Lebens- und Regentengeschichte Johanna's II., die man die Vielbesprochene oder auch die Unergründliche nennen könnte, ist dies Buch ein Muster historischer Schreibart. Form und Weise von Schiller's „Niederlanden" hat hier offenbar vorgeschwebt, aber so, daß der Eigenthümlichkeit kein Eintrag geschehen ist. Johanna's, der Unergründlichen, Leben rollt sich hier zu einem klaren Bilde auf, das eben nichts Unerklärliches mehr darbietet — und das war des Biographen Zweck und Absicht. Wir sehen einen an sich liebenswerthen, weiblichen Charakter, der nur gegen die Leidenschaft zu schwach ist, dieser anheimfallen und von ihr zu den Außerordentlichkeiten, zu den Widersprüchen mit sich selbst geleitet werden, welche eben das Unerklärliche an ihr bildeten. Wir sehen sie in Jakob von Bourbon einen Gemahl wählen, weil das Volk (oder die Großen, denn diese machen in dieser Zeit das Volk) über ihre Ergebenheit gegen Sarjanni Caraccioli, ihren Verehrer, zürnt, und den kaum Gewählten und Vermählten als einen Feind behandeln, verfolgen, vertreiben endlich. Weshalb? Weil ihr Tyrann Sarjanni es so wollte! Wir sehen sie dann zwischen diesem und ehrlichern Freunden, Sforza u. A., schwanken, bis Malizia's List sie vermocht hat, Alfons von Aragon zu ihrem Adoptivsohn und Nachfolger zu wählen. Ein hoher, köstlicher Charakter tritt in Alfons auf die Scene; aber Sarjanni, Piccinin und andere Liebhaber der Königin, Sforza und Braccio, der Papst und Ludwig III., der vorgeschobene Prätendent, verwickeln ihn in einen Kampf um seine dereinstige Erbschaft, der in jeder Stunde durch Sieg oder Verrath zu seinem Untergange auszugehen droht. Verrath — das ist das Losungswort dieser Zeit! Wer am besten seinen Haß verheimlichen, den Gegner betrügen, verwirren, überlisten oder überfallen kann mitten in Freude oder Freundschaftsbezeigung — der ist der Sieger. Alfons ist für alle diese Italiener zu ehrlich, und an ihm lernt man, wenn er gleich auch seine Tücken hat, Machiavelli's „Principe" erst recht verstehen. Unsere Zeit hat keine Vorstellung von der Moral der hier geschilderten — weder von ihrem wunderlichen Ehrbegriff, noch von Dem, was sie gegen einen Feind für erlaubt erachtete. Bei Männern wie Sforza und Braccio ist jeder Moment ihres Lebens eine Todesgefahr, und die Stunde der Sicherheit wird in ihrem Dasein nicht angetroffen. Indeß ist Johanna auch wieder gegen Alfons mit Argwohn erfüllt worden — neben so vielen Feinden hat er nun auch sie noch zu bekämpfen und die Listen ihrer Liebhaber. Dies dauert, bis sie stirbt; bald ist Alfons ihr geliebter Sohn, öfter ihr Todfeind, niemals der Vertraute ihrer Plane und Entwürfe. Einmal wird sogar sein Nebenbuhler, Ludwig III. von Anjou, zu Johanna's Sohn und Nachfolger erklärt; aber wie Jakob von Bourbon streites- und lebensmüde in einem Kloster verschwand, so verschwindet auch Ludwig von einem blutigen Schauplatz ohne Ehre. Diese Zeit liebte den Krieg um des Krieges willen, er war ein Mittel zum Unterhalt, zum vergnügten Leben. Braccio, Herr von halb Mittelitalien, der tapferste Krieger seiner Zeit nächst Sforza, war wie dieser — oft sein Bruder, meist sein Feind — für einige tausend Goldstücke käuflich; er dient Jakob, er dient Johanna, er dient Alfons, und er dient Ludwig oder dem Papst, kurz Dem, der ihn bezahlt und der ihm irgend eine Stadt gibt. Nicht anders Sforza, Herr von halb Unteritalien, doch etwas ehrlicher als sein großer Gegner. Diese beiden Charaktere sind die Träger des historischen Interesses in dieser Geschichte; ihr Kampf mit den Liebhabern Johanna's — zu denen sie bisweilen auch gehören — ist Johanna's Lebensgeschichte; sie selbst ist fast nur leidend an ihren Lebensschicksalen betheiligt. Nachdem Sforza ertrunken und Braccio an Wunden, die er nicht heilen will, gestorben ist, bleibt der Würdigste von Allen, Alfons, Herr des Reichs Neapel. Denn Johanna ruht als die letzte ihres Stammes, Durazzo, unter einem inschriftlosen, einfachen Leichenstein in Sta. Annunziata neben dem Hauptaltar.

Dies historische Skelett hat der Verf. zu einem lebenreichen, blühenden schönen Bilde ausgearbeitet. Es ist die, die Individualität herausstellende historische Kunst, welche die „Geschichten Neapels" zu einer ebenso fesselnden Lecture macht als Schiller's „Niederlande" oder der „Dreißigjährige Krieg" es sind. Die Persönlichkeiten stehen denen von Wallenstein (Sforza), Tilly (Braccio), Ferdinand (Johanna), Adolf (Alfons) nicht nach, oder Sforza läßt sich auch mit Alba, Alfons mit Wilhelm von Oranien vergleichen. Die historischen Einzelzüge, die Belagerung von Gaeta, Bonifazio, Ischia gleichen an Interesse der Belagerung von Antwerpen und Breda, und Gustav Adolf's Heldentod ist nicht ergreifender, einfach rührender erzählt, als Sforza's Tod in den Wellen des Sangro, oder Braccio's in der Schlacht von Aquila. Die Charakteristik dieser beiden Kriegsfürsten S. 187 u. 201 gehört zu Dem, was in dieser Art Vorzügliches vorhanden ist. Ebenso ist die Schilderung des räthselhaften letzten Visconte von Mailand durch Eigenthümlichkeit des Mannes und Eigenthümlichkeit des Gemäldes ausgezeichnet. Sie mag als Stylprobe hier Platz finden:

Cribellus, Jovius, Simoneta („Vita Franc. Sfortii") hat er eine große Menge kleiner Parteischriften der Zeit durchlesen und verglichen und die Wahrheit aus Trug und Absicht herauszufinden gewußt. Daneben würdigt er die Kunstbestrebungen der Zeit und hat den frischesten, offensten Blick für Natur und Menschenbeobachtung sich erhalten. So belehrt er uns S. 242 in einer Anmerkung, daß es thöricht sei, das bekannte Bild Lionardo's in der Galeria Doria für unsere Johanna II. auszugeben, mit deren authentischem Marmorbildniß *) auf dem Grabmale des Ladislaus, junonisch, sitzend, den Reichsapfel in der Hand, es gar keine Aehnlichkeit zeigt. Dies Bild stellt vielmehr entweder Johanna von Aragonien, Ferdinand I. Gattin, oder ihre Tochter, Ferdinand II. Gemahlin, dar.

Hiermit müssen wir dem Wunsche zu mehren Andeutungen aus diesen „Geschichten Neapels" entsagen, doch nicht ohne den Verf. zu bitten, im Interesse von Kunst und Geschichte seine Mühen nicht abzubrechen und uns bald mehr solcher trefflichen Einzelgeschichten italienischer Zustände und Charaktere zu geben, die ihm, nach einmal eröffneter Bahn, leichter werden müssen, als ihm diese mühereiche Arbeit geworden sein kann. Aufrichtiger und lauter Dank aller Geschichts- und Kunstfreunde wird diese Mühen belohnen.

54.

Fragmente aus der Geschichte der Musik. Von G. C. Grosheim. Mainz, Schott's Söhne. 1833. Lexikon-8. 1 Thlr.

Indem wir an die Beurtheilung dieses Buches gehen, möchten wir fast wie Faust bei der Bibelübersetzung gleich beim ersten Worte stocken. Nämlich in der Vorrede, gleich im zweiten Satz derselben, begeht der Verf. einen so seltsamen und starken Irrthum, daß wir unsern Augen nicht trauen wollen, indem er den Gott der Unterwelt, Pluto, mit dem Gott des Reichthums, Plutus, verwechselt, was als Beweis seiner Stärke in der Mythologie gelten kann. Daß er kein Philolog ist, beweist er auf der folgenden Seite dadurch, daß er von der Landstraße der Philantropen spricht, als ob dieselbe an den Tropen vorbeiführte, aber nicht mit dem ἄνθρωπος zusammenhinge, dem er auf diese gar unbarmherzige Weise den Spiritus austreibt, wenngleich nur den Asper. Es wirkt unangenehm für ein Buch, wenn man den Verf. von vornherein sich so unwissenschaftlich produciren sieht; indessen wie selten es sei, so gibt es doch Ausnahmen, und wir können hinter einer Vorrede voller Schnitzer wol bisweilen ein Buch voller Geist finden; so hier wenigstens theilweise. Was der Verf. nämlich als eigen Gedachtes und Empfundenes beibringt, ist meist klar und ansprechend, wenn er sich nicht von fremden Autoritäten imponiren läßt; Alles jedoch, was einen gelehrten Charakter haben soll, sieht äußerst dürftig aus. Für den Zustand unserer heutigen Musik sind die ersten Abschnitte bis S. 27, welche von der Tonkunst bei den Aegyptern, Hebräern, Griechen, Römern, Galliern, Briten und Germanen handeln, durchaus ohne Bedeutung. Erst mit der Einführung des christlichen Kirchengesanges hebt die Geschichte der Musik an, insofern sie noch in ihren Keimen mit dem heutigen reichblühenden Baume der Kunst in Verbindung steht. Wir finden in dem Büchlein des Verf. in dieser Beziehung manches Interessante, was indessen ohne Forkel's, Kircher's und Anderer Arbeiten schwerlich dastehen würde. Ueberhaupt ist das ganze Büchlein nur als ein Auszug aus jenen Quellen zu betrachten, dessen Zweck uns nicht recht klar sein würde, wenn der Verf. ihn nicht in der gerügten Stelle der Vorrede, falls wir diese richtig verstanden haben, angegeben hätte. Er will nämlich nur ein wohlfeileres Werkchen liefern, was allerdings ganz löblich wäre; nur glauben wir, im Fall ein solches auch von wirklichem Nutzen sein sollte, so dürfte es doch nicht so compendiös eingerichtet sein wie das vorliegende Büchlein, welches in der That einen zu beschränkten Kreis umfaßt. Wir haben es schon in einem andern Werkchen des Verf., dem „Chronologischen Verzeichniß der Tonkünstler", tadeln müssen, daß er von Guido von Arezzo nur so Dürftiges beibringt; noch begründeter aber erscheint dieser Tadel hier, wo bei einer Geschichte der Musik doch wenigstens Das namhaft gemacht werden mußte, was Guido eigentlich für die Kunst gethan, und inwiefern seine Tongesetze die Basis aller neuern Compositionen geworden sind. Indessen grade bei den Hauptmomenten für die Geschichte der Musik hält sich der Verf. sehr wenig auf. So z. B. dürfte selbst in einem solchen Compendium Palästrina nicht so kahl behandelt werden, daß fast nichts weiter von ihm dasteht als die Anekdote von der missa papae Marcelli, wobei nicht einmal erwähnt ist, daß man dieses erwähnte Tonstück noch besitzt. Wer von Roland Laß (Orlando Lasso) sonst nichts gehört hätte, der würde die hohe Bedeutung des Componisten für die Kirchenmusik schwerlich ahnen, da wir in dem Buche nichts über ihn finden als folgende Zeilen: „Selbst Orlando errang sich noch die Unsterblichkeit und ward an den Hof Karl IX. entboten, den Seelenschmerz eines fanatischen Mörders zu heilen." Noch geschwinder wird der Verf. mit dem Erfinder des Generalbasses, Ludovico Viadana, fertig, dem er nur wenige Zeilen widmet. Aus alle Diesem läßt sich ersehen, daß seine Geschichte der Musik weit entfernt ist, ein brauchbares Compendium, welches das Wichtigere hervorhöbe und über das minder Wichtige andeutend hinwegginge, zu sein. Indessen liest sich das Buch doch nicht ohne alles Interesse, und der Grund, weshalb wir uns für den Verf. eingenommen erklären, dürfte auch manchen andern Leser mit ihm befreunden. Es ist nämlich der, daß aus dem ganzen Werke, dessen letzter Theil besonders als eigne Arbeit dasteht, ein wackerer Sinn für die edlere Kunst selbst hervorgeht. Zwar wenn der Autor in seinen pathetischen Styl geräth, wie z. B. S. 116 und 117, wo er den Abschnitt der Musik von der französischen Revolution bis auf uns beginnt, kann man ein Lächeln nicht unterdrücken; indessen die redliche Gesinnung läßt uns auch solche Züge unwillkürlicher Komik gutmüthig hinnehmen. Sein Urtheil über Forkel unterschreiben wir vollkommen; niemals ist pedantische Einseitigkeit und verkehrte Kritik berühmter geworden als die dieses gänzlich unmusikalischen, der wahren Freiheit und Schönheit der Kunst durchaus fremden Geistes. Wir müssen es unsererseits fast als eine Schande für Deutschland betrachten, daß das Urtheil dieses Mannes, der nicht einmal so viel Schönheitssinn hatte, Gluck's erhabene Einfachheit zu empfinden, jemals Autorität gewonnen hat. Das Verdienst seines Fleißes bleibt ihm dagegen unbenommen, wiewol seine „Geschichte der Musik" wegen der Ansichten, in denen sie geschrieben ist, immer nur todtes Baumaterial bleiben wird, dessen Verarbeitung zu einem wirklichen Gebäude einer spätern Hand noch aufbehalten ist. Ganz übereinstimmend denken wir ferner mit dem Verf. über die Verirrungen der neuern Musik und über die gefährliche, leider überall von oben herab begünstigte Tendenz derselben, alle tiefere Bedeutung der Kunst in ein entwürdigendes Spiel der Sinnlichkeit untergehen zu lassen. Aber, möchte man hier fragen, welches wahrhaft Gute wird von obenher begünstigt? Bevor der ganze verkehrte und verderbte Zustand, nach welchem so ungeheure Mittel auf Einzelne gehäuft werden, daß man sie mit Gewalt in die gefährliche Bahn erschlaffender Wollust treibt, nicht aufhört, wird auch die Klage nicht aufhören, daß von

*) Dies Marmorbildniß zeigt das Titelkupfer in einem gelungenen Abdruck.

dorther alle edlere Keime der Menschheit zerstört oder wenigstens in ihrer Entwickelung so gehemmt werden, daß sie selten zu einer freien Blütenentfaltung gelangen. Wir wollen jetzt nur noch einige aphoristische Bemerkungen über Einzelnes machen. Ueber Mozart's „Requiem" schwatzt der Verf. wahrhaft albern, indem ihm dabei die Autorität des muthmaßlich in seiner Nähe lebenden Gottfried Weber imponirt hat, der leider mehr kritische Peinlichkeit als großartigen Kunstsinn bei seinen Untersuchungen über das „Requiem" entwickelte. Der Aufsatz: „Deutschland", enthält viel Ueberspanntes; es scheint, daß der Verf. durch den etwas zu hoch gespannten Beifall, den einige Erscheinungen der neuern Zeit gefunden haben, in die umgekehrte Ungerechtigkeit verfallen ist, ihren wahren Werth ebenfalls zu miskennen. Daß er schiefe Ansichten zeigt, verwundert uns nicht, da er von Herrn Marx, dem ehemaligen Redacteur der „Berliner musikalischen Zeitung", einen hohen Begriff hat, den er wol nur in der Ferne fassen konnte, wo freilich ein Don Quixote auch wie ein Ritter aussieht und man wegen Unkenntniß engerer Verhältnisse das Sykophantische der Urtheile nicht so scharf bemerken kann. Die Abschnitte über die übrigen Länder Europas sind nur Notizen zu nennen, die manches Gute enthalten, im Ganzen aber wenig bedeuten.

Hiermit schließen wir die Betrachtungen über das vorliegende Büchlein. Möge der Verf., wenn er künftig Aehnliches unternimmt, mehr Gründlichkeit mit seiner lobenswerthen Bestrebung vereinigen! 76.

Die heilige Hildegardis, Aebtissin in dem Kloster Rupertsberg bei Bingen. Eine historische Abhandlung von J. Konrad Dahl. Mainz, Kupferberg. 1832. Gr. 8. 6 Gr.

Die heilige Hildegardis ist für die Geschichte des mittelalterlichen Mysticismus eine so merkwürdige Erscheinung, daß auch nach Dem, was insbesondere in neuerer Zeit Meiners in einer besondern Abhandlung und Vogt in seinen „Rheinischen Geschichten und Sagen" über sie geschrieben haben, eine neue Darstellung ihres Lebens und ihrer Persönlichkeit keineswegs überflüssig ist. Geboren im Jahre 1098, entsprossen aus dem im Nahethale ansässigen Beckelheim'schen Geschlechte und im Kloster Dissibodenberg erzogen, wurde sie besonders durch Legenden getrieben, den Schleier zu nehmen; im 38. Jahre ihres Lebens wurde sie zur Aebtissin dieses Klosters gewählt, stiftete 1148, bereitwillig unterstützt von dem damaligen Erzbischof von Mainz, das Kloster Rupertsberg und wurde selbst die erste Vorsteherin desselben. Angeregt durch nähere Verbindung mit dem ihr gemüthsverwandten Abt Bernhard von Clairvaux, durchreiste sie einige Jahre Deutschland und Italien, predigte, ermahnend, strafend und tröstend, vor Fürsten, vor Gelehrten und vor dem Volke, und wurde überall als eine Heilige und Prophetin verehrt. Heimgekehrt zu ihrer Stiftung, verfaßte oder vollendete sie die Schriften, welchen sie ihre Bedeutung in der Geschichte des Mysticismus des Mittelalters verdankt, und antwortete, wie schon früher, zum Theil in strafenden Briefen auf die Fragen, welche Erzbischöfe, Bischöfe und Aebte und selbst der Kaiser und der Papst an sie richteten. Sie starb im J. 1179, und obwol die zur Heiligsprechung erfoderlichen Wunder nicht bewiesen werden konnten, wurde es doch stillschweigend gestattet, sie als eine Heilige zu verehren, indem ihr Name in die Martyrologien des 14. und 15. Jahrhunderts aufgenommen wurde. Wichtiger und merkwürdiger indeß als diese äußern Lebensverhältnisse ist die Geschichte des innern Lebens der Seherin. Ihr schwächlicher Gesundheitszustand und ihre lebhafte Phantasie, mit welcher sich die innigste jungfräuliche Gesinnung verband, und die Einwirkung ihrer klösterlichen Erziehung unter der Leitung einer frommen Nonne gaben ihrem Wesen schon früh die mystische Richtung auf eine unmittelbare Verbindung mit Gott, und die Laster der Geistlichen und die Gewaltthaten der Fürsten, welche ihr Gefühl tief verletzten, regten zuerst in ihr ahnungsvolle Gesichte von dem Verfalle des Reichs und der Kirche an. Zweifel daran, ob diese Gesichte und die Stimmen, welche sie vom Himmel zu vernehmen glaubte, und welche sie zum Niederschreiben des Gesehenen auffoderten, von Gott seien, hielten sie anfangs ab, dieser Mahnung zu folgen, bis eine neue Erscheinung während einer lebensgefährlichen Krankheit und das Zureden ihres Beichtvaters sie dazu bestimmten. Sie begann nämlich 1141 in ihren nach zehn Jahren vollendeten Büchern der Offenbarungen die Visionen aufzuzeichnen, welche sie nach ihrer eignen Versicherung, nicht im Traume oder im Schlafe, auch nicht mit den äußern körperlichen Augen und Ohren, sondern mit den Augen und Ohren des innern Menschen vernommen hatte, und welche sie aus historischen Thatsachen nach einer Allegorie und Symbolik erklärte, die meistens der der prophetischen Bücher der Bibel entsprach. Eine nicht unbedeutende Zahl anderer Schriften, welche nur zum Theil prophetischen Inhalts sind, und welche ein nicht gewöhnliches und meist auf eigenthümliche Weise sich gestaltendes Wissen in der Theologie, Philosophie und selbst in der Medicin beweisen, verfaßte Hildegardis noch in der folgenden Zeit. Wir glaubten, die Aufmerksamkeit der Leser d. Bl. für einen Theil der Geschichte dieser mittelalterlichen Seherin um so eher in Anspruch nehmen zu dürfen, da die Geschichte einer modernen Seherin vor Kurzem das Interesse für Erscheinungen dieser Art von Neuem und zum Theil sehr lebhaft angeregt hat. Eine Vergleichung jener mit dieser würde gewiß nicht unbelohnend sein; allein die Ausführung einer solchen, auch nur in allgemeinen Zügen, würde den Raum weit überschreiten, welcher der Anzeige der vorliegenden kleinen Schrift zugestanden werden könnte. Wir bemerken deshalb nur noch in Beziehung auf diese, daß sie in Rücksicht auf die äußern Lebensverhältnisse und auf die Angabe der Schriften Hildegardis' ein schätzbarer Beitrag ist, daß indeß der Werth derselben noch durch einige genauere Erörterungen über Inhalt und Form jener Schriften und ein tieferes Eingehen in die Individualität der Verf. hätte erhöht werden können; denn in letzterer Beziehung werden nur die von Meiners gemachten Erklärungsversuche zurückgewiesen, und statt eines eignen Urtheils wird nur die vom Bischof Sailer über Hildegard ausgesprochene Ansicht wiederabgedruckt, ohne daß derselben die keineswegs überflüssige Begründung gegeben wird. 16.

Redigirt unter Verantwortlichkeit der Verlagshandlung: F. A. Brockhaus in Leipzig.

Blätter
für
literarische Unterhaltung.

Sonnabend, —— Nr. 271. —— 28. September 1833.

Miscellen über Literatur, Kunst und öffentliches Leben in Paris.

Dritter Artikel.*)

Die Blätter der eigentlichen parlamentarischen Opposition, der „Messager“, das „Journal du commerce“ und der „Temps“, welche die bestehende Regierungsform nicht abändern, sondern befestigen, die Charte nicht vernichten, sondern vollzogen wissen wollen, welche sich nicht Feinde des dermaligen Systems, sondern Freunde der constitutionnellen Monarchie von 1830 nennen und unaufhörlich dem König und seinem Ministerium jedes Versehen, jeden Fehler, jede Ungesetzlichkeit, jede Verletzung der Verfassung vorhalten, dabei stets versichernd, daß sie allein die wahren Freunde des Königthums seien, und die man darum sehr passend die inconsequenten Royalisten nennt, sind wie der Gegenstand, welchen sie behandeln, der dermalige Zustand, und wie der Impuls, von welchem sie das Leben erhalten, sehr precair, schwankend und ohne eigentlich festbestimmte Grundsätze. Die bekannten Patrone dieser Blätter sind Lafitte, der mit Undank belohnte, stets so gefällige Diener des Hauses Orleans, Odilon-Barrot, Mauguin, Arago u. A. m. Wenn diese Koryphäen sich veranlaßt finden ihre Stimme lauter in der Kammer zu erheben, treten auch ihre Blätter energischer und nachdrücklicher auf. Eine Gewähr für gewonnene Bestimmtheit in den Grundsätzen liegt darin nicht, denn morgen kann es anders sein, und wie Mauguin, Odilon-Barrot bald die Sitzungen der Kammer mit tadelnden, anreizenden Anträgen ausfüllen, dann kurz darauf in einen Zustand vom Abspannung verfallen, endlich schweigen und fast ganz verschwinden, so auch ihre Blätter; kommt ein Anstoß, so äußert sich die momentane und locale Sinnesänderung sehr bald in dem Tagesorgan. Das Uebel liegt in der Natur ihrer Stellung; sie können das herrschende System nicht rechtfertigen, darum greifen sie es in allen seinen Theilen an, dessenungeachtet wollen sie nicht als Feinde des Königthumes erscheinen! Ihre Besorgnisse, ihr Tadel, ihre Vorwürfe und ihre Voraussagungen stimmen mit denen der republikanischen Blätter überein; dennoch aber wollen sie nicht als Freunde der Republik gelten! Wie kann es demgemäß anders sein, als daß sie, in sich selbst ohne Basis und Halt, von Freund und Feind zurückgewiesen werden und in zwei aufeinanderfolgenden Tagen oft Artikel liefern, welche, wäre die Ueberschrift nicht die nämliche, auf zwei total verschiedene Redactionen schließen ließen? Danach darf man sich nicht wundern, daß, wie es unlängst geschehen, nach einer Reihe sehr heftiger Aufsätze und kritisirender Artikel, die mit Kraft und Talent geschrieben waren, die obengenannten Blätter plötzlich innehielten und auf einmal ganz mit den erzköniglichsten Versicherungen und Protestationen gegen die Republik angefüllt waren; ohne Zweifel kam der Wink von den Patronen in der Kammer, welche über die täglich wachsenden Fortschritte der republikanischen Partei bestürzt wurden und fürchteten, man könne ihre Fahne mit jener der Republik verwechseln, und daher alsbald jene der Monarchie aufsteckten. Ebenso wenig darf es also befremden, wenn die nämlichen Blätter in das entgegengesetzte Extrem verfallen und Diejenigen auf das empfindlichste beleidigen, deren Freunde und Stützen sie sich nennen. So behauptete vor einiger Zeit, seiner Liebe zu der herrschenden Dynastie zum Trotz, der „Messager“: Louis Philipp sei bei seiner Thronbesteigung mit den auswärtigen Mächten so lästige Bedingungen eingegangen, daß er nicht frei handeln könne, deshalb abdanken und seinem Sohne die Krone überlassen müsse. Die ministeriellen Blätter wiesen diesen Einfall als ein nicht eben schmeichelhaftes Zeugniß des Vertrauens von Seiten der „Freunde des Julithrones“ zurück.

Der „Courrier français“, obschon bisher zu der royalistischen Opposition gehörend, ist dennoch sehr von den soeben genannten Blättern verschieden. Mit mehr Gründlichkeit, tiefem Gefühl für Freiheit und Volksglück zu Werke gehend, sucht er diese Güter thatsächlich zu erlangen und zu befestigen und steht ab von dem Namen; er ist fest überzeugt, daß das Bürgerkönigthum Louis Philipp's seinem Verderben entgegengeht, und wenn er nicht jetzt schon offen und unverhalten die Republik ausspricht, so geschieht es nur, weil er an der Reife der Zeit zweifelt und dieser die allmälige Untergrabung des jetzigen constitutionnellen Systems überlassen möchte. Mit andern Worten, der Grund der Ueberzeugung des „Courrier français“ ist für die Republik, aber seine Form ist zurückhaltend, weil er die öffentliche Meinung sich selbst ausbilden lassen und ihr nicht vorgreifen will; vielleicht ist auch einige finanzielle Rücksicht auf seine Abonnenten dabei im Spiel.

Die politische Literatur der Karlisten oder Legitimisten oder Henriquinquisten ist, wenn auch nicht sehr zahlreich, doch auch nicht uninteressant. Sie hat übrigens wie die ganze Partei eine Katastrophe erlitten, und ihre Zeitrechnung datirt jetzt von den verschiedenen Perioden vor und nach dem Sündenfall; anders war die Stellung dieser politischen Partei, ehe die Mauern von Blaye von der ersten Erklärung einer Schwangerschaft widerhallten, vor jener fatalen Geburt ohne Vater, vor jener unwillkommenen Heirath ohne Gatten. Kein Donnerschlag kann das unbeschützte Haus bis in seine untersten Tiefen mehr erschüttern als dieser Unfall das moralische Palladium der altköniglichen Faction verletzte, und keine Gründe, kein Trost, keine Wahrheit noch Dichtung kann diesen verhängnißvollen Knoten aus dem Wege räumen; die Partei der Herzogin von Berri und Alles, was bisher durch sie geschehen war oder ferner unternommen werden sollte, ist und bleibt vernichtet. Allerdings sollte sich über eine Prinzessin, besonders aus dem Hause Bourbon, welche unverheirathet oder als Witwe gebiert, Niemand aufhalten, und die Geschichte des französischen Königshauses von Chlodwig bis zu Karl X., die gepriesensten seiner Monarchen, Heinrich IV., Ludwig XIV., lieferten so groteske Skandala, daß man über die armselige Kleinigkeit der Herzogin von Berri ganz hinwegsehen konnte. Denkt man vollends an die alle Begriffe übersteigende Sittenlosigkeit

*) Vgl. den ersten und zweiten Artikel in Nr. 190—192, 213—216, sowie den vierten in Nr. 248—251 d. Bl. D. Red.

zu den Zeiten Ludwig XV. und während dessen Minderjährigkeit an dem Hofe des Regenten, so steht die Herzogin von Berri plötzlich wieder in der sittlichen Grazie da, womit sie so lange die Phantasie ihrer Lobredner umgab. An sich war die Sache keines Aufhebens werth, aber für die Stellung entscheidend, welche die Partei genommen. Die Schrift Chateaubriand's über die Gefangenschaft der Herzogin von Berri kann als Probe des Styls und des Kothurns gelten, in welche man sich geworfen. Mont-joy St.-Denys und die Oriflamme, Saint Louis und Bianca von Castilien, Alles, was die alte und neue Geschichte an Tugend, Reinheit und Vorzüglichkeit je besessen, alle Heiligenbilder der Legende und die Großthaten des Ritterthums der Lehnsherrschaft wurden wie angepaßte Gewänder um die so menschliche Gestalt der Herzogin geworfen; die Partei, welche im Juli 1830 auch nicht sichtbar war, die zur Erhaltung ihres Chefs nicht einen Zahnstocher, viel weniger einen Degen gezogen, hatte urplötzlich den Mund voll Muth und chevaleresken Rodomontaden, und die Auftritte in der Vendée sollten nur die Vorläufer von Heldenthaten sein, in welchen Madame mit ihrem Wunderknaben — nicht das Product der letzten Niederkunft, dieses ist eine Prinzessin — wie eine höhere Gestalt, den Heiligenschein um das Haupt, geschildert wurde. Der Fall von da bis zur namenlosen Niederkunft, welcher man mit allem Geld und Bemühen keinen ehrlichen Ursprung zu geben vermag, ist etwas hart. Die Federhelden des Vorspieles waren vorzüglich Chateaubriand, der Lafitte der ältern Bourbonenlinie, der in dem Maße seine Talente als Schriftsteller und Dichter dem Dienste der Herzogin und ihres Sohnes widmete, daß Niemand den von Karl X. mit Ungnade hintenangesetzten Diener erkennen konnte. Ihm zur Seite stand der Vicomte D'Arlincourt, ein Charakter, ein Talent ganz anderer und in Wahrheit viel geringerer Art. Nicht minder Royalist und noch viel schwärmerischer und extravaganter in seiner Einbildungskraft als Chateaubriand, hat er sich zur Aufgabe gesetzt, diesen Letztern in feudaler Ergebenheit und Abenteuerlichkeit zu übertreffen, er ist der irrende Ritter der Legitimität. Seine „Schinder oder die Usurpation und Pest" müssen ins Deutsche übersetzt sein; ich will sie nur insoweit berühren, als hier zum Verständniß erfoderlich ist. Hr. von Arlincourt fühlte eines Tages Beruf, allen den Ingrimm, welchen er seit langen Monden gegen die Julirevolution und die Regierung Louis Philipp's eingesogen, von sich zu geben, seinen ritterlichen Zorn gegen die respectswidrige Usurpation auszulassen. Gern möchte er etwas recht Ausdrucksvolles schaffen; eine Revolte mit Mord und Brand, etwas Pest und Hunger, Plünderung und Zerstörung, darunter ein fremder, aufgedrungener, unrechtmäßiger König, der noch dazu ein Filz ist, um ihn herum Leute von verdächtigem Aussehen, der König von Frankreich aus seiner Väter Sitz vertrieben, umherirrend, mußten ihm nicht übel behagen. Das Ganze ließ sich, wenn auch mit einiger Preßhaftigkeit der Wahrheit, mit der Julirevolution vergleichen, gehörig von der Phantasie ausgestattet, in der Art, daß es gegen Alles zugleich gerichtet wäre, gegen die drei Tage selbst, gegen die bürgerkönigliche Dynastie, gegen die Person des Königs, gegen seine Regierung, gegen die Acteurs des Kampfes und gegen Die, welche allein den Vortheil davon gezogen, gegen die Charte von 1830 und gegen die Republik; diese kostbaren Elemente sodann in eine Urne gelegt, gehörig gerührt und geschüttelt, das mußte eine vortreffliche Mixtur werden, die beim zufälligen Herausgießen ebenso gut den Titel eines Romanes als sonst etwas annehmen konnte. Hr. von Arlincourt nennt es bescheidener „Fragmente". Indem er die alten Chroniken von Paris und der Geschichte von Frankreich zur Hand nimmt, Sauval „Journal de Paris sous Charles VI.", „Jouvenal des Ursins", Enguerrand de Monstrelet, Felibien, Anquetil u. A. stößt er auf einen Zeitpunkt, welcher ihm reichlich darbot, was er nur verlangen konnte: der Anfang des 15. Jahrhunderts, der Wahnsinn Karl VI., die Minderjährigkeit Karl VII., Isabelle von Baiern, der blutige Kampf der beiden Parteien, des Connetable von Armagnac und des Herzogs von Burgund, die sich um die Ausübung der Oberherrschaft befehden, Frankreich verwüsten, Paris bald besetzen bald verlassen und allen Greueln des Krieges preisgeben, gräßliche Mordscenen in Paris, die Pest, welche in sechs Wochen 100,000 Menschen hinrafft, Armagnac im Jahre 1428 ermordet, die Gefangenen in den Gefängnissen und über 1500 Bürger geschlachtet, die Parteiführer Caboche, Perrin Leclerc und ihre Genossen, welche sich im Blute ihrer Mitbürger baden, ein fremder König, Heinrich von Lancaster, Herr in Paris, welcher große Feste ankündigt und zu geizig ist, um etwas Königliches zu leisten, er führt den Namen: König der Franzosen, während der wahre König von Frankreich aus Paris sich flüchtet, in der Ferne lebt, an seinen Thron und das Glück seiner Unterthanen denkt und endlich mit Besiegung aller feindlichen Widerstände und Vernichtung alles anarchischen Parteiunfuges seinen angeerbten Thron wiedererlangt und mit Ruhm und Ehre ausfüllt. So hat Herr von Arlincourt jene Zeit verstanden und in den drei Tagen jene schauderhaften Mord- und Raubscenen, in Caboche und den übrigen Mordgesellen Lafayette und seine Freunde, in Heinrich von Lancaster den Herzog von Orleans, in der damals herrschenden Pest die zwei Jahre nach der Julirevolution ausgebrochene Cholera, in dem geflüchteten König Karl VII. den kleinen Herzog von Bordeaux gesehen und sie so bunt ausgeschmückt als möglich; ja, damit nichts mangele, nennt er Heinrich von Lancaster, wie Louis Philipp heißt, König der Franzosen, während Karl VII. sich König von Frankreich schreibt, er führt sogar eine republikanische Verschwörung auf, die höchst spaßhaft wäre, hätte der Verfasser in seinem Eifer sie nicht allzugütig bedacht und mit Schmuz und Ekelhaftigkeit überladen. Schade nur, daß diese historischen Fragmente, abgesehen von ihrer Beziehung, die jeder leicht selbst machen wird, ihres ersten Erfodernisses, der Historie, ermangeln. Diese Herren machen es sich bequem, es reicht ihnen hin, sich als Kämpen der Legitimität zu constituiren, sich vor dem Heiligenbild irgend einer alten Marquise weihen zu lassen, um dann als wahre Donquixotes den Krieg gegen Menschen und Thatsachen, die Geschichte und die Evidenz selbst zu führen. Dieser wunderbar errettete Prinz, jene Perle an Tugend, Ritterlichkeit, königlichen Eigenschaften und Liebenswürdigkeit, welchen die Geschichte unter dem Namen Karl VII. kennt, wie betrug er sich? Fern vom Schauplatz des Kampfes, der Unruhen und der Gefahren lebte er wie ein Sybarit, er sang, tanzte, ritt, jagte und focht; während sein theueres Land, seine ihm von Gott anvertrauten Unterthanen durch Brand und Mord zu Grunde gingen und bald Frankreich in Flammen stand, hatte er nicht Zeit, an etwas Anderes als sein Vergnügen zu denken; Frankreich rief um Hülfe, das Volk flehte, das Parlament drohte, Karl tanzte und schlief; die Ehre mahnte, Karl ging zu seiner Geliebten und vergaß Frankreich, das Volk, das Parlament und die Ehre. Nichtig und ohne innern Adel, würde Karl VII. spurlos in der Geschichte verschollen sein, wenn nicht die Heldenepisode der Jungfrau von Orleans seiner Epoche einen ganz wunderbaren Glanz verliehen hätte. Seine Schmeichler nannten ihn den Siegreichen, weil Jeanne d'Arc ihm ihren Arm und Jacques Coeur, der größte Finanzmann jener Zeit, seine Gelder geliehen hatte; dafür ließ er die Erstere auf dem Scheiterhaufen zu Rouen verbrennen, ohne auch nur einen Schritt zu ihrer Rettung gethan zu haben, und das Vermögen des Letztern confisciren, seine Verleumder und Ankläger damit belohnen und ihn selbst außer Landes verweisen. Es ist den Königen zuweilen verliehen, während ihrer Lebenszeit die Wahrheit verstummen zu machen und statt ihrer die Schmeichelei sprechen zu lassen; glücklicherweise ist die Geschichte unerbittlich und rächt sich an den Unwürdigen. Karl VII. ist heute an seinen gehörigen Platz gewiesen, und selbst die späte Vergötterung des Hrn. von Arlincourt wird ihn zu keinem andern Heros als dem einer grausam unterbrochenen Tragikomödie machen können. Voltaire hat ihn in der „Pucelle" zur Zielscheibe seiner Satire gemacht.

Was der Compilation von Arlincourt ein wirkliches Interesse gibt, sind die gesammelten Mottos; sie sind ein Spiegel der jetzt am Ruder stehenden Männer, und Manchem mag diese historische Rückerinnerung sehr unwillkommen sein. Wir sehen darin [illegible] nach den Zusagen geäußerten Grundsätzen schwer vereinbar sind: Im Jahre 1808 schrieb der Herzog von Orleans: „Wenn die ungerechte Anwendung einer höhern Gewalt (was Gott verhüten wolle) dahin gelangen sollte, factisch und niemals rechtlich auf den Thron von Frankreich einen andern als unsern legitimen König zu setzen, so erklären wir, daß wir mit ebenso großer Zuversicht als Treue der Stimme der Ehre folgen werden, welche uns gebietet, bis zu unserm letzten Seufzer auf Gott, auf die Franzosen und unsern Degen uns zu berufen." Am 29. Juli 1830 sagte Louis Philipp zum Herzog von Mortemart: „Herzog von Mortemart, sagen Sie dem König, daß man mich mit Gewalt nach Paris gebracht hat, daß ich mich aber eher in Stücke hauen, als mir die Krone aufsetzen lassen werde!"

Auch dem Herrn Odilon-Barrot, diesem verblaßten Gestirne der sonst so wortreichen und so planlosen Kammeropposition, wird eine Phrase vorgehalten, welche manche seiner Freunde, die etwas ganz Anderes in ihm vermutheten, in Erstaunen setzen mußte, und allerdings wer die Angriffe Odilon-Barrot's gegen die ältern Bourbonen und seine Ergebenheit an Louis Philipp betrachtete, mußte sich über diese Worte wundern, welche der Begleiter Karl X. in Cherbourg beim Abschiede sprach: „Bewahren Sie wohl das erlauchte Kind; wachen Sie über diesen heiligen Schatz, denn dieses junge Haupt kann allein Europa retten." Eine widerlegende Erwiderung des Hrn. Odilon-Barrot auf diese verfängliche Anrede ist mir nie zu Gesicht gekommen.

(Die Fortsetzung folgt.)

Unternehmungen Kaiser Karl V. gegen die Raubstaaten Tunis, Algier und Mehedia. Aus den Quellen bearbeitet von Eberh. Wiens. Münster, Coppenrath. 1832. 4. 16 Gr.

Es ist gewiß ein verdienstliches Unternehmen, solche Begebenheiten, welche in der allgemeinen Geschichte einzelner Staaten oder in der Darstellung größerer Zeiträume der Weltgeschichte keine ausführlichere Berücksichtigung finden können, und welche doch an sich oder wegen ihrer Folgen eine solche verdienen, in Monographien, welche als Beilagen zu den umfassendern und allgemeiner gehaltenen Werken betrachtet werden können, mit sorgsamster Gründlichkeit und mit erschöpfender Ausführlichkeit zu behandeln. Auf solchem Wege können bereits vorhandene Darstellungen der bezeichneten Art am besten berichtigt und ergänzt werden, und es wird Spätern auf eine sehr dankenswerthe Weise vorgearbeitet. Die Unternehmungen, welche der Gegenstand der uns vorliegenden Schrift sind, haben zwar durchaus keine bedeutenden Folgen gehabt, allein sie waren zu ihrer Zeit wichtig, sie zogen durch den ihnen eigenthümlichen ritterlichen Charakter die gespannteste Aufmerksamkeit derselben auf sich, und sie verschafften, insoweit sie mit Erfolg begleitet waren, dem Fürsten, welcher sie ausführte, nicht geringen Ruhm; endlich läßt auch das Interesse, welches die glückliche französische Expedition gegen Algier und die Hoffnungen und Erwartungen, die sich für die Zukunft an dieselbe knüpfen, die Wahl des Gegenstandes als sehr zeitgemäß erscheinen. Was der Verf. bezweckte, „die verdienstlichen Bemühungen Kaiser Karl V. zur Vertilgung der Seeräuber auf dem Mittelmeere vollständiger und gründlicher, als bisher geschehen, darzustellen", das hat er in der That erreicht, er hat eine mit Sorgfalt und Fleiß und in einfacher und gefälliger Darstellung abgefaßte Bearbeitung seines Gegenstandes gegeben, und wenn wir einen Mangel bemerklich machen, welcher Ursache ist, daß die Untersuchung noch nicht als abgeschlossen betrachtet werden kann, so ist dies ein solcher, welcher dem Verf. nicht zur Last gelegt [illegible] gerügt werden, so geschieht dies kaum einige Mal und so, daß die Anführung als entlehntes Citat erscheint. Ferreras, welcher fleißig benutzt ist, konnte dafür wol einigen, aber keineswegs hinreichenden Ersatz geben. Billigen können wir es auch nicht, daß der Verf. durch seine ganze Schrift hindurch die „Geschichte des Malteserordens" von Vertot als Quelle vielfach benutzt, denn wenn sie auch unter den Schriften dieses Historikers die gehaltvollste ist, so geht doch auch ihr der Charakter [illegible] wissenschaften und strengen Gründlichkeit ab, welcher allein dazu berechtigt, eine abgeleitete Darstellung als Quelle zu gebrauchen. Eine umständliche Darstellung der Eroberung von Tripolis, Tunis und Goletta durch die Türken soll sich der vorliegenden Darstellung anschließen; wir wünschen dem Verf., daß er im Stande sein möge, durch vollständiges Quellenstudium und durch ausschließliche Benutzung von Quellen im strengern Sinne des Worts dieser Fortsetzung einen noch gediegenern Gehalt zu geben, und daß er nicht genöthigt sein möge, sich auch bei dieser nur auf eine größere Vollständigkeit und Ausführlichkeit zu beschränken, statt eine völlig erschöpfende Behandlung zu liefern.

16.

Literarische Curiosa.

1. Alte Theater- und Anschlagezettel.

Auf den angesehensten Schulen und Gymnasien wurden in den frühern Zeiten, vermuthlich schon vor der Reformation, von Zeit zu Zeit Schauspiele aufgeführt. Der Rector schrieb sie meist, die Schüler spielten sie. Anfangs waren es lateinische, späterhin wurden es deutsche. Den Stoff lieferte die biblische oder profane Geschichte; oder es war auch blos Product der Phantasie. Der Zufall hat uns zu dem Besitz zweier Theaterzettel von solchen Schulkomödien verholfen, die sich durch ihr Alter, wie dadurch auszeichnen, daß sie mit dem Inhalte die Personen des Stücks und den die Rollen spielenden Schülern bekanntmachen. Der eine ist vom Jahre 1714: „Mit gütiger Erlaubniß ihrer hochzuehrenden Superiorum" führte da am 24. und 25. Januar die „auf dem görlitzischen Gymnasio studierende Jugend die vermeinte Aventure des in der görlitzischen Heyde im Kober gefundenen Printzens in einem gewöhnlichen Dramate" auf. Die Vorstellung fand Nachmittag um drei Uhr statt, und Verf. war der Rector, M. Sam. Grosser. Das Stück selbst gründete sich auf eine Sage, zufolge welcher ein Prinz von Böhmen in der Haide bei Görlitz geboren, von einem Bürger dieser Stadt in einem Kober gefunden und von ihm erzogen wurde, bis ihn „seine durchlauchtigen Aeltern" wieder aufsuchten und mit nach Hause nahmen. Das Stück hat vier Acte, und diese sind dem Inhalte nach summarisch mitgetheilt, worauf das Personenverzeichniß schließt. Letzteres ist sehr stark. Nicht weniger als 36 treten darin auf, und unter den Darstellenden finden sich die Namen von Jünglingen, deren Familien noch heute geachtet sind. Wir finden einen H. Chr. von Seidlitz, einen Max. Ad. von Gersdorf, einen Hans Ernst von [illegible], einen H. J. von Dyherrn, einen H. F. von Axleben u. s. f. Eine Menge Frauenrollen werden natürlich alle ebenfalls von solchen Schülern gespielt, und man muß sich nicht wenig über die Dinge wundern, welche ihnen zu sagen und zu singen hierbei aufgegeben waren. So singt die Ehefrau des Bürgers, dem der im Kober gefundene Prinz nun wieder weggenommen ist, unbedenklich:

Um kleine Kinder
Ist es doch gar zu fein!
Doch Kinder liegen nicht
Stets auf der freien Straße,

Drum ist, auf solche Maße
Niemand, der mir ein ander Kind verspricht.

Mein Mann ist schon zu alt;
Ich aber doch noch so gestalt't,
Daß ich nach seinem Sterben
Auf einer neuen Lebensbahn
Ein Zeitvertreibchen hoffen kann.
Versteht ihr mich? durch einen Erben.

Eine nun noch folgende „Aria“ drückt sich noch viel handgreiflicher aus, und wer die Zucht und Sitte, die damals auf dem görlitzer Gymnasium herrschte, nach diesem „Dramate“ beurtheilen wollte, müßte eine niedliche Vorstellung davon bekommen.

Noch viel älter ist unser zweiter Theaterzettel, ebenfalls von Görlitz herstammend, aus dem „MDCLXXXV.“ (1685) Jahre. Es stellte da „am XV., XVI., XVII. (15., 16. u. 17.) May-Monats“ Christian Funke, „Schulregierer“, mit seinen Schülern, „drei unterschiedene Spiele, eines vom vierfachen und zwar geistlichen Zustande des Menschen, Psyche genennet, das andere vom gequälten Liebes-Siege, genennet Mirmiade, das dritte von Eyfersüchtiger Selbst-Rache, Bellemperie benahmet“ dar, und dem Theaterzettel selbst geht eine Vertheidigung solcher Schauspiele voran, sobald sie nicht „von gemeinen und herumschweifenden Personen an den Tag gegeben“ werden, was vermuthlich ein Ausfall gegen eine oder die andere wandernde Schauspielergesellschaft jener Zeit sein sollte. Der spielenden Personen sind ebenfalls sehr viele, und auch unter ihnen gibt es noch manche jetzt gar wohlbekannte Familiennamen. Der „Schulregierer“ war diesmal jedoch nicht Dichter, sondern nur Bearbeiter gewesen. Die Stücke rührten von einem „Herrn Niemer und von Spaten“, sowie „vom Erwachsenen“ (ohne Zweifel einem Mitgliede) der fruchtbringenden Gesellschaft *) her. Zum Schluß kam noch ein Lustspiel: „Grollius ABCdarius“, um das Trauerspiel zu versüßen, „obgleich es mit allerlei Kurzweil durch Skaramutzen abgewürzet worden“.

Zuletzt wird noch bemerkt, daß „wegen Anschaffung allerlei neuen Apparats, wegen der Musik, wegen unterschiedener Bemühung unvermeidliche Kosten aufgelauffen“, und die Zuschauer „nach ihrer eigenen Mildigkeit ein Weniges beizutragen sich willig finden lassen“ möchten. Daß übrigens ein solcher Theaterzettel nicht mit einem Viertel- oder halben Bogen gleich den jetzigen abgemacht sein kann, wird man leicht begreifen. Der eine vom Jahr 1714 enthält vier, und der von 1685 drei Folioblatt. Der letztere scheint zugleich anzudeuten, daß ein besonderes Gebäude zu solchen Vorstellungen vorhanden war, denn er beginnt: „M. G. H. (mit Gottes Hülfe) die Görlitzische Schaubühne im Kloster öfnet abermahl“, und der Prospectus oder das Vorwort sagt, wie dieselbe „viel Jahre nach einander geöffnet“ worden sei.

Ein Anschlagezettel von einem Wunderthiere, den wir besitzen, verdient nicht minder erwähnt zu werden. Er ist ebenfalls aus dem 17. Jahrhunderte. Zwar fehlt die Angabe des Jahres, allein der Inhaber des Thieres hat es „dem König in Pohlen“ außer vielen andern Potentaten „vorgezeiget“, und hätte bereits August von Sachsen den polnischen Thron besessen, so würde er gewiß: und Churfürsten von Sachsen, beigesetzt haben. Das Thier selbst wird mit dem Namen „Bazul“ bezeichnet, und, als eine Spanische Katz, der Kopf als ein Wolff, der Rücken als ein wilder Hauers“ u. s. w. geschildert. Dem oben darüberstehenden Bilde zufolge war es eine Hyäne. Mit ihr zugleich aber erschien noch „eine Frau, welche mit ihren eignen Haaren einen Ambos von 4—500 Pfundt von der Erden auffheben thut, mit blossen Füßen auff einem glüenden Eysen gehet, zerlassenes Pech, Schwefel, glüende Kohlen sampt denen Liechtern essen thut“. Also waren die Gaukeleien, welche unsere Feuerkünstler, wie sie sich öfters nennen, jetzt zum Staunen der Unwissenden produciren, schon damals, nebst den Kunststückchen à la Rappo, gewöhnlich, und wenn wir mehr als einmal a priori behauptet haben, daß die Kenntniß der Mittel, welche die Haut gegen die Einwirkung der Hitze sicher stellen, uralt sein müsse, so haben wir nun auch einen Beweis dafür aus diesem alten Meßzettel erhalten.

Endlich besitzen wir noch den Zettel, welcher das Erscheinen des (vermuthlich ersten) 1650 in Deutschland herumgeführten Elefanten beurkundet. Er ist in holländischer und französischer Sprache abgefaßt, und ein ganz und gar nicht schlechter Kupferstich, der alle möglichen Kunststücke des Thieres in einem großen Mittelbilde sowie in 16 kleinern darthut, welche letztere die vier Seiten eines ganzen Bogens einnehmen. Was die jetzt häufig zur Schau herumgeführten Elefanten sehen lassen, leistete auch der damalige, ja er gab noch mehre Kunststücke zum besten, die wir noch nicht gesehen haben. So kämpfte er mit dem Degen gegen seinen Herrn; „il joue à l'estocade!“ besagt die Schrift unter dem Bilde; er schob Kegel, er warf eine Menge Jungen über den Haufen, welche man ihm vor den Rüssel brachte und auf den Nacken setzte. Wie man noch fast 150 Jahre in den Schulen lehren und naturhistorische Handbücher schreiben konnte, daß der Elefant im Stehen schlafen müsse, weil er sich nicht legen und dann wieder aufrichten könne, begreift man kaum, denn dieses Thier „se met à terre“, und das Bild zeigt uns, daß er dalag wie ein Hund, der alle vier Beine von sich streckt. Das Thier führte den Namen Hans; „Hansken den Olyphant is mynen naam“, besagt die Schrift unter dem Hauptbilde, das für den Liebhaber von Curiositäten, nebst den genannten andern drei Zetteln großen Werth haben dürfte.

2. Die Sonettenform.

Es gab eine Zeit, vor etwa 15—20 Jahren, wo alle Dichterlinge Sonette schmiedeten. Sie überlegten nicht, daß es die schwierigste Form und selbst darin in der Sprache, welche dem Versbau die willkommenste ist, wenig Untadelhaftes geleistet worden war. Mindestens behauptete dies einer der Italiener, welcher seines Melodienreichthums wegen sowie als Kenner der vaterländischen Literatur noch immer geschätzt ist: Metastasio. Sein Bruder hatte ein Sonett gedichtet; was schrieb er ihm deshalb? „In diesem verwünschten Prokrustesbette befindet man sich nie wohl. Unser Tasso hat mit seinem „Jerusalem“ so große Ehre erworben, aber unter seinen 900 Sonetten und darüber nicht eines hinterlassen, das seines Namens werth wäre. Der Homer von Ferrara (Ariosto) hat zwei oder drei, die ein wenig mehr als mittelmäßig sind. In Petrarca, der sich doch ganz besonders darauf legte, möchte ich nicht mehr als etwa fünf oder sechs für untadelhaft zu erklären wagen. Es ist dies eine Dichtungsart, wo der beschränkte Mechanismus alle andern Ansprüche vernichtet, und bei der sich gute, ideenreiche Köpfe viel schlechter befinden als beschränkte und leere. Den melodienreichsten Schwan setzt sie wegen ihres beschränkten Raumes der Gefahr aus, zu einer zirpenden Heuschrecke zu werden. Kurz, es ist eine Dichtungsart, der ich klüglicherweise schon seit vielen Jahren entsagt habe, und ich zittere für Jeden, der sich damit einläßt.“

So urtheilte Metastasio von den Sonetten des Tasso, des Petrarca, des Ariost und der ganzen Form überhaupt; was hätte er wol von den deutschen Klingklanggedichten jener Periode gesagt. *)

195.

*) Funke war selbst unter dem Namen des „Funkelnden“ Mitglied derselben. Zu seiner Zeit galt er viel und stand mit mehren Italienern sogar im Briefwechsel.

*) Das merkwürdige Urtheil findet sich in seinen ziemlich selten gewordenen „Lettere scelte“, der zweite Theil der „Opere postume“ (Wien 1795), S. 89 fg.

Redigirt unter Verantwortlichkeit der Verlagshandlung: F. A. Brockhaus in Leipzig.

Blätter

für

literarische Unterhaltung.

Sonntag, —— Nr. 272. —— 29. September 1833.

Miscellen über Literatur, Kunst und öffentliches Leben in Paris.

Dritter Artikel.

(Fortsetzung aus Nr. 271.)

Seit der erklärten Schwangerschaft der Herzogin von Berri waren die Koryphäen der legitimistischen Partei stille. Niemand mag diesen Stoß widriger empfunden haben als Chateaubriand, welcher den Morgen darauf, als der „Moniteur" die officielle Anzeige gab, seine Schrift über die Gefangenschaft der Herzogin vor den Assisen vertheidigen sollte. Es läßt sich denken, in welcher Sprache der Angeklagte sich ausgedrückt haben würde; sicherlich füllten die Parabeln und Allegorien zur Heiligung und Glorificirung der Herzogin ein Drittel der vorbereiteten Rede; sein Standpunkt war wirklich günstig, das Interesse war nur auf einen Punkt gerichtet, die ungesetzliche Gefangennehmung und Haft und das verzweifelte Wagniß einer schwachen Frau und Mutter; da tritt wie ein diabolus ex machina die hämische Phrase des „Moniteur" dazwischen und schneidet dem Redner den Faden so kurz am Munde ab, daß der arme Chateaubriand kaum drei Worte zusammenfinden konnte. Verdammter Graf von Pall, l'introuvable!

Die legitimistischen Journale setzen ihren Kampf wie früher fort. Anfänglich hatte sie die Nachricht des so äußerst unlegitimen Vorfalls in eine namhafte Verwirrung gebracht, sie redeten irre und aller Einklang war verschwunden; auch war es nichts Geringes für sie, die noch kurz vorher ihren Leib eingesetzt und mit Gefahr ihres Lebens die ehrenrührigen Gerüchte gegen die Herzogin zurückgewiesen hatten; jetzt ist die Alles heilende Zeit einigermaßen zu Hülfe gekommen und — die stets fortgesetzte Ungesetzlichkeit der Regierung. Sie sprechen nicht mehr von der unerreichbaren Muttergröße der Herzogin, von ihrer Stärke, ihrer Reinheit, dagegen reden sie um so lauter gegen die Handlungsweise Louis Philipp's und danken ihm selbst die so spät durch die vorhergegangene Entehrung seiner Nichte bedingte Freilassung nicht. Die „Gazette de France" ist fortwährend das am besten mit System und Plan, Kenntniß und einer vollkommenen jesuitischen Gleisnerei geschriebene Blatt. Man kann nicht liberaler, nicht populairer und demokratischer sein, als es die gute „Gazette" ist, Preßfreiheit, Urwahlen, Primairversammlungen und Nationalcongreß, Alles das will sie ebenso gut als die Republik und noch energischer, und das Princip aller dieser volksthümlichen Vorzüge und Fortschritte hat ihr zufolge in dem System der ältern Bourbonenregierung gelegen, zu welcher sie noch immer durch diese Präliminarien eines republikanischen Ueberganges wiederzugelangen hofft. Ich fürchte, diesen Traum werde sie nie realisirt sehen, und es werde wahr bleiben, was Chateaubriand selbst nach den Julitagen in der Pairskammer in seiner berühmtgewordenen Rede von den ältern Bourbonen gesagt: „Zum dritten und letzten Mal vom französischen Boden vertrieben!" Die „Quotidienne" ermangelt des gleichen Eifers nicht, im Gegentheil, sie ist viel energischer, in dem Grade selbst, daß sie der „Gazette" mehrmals Vorwürfe gemacht; sie ist aber viel weniger vorsichtig und mit geringerm Talent geschrieben. Der „Renovateur" und „Courrier de l'Europe", früher als zwei besondere Blätter bestehend, an denen, wie ich glaube, Chateaubriand und d'Arlincourt mitarbeiteten, sind nun in eines vereinigt. Für den unparteiischen Leser am unterhaltendsten sind die beiden kleinen Blätter: „La mode" und „Le revenant" (jetzt „L'avantgarde"); das ist das wahre Gift, welches kaum Worte für seinen Haß finden kann. Die „Mode" erscheint nur in Zwischenräumen von mehren Tagen auf feinstem Atlaspapier in Octavformat und sollte sich ihrem Titel nach gar nicht mit Politik befassen, im Gegentheil aber ist von Mode darin kaum die Rede; sie spricht im Namen der bonne société und ist das Organ alles Dessen, was der Faubourg St.-Germain an gereizter Abneigung, an unversöhnlicher Feindschaft, an Haß und Verachtung gegen das Haus Orleans empfindet; ihr unablässiges Bestreben ist, die Jämmerlichkeit der dermaligen Dynastie, ihre armselige Habsucht und Knickerei, ihre Feste und Bälle mit Vergleichung der alten Bourbonenlinie, ihrer Größe, ihrer königlichen Würde und Großmuth, herabzuwürdigen und zu persifliren, wobei sie den bürgerköniglichen Thron wie das sich aufblähende, zur Aristokratie sich heranbildende pariser Bürgerthum mit gleichem Spott beladet; sie verachtet offen den Bürgerstand, es ist das Blatt des Adels gegen den Bürger, und sie macht kein Hehl daraus, daß sie nur ein Königthum mit Ahnen und Edelleuten und einen Nachklang des Hofes von Ludwig XIV. wolle, alles Andere ist ihr plebejisch und trivial. In diesem Sinne wird jeder Schritt des Königs, jedes seiner Worte, jede Handlung der Königin und der Prinzen, seiner Schwester, Madame Adelaide und der Würdenträger des Thrones gemustert, und der arme Louis Philipp mag in der Küche nachsehen, ob sein oberster Küchenmeister, Herr von Montalivet, nicht zu kostspielig haust, oder seinen Regenschirm und grauen Filzhut aus der guten Periode der besten der Republiken, des Thrones mit republikanischen Institutionen und der Händedrücke als außer Gebrauch zur Aufbewahrung in das königliche Archiv niederlegen; die Königin möge sich von einer Deputation den Ausbund der Schönheit und Grazie nennen lassen, an der sich die Natur erschöpft, oder Madame Adelaide möge einer unglücklichen Gemeinde als Beweis ihrer Munificenz 150 Francs schenken; der König möge auf der Terrasse des pavillon Flore Kaffee trinken, was die „France nouvelle" des andern Tages mit großen Buchstaben berichtet, oder einen Artikel in diese Zeitung liefern: die „Mode" ist nie zufrieden und hat die Frechheit, das Eine so lächerlich zu finden als das Andere. Der „Revenant" ist im Format und in der Art geschrieben wie der „Corsaire", nur weniger witzig und von ganz entgegengesetzter Tendenz. Während der „Corsaire" die Lächerlichkeiten und Fehler der jüngern Dynastie heraushebt des Systems halber, und um dieses neue Königthum ebenso gut zu discreditiren wie das alte, wird der „Revenant" durch den Haß gegen die Personen selbst und die Anhänglichkeit an die alte Herrschaft getrieben; weit entfernt, daß er an die Stelle der jetzigen Charte eine populairere und an die Stelle des Bürgerkönigthums eine reine Volksherrschaft setzen würde, möchte er vielmehr die alte legitime Herrschaft mit ihren Prärogativen der verflossenen Jahrhunderte und etwaigen gnädigen Bewilligungen wieder einziehen sehen.

Die republikanische Literatur ist zu einer Macht angewachsen, von welcher man sich im Auslande, in Deutschland, wo grade die Schriften dieser Partei am wenigsten gelesen werden, kaum einen Begriff machen kann. Werfen wir einen Blick auch auf diesen Theil des literarischen und öffentlichen Lebens; wir schildern und beschreiben, unsere Argumente beruhen in Thatsachen, die wir als äußere Erscheinungen auffassen und erzählen. Gegen sie vermag keine Abneigung, kein feindliches System und keine Censur etwas; was geschehen ist und besteht, kann nicht beseitigt werden; ist Das, was als Zukunft und Folge durch die Gegenwart und Vordersätze durchblickt, nicht überall dem Wunsche Derer, die momentan das Schiff der Gewalt lenken, entsprechend und genehm, so mögen sie bedenken, daß die Geschichte — und ihr gehört an, was wir hier darstellen — ihren unwandelbaren Weg fortschreitet, und daß es ein minderes Verderben ist, die bevorstehende Zukunft mit geistigem Auge zu erkennen, als ihr mit verbundenem Blicke entgegenzueilen und zu verfallen.

Der Thron der ältern Bourbonenlinie war umgestürzt, Karl X. vertrieben. Es fragte sich, was an die Stelle des Alten gesetzt werden solle. Der Haupttheil in dem großen Drama wurde nicht zur Abstimmung über diese große Frage gerufen, und Diejenigen, welche in dem ersten Momente nach dem Kampfe die wieder gefahrlos gewordene Leitung der öffentlichen Angelegenheiten ergriffen, waren zu sehr Männer der Vergangenheit, um der neuen Zukunft vertrauensvoll und freundlich ins Antlitz zu sehen; sie waren zu wenig mithandelnd in dem dreitägigen Schauspiel, um in seinem Sinn zu empfinden; sie waren nicht Volk und fürchteten das Volk; was beginnen? Dreierlei lag in der verschwundenen Zeit: der erste Versuch einer Republik, welche ihren normalen Zustand nie erhalten hatte und im Kampfe mit ihren feindlichen Gegensätzen untergegangen war; das Kaiserthum und die Restauration. Seit dem 18. Brumaire hatte keine Geschichte der Republik der neunziger Jahren bestanden, sie war vor der Consulargewalt, vor der kaiserlichen Censur und der rachsüchtigen Reaction der Restauration verstummt; aus jener Zeit ragte daher in die Gegenwart nichts Anderes herüber, als was die successiv über die Bühne gegangenen Machthaber mit ihrem Bestand und ihrer Sicherheit vereinbar fanden. Das war sehr wenig des Wahren und Guten und viel des Schrecklichen und historisch Unwahren. Man sah in der Republik nichts als die Anarchie, im Convent den Terrorismus und in der Freiheit die Guillotine; also nichts von der Republik. Das Kaiserthum hatte tiefe Wunden geschlagen; sein Ruhm und Glanz strahlten noch zurück, allein die Sonne jener Zeit war verblichen, die Bahn des Kriegsruhmes, groß und herrlich durchlaufen, war zu Ende, das Kaiserthum zudem ließ sich nur mit einem Napoleon denken, und woher diesen nehmen? Das eben daniedergeschmetterte System der Restauration konnte keinen Anspruch auf offene Anerkennung, selbst bei seinen heimlichen Freunden, die sich in den neuen Rath geschlichen hatten, finden, und aus diesem Zwiespalt zwischen Vergangenheit und Zukunft, aus dieser Abneigung vor dem Einen und Furcht vor dem Andern, aus der mangelnden Kraft zu etwas Frischem, Neuem, Kräftigem entsprang zuerst der Charakter einer Periode, die, obgleich jetzt schon bestimmt hervortretend, später erst benannt wurde. Die Sprache ist das Gepräge der Zeit, und nichts ist ausdrucksvoller als die aus jenem Imbroglio hervorgegangenen Namen. Man wollte keine Republik, aber ein analoges Programm des Hôtel-de-ville, einen populairen Thron, mit republikanischen Institutionen umgeben; man wollte keine Restauration und alte Monarchie, sondern ein Bürgerkönigthum; nicht Das, was früher bestanden, und doch von jedem etwas, nicht das Alte und nichts Neues, ein Mittelding, ein Juste-milieu! Wundere sich noch Jemand, daß es ein Zwitterding geworden! Wo sind heute die Händedrücke und die Marseillaise, das Programm des Hôtel-de-ville und der populaire Thron mit republikanischen Institutionen, wo ist das Bürgerkönigthum? Daß sie spurlos verschwunden sind, leugnet Niemand, sondern man hilft sich durch ein anderes Mittel, man leugnet ihre Verheißungen und erklärt das Eine wie das Andere für eine Erfindung. Dem ist nicht so, es gibt Dinge in der Geschichte, welche das Gepräge ihrer Wahrhaftigkeit im Namen tragen, und nichts war jemals bezeichnender, historisch richtiger und wahrer als jene Benennungen, als jene Züge der Zeitgestalt. Wären sie nie von einem Munde ausgesprochen worden, so müßten wir sie dennoch anerkennen, denn keine Kritik, kein Scharfsinn, keine inspirirte Phantasie hätte besser sagen können. Man wollte Gegensätze vereinigen, und sie bekämpften sich; man kettete feindliche Namen aneinander, im Wahne, daß die Sachen friedlich nebeneinander blieben; diese haben ihre Natur geäußert und das Band zerrissen; ein Bürgerkönigthum ist Unsinn, ein Thron mit republikanischen Institutionen ist ein Widerspruch im Worte selbst; wir sehen, was daraus geworden. Das, was man Juste-milieu taufte, ist der Indifferenzpunkt aller Vorzüge der frühern Systeme und der Vereinigungspunkt aller ihrer Nachtheile geworden. Keine Freiheit der Republik, kein Ruhm des Kaiserthums, kein Glaube an Tradition der Restauration und keine Ersparniß noch Erleichterung des neuen Thrones! Die Gegenwart ist Jedem klar, auch dem Volke; darum wendet es sich von ihr ab. Wohin und zu welcher Fahne? Nicht zu jener der Karlisten, das ist unter allen Thatsachen die unbestreitbarste. Das Reich der Bourbonen, die alte französische Monarchie sind todt, wie der Jesuitismus todt ist, man kennt beide nur noch in der Erinnerung, und der Abscheu gegen sie hat die Massen des Volkes durchdrungen; zwischen den Träumen und Projecten der Karlisten und der Zukunft der Nation besteht keinerlei Verbindung noch Sympathie, eine Versöhnung ist undenkbar. Die Republik, die im Juli schon laut und nachdrucksvoll genannt worden war; die Republik, die damals die Schreckbilder der kaiserlichen und bourbonischen Revolutionsgeschichte und das vereinte Bemühen der Orleans'schen Partei und der Liberalen der Opposition von 1815 bis 1830 gegen sich hatte, mußte den Platz einräumen, sie zog sich vom Forum zurück und wandte sich im Stillen auf dem Wege der Ueberzeugung durch die Logik der Thatsachen an die Gemüther der Nation. Sie wuchs in dieser Zurückgezogenheit und hatte ihre Wurzeln in bedeutendem Umfange ausgebreitet, als die Begebenheit des Juni 1832 ihr den Todesstoß zu geben schien. Nicht sie selbst, sondern ihre angebliche Allianz mit den Karlisten war das große Verbrechen, was ihr das Volk vorwarf. Darum, nur darum hat die Nationalgarde mit solchem Hasse auf die Kämpfer der rue St.-Martin und des cloître St.-Méry eingehauen; nur dem Kunstgriffe, welcher der Polizei jene fatale Bundesgenossenschaft eingab, verdankte die Regierung den schnellen Sieg, und als es an den Tag kam, daß eine Unwahrheit die Bürger bewaffnet, daß die Agenten Vidocq's in der Uniform der Nationalgarde die Bürger zum Angriff der Insurgenten angereizt hatten, sah das Volk mit starrem Blick auf die gefallenen Opfer; man wollte einen andern als den überwundenen Gegner bekriegen. Der augenblickliche Sieg gehörte der Gewalt, und sie ließ seine Früchte sich entfalten; allein wunderbar verschieden war das Ergebniß dieses Kampfes für die Zukunft und sein Eindruck auf das Volk. Von den Junitagen an datirt eine neue Zeitrechnung für die Republik, und diese Institution, diese Idee, welche die Regierung unter den Ruinen von St.-Méry [illegible] begraben zu haben, ist wie ein Phönix aus der Asche [illegible]; es gibt keine Gewalt gegen das Reich der Geister und die [illegible] eines Jahrhunderts; eine Epoche bricht zu Tage. [illegible] 1830 abgelaufene Zeit, die Zeit, dieses erste [illegible] Erfoderniß der Ideenreife hat es möglich [illegible] zu erklären, was die Anhänger der Republik an der Gegenwart tadeln, was sie von der Zukunft erwarten und verheißen; sie hat die Möglichkeit gestattet, zu zeigen, daß die republikanischen Blätter nicht einen Terrorismus, nicht ein System des Blutes statt der Freiheit, Krieg statt Ruhe und Wohlstand, nicht Eroberung noch Zerstörung nach Außen, noch Mord und Plünderung im Innern wollen, und alle diese großen Vehikel des Schreckens, die von den Regierungen während 40 Jahren so ergiebig benutzt worden sind, sind vor einer ruhigen klaren Beleuchtung zerfallen, kaum daß ein servilles Blatt in gänzlicher Verlassenheit noch wagt, mit halbem Munde diese Antiquitäten zum Vorschein zu bringen. Auf der andern Seite ist ein unendlicher Fortschritt der republikanischen Presse und Literatur erkennbar: die Ruhe, Besonnenheit und (!) Klarheit, mit welcher sie zu dem Volke sprechen. Neben der Klage, dem Bedauern und der Verdammung des Augenblickes liegen die Nachweisungen und die einzelnen Aufzählungen seiner Mängel, seiner Gebrechen, seiner unheilbaren Krankheiten; jede Versäumniß und jeder Fehler wird in das große Register eingetragen, um am bestimmten Tage und Orte unter die Augen des Volkes gelegt zu werden. Sonst war eine Zeitung ein Magazin bestellter oder graduirter Vermuthungen, Unterstellungen, Unwahrheiten, Lügen. So erklärt sich die levis notae macula, welche diesem so wirksamen Räderwerke der menschlichen Intelligenz seit lange anklebte. Die Urtheile waren oft leichtsinnig, die Aufstellungen gewagt, die Behauptungen und Beschuldigungen unerwiesen, die Schlüsse falsch. Mit solchen Elementen ließ sich die öffentliche Ueberzeugung nicht begründen, sie zog sich scheu und mistrauisch zurück. Diese Zeit ist vorüber, und ein solches Blatt würde dermalen in Frankreich, in Paris ein höchst ephemeres Dasein nur zählen. Man ist strenger und die Presse gewissenhafter geworden; letztere will überzeugen, daher muß Wahrheit ihr über Alles gehen, Beweise und Sachkenntniß müssen ihre Aussprüche stützen. Die republikanischen Blätter sind es, welche zuerst eine Gefahr des Staatskörpers erspähen und den Alarmruf erschallen lassen. Von ihnen geht die Anzeige aller wirklichen und beabsichtigten Ungesetzlichkeiten, Verfassungswidrigkeiten u. s. w. aus. Es gibt keine Staatsgeheimnisse mehr! So z. B. war es die republikanische Presse in Paris, welche die ungeheuern Erpressungen, die Ungerechtigkeiten und Spoliationen in Algier aufgedeckt hat, auf Urkunden und Beweise gestützt, gegen welche sich nichts erwidern ließ; das Ministerium war außer sich vor Zorn über den Verrath von Geheimnissen, welche es bei sich vergraben glaubte, der „Charivari" hat dies sehr gut dargestellt; Marschall Soult sitzt mit zerstörtem Gesichte vor der „Tribune" und liest die blutigen Aufdeckungen. „Wo Teufel mögen sie das erfahren haben?" Das ist das Geheimniß der „Tribune", welches sie wohl verwahren wird, und ein Beweis von dem großen Eifer und dem hohen Werth, welchen sie in die Entschleierung solcher Heimlichkeiten setzt. So verhielt es sich auch mit der Correspondenz des Ministeriums mit England über Algier, mit den Machinationen in dem Processe des Pistolenschusses und der beispiellosen Geschichte der Herzogin von Berri; Alles, was die Regierung am meisten verborgen wünschte, kam durch diese Journale an den Tag und die Details dazu. Der Gegenstand, welcher in diesem Augenblick Frankreich in Anspruch nimmt und die Bevölkerung von Paris in Alarm setzt, die Errichtung der Forts um Paris, hat nur durch die Oppositionspresse seinen wahren Charakter erhalten. Es war der „National", welcher den berüchtigten Bericht des frühern Kriegsministers Clermont-Tonnère an Karl X. über die Befestigungen der Tuilerien und von Paris bekanntmachte und daraus erwies, daß alle diese Projecte der alten Monarchie, des Kaiserthums, der Restauration und der heutigen Regierung nichts Anderes zum Zweck haben, als Paris im Fall eines Aufruhrs im Zaum zu halten. Die „Tribune" ließ einige Tage später einen kleinen Faustplan über die Lage der Forts lithographiren, wonach die Gefahr für Paris augenfällig ist; namentlich ist hierdurch bestätigt, daß sämmtliche Forts, mit Ausnahme eines einzigen, Paris beschießen können, und daß dagegen von allen Forts nur vier so weit entfernt sind, daß die von dem äußern Feinde abgefeuerten Kugeln nicht darüber weg in die Stadt fliegen können.

(Der Beschluß folgt.)

Ueber die Sicherung des Eigenthums der dramatischen Schriftsteller in Deutschland.

Es ist jetzt neuerdings davon die Rede, daß von den vereinigten Buchhändlern Deutschlands zu gänzlicher Unterdrückung des Büchernachdrucks geeignete Schritte bei der hohen deutschen Bundesversammlung gemacht worden, um diejenigen Bestimmungen ergänzt zu sehen, welche unsers Wissens schon früher über diesen Gegenstand dort in Berathung gewesen sind. Allen diesen Bemühungen, sowol von Seiten der Bittenden als der Gewährenden, obwol sie an und für sich noch so geringe Resultate gehabt und Deutschland im Vergleich mit andern Ländern in bedeutendem Rückstande zeigen — allen diesen Bemühungen ist jedoch das Interesse der dramatischen Werke und Schriftsteller in der Hauptsache gänzlich fremd geblieben, indem von den Rechten in Bezug auf die Darstellung, welche doch die eigentliche Natur und Bestimmung jener Werke auszumachen pflegt, und sie daher von allen andern schriftstellerischen Productionen auf das wesentlichste unterscheidet — indem also von den Rechten der Schriftsteller in Bezug auf die Darstellung nirgend die Rede gewesen ist. Gleichwol sind diese Rechte eines besondern gesetzlichen Schutzes um so bedürftiger, je leichter und häufiger deren Verletzung ist. Denn täglich sehen wir die Manuscripte unserer armen Dramatiker der Habsucht zur Beute, ja zum Gegenstande eines schimpflichen Handels werden, wobei Alle, Abschreiber, Directionen, Schauspieler und Publikum gewinnen und nur der Verfasser allein leer ausgeht, — der schon gedruckten Werke nicht zu gedenken, deren Benutzung in der Regel sogar für erlaubt und völlig unsträflich gehalten wird. Dennoch sind vor dem Gesetz der Billigkeit und der Vernunft die gedruckten Theaterstücke lebender Autoren nicht minder als die handschriftlichen ihr Eigenthum und daher nicht willkürlich benutzbar, wie solches auch von einem der ersten Rechtskundigen Deutschlands, dem gelehrten und scharfsinnigen Prof. Gans in Berlin*), bis zur Evidenz bewiesen worden ist. Denn ein dramatisches Werk hat seiner Natur nach zweierlei Bestimmung, mithin auch zweierlei Standpunkt der Beurtheilung. Es kann gelesen und es kann aufgeführt werden! Zu ersterm berechtigt der Verfasser durch den Druck, und jeder Käufer kann daher in den Grenzen dieser einen Bestimmung von seiner Acquisition den beliebigen Gebrauch machen. Nicht so in Betreff der Darstellung, insofern dieselbe öffentlich, also Gegenstand eines neuen Erwerbes und zugleich einer neuen Kritik ist, worauf der Urheber bei dem Druck vielleicht nicht mitgerechnet hatte. Sein Werk kann, wie es so häufig der Fall ist und selbst von den ersten Dichtern oft ausdrücklich bevorwortet wird, blos zum Lesen geeignet und bestimmt sein, der Verkündigung von den Bretern herab, die ihre eignen Foderungen und Gesetze hat, nicht ausgesetzt werden sollen, daher es denn als ein offenbarer Eingriff in die Rechte eines Andern zu betrachten ist, dessen Arbeit ohne seinen Willen einer frembartigen, seiner Absicht vielleicht widersprechenden Bestimmung preiszugeben. Schon von diesem Gesichtspunkte aus betrachtet, ist also die Darstellung eines gedruckten Theaterstücks ohne die ausdrückliche Einwilligung des Verfassers ein Unrecht, wenn auch die unvermeidliche Folge davon: Verkümmerung der dramatischen Dichter und der dramatischen Kunst selbst, nicht mit in Anschlag gebracht wird. Daß aber dieses Unrecht als solches außer in Deutschland fast überall anerkannt, und daß auch die Abhülfe leicht sei, dafür kann namentlich Frankreichs Beispiel,

*) In dessen „Beiträgen zur Gesetzgebung".

durch dessen Gesetzgebung am gründlichsten und entschiedensten für die Rechte der Schriftsteller gesorgt ist, zum Beweise dienen, wenn es eines solchen noch bedürfte, indem dort jedes neue Stück zugleich mit seinem Erscheinen auf dem Theater auch gedruckt erscheint, ohne daß irgend Jemand dadurch berechtigt würde, sich dessen anders als zur Privatmittheilung zu bedienen, während jede neue und wiederholte Veröffentlichung durch das Theater der gesetzmäßigen Abgabe an den Verfasser unterworfen ist. Wie viele Vortheile aber solches Verfahren gegen das in Deutschland übliche gewähre, und wie bereitwillig jeder wohlgesinnte Betheiligte, wenn es jemals bei uns zur Ausführung käme, demselben sich anschließen würde, bedarf kaum einer weitern Auseinandersetzung. Denn nächst der Unterdrückung des schändlichen Manuscriptendiebstahls, dessen so manche Schauspieldirigenten theils aus Unkenntniß, theils aus Noth, theils auch wider Willen sich theilhaftig machen, weil ihnen im Augenblick die Quellen unbekannt sind, woher die rechtmäßigen Handschriften zu beziehen — nächst der Unterdrückung dieses bisher straflosen Gewerbes also würde einerseits den Theatern die Benutzung aller erscheinenden Neuigkeiten ohne Honorarauslage, die, wenn ein Stück misfällt, umsonst geleistet ist, blos gegen einen geringen, festbestimmten Abzug von jeder Einnahme eröffnet, andrerseits den Dichtern nicht blos die kostspielige Vervielfältigung und Versendung der Handschriften erspart, sondern ihnen auch nach Maßgabe des Beifalls, wodurch wiederum die Anzahl der Vorstellungen bedingt wird, ein verhältnißmäßiger Lohn für ihre Arbeit gesichert, drittens aber auch den Verlegern eine gewisse Sicherheit des Absatzes gewährt, insofern die Theaterunternehmer nur durch den Ankauf der neu erscheinenden Stücke sich Kenntniß von Demjenigen zu verschaffen im Stande sind, was ihren Bedürfnissen und Zwecken entspricht.

Sollte sich daher in Deutschland nicht eine Vereinigung von Bu[illegible]händlern, Dichtern und Theaterdirigenten bilden lassen, durch [illegible] Bemühungen eine allseitig so nützliche Einrichtung oder [illegible] wenigstens eine Abhülfe gegen den jetzigen rechtlosen Zustand zu erzielen wäre, dessen Fortdauer der Nation [illegible] Schmach gereicht, ja vielleicht selbst als ein Grund unsrer Armuth im dramatischen Fache betrachtet werden darf, einer Armuth, die um so deutlicher hervortritt, seitd[illegible] die Karl August und Dalberg unter den Fürsten so sel[illegible] und keine Literatur, die politische etwa ausgenommen, [illegible]rer großmüthigen Unterstützung sich mehr zu erfreuen hat. Wer nicht mit eignen Flügeln steigt in dieser Zeit des Kampfes, geht unter, daher denn von den Gesetzen wenigstens Sicherheit für den Kämpfer und das Erkämpfte gefodert und erwartet werden darf. Zu solcher Foderung aber erscheint jetzt der Zeitpunkt um so geeigneter, als die oben angedeuteten Schritte gegen ein verwandtes Ziel die beste Gelegenheit darbieten, noch einen Schritt mehr zu thun, über dessen Zulässigkeit und Begründung im Recht wol nicht der mindeste Zweifel obwalten kann. Es ist daher der Gedanke rege geworden, der hohen Bundesversammlung zugleich mit den Interessen des Buchhandels auch die der dramatischen Schriftsteller — Tonsetzer mitinbegriffen — in Betreff der in sämmtlichen Bundesstaaten ihnen zu gewährenden Sicherheit des Eigenthums recht dringend ans Herz zu legen, ein Gedanke, der hoffentlich nur ausgesprochen zu werden braucht, um nicht blos die regste Theilnahme, sondern auch die geeignete Mitwirkung zu erwecken, welche von den einzelnen Betheiligten vor der Hand nur durch ihre, dem Verleger dieser Blätter bekannt zu machende Zustimmung zu bethätigen sein würde, um die weitere Betreibung ins Werk gerichtet und diese wahrhaft nationale Sache mit Erfolg gekrönt zu sehen. 187.

Literarische Notiz.

Von dem altslawischen Gedichte: „Der Zug Igor's gegen die Polowzer", ist eine polnische Uebersetzung von August Bielowski (Lemberg 1833) erschienen. — Wir knüpfen an diese Anzeige einige Einzelheiten über dieses Gedicht an. Im Jahre 1795 kaufte der Graf Alexander Mussin-Puszkin aus dem Nachlasse des Archimandriten zu Kijow eine bedeutende Sammlung von Handschriften, unter denen sich eine unter dem Titel: „Slowo o pŭku Igorewie" befand. Es war ein altslawisches Heldengedicht, das den Zug Igor's gegen die Polowzer besang und das, wie man aus seinem Inhalte sehen konnte, bald nach diesem Zuge, der 1185 stattfand, war gedichtet worden. Die Sprache war etwas verschieden von den russisch-slawischen Schriftdenkmalen aus dem 10., 11. u. 13. Jahrhunderte und insbesondere von den Tractaten der Fürsten Oleg und Igor mit den griechischen Kaisern, von der Prawda ruska, von den Tractaten des Herzogs von Smolensk, Mscislaw, und endlich von den Chroniken jener Zeit. Schlözer sprach deshalb dem Gedichte die Echtheit ab, heute kann kein Zweifel mehr darüber sein. Die Hauptursache der Verschiedenheit der Sprache liegt in dem Gegenstande, und wir besitzen aus jener Zeit keine poetischen Ueberreste weiter. Der Volkssänger, und das waren damals alle Dichter, schloß sich ganz an die Begriffe und Vorurtheile des Volks an; ja, obgleich Rußland schon unter Wladimir dem Großen das Christenthum aufgenommen hatte (also schon vor mehr als zwei Jahrhunderten), so ist dieses Gedicht doch noch fast ganz heidnisch. Daher der Unterschied von dem christlichen Gesetzgeber und Mönche. Auch stand dem Dichter ein weiteres Feld für Sprachwendungen offen. Der russische Uebersetzer Pokarski scheint mit Recht zu behaupten, daß man den Schlüssel zum Verständnisse dieses Gedichts in dem alten Polen, in der Volkssprache um Kijow zu suchen habe, wo auch das Gedicht aller Wahrscheinlichkeit nach entstanden ist. Es scheint in eigenthümlichen Rhythmen geschrieben zu sein, gleich der königinhofer Handschrift, mit der es überhaupt viel Aehnlichkeit hat. Die ursprüngliche Handschrift, welche zur Lösung dieser Frage viel betragen könnte, ist leider bei dem Brande von Moskau 1812 verloren gegangen.

Der Inhalt ist: Igor Swiatoslawicz, Fürst von Siewiersk-Nowogrod, unternimmt mit drei verwandten Fürsten einen Zug gegen die Hauptfeinde Rußlands, die Polowzer, ohne Wissen und Hülfe der ältern und mächtigern russischen Fürsten. Er vereinigt ihre Mannschaften und zieht mit ihnen aus. Unterwegs zeigen sich viele übele Vorbedeutungen; aber ohne Rücksicht darauf greift Igor die Polowzer an und zerstreut sie. Diese sammeln sich wieder in großen Massen und umzingeln den Igor, die Schlacht dauert zwei und einen halben Tag und endigt mit der vollständigen Niederlage der Russen. Igor selbst geräth in Gefangenschaft, entflieht aber aus derselben zur Freude der Seinigen.

Mussin-Puszkin erkannte den Werth des Gedichts, er gab es zuerst 1800 in Moskau mit einer russischen Uebersetzung heraus. Der Viceadmiral Szyszkow ließ es in Petersburg 1805 mit einer neuen Uebersetzung und mit Erklärungen wiederabdrucken. Außerdem übersetzten es ins Russische [illegible] 1823, Iwan Lawicki, Petersburg 1813, Jakob Pokarski, Petersburg 1819. Den Polen war es bisher nur aus Bruchstücken, z. B. in Linde's „Geschichte der russischen Literatur", bekannt. 1820 übersetzte es Jungmann ins Böhmische. 1821 gab Hanka das Original mit lateinischen Lettern und einer [illegible] böhmischen und deutschen Uebersetzung, zugleich mit Erklärungen heraus. Die Deutschen machte zuerst [illegible] im „Freimüthigen" auf dieses Gedicht aufmerksam und theilte einzelne Bruchstücke mit. Man verglich es mit Ossian und stellte es sehr hoch. Später übersetzten es vollständig Joseph Müller (Prag 1811), [illegible], Swoboda u. A. 1771.

Redigirt unter Verantwortlichkeit der Verlagshandlung: F. A. Brockhaus in Leipzig.

Blätter für literarische Unterhaltung.

Montag, —— Nr. 273. —— 30. September 1833.

Miscellen über Literatur, Kunst und öffentliches Leben in Paris.

Dritter Artikel.

(Beschluß aus Nr. 272.)

An der Spitze der republikanischen Presse stehen die „Tribune“ und der „National“, die erstere vom Anfang ihrer Gründung an republikanisch, der letztere durch die Schule des Bürgerkönigthums zum Republikaner gebildet. Der „National“ war nach der Julikatastrophe königlich und stimmte in die Hoffnung ein, daß die neue Dynastie auf dem Königsthron die republikanischen Foderungen des Volkes erfüllen werde. Sein Wahn dauerte nicht lange, er brachte seine irrige Ueberzeugung der Macht der Thatsachen zum Opfer und riß einen großen Theil der notabeln royalistischen Opposition mit sich fort. Das Blatt ist sehr gut geschrieben und durch historische Kenntnisse genährt. Der Gang des „National“ war auch in den republikanischen Principien nicht stets uniform noch consequent, doch huldigte er dem Fortschritte der Ideen und erweiterte in dem Maße seinen Gesichtskreis, als er aller Hoffnung auf das System Louis Philipp's und mit ihm der Monarchie glaubte entsagen zu müssen. Anfänglich war es das amerikanische Föderativsystem, welches er als Musterbild einer Republik betrachtete, von welchem er aber später die Anwendung auf Frankreich als nicht zweckmäßig erkannte; doch vertheidigt er noch jetzt das Zweikammersystem, welches zwar in Amerika besteht, aber bekanntlich anfangs die wärmsten Freunde der Freiheit zu Gegnern hatte. Die „Tribune“ will reindemokratische Verfassung, sowie sie dem dermaligen Zustand der Civilisation Frankreichs und dem 19. Jahrhundert angemessen ist. Sie weist den Vorwurf der Anarchie, des Terrorismus und des agrarischen Gesetzes von sich, und den großen Ueberlieferungen der Geschichte die gebührende Ehrfurcht bezeigend, gedenkt sie das Bild einer heutigen Republik weder in Sparta noch Athen, noch die Handhabung ihrer Rechte in der durch eine furchtbare Krisis nach Außen und im Innern, durch die Vernichtung drohenden Angriffe aller feindlichen Elemente, durch einen fürchterlichen Kriegszustand herbeigeführten Stellung des Convents zu suchen. Sie verwirft das Föderativsystem als der Geschichte Frankreichs, den Gründen und Bedingungen seiner Größe und Macht, der Einheit zuwider; doch verwahrt sie sich nicht minder gegen den Vorwurf, als wolle sie die spontane und autonomische Mitwirkung der Bürger zur Belebung und Leitung des Staatskörpers beseitigen, was übrigens durch ihr ausgedehntes, unbedingtes Wahlsystem und die Aufhebung aller Privilegien und Bevorzugungen zur Genüge einleuchtet. Sie verlangt nichts als die Beibehaltung eines Centralhebels, eines obersten, nach allen Theilen des Staates ausgehenden Armes, welcher deren Gesammtkraft zur Einheit erhebt und vereinigt, statt sie im Einzelnen zu zersplittern. Diese Blätter üben einen großen Einfluß auf die öffentliche Meinung aus und namentlich die „Tribune“ auf das Volk. Wenn es nicht zweifelhaft sein kann, daß es nur von der „Tribune“ abgehangen, in den mannichfaltigen, seit einem Jahre vorgefallenen Reibungen eine Emeute zu veranlassen, und bei Gelegenheit der Duelle mit den Karlisten blos ihrem Bemühen zu verdanken ist, daß nicht die Arbeiter offen die Sache der republikanischen Presse gegen die Karlisten ergriffen haben, so bringt sich die Ueberzeugung auf, daß hier der Regierung eine wohlzubeachtende Macht gegenübersteht. Keine Emeute mehr, keinen einzelnen Aufstand! das ist das Losungswort im Innern; und wie fern sie von dem frühern, Frankreich und der Julirevolution so häufig vorgeworfenen Eroberungsgeiste entfernt sei, möge folgende, einem Aufsatze über die Zukunft Frankreichs entlehnte Stelle beweisen: „Warum sollten die Nationen gegen uns sich verschwören, wenn wir ausrufen: Fluch dem Eroberungsgeiste und Ehre dem Geiste der Entfesselung und der Freiheit! Was werden alsdann die natürlichen Grenzen bedeuten für Völker, welche allenthalben Verbündete suchen, welche die Zolllinien niederreißen, welche die Betten der Flüsse als die Pulsadern eines freien Verkehrs, als das Mittel der Verbindung zwischen Menschen erklären werden, die durch die nämlichen Grundsätze vereinigt und an dem nämlichen Fortschritte betheiligt sind!“

Die „Tribune“ kennt in ihren Angriffen nur die Sache, ohne die mindeste Rücksicht auf Personen, wie hoch sie auch stehen mögen, zu nehmen. Ihre Verurtheilung durch die Kammer, welche sie eine prostituirte genannt, wird in der parlamentarischen Geschichte Frankreichs fortleben, nicht als ein Beispiel der Gerechtigkeit, sondern als Monument einer Kammer und eines Systems, die sich dem Irrthume hingegeben, als ließe sich die Stimme des Volkes durch die Bestrafung eines Journalisten zum Schweigen bringen. Seit jenem Processe nennt die „Tribune“ die Kammer „nicht prostituirt, nach eignem Urtheil“ und druckt das „nicht“ so winzig klein, daß es neben dem Worte „prostituirt“ ganz verschwindet. Der Platz, welchen sie den Verhandlungen der Kammer anwies, war zu verschiedenen Malen im Feuilleton, d. i. im untern Theile des Blattes, wo in der Regel die Theaterstücke kritisirt werden, und in den Anzeigen, zwischen einem Rezept für weißen Senf und einem andern gegen die Wanzen! Mit nicht minderer Abgeneigtheit behandelt sie den König selbst, dessen Charakter sie durch Erzählung historischer Züge zu malen sucht. Der Herzog von Orleans als Adjutant von Dumouriez, dem Verräther, hat ihr Stoff zu einer Reihe von Artikeln und der Staatsbehörde zu Anklagen gegeben. Unlängst machte sie mehre Auszüge aus dem Tagebuche Louis Philipp's zur Zeit der Jakobiner bekannt.

Um diese beiden reihen sich eine Menge anderer Blätter größern und kleinern Formats, täglich und in Zwischenräumen erscheinend: der „Corsaire“, der „Charivari“, die „Caricature“, der „Bon sens“, letzterer sonntäglich; sodann schließen sich hieran die Blätter der verschiedenen Gesellschaften, die alle ihre Literatur haben und sämmtlich den republikanischen Grundsätzen folgen. So die Association für den Unterricht des Volkes, unter dem Vorsitz von Dupont de l'Eure und der Vicepräsidentschaft von

Cormenin. Diese Association besteht in der Mehrzahl aus Arbeitern, welche von den ausgezeichnetsten Männern aller Fächer an bestimmten Wochentagen Unterricht erhalten; ihre Zahl nimmt fortwährend zu und hat bei der letzten Versammlung einen Zuwachs von 1400 neuen Mitgliedern constatirt. Das Blatt der Gesellschaft ist: „Le fondateur", ein Name, welcher den Charakter und den Zweck der Gesellschaft genügend ausdrückt. Ferner die Gesellschaft der Volksfreunde und der Menschenrechte, die Société gauloise, die Union, welche ihre Grundsätze bald in fortlaufenden Blättern, bald in einzelnen Flugschriften aussprechen; die Association zur Erhaltung und Sicherung der Preßfreiheit, welche ganz in republikanischem Sinne constituirt ist und die Blätter dieses Systems unterstützt und befördert. Ein ganz neues Blatt, welches monatlich, mehre Bogen stark erscheint und sehr gut redigirt wird, ist „Der Republikaner". Er hat zur Aufgabe, durch eine förmliche historische und dogmatische Darlegung die republikanischen Grundsätze zu verbreiten. Die Regierung hat gleich das erste Heft confiscirt.

Aber nicht blos in den Tagesblättern, in dieser regen, farbigen und dem französischen Charakter so angemessenen Literatur, sondern auch in den periodischen Schriften und Zeitblättern größern Umfanges, gediegenern Inhalts, tritt die Partei der Republik sehr hervor. Die „Revue encyclopédique", welche in vieler Hinsicht an die Stelle des ehemaligen „Globe littéraire" getreten, einen Theil seiner Redactoren besitzt und seinen ausgebreiteten guten Ruf geerbt hat, beschäftigt sich mit den wichtigsten, höchsten und schwierigsten Fragen der Philosophie, der Geschichte und der praktischen Wissenschaften, vor Allem jener des socialen Lebens und der Staatsökonomie. Dieses Blatt trägt nebst einer sehr gründlichen, wissenschaftlichen Bearbeitung das Gepräge der Gewissenhaftigkeit und der Liebe zu den Studien, und ist entschieden republikanisch. Seine Hauptredactoren gehörten früherhin zur Gesellschaft der St.-Simonisten, so lange und zur Zeit als diese in ihrer ursprünglichen Gestaltung und in dem Gebiete vernunftgemäßen und geistigen Bestrebens geblieben war; späterhin, als eine lächerliche Formenhascherei, eine völlige Umwandlung der Grundsätze und Spielereien in der Gesellschaft Platz griffen, zogen sie sich zurück und setzten getrennt Arbeiten und Forschungen fort. Dieser Zeitschrift zur Seite und auf gleicher Stufe steht die „Revue des deux mondes", in zwei wöchentlichen Heften von mehren Bogen erscheinend. Sie beschäftigte sich früherhin weniger direct mit positiv-politischen Fragen, da aber in der letzten Zeit die Regierung, welche sehr aufmerksam auf diese Blätter ist, sie wegen versäumter Cautionsleistung, die nur politischen Blättern obliegt, zur Strafe ziehen zu können meinte, so hat die Redaction diese Verbindlichkeit erfüllt und der politischen Tagesgeschichte eine besondere Columne gewidmet. Diese Zeitschrift bewegt sich im Allgemeinen auf dem nämlichen Terrain wie die „Revue encyclopédique", folgt dabei mit aufmerksamer Kritik der neuesten belletristischen Literatur, berichtet über interessante Reisen und verbreitet die Kenntniß der nordamerikanischen Staatsverfassung und Sitten; Kenntnisse, eine ausgewählte, gebildete Sprache, gewandte und zierliche Dialektik zeichnen ihre Mitarbeiter aus, deren einer, Lerminier, Professor am Collége de France, der Verf. der „Briefe an einen Berliner" ist, ein Mann, welcher die Gabe des Wortes und der Schrift in hohem Grade, einen hellen Geist und ein warmschlagendes Herz besitzt, der das Wohl der Menschheit in seiner weitesten Bedeutung umfaßt und diesen philosophischen Kosmopolitismus in seine Vorlesungen, wie in seine Schriften überträgt. Seine Popularität ist bereits jetzt sehr groß und wird zunehmen. Auch die „Revue des deux mondes" gehört der Republik an und bekennt dies offen; bisher hat dies ihrem Rufe keineswegs geschadet. Die Regierung besitzt keine Zeitschrift, welche sie den genannten mit Erfolg entgegensetzen könnte, denn die „Revue de Paris" ist nicht nur weit entfernt, der „Revue encyclopédique" und der „Revue des deux mondes" an innerm Werthe die Wage zu halten, sondern sie ist auch nicht in dem entschiedenen Sinne der Regierung geschrieben und beschäftigt sich weniger mit Politik.

Den blutigsten Krieg gegen „die bestehende Ordnung der Dinge", wie sich der gute „Constitutionnel" ausdrückt, führen die drei Blätter: der „Corsaire", die „Caricature" und der „Charivari". Der König will persönlich regieren und hat seit langer Zeit die öffentliche Meinung daran gewöhnt, in ihm allein das Triebrad der ganzen Regierungsmaschine, in ihm den Kopf zu erblicken, welcher den Ministerialkörper in Bewegung setzt; der König also wird in diesen Blättern unmittelbar persönlich angegriffen, ohne Schonung, ohne Hülle. Der öffentliche Geist findet nichts Auffallendes mehr in diesem Angriff, er beurtheilt ihn nicht als eine verfassungswidrige Waffe, denn der König hat sich selbst an die Stelle der Minister gesetzt, und es wäre eine gehaltlose Komödie, länger noch Personen die ausschließliche Verantwortlichkeit aufzubürden, die nur einem höhern Impuls folgen. Gegen die Gefahr eines täglichen Processes suchen diese Blätter sich dadurch zu schützen, daß sie den König nur da offen mit Namen nennen, wo sie ihm bloße Fehler, Gebrechen und Mängel vorwerfen; bei gröbern Beleidigungen und Vorwürfen, welche die Redactoren einer Anklage aussetzen könnten, bezeichnen sie ihn mit andern Ausdrücken, die übrigens so sehr in die gewöhnliche Praxis übergegangen sind, daß sie einer unumwundenen Namhaftmachung ganz gleich stehen. Die Birne, dieses Gesichtswappen Louis Philipp's, wird fortan neben den heraldischen Zeichen der Familie Orleans bestehen. Der „Corsaire", um ihn mit einem Worte zu charakterisiren, ist an die Stelle des „Figaro", wie dieser in der Zeit seiner höchsten Blüte war, getreten. Die „Caricature" führt die Waffe des Griffels und des Pinsels und hat sich seit Neujahr den „Charivari" beigesellt. Ersterer gibt wöchentlich eine Zeichnung, welche entweder den Zustand Frankreichs, oder das Ministerium, oder die königliche Familie, oder die Kammer, oder eine Person von Gewicht in Caricatur vorstellt; es ist dies eine wöchentliche Recapitulation, eine Geißel im größern und, wenn man so sagen darf, im ernstern Charakter; der „Charivari" dagegen ist wie der wachende Feind des Tages, er heftet sich an die Ferse der Gewalt, folgt ihr auf den öffentlichen Platz und in das Geheimniß der verborgensten Berathung und überliefert jedes schiefe Wort, jeden Plan, jede Absicht, jeden Gedanken, welche unpopulair sind oder werden können, dem zerstörenden Schellengerichte des Spottes und der Lächerlichkeit; jeden Tag erscheint ein lithographirtes Blatt, meistens Caricaturen des Tages; ihr Absatz ist außerordentlich. Trifft es sich, daß das Ministerium heute in geheimer Zusammenkunft einen Plan beräth, welchen die republikanische Opposition dieser Blätter als volksfeindlich betrachtet, erläßt die Kammer ein verkehrtes Gesetz, hält ein Deputirter eine servile Rede, ist in den Tuilerien eine Vorstellung, ein Fest, welches durch seine Erinnerung an die alte Herrschaft, oder aber durch seine Spießbürgerlichkeit der Satire Stoff gewährt, so kann man gewiß sein, daß des andern Tages die Galerie Vero-Dodat (wo die Bureaux der „Caricature" sind) und sofort alle Bilderladen [illegible] die Mauern der Hauptstadt die bildliche und [illegible] und witzigste Darstellung davon enthalten. So haben wir abwechselnd den Feldzug des Herzogs von Orleans nach Antwerpen, den Proceß wegen des Pistolenschusses auf dem Pont-royal, den Proceß der „Tribune" vor der Kammer, die [illegible] des Königs und seiner Familie am 1. Mai, die Reise des Herzogs von Orleans nach England, die [illegible] durch Talleyrand, eine Reihenfolge der Koryphäen der ministeriellen Deputirten caricirt gesehen, so sehen wir in diesem Augenblick den wichtigsten Gegenstand der Tagesgeschichte, die Fortificationen von Paris, in Scherz und [illegible] bildlich und dramatisch aufgeführt; ich sage dramatisch, denn was die beiden Blätter, die „Caricature" und den „Charivari", doppelt gefährlich macht, ist, daß sie mit nicht weniger Geist, Satire und stechendem Witze geschrieben, als ihre Zeichnungen meisterhaft gefertigt sind. Hierbei ist zu beachten, daß ich von Frankreich, von Paris spreche, wo es eher erlaubt ist zu fehlen als gegen die Mode des Tages zu sündigen, wo es für ein geringeres Unglück gilt, ins Gefängniß zu gehen als der Lächerlichkeit zu verfallen, wo man hundertmal lieber geschlagen als verspottet wird! Wahrlich, ich nehme keinen Anstand, zu behaupten, daß die beiden Blätter, die „Caricature" und der „Charivari", in Verbindung mit ihren monatlichen größern Zeichnungen, welche mehr historischen, wenngleich stets allegorischen Charakter haben, und der „Corsaire" der Regierung Louis Philipp's so viele Anhänger abwendig gemacht haben als die Gesammtheit der Blätter der vereinigten Opposition aller Nuancen, und vielleicht mehr noch.

So wird das Bürgerkönigthum unausgesetzt von den öffentlichen Organen der Opposition und besonders der republikanischen Partei befehdet und verhöhnt. Der Widerstand, den die Regierung, gereizt, wol auch bisweilen verlegen, diesen Angriffen entgegensetzt, erweist sich nicht sonderlich wirksam; die Maßregeln, die sie zu ihrer Sicherheit ergreift, wie die Befestigung der Hauptstadt, verschlimmern nur die Sache. Die Preßfreiheit ist Louis Philipp am nachtheiligsten; sie aufzuheben, sie nur zu beschränken, vermag er nicht: die Nation läßt sich dieses im Juli 1830 erworbene Gut nicht entrücken. Die vereinigten Angriffe der Presse bewirkten, daß die schon begonnene Befestigung der Hauptstadt unterbleiben mußte. Die Regierung denkt sie später auszuführen, wenn der erste Eindruck vorüber ist; daß aber das Volk, was sich so einmüthig dagegen aussprach, später ruhig zusehen werde, ist mindestens zweifelhaft.

Schließlich eine vergleichende Uebersicht der Hauptjournale von Paris rücksichtlich der Zahl ihrer Abonnenten; die Angaben sind nach den Registern des Stempels gefertigt, also authentisch.

	Abonnenten	
	1830.	1833.
Constitutionnel	22,358	15,383
Journal des débats.	14,700	14,000
Temps	7750	4240
Courrier français	4000	6700
National	2300	4850
Tribune	800	2400
Gazette de France	9650	7500
Quotidienne	4300	4800.

171.

Erinnerungen eines alten preußischen Offiziers aus den Feldzügen von 1792, 1793 und 1794 in Frankreich und am Rheine. Glogau, Heymann. 1833. 16 Gr.

Wenn auch nicht stark an Bogenzahl (nur sieben Bogen ist das Büchlein stark), ist die vorliegende Schrift doch durch ihren Inhalt anziehend zugleich und belehrend: anziehend durch ihre Schreib- und Darstellungsart; belehrend durch die Beiträge zur Charakterschilderung der genannten Zeit, welche mit in derselben erhalten. In der ersten Beziehung ist es in der That erfreulich, zu sehen, wie leicht und geschickt militairische Schriftsteller sich auszudrücken vermögen, und wie gut sie es verstehen, sogar reinmilitairische Ereignisse für ein größeres Publicum les- und genießbar zu machen. Den Namen eines von Schütz, Rühle von Lilienstern, von Pfuel, Wagner, von Clausewitz, von Boyen — aus der englischen Armee könnte man Moyle Sherer und Napier nennen — schließt sich der ungenannte Verf., ein alter preußischer Offizier, nicht unrühmlich an, und verbreitet in seinen, mit anmuthiger Lebendigkeit und vieler Anschaulichkeit geschriebenen Skizzen und Auszügen aus seinem Tagebuche ein helles Licht über einzelne Punkte aus einer Periode, die man gewöhnlich als weniger glänzend für die preußischen Waffen zu betrachten pflegt. Unser Verf. ist nicht ein unbedingter Lobredner alles Alten, noch will er alle Fehler entschuldigen. Aber trotz der Mängel, welche die Kriegführung des Herzogs Karl Wilhelm Ferdinand von Braunschweig in den Jahren 1792 und 1793 entstellten und die fast allein aus zu großer militairischer Gelehrsamkeit und falscher Anwendung einer von Friedrich II. aufgestellten Theorie hervorgingen, weiß der Verf. doch auch die Kriegstüchtigkeit des Herzogs, der „in den Tagen des Kampfes ein Held war" (S. 75), gebührend hervorzuheben. Nicht minder anziehend und, so viel Ref. urtheilen kann, sehr der Wahrheit gemäß sind seine Schilderungen der Generale Rüchel, Möllendorf und Hohenlohe (auch Blücher's Persönlichkeit tritt kräftig hervor), oder die der damaligen preußischen Soldaten im Allgemeinen. „Die preußischen Truppen", heißt es S. 61, „sind für den Angriff gemacht, wie man schon aus dem Vermächtnisse Friedrich II. erfahren kann, und es heißt ihren Charakter verkennen und sie ihrer eigenthümlichen Ueberlegenheit berauben, wenn man sie im steten defensiven Verhältnisse hält. Betrachten wir die Armee, wie sie in unserer lebhaften Erinnerung steht, so dürfte sie ihren Vorfahren, mit denen Friedrich II. seine ersten Kriege in Schlesien anfing, vollkommen gleichgestellt werden. An Tapferkeit, gutem Willen, regem Ehrgefühl und taktischer Vollkommenheit kamen ihr zu der Zeit keine Truppen in der Welt gleich. Man würde sich sehr irren, wenn man den gemeinen Soldaten nach dem Bilde, das die Philanthropie heutiger Zeit wol von ihm entwirft, beurtheilen wollte." Und nun folgen weitere Bemerkungen über die geworbenen Truppen jener Zeit, über den corps d'esprit bei Soldaten und Offizieren, über die Intelligenz oder Kriegsgewandtheit der Offiziere, die mit Ausnahme der schon von Friedrich II. hervorgehobenen hauptsächlich nur in der Classe der untern Hauptleute und Subalternen zu finden war. „Die Stabsoffiziere und Compagniechefs hatten höchstens dunkele Reminiscenzen aus dem siebenjährigen Kriege und meist dicke Bäuche" (S. 63). Andere militairische Erörterungen, über leichte Truppen, über die Cavalerie, über den Vorpostendienst, über das mit einer wirklich lächerlichen Sorgfalt behandelte Verpflegungssystem der Truppen jener Zeit, nennen wir, da sie auch für den militairischen Laien ganz und gar nicht ohne Interesse sind. Neben allen diesen Einzelnheiten erscheint König Friedrich Wilhelm II. stets in einer sehr würdigen Stellung. Sein praktischer Blick und sein entschlossenes Benehmen konnte bei mehren Gelegenheiten nur [illegible] die Einwirkung der Kriegsgelehrten entkräftet werden; seine Empfänglichkeit für kriegerischen Ruhm und für die Ehre seiner Waffen, dabei sein wohlwollender und menschenfreundlicher Sinn lassen ihn durchweg im Charakter eines ritterlichen Fürsten im [illegible] Sinne des Wortes erscheinen.

Von Wichtigkeit ist auch, was der Verf. über die mit den Preußen verbündeten Oestreicher sagt, über die Ausdauer und Tapferkeit der gemeinen Soldaten, über einzelne Details in ihrer Kriegführung und besonders über General Wurmser; dies ist um so interessanter, je mehr falsche Ansichten noch immer über die östreichische Armee im großen Publicum verbreitet sind. Das achtungsvolle Zeugniß, welches Wurmser S. 93 den preußischen Truppen ertheilt, trotz seiner fortwährenden Differenz mit dem Herzoge von Braunschweig, ehrt den alten General nicht minder als die von ihm belobten Truppen. Die Berichtigung der irregeleiteten öffentlichen Meinung, die den genannten General ein Menschenalter hindurch für einen „ordinairen Raufer" gelten ließ, war ein besonderer Zweck des Verf. bei dem Niederschreiben seiner „Erinnerungen". Aber auch Napoleon behandelt den fast neunzigjährigen Kriegsmann nach der Einnahme von Mantua edel und würdig; das falsche Urtheil über ihn muß mehr dem Unglück der östreichischen Waffen überhaupt als seiner Führung beigemessen werden. Wurmser in Mantua und Chassé in Antwerpen drängen sich unwillkürlich zur Vergleichung auf.

Die französischen Heere in den Jahren 1792, 1793 und 1794 schildert der Verf. in Uebereinstimmung mit andern Denkschriften aus jener Zeit, namentlich mit denen des Marschalls Gouvion St.-Cyr, der Brigadegeneral bei der Rheinarmee war. Auch die Memoiren Lavalette's (Th. I, S. 136—172) liefern hierzu interessante Züge. „Die zerlumpten Carmagnolen", heißt es (S. 26), „ohne wahren militairischen Geist und Haltung, die uns Schimpfreden und matte Kugeln (unerwidert) täglich über den breiten Rhein zusendeten, flößten auf keine Weise Respect ein.“ Aber der Verf. verhehlt auch an andern Stellen nicht, wie sich der kriegerische Geist in der französischen Armee immer mehr entwickelte, und seine Charakteristik des Generals Hoche (S. 6 fg.) ist ein vollgültiger Beweis, wie sehr er Bravour und Einsicht auch am Feinde zu schätzen weiß. Dagegen verschweigt er aber auch nicht, wie es in den französischen Blättern und Kriegsberichten als eine Haupt- und Staatsaction gepriesen wurde, als Houchard im März 1793 den Lieutenant Gouvain von des Obersten Szekuly Corps, der sich mit 40 Füsilieren auf der alten Burg Stromberg tapfer vertheidigt hatte, mit der überlegenen Macht von 6000 Mann zu Fuß und zu Roß endlich überwältigte (S. 27).

Wir geben zum Schlusse noch den Inhalt der einzelnen Abschnitte an. I. Der Feldzug von 1792. Skizze des Feldzugs, besonders ausführlich die Hessen unter Rüchel und die Einnahme von Frankfurt, Rüchel's Werk, nach einer gelungenen Charakteristik Rüchel's und der hessischen Truppen, denen der Verf. den meisten Soldatensinn unter allen Völkern, die gegen Frankreich zu Felde zogen, zuschreibt. „Der Hesse in Uniform“, sagt er, „war ein Soldat von Handwerk“ (S. 17), und ergreift diese Gelegenheit, zu zeigen, wie ein Abscheu gegen das sogenannte Verkaufen von Landeskindern nach Amerika dem Volke ganz fremd gewesen sei, wie man es sogar als ein Mittel betrachtet habe, den allgemeinen Wohlstand zu vermehren. In militairischer Hinsicht sei überdies der amerikanische Krieg für Deutschland und Preußen von Wichtigkeit gewesen; Dörnberg, York, Gneisenau u. M. werden als Hauptpersonen von den Vielen genannt, die ihre militairische Erfahrung zuerst in Amerika gewonnen hatten. II. Der Feldzug von 1793. Ein schön geschriebener Aufsatz über den Wasgau und das deutsche Lothringen (S. 51—56), der Winterfeldzug, die östreichische und die preußische Armee, Hoche und die Schlacht von Kaiserslautern, die Katastrophe von Weissenburg, der Rückzug und die Winterquartiere sind die Ueberschriften dieses Abschnittes. III. Der Feldzug von 1794. Blücher und die rothen Husaren. Frühjahrsgefecht bei Kaiserslautern, Offensive der Franzosen, letzter Act bei Kaiserslautern, der Prinz von Hohenlohe.

Das Schlußwort an den Leser darf nicht übersehen werden. Die ehrenhafte Gesinnung des Verf., seine Liebe zu Deutschland, seine Anhänglichkeit an sein preußisches Vaterland machen den Wunsch rege, daß die vorliegenden „Erinnerungen“ nicht die ersten und letzten sein mögen, die er aus seinem Kriegsleben dem jüngern Geschlechte mittheilt. 89.

Notizen.

In „Die gestriegelte Rockenphilosophie oder aufrichtige Untersuchung derer von vielen superklugen Weibern hochgehaltenen Aberglauben u. s. w.“ (gedruckt in Chemnitz bei Stößel 1705) werden zweihundert verschiedene Arten Aberglauben durchgegangen, bei deren Uebersicht man den Trost haben kann, wahrzunehmen, wie wenigstens zwei Drittheile davon sich ganz verloren haben und unter dem Volke entweder nicht mehr gekannt oder nicht mehr beachtet sind. Einige der auffallendsten, von denen wir selbst keine Spur irgendwo getroffen, theilen wir hier mit. 1) Wenn die ersten Kinder der Aeltern Namen bekommen, so sterben sie noch eher als die Aeltern. 2) In der Christnacht zwischen 11 und 12 Uhr ist das Wasser Wein. 3) Wessen Schatten auf dem Weihnachtsheiligenabend bei eingebrachtem Lichte keinen Kopf hat, der stirbt in selbigem Jahr. 4) Wer Salz verschüttet, soll es nicht wieder aufraffen, er hat sonst kein Glück. 5) Wenn ein ganz Brot unangeschnitten wieder vom Tische getragen wird, so müssen die Leute hungrig vom Tische gehen. 6) Es ist nicht gut, daß man den Tisch deckt, wenn nicht stracks Brot darauf gelegt wird, und soll demnach in Ermangelung des Brots ein Zipfel des Tischtuchs übergeschlagen werden. 7) Ein Hund, der in der Christnacht heult, wird selbiges Jahr thöricht. 8) Wer einer Katze Schaden thut, oder dieselbe gar umbringt, dem steht ein groß Unglück bevor. 9) Wer das Fieber hat, der soll einem Esel ins Ohr sagen: es hätte ihn ein Skorpion gestochen, so vergeht das Fieber von Stund an. 11) Beim Schlafengehen soll man nichts auf dem Tische liegen lassen. 13) Wer kein Geld im Beutel hat, der soll sich hüten, daß, wenn der Mond neu ist, er ihm nicht in den Beutel scheine, sonst wird er, so lange dieser Monat währt, Geldmangel leiden. 14) Am St.-Johannistage sollen sich die Bauern in Zwiebelbeeten herumwälzen, so werden die Zwiebeln groß wachsen. 16) Der siebente Sohn ist glücklich, etwas zu heilen, zu pflanzen und zu allerhand Verrichtungen. — Man sieht, daß, wenn auch keine Poesie in diesem Volksglauben zu finden ist, der Schalk doch überall hervorguckt, und auch zuweilen die geheimnißvollen Schrecken des Aberglaubens recht wohlthätig und gewiß wirksamer als moralische Vorlesungen zu Bildung der Jugend genutzt wurden. Die gemäßigten Freunde der modernen Aufklärung werden uns deswegen zugeben, daß, sowie jedes Ding in der Welt zu seiner Zeit sein Gutes gehabt hat, der Aberglaube, von dieser Seite betrachtet, sein früheres Dasein auch wol bei dem verständigen Manne rechtfertigen mag und in der That unschädlich war.

Tessier, ein ausgezeichneter Architekt und Geolog, hat der Akademie der Wissenschaften in Paris seine nahe Abreise nach dem Orient angezeigt, wohin er in Auftrag der Regierung gesendet wird, um Nachforschungen über die alte Architektur daselbst anzustellen. Er wird sich namentlich mit der Maurerei der Morgenländer beschäftigen und die vorzüglichsten Steinbrüche in Kleinasien bereisen, aus denen die Alten die feinsten und kostbarsten Marmorblöcke zu ihren Bauten erhielten. Herr Tessier las der Akademie unlängst einen Aufsatz über die alten Brüche in der Nachbarschaft von Frejus vor und bewies, daß die schönen, die Bauwerke der Römer in Italien und Gallien zierenden Porphyre nicht aus dem Osten und vornehmlich aus Aegypten, wie man lange angenommen hatte, sondern aus den Steinbrüchen an den Küsten des mittelländischen Meeres gezogen wurden. In der Nähe von Frejus entdeckte er einen dieser Steinbrüche, der in voller Arbeit verlassen worden war. Obelisken und Säulen waren in den Felsen ausgehauen und hingen noch mit einer Seite daran. Spuren und Ueberbleibsel menschlichen Aufenthalts fanden sich daselbst noch überall vor. Hr. Tessier hat seine Dienste der Akademie auch als Geolog angetragen und gedenkt eine trigonometrische Messung der asiatischen Seen vorzunehmen, die von großer geologischer Wichtigkeit sein müßte.

Die kürzlich in London in zwei Bänden herausgekommene Sammlung von Mirabeau's während seines Aufenthalts in England geschriebenen und angeblich nach den Originalmanuscripten abgedruckten Briefen wird von der „Europe littéraire“ für ein unverschämtes Machwerk erklärt, dessen ganzer Stoff in den Bruchstücken von sechs von Mirabeau an Chamfort aus England geschriebenen und 1797 in Paris gedruckten Briefen bestehen soll. Dasselbe Journal zeigt an, daß Lucas de Montigny eine aus authentischen, dreißig Jahren lang gesammelten Quellen geschöpfte Lebensbeschreibung Mirabeau's vorbereitet. Einige der zahlreichen Briefe Mirabeau's, seines Vaters, des Marquis, und seines Onkels Herrn le Bailli, die Herr von Montigny besitzt, verspricht das Journal (seine Fortdauer vorausgesetzt) nächstens mitzutheilen.

Walter Scott's Romane werden jetzt ins Portugiesische übersetzt. 153.

Redigirt unter Verantwortlichkeit der Verlagshandlung: F. A. Brockhaus in Leipzig.

Blätter
für
literarische Unterhaltung.

Dienstag. — Nr. 274. — 1. October 1833.

Zur Nachricht.

Von dieser Zeitschrift erscheint außer den Beilagen täglich eine Nummer und ist der Preis für den Jahrgang 12 Thlr. Alle Buchhandlungen in und außer Deutschland nehmen Bestellung darauf an; ebenso alle Postämter, die sich an die königl. sächsische Zeitungsexpedition in Leipzig, das königl. preuß. Grenzpostamt in Halle, oder das fürstl. Thurn und Taxische Postamt in Altenburg wenden. Die Versendung findet wöchentlich zweimal, Dienstags und Freitags, aber auch in Monatsheften statt.

Die Reisen des Herzogs Paul von Würtemberg in Amerika.

Erster Artikel.

Der Wunsch, eine biographische Notiz über diesen erlauchten Reisenden zu erhalten, hat uns in den Besitz folgender interessanten Mittheilungen gesetzt, die theils der Feder, theils den mündlichen Unterredungen des geistreichen Fürsten entlehnt sind. Da seine wissenschaftlichen Reisen noch wenig vor dem größern Publicum besprochen worden sind, so zweifeln wir nicht, daß die nachstehenden Skizzen unsern Lesern willkommen sein werden.

Wir berichten vorerst über die Reise, welche der Herzog Paul in den Jahren 1822—24 unternommen hat, und auf welcher er die Insel Cuba durchreist, den Lauf und die Ufer des Mississippi, des Ohio und des Missuri u. s. w. verfolgt und besonders den ersten und letztern Strom auf eine große Strecke aufwärts beschifft und in naturhistorischer und ethnographischer Hinsicht reiche Ausbeute gesammelt hat.

Mündung des Mississippi. Fahrt stromaufwärts. Neuorleans. Abstecher nach Cuba. Rückkehr und weitere Auffahrt auf dem Mississippi. Mündung des Ohio.

Der Herzog fuhr am 27. October 1822 mit dem Highlander (Hochländer), einem Dreimaster aus Neuyork, von Hamburg ab und lief nach einer stürmischen Fahrt von 48 Tagen am 13. December in die von ihm genau beobachtete Mündung des Mississippi ein. Er segelte diesen Strom aufwärts und gelangte am 21. December nach Neuorleans, wo er bis Anfang Januars 1823 verweilte. Am 7. Januar dess. J. verließ jedoch der Herzog diese Stadt auf dem Dampfschiff Robert Fulton, um einen Besuch auf Cuba zu machen, welche Insel zu der Zeit noch wenig von den Naturforschern beobachtet war. Der Vorzug, sie mit Muße zu bereisen, war, wie dies überhaupt mit den spanischen Colonien der Fall war, nur wenigen Reisenden gestattet worden, unter denen Herr von Humboldt eine glückliche Ausnahme machte. Eben zur Zeit der Ankunft des Herzogs hatte jedoch die spanische Regierung das strenge Gesetz aufgehoben, welches den Fremden verbot, die Havannah bis auf eine geringe Entfernung zu verlassen. Das Innere der Insel stand ihm daher offen, und er benutzte einen zweimonatlichen Aufenthalt bestmöglich, um jenes herrliche Eiland kennen zu lernen. Mit Anfang des Frühjahrs kehrte er sodann nach Neuorleans zurück.

Der kalte Winter von 1822 auf 1823, dessen auffallend schnelle Abwechselung von Hitze und Frost seit Menschengedenken an den Mündungen des Mississippi nicht stattgefunden hatte, wirkte auf alle organische Geschöpfe, besonders aber auf das Pflanzenreich mit jener Macht, mit welcher nur selten sich wiederholende Extreme ihren zerstörenden Einfluß erweisen. Die Natur, welche sich daher später als gewöhnlich mit ihrem Frühlingsgewande schmückte, gab dem Herzog die Hoffnung, in dem obern Louisiana noch die Entwickelungsperiode der neubelebten Pflanzenwelt durch den Uebertritt der kalten Jahreszeit in die warme in einem Lande zu beobachten, welches, der heißen Zone so nahe gelegen, dennoch den gemäßigten Klimaten sich nähert und dadurch von den ebenso niedriggelegenen Ländern der alten Welt unter gleicher Breite sich auffallend unterscheidet. So verließ denn der Reisende Neuorleans mit dem Dampfboot Feliciana am 19. März 1823, vom Herrn Professor Louis Teinturier, einem sehr unterrichteten und für die Wissenschaften erwärmten Creolen, begleitet. Der Herzog verschaffte sich, so viel möglich war, genaue Kenntniß von den Ufern des Stromes, welche ihm manche seltene Beute von Thieren und Gewächsen für seine naturwissenschaftlichen Sammlungen lieferten. In Bayu-Sarah, einem Depotplatze des nahegelegenen St.-Francisville, hielt das Dampfboot, und der Herzog Paul fand hier zu seiner Freude mehre Landsleute, deren herzlichen Empfang er rühmt. Von hier aus besuchte er mehre angesehene Pflanzer der Gegend und machte mehr als einen wissenschaftlichen Streifzug durch die Urwälder, von welchen er meist mit reichlicher Ausbeute beladen zurückkehrte. Er besuchte den, fausse rivière genannten See und wohnte an dem Bapu-Tunica in Gesellschaft von einigen Indianern vom beinahe ausgestorbenen Stamme der Tunicas einer großen Jagd bei. Nach St.-Francisville mit Anfang Aprils zurückgekehrt, reiste er endlich ohne seinen bisherigen Begleiter nach langem, vergeblichem Harren auf dem schnellsegelnden Dampfboote Maysville weiter und beobachtete unterwegs die Einflüsse des Acheffalaya und des rothen Flusses von Nachitochez. Beim Fort Adams verließ das Dampfboot den Louisianastaat, von dessen geselligen Verhältnissen der Herzog keine sehr günstige Meinung mitnahm. Ihm misfiel besonders das illiberale Vorurtheil, das dort gegen alle farbigen Leute des afrikanischen Stammes herrscht. Das Gesetz verbietet die Verbindungen zwischen beiden Racen, und diese gewaltsame Trennung erzeugt wechselseitige Feindschaft oder Verachtung. Auch die freien Schwarzen und ihre Farbennuancen haben nicht die Rechte der Weißen; keiner darf vor Gericht zeugen, in Gesellschaft Weißer speisen u. s. w. Da aber die sogenannten Quarteronen schon so weiß wie die weißen Creolen sind, so trennen sich diese schon von den Mulatten und noch mehr von den Negern. Mulattinnen und Quarteronenmädchen, selbst die sittsamsten und besterzogenen, immer mehr nach der Veredlung ihrer Farbe strebend, oft auch von ihren Müttern verkauft, ziehen nicht selten privilegirten Liebhabern zu, welches meist fremde oder unverheirathete junge Leute sind, die sie beköstigen, bis sie ihrer überdrüssig sind. Dieses Betragen erniedrigt natürlich den ganzen Stand.

Von Natchez im Mississippistaat fuhr der fürstliche Reisende auf dem Dampfboote weiter zwischen den wilden und einförmigen Ufern des Stromes, deren große Einsamkeit nur elende Niederlassungen unterbrechen, dahin und beobachtete die Einflüsse des Fairchildflusses, des Stonycreek, des Bigblock, des Jazou, der sich aus Osten zwischen ansehnlichen Gebirgsketten durchwindet. Oberhalb desselben zeigten sich mehre schöne Zugvögel der wärmern Zone; Waschbären wärmten sich an den wildesten Uferplätzen in der brennenden Sonnenhitze; an flachen und schattigen Stellen kühlte sich der durstige Tannhirsch; scheue Tigerkatzen eilten flüchtig dem finstern Urwald zu. Dagegen verminderten sich die Krokodile, jemehr sich der Reisende den Arkansas näherte, und ihm scheint es, daß diese Thiere den Mississippi nicht höher als bis zum 33. Breitegrad bewohnen. Die Fahrt ging an der mit mächtigen Eichen bewachsenen Mündung des Arkansasstromes, am weißen und St.-Franciskusfluß, an immer zahlreichern Eilanden und der dreifachen Hügelreihe der Chickasaw-Bluffs vorüber, berührte die vom Erdbeben am 16. December 1811 zerstörte Stadt Neumadrid und führte endlich (18. April) zur stolzen Mündung des Ohio.

Majestätisch und gewiß noch zu Zeugen wichtiger Epochen der Weltgeschichte vorbehalten — sagt der Herzog —, strömen diese in ihrer Art einzigen und staunenerregenden Wassermassen eines noch vor wenig Jahrhunderten den Bewohnern Europas unbekannten Continentes friedlich zusammen, und die Gewässer eines viele tausend Quadratmeilen umfassenden Landstriches in ein einziges Hauptbett vereinigend, bietet kein anderer Welttheil eine Verbindung von zwei ähnlichen Flüssen dar. In wilder Formenfülle und den Stempel des beinahe durch Menschenhände unberührten Naturzustandes tragend, malen sich auch hier öde Waldgegenden auf den spiegelnden Fluten der ausgedehnten Wasserfläche, deren Massen, sich nach und nach vermengend, in den sonderbarsten Schattirungen die Mischung des trüben und hellen Wassers bezeichnen, welche charakteristisch die Fluten des Mississippi und Ohio unterscheiden.

Der Ohio fließt in einer südöstlichen Richtung in den hier eine östliche Krümmung bildenden Mississippi. Durch die weit stärkere Strömung des letztern und die größere specifische Schwere desselben wird die Wassermasse des Ohio sehr gedrängt, und es entstehen, besonders bei hohem Wasserstande, Strudel, welche die Schiffahrt erschweren und namentlich leichten Fahrzeugen viele Hindernisse entgegensetzen; die kreiselnden Wirbel voll Wasserblasen sowie die oft sehr hohen und kurzen Wellen lassen auf eine große und unregelmäßige Tiefe des Strombettes an der Mündung schließen. Die Ufer des Ohio scheinen sich in der Nähe seines Einflusses seit mehren Jahrhunderten auffallend verändert zu haben; doch ist es nicht wahrscheinlich, daß große Revolutionen wie das letzte Erdbeben einen zerstörenden Einfluß auf diese Gegend geäußert haben.

(Die Fortsetzung folgt.)

Reformationsgeschichte.

1. Lukaszewicz Wiadomość historyczna o dyssydentach w mieście Poznaniu. (Geschichte der Dissidenten in der Stadt Posen während des 16. u. 17. Jahrhunderts.) Posen 1832.

Der Verf. dieses Werkes, Bibliothekar der öffentlichen Raczynski'schen Bibliothek zu Posen, sagt in seiner Dedicationsschrift an den Grafen Eduard Raczynski: „Die Untersuchung, mit welchem Geiste unsere Vorfahren im 16. Jahrhunderte jene Religionsveränderung aufgenommen haben, durch welche die sittliche und politische Gestaltung von fast ganz Europa im Wesentlichen verändert worden ist, auf welche Hindernisse sie bei uns gestoßen, wie sie dieselben durchbrochen und gleich einer angeschwollenen Wasserflut über alle Stände sich ergossen hat, was dieser Ausbreitung zuerst entgegengetreten ist, was sie nachher ganz aufgehalten hat, und wodurch in unserm Lande die alte Ordnung, nur mit einer kleinen, für das Land unvortheilhaften Veränderung zurückgeführt worden, dies Alles kann einem sorgfältigen Forscher der vaterländischen Geschichte nicht gleichgültig sein." So spricht der Pole. Ebenso wenig aber kann es dem Deutschen, zumal dem deutschen evangelischen Theologen gleichgültig sein, wie der Same, der in Deutschland zuerst ans Tageslicht herausgebrochen, in fremdem Lande ausgestreut, aufgegangen ist, ob er einen fruchtbaren und urbar gemachten Boden gefunden, ob er Frucht gebracht hat, und in welcher selbständigen Gestalt diese Frucht dort aufgegangen ist. Dennoch haben wir bis jetzt weder von einem Polen noch von einem Deutschen eine Reformationsgeschichte von Polen erhalten. Die schreiblustigen Deutschen hat wol nur die Unbekanntschaft mit der Sprache, in der die meisten Materialien geschrieben sind, von diesen Untersuchungen abgehalten. Die Polen, jetzt fast ohne Ausnahme Katholiken und der Reformation abgeneigt, hat überdies das Unglück des Vaterlandes seit langer Zeit nicht zu der Ruhe gelangen lassen, die historische Untersuchungen erfodern. So erscheint es fast als eine Pflicht für den der Sprache Kundigen, über diesen unstreitig wichtigen Beitrag zur Reformationsgeschichte in Polen — obwol er nur die Reformation in dem ehemaligen Großpolen behandelt — deutschen Lesern Nachricht zu ertheilen. Wir versuchen die wichtigsten Ergebnisse des Werkes in einen Auszug zusammenzudrängen.

Schon Huß's Lehre fand in Großpolen viele Anhänger, die damalige enge Verbrüderung Polens mit Böhmen, das treulose Benehmen der Legaten Roms in den Streitigkeiten Polens mit den Kreuzrittern, die beschwerlichen Anmaßungen der Geistlichkeit, und endlich „die den Polen angeborene Neuigkeit zum Neuen", Alles dies begünstigte hier die Verbreitung des Hussitismus. Viele Spuren davon findet man in den einheimischen Geschichtschreibern. 1439 ließ der Bischof von Posen, Andreas aus Boin, sagt Bielski in der Chronik Polens, fünf hussitische Priester, welche Abraham Zbąski auf seinem Schlosse Zbąszyn verborgen gehalten hatte, auf dem Markte zu Posen verbrennen. Diese That erschreckte ganz Großpolen und verhinderte zwar die öffentliche, beförderte aber um so mehr die geheime Ausbreitung der hussitischen Lehre. Damalewicz, in den Lebensbeschreibungen der Bischöfe von Kujavien, spricht von einem Priester Matthias, den Zbigniew Oleśnicki, als er 1480 in seiner Diöcese den Ketzereien nachspürte, zum ewigen Gefängnisse verdammt habe, weil er vielen Personen das Abendmahl unter beiderlei Gestalten ertheilt hatte, und Wegierski in der „Slavonia reformata" erzählt, daß sich um 1500 der Adel von Großpolen auf dem Markte zu Posen versammelt und von der Geistlichkeit die Wiedereinsetzung des Kelchs nachdrücklich gefodert habe, indem er sich auf die Einsetzung Christi, die Sitte der ersten Kirche und das Beispiel der Böhmen berufen, daß er sogar mit dem Schwerte und dem Aufheben der Zehnten gedroht, wenn er das Seinige nicht erlangen würde. Der Bischof von Posen lobte zum Schein das Verlangen des Adels und zog sich mit dem Versprechen, daß, wenn sich derselbe ruhig verhalte, er selbst die Sache beim Papste auswirken wolle, geschickt aus Allem heraus.

Die hussitische Lehre scheint nur unter dem Adel von Großpolen verbreitet gewesen zu sein, den persönliche Freiheiten gegen die Verfolgungen der Geistlichkeit beschirmten. Um so leichtern Eingang dagegen fand Luther's Lehre unter den Einwohnern der Stadt Posen. Großentheils von deutschen Kaufleuten und Handwerkern bewohnt, stand diese in vielfacher Verbindung mit deutschen Städten, wie Leipzig, Nürnberg, Wittenberg; oft wurde sie von lutherisch gesinnten Deutschen besucht, und viele der vermögenden Einwohner sandten ihre Söhne zur Ausbildung nach Deutschland, welche nach wenigen Jahren voll neuer Ansichten über Glaubenssachen in die älterlichen Häuser zurückkehrten. Zuerst wagte es 1525 Johann Seklutian aus Bromberg, deutscher Prediger an der Marien-Magdalenenkirche zu Posen, von der Kanzel herab gegen das ganze Gebäude der katholischen Kirche aufzutreten; er wurde zwar noch in demselben Jahre auf Befehl des Königs Sigismund I. entsetzt, doch bald bot sich ihm ein freierer und größerer Wirkungskreis dar. Zwischen 1530 u. 1540 eröffneten nämlich die Grafen Górka, eine der mächtigsten und angesehensten polnischen Familien und die ersten Beförderer des lutherischen Glaubens, in ihrem Palaste zu Posen, wahrscheinlich zuerst nur für ihre Freunde und Hausgenossen, den ersten lutherischen Gottesdienst, und nun wurde Seklutian hier als der erste lutherische Prediger zu Posen angestellt. Der Palast lag in der Nähe der katholischen Pfarrkirche, daher der Jesuit Sowicki erzählt, daß damals der Gesang der Psalmen während des lutherischen Gottesdienstes den Gesang in der katholischen Kirche fast übertäubt habe. Seklutian wirkte hier bis 1541, wo ihn der Herzog Albrecht von Preußen auf einer Reise durch Posen nach Königsberg mit sich nahm. Ein anderer Hauptbeförderer der Reformation war Christoph Endorfin, ein offener Freund Luther's, der, aus Leipzig vertrieben, an die berühmte Lubrański'sche Bildungsanstalt zu Posen, eine der ersten und bedeutendsten Polens, als Lehrer berufen wurde und hier, ehe es sich die Geistlichkeit versah, schon die Gemüther der zahlreich um ihn versammelten Jugend von Adel und Bürgerstande mit Luther's Lehren erfüllt und für dieselben gewonnen hatte; und dies ist die Jugend, welche später zur allgemeinen Verbreitung der Reformation kräftig mitgewirkt hat. Außerdem zog auch Albrecht, damals schon weltlicher Herzog von Preußen, dessen Uebertritt zum Lutherthum, als eines Schwestersohnes Sigismund I., von nicht unbedeutendem Einflusse gewesen war, gelehrte Polen nach Königsberg, ließ dort lutherische Schriften in polnischer Sprache drucken und durch ganz Polen verbreiten.

So waren die Gemüther vorbereitet, als im Jahre 1545 der König von Polen Sigismund I. starb. Die Rücksicht auf diesen großen Monarchen, welcher der Einführung der Reformation nicht aus Abneigung gegen dieselbe, sondern aus Furcht vor Unordnungen, die bei allen Religionsveränderungen unvermeidlich schienen, entgegen war, hatte Alle wenigstens bei den Gebräuchen der katholischen Kirche festgehalten. Diese Rücksicht fiel mit dem Tode des Königs, denn der junge König, Sigismund August, zeigte, wenn nicht eine völlige Abneigung, doch eine große Gleichgültigkeit gegen die alte Lehre. Hiezu kam für Großpolen noch ein besonderer Anstoß von außen. Im J. 1547 erließ der König Ferdinand I. von Böhmen einen strengen Befehl, daß alle Dissidenten, insbesondere die sogenannten Picardisten, in 42 Tagen sein Reich räumen sollten. Den Vertriebenen versprach der Herzog Albrecht von Preußen einen Zufluchtsort in seinem Lande, und so verließen gegen 1000 Menschen, Greise, Kranke und Schwangere, die Städte Brandeis, Turnowo, Leitomysl, Bidsau u. a.; ein Theil begab sich graden Weges nach dem herzoglichen Preußen, ein anderer, gegen 700 Personen, kam mit ihren Geistlichen, Matthias Aquila, Urban Hermon, Joh. Goritan und Matthias Paterculus, am 25. Juni 1548 in Posen an, und später erschien noch eine neue Abtheilung mit den Geistlichen Matthias Sionius und Georg Israel. Die lutherisch-gesinnten Einwohner Posens sahen diese verbannten böhmischen Brüder für ihre Glaubensgenossen an, weil Luther selbst die Apologie derselben mit einer lobenden Vorrede in Wittenberg 1542 hatte abdrucken lassen; so wurden ihnen denn, besonders durch den Grafen Górka, der damals grade General von Großpolen war, nicht nur in Posen und auf den Gütern des Grafen in Kornik, Samter, Wronki Zufluchtsorte gewährt, sondern ihnen auch die Erlaubniß ertheilt, den Gottesdienst nach ihren Gebräuchen abhalten zu dürfen. Und wenngleich diese Verbannten in Folge eines durch den Bischof von Posen beim Könige ausgewirkten Befehles Großpolen schon nach zehnwöchentlichem Aufenthalte räumen mußten, so war ihr Aufenthalt daselbst doch von sehr großer Bedeutung gewesen; denn vieler Katholiken Zutrauen hatten sie sich bereits erworben, und die Lutherischen hatten oft ihrem Gottesdienste beigewohnt und an der Einfachheit und Reinheit ihrer Gesinnungen sich erbaut, sich auch enger mit ihnen gegen Verfolgungen verbunden. Selbst aus dem Herzogthume Preußen sandten die böhmischen Brüder noch oft Geistliche nach Großpolen, um ihre Glaubensgenossen zu trösten und zu stärken. Im J. 1549 kam der Senior Matthias Sionius selbst auf einige Zeit nach Posen, um seiner Gesundheit aufzuhelfen (Posen war damals seiner Aerzte wegen berühmt); er gewann hier, wie Wegierski sagt, Christo viele Seelen und bildete nun die erste hussitische Gemeinde in Posen. Dieselbe wurde durch andere Geistliche, besonders den genannten Georg Israel, der hussitischer Prediger in Marienwerder geworden war, bedeutend vermehrt, es wurden ihr angesehene Männer vom Adel und Bürgerstande und viele Frauen, ja auch nicht Wenige aus der niedrigsten Volksclasse zugesellt, und endlich (1550) wurde für diese Gemeinde auf ihr Bitten Israel zu dem, soviel es die Umstände erlauben würden, beständigen geistlichen Dienste bestimmt, doch wagte dieser erst seit 1553 seinen festen Wohnsitz in Posen aufzuschlagen. Der Gottesdienst wurde in dem Hause eines Schöppen Lipczynski immer mit der größten Vorsicht bei verschlossenen Thüren und Fensterläden, häufig des Nachts gehalten, woher denn manche Fabel von unsittlichen Ceremonien, die während des Gottesdienstes der böhmischen Brüder stattfanden, unter dem Volke entstand.

Im Jahre 1550 verloren die Dissidenten in Großpolen zwei ihrer vorzüglichsten Stützen durch den Tod, den Senior Sionius und den Grafen Andreas Górka; doch gelang es Israel sehr bald ihnen einen andern mächtigen Schutz zu verschaffen. Katharina Gräfin Ostrorog, eine schon bejahrte Matrone, war in Posen ebenfalls zu den böhmischen Brüdern übergetreten; auch ihr Bruder, der Graf Jakob Ostrorog hatte dem Glauben seiner Väter abgesagt, unbestimmt, ob er sich mit den Lutheranern oder den Hussiten verbinden sollte. Er hatte bereits den Felix Cruciger und Franz Stankar, zwei lutherische Theologen, zu sich berufen, um durch sie auf seinen Gütern die Reformation einzuführen; doch war er auch dem Israel nicht abgeneigt und wohnte später selbst einer Abendmahlsfeier der Hussiten in Posen bei. Während Ostrorog schwankt, tritt seine Gemahlin zu den böhmischen Brüdern über. Einst hat der Graf auf seinem Gute eine große Anzahl Gäste bei sich, die größtentheils dem katholischen Glauben treu geblieben waren, seine Gemahlin ist indessen in einem Zimmer des Palastes bei dem hussitischen Gottesdienste zugegen. Die Gäste fragen nach der Wirthin, und es wird gesagt, sie sei im Gottesdienste. Da spricht Einer: „Wenn meine Frau die Ketzerei in mein Haus zu bringen wagte, so würde ich sie mit dem Knüttel davon abbringen. „Gut", ruft Ostrorog erzürnt, „ich werde es auch so machen." Er ergreift einen Stock und dringt in das Zimmer, in dem der Gottesdienst gehalten wird. Hier predigt eben Matthias Czerwienka, ein Mann voll Frömmigkeit und Beredsamkeit. Der wendet geschickt seine Worte an den Eintretenden, welcher betroffen und verwirrt stehen bleibt und der Predigt zuhört. Israel, der ebenfalls zugegen ist, weist ihm mit der Hand einen leeren Platz an und spricht: „Setzt Euch, Herr". Ostrorog verweilt bis zu Ende des Gottesdienstes. Später hat er erzählt, daß, wenn ihm in dem Augenblicke Jemand einen Platz unter der Bank angewiesen hätte, er hätte ihn gern angenommen. Sehr bald nach diesem Ereignisse (im J. 1553) verband sich Ostrorog mit den böhmischen Brüdern auf immer, und nie haben diese in Großpolen eine bedeutendere und wichtigere Erwerbung gemacht. Der Graf übergab ihnen sogleich die katholische Kirche in Ostrorog und gewährte dem Israel, der in Posen beständig in den größten Gefahren schwebte, einen sichern Wohnsitz. Als darauf der Bischof von Posen mehre Personen aus den niedern Ständen, die er wegen Ketzerei bereits zum Tode verurtheilt hatte, durch Ostrorog's Macht gezwungen, frei lassen mußte, wagte es die Brüdergemeinde (1554) sogar, ihren Gottesdienst zu Posen in dem Palaste des Grafen Ostrorog, später in einem Gebäude, das ihr der Graf schenkte, öffentlich zu halten.

Doch immer war die Macht der katholischen Geistlichkeit drohend und gefährlich. Um ihr kräftigern Widerstand leisten zu können, war den Dissidenten schon früher eine Verbindung ihrer verschiedenen Parteien in Polen wünschenswerth erschienen. Jetzt foderte (1555) Cruciger nach seinem Uebergange vom Lutherthume zum Calvinismus den Grafen Ostrorog in einem Briefe auf, daß er zur Vereinigung der zahlreichen Bekenner der Lehre Calvin's in Kleinpolen mit den böhmischen Brüdern in Großpolen mitwirken möchte. Ostrorog bestimmte sogleich Chrzcice in Kleinpolen zu einer Versammlung und freundschaftlichen Unterredung beider Parteien, und hier fand im Jahre 1555 die erste jener zahlreichen Synoden der Dissidenten Polens statt. Die Vereinigung gelang noch in demselben Jahre auf der Synode zu Kaminek in Großpolen. Calvin selbst wünschte den Dissidenten (in einem Briefe an Korniński) zu diesem Ergebnisse Glück. Die lutherische Lehre hatte sich indessen auch bedeutend in Großpolen ausgebreitet; in Posen selbst aber scheint seit Seklucian's Entfernung kein lutherischer Gottesdienst stattgefunden zu haben. (Erst 1568 begann er wieder in dem Górka'schen Palais und zwar öffentlich.) Nun suchte man auch die Lutherischen, besonders auf den Rath des berühmten Joh. Laski, der 1557 in sein Vaterland zurückgekehrt war*), in die Union zu ziehen; zwei Synoden in Xionz und Posen **) wurden 1560 zu dem Zwecke gehalten, doch ohne Erfolg. Darauf blieb der Plan einige Jahre liegen und wurde erst 1567 durch den Einfluß des Erasmus Glicaner, lutherischen Superintendenten in Großpolen, wieder aufgenommen. Indessen hatten sich die Gemüther genähert, zwei Synoden zu Posen räumten viele Schwierigkeiten aus dem Wege, und so kam endlich auf der denkwürdigen Synode zu Sandomierz (am 14. April 1570) die Vereinigung aller dissidentischen Parteien Polens zu Stande. Diese Vereinigung war um so nöthiger, als den Dissidenten grade damals ein sehr gefährlicher Kampf mit einem vorher unbekannten Feinde bevorstand.

(Der Beschluß folgt.)

Notizen.

Schädelsammlungen in England.

Die englische phrenologische Gesellschaft besitzt 300 Schädel; die Spurzheimische Sammlung enthält deren 8—900; die Sammlung des Herrn Hild 3—400 Stück; H. Deville hat bei 5000 Vogel- und Thierschädel zusammengebracht.

Vor einiger Zeit wurde zu Clermont in der Auvergne eine prächtige Mosaiktafel gefunden. Die dortige Obrigkeit hat sofort beschlossen, daß das schöne Kunstwerk wieder eingegraben werden soll, wahrscheinlich um es vor aller Beschädigung zu bewahren.

Zwei Engländer, nachdem sie den Essequebo hinaufgeschifft, gingen landeinwärts. Nach einem mehrstündigen Marsche stießen sie auf einen Trupp Karaiben. Das Oberhaupt der Wilden empfing die Fremden aufs freundlichste und lud sie zum Essen ein. Man trug einen Fisch mit Sauce, ein Stück Fleisch und zwei geröstete Hände auf. Die Engländer, in dem Wahne, es sei Affenfleisch, entschuldigten sich, indem sie versicherten, daß sie nie Fleisch auf Reisen äßen. Der Anführer nagte die Hände mit großem Appetite ab und fragte unter dem Essen seine Gäste, wie ihnen der Fisch schmecke: „Vortrefflich", war die Antwort, „besonders köstlich ist die Sauce." „Ihr habt Recht", erwiderte der Wilde, „denn für alle Gerichte gibt's keine bessere Sauce, als die mit Menschenfleisch zurechtgemacht wird." 143.

---

*) Laski, aus einer angesehenen polnischen Familie entsprossen, widmete sich dem geistlichen Stande, wurde Propst von Gnesen und Lenczyc, später Custos in Plock und war schon zu dem Bisthume Veszprim in Ungarn erwählt, als er sich für die Reformation aussprach und verheirathete. Deshalb durch den Bischof von Gnesen-Samuel, von allen Beneficien entfernt und aus Polen vertrieben, ging er später nach England, wo er unter Eduard VI. *Superintendens ecclesiae peregrinorum* wurde. Unter Marie mußte er England verlassen, zog lange umher und starb, nachdem er nach Polen zurückgekehrt war, 1560. (Niesiecki.)

**) Es verdient der Erwähnung, daß die dissidentischen Magnaten damals den Zustand des Landvolks zu verbessern eifrig sich bemühten. So bestimmt der fünfte Artikel dieser posener Synode: die Unterthanen sollen nur drei Tage in der Woche für die Herren zu arbeiten haben, ausgenommen während der Ernte und des Ausfäens. Doch soll der Herr auch dann christliche Rücksicht auf sie nehmen, damit sie zur Zeit für sich einernten und säen können. Den katholischen Synoden in Polen kann man solche [illegible] nicht nachrühmen.

Redigirt unter Verantwortlichkeit der Verlagshandlung: F. A. Brockhaus in Leipzig.

Blätter für literarische Unterhaltung.

Mittwoch, — Nr. 275. — 2. October 1833.

Die Reisen des Herzogs Paul von Würtemberg in Amerika.

Erster Artikel.

(Fortsetzung aus Nr. 274.)

Dampfbootfahrt den Ohio stromaufwärts. Schilderung der Gegend. Louisville. Rückfahrt in den Mississippi und Reise diesen Strom aufwärts.

Das Dampfboot eilte mit großer Schnelligkeit den Ohio aufwärts. Je mehr sich Herzog Paul den höhern Breiten näherte, je mehr mußte er das üppige Wachsthum der schmarozenden Holzarten bewundern. Wenngleich ärmer an Gattungen, scheint dennoch das nördliche Klima der neuen Welt große Formen aufzubieten, die sich durch Zähigkeit der Holzfaser und saftreiche Beeren auszeichnen, welche sich unter Anderm bei dem traubentragenden Rebengeschlechte in namenloser Fülle äußern. Die Gegend war durch eine außerordentliche Menge Vögel belebt, namentlich von zahllosen Papageien und Spechten, welche miteinander wetteiferten, die Stille des Urwaldes oder die wenigen, lauten Stimmen kleinerer Singvögel durch ihr lärmendes Treiben zu unterbrechen.

An den Mündungen des aus felsigen Gebirgen eingeengt einherströmenden Tennesseeflusses und des mit ihm parallel fließenden Cumberlandflusses vorübergeschifft, fand der Reisende eine immer wachsende Cultur des Bodens und zunehmende Bevölkerung. Dies verleiht einer von der Natur schon so schön geschmückten Gegend ein lachendes und einladendes Aeußere. An den belebtern Ufern des Ohio sieht der reisende Europäer das verjüngte Bild seines Vaterlandes, und der Deutsche glaubt sich mit Entzücken in die lachenden Elb- und Donaugegenden versetzt, an die er noch mehr durch die vielen deutschen Colonisten erinnert wird, die ihn oft, wo er den Fuß ans Land setzt, in der Muttersprache begrüßen. Hier sah der Herzog auch das berühmte und mehrfach beschriebene Höhlengebilde, die Cave in rock. Die indischen Stämme scheinen diese Grotte auf ihren Kriegszügen gegen die ersten Colonisten als Schlupfwinkel und Hinterhalt benutzt zu haben, und die abenteuerlichsten Erzählungen leben darüber im Munde der Amerikaner. Die Gipfel der Felsmassen, welche das nördliche Ufer des Ohio bei der Höhle bilden, sind mit dem Nadelholze der amerikanischen Ceder bedeckt, deren Wurzeln durch die Spalten und Risse des Kalksteins wuchern und in Büscheln vorragen.

Die Reise ging (21. April) an der Stadt Shawaneetown, in deren Nähe die in Mestizen verwandelten Shawanees sich nomadenartig umtreiben, dann an der Mündung des Wabash vorüber, welche die Grenze des Illinois- und Indianastaates bildet. Wenige Meilen von hier lag die würtembergische Niederlassung Harmonie. Bei Hendersonville wird die Gegend äußerst romantisch; das Auge ergötzt eine Reihe der lieblichsten, stets in neuer Formenfülle prangenden Bilder voll Leben und Einklang, sodaß selbst die üppigen Gefilde der Tiber und des Arno nicht schöner genannt werden können. An der Mündung des blauen Flusses, bei dem kleinen Orte Shippingport, einer der schönsten und volkreichsten Gegenden in Kentucky, verließ der Herzog (22. April) den Maysville, der seine einstweilige Bestimmung hier gefunden hatte. Nach einem Ausfluge zu den berühmten Stromschnellen oder Untiefen, rapids genannt, machte sich der Reisende auf den Weg nach dem benachbarten Louisville und beobachtete die Bewohner der Umgegend. Er fand die Landleute in Kentucky weniger gemischt als ihre Nachbarn im Indianastaat; als Abkömmlinge der alten Virginier sind sie stolz, kühn und kriegerisch, in allen männlichen Uebungen ausgebildet, treffliche Bootsleute und als Büchsenschützen der Schrecken ihrer Feinde und der wilden Thiere. Ein biederer Zug in ihrem Charakter ist ihr anerkannter Abscheu gegen das Sklavensystem. Zu stolz, den eignen Nacken zu beugen, verficht der Kentuckyer mit Eifer auch die Freiheit seiner schwarzen Brüder und verbirgt und schützt die aus der Nachbarschaft flüchtenden Neger.

Louisville ist eine reinliche, aus Backsteinen nach Art der englischen Provinzialstädte gut gebaute Stadt; die geschäftigen Einwohner (gegen 4000) sind von Gesundheit und Frohsinn belebt. Der Herzog, nach einigen Ausflügen nach Shippingport zurückgekehrt, schiffte sich auf dem Dampfboot Cincinnati ein, um die Stadt Saint-Louis zu besuchen. Auf jenem Boote machte er die Bekanntschaft des Herrn du Bourg, damaligen Bischofs von Neuerleans und St.-Louis, jetzt Bischofs zu Montauban in Frankreich, und fand in ihm einen der ehrwürdigsten und unterrichtetsten Männer, deren Bekanntschaft er in der neuen Welt zu machen das Glück hatte. Die Fahrt nach

St.-Louis rechnete er zu seinen bequemsten Reisen in den Vereinigten Staaten, und bei seinem Austritt aus dem Cincinnati hätte er sich nicht träumen lassen, daß er sechs Monate später denselben unter seinen Füßen sinken sehen würde. Der Weg ging nach der Mündung des Ohio zurück und dann den Mississippi aufwärts, dessen Ufer auch hier wieder den einförmigen Charakter eines flachen, mit Urwald bedeckten Landes zeigten. Einige Unterbrechungen in der Fahrt verschafften dem Prinzen reiche Beute aus dem Thierreiche und manchen Pflanzenfund. Am 29. April erreichte der Cincinnati eine mitten aus dem Mississippi in Thurmsgestalt über 150 Fuß hervorragende Felsenmasse, the grand tower, la tour du rocher genannt, die schon in ältern Zeiten berücksichtigt worden ist. Dieser sonderbar gebildete Kalkfelsen, dessen Höhe in keinem Verhältnisse mit seinem Umfange steht, befindet sich ziemlich gegenüber den Mündungen des kleinen Flusses Obrazo, wo die Mississippiufer, aus hohen Kalkmassen gebildet, Zeugen wichtiger Erdrevolutionen sind. Der Wilde, ohnehin geneigt, gigantische Felsen, Höhlen, gefährliche Stellen der Ströme seinen Göttern, besonders dem Herrn des Lebens, Qua-can-da, zur Wohnung anzuweisen, naht sich „dem großen Thurm" und der schauerlichen Umgebung nur mit Gefühlen der Furcht, und als die Urvölker noch Herren des Landes waren, diente der Fels und eine nahe Höhle den Priestern und Gauklern (Nica-schinga-oua-canda-ge in der Sprache des Osagenstammes) zum Sitz ihrer Inspirationen.

Am Morgen des 1. Mai erblickten die Reisenden die Mündung des Occoa River, von dem sechs Meilen aufwärts Kaskaskia, die älteste französische Niederlassung in Illinois, gelegen ist. Zu Mittag landeten sie an der Mündung des Flüßchens Gabarre, bei dem kleinen, merkwürdigen Orte Ste.-Geneviève. Ein in Lumpen gehüllter, auf einem elenden Klepper reitender Indier, aus dem Stamme der Delaware, brachte einen Tannhirsch zum Verkauf; er war von einem noch schlechter gekleideten jungen Mestizen, welcher zu demselben Volke gehörte, begleitet. Beide verriethen wenig mehr von der stolzen Haltung und dem kriegerischen Sinne, welcher diese große Nation noch vor einem halben Jahrhundert auszeichnete. Durch politische Verhältnisse gedrängt, sind die Völker der Delaware von der Küste des östlichen Meeres und seinem Strome, welcher noch heute ihren Namen führt, bis in die westlichen Gegenden des Mississippi gewandert, und hier, zu einem kleinen, Erbarmen erregenden Haufen zusammengeschmolzen, vermögen diese Ueberbleibsel eines so mächtigen Völkerstammes, der früher der furchtbarste Feind der eingewanderten Europäer war, in der Nähe seiner Unterdrücker kaum das dürftige Leben zu fristen und werden bald dem sichern Verderben völlig preisgegeben sein.

Am 2. Mai befanden sich die Reisenden bei der sonderbaren Gebirgsformation des plateau large, wo sich eine ungeheuere Felsenmasse, 300 Fuß tief, in Gestalt eines durchschnittenen Kegels, dessen unterer Durchschnitt 1000 Fuß betragen mag, senkrecht in den Strom senkt. Schaudervolle Risse, Höhlen, Einschnitte und thurmförmige Gebilde, mit parallellaufenden Schichten zeichnen diese schroffe Wand von Kalkstein aus. Eine andere, 30 Fuß hohe, gegen 1000 Fuß lange Kalkmauer bildet eine Verlängerung des Hauptfelsens längs dem Ufer und dient als natürlicher, unverwüstlicher Strommesser für die verschiedenen Wasserstände des Mississippi. Um 9 Uhr Morgens landete das Boot bei Herculanum, einer Bleigießerei, deren bedeutendste Werke 50 englische Meilen landeinwärts gelegen sind. Für den Missuristaat sind diese von schwarzen Sklaven bearbeiteten Werke von höchstem Werthe.

Das Bett des Stromes wird nun bald unsicher und voll Sandbänke. Die Mündung des nicht unbedeutenden Merrimack, der aus Westen strömt, bringt durch das klare Wasser dieses Flusses und dessen Mischung mit dem dunkelgefärbten Mississippi jene wolkenartige Mischung hervor, die dem Auge keinen unangenehmen Anblick gewährt. Die Ufer dieses Stromes, dessen Bett ein festes Lager von Kalkfels ist, sind reich an Versteinerungen, selbst an fossi

nen

Wir erhalten unter diesem Titel drei recht werthvolle Abhandlungen aus dem Gebiete des deutschen, insonderheit des würtembergischen Staatsrechts. Der Verf. glaubt, daß in unsern Tagen, wo alle geistige Regsamkeit sich dem Staatsleben zugekehrt habe, die Wissenschaft nicht vornehm zurückbleiben und dem Tagesraisonnement ausschließlich das Feld überlassen dürfe, vielmehr der wichtigern Begebenheiten sich bemächtigen und mit ihrem Ernste, ihrer Gründlichkeit und ihrer Mäßigung jedes Mal dann zwischen die Extreme treten müsse, wenn die Gründe des Urtheils aus ihrem eignen Bereiche gezogen oder durch eine rasche unüberlegte Entscheidung ihre Institute bedroht werden sollten. Ganz mit dem Verf. einverstanden, glauben wir indeß den Beruf der Wissenschaft zum Eingreifen ins Leben nicht blos auf die beiden vom Verf. angedeuteten Fälle beschränken zu dürfen, vielmehr als eine wichtige Aufgabe der Wissenschaft annehmen zu müssen: überall im Leben da ihre Stimme ertönen zu lassen, wo dem Rechte und der Wahrheit Gefahr droht, damit durch ihre Vermittelung der Sieg der Intelligenz über den Unverstand und die rohe materielle Macht immer mehr verwirklicht werde. Der Verf. kämpft auch selbst, wenn er die würtembergische Verfassungsurkunde gegen Verletzungen zu schützen sucht, nicht blos für ein Institut der Wissenschaft, er kämpft für eine dem Leben angehörige und der ganzen staatsbürgerlichen Existenz des Würtembürgers zur Grundlage dienende heilige Einrichtung. Das vornehme Zurückziehen der Wissenschaft von den Interessen des Tages ist die Wurzel vieler Uebel, an denen unser deutsches Vaterland noch krank darniederliegt. Denn dadurch wird auf der einen Seite den bloßen Schreiern ein weiter Tummelplatz gelassen, auf der andern Seite aber leicht ein Vorwand gefunden, um Maßregeln zu treffen, welche, indem sie den Uebelgesinnten oder Thoren den Mund stopfen sollen, auch dem wohlgesinnten und verständigen Vaterlandsfreund das Reden unmöglich machen.

Der erste Aufsatz gibt uns unter dem Titel: „Diplomatischer Antheil Würtembergs an der Entwickelung der heutigen öffentlichen Rechtsverhältnisse in Deutschland" (S. 1—106), einen kurzen und treuen Abriß der Geschichte des Antheils, welchen Würtemberg seit seinem Eintritt in die Reihe der souverainen Staaten an den diplomatischen Verhandlungen, welche die neue Organisation und Verfassung Deutschlands zum Gegenstande hatten, genommen, und des Einflusses, den es vermöge seiner Stellung als deutsche Mittelmacht und vermöge seiner innern Staatsverhältnisse ausüben mußte. Der Verf. will durch diese Darstellung reinthatsächlicher Momente weder eine Apologie der würtembergischen Diplomatie, noch blos eine Skizze aus der politischen Geschichte Würtembergs liefern, er beabsichtigte vielmehr vorzugsweise einen Beitrag zur Geschichte des öffentlichen Rechts in Deutschland und eine an Dritte gerichtete Auffoderung zur Bearbeitung der Geschichte des deutschen Bundes. Zugleich liefert er dadurch die Unterlagen zu der dogmatischen Erörterung mehrer in neuesten Zeiten sich mächtig aufdringender publicistischer Fragen, denen seine zweite Abhandlung gewidmet ist. Diese führt nämlich die Ueberschrift: „Rechtliche Stellung der deutschen Bundesstaaten zur Bundesversammlung, mit besonderer Rücksicht auf die neuern Bundesbeschlüsse" (S. 107—249). Sie behandelt ein in neuesten Zeiten ebensoviel besprochenes als für die Entwickelung unsers constitutionnellen Lebens höchst wichtiges Thema. Der Verf. hält die Feststellung der staatsrechtlichen Attribute des deutschen Bundes, vermöge welcher derselbe die öffentliche Gewalt der einzelnen Bundesstaaten beschränken kann, grade jetzt für höchst nothwendig, wo die Unabhängigkeit und freie Bewegung der Bundesglieder im Innern durch Einmischung der Bundesversammlung mannichfach bedroht ist. Seine Absicht ging daher vorzugsweise dahin: die rechtliche Stellung der Bundesstaaten nach Maßgabe der Bundesverfassung zu entwickeln und die Unanwendbarkeit eines großen Theils der karlsbader Decrete sowie der neuern Bundesbeschlüsse mit besonderer Rücksicht auf Würtemberg darzuthun. Er hat seine Aufgabe mit Sachkenntniß und Scharfsinn gelöst und trifft, was die bekannten sechs Artikel anlangt, im Wesentlichen mit den darüber ausgesprochenen Ansichten Wangenheim's und Pfizer's zusammen. Er zerlegt seine Untersuchung in drei Abschnitte, wovon der erste die Stellung der deutschen Bundesstaaten zur Bundesversammlung im Allgemeinen betrachtet, der zweite sie insbesondere in Absicht auf ihre Verfassung und der dritte in Absicht auf ihre Verwaltung der Prüfung unterwirft. Wir halten es für überflüssig, hier Wahrheiten zu wiederholen, die von Allen, die sehen können und sehen wollen, längst erkannt sind. Wir halten den Bund seiner jetzigen Zusammensetzung nach für unverbesserlich und jedes Wort, welches auf eine Verbesserung auf den bestehenden Grundlagen hinausläuft, für überflüssig und in den Wind geredet. Ohne uns deshalb bei der an sich sehr schätzbaren Arbeit des Verf. länger aufzuhalten, gehen wir zu der dritten Abhandlung desselben über. Sie führt den Titel: „Zusätze und Berichtigungen zu Mohl's Staatsrecht des Königreichs Würtemberg" (S. 250 am Ende). Der Verf. glaubte dem verdienstlichen Mohl'schen Werke mehr als eine bloße Recension widmen zu müssen. Auch wollte er seine Bemerkungen nicht blos auf ein Urtheil über jenes Werk beschränken, sondern daran zugleich die Erörterung einer Anzahl praktischer Streitfragen in Betreff der würtembergischen Preßgesetzgebung, der gesetzlichen Eigenschaften der ständischen Abgeordneten, der Einberufung der Ständeversammlung u. s. w. knüpfen. Wenngleich die mitgetheilten von weniger allgemeinem Interesse sind, so glauben wir doch, daß sie nicht nur für den Verf. des beurtheilten Werkes in vieler Beziehung schätzbar, sondern auch beim Studium desselben von großem Nutzen sein werden. 169.

Reformationsgeschichte.

(Beschluß aus Nr. 274.)

In dieser Zeit hatten die Dissidenten die Oberhand gewonnen, die Macht der Geistlichkeit ward auf den Reichstagen zu Petrikau 1552 u. 1565 gelähmt, und selbst das königliche Edict vom J. 1564, das die Katholiken dem unstäten und sich nach allen Seiten hinneigenden Sigismund August abgedrungen hatten und welches alle fremden Häretiker des Landes verwies, blieb erfolglos. Da neigte sich die katholische Geistlichkeit zu mildern Maßregeln und beschloß, durch Schulen und von der Kanzel herab zu wirken. Zu dem Ende berief der Bischof von Posen, Czarnkowski, den Professor der krakauer Universität Benedikt Herbest an die verfallene Lubranski'sche Anstalt. Zahlreiche Schüler sammelten sich um einen berühmten Lehrer, dessen erste Sorge aber war, die Schüler zu guten Katholiken zu erziehen, und wirklich half jetzt dieselbe Anstalt, welche früher Viele der Reformation gewonnen, dem untergehenden Katholicismus nicht wenig auf. Herbest blieb nicht lange in Posen, aber ihm folgte ein anderer, mächtigerer Feind der Dissidenten.

Der Cardinal Hosius hatte auf dem Concil zu Trident die Institutionen der Jesuiten kennen gelernt und gar bald eingesehen, daß diese jegliche Reformation in Polen aufzuhalten würden im Stande sein. Er führte den Orden daher 1566 nach Braunsberg ein, und angesehene Polen traten zu demselben über. Auch der Bischof von Posen, Konarski, wußte die Tendenz und die Waffen des Ordens zu schätzen, und so zog derselbe 1573, trotz der Bemühungen der dissidentischen Magnaten, mit Einkünften reichlich versehen, in Posen ein. Sogleich eröffnete er seinem Berufe gemäß Schulen. Sein Ruhm im Unterrichten bewährte sich an einigen Lehrern des posener Collegiums; so verband der erste Rector desselben, Jakob Wujek, mit einer ausgebreiteten Gelehrsamkeit eine gewisse Leutseligkeit und Schmiegsamkeit im Umgange, die auch so manche Dissidenten einnahm, welche nun unvorsichtig genug waren, ihre Kinder dem Orden zur Erziehung anzuvertrauen. Aber die Schulen allein wirkten zu langsam, daher hielten die Jesuiten von Anfang an wöchentlich zwei Mal öffentliche Disputationen über Glaubenssachen, zu denen sie gelehrte Katholiken und Dissidenten durch gedruckte Theses einluden. Oft wurden hier die Dissidenten zwar nicht überzeugt, doch übersprochen, und wenn kein Dissident auf dem Kampfplatze erschien, vertrat ein Jesuit seine Stelle. Das Volk strömte in diese neuen theatralischen Schauspiele, erlangte hier eine große Meinung von den Jesuiten und beklatschte, ohne daß es die Sache und Sprache verstand — denn wohlweislich disputirten die Jesuiten nur lateinisch —, die Siege, welche sich dieselben zuschrieben. Endlich foderte sie ein berühmter Disputator der Dissidenten, Jakob Niemojewski aus Inowraclaw, zu einer öffentlichen Disputation in polnischer Sprache auf, aber nun stritten sie sich nicht. Da schrieb derselbe eine Diatribe; diese ließen sie in der Druckerei confisciren und durch den Henker öffentlich verbrennen. Das Werk wurde dennoch später in Grätz in Großpolen abgedruckt.

Am meisten schadete den Dissidenten häuslicher Unfriede. Paul Gericius (Gerike), lutherischer Prediger in Posen, ein unruhiger Mensch, widersprach öffentlich, durch die Streitigkeiten in Deutschland aufgeregt, jeder mit den böhmischen Brüdern eingegangenen Union. Durch eine Ermahnung der Aeltesten noch mehr erbittert, donnerte er fortwährend von der Kanzel herab und sprach hier aus, daß es für einen Lutheraner besser sei, in den Jesuitenorden zu treten, als sich mit den böhmischen Brüdern zu verbinden. Gar schlau wußten dies die Jesuiten zu benutzen, denn nicht nur wurde dieser Ausspruch überallhin verbreitet, sie reizten auch den Gericius selbst auf, indem sie ihn den einzigen wahren Lutheraner in Polen nannten. Den Unfrieden vermehrte Erasmus Gliczner, indem er im Widerspruche mit den Beschlüssen von Sandomierz 1594 die augsburgische Confession zu Danzig herausgab; er bewirkte, daß sich die Lutheraner in Großpolen völlig von der Union lossagten. Man sah sich genöthigt, eine neue Generalsynode auszuschreiben, die 1595 zu Thorn stattfand. Sie war von allen Synoden, welche die Dissidenten gehalten haben, die besuchteste, denn 70 geistliche und 72 weltliche Personen nahmen daran Theil. Viele der Versammelten unterschrieben die Beschlüsse von Sandomierz von Neuem; Gericius war dazu nicht zu bewegen, er verließ Thorn heimlich und wurde nun durch die Synode excommunicirt, doch ihm noch einige Bedenkzeit gestattet. Darauf verließ er aber seine Gemeinde in Posen und ging nach Breslau. Nicht nur machten diese Streitigkeiten allgemein einen übeln Eindruck, sie hatten auch zur Folge, daß so Mancher, derselben überdrüssig oder selbst im Glauben schwankend geworden, zur katholischen Kirche zurücktrat.

Ueberdies fehlte den Dissidenten in dieser unglücklichen Zeit aller mächtige Schutz. Der Graf Jakob Ostrorog war schon 1568 gestorben. Der König Stephan Batory, der sich zwar nicht um die Religionsstreitigkeiten bekümmerte, aber auch keine Gewaltthätigkeiten duldete, starb 1586. Sein Nachfolger, Sigismund III., vernachlässigte nach der Weise oströmischer Kaiser seine Pflichten als Herrscher, um als ein Apostel des Glaubens zu wirken. Alles hing unter ihm von den Jesuiten ab, alle Aemter wurden nur strengen Katholiken, besonders aber Wohlthätern der Jesuiten übertragen. Gar viele Magnaten konnten da der freundlichen Kirche nicht widerstehen, die sie mit Ehrenstellen und einträglichen Würden in ihren Schoos zurücklockte. Eine Linie des Hauses Ostrorog, die Tomicki, Opalenski kehrten zu ihr zurück, diesen folgten geringere Häuser. Im Jahre 1593 verloren endlich die Dissidenten von Großpolen ihre letzte Stütze. Der Graf Stanislaus Górka starb ohne Nachkommen, seine Reichthümer gingen an die katholische Familie Czarnecki über. Den Palast in Posen, in dem die lutherische Gemeinde bisher ihren Gottesdienst gehalten hatte, kaufte der Magistrat und räumte ihn nach dem Willen der Jesuiten den Benedictinernonnen ein. Nur außerhalb der Stadt, auf einem Berge, den der Pöbel nun spottweise den kahlen Berg benannte, ward den Lutherischen eine neue hölzerne Kirche zu erbauen erlaubt.

Die Jesuiten waren bisher, wenn nicht in den Schranken der Mäßigung, doch in denen der öffentlichen Ordnung geblieben und hatten sich in der letzten Zeit ziemlich ruhig verhalten. Aber dies war eine Stille vor einem großen Sturme. Nie hatten die Jesuiten ihren Zweck aus den Augen verloren, aber jetzt erkannten sie, daß die Zeit ihres vollkommenen Sieges gekommen sei. Als die einfachste Art, die Dissidenten völlig zu vertreiben, erschien die Zerstörung der Kirchen derselben. Zu solchem Werke waren die Jesuitenschüler ausersehen und gar trefflich vorgebildet worden. Ihnen sollte der Pöbel Beistand leisten; die Predigten der Jesuiten, die fortwährend gegen die Dissidenten gerichtet gewesen waren, wurden immer verständlicher. „Diese Ketzer will weder die Stadt dulden, noch der Magistrat; du Volk aber verwandle ihre Tempel in Staub und Asche", so sprachen nun die Jesuiten auf der Kanzel. Im Jahre 1606 überfielen 300 Jesuitenschüler bewaffnet erst die lutherische Kirche, später die der Brüdergemeinde und richteten beide zu Grunde. Auf Beschwerden antworteten die Jesuiten: solcher Eifer für die katholische Religion sei ja zu loben, nicht zu tadeln. Beschwerden beim Könige blieben auch ohne Erfolg. Es gelang den Dissidenten, ihre Kirchen wiederherzustellen, sie wurden 1614 von Neuem überfallen und endlich 1616 durch einen Haufen Jesuitenschüler und eine Menge des niedrigsten Volks gänzlich zerstört. Man warf Feuer in die Gebäude; was nicht verbrannte, ward vernichtet oder genommen.

Seit dieser Zeit hielt die Brüdergemeinde keinen Gottesdienst mehr in Posen; die Reichern begaben sich in Städte mächtiger polnischer Großen, wo sie gegen Verfolgungen geschützt waren, die Aermern, besonders Polen, gingen zum Katholicismus über. Die lutherische Gemeinde wurde fortwährend durch Ankömmlinge aus Deutschland ergänzt und hielt ihren Gottesdienst in Privathäusern. Später erlaubte ihr der Wojewode Grudzinski in seinem Städtchen Schwersenz, eine Meile von Posen, eine Kirche zu erbauen, doch auch hier war sie nicht frei von Verfolgungen der Jesuiten. So wurde u. A. 1652 der lutherische Geistliche Hederik von gedungenen Mördern zwischen Posen und Schwersenz getödtet. Als unter dem letzten Könige von Polen, Stanislaus August, 1774 den Dissidenten freie Religionsübung und die Erlaubniß, Kirchen zu erbauen, gewährt wurde, war in Posen von der frühern Brüdergemeinde kein Nachkomme mehr vorhanden.

Soweit dieser Auszug. Der Verf. beschäftigt sich, nach der Vorrede, mit einer Geschichte der Reformation in Polen. Da er sich in dem vorliegenden Werke, dem vorgesetzten Motto: „Sine ira et studio", getreu, als ein unparteiischer Historiker bewährt hat, so ist zu erwarten, daß diese Geschichte der Reformation endlich eine richtige und klare Einsicht in die Schicksale der gesammten Dissidenten Polens gestatten werde. 177.

Notizen.

Lord Clarendon über das Interventionsrecht und das monarchische Princip.

Der Royalist Clarendon sagt in seiner „History of the rebellion and civil wars in England" in Beziehung auf Frankreichs Benehmen gegen Karl I.: „Die Fürsten sollten bedenken, daß, wie ihre Unterthanen durch sie vertheidigt und beschützt werden, so auch sie einander beistehen und unterstützen sollen, da das Amt der Könige ein Stand für sich ist, und wie die Verachtung und Verletzung jedes Gesetzes im Staate eine Beleidigung gegen die Person des Königs ist, weil in der Uebertretung der Anordnung, ohne welche er nicht regieren kann, eine Art von persönlicher Verletzung liegt, so sollte die Empörung von Unterthanen gegen ihren Fürsten von allen andern Königen als ein Angriff auf ihre eigne Obergewalt und gewissermaßen als ein Anschlag gegen die Monarchie selbst angesehen und folglich, in welchem andern Königreiche es auch sei, ebenso angelegentlich unterdrückt und vertilgt werden, als wäre sie in ihren eignen Eingeweiden." Also ein alter Text zu neuen Predigten!

Von dem Parlamentsredner Macauley erscheint nächstens eine zu Lardner's „Cabinet Cyclopaedia" gehörende „History of France from the restauration of the Bourbons".

Unter den seit Kurzem erschienenen Theilen jener Sammlung sind auszuzeichnen Robert Southey's „Lives of british naval commanders". Der erste bisjetzt ausgegebene Band gibt als Einleitung eine sehr gute Uebersicht der Geschichte der britischen Seemacht. Es werden noch zwei Bände folgen.

Conybeare liefert für dieses Werk eine „Treatise on geology".

In Kurzem erscheint „A voyage round the world, nebst den Reisen in Afrika, Asien, Amerika und Australien, von dem blinden James Holman, in vier Bänden.

Der Verfasser der „Sibilla Odaleta" hat zwei neue historische Romane herausgegeben: „Preziosa da Saalari, ossia I montanari Sardi" und „Folchetto Malaspina".

William Howitt hat vor Kurzem herausgegeben „A popular history of priestcraft, in all ages and nations" mit dem Motto aus Milton:

Help us to save free gospel from the paw
Of hireling wolves, whose conscience is their maw.

Gegen die pietistischen Umtriebe, die sich in der neuesten Zeit häufig in Frankreich geregt haben, sind die vor Kurzem in Paris erschienenen, von einem deutschen Gelehrten geschriebenen „Lettres méthodistes" gerichtet, die sehr pikant sind.

Die soeben ausgegebene fünfte Lieferung der „Histoire de la restauration par un homme d'état" in zwei Bänden beschließt dieses Werk. Sie enthält die Regierung Karl X. bis zu den Juliordonnanzen. 9.

Redigirt unter Verantwortlichkeit der Verlagshandlung: F. A. Brockhaus in Leipzig.

Blätter für literarische Unterhaltung.

Donnerstag, — Nr. 276. — 3. October 1833.

Die Reisen des Herzogs Paul von Würtemberg in Amerika.

Erster Artikel.

(Fortsetzung aus Nr. 275.)

St.-Louis. General Clarke und die Gesandtschaft der Poutowatomi-Indianer. Osagen.

Vom Städtchen Carondelet oder Vide-Poche verlieren sich allmälig Berge und Felsmassen; der letzte Abhang, der den Mississippi hier berührt, bildet eine Art von Vorgebirge; der Strom biegt sich alsdann nach Nordwest, wodurch die Gegend von St.-Louis frei und diese ziemlich bedeutende Stadt sichtbar wird. Hier, in St.-Louis, fand der Herzog die freundschaftlichste Aufnahme und kann seinen deutschen Landsmann, Herrn Warendorf, und den Vorsteher der französischen nordwestlichen Handelscompagnie, Herrn Pradd, ohne die er den Zweck seiner Reise nie hätte ausführen können, nicht genug rühmen. Auch waren durch die Güte des Bischofs die ausgezeichnetsten Bewohner von St.-Louis von seinen Absichten unterrichtet und beeiferten sich, mit Rath und That ihm an die Hand zu gehen. Namentlich empfing der General Williams Clarke, durch dessen Anstrengungen die Länder- und Völkerkunde so viel gewonnen hat, den deutschen Reisenden mit der herzlichsten Theilnahme. Dieser General ist als Generalintendant aller indianischen Horden im Nordwesten einer der angesehensten Diener des vereinigten Staatenbundes. Keinem würdigern Manne, versichert der Herzog, konnte dieser für die Ruhe der westlichen Gegenden so wichtige Posten anvertraut werden. Alle indianischen Völker nennen seinen Namen mit Ehrfurcht und erkennen in ihm einen Vater, der ihr Bestes und ihre Rechte mit jener nur hochherzigen Seelen eignen Wärme vertheidigt, und dessen ganzes Streben dahin geht, die Ureinwohner mit den Neueingewanderten zu versöhnen und durch ein gütiges und vernünftiges Benehmen der Letztern gegen ihre oft sehr unglücklichen rothen Brüder die Schandflecken möglichst auszuwaschen, welche die Geschichte früherer Jahrhunderte und die Besitznahme Amerikas so häßlich entstellen.

Die Vorsteher der französischen Pelzhandelscompagnie versprachen aufs gefälligste, ein Fahrzeug, welches nach ihrer Packerei unweit der Councilbluffs bestimmt war, in Bereitschaft zu setzen und den Reisenden mit allen Bedürfnissen zu versehen.

Am Morgen des zweiten Tages nach seiner Ankunft ließ der General Clarke dem Fürsten anzeigen, er erwarte den ersten Häuptling der Poutowatomi nebst einigen seiner angesehensten Krieger und einem Haufen Indianer, mit welchen er einige streitige Punkte zu verhandeln habe. Der Herzog eilte in das Lager der Horde vor der Stadt und fand sie mit Anordnung ihres Festputzes beschäftigt. Die Poutowatomi, obwol von hübschen Gesichtszügen und musculösem Körperbau, gehören zu den allerschmuzigsten Indianern; durch die Unreinlichkeit ihrer Haut hatte sich, namentlich bei den Weibern, das natürliche Kupferroth in ein dunkles Braun verwandelt, auf welchem der Zinnober und die grüne Farbe, die am Gesicht und sonst am Körper aufgetragen war, sich sehr ekelhaft ausnahm. Die Männer waren, außer ihrem Schurz, der wie bei den meisten Indianern aus einem Stücke rothen oder blauen Tuches bestand, das zwischen die Schenkel auf beiden Seiten durch den ledernen Bauchgurt gezogen war, und einer weißen wollenen Decke oder einem alten abgeschabenen Stück Bisontfell, beinahe völlig nackt. Wenige Krieger hatten jene besondere Auszeichnungen des Ranges, die, mit Fleiß gearbeitet, nicht geschmacklos genannt werden können. Die Mitassen und Mockassin waren bei Männern und Weibern von schlechtgegerbtem Leder, mit Stückchen Tuch oder Bändern behangen, ohne alle sonst den Wilden nicht fremde Stickerei. Fast alle Männer trugen ihr Haar lang herunterhängend; einige hatten es ganz kurz und struppig verschoren; nur sehr wenige trugen das Haupt bis auf jene Art von Hahnenkamm, der gewöhnlichen Auszeichnung indianischer Krieger, kahl rasirt. Dieser sonderbar zugestutzte Haarschopf, welcher sich von der Stirn bis an das Genick hinzieht und gewöhnlich mit den roth- oder gelbgefärbten Schweifhaaren des Tannhirsches, den Schwanzfedern des Steinadlers oder andern Zierraten geschmückt ist, gibt den Männern ein zwar sehr wildes, aber keineswegs häßliches Aussehen. Die Gewohnheit, die Ohren drei Mal zu durchlöchern und mit Ringen oder mit Ketten von weißen und blauen Porcellanstäbchen zu behängen, erscheint auch schon bei den Poutowatomi; einige trugen sogar einen großen Ring durch die Nase. Der Gesichtsausdruck der Poutowatomi war roher und wilder als der anderer Nationen; namentlich ist in den Gesichtern der Osagen ein gewisser Ausdruck des Leidens unverkennbar, der als deutliches Zeichen verlorener Selbständigkeit und kummervollen Lebens zu betrachten ist.

Die Horde, ihre Häuptlinge an der Spitze, setzte sich in Bewegung. Eine Fahne mit dem Wappen der Vereinigten Staaten, welche den Wilden einige Jahre vorher von der Regierung geschenkt worden war, wurde von einem alten schwarzgetünchten Krieger vorangetragen. Die Indianer reihten sich zu zweien, die Männer voran, und folgten still mit dem Ausdrucke des größten Ernstes und zu Boden gesenktem Blicke durch die Straßen der Stadt bis zur Wohnung des Generals. Dieser empfing sie in einem mit der Ausbeute seiner indianischen Reisen ausgeschmückten Saale. Für den Häuptling und die ersten Krieger waren Sessel bereitet, und der General setzte sich dem Oberhaupte, Junaw-Sche-Wome (der Strom des Felsen) genannt, gegenüber. Der im Gesichte schwarzgefärbte Krieger, Muk-ke-te Paker (das schwarze Rebhuhn), welcher einer der angesehensten Männer war, nahm mit vier andern Kriegern Platz, während die Uebrigen sich hinter sie stellten. Während der halbstündigen Sitzung herrschte die tiefste Stille und Niemand ließ seine Stimme hören, als der General, der „Strom des Felsen“ und der Dolmetscher. Nur bei wichtigen Punkten der Erörterung gaben die Angesehensten durch eine kleine Bewegung des Kopfes ihren Beifall oder ihr Misfallen zu verstehen. Das Oberhaupt hielt eine lange, wohlgesetzte Rede über den traurigen Zustand der Horde, klagte namentlich über, durch die allgemeine Jagdfreiheit herbeigeführte Abnahme des Wildes, als der wichtigsten Nahrungsquelle ihres Stammes, und bat den General um Abhülfe. Das ganze Interesse der Wilden war im Spiele, und dennoch ließ sich bei aller Aufmerksamkeit kein Zug von Leidenschaftlichkeit in seinem Gesichte lesen; vom Anfang bis ans Ende der Rede sprach er kein Wort mit höherer Betonung als das andere. Die Friedenspfeife ging die ganze Verhandlung durch von Mund zu Mund, und Jeder übergab sie, nachdem er drei Züge mit in die Höhe gewendetem Gesichte gethan hatte, dem zunächst Sitzenden. Der General entließ die Gesandtschaft beschenkt nach gewohnter Weise und beruhigt. Dem „Strom des Felsen“ verehrte er eine Art blauer Uniform mit rothem Kragen. Der Häuptling trat alsbald in seiner neuen Kleidung, welche ihm, im Abstande mit seiner übrigen Tracht sehr lächerlich stand, an den General Clarke und gab ihm sowie dem Major O'fallon und dem Herzog die Hand. Diesem Beispiel folgten auch die übrigen Krieger; der Saal füllte sich nun auch mit den Weibern, und zuletzt entfernte sich der Zug wieder in der frühern Ordnung. Als der Herzog den Häuptling später wieder am dritten Orte sah, fand er Gelegenheit zu der Bemerkung, daß jene scheinbare Gleichgültigkeit während der Audienz nichts weniger als stumpfe Gefühllosigkeit, sondern nur die diesen Völkern eigne Kunst war, die stärksten Regungen ihrer Seele während der zum Wohl ihrer Nation gehaltenen Berathschlagungen völlig zu beherrschen. Er unterhielt sich lange mit dem Herzog durch einen Dolmetscher über Sitten und Gebräuche seines Stammes, schien sehr gerührt, und mehre Male konnte man Thränen in seinem Auge bemerken, die besonders durch die Ankunft seines Sohnes erregt schienen, der nach seinem Tode sein Nachfolger als erster Häuptling werden sollte. Gegen die Gewohnheit der Indianer genoß das Oberhaupt den ihm vorgesetzten Whisky (Branntwein) sehr mäßig, und das „schwarze Rebhuhn“, welcher kein Wort gesprochen und den strengen Blick keinen Augenblick verändert hatte, wies alles Getränk von sich. Seine Verunstaltung rührte von der Trauer um einen nahen Anverwandten her.

Tags darauf lernte der Herzog einen Haufen Indianer vom Stamme der wohlhabenden großen Osagen (Grands-os) kennen, die Einkaufs halber nach St.-Louis gekommen waren. Diese stattliche Völkerschaft bewohnt den großen Steppenstrich westlich vom Mississippi und Missuri zwischen dem 32. bis 41. Grad nördlicher Breite, welcher durch die Andenkette begrenzt wird; sie scheinen viel früher als die Pahnis Herren des Landes gewesen zu sein, wenigstens deuten ihre dunkeln Traditionen darauf. Ob aber die „großen Osagen“ wirklich der Mutterstamm der übrigen ihre Sprache sprechenden Völker sind, ist nicht leicht zu entscheiden; nur die Sage lebt bei den Indianern fort, daß vor langen Zeiten alle jene Stämme ein großes Volk gebildet hätten. Die in St.-Louis anwesenden taumelten übrigens, mit Whisky über Gebühr bewirthet, einen widerlichen Anblick gewährend, mehrentheils trunken und nackt auf der Straße herum.

Nach der Entfernung der Indianer betrachtete der Herzog die Stadt St.-Louis näher und gibt ihr das Zeugniß, daß ihre vornehmern Einwohner unter die gebildetsten der westlichen Staaten zu zählen sind, und daß er sich häufig in der Gesellschaft geistreicher und höchst liebenswürdiger Damen befand. Die Mehrzahl der Bevölkerung auf dem Lande sind längst Eingewanderte aus Indiana, Kentucky und Tenessee. Auch im Missuristaat trennen sich Farbige und Weiße, doch mehr nur in den niedern Classen. Auch erstreckt sich das Vorurtheil gegen Farbige nicht bis auf die reinen Indianer, die als Freie behandelt und deren Häuptlinge sogar ausgezeichnet werden. Auch würde der Indianer, stolz auf seine Farbe und Freiheit, keine Erniedrigung ertragen. Nur die Mestizen (Mischlinge von Europäern und Indianern) werden um ihres liederlichen Lebenswandels nicht geachtet. Hieran ist die verwahrloste Erziehung dieser Menschen schuld. Fast alle Personen, welche länger unter den indianischen Stämmen leben, halten sich indianische Dirnen (Skwa's), deren Putzsucht sie diesem Gewerbe zuführt und mit denen sie Kinder erzeugen. Viele kehren mit diesen ihren Kindern in ihre Stämme zurück, und die letztern bleiben unter ihren Stammverwandten, nehmen deren Sitten an und unterscheiden sich nur durch ihre lichtere Farbe und ihre oft auffallend europäischen Gesichtszüge. Andere Mestizen dagegen werden von ihren weißen Vätern aufgezogen, theilen — jedoch meist unterrichtslos — ihre Lebensart, und müssen später, sich selbst überlassen, ihre Existenz auf eine kümmerliche Weise zu fristen suchen. Sie verdingen sich alsdann gewöhnlich als Bootsknechte oder Jäger in die

Handelsfactoreien, oder gehen zu verwandten indianischen Stämmen, wo sie mit einem Anstriche europäischer Bildung eine nicht einmal vom rohesten Wilden gekannte Sittenlosigkeit verbinden. Die wenigen bessern Mestizen dienen als Dolmetscher bei den Regierungsbeamten und in den Handelscompagnien und sind gewöhnlich aufgeweckte Köpfe, die mit einigem guten Willen viel zu leisten vermögen. Die wenigen schwarzen Sklaven in St.-Louis werden aufs glimpflichste behandelt und haben es oft besser als manche freie Dienstboten in Europa. Die Stadt ist breitstraßig, theilweise gepflastert, mit hübschen Häusern und einer in gutem Style neuerbauten katholischen Kirche.

(Der Beschluß folgt.)

Introduction à la science de l'histoire par M. *Buchez*. Paris 1833.

Herr Buchez ist ein Schüler von Turgot, Boulanger, Condorcet und St.-Simon, deren Arbeiten er durch eigne Studien erweitert. Kant, Fichte und Herder sind ihm fremd geblieben. Sein Buch ist etwas schwerfällig, tief, mit rauher Oberfläche, ganz im Gegensatze mit den meisten Werken seiner Landsleute. Für die Mehrzahl der pariser Leser ist es eine etwas schwere, unverdauliche Kost, die der Verf. hier reicht; den gewissenhaften, fleißigen Leser fesselt Hr. Buchez durch Gewissenhaftigkeit und Fleiß, durch gründliche Belehrung, glühende und muthige Liebe für Recht und Wahrheit. Um die Uebersicht seines Systems desto klarer und überschaulicher vor Augen zu bringen, befolgen wir die Eintheilungen und Abschnitte des Verf.

Erstes Buch. Cap. 1—4. Die Societät setzt einen gemeinschaftlichen Zweck der Thätigkeit voraus, und ist dieser vorhanden, so ergibt sich daraus die Möglichkeit und logische Nothwendigkeit, die Thätigkeit mit demselben in Einklang zu bringen, und folglich muß eine Regierung, ein leitendes Princip da sein, um die Wege zu bahnen und die Bewegungen zu lenken, welche zum Ziele führen. Um den Zweck der Thätigkeit einer Nation zu bestimmen, muß der Thätigkeitszweck der Menschheit aufgesucht werden, welcher aus der Bestimmung unsers Planeten im ganzen System zu folgern ist.

Die Menschheit hat bereits Vieles hervorgebracht und gewirkt, und alle diese Wirkungen hat sie in der Linie der ihr angewiesenen Functionen geäußert. Das humanitarische Gesetz ist in allen diesen Thatsachen vorhanden; es muß also in der Geschichte das Zeugungsgesetz der socialen Erscheinungen nachgesucht werden; es gibt demnach eine Wissenschaft der Geschichte (science sagt der Verf., vielleicht wäre Philosophie das rechte Wort). Die Philosophie der Geschichte beruht auf zwei Ideen: der Idee des Fortschrittes und der Analogie der Fähigkeiten der Menschheit mit den Fähigkeiten des Individuums. Das Gesetz fortschreitender Bildung war den Alten unbekannt und blieb es den Neuern bis Baco. Saint-Simon ist der Repräsentant dieser Idee im 19. Jahrhundert.

Fünftes Cap. Individuelle Physiologie. Der Mensch ist eine Einheit; alle partiellen Functionen sind an ein Nervencentrum gebunden, von dem sie abhängen; diese körperliche Einheit ist der fleischliche Ausdruck unserer geistigen Einheit. Die Physiologie erkennt im Menschen ein zwiefaches Leben: das thierische und das vegetative. Jedes Resultat im animalen Leben ist eine Combination, an welcher mehr Fähigkeiten Theil genommen; Alles in ihm ist intermittent, successiv.

Nach der Einheit ist die Successivität der Hauptcharakter des animalen Lebens. Ohne den Nervenapparat (appareil nerveux) kann keine animalische Operation stattfinden; wir sind demnach gezwungen, anzunehmen, daß der darin vorhandene Organismus die genaue Darstellung, wo nicht Begrenzung (délimitation) des iteologischen Systems selbst ist; es folgt ferner daraus die äußerst wichtige Schlußfolge, daß es eine unveränderliche menschliche Logik gibt. Die Gewißheit, aus dem absoluten Gesichtspunkt betrachtet, ist das Bewußtsein unserer Existenz als Function; aus dem relativen Standpunkt, das Bewußtsein unsers Organismus. Im Nervensystem kann jede Thätigkeit nur eine dieser beiden Richtungen befolgen, von den Extremitäten nach dem Centrum, oder vom Centrum nach den Extremitäten. Dieses ist die Synthesis, jenes die Analysis. Das Leben des Individuums besteht in einer alternirenden Thätigkeit, welche sich vom Mittelpunkt nach der Peripherie und von der Peripherie nach dem Mittelpunkt bewegt, indem sie nach und nach durch folgende Zustände durchgeht: sentiment, raisonnement, realisation.

Sociale Physiologie. Wie das Individuum eine Einheit ist, so auch die gesammte Menschheit. Auch bietet sie wie das Individuum dieselbe thätige Bewegung dar, vom Mittelpunkt zur Peripherie (Synthesis), und von der Peripherie zum Centrum (Analysis), und einen Zwischenzustand zwischen beiden. Die Synthesis dauert Jahrhunderte in der Menschheit statt der paar Minuten, die sie im Individuum währt. Die Analysis ist keine Lehre; sie wird durch den Abgang alles Systems bedingt. Eine wahrhaft synthetische Conception ist die Religion; es gibt nur Eine Religion. Der Uebergang aus dem synthetischen zum analytischen Zustande wird bewirkt durch eine Reihe von stets sich verengenden und sich einander erzeugenden Synthesen. Es ist eigentlich eine beginnende Analysis, welche die ersten aus dem universellen System abgeleiteten Generalitäten von der Einheit ablöst: die Nationen bilden und benennen sich; es ist die Zeit der großen individualisirten und der protestirenden Religionen. In dem rein analytischen Zustande wird der Zweck der Societät zu der Menschheit von dem Individualismus oder aus dem Rechte der Staatsorgane hergeleitet, die Analysis entsteht immer a posteriori, inmitten einer Synthesis, bei einem schon reifen Volke. Die neuern Revolutionen gehen vom Christenthume aus. Der Augenblick einer neuen Offenbarung ist noch nicht gekommen; die Fruchtbarkeit der christlichen Lehre ist noch lange nicht erschöpft, das Prinzip der Volkssouverainetät beginnt erst seine Rolle. Die Menschheit wächst wie der Mensch; aber es erfolgt bei ihr kein Altern, denn ihre Zeiträume sind geistig u. s. w.

Allgemeine Betrachtungen über Gefühl, Moral und Kunst. Das Gefühl nimmt an allen Thätigkeitsäußerungen des Menschen Antheil; es bezeichnet das Ziel und führt dahin; der Gefühlsorganismus bietet zwei Systeme dar: das excitirende, wo die Leidenschaft blos Sensation ist, das expressive, wo die Leidenschaft zur That übergeht. Der Mensch wird in den excitirenden Gefühlszustand versetzt durch den Instinkt oder die Sympathie. Beschreibung des sympathetischen Zustandes. Einfluß des Gefühls auf die Schicksale der Menschen. Die Sympathie für sich reicht nicht aus, um eine Societät zu begründen. Dazu muß sie als Verlangen (désir) aus einer bestehenden Doctrin a priori hervorgehen. Die geistige Synthesis des Gefühls constituirt, was man unter den Menschen die Moral heißt.

Schöne Künste. Die schönen Künste gehen aus dem expressiven Theile des Gefühlsorganismus hervor. Kunst nennen wir den Inbegriff der Mittel, durch welche das Gefühl aus dem Zustande der Conception zum Realisationsbegriff übergeht: die Kunst muß unter zwei allgemeinen Gesichtspunkten betrachtet werden: in ihrem Generalisationsprincip und ihren Mitteln. Theorie der Kunst, aus welcher hervorgeht, daß es keine andere Kunstschöpfung geben kann als aus dem Gesichtspunkte a priori. Es gibt also nur in den synthetischen Epochen der Menschheit wahre Kunst; daher ist jede wahrhaft künstlerische Schöpfung moralisch und die gesellschaftlichen Fortschritte befördernd (socialisatrice).

Von der logischen Thätigkeit, oder vom Raisonnement und den Wissenschaften. Die logische Thätigkeit ist das Resultat der Beziehungen der Seele zu den nervösen Phänomenen, die sich in einer organisch bestimmten Reihenfolge erzeugen, woraus folgt, daß die Logik eine absolute Normalität hat, über welche der Geist nicht gebieten kann. Ein logisches Phänomen bietet drei Perioden dar: Verlangen, Rationalismus, Motricität. Diese drei Bewegungen machen den vollständigen wissenschaftlichen Actus aus; ihre Vereinigung constituirt die Wahrheit der Methode. Die Hervorbringungen der logischen Thätigkeit, wenn sie rein sind von allem artistischen und sentimentalen Ausdrucke, constituiren das rationelle und wissenschaftliche Werk. Der beständige Zweck der Wissenschaften ist die Erkenntniß des Gesetzes, nach welchem sich die Phänomene erzeugen. In der socialen Physiologie constituiren die logischen Eigenschaften die absoluten Formen des menschlichen Geistes, die rationelle Bewegung folgt auf die sentimentale, die erste rationelle Epoche ist die theologische, die zweite die ontologische, die dritte der Physicismus oder Positivismus. Die theologische Epoche bringt die Theokratie mit sich, und zugleich bemächtigt sich die Ontologie der Schule. Die fragliche Regierungsform verschwindet im Augenblicke, wo die Schulen in der Vervollkommnung der Metaphysik stehen bleiben (le gouvernement dont il s'agit, disparait au moment même où les écoles s'arretent dans le perfectionnement de la métaphysique; wir setzen die Stelle her, weil wir nicht sicher sind, sie ganz verstanden zu haben). Demnach folgt auf die theologische Epoche eine rein ontologische, worauf der Physicismus zu keimen beginnt.

Motricität. Erhaltung. Beschreibung derselben im Individuum; die Motricität das Erhaltungsprincip im materiellen wie im geistigen Betrachte, die Gesellschaft wie der Mensch besteht nur unter der Bedingung, daß der geistige Act, der in ihrem Innersten niedergelegt, materialisirt und transmissibel werde. Ein sociales System ist weiter nichts als eine Hierarchie von Functionen; die geistige oder moralische Kraft gründet die Gesellschaften, sie erzeugt die militairische Energie, dann kommt die Industrie. Die Transmission der Functionen wird bewirkt durch Generation, die Erziehung. Diese allgemeine Theorie ist die eigentliche économie politique; fälschlich bedient man sich dieses Ausdrucks, um blos die Theorie der Production und der Vertheilung der Reichthümer zu bezeichnen.

Zweites Buch. Genesis. Es haben uns die bisherigen Abschnitte Mühe genug gekostet, und wir gestehen, daß wir nicht überall hell gesehen; im gegenwärtigen zweiten Buche ist uns Manches unverständlich geblieben, zumal Alles, was sich auf die höhern Regionen des abstracten Wissens bezieht. Herr Buchez erklärt die Bildungsgeschichte der Erde und des Menschen. Er behauptet, daß das berühmte Newton'sche Attractionsgesetz blos ein untergeordnetes ist, welches wahrscheinlich in der Zukunft als ein Corollarium eines allgemeinern Gesetzes, der Theorie des Electromagnetismus, erscheinen werde. Es ist viel Gewagtes, viel Hypothetisches in diesem letzten Abschnitte des Buches; es bricht plötzlich ab und zeigt beim Verf. Uebereilung oder Müdigkeit. Immerhin bleibt es wichtig und zeigt, daß die Franzosen auf dem Wege gründlicher und tiefer Forschungen gewissenhaft fortschreiten. Eine historische Rechtfertigung des in dem Werke von Hrn. Buchez aufgestellten Systems durch Hrn. Boulland wird nächstens erscheinen und hoffentlich manche Lücke ergänzen und manches Dunkle aufhellen. 163.

Miscellen.

Ueber den Reim, gegen den in der deutschen Sprache (ihr ist er vorzüglich eigen) Manche, wie z. B. Voß, nicht wenig geeifert haben, sind oft gar verschiedene Ansichten vorgebracht worden. So spricht sich der gelehrte Christ in der Vorrede zu seiner „Variorum carminum sylloge“ (Leipzig 1785) S. XIV gegen Diejenigen aus, welche z. B. Thränen und sich sehnen, lieben und betrüben, Haupt und beraubt u. s. w. reimen, weil er mit Recht annimmt, daß diese Worte, richtig gesprochen, dem Ohre (und dies entscheidet dabei allein) keine richtigen Reime bieten. Aehnliches sagt Bürger in der „Reimkunst für Dilettanten“ (Sämmtl. Werke, Berlin 1824) S. 229 fg., indem er durchführt, daß man nicht für das Auge, sondern für das Ohr reime, und darum behauptet, daß das Ohr Reime wie Weib, Zweig, Gesang, Dank nicht für unrichtig erklären könne. Aber er scheint weiter zu gehen, wenn er z. B. werfen und schärfen für einen richtigen Reim hält; denn selbst bei der guten hochdeutschen Aussprache (die Bürger wie Christ als Norm angibt) finde ich in diesen Wörtern nicht den völligen Uebereinklang der Töne.

Ueber die Tulipomanie im 16. und 17. Jahrhundert ist schon einigemal in d. Bl. (z. B. 1833, Nr. 221) die Rede gewesen. Die dort gegebenen Schilderungen und Züge können leicht vermehrt werden. So ergibt sich aus den Stadtregistern von Alkmar, daß 1637 nur 120 Tulpenzwiebeln zum Besten des dasigen Waisenhauses für 90,000 Fl. öffentlich verkauft worden sind. Ein Kaufmann, der eine Tulpenzwiebel für 500 Fl. gekauft hatte, erhält durch den Bootsmann fremde Waaren und läßt diesem einen Hering nebst einem Trunk Bier reichen. Der Schiffsmann sieht die Zwiebel liegen, hält sie für eine gewöhnliche und speist sie zum Heringe. Ein theures Frühstück für den Kaufmann! So erzählt wenigstens Schupp in seinen Schriften, Th. 1, S. 95. Nicht anders fast erging es einem Engländer, der in einem Garten zwei Tulpenzwiebeln fand, mitnahm und, als Dieb belangt, eine große Rechnung bezahlen mußte. Um sich einen noch deutlichern Begriff von dem Luxus mit Blumenzwiebeln zur damaligen Zeit zu machen, führt Ref. aus Riß's „Verschmähter Eitelkeit &c.“ S. 333 an, daß nach einer Berechnung man im J. 1636 für den damaligen Preis einer Tulpenzwiebel, 3000 Fl., sich habe 4 Last Roggen, 2 Last Weizen, 4 fette Ochsen, 8 starke Schweine, 12 fette Schafe, 2 Tonnen Butter, 1000 Pfund Käse, 2 Oxhoft Franzwein, 4 Tonnen des besten Biers, 1 Bett mit allem Zubehör, ein gutes Paar Kleider und ein schönes silbernes Trinkgeschirr anschaffen können! Ja, selbst von Zweikämpfen und Entführungen wegen einer Tulpe erinnert sich Ref. gelesen zu haben.

Bei dem jetzigen constitutionnellen Leben, wo, wenn auch nicht grade Freiheit und Gleichheit, aber doch eine übereinstimmende Stellung aller Staatsbürger, ein sicheres Auffassen aller Ideen und Aemter, die ins Staats- und Bürgerleben eingreifen, verlangt wird, ist es dem Geschichtsfreund doppelt angenehm, wenn er schon im classischen Alterthume Schilderungen findet, die zum Bilde der Gegenwart passen. Eine solche Stelle gibt uns der lange nicht genug nach Verdienst gewürdigte Seneca in seiner Abhandlung: „De clementia“ (lib. I, cap. 3), wo es heißt: illius demum principis magnitudo stabilis fundataque est, quam omnes tam supra se esse, quam pro se sciunt etc. Wir empfehlen die ganze Stelle unsern Lesern und dabei die Rede des Justus Lipsius, die er über selbige in Gegenwart des fürstlichen Paares, Alberts und Isabellens, 1599 gehalten hat.

Die Justiz und deren Handhabung hat doch immer und ewig das [illegible] Ansehen durch Kosten und Gebühren hinweggenommen! So scheinen die Processsüchtigen und Bediensteten im Staatsverbande. Nun, da wird folgende Notiz ihnen — Wasser auf die Mühle sein. In einigen Städten [illegible], besonders im Hannoverschen, bedeutet das [illegible]haus — das Rathhaus; aber wohl zu merken, [illegible] Rathsbierschenke damit verbunden ist. Daher kommt es denn auch, daß der gemeine Bürger das Rathhaus [illegible] mit dem Namen Schandhaus bezeichnet (scherzhaft von [illegible]) und daher auch die Gasse am Rathhause die [illegible]gasse heiße. 13.

Redigirt unter Verantwortlichkeit der Verlagshandlung: F. A. Brockhaus in Leipzig.

Blätter

für

literarische Unterhaltung.

Freitag. —— Nr. 277. —— 4. October 1833.

Die Reisen des Herzogs Paul von Würtemberg in Amerika.

Erster Artikel.

(Beschluß aus Nr. 276.)

St.-Charles. Der Missuristrom. Hinanfahrt auf demselben. Mündung des Osageflusses. Indische Piroque mit Ayowas. Der Kanzasfluß. Weitere Fahrt auf dem Missuri stromaufwärts. Die Councilbluffs. Mikkarasindianer. Factorei Pilsher. O-Mahaindianer. Rückkehr nach St.-Louis, Neuorleans und Frankreich.

Der Herzog besuchte noch die merkwürdigen, kegelförmigen Tumuli, zwanzig an der Zahl, jene großen Monumente altamerikanischer Baukunst, deren Entstehung längst verflossenen Jahrhunderten und einem mächtigen Volke anzugehören scheint, und die sich nördlich von der Stadt in einiger Entfernung vom Mississippi befinden; dann besichtigte er in Begleitung einiger angesehenen Familien der Stadt die westlich von ihr gelegenen Stalaktitenhöhlen, und endlich am 12. Mai verließ er St.-Louis und legte den Weg nach St.-Charles auf einem kleinen Fuhrwerke zurück, wurde aber unterwegs krank, bestieg am 15. das von der französischen Missurigesellschaft für ihn ausgerüstete Schiff in heftigem Fieber und fuhr am 17. Morgens auf dem Missuri ab. Die Fahrt ging beschwerlich von Statten, aber die Landschaft wurde durch die Kalkfelsen des rechten Ufers, mannichfaltige Risse und tiefe Höhlen bald malerisch. Am Abend wurde am „falschen Fluß" (Chenal) gelandet. Die weitere Reise bot bis zum 28. nichts besonders Merkwürdiges dar. An diesem Tage kamen die Reisenden (der Fürst hatte in St.-Louis einen sachkundigen Begleiter, Namens L. Caillou angenommen) an den Einfluß des Gasconadeflusses, welcher hier über 60 Klafter breit und hoch angeschwollen war. Am andern Morgen stieg das Wasser des Missuristromes so entsetzlich, daß die Mannschaft mit vieler Mühe das Ufer an einer niedern Küste erreichte und das Boot an mehre Bäume angebunden werden mußte. Mit der bessern Witterung ebnete sich die Fahrt wieder; die Ufer wurden bergiger, mit schönen Holzarten bewachsen; auffallend war der große Mangel an Singvögeln in diesen Gegenden am Missuri; mehre Tage lang hatten die Reisenden kaum die Stimme eines einzigen kleinen Vogels vernommen. Auch jetzt unterbrachen nur Scharen von unruhigen Papageien mit ihrer gellenden Stimme die Ruhe der Wälder, deren Todtenstille durch das seltene Hämmern einzelner rothköpfiger Spechte nur noch schauerlicher wurde.

Eine Meile von der Mündung des Osagenflusses erstreckt sich längs dem Missuri eine Felsenkette, welche steile Küsten bildet, das östliche Ufer erscheint flacher und bewohnter. Am Ausgange der Pointe à Ducharme fangen die Gebirge der entgegengesetzten Küste an, sich in das Cap à l'ail zu verlieren, von wo an sie zuletzt ganz verschwinden. Zu hohen Bergen erhebt sich dagegen das rechte Ufer, die nur durch kurzes Flachland oder Felsgruppen vom Strom getrennt erscheinen. Eine große Steinmasse ragt hart am Ufer aus dem Wasser empor. Ihr gegenüber ist die Mündung des Flusses La petite bonne femme. Am 9. Juni Nachmittags wurden die Reisenden angenehm durch eine indianische Piroque überrascht, welche den Strom herabkam. Pfeilschnell näherte sich dieses mit nackten Gestalten besetzte Boot; ein an der Spitze sitzender Indianer erhob sich von seinem Platz, und machte mit emporgehobenen Armen ein bei diesen Völkern gewöhnliches Zeichen des Friedens. Dann legte sich die Piroque an die rechte Seite des Bootes fest. Es waren darauf 20 wohlbewaffnete indianische Krieger vom Stamme der Ayowas, Pa-cho-ché in seiner eignen Sprache genannt. Diese Indianer sind mit ihren Stammesverwandten, den Otos, am „flachen Flusse" (Rivière platte) in ein Dorf vereinigt. Doch streifen auch einige Haufen am „großen Fluß" und am Mississippi herum. Sie führten einen weißen Dolmetscher bei sich und waren auf dem Wege nach St.-Louis, dort mit der Regierung zu unterhandeln. Die Bootsmannschaft hatte bei ihrem Anblick zu den Waffen gegriffen; die Indianer aber schienen ganz gelassen; doch verriethen ihre Blicke jene innere Verachtung, welche in der Seele des furchtlosen Menschen entsteht, wenn er auf den Gesichtszügen der Gegner die Spuren der Muthlosigkeit eingeprägt sieht. Die Häuptlinge heißen, wie der Herzog später erfuhr, Pee-lan, „der Kranich", und Wamo-no-kee, „der Dieb". Der Erstere wandte sich an den Herzog und seinen Begleiter mit den Worten: „Die Krieger der Pa-cho-ché haben ihre Brüder verlassen und kommen die Mutter der Wasser herab, um ihren Vater im großen Dorfe der langen Messer zu besuchen und mit ihm zu rauchen. Es ist Blut geflossen, nun aber ruht der Ta-ma-hawk vergraben unter den Zweigen des Sykomor. Unser Vater wird rauchen mit seinen rothen Kindern, und wird sie nicht heimkehren lassen mit leeren Händen." Darauf reichte er den Reisenden die Hand und wiederholte jeden Händedruck mit dem kurzen Ausruf: Flau. Nun erst erhoben sich langsam die übrigen Indianer und gaben Einem nach dem Andern die Hand. Ihr Putz war dem früher beschriebenen ähnlich. Unter ihren Geräthschaften befanden sich besonders einige zu Tabacksbeuteln ausgearbeitete Bälge von mehren Stinkthieren, mit Stickerei von Stachelschweinborsten niedlich ausgelegt. Ihre Bogen waren einfach, theils vom Gelbholz, theils von einer noch unbestimmten Holzart aus der Familie der Annonnären, welche an Schönheit dem Mahagoni nichts nachgibt, oder von Eschen- und Nußbaumholz, mit einer Sehne von künstlichgedrehten Flechsen des Tannhirsches. Die Köcher waren von einfachem, braungegerbtem Leder und enthielten gegen 100 Pfeile von gewöhnlichem Pfeilholz, mit einer eisernen Spitze versehen und mit Welschhahnfedern geziert.

Die Piroque der Indianer bestand aus zwei ausgehöhlten Baumstämmen, die künstlich und trennbar zusammengefügt waren, während die Canots gewöhnlich nur aus Einem Stamme der canadischen Pappel bestehen und in ihnen nur wenige Personen Platz haben. Die Verfertigung der letztern erfodert viele Geschicklichkeit, wird aber dennoch von ein paar raschen Arbeitern oft in Einem Tage ausgeführt, sodaß, wenn des Morgens ein Baum noch in voller Blätterfülle prangt, er des Abends als Kahn schon die reißendste Strömung durchschneidet.

Der Stamm der Wilden, die den Reisenden begegneten, der Ayowas, ist seit der frühesten Zeit als grausam, treulos und diebisch verschrien, und da sie wie andere ihnen verwandte Stämme jeden Frieden bald wieder zu brechen pflegen und die Feindseligkeiten mit unerhörten Greuelthaten beginnen, so ist die endliche, völlige Ausrottung des Stammes vorherzusehen. Diese übrigens schieden beschenkt und zufrieden von den Reisenden.

Das Boot fuhr den Missuri weiter hinab an der großen Bergkette des linken Ufers, Le grand Manitou vorbei, dessen letzte Felsen mit dem Gepräge echt indianischer Malerei geziert sind, die ein, wenn auch nur schwaches Licht auf die rohen Religionsbegriffe der indianischen Urvölker werfen. Die Indianer opfern hier zuweilen einem bösen Wesen, welches sie fürchten, und das in der Osagensprache Pi-scherti Ua-kanda, oder Ua-kanda Pi-sche heißt, im Gegensatze mit dem guten Gotte, dem Herrn des Lebens, Ua-kanda. Die symbolische Gestalt des Götzen, welche die Formen eines Thieres in seinen Umrissen nachzuahmen scheint, verweist deutlich durch die Wirkung, welche die Witterung auf die Farben ausgeübt, auf ziemlich entfernte Zeiten. Die Malerei scheint sogar öfters renovirt worden zu sein. Andere frischer und kräftiger erhaltene Zeichnungen stellten, nicht ohne alles Ebenmaß, deutlich genug Schlachten oder Jagdzüge der Urvölker dar.

An der Insel de la grande bonne femme vorübergefahren, stießen die Reisenden auf eine eigenthümliche Plage. Ganze Milliarden von einer Gattung Schmetterlinge aus der Ordnung der Stymphaliden, nahe mit der europäischen Aegeria verwandt, bedeckten das Fahrzeug und alle Gegenstände und verhinderten beinahe jegliches Geschäft, indem sie unaufhörlich Augen und Hände bedeckten und selbst beim Sprechen und Athmen in den Mund flogen, oder sich in den Nasenlöchern festsetzten. Diese Erscheinung scheint häufiger unter dem heißen Erdgürtel der neuen Welt stattzufinden. Columbus erwähnt ihrer bei seiner Reise an der Südseite von Cuba vom Mai 1494.

Noch an demselben Tage (11. Juni) erreichte das Boot die armselige Stadt Franklin. Da die Reise zu Wasser äußerst langsam von Statten ging, so entschloß sich der Herzog, vollends zu Lande bis an den Kanzas zu wandern, um dort die Ankunft des Bootes abzuwarten. Auf einem höchst elenden, einstämmigen Karren, welcher am Morgen der Abreise mit Nägeln zusammengestückelt wurde, hatte der Wanderer einen Weg von 60 Stunden durch Sümpfe, Waldmoräste und Wüsteneien mit einem Fuhrmann von 14 Jahren zurückzulegen; seinen Jäger hatte der Fürst am Bord des Bootes zurückgelassen, und nur Caillou folgte ihm. Zweimal mußte der Missuri überschifft werden, zahllose Mücken zerfleischten die Reisenden, und Lebensmittel fanden sich nur selten und sparsam. Erquickend war der Anblick der meerartigen Grassteppen und die Gutmüthigkeit in den elenden Hütten armer Ansiedler und lohnend der Weg durch die Urwälder, wo die Menge von Wildpret und Vögeln, die herrliche und mannichfaltige Ueppigkeit der Vegetation und der unvergleichliche Wohlgeruch der in voller Blüte stehenden Linden hinlänglich für die Mühsal entschädigten. Der üble Zustand des Wagens machte übrigens die Reise zu einer Fußwanderung, und ein altes, blindes Pferd wurde endlich als Lastthier, und darauf am 17. Juni zwei Reitpferde herbeigeschafft. Am 18. befand sich der Herzog bereits an der Grenze der Vereinigten Staaten in der Hütte eines Natursohnes, des Grand Louis, eines gewaltigen Jägers, an der Schwelle der Urvölker, von Kreolen, Mestizen und indianischen Weibern umringt. Er miethete eine Piroque, schiffte sich auf ihr am 21. Juni wieder auf dem Missuri ein und gelangte glücklich an die Mündung des über 80 Fuß breit einströmenden klaren aber trägen Kanzasflusses, dessen Ufer der Fürst unter mancherlei Abenteuern befuhr. Namentlich bestand er mit seinen Begleitern einen Bärenkampf, denn diese Thiere bewohnen in großer Anzahl die Ufer des Kanzas und der benachbarten Ströme.

Vier Meilen am Missuri stromabwärts vom Fort Osage erwarteten die Reisenden das Boot, das sie endlich am 25. Juni entdeckten, mit dem sie stromaufwärts mühselig durch Wasserwirbel, Untiefen und von Gewittern heimgesucht wieder zur Wohnung des Grand Louis zurückkehrten.

Nach einer höchst langweiligen monatlangen Fahrt während unerträglicher Hitze erreichte der Herzog das Fort der Councilbluffs, welches damals für die vorzüglichste Lage als äußerste Befestigung gegen Westen gehalten wurde. Seitdem ist dieses Etablissement über 40 geographische Meilen bis an den Kanzas zurückgeschoben worden. Er fand den größten Theil der Garnison und deren Chef, den Obersten Leawentwort, abwesend, um den bösen Stamm der Rikkaras zu bekämpfen. Diese wilde Horde bewohnt den Missuri unter dem 46° nördlicher Breite und hatte in diesem Jahre die Expedition des Herrn Asley beinahe gänzlich aufgerieben. Der Herzog benutzte die Gelegenheit, die sich darbot, den Strom noch weiter aufwärts zu verfolgen, was, falls keine Truppen hinaufgesandt worden wären, ohne große Bedeckung beinahe unausführbar gewesen wäre, denn damals waren die indianischen Horden noch weit schlimmer als auf der spätern Reise des Fürsten. Namentlich konnte man den Sioux-(Da-Cota-) stämmen, die neuerdings besser geworden sind als selbst die in der Nähe der Niederlassungen wohnenden Indianer, gar nicht trauen.

Durch die Gefälligkeit der Pelzhändlerfactorei verschaffte sich der Herzog einige brauchbare Begleiter und unternahm die mehre 100 Stunden weite Reise zur Factorei Pilsher, die jetzt ebenfalls aufgegeben ist. Zuerst wandte er sich zum Dorfe der O-Mahas am Elkorn-River, fand aber das ganze Dorf verlassen. Doch stieß er eine Tagereise weiter auf einen Haufen Indianer dieses Stammes, dem bald die ganze an 1000 Mann starke Bande folgte. Von ihnen gut aufgenommen und mit Lebensmitteln versehen, erreichte der Fürst am 19. August den breiten und reißenden Eau-qui-court, einen der größten von Westen in den Missuri mündenden Flüsse. Ponkaindianer brachten ihn glücklich über diesen reißenden Strom zu ihrem Häuptlinge Chuche-Sache, der den Reisenden ebenfalls mit Freundschaft überhäufte und sogar einen kranken Diener von ihm übernahm, welcher, dem Tode nahe, die Reise nicht mehr weiter fortsetzen konnte. Aehnlich dem Charakter der Beduinen, jener Steppenbewohner des südlichen Continents, ist der Indianer grausam und roh im Kriege, aber auch von dem Gefühle der edelsten Menschlichkeit erfüllt, wenn es das Leben seiner Befreundeten gilt.

Die Reise setzte sich durch unabsehbare Steppen fort, und die einzige Bevölkerung, auf welche die Wanderer bis zum Weißen Flusse stießen, waren unermeßliche Banden amerikanischer Auerochsen. Die Umgegend des genannten Stromes besteht aus wilden vulkanischen Gebirgsmassen, auf welchen kein Halm von nahrhafter Vegetation zu finden ist. Hier wurde der Herzog von einem Haufen Siouxindianern umringt, als Freund erkannt und von ihnen glücklich bis zum Fort Pilsher geleitet.

Nach mehren in Gesellschaft der Siouxindianer angestellten Jagden kehrte der fürstliche Wanderer in Gesellschaft einiger andern Reisenden stromabwärts nach den Councilbluffs zurück und entschloß sich, von Hrn. Leawenwort aufs freundschaftlichste empfangen, zu einer zweiten Expedition gen Westen. Unter militairischer Begleitung besuchte er sämmtliche Horden der Pahnis, ein beneidenswerthes Glück für einen Reisenden, dem das Studium nordamerikanischer Stämme obliegt.

Von dieser Expedition zurückgekehrt, sehnte sich der Herzog nach St.-Louis, bestieg ein Missuriboot und kehrte dorthin ohne Hindernisse zurück. Auf dieser Rückfahrt genoß er den herrlichen Anblick der unermeßlichen Waldbrände. Oft standen 3—4 Stunden weit an beiden Ufern des Stromes Wälder und Steppen in Rauch und Flammen gehüllt; der Horizont war durch Rauchwolken ganz verfinstert, und selbst noch im Bezirke des bewohnten Missuristaates verlor sich diese Dunstatmosphäre mehre Tagereisen lang nicht.

In St.-Louis bestieg der Fürst das Dampfboot Cincinnati, welches bei Ste.-Geneviève auf einem abgebrochenen Baumstamm im Wasser anstieß und in wenigen Minuten untersank. Glücklicherweise wurde die ganze bedeutende Mannschaft gerettet. Das Unglück verursachte aber einen vierwöchentlichen Aufenthalt in Ste.-Geneviève; denn damals befuhren noch nicht so zahlreiche Dampfboote den Strom wie jetzt.

Endlich schiffte sich der Herzog Paul zu Neworleans im Laufe Decembers 1823 auf einer Brigg nach Frankreich ein und erreichte den 17. Februar 1824 Havre de Grace und damit das Ende seiner ersten Reise. 198.

Neuer Nekrolog der Deutschen. Neunter Jahrgang, 1831. Mit drei Portraits. Ilmenau, Voigt. 1833. 8. 4 Thlr. *)

Schon fürchtete Ref. und gewiß noch mancher Freund dieses Unternehmens bei dem langen Ausbleiben der Fortsetzung, daß der uneigennützige Herausgeber endlich doch sein Danaidenfaß zu füllen die Geduld verloren habe; allein der Landtag zu Weimar, wo Herr Voigt, wie man gelesen hat, nicht blos seine Diäten eingestrichen, sondern auch rüstig in Rath und That sich erwiesen, und die leipziger Messe tragen diesmal die Schuld des Verzuges. Also willkommen. Aber auch so wohlbeleibt erinnert sich Ref. diesen Todtenfreund und Seelenherold seit mehren Jahren nicht gesehen zu haben, da er 16 Bogen mehr als das vorige Mal bringt und dennoch nicht theurer sein will. Diesmal ist die Nummerzahl sogar bis auf 1613 gestiegen, wofür freilich auch der Cholera ein schmerzlicher Dank abzustatten ist. Möge es aber kein Engländer und kein Franzose lesen (denn wir Deutschen können schon mehr verschlucken), daß der Verf. von diesem verdienstlichen und so höchst mühsamen Werke nicht mehr als 250 Exemplare ab- und jährlich gegen 300 Thlr. (also nun gegen 3000 Thlr.!?) dabei zusetzt. Dennoch gibt er, wie ein rüstiger Ackermann, der auf Hoffnung bauet, die Sache nicht auf, um den Deutschen die Scham zu ersparen, daß ein für die ganze Nation berechnetes, überall mit Recht gelobtes und ein Nationalwerk genanntes Unternehmen an der Unempfänglichkeit und Gleichgültigkeit der deutschen Zeitgenossen gestorben sei. Aber der Herausgeber, der den neuerdings zum Gehülfen gewonnenen Redacteur uns nicht namhaft macht, erklärt auch, daß er Jedem, dem er die hierzu nöthigen Qualitäten, besonders Geduld und Beharrlichkeit zutrauen könne, unentgeltlich sein Verlags- und Fortsetzungsrecht abtreten wolle. An dem folgenden Jahrgang (1832) wird, wie Hr. Voigt versichert, bereits gedruckt, sodaß mit dessen Ausgabe am Ende dieses Jahres die alte Ordnung wiederhergestellt ist. Nach Vollendung der ersten Decade soll ein Generalregister erscheinen, welches ein

*) Vgl. über den achten Jahrgang Nr. [illegible] d. Bl. f. [illegible]. D. Red.

längst gehegter, auch wol ausgesprochener Wunsch so Vieler ist. Zugleich gewinnt dadurch das Werk einen Abschnitt und den Anschein eines Ganzen, was doch gewiß noch manchen neuen Freund und Abnehmer ihm verschaffen dürfte, da es allerdings Gelehrte und literarische Institute gibt, welche die Sonderbarkeit haben, nichts noch im Fortgange Begriffenes zu kaufen. Gewiß wird dieses Register die Masse des Gelieferten und das Verdienstliche der Arbeit noch mehr herausheben, wird aber auch dem Literator wie jedem Gebildeten ein unentbehrlicher Ortsweiser auf diesem ungeheuern Todtenacker von mehr als 10,000 Leichenhügeln mit Epitaphien oder schlichten Holzkreuzlein sein. Außer einem Generalalphabet sollen die Nekrologisirten in besondern Uebersichten theils nach den Provinzen (Staaten), theils nach ihren Wohnorten, theils nach ihren Aemtern und Berufen classificirt werden. Da der Verf. wünscht, daß man ihm recht bald noch mehre Wünsche in Beziehung auf diesen Totalindex mittheile, so möge hier bemerkt werden, daß auch der Ständeunterschied, besonders der Adel, berücksichtigt werden möge. Es wird interessant sein, wie sich das Verhältniß zwischen diesem und den übrigen Ständen herausstellen dürfte. Nicht minder könnte, wenn es nicht zu viele Mühe machte, ein neuer Süßmilch nach dem Lebensalter fragen, welches vielleicht bei einer Classe Verstorbener vorzugsweise länger sein möchte als bei einer andern, z. B. bei Oekonomen im Gegensatz des Militairs u. s. w., wie sich auch mit der Zeit gewiß ergeben würde, daß die Gelehrten viel seltener mehr das früher gewöhnliche hohe Alter dieses Standes erreichen. Doch dies sind nur unmaßgebliche, dem Verf. des Registers anheimgegebene Vorschläge, die bei der günstigen Gelegenheit, eine Masse von 10,000 hier vor sich zu haben, aus denen sich wol allerlei Resultate ziehen ließen, wol entstehen konnten.

Von den 1613 hier aufgeführten Verstorbenen sind freilich 1180 nur der zweiten Abtheilung (S. 1163—1246) anheimgefallen, d. h. nur mit ganz kurzen Notizen bedacht worden; dagegen findet man über 433 mehr oder weniger ausführliche Lebensbeschreibungen, von denen 145 aus schon früher gedruckten Nachrichten zusammengesetzt, dagegen 288 in Originalaufsätzen geschildert sind. Unter diesen 433 befinden sich drei fürstliche Personen, 27 Minister, Gesandte, Geheime- und Staatsräthe u. s. w., 82 Juristen, Staatsmänner und Beamte, 35 Militairs, 15 Bischöfe, Prälaten u. s. w., 87 Geistliche und Theologen protestantischer Confession, 14 katholischen Glaubens, 29 akademische Lehrer, 25 Gymnasialschulmänner, 34 Aerzte, 11 Bürgermeister, 7 Kaufleute, 12 Componisten u. s. w., 12 Dichter, 11 Landwirthe, 9 Frauen u. s. w. Der Landsmannschaft nach sind die Mehrzahl Preußen (171), dann 53 Mecklenburger, 60 Sachsen, 30 Baiern, 9 Oestreicher u. s. w. Die Hand des Redacteurs hat das gedruckt Vorhandene zweckmäßig benutzt, das schriftlich Mitgetheilte hin und wieder verkürzt und gleichmäßiger zugestutzt, worüber er sich mit den Verfassern, unter denen wir sogar einen Grafen und einen Marquis bemerken, zu verständigen haben wird. Hoffentlich ist aber nichts Wesentliches weggefallen, und in verbis simus faciles.

Wie auf dem Kirchhofe sich Jeder seine Lieblingsplätzchen sucht, so wird es wol auch auf diesem geschriebenen und gedruckten der Fall sein. Hin und wieder möchte Ref. selbst noch ein Blümchen hinzupflanzen, allenfalls auch einmal eines ausrupfen. Rührend ist, was der Herausgeber über seine eigne Gattin sagt; solchen Platz wird jeder Leser ihr gönnen und solchen Schmerz des Mannes ehren; besonders haben, um nur einige wenige Namen zu nennen, Niebuhr, Klingemann, Tittmann, Bachmann, Krug[illegible]ler, Matthisson, Lafontaine, Bohnenberger, Körner der Vater, Dinter, Bergmann der Sänger, Hönisch in Camenz, Gneisenau und Diebitsch uns gefallen. Die Manen von Schmalz und Grano werden hier etwas von historischer Gerechtigkeit verspüren, die auch sonst mitunter noch stärker hätte gehandhabt werden können. Beim Graf Schlitz-Görz (geb. Wrisberg) konnte die Selbstbiographie: „Memoiren eines deutschen Staatsmannes" (Leipz. 1833) natürlich noch nicht benutzt werden, aber die Leser des ebengenannten Buches, welches des Verf. Leben blos bis 1816 führt, werden dem hier im Nekrologe bemerkten traurigen Ausgange dieses Mannes ihr Mitleid nicht versagen. Mitunter, wie bei den Namen Görz, Schlegel u. A., hat die Redaction einige genealogische Notizen als Note beigegeben, welche, wenn auch nicht neu, doch von manchem Leser gewiß mit Dank erkannt werden. Die drei Portraits stellen den Minister von Stein, den Ritter von Stück in München und einen bairischen Landtagsdeputirten, Schmid, vor. 30.

Naturgeschichtliche Notizen.

Der leuchtende Springkäfer (Elater noctilucus) Westindiens.

Es besteht noch ein Streit darüber, ob der allbekannte, sogenannte Laternträger — kein Käfer, sondern ein zu den Cicaden gehöriges Insekt — wirklich ein solches Licht verbreitet, wie man früher von ihm erzählte. Dies aber angenommen, macht ihm ein westindischer Käfer, der leuchtende Springkäfer (Elater noctilucus) den Rang streitig. Er ist schwärzlich dunkelbraun, mit braungelben seidenschimmernden Haaren besetzt und an den hintern Ecken des Brustschildes hat er zwei blasenähnliche, gelbliche Flecken.*) Seine Größe ist nicht unbeträchtlich, indem es Exemplare von 17 Linie Länge gibt. Wie seine Gattungsverwandten, die in Deutschland zahlreich sind, besitzt er das Vermögen, sich mittels eines eignen elastischen Stachels an der Unterseite des Brustschildes in die Höhe zu schnellen, wenn er auf den Rücken gelegt wurde, und so wieder auf die Beine zu kommen. Er springt wol viermal so hoch, als er lang ist. In seinem Vaterlande lebt er von Zuckerrohr und mittels dieser Nahrung und der diesem Käfer nöthigen feuchten Temperatur gelang es, lebende Exemplare nach London zu bringen, wo sie der berühmte Entomolog Curtis beobachtete. Die gelben Flecken am Brustschild sind es, welche ein lebhaftes, von der Willkür des Thieres abhängiges Licht verbreiten. Bei kräftigen Individuen erscheinen der Rücken selbst, Flügeldecken und Flügel und die Wurzel des Hinterleibs phosphorescirend. Mit Hülfe eines einzigen solchen Käfers kann man Gedrucktes lesen. Die leuchtenden Theile phosphoresciren, von dem übrigen Körper getrennt, noch unmittelbar nach dem Tode des Thieres.

Verwandlung der Krebse.

Die neuern Naturforscher haben die Krebse und die denselben durch innern Bau u. s. w. verwandten Thiere von den Insekten, zu denen der Schöpfer der [illegible] Naturgeschichte, Linnée, sie stellte, getrennt und unter dem Namen [illegible] (Crustacea) zu einer eignen Classe erhoben. In den [illegible] derselben wurde auch das gezählt, daß sie nicht einer eigentlichen Verwandlung, d. h. mit Formenveränderung wie z. B. die Insekten, unterlägen, sondern blos Häutungen zu [illegible] hätten, nach welchen indessen Einige mehr Füße, als sie auf die Welt brachten, erhielten. Die Beobachtungen des englischen Naturforschers Thomson haben die Annahme einer fehlenden Verwandlung als unrichtig dargethan, sodaß selbst die bis jetzt der Gattung Zoea zugezählten Thiere wahrscheinlich nichts Anderes als eben dem Ei entschlüpfte Krebse sind. [illegible] wurde ihm dies von einer Art gewiß, [illegible], an den englischen, französischen und deutschen Küsten [illegible] bekannten, häufig [illegible] Taschenkrebse (Cancer pagurus, franz. Crabe [illegible] ou tourteau) [illegible]

*) [illegible]

Redigirt unter Verantwortlichkeit der Verlagshandlung: F. A. Brockhaus in Leipzig.

Blätter für literarische Unterhaltung.

Sonnabend, — Nr. 278. — 5. October 1833.

Drei Schreiben aus Rom gegen Kunstschreiberei in Deutschland. Erlassen und unterzeichnet von Franz Catel, Jos. Koch, Friedrich Riepenhausen, Joh. Riepenhausen, von Rhoden, Albert Thorwaldsen, Ph. Veit, Joh. Chr. Reinhart, Friedr. Rud. Meyer. Dessau, Fritsche und Sohn. 1833. Gr. 8. 12 Gr.

Als die vorliegende Schrift von der Redaction mit dem Verlangen, sie anzuzeigen, dem Ref. zugesandt wurde, war die erste Vorfrage, die er sich stellte, die: ob ihre richtigste Würdigung nicht verlange, daß man sie, trotz der acht Namen, die der Titel aufzählt, ignorire.

Denn wenn die Verf. der Betrachtungen und Meinungen über die in Deutschland herrschende Kunstschreiberei, die acht oben zuerst genannten Künstler, heute wirklich noch der Meinung sind, die sie in dieser, im Jahre 1826 in der „Allg. Zeitung" bekanntgemachten Diatribe aussprachen (was doch noch nicht so streng erwiesen ist, da verlauten will, daß dieser Wiederabdruck in Dessau sehr eigenmächtig von einem jungen Menschen besorgt wurde, den Thorwaldsen schwerlich zu seinem Sachführer wählen wird), so verlangen sie S. 12 dieses Abdrucks: daß das Kunstrichteramt vorzugsweise den Künstlern zukomme; behaupten sie S. 11: daß der Künstler streng genommen nur vom Künstler seine Belehrung erwarte, den Tadel und das Lob der Laien aber meist (!?) sehr gleichgültig aufnehme, sobald er nicht im theilnehmenden (!), sondern im selbstgenügenden, anmaßlich belehrenden Tone spreche; gestehen aber S. 8 zu: daß eine äußerliche Einschränkung des Rechts, seine Meinung und sein Urtheil frei an den Tag zu legen, im Gebiete der Künste, wäre sie auch möglich, weder gefodert noch gewünscht werden dürfe, am wenigsten von den Künstlern selbst. Sie entwickeln dieses sogar noch bestimmter und räumen, S. 8 unten, ein: daß man Jedem das Recht zugestehen müsse, seine Meinung und sein Urtheil durch den Druck bekanntzumachen, und daß der Wunsch, von irgend einer Gewalt hierbei Hindernisse in den Weg gelegt zu sehen, von Jedem, der wahres Interesse an der Kunst nimmt, bei dem ersten Aufkeimen schon als unzweckmäßig, schädlich und zu größern Misbräuchen führend als die Kunstschreiberei selbst verworfen werden müßte. Es fragt sich demnach, was trotz aller dieser Beschränkungen und Zugeständnisse die so gefährliche Kunstschreiberei sei, und durch authentische Erklärung, S. 2, erfahren wir, daß darunter diejenige verstanden sei, welche sich mit der Beurtheilung der Kunstwerke rücksichtlich ihres artistischen Werthes befaßt; die Fächer der Archäologie und der Kunstgeschichte lägen hier außer dem Gesichtspunkt, weil sie mehr dem Gebiete der Wissenschaft angehörten.

Folglich verlangten die acht römischen Künstler nach ihrer Erklärung vom J. 1826, daß zwar Jeder an den Kunstwerken Antheil nehme, sich eine Meinung und ein Urtheil über sie bilde, dieses selbst ausspreche, nur sich nicht unterfange, rücksichtlich ihres artistischen Werthes sie zu beurtheilen. Absichtlich scheint hier, wo man auf der einen Seite etwas verlangt, was man auf der andern wieder aufhebt, dunkel gelassen, ob bei diesem artistischen Werthe an die technische Ausführung, oder an die Auffassung des Ganzen, an Anordnung, Verhältniß der Theile zum Ganzen u. s. w. gedacht sei; und man kommt Dem, was sie wollen, wie die übrigen Aufsätze dieses Büchelchens es noch unumwundener aussprechen, näher auf den Grund, wenn man gradeaus den Sinn aus ihren verbrämten Redensarten herausliest: wir verbitten uns allen Laientadel.

Schwerlich bedachten die acht Künstler, als sie dieses in ihrem Namen hinschreiben ließen, was sie dadurch verlangten. Doch wo hätte Empfindlichkeit, die sich gegen Kritik auflehnt — was schon so unendlich oft erlebt worden ist —, je überlegt, was sie zu thun habe? Kunstwerke sind die äußerliche Erscheinung, die unabstreifbare Gestaltung von Kunstideen. Wer Kunstwerke würdigen, richtig auffassen, anerkennen soll, muß sich ein Urtheil über ihre Idee wie über deren Gestaltung, muß sich über ihren artistischen Werth in jedem Sinne des Wortes eine Ansicht bilden, muß diese sich klar zu machen suchen, sie frei an den Tag legen, um sie im Austausche mit den Ansichten Anderer zu berichtigen, bestimmter zu erörtern. Ob das nun mündlich oder schriftlich, auf Brief- oder Druckpapier geschieht, ist für die Sache selbst einerlei. Der Künstler, der die Uebung dieses Rechtes anerkennen und sogar wünschen muß, sollte sonach sich über die „Kunstschreiberei" freuen.

Und doch gibt sie ihm häufig ein Aergerniß, wenn sie 1) nicht lobpreist; 2) noch mehr, wenn sie, ins Einzelne eingehend, tadelt; eine Landschaft z. B. geleckt findet u. s. w. Hat sich solchen Tadel ein Künstler erlaubt, d. h. ein Mann vom Pinsel oder vom Possierholz (denn unter Kunst und Künstern werden in dieser Verhandlung immer nur die bildenden verstanden), so darf der Getadelte darauf rechnen, den Kritiker gelegentlich auf ähnlichen Schwächen zu ertappen — und schon darum ein Prärogativ, das man den Künstlern zugesteht. War es aber ein Laie, der seine Kritik vielleicht gar nach seinem Rechte drucken läßt — dann die verkündete Gleichgültigkeit dagegen, wovon Herr Joh. Chr. Reinhart in Rom einen glänzenden Beweis gegeben hat.

Solche tadelnde Kritik, gedruckt von einem Laien in die Welt gesandt, wird darum von den Künstlern, wie sie versichern, gleichgültig hingenommen oder verachtet, weil Alle, die sie hören oder lesen, dem meist nur einmal in der Welt vorhandenen Werke, von dem das Urtheil galt, nicht gegenüberstehen, und der Künstler daher nicht bei Jedem durch den Augenschein auf die Reformirung desselben appelliren kann. Das ist ein Grund! Und der Umstand kann wirklich verdrießlich machen, wenn er auch das Recht und die Befugniß zum Kritisiren keineswegs verkümmert. Wer in sich den Beruf fühlt, über Kunstwerke Kritiken drucken zu lassen, braucht keineswegs zu berücksichtigen, ob das Werk ein- oder zweitausend Male (wie ein Stahlstich), ob es in offener Halle oder im Zimmer einer Aebtissin unter strengster Clausur vorhanden. Aber welches Interesse kann es für das große Publicum haben, zu erfahren, daß eine geleckte Landschaft vom rohen Reinhart in einem Zimmer hängt, das ein Castellan des Jahrs nur einmal aufschließt? Die Dinte, welche ein Beurtheiler auf solche Kritik verwendet, wäre verloren. Kunstwerke, die nicht zu sehen, nicht zu genießen sind, gelten vernichteten gleich. Die Kritik, die wissentlich oder unwissentlich dem Künstler schaden könnte, kann nur bei Werken Eindruck machen, die offen ausgestellt sind. Wer auf den Augen entzogene Werke allein seinen Künstlernamen gründet, hat sich es selbst zuzuschreiben, wenn er schief beurtheilt wird; und unsere Zeit, die glücklich genug ist, so Vieles zu sehen, was sich der offenen Prüfung stellt, pflegt durch Vergessen solchen geheimen Künstlern ihr Recht werden zu lassen. Ist aber ein Kunstwerk ausgestellt, im weitern oder engern Sinne des Wortes, so kann zwar, wie es bei menschlichen Urtheilen zu geschehen pflegt, ein schiefes, tadelndes darüber gedruckt werden; aber ist das besprochene Werk wirklich ein Kunstwerk, trägt es wirklich den Stempel des Genius, so werden in unserer Alles öffentlich verhandelnden Zeit bald genug Stimmen in Menge zum Widerspruch laut werden, und die Anerkennung wird nicht ausbleiben.

Freilich der Künstler als Fabrikant kann dabei leiden; denn ein Maler, der z. B. blos für Betstübchen der stillsten Andacht Bilder ausführete, nie etwas öffentlich ausstellte, könnte wol an Kundschaft einbüßen, wenn ein Kritiker doch eins seiner Werke in seinem Versteck ausgespürt hätte und öffentlich nun darüber berichtete, er fände es schlecht gezeichnet, schlechter colorirt u. s. w. Aber es wäre sehr zu besorgen, daß ein solcher Fabrikant noch schneller um die Kundschaft käme, wenn er, wie Künstler thun, hervorträte. Man wird überrascht, solche Klagen über durch Kritik verkümmerten Erwerb in einer Schrift zu lesen (S. 15), unter die Thorwaldsen seinen Namen gesetzt hat.

Eine Klage erheben die Künstler noch, weshalb sie sich alle Kritik von Laien verbitten, daß man nämlich bei ihr gar keine Rücksicht nehme, ob die beurtheilten, oder, was hier allemal synonym ist, getadelten Werke (denn theilnehmende Kritik, d. h. Lob, läßt man sich bekanntlich huldreichst gefallen) für die öffentliche Ausstellung und Prüfung bestimmt waren. Nicht nach jedem, was aus seiner Hand hervorgegangen, möge ein Künstler beurtheilt werden. Manches komme in fremden Besitz, was nur als Studium anzusehen sei und, wie ein Stammbuchvers eines Dichters, die Ehre der Oeffentlichkeit sich verbitte.

Wohl gesprochen; aber auch hier treffend? Wir zweifeln. Eine Skizze, ein Studium von Thorwaldsen wird auch als solches den Künstler verrathen, als solches beurtheilt werden. Fehler, wirkliche Fehler wird es bei wirklichen Meistern nicht zeigen; oder auch an der Skizze wären sie als Fehler der Skizze zu erwähnen, wenn das Publicum Geduld haben wollte, solchen Kritiken zuzuhören. Warum sollte es sich indessen mit den Skizzen beschäftigen? Es steht ja so vieles Vollendete vor ihm da, nach dem man die Augen hinrichten kann. Junge Leute, Anfänger sind der Gefahr vollends nicht ausgesetzt. Sind ihre Werke für die Ausstellung nicht bestimmt gewesen, so wird auch die Kritik sich nicht mit ihnen incommodiren. Oder thut sie's ja, spricht sie ja von solchen gegen den Willen ihrer Verfertiger ausgestellten Werken, so sieht man nicht ab, wie das schaden könnte. Sie spricht dann von Namen, die Niemand kennt und beachtet, an die Niemand ein Interesse knüpft. Künstler sind ja die Leute noch gar nicht; die nächste von ihnen absichtlich ausgestellte Arbeit kann zeigen, ob sie dazu Hoffnung geben. Aber jahrelang kann das Jemand wiederholen, jahrelang unterlassen, ohne daß seine Anwesenheit oder Abwesenheit von der Kritik geahnet werden wird. Nicht früher, als bis er durch etwas wirklich Werthvolles seinem Namen einen Klang gegeben hat, wird die Kritik sich mit ihm einlassen, wird das Publicum beachten, was sie über ihn ausgesprochen. Erst von dem Augenblicke an hat sie gegen ihn ihre Aussprüche zu verantworten; denn erst von da an kann sein Talent durch ihre Ungunst verkümmert, durch ihre Begünstigung übertrieben werden. Trüge sie dazu bei, daß ein Anfänger zu früh sich für einen Künstler hält, auf den Europa die Augen richten müsse, so möchte die Verantwortung leicht größer sein, als wenn sie ihn zu dem Wahne brächte, daß sie ihm das Gewerbe verkümmere; wo der Fabrikant so mit dem Künstler Hand in Hand geht, ist der Verlust gewiß zu verschmerzen. Jungen unerfahrnen Leuten mag die Klage über die Kritik, weil sie Bestellungen hintertreiben könne, zu Gute gehalten werden; aber in einem Schreiben, das Thorwaldsen mitunterschrieben, ist sie befremdend.

Alle diese Uebelstände würden nicht stattfinden, meinen die römischen Künstler, wenn nur Künstler das Kunsturtheil übernähmen („Felices futurae artes, si soli de iis artifices judicarent", citirt Hr. Reinhart S. 43 aus Fabius Pictor), wenn die leidige Kunstschreiberei aufhörte, die den Beschauern Freude und Genuß verderbe (S. 14).

(Der Beschluß folgt.)

Neueste französische Romane.

1. Pauline par M. *Etiennez.*

Alltäglich in Erfindung, Charakteren und Darstellung. Pauline ist eine Grisette und dabei tugendhaft; das wäre allenfalls etwas Neues, wenigstens in einem Romane, vielleicht nicht so sehr im Leben. Monsieur Alphons verliebt sich in Mamsell Pauline; er findet Gelegenheit, sie gegen die Ungezogenheit von Monsieur Victor in Schutz zu nehmen. Monsieur Victor erwischt von seinem Rivalen eine Ohrfeige; seine Rache führt die Katastrophe herbei, die schauderhaft ist und mit dem ziemlich milden und friedsamen Eingange in unangenehmem Contraste steht. Herr Etiennez scheint noch jung zu sein; warmes Gefühl, ungeübtes, schwerfälliges Denken: ein noch schwankendes Talent.

2. Jeanne de Naples, vom Verf. der Geschichte Alexander VI. und Cäsar Borgia's.

Mehr Geschichte als Roman. Der Verf. stützt sich stets auf die gleichzeitigen Historiker oder Chroniken; wo er widersprechende Ansichten gefunden, hat er die in ästhetischer Hinsicht interessantern gewählt. Die Nebenumstände, die Reden der darin auftretenden Personen sind streng aus den historischen Angaben gefolgert.

Johanna von Neapel ist ein merkwürdiges starkes Weib; von ihren vier Männern hat sie, ihrem eignen Geständnisse zufolge, wenigstens einen gemordet. In dem häufigen Glückswechsel, den sie auf dem Throne zu bestehen hatte, entwickelte sie Muth und Charakterkraft. Neapel verdankte ihr manches nützliche Institut; Boccaccio und Petrarca wurden freundlich an ihrem Hofe aufgenommen. Herr Masse, so heißt der Verf., zeigt uns Johanna zuerst in ihrer Kindheit, am Hofe ihres Großvaters, des Königs Robert, wo sie mit ihrem Vetter Andreas, einem Sohne des Königs von Ungarn, erzogen wurde. Durch Geist und Schönheit gewinnt sich Johanna Aller Herzen; Andreas, dem ihre Hand bestimmt ist, wird allgemein gehaßt. Johanna theilt dieses Gefühl. Sie verliebt sich in der Folge in den Prinzen Ludwig von Tarent. Indessen wird ihre Ehe mit Andreas vollzogen, der kurz nach ihrer Vermählung im Kloster zu Aversa ermordet wird. Johanna, welche in einem an die Wohnung ihres Gatten stoßenden Gemache schlief, gab vor, nicht das mindeste Geräusch in der Mordnacht vernommen zu haben. Sie kehrte in aller Eile nach Neapel zurück, ohne sich um das Begräbniß ihres Gemahls zu bekümmern. Auf eine vom päpstlichen Legaten angestellte Untersuchung werden vier höhere Hofbeamte nebst der Vertrauten der Königin lebendig verbrannt; Johanna ward die Gattin Ludwig's von Tarent. Bald aber muß das verbrecherische Paar vor dem mit Heeresmacht heranziehenden König von Ungarn entfliehen. Johanna wird in der Provence freundlich aufgenommen, wo sie unter Anderm eine polizeiliche Verordnung, die öffentlichen Dirnen, les femmes folles de leur corps, betreffend, erläßt. Rückkehr nach Neapel; sie muß zum zweiten Male entfliehen. Zu einer zweiten Expedition bereitet sie sich vor, indem sie sich des an Andreas verübten Mordes der Gesinnung (intention) nach als unschuldig erklärt; sie erkennt die That an, behauptet aber, durch einen über sie geworfenen Zauber dazu angetrieben worden zu sein. Auch verkaufte sie die Grafschaft und Stadt Avignon dem Papste Clemens VI. für 80,000 Fl. Ihr zweiter Restaurationsversuch fiel glücklicher aus als der erste. Der Thron von Neapel bleibt ihr; der Tod befreit sie von ihrem zweiten Gemahl, den sie längst nicht mehr liebte; sein Nachfolger ist Jayme, König von Majorca. Fast immer getrennt, lebten sie sehr einig. Ihr vierter Gatte war Otto von Braunschweig. Da ihre Ehen kinderlos geblieben, so adoptirte sie einen jungen Prinzen aus ihrem Hause, der sie erdrosseln ließ, so behaupten einige Geschichtschreiber, und wie wir bereits bemerkt, Herr Masse wählt stets die interessanteste Angabe. Das Buch gewährt eine angenehm belehrende Lecture; wir hätten lieber den Romanapparat ganz weg und die Form historisch strenger gewünscht, aber dann hätte freilich Hr. Masse wenig Leser gefunden, vielleicht nicht einmal einen Verleger.

3. Lucile ou la cantatrice par Madame *de Thelusson.*

Ein Roman aus den Zeiten des Kaiserreichs könnte billig ein historischer genannt werden, denn diese Epoche gehört bereits der Geschichte an und ist nebenher so vielfach benutzt worden, daß da für den gewöhnlichen Schriftsteller wenig mehr zu holen ist. Der Held ist, wie sich das in einem Romane aus der Kaiserzeit von selbst versteht, ein junger Colonel. Charles, so heißt er, ist sterblich in die junge Sängerin verliebt und hat seinen eignen Vater, einen maréchal de France, zum Rivalen. Die Mutter ergreift mit Freuden die Gelegenheit, sich an dem Hrn. Gemahl zu rächen und begünstigt das Verhältniß zwischen der Actrice und ihrem Sohne. Lucile begleitet den Geliebten, als Husarenoffizier verkleidet, eine etwas abgetragene Verkleidung. Aber wahrlich die Langeweile übermannt uns trotz des besten Willens. Wir lassen die Liebenden in Gottes Namen ziehen und treiben, was ihnen beliebt; in Griechenland treffen sie sich wieder und verbinden sich auf immer. Mögen sie glücklich zusammen leben und sich besser unterhalten als die Leser.

4. Struensee par *Arnould* et *Fournier.* Zwei Bände.

Struensee ist, wie sich von selbst versteht, ein historischer Roman, die Geschichte zu bekannt, als daß wir in eine umständliche Analyse einzugehen hätten. Der Roman ist mehr auf die äußere Wirkung berechnet: inneres Charakterstudium, Sittenschilderungen fehlen; die einzelnen Scenen sind künstlich vorbereitet, mit vieler Gewandtheit und Kenntniß der poetischen Optik skizzirt, sonst aber dürftig in der Ausführung.

5. Isabelle par M. *de Sénancourt.*

Herr Sénancourt hat als Schriftsteller ein eignes Geschick gehabt. Im Anfange dieses Jahrhunderts gab er den „Obermann" heraus, einen Roman, der das Verdienst hatte, um 30 Jahre zu früh zu erscheinen und daher nebst dem Verf. vergessen wurde. Vor einiger Zeit ist „Obermann" aufs Neue aufgelegt worden und hat großes Glück gemacht. „Obermann" ist ein Geistes- und Seelenverwandter von Werther, René, Joseph Delorme, ein Träumer, ein Selbstpeiniger. „Isabelle" ist ein Gegenstück zu „Obermann", aber nach Verschiedenheit des Geschlechts mit andern Gefühlen und andern Pflichten. Ihre Leiden sind so ganz intim, so fein und subtil, daß man sich oft ein Vergrößerungsglas wünscht. Isabelle fühlt sich unglücklich, ohne zu wissen warum. Sie brütet über ihren Schmerzen; sie scalpirt sich das Herz, um darin die Ursachen der Krankheit aufzusuchen, allein vergebens. Endlich glaubt sie den rechten Fleck getroffen zu haben; die Liebe, wähnt Isabelle, sei die Quelle ihrer Leiden. Das Schicksal führt ihr den Geliebten zu, Jules de Meribal; sie ergibt sich ihm, allein vergebens, das Glück der Liebe und Ehe ist nicht für sie geschaffen. Endlich wird Isabelle Schriftstellerin. Sie schreibt ein Buch und vertraut es ihrer Freundin Clémence an, mit der Bitte, es in Lyon drucken zu lassen. Hierauf macht Isabelle eine Reise in die Pyrenäen; eines Morgens trifft sie ein Jäger erfroren im Gebirge. Ihr Manuscript wird durch einen Zufall ein Raub der Flammen. Dieser neue Roman des Hrn. Sénancourt wirkt ungefähr wie eine Krankheitsgeschichte. Isabelle scheint uns ein verfehlter Charakter. Das schwärmerische Träumen, das Selbstfoltern kann entstehen aus unbefriedigter Leidenschaft, aber nicht aus kaltem Wegraisonniren der Liebe. Wer Herr genug über sich selbst ist, um die Bande des Gefühls zu zerreißen, dem fehlt der zum geistigen Schwelger, zur poetischen Sehnsucht erfoderliche Schwung der Phantasie. Isabellens Krankheit ist möglich, aber sie kann nur ein liebendes Gemüth erreichen.

6. Lélia par *George Sand*. Zwei Bände.

„Wer bist du und warum thut deine Liebe so weh? Es ist in dir irgend ein furchtbares Geheimniß verborgen. Du bist ein Engel oder ein Teufel, aber kein menschliches Geschöpf", so beginnt das neue Werk der Frau Sand oder wie sie sonst heißt, der man die nämlichen Fragen zurufen möchte. Lélia ist ein großes, erhabenes Weib, und wenn sie von ihrer Höhe herabsteigt, steht sie weit unter den gewöhnlichen Menschen. Sie betet nicht zu Gott. Um was sollte sie ihn bitten? Daß er ihr Schicksal ändere? Darüber würde er nur lachen! Daß er ihr Kraft gegen ihre Leiden verleihe? Die hat ihr der Schöpfer gegeben; an ihr ist es, sich derselben zu bedienen. Der Geist des Guten, der Geist des Bösen ist Gott; das Böse und das Gute haben wir geschaffen, Gott weiß nichts davon. Lélia ist wie sämmtliche Charaktere des Buchs ein Symbol; Lélia ist der Skepticismus, entsprungen aus getäuschter Liebe, einmal betrogen, hat sie der Liebe auf immer entsagt; der Egoismus erscheint ihr als das ewige, ausschließliche Gesetz der Menschheit; sie hat nur noch eine Ueberzeugung: die Verachtung der Menschen; einen Genuß: die Ironie. In dieses seltsame Wesen verliebt sich Sténio, ein poetisch-sanguinischer Jüngling, der noch an Glück und Liebe glaubt und an Wahrheit und an Alles, was Lélia verhöhnt und aus dem Herzen gestoßen hat. Es gelingt ihm zuletzt, Lélia zu rühren; er sinkt zu ihren Füßen, sie bedeckt ihn mit ihren Küssen, er wähnt sich in der Nacht selig in ihren Armen und erwacht an der Seite einer Buhlerin, welche durch Lélia's List deren Stelle eingenommen. In seiner Verzweiflung stürzt sich Sténio in die schmählichsten Ausschweifungen; seine Sinne sterben für die Lust ab, sein Herz für die Liebe; er ermordet sich. Zwischen Lélia und Sténio steht Trenmor, ein hoher, reichbegabter Geist, geschaffen, Völker zu unterjochen und sich den Lorber der Dichtkunst zu erringen. In seinem 16. Jahre hat die Liebe schon keinen Reiz mehr für ihn; er wird eine Beute des Spiels, macht Schulden, sinkt zum Gauner herab und wird zu fünfjähriger Zwangsarbeit verurtheilt. Aus dieser Schmach erhebt er sich durch die Kraft seines Geistes; ein Sokrates, tritt er aus dem Bagno! So ist der Name Sokrates noch nie entweiht worden; dieser Trenmor ist der Unglaube, wie Lélia der Zweifel und der Glaube. Magnus, ein irländischer Priester, mit dessen Herzen Lélia gespielt, wird zuletzt wahnsinnig. Pulcherie, die Buhlerin, die Schwester Lélia's, ist deren Gegensatz: die materielle Lust, der Körper ohne die Seele. Magnus ermordet Lélia in einem Anfalle von Wahnsinn. Man denke sich alle diese Auftritte und Charakterschilderungen in einer melodischen herrlich-blühenden Sprache dargestellt, eine üppig vegetirende Poesie, die sich aller Orten in reich gefärbte Blumensträuße entfaltet, leidenschaftliches, mehr vehementes als inniges Gefühl, dabei stets besonnenes Denken, das mit sicherm Tritte oder kühnem Fluge oft eine Höhe erreicht, auf welcher es dem Leser schwindelt, so wird man leicht ermessen, welches Aufsehen „Lélia" in Paris gemacht hat, wo man dergleichen poetisch-symbolische Romane noch wenig kennt. Eben aber weil diese Gattung hier neu, ist es interessant, das Urtheil der Franzosen darüber zu beurtheilen. Planche, einer der kühnsten und scharfsinnigsten jetzigen französischen Kritiker, sagt am Ende einer Recension über „Lélia": „Fragt man sich nun, was dieses geheimnißvolle Gedicht zu bedeuten habe, so ruft man mit Schrecken aus: Selig sind, die nicht wissen; selig sind, die hoffen und vertrauen! Und dennoch ist es besser, zu wissen und die Wunden seines Herzens zu kennen! „Lélia" wird für Diejenigen, welche gelebt, und für Die, welche noch zu leben haben, eine nützliche Lehre sein. Die Kritik kann der Verfasserin in manchen Capiteln Breite und Weitschweifigkeit vorwerfen. Die eigentliche Handlung, die vorzüglich den Leserpleds interessirt, zersplittert sich häufig, auf dergleichen kritische Erörterungen können wir uns hier nicht einlassen, wir bedauern ernstlich die Leser, welche immer nur Genuß und Zerstreuung suchen. „Lélia", durch die Verschmelzung der lyrischen und didaktischen Form, hält die Mitte zwischen „Manfred" und „Phaedon". Es gibt, Gott sei Dank, Bücher in Menge, welche nach dem Alten, Bekannten zugeschnitten sind. Kommt einmal ein origineller Geist und gibt seine Gedanken, wie sie ihm zuströmen, ganz und frei, ohne sich um die äußere Einheit zu bekümmern, so chikanirt ihn nicht über den Mechanismus seiner Kraft. „Lélia" ist ohne Zweifel ein weit höher strebendes und reichendes Gedicht als „Indiana" und „Valentine". Im Anfange wird es weniger populair bleiben, das größere Publicum wird seinen Applaus zurückhalten, bis sich die bessern Geister um „Lélia" versammelt haben."

In dieser letzten Vermuthung hat sich der Kritiker geirrt, die erste Ausgabe von „Lélia" ist in wenig Tagen vergriffen worden. „Lélia" findet übrigens in den Journalen heftige Gegner; das „Journal des débats", das „Journal de Paris" und die „Europe littéraire" haben dem Buche arg zugesetzt. Wegen einer Recension in letzterm Journale hat ein Duell stattgefunden zwischen Planche und Feuillide, dem Director der „Europe littéraire"; keiner der beiden Gegner ist verwundet worden. 143.

Aphorismen.

Anekdote.

Die Fürsten von Reuß heißen bekanntlich alle Heinrich und unterscheiden sich nur durch die Nummer, sodaß es vielleicht bald einen hundertsten Heinrich von Reuß geben wird. Friedrich dem Großen erschien dies spaßhaft und er fragte daher einen solchen Heinrich von Reuß: „Ist es wahr, Fürst, daß Sie Nummern haben, wie Fiacres?" „Nein", antwortete ihm der Fürst schnell, „wie die Könige".

Vorschlag.

Die Hauptfrage der Zeit, indem sie Constitutionen und deren bisherigen Einfluß auf das Wohl und Wehe der Völker betrifft, ist eine historische, und die Professoren der Geschichte sind also sehr wichtige Männer für die Richtung des Zeitgeistes. Sind sie jung, so ist ihr Einfluß im Sinne des Monarchismus doppelt bedenklich; denn jung gehört man meistens ebenso der linken Seite an als älter der rechten. Die Cultus-Minister müssen also versuchen, den Bestrebungen gedachter Professoren eine bestimmte Richtung zu geben; und dies kann geschehen, indem denselben gewisse ebenso bestimmte Werke als Leitfaden bei ihren Vorlesungen empfohlen werden. Als ein solches paßliches, den Wehen der Zeit entsprechendes Werk über die französische Revolutionsgeschichte würde ich z. B. Beaulieu's „Essais historiques sur la révolution de France" vorschlagen. Der wackere Verf. hat Barnave, diesen anfänglichen eifrigen Freiheitsapostel, persönlich gekannt und verbreitet sich sehr erbaulich über die Rückkehr des armen Verführten zur ganzen Strenge monarchischer Principien. Es ist sehr lehrreich zu lesen und wird auf gedachte Herren Professores historiae und ihre Zuhörer nicht ohne heilsame Wirkung bleiben. Also ...!

Adelsprobe.

Der Herzog von Lévis, erzählt die bekannte „dame de qualité" in ihren Romanmemoiren, war sehr adelstolz. Eines Abends sprach er in einer Gesellschaft vom Alter seiner Familie und machte sich, als man Einwendungen erhob, anheischig, nächstens den genealogischen Beweis beizubringen. Hiebei fand er indeß Schwierigkeiten. In dieser Verlegenheit meldete sich ein Antiquar bei ihm, welcher ihm ein sehr altes Oelgemälde zum Kauf anbot. Es stellte die Arche vor, in welche Noah eben die wichtigsten Gegenstände verlud, welche der Sündflut entrissen werden sollten. Darunter befand sich ein Paket, überschrieben: Familienpapiere der Herzoge von Lévis. Dieser Fund zog den Herzog aus seinem Embarras. 178.

Redigirt unter Verantwortlichkeit der Verlagshandlung: F. A. Brockhaus in Leipzig.

Blätter für literarische Unterhaltung.

Sonntag, — Nr. 279. — 6. October 1833.

Drei Schreiben aus Rom gegen Kunstschreiberei in Deutschland. Erlassen und unterzeichnet von F. Catel, J. Koch u. A.

(Beschluß aus Nr. 278.)

Man darf es Künstlern nicht übelnehmen, wenn sie im Geschichtlichen schlecht unterrichtet sind. Aber hätten sie nur ein bischen sich in Handbüchern der Kunstgeschichte, nur im braven Lanzi, der doch leicht in Rom zu haben ist, umgesehen, sie würden wissen, wie in einer Zeit, wo die Kunst vielleicht mehr blühte als jetzt, Guido vom Cortona, Caravàggio vom Zuchero, Guercino vom Guido, und endlich Domenichino von den meisten seiner Zeitgenossen beurtheilt wurde. Es war ein Maler, Doyen, der den belvederischen Apollo ein navet ratissé nannte (Moreau's „Hist. nat. de la femme" I, 244); es war ein Maler, Boucher, der die berühmten Worte schrieb: Raphael malgré sa grande réputation est un peintre bien triste, et Michel Ange fait pitié! („Kunstblatt" 1822, Nr. 42). Solche Einsicht hatte ihnen, den einzig befähigten Spruchmännern, die Beschäftigung mit der Kunst gegeben. Geschrieben haben sie freilich nicht viel. Ihre Kritiken suchten sie, wie man aus den „Lettere pitt." (II, Br. 17) erfährt, lieber gleich ins Leben einzuführen. Mit Abschlagen der Wandgemälde, mit Zerstören suchten sie ihnen Nachdruck zu geben. Vielleicht ist es so durchgreifende Kritik, die sie auch jetzt wieder bei ihren Klagen und Seufzen beabsichtigen. Wird ihr Wunsch erfüllt, so werden sie für sich selbst, als die Einzigen, die Kunstwerke zu würdigen wissen, auch diese erschaffen, und Kunstfreunde und Beschützer werden andern Erheiterungen sich zuwenden müssen. Denn nicht Allen ist es möglich, das Handwerk der Kunst einzulernen und zu üben; Viele leben auch in dem entschiedenen Irrthume, daß der Geist eines Kunstwerkes ohne solche Schule zu erfassen sei. In der Ansicht mancher Künstler gehört der Geist indessen nicht zum Artistischen, das ihnen so ausschließliche Einsichten gibt. Darin liegt vielleicht ein Hauptpunkt des Misverständnisses.

Künstler sind meistens Aristokraten, wenn sie auch zu Zeiten mit dem Volke republikanisch deliriren. Im Grunde des Herzens meinen sie's anders. Auch die acht römischen glauben an die Rückkehr der alten guten Zeiten, wenn nur von ihnen das kunstkritische Urtheil abhängt. Sie können Recht haben, die alten guten Zeiten werden dann zurückkehren, Zeiten, wie sie etwa funfzig Jahre hinter uns liegen. Damals war die Kunst etwas Standesmäßiges und Vornehmes. Prinzen hielten sich Akademien, ließen sich gelegentlich was malen oder meißeln, was man auch ebenso gern entbehren mochte, und Bankiers sowie hübsche liederliche Weiber thaten desgleichen. Geschrieben wurde nicht über Das, was entstand; Cavaliere lieben nicht zu schreiben. Aber auch Notiz wurde nicht davon genommen. Die Leute vom Handwerk sagten sich höfliche Sachen unter die Augen, desto unangenehmere hinter dem Rücken. Man glaubte weder an die Wahrheit der einen, noch an die Richtigkeit der andern. Das war die gute Zeit, die vielleicht noch in Oestreich besteht.

Als man aber anfing, an den Satz zu glauben, daß die Kunst als eine Quelle geistigen Genusses für alle sinnvolle Menschen ströme, als man sie als das Mittel ansehen lernte, wodurch die ästhetische Erziehung des menschlichen Geschlechtes ihre Vollendung erhalte, als man sich überzeugte, daß die technische Ausführung immer nur Mittel, nie Zweck sein dürfe, eigentlich dem Sinne ganz verschwinden müsse, sodaß z. B. das Bild vor der Seele, nicht das Gemälde hervortrete, wagten auch andere minder vornehme und reiche Leute sie zum Gegenstande ihrer Beachtung zu machen. Kunstfreunde erwärmten, erfreuten und belebten sich an Kunstwerken, die Mäcene bestellt hatten, ohne grade immer die Mittel zu haben, sie zu bezahlen, und die bisher manchmal gehätschelte, meistens misachtete Kunst wurde eine allen Gebildeten wieder ans Herz gehende Angelegenheit. In der Kunst sahen sie eine Sprache, die darum, weil sie, vollendeter als alle von menschlichen Zungen gestammelte, unmittelbar zum menschlichen Gemüthe spreche, auch Denen zu verstehen gegeben sein müsse, die nicht grade zunftmäßig zu ihr angeschult seien. Bald wurde nun freilich auch über Kunst geschrieben und gedruckt. Denn wie das Wegebreit der Cultur, wie die Thräne der Zwiebel, folgt die Presse den Bewegungen der Gesellschaft. Das Unglück, das dadurch für den Geschmack und die Liebhaberei des Publicums sich ergeben, wollte anfangs sich nicht zeigen. Manche und zwar feine Köpfe wollten sogar behaupten, daß des „kunstliebenden Klosterbruders Phantasien", daß die „Propyläen" und ähnliche von Kunstschreibern verfaßte, das Artistische berücksichtigende Werke wesentlich dazu beigetragen hätten, der Kunst eine Richtung zu geben, die sie der allgemeinen Beachtung wieder werth gemacht, und daß selbst das Technische, das Handwerksmäßige bei den Künsten, das nur allzu sehr herabgekommen war, erst seitdem wieder sich zu erheben, sorgfältiger und genauer zu werden angefangen habe.

Dem widerspricht nun freilich Hr. Reinhart in Rom in dem zweiten Aufsatze des Büchelchens, das uns beschäftigt, in seinem „Sendschreiben an Hrn. Dr. Schorn in München", entschieden, indem er versichert: „Alle Bücher über Kunst, die Künstlern auch wirklich von Nutzen sind, sind sie nicht von Künstlern geschrieben?" (S. 43). Herr Reinhart ist ein gewaltiger Mann, aber in den Beweisen hat er das nicht immer bewiesen. Auch dafür ist er ihn schuldig geblieben. Sein ganzer Brief soll Hrn. Schorn widerlegen, der von einer in München 1829 ausgestellten Reinhart'schen Landschaft gesagt hatte, sie sei geleckt. Ob die Widerlegung gelungen, mögen Andere entscheiden. Bringt Reinhart's „Sendschreiben" indessen auf Andere gleichen Eindruck hervor, wie auf Ref., so wird man, ohne das besprochene Bild gesehen zu haben, doch annehmen, daß Hr. Schorn sich nicht ganz geirrt. Nur wer fühlt, daß er Vieles zugeben müßte, spielt die Antwort so eifrig auf fremdes Gebiet, und führt die Abwehr so mit Schwert und Knüppel.

Ueber Kunst ist in dem „Sendschreiben" sehr wenig die Rede. Dafür läßt sich Hr. Reinhart in Bezug auf seinen Gegner auf eine Weise aus, die eine Nervenprobe für Viele sein wird, ob sie ohne Ekel ihm zu folgen im Stande. Zweifel können und werden nachbleiben, ob er Grund hatte, eine unbillige Kritik abzuweisen; aber auch nicht der geringste kann darin noch obwalten, daß Hr. Reinhart unübertrefflich in Grobheit ist; und wenn Schiller's Bemerkung Grund hat, daß kein noch so großes Talent dem einzelnen Kunstwerk verleihen könne, was dem Schöpfer desselben gebricht, und daß Mängel, die aus dieser Quelle entspringen, selbst die Feile nicht wegnehmen kann, so wird gewiß Niemand die Vermuthung beikommen, daß er durch Feinheit, durch Sorge für das Gefällige und Angenehme seine Bilder verderben werde.

Die dritte Abtheilung des Büchelchens, der zu Gefallen man die beiden ersten Aufsätze aus ihrer Vergessenheit erweckt hat, ist überschrieben: „Sendschreiben an einen Kunstkritiker in Dresden von Fr. Rud. Meyer in Rom". Veranlassung dazu gab ein sehr unbedeutendes Bild, das im J. 1830 auf der dresdner Ausstellung gesehen wurde, und dem Böttiger die unverdiente Ehre erzeigte, es in seinem „Notizenblatt" zu erwähnen. Hr. Meyer, der Verf., lebte damals in Rom, und weil er keine Kraft in sich fühlte, seinem Namen als Künstler eine Bedeutendheit zu verschaffen, so meinte er durch eine grobe Erwiderung dieser Beurtheilung, die Reinhart damals in Rom beliebt gemacht hatte, sich bemerklich machen zu müssen. Unter den Künstlern wird man seinen Namen bis jetzt und wol noch lange vergeblich suchen; er selbst ist wahrscheinlich der einzige Mensch in der Welt, der sich für einen Künstler hält; wenn aber einem Fortsetzer des Meusel einst einfallen sollte, die groben Antikritiker aufzuzählen, so ist sein Platz dort belegt. Das Witzigste, was in diesem „Sendschreiben" Ref. vorgekommen ist, war, es neben andern zu finden, denen Leute wie Thorwaldsen, Catel, Rhoden, Veit ihre Unterschriften gegeben hatten. Sollte der Verf. wol die Geschichte vom Riesen und Zwerge kennen, die miteinander auf Abenteuer auszogen, in Goldsmith's „Landprediger von Wakefield?" Dem armen Zwerg bekam die Ehre nicht wohl. Hr. Meyer hat doch die Freude gehabt, sich Künstler neben den achten nennen zu dürfen. 51.

Niccolo Machiavelli's sämmtliche Werke. Aus dem Italienischen übersetzt von Joh. Ziegler. Erster Band. — Auch unter dem Titel: Vom Staate oder Betrachtungen über die ersten zehn Bücher des Titus Livius. Karlsruhe, Groos. 1832. Gr. 8. 1 Thlr. 16 Gr.

Es ist erwünscht und wohlthätig, daß Werke solcher Männer, von denen jede Zeile der Aufbewahrung werth ist, von Zeit zu Zeit in neuen Ausgaben hervortreten, um sie vor der Vergeßlichkeit des großen Publicums zu sichern, das nur durch ihre oft wiederholte Erscheinung aus eigner Erfahrung lernt, am Guten und Schönen sich zu weiden und gegen das Mittelmäßige, das ihm von allen Seiten zuströmt, unempfänglich zu bleiben. Das ist der unanmaßlichste Weg, Denen zu steuern, welche die Schriftstellerei zum Handwerk und, was noch schlimmer ist, zum ehrlosen herabwürdigen. Daher bewillkommnen wir mit Vergnügen und Erkenntlichkeit die Uebersetzung sämmtlicher Werke eines Mannes, der von allen Gebildeten gekannt zu werden verdient, und wissen dem Uebersetzer Dank, daß er sich begnügen wollen, Sinn und Geist des Wälschen treu und lesbar aufzufassen, ohne dem Deutschen durch ängstliche Anschmiegung an Redensarten und Wendungen des Auslandes wenigstens befremdlich, vielleicht sogar unverständlich zu werden. Denn allerdings war M. das erste und, wie Kenner behaupten, unübertroffene Muster schöner heimatlicher Prosa; wer aber einen classischen Schriftsteller von dieser Seite studiren will, muß sich entschließen, ohne Dolmetscher zu vernehmen, was Jeden, welchem man den Hauptschlüssel aller abendländischen Sprachen nicht unbarmherzig vorenthalten, einer schönen Mutter schönere Tochter bei ihrem ersten Guß errathen und mit jedem Wort ihrer Zusprache besser verstehen läßt. Hingegen können wir die Ordnung nicht billigen, in welcher der Herausgeber seine Sammlung erscheinen läßt. M. kann trotz der beneidenswerthen Klarheit seines Vortrags nicht gehörig verstanden, noch weniger richtig beurtheilt werden, wenn man von seinen Lebensumständen, von den Verhältnissen seiner Zeit und seines Volkes, von Allem, was auf ihn wirkte, und worauf er Einfluß hatte, nicht genau unterrichtet ist. Selbst die Zuschriften, die er seinen einzelnen Erzeugnissen voranschickte, die Wahl der Personen, an die er sie richtete, sind keineswegs unbedeutend. Staatsklugheit und Menschenkenntniß, worin M. schwerlich überboten werden kann, werden nicht selten ebenso belehrend durch Das, worüber sie schweigen, als durch Das, was sie sagen; und warum sie so kühn oder so schüchtern auftreten, geht nur aus genügender geschichtlicher Kunde hervor, deren Ermangelung kein philosophischer Scharfblick zu ersetzen vermag. Jene ist nach unserer innigsten Ueberzeugung der untrüglichste Wegweiser durch die Schriften M.'s, und hätte daher deren Sammlung nicht beschließen, sondern ihr vorleuchten sollen. Wir zweifeln keinen Augenblick, daß Der, welcher Neigung und Studium zum Uebersetzer M.'s geweiht, auch die erfoderlichen Eigenschaften seines Biographen besitze, und hoffen gleichfalls, daß ihm die vielen, zum Theil trefflichen Vorarbeiten und Hülfsmittel zu Gebot stehen, deren ein solcher nicht entbehren darf. Noch hätten wir gewünscht, wovon leider der Augenschein das

Gegentheil zeigt, der Uebersetzer wäre dem Muster M.'s gefolgt und hätte dessen Werke in der Zeitordnung aneinandergereiht, welche dieser selbst für deren Bekanntmachung gewählt. Einen großen Denker und Beobachter, einen durch und durch praktischen Kopf läßt kein Tag und keine Stunde unbelehrt. Neue Erfahrungen und Wahrnehmungen bestärken, berichtigen oder erschüttern seine frühere Ueberzeugung, und es ist ein hoher Genuß, den Gang eines ausgezeichneten Geistes vom ersten Morgen seiner Thätigkeit bis zum späten Abend zu begleiten. Wer die Zeiten seiner Aeußerungen nicht unterscheidet, verwirrt die Begriffe und erlaubt sich gegen einen Andern, was er für himmelschreiende Ungerechtigkeit erklären würde, wenn es ihm selbst widerführe. Gegen diesen Uebereilungsfehler sind sogar urtheilsfähige Personen nicht immer auf ihrer Hut, und es ist die leichte Pflicht jedes Sammlers, ihnen denselben zu ersparen. Nun aber hat der Herausgeber grade mit dem letzten Werke M.'s den Anfang gemacht, welches erst einige Zeit nach seinem Tode bekannt ward, und der am häufigsten gelesene „Principe" ward um das Jahr früher, wenn auch nicht gedruckt, was von Einigen bezweifelt wird, doch allgemein verbreitet und gelesen. Der Biograph wird freilich nicht unterlassen, die Abfassung und Bekanntmachung aller größern und kleinern Werke M.'s möglichst genau zu bestimmen und durch ihre Würdigung und Angabe ihrer Schicksale den künftigen Besitzer seiner Ausgabe vor Misgriffen zu sichern; aber will er sie so lange ungelesen und ungebraucht bleiben lassen, bis dieselbe vollendet ist, und fühlt er sich keinem nicht unbilligen Vorwurf ausgesetzt? Gern erfahren wir aus der Ankündigung, daß auch M.'s Novellen, Lustspiele und kleine Gedichte von ihm nicht übergangen werden sollen, die schon an sich, wegen ihres ästhetischen, echtkomischen und sittenkundigen Gehaltes, der Aufbewahrung werth sind und vollends unschätzbar werden, da nirgends deutlicher als aus ihnen und den vertraulichen, zum Theile scherzhaften Briefen die Heiterkeit, frohe Laune und unvertilgbare Geistesthätigkeit des unvergleichlichen, in Alles sich findenden Mannes hervorgeht, der sich durch keine Stürme und Schläge des widrigen Geschickes aus der Fassung bringen ließ. Bei dieser Gelegenheit erlauben wir uns, vielleicht unnöthigerweise, dem Herausgeber bemerklich zu machen, daß Baretti's Ausgabe der Werke M.'s ein in frühern Sammlungen nicht befindliches Lustspiel: „Der Mönch", enthält, und neuere in Italien gedruckte dem Vernehmen nach Einiges enthalten sollen, was bis dahin ungedruckt geblieben. Es ist zu erwarten, daß eine Uebersetzung, welche sämmtliche Werke verspricht, nichts dergleichen übergehe, ob es auch geringhaltiger scheinen dürfte als Das, worüber Kenner nicht verschiedener Meinung sind. Den Betrachtungen über die ersten zehn Bücher des Livius kann die unsrige nichts geben oder nehmen, worüber drei Jahrhunderte entschieden haben. Nur soviel bemerken wir, da der Biograph seine Stimmen noch nicht erhoben, zur Nachricht für Die, welche das lesenswürdige Buch zum ersten Mal in die Hand nehmen, daß die läuternde historische Kritik damals noch nicht den Glauben an die Berichte des römischen Geschichtschreibers erschüttert hatte, daß aber auch M. keine Sichtung und Prüfung der Aussagen des Livius bezweckte, sondern sich innerhalb der Schranken eines menschenkundigen und weltklugen Beobachters hielt, der aus überlieferten Thatsachen nothwendige und unvermeidliche Folgerungen ableitet, zum Muster und zur Warnung für die Nachwelt. Dem Republikaner aus Neigung, Pflicht und Ueberzeugung, dem Staatssecretair der florentinischen Republik lag sehr nahe, die Gestaltung der römischen als ein großes lehrreiches Vorbild aufzufassen. Jedem einzelnen Capitel ist eine besondere Aufschrift vorgesetzt, die nicht selten einen Lehrsatz ausdrückt, auf römische Ergebnisse gestützt, durch neuere bestätigt und als Richtschnur empfohlen. Dieses gediegene Werk ist augenscheinlich nicht das Erzeugniß weniger Jahre. M. hat sich lange damit beschäftigt, lange daran gefeilt und doch vielleicht sich selbst nie vollkommen genügt; denn fast ist nicht ganz begreiflich, warum er damit zurückgehalten haben sollte, da es ungleich weniger Anstößiges enthält als Anderes, was er dem Druck übergeben. Er hatte es wahrscheinlich zum Siegel und Schlußstein seiner Werke bestimmt, an welchen nachzuhelfen und zu bessern er nicht ermüdete, und so ereilte ihn der Tod, noch eher er sein sechzigstes Jahr erreicht hatte. Es ist sein wahres und eigentliches Vermächtniß an die Nachwelt, und es müßte wunderlich um sie stehen, wenn Die, denen an Welt- und Menschenkenntniß liegt, sich jemals versagen könnten, die Erbschaft anzutreten.

Mit der Anzeige dieser Erscheinung verbinden wir die einer gleichzeitigen:

Der Fürst des Niccolo Macchiavelli, in Verbindung mit Friedrich II. Antimacchiavell, übersetzt von Wilhelm Grafen von Hohenthal-Städteln. Erste Lieferung, Cap. 1—11. Leipzig, Hinrichs. 1833. Gr. 8. 10 Gr.

Der Verf. dieser einfachschön gedruckten Uebertragung zweier in verdienstvollen und beliebten Uebersetzungen allen empfänglichen Händen zugänglichen Werke erwähnt der Gründe nicht, die ihn bewogen, mit der seinigen hervorzutreten, der wir nicht abstreiten, daß sie den Sinn der Urschrift getroffen und verständig wiedergegeben habe. Nur achten wir für unbillig gegen die Leser, die er in Anspruch nimmt, daß er ihnen blos die erste kleine Hälfte der an sich ja nicht bogenreichen Abhandlungen vorlegt, ehe er Muße gefunden das Ganze zu vollenden. Auch hätte M.'s Zuschrift so wenig als Friedrich's des Großen Vorworte übergangen werden sollen. M.'s besonnene Widmung an Lorenz Medici, Herzog von Urbino, Vater der Königin Katharina von Frankreich, sowie das noch schlauer berechnete letzte Capitel des Werkes, welches den Mediceischen Fürsten auffodert, in Verbindung mit seinem päpstlichen Oheim allen Fremden ihre Besitzungen in Italien zu entreißen und die ganze Halbinsel der Obhut ihres Hauses zu unterwerfen, sind es eben, wodurch er sich die Gönnerschaft der Mediceer erwarb und ihr Mistrauen gegen seine Gesinnungen und den nachtheiligen Einfluß des Büchelchens entfernte. Darum trug der Mediceer Clemens VII. kein Bedenken, von dem Freibriefe, welchen er einem römischen Verleger über ein Werk M.'s ertheilte, den „Principe" nicht auszuschließen, und erst volle sechzig Jahre später läutete seine Sturmglocke der Jesuit Possevin, welcher sonderbarerweise das Buch selbst nicht gelesen hatte und es nur aus der bitterbösen und höchst einseitigen Gegenschrift des strengen Calvinisten Gentillet kannte, eines verrufenen Gegners aller römischkatholischen Schriftsteller. Das Aufsehen, welches er dadurch erregte, bewog den Aldobrandini, Papst Clemens VIII., zu dem ohnmächtigen Versuch, den Freibrief seines Vorfahren aufzuheben und Bannstrahlen, die längst nicht mehr zündeten, gegen das Buch, dessen Verf. und Leser zu schleudern. Auch Friedrich's des Großen Vorwort seiner Widerlegung darf von dieser nicht getrennt werden, da es den Standpunkt bezeichnet, von welchem seine Untersuchung ausgeht und den er sein ganzes Leben hindurch festgehalten. Zwar verbeut uns wohlbegründete Ueberzeugung, den Anklägern beizutreten, welche sich gegen M. persönlich erheben; dennoch müßten wir beglaubigte Zeugnisse und eignes Nachdenken über unvermeidliche Wirkungen naheliegender Ursachen verleugnen, wenn wir bestreiten wollten, daß die Mittel, welche M. nachweist, um zum Besitz unrechtmäßiger Gewalt zu gelangen und deren Fortdauer zu sichern, da sie nicht erträumt, nicht erfunden, sondern von unleugbarer Wirklichkeit entlehnt sind, zügellosen und kräftigen Ehrgeizigen einleuchten können, eingeleuchtet haben und einleuchten müssen. M.'s zeitverwandte Fürsten Wälschlands hatten ursprünglich mehr oder weniger ihre Fürstenmacht erschlichen oder gewaltsam an sich gerissen; er kannte keine andere und war weit entfernt zu wünschen, daß seine Landsleute mit dem Fürstennamen bessere und freundlichere Begriffe verbinden möchten; der Republikaner erblickte in jedem einen Gewalträuber. Bittere Erfahrungen drangen ihm den Grundsatz auf, was durch Unrecht erworben worden, sei nur durch fortgesetztes Unrecht zu bewahren, und seine ganze Darstellung ist eine Erläuterung dieser Lehren. Sie mußte den Erben einer rechtmäßigen, von Freunden und Feinden anerkannten fürstlichen Oberherrlichkeit, dem ein hohes Musterbild von den Segnungen vorschwebte, welche sie zu verbreiten fähig ist, und dessen lange Regierung zeugt, wie er im Glück und Unglück dieses Musterbild nie aus den Augen verloren, in den innersten Tiefen seiner reinen und edeln Seele erzürnen. Berufen fühlte er sich, sie zu bekämpfen durch Wort und That, und das ist ihm gelungen wie Wenigen. Sein erstes auf die Nachwelt gekommenes Jugendwerk ist ein Spiegel für Fürsten und Völker, ein bleibendes Palladium für besonnene Freunde der monarchischen Verfassung. Sogar auf glückliche und verständige Usurpatoren mag es heilsam wirken; denn es ist thöricht zu glauben, daß dieser Menschenschlag jemals durchaus verschwinden, daß er nicht hier und da vom Zufall, oder, wenn das Wort Zufall Gotteslästerung ist, vom unerforschlichen Verhängnisse begünstigt werden könne, so lange die Erde von Menschen bevölkert bleibt. Personen, Ansichten, Begriffe, Gestaltungen wechseln und sind sterblich; Leidenschaften, Tugenden und Fehler, durch welche Begriffe und Gestaltungen herbeigeführt werden, sind es nicht. Allerdings bestraft, nach anbetungswürdigen Naturgesetzen, jedes Unrecht sich selbst; allerdings muß Der Viele fürchten, den Alle fürchten; und wem sein Gewissen vorwirft, er habe einen Besitz durch unrechtmäßige Mittel erlangt, der kann sich keinen Augenblick sicher glauben. Nichtsdestoweniger bleibt unumstößlich wahr, daß selbst ein Solcher, da er ohne Umgebung nicht bestehen kann, lieber thut ehrlichen Leuten zu vertrauen, als solchen, die ebenso schlecht, vielleicht schlechter sind als er, und daß er keinen größern Fehltritt begehen kann, als indem er durch fortgesetzte Uebelthaten das Andenken der vergangenen täglich auffrischt. Die Herzen der Guten sind versöhnlich, die Begierden der Bösen nie zu sättigen. Gibt es ein Mittel jene zu gewinnen, so liegt es einzig in der Ueberzeugung, daß eine That, die sie misbilligen, aber nicht ungeschehen zu machen vermögen, Wirkungen herbeigeführt hat, welche zu unterbrechen sie vor ihrer Vernunft nicht zu verantworten wissen. Was sie nie rechtfertigen, dürfen sie gar wohl sich verbunden erachten nicht zu rächen und selbst dem Usurpator die treuen Dienste nicht zu versagen, die zur Beförderung heilsamer Zwecke, zur Hintertreibung verwerflicher unentbehrlich sind. Hingegen ist nichts gewisser, als daß die Fortdauer des Uebels, die Anordnung grausamer und hinterlistiger Maßregeln, der Gebrauch verschriener Werkzeuge alte Wunden immer wieder aufreißt, selbst den leichtesten zu vernarben nicht gestattet und den ohnehin gefährdeten Stand eines Gewalträubers jeder denkbaren Stütze beraubt. Doch wir enthalten uns, in geschwächten Zügen zu wiederholen, was in lebendigen Friedrich's Meisterhand unübertrefflich geschildert hat. Nur erneuert sich bei dieser Veranlassung die schmerzliche Erinnerung, daß dieses hohe Geisteswerk nicht durchaus rein und unverfälscht auf uns gekommen ist. Als Voltaire die Handschrift, welche sein fürstlicher Freund ihm in ehrenwerthem Vertrauen mitgetheilt, einem Buchhändler im Haag nach seiner Aussage schenkte, nach der Aussage des unbescholtenen Verlegers für schweres Geld verkaufte, erlaubte er sich, wie Prosper Marchand in seinem „Dictionnaire", Art. Anti-Machiavell berichtet und belegt, willkürlich darin zu streichen, umzuändern und hinzuzufügen, und würde noch eigenmächtiger damit verfahren sein, wenn ihn der argwöhnische Buchhändler nicht dabei überrascht und dem unberufenen Geschäft eingehalten hätte. Absicht, Ton, Einkleidung und Gehalt des schätzbaren Werks haben hoffentlich nichts Wesentliches eingebüßt; gleichwol bleibt zu beklagen, daß fremde Zusätze und Abänderungen sich erdreisten dürfen, die Freimüthigkeit oder Bescheidenheit der Urschrift zu vertilgen oder zu entstellen, und fast fürchten wir, ihr königlicher Verf., der dem Beleidiger verziehen, sei gegen eigne Schriftstellerei zu gleichgültig und zu beschäftigt gewesen, um eine berichtigte Ausgabe seiner Darstellung zu veranstalten. Besser unterrichteten und unterstützten Forschern überlassen wir die Untersuchung einer Thatsache, deren bloße Andeutung hinreicht, die Aufmerksamkeit der Gebildeten in Anspruch zu nehmen. 95.

Literarische Notizen.

Soeben ist der erste Theil von Michaud's, des Geschichtschreibers der Kreuzzüge, auf sechs Theile berechnete „Correspondance d'orient 1830—31" erschienen und enthält des Verf. Nachrichten von seinem Besuch verschiedener Theile Moreas und der kleinasiatischen Küste. Der zweite wird seine vom Gestade des Hellesponts und von Konstantinopel geschriebenen Briefe mittheilen, der dritte die Correspondenz vom Wege von Konstantinopel nach Jerusalem, und der vierte, fünfte und sechste Briefe aus Palästina, Syrien und Aegypten.

Freunden literarischer Alterthümer macht F. Michelet durch zwei Neuigkeiten ein angenehmes Geschenk. Die erste, eine in Prosa und Versen geschriebene Abhandlung aus dem 13. Jahrhundert, führt den Titel: „Des XXIII manières de Villains", und enthält eine humoristische Erklärung einiger alten Volkssprüchwörter. Die andere: „La loi d'Havelot le danois", ist eine poetische Uebertragung in die langue d'oil einer auf den ersten Einfall der Dänen in England Bezug habenden Sage.

Unter den interessanten neuen Erscheinungen amerikanischer Literatur findet sich auch eine „Indian biography; or an historical account of those individuals who have been distinguished among the North American natives as orators, warriors, statesmen and other remarcable characters, by *B. B. Thatcher*, Esq. (2 Bände. 18. Mit Kupfern. 10 Sh.)

Zeitinteresse verspricht: „An analytical view of the principal plans of church reform, with a full and impartial examination of their respective merits and practicability, and a statement of the true principles of church reform, by the rev. *S. T. Bloomfield*, D. D. F. S. A. Vicar of Biscrooke, in Rutland.

Ein „Wörterbuch der mongolischen Sprache", mit Erläuterungen in russischer und deutscher vom Professor Schmidt in St. Petersburg, erwartet man nächstes Jahr.

Die mailänder Editoren der „Classici italiani" zeigen als eine Fortsetzung dieses Werkes die Herausgabe der besten italienischen Schriftsteller des 18. Jahrhunderts in 136 Octavbänden an. Wir finden darunter die Namen Giannone, Muratori, Maffei, Genovesi, Filangieri, Beccaria u. A., vermissen aber die eines Vico, Pietro Verri und Appiano Buonafede, dessen letztern von Heidenreich theilweise ins Deutsche übersetzte „Storia d'ogni filosofia" gegenwärtig von Fontana in Mailand neu wieder herausgegeben werden soll.

Pistolesi's prächtiges, in Rom an das Licht tretendes Foliowerk über den alten und neuen Vatican: „Il Vaticano descritto", mit geätzten Blättern von Guerra, ist bis zu seiner sechzehnten Nummer vorgeschritten.

Professor Rosini hat einen neuen Roman: „Luisa Strozzi", geschrieben, der nächstens in vier Bänden erscheinen soll. Die Zeit der Handlung ist der Fall der florentinischen Republik im 16. Jahrhundert. Die Bildnisse Savonarola's, Michel Angelo's, Guicciardini's, Cellini's und anderer damals lebenden Berühmtheiten zieren es.

Ein Herr Martorano von Palermo gab den ersten Theil eines Werkes über die Sarazenen in Sicilien heraus.

Der Cavaliere Don Giuseppe Manno gibt in seiner „Storia di Sardegna" (4 Bde., Turin, 1827) die jetzige Bevölkerung Sardiniens auf wenig mehr als eine halbe Million und die der Hauptstadt Cagliari auf 27,000 Seelen an. 165.

Blätter für literarische Unterhaltung.

Montag, — Nr. 280. — 7. October 1833.

Friedrich der Große. Eine Lebensgeschichte von J. D. E. Preuß. Erster und zweiter Band. Mit einem Urkundenbuche. Erster und zweiter Theil. Berlin, Nauck. 1832—33. Gr. 8. 7 Thlr. 8 Gr. *)

Wenig fehlt an einem halben Jahrhundert, seit der große Preußenkönig die Augen schloß. Durch ein fast wunderbares Zusammentreffen ist zur Huldigung seines Andenkens nichts von Dem geschehen, was gewöhnlich auf öffentliche Veranstaltung zu geschehen pflegt, um, wie es heißt, den Verdiensten des Verstorbenen ein Denkmal zu stiften. Man mag dieses ja nicht einem Mangel an Pietät schuld geben, sondern eine Mitveranlassung des Versäumnisses liegt in der Ueberzeugung, ein so außerordentlicher Mann erheische eine das herkömmliche Maß huldigender Gedächtnißmale überschreitende Norm; hier sei es nicht mit dem Gewöhnlichen abgemacht, und das sinnreich Entsprechende, Außerordentliche werde selten erdacht, noch seltner ausgeführt. Wirklich hat man zu verschiedenen Zeiten die Aufgabe gestellt, wie Friedrich dem Einzigen ein würdiges Staats- und Nationaldenkmal zu errichten sei. In wie weit es die Sache der königlich preußischen Akademie der Künste war, diese Frage zu lösen, braucht hier nicht entschieden zu werden. Die Theilnahme für eine Durchführung des Planes zeigte sich in hier und dort zur Sprache gebrachten Vorschlägen, welche recht redlich gemeint waren, wenn sie auch wie der Tempelhoff'sche oder Seidl'sche bis zum Spaßhaften untauglich befunden wurden. In besserm Geiste als solche Misgriffe war schon die Errichtung des Standbildes, welches dem Einzigen auf dem Königsplatze zu Stettin errichtet wurde; jedoch ist dadurch die Idee eines großartig entsprechenden Nationaldenkmals der plastischen Kunst noch nicht realisirt, wie denn auch die bisher versuchten Biographien von anderer Seite so Vieles zu wünschen übrig lassen. Ueber letztern Gegenstand redet ausführlich Dohm im fünften Bande der „Denkwürdigkeiten meiner Zeit", nach dem er zuvor im vierten Bande schätzbare Beiträge zur Charakteristik Friedrich's II. beigebracht hat. Er zeigt sehr richtig, daß der Mangel einer vollständigen, würdigen Geschichte desselben nicht in der Gleichgültigkeit der Nation für den großen König, sondern in der Schwierigkeit des Unternehmens selbst liege.

Die allgemeine Theilnahme, welche vorliegendes neue biographische Werk sogleich bei seinem Erscheinen auf sich zog, griff den Empfehlungen kritischer und unkritischer Zeitschriften noch vor, und bewies, daß Preußens Ruhm mit dem Friedrich's II. identificirt ist. Je fühlbarer bisher der Mangel einer einigermaßen vollständigen, mit geschichtlichem Geiste angelegten Biographie war, um so größern Beifall fand Herrn Preuß's Darbietung. Es würde diese Anzeige um Vieles zu spät kommen, wenn sie den Geschichtsfreund und Patrioten jene Bände als eine literarische Neuigkeit vorführen wollte. Selbst diese Blätter haben schon vor mehren Wochen Auszüge aus dem zweiten Bande des Urkundenbuches mitgetheilt. Der Gesichtspunkt, nach welchem hier von dieser Lebensgeschichte geredet wird, ist kein anderer, als auf den hohen Werth hinzuweisen, welchen solche besonders durch viele, auch in den Anmerkungen niedergelegte Hinweisungen, durch das aus ungedruckten Quellen entlehnte Urkundenbuch und durch die verheißene „möglichst vollständige Literatur" erhält, wodurch mit diesem Werke der anderwärts in Vorschlag gebrachte Plan zu einer Friedrichsbibliothek eine treffliche Grundlage erhält, zumal wenn die literarische Uebersicht sich nicht auf nüchternes Bücherverzeichniß beschränkt, sondern auch auf kritische Würdigung erstreckt, wozu Dohm im fünften Bande der „Denkwürdigkeiten" schon einen Anfang gemacht hat. Dann darf es dem Werke nicht an vollständigen Registern fehlen. Das Ganze aber muß von allen Seiten als ein wohlgeordnetes Archiv, welches immerhin zu vervollständigen ist, betrachtet werden. Es wird dem Verf., welcher mit großem Fleiße eine Reihe von Jahren dieser Unternehmung widmete, zum besondern Verdienste gereichen, zu dieser Theilnahme an der Geschichte Friedrich's II. Anregung gegeben zu haben, besonders da die immer größer werdende Zerstreuung der Materialien und das Aussterben der Augenzeugen die Verpflichtung, frühere Versäumniß auszugleichen, mit jedem Jahre vermehrt. Mit diesen Bemerkungen wenden wir uns hier zunächst dem zweiten Bande der Geschichte Friedrich's zu, welcher dessen Leben während dem Laufe des siebenjährigen Krieges erzählt. Der Verf. verwahrt sich in der kurzen Vorrede, daß er

*) Wir haben schon in mehren kleinen Artikeln auf das Werk aufmerksam gemacht und Einzelnes daraus mitgetheilt. D. Red.

keine Kriegsgeschichte zu liefern beabsichtige; doch können wir diese Verwahrung nur halb gelten lassen, da ja grade eine recht klare Geschichte des Krieges es ist, welche den Wirkungskreis des Königs zu seiner Zeit, mithin seine Charakteristik an den Tag legt. Aus der kurzen Vorrede wie aus mancher Stelle der Lebenserzählung hätten wir gehäufte Lobsprüche des Königs, wozu sich der Verf. hinreißen läßt, weggewünscht, als Bürgschaft, daß der Lauterkeit der Geschichte nirgend Eintrag geschehen, aus begeistertem Anstaunen des Königs, dessen Geisteshoheit sich, wie auch Napoleon bemerkt, am ausgezeichnetsten im Unglücke darthat. Für die Kriegsgeschichte erhält dieses Werk dadurch besondern Werth, daß bei demselben die treffliche „Geschichte des siebenjährigen Krieges, mit Benutzung authentischer Quellen, bearbeitet von den Offizieren des großen Generalstabes", welche nie in Buchhandel gekommen ist, benutzt wurde. Jedoch leugnen wir nicht, daß dort wie hier der gegen Friedrich's Feldherrnanordnungen anderweitig erhobene Tadel oft leichter behandelt ist, als das Eindringen in die Charakteristik des Königs verstattete. Wir verdanken jener zunächst dem Unterrichte des preußischen Offiziers gewidmeten Kriegsgeschichte viele Fingerzeige, wie Friedrich mit kecker Eigenwilligkeit zuweilen entschiedene Thatsachen, die nicht in seinen Plan paßten, ableugnete, bestritt, als Irrthum Anderer bezeichnete und sich dadurch in großes Unglück brachte. Die Größe seines Geistes zeigte sich dann am reinsten, wenn er die vom eigenwilligen Irrthum herbeigezogenen Unglücksfälle durch rasche, kühne Thaten paralysirte.

Da Ref. seit mehr als einem Jahrzehend zur Selbstbelehrung, nicht zu schriftstellerischen Zwecken für die neuere preußische Geschichte sammelte, so benutzt er diese Anzeige, hier einige Scholien mitzutheilen als Zeugniß des Interesses, mit welchem er diese neueste Arbeit über Friedrich II. studirte. Er wählt, vom Zufalle geleitet, die Geschichte des allirten Heeres in Westfalen und das Verhältniß des Herzogs Ferdinand von Braunschweig als Befehlshabers desselben, da sich ohnehin ergibt, daß dieser Gegenstand, bisher oft einseitig beurtheilt, für die Charakteristik Friedrich's ebenso wichtig ist, als er für die Entscheidung des Krieges kaum zu berechnende Folgen hatte.

Dieses allirte Heer war kein von dem Könige von Preußen unmittelbar abhängiges, sondern stand im britischen Solde und bestand außer einigen unbedeutenden Zugaben aus Preußen, Hanoveranern, Braunschweigern und Hessen. Es war anfangs vom berüchtigten Herzoge von Cumberland befehligt, der vom Anfange an die wohlberechneten Plane Friedrich's, welche der General von Schmettau in Hanover geltend zu machen versuchte, verwarf. Friedrich wollte durch Behauptung des Rheines sich Westfalen sichern, das mit seinem Einflusse in London prädominirende hanöverische Ministerium sich auf Vertheidigung der Weser und der Kurlande beschränken; nur darin stimmte ein glücklicher Erfolg des einen wie des andern Planes überein, daß Friedrich durch dieses allirte Heer gegen den Andrang der Franzosen gesichert sein sollte. Pitt's oft gepriesener Ausspruch: Amerika müsse in Deutschland erobert werden, fand aber im britischen Parlamente fortwährenden Widerspruch, welcher beim unglücklichen Erfolge des deutschbritischen Krieges noch lauter wurde. Bis zum Rückzuge von Hastenbeck und der bald darauf im Kloster Seven unterhandelten schmachvollen Convention hatte dieser Krieg England an 40 Millionen gekostet (wenn man den Angaben Joseph Marshall's glauben darf), und nichts von Dem war erreicht, was bezweckt wurde: Richelieu sog die hanöverischen Staaten aus, und Friedrich wurde in Sachsen und Thüringen von den Franzosen gedrängt. Marshall ruft aus:

Im Namen des gesunden Menschenverstandes! würden nicht sechs bis sieben jährliche Millionen, welche man angewandt hätte, Frankreich auf seinen eignen Küsten anzugreifen, mit einem so zahlreichen Heere, als wir in Deutschland unterhielten, und mit Zugabe alles Dessen, was auf die Ueberschiffung dorthin verwandt wurde, würde nicht ein solcher Operationsplan alle französischen Heere gewisser aus Deutschland entfernt haben als unsere dortigen Heere? Würden nicht die Franzosen weit mehr beunruhigt sein durch ein feindliches Heer in der Normandie als in Minden, Hessen und Hanover?

Hier muß hinzugesetzt werden, daß Friedrich sich von der directen Theilnahme der Engländer an dem deutschen Landkriege nicht viel versprach, sondern nächst der Subsidienzahlung verlangte, das londoner Cabinet solle durch Absendung einer Flotte in die Ostsee Rußlands und Schwedens Angriffe auf Preußen verhindern. Dadurch wäre dann freilich Hanovers Beschützung dem Könige von Preußen zugefallen, was insofern nicht zu den Planen der britischen Politik paßte, als dieselbe durchaus nicht geneigt war, dem Könige von Preußen in Deutschland freie Hand zu lassen. Beiläufig bemerkt, hätte eine Expedition an der französischen Küste gewiß wo möglich noch schmachvoller geendet als der Feldzug des allirten Heeres im Jahre 1757, wenn das Landungsheer so schlecht organisirt und angeführt wurde als jenes. (S. „Neue Literatur und Völkerkunde", Nr. V, 1789; „Historische Nachrichten, die Schlacht bei Hastenbeck betreffend, von einem vornehmen Offiziere". Vornehm mag der referirende Verfasser gewesen sein, als geist- und einsichtsvoll gibt er sich in dem den Herzog von Cumberland entschuldigen sollenden Aufsatze nicht kund.)

Die Scene änderte sich, als unmittelbar nach der Schlacht bei Roßbach der Herzog Ferdinand von Braunschweig als Befehlshaber des allirten Heeres auftrat. Herr Preuß sagt:

Abhängig blieb er auch ferner von seinem Meister (Friedrich II.) an der Spitze der verbündeten Armee, mit welcher nur Ferdinand's Persönlichkeit so ruhmvolle Thaten ausführen konnte (Th. II, S. 126).

Grade diese vom Könige von Preußen festgehaltene Abhängigkeit seines bisherigen Generals hörte factisch mit der Uebernahme jener Heerführung auf. Friedrich behandelte Ferdinand fortwährend als einen ihm untergeordneten Befehlshaber, dem er Befehle und [illegible] zugehen ließ, wogegen Ferdinand vom britischen [illegible]rium abhängig war und dessen Weisungen [illegible] hatte. Da Friedrich hiervon nichts wissen [illegible], entstanden zwischen Beiden bald Spannungen, [illegible] in der

Kriegsführung nicht ohne Erfolg blieben und zwischen Beiden eine Kälte bewirkten, welche nur durch die Milde der Gesinnung Ferdinand's nicht bis zum offenbaren Bruche kam. Daß der Herzog ein ihm verschwägerter Fürstensohn war, gab der Verstimmung Friedrich's noch mehr Härte. Ja, der Umstand, daß Ferdinand den höchsten Feldherrnruhm erlangte, während Friedrich so manche Ungunst des Kriegsglückes erduldete, mag die Spannung bedeutend vermehrt haben. Die Gunstbezeigungen des Königs gegen den Herzog im Laufe des Jahres 1758 durch Ernennung zum General von der Infanterie und im December zum Generalfeldmarschall waren mit dem Ansinnen verknüpft, das Versprechen, nicht aus preußischem Dienst zu treten, zu geben. Dieses war ja aber schon factisch geschehen, indem Ferdinand ein britisch-hanöverisches Heer befehligte. Unter dem 24. März 1758 schreibt Ferdinand seinem vertrauten Secretair Westphal:

Da sehen Sie aus dem Briefe des Königs, wie er die Sachen nimmt; ich kann und will, wie es auch kommen mag, darauf durchaus nicht eingehen, sondern unter irgend einem Vorwande ausweichen. Ich hege unwiderstehliche Abneigung, eine solche Urkunde zu unterzeichnen; denn mein schwacher Gesundheitszustand könnte mich verpflichten, insofern die Ehre es mir erlaubt, mich gänzlich vom Dienste zurückzuziehen, um in Frieden und Ruhe noch einige Augenblicke meines Lebens zu genießen. Ist er denn der gesetzgebende Herr? Ich, als freier Mann geboren, kann mich durch solche Fesseln nicht binden lassen; lieber will ich Se. Majestät bitten, mich in ihre Staatsgeheimnisse nicht einzuweihen, als sie mir wissen zu lassen, indem ich mich dadurch für den Rest meiner Tage der Sklaverei preisgebe.

Und am folgenden Tage fügt Ferdinand in Bezug auf diese Angelegenheit noch hinzu:

Ich hoffe, der König wird so gerecht sein, nicht länger auf eine ebenso harte als ungerechte (aussi dure qu'injuste) Sache zu bestehen. Er ist ein schrecklicher Mann (un terrible homme); er ist ein großer Fürst, aber er hat schreckliche Launen (terribles caprices), denen man sich für jetzt nicht blind unterwerfen kann.

(Der Beschluß folgt.)

Fußreise durch den größten Theil der östreichischen Monarchie in den Jahren 1827, 1828 bis Ende Mai 1829, und zwar durch Ungarn, Siebenbürgen, die Militairgrenze fast in allen Theilen, sammt einem Ausfluge in die Walachei, dann durch Sirmien, Slawonien, Croatien, Krain, Friaul, das Küstenland, ganz Oberitalien und Tirol, Salzburg und Oestreich ob und unter der Ens; unternommen von Adalbert Joseph Krikel. Drei Bände. Wien, Mayer u. Comp. 1833. Gr. 8. 2 Thlr. 16 Gr.

Der fleißige Reisende, unermüdet in der Bestehung wie in der Beschreibung mannichfaltiger Reiseschicksale, der hier ein seitenreiches und keineswegs inhaltloses Werk dem Publicum übergibt, hat schon früher seit 1829 drei einzelne kleine Reisebeschreibungen durch einige Theile des östreichischen Kaiserstaates drucken lassen. Im J. 1827 hatte er die Absicht, eine Reise durch Ungarn auf dem Landwege nach Jerusalem zu unternehmen, aber wegen des in derselben Zeit in jenen Gegenden ausgebrochenen Krieges kam er nur bis vor Bukarest, wandte sich zurück nach Ungarn, ging durch Croatien und Krain nach Italien und von dort nach Oestreich. Die Darstellung seiner Reise ist im Tone der Wahrheit, einfach und ohne Künstelei niedergeschrieben, und man folgt ihm gern auf seinem weiten Wege durch meistens nicht viel bekannte, oder doch wenig beschriebene Gegenden. In Ereignisse und Menschen sich fügend, lebt der Reisende musicirend und singend in den Hütten der Armen, wie in den reichversorgten Häusern biederer ungarischer Bürger und in den Palästen des gastfreundlichen, hochherzigen Adels. Die Strecken, die er durchmißt, legt er zu Fuß zurück, ohne doch zufällige Gelegenheit zum Fahren von sich zu weisen, wodurch er mancherlei Menschen und Sitten kennen lernt. Ohne ihm von Stadt zu Stadt zu folgen, heben wir folgende Notizen und Bemerkungen aus. Nach Erlau kommt der Verf. zu den Feierlichkeiten, die zum Empfang des neu ernannten Erzbischofs Ladislaus Pyrker, zugleich Obergespanns der Hevescher Gespannschaft, veranstaltet werden. Ehrenbogen, Reden, lateinische Aufschriften, Aufzüge der deutschen und ungarischen Bürger und des Adels fehlten von Seiten der Erwartenden nicht. Dagegen ritten dem einziehenden Erzbischof die Comitats- und Palatinalhusaren voran, dann folgte eine Reihe von Gallawagen mit den untergeordneten Bischöfen und dem Landadel, hierauf 600 Reiter, dann der Bischof von Waizen, endlich Pyrker selbst, ihm zur Seite der königliche Hofrichter, Graf Czyraky, als Commissair. Nachdem wir die Beschreibung des Einzugs möglichst zusammengezogen, übergehen wir die Feierlichkeiten der Installation und gedenken nur noch des großen Mittagsmahls, zu dem kein einzelner Saal, auch der längste nicht, hingereicht hätte. Die Gäste, darunter auch unser Reisende, speisten in den verschiedenen Gemächern eines ganzen großen Hauses, und nach beendeter Tafel durchging der Erzbischof die Säle, um nach dem Herkommen auf das Wohl seiner Gäste zu trinken. Während die geladenen Gäste tafelten, rann vom Balcon des Hauses Wein in Behältnisse auf der Straße für jedem Zulangenden. Wol selten hat sich ein deutscher Dichter (und zu diesen kann man ja Pyrker zur Genugthuung deutscher Stammgenossen zählen) in der Lage befunden, ein solches Fest geben zu können. Von Erlau wandert der Verf., um die nächsten Wege nach dem heiligen Grabe, wie es scheint, nicht sehr bekümmert, in die Zips und gibt einige Mittheilungen über die Sitten und Sprache der alten, deutschen Bevölkerung in dieser Gespannschaft. Hier eine Probe der Zipser gemeinen Rede: „Pi ich foa gestan met mein Fota om Joamak boa, ho ich gezen, bi sich tzbe polaketsche Gud'n gerast hom, oda ana dea boa stärka, ont hot en andan dabost, ont hot'n baita azo uba de Kat geschlogen, doz a necht hot kunea of steh'n." Da manche Leser diese Zeilen gar nicht oder doch nur mit Mühe verstehen möchten, fügen wir die Uebersetzung hinzu: „Als ich vorgestern mit meinem Vater auf dem Jahrmarkt war, habe ich gesehen, wie sich zwei polnische Juden gerauft haben, aber einer der war stärker und hat den andern erwischt und hat ihn aber also über die Erde geschlagen, daß er nicht hat aufstehen können." Im Verfolg seiner Reise sieht der Verf. auch die siebenbürger Sachsen, die in weit bedeutenderer Anzahl beisammenwohnen als die zipser Deutschen und auch außerhalb ihres Landes bekannter sind als die letztern. Er tritt als ein warmer Vertheidiger derselben auf, tadelt jedoch ihre Anhänglichkeit an die alte sächsische Mundart, die sie unter sich üben und in Ehren halten, obgleich die Mehrzahl von ihnen der hochdeutschen Rede mächtig ist. Dieser Mundart bedienen sich die Siebenbürger selbst beim lauten Lesen hochdeutscher Bücher, und jeder Fremde, sagt Hr. Krikel, wird erstaunen, wenn er ein hochdeutsches, in der üblichen Schriftsprache abgefaßtes Buch von einem Knaben von 14 Jahren so sächsisch vorlesen hört, daß es kein anderer Deutscher versteht. Um aber einen solchen Text siebenbürgisch gleichsam zu extemporiren, muß der Lehrer diese Mundart durch mündliche Uebung erlernen, da die Schriftsprache mangelt. So liest man dort: ich werde sein, „ech werde seng"; ich bin gewesen, „ech beg gewieſt"; er hat den Husten, „'r hätt de Host" u. s. w. Auch ein sächsisches Volkslied theilt der Verf. im zweiten Theile, schon auf der Rückreise aus der Walachei, mit. Es wird darin das fröhliche, weinselige Leben der siebenbürger Sachsen beschrieben, und zuletzt heißt es:

Kom bit der Owendstern raus,
Ei geht et lustig zu,
Wir tanzen, spilen blengte Maus
Und mazzen es derba.

Vielleicht werden Viele unsere Vorsicht unnütz finden, dennoch setzen wir die Uebersetzung der Strophe hierher: „Kaum kommt der Abendstern heraus, so geht es lustig zu, wir schäkern, spielen blinde Maus und küssen uns dazu." In der Walachei geht es übrigens dem Verf. nicht nach Wunsch, er stößt überall auf marschirende Truppen und Kriegsgedränge, das ihm beschwerlich fällt, endlich wird ihm die Weiterreise von den russischen Verwaltungsbehörden wegen ausgebrochener Pest verwehrt, er geräth in einem walachischen Dorf in eine Schlägerei walachischer Bauern und kommt mit blauen Flecken zurück nach Kronstadt, worauf er mit größerer Sicherheit das Burzenland durchreist und sich die Ruinen der Burgen der deutschen Ordensritter beschaut. Später wandert er nach manchen Zwischenstreifereien über Semlin durch die Generalate der Militairgrenze und Krain zunächst auf Triest, von wo er nach Venedig überschifft. Seine Beobachtungen und Erlebnisse in Oberitalien bieten nichts Erhebliches dar. Zu oft sind jene Gegenden beschrieben worden, als daß ein eiliger und unvorbereiteter Reisender darüber Mittheilungen machen könnte, die nicht Wiederholungen des schon Bekannten enthielten. Fast dasselbe läßt sich von seinem Tagebuch durch Tirol, Salzburg und Oestreich sagen. Als endlich nach einer Reise von fast 1000 Meilen der Verf. die letzten Höhen des Wienerwaldes übersteigt und nun die Giebel und Thürme Wiens und den St.-Stephansdom erblickt, bricht er in Thränen der Freude aus, ohne Jerusalem gesehen zu haben. Für die Bekanntmachung seiner Reisebemerkungen müssen ihm billige Leser Dank wissen, und wir bedauern nur, daß, nachdem er die Zips und das Sachsenland in Siebenbürgen durchreist, er die alten deutschen Niederlassungen bei Verona gar nicht und das Ländchen der Gotscheer in Krain nur flüchtig berührt hat. 44.

Anzeiger zur Kunde des deutschen Mittelalters.

Kaum sollte man glauben, daß in unserer viellesenden Zeit ein Blatt, das einem gefühlten Bedürfnisse abhilft, das von einem Orte literarischer Betriebsamkeit ausgeht, das in sehr anständiger Form sich der Welt zeigt, unbekannt sein und bleiben könnte, und doch ist es leider der Fall, wie des Freiherrn von Aufseß „Anzeiger für Kunde des deutschen Mittelalters" (Eine Monatschrift. Nürnberg, kl. Folio) den Beweis gibt. Kann es irgend ein Bedürfniß für den Geschichtsforscher über Deutschlands Mittelalter geben, so ist es die Aufzeichnung aller der Notizen, die in den einzelnen Zeitblättern kommen und verschwinden, und die Registrirung aller der Schriften, die auf sein Fach Bezug haben, unter bequemen Uebersichten, vielleicht gar mit Andeutung von Recensionen, welche Irrthümer nachwiesen, Nachträge gaben, oder tiefer sonst in die Aufgaben eindrangen. Uebernimmt es nun gar noch Jemand, für ihn in kürzesten Worten Entdeckungen in Bezug auf Oertlichkeit, Kunst u. s. w. genau anzumerken, Anfragen zusammenzustellen, bisher Unbekanntes für seinen Gebrauch zu notiren, so müßte der Mann keine dankbare Ader im Leibe haben, fühlte er sich nicht einem solchen Helfer verpflichtet. Alles das und noch mehr hat der Freiherr von Aufseß in seinem Anzeiger gethan; und doch findet man ihn, obgleich er im zweiten Jahrgange steht, nirgend erwähnt, im Ganzen außer durch Rudhart, Grimm, Ledebur, Maßmann u. A. viel weniger benutzt, als seine unbestreitbare Bequemlichkeit erwarten läßt, und wahrscheinlich nach diesen Anzeigen zu urtheilen, auch wenig gekauft. Das Letztere ist darum kaum begreiflich, weil eine Monatschrift, die elegant auf dem schönsten weißen Papiere gedruckt und sehr häufig mit lithographirten Beilagen ausgestattet ist, für den Preis von 1 Thlr. sächs. (1 Fl. 48 Kr.) außerdem zu den Raritäten auf dem Büchermarkte gehört. Fast möchte man glauben, daß Die, welche dieses literarische Potosi kennen, absichtlich es geheim halten, wie die Holländer ehemals den Zugang zu den Gewürzinseln; denn der Reichthum schon fertiger Notizen, der dort zusammengetragen liegt, könnte manchen literarischen Kleinkrämer auf einmal zum historischen Großhändler machen.

Wer will jetzt wissen, wenn er sein Netz auswerfen soll, bei dem Uebermaße von Dingen, die man in Untersuchung zieht? Wie in Göthe's „Zauberlehrling" strömen die Wellen aus allen Wesen. Unendlich verdienstlich ist, wenn Einer die Mühe übernimmt, wie ein Strandwächter aufzurufen, wenn Wellen ans Ufer spielen, die Bernstein und Korallen führen; aber damit er nicht ermatte, bedarf er Unterstützung. Daß diese ihm von Denen zu Theil werde, deren Interesse es angeht, wünschten diese Zeilen zu veranlassen. 81.

Notizen.

In Boston erscheinen: „The life and writings of Washington", herausgegeben und mit historischen und andern Erläuterungen versehen von Jared Sparks, welchen wir auch in Deutschland als Verf. der Lebensbeschreibung des Reisenden Ledyard kennen. Das ganze Werk wird zwölf Bände umfassen. Herr Sparks kam 1829 ausdrücklich nach Paris, um die Archive des auswärtigen Ministeriums für dasselbe zu benutzen, und aus Washington's Nachlasse standen ihm mehr als 60 Hefte Manuscripte zu Gebote.

Einen Beitrag zur Geschichte der jetzigen Verwaltung der russisch-polnischen Provinzen, besonders was Kirche und Schule anlangt, bietet der zuerst in Wilna gedruckte und jetzt in Paris herausgekommene „Catéchisme du culte dû à la personne du tout-puissant empéreur de toutes les Russies, ou éclaircissemens sur le quatrième commandement de Dieu, par rapport à l'autorité, publié par ordre suprême, pour servir de doctrine spirituelle dans les écoles et dans les églises catholiques des provinces polonais". 3.

Redigirt unter Verantwortlichkeit der Verlagshandlung: F. A. Brockhaus in Leipzig.

Blätter für literarische Unterhaltung.

Dienstag, —— Nr. 281. —— 8. October 1833.

Friedrich der Große. Eine Lebensgeschichte von J. D. E. Preuß. Erster und zweiter Band.

(Beschluß aus Nr. 280.)

Die Befehle des Königs an den Herzog waren oft von der Art, daß sie Letzterer nicht in ihrem ganzen Umfange erfüllen durfte: so im April 1758 der Auftrag, in den Ländern der Kurfürsten von der Pfalz und von Köln Kriegssteuern einzutreiben. Ferdinand spricht sich hierüber also aus:

> Mundbedarf und Fütterung in einem neutralen Lande zu federn, finde ich gerecht, doch nicht Geldbeitreibungen. Ueberdies ist die Frage über das Recht der Repressalien noch nicht im Reinen; und selbst wenn dieser Zweifel gehoben wäre, wer bürgt dafür, wer vertritt es, daß der vorliegende Fall sich zu Repressalien eignet? Der König von Preußen darf hier nicht als Beispiel angeführt werden. Er ist ein großer Regent, der von seinem Thun nur Gott Rechenschaft zu geben hat. Ich befinde mich in ganz verschiedener Lage; ich bin Gott und den Menschen verantwortlich. Wäre daher ein Mittel vorhanden, so wünschte ich dringend, mit solchen Aufträgen verschont zu werden, um nicht mehr das Geschrei so vieler unschuldiger Menschen zu veranlassen.

Durch alle Kriegsjahre laufen nun die Anfoderungen des Königs an den Herzog, welche um so mehr den Charakter der Bitterkeit annehmen, je unglücklicher seine Lage ist. Ferdinand, bei allem Verdruß, den ihm Friedrich macht, zeigt sich immer gleich willfährig für ihn zu thun, was Pflicht und Umstände verstatten. Nur zuweilen übermannt ihn der Unmuth, z. B. als ihm der König im Januar 1760 schreibt:

> Wenn Sie in diesem Jahre den Franzosen nicht eine so entscheidende Schlacht wie die von Hochstädt liefern, so wird es Ihnen unmöglich sein, mir zu Hülfe zu kommen.

Ferdinand schreibt bald nachher:

> Meine zu große Güte und Willfährigkeit, immer in die Plane des Königs einzugehen, wird mir noch einmal Unheil bringen. Ich weiß nicht, ob ich nicht besser thue, ihm keine fernern Mittheilungen über interessante Zeitereignisse zu machen. Sie machen auf jenen Fürsten zu tiefen Eindruck, bringen ihn zur Ergreifung falscher Maßregeln und verleiten ihn zu Fehlgriffen jeglicher Art.

Ferner:

> Der König scheint mich verantwortlich machen zu wollen für die Fehler, welche er begeht, und die seine Truppen täglich machen.

In der Mitte des Jahres 1762:

> Es scheint mir entschieden, daß man auf allen Seiten direct und indirect wider mich ist. Mein Muth, mein Gewissen, meine Geduld und Vertrauen auf Gott sind meine Waffen und mein Schutz.

Klagen über herzlose Kälte der Briefe des Königs werden oft wiederholt. So bildete sich zwischen Beiden eine Entfremdung, welche nach dem Frieden nur unter den Formen des Anstandes verdeckt wurde, aber nie aufhörte zu wirken, bis der von Herrn Preuß hier wol zuerst richtig erzählte Vorfall des Jahres 1766 die gegenseitige Spannung zum Bruche führte. Nach allen Grundsätzen der Dienstordnung war das Recht auf des Herzogs Seite, und durch des Königs Ausspruch (Th. II, S. 356) wurde Ferdinand so compromittirt, daß er den Abschied nehmen mußte, wenn er die Stimme der Ehre hören wollte. Daß er aber unmittelbar nachher (im November desselben J.) das Patent eines kaiserlichen Generalfeldmarschalls und als Inhaber eines Fußregiments annahm (für diese manchem Zweifel unterworfene Angabe vermissen wir alle Beweise), war eine Rache, welche den König gewiß empfindlich schmerzen mußte, um so mehr, da er gegen den Feldherrnruhm des Herzogs nicht so frei von Eifersucht war, als Herr Preuß andeutet. So schnöde Behandlung als Friedrich den alten Ziethen in dem Zeitraume zwischen dem zweiten und dritten schlesischen Kriege fühlen ließ, durfte er dem Herzoge Ferdinand nicht bieten. Häufig trifft man in Herrn Preuß's Geschichtsbuche, selbst in dem Nebenwerke selbständige, auf genaue Prüfung gegründete Urtheile, welche dem genauen Studium desselben vielfachen Reiz gewähren. Als Beispiel hiervon führen wir, veranlaßt durch das Vorhergesagte, nur das Verhältniß an, in welchem Herzog Ferdinand zu seinem Secretair Westphal stand. Dieser war ein großes militairisches Genie, welches dem Feldherrn die einzuschlagenden Wege zeigte. Krieger von Metier gehen schwer daran, das überwiegende Talent zur Anordnung militairischer Großthaten bei Laien anzuerkennen; so sagt der Generallieutenant Freiherr von Valentini in seiner trefflichen Abhandlung über den Krieg in Beziehung auf große Operationen (Berlin 1833, S. 309 fg.):

> Es ist dem Neide der menschlichen Natur eigen, das Erhabene gern herabzuziehen; gern zeigt man den Helden im Nachtkleide; gern hebt man den Diener auf Unkosten des Herrn. So hat man die meisterhaften Feldzüge des Herzogs Ferdinand von Braunschweig seinem Secretair, dem Herrn von Westphal,

zuschreiben wollen. Nach Dem, was wir darüber in Erfahrung gebracht haben, war dieser in der That talentvolle Mann ihm ungefähr Das, was Talleyrand und der Duc de Bassano ihrem Herrn, Napoleon. Sowie dieser seine ihm aufblitzenden Gedanken flüchtig, mit abgerissenen Worten aufs Papier warf und seinen Diplomaten zu genauerer Ausarbeitung zusendete, so correspondirte auch Herzog Ferdinand mit seinem Secretair; und da sein Wirken ausschließlich auf Armeeführung und Operationen gerichtet war, so ist es natürlich, daß der mit dem Ideengange seines Herrn vertraute Geheimschreiber Gegenstände solcher Art zu bearbeiten hatte, die Wege nach den Objecten, die der Herzog angab, vielleicht auf den Specialkarten aufsuchte, die nöthigen Erkundigungen einzog, kurz, die Functionen mehrer unserer heutigen Generalstabsbureaux in sich vereinigte.

Diese die Verdienste Westphal's sehr herabdrückende Darstellung berichtigt Herr Preuß (S. 126, Anmerkung 6):

Merkwürdig ist das Verhältniß zwischen dem Herzoge Ferdinand von Braunschweig und seinem Geheimsecretair Philipp Westphal, welcher, nach den von Ferdinand selbst aufbewahrten Papieren, nicht nur alle strategische Entwürfe machte, sondern die Operationen bis ins kleinste Detail angab, die der Herzog meist ohne etwas daran zu ändern, ausführte u. s. w.

Was Mauvillon in der „Geschichte Ferdinand's" (Th. II, S. 345) sagt, ist völlig ungenügend; die Arroganz des Schulmeistertones kann die Seichtheit des Raisonnements nicht verdecken. Ref. hat mehre hundert Briefe, welche von 1758—62 zwischen dem Herzoge und seinem vertrauten Rathgeber gewechselt wurden, gelesen und findet diese Darstellung überall bestätigt; z. B. der Herzog an Westphal unter dem 6. Juli 1758:

Ihre Denkschrift in Betreff Jülichs habe ich richtig erhalten. Ich billige sie ganz und weiß nichts hinzuzufügen. Nur eine Frage habe ich Ihnen zu machen: im Fall der Feind mit bedeutenden Massen gegen Jülich rückt, soll ich dann die beiden Prinzen in ihrer gegenwärtigen Stellung lassen und vorrücken, um mich mit ihnen zu vereinigen? Lasse ich Wangenheim Düsseldorf gegenüberstehen? Oder soll ich die beiden Prinzen mit ihren Corps heranziehen? Tritt der Fall ein, daß der Feind gleichzeitig neue Bewegungen auf Pfunß oder auf der andern Rheinseite macht, was ist dann zu thun? — Entschuldigen Sie, lieber Freund, daß ich so oft beschwerlich falle.

Oder ein Billet vom 18. October 1761 Morgens 5 Uhr:

Ich bitte Sie, mir schleunigst Ihre Ansichten in Betreff des Weserüberganges mitzutheilen: wann, wie und mit wie viel? um Zeit zu haben, Alles gründlich anzuordnen. Ich ersuche Sie mir diese Genugthuung zu gewähren; das Heil unserer Sache und des geliebten Vaterlandes hängt davon ab.

Und so an hundert Stellen, besonders bei der Ausarbeitung der Operationsplane vor Eröffnung der Feldzüge.

Es wird uns bei so freier Conversation Niemand vorwerfen, daß wir im Vorhergesagten mehr über den Herzog Ferdinand von Braunschweig als über Friedrich II. redeten; die nahe Beziehung, worin Beide zu einander standen, macht die Entschuldigung dieser Abschweifung.

Aus welchem Standpunkte Hr. Preuß die Geschichte Friedrich's bis zum Schlusse des siebenjährigen Krieges durchführt, spricht er auf dem letzten Blatte auf eine Weise aus, welche wünschen läßt, daß die Leser ebenso wie der Verfasser denselben nie aus den Augen verlieren mögen. Er sagt:

Nachdem wir vielfachen Anlaß gefunden, auf die politischen Folgen dieses unvergeßlichen Krieges hinzudeuten und die Gegenwart in ihrem ewigen Zusammenhange mit der Vergangenheit als Spiegel für die Zukunft darzustellen, so wünschen wir wol auch die sittlichen Folgen berechnen zu können. Aber die große Moral unterscheidet sich auch dadurch von der kleinen, daß ihre Thatsachen in die Augen fallender sind und dem Geschichtsforscher leicht einen allgemeinen Maßstab bieten, indeß die häuslichen Tugenden in das heilige Geheimniß des Familienlebens sich zurückziehen und die Dauer oder den Verfall der Reiche vorbereiten, ohne daß es eben für Maß und Zahl möglich wäre, eine durchgreifende Vergleichung mit andern Zeiten, mit andern Orten zu finden. Darum genüge die Bemerkung, daß auch der siebenjährige Krieg bei allem Edelsinne, bei aller Selbstverleugnung, bei aller patriotischen Hingebung, welche die Stürme der Noth erzeugt, nicht ohne alle nachtheilige Verwilderung der Sitten geblieben. Wie indeß die sittlichen Wagschalen in Hinsicht auf Licht und Schatten hier wie nach jenem großen, heilige Interessen berührenden Kampfe sich verhalten, für unser Volk ist der siebenjährige Krieg ein ewig strahlender Stern, welcher wie das Gedächtniß der neuesten auch von ihm erleuchteten Zeit immer wieder die Enkel zu neuen Ehren geleiten wird. Und wenn es vergönnt wäre, die kleine Moral der Einzelnen nach der großen Moral der Könige zu schätzen und nach der politischen Geltung der Staaten den Werth der häuslichen Sitten anzuschlagen, so möchte bei dem Hubertsburger Frieden das großen Königs Volk in aller Art sehr hoch gestanden haben, auch durch einen auf Güte und Recht, auf Liebe und Treue festbegründeten Charakter, denn alle Welt bewunderte Friedrich und seine Preußen.

Noch zu erwähnen ist das reichhaltige „Urkundenbuch", für dessen folgende Bände bedeutende Verheißungen gemacht werden. Der Herausgeber bemerkt in der Vorrede des zweiten Bandes, wo er den herzlichen Dank ausspricht für die vielseitige Unterstützung, welche er bei dem Unternehmen fand:

Wir wissen wohl, es ragt bei dem Glücke, dessen wir uns erfreuen, die Liebe zum Throne weit über die wissenschaftliche Theilnahme hinaus; aber wir sind stolz darauf, die in der That unendlichen Schätze, welche die Ehrfurcht und Bewunderung wie ein Familienheiligthum im ganzen Volke seit einem halben Jahrhundert bewahrt hat, nun zum gemeinsamen Genusse und zur Erweckung neuer fruchtbarer Gesinnungen vereinigen zu können.

So hervorleuchtend auch das hier zu erwerbende Verdienst ist, so steht doch leider zu bezweifeln, daß echte Pietät für Friedrich's und seines Zeitalters Größe die engherzigen Rücksichten besiegen wird, welche bisher bedeutende biographische Schätze in den Archiven und Privatsammlungen verschloß. Welchen Ertrag [illegible] Friedrich's an die Mitglieder seiner Familie [illegible] bekannt ist, daß er seinen vier Schwestern oft [illegible] lige Briefe und Billets zuschickte, besonders [illegible] nächst wohnenden, der unverheiratheten Prinzessin Amalia, welche ihm die Neuigkeiten Berlins mittheilen mußte. Daß Friedrich gegen diese Damen den galanten Bruder machte, durfte seine Autorität als königliches Familienoberhaupt nicht gefährden. Darüber wollen wir hier als Schlußscholie eine wenig bekannte, aber aus sehr zuverlässiger Quelle mündlicher Mittheilung geschöpfte Anekdote mittheilen: Die Herzogin von Braunschweig, Philippine Charlotte, betete ihren Bruder mit fast abgöttischer Verehrung an und reiste gern von Zeit zu Zeit nach Berlin, wo sie auch einen Theil ihres beträchtlichen Privatvermögens stehen hatte. Nicht allein mußte [illegible] der zu jeder solchen Reise specielle Erlaubniß, gewöhnlich in der Form einer Einladung, haben; auch während ihres Aufenthaltes zu Berlin oder Potsdam wußte sie selten, wenn sie wieder abreisen würde. Gewöhnlich erschien nach einiger Zeit ihrer Anwesenheit ein Kammerherr, der ihr im Namen des Königs bekanntmachte: wie Se. königl. Majestät mit Bedauern vernommen, daß Ihro königl. Hoheit schon wieder nach Braunschweig zurückzureisen gedächten; deshalb wären auf den und den Tag die Vorspannpferde für sie bestellt. Diesem Winke mußte Folge geleistet werden. In mancher Beziehung könnte es scheinen, als ob die Mittheilungen des „Urkundenbuches" schon zu reichlich wären; wenigstens sind die eigenhändigen Resolutionen auf gewisse Immediateingaben, z. B. auf Heirathsgesuche, monoton. Daß Friedrich bei diesen Bescheidungen zuweilen durch völlig misrathenen Witz sich im ungünstigen Lichte zeigte, beweisen Th. II, S. 228, Nr. 52 und S. 233, Nr. 90. 61.

Das tolle Jahr. Historisch-romantisches Gemälde aus dem 16. Jahrhundert, von Ludwig Bechstein. Drei Bände. Stuttgart, Hallberger. 1833. Gr. 12. 4 Thlr.

Ludwig Bechstein gehört seit Kurzem zu den deutschen Vielschreibern, die hundert Arme zu haben scheinen, aber es doch nicht zur Riesenkraft eines Briareus bringen. Zu den Eigenschaften eines Vielschreibers muß man Gutmüthigkeit der Gesinnung, Liebe zur bequemen Ruhe, annehmliche Genußsucht, worauf ein Schläfchen erfolgt, vor allen Dingen Gedehntheit und Gemächlichkeit rechnen. Sie sind nicht schädlich, diese Vielschreiber, denn es findet sich unter ihnen selten ein Cerberus, der bekanntlich drei Köpfe, oder eine lernäische Hyder, die nach Diodor deren 99 sterbliche und einen unsterblichen hatte; sie sind trotz ihrer Fruchtbarkeit unschädlich, denn jeder hat bei aller vom Dampf getriebenen Schnellkraft seiner hundert Finger nur einen einzigen Kopf und zwar — selten einen unsterblichen. Von manchen könnte man freilich glauben, sie wären von Anfang an rein ohne Kopf in die Welt der Literatur getreten; andern scheint der Schnabel, der Kamm oder der ganze Kopf doch immer wieder zu wachsen, obwol die Kritik, ohne herkulischen Kraftaufwand, ihn längst abschlug. Der mildeste Richter — kein Scharfrichter — ist die Zeit, die allmächtige; ein aus Lethe's Quell geschöpfter Becher ist ihr sanftes Urtheil. Ludwig Bechstein aber gehört vollkommen nach seiner frischlustigen Thätigkeit der Gegenwart an, denn er sucht ihren Bedürfnissen zu huldigen. Er ist ein talentvoller Schriftsteller; es kommt nur darauf an, wie er sein Talent gebraucht und anlegt. Er hat — zwar keine goldene, aber eine silberne Ader im Innern; sein Fehler ist jedoch die Manier, wie er münzt. Sein Bergwerk mag von Natur gut sein, aber seine Münze ist schlecht, denn er prägt kaum hartes Courant, meist leichtes, wenn nicht blos Kupfergeld. So muß er allerdings seine Stoffe unendlich dehnen; zu einem kleinen Capital, das er zu einem Roman anlegt, braucht er ein unbescheiden langes Zahlbret, und die Menge muß es bringen.

Der vorliegende Roman leidet an dieser Länge und Gedehntheit; statt der drei Bände hätte der Stoff in einen einzigen concentrirt werden können, und wir hätten ein gutes — wenn auch noch kein schönes und künstlerisch gediegenes — Gemälde aus dem Mittelalter, wie Spindler — der dem Verf. zum Vorbilde zu dienen scheint — dergleichen in dem glücklichen Gemisch von mittelalterlicher Roheit und Zartheit, Barbarei und rührender, sehnsüchtiger Milde der Liebe, oft mit ungewöhnlichem Geschick vielfach geliefert hat. Spindler hat nach dem Modewechsel des Geschmacks die Stelle van der Velde's eingenommen. Außer der größern Kraft, die Spindler, gegen diesen betrachtet, zu Gebote steht, hat die Richtung, die er einschlug, wesentliche Vorzüge. Spindler gibt treuer die gewählte Gegenständlichkeit, er zersetzt fernliegende Stoffe nicht mit modischen Verhältnissen und Gemüthsstimmungen der Jetztwelt, und im Verachten sentimentaler Liebeskränkelei sucht er durch naive Derbheit, die oft an rohe Härte grenzt, sowie durch gesunde Sinnlichkeit zu rühren und zu fesseln. Van der Velde zog einen verdächtigen Schleier über die nackte Form und war dadurch weit lüsterner und unsittlicher als Spindler, der das Nackte in reiner Natürlichkeit aufzeigt; die entfesselten Leidenschaften des mittelalterlichen Lebens hat er trefflich gefaßt und kraftvoll geschildert; van der Velde suchte sich vielfache Localitäten und Stoffe und wurde nirgends recht heimisch. Hat nun L. Bechstein als Historioromantiker eine Tendenz eingeschlagen, die besser ist als frühere, den untern Regionen der literarischen Götterwelt ebenfalls angehörige Richtungen, so hat er ganz die derbe Kraft und naive Frischheit, die im vorliegenden Roman ihre Gegenständlichkeiten zu erfassen strebt; aber eine Häufung gleicher Scenen, eine Wiederholung derselben Situationen machen die Lectüre nicht durchgängig zu einer angenehmen. Der Zustand der weiland freien Reichsstadt Erfurt in den Jahren 1509 und 1510 bildet den Stoff, der sich durch die Familienhändel und durch die öffentlichen Angelegenheiten der Bürger hindurchzieht. Die Stadt ist durch die Verschwendungslust der Rathsherren in Schulden und drückende Noth gerathen; die Gemeindevorsteher versammeln sich und dringen auf Vorlegung der Papiere, durch welche der Rath allerdings seinen schlechten Haushalt an den Tag bringen würde. Der Obervierherr und oberste Rathsherr Kellner scheint besonders bei der Veruntreuung des gemeinen Gutes betheiligt; Despot und Autokrat in der Verwaltung und Regierung der städtischen Angelegenheiten, bemüht er sich, die erwachende Stimme des Volks, die immer lauter sich vernehmen läßt, einzuschüchtern, und als die Gemeindevorsteher in der großen Sitzung lebhafter in ihn dringen und der größte Theil der Senatoren, die sich von seiner Herrschsucht gedrückt fühlten, von ihm abfällt, eröffnet er in einer parlamentarischen Rede die Principien seiner politischen Ansichten. Es hilft ihm aber kein Ausweichen, man deutet auf seinen Eigennutz und droht mit Absetzung; da springt er wild auf und spricht: was will die Gemeinde? was ist die Gemeinde? Diese Frage, zur speculativen Ergründung hingestellt, setzt die Versammlung in ein plötzliches Staunen. Der Obervierherr reißt sein Wamms auf, schlägt donnernd an seine Brust und ruft: hier ist die Gemeinde! Diese Parodie des Ausspruchs Ludwig XIV.: l'état c'est moi! ist sehr glücklich aufgefaßt und mit der ganzen Umgebung der Krähwinkelverhältnisse einer deutschen Reichsstadt recht launig durchgeführt. Der stolze Redner blendet jedoch den Haufen mit seinem Paradoxon nur eine Weile; man wähnt, seine Anmaßung sei in Wahnsinn übergegangen; das Volk rottet sich zusammen, und er flieht in eine verfallene Kirche, wo er hinter der Orgel einen armseligen Versteck findet. Er leidet unschuldig; nur auf seinen Namen und durch die Ränke anderer Rathsmitglieder, die Kellner fürchten mußte, weil sie seine Jugendsünden verrathen konnten, ist der Raub am öffentlichen Gut der Stadt geschehen. In der einsamen nächtlichen Stätte des Gotteshauses treten die Geister seiner Sünden in furchtbarer Gestalt vor ihn; er hatte einst auf einen Bruder sein Schwert gezückt, demselben die Geliebte entrissen und diese in der Flatterhaftigkeit seiner jugendlichen Gesinnung verlassen. Mit einer Frucht seiner Liebe beladen, stieß er die Jungfrau von sich; der Bastard, den sie in der grauenvollen Angst des Herzens, von aller Welt verstoßen, gebiert, wird dereinst seines Vaters Henker, ohne es zu wissen. Ein Müllerbursche in des Rathsherrn Nachbarschaft, bei dem derselbe Pathenstelle vertreten, warf auf Kellner's ganze Familie einen schwarzen Haß und den Fluch, sich für Beleidigungen und erlittene Züchtigungen, die sein boshafter Charakter sich zugezogen, schreckbar zu rächen. Der Rathsherr, der später aus seinem Versteck sich herauswagt und wieder, auf sein Ansehen trotzend, unter die Gemeinde tritt, wird durch den Verrath des Müllerburschen gefangen genommen und nach langen Folterqualen von dem Buben seiner verstoßenen und im Elend untergegangenen Jugendgeliebten, da er sich in Ermangelung eines Scharfrichters dazu erbietet, aufgeknüpft. Kurz vor dem schmachvollen, mit allen Greueln der Execution geschilderten Tode erkennt der Unglückliche an einem Ringe in dem Henker seinen eignen Sohn.

Hiermit haben wir zu gleicher Zeit die drei Hauptsituationen, die als Gelungen hervorzuheben sind, angedeutet: die ironisirte Parlamentsscene im erfurter Rathhause, der Aufenthalt des Obervierherrn in der nächtlichen Stille der Kirche, in der Erfindung nicht eben neu, aber in der Ausführung phantasievoll, und die Hinrichtungsscene mit ihren gut motivirten Nebengruppirungen. Nicht ganz unbedeutend und in ihrem Interesse wenigstens leidlich ist außerdem die Schilderung der Volksauflaufe, deren blutiger Wirrwarr dem Roman den Titel des „tollen Jahres" gab. Ein sauberes Trio von Handwerkerseelen spielt hier die Hauptrolle; der Schuster Portius, der Kandelgießer Michel und der Goldschmied Hans im Barte, wegen seines großen Bartes, in dessen Waldung er gewissermaßen darinsitzt, also benamset, hätten, wären sie mit mehr Aufwand an Witz und mehr concentrirt hingestellt, eine gute Parodie auf Volksredner unserer Tage und anmuthige Bilder von mittelalterlichen Jakobinern abgeben können; allein die Situationen wiederholen sich ohne Variation, der Raths- und Gemeindeversammlungen mit ernst langweiligem Gewäsch ist gar kein Ende, und die Schilderung des Pöbelaufstandes bleibt mindestens sechsmal ganz dieselbe. Die Familienverhältnisse des Obervierherrn und anderer Mitglieder des hohen Rathes füllen ungebührlich den Raum von drei Bänden, ganz gewöhnliche Liebesaventuren in der Familie Milwitz und die redseligen Gesellschaftsscenen häufen sich ohne Anmuth und ohne nöthige Würze. Die komische Figur des Doctors Piripuls oder Birnmus ist zu verbraucht und hilft dem matten Conversationston nicht auf. Nur in einzelnen Zügen sind die Schildbürgereien der Erfurter eigenthümlich aufgefaßt. Die Schilderung der Doctorpromotion des edeln Böhmen Prohaska und der Studententrödel mit dem Senior der Bursa Francorum, Wulf Katzenbrenner, scheint gut und getreu nach Chroniken aufgefaßt zu sein. Die Parodie des Freiheitsschwindels, der sich des erfurter Pöbels bemächtigt, spricht für des Verf. löbliches Glaubensbekenntniß nicht minder wie für sein Talent zur Komik, das nur allzu sehr in der breiten Explication sich zu verflüchtigen droht. Das Costum der Zeit ist nicht ohne Geschmack aufgefaßt. Wir lassen die Söldner des edeln Rathes, wie sie der Verf. zeichnet, vor uns auftreten: „Wie sich das Geschrei: „Bursche heraus!" durch alle Straßen der Stadt Erfurt wälzte, wie aus fast allen Häusern Studenten eilten und dem Strom nach dem Graden zu folgten, wappnete sich auch eilig ein Häuflein der Söldner des Raths, die ihr Standquartier im mainzer Hofe hatten, und rückten unter dem Rottmeister Reinhard Stolze muthig aus, mit gewaffneter Hand die Ruhestörer zu zerstreuen, die Ordnung wiederherzustellen. Sie gingen eiligen Schrittes durch die schmale Domgasse und erschienen plötzlich mit ihren blinkenden Spießen und Hellebarden mitten im Getümmel der Menge. Den kleinen Zug eröffneten sechs Schützen mit Handbüchsen, auf den linken Schultern die unförmlichen schweren Waffen tragend, in der rechten Hand aber die Gabel, jene darauf zu legen. Um die Büchsen war der brennende Zündstrick gewunden. Hinter den Büchsenschützen gingen die Hellebardiere. Die Söldner trugen zum Theil glatte Pickelhauben. Der lederne Koller war vielfach geschlitzt und mit farbigen Streifen unternäht, die Aermel waren bis unter die Schulter bauschig und liefen dann fest anliegend bis an das Handgelenk. Am Ledergürtel war ein breiter Dolch befestigt, die Beinkleider reichten bis zum Knie, waren ungewöhnlich gebauscht und mit Streifen geziert, und dann vollendeten fest anliegende Strümpfe und Lederschuhe den Anzug. Ein Stoßdegen mit breitem Korb, der erwähnte Dolch und eine glänzende Hellebarde oder die Büchse machten die Bewaffnung aus. Den Schützen hing das Pulverhörnlein mit dem Zündkraut und ein hölzernes Doppelgefäß mit gewöhnlichem Büchsenpulver und Loth auf dem Rücken."

Auch die Rathsmeister können wir in ihrem Aufzuge passiren lassen: „Fast wie geharnischte Ritter im dunkeln Eisenkleid nahmen sie sich aus. Schwarz waren die Baretts, und schwarz die Federn daran, schwarz war das kurze, breitschößige Wamms, voll weiter Falten und ohne Knöpfe, durch einen Gürtel von schwarzer Farbe, an welchem das Schwert hing, zusammengehalten. Die Vierherren trugen an diesem Oberkleid einen steifen, rundgeschnittenen Kragen, inwendig mit goldgelbem Sammet gefüttert, und auch das Kollet darunter war von schwarzem Sammet. Die schwarzen, weiten Buffen und Falten der Beinkleider reichten nur kaum an die Hüften und wurden zum Theil vom Oberkleid bedeckt, übrigens lagen sie ganz knapp an und verliefen sich in die Schuhe, die an der Spitze des Fußes am breitesten und hufartig ausgeschweift waren. Die sehr langen Handschuhe waren vom feinsten Wildleder, gelb und geglättet, und darauf schwarze und goldene Blümlein und Sterne sehr zierlich eingepreßt."

Ließe sich die menschliche Seele so leicht copiren wie die Mode der Zeit in ihren Trachten und Kleidern nach alten Bildern und Chroniken, dann bliebe für die historisch-romantischen Dichter fast nichts mehr zu wünschen übrig; aber von vielen Menschenfiguren, die L. Bechstein hier so zahlreich gruppirt, sieht man blos das schlotternde Wamms mit dem bauschigen Beinkleid einherlaufen, und es ist keine lebende Seele darin.

131.

Miscellen.

Man glaube ja nicht, daß die Handelsschulen, welche jetzt wieder in Aufnahme kommen, eine Einrichtung der neuern Zeit sind. Die erste Handelsschule in Deutschland ist von Joh. Georg Büsch 1768 zu Hamburg errichtet worden. Später wurde zu Wien 1770 die Realhandlungsakademie begonnen, und seit 1778 besteht zu Magdeburg und seit 1791 zu Berlin und zu Nürnberg eine Handelsschule.

Man halte ja die Vermuthung, daß es sonst feuerspeiende Berge in Deutschland, namentlich am Rhein gegeben habe, für keine bloße grundlose Sage. Schon Lessing hat eine dahin gehörige Bemerkung beim Donnersberge (schon der Name desselben deutet auf solche vulkanische Kräfte) gemacht; s. dess. „Collectaneen" in Lessing's sämmtlichen Werken, Bd. 14 (1826), und eine Stelle in Tacitus „Annalen" bestätigt die dort angegebene Vermuthung. Ref. bemerkt hierzu eine eigne Abhandlung, die über die letztere Stelle im „Deutschen Merkur", 1783, Februar, S. 180 fg., steht und interessante Andeutungen enthält.

Der Seiltänzer Kolter — wir wollen ihn einmal so bezeichnen — gab mir bei seiner letzten Anwesenheit in L. Gelegenheit, meine kleine Sammlung dahingehöriger historischer Bemerkungen durchzusehen. Von dem Ursprunge der Seiltänzer bemerke ich hier nichts, da Descamps und das „Journal des savans" von 1677 ausführlich sind, und kaum Böttiger's „Sabina ꝛc." eine Nachlese liefern können. Aber auf Cardan „De subtilitate", lib. XVI, p. 637, muß ich aufmerksam machen, der hier von außerordentlichen Seiltänzern, namentlich von zwei Türken erzählt, die, gleich Koltern, an sehr steilen Seilen hinauf- und herabstiegen. Aufmerksame Beobachter wollten merken, daß sie sich mit den großen Zehen an dem Seile festhielten.

15.

Redigirt unter Verantwortlichkeit der Verlagshandlung: F. A. Brockhaus in Leipzig.

Blätter für literarische Unterhaltung.

Mittwoch, —— Nr. 282. —— 9. October 1833.

Geschichte Europas seit dem Ende des 15. Jahrhunderts von Friedrich von Raumer. Zweiter Band. Leipzig, Brockhaus. 1833. Gr. 8. 3 Thlr. 4 Gr. *)

Dieser zweite Band des trefflichen Werkes, für dessen rasche Förderung der Verf. von seinen Lesern nicht geringen Dank verdient, enthält die Geschichte Englands bis zum Tode der Elisabeth, Frankreichs bis zur Ermordung Heinrich IV. und Skandinaviens bis zum J. 1660. Es läßt sich gegen diese Anordnung, wie Herr von R. in der Vorrede selbst bemerkt, Manches einwenden; es gibt aber in der Behandlung der Geschichte kaum etwas Schwierigeres als die Anordnung, wenn man nicht nach sonst wol beliebter, mechanischer und bequemer Weise eine allgemeine Geschichte entstehen läßt aus dem äußerlich zusammengewachsenen Aggregat der einzelnen, unabhängig von einander vorgetragenen Volks- und Staatsgeschichten, oder zwar eine Eintheilung nach Perioden macht, aber innerhalb derselben doch wieder jenem mechanischen Princip folgt, sondern die Begebenheiten so stellen und aufeinanderfolgen lassen will, daß eine die andere erläutert, und daß die durch die wichtigsten Culturvölker gehende Hauptrichtung der Faden wird, der das Besondere verknüpft und aus den verschiedenen einzelnen Geschichten erst eine wahrhaft allgemeine macht. Je größer diese Schwierigkeit ist, je mannichfaltiger werden auch die Meinungen lauten, was in diesem oder jenem Falle das Vorzüglichere und Zweckmäßigere sei. So hätte es dem Ref. passender geschienen, wenn nach den Abschnitten über England bis zum Tode der katholischen Maria und über Skandinavien, womit die Geschichte der ersten Hälfte des 16. Jahrhunderts beendet ist, die Darstellung der zweiten Hälfte mit Philipp II. begonnen hätte, welcher mehr den Mittelpunkt der europäischen Begebenheiten ausmacht, während Frankreich und England bei allem ihrem bedeutenden Einfluß auf die übrigen Staaten doch durch die eigenthümliche Richtung ihrer innern Händel isolirter erscheinen. Ebenso können wir es nicht billigen, daß der Verf. die Geschichte von Frankreich und England nun schon so weit geführt hat, während er uns die Entstehung des Jesuitenordens, die schon unter Karl V. fällt, noch schuldig ist. Spanien und die Jesuiten stellen die Reaction gegen die Reformation dar, und diese Reaction ist mit der Geschichte des noch um sein Dasein kämpfenden und in der Bildung begriffenen Protestantismus so eng verbunden, daß es nicht zweckmäßig scheint, diese Elemente erst nach dem Tode der Elisabeth vorzubringen, wo in einem so wichtigen Lande wie England die Reformation bereits völlig festgewurzelt war. So ist denn auch der Verf. genöthigt, gegen das Ende dieses Bandes die Geschichte der unüberwindlichen Flotte zu erzählen und des Priors Antonio von Crato zu erwähnen, ehe er der Regierung Philipp II. mit einer Sylbe gedacht hat. Wiederum ist freilich die Geschichte Philipp's und des niederländischen Aufstandes nicht ohne Das, was sich zugleich in Frankreich und England zugetragen, ganz zu verstehen; so wird man hier im Kreise umhergetrieben und muß auf die Bereitwilligkeit des Lesers rechnen, die getrennten Glieder geistig zu verknüpfen.

Der erste Abschnitt ist der Geschichte Englands bis zur Thronbesteigung Elisabeth's gewidmet. Er beginnt mit einer Uebersicht der frühern englischen Geschichte, die wol zu entbehren gewesen wäre, da sie für Den, der mit den Verhältnissen des Mittelalters ganz unbekannt ist, zu kurz, für Andere überflüssig ist. Ueber die Regierung Heinrich VII. hätten wir den Verf. ausführlicher gewünscht, da sie nicht nur der äußerlich angenommenen Eintheilung nach zur Aufgabe des Werks gehört, sondern auch als Anfangspunkt der neuen mit den Tudors eingetretenen politischen Entwickelung. Erst mit Heinrich VIII. wird die Erzählung ausführlich, und hier treten uns wiederum der Reichthum des Quellenstudiums, der scharfe Beobachtungsgeist, die Kunst des Verf., Personen und Begebenheiten kurz und gedrängt und doch in einzelnen Zügen und Umständen anschaulich zu schildern, entgegen. In der Geschichte dieses Königs führt er treffend aus, wie seinem Scheidungsprocesse und der Trennung vom Papste durch die schon vorher begonnene große Aufregung und Gährung der Gemüther über die in der Kirche herrschenden Uebel der Weg gebahnt war. Im October 1529 wurden schon im Unterhause laute Klagen erhoben über die Sitten der Geistlichen, hohe Gerichtskosten, Bußen und Steuern, allmälige Ausschließung des Volkes vom Bebauen kirchlicher Ländereien, Handeltreiben und Abwe-

*) Vgl. über den ersten Band Nr. 75—78 d. Bl. D. Red.

senheit der Geistlichen, Häufung der Pfründen in Einer Hand u. s. w. Das Gesetz, wodurch alle Berufung an den Papst verboten und diesem die Annaten entzogen wurden, ging vom Parlament aus, und Heinrich bestätigte es erst nach einiger Zögerung. Die Geistlichkeit erkannte den Umfang der ihr drohenden Gefahren und fürchtete, die gesetzgebende Gewalt, welche sie in der Convocation (einem geistlichen Parlamente, welches sich gleichfalls in zwei Häuser theilte) ausübte, dürfte ihr ganz entrissen werden. Das Unterhaus derselben widersprach dem von ihrem Oberhause schon gemachten Zugeständnisse, daß es künftig keine Gesetze ohne königliche Zustimmung machen wolle, und erklärte, der Geistlichkeit sei von Gott das Recht ertheilt worden, über Glauben und Sitten Gesetze zu erlassen. Unbekümmert um diesen Widerspruch ging das Reichsparlament immer weiter und erklärte 1535 „mit tadelnswerther Uebereilung" den König und seine Erben für die höchsten Oberhäupter der englischen Kirche auf Erden.

Größere Besonnenheit und Mäßigung — sagt der Verf. — hätte dem Reiche ohne Zweifel viel Unglück und Leiden erspart. Aber in dem Eifer, sich von dem römischen Joche zu befreien, bemerkte man nicht, wie eine unbedingte, mohammedanische Vereinigung der geistlichen und weltlichen Gewalt in der Hand König Heinrichs, der Form nach eine neue, keineswegs geringere Sklaverei herbeiführte. Das Parlament, sonst so eifersüchtig auf seine Rechte und so geneigt, sie zu erweitern, entsagte mit fast unbegreiflichem Leichtsinn allem Antheile an der kirchlichen Gesetzgebung, kämpfte hierauf lange vergeblich, das Preisgegebene wieder zu erlangen, misbrauchte dann die gewonnene Uebermacht, und erst nach Jahrhunderten der mannichfaltigsten Irrthümer und Misgriffe, ja der blutigsten Fehden und Greuel, fand man das richtige Gleichgewicht, was sich in diesem Augenblick so leicht hätte feststellen lassen! Die Convocation verlor alle Bedeutung, ja sie ward fast gar nicht mehr in Thätigkeit gesetzt, weshalb, und mit Recht, die niedere Geistlichkeit im Jahre 1547 verlangte, daß sie nunmehr sowie ehemals im Parlamente vertreten und kein Beschluß über Religionssachen gefaßt werde, ohne sie zu hören. Dies Gesuch widersprach aber jenem Gesetze über das königliche Papstthum; und so ward durch sonderbare Wendungen der Dinge die niedere Geistlichkeit in England zuletzt von allem Einfluß auf öffentliche Angelegenheiten weggedrängt.

So weit nun von Herrscherrechten, Steuern und Freiheiten die Rede war, waren die Laien einig wider die Geistlichen. Als man aber auf die Prüfung der Lehre einging, gestalteten sich die Verhältnisse ganz anders, Viele geriethen in Verwirrung, schwankten von einem Aeußersten zum andern und wurden unduldsam und verketzernd, sobald sie endlich eine Ansicht ergriffen und sich darin eingewohnt hatten. Heinrich aber wollte nicht nur kein Ketzer heißen, sondern ihm schien auch ein dem Volke einzuräumendes Recht, über so hochwichtige Sachen zu entscheiden, seiner weltlichen Herrschermacht und seiner neuen geistlichen Gewalt gleich gefährlich. Da nun sowol die katholische als die protestantische Partei ihn durch übertriebene, ja unbedingte Nachgiebigkeit zu gewinnen suchten, wurde er zu dem thörichten und tyrannischen Gedanken gebracht, den Glauben seines ganzen Volkes auf einer schmalen, von ihm willkürlich ersonnenen Linie festzuhalten. Trefflich ist die ganze folgende Regierung Heinrich's dargestellt, die verschiedenen, ineinandergreifenden Verhältnisse sind sehr lichtvoll geordnet. Welchen Gang bei dem schnellen Wechsel der Glaubenssysteme unter dieser und den beiden folgenden Regierungen die innere Ueberzeugung der Mehrzahl genommen habe, ob sich die Lehre der Reformatoren trotz Heinrich's und Mariens Blutgeboten in den Gemüthern fortwährend entwickelt, oder ob der Protestantismus erst nach deren Tode rechte Wurzel gefaßt habe, dies sind Fragen, deren Beantwortung ebenso schwierig ist als interessant, und um so schwieriger, weil der Parteigeist so viel dazu beigetragen hat, die Wahrheit zu verdunkeln und zu entstellen. Der Verf. scheint seine Forschungen hierauf nicht gerichtet zu haben. Seine Bemerkung, daß man die Leichtigkeit und den Leichtsinn, mit welchem Religionsveränderungen durchgesetzt wurden, bei dem Unterhause aus dem Wechsel der Glieder unter dem Einflusse des Hofes noch erklärlich finden mag, daß aber die Lords so oft und so schnell ihre wahre Ueberzeugung unmöglich geändert haben könnten, und daß in der Tiefe ein beharrlicherer Sinn verborgen gelegen haben müsse, wird richtig sein. Wenn aber diese Richtung, wie der Verf. anzudeuten und wie es aus den folgenden Begebenheiten hervorzugehen scheint, auf den Protestantismus ging, so bleibt noch immer die Frage übrig: warum ließ diese Partei unter der Maria die Verfolgungen so duldsam über sich ergehen wie in keinem andern Lande, wo sie auch nur zu einiger Stärke gelangt war?

Der zweite Abschnitt enthält die Geschichte der skandinavischen Reiche bis 1560, also der merkwürdigen Periode, wo auch dort große politische Veränderungen die religiösen und religiöse die politischen beförderten. Nachdem der Verf. die Absetzung und Verjagung des tyrannischen Christian II. erzählt hat, erwähnt er auch Derer, die damit unzufrieden waren (in einem Briefe bei Pontoppidan werden sie die Mehrzahl genannt) und meinten, an die Stelle Eines Tyrannen würden jetzt mehre treten. Er fügt, wol nicht ohne Rücksicht auf neueste Begebenheiten, eine Stelle aus einem Briefe Luther's hinzu, in welcher der große Reformator seine Ansicht folgendermaßen ausspricht:

Wenn die Sache vor Gott kommt, wird er nicht fragen, ob der König ungerecht oder sie gerecht sind, denn solches ist offenbar worden, sondern er wird fragen: Ihr Herren [illegible] Dänemark und Lübeck, wer hat solche Rache Euch befohlen zu thun? Hab ich's Euch befohlen, oder der Kaiser, oder Obrigkeit? So leget Briefe und Siegel auf und beweist es. Können sie das nicht, so wird Gott urtheiln: Ihr aufrührischen Gottesdiebe, die Ihr in mein Amt greift und aus Frevel Euch der göttlichen Rache unterwunden habt, seid schuldig laesae majestatis divinae u. s. w. Wenn so sollt geschehen, daß ein Jeglicher, der da Recht hätte, möchte den Ungerechten selbst strafen, was sollte in der Welt daraus werden? Da würde es gehen, daß der Knecht den Herrn, die Magd ihre Frau, das Kind die Aeltern, die Schüler den Meister schlügen; das sollte eine [illegible]liche Ordnung werden, was bedürfte man da noch der [illegible] und weltlicher Obrigkeit von Gott eingesetzt!

Herr von R. bemerkt dabei, Luther [illegible] und in ähnlichen Verhältnissen lebhaft wider. [illegible] für die von Gott eingesetzte Obrigkeit, [illegible] aber erschiene ihm der Begriff der Obrigkeit fast immer nur in der Form des unbeschränkten Monarchismus. Diese Bemerkung trifft aber hier nicht ganz, wo es nur darauf ankommt, den Unterschied zwischen gebietender Obrigkeit, sie sei monarchischer oder republikanischer Natur, und gehorchenden Unterthanen scharf zu fassen. Denn wenn sich damals etwa in einem aristokratisch-regierten Schweizercanton das Volk gegen die Regierung empört hätte, würde Luther mit bloßer Veränderung der Würdenbezeichnung genau so haben schreiben können und würde auch ohne Zweifel in diesem Sinne geschrieben haben.

Bei dem Siege des Protestantismus in Schweden bemerkt der Verf., daß die Kämpfer für die evangelische Lehre gewiß wohlgesinnte und der von ihnen erkannten Wahrheit treue Männer waren, daß man aber darum den Widerstrebenden, deren persönlicher Ueberzeugung der Buchstabe des Gesetzes und die Ansicht von Jahrhunderten zur Seite stand, nicht blos eigennützige Triebfedern zuschreiben dürfe. Sehr schön fügt er hinzu:

Einige Geister — dies erweisen unzählige Thatsachen der Geschichte — hängen mit Liebe und Sehnsucht lediglich an der Vergangenheit, andere sind mit ausschließender Begeisterung der Zukunft zugewandt, und noch andere begreifen und verehren blos den wechselnden Augenblick der jedesmaligen Gegenwart, während die höchste Aufgabe zweifelsohne darin besteht, aus dem Würdigen der Vergangenheit die Gegenwart eigenthümlich hervorgehen zu lassen und sie mit den Keimen einer großartigen Zukunft zu befruchten.

Dem kühnen Lübecker Wollenweber, welcher die Bedeutung und das Ansehen seiner Vaterstadt im Norden erhalten wollte, widerfährt die gebührende Ehre, da seine Pläne, weder so ungerecht noch so unausführbar als viele andere, hochgepriesen worden wären, wenn der Erfolg sie gekrönt hätte. Grade so urtheilt Sartorius, indem er bemerkt: des Ausgangs wegen sei Wollenweber bei dem großen Haufen der Schmach nicht entgangen; aber er habe ganz richtig gesehen, daß nur dann noch Lübeck in seiner alten Größe und eine kraftvolle Hanse bestehen könne, wenn die nordischen Reiche niedergehalten würden und den Holländern der freie Verkehr auf der Ostsee verwehrt blieb. Aber das war ja eben schon damals der Fluch unserer Geschichte, und das ist ihr Fluch geblieben bis auf den heutigen Tag, daß alle kühne und patriotische Unternehmungen gegen das Ausland zur Aufrechthaltung deutscher Macht und deutschen Ansehens fast immer vereinzelt und von der Gesammtheit verlassen blieben, ja daß das Ausland in seinen Plänen gegen uns fast immer an Deutschen selbst die hülfreichsten Beförderer gefunden hat.

(Die Fortsetzung folgt.)

Volkspoesie der Polen.

Pieśni polskie i ruskie ludu galicyjskiego. Z muzyką przez Karóla Lipińskiego. Zebrał i wydał Wacław z Oleska. We Lwowie 1833. (Polnische und russinische Lieder des galizischen Volkes. Mit Musik von Karl Lipiński. Gesammelt und herausgegeben von Wazlaw aus Olesko. Lemberg 1833.)

Nachdem in neuerer Zeit ein allgemeines Interesse für slawische Volkspoesie erwacht ist, haben mehre slawische Völkerschaften Sammlungen ihrer Volkslieder erhalten. Die Böhmen von Čelakowski und Rittersberg, die Mähren von Galaſſ, die Slowaken von Szafarzyk, die Dalmater von Kacich Miossich, die Serben von Wuk Karadzicz, die Russen von Kalatilin, Danilow, Popow, Certelew und Pracz. Bei den Polen hat Brodziński bereits vor mehren Jahren die Aufmerksamkeit auf die Volksgesänge geleitet und zuerst einige derselben in polnischen Zeitschriften bekanntgemacht. Seinem Beispiele folgten Andere. Darauf faßte Zorian Chodakowski den Riesenentschluß, alle Volkslieder Polens und Kleinrußlands unmittelbar aus dem Munde des Volkes selbst zu sammeln. In einen kurzen Pelz gekleidet, ein Ränzel auf dem Rücken, zog er von Dorf zu Dorf, bei Geistlichen, Organisten, Volkssängern und alten Weibern sprach er ein, bemüht, allen bald durch Bitten, bald durch Freigebigkeit und Gesang die ihnen bekannten Lieder zu entlocken; ein frühzeitiger Tod hat leider seinen Plan vereitelt. Auch der bekannte slawische Sprachforscher Andreas Kucharski hat auf seinen Reisen eine bedeutende Anzahl polnischer Volkslieder gesammelt, deren Erscheinen man schon seit einiger Zeit entgegensieht.

In dem obengenannten Werke wird nun den Polen die erste gedruckte Sammlung ihrer Volkslieder dargeboten. Der Herausgeber ist Wazlaw (Wenzel) Zaleski aus dem im złoczower Kreise Galiziens gelegenen Städtchen Olesko. *) Die Sammlung ist bedeutend, sie enthält 1496 polnische und russinische **) Volkslieder. Des Herausgebers Zweck war, die Lieder des galizischen Volkes mitzutheilen; da nun Galizien von Polen und Russinen bewohnt ist, so glaubte er, die Lieder beider Völkerschaften vereinen zu dürfen, besonders da ihre Sprachen gegenseitig leicht verständlich sind. Es tritt aber zwischen den Liedern beider Art ein bedeutender Unterschied heraus. Um diesen und die selbständige Gestaltung der polnischen und russinischen Lieder zu entwickeln, hat der Herausgeber einen trefflichen Weg eingeschlagen. Er geht davon aus, daß die Poesie eine nothwendige That des menschlichen Geistes sei, daß, einem Volke Poesie absprechen, ihm sein innerstes Leben absprechen hieße. Das Volk dichtet nicht mit Vorsatz, nicht aus Langerweile, nicht um zu glänzen; wie es athmen, wie es in der Freude jauchzen, im Schmerze seufzen muß, so ist es ihm auch Bedürfniß, das Gefühl, das in schlimmer oder guter Lage seine Brust erfüllt, in Worte zu fassen und auszusprechen. Solche Gedichte sind reine Erzeugnisse des Zustandes, der Gesinnungen, der Nationalität eines Volkes, daher auch wieder aus ihnen das Volksthümliche einer Nation am reinsten erkannt wird. — Nun gedenke man der fortwährenden Kriege Polens mit den Kreuzrittern, Moskowitern und Türken, der Einfälle der Tataren und Kosaken, man gedenke der Jahrhunderte währenden Zerwürfnisse im Lande selbst, insbesondere jenes im ganzen Lande zerstreuten, muthwilligen, müßigen und verderbten, zu Reichs-, Land- und Wahltagen von Ort zu Ort ziehenden kleinen Adels, der den Landmann fortwährend aussog, verspottete und beunruhigte, man gedenke der Leibeigenschaft und der Bedrückungen durch den hohen Adel, endlich auch des verderblichen Einflusses der Juden. Danach wird man sich nicht mehr wundern, wenn man bei dem polnischen Landvolke keine vollkommen ausgebildeten Lieder findet. Ganz zurückdrängen ließ sich die Poesie freilich nicht, das Volk mußte dichten, was in ihm lebte, mußte herausbrechen; aber unter solchen Verhältnissen blieb ihm nichts übrig, als in der Eile, mit wenigen Worten, wenigstens mit Einem tiefen Seufzer sein Herz zu erleichtern, und so entstand eine den Polen ganz eigenthümliche Form der Volkspoesie, der Krakowiak (ursprünglich: Krakauer), der in unzählbarer Menge (unsere Sammlung enthält allein 680 Krakowiaken) durch ganz Polen zerstreut ist — Ein unendliches Volkslied. Die Krakowiaken sind kurz, die meisten bestehen nur aus zwei Versen; im ersten Verse findet man gewöhnlich ein Bild aus den

*) Olesko ist durch ein Schloß berühmt, in dem der König Johann III. Sobieski geboren worden.

**) Nicht russische. Die Russinen bewohnen fast ausschließlich das südöstliche Galizien, ihre Sprache steht der polnischen viel näher, als der russischen.

Umgebungen der Natur, im zweiten folgt dann, was eben ausgedrückt werden sollte, die Verschmelzung der beiden Verse ist zuweilen dem tiefsten dichterischen Gemüthe entflossen, oft ist aber auch nur der Reim die Verbindung und der poetische Werth nicht bedeutend. Ausgezeichnet sind die Krakowiaken durch ihre Heiterkeit, denn troz jener Zerrüttungen war es heiter im alten Polen; die meisten sind erotisch, nicht wenige geradezu schlüpfrig, was der Einwirkung des ausschweifenden kleinen Adels zuzuschreiben ist. Wir wagen einige Krakowiaken zu übersetzen.

Der Winter kommt, das Blatt vom Baume fällt,
Weh' dir, o Lieb', wenn sich ein Dritter zwischen stellt.

Die Blättchen sind gefallen, das Zweiglein ist geblieben,
Du bist's erste Mädchen, das treu mich thut lieben.

Still fließt das Bächlein hin, doch an den Steinen braust es,
Wer noch nicht seufzen kann, die Lieb' ihn lehrt es!

Der Mond scheint hell, ihm helfen Sternelein,
Noch brennen nicht die Liebe meine Aeugelein.

D. h., die Aeugelein scheinen auch nur.

Es neigen sich zur Erd' die frischen Zweigelein,
Noch kennen nicht die Liebe meine Aeugelein.

Sie schlägt die Augen nieder.

An der grünen Eich' Ein Zweiglein verschwindet,
Wie sollt' ich ihn nicht lieben, da er sich an mich bindet.

Das schlanke Bäumchen im finstern Thale steht,
Weil's vor dem Aextchen sich fürchten thät. —
Nicht wollte das Bäumchen dem Aextchen entgehn,
Wo es gewachsen, da muß es stehn. —

Es drängt sich das Bäumchen von den Frühlingswinden,
Mich treibt die Liebe hin, wo ich sie werd' finden.

Die Nachtigall singt auch in finstrer Nacht,
Mich jezt zu beglücken steht in deiner Macht.

Gefallen ist die Eiche, nicht wird sie wieder grünen,
Mein Wort hab' ich gegeben, nichts kann sich mehr ändern.

Lieb ist mir die Gegend, wo die Sonne aufgeht,
Doch noch lieber die, wo mein Hänschen geht.

Es rauscht das Blatt und rauscht, bis es vom Baume fällt,
Es hat sich zwischen uns ein Verrath gestellt.

Sie fällen im Wald und fällen, der Wald, der bleibt ein Wald,
Und unsere Krakowiaken, die end'gen nicht so bald.

Außer den Krakowiaken findet man natürlich auch einzelne längere polnische Lieder, aber immer bleiben jene die eigenthümliche Form der polnischen Nationalpoesie.

(Der Beschluß folgt.)

Göthe und Satan. Ein dramatisirter Dialog von Leopold D: Heidelberg, Reichard. 1833. Gr. 8. 9 Gr.

Ein kleiner Nachzügler der zahllosen Schriftlein und Gedichtlein, welche wir in Nr. 140 d. Bl. f. 1832 unter der Rubrik: „Göthe-Literatur", beurtheilend zusammengefaßt haben. Was der Verf. auf dem Titel dieser versificirten Broschüre mit dem wunderlichen Ausdruck: „dramatisirter Dialog", hat bezeichnen wollen, ist ebenso schwer zu errathen als die ganze Absicht und Tendenz dieses jedenfalls mislungenen dramatisirten Dialogs, der in Vers und Manier dem Styl des „Faust", aber ziemlich talentlos nachgebildet ist. Göthe sizt in seinem Bibliothekscabinet auf dem Sopha, ein Buch in der Hand; es ist Nacht, und er ist eben aus einem leichten Schlummer erwacht. Da denkt er phantasirend an seine Schriften, an die Lieblingsgestalten seiner Dichtungen, unter andern auch an Mephistopheles. Er disputirt bei sich herum, ob er denselben auch wirklich richtig portraitirt habe:

Ich wünscht' drum wahrlich doch einmal,
Satan käm' selbst zu mir herab,
Damit ich das Original
Mit der Copie vergleichen kann;
Denn ich kann meinem Muthe trauen,
Ihm kühn ins Angesicht zu schauen.
Er hat mich günstig inspirirt
Und ist gewiß mir obligirt,
Daß ich ihn hab' vor alle Welt
So fein, so geistreich dargestellt.

Es klopft an die Thür und Satan tritt in der That in Person herein. Er war selbst längst begierig, den berühmten Dichter kennen zu lernen. Nach der ersten Begrüßung und Einleitung der Unterhaltung fängt Göthe an zu klagen:

Ach wärst du früher nur gekommen,
Wo mich noch Geist und Kraft durchbraust.
Jezt ist mir Geist und Kraft benommen,
Gieb' nur den zweiten Theil vom Faust!

Satan antwortet ohne Complimente:

Den hab' ich mit Verwunderung gelesen,
Und dich und mich nicht mehr darin erkannt.
Gab so zu ändern je das geist'ge Wesen
Einst jener Geist dem Menschenkind Verstand?

Nachdem Satan darauf dem Göthe eine Bitte freigegeben, und dieser sich Verjüngung seines Dichterlebens gewünscht, was ihm aber rund abgeschlagen wird, da der Teufel ein Menschenleben wol verjüngen kann, aber das Dichterleben nicht in seiner Macht steht, fangen endlich Beide an, von Staatsgeschäften miteinander zu sprechen und von Politik, Zeitangelegenheiten u. dgl. sich zu unterhalten. Es fehlt dabei nicht an schon oft vernommenen Anspielungen auf Göthe's Aristokratismus, politischen Pedantismus, seine Eigenliebe, Eitelkeit und andere menschliche Schwächen von der Art, wie sie wol große Männer gewissermaßen als ein Muttermal ihrer Größe an sich zu tragen pflegen. Unser kleiner, satirisch seinwollender Verf. hätte aber vor allen Dingen mehr Witz und Geist aufwenden müssen, um seine Polemik einigermaßen neu und nachdrücklich, oder auch nur unterhaltend auftreten zu lassen. 140.

Aphorismen.

Jakobiner.

Zur Zeit der zweiten Nationalversammlung (assemblée législative) hatte der derzeitige Kriegsminister, Narbonne, einen Bericht vor derselben abzustatten, bei welchem ihm der Ausdruck entfuhr: „J'en appele aux membres les plus distingués de cette assemblée". Augenblicklich erhob sich der ganze Berg (die Jakobinerpartei) in voller Wuth, erklärend, daß es in der Nationalversammlung kein vor den andern distinguirtes Mitglied gäbe. Die Aristokratie des Talents empörte diese Leute ebenso sehr als die der Herkunft. Da haben wir's!

Anekdote.

Ein Schweizer aus der guten alten Zeit und strengern militairischen Dressur Ludwig XV. hatte in seiner Zurückgezogenheit von den Heldenthaten des Generals Bonaparte gehört und reiste nach Paris, um den Helden des Jahrhunderts zu sehen. Er sah ihn auch wirklich und ward nachher um sein Urtheil befragt. „Cela un général", antwortete er erbost, „quand il a marché, il n'est pas seulement parti du pied gauche." Es ist dies auch eine Ansicht, und man sieht daraus, wie schwer es hält, sich einen durchgängigen Ruf zu erwerben. 178.

Redigirt unter Verantwortlichkeit der Verlagshandlung: F. A. Brockhaus in Leipzig.

Blätter für literarische Unterhaltung.

Donnerstag, — Nr. 283. — 10. October 1833.

Geschichte Europas seit dem Ende des 15. Jahrhunderts von Friedrich von Raumer. Zweiter Band.

(Fortsetzung aus Nr. 282.)

Der dritte Abschnitt enthält die Geschichte Frankreichs unter Heinrich II. und Karl IX. Da nun auch in diesem Lande die religiösen Zerwürfnisse eine so bedeutende Rolle spielen, so geht der Verf. auf die erste Ausbreitung der Reformation unter Franz I. zurück und läßt den von diesem Könige verübten Verfolgungen sehr passend eine Stelle aus Calvin's trefflicher Zueignung der Institutionen an ihn vorausgehen. Unter Heinrich II. wird die überaus elende Verwaltung besonders hervorgehoben. Die Geldwirthschaft war so nichtswürdig, daß ein Hofmann wol alle Strafen und Gütereinziehungen, die in einer Provinz vorkommen würden, im Voraus zum Geschenk erhielt, woraus, um diesen schändlichen Gewinn zu erhöhen, heimliche Verbindungen mit ruchlosen Richtern entstanden. Die doppelte Erzählung des Krieges mit Spanien von 1536, der schon am Ende des ersten Bandes vorkam, hätte in einem Werke, welches nicht Staaten-, sondern allgemeine Geschichte erzählt, wol vermieden werden können. Auch will das hier ausgesprochene Urtheil über das Ergebniß des Friedens für Frankreich mit dem dort gefällten nicht recht übereinstimmen. Das Gewirr der Ränke, Kämpfe und Greuel, welches die nächsten Regierungen auf so schreckliche Weise erfüllt, ist klar und lichtvoll dargestellt. Ueber die Veranlassung zur Bluthochzeit stimmt der Verf. der ohne Zweifel richtigen, in Deutschland zuletzt durch Wachler vertheidigten Ansicht bei, daß der furchtbare Frevel nicht die Frucht eines jahrelang zuvor gefaßten und heuchlerisch versteckten Vorsatzes gewesen sei, sondern der Furcht, des Hasses und der Mordgier, die der Augenblick erzeugte. Mit Recht setzt er aber hinzu, daß die Schuld dadurch im Wesentlichen keineswegs geringer wird, da man immer unleugbar bösen Willen gegen die Hugenotten hegte, und die herzlos berechnenden Frevler sich in jedem Augenblicke das Schändlichste erlaubt haben würden, wenn es ihnen nützlich und ausführbar erschienen wäre. Was wir vermissen, ist eine nähere Beleuchtung des zuvorkommenden, freundlichen Benehmens, welches der Hof nach dem Frieden von St.-Germain en Laye gegen die Hugenotten zeigte. Verschrieben ist es übrigens, wenn der Verf. Guise die Hauptleute am Abend des 24. August versammeln läßt. Es muß am Abend des 23. heißen, da die Bluthochzeit in der Nacht vom 23. zum 24. begann.

Der vierte und fünfte Abschnitt enthalten die Geschichte Heinrich III. und IV. Der große Contrast zwischen Beiden ist sehr einfach aus den Thatsachen, aber mit desto ergreifenderer Wahrheit und Wirkung dargestellt. Aus dem Zustande, in dem Heinrich IV. Frankreich, als er endlich auf dem Throne befestigt war, fand, bewährt sich vollkommen der angeführte Ausspruch Sully's:

> Die Geschichte aller Jahrhunderte lehrt uns, daß Aufstände, Empörungen und bürgerliche Kriege weder taugliche Mittel waren noch sein werden, die gefährlichen Krankheiten zu heilen, welche die Völker ergriffen wegen großer Lasten, Abgaben, Kriege u. dgl. Die Uebel werden dadurch vielmehr erhöht als vermindert und erleichtert, und insbesondere gilt dies für die armen Bewohner des platten Landes.

Ein Ausspruch, der in unsern Tagen leider von den Völkern nicht beherzigt worden ist und sogar von manchen sogenannten Staatsrechtslehrern nicht beherzigt wird. Von dem Plane Heinrich IV. zu einem europäischen Staatenbunde sagt der Verf.: dieser sei bald überschätzt, bald zu sehr herabgewürdigt worden; das Letztere, insofern er, mit Beiseitsetzung höherer Heil- und Heiligungsmittel, ein abergläubiges (selbst in unsern Tagen noch nicht verschwundenes) Gewicht auf die Gleichheit der Massen lege und dieselbe auf verwerflich revolutionnaire Weise, ohne Rücksicht auf Recht und Eigenthum, durch die ärgste, eben zu vertilgende Gewalt herbeiführen wolle, und zwar nicht unparteiisch, indem alle zu gestaltende äußere Veränderungen darauf hinausliefen, die spanisch-östreichische Macht, welche ohnehin schon im Sinken begriffen war, überall zu erniedrigen, die französische aber zu erhöhen. Zu sehr aber sei jener Plan auch herabgewürdigt worden, indem man unbeachtet gelassen, daß der Gedanke christlicher Duldung und eines Rechtsverhältnisses unter den Staaten des höchsten Preises würdig sei und ein Gegenstand unablässigen Strebens sein müsse, weil nur auf diese Weise unermeßlichem Elende vorgebeugt oder dasselbe aus dem Wege geräumt werden könne. In Bezug auf den erstern Punkt stimmen wir mit dem Verf. vollkommen überein, nicht aber über den zweiten. Die große Idee der Duldung und der Rechtsherrschaft, für welche er hier mit edler Wärme spricht, wäre auf diesem Wege gewiß nie verwirklicht worden. Wir sehen in unsern Tagen, wie schwer es ist, nur in Einem Theile dieses großen europäischen Staatensystems, dessen Glieder in einem solchen Bundesverhältniß zu einander stehen, stete Einigkeit zu erhalten und sie zu einem für das Wohl Aller nothwendigen, übereinstimmenden Wirken zu bringen, trotz der Gleichheit der Abstammung, der Sprache und der Interessen; wie sollte dies je möglich sein in einem so weiten Umfange, unter Völkern und Staaten so verschiedener Art und zum Theil einander so schnurstracks entgegengesetzter Vortheile? Es bedurfte aber für so kluge Staatsmänner wie Heinrich und Sully einer solchen Erfahrung nicht, um sie von der gänzlichen Unausführbarkeit ihres Gedankens zu überzeugen; es müssen also wol ganz andere Absichten dahinter verborgen gewesen sein, und diese darf man eben nicht weit suchen. Es war nicht blos die Vergrößerung der französischen Macht auf Kosten der spanisch-östreichischen, es war die allgemeine Präponderanz und gebietende Stellung Frankreichs in Europa, auf die man hinarbeitete, ein Ziel, dessen Erreichung Ludwig XIV. schon ziemlich nahe gekommen war, und welches Napoleon in seinem grand empire weiter überflog, als es damals die kühnsten Hoffnungen zu träumen wagen konnten. Jene großen und erhabenen Ideen müssen sich vielmehr aus der Ueberzeugung von der Nothwendigkeit einer sittlichen Basis auch für das Staatenleben und von dem Antheile desselben an der moralischen Weltordnung mit Freiheit immer wieder von Neuem erzeugen; wie aber werden sie durch äußere Institutionen und Gesetze, die nur für den Schwachen bindende Kraft haben, zu verkörpern und zu befestigen sein?

Der letzte Abschnitt dieses Bandes, welcher die Geschichte der Königinnen Elisabeth und Maria Stuart enthält, ist der wichtigste und anziehendste desselben, nicht nur weil bei einem außerordentlich reichen und mannichfaltigen Quellenstudium die Forschungen und Ansichten des Verf. hier am eigenthümlichsten hervortreten, und die neuen Ergebnisse die bedeutendsten sind, sondern auch weil er offenbar mit der meisten Liebe gearbeitet ist, was einen unverkennbaren Einfluß auf die Darstellung geübt hat. Er sagt in der Vorrede, daß ihm das Studium der zahlreichen Werke und Streitschriften über die beiden Königinnen die meiste Mühe und Anstrengung gekostet habe, da hier jeder Schritt streitig gemacht und das Entgegengesetzte als unleugbare Wahrheit verkündet wird, ja Vielen es als ein Recht und eine Pflicht gelte, gradehin parteiisch zu sein. In Bezug auf das durch ihn dargelegte, den gewöhnlichen Darstellungen ziemlich entgegenstehende Ergebniß über das Verhältniß der beiden Nebenbuhlerinnen fügt er hinzu, er möchte wiederholen, was er früher über seine Darstellung Karl V. und Franz I. behauptet, daß sich seine Ansicht nämlich ungeachtet anfänglichen Widerspruchs mit der Zeit immer mehr Bahn brechen und als die richtigere erweisen werde. Da es Karl V. und Elisabeth sind, über welche Herr von R. sich in dem gleichen Falle befindet, so führt ihn dies auf das Gemeinsame in diesen beiden Naturen, und er stellt einen bemerkenswerthen Unterschied auf zwischen solchen mit durchdringendem Verstande und überlegenem Herrschertalent ausgerüsteten Seelen und den weichen gemüthlichen Charakteren. Die Schwäche der letztern deckt man gern mit dem Mantel der Liebe zu, über die erstern sprechen sich die Beurtheiler in der Regel am strengsten aus. Wenn man aber, heißt es weiter sehr richtig, den Leichtsinn, ja die Verbrechen jener um ihrer Liebenswürdigkeit oder der eingetretenen Reue und Strafe wegen verzeiht, so sollte man doch in den ernsten Herrscherseelen nicht dieselbe Empfindungsweise und nicht dieselbe Art ihrer Aeußerung verlangen.

So der Verf. in der Vorrede, und man sieht leicht, welche Richtschnur für historische Gerechtigkeit in Bezug auf das Verhältniß Elisabeth's zu ihrer Gegnerin er aus diesem allgemeinen Satze hergeleitet und bei der Darstellung desselben zum Grunde gelegt haben wird. Um einen nähern Begriff davon zu geben, wollen wir die allgemeinen Umrisse derselben mittheilen. Es beginnt dieser Abschnitt mit einer lehrreichen Uebersicht der staatsrechtlichen Einrichtungen Schottlands und geht sodann auf die Begebenheiten in diesem Lande während der Regentschaft der ältern Maria über. Nun tritt ihre Tochter, die jüngere, vielbeweinte Maria, auf den Schauplatz. Von ihr heißt es:

Ein so glänzendes Schicksal war seit der nordischen Margarethe keiner Sterblichen zu Theil geworden: drei Kronen schmückten ihr Haupt, und Schönheit, Liebreiz, gewandtes Benehmen, Witz, geistige Bildung, dichterische und musikalische Anlagen würden der erst 16jährigen Frau alle Herzen gewonnen haben, selbst wenn sie nicht Königin gewesen wäre. — — Besser freilich für sie, wenn Gefühl, Empfindung, Reizbarkeit und Genußliebe minder hervorgetreten, wenn Verstand, Vernunft, Besonnenheit im Ueberlegen und Kraft zum Beschließen sich mehr eingefunden hätten. Die Lebendigkeit ihres eignen Wesens hinderte Marien, fremde Naturen richtig zu würdigen, und der Spiegel ihres Geistes gab allen Gegenständen eine eigenthümliche, ihr willkommene Farbe, welche aber fast nie mit der Wahrheit übereinstimmte.

Nachdem sodann von dem verfolgungssüchtigen Katholicismus, der ihr als Religion dargeboten wurde, und von dem sich durch Verbrechen hinziehenden Leichtsinn des französischen Hofes, der ihr als tägliche Lebensgewohnheit erschien, die Rede war, heißt es weiter:

Wie mußte das so bewegliche, entzündbare, mehr von zweideutigen Gefühlen als von festen Grundsätzen geleitete Gemüth Mariens durch diese Einflüsse und Umgebungen verbildet und beherrscht werden! Nur wenn man sich dieser ihrer Jugend recht erinnert, wird Gutes wie Böses ihrer spätern Jahre erklärlich, und wie in das anfangs so glanzvolle Schicksalsgewebe immer mehr dunkle Fäden hineinschlagen, bis es sich in die schwarze Decke eines Blutgerüstes verwandelt!

(Die Fortsetzung folgt.)

Volkspoesie der Polen.

(Beschluß aus Nr. 282.)

Wo bei den Russinen gleiche Verhältnisse mit denen der Polen stattgefunden haben, hat sich auch bei ihnen eine dem Krakowiak gleiche Form in der Kolomyka (sie hat ihren Namen von der Kreisstadt Kolomy am Pruth) erzeugt. Anders aber war es bei dem größten Theile der Russinen in dem südöstlichen Galizien. Hier war zwar der Landmann auch sehr bedrückt, doch nicht fortwährend belästigt und gestört durch den kleinen Adel. In den einsamen Gebirgen konnte er sich den Eindrücken der

Natur, seinen Gefühlen und der Trauer über sein hartes Loos überlassen. Daher finden wir bei den Russinen zahlreiche Lieder, die sich von denen der andern Slawen durch eine schmerzliche Sehnsucht, durch Wehmuth und Traurigkeit und ein gewisses spöttisches Zuschauen der entsetzlichsten Ereignisse unterscheiden *); in die ernsthaftesten Beschreibungen sind herbe Scherze gemischt, die um so tiefer ergreifen. Die russinischen Lieder haben viel Aehnlichkeit mit den serbischen, doch sind die letztern viel heiterer; auch haben die russinischen Lieder das echt-slawische Gewand behalten, während in den serbischen Liedern nicht selten Bilder sich finden, die uns den Orient mit seiner ganzen Pracht vor die Seele führen. Diese Bilder, wenngleich zuweilen schon gemildert und dadurch gleichsam naturalisirt, zeigen sogleich den Zusammenfluß der Phantasie der Serben mit der ihrer orientalischen Nachbarn und Herren; ja, einige der schönsten serbischen Lieder enthalten Stellen, die gradezu aus einer der Suren Mohammed's entnommen zu sein scheinen.

Der Herausgeber theilt seine Sammlung in zwei Theile, in männliche und weibliche Lieder. „Die weiblichen", sagt er, „werden von der Jugend beiderlei Geschlechts, besonders aber von den Frauen gesungen, sie sind dem häuslichen Leben geweiht, und begleiten das Volk von der Wiege bis zum Grabe; in den männlichen hingegen gefallen sich die Männer, hier werden geschichtliche Ereignisse des ganzen Volks oder Einzelner dargestellt." So hingestellt, erscheint die Eintheilung oberflächlich, doch liegt ihr gewiß etwas Richtiges zum Grunde. Sie bedingt nur die Reihenfolge der Lieder.

In der ersten Abtheilung finden wir zuvörderst Lieder, die bei Verlobungen, Hochzeiten, Taufen und Begräbnißmahlzeiten gesungen werden. Da die eigenthümlichen Gebräuche, welche mit den beiden letzten verbunden waren, untergegangen sind, so ist auch die Zahl der erhaltenen Lieder der Art sehr gering. Bei den Hochzeiten hingegen kann das Volk auch jetzt der Lieder nicht entbehren. Seit den ältesten Zeiten wurde die Hochzeit bei allen slawischen Völkerschaften mit einer Menge von Ceremonien und Vorurtheilen begangen, hierhin ergoß das Volk den ganzen Reichthum seiner Phantasie, hier offenbarte es seine theuersten und tiefsten Bilder und Gedanken. Noch heute bietet eine slawische Hochzeit auf dem Lande den reichsten Schatz von Meinungen und Gebräuchen der Vorzeit dar. Durch eine ganz besondere Sorgfalt in Rücksicht auf die Beobachtung dieser alten Gebräuche zeichnen sich aber die Russinen aus, und ihre Hochzeitlieder gehören selbst neben den serbischen zu den schönsten slawischen Gedichten, einige sind die ersten Zierden der Sammlung Zaleski's.

Ferner sind in die erste Abtheilung gezogen Lieder für religiöse Feste; sie sind die ältesten der Sammlung, geben bis ins Heidenthum zurück und erwähnen der slawischen Gottheiten Did und Lado. Hierauf folgen Lieder bei verschiedenen ländlichen Geschäften, dann Jagd-, Soldaten- und Räuberlieder, ferner Lieder zu ländlichen Spielen und den Nationaltänzen. Hier finden wir nun die oben erwähnten Krakowiaken und Kolomyken. Diesen folgen Liebeslieder in bedeutender Anzahl. Wir versuchen die Uebersetzung eines der letzten und zwar eines polnischen.

Warum, o Mädchen, stehst du unterm Ahorn?
Brennt die Sonne dich, fürchtest du den Wind? —
„Nicht brennt mich die Sonne, nicht fürcht' ich den Wind,
Doch mein Jüngling kommt nicht — traurig ist mein Herz."

„Auf die Wege sieh' ich, die von dorther kommen,
Aber keiner gibt von ihm mir Nachricht;
Und den Wind nun frag' ich, der von dorther weht,
Der will's auch nicht sagen, wie es ihm ergeht."

In der zweiten Abtheilung finden wir die eigentlich historischen Lieder; zuerst diejenigen, welche das Leben der Nation darstellen. Diese Lieder sind die interessantesten von allen, aber grade an solchen ist die Sammlung ziemlich dürftig. Hier zeigt sich recht der hohe Werth der serbischen Poesie, denn die ganze Vergangenheit der Serben ist in ihren Liedern eingeschlossen, die Thaten der Väter, Gegenstände der Verehrung, leben in den Gesängen des ganzen Volkes. Viele der historischen Lieder der polnischen Nation mögen durch die Zeitverhältnisse untergegangen sein, doch leben unter dem Volke gewiß noch viel mehr, als hier geboten werden. Zuletzt stehen Lieder, die einzelne Personen betreffen. Ihr Inhalt und Ton nähert sich am meisten den Romanzen und Balladen anderer Völker, einige sind den serbischen sehr ähnlich. In den einzelnen Strophen trifft man oft auf Blumen seltener Schönheit. Das folgende Lied ist ein polnisches. Zum Verständnisse desselben gehört, daß aus der Raute der Brautkranz geflochten wird.

Im neuen Garten säe ich mir Raute,
Winde drei Kränzlein und laß sie ins Wasser.
Jenseits des Wassers reiten drei Herren,
Hei, hei, großer Gott, reiten drei Herren.
Der erste spricht zum zweiten: ein Kränzlein schwimmt,
Hei, hei, großer Gott, ein Kränzlein schwimmt.
Der zweite spricht zum dritten: ein Mägdlein sinkt,
Hei, hei, großer Gott, ein Mägdlein sinkt.
Der dritte springt herab, näßt sein Kleid und ertrinkt,
Hei, hei, großer Gott, und ertrinkt. —
Sage nicht, mein lieber Rapp', daß ich ertrunken,
Sondern sprich, mein lieber Rapp', daß ich gefreit. —
Deine arme, arme Hochzeit im Ertrinken,
Hei, hei, großer Gott im Ertrinken;
Deine arme junge Braut, im Wasser sie freit,
Hei, hei, großer Gott, im Wasser sie freit;
Deine armen Gästlein, die Fischlein im Wasser,
Hei, hei, großer Gott, die Fischlein im Wasser;
Deine armen schwarzen Augen, der Sand sie treibt,
Hei, hei, großer Gott, der Sand sie treibt;
Deine armen schwarzen Haare, der Fluß sie trägt,
Hei, hei, großer Gott, der Fluß sie trägt.

Zum Schlusse erwähnen wir noch mit einigen Worten der Melodien, denen wir besonders die Erhaltung der Lieder zu verdanken haben. Erst in der Melodie besteht das wahre Leben des Volksliedes. Die Gegenstände der Lieder sind längst dahin, das Volk versteht selbst die einzelnen Worte und Andeutungen des Liedes nicht mehr, aber die wunderbare Melodie, tief in den Herzen des Volkes gewurzelt, drängt unwillkürlich mit jeder Erinnerung auch die Worte wie Hymnen der Todten hervor. Mit Freuden sieht man bei diesem Werke einen Mann thätig, der, ein Stolz seines Volkes, zu den ersten Künstlern Europas gehört; und wohl ist er hier in einen würdigen Wirkungskreis getreten, denn sowie durch die Lieder selbst die polnischen Dichter zur wahren Nationalpoesie hingewiesen werden, so werden auch die Melodien durch ihre Frische und Tiefe zur Erhebung der polnischen Nationalmusik unzweifelhaft beitragen.

Möchte uns bald eine Auswahl dieser Lieder in deutscher Uebersetzung von einer geübten Hand geboten werden. 177.

Geschichte der Pflanzung und Leitung der christlichen Kirche durch die Apostel, als selbständiger Nachtrag zu der allgemeinen Geschichte der christlichen Religion und Kirche. Von Aug. Neander. Erster Band. Mit einer Karte des Schauplatzes dieser Geschichte. Hamburg. Perthes. 1832. Gr. 8. 2 Thlr.

Der ehrwürdige Verf. hatte, wie er im Eingange des Vorworts erklärt, die Absicht, seine Darstellung des Entwickelungsganges der christlichen Religion und Kirche in dem apostolischen Zeitalter erst später auf die Vollendung des Ganzen seiner Kirchengeschichte oder wenigstens eines größern Theils derselben folgen zu lassen; aber schriftliche wie mündliche Bitten bewogen ihn, diesen Plan zu ändern. Inhalt und Zweck

*) Von den Liedern, welche den Deutschen unlängst in einer Uebersetzung unter dem Titel: „Volkslieder der Polen" (Leipzig 1833) mitgetheilt worden, haben wir einige, z. B. das Schlachtlied, unter den russinischen Liedern in der Sammlung Zaleski's vorgefunden.

ten Bande beschlossen sein wird, erhellt aus dem Titel. Es ist eine zunächst aus den biblischen Quellen, aus den Geschichtserzählungen und brieflichen Urkunden des Neuen Testamentes erörterte Darstellung des Urchristenthums in seiner innern und äußern Gestalt, Auffassung und Darlegung der Lehren des Erlösers, der Persönlichkeit und der Schicksale seiner Apostel und der von ihnen gestifteten Gemeinden. Es ist eine mit dem frommen Gemüthe und mit der gewissenhaften und ebenso freimüthigen Wahrheitsliebe Neander's, den die Unbefangenen und Wohlgesinnten aller Partien ehren, veranstaltete Forschung, deren Resultate hier nicht blos dem gelehrten Theologen und dem streng wissenschaftlichen Mann, sondern jedem nachdenkenden und gebildeten Christen dargeboten werden. Sowol die äußerste Rechte eines Stolberg als die äußerste Linke eines Greiling ist hier weislich vermieden, vielmehr die Wahrheit selbst aus dem Centrum der Geschichte mit höchster Einfalt und Demuth und Freudigkeit geschöpft. Das Wunderbare, welches namentlich in den ersten Capiteln der Apostelgeschichte zum Vorschein kommt und wobei die höchste Vorsicht beobachtet werden muß, um zu richtigen Vorstellungen theils von den geschichtlichen Thatsachen selbst, theils von der wirklichen Ansicht der Apostel zu gelangen, ist mit einer bewunderungswürdigen sowol Schärfe der Beobachtung als Offenheit des Vortrags von dem Verf. behandelt, der dadurch sich das vollste Vertrauen zu seinen fernern Untersuchungen und deren Ergebnissen sichert. Dahin gehören in dem vorliegenden ersten Bande die beiden Berichte von dem Pfingstwunder, womit die Merkwürdigkeit der korinthischen Sprachengaben in Verbindung gesetzt ist, und von der Bekehrung des Apostels Paulus. In der erstern Hinsicht neigt sich Neander zu der geistreichen Auslegung Baur's in Tübingen und sagt (S. 15), wie nach manchen Analogien in der Geschichte des Sprachgebrauchs ein Wort, welches zuerst ganz allgemeine Bezeichnung eines bestimmten Begriffs war, späterhin, als sich verschiedene Abstufungen in der Anwendung dieses Begriffs bildeten, nur auf eine bestimmte, besondere Anwendung desselben eingeschränkt wurde, so sei es mit dem „Reden in Zungen — in neuen Zungen" (λαλεῖν γλώσσαις—καιναῖς) geschehen; man habe darunter zuerst die neue Sprache der eigenthümlichen christlichen Begeisterung zu verstehen, wobei am ersten christlichen Pfingstfeste vielleicht auch zufällig der Umstand hinzugetreten sei, daß unter den sogenannten Galiläern auch solche sich befanden, deren Muttersprache nicht der galiläische Dialekt war und die nun Das, wovon ihr Herz voll war, in ihrer Muttersprache auszusprechen sich gedrungen fühlten, oder daß Leute aus dem Grenzvolk der Galiläer fremde Sprachen gelernt hatten, welche sie nun benutzten, um von den Fremden desto besser verstanden zu werden. Nachher aber, als sich mehrfache Abstufungen des christlichen Vortrages gebildet hatten, sei jener Ausdruck auf diejenige Art desselben eingeschränkt worden, bei welcher das Unmittelbare der Begeisterung besonders vorherrschte und in dem höhern Selbstbewußtsein sich darstellte, die discursive Verstandesthätigkeit mit dem niedern Selbstbewußtsein mehr zurücktrat, das eigentlich Extatische, was in der korinthischen Gemeinde besonders stark sich äußerte und wobei es immer erfodert wurde, die dem gewöhnlichen Sinne unverständlichen Ausrufungen und Bewegungen des Zungenredens oder der Sprachengabe durch eine andere Gabe des Geistes, die Prophetie, auszulegen und den übrigen Gemeindegliedern zum Segen gereichen zu lassen. Es ist dies eine Erklärung der Sache, welche mit den extatischen Zuständen der frommen christlichen Secten des Mittelalters und der Reformation zusammenfällt und für manchen unserer Leser noch deutlicher werden wird, wenn wir in Beziehung auf die korinthische Sprachengabe, deren Misbrauch der Apostel Paulus so ernstlich zu rügen suchte, an die Darstellungen Tieck's in dem leider unvollendeten „Aufruhr in den Cevennen" erinnern. Bei der Bekehrung des Paulus (S. 72 fg.) vergleicht der Verf. die Hauptmomente der scheinlich, weil die Zeugnisse der Begleiter und am bestimmtesten das eigne Zeugniß des Paulus auf die objective Realität einer ihm zu Theil gewordenen Erscheinung des Erlösers hinweisen, wobei indessen keine magische Einwirkung des äußerlich Vorgegangenen auf das Gemüth des Paulus angenommen, sondern ein sittlicher Anschließungspunkt in seinem Innern vorausgesetzt wird. Ein weiterer Beleg der unbefangenen Forschung des Verf. ist, daß er den zweimaligen Aufenthalt des Apostels Paulus in Rom annimmt, besonders gestützt auf das Zeugniß des römischen Bischofs Clemens, auch weil der zweite Brief an Timotheus nicht in der ersten Gefangenschaft des Apostels zu Rom könne geschrieben sein, sofern seine Lage darin ganz anders beschrieben werde, als sie hier müsse gewesen sein. Auch setzt nun der Verf. die Abfassung mehrer anderer Briefe und die muthmaßliche Reise des Apostels nach Spanien in die Zeit zwischen die die erste und die zweite römische Gefangenschaft. Bis zu diesem Punkte, dem Tode des Paulus, ist die Geschichte der apostolischen Kirche im ersten Bande durchgeführt. Möge diese Darstellung in ihrem verständigen und gemüthlichen Pragmatismus, in ihrem wahrhaft frommen Geiste recht viel beitragen zur Läuterung und Befestigung christlicher Ueberzeugungen, wie sie es denn gewiß nicht verfehlen wird bei Allen, die das Buch zur Hand nehmen und nicht flüchtig lesen. 46.

Notiz.

Berechnungen über die menschliche Lebensdauer.

Man ist in Frankreich und England fortdauernd bemüht, theils auf dem Wege der Beobachtung und theils auf dem des Calculs biotomische Gesetze aufzufinden. Was uns aus ihrer Journalistik neuerdings hierüber geboten ist, dürfte ungefähr Folgendes sein.

Wenn man bisher der Meinung war, daß die Lebensdauer beim weiblichen Geschlechte wegen der schwächern Organisation, der vielen mit ihrer Pubertät, Schwangerschaft, Wochenbett und Decrepidität verbundenen Gefahren durchschnittlich viel kürzer sein müsse als beim männlichen Geschlechte, so irrte man. Herr David Davis in London bringt eine Menge statistische Uebersichten bei, welche darthun, daß die Lebensdauer des weiblichen Geschlechts nicht nur in gewissen, sondern in allen Altern durchschnittlich größer als die des männlichen ist, woraus zugleich hervorgeht, daß die Epochen der Pubertät und Decrepidität dem weiblichen Geschlechte nicht so gefährlich sind, als man gewöhnlich annimmt. Im Durchschnitt ist die Sterblichkeit zwischen dem 40. und 50. Lebensjahre im männlichen Geschlechte größer als im weiblichen, und im Alter der Pubertät ist das Verhältniß für letzteres ebenso günstig.

Ferner lehren französische Beobachter, daß von 100 in Frankreich, England, den Niederlanden, der Schweiz und Rußland geborenen Individuen nur 25 das 60. Jahr, die in der Gebirgsgegend Geborenen aber ein höheres Alter erreichen. Die meisten Menschen sterben gegen 4, 5, 8 u. 10 Uhr Morgens, und das Verhältniß der Todesfälle in dieser Zeit zu denen des Nachmittags verhält sich wie 40 zu 60. Bei letzern ist die Stunde des Verscheidens zwischen 7 u. 9 Uhr. Die wenigsten Sterbefälle ereignen sich zwischen 6 u. 11 Morgens, sowie Nachmittags und Nachts um 1, 6 u. 12 Uhr. Man sucht die Ursache hiervon in elektrischen, magnetischen und barometrischen Veränderungen. — Ein Ungenannter in England will endlich auch noch die Lebensdauer des Menschen nach seiner Pulsation berechnen. Nehmen wir z. B. das Leben eines 66jährigen Mannes und rechnen sechzig Pulsschläge in der Minute, so betragen sämmtliche Pulsschläge seines bisherigen Lebens zwei Milliarden 207 Millionen und 520,000 Schläge; zwingt er nun aber durch Unmäßigkeit sein Blut zu einer raschern Bewegung, sodaß durchschnittlich 75 Pulsschläge auf die Minute kommen, so wird die obige Zahl der Pulsschläge bereits in 66 Jahren vollständig sein und er sein Leben dadurch um 14 Jahre verkürzt haben! 82.

Redigirt unter Verantwortlichkeit der Verlagshandlung: F. A. Brockhaus in Leipzig.

Blätter

für

literarische Unterhaltung.

Freitag. — Nr. 284. — 11. October 1833.

Geschichte Europas seit dem Ende des 15. Jahrhunderts von Friedrich von Raumer. Zweiter Band.

(Fortsetzung aus Nr. 283.)

Zunächst werden Maria's Ansprüche auf den englischen Thron in Erwägung gezogen; dann tritt Elisabeth auf mit ihrem großen Verstande, ihrer gründlich gelehrten Bildung, der Festigkeit ihres Willens und ihres Charakters, der Einsamkeit und den Gefahren ihrer Jugend; dann ihre Rathgeber, vorzüglich Burghley, den „Unermüdlichkeit und strenge Wahrheitsliebe, Mäßigung und edler Ernst, der jedoch im kleinern Kreise das Heiterste nicht verschmähte, Ordnungsliebe und undurchdringliche Verschwiegenheit, ein Adlerblick, mit welchem er Menschen durchschaute, und die Klarheit, mit welcher er die verwickeltsten Gegenstände betrachtete und entfaltete, in die Reihe der größten Staatsmänner erheben, deren die Geschichte erwähnt". Wie nun die ersten Schritte und Einrichtungen Elisabeth's geschildert sind, wendet sich die Erzählung wieder zu den Begebenheiten Schottlands, nachdem Knox wieder dahin zurückgekommen war, „ein Mann von unermüdlicher Thätigkeit, weit erhaben über Eigennutz und Bestechung, selbst in den größten Gefahren muthig und unerschüttert, dessen Vorurtheile aber ebenso unausrottbar waren wie seine Ueberzeugungen, und der seine Gefühle überall seinen Grundsätzen nachstellte". Seinen Predigten folgte eine furchtbare Bilderstürmerei, die Bewegungen der Reformirten wurden immer heftiger, und die Regentin benahm sich so treulos gegen sie, daß sie ihre Absetzung aussprachen, aber, der Durchführung eines solchen Unternehmens nicht gewachsen, Hülfe bei Elisabeth suchten. Diese kannte die feindlichen Absichten der jüngern Maria und ihres Gemahls gegen sie, die sich schon in der Annahme des englischen Titels und Wappens zeigten, sehr wohl; anstatt aber sich leidenschaftlich zu übereilen, zeigten sich hier zum ersten Mal die Ruhe und Besonnenheit, der Verstand und die Klarheit, mit welchen sie und ihre Räthe die Dinge von allen Seiten betrachteten, Gründe und Gegengründe reiflichst erwogen. Erst nach langem Zögern entschloß sich Elisabeth, sich der Schotten anzunehmen und in die verwirrten Verhältnisse dieses Landes einzugreifen, wozu sie durch die Rücksicht auf die Ruhe ihres eignen Landes dringend aufgefodert war. Ein zu Edinburg abgeschlossener Vertrag setzte fest, daß Maria und ihr Gemahl Franz fernerhin weder Titel noch Wappen von England und Irland führen sollten, da diese Reiche von Rechtswegen der Elisabeth gehörten. Aber Maria zögerte, diesen Vertrag, zu dessen Abschluß sie unbedingte Vollmacht gegeben hatte, zu bestätigen, wodurch Elisabeth's gerechte Besorgnisse wuchsen; daher sie denn auch, als König Franz gestorben war, und Maria sicheres Geleit für ihre Reise nach Schottland verlangte, jene Bestätigung zu einer Bedingung desselben machte. Daß Elisabeth sie bei dieser Gelegenheit habe auffangen lassen wollen, leugnet der Verf. nach mehren Quellen. Als Maria nach Schottland gekommen war, ließ sie, die mit ihren argwöhnischen Unterthanen in mannichfacher Spannung lebte und mit der reformirten Geistlichkeit ganz zerfallen war, Elisabeth ein Freundschaftsbündniß antragen, verlangte dagegen Anerkenntniß ihres Erbrechts auf England durch einen Parlamentsschluß, vollzog aber noch immer den Vertrag nicht. Elisabeth fand ein solches Anerkenntniß bedenklich und antwortete aufrichtig:

> Thronfolger in Mariens Verhältnissen haben Mühe, ihre eignen Wünsche zu bezähmen, wie vielmehr die leidenschaftlichen Bestrebungen ihrer Anhänger in billigen und gerechten Schranken zu halten; mithin will ich die Macht einer schon so hoch gestellten Nachbarin nicht durch förmliche Bestätigung ihres Erbrechts verstärken, meine eigne Sicherheit untergraben und mir bei Lebzeiten Grab und Leichentuch vor Augen führen.

Bei der langen Reihe von Bewerbern um beide Königinnen kommt der Verf. auf das Aeußere derselben und stellt interessante Bemerkungen darüber zusammen, indem er sagt, dieses sei in ihrem gegenseitigen Verhältniß allerdings nicht gleichgültig, aber auch nicht von so entscheidender Wichtigkeit, als Manche gefabelt haben. Die große Gunst, in der Leicester bei Elisabeth stand, ist ein Anklagepunkt gegen sie, über den der Verf. zu leicht hinwegschlüpft und dadurch an den Ton der Lobrede streift, insofern er diese Schwächen in minder ungünstigem Lichte darzustellen bemüht ist. Denn so gern wir ihm zugeben wollen, daß das Verhältniß zwischen Beiden kein sträfliches war, und daß es kein Grund zu ernster Rüge sein könne, wenn Elisabeth neben den großen Staatsmännern, die sie ehrte, auch einen liebenswürdigen und gebildeten Hofmann in ihrer Nähe haben wollte, so müssen wir doch auf die daraus hervorgegangenen Misgriffe ein viel größeres Gewicht legen als er. Der Oberbefehl in den

Niederlanden erfoderte gewiß einen Mann, der Kraft und Entschlossenheit mit großer Klugheit und Besonnenheit verband, und ohne eine eigentliche Verblendung über ihn, die von seiner glänzenden Außenseite herrührte, würde die Königin ihm niemals ein so schwieriges Amt anvertraut haben. Dagegen gibt der Verf. zu, daß bei dem Vorschlage Elisabeth's zu einer Heirath zwischen Maria und Leicester, welchen Plan sie bald wieder fallen ließ, weibliche Eitelkeit und Eifersucht obgewaltet habe, sowie der Glaube, daß es politisch rathsam sei, jede Heirath Maria's möglichst zu hintertreiben. Hiermit aber hat er gewiß eine schwere Beschuldigung gegen Elisabeth ausgesprochen, eine schwerere als er selbst gewollt zu haben scheint, denn obgleich man einräumen muß, daß sie das Recht und die Pflicht hatte, in die schottischen Thronverhältnisse einzugreifen, so geht doch ein solches Vorhaben gewiß über alle Grenzen erlaubter Staatskunst hinaus, weil es ohne die größte Ungerechtigkeit und ohne die Anwendung hinterlistiger Mittel nicht durchzuführen ist. Von Elisabeth's zweideutigem Benehmen bei der Heirath Mariens mit Darnley schweigt der Verf. Hume und Robertson behaupten auf die Autorität von Keith und Castelnau, daß sie sie anfangs absichtlich befördert habe, und daß es ihr mit der lauten Misbilligung derselben kein Ernst gewesen sei. Herr von R. hat wahrscheinlich kritische Bedenken gegen diese Annahme, und wir hätten gewünscht, daß er sich darauf eingelassen hätte. Seine Ansicht über Murray's Aufstand ist uns nicht ganz klar geworden, indem er zuerst die Erklärung der Schotten von Elisabeth's Unschuld daran für kein bloßes diplomatisches Kunststück gehalten wissen will, gleich darauf aber zugibt, daß sie bei den Unruhen die Hand im Spiele hatte. Es wird sehr schwer sein, Elisabeth hier gegen die Anklagen von Verstellung und Hinterlist zu rechtfertigen; aber zu entschuldigen ist sie, wenn sie in ihrer Lage — da Maria fortwährend eine Untersuchung über die Echtheit und Angemessenheit des Testaments Heinrich VIII. verlangte — solche Hülfsmittel nicht entbehren zu können glaubte.

Die Erzählung kommt sodann auf Rizio's Ermordung, Mariens Feindschaft gegen ihren Gemahl, dessen unglückliches Ende. Was in der Geschichte nun folgt, ist ein solches Gewebe von Leichtsinn, frecher Verachtung und Verspottung alles Rechts und aller Sitte, tiefer Verblendung über die unausbleiblichen Folgen solcher Thaten, wie man nicht viele Beispiele davon aufstellen kann. Die Untersuchung über den Mord wird auf das lässigste betrieben, der angeklagte, von der öffentlichen Meinung des Frevels laut bezüchtigte Bothwel in den Besitz von Edinburg gesetzt, dann von einem aus seinen Anhängern zusammengesetzten Gerichte, vor dem er mit zahlreicher bewaffneter Begleitung erschienen, losgesprochen. Derselbe beredet einen großen Theil der Parlamentsglieder zur Unterzeichnung einer Schrift, die ihn der Königin zum Gemahl empfiehlt; diese läßt sich gleich darauf von ihm zum [illegible]ein auf der Landstraße rauben und heirathet den Frevler, der [illegible]ch zu dem Ende von seiner Gemahlin, mit der er sich erst vor [illegible] sechs Monaten vermählt, scheiden lassen muß.

Wenn — sagt der Verf. — für diese elende Schwäche; diese Gleichgültigkeit gegen Warnungen und Thatsachen aller Art, diesen furchtbaren Leichtsinn irgend eine Entschuldigung oder Erklärung aufgefunden werden kann, so ist es nur der Wahnsinn leidenschaftlicher Liebe, welcher noch auf andere Weise später erwiesen ward; wogegen es allen Thatsachen widerspricht, ja geradehin abgeschmackt ist, wenn Mariens Vertheidiger sagen: der Gedanke an Liebe wird durch keine geschichtlichen Zeugnisse unterstützt und bestätigt. Diese verblendeten Wortführer vergessen, daß, wenn jene Triebfeder hinwegraisonnirt wird, auch nicht eine entfernte Veranlassung zu mitleidiger Theilnahme, sondern nur ein Abgrund von Lastern und Verbrechen übrigbleibe.

Als hierauf der Adel sich wider Maria erhob, Bothwel fliehen mußte und die Königin, in die Gewalt ihrer Gegner gerathen, genöthigt ward, dem Throne zu entsagen, misbilligte Elisabeth den Aufstand höchlich und ließ die Häupter desselben durch die ernstesten Vorstellungen zu einem gemäßigten und milden Verfahren auffodern. Und nicht lange, so sah dieselbe Maria, die noch vor Kurzem Elisabeth's Krone als ihr gebührend in Anspruch genommen, keinen andern Ausweg, als in das Land dieser gehaßten Nebenbuhlerin zu fliehen und bei ihr Schutz und Hülfe wider ihre aufrührerischen Unterthanen zu suchen. „Das hatte Klugheit und Mäßigung auf einer, Leidenschaft und Verbrechen auf der andern Seite naturgemäß herbeigeführt!“ Was Elisabeth in diesem bedenklichen Falle zu thun habe, wurde in ihrem Rathe mit gewohnter Umsicht und Gründlichkeit geprüft. Die Reden, welche der Verf. bei dieser Gelegenheit die Freunde wie die Gegner Maria's halten läßt, sind wol fast ganz aus seiner Feder geflossen. Wie schön und echt [illegible] sie auch sind und wie bestimmt der Stoff dazu auch vorlag, können wir doch dieses Verfahren am wenigsten in einer Geschichte billigen, welche von dem Parteigeiste so sehr entstellt worden ist, und wo wir daher auch nicht die leiseste Abweichung von dem urkundlich Treuen wünschten.

Nach langem Zögern willigte Maria in eine Untersuchung ihrer Sache in England, Morton und Murray gegenüber. Von dem Erstern, sagt der Verf., fürchtete sie nichts, weil er mit den Plänen wider Darnley nicht unbekannt gewesen war; von dem Zweiten ebenso wenig, weil er aus brüderlicher Anhänglichkeit die schwierigsten Punkte nicht berühren würde; nach einer völligen [illegible]bedingten Rechtfertigung werde Elisabeth für ihre Herstellung wirken müssen. In der That war diese, wie aus Cecil's Papieren hervorgeht, entschlossen, beide Parteien unbefangen zu hören, dann zu thun, was die Ehre verlange, und Maria unter gewissen, für England vortheilhaften Bedingungen herzustellen. Als sich aber Maria in ihrer Hoffnung getäuscht sah, als Murray Ernst zeigte und sie der Mitwissenschaft am Morde ihres Gemahles förmlich angeklagt wurde, ließ sie durch ihre Bevollmächtigten auf einen Vergleich antragen und, da Elisabeth dies als unstatthaft ablehnte, die Unterhandlungen gänzlich abbrechen, in der Erwartung, Klage und Beweis würden dann nicht weiter fortgeführt werden. Aber [illegible] Hoffnung täuschte sie, denn die Schotten, [illegible] wurfe zu entgehen, daß sie ihre Königin ohne [illegible] Beweis verleumdet, legten die früher [illegible] den literarischen Streit um ihre Echtheit so berühmt gewordenen Briefe und Sonette Mariens an Bothwel vor. Eine Commission von Engländern erkannte diese Papiere als echt an, wie dies auch schon vorher von dem schottischen Parlamente geschehen war.

Der Verf. kommt nun auf die Frage über die Theilnahme Mariens an der Ermordung ihres Gemahls, „über welche in älterer und neuerer Zeit viele dicke Bücher geschrieben worden sind, mit solcher Sophistik und Leidenschaftlichkeit, daß sie das Urtheil mehr verwirren als aufklären". Er erklärt sich ganz einverstanden mit den drei großen und scharfsinnigen Geschichtschreibern, Thuanus, Hume und Robertson, welche, in allem Wesentlichen gleicher Meinung, die Briefe und Sonette für echt, Mariens Mitschuld für erwiesen, Murray für unschuldig am Königsmorde halten. Mit Recht sagt er:

Unsers Erachtens muß ein Jeder, welcher die Briefe und Sonette unbefangen liest und nicht alles kritischen und historischen Taktes entbehrt, ihre Echtheit so unmittelbar, die Unmöglichkeit, dergleichen nachzumachen und zu erkünsteln, so bestimmt fühlen, daß die unendlich weitläufigen Gegenbeweise, die zahllosen kleinern Einwendungen, die Menge der aufeinandergestapelten Hypothesen wol verwirren und die Wahrheit auf einen Augenblick verhüllen, keineswegs aber das bei einfacher Betrachtung der Dinge sogleich wieder hervorbrechende Licht auslöschen können.

Wir stimmen ihm hierin vollkommen bei. In Deutschland, wo ein ausführliches, mit Gelehrsamkeit geschriebenes Buch immer imponirt, scheint das Werk von Chalmers dem Glauben an die Unschuld der Königin wieder viele Anhänger verschafft zu haben. In dieser Rücksicht wäre es nicht unangemessen, wenn in einer besondern Schrift die Hauptgründe der Vertheidiger und Ankläger einander bündig gegenübergestellt würden, um für alle Diejenigen, welchen die Wahrheit mehr werth ist als ein Vorurtheil, die Sache vollkommen abzumachen. So wenig die Geschichte über Gegenstände, die nicht mehr aufzuhellen sind, mit einseitigen Machtsprüchen und der Miene der Untrüglichkeit aburtheilen darf, so unleidlich ist auf der andern Seite die Flachheit, die auch da fortwährend von unauflöslichen Zweifeln und schwankender Wage spricht, wo Alles klar ist, wenn man nur scharf hinsehen will.

(Der Beschluß folgt.)

Neue französische Literatur.

Von V. Hugo erscheint nächstens: „Littérature et philosophie mêlées"; wir theilen daraus folgende Bemerkungen über das Drama mit. Sie wurden 1819 niedergeschrieben und enthalten bereits den Keim einer vollständigen literarischen Umwälzung; damals war V. Hugo 16 Jahre alt.

1. Handlung nennt man im Drama den Kampf zweier entgegengesetzten Kräfte. Je mehr sich diese Kräfte die Wage halten, desto ungewisser ist der Ausgang des Streites, desto häufiger wechseln Furcht und Hoffnung, desto ergreifender ist das Interesse. Man muß dieses aus der Handlung selbst hervorgehende Interesse nicht mit einer andern Gattung von Interesse verwechseln, welches der Held eines jeden Trauerspieles erregen muß, und das lediglich ein Gefühl des Schreckens, der Bewunderung oder des Mitleides ist. So könnte es leicht der Fall sein, daß die Hauptperson eines Stückes durch Adel des Charakters und das Rührende der Situation Interesse erregte, während das Stück uns kalt ließe. Wäre Dem nicht so, so müßte eine grausige Situation desto schöner werden, je länger sie dauerte, und die erhabenste aller Tragödien wäre Ugolino mit seinen Kindern in einem Thurme Hunger sterbend; ein Sujet, das selbst in Deutschland nicht ansprach, einem Lande tiefer, aufmerksamer und ruhiger Denker. 2. Wenn in einem Drama die Ungewißheit der Begebenheiten nur aus dem Schwanken der Charaktere hervorgeht, so kann dieses allenfalls eine Darstellung der Wirklichkeit sein; große Wirkungen durch kleine Ursachen; es sind Menschen; aber im Drama müssen Engel oder Riesen auftreten. (Hr. Hugo ist wol jetzt anderer Ansicht: man merkt hier die ungestüme Uebertreibung der Jugendkraft.) 3. Es gibt Dichter, welche dramatische Springfedern erfinden, aber sie nicht zu handhaben verstehen; sie gleichen jenem griechischen Künstler, der nicht die Kraft hatte, den Bogen zu spannen, den er geschmiedet. 4. Die Liebe muß im Drama stets in erster Linie erscheinen und weit alle jene kleinlichen Betrachtungen überragen, welche gewöhnlich den Willen und die Leidenschaften der Menschen lenken. Die Liebe ist das erbärmlichste Ding auf Erden, wenn es nicht das größte ist. Aber, wird man einwerfen, in dieser Hypothese müßte sich der Cid nicht mit Don Gormas schlagen. Ganz und gar nicht. Der Cid kennt Ximene, er setzt sich lieber ihrem Zorne aus, als ihrer Verachtung, weil die Verachtung die Liebe tödtet. (Auch dieses wird der Dichter wol jetzt nicht mehr unterschreiben.) 5. Die Entwickelung im „Mahomet" ist weit fehlerhafter, als man allgemein glaubt. Man vergleiche damit die Katastrophe im „Britanicus". In beiden Tragödien finden wir einen Tyrannen, der seine Geliebte verliert im Augenblicke, wo er sich ihren Besitz auf immer gesichert zu haben glaubt. Das Trauerspiel von Racine läßt einen schmerzlichen Eindruck zurück, der aber nicht ohne einigen Trost ist, weil Britanicus gerächt wird, und Nero nicht minder elend ist als seine Schlachtopfer. Mahomet hingegen bleibt unbestraft. Im Moment, wo seine Geliebte sich ersticht, denkt er an seine Größe; man fühlt, daß er sie nie geliebt, daß er sie zwei Stunden nachher wieder vergessen hat. Nero kann verliebt sein, Mahomet nicht; Nero ist ein Phallus, Mahomet ein Gehirn. 6. Der Unterschied zwischen dem deutschen und französischen Trauerspiele besteht darin, daß die deutschen Dichter gleich von vorn herein schaffen wollten, und die Franzosen sich darauf beschränkten, die Alten zuvörderst zu verbessern. Das deutsche Trauerspiel ist weiter nichts als das griechische mit den durch die Verschiedenheit der Epochen bedingten Modificationen. Die meisten deutschen oder englischen Stücke, die man bei uns auf die Bühne bringt, machen einen ungleich schwächern Eindruck als im Original, weil man die mangelhaften Pläne und Charaktere beibehält und ihnen den theatralischen Pomp benimmt. 7. Es gibt zwei Gattungen von Tragödien, die eine auf dem Gefühle beruhend, die andere sich auf Thatsachen stützend; die erstere betrachtet die Menschen unter dem Gesichtspunkte der durch die Natur zwischen ihnen aufgestellten Verhältnisse, die andere berücksichtigt die gesellschaftlichen. In der einen geht das Interesse aus der Entwickelung eines jener mächtigen Gemüthsaffecte hervor, denen der Mensch als Mensch unterworfen ist; in der andern handelt es sich stets um einen politischen Willen, der die Vertheidigung oder den Umsturz der bestehenden Verordnungen bezweckt. In dem erstern Falle ist der Held nothwendigerweise leidend, d. h. daß er sich der Einwirkung der äußern Gegenstände unmöglich entziehen kann. Im zweiten Falle ist hingegen der Held thätig, weil er einen unumstößlichen Willen hat, und der Wille sich blos durch die That äußern kann. Man kann die eine dieser beiden Arten von Trauerspielen mit einer Bildsäule vergleichen, die man aus Stein haut, die andere mit einer gegossenen. Im erstern Falle ist die Steinmasse vorhanden, es ist hinreichend, um zur Bildsäule zu werden, daß sie einem äußern Einflusse unterworfen werde; im zweiten muß das Metall selbst die Fähigkeit besitzen die Form zu durchdringen, welche es ausfüllen soll. Die Verstandestragödien (tragédies de tête) bedürfen einer kräftigen Constitution, um zu bestehen; die Gefühlstragödie braucht sich kaum an einen Plan zu

binden. 8. Wer ist der Verf. der „Briefe des Junius?“ Junius ist der Mann mit der eisernen Maske in der politischen Literatur. Warum hat der große Unbekannte, der in Darstellung und in Denken ein so kräftiges Gemüth offenbart, sich während des Kampfes der Gefahr entzogen? Warum, nachdem die Gefahr vorüber ist, hat er den Ruhm verschmäht, der ihm gebührt? Es ist dieses ein bis jetzt noch nicht gelöstes und vielleicht nie zu lösendes Problem. „Die Briefe des Junius“ sind nach und nach 38 Literaten und Staatsmännern zugeschrieben worden. Doctor Parr, ein ernster, geachteter Mann, hat sich oft geäußert, er kenne den wahren Junius; einst stellte er einem seiner Freunde einen jungen Menschen vor, den er für den Sohn des Junius ausgab. Es war der natürliche Sohn Karl Lloyd's, Privatsecretairs des Lord Georges Grenville. Sir Nathaniel Wraxal erzählt in seinen Memoiren, Georg III. habe erklärt, er wisse, wer der Verf. des berühmten Pamphlets sei. „Ich kenne ihn“, sprach der famose Pamphletarius Horne Tooke zu Jemand, der ihn deshalb befragte, und „besser als ein Mann in England“. Lebt er noch? „Ja, er lebt. Junius und Horne Tooke sind beide an demselben Tage in Westminster auf die Welt gekommen.“ Die Rodomontade dieses Cynikers hält ebenso wenig Stich als die Ausfage eines andern Intriguanten, welcher sich bei Lord North als den Verf. der Briefe angab und eine Pension begehrte. Auch der General Karl Lee, der in Allem ein Sonderling war, gab sich für den Junius aus. Lord Georges Sackville, den man eine Zeitlang in Verdacht hatte, die berühmte Streitschrift verfaßt zu haben, erklärte bestimmt, er würde stolz darauf sein, wenn man ihm ein so ausgezeichnetes Talent zutraue, allein es seien in den Briefen mehre Stellen, die er sich gescheut hätte niederzuschreiben. Sir Philipp Francis, auf welchen sein hoher Charakter und sein energisches Talent den Verdacht des Publicums ziehen mußte, erklärte sich nie bestimmt darüber. Burke gab die kategorische Erklärung: „Ich wäre nicht im Stande, zu schreiben wie Junius, und wenn ich es könnte, so möchte ich es nicht“. Nebst Burke sind Dunning und Flood in dieser Discussion genannt worden; dem Erstern hatten seine Amtsgeschäfte nicht erlaubt zu schreiben in der Periode, wo Junius schrieb. Flood ist weit entfernt den Unbekannten hinsichtlich der Darstellung zu erreichen. Chesterfield, Dyer, Robert, Whately starben, ehe Junius aufgehört hatte zu schreiben, die Ansprüche der übrigen Candidaten, als Gibbon, William Jones, Greatrakes, Herzog von Portland &c., brauchen wir keiner nähern Prüfung zu unterwerfen, da solche lediglich auf Muthmaßungen beruhen. Es bleibt nun noch Karl Lloyd, Secretair des Lord Grenville übrig. Lord Grenville und sein Neffe, der Herzog von Buckingham, haben mehrmals versichert, sie hätten den Schlüssel zu diesem großen Räthsel. Es läßt sich nicht bezweifeln, daß Junius in vertrauten Verhältnissen zu Lord Grenville muß gestanden haben. Wie es heißt, sollen zu Eaton Papiere, welche die Actenstücke zu dem großen Processe enthielten, aufgefunden und auf Betreiben des Lord Grenville unterdrückt worden sein. Wenn Dem so ist, so hat dieses Lord Grenville lediglich im Interesse seines Vaters gethan, denn er selbst war höchstens 10 Jahr alt, als Junius zu schreiben aufhörte. Georges Grenville war ein thätiger und rechtlicher Staatsmann, der nur den Sieg der Wahrheit im Auge hatte. Junius hat ihn nie angegriffen, und durfte es nicht ohne gänzlich aus seiner Rolle zu fallen. Es steht zu hoffen, daß die Ungewißheit des Publicums über diesen Punkt nächstens aufhören wird. Lord Grenville ist bereits 73 Jahr alt, und hoffentlich wird er das Geheimniß nicht mit sich ins Grab nehmen. 148.

Das Octoberfest im Jahre 1832. Skizzen aus München von August Lewald. München, Michael Lindauer. 1832. 12. 8 Gr.

Der Verf. dieser Skizzen nennt dieselben wiederholt oberflächlich, und in der That das sind sie. Fast nur ein Gegenstand wird mit Sorgfalt und sichtlicher Vorliebe behandelt und zwar die Gemäldeausstellung. Einige der dort ausgestellten Gemälde, besonders Landschaften werden mit Einsicht und Eifer besprochen. Alle übrigen Schilderungen dagegen verrathen es nur zu deutlich, daß sie nicht in Folge eines besondern Interesse, welches der Verf. an ihren Gegenständen genommen, sondern auf Bestellung ausgearbeitet worden sind. Als Beispiel der Art, wie der Verf. zu charakterisiren pflegt, diene uns folgende Stelle (S. 13): „Wenn man sich ein Mädchen denkt mit einem hübschen, üppig vollen Wuchs, einem runden Gesicht, blühenden Wangen, küßlichen Lippen, weißen Zähnen, Feueraugen und glänzend schwarzen Haaren, so hat man das Bild einer schönen Müncherin.“

In der That, oberflächlich genug ist dies Bild, denn es paßt beinahe auf jedes gesunde Mädchen. Diese mehr als skizzenhafte Manier entschuldigt der Verf. mit Mangel an Raum. Aber abgesehen davon, daß oft auf demselben Raume sich bei weitem Bestimmteres und schärfer Bezeichnendes sagen ließe, als hier geschieht, so erweist sich diese Entschuldigung auch in anderer Beziehung als durchaus unhaltbar. Man sieht nämlich deutlich, daß der Verf. nicht zu wenig, sondern zu viel Raum gehabt, und daß er nur mit Mühe seine Schilderungen bis auf ein mäßiges Bändchen ausgedehnt hat. Denn wenn man es auch dem Verf. auf sein Wort glauben will, daß die mehr als den vierten Theil des Ganzen einnehmenden Bemerkungen über Münchens Bewohner und Umgebungen wirklich nothwendig erschienen, „um den Leser für die nachfolgende Beschreibung des Volksfestes zu interessiren“, und wenn man auch annimmt, daß die Weitläufigkeit, mit welcher die Gemäldeausstellung beschrieben wird, dem besondern Interesse des Verf. für diesen Gegenstand zuzuschreiben sei, so begreift man immer noch nicht, wozu am Ende noch ein ziemlich langer und sehr wenig zur Sache gehöriger „Blick ins Gebirge“ nothwendig wäre, wenn nicht 105 Seiten sich etwas stattlicher ausnähmen als 86.

Ueberdies war auch das Fest gar nicht so merkwürdig, daß die Beschreibung desselben sonderliches Interesse einflößen könnte, und es würde wahrscheinlich auch Niemand auf den Einfall gekommen sein, eine solche Beschreibung anzufertigen, wenn nicht die Sehnsucht nach sogenannten Volksfesten als einem dahingeschwundenen Glücke schönerer Tage vor einiger Zeit modisch gewesen wäre. Die Mode ist aber beinahe schon vorüber.

Zur Belebung des Sinns für Volksfeste möchte übrigens die Beschreibung des Verf. wenig beitragen, denn sie ist zwar verständig, aber nicht eben sehr anlockend noch weniger begeisternd. 173.

Literarische Anzeige.

In meinem Verlage erschienen soeben nachstehende interessante Schriften, die durch alle Buchhandlungen des In- und Auslandes bezogen werden können:

Alexis (W.), Wiener Bilder. Gr. 12. VI und 453 Seiten. Auf feinem Velinpapier. Geh. 2 Thlr. 6 Gr.

Huber (V. A.), Die neuromantische Poesie in Frankreich und ihr Verhältniß zu der geistigen Entwickelung des französischen Volks. Gr. 12. 181 Seiten. Auf gutem Druckpapier. Geh. 20 Gr.

Wiese (Sigismund), Theodor. Ein Roman. 8. 363 Seiten. Auf Velindruckpapier. 1 Thlr. 20 Gr.

Leipzig, im September 1833.

F. A. Brockhaus.

Blätter für literarische Unterhaltung.

Sonnabend, —— Nr. 285. —— 12. October 1833.

Geschichte Europas seit dem Ende des 15. Jahrhunderts von Friedrich von Raumer. Zweiter Band.

(Beschluß aus Nr. 284.)

Während der französische Hof sich nachdrücklich für Mariens Freilassung verwandte, hätte Elisabeth selbst sie gern unter sichernden Bedingungen aus England hinweggeschafft, wenn die Schotten nur von ihrer Wiederherstellung hätten hören wollen. Demnach hätte Elisabeth einen Krieg anfangen müssen, um Diejenige wieder einzusetzen, die auf ihren eignen Thron gegründetere Ansprüche zu haben glaubte als sie selbst. Daß die Gefahren, welche diese Ansprüche erzeugten, nicht blos eingebildet waren, ging aus den Plänen Norfolk's, der Empörung Northumberlands und Westmorelands, an der alle Freunde Mariens Theil genommen hatten, den Anschlägen der im Lande umherschleichenden Jesuiten, dem neuen Bann des Papstes nur zu deutlich hervor. Als Norfolk von Neuem mit Marien in Verbindung trat und hingerichtet wurde; als man den gefährlichsten Plänen, die Spanier ins Land zu bringen, um die Maria wußte, auf die Spur kam, foderte das Parlament die Königin zur größten Strenge wider diese auf, ohne daß Elisabeth darauf einging.

Der Verf. kommt dann auf die kirchlichen Verhältnisse Englands in jener Zeit und auf den Stand der religiösen Parteien. Er hebt hervor, daß die Härte gegen die außerhalb der Episkopalkirche Befindlichen von den Bischöfen und der Königin selbst, keineswegs von Burghley ausging, der vielmehr fortwährend, auch während der durch die Bartholomäusnacht hervorgebrachten Aufregung, für Milde stimmte. Eine ausdrückliche Erwähnung der Uniformitätsacte hätte in dieser Auseinandersetzung nicht fehlen sollen.

Auf erneuerte, dringende Klagen Maria's ließ ihr Elisabeth im J. 1582 Bedingungen zu einem neuen Vertrage vorlegen; aber auch diesmal zögerte Maria mit der Abschließung, und gleichzeitig fing man Briefe von ihr an einen in spanischem Solde stehenden Engländer auf, welche zeigten, daß sie keineswegs allein daran dachte, ihr Leben in stiller Eingezogenheit hinzubringen (wie sie sich dazu erboten hatte), sondern auf große Umwälzungen und Verschwörungen hoffte und keinen ihrer Thronansprüche aufgeben wollte. Die Schotten widersprachen fortwährend dem Gedanken ihrer Wiedereinsetzung sehr heftig, und für England trat die Gefahr fremden und bürgerlichen Krieges jetzt immer näher. In Frankreich herrschten die Guisen; Philipp II. hatte sich 1580 Portugal unterworfen; in den Niederlanden breitete der Herzog Alexander von Parma die spanische Macht immer mehr aus, allein aus den Erziehungsanstalten der Jesuiten zu Douay und Rom kamen über 300 Zöglinge nach England, um den Katholicismus auszubreiten und Verschwörungen wider Elisabeth anzuzetteln, wodurch denn auch in England und Irland verschiedene Aufstände zum Ausbruche kamen und das Leben der Königin mehre Male durch Anschläge bedroht war, welche aus offenen Aufreizungen katholischer Schriftsteller zu ihrer Ermordung hervorgingen. Was konnte in dieser Lage der Dinge gefährlicher sein als die Freilassung Maria's? Vielmehr stiegen Haß und Erbitterung der protestantischen Engländer gegen sie jetzt so sehr, daß im J. 1585 im Parlamente ein Gesetz durchging, welches ihren Namen zwar nicht enthielt, aber deutlich genug wider sie gerichtet war, indem es Untersuchungen verhängte gegen Die, welche Empörungen erregten für Jemanden, der Ansprüche auf die Thronfolge macht, und gegen diese Person selbst. Dieses Gesetz fand seine Anwendung, als im nächsten Jahre die Babington'sche Verschwörung entdeckt und bei den Theilhabern Briefe Mariens gefunden wurden, welche zwar nicht den Mord Elisabeth's buchstäblich billigten, aber doch ihre Mitwissenschaft und Mitschuld im Allgemeinen erwiesen. Maria leugnete, aber ihre Schreiber bezeugten ohne Folter, Gewalt, Bestechung oder erregte Hoffnung die Echtheit jener Briefe, worauf von den ernannten Richtern das Schuldig über Maria ausgesprochen ward. Das Parlament bestätigte den Spruch, und als Elisabeth zögerte, verlangten beide Häuser, daß sie dem Rechte freien Lauf lasse. Elisabeth erließ eine Botschaft an sie, daß sie ernstlich auf andere Mittel denken möchten, worauf alle Glieder des Ober- und Unterhauses einstimmig erklärten, sie wären außer Stande, solche Mittel anderer Art aufzufinden. Als dies bekannt wurde, bezeigte das Volk die größeste Freude. Die Nachricht von den täglich beschleunigten Rüstungen Philipp's und neue Verschwörungen wider das Leben Elisabeth's brachten neues und verstärktes Andringen hervor, den Gegenstand so großer Besorgnisse aus dem Wege zu räumen, und die Königin ließ nun eine Vollmacht ausfertigen und besiegeln, daß sie gegen ihre eigne Neigung, um den Bitten des Parlaments, der Edeln und des Volkes willen zur Sicherung von Staat und Kirche ihre Einwilligung zur Hinrichtung Maria's gebe. Diese Vollmacht sollte nur für den Fall eines Krieges oder einer Landung fremder Kriegsmacht bereit liegen, aber Davison händigte sie den Räthen ohne Wissen der Königin aus, daher diese bei der Nachricht von der wirklich erfolgten Hinrichtung Mariens von Schrecken, Zorn und Schmerz ergriffen wurde.

Was sie oft — sagt der Verf. — im Stillen gewünscht oder in leidenschaftlichen Augenblicken für nothwendig erklärt hatte, war jetzt, allerdings ohne ihren ausdrücklichen Befehl, mithin ohne ihre unmittelbare Schuld geschehen; aber es war doch geschehen, und That und Schuld stand nun mit ganz andern Gewichte vor ihren Augen, als so lange nur von Möglichkeiten und Vorsätzen die Rede war. Die Schatten, welche von Mariens Blutgerüste aus ihre schwarzen Arme durch Jahrhunderte hinausstrecken, schienen sie allein zu umschlingen, und in diesem Dunkel schwand das Licht all der Gründe, welche so blendend für die Maßregel waren angeführt worden. Daß jetzo der wichtigste Beschluß ihrer Regierung ohne ihr Zuthun gefaßt und ausgeführt worden, konnte eine Königin nicht völlig rechtfertigen, die seit dreißig Jahren keineswegs blos dem Namen nach, sondern in Wahrheit herrschte. Nie wäre es geschehen, hätte man ihre Zustimmung nicht vorausgesetzt; ohne diese Voraussetzung hätte Niemand gewagt, der Königin von Schottland ein Haar zu krümmen.

Doch benahm sich — heißt es weiter — Davison einfältig, anmaßend und pflichtwidrig und die Räthe unverantwortlich, daß sie eine solche Sache ohne Anfrage für sich selbst abmachten.

Der Verf. hebt hierauf drei Punkte hervor, die Abweichungen seiner Darstellung von den gewöhnlichen betreffend: daß, nach ihm, Elisabeth vom Anfang an keineswegs einen bestimmten Plan gehabt, was sie mit Marien beginnen sollte; daß, da selbst Freunde Mariens zugeben, sie habe mit Babington, Ballard u. A. Briefe gewechselt und Aufruhr bezweckt, man mit Wahrscheinlichkeit ihre Mitschuld an deren Verschwörung voraussetzen könne; und daß sich weder Gründe noch Beweise für die Meinung finden, Elisabeth habe jahrelang ein folgerechtes System der Heuchelei gegen Maria geübt und insbesondere zuletzt Erstaunen und Schmerz nur erlogen. Ueber den zweiten Punkt wird man vielleicht verschieden denken können; über den ersten und dritten anderer Meinung sein, wird nur aus der Befangenheit und dem eingewurzelten Vorurtheil erklärlich, mit dem man nun einmal schon seit so langer Zeit diese Geschichte betrachtet. Gegen die bei Elisabeth vorausgesetzte Heuchelei hat sich auch Ref. schon vor einiger Zeit nachdrücklich erklärt. Ungeachtet aller dieser Gründe, bemerkt Herr von R., hat Marien dennoch, und mit Recht, seit Jahrhunderten kein Mensch seine innige Theilnahme versagen können, und fügt dann sehr schön hinzu:

Darin liegt ja aber das Tiefste und Ergreifendste dieser Geschichte: daß Marie trotz aller Buße dem Richterschwerte nicht entgeht; daß Elisabeth unbemerkt und von Tag zu Tage immer mehr außer Stande kommt das Misverhältniß zu ihrer Nebenbuhlerin milde zu lösen; daß, während sie wähnt, noch Alles in ihrer Macht zu haben, und, wir möchten sagen, überkühn mit Leben und Tod spielt, das Loos ihren Händen entschlüpft, der Schlag ohne ihr Wissen fällt, und sie selbst den argen Flecken nicht verwischen kann, die Nachwelt nicht verwischen will, der hierdurch auf ihre sonst so glanzreiche Regierung fällt.

Die Erzählung wendet sich sodann zu dem Schicksal der unüberwindlichen Flotte und zu der Begeisterung, welche ihr Herannahen in England erweckte. Sehr passend werden zu einer Schilderung derselben herrliche Worte aus Tieck's „Dichterleben" eingerückt. Den Frieden mit Spanien lehnte Elisabeth späterhin gegen Burghley's weisen Rath ab, weil ihr Liebling, der jugendlich-schöne, ritterlich-kühne, geistig-gebildete Essex, für die Fortsetzung des Krieges war. Der Verf. sagt zwar nicht mit Unrecht, daß nur Diejenigen Elisabeth's Freude an dieser Schönheit und Jugend unbegreiflich finden und verspotten können, die von spätern Jahren stumpfe Gleichgültigkeit fodern, und daß eine reine Zuneigung im Winter des Lebens ein echter Beweis großer Lebenskraft und herrlichen innern Reichthums sei; kann dies aber Elisabeth rechtfertigen oder auch nur entschuldigen, daß sie aus Vorliebe zu einem solchen Günstling seinen Rath da vorwalten, seine Thätigkeit da eintreten ließ, wo es jenem an Uneigennützigkeit, dieser an Fähigkeit und Besonnenheit gebrach? Die Essex betreffende, bekannte Anekdote von dem Ringe, den die Gräfin Nottingham der Königin boshafterweise nicht überbracht haben soll, hält der Verf. für erfunden, wie es von d'Avrigny schon vor ihm geschehen ist.

Ehe der Verf. nun die letzten Tage Elisabeth's schildert, gibt er eine allgemeine Uebersicht des innern Zustandes von England unter ihrer Regierung. Mit Recht stimmt er den neuern englischen Forschern bei, welche Hume's Behauptung bestreiten, daß das Reich damals wie eine unumschränkte Monarchie regiert worden sei. „Allerdings", setzt er hinzu, „haben sich in späterer Zeit die Rechte des Parlaments erweitert und befestigt, und gern wollen wir darin eine angemessene Entwickelung und einen preiswürdigen Fortschritt sehen; unbillig aber ist es, zu verlangen, daß unter Elisabeth eine plötzliche Umwandlung habe erfolgen sollen, deren Nothwendigkeit erst die Misgriffe ihrer Nachfolger herbeiführten." Wir würden lieber sagen: eine Umwandelung, zu der die Misgriffe der Nachfolger viel beitrugen. Denn ohne das sich immer mehr entwickelnde Bestreben der Nation nach genauerer Bewachung der Krone und nach Erweiterung der Parlamentsrechte, würde man den Stuarts weder jede eigenmächtige Handlung als eine Verfassungsverletzung ausgelegt, noch jede Verfassungsverletzung so übel genommen haben. Auch darauf weist der Verf. hin, daß die öffentlichen Lasten damals so ungleich geringer waren als in unsern Tagen. Wenn es hier übrigens im Texte heißt, daß das Parlament in 45 Jahren nur etwa 3 Millionen Pfund bewilligte, so stimmt dies nicht mit der Note, in welcher von 180,000 Pf. jährlich die Rede ist. Der letztern Angabe zufolge würden sich die Subsidien während der ganzen Regierung auf mehr als 8 Millionen Pf. belaufen haben. Die erstere Summe ist die Annahme

Hume's, der hinzusetzt, daß somit auf das Jahr nur 66,666 Pf. kämen.

Was wir in dieser Uebersicht am meisten vermißt haben, ist die Erwähnung der Religionsverhältnisse in der zweiten Hälfte dieser Regierung. Da auf die Gefahren, welche Elisabeth von den Nachstellungen der Katholiken drohten, mit Recht großer Nachdruck gelegt worden ist, so hätten auch die Verfolgungen nicht unerwähnt bleiben dürfen, welche dadurch nun von der protestantischen Seite eintraten. Von 1577 bis zum Tode der Elisabeth wurden mit Bezug auf die Parlamentsstatuten 204 katholische Recusanten (die Leistung des Suprematseids Verweigernden) hingerichtet. Viele Andere starben an den Folgen der Gefangenschaft oder wurden ihres Vermögens beraubt. Häufig wurde auch die Folter gegen sie angewandt.

Am Schlusse sagt Herr von R., er wisse wohl, daß seine Schilderung Elisabeth's, so fern ihm auch Gründe der Vorliebe und des Hasses lägen, parteiisch werde gescholten werden. Wir unsererseits treten seinem Urtheile über die Königin im Ganzen bei. Einige Punkte, die wir in einem für sie so günstigen Lichte nicht betrachten können, haben wir bemerklich gemacht; zu nähern Erörterungen ist hier der Ort nicht. Um den Schein der Parteilichkeit noch mehr zu vermeiden, hätte der Verf. bei unzweckmäßigen Schritten der Regierung die Königin nicht immer ungenannt lassen sollen.

Unser in der Anzeige des ersten Bandes ausgesprochener Wunsch, Herr von R. möge seiner Erzählung eine allgemeine kritische Würdigung der vorzüglichsten Quellenschriftsteller hinzufügen, ist nicht in Erfüllung gegangen. Wenn sich der verehrte Verf. doch nur wenigstens entschlösse, jedem Bande ein alphabetisches Verzeichniß der darin citirten Bücher mit vollständiger Angabe des Titels und der gebrauchten Ausgabe anzuhängen! Wie manchen unnützen Zeitverlust würde er dadurch Denen ersparen, die sein Werk nicht blos der Unterhaltung wegen lesen! 71.

Der Weltorganismus, oder Ansichten über das Verhältniß der einzelnen Theile desselben sowol untereinander, als auch in Beziehung auf die dieselben bewohnenden Geschöpfe, nach dem gegenwärtigen naturhistorischen Standpunkte entworfen und dargestellt von Franz Kaiser. Wien, Tendler. 1833. Gr. 12. 16 Gr.

Wenngleich die Frage über den Uranfang der Dinge und über Das, was wir mit dem Worte: Welt, zusammenfassen, und über die Verbindung, in welcher die einzelnen, sie constituirenden Theile zu einander stehen, zu den schwersten Problemen für den menschlichen Geist gehört, und in das Innerste der Natur bis jetzt noch kein erschaffenes Auge gedrungen ist, so wird sich doch kaum ein sich über das alltägliche Treiben der Menschen erhebender Geist des Versuches entschlagen können, wenn auch nur in einer einsamen Stunde, seine Blicke diesem erhabenen Gegenstande zuzuwenden. Scheint auch das hohe Ziel im Allgemeinen unerreichbar, so ist doch für jeden Wanderer Raums genug, seine Kräfte daran zu versuchen; und müssen wir uns auch am Ende aller Bemühungen gestehen, daß die Schwingen unsers Geistes nicht bis zu jenen Höhen hinaufreichen, so liegt doch schon in dem Versuche selbst etwas Belohnendes; ja, der Drang, sich von dem Einzelnen zu dem Allgemeinen, von dem Sichtbaren zu dem Unsichtbaren zu erheben, ohne sich um den Nutzen zu bekümmern, den ein solches Streben für das praktische Leben gewährt, scheint dem menschlichen Geist eingeboren wie der Trieb zur Selbsterhaltung.

Sowie nun aber zur vollkommenern Einsicht in das Wesen eines jeden einzelnen Dinges nur die genaue Kenntniß seiner einzelnen Theile befähigt, so wird auch nur Derjenige ganz besonders geschickt sein, eine umfassendere Ansicht des ganzen Weltorganismus zu gewinnen, dem eine genaue und reiche Erkenntniß seiner mannichfaltigen Glieder zu Gebote stehe. Nur der Naturforscher in der weitesten Bedeutung des Wortes ist zunächst berufen, die Schriftzüge der Natur im Großen zu deuten und uns den Blick in ihre geheime Werkstätte aufzuschließen. Mit jemehr Geist und Seherblick er dies übrigens thut, desto reicher wird seine Ausbeute auf diesem dunkeln Gebiete des Wissens sein, desto mehr kann er auf den Dank der Mit- und Nachwelt rechnen.

Die neuern Entdeckungen in der Astronomie und Physik, sowie die umfassendern Ansichten der Naturphilosophie sind auch nicht ohne Einfluß auf diesen Gegenstand geblieben, und besonders sind es die letztern gewesen, welche durch die Annahme eines allgemeinen Lebens der Natur ältere mechanische Ansichten verdrängt haben. Wenn daher der Verf der obengenannten Schrift diese Idee eines allgemeinen Lebens der Natur, die er nicht mit Unrecht als Basis seiner ganzen Hypothese zum Grunde legt, für die seinige ausgibt, so setzt dies zum wenigsten eine Unbekanntschaft mit den Lehren jener Philosophie voraus, die man von einem Naturforscher der neuern Zeit nicht erwarten sollte. Ebenso ungerecht ist sein Tadel einer dualistischen Naturansicht, indem er doch selbst über diesen Dualismus nicht hinauskommt; denn was sind die Annahmen, daß alle Lebensäußerung im thierischen Organismus auf Contraction und Expansion beruhe, daß bei dem stufenweisen Bilden der Blutkügelchen zwei Factoren als wirksam gedacht werden müssen, daß sich Fixsterne und Kometen als entgegengesetzte Kräfte verhalten, anders als Dualismus?

Was die Hypothese des Verf. selbst betrifft, so läßt sich zwar nicht leugnen, daß sie einer universellern Ansicht der Natur entsprossen und mit ziemlich viel Kunst und Kenntniß der einzelnen Zweige der Naturwissenschaften zusammengebaut ist, allein für mehr als ein leichtes Gebilde einer etwas trunkenen Phantasie können wir sie demungeachtet nicht halten. Wir können mit Recht von einer solchen Hypothese erwarten, daß sie sich wenigstens auf sichere Thatsachen gründe und den mannichfaltigen bekannten Erscheinungen in der Natur ungezwungen anschließe; allein das thut die des Verf. nicht, vielmehr gründet sie sich selbst auf Hypothesen, die erst des Beweises bedürfen, ja, von mikroskopischen Untersuchungen beginnend, zwängt sie das große Bild der Natur in einen sehr engen Rahmen, der des erhabenen Gegenstandes nicht würdig ist.

Dem Verf. zufolge sind die einzelnen Weltkörper als Theilchen des Weltorganismus, als den Blutkügelchen analoge Körper zu betrachten, und der Weltorganismus verhält sich zu den uns sichtbaren Himmelskörpern wie unser Körper zu seinen Blutkügelchen. Letztere, belebte Thierchen, wie die Planeten selbständig lebendige Wesen, sind nicht alle von einer Art, sondern befinden sich auf verschiedener Bildungsstufe (eine rein hypothetische Annahme, da nach Leuwenhoek's, Haller's, Spallanzani's, Hunter's, Döllinger's und Weber's Beobachtungen alle Blutkügelchen bei einem Individuum sowie bei verschiedenen Individuen derselben Gattung von gleicher Größe sind). Es müssen (?) sich unter denselben dreierlei verschiedene Arten vorfinden, wovon zwei die entgegengesetzten Factoren, die dritte aber das Produkt der beiden erstern darstellt. Die beiden Factoren sind die Gefäß- und Nerventhätigkeit und das Produkt ist die organische Materie (eine gleichfalls durch nichts zu beweisende Hypothese). Entsprechend diesen beiden Factoren existiren nun auch im Himmelsraume zwei entgegengesetzte Kräfte und ihnen entsprechende Körper, nämlich Fixsterne und Kometen, und endlich das Product beider, die Planeten. Wie die Gefäßthätigkeit mehr nach Innen bildend, die Nerventhätigkeit aber mehr nach Außen strebend wirkt, so finden wir die Kraft der Fixsterne anziehend, contractiv, nach Innen bildend, jene der Kometen aber abstoßend, expansiv, nach Außen strebend; es entsprechen also die Fixsterne den eigentlichen Blutkügelchen, als Trägern der Gefäßthätigkeit, und die Kometen den Nervenkügelchen, als Trägern der Nerventhätigkeit, und die Planeten der organischen Masse, als dem Produkte jener beiden Kräfte.

Demgemäß sollte man nun glauben, aus der Vereinigung der Fixsterne und Kometen entständen als Drittes die Planeten; allein inconsequent genug läßt der Verf. die Kometen selbst zu Planeten werden, und zwar ist dieses Planetenwerden derselben nicht als fortschreitende Entwickelung, sondern vielmehr als eine Rückbildung der Kometen zu betrachten. Und doch werden aus den Planeten, nachdem sie den Culminationspunkt ihres Planetenlebens erreicht haben, allmälig Fixsterne, also Körper einer höhern Ordnung.

Wir halten es für überflüssig, auf die Fortsetzung dieser Hypothese, in welcher es der Verf. unternimmt, Schlüsse auf die Bewohnbarkeit der verschiedenen Himmelskörper zu ziehen, weiter einzugehen, um so mehr, da die Gründe, die der Verf. zur Unterstützung seiner Annahmen aufgestellt hat, ebenso wenig stichhaltig sind als die ganze Hypothese selbst und zum Theil von Beobachtungen wie z. B. die Gruithuisen'schen von den verschiedenen Kunstprodukten auf dem Monde hergenommen sind, die selbst so abenteuerlich sind, daß man sie zwar einer lebhaften Einbildungskraft zugute halten, aber von jeder wissenschaftlichen Untersuchung ausschließen muß. 183.

Die Heilung der Scropheln durch Königshand. Denkschrift zur Feier der funfzigjährigen Amtsführung ihres hochverehrten Mitgliedes, des Herrn Dr. J. A. W. **Hedenus**, Ritter, Hof- und Medicinalrath und Sr. Majestät des Königs von Sachsen Leibarzt. Herausgegeben von der Gesellschaft für Natur- und Heilkunde in Dresden. Gr. 4.

Der hier in Rede gestellte Gegenstand wird den geneigten Lesern schon aus jenem Gespräche zwischen Malcolm und dem Arzte in Shakspeare's „Macbeth" Aufz. IV., Auftr. 3, bekannt sein.

M. Sagt, geht der König aus?
Arzt. Ja, Herr, ein Haufen Unglückseliger
Harrt seiner Heilung, ihrer Krankheit weicht
Die Macht der Kunst; doch wenn er sie berührt,
Solch Heilthum gab der Himmel seiner Hand,
Alsbald genesen sie — — —

(Uebers. v. Voß.)

Nach vorliegender anziehender Untersuchung eines ebenso gründlichen wie vielseitig gelehrten ärztlichen Geschichtsforschers (Hrn. Prof. Dr. Choulant in Dresden) ist aus den vorhandenen historischen Zeugnissen der Ursprung der Sitte, durch königliches Handauflegen Drüsenkrankheiten heilen zu wollen, sowol in England als in Frankreich bis auf die letzte Hälfte des 11. Jahrhunderts zurückzuführen. Unter den englischen Königen dürfte Eduard der Bekenner und unter den französischen Philipp I. es sein, die zuerst von dieser ihnen zugetrauten Macht der Heilkunst öffentliche Proben gegeben haben. In beiden Reichen war die Zahl der jährlich zur Heilung der Scropheln vom Könige (nicht aber von der Königin) Berührten nicht unbedeutend. Heinrich IV. von Frankreich heilte nach der Angabe seines Leibarztes Dulaurens (von dem ein ausführliches Werk über diesen Gegenstand im J. 1628 erschienen ist) jährlich über 1500 und Königin Elisabeth von England stellte die Handlung des Berührens (the royal healing touch) ein, weil die Kosten zu einer kleinen Geldmünze für jeden Berührten, wie sie gebräuchlich waren, sich auf 3000 Pfund jährlich beliefen. Daß Viele aber auf diese Art in der That geheilt worden sind, ist unbezweifelt, sonst würde der Glaube daran sich nicht so lange unter dem Volke haben erhalten können. Diesem Erfolge aber leistete allerdings das Vertrauen auf die Königskraft und die sichere Hoffnung auf Genesung den besten Vorschub, während bei Vielen auch das Reisen und die ungewohnte Lebensweise etwas dazu beitragen mochten. Dazu kam, daß die Heilung nicht schnell verlangt und erwartet wurde, sondern erst nach Monaten und Jahren, daß Arzneimittel oft noch daneben gebraucht wurden, z. B. Salben und Pflaster, und daß endlich auch bei hartnäckigen Fällen eine Wiederholung der königlichen Berührung vorgenommen wurde. Unter den Königen aus dem Hause Hanover wurde jedoch die ganze Ceremonie angeblich aus dem Grunde abgeschafft, weil sie weder bei der großen Menge, noch bei den Verständigen sich mehr in Achtung erhalten konnte.

Uebrigens ist der Gebrauch, durch Auflegen der Hände zu heilen, weder in Frankreich noch in England einheimisch entsprungen, sondern aus dem Norden und zwar, wie Herr Choulant aus vielen triftigen Gründen vermuthet, aus Scandinavien dorthin verpflanzt, und also germanischen Ursprungs. Die Beweise aus den hiefür beigebrachten historischen Ergebnissen erhalten noch mehr Gewicht, wenn man bedenkt, in welcher Verbindung England im Anfange des 11. Jahrhundertes mit den Dänen und andern nordischen Völkern gestanden hat.

Möge Zeit und Muße dem würdigen Verf. es erlauben, uns noch oft mit solchen monographischen Darstellungen aus der Geschichte der Medicin zu erfreuen, in welcher die Strenge der Wissenschaft mit der Anmuth der Unterhaltung so trefflich gepaart ist. Man kann weit eher einen historischen Tractat nach dem herkömmlichen Schlendrian für Gelehrte schreiben als eine recht eindringliche, klare und lebendige Darstellung, die auch dem exoterischen Publicum zugängig ist; man muß hierzu, wie Herr Prof. Choulant, vom Genius der Popularität den Kuß der Weihe empfangen haben. 87.

Aphorismen.

Méprise.

Als der Prinz von Condé in Folge der Restauration nach Frankreich zurückgekehrt war, gab er häufige Beweise von Geistesabwesenheit; besonders verwechselte er die Personen mit einander. Eines Tages wird ihm Herr von Talleyrand (der Politicus) gemeldet; er verwechselt ihn aber mit seinem Oheim (dem Cardinal Talleyrand-Perigord) und redet ihn in dieser Voraussetzung so an: „Eh bien, Monseigneur! êtes-vous satisfait d'être en France? C'est un beau pays, quoiqu'on y rencontre plus d'un intrigant dangereux. Votre neveu par exemple est un compère, qui nous a joué d'étranges tours. Le roi l'écoute, il a tort, car le drôle lui servira quelque plat de sa façon. Quant à moi, les prêtres défroqués ne m'inspirent aucune confiance." Herr von Talleyrand besaß, wie Diejenigen, die ihn kennen, schon glauben werden, die Stirn, auf diese beißende Apostrophe blos mit demjenigen kalten Lächeln zu antworten, worüber er immer gebietet.

Caricatur.

Zur Zeit des ersten Einzuges der Alliirten in Paris erschien daselbst eine Caricatur, den Kaiser von Oestreich in einem schönen Wagen vorstellend. Der Kaiser von Rußland ist Kutscher, der Prinz-Regent von England Vorreiter, der König von Preußen steht antreibend hinten auf. Napoleon aber, bemüht, den Tritt zu ersteigen, ruft seinem Schwiegervater zu: „Beau-père, ils m'ont mis dehors!" worauf dieser erwidert: „Et moi dedans." Die genauere Auslegung dieser Plaisanterie überlassen wir unsern mit den damaligen Zeitverhältnissen bekannten Lesern. 178.

Redigirt unter Verantwortlichkeit der Verlagshandlung: F. A. Brockhaus in Leipzig.

Blätter

für

literarische Unterhaltung.

Sonntag, —— Nr. 286. —— 13. October 1833.

Seize ans sous les Bourbons. 1814—30. Par *Ed. Mennechet.* Erster und zweiter Band. Paris 1833.

Kein Land auf der weiten Erdoberfläche hat in neuerer Zeit so reichhaltigen Stoff für die Geschichte geliefert als Frankreich. Wenn es den Franzosen gelänge, ihre Thaten ebenso großartig zu beschreiben, wie sie dieselben vollführt, so würden sie die ersten Historiker der Welt. Doch jede Nation hat ihre Größe, ihre Mängel. Zum Geschichtschreiber ist der Franzose nicht geboren. Sein unternehmender Geist, sein aufwallendes Blut treibt ihn zum Handeln, er schaut lieber in die Zukunft als in die Vergangenheit, und er würde es gern den fremden Völkern überlassen, seine eigne Geschichte zu schreiben. Nur wenn er durchaus nichts Anderes zu thun hat, wenn er auf seinen Lorbern ausruhen muß oder unter den Trauerweiden seiner Anführer, so ergreift er den Griffel der Klio. Napoleon, auch hierin der größte Repräsentant des französischen Volkes, dictirte auf St.-Helena seine Memoiren, weil eben nichts mehr Anderes für ihn zu thun blieb. Bei der 16jährigen Ruhe, wozu Frankreich durch die Schlacht bei Waterloo verurtheilt wurde, konnten die bedeutendern Geister der Nation nicht umhin, die Schicksale der Republik und die Thaten des Kaiserreichs aufzuzeichnen; bei der Julirevolution verließen sie behende den Schreibtisch und traten ins praktische Staatsleben ein. Es schien eine Zeit lang, als sei die Muße zum stillen Forschen vorüber; ein Principienkrieg drohte sich über Europa auszubreiten; ganz Frankreich schaute wieder in die Zukunft und überließ dem Auslande die Beschreibung der Vergangenheit und Gegenwart. Da aber die Erwartungen sich nicht erfüllten, da man nicht zum Schwerte griff, so nehmen die Franzosen wieder mismuthig die Feder zur Hand und liefern jeden Monat eine andere Geschichte der Restauration. Dieses thun sie mit einer merkwürdigen Hast, denn man kann ja nicht wissen, ob die literarische Muße nicht plötzlich durch Ereignisse unterbrochen wird. In ihrer Eile haben sie nicht blos die ganze Restaurationszeit gemalt, auch schon die ersten Regierungsjahre Ludwig Philipp's. Im vorigen Jahre gab uns Sarrans die neuesten Begebenheiten bis nach der Absetzung Lafayette's, bis zum Kampfe beim Kloster St.-Méry. Der Advocat Pépin spinnt den geschichtlichen Faden noch weiter herab, fast bis auf den heutigen Tag. Für einen Deutschen erscheint diese Eile gewiß sehr merkwürdig; wir arbeiten nicht so schnell. Wir haben eine Geschichte Karl's des Großen, eine Geschichte der Hohenstaufen, des dreißigjährigen Krieges und eine von Osnabrück. Aber ich warte immer mit Ungeduld auf eine Geschichte des deutschen Freiheitskrieges.

Man wird den Kopf schütteln und einwenden, es sei nicht möglich, eine gute Geschichte zu schreiben, so lange man noch zu nahe bei den Thatsachen steht. Dies Axiom ist falsch. Am besten kann man etwas erzählen, wenn man selbst den Thatsachen beigewohnt und sie noch nicht vergessen hat. Man kann sich im Einzelnen irren, allein die Farbe der Zeit ist leichter aufzufassen, wenn sie noch vor Augen steht, und die Charaktere der Männer schildert am füglichsten Der, welcher sie gekannt. Es können Misbräuche stattfinden, und sie fehlten nicht in Frankreich, wo vermeintliche Staatsmänner mit ihren Memoiren täglich den Leser zum besten haben. Aber wegen des Misbrauchs darf man nicht gegen die Freiheit sprechen. Es muß Jedem gestattet sein, auch die Geschichte seiner Zeit zu erzählen, wenn er etwas Ordentliches darüber weiß. Dies Recht benutzend, haben uns die Schriftsteller bereits viel Denkwürdiges über die Restaurationsepoche mitgetheilt. Am anziehendsten war bisher das Werk von Capefigue, welches jedoch nicht von ihm selbst verfaßt, sondern abgeschrieben ist. Es entstand aus den Notizen, welche ihm der Herzog Decazes, Herr Beugnot und sonstige Staatsmänner vergönnten. Wir erhalten soeben ein anderes Buch, dessen Titel Interessantes verspricht. Es heißt: „Seize ans sous les Bourbons", und auf dem Schmuztitel liest man die bestimmtern Worte: „Lettres sur la restauration". Es ist von Herrn Mennechet, der unter Ludwig XVIII. und Karl X. Lector bei Hofe und in der Kammer angestellt war. Obschon also ein untergeordneter Politiker, mußte er doch in jenem Wirkungskreise Gelegenheit finden, mancherlei Beobachtungen über den Hof und die hervortretenden Staatsmänner anzustellen. In Folge der Revolution verlor er seine Aemter, hatte also Muße genug zur Ausarbeitung des Werkes, dessen bisherige zwei Bände sich bis zum Jahre 1820 erstrecken; sie sind der Gegenstand der folgenden Mittheilungen.

Herr Mennechet gibt übrigens sein Werk nicht als eine vollständige Geschichte der Restauration, ja er will uns nicht einmal eine Chronik oder nur Memoiren anbieten; es sind blos Briefe, sagt er, die er während der 16 Jahre an eine im Ausland lebende Dame geschrieben. Als ich in der Vorrede diese bescheidene Anzeige las, wurden meine Erwartungen desto mehr gesteigert, denn ich suche in Büchern, welche die gleichzeitige Geschichte beschreiben, besonders die Localfarbe und die Farbe der Zeit, den ersten Eindruck der Ereignisse und redselige Eröffnungen über den Charakter der Personen. Allzu selten finden sich diese Vorzüge in spätern geschichtlichen Werken, aber vertraute Briefe sind dazu sehr geeignet. Doch wir wollen Herrn Mennechet anhören; er bemerkt in der Vorrede:

Ich gebe diese Briefe keineswegs für eine Geschichte der Restauration; durch Beschäftigung und Geschmack den Intriguen der Politik entfremdet, war ich nur ein einfacher Zuschauer derselben, doch war dies vielleicht die beste Stellung, um sie mit Unparteilichkeit zu beurtheilen. Ich stand übrigens nicht zu hoch oder zu tief, nicht zu nahe oder zu fern, als daß ich nicht gut hätte zusehen können. Ich befand mich grade an der Stelle, welche den Gegenständen ihre wahrhafte Proportion gibt. Von diesem Observatorium habe ich Menschen und Dinge betrachtet, und ich schrieb, ohne daß ein Gefühl des Hasses oder der Zuneigung auf mein Urtheil Einfluß geübt. Eine Dame, die im Auslande wohnt, erhielt allein meine vertraulich-brieflichen Mittheilungen, und da ich mit ihr wie mit mir selber die Verbindlichkeit einging, daß ich stets nur mein Gewissen befragen würde, so kann ich versichern, daß diese Briefe wenigstens das Verdienst einer völligen Freimüthigkeit und eines ganz unabhängigen Sinnes haben. Ich benutzte in hohem Grade die Freiheit, wozu das Geheimniß eines Privatbriefwechsels berechtigt. Um die Thatsachen zu würdigen, habe ich nicht gewartet, bis sie vorüber waren.

Dies ist es grade, was mir in dem Plane des vorliegenden Werkes am meisten gefällt. Es ist kein sonderliches Verdienst, über Thatsachen und Personen abzuurtheilen, wenn man die Folgen der Facta, die spätern Handlungen der Personen schon damit verglichen hat; es gehört mehr Scharfsinn dazu, während der politischen Bewegung zugleich den Charakter und die Folgen der Zeit, der Thatsachen und den Gesammtcharakter der Personen aufzufassen. Nur muß der Schriftsteller nicht für ein früheres Urtheil ausgeben, was er erst später hinzugeschrieben hat, er läuft sonst Gefahr, daß wir auch seinen wirklich zur Zeit des Ereignisses ausgesprochenen Prophezeiungen nicht glauben, und daß wir auf sein ganzes Buch keinen Werth legen.

Wir wollen nun sehen, ob Herr Mennechet wirklich seine Briefe während der Restauration so schrieb, wie er sie mittheilt.

Vergangenes Jahr — erzählt er in seinem zweiten Briefe, der vom 28. März 1814 datirt ist — trat ich aus einem kaiserlichen Lyceum, wo ich nichts Anderes gelernt als ziemlich viel Latein, ein wenig Griechisch, viel Mathematik, und besonders stark wurde ich in militairischen Uebungen. Indem ich meine Autoren übersetzte, habe ich beiläufig einige Bruchstücke der alten Geschichte ins Gedächtniß bekommen, und es that mir recht leid, daß ich nicht als römischer Bürger geboren war, um meine Sklaven durchzupeitschen, um Maitressen zu liebkosen (nehmen Sie sich doch in Acht, Herr Mennechet, Sie schreiben an eine Dame!) und um von der Rednerbühne wie ein Cicero oder wie die Gracchen zur Versammlung meiner Mitbürger zu sprechen. Was aber die Geschichte meines Landes betrifft, so war sie bei unsern Professoren dermaßen verpönt (eu charte privée), daß sie mir fast unbekannt blieb. Meine Gedanken verweilten nie bei dem Zeitraume von Karl dem Großen bis auf Napoleon; ich bildete mir ein, da man mir nichts darüber gesagt, so sei überhaupt nichts darüber zu sagen; die Geschichte Frankreichs begann für mich bei den ersten Bulletins der großen Armee. Nur hatte mir ein alter Lehrer, ein ehemaliger verheiratheter Priester versichert, daß wir schon von 1791 an begannen, ein großes Volk zu sein... Ich bin so ziemlich überzeugt, daß die meisten jungen Leute unserer Zeit nicht weiter sind, und ich gestehe, daß es mir nur seit wenigen Tagen in den Sinn gekommen ist, an die altehrwürdige Familie unserer Könige zu denken.

Herr Mennechet hat im Lyceum nur die Geschichte des Alterthums und des Kaisers gelernt, und noch am 28. März 1814 weiß er wenig von der Herrschaft der Bourbons. Wie kommt es denn, daß er gleich in den folgenden Briefen, die im April geschrieben sind, die Zeiten der Johanna von Arc, des guten Heinrich und überhaupt die Epoche der Bourbons und ihrer Vorgänger so umständlich kennt und so inbrünstig bewundert? Doch in einigen Tagen läßt sich viel lernen; Herr Mennechet liefert den Beweis. Allein Hr. Mennechet war in einem kaiserlichen Lyceum erzogen, er hörte dort nichts von Legitimität und göttlichem Rechte, man erfüllte seinen jugendlichen Geist mit Bewunderung für die Thaten des Kaisers. Wie kommt es, daß er im Mai 1814 den Kaiser verhöhnt: „Er verbirgt sich, er hat Furcht, und er bedarf des Schutzes einer Kosackenlanze. Auf solche furchtbare Art, Madame, bestraft Gott Diejenigen, die nicht in seinem Namen herrschen!“ Ich glaube es nimmermehr, daß Herr Mennechet diese Worte schon im Jahre 1814 schrieb! Er hat sie später zugesetzt. Wenn er den Hohn gegen den Kaiser um ein Jahr aufgespart hätte, dann freilich fände man ihn einigermaßen erklärbar. Er hatte unterdeß durch den Herzog von Duras eine Anstellung am Hofe Ludwig XVIII. gefunden; er war längst nicht mehr Zögling des kaiserlichen Lyceums, sondern im Dienste des Königs; und als nun der Kaiser von Elba zurückkam und dem Könige die Krone, dem Herrn Mennechet seine Anstellung entriß, da freilich konnte er an seine Dame schreiben: „Wie es doch vor wenigen Tagen noch schön und blühend war, das Frankreich der Bourbons! und wie ist

In dem kaiserlichen Lyceum erzogen, unbekümmert um die Geschichte der Bourbons und der Republik und ohne Anhänglichkeit für die Legitimität, ist Herr Mennechet schon in seinen ersten Briefen, wenn man ihm glauben darf, so verändert, daß er plötzlich von leidenschaftlicher Bewunderung für — die Vendée ergriffen wird; er spricht sein Bedauern aus, daß Ludwig XVIII. kein Mitglied der Chouannerie in die Pairskammer aufnahm; er fragt, ob die Männer der Vendée nur zum Sterben tauglich seien, und wohlgemerkt, er schreibt dies in seinen Briefen 50 Seiten früher, als er durch den Herzog von Duras bei Hofe angestellt ward. Und noch merkwürdiger: „In einem kaiserlichen Lyceum erzogen“, gesteht er, „habe ich keine sehr festen religiösen Grundsätze empfangen“, und dennoch sehen wir ihn gleich darauf „mit Andacht beten für die der Liebe Frankreichs wunderbar zurückgegebenen Fürsten; vielleicht findet das uninteressirte Gebet eines unbekannten, in der Menge verlorenen Mannes Erhörung dort oben bei dem König der Könige!“

Es scheint also hiernach, daß Mennechet's Werk zwei Redactionen habe; er konnte 1814 von seiner geringen historischen Gelehrsamkeit, von seinem Mangel an religiösem Unterricht sprechen, später aber die Erudition und Frömmigkeit hinzufügen; es ist freilich ungeschickt, so aus seiner Rolle zu fallen. Auf zwei Redactionen schließt man auch, wenn man vergleicht, was der Verf. über England bemerkt. Vor 16 Jahren mußte er, wenn er sich anders für die Bourbons erklärte, für Großbritannien große Zuneigung hegen, da dieses Land am meisten für die verbannten Könige und gegen den Kaiser gewirkt. Er konnte an die Dame schreiben: „Ludwig XVIII. und seine Familie verdankten es England, daß sie zum ersten Male nicht die Erniedrigung einer unsichern Gastfreundschaft erlitten.“ Da aber der Verf. sein Werk erst neuerdings herausgab, und da er als Legitimist gegen das mit Frankreich verbündete England aufgebracht ist, so läßt er das frühere England dafür büßen, wirft ihm vor, daß es aus Eigennutz die Proscribirten aufnahm; daß es ihnen keine königlichen Ehren bezeigte; daß sie außer dem kurzen Aufenthalte des Grafen Artois in Holyrood in keinem Palaste der Krone aufgenommen wurden — sämmtlich Vorwürfe, die Herr M. vermuthlich nicht vor 16 Jahren niederschrieb.

(Die Fortsetzung folgt.)

Romanenliteratur.

1. Das schwarze Herz. Erzählung von L. Kruse. Leipzig, Kollmann. 1833. 8. 1 Thlr. 3 Gr.
2. Don Pedro's Rache. Eine Geschichte aus den Zeiten Pedro's des Grausamen. Nach Mortonval's „Martin Gil“ aus dem Französischen übersetzt durch L. Kruse. Vier Theile. Ebend. 1833. 8. 4 Thlr. 12 Gr.
3. Daniel der Steinschneider, oder Werkstatterzählungen von Michel Raymond. Ins Deutsche übertragen von L. Kruse. Erster Theil. Ebend. 1833. 8. 1 Thlr. 12 Gr.

1. Die Weise, wie der mehr und mehr sich nationalisirende Däne seine Uebersetzungen behandelt, wie er für den schlummernden Autor wacht, dichtet und lindert, rechtfertigt die Meinung, auch seine Verdeutschungen als Originale zu betrachten und sie mit den eignen Erzeugnissen zugleich zu beurtheilen. In der Originalerzählung spielt lind und leise das Geistige hinein, kein crasser Wunderglaube wird uns aufgedrungen, was von Uebernatürlichem übrig bleibt, ist bei zarter Sinnigkeit doch von einer Art, daß Realisten es für das Ergebniß krankhaft erhöhter Reizbarkeit halten mögen, poetisch Fühlende glauben können, eine unmittelbare Beziehung der Seele zur Seele sei auch bei Menschen denkbar, die man nicht geradezu Hellsehende nennen dürfe. Unwahrscheinlicher als das Ideale in der Erzählung ist Einiges in der Geschichte dieser zwei Brüder, die lange für einen gelten, bei dem Freunde des bessern, der Verlobten beider. Der schlechtere, von einem Jesuiten zu selbstischen Zwecken erzogen, verfällt in Wahnsinn, der sich am deutlichsten in der fixen Idee ausspricht, daß die Strafe seiner Uebelthaten auch darin bestehe, daß ein schwarzer Fleck auf einem Bilde, welches beide Brüder in einer Person vorstellt, unvertilgbar sei, und so sein schwarzes Herz bezeichne. Ihm wie dem Bruder und der Jugendgeliebten naht der Tod als sanftversöhnender Friedensengel.

2. Zwei schöne reine Gemüther, Martin Gil und seine Base, nachmalige Gattin Margarida, deren treue aufopfernde Liebe er nicht gleich erkennt und erwidert, erhellen freundlich das düstere Rachestück: „Don Pedro's Rache“. Nur der Jude Samuel kann an Schlechtigkeit, die nicht von einer einzigen bessern Regung gemildert wird, dem Könige verglichen werden, der von der widerwärtigsten Tyrannennatur ist, die kaltblütig mit lächelnder Miene die unerhörtesten Grausamkeiten befiehlt, ja mit eben dem Behagen ihrer Vollstreckung zusieht, als er den Becher der Wollust leert, und zu allen diesen Lastern noch das der Verstellung, der Doppelzüngigkeit gesellt. Seine geliebte Maria de Padilla ist ein gewöhnliches gefall- und ehrsüchtiges launenhaftes Weib, das aus dem liebenden unschuldigen Mädchen, wie sie zuerst als Martin's Geliebte sich ankündigte, zur gemeinen Buhlerin wird, zu unbedeutend, um an ihren Schicksalen lebhaften Antheil zu nehmen. Die Königin Blanca, von Marien verfolgt, ist mindestens sehr unvorsichtig und hat sich es zuzuschreiben, wenn die Verleumdung ihren Ruf antastete, denn wirklich, ohne des Lesers Allwissenheit dürfte ein Jeder, der die Geschichte hört, an die Schuld der Königin glauben. Die Umstände, die einen solchen Glauben erzeugen, sind überaus verwickelt, spitzfindig, in unserm prosaischen Zeitalter könnte man sie zu künstlich für die Wirklichkeit halten; im romantischen 14. Jahrhunderte, im erzromantischen Spanien war das anders, hier ward das Märchen zur Wahrheit und eine wohlbegründete Geschichte, was, flüchtig betrachtet, ohne an Ort und Datum zu denken, historischer Roman scheint. Wie bei Calderon sind die Charaktere weniger Individualitäten als Allgemeinheiten, bei denen man auf keine feste Haltung rechnen darf. Der König und der Jude, Martin und Margarida haben ausgeprägte Physiognomien, was bei Letzterer viel sagen will, da nichts schwerer ist, als jungfräuliche Holdseligkeit zu malen, ohne daß die Züge fade oder hart werden. Die übrigen Personen sprechen (denn die Erzählung ist zur Hälfte dialogisirt) ihrer Stellung gemäß, sind auch nicht zu redselig, sodaß man Ursache hat, mit ihnen wie überhaupt mit dem Buche zufrieden zu sein.

3. Des Steinschneiders Erzählungen sind freilich im neuesten französischen Styl, der statt Feder und Pinsel das Scalpel des Zergliederers führt, jedoch ohne Graus und ohne Ekel, die Tugend erscheint nicht albern, und die Kraft wird nicht als alleiniger Götze angebetet, nicht allein die Nachtseite der Natur wird schonungslos dem Auge enthüllt, nicht jede schlagende Betrachtung wird zum Trugschlusse, weil die Unterlage, aus ihrem Stützpunkt verrückt, eine wankende ist; kurz, diese Erzählungen sind die besten Arten der Gattung, die an und für sich nur dem übersättigten und dadurch verdorbenen Geschmack behagen kann.

4. Neue Erzählungen von M. von Balzac. Aus dem Französischen von O. L. B. Wolff. Erster Band. Leipzig, Allgemeine niederländische Buchhandlung. 1833. 12. 1 Thlr. 12 Gr.

Auch diese Erzählungen tragen das Gräßliche nicht auf empörende Weise zur Schau wie andere Erzählungen desselben Autors, obgleich sie Schule und Richtung nicht verleugnen. „Meister Cornelius“, ein Geizhals, der nachtwandelnd sich selbst bestiehlt, hat eine ferne Aehnlichkeit mit dem „Fräulein Scudéry“ von Hoffmann, das Verdienst eines durchgeführten Charakters, der dadurch, daß König Ludwig XI. von Frankreich mit ihm in Wechselwirkung steht, historische Bedeutsamkeit erlangt. „Madame Firmiani“, angenehm und heiter erzählte Begebenheit aus dem pariser Salonsleben. Düster und ernst erhebt sich daneben „Die rothe Schenke“, die effectvollste Erzählung unter allen. Es handelt sich um ein Verbrechen, das an dem Unschuldigen bestraft wird, weil die Umstände gegen ihn sprechen, und er sich schlecht vertheidigte, weil er, sich des bösen Willens bewußt, der That selbst halb und halb schuldig glaubt. Derwahre Schuldige wird nach Jahren erkannt; unbestraft von der Gerechtigkeit, übernimmt das Gewissen ein strenges Rächeramt. Die Geschichte selbst trug sich in Deutschland zu, aber in dem Deutschland, wie es ein französisches Auge erblickt, das Schwaben zwischen Mainz und Koblenz an den Ufern des Rheins sieht. „Reise von Paris nach Java", geistreich und witzig, aber auch mit dem Hohn eines ausgebrannten Gemüths läßt sie unbefriedigt.

5. Ali der Fuchs. Oder die Eroberung Algiers im J. 1830. Aus dem Französischen des Eusebius von Salle. Deutsch von L. von Alvensleben. Zwei Bände. Leipzig, Franke. 1832. 12. 3 Thlr.

Nur so viel Roman, um die Beschreibung der Zustände in Algier zur Zeit seiner Einnahme nicht zur dürren Reise- und Geschichtsklitterung werden zu lassen. Es ist viel Leben und Bewegung in diesem Gemälde, man meint wohlgetroffene Portraits auf trefflich entworfenem landschaftlichen Hintergrund zu erblicken. Die originellsten dieser Bildnisse sind der Beduine Ali, der Glücksritter Duclos und die Georgierin Kirkor, in welcher europäische Sittigung, asiatische Haremsunterwürfigkeit und die Losgebundenheit eines zigeunernden Lebens verwunderlich sich kreuzen und eine Eigenthümlichkeit gestalten, welche der Wahrheit nicht entbehrt. 18.

Die Phrenologie in England.

Nach den von Dr. J. W. Crane der londoner Phrenological society über den Stand der phrenologischen Lehren gegebenen Mittheilungen existiren in England 23, in Schottland 3 und in Irland 2 phrenologische Gesellschaften; außerdem beschäftigen sich noch mehre medicinische Gesellschaften mit besonderer Vorliebe für diese kranioskopische oder kraniologische Lehre. In einem dieser Vereine, in der Westminster medical society, deren Präsident Dr. Copland ist, kam neuerlich bei einer Sitzung folgende Verhandlung vor. Holme nämlich, der gegenwärtige Eigenthümer des von Spurzheim nachgelassenen Museums, brachte Mehres daraus mit, um die Wichtigkeit und den wirklichen Werth der Phrenologie darzuthun. Darauf begann Copland: die Kraniologie sei durchaus keine neue Wissenschaft; schon vor 20 Jahren habe er in der Edinburger Monro Bibliothek das Exemplar eines, soweit er bisher danach geforscht, in seiner Art einzigen lateinischen Werkes gesehen, worin sich Zeichnungen von Köpfen wilder Thiere, Vögel, Fische und Menschen befanden, um durch Vergleichung das Ueberwiegen der Intelligenz der letztern und die Verwandtschaft der Thiere in dieser Beziehung zu zeigen. Holme erwähnte darauf, in dem Besitz eines ähnlichen Werkes zu sein, das über 300 Jahr alt ist. De Ville besaß ein von einem Astrologen 1552 verfaßtes Werk, worin der Kopf in gehörige Abtheilungen zerlegt ist, von denen mehre den Organen Gall's gleichen. Das merkwürdigste Werk aber, das er besitze, sei ein chinesisches in vier Bänden und ein über 400 Jahr altes Werk über Physiognomie, worin der Kopf in viele Theile getheilt ist. Costello, der sich gegen den dieser Lehre gemachten Vorwurf, als läge ihr ein Atheismus zu Grunde, kräftig ausspricht, berichtet, daß Gall ihm erzählt habe, er mußte Wien verlassen, weil die Anschuldigung des Atheismus ihm den Aufenthalt dort unleidlich gemacht habe, und dennoch (!!) habe er zu ihren drei Beweisen vom Dasein Gottes noch einen vierten hinzugefügt: nämlich das Organ der Verehrung. Wenn in allen Köpfen sich dieses Organ befindet, bei Königen und bei Bettlern, bei Päpsten und Priestern, so müsse doch Etwas über Alle da sein, das verehrt werden solle, da die Natur kein Organ umsonst bilde, und das Etwas könne doch nur Gott sein. (Einen merkwürdigern Beweis dürfte es kaum geben! Ref.) Epps beklagte sich, daß die Anatomie des Gehirns nicht auf die Weise gelehrt werde, wie es Gall gethan hat, wodurch diese Wissenschaft der verdienten Förderung entbehren müsse. Copland fragt, ob wol die neue Entdeckung von Serres und Leuret über die lamellöse Gehirnstructur auf Gall's Lehre influiren werde, da ihr die strahlige Natur zu Grunde liege? Costello verneint diese Frage, vermeinend, daß diese Entdeckungen nur auf die Lehre der Apoplexie Einfluß haben werde. Endlich spricht noch Bernett; er erklärt sich für keinen Anhänger der Phrenologie, weil sie zu sehr ins Specielle gehe; an ihm habe man ein hervorragendes Organ der Musik erkannt, und doch könne er nicht den geringsten Ton behalten und nachahmen.

Eine phrenologische Charakteristik Gall's, nach welcher dessen intellectuelle und moralische Fähigkeiten sowie dessen physische Triebe mit seiner phrenologischen Organisation sehr übereinstimmen, hat Marquis Moscatti, einer der eifrigsten Kraniologen, neuerlich in englischen Blättern bekanntgemacht, und wie man hört, wird Dr. Fossati zu Paris, einer der besten Schüler Gall's, dessen Leben in einer eignen Schrift skizziren.

Auch die phrenologische Untersuchung von Spurzheim's Kopf ist in einer neuerlichen Sitzung der London phrenological society genau erörtert worden. Dieser zeigte sehr groß entwickelt die Organe der Selbstschätzung, Anerkennung (approbativeness), Vorsichtigkeit, Festigkeit, Schweigsamkeit, Zerstörungskraft, Causalität, Trieb zum Individualisiren, zum Vergleichen, Sinn für Ordnung, Gestalt und Formen. Ziemlich groß waren die Organe der Ehrfurcht, Gewissenhaftigkeit, Idealität, Hoffnung, Ortssinn, Sprachsinn und Frohsinn; ferner mäßig die Organe für Kampflust, Anhänglichkeit, Wohnlichkeitssinn, Sinn für Nachkommenschaft und Nachahmung und endlich klein das Organ für Verliebtheit, die Sinne für Melodie, Zeit, Zahl und Wunderschtigkeit und das Organ für physischen Muth.

Als Beweis für Spurzheim's große Schweigsamkeit ward erzählt, daß er zur Zeit seines Aufenthaltes in Gall's Hause sechs Monate lang die englische Sprache trieb und alle Einrichtungen zu seiner Reise nach England traf, ohne daß Gall das Geringste davon früher erfuhr als etwa acht Tage vor der Abreise. Als Beweise für seinen geringen Muth wurden folgende von Gall selbst erzählte Anekdoten der Gesellschaft zum Besten gegeben. Während Gall in Berlin Vorlesungen hielt, fiel ein dortiger Student, der ein Gegner des Systems war, den Dr. Spurzheim eines Tages auf der Straße an, und obgleich der Student nicht halb so untersetzt wie S. war, so gab er ihm doch bei einem heftigen Discours einen tüchtigen Faustschlag; S. aber, anstatt sich seiner Haut zu wehren, lief davon und nahm zu dem nächstgelegenen Wachthause die Zuflucht. Ein anderes Mal, zu der Zeit, als Gall mit S. in Weimar zusammenlebte, wollte der Hauswirth sie betrügen; Gall weigerte sich, die Rechnung zu bezahlen. Der Wirth drohte und ging in das Zimmer, in dem beide sich befanden; da wurde S. ganz bleich vor Schreck und lief davon. Auf einer Reise, die beide zusammen machten, kam der Postillon mit dem Wagen zu nahe einem Abgrund und wollte durchaus auf keinen Zuruf hören. Gall sprang aus dem Wagen und hielt die Pferde auf. Der Postillon fing mit Gall eine Schlägerei an und S., anstatt G. beizustehen, machte sich aus dem Staube. 87.

Literarische Notizen.

Jean Jacques Ampère, seit Kurzem an Andrieux's Stelle Professor am Collège de France und der Ecole normale, hat unter dem Titel: „Littérature et voyages", eine anziehende Frucht seiner Studien herausgegeben. Interessant ist was er über slawische Literatur, skandinavische Mythologie, über Göthe, Hoffmann und Tieck sagt.

„Le Gilblas du théâtre", von Michel Merin, 2 Bde., ist reich an pikanten Anekdoten. 9.

Redigirt unter Verantwortlichkeit der Verlagshandlung: F. A. Brockhaus in Leipzig.

Blätter für literarische Unterhaltung.

Montag, — Nr. 287. — 14. October 1833.

Seize ans sous les Bourbons. 1814—30. Par *Ed. Mennechet.* Erster und zweiter Band.

(Fortsetzung aus Nr. 286.)

Wie Herr M. gegen England auftritt, so greift er zuweilen auch Personen an, die er zur Zeit, als er die Briefe schrieb, eher hätte vertheidigen müssen. Im J. 1818 wurde die Bildsäule Heinrich IV. auf dem Pont neuf aufgestellt; in den Leib des Pferdes steckte man ein Exemplar von Voltaire's „Henriade" und eine Liste der Personen, welche zur Errichtung des Denkmals Geld beigesteuert. Daß der freisinnige Dichter Béranger gegen das Monument schrieb, gegen „ce chétif Henri IV sur un si gros cheval", ist ganz natürlich; er haßte die Bourbons, und ihm war vielleicht ein Geheimniß unbekannt, welches seit der Julirevolution gedruckt wurde, oder er wollte sich stellen, als kenne er das Geheimniß nicht. Warum hat aber Mennechet im J. 1818 bei all seinem Devouement gegen die Reiterstatue geifert? warum findet er sie unbeweglich, steif? Vermuthlich weil er nach der Julirevolution erfuhr, daß der Künstler in dem Leibe des Pferdes außer der „Henriade" und der Subscriptionsliste noch etwas Anderes versteckt hatte — eine kleine Bildsäule des Kaisers, eine Nachbildung der Statue, die zur Zeit der Invasion von dem Triumphdenkmale des Vendômeplatzes heruntergerissen ward.

Herr Mennechet copirt, angeblich im Jahre 1819, eine interessante Stelle aus dem „Journal des débats", welches Blatt damals gegen das juste milieu schrieb. Dies Wort in politischer Bedeutung ist also nicht erst am Neujahr 1831 entstanden, an welchem Tage der König Ludwig Philipp es in einer Erwiderung auf eine officielle Anrede gebraucht hat; es bestand früher und war nur in Vergessenheit gerathen. Herr Mennechet hat gewiß 1819 nicht daran gedacht, die Stelle zu copiren; er fügte sie später hinzu, und sie ist in der That merkwürdig. „Es gibt kein juste milieu zwischen den Doctrinen der legitimen Monarchie und denen der Revolution; wer nicht entweder royalistisch ist wie das „Journal des débats" oder revolutionnair wie der „Constitutionnel", weiß nicht, was er sagt und was er thut."

Es ist nicht schwer, Dinge vorherzusagen, die schon geschehen sind; dem Dichter ist es erlaubt, Homer und Virgil haben sich diese Freiheit genommen; aber für einen Historiker ist es sonderbar. In einem Briefe vom Jahr 1817 prophezeit Herr M. die Eroberung Algiers: „Man muß den Dei aus seiner Räuberhöhle jagen; man muß in Algier ein Königreich für die Civilisation erobern. Ruhm dem Monarchen, dessen Panier einst auf Algiers Thürmen weht! Ruhm dem Feldherrn, welcher mit dem Schwerte in der Hand dies Panier aufpflanzt!" Oder hätte der Verf. wirklich im Voraus die Eroberung Algiers errathen? hätte er vorhergewußt, daß Maison einst Karl X. nach Cherbourg begleiten werde? „Der General Maison", sagt er, „ist der erste Offizier, welcher den Königen den Ausdruck seiner Ergebenheit anbot; er begleitete Ludwig XVIII. nach Paris, und ich bezweifle, ob er je eine glorreichere Mission erhalten werde." Hat er wirklich im Augenblicke, als die Herzogin von Berri zuerst in Frankreich landete, vorhergewußt, wie viel Unglück ihr bevorstand? wieso konnte er prophezeien, daß der Fürst von Condé eines schmählichen Todes sterben würde? wieso konnte er im Jahr 1820 annehmen, daß der Herzog von Orleans den Thron einst besteige? Aber Herr M. begnügt sich nicht, wie Homer und Virgil Dinge zu prophezeien, die vor seiner Zeit geschahen; er blickt weiter in die Zukunft; wie Daniel sagt er Dinge vorher, die nie geschehen werden. Er prophezeit, daß eine Bankierrevolution in Frankreich Bankrotte hervorbringen werde, und bei Gelegenheit eines Bildes von Gérard, die Rückkehr Heinrich IV. darstellend, deutet er die einstige Rückkehr Heinrich V. an. Er hoffte wol viel von dem töplitzer Congresse. Dieser ist vorüber, und das „Kind Europas" bleibt in Böhmen nach wie vor. Und wer glaubt an einen Bankrott Frankreichs? Die Rente ist jetzt etwas flau, steht aber dennoch heute den 1. October 102, 30 und die Dreiprocents 75, 50; doch ich will nicht den ganzen Curszettel copiren. Herr M. hat Unrecht, daß er sich und die Royalisten mit der Kassandra vergleicht. Sie prophezeite, was eintraf; seine Prophezeiungen werden nicht eintreffen. Er stimmt blos darin mit ihr überein, daß er ein Unglücksprophet ist. Wenn die arme Kassandra wie Herr M. meist Dinge vorhergesagt, die schon vorher eingetroffen waren, so hätte man ihr diese Dinge geglaubt; aber sie war nicht so scharfsinnig wie unser Verfasser.

Nach allem Obigen wird der Leser leicht zugeben, daß

Schon vor 1817 gab es freilich Doctrinaires in Frankreich; es gab deren unter der Republik, während der Kaiserzeit und zu Anfang der Restauration, allein man ertheilte ihnen noch nicht den Namen Doctrinaires. Sie sagten oft in ihren Schriften, daß sie ihre Politik mehr auf Doctrinen als auf praktischen Blick stützten. Herr Guizot z. B. bemerkt in einer 1816 erschienenen Broschüre; lange genug habe man die Doctrinen zum Umstürzen gebraucht, und es sei Zeit, sie zum Gründen anzuwenden; aber er und seine Freunde nahmen darum den Titel Doctrinaires nicht an. Dies Wort entstand ums Jahr 1817. Bei Eröffnung der Kammersession in diesem Jahre wurde Royer Collard als Candidat zur Präsidentschaft ernannt. Es bildete sich in der Kammer ein tiers parti, der öfter gegen das Ministerium sprach, als er gegen dasselbe stimmte, und diesen ertheilte man nun den Namen Collardisten und Doctrinaires. Herr M. thut, als habe er das Wort schon 1814 gebraucht.

Gleich unten auf der nämlichen Seite schreibt er das Wort nochmals hin. „Wir haben also", klagt er, „eine doctrinaire Charte anstatt einer monarchischen." In einem andern Briefe, immer vor dem Jahre 1817, nennt er Herrn Guizot einen von den Chefs der doctrinairen Partei. In einem dritten, vom Jahre 1815, beschuldigt er Herrn Louis, Herrn Guizot und einige andere Doctrinaires, daß sie den König Ludwig XVIII. in Gent aufgesucht haben. Auf der folgenden Seite nennt er die Doctrinaires „d'habiles escamoteurs", welche die Revolutionen und Restaurationen voraussähen und immer den besten Nutzen davon zögen. „Que vont faire à Gand les doctrinaires?" fährt er fort. Und im zweiten Bande, in den Briefen von 1816, kommt er immer wieder auf die „doctrinaire Charte" zurück. Wenn Herr M. einen so großen Theil seines Buches offenbar nach der Julirevolution schrieb, wird es nicht wahrscheinlich, daß er überhaupt das Ganze nicht vor 1830 verfaßte? Allein den Dem, was schon eingetroffen ist.

Eins von Beidem, entweder hat M. sein ganzes Buch nach der Revolution geschrieben, während er in der Vorrede behauptet, daß er es während der Restauration in Briefen an eine Dame gerichtet, und daß er, um die Thatsachen zu würdigen, nicht gewartet, bis sie vorüber waren; oder er schrieb nach der Revolution einen Theil des Buches, änderte, entstellte das vorher Aufgezeichnete. Er gibt uns ein halb geschichtliches, halb romantisches Buch. Dies Benehmen ist eines Mannes, der auf Gründlichkeit und Gewissen pocht, nicht würdig und verdient eine ernste Rüge, damit sich in Zukunft die Historiker einer solchen Methode enthalten mögen.

Herr M. versichert auch in seiner Vorrede, er habe geschrieben, ohne daß ein Gefühl des Hasses oder der Zuneigung auf sein Urtheil Einfluß geäußert. Der Leser wird schon aus Obigem ersehen, daß M. dennoch nicht ganz sine ira et studio schrieb. Das ganze Buch wimmelt von andern Beweisen seiner Leidenschaftlichkeit. Ich will dahin nicht rechnen, daß er eifrig gegen Sand und für den savant professeur Kotzebue auftritt; man kann moderirt sein und dennoch gegen Sand eifern. Wir verdenken es ihm auch nicht, daß er sich so innig des Herzogs von Bordeaux, des „Kindes von Europa" annimmt; es ist nun einmal seine politische Meinung. Aber man darf sich für keinen unparteiischen Mann ausgeben, wenn man Sätze schreibt wie diesen: „Wahrhaftig, wenn ich zwischen Richtern und Geschworenen zu wählen hätte, so würde ich die Geschworenen, die Boutiquiers vorziehen; wenn sie mich verurtheilen, so habe ich wenigstens, um mich zu rächen, die Befugniß, ihnen meine Kundschaft zu entziehen!" Man kann sich nicht als unparteiisch hinstellen, wenn man eine Kammer vertheidigt, welche Grégoire ausschloß, [illegible] er in allen Regeln von den Wahlmännern zum Abgeordneten ernannt war, und blos wegen seiner ehemaligen politischen Stellung, da doch die Charte ausdrücklich die Vertersuchen der frühern Meinung verbot. Und ist man unpartheiisch, wenn man in einem geschichtlichen Werke drei Seiten lange Tiraden druckt wie Bd. II, S. 379 fg.: „Der Revolutionsgeist gleicht der wandernden Pest, die von Reich zu Reich Verheerung und Tod bringt ... die revolutionnaire Epidemie", ... und so in einem Tone weiter mit hübschen Beispielen aus Sicilien, Italien, Konstantinopel und China.

Das Buch mag übrigens vor oder nach der Revolution des Juli, mit oder ohne Leidenschaft geschrieben sein, so kann es doch nicht fehlen, daß ein Mann wie Herr Mennechet, der als Augenzeuge die ganze denkwürdige Epoche der Restauration auf den Straßen, in den Salons und bei Hofe beobachtet, uns nicht anziehende Bemerkungen über diesen Zeitraum mittheilte; sein Werk ist in der That ziemlich reich an solchen Belehrungen und gewinnt um so höheres Interesse, da Herr M. mit vielem Talent zu erzählen weiß.

(Der Beschluß folgt.)

Genrebilder aus Oestreich und den verwandten Ländern. Von August Ellrich (Verfasser des Werkes: „Die Ungarn wie sie sind"). Berlin, Vereinsbuchhandlung. 1833. 8. 1 Thlr. 16 Gr.

Es ist seit einiger Zeit Mode geworden, über Oestreich und dessen Bewohner zu schreiben. Der Literatur der Orte, wie es ist, folgte eine Literatur, welche einzelne Länder, wie sie sind, darstellen sollte. Ohne Zweifel könnte man so etwas nur belehrend nennen, wenn es immer mit jener Umsicht, Ruhe, Vernunft und Würde geschähe, wie dergleichen geschehen muß. Aber da hängt es und das ist sehr schlimm.

Wenn schon das Urtheil über einen einzelnen Menschen viel Umsicht, Ruhe und lange und genaue Kenntniß desselben erfodert, wie viel mehr ein Urtheil über Länder und Völker! und mit welchem Leichtsinn und welcher Oberflächlichkeit wird es so häufig abgegeben! Da reist irgend ein Jemand da oder dort hin, hält sich einige Wochen oder Monate in dem Ort oder dem Lande auf, macht Bekanntschaften, wie sie Einem eben überall alle Tage und aller Orten in den Weg laufen, hört die Gespräche der habitués der verschiedenen Kaffeehäuser und Restaurationen, wird von einigen Gastwirthen geprellt, von andern gut bedient, von einigen Policeioffizianten grob, von andern höflich behandelt, von einigen Postillonen gut, von andern schlecht gefahren; ihm begegnen zufällig hier zuerst ein paar hübsche Mädchen und anderwärts ein paar alte häßliche Weiber; da nimmt man ihn, weil er eben in einem gelegenen Moment kommt, gastlich auf, und dort nicht, weil der Moment nicht günstig war: und nun setzt sich der Reisende hin und schreibt los: im Lande X. ist es so und so, und die Menschen haben den und den Charakter, und die Weiber sehen so oder so aus, und die Regierung ist der und der Art, und das Verwaltungssystem so und die Beamten so und das Militair und die Natur und die Wirthe und die Landstraßen und Gott weiß, was Alles noch, das ist so; und das ganze Urtheil beruht auf einer einseitigen, flüchtigen, zufälligen Anschauung, auf dem Strahl des Lichts, der eben in das Hirn des Beschreibers fiel, und Andere lesen es und sagen nach: ja, so ist es in X., dort ist das schön und das schlecht, und Dies ist schlecht und Jenes schön, während genau betrachtet wie überall das Gut und Schlecht, das Schön und Häßlich sich mischt und im besten Falle gewöhnlich sich compensirt.

Ich lese sehr gern Beschreibungen von Ländern, die ein lebendiges, anschauliches Bild und nicht eine bloße trockene Nomenclatur von Namen und Thaten geben; aber ich gestehe, verhaßt sind mir jene witzelnden, auf Effecthascherei berechneten wahrhaft frivolen Schilderungen, die in der Regel nur gemacht werden, um die Tasche eines Autors oder eines Buchhändlers zu füllen.

So viel zum Eingang und zur beliebigen Nutzanwendung. Jetzt zum Buche selbst.

Hr. Aug. Ellrich, seines Gewerbes ein Maler und als solcher reisend, hat außer mehren andern sogenannten humoristischen Sachen (eine Qualification, die heutzutage mitunter sehr wunderlichen Producten gegeben wird), welche er unter den pseudonymen Namen Flett, Medd'lhammer und Albini erscheinen ließ, vor einiger Zeit ein Buch edirt, welches heißt: „Die Ungarn wie sie sind", und welches zu kennen wir uns nicht rühmen dürfen.

Genanntes Buch hat die Vereinsbuchhandlung in Berlin verlegt und wahrscheinlich damit gute Geschäfte gemacht; denn, wie das statt einer Vorrede dienende Schreiben des Hrn. Ellrich an die Vereinsbuchhandlung, welches den Anfang der „Genrebilder aus Oestreich" macht, besagt, so hat in Folge der guten Aufnahme, welche die „Ungarn wie sie sind" gefunden haben sollen, jene Handlung Hrn. Ellrich aufgefodert, ihr auch über andere Völker, die er auf seinen Wanderungen besuchte, etwas zu schreiben, und solchem Verlangen kommt nun Hr. Ellrich hiermit nach. Er nennt aber, was er gibt, darum Genrebilder, weil er wie ein Genremaler das Charakteristische in einzelnen Zeichnungen herausgehoben haben will, und damit dieses Charakteristische dem lieben Publicum desto besser munde, so hat er darüber eine Sauce angeblicher Humoristik gegossen, und dann ist das Gericht fertig gewesen. Mange qui peut!

Ich habe es gekonnt; aber was kann der Mensch nicht Alles, wenn er ernstlich will, und ich wollte einmal sehen, was Humoristik im beliebten neuern Sinne ist, und es ist mir darüber eine fürchterliche Klarheit geworden.

Sonst nannte man Humor den Verein von Witz und Laune, der, sein Urtheil aus tiefer Lebensansicht schöpfend, dasselbe im Gewande der Heiterkeit und Unbefangenheit gibt, während der ernsteste Hintergrund dem Bilde Kraft und Halt verleiht. So schrieben Sterne, Smollet u. A. ihre bleibenden Werke, an denen sich die Denker nicht blos ihrer, sondern auch späterer Zeiten erfreuten. Dies ist aber jetzt anders. Was man uns jetzt für Humor verkauft, ist meist nichts Anderes als ein Gemengsel fader Witzeleien, breit gezogen zu einem ermüdenden Wortschwall, bei welchem Einem unaufhörlich die Frage: „Was ist der langen Rede kurzer Sinn?" einfällt. In dieser Art Humor ist Hr. Aug. Ellrich wahrhaft ein Meister, und sein Buch über Oestreich gibt auf jeder Seite die Belege dazu. Es findet sich manche Einzelnheit, die nicht ohne Interesse ist, manche Angabe, die anzieht; aber gerechter Gott, in wie viel Worte ist ein solches Körnlein eingepackt! wie viel Spreu muß man sichten, ehe man es herausfindet! Zu diesem Allen rechne man nun noch die mehrfachen Unrichtigkeiten und Uebertreibungen, welche dem Verfasser theils schon durch andere Blätter nachgewiesen worden sind, theils jeden Augenblick noch nachgewiesen werden können, und man hat dann ein Bild von diesen Bildern, die uns Oestreich und sein Volk in einzelnen Zügen schildern sollen.

Eines möchten wir noch, nicht blos in Bezug auf das vorliegende Werk hier bemerken; es ist die Frage: ist es denn noch nicht genug, daß sich in unserer Journalistik, wie sie sich zum Theil in der neuesten Zeit zu gestalten beginnt, jene Hinneigung zum Faden und Witzelnden, jenes Austreten des Flachen und Trivialen vordrängt und in manchen sogenannten Volksblättern den Sinn des Volkes zu verwässern strebt; muß dies auch noch in Büchern geschehen? Jede Lecture soll bildend und belehrend einwirken, selbst wenn ihr nächster Zweck Unterhaltung ist. Bildet und belehrt aber wol ein Geschwätz, das nur darauf berechnet ist, der Leerheit Nahrung zu geben und dessen Nullität die Zeit beklagen läßt, welche man darauf wendete, es anzuhören. Pikant muß geschrieben werden, sagen die Herren, wenn man gelesen sein will. Sehr richtig! Aber heißt das pikant sein, wenn man Wasser statt Wein einschenkt und einen mühsam zusammengeflickten Witz in einem Wortschwall ersäuft oder mit

Trivialitäten die Menge füttert? Und an Dingen dieser Art fehlt es wahrlich nicht; es gibt, wie gesagt, Blätter, deren ganze Tendenz sich auf so etwas stellt, und daß auch solche Bücher jetzt gemacht werden, davon würde uns Hr. A. Ellrich überzeugt haben, wenn darüber noch ein Zweifel obgewaltet hätte. 52.

Chronologisches Verzeichniß vorzüglicher Beförderer und Meister der Tonkunst nebst einer kurzen Uebersicht ihrer Leistungen. Von G. C. Grosheim. Mainz, Schott 1833. Lexikon-8. 16 Gr.

Ein Büchlein, das man gern liest, obwol es nur ein fragmentarisches Werkchen, eigentlich nur eine Sammlung von Notizen ist. Es fehlte in der That bisher an einem zweckmäßig geordneten Werke, welches auf eine dem Stande der Wissenschaft angemessene Weise eine lexikographische Uebersicht derjenigen Männer gäbe, die den wichtigsten Einfluß auf die Tonkunst geübt. Entweder stoßen wir auf Arbeiten, die Das hauptsächlich zu erreichen suchen, was man im gemeinen Leben Vollständigkeit nennt, indem sie sich auch um die gleichgültigsten, vergänglichsten Individuen bekümmern, wie z. B. Gerber; oder wir müssen uns mit einem Hülfsbüchlein begnügen, welches nur etwa den Werth für uns besitzt, den die Taschentabellen der Weltgeschichte für den Historiker haben. Zu dieser letztern Classe gehört das vorliegende Buch, dem wir bereits eingeräumt haben, daß es sich zwar ganz gut liest, aber doch beiweitem für den Tonkünstler nicht ausreichend ist und vollends für die Geschichte der Musik so gut als gar nichts thut. Denn was der Musiker mit einem Werke sollte, in welchem anfangs fast komisch Osiris, Isis, Mercurius oder Hermes (also nur ein mythischer Begriff), ebenso Terpsichore u. s. w. als Beförderer der Tonkunst genannt werden und späterhin von dem der Musik so wichtigen Namen Bach nichts zu finden ist als Sebastian Bach, und über diesen nur die dürftige Notiz einer einzigen kleinen Seite, das ist in der That nicht wohl abzusehen. Wenn der Verf. sein Werk ein chronologisches nennt und sich entschuldigt, daß er nicht überall streng der Chronologie folgen konnte, weil die Chronikanten oder sonstigen historischen Quellen ihn im Stich lassen, so würden wir ihm dies gern vergeben, falls er nur da consequent geblieben wäre, wo er noch allenfalls an seinen Erinnerungen aus Tertia einen ziemlich sichern chronologischen Führer hätte haben können. Indessen ist es freilich auffallend und wird schwerlich durch Unzulänglichkeit der Quellen entschuldigt werden können, daß der Verf. seine Artikel folgendermaßen ordnet: Osiris, Isis, Mercurius (Hermes), Mercurius (Thaut), Philadelphus (einer der Ptolemäer), Jubal u. s. w. Der Sprung vom Mercurius auf den Philadelphus und dann zurück auf den biblischen Jubal ist nicht ganz übel. Indessen scheint er sich zu rechtfertigen, insofern der Verf. seine ersten Artikel nach den Leistungen der Völker abtheilt und in bemerkter Weise von Aegyptern zu Hebräern überspringt, von denen er Moses, Debora, Samuel, Saul, David, Salomon und Hiskias nennt, dann aber zuerst den Kadmus und gleich nach ihm, als wäre er dessen Sohn, den Jupiter namhaft macht. Der Artikel über diesen als Beförderer der Tonkunst lautet spaßhaft genug folgendermaßen: „Er wendete alle ihm zu Gebote stehenden Mittel an, die Musik unter den Griechen zu verbreiten. Seine Wohlthat erkennend nannte man ihn Gott der Götter.“ In der That sehr wesentliche, specielle Verdienste des alten bärtigen Zeus, auf die bisher die Musikgelehrten noch alle nicht aufmerksam genug gewesen sind. Nachdem der Verf. noch andere Beweise von geschickter Auswahl und scharfer Chronologie gegeben, gelangt er endlich durch die römisch-heidnische Kirche in die römisch-katholische und rühmt die Verdienste der Kirchenväter, der Bischöfe, der Päpste u. s. w. um die Musik, insofern dieselbe nunmehr mit dem christlichen Cultus in Verbindung trat. Von hier an läßt sich dem Büchlein einiges Interesse nicht absprechen, wiewol die Notizen des Verf. auch hier meistens sehr dürftig sind und ohne tiefere Forschungen nicht wol anders sein können. So z. B. ist der Artikel über Guido von Arezzo, dessen Wirksamkeit für die Musik in der That einen entscheidenden Einfluß geübt hat, so im äußersten Grade unvollständig, daß nicht einmal des weltbekannten Umstandes Erwähnung geschieht, daß von ihm die noch heut gebräuchliche Benennung der Töne herrührt, daß er die Tonleiter gewissermaßen herstellte, kurz, der Gründer unsers ganzen, noch heute gültigen Tonsystems genannt werden kann. Nach allen diesen Beispielen sieht man wol, daß dieses Buch der Geschichte der Musik nicht von sonderlichem Nutzen sein kann. Indessen ist es bisweilen angenehm, in einem Lexikon von so geringem Umfange (130 Seiten) zu blättern und sich allerlei Notizen, die sich vereinzelt im Gedächtniß befinden und auf diese Weise uns fast verloren gehen, wieder aufzufrischen. In dieser Beziehung nannten wir dies Büchlein im Anfang unserer Beurtheilung eines, was man gern liest. Bei diesem Urtheil wollen wir auch bleiben; doch muß der Verf. den Anspruch, damit irgend etwas für die Kunst oder Wissenschaft geleistet zu haben, vorweg aufgeben. Selbst nicht einmal im Urtheil über ihm zugängliche Erscheinungen gibt er etwas von Bedeutung, sondern excerpirt oft nur die gewichtlosesten Schriftsteller, wie z. B. über Spontini den ehemaligen Redacteur der „Berliner musikalischen Zeitung“, Herrn Marx, der anfangs mit einem scheinbar wahnsinnigen, aber sehr wohlberechneten Enthusiasmus über Spontini schrieb, nachmals aber, da seine Rechnungen fehlgeschlagen waren, seine Meinung durchweg änderte, um aber nicht in Widerspruch mit sich selbst zu gerathen, den Artikel: Spontini, in der musikalischen Zeitung an Rellstab übergab, von dem er zuvor wußte, wie derselbe über Spontini's neueste Werke denke. Doch wie gesagt, das Buch will nicht für die Kunst, sondern nur für eine müßige Unterhaltung sorgen, und deshalb dürfen wir es in solchen Dingen eben auch nicht zu genau nehmen. Sapienti sat! 76.

Notizen.

Im sechsten Bande der französischen Revolutionsgeschichte von Thiers ist S. 377 zu lesen: „Das Revolutionstribunal beging die gröbsten Irrthümer. Ein würdiger Greis, Loizerolles, hörte sich bei den Vornamen seines Sohnes nennen, unterließ aber, dagegen zu protestiren, und wurde zum Tode geführt. Einige Zeit nachher wurde der Sohn vor Gericht gezogen, und es fand sich, daß er eigentlich nicht mehr leben sollte, weil schon Jemand mit allen seinen Namen hingerichtet worden sei. Es war sein Vater, allein er starb deshalb nicht minder.“ Hierzu bemerkt die „Revue de Paris“, Herr Thiers habe dem Tribunal eine Sünde zu viel aufgebürdet, denn Herr Loizerolles, der Sohn, lebe noch als Schriftsteller in eben nicht glänzenden Verhältnissen und würde es ihm großen Dank wissen, wenn, nachdem ihn der Geschichtschreiber umgebracht habe, der Minister ihm eine kleine Pension geben wolle, um ihn davon leben zu lassen.

Kaperbriefe wurden zuerst im Jahre 1295 von Eduard I. ausgegeben. Ein Kauffahrer von Bayonne in Gasconien, wo der König sich damals aufhielt, war auf der Rückkehr aus der Berberei, wo er Mandeln, Rosinen, Feigen u. s. w. geladen hatte, von Portugiesen genommen worden, während er bei Lissabon vor Anker lag. Schiff und Ladung wurde auf 700 Pf. Sterl. geschätzt, und der Beherrscher von Lissabon nahm davon den zehnten Theil für sich, obgleich er mit England in Frieden lebte. König Eduard ertheilte hierauf dem Beraubten einen Kaperbrief gegen portugiesisches Eigenthum auf fünf Jahre oder so lange, als er brauche, um völlig zu seinem erlittenen Schaden zu gelangen. Für etwaigen Misbrauch blieb der Kaperberechtigte verantwortlich. 3.

Redigirt unter Verantwortlichkeit der Verlagshandlung: F. A. Brockhaus in Leipzig.

Blätter für literarische Unterhaltung.

Dienstag, — Nr. 288. — 15. October 1833.

Seize ans sous les Bourbons. 1814—30. Par *Ed. Mennechet.* Erster und zweiter Band.

(Beschluß aus Nr. 287.)

Gleich zu Anfang des Werkes (S. 4) stellt Herr Mennechet die interessante Frage auf: woher es kam, daß Napoleon seinen Thron verlor? Man wird antworten: Durch die beiden Feldzüge der Alliirten, besonders durch die Schlacht bei Waterloo. Dadurch ist die Untersuchung aber wirklich nicht erschöpft. Es bleibt immer das Problem übrig, warum sich Frankreich nicht aufs Aeußerste gegen das Ausland vertheidigte. Hr. Mennechet gibt eine Erklärung, die man jeden Tag in Paris vernehmen kann, aber viele Geschichtschreiber haben sich hierüber nicht freimüthig aussprechen wollen. „Die alten Soldaten der französischen Armee", bemerkt er, „weihen sich einem unvermeidbaren Tode, sie sehen keine andere Zukunft für sich. So verhält es sich nicht mit ihren Generalen. Diese haben weniger Resignation, und vielleicht war es ihnen nicht unangenehm, in Frieden ihres Reichthums und der erworbenen Ehren zu genießen." Diese Bemerkung ist sehr richtig. Die Marschälle, die Divisionsgenerale hatten während der Feldzüge ungeheure Schätze gesammelt, sie wollten dies Geld und ihre Titel nicht gern aufs Spiel setzen, wenigstens viele unter ihnen. Aehnliches sah man nach der Julirevolution. Die Marschälle und Generallieutenants waren unterdeß noch reicher geworden und bestärkten großentheils den neuen König Ludwig Philipp in seinem Friedenssysteme, während die untergeordneten Offiziere und die Soldaten ungeduldig auf Krieg hofften. Hr. Mennechet erwähnt noch eines andern Grundes, der zum Sturze des Kaisers beitrug. „Er mußte fallen an dem Tage, wo der Ruhm sich von ihm abwandte. Der Zauber ist gewichen; soll Frankreich auf jeden Wink gehorchen, so müssen die Befehle vom Kremlin dictirt sein." Aber sehr Unrecht hat der Verf., wenn er in demselben Briefe hinzufügt: „Der bedeutendste Vorwurf, den man gegen Napoleon richten kann, ist der, daß er unter uns das Gefühl des Nationalstolzes so sehr unterdrückt hat, daß wir fast fühllos gegen die Invasion unsers Landes sind; er hat die Interessen des Heers von denen des Volkes getrennt." Keineswegs; Napoleon blieb immer der Abgott des Volkes; ohne die weltbekannten Intriguen hätte es Paris bis aufs Aeußerste vertheidigt, und Frankreich war nicht fühllos gegen die Invasion der Fremden. Hr. Mennechet selbst, obwol eifriger Anhänger der Bourbons, kann oft das traurige und ingrimmige Gefühl nicht bemeistern, das sich ihm beim Gedanken an die Invasion aufdringt. Das Volk hat sie nie vergessen, es hat stets die Bourbons als eine vom Auslande aufgedrungene Dynastie betrachtet, dies war der erste Grund, und die Ordonnanzen waren nur der Anlaß der Julirevolution.

Herr Mennechet wird dies nicht zugeben. Er ist überzeugt, daß Frankreich sich nach der Bourbonenherrschaft sehnte. Er bemerkt ausdrücklich: „Es ist unstreitbar der Wunsch der großen Mehrzahl in Frankreich, welcher die Bourbons zurückruft." In seinem ganzen Buche bestrebt er sich, dieses wahrscheinlich zu machen. Am Tage des Einzugs des Grafen Artois war die ganze Stadt illuminirt. In den Journalen haben Chateaubriand, Lacretelle, Jouy, Villemain royalistische Aufsätze geschrieben. Frankreich müsse doch wol für die Bourbons gewesen sein, qui nous relèvent de nos revers pour nous replacer à notre haut rang parmi les peuples de l'Europe! Doch neben diesen schwachen Beweisen und noch schwächern Reflexionen und neben der übrigens wahren Angabe, daß bei dem Einzuge des Grafen Artois und Ludwig XVIII. die Schwärme der Neugierigen sich durch die Straßen und über die Boulevards ergossen, die Fenster und die Dächer füllten, und daß viele Gruppen mit Begeisterung oder doch mit Ostentation die weiße Fahne entfalteten, neben all Diesem finden sich in Mennechet's Buche genug Beweise, die gegen seine eigne Ansicht sprechen. Er gesteht zu, daß selbst in dem Senate, welcher die Absetzung Napoleon's aussprach, der Vorschlag zu Gunsten der Restauration Ludwig XVIII. und seiner legitimen Nachfolger anfangs keinen Beifall fand; er gesteht, daß beim Einzuge des Grafen Artois ein Kosackenschwarm diesem Prinzen auf dem Fuße folgte, und er kann nicht verschweigen, daß unmittelbar nach dem Abzuge des fremden Heers die Namen Lafayette's und Manuel's aus der Wahlurne hervorgingen — sprechende Beweise für die damalige Gesinnung Frankreichs, triftigere Beweise als die Artikel des Hrn. Jouy und als eine halb freiwillige Illumination.

Sehr anziehend sind die Briefe des Hrn. Mennechet, in welchen er Vorfälle beschreibt, die sich jüngst erst in Frankreich erneuert haben. Man sieht wohl, daß er diese historischen Vergleichungen erst nach der Julirevolution aufgezeichnet; aber sie sind darum nicht weniger pikant. Zuerst kommen die Adressen, wodurch ganz Frankreich seine Anhänglichkeit für die neue Regierung an den Tag legt. Hr. Mennechet gesteht, und er hat Recht, daß diese tausendweise anlangenden Versicherungen einer grenzenlosen Ergebenheit und einer jede Probe bestehenden Treue nicht viel beweisen; er spricht seine Ueberzeugung aus, daß, wenn Napoleon gesiegt, nicht weniger Deputationen zu ihm gekommen wären, denn „die Vivats und Adressen fehlen niemals Dem, der Stellen, Ehren, Pensionen, Kreuze zu vergeben hat". Dann geht der Hof ins Theater. In der Oper bricht lauter Enthusiasmus aus bei dem Anblicke der Antigone, welche das Publicum mit der anwesenden Herzogin von Angoulême vergleicht. So hat man neuerdings Gelegenheitstücke gegeben, wobei der Enthusiasmus für Ludwig Philipp ausbrach. Dann geht der Hof ins Hôtel de Ville; der Präfect hat im Garten neue Säle errichten lassen, er hält eine Rede, die Eingeladenen rufen Vivat. Der König erscheint auf dem Marsfelde. Er vertheilt den Truppen neue Fahnen, sie schwören, auch der Graf Maison, sie defiliren, die ganze Bevölkerung sieht zu. Der König hält große Stücke auf die Nationalgarde. Um ihr sein Wohlwollen zu bezeigen, ernennt er seinen Bruder, Monsieur, Grafen von Artois, zum Generalobersten der Bürgerwache; diese Wahl wird mit Entzücken aufgenommen. Man vertheilt viele Orden unter die Nationalgarde. Diese gibt nun der Garde royale ein glänzendes Fest im Odeon und ruft: Es lebe die königliche Garde! welche erwidert: Es lebe die Nationalgarde! Die Mitglieder der königlichen Familie gehen auf Reisen. Ludwig XVIII. bleibt wegen seiner Körperschwäche in der Stadt, schickt aber die Prinzen nach den Departements, pour recueillir en son nom les hommages des ses fidèles sujets, écouter leurs plaintes, alléger leurs souffrances, et répandre partout du bonheur, und nie, sagt Hr. Mennechet, wurde eine Mission besser erfüllt; bei jedem Schritte spendeten sie eine Wohlthat inmitten der Segnungen der Völker,, transiebant benefaciendo!

Auch Emeuten, grade wie neuerdings, in Grenoble, in Paris. Man glaubt eine neue Ministerialnummer zu lesen, wenn man des Hrn. Mennechet Brief vom 8. Juni 1816 vor Augen hat:

Ist es nicht betrübend, Madame, daß weder Strenge noch Gnade die Wuth gewisser Menschen entwaffnen kann, für welche Frankreichs Glück eine Todesqual ist. Die Empörung hat in Grenoble ihr drohendes Haupt erhoben; die Festigkeit des befehligenden Generals hat sie Gott Lob gleich unterdrückt, und dieser ebenso sinnlose als verbrecherische Versuch hat nur dazu gedient, die Treue des Heeres und den guten Geist der Nationalgarden an den Tag zu legen ... Die Verschwörung von Paris, wenn sie anders den Namen Verschwörer verdienen jene Elenden in ihren Lumpen, die in Tabackstuben den Umsturz eines Thrones complottiren — diese Conspiration der Patrioten, wie sie sich nennen, hat die öffentliche Aufmerksamkeit nur durch das Lächerliche des Anschlags und das Gehässige der Mittel eine Weile auf sich gezogen. Diese Republikaner an den Straßenecken ...

Dann kommen die Empörungen in der Rechtsschule, in den Gymnasien, und endlich eine Napoleon'sche Emeute, denn Hr. Mennechet sagt, in der Nacht vom 19. auf den 20. August 1820 habe man den Sohn Napoleon's proclamiren wollen. Wie sich doch Alles in der Welt wiederholt! es gibt nichts Neues unter der Sonne. Auf jeder Seite des vorliegenden Buches findet man Aehnlichkeiten zwischen der Restauration und der neuern Zeit; wir wollen hoffen, daß sich nicht bis zu Ende Alles gleich bleibt. Es ist freilich ein Hauptunterschied darin, daß die neue Regierung nicht wie die Restauration durch das Ausland kam; also fehlt der erste Grund zum Unwillen des Volkes, und die neue Regierung muß nur einen ähnlichen Anlaß zum Misvergnügen meiden, wie ihn die Restauration durch die Ordonnanzen gab.

Hr. Mennechet verbrachte 16 Jahre hindurch einen großen Theil seiner Zeit in den Tuilerien. Er war Lector der beiden Könige und hatte Gelegenheit, diese und die hervortretenden Personen in der Nähe zu sehen. Er scheint auf die Stelle eines königl. Historiographen ausgegangen zu sein; wenigstens schreibt er an die Dame: „Es wäre zu wünschen, daß jeder Fürst und jede Fürstin einen Historiographen im Dienste hätte, der beauftragt würde, ihre Worte und Handlungen genau aufzuzeichnen. Es scheint mir, dies Amt wäre zum mindesten ebenso nützlich als das eines Adjutanten oder eines Bereiters." Nun, es ist eine Idee wie eine andere. Es zwingt mich ja Niemand, alle Bücher der Historiographen zu lesen. Freilich kosten sie dem Volke Geld. Kurz, Hr. Mennechet ist nicht Historiograph geworden. Immerhin hat er mancherlei über die Fürsten und Prinzessinnen aufgezeichnet, und von Ludwig XVIII. sagt er unter Anderm Folgendes:

Der König hat auf dem Throne die angenehmen Gewohnheiten aus der Zeit seines Exils nicht aufgegeben. Durch seine Körperschwäche dazu verurtheilt, sich keine andere Bewegung zu machen als eine Spazierfahrt in der Umgegend von Paris, findet er leicht Muße, um neben den ernsten Sorgen der Politik sich durch literarische Studien zu erholen. Niemand besitzt wie er die Kunst, einen Brief zu schreiben, eine Anekdote zu erzählen. Er weiß es selbst; auch ergibt er sich oft diesem Vergnügen, und wenn seine zahlreichen Correspondenzen je im Druck erscheinen (sie wurden seitdem zum Theil unter dem Titel: „Lettres d'Hartwell" bekannt gemacht), so zweifle ich nicht, nach Dem, was ich davon gesehen, daß sie den König Ludwig XVIII. in den ersten Rang der glänzendsten Erzähler und der durch Geist, Anmuth und Belesenheit berühmtesten Briefsteller setzen werden. Er macht überdies, und nicht mit Unrecht, Anspruch darauf, ein starker Lateiner zu sein, und seine Anwendung von Stellen aus den alten Schriftstellern bei vertraulicher Unterhaltung bezeugt einen großen Reichthum an Kenntnissen, ein glückliches Gedächtniß und eine seltene Geschicklichkeit zu passenden Vergleichungen. Seine lateinischen Citate setzen oft den Zuhörer in Verlegenheit; Hofleute und Minister wissen nicht immer Latein. Was thut man in solchem Falle? man macht eine Verbeugung, man lächelt und stellt sich, als ob man verstünde; der König ist zufrieden, und dies ist Alles, was man will.

Dann erzählt Hr. Mennechet, nach dem Könige sei der Herzog von Duras, welchem er seine Anstellung verdankte, der stärkste Lateiner bei Hofe; dieser habe, als man das Denkmal für Malesherbes errichtete, eine Inschrift vorgeschlagen, die vorzüglicher befunden ward als die, welche von der Académie des inscriptions vorgeschlagen war, aber nachher erklärt, man müsse Cäsar überlassen was Cäsar's sei, die Inschrift sei vom König.

Der Verf. sagt allzu wenig vom Grafen Artois; er spart es wol für die folgenden Bände auf, in welchen derselbe als Karl X. den Thron besteigt. Die Herzogin von Angoulême, erzählt er, fiel in Ohnmacht, als sie zum ersten Mal wieder die Tuilerien betrat, von wo sie einst nach dem Gefängnisse im Temple weggeführt worden. Später ließ sie sich aus den Ministerien die Siegel der ankommenden Briefe zuschicken, riß mit ihren Damen das Papier davon ab, ließ das Siegellack verkaufen und bestimmte den Ertrag für arme Familien. Nicht so wohlwollend ist der Verf. für den Herzog von Orleans, den jetzigen König. Er citirt mit Ironie dessen ehemalige Erklärung zu Gunsten der Legitimität. Er wirft ihm die Handlungen seines Vaters vor. Bei der Geburt des Herzogs von Nemours, welchen der König und die Herzogin von Angoulême über die Taufe hielten, ließ die Herzogin von Orleans dem Könige sagen, er habe un fidèle sujet de plus. Mennechet behauptet wie Andere, Fouché habe für Orleans conspirirt, liefert aber keine Beweise. Es scheint, daß der Verf. in den folgenden Bänden eine Anekdote erzählen will, die er einstweilen in einem pariser Journale, in der „Quotidienne", drucken ließ. Als Napoleon's Tod in den Tuilerien bekannt ward, habe General Rapp geweint und dem Könige gesagt, er verdanke dem Kaiser Alles, auch die Ehre, dem Könige zu dienen. Der König habe selbst seine Bewunderung für Napoleon ausgesprochen, ein Anwesender aber erwidert, Ein Ruhm fehle ihm, nämlich der, die legitimen Könige zurückgerufen zu haben. Dieser Anwesende sei der jetzige König gewesen, erzählt Hr. Mennechet. Er habe es mitangehört.

Ueber Talleyrand berichtet Mennechet im ersten Bande (S. 38 fg.) einiges Merkwürdige, aber nicht als Augenzeuge. Ebenso (S. 169, 205) über den Marschall Soult, dessen Ergebenheit für die Bourbons er rühmt, und welcher den Orden des heil. Ludwig's wiedereingeführt. Er spricht gehässig gegen Benjamin Constant, dessen Leben ein anderer französischer Autor (in der „Revue des deux mondes") neulich vollständiger beschrieben hat; denn diese Biographie ist nicht, wie die Zeitschrift vorgibt, aus dem Englischen übersetzt; sie ist von einem geistreichen jungen Franzosen französisch verfaßt worden, und zwar zum Theil nach den handschriftlichen Notizen in dem Tagebuche von B. Constant, welches ein Diener desselben dem jungen Autor einhändigte. Man findet dann in Mennechet's Buche viel Anziehendes über gewisse Leute, welche durch die Restauration ihre Censorstellen verloren und deshalb zur Opposition übergingen; Andern hat man ein Ehrenkreuz verweigert, und sie schrieben daher gegen die Regierung; allein der Verf. hätte doch wol zugleich ein Wort über die ehrbaren Charaktere bemerken sollen, welche in den 16 Jahren aus Ueberzeugung und ohne persönliches Interesse für die Freiheit und gegen die Minister kämpften. Dazu hätte er noch mehr Stoff in den folgenden Theilen, wo die Regierung Karl X. besprochen wird.

Ich habe irgendwo gelesen, daß sich ein deutscher Schriftsteller Jahr aus Jahr ein den leipziger Katalog zusenden ließ, um zu sehen, welche neue Bücher er kaufen müsse. Er schrieb ein Verzeichniß auf, kam aber nachher auf den Gedanken, es sei wol besser, wenn er die Bücher selbst schreibe. So könnte Mancher, der die Restaurationszeit in Frankreich zugebracht, während der paar Tage, die er zum Lesen von Mennechet's Buche braucht, ebenso Interessantes aus dem Stegreife erzählen, und er spart alsdann 15 Francs, so viel kostet Band 1 und 2. Ich selbst, der freilich nicht die Ehre hatte, Lector bei zwei Königen zu sein, gerieth einen Augenblick in Versuchung, an die Notizen Mennechet's über die Personen der neuesten Zeit meine eignen Beobachtungen anzuschließen. Aber der Artikel ist zu lang; es sei mir vergönnt, auf solche Gegenstände bei anderer Gelegenheit zurückzukommen. Die Gelegenheit kann nicht fehlen. Denn fast jeden Monat erscheint hier ein anderes Buch über die Restauration. 137.

Malers Traum. Novelle von Ludwig Storch. Frankfurt a. M., Sauerländer. 1832. Gr. 12. 1 Thlr. 16 Gr.

Zum zweiten Male in ganz kurzer Zeit begegnet uns nun der höchst sinn- und verstandlose Gedanke zu einer Novelle verarbeitet, daß ein Maler alle seine Lieben dadurch hinmordet, daß er sie abconterfeit. Wer ist nun der Copist des andern? Hr. Ludwig Storch der des Hrn. Ludwig Bechstein, oder Hr. L. Bechstein der des Hrn. L. Storch. Oder welches ist der gemeinsame Quell, aus dem beide achtbare Novellisten diesen wahnwitzigen Gedanken in dem Wahn, einen rechten Fang gethan zu haben, so begierig geschöpft haben? Die Priorität gebührt bei diesem schöngeistigen Bankrott Hrn. L. Bechstein, da er dieselbe Geschichte fast ein Jahr früher erzählt hat. Aber es ist schwer auszumachen, wer von beiden Concurrenten und Liquidanten vor dem andern den Vorzug verdient. Hr. L. Bechstein hat jedoch das Verdienst, sich kürzere Zeit bei diesem Unsinn aufgehalten zu haben, da er eine kurze Novelle schrieb, wo sein Mitbewerber einen 432 Seiten langen Roman drucken ließ. Auch ist Hr. Bechstein unstreitig der Vermögendere und kann also leichter den Ruhm entbehren, diese Erfindung gemacht zu haben, ein Ruhm, den er nicht mehr hoch anschlagen wird, nachdem er den „Faustus" geschrieben hat. Ueberhaupt scheint ihm das Thema im Maler Sebaldus selbst nicht recht gefallen zu haben, da er schnell davon abbricht. Hr. L. Storch dagegen hat sich in ihm offenbar außerordentlich gefallen und kann nicht eher ein Ende darin finden, als bis er mit des Malers „Pinsel" sechs oder acht unschuldige und ziemlich schwärmerische Jungfrauen nebst einigen kranken Matronen hingemordet hat. Der Tod aller dieser Schlachtopfer eines vermaledeiten Pinsels füllt 432 Seiten, und wir selbst sterben bei diesen sich ewig wiederholenden Sterbescenen wenigstens ein halbes Dutzend Mal. Wie kann einen Geist, der von Kunst und Kunstzwecken nur irgend eine geläuterte Vorstellung hat, eine solche Verkehrtheit ergreifen und so lange beherrschen? Wie kann man einen so halt- und wahrheitslosen Gedanken so lange, so bis zum Ekel fortspinnen? Wie endlich, von allem Ernste abgesehen, kann man seine eigne Schöpfung durch die beständige Wiederholung derselben Mittel und Ausgänge so total zerstören? Es mochte hingehen, wenn der Verf. in einer leicht erzählten Geschichte Rosa und Dorothea vielleicht auf seine Weise sterben ließ, aber auch Emilie, Bertha, Viola und wie die schwärmerischen Schwestern und Cousinen alle heißen, Vater, Mutter und Stiefmutter — nein, das ist mehr als wir ertragen können!

Der kurze Inhalt der langen Geschichte ist der: Ein menschenfeindlicher Herr von Erlhof erwartet seinen Verwandten Theodor, um ihn mit seiner Tochter Rosa zu vermählen. Theodor erscheint, mit ihm der Maler Adlerkranz, welcher über Absolutismus und Liberalismus allerhand vorträgt. Dennoch verliebt sich Rosa in ihn. Der alte Erlhof ahnet plötzlich, daß Adlerkranz sein eigner Sohn sein könne; dieser Gedanke macht ihn wahnwitzig, nachdem er dem Maler geflucht und ihn gerichtlich, jedoch heimlich für seinen Sohn anerkannt und erklärt hat. Nun beginnen die Pinselmorde als Wirkung jenes Fluchs. Zuerst muß Rosa daran, für die freilich Sterben das Beste ist, was sie bei ihrer Ueberschrobenheit thun kann, dann die muntere Emilie, Theodor's Braut, Frau von Erlhof u. s. w. Nun wird Adlerkranz Herr von Erlhof. Bald findet er auch seine Mutter in Frau von Hammerstein, Theodor's und Dortheens rechter Mutter. Er ist ein Sohn der Liebe zwischen dem wilden Erlhof und Fräulein Therese, Braut des Hrn. von Hammerstein, eine gar schöne, aber nicht sehr erbauliche Historie. Nun beginnen die Sentimentalitäten, die Liebesfaseleien von Neuem, und um so widerwärtiger, als Freund Adlerkranz-Erlhof in der That alle Frauenzimmer, die ihm begegnen, zu lieben scheint. Als Opfer seines Pinsels fallen Bertha und Dorothea. Theodor ist nach Italien entflohen. In Triest verliert er abermals eine Braut, Viola. Adlerkranz, dem sie erscheint, malt sie auf Theodor's Bitten, und auf einmal ist der Fluch gelöst. Nun malt er recht ex professo alle seine hingeopferten Lieben, zu einem Familienkranz vereinigt, wird dann ruhig, und die höchst sentimentale und höchst unsinnige Geschichte schließt zu des Verf. und unserer Zufriedenheit. Eine Wortseligkeit ohne Gleichen begleitet ihn durch dies ganze Labyrinth von Todten und Sterbenden; sein Styl ergeht und gefällt sich in meilenlangen Sentimentalitäten, an denen wir uns außer Athem lesen, der Faseleien über die Natur der Liebe, des Geschwätzes über Kunst, Leben und Politik ist kein Ende, ohne daß wir jedoch hinter die philosophischen Grundideen des Verf. kommen konnten, und wir besorgen re vera, er habe deren gar keine. Doch eine Probe von der Weisheit und der Schreibart des Verf. Theodor verlangt von Adlerkranz, er soll ihm das Mädchen bezeichnen, die er liebenswürdig findet, er wolle sie dann sofort vom Flecke weg l i e b e n. Adlerkranz belehrt ihn, das sei gefährlich, aber Theodor besteht darauf. „Lehre mich die Liebe", sagt er, „reich mir die Hand, damit ich die Leiter ersteige." Hat man je dergleichen erhört? Ein Jüngling fodert von dem andern Unterricht in der Liebe? Ist darin irgend welcher Verstand? Doch nicht genug damit. Adlerkranz beginnt nun den verlangten Unterricht. „Also, zuerst muß deine Seele jubeln: ich liebe!" Schöne Art der Unterweisung; es ist, als wenn ich einem Schreibschüler geböte, zu dichten wie Shakspeare. Dann fährt der Verf. fort: „Suche dann die Schmerzen und Wonnen dieses Lebens auf ein höheres ideales Leben zu beziehen, und du wirst den höchsten Gegenstand deiner Liebe in dem Urgrund aller Dinge, in dem Centrum alles Seins, dem Concentrationspunkte alles Strebens der sichtbaren und unsichtbaren Welt finden. Dies ist endlich der geistige Urplanet, um den alle physischen und psychischen Kräfte vereint, und die letztern allein sich wie Sonnen ihm näher und näher bewegen (also der Planet steht fest und die Sonnen bewegen sich um ihn — hört es, o Galilei und Kepler!) bis zur nächsten Annäherung, ohne jedoch ganz mit ihm zusammenzutreffen und in Eins zu verschmelzen, gleich einem Decimalbruch (welch edles, überraschendes, hochpoetisches Bild!), welchen man hinausrechnen kann, sodaß nur der kaum denkbare, kleinste Theil ihm am Ganzen fehlt, und man diese Annäherung an das Ganze in alle Ewigkeit fortberechnend erstreben könnte, ohne doch je zum Ganzen selbst zu gelangen, bis das Fehlende &c. &c." Nun, so beschütze uns, heiliger Apoll! Wenn das nicht wahrhafter und normaler Unsinn ist, so bescheiden wir uns, Verstand von nicht Unverstand unterscheiden zu können. Theodor aber muß fürwahr ein zähes Leben und Lieben haben, wenn er bei diesem, sechs Seiten lang fortgesetzten Gallimathias nicht seinen Geist aufgab und aller Liebe für ewig Valet sagte.

Wir begreifen in der That nicht, was mit dem Verf., welcher sonst ganz erträgliche kleine Erzählungen schrieb, vorgegangen sein muß, daß er auf einmal so alle verständige Gedanken und alle geschmackvolle Form abgeschworen hat, wie es dieser „Malers Traum" kundgibt. 105.

Notizen.

Das erste Monopol auf Spielkarten dürfte in Neapel, Spanien und Holland stattgefunden haben. In Neapel wurden schon in der Mitte des 17. Jahrhunderts für den Alleinhandel damit jährlich 20,000 Realen Pacht bezahlt, und jedes von auswärts eingeführte Spiel gab einen halben Real ab. In Spanien unterlagen sie gleicher Auflage. Die Holländer besteuerten sie mit 2—3 Stübern, wie J. A. Sprenger in seinem „Bonus princeps etc.", 1655, S. 337 u. 365 bemerkt. Auch die erste Waarenlotterie dürfte in Italien zu finden sein. Dieselbe alte Quelle gibt nämlich S. 351 an, wie es hier gar nicht ungewöhnliche Sitte sei, daß Mehre, welche Waaren in Compagnie gekauft hätten und sie nicht schnell absetzen könnten, dieselben durchs Loos vertrieben (per symbola extrudant) und so in drei Tagen oft mehr absetzten, als sie in einem Jahre verkauft haben würden. Die Lotterien zum Besten von Armenhäusern u. dgl. zu gestatten, scheint zuerst in Holland aufgekommen und ganz gewöhnlich (ut plurimum) gewesen zu sein.

In Italien galt Friedrich II. als der eifrigste Katholik. Die dortige Geistlichkeit hatte ihn dafür ausgegeben, um seine vielen Siege über die Gläubigen plausibel zu machen. Aber, sagten sie, er hat vom Papste die Erlaubniß, seine Rechtgläubigkeit zu verheimlichen, und er verrichtet den Gottesdienst immer nur in einer unterirdischen Kapelle mit zerknirschtem Herzen, weil er sich nicht öffentlich zur heiligen Religion bekennen darf, denn freilich, wenn er das thäte, würden ihn seine Preußen, als wüthende Ketzer, todtschlagen. Auf solche Weise wußte die Priesterpartei noch am Ende des 18. Jahrhunderts das Volk zu gängeln, denn Göthe berichtet dies aus eigner Erfahrung, die er auf seiner Reise in Italien 1786 machte. (Göthe's Werke, 1829, Bd. 27, S. 188.)

Selten ist ein Dichter vor Göthe von Höfen so geehrt und beschenkt worden wie Metastasio. 1765 hatte er im Auftrag des spanischen Hofes zur Vermählungsfeier des Prinzen von Asturien *) eine Serenate und ein Duett gedichtet. Und was erhielt er dafür? Un magnifico regalo! schreibt er an seinen Freund, den Sänger Farinelli. Funfzig Pfund der besten Havanna (d'ottima Havanna); vermuthlich also Chocolade. Aber in welcher Art kam dieselbe an? Die Emballage gab ihr den Werth. Sie war zu zehn Pfund immer in fünf Urnen gepackt, deren vier von Silber und die eine von Gold war, und jede trug auf dem Deckel das königliche Wappen; „dono veramente degno della real munificenza di un tale monarca", bekennt er voll Dank und Freude. **) 195.

*) Nachher Karl IV., König von Spanien.

**) „Lettere scelte" in den „Opere postume di Metastasio", Wien 1795, Bd. II, S. 255.

Redigirt unter Verantwortlichkeit der Verlagshandlung: F. A. Brockhaus in Leipzig.

Blätter
für
literarische Unterhaltung.

Mittwoch, — Nr. 289. — 16. October 1833.

Italienische Bruchstücke.

1.

„Der Wagen rollt hinab, freue dich, wir sind in Italien —"

„Und werden noch heute Maccaroni zu Nacht essen und in den grosen geräumigen Betten der Länge oder der Quere schlafen, wie es uns beliebt —"

„Wenn uns keine Skorpione in die Beine und keine Banditen ins Herz stechen. Indessen ist es Nothwendigkeit geworden, die Sache zu versuchen. Die Galerien sind steiler als auf der deutschen Seite. Ein ungeheurer Wegebau beschäftigte viele hundert Arbeiter. Die Lawinen haben die ganze Chaussee in den Ticino gewaschen und alle Geländer der schönen Galerien heruntergeschlagen. Die Leute unterscheiden sich von den dickköpfigen indolenten Schwyzern durch funkelnde schwarze Augen und trotzige Mienen. Man sollte sagen, sie hielten sich für besser als ihr Geschick und gönnten darum den Kindern der Glückseligen in der Kutsche keinen Gruß und keine Freundlichkeit. Mir kommt es immer so vor, als hätten sie mehr Lust auf unsere Köpfe als auf die Chausseesteine loszuhacken. Aber sie sind eigentlich nicht häßlich."

„Wenn sie nur nicht so schmuzig wären, und was sie am meisten von den Schweizern unterscheidet, ist doch der braune Teint und die braunen wollnen Schlafmützen. Siehst du, und ich glaube auch nicht, daß es Bosheit ist, wenn sie nicht grüßen; die Mützen haben ja keine Schirme zum Abnehmen."

„Si paga pedaggio." Was heißt das? ich besinne mich nicht gleich.

„Lieber Herr, das werden sie schon noch lernen hier in Welschland, es will sagen: hier wird Wegegeld bezahlt."

„Nun, ich dächte, an dieser Lehre ließen es auch die sogenannten ehrlichen Schwyzer nicht fehlen."

2.

Im Hospital auf der deutschen Seite des Gotthardt aßen wir mit vier Engländern zu Nacht. Drei waren junge sehr schlanke Gentlemen, sprachen nur englisch; der vierte, ein alter vierschrötiger rothbärtiger Junggesell mit angehender Glatze, stattete französisch seinen Bericht ab über eine Reise durch Deutschland. Die Gasthöfe seien schlecht eingerichtet, weder richtiger Thee, noch saftige Beefsteaks, noch trinkbare Eier zum Kaffee, und selbst in Berlin verständen nicht alle Kellner französisch. Dagegen wär' es sehr langweilig, sich deutsch mit ihnen zu unterhalten. Denn erstlich verstünde er selbst kein deutsch, und dann antworteten sie auf Alles entweder: so? oder: guten Morgen. Dies wären denn auch in der That die beiden einzigen Wörter, die er gelernt, und davon scheine ihm so das merkwürdigste zu sein, indem es doch gradezu auf Alles geantwortet werden könnte. Am Morgen beim Aufbruch machte uns der Wirth eine Rechnung, von deren Zulässigkeit wir uns nicht überzeugen konnten. Heinrich also, der uns bis auf die Borromeern begleitete, setzte sich in Zorn, fiel in seinen Schwyzerdialekt und sprach von Schimpf und Schand für die Nachkommen der drei Eidgenossen ufn Grütli. Die Gaunersprache wirkte Wunder. Der Wirth foderte uns nur das Versprechen ab, den Engländern nichts zu sagen, wenn wir nur die Hälfte bezahlten. Die Schlachtopfer schliefen noch, und wir saßen schon im Wagen, also nichts bequemer für uns als unschuldig an seiner Prellerei zu werden.

3.

„Aber das ist doch unverantwortlich."

„Ei Gott bewahre, ganz gleichgültig, ein Engländer ist wie baar Geld, und wenn er nicht alle Tage geprellt wird, so wird er übermüthig und wirft die Laubthaler zum Fenster hinaus. Es ist bloße Frömmigkeit, wenn die Schweizer so viel fodern, damit die Gottesgabe nicht umkomme."

Uebrigens ist es wol gleichgültig, welche Sprache ein Gastwirth spricht. Aber sieh, ums Himmelswillen, was ist das? eine ganze Armee von Bettlern mit weißen Tüchern über dem Kopf und Alle laut quäkend, Kinder, Weiber und Greise wühlen im Chausseestaube daher. Der Kutscher hält, er bekreuzt sich und zieht den Hut ab vor dem Leiden Christi, womit der Pfaff den Zug des Elends eröffnet. Welch ein Getöse, welch ein Aufzug und welch ein Gottesdienst!

„Es ist ihnen bitterer Ernst damit", sagte ich, bekreuzte mich und zog den Hut. „Das enge Ticinothal gefällt mir aber ebenso schlecht als seine bettelhaften Einwohner. Weder Alpen noch Orangen, weder Schweiz noch Italien. Da vorne wird's weiter —"

„Das ist Magedino, Herr, und der Lago maggiore."

4.

mich fast ebenso glücklich wie die Jnglesi auf dem Gotthardt. Ein dicker, blonder, ungarischer Husarenoffizier in Civil suchte seinen Umfang wo möglich noch zu verstärken durch unermüdliche Einfuhr aller Speisen und Getränke, und als wir bei Gelegen Deutschland kamen, äußerte er: diejenigen Leute die bravsten und die Alles ohne Unterschied äßen. les essen, dazu sei er geschaffen,

Partie, wo sie zuerst unter den Stichen der Sonne das Dach des widerwärtigen Doms ersteigen müßten, ohne sich auch nur eine Aussicht zu erobern, und dann die unterirdische Silberkapelle des heiligen Karl Borromeo und seine ekelhafte Mumie im Staatskleide zu bewundern hätten. Freilich könnten Solche drunter sein, die Spaß daran fänden, absurde Dinge zu thun und zu sehen; aber die Criminalisten wissen, daß dieser Uebelstand bei vielen, wenn nicht allen Strafen eintreten könne. Ja, ich muß sogar gestehen, daß mir bei dem Arco della pace wirklich etwas Aehnliches begegnete, und daß es mir sogar gelang, der ganzen Gesellschaft meine Stimmung mitzutheilen. Napoleon Bonaparte setzte ihn auf die Simplonstraße und wollte eine große Gasse durchbrechen, grade auf die Fronte des Doms zu. Der Bogen ist nach dem Muster der römischen Ueberbleibsel, aber viel großartiger angelegt, sollte ebenfalls Triumphbogen heißen und mit den Siegen Napoleon's und der großen Nation im Basrelief geziert werden. Einige Marmorbilder mit dem wohlbekannten Imperatorgesicht und seinen Schlachten, auch zwei oder drei eherne Pferde, die hinauf sollten, waren fertig, als unglücklicherweise der ganze Imperator mit all seinen Plänen und Unternehmungen ebenfalls fertig war. Natürlich blieben die Pferde stehen, und die Marmorblöcke liegen, wie sie waren, bis in den letzten Jahren die Wuth sich gelegt, und der Kaiser Franz von seiner Tochter, der Archiduchessa di Parma, vermocht werden konnte, das Ding zu Ende zu bauen. Das geschieht nun in ganz possirlicher Weise. Neben die Siege von Lodi und Austerlitz stellt sich die Schlacht von Leipzig und der Einzug der heiligen Allianz in Paris. Napoleon's krumme Nase, die Nase der Habsburger, Alexander's Stutznäschen und des alten Blücher's Dragonerschnauzbart, Alles einträchtig nebeneinander; und weil diese verschiedenen steinernen Portraits sich so schön vertragen, heißt darum der Bogen jetzt Arco della pace. Natürlich geht Alles darauf nach der Rangliste und nicht nach zufälligen militairischen Meriten. So stehen wir Preußen mit unserm König und dem alten Blücher immer ganz in der Ecke und gucken dem Kaiser Franz unterm Arme durch, während ganz vorn der Kaiser von Rußland paradirt, versteht sich wegen der langausgereckten Länder, über die sein Arm reicht, ohne daß ihm in Kamschatka die Finger erfrieren. Die Sache ist kostspielig und gewiß eins der kostspieligsten Denkmale der Gedankenlosigkeit, die je errichtet worden sind, während es honett gewesen wäre, wenn man ganz einfach den großartigen Plan des Urhebers ausgeführt und allenfalls sein Grab auf St.-Helena in einem Basrelief hinzugesetzt hätte. Es ist bekannt genug, wer ihn dort begraben hat; weder Alexander noch Franz, sondern der Zorn der Deutschen, und dieser diente in der Armee des alten Blücher.

9.

Will man mir eine Sache verderben oder verdächtigen, so braucht man sie nur aus vollen Backen zu loben; soll ich ihnen den Gefallen thun und den Himmel nicht grau finden, den sie blau gefunden? Ohne Zweifel eine thörichte Widerspenstigkeit, vielleicht aber ebenso weit verbreitet, als die christliche Liebe es zu sein behauptet. Italien aber vor Allen ist viel zu viel gelobt, und es gehört Zeit dazu, all das ungeschickte Gewäsch über milden Himmel, Hesperiens goldene Gärten und classischen Boden erst zu vergessen, um nachher einen unversalzenen Spaß daran zu haben. Genua ist gewiß nicht der schlechteste Punkt, aber die Widerspenstigkeit nannte es in meinem Herzen eine schöne Seestadt und weiter nichts. Nur das unaufhörliche ohrensprengende Geschrei der Packesel und der Wasserverkäufer unausgesetztes: „Aqua in neve! fresca, fresca!" sowie das teatro al giorno schien mir was Apartes. Curios ist auch das Bild der Stadt wie eine tiefe halbdurchgeschnittene irdene Schüssel, deren oberster Theil ohne Häuser und Vegetation, deren Rand aber die ausgedehnten Festungswerke bilden. Natürlich fällt dem Menschen, der von den Doria und Durazzo gehört hat, gleich ein: und sollten diese so still in ihrem Gemüthe sein, wenn sie an Genuas alten Ruhm und die Macht ihrer Häuser denken? Leider hat ihr Herzweh ihnen seitdem noch festere Schellen um ihre Hände gelegt, und es wäre ein geringer Trost für sie, wenn die Fremden nur nicht mehr zweifelten. Aus dieser Schüssel ist das Gericht der Freiheit aufgezehrt.

10.

Das Meer schien mir viel salziger als die Ostsee, es beißt in die Augen und sogar auf den Lippen. Ich lobte dagegen seine große Wärme außer den Badehäusern. „Und wie baden sie sich da?" fragte eine Schweizerin, meine Tischnachbarin. Ich erzählte, wie der Mariner eine Treppe aus dem Boot ins Meer ließe u. s. w. Diese Notiz veranlaßte sie zur Nachahmung. Sie ließ sich also von unserm Mariner vor den Molo hinausfahren, entkleidete sich im Boote, legte die Badehosen an und einen Gurt unter die Arme und stieg so, von dem guten Schiffer gehalten, bis auf die letzte Stufe der Treppe ins Meer. Viel Muth, aber wärmeres Wasser. Wie sehr bleibt eine solche Thatkraft unsern deutschen Damen zu wünschen! Sie war etwa 26, etwas dick, auch ohne besondere Länge und Taille, dennoch aber ist der arme Mariner gewiß nicht ohne Schmerzen geblieben. Sehen und sehnen sind nur um einen stummen Buchstaben auseinander.

45.

Das Sofa von Crébillon. Deutsch von J. Casanova. Leipzig, Wigand. 1833. 8. 1 Thlr. 12 Gr.

Die Bekanntmachung dieses Werkes möchte ich eine Satire auf die neueste Tagesliteratur nennen, denn hier ist grade Das zu finden, was den wesentlichen Charakter jener Literatur ausmacht, geistlose Lüsternheit, welche sich einbildet Moralität zu sein. Denn in diesem Buche wird nicht etwa, wie der sehr unpassend gewählte Pseudoname des Uebersetzers vermuthen lassen könnte, der Lüsternheit offen das Wort geredet, sondern der Verf. heuchelt vielmehr gegen sich selber Vorliebe für die Tugend, obgleich er nicht im Stande ist, sich zu dem Begriffe wahrer Tugend zu erheben.

Der Dichter hat die Aufgabe, uns entweder die Höhen der Menschheit zu schildern, oder wenigstens die Niederungen so darzustellen, wie sie sich von der Höhe herab ausnehmen. Wenn

z. B. Boccaccio oder Cervantes uns die Gemeinheit darstellen, so sind diese Schilderungen dennoch köstliche Kunstwerke, weil sie uns ihre Gegenstände zeigen, wie ein edles, echt sittliches Gemüth sie ansieht. Wenn dagegen der Dichter selbst in den Abgrund, welchen er schildert, hinabsteigt und ihn mit Selbstgefälligkeit als die ganze Welt, als seine Welt betrachtet, dann können seine Schilderungen unverdorbenen Gemüthern nur Ekel erregen, wenn er auch noch so oft die Absicht verkündigt, dieser seiner Welt Moral beizubringen. Ja, er scheint darum nur immer noch thörichter, denn ob zu dieser Erbärmlichkeit des gesammten Geistes der einzelne Fehler der gesetzwidrigen Befriedigung des Geschlechtstriebes noch hinzukommt oder nicht, erscheint dem vernünftigen Beobachter als ziemlich gleichgültig.

Ferner ist die Sittenlosigkeit oft verständig, scharfsinnig, pfiffig, ja witzig, und dann können diese Vorzüge Gegenstände der Betrachtung werden, wie sie es denn wirklich in mehren Novellen des Boccaccio sind; hier dagegen wird uns die Gemeinheit mit aller Plumpheit und Erbärmlichkeit, deren sie irgend fähig ist, geschildert. Wir finden hier keineswegs eine muntere, üppige, in ihrer Ungebundenheit die Fesseln der Convenienz überspringende Sinnlichkeit, sondern den entschiedenen ekelhaften Sieg der berechnenden Gemeinheit über alle natürlichen Gefühle.

Nur eine der hier erzählten Begebenheiten (Cap. 8. u. 9), in welcher ein sonst streng sittlicher Mann und eine bedächtige Jungfrau sich gegenseitig durch Sophistereien verführen, ist von einigem Interesse; hier wird nämlich die Art, wie der verbrehende Verstand sich zum Gelegenheitsmacher der Sinnlichkeit herabzuwürdigen pflegt, wirklich mit Geschicklichkeit geschildert. Dagegen sind die Cap. 13—19, welche beinahe die Hälfte des Buches ausmachen, nicht nur ebenso widrig als alles Andere, sondern auch von einer erstaunlich thörichten Tendenz. Hier wird nämlich ein Versuch gemacht, eine ganz gemeine Kokette zu beschämen, sie von ihrer eignen Niederträchtigkeit zu überzeugen. Ob denn der Verf. wol wirklich geglaubt haben mag, daß es Noth thue, die Welt zu überzeugen, daß die Erbärmlichkeit wirklich Erbärmlichkeit sei, und ob er denn hierzu kein besseres Mittel wußte, als langweilig geistlose Tiraden.

Hieraus läßt sich schon abnehmen, daß der Verf., indem er es wagt, eine unbewachte Stunde zweier Liebenden zu schildern, das Zartgefühl noch plumper verletzt, als wenn er Gemeinheiten schildert. Um eine Probe von der zwar verständigen, aber geistlosen Darstellungsweise des Verf. zu geben, will ich die Beschreibung einer tugendhaften Frau mittheilen (S. 28): „Die Gebieterin des Palastes war noch nicht zu dem Alter gelangt, wo man die Galanterie als eine Lächerlichkeit betrachtet, wenn man sie auch nicht eben als ein Laster verdammt. Sie war jung und schön, und man konnte nicht von ihr sagen, sie liebe die Tugend nur deshalb, weil sie nicht zur Liebe geschaffen sei. Nach ihrem einfachen, bescheidenen Wesen; nach der Freude, mit welcher sie Wohlthaten übte, und der Sorge, welche sie nahm, dieselben zu verbergen; nach dem Frieden, der in ihrem Herzen zu thronen schien, hätte man glauben sollen, sie sei zu Dem geboren, was sie schien. Sittsam, ohne Zwang und ohne Eitelkeit, machte sie sich kein großes Verdienst daraus, ihre Pflichten zu befolgen. Nie sah ich sie einen Augenblick traurig oder mürrisch; ihre Tugend war sanft und friedlich; sie hielt sich deshalb nicht für berechtigt, Andere zu quälen oder zu verachten, und war in diesem Punkte ungleich zurückhaltender als die Frauen, die sich Alles vorzuwerfen haben und doch Niemand außer sich vorwurfsfrei finden. Ihr Geist war von Natur heiter, und sie suchte nicht ihre Fröhlichkeit zu unterdrücken. Ohne Zweifel glaubte sie nicht gleich vielen Andern, daß man nur in dem Maße achtungswerth ist, als man sich langweilig zeigt. Sie verleumdete nicht und wußte doch angenehm zu unterhalten. Ueberzeugt, ebenso viele Schwächen zu besitzen als ihre Schwestern, wußte sie die zu verzeihen, die man ihr zeigte. Nichts schien ihr lasterhaft oder verbrecherisch, als was dies wirklich ist."

Alle Züge dieser Beschreibung sind so flach allgemein, daß man glauben möchte, man löse ein Predigtenbuch. Von Anschaulichkeit, Bestimmtheit der Zeichnung, Individualität findet sich keine Spur, daher ist denn auch der Charakter ins Unbestimmte hinein idealisirt, und doch werden ihm eigentlich nicht positive Tugenden zugeschrieben, sondern es wird nur die Abwesenheit von Fehlern, ja Lastern erdichtet, welches alles von der untergeordneten Anschauungsweise des Verf. hinlänglich Zeugniß ablegt. 173.

Aphorismen.

Caricatur.

Im Jahre 1824 erschien zu Paris eine gegen vier Deputirte der Haute-Garonne gerichtete Caricatur. Die wackern Männer waren, übrigens zum Sprechen ähnlich, als Ente, Truthahn, Kapaun und Gans dargestellt. Villèle präsentirt sie dem König sagend: „Sire, ce ne sont pas des aigles, mais ils sont bons." Ich kenne vier Deputirte in einem deutschen Ländchen, auf welche diese Caricatur, mit geringer Modification, eine vollkommene Anwendung fände.

Quatrain.

Das Jahr 1816 war sehr unglücklich für Frankreich: ununterbrochene Regengüsse verdarben die Ernten, eine schwere Abgabenlast lag auf dem Lande, und in den Tuilerien beklagte man sich bitter über die, wie man meinte, viel zu weit getriebene Gnade des Königs. In dieser Zeit wurden in einer Gesellschaft bei dem Monarchen Endreime aufgegeben, und eine Dame füllte die Worte France und clémence folgendermaßen:

Trois fléaux pèsent sur la France:
L'impôt, la pluie, et la clémence.

Ludwig XVIII. antwortete darauf durch folgendes schöne Quatrain:

Les premiers seront adoucis,
Du moins j'en garde l'espérance;
Pour le second, rien je n'y puis,
La troisième est ma jouissance.

Das war doch einmal ein königliches Quatrain, zumal rücksichtlich des letzten Verses. 178.

Redigirt unter Verantwortlichkeit der Verlagshandlung: F. A. Brockhaus in Leipzig.

Blätter für literarische Unterhaltung.

Donnerstag. —— Nr. 290. —— 17. October 1833.

Aus Rahel's Nachlaß. *)

An Gustav von Brinckmann in Stockholm.

Berlin 1800.

— Wissen Sie, wer jetzt noch meine Bekanntschaft gemacht hat? Prinz Louis. Den find' ich gründlich liebenswürdig. Er hat mich gefragt, ob er mich öfter besuchen dürfe, und ich nahm ihm das Versprechen ab. Solche Bekanntschaft soll er noch nicht genossen haben. Ordentliche Dachstubenwahrheit wird er hören. Bis jetzt kennt er nur Mariane, aber die ist getauft und Prinzeß; was will das sagen?! Noch kenne ich einen Mann, der mir sehr gefällt, einen Cousin von Christian; er kommt nach K.; Sie werden ihn also sehen. Gehen Sie auch zu Mad. Brun, geborne Münter, danken Sie ihr, nämlich sagen Sie ihr, ich hätt' es nicht für möglich gehalten, daß sie noch meiner gedenkt, und freute mich, stolz wie ein Kind, daß sie mich durch Mademoiselle Jacobi hat grüßen lassen. Ich war ihr sehr gut, so verschieden wir sein mögen. Sie hat einen stillen Hinterhalt in der Seele, der immer mein Freund ist, wenn's der Mensch auch nicht weiß. Vielleicht schreib' ich ihr; sie war immer zutraulich zu mir. Mein neuer Bernst. ist nicht wie wir; Sie werden schon sehen. Aber ich lieb' ihn. Nicht zu sein wie wir und doch zu sein wie er, ist anbetungswürdig. Sprechen Sie ihm von mir; ich will gern, er soll mehr Gutes von mir wissen, als er weiß. Ich hab' Ihnen von diesen weltlichen Dingen geschrieben, um Ihnen davon zu schreiben und uns au courant des Lebens zu setzen; das geht seinen Gang fort, wir mögen in uns hegen, was wir wollen. — Apropos, Jean Paul ist hier. Noch hab' ich ihn nicht gesehen. Ich will ihn sehen; aber ich muß ihn nicht sehen. Einen nur mußt' ich sehen. Denken Sie nur nicht, daß ich den Richter nicht liebe, au contraire, diesen Winter lacht' und weint' ich nur mit ihm; und wär's wol möglich, daß ich mit meiner, grade meiner Laune den nicht goutirte?

— Sonntag war Jean Paul bei mir; ich war launig — ich hatte grad' acht sehr launige Tage, voller curiöser Ausdrücke und Bonmots — nicht er. Das war gut. Er hat überaus etwas Beruhigendes an sich. Vor dem könnt' ich mich gar nicht schämen. Nie hat ein Mensch so ganz anders ausgesehen, als ich ihn mir denken mußte. Keine Ahnung von Komischem. Er sieht scharfsinnig und die Stirn von Gedanken wie von Kugeln zerschossen aus. Er spricht so ernst, sanft und gelassen und geordnet, hört so gern — süß möcht ich sagen — und väterlich zu, daß ich nie geglaubt hätte, er sei Richter. Und blond ist er! „Sie sind es nicht", möcht' ich immer zu ihm sagen. Das reizt mich nur noch mehr, denn nun ist er Richter und hat die neuen rührenden Eigenschaften noch obenein. Er hat mir auch heute ein kleines, aber Jean Paul'sches Billet geschrieben, es ist auch Brinckmann'sch, Sie sollen gleich hören; wir sagten's Alle — es war eine Antwort, ich mußt' ihm schreiben: denn Fleck wollte wissen, welchen Tag Richter den „Wallenstein" sehen will; er hat Fleck noch nicht gesehen — pensez! Ich habe das Glück, die Gloire für mich, meinen Fleck Richtern zu zeigen; in meine Loge geht er. Iffland hat er gesehen; bei einem Haar hätte Deutschland den für den Ersten gelesen. Das durft' ich nicht zugeben. Er wollte schon wegreisen. Aber — er bleibt — um Fleck, auf mein Treiben. Ich halte es in der That für wichtig, solch einen Mann au fait zu setzen. Ich schreib' Ihnen das Billet zum Amusement ab: „Berlin — und die Schauspieler — und die zwei Stücke — und Ihre gütige Verwendung gefallen mir so sehr, daß ich Freitags und Montags und — wenn Gott die Schöpfung von Haydn noch Ein Mal schafft — sogar Dienstags hier bin. Ich dank' Ihnen recht innig, daß Sie meine Bitte zu der Ihrigen gemacht haben." Das war ein Freundschaftsstück. Adieu! Nicht wahr, man muß nur in Berlin bleiben; hier kommt noch Alles her, Bonaparte mit allen Franzosen, bin ich überzeugt; Pyramiden und Berge mit, wenn man nur bis darauf zu warten versteht.

Prag, den 8. Sept. 1818.

— Man spricht oft in der Welt: Stände härten den Menschen ab, und nennt Ärzte, Wucherer, Soldaten, Advocaten; dies konnte ich nie ganz zugeben in mir und fand es auch gar nicht, weder in dem Erleben noch im Wesen dieser Stände begründet. Aber Diplomaten ist das Gräßlichste in der menschlichen Gesellschaft! Der Stand; nicht jene Männer, die den schufen durch ihr Lebens[illegible] und

*) Vgl. die Mittheilungen in Nr. 287 — 289, sowie Nr. 256 [illegible] D. Red.

Geschichtstalent. Diplomaten werden hart durch Weichlichkeit, und dies geschieht dem Henker nicht einmal. Visiten werden Pflichten; Anzüge, Kartenspiel, das müßigste Klatschen — Geschäfte, wichtige! Keine Meinung haben und nur darum keine äußern, welches die ausgebreitetste, sündhafteste Krankheit des Pöbels (welcher gemeint ist, weiß man) ist, wird Klugheit, Betragen genannt und wird eine wahrhafte Verhärtung der Seelenorgane. So haben sie eine eigne Phraseologie im Reden wie in den Depeschen; in Deutschland ein Diplomatenfranzösisch, welches sich forterbt und ich vor 16, 18 Jahren schon hörte, aber kein Franzose mehr spricht. Das hält so äußerlich wie die Equipagen und Manschetten zusammen, und ein Wille in der Welt oder aufgehäufte Noth trümmert all den Lug zusammen; der Gräuel spricht sich aus gräßlichen, wirklichen Wunden hervor; Krieg überschüttet Europa, aber wer ist gesichert? — diese Leute mit Manschetten! Und dies wissen sie, sonst nichts. Es ist nicht zu grell, was ich sage. Dies wird einmal von der Welt gewußt werden, wie jetzt: daß Processe viel kosten, Advocaten dran reich werden, im Krieg geplündert wird u. s. w. Glaubt es, es kommt zur Sprache! Ein genialer Regent kann es machen, plötzlich! —

Wien 1815.

Ich muß Ihnen Einiges von unserm gestrigen Abend erzählen. T. sagte vom Adel, er komme ihm vor, als ob jetzt Jemand in den wohlgepflasterten Straßen in den belebten, handelsreichen Städten umhergehen wollte mit Tigerfell und Keule, behauptend, er sei Hercules, er wolle uns schützen und retten und verlange dafür göttliche Ehre. „Herr", würde man ihm sagen, „es ist nicht Ein wildes Thier hier. Lauter Laden und Speicher und sichere Häuser; ziehen Sie sich aus, nehmen Sie auch ein Gewerbe, oder belustigen Sie uns durch Kunst und Gastmähler."

An Moritz Robert in Berlin.

Wien, Sonntag 12. März 1815.

— Und möge Deutschland noch immerhin verschiedene Namen tragen. Ich fürchte, es wird zu schnell eine zweite Generation Ein Deutschland erleben! und, wie es die Leute prophezeihen, Deutschland Eins und Frankreich getheilt werden. Von dieser traurigen, für mich — alte Generation — höchst trüben Betrachtung muß ich natürlich auf Frisch kommen! Gott, wie hat mich das betrübt, erschreckt, erschüttert und nachdenklich gemacht! Und es war doch so natürlich! Er so alt; er mußte sterben. Aber so stirbt man; so stirbt man selbst! Alles, was wir intim und jugendlich kannten, geht ab, nimmt ab, stirbt. Und wenn nun erst Einer von uns Geschwistern sterben würde. Ein Glück, daß ich erst dran muß! So sind die Ältern: meine Wurzel; mein Stamm, an dem ich hafte; hin; ich dorre im Wipfel, fallen aber Aeste neben mir, so ist es aus! — Ich fühle mich heute so schwer, fühle überhaupt das Alter, nämlich die ewigen Zerrüttungen der Lagen und Verhältnisse, die Trennungen, die Unmöglichkeit, die Entfernung der Jugendgenossen, der habitués, den Tod der Kernfreunde, der muntern. Und da ich Ruhe haben sollte und müßte, die Erschütterung der Staaten und Städte!!! Ich kann weinen. — —

An Ludwig Robert.

Frankfurt a. M., den [illegible] Febr. 1816.

— Danieder liegen die Menschen aus allen Ecken Europas; aus allen Ecken habe ich sie abgehört und höre sie sich beklagen, sehe sie sich unbehaglich fühlen, rücken und klimmen; Alle, die nur nicht ganz gemein, ganz roh, ganz plump steigen und gewinnen ohne Zweck, aus Prahlsucht und Lüge, ganz nach Außen. Meiner Natur Spinnen ist nun, Das, was mich quält, bis zu seinem Ursprunge hin zu verfolgen, d. h. bis an die Grenzen seines Verständnisses. Ich verstehe nun der Welt Gewirre und ihren jetzigen Zustand so: Es fehlen zu den bedeutend vielen kleinern — Detailerfindungen möcht' ich es nennen — Entdeckungen des Menschenwitzes, wodurch er nun seit den neuern Jahrhunderten seine Sinnorgane glücklich genug ergänzt, sich die Außenwelt dienstbarer, die ganze Erde bekannter und kleiner gemacht hat, einige große Erfindungen und Annahmen, wie sonst es einmal müssen Ehe, Menschengemeinden mit Gesetzerfindung, die zehn Gebote u. dgl. gewesen sein. Das Alte, Einfache, damals groß Erfundene reicht durchaus nicht hin. Der Einzelne ist mächtiger in seinem Sinn und Geist, reicher vorgebildet als das Gesammte, das ihn regieren soll und es, ohne Respect, Bewunderung, Meditation einzuflößen, nie kann. Hiermit meine ich beiweitem nicht die Regierenden, sondern das Regierende, welches höher in Intelligenz, Erhabenheit und Erfindung sein muß als Die, welche regiert werden, wenn soll regiert werden können. Ich bin gewiß, wo viele Menschen als Völker zusammen waren, fanden sie sich ungefähr, aber nur sehr ungefähr in solchem Zustande wie wir kurz vor einer der großen Erfindungen, die man auch Offenbarungen nennt. Nichts aber, was wir aus den Büchern und Sagen kennen, kommt, dünkt mich, dem jetzigen Zustande der Erde gleich! Alte gebildete Völker hatten Säulen zu Grenzen der Welt, Höhlen zur Hölle, schöne Inseln und Berge zum Olymp, nannten andere Völker Barbaren, wollten dies und nahmen sie zu Sklaven. Jetzt aber, wo die ganze Erde bereist, gekannt, Compaß, Teleskop, Druckerei, Menschenrechte und wer weiß was Alles erfunden ist, in wenigen Tagen allenthalben gewußt ist, was allenthalben geschehen ist, und doch die Urbedürfnisse, Nahrung, Vermehrung, das höhere und höhere Wollen fortexistiren: wie sollen die alten Sittenerfindungen noch vorhalten (nicht das Bedürfniß nach Sitte, für welches erfunden oder entdeckt werden muß)? Daran, glaub' ich, krankt die heutige Welt; so mannichfaltig ausgebildet, groß und allgemein war diese Krankheit noch in keinem uns bekannt gewordenen Zeitpunkt, obgleich sie nur nach und nach diese Ausbreitung gewinnen konnte, wenn eine ewige Anlage [illegible]. [illegible] denk' ich mir das ganze Dasein progressiv, in [illegible] Anschauungsgewinn, zu dessen [illegible] [illegible] nach beiden Richtungen, der lieben und nicht lieben, [illegible] steigert sich das Leben, das auf der Erde abzuleben ist, und ein anderes, das außerhalb ihres Reiches fällt. Je mehr Einsicht, je mehr Ein- und Zustimmung wird das Leben uns abgewinnen, wenn auch noch mehr Arbeit: jede vollbrachte gleicht unendlich aus, jede neue steigt unendlich. Darum denk' ich auch wahr und wirklich, daß das Erdenleben nicht eine steife, todte Wiederholung ist, sondern ein schreitendes Aendern und Entwickeln wie Alles,

sere Zeit wirklich neu, und bin auf Großes, Neues gefaßt, mit Einem Wort, auf Wunder der Erfindung, der Gemüthskraft, der Entdeckung, Offenbarung, Entwickelung. Mit Gefaßtsein meine ich nicht, daß ich es zu sehen erwarte, aber ich bin dessen Kommens gewiß, und alle Verwirrung ist Gährung dazu. „Erfrischend" ist sie wahrlich nicht, die man sich mit allem Geistesnachdenken erst zu Gutem zu erklären vermag! Wir sind aber verwiesen auf der Erde; und welch Glück hat Der, der sich's noch gut erklärt und wohlwollend an- und hinnimmt und es ausführt und so ziemlich noch begünstigt ist. Es gibt ja Martern, wissen wir auch. Herzstärkend ist es aber, wenn man sich menschlich seine Gedanken, der ganz guten Aufnahme gewiß, mittheilt, gewiß, ehrlich Recht zu bekommen oder ehrlich bestritten zu werden. Mir wirst du ohne Schwur glauben, daß ich Alles zu Hause kenne, als ob ich dort wäre, kenne, wie Margareta von Parma Madrid auf ihren Tapeten in Brüssel vor sich sieht in Göthe's „Egmont". Niederdrücken konnte mich unser Fall, unser Leid, rühren unser Erheben, durchbeben der glückliche Sieg. Gefreut aber habe ich mich nie mit jenen, weil ich sie insgesammt kannte und nicht um ein Jota verändert wußte. Mir entgingen sie, der treuen, miterzogenen Landsmännin, nie. Andern hielt ich sie wol lobend entgegen, mir nie getrost ans Herz! Wessen Herz ist Dünkel, Lüge, Prahlerei, mehr verhaßt als meinem! Prahlerei in Gebieten, wo sie nicht hinkann! Much, Frömmigkeit, Menschenliebe. Da schlagen sie in stattlichen Schweigerzelten der Lüge breites Verheerungslager auf. Ekel ist es nur, was es erregt, aber wenn man davon spricht, so muß es empören. So scheinen wir mehr zornig, als wir's sind, oder zu anderer Zeit, als wir's sind; wegwenden thu' ich mich mehrst davon; zum Untersuchen mag ich nicht einmal hinsehen, weil ich's doch schon kenne; aber dies Wegwenden, Vergessen ist der wahre Zorn. St.-Martin meint sogar: „das Böse sei in so niedrigen Sphären, daß es nicht mehr zu Gott könne und komme". Dies wäre ein Zorn Gottes, denke ich. Nie wird man sich ganz abwenden können von den Landsleuten, den Erdnachbarn — alle Menschen — also laß uns sprechen, klagen, schimpfen, klügeln, wenn wir es nöthig haben: dies ist auch ein menschlich Thun und Fortkommen.

Donnerstag den 20. März 1828.

[1] Thiers' Buch über die Pyrenäen und das mittägliche Frankreich. Ganz vortrefflich! Gar nicht wie ein Franzose; es ist unglaublich, daß dies ein Franzose und ein so junger Mensch geschrieben haben soll! Es ist ein ordentliches Pulsfühlen, wie weit diese Nation vorgeschritten ist. — Wenn das Rousseau von seinen Landsleuten erlebt hätte!

Man sollte sich wirklich Alles von seinen Landsleuten gefallen lassen! Denn je mehr sie uns tadeln und verfolgen, je mehr man in Disharmonie mit ihnen ist, je gewisser ist es, daß man auf sie gewirkt hat.

Das Buch ist voller Thatsachen, voller gesunder Ansichten; über das spanische Grenzland erhält man die größten Aufschlüsse; der Artikel „Marseille" ist vortrefflich. Thiers hat Anlage zu einem Staatsmann. Er sieht, was da ist, und mit der Sache ihren Grund zugleich; und Dichter ist er nur im Ausdruck, d. h. er weiß, was er gesehen hat, nachzubilden im unendlichen Gebrauch seiner Sprache.

(Der Beschluß folgt.)

Istorija maloi Rossii. Geschichte Kleinrußlands von Demetrius Bantysch-Kamenski. Drei Theile. Mit Portraits, Zeichnungen und Plänen. Moskau 1830. Gr. 8.

Als im 13. Jahrhundert die kriegerischen Mongolenhorden das unter den Nachkommen des Großfürsten Wladimir in kleine Fürstenthümer zerfallene Rußland in seinen östlichen Theilen überrannten und bezwangen, wurden die südwestlichen Gebiete des eben erst mächtigen Reichs eine leichte Eroberung des lithauischen Fürsten Gedimin. Die Lithauer, ein mit den Altpreußen, mit den Kuren und Letten in der ehemaligen deutschen Ordensprovinz Livland stammverwandtes Volk (das nach den scharfsinnigen, tiefeindringenden Untersuchungen J. L. von Parrot's zum großen celtischen Urstamme zu rechnen ist), hatten sich damals, ihren plötzlichen Nachbarn, den Mongolen, ähnlich, aus ursprünglicher Unbedeutenheit aufgerafft und die schnellen Eroberungen begonnen, die im Lauf weniger Jahrzehnde durch die Zerrüttung des russischen Staats weite Länderstrecken mit dem ursprünglich kleinen Lithauen vereinigten und dessen Namen als einen allgemeinen Staatsnamen auf russische Gebiete übertrugen. Diese Gebiete, unter den speciellen Namen von Weiß-, Roth-, Schwarz- und Kleinrußland aus ältern Geographien wohl bekannt, wurden durch die Vermählung des Großfürsten von Lithauen, Wladislaw Jagello, mit Anna, Tochter des Königs Ludwig von Polen aus dem Hause Anjou, nach und nach, nicht ohne Widerstreben von der einen und schlaue Politik, Usurpation und Vergewaltigung von der andern Seite, Bestandtheile des Reiches Polen. Die spätern Schicksale Polens haben alle diese Gebiete solcher Herrschaft wieder entrissen, zuvörderst aber entschlug sich derselben durch eigne Kraft Kleinrußland und kehrte mit seinem Hetman unter den Schutz des unterdeß wieder erstarkten russischen Hauptstaats zurück. Die Beschreibung dieser Landesschicksale, die Leiden und Thaten des Theils des russischen Volksstammes, der unter dem Namen der Kleinrussen nunmehr in der Geschichte auftritt, ist der Inhalt des Werkes, dessen Titel wir oben angezeigt haben. Der Verf. hat es in drei Theile gesondert; der erste beginnt mit der Ansiedelung slawischer Stämme der russischen Zunge in den obengenannten Ländern, erzählt dann ihre Schicksale unter den eignen Fürsten, ihre Eroberung durch die Lithauer, die Vereinigung mit Polen und die Losreißung von dieser Herrschaft. Der zweite Theil führt diese Geschichten bis auf den bekannten Hetman Mazeppa, der dritte endlich bis zur Aufhebung der Hetmanswürde unter der Regierung der Kaiserin Katharina II. und der damit verbundenen besondern Landesverfassung. Auch vor Bantysch-Kamenski hat das mehrerwähnte Land seine Geschichtschreiber gefunden, unter denen besonders die Werke von Beauplan („Description d'Ukranie", Rouen 1660), als eines Augenzeugen der Kosackenkriege seiner Zeit, und J. Ch. Engel's („Geschichte der Ukraine und der ukrainischen Kosacken", Halle 1796), als das eines fleißigen und gern prüfenden Historikers, mit Achtung genannt zu werden verdienen; aber da der Verf. des gegenwärtigen Buchs viele bis jetzt unzugängliche, oder doch seinen Vorgängern unerreichbare Geschichtsquellen hat benutzen können, so darf dasselbe als eine wirkliche Bereicherung der historischen Literatur angesehen werden. Es standen ihm außer den gedruckten Quellen für die Geschichte Kleinrußlands 24 handschriftliche offen, unter denen besonders wichtig die im Vorberichte unter Nr. 10 angeführte Sammlung diplomatischer Verhandlungen zwischen Rußland und Polen, vom Anfang derselben bis 1700 (5 Bde.), welche im Archiv des Collegiums für auswärtige Angelegenheiten zu Moskau aufbewahrt wird.

Wir übergehen hier die Darstellung der Geschichte der frühern Zeiträume, von der wir schon im Eingange eine kurze Uebersicht gegeben, und wenden uns gleich zum Anfange der verhängnißvollen Kosackenkriege, die Polens Macht gegen das Ende des 16. Jahrhunderts tief erschütterten und im 17. die Ukraine oder Kleinrußland gänzlich von diesem Reiche losrissen. Der erste Same zur Unzufriedenheit ward in die Gemüther der Einwohner durch die 1571 erfolgte Einsetzung eines polnischen Wojewoden oder Statthalters in Kiew geworfen. Bis dahin war das Land durch eingeborene mediatisirte Fürsten aus dem alten russischen oder dem lithauischen Regentenstamme verwaltet worden. Verleihungen von Landbesitz an polnischen Adel und gewaltsame Einführung der Union der griechischen Kirche, zu der sich die Kleinrussen bekennen, mit der römisch-katholischen, waren die Folge, oder vielleicht der Zweck der neu eingerichteten Landesverwaltung, um die dortige Bevölkerung nachdrücklicher und schneller zu polonisiren. Die Reaction säumte aber nicht. Die bewaffnete Landesmiliz, die unter dem Namen der Kosacken bald weltberühmt werden sollte, äußerte zuerst Widerstand gegen die Bedrückungen von Seiten der katholischen Geistlichkeit und der polnischen Kronbeamten. Ihr Hetman Naliwaiko schrieb 1596 an den König Sigismund III. und verlangte die Aufrechthaltung alter Freiheiten und unbeschränkte Religionsübung. Eine Verweigerung dieser Foderungen veranlaßte den ersten Kosackenkrieg, in welchem Naliwaiko anfangs einige Vortheile erfocht, dann aber geschlagen, gefangen genommen und hierauf 1597 zu Warschau mit seinen Kriegsobersten Loboda, Kissim und Mazeppa öffentlich als Aufrührer und Ketzer verbrannt ward (Th. 1, S. 176). Die Bedrückungen der griechischen Kirche in der Ukraine wurden nun noch gewaltsamer. Die Kirchen solcher Gemeinden, die der Union nicht beitreten wollten, übergab die Regierung jüdischen Pächtern, die Erlaubniß zu irgend einem öffentlichen gottesdienstlichen Actus darin kostete 1—5 Thlr.; für Taufe und Begräbniß mußte von 1—6 Gulden entrichtet werden. Die Kirchenschlüssel und die Stricke zu den Kirchenglocken wurden von den jüdischen Pächtern aufbewahrt, und bei jeder kirchlichen Verrichtung, wo solche nöthig wurden, mußte der Meßner dieselben erst durch Zahlung lösen und dabei eidlich versprechen, daß nicht mehr als die angezeigte Anzahl kirchlicher Handlungen vorgenommen werden würde. Die Verleihung aller von der Regierung abhängigen Landesbedienungen an Katholiken, bewegte nun neben diesen Bedrückungen des griechischen Glaubens viele ukrainische Edelleute zum Beitritt zur Kirchenunion, wodurch sie auch nach und nach polonisirt wurden (Th. 1, S. 178). Als besonders heftiger Verfolger der Nichtunirten bewies sich der unirte Erzbischof von Polozk in Weißrußland, Josaphat Kuncewitsch, der, äußerlich demüthig, fromm, einen eisernen Stachelgürtel um den Leib tragend, eine unchristliche Härte gegen die Anhänger des nichtunirten griechischen Glaubens ausübte. Er verschloß, versiegelte die russischen Kirchen, nöthigte viele Gemeinden, ohne öffentliche Religionsübung zu leben, die Ehen blieben ohne priesterliche Einsegnung, die Sterbenden verschieden ohne die kirchlichen Tröstungen, es ward untersagt, die Todten durch die Hauptthore der Stadt auf die Begräbnißplätze hinauszuführen. Andern Gemeinden wurden zwar Priester des nichtunirten Glaubens gewährt, aber geflissentlich unwürdige, von schlechtem Lebenswandel ausgesucht. Diese Verfolgungen erbitterten die Einwohner von Witepsk, wo der Erzbischof Josaphat residirte, in dem Maße, daß die Bürger 1623 sich zusammenrotteten und ihn ums Leben brachten, wofür die Stadt von den Polen schwer gezüchtigt ward (Th. 1, S. 195). In der Ukraine war inzwischen eine neue demüthigende Bedrückung der Nichtunirten eingeführt worden. Das Weihbrot am Ostersonntag ward unter besonderer Aufsicht verkauft; die Unirten erhielten es zu einem niedrigen Preis, dagegen die Nichtunirten es viel theurer bezahlen mußten. In den größern Städten wurde obendrein der Verkauf des Osterbrots an Juden verpachtet, die dadurch das Recht erhielten, in den ihnen sonst verwehrten russischen Kirchen das zur Weihe ausgelegte Brot zu mustern und das nicht vorschriftsmäßig bei ihnen gekaufte mit Kohlenstrichen zu bezeichnen, um nachher die Strafgelder dafür zu erheben. Zugleich mit dieser, die Gläubigen äußerst erbitternden Maßregel wurden die militairischen Dienstgüter in den kosakischen Milizdistricten eingezogen und an polnische Edelleute verliehen (Th. 1, S. 199). Dieser mannichfache Druck veranlaßte schon 1625 eine Deputation der nichtunirten Geistlichkeit nach Moskau, an deren Spitze der Bischof von Luzk, Isaak, sich befand. Zar Michael versprach, bei dem Könige von Polen für seine Stamm- und Glaubensgenossen sich zu verwenden, und sandte Geschenke für die Kirchen in Kiew. Da indeß keine der drückenden Maßregeln abgestellt ward, brach 1628 ein abermaliger Aufstand aus, und der polnische Feldherr Koniecpolski erlitt bei Perejaslawl (im jetzigen Gubernium Poltawa) eine vollständige Niederlage. Dieser Sieg wurde jedoch nur dazu benutzt, um die polnischen Besatzungen aus kleinrussischen Städten zu vertreiben und die jüdischen Kirchenpächter zu tödten; die Kosacken verfolgten ihre Vortheile nicht, und nach und nach ward Friede, den milde Versprechungen herbeiführten. Statt Erfüllung derselben begannen aber polnischerseits die frühern Bedrückungen, und wir erblicken die Kosacken 1637 wieder im Aufstande, der aber unglücklich für sie und mit der Hinrichtung ihrer Häupter endete. Diesmal sollten strenge, tief eingreifende, politische Maßregeln die Unterwerfung dauerhaft machen. Den Kosacken ward das schon früher oft bestrittene Recht der freien Hetmanswahl jetzt feierlichst abgenommen und dieser eigenthümlichen Miliz ein polnischer Commissarius mit ausgedehnten Vollmachten vorgesetzt (Th. 1, S. 213). Aber schon im folgenden Jahre erhoben sich die Kosacken wieder. Ihre Anführer, Stephan Ostranin und Leon Huna, verstärkten ihr Heer durch auswärts in Roth- und Schwarzreußen geworbene Mannschaft, schlugen den polnischen Unterfeldherrn Potocki und drangen in Volhynien ein. Sie wurden hier aber in einem plötzlichen Ueberfall besiegt, nach Warschau gebracht und mit ihren Obersten und Hauptleuten öffentlich hingerichtet. Zehn Jahre darauf erstand ihr glücklicherer Landsmann Bogdan Chmelnizki. Er lebte als einer der Hauptleute der Kosackenmiliz auf einem noch seinem Vater verliehenen Vorwerke, das zur Kronstarostei Tschigirin gehörte. Der polnische Unterstarost Czaplicki vertrieb ihn daraus, entführte zugleich mit Gewalt seine Geliebte, die bei ihm wohnte, und ließ seinen Sohn, Timotheus Chmelnizki, der sich widersetzt hatte, auf dem Markt in Tschigirin (einem Städtchen im jetzigen Gubernium Kiew) öffentlich auspeitschen. Bogdan Chmelnizki reiste nach Warschau, klagte, erhielt kein Recht und kehrte mit Racheentwürfen zurück. Wenn, wie behauptet wird, die Rache für gewisse Gemüther ein Kelch süßen Genusses ist, so hat Chmelnizki einen solchen, überschwenglich gefüllten Kelch in langen Zügen bis auf den letzten Tropfen geleert. Die Stimmung in der Ukraine war seinen Absichten günstig; er sah sich 1647 an der Spitze eines Heers, schlug im folgenden Jahre den Feldherrn Potocki aufs Haupt, verband sich mit den krimischen Tataren und fuhr fort zu werben und zu waffnen.

(Der Beschluß folgt.)

Redigirt unter Verantwortlichkeit der Verlagshandlung: F. A. Brockhaus in Leipzig.

Blätter

für

literarische Unterhaltung.

Freitag, —— Nr. 291. —— 18. October 1833.

Aus Rahel's Nachlaß:

(Beschluß aus Nr. 290.)

An Gentz.

Berlin, Montag Abend 9 Uhr den 7. Febr. 1831.
Feuchtes Thauwetter.

Geküßt hab' ich Ihren Brief, nach tiefer Verstummung regungslos in meinem Bette aufrecht bleibend; aus Rührung, Liebe, Zärtlichkeit für Sie, Drang und Plan zum Helfen, Staunen, Betroffenheit. Liebes, theures — wie es sein muß — ewiges Kind! So wirft sich nur Göthe's Tasso Andern hin in die Hände, an den Busen, nur Sie und die Besten und ich, wenn ich einen bessern Busen wüßte als den meinen! (Großes, hartes, ein noch nie ausgesprochenes Wort.) Sie sind nicht unglücklich, glauben Sie es mir, bis Sie diesen Brief ausgelesen haben. Lassen Sie mich mit dem Unabweislichsten, Wunderbarsten, Schwärzesten anfangen, mit dem Tod. Sind wir es nicht schon? Ist er wunderbarer als das Leben? dies Leben mit den innern, geistigen Lücken? dieses zerrissene Bruchstück? Wo er am Ende doch steht? Wer mir durch den dunkeln Mutterleib half, bringt mich auch durch dunkle Erde! Ich will leben, also muß ich auch leben. Mein Lebensgefühl, mein Glücks-, Ordnungs-, Vernunftbedürfniß sind mir auch die Bürgen für dies Alles; wie käm' ich sonst darauf? diese sind mein Gott in mir und außer mir, mein letzter Winkel, wo auch mein Tempel und meine Religion ist. Wenn ich jeden Augenblick sterben kann, so bin ich schon todt, d. h. ich lebe todt weiter. Und ich fühle ja mein Leben und nicht den Tod; wie sträubt sich unser Innerstes bei jeder Probe, wo ihm nur Einhalt, Hemmung gethan werden soll! jeden Widerspruch eines gerechten Anspruchs von uns fühlen wir nur darum so empfindlich, ja eigentlich so unleidlich! Gewiß werden wir wieder jung. Herrliches, physisches Gefühl: nämlich ganz fertiges, nicht erst zusammengedacht, gemacht, von uns selbst erst bereitet, sondern gleich passend, gehörend zu dem Ort, wo wir zu sein haben: das ist Jugend, darin besteht sie: einschlürfend das Dasein, ausströmend, erregend wieder ausströmend: und eine neue, viel gesteigertere Jugend müssen wir wiederkriegen, in ihr fortleben; und in einer, in einer innern leben wir schon fort! — Und nur viel behäutete Köpfe können es lächerlich finden, wenn Alte noch wollen wie Junge. Wollen sollten sie auch nicht? Ist es nicht Erde genug, daß sie nicht können? Soll im Leben ein Oberceremonienmeister herrschen wie an Höfen? Wahrhaftig, das Volk aller Classen versiegelt sein Leben und alle Pulse und ergibt sich darein, noch ganz voll Sittlichkeitsstolz. Wie stupid sehen sie auch Alle aus! Ueber vierzig nicht mehr zu ertragen. Ich will sie auch nicht sehen, nicht kennen.

Sie sind jung, lieber Freund, lieben, sind glücklich, haben eine reizende Geliebte, einen Freund — mich — das herrlichste Kindergemüth: alle Ihre Jugendschwächen wollen Rath und finden Rath wie vor dreißig Jahren auf meinem Kanapee, ehe Sie zu Ihrem Vater gingen, um aus Berlin zu gehen. Nichts ist verloren; Einkünfte kommen wieder; andere. Die Welt — die olle politische — schwingt sich um, und Sie stehen ihr wieder en face. Nur miskennen Sie Ihre Entwickelung nicht so, daß Sie selbst sagen, Sie kennten sie nicht mehr. „Dieser paradoxe Satz wird bald ein Gemeinplatz werden", muß man von Hamlet nie vergessen. Es sind jetzt andere Gemeinplätze im Umlauf; nie wird man die wieder für Paradoxen halten wollen. Der Geist der Zeit ist nichts als die jedesmal allgemein gewordene Ueberzeugung. Horchen Sie dahin, agiren Sie mit der, durch die!

Dienstag früh.

Ich Ihnen Politik! Sie, die allgemeine Ueberzeugung muß Ihnen dienen, sie sei Ihnen ein Instrument. Ueberwinden Sie den Abscheu; kommen Sie ihr zuvor: Lenker bedarf eine jede. Machen Sie face; lassen Sie das Heft nicht aus den Händen, senken Sie Kopf, Feder, — wie Krieger das Schwert — nicht als überwunden: sprechen Sie sich das besonders nicht selbst aus!! und sehen Sie nicht nur die Unordnung, sondern — eben, nach „den vierzig Jahren Arbeit" — was die in der Zeit sich folgenden Menschen nur jetzt zu wollen haben. Denken Sie nicht an Das, was Menschen ewig wollen sollten, sondern fassen Sie ins Auge, was Weltwirrwar, alte Sünden, längst Verfehltes nun erlaubt und wohin eben dies drängt. Im Ganzen gewiß auch nach Dem, was der Mensch soll; aber maskirt. Scheuen Sie diese Maske wie jede andere nicht! Behalten Sie das Heft in Händen! Sein Sie großartig. „Vous en parlez bien à votre aise!" werden Sie denken. Fanny lebt noch, fragen Sie die; sie war zugegen, als ich aus blauem Himmel Warschaus Revolution erfuhr, — Graf Mocenigo kam, und nach halbstündiger Tagesunterhaltung sagte er uns das — ich glaubte zu sterben. Ein Brustkrampf befiel mich, aufspringen mußte ich, noch bin ich nächtlich krank davon. — In der Welt fürchte ich nichts so als Pöbel, Hornvieh, Unvernunft, bis zur Besinnungslosigkeit und Krämpfen, — ich will nichts mehr als Ruhe. Ich habe längst meinen „Bankrutt“ gemacht; ich könnte nur noch gemartert und blutarm werden; und hoffe doch! Und nun Sie! Ein Lenker, wenn Sie wollen. Wem gehören denn die Länder, wer sind denn die Regierungen, als solche? O könnte ich mit dem Munde zu Ihnen reden! Nur eine Frau! Keine Maintenon, und keine Des Ursins, und doch nähmen Sie einen Rath von mir in Gebrauch. Wie viel sah ich früh ein! Wie viel sagt' ich vorher von den Dingen, mit denen Sie hantiren. Aber verwesen mußte meine gute Einsicht. Erinnern Sie sich noch, wie Sie mir in Prag erzählten, Sie hätten solchen göttlichen Plan erfunden, solchen herrlichen Gedanken, und wie Sie ihn dem Fürsten Metternich mitgetheilt, wäre er an sein Bureau getreten und hätte aufgeschrieben herausgelangt, was Sie ihm gesagt? Sie wollten nie sagen, was es war. Es war der deutsche Bund, dachte ich nachher. Damals war der gut. Erfinden Sie wieder etwas. Ich zweifle nicht. Verzweifeln Sie nicht: und Alles ist noch gut.

Lieben Sie denn Ihre Blumen nicht mehr? Nicht Luft, Wetter? Das Gefühl Ihrer selbst, das Wetter in Ihnen? Wie krank bin ich! Wie zerstört! Welche Devoires habe ich Decennien lang verschlucken müssen, welche Leiden? Und Phönix nach Phönix stieg empor! Nicht, daß es mir so gefällt; nicht, daß ich's annehme: Nein! Nein! Nein! und ewig Nein! Aber ehrlich verarbeitet hab' ich's. Ich mag wol in zwanzig Jahren keine persönliche Satisfaction gehabt haben; und weiß es wohl; und schaffe mir menschliche: durch Theilnahme, durch Meditation, Einsicht, Schwung, Fröhlichkeit, Güte, Unschuld — je ne parle pas à mon aise — Und Sie sprechen von vierzig Jahren Arbeit. Genuß war die; und was brachte sie Ihnen ein? Allen Lebensgenuß und Wohlhabenheitsfülle, Persönlichkeitsbefriedigung; Ehre, Ansehen, Wohlhabenheit, Geselligkeitsgenuß; Reisen, Garten, Pferde, Anregung, Leben jeder Art. (Ich sollte Ihnen erzählen!!) Wie bescheiden gucke ich aus meinem Winkel hervor und hinauf? Wie tief und frohsinnig! Ich tröste mich und Sie und bin überzeugt, daß es mit zum Erdenleben gehört, daß Jeder in Dem gekränkt werde, was ihm das Empfindlichste, das Unleidlichste ist; wie er da herauskomme, ist das Wesentliche. Shakspeare sagt sehr klar, klug und erfahren: „Oft ist ein Fall das Mittel, besser glücklicher wieder aufzustehen“; dessen seien Sie eingedenk. Ich hab's erst gesehen, kürzlich erfahren. Glück auf, lieber Freund! Muth oben! Einsicht frei! Sie können Alles zu Allem überreden. Wagen Sie das Neueste, die neueste Behauptung. Sie sollen einmal sehen!

So weit Rahel! Wie eine tiefe, gründliche, auf ursprünglicher Anschauung und lauterm Lebensgefühl ruhende Einsicht sich Bahn bricht und unabweislichen Einfluß gewinnt auf die Wendungen der Weltgeschichte, zeigt der Erfolg dieses Briefes. Wir sehen einen hochgefeierten Mann, der vierzig Jahre hindurch im Rath der legitimen Staatenlenker thätig mitgewirkt, dessen Stimme eines der beliebtesten, wohltönendsten und glücklichsten Organe des Stabilitätssystems gewesen, durch die eingetretenen Zeitereignisse in einem Zustande der Entmuthigung, ja der Verzweiflung, weil er diese vierzig arbeitsvollen, äußerlich zwar mit Erfolg gekrönten Jahre doch zuletzt ohne befriedigendes Resultat für die Wirksamkeit seines Princips, wie für sich selbst als verloren ansehen muß. Seine Klagen wenden sich an Rahel, die kleine, stilldenkende, unscheinbare Beobachterin, die Freundin und Rathgeberin seiner Jugend. Wie sie ihm Rath und Trost gewährte, haben wir gesehen. Und nun lese man unmittelbar nach dem obigen Briefe den aus Gentz's Feder geflossenen Artikel: „Von der Donau“ in der außerordentlichen Beilage zur „Allgemeinen Zeitung“, Nr. 372 und 373 vom 27. und 28. Sptbr 1831, und man wird mit Erstaunen wahrnehmen, welche Richtung jener Brief der Politik am Donaustrom gegeben hat. Mit der Geschicklichkeit des echten Meisters weiß der Correspondent von der Donau an jedem Schein der Inconsequenz leicht und leise vorüberschiffend dem constitutionell-gesinnten Zeitgeist die diplomatische Friedenshand zu bieten. Der soeben unterdrückte Aufstand der Polen kann nach ihm zwar immer nur Empörung, Undankbarkeit und Unbesonnenheit genannt werden. „Eine solche Ansicht aber früher laut auszusprechen, wäre ungroßmüthig gewesen, so lange die Polen noch kämpften und ihnen die Bekanntmachung dieser Ansicht hätte nachtheilig sein können.“ Vortreffliche Wendung, und welche Mäßigung, welche Schonung! „Jetzt, nachdem das Schicksal über eine, alle thätige Politik lähmende Unternehmung entschieden hat“, fährt Gentz fort, „ist es an der Zeit, den Blick umsichtig und prüfend auf die großen europäischen Verhältnisse zu richten, um in ihnen die Aufgabe der Politik zu erkennen und an ihnen die Berechnung der Zukunft anzustellen.“ Das Princip der Volkssouveränetät und das monarchische Princip werden nun als die einander bekämpfenden Systeme der europäischen Politik sich entgegengestellt und sogar behauptet, daß viele Anhänger des monarchischen Princips durch die That bewiesen hätten, daß sie Bürgschaft gegen Willkür für nothwendig erkennen, und um solche zu gewähren, in feierlich beschworenen Verfassungsurkunden die Rechte der Unterthanen, die Herrschaft der Gesetze anerkennen. Weiterhin wird gezeigt, daß zwischen den beiden streitenden Systemen eine Entscheidung durch die Waffen durchaus nicht räthlich sei, und wenn freilich das System der Erhaltung als für das Wohl der europäischen Staatenfamilie [illegible] nothwendig und einzig heilsam dargestellt wird, so werden doch auch die constitutionellen Staaten als in dem, was zu erhalten sei, mit eingeschlossen, als [illegible] zum ferneren Bestehen als solche [illegible] dargestellt, ja es wird am Schlusse sogar zugestanden, daß das System regelmäßiger Fortschritte mit dem System der Erhaltung nicht nothwendig im Widerspruch stehen müsse, vielmehr in der Verbindung beider die eigenthümliche Stärke constitutioneller Staaten bestehe, wodurch ihnen in der europäischen Republik ein hoher Rang gesichert werde. Welches Alles denn vom Ufer der Donau her zu vernehmen nicht anders als höchst erfreulich sein konnte. 191.

Istorija maloi Rossii. Geschichte Kleinrußlands von Demetrius Bantysch-Kamenski. Drei Theile.

(Beschluß aus Nr. 290.)

Die Polen behandelten den Aufstand anfangs mit nachlässigem Uebermuth. „Gegen das Gesindel“, sprachen sie, „braucht man keinen Säbel, nur Peitschen.“ Andere beteten spöttisch: „Gütiger Gott, steh weder uns noch den Kosacken bei, sei blos Zuschauer, und du wirst deine Freude haben, zu sehen, wie wir sie zusammenhauen werden!“ (Th. 1, S. 251.) Indessen kamen die Sachen anders. In drei Schlachten, bei Scholty Wody, Korsun und Pilawcy, von Chmelnizki geschlagen, lief der polnische Heerbann auseinander, der Kosackenanführer rückte vor Lemberg, brandschatzte es, belagerte Zamosc und verbreitete einen solchen Schrecken, daß die Einwohner Warschaus ihre Vorräthe und Kostbarkeiten die Weichsel hinabschifften und in Preußen in Sicherheit zu bringen suchten. Nach einem verwüstenden, für Polen nachtheiligen Kriege kam 1651 ein Vergleich zu Stande, dem zufolge die alten Privilegien und Glaubensfreiheit dem Lande zugesichert, Chmelnizki als Hetman anerkannt ward. Er besaß als solcher jetzt die ganze Starostei Tschigirin, von der er nur ein Vorwerk für sich gefodert hatte, seine Geliebte und Czaplicki wurden ihm ausgeliefert, und sein beschimpfter, gegeißelter Sohn Timotheus vermählte sich, vom Sultan in seiner Brautwerbung begünstigt, mit der Tochter des Hospodars der Moldau. Dieser Erfolg wurde ihm von den Polen nicht lange in Ruhe gegönnt. Der König Johann Kasimir suchte die ehemaligen Bundesgenossen der Kosacken, die krimmischen Tataren ihnen abwendig zu machen und die erstern dem Reiche wieder unbedingt zu unterwerfen. Chmelnizki, auf diese Weise bedrängt, ergab sich 1654 dem Schutz des russischen Zaren Alexius, wodurch Kiew, die alte Hauptstadt des Landes, sammt 166 kleinern Städten mit dem russischen Hauptstaat wieder vereint ward, Polen aber das erste seiner russischen Gebiete verlor, dem hundert Jahr später die andern nachfolgen sollten. Der Name Kleinrußland für Ukraine (d. i. Eckland, äußerstes Gebiet) scheint jetzt im Gegensatz zum größern Zarenreich Rußland entstanden zu sein, obgleich es auch diese Benennung schon unter polnischer Herrschaft im Gegensatz zu dem angrenzenden Weiß- und Rothrußland, als größern Ländergebieten, erhalten haben kann. Die Meinungen sind hierüber verschieden. Unter russischer Herrschaft fiel eine Hauptbeschwerde des Landes, Bedrückung der Religion und der Sprache, von selbst hinweg, indem es mit Glaubens- und Sprachgenossen verbunden war, und die Geschichte desselben wird einförmiger, da es nicht mehr für sich selbst kämpft, sondern an den Schicksalen des Hauptlandes gutwilligen Antheil nimmt. Die bekannten Bewegungen, die unter Mazeppa 1708 entstanden, wurden nur von einem geringen Theil der Kosackenmiliz, hauptsächlich von den zaporoger Kosacken unterstützt. Die Gesammtbevölkerung war denselben nicht nur nicht geneigt, sondern gradezu entgegen, besonders als die Geistlichkeit sich gegen die Verbindung mit katholischen und ketzerischen Königen erklärt und Mazeppa in den Bann gethan hatte. Die feierliche Verfluchung des abtrünnigen Hetmans wird Th. 3, S. 108, erzählt. Die hierzu angeordnete kirchliche Handlung ward in Gegenwart des Kaisers Peter I. und einer zahlreichen Versammlung der Geistlichkeit vollführt; sie machte einen tiefen Eindruck auf die Gemüther und hieß „Mazeppa's Geleit zur Hölle“. Alle anwesenden Geistlichen hatten statt der reichen, mit Blumen auf goldenem Grund durchwirkten Meßkleider schwarze Gewänder angelegt und hielten in den Händen Kerzen von schwarzgefärbtem Wachse. Ein Strohmann in der Tracht Mazeppa's und mit dessen äußerlichen Abzeichen angethan, ward in die Kirche geschleppt, die Priester umringten ihn, und unter Absingung verschiedener Psalmen riefen sie aus: „Verflucht sei der Hetman Mazeppa!“ Dasselbe wiederholten die Kleriker, indem sie die Kerzen gegen den Boden wandten. Hierauf schlug der Erzbischof mit dem untern Ende seines Stabes den Strohmann durch die Brust und sprach das Anathem aus. Der Strohmann ward aus der Kirche geschleppt, und der Klerus sang: „Heute verließ Judas seinen Heiland und wandte sich zum Satan!“ Damit endete die kirchliche Handlung. Auf offenem Marktplatze ward an demselben Tage dem Mazeppa'schen Bilde die Todessentenz vorgelesen, durch den Fürsten Menschikof und Grafen Golowkin die Patente über seine Hetmanswürde, den Rang eines wirklichen Geheimraths und die Verleihung des St.-Andreasordens zerrissen und das Band des Ordens vom Rocke des Strohmanns genommen. Dann warf man das Bild dem Henker zu, der es mit Füßen trat, an einem Strick durch die Straßen und über die öffentlichen Plätze schleifte und endlich am Richtplatze an den Galgen hing. Der 64jährige Hetman starb bald darauf wirklich in Bender, und zwar, wie russische Kundschafter von dort berichteten, an Gift, das er sich selbst eingab. Ueber seine Herkunft gibt es verschiedene Behauptungen. Die wahrscheinlichste ist, daß er in einem Dorfe Mazepinzy, unweit Bialazerkef, im jetzigen Gubernium Kiew, geboren ward und in jüngern Jahren in Rothrußland bei einem polnischen Edelmann als Kosack in Diensten gestanden hat. Die Sage von seinem bekannten, gezwungenen Ritt auf einem wilden Steppenpferde, die neben andern Bearbeitungen auch Lord Byron Stoff zu einem schönen Gedicht gegeben, ist wahrscheinlicherweise eine Erfindung späterer Zeiten. Zum Verrath an Peter I. soll er hauptsächlich durch die Anhänger des Königs Stanislaus Lesczinski vermocht worden sein, die ihm vorspiegelten, daß er unabhängiger Fürst in den südlichen Antheilen Rußlands werden würde. Nach Mazeppa's Absetzung ward durch freie Wahl der kleinrussischen Miliz Skoropadski zum Hetman gewählt und von Peter I. bestätigt, doch seine Macht beschränkt. Als er 1722 starb, erhielt Kleinrußland in der Person des tschernigowschen Kosackenobersten Polubotok nur einen Verweser, der den Titel eines Hetmans nicht führte, dem jedoch unter Kaiser Peter II. Apostol wieder als Hetman folgte. Die Reihe derselben beschloß Graf Rasumowski, mit dessen Tode der Verf. die politische Geschichte Kleinrußlands schließt und im letzten Capitel seines Buchs eine statistische Uebersicht des Landes gibt. Darin finden auch die wissenschaftlichen Bestrebungen der Kleinrussen eine kurze Würdigung. Zu jeder Zeit hat die 1694 errichtete, 1701 neu organisirte Akademie in Kiew dem Staate und der gelehrten Welt würdige Diener und Literatoren gebildet, sowie ausgezeichnete Männer unter ihren Lehrern gezählt, an deren Spitze Theophan Prokopowitsch, ein eifriger Gehülfe Peter I. bei seinen Reformen, und zuletzt Erzbischof von Nowgorod, mit Stolz genannt werden kann. Die schönwissenschaftliche Literatur hat unter den Kleinrussen auch viele Pfleger und Jünger gefunden. Ein gemeiner Kosack, Simon Klimowski, Zeitgenoß des Vicehetmans Polubotok, dichtete das bekannte Kosackenlied, welches in der deutschen Uebertragung mit den Worten: „Schöne Minka“, anfängt und 1813 und 1814 von den Ufern des Dnepers bis an die Seine so vielfältig und nicht blos von Kosacken gesungen wurde. Aber nicht blos Naturdichter und Volkslieder hat das gesangreiche Kleinrußland hervorgebracht, obgleich es an letztern besonders ergiebig erscheint. Die natürlichen Anlagen der Kleinrussen zur Poesie haben sich auch in höhern Leistungen bewährt, und die Namen Bogdanowitsch, Kapnist und Gnebitsch werden in der russischen Literatur immer mit der größten Achtung genannt werden. Die Letztern haben

überhaupt die angenommene Schriftsprache ist, und nur wenige Bücher, Sammlungen von Volksliedern ausgenommen, sind im Kleinrussischen abgefaßt, unter andern eine travestirte Aeneide, die viele Freunde gefunden. Man hat häufig dem Kleinrussen, besonders dem niedrigen Stande, eine gewisse Indolenz vorgeworfen. Sie mag ihren Grund in dem milden Himmelsstrich, unter dem er lebt, in der Fruchtbarkeit des Bodens finden, den er bearbeitet, und der seine Anstrengung vielfältig lohnt und gleichsam zur Sorglosigkeit ermuntert; aber als Krieger ist der Kleinrusse unermüdlich, gewandt und tapfer. Der Verlust des kleinrussischen Kosackenheers schlug dem polnischen Staatskörper eine tiefe Wunde, die nicht heilte und ein politisches Siechthum veranlaßte.

Wir schließen diese Anzeige mit der Bemerkung, daß das vorliegende Werk Bantysch-Kamenski's bei einer neuen Auflage der oben angeführten „Geschichte der Ukraine" von J. Ch. Engel von einem fleißigen Herausgeber zu reichhaltigen Ergänzungen und Berichtigungen benutzt werden könnte. Zu einer bloßen Uebersetzung ist es weniger zu empfehlen. Die dem Buche beigelegten Kupferstiche, Pläne, Zeichnungen vergegenwärtigen die Gesichtszüge der Hetmane und alte Trachten, liefern auch treue Abbildungen vergehender geschichtlicher Denkmale, für deren bildliche Aufbewahrung der Verf. den Dank der Geschichtsfreunde verdient. Unter Andern ist auch ein alter Plan der Schlacht bei Beresteczko (1651) mitgetheilt, wie ihn die Naturalisten in der Kriegsführung, die Kosacken, selbst gezeichnet haben. Es würde unsers Erachtens diese Zeichnung, mit den nöthigen Anmerkungen versehen, ein anziehendes und ergötzliches Blatt für eine deutsche Zeitschrift kriegswissenschaftlichen Inhalts abgeben. 44.

Lettres de Napoléon à Joséphine. Zwei Bände. Paris 1833.

Diese Correspondenz ist authentisch, so versichert wenigstens der Director der „Revue de Paris", der Verfasser der famosen „Mémoires de Mad. Dubarry", die bei ihrem Erscheinen gleichfalls als den Stempel der Echtheit tragend angepriesen wurden. Napoleon geberdet sich in diesen Briefen so thöricht verliebt, daß wir Bedenken tragen, die Versicherung des Hrn. Pichot aufs Wort anzunehmen, Beweise bringt er nicht bei. Bis man uns eines Andern belehrt, weigern wir uns, zu glauben, daß der junge Obergeneral der italienischen Armee je einer Frau hat sagen können, wie er sich nach dem Augenblicke sehne, „wo er, frei von allen Sorgen, von allen Geschäften, alle seine Augenblicke bei ihr zubringen könne, einzig damit beschäftigt, sie zu lieben und nur an das Glück denkend, es ihr zu sagen", und wenn je solche Albernheiten in seinem Riesengeiste aufkommen konnten, er hätte andere Worte gefunden, um sie auszudrücken! Den 21. Juli 1796 des Morgens acht Uhr ist Bonaparte zu Castiglione, sie glauben vielleicht, er sei mit Entwerfung eines Schlachtplans oder mit Regulirung der Truppenmärsche beschäftigt? Er schreibt an Josephinen: „Diese Nacht reise ich nach Peschiera, nach Verona, von da nach Mantua und endlich nach Mailand, um einen Kuß von dir zu holen, puisque tu m'assures qu'ils ne sont pas glacés." Es wundert uns sehr, daß Bonaparte sich von seiner Reise abhalten läßt, daß er die Armee nicht im Stiche läßt, um sich einen warmen Kuß zu holen. Aber er versäumt nicht, die Geliebte nach Brescia zu bestellen, „où le plus tendre des amans t'attend". In Brescia trifft er nicht einmal einen Brief; der zärtlichste aller Liebenden ist in Todesangst: „Du warst ein wenig krank bei meiner Abreise; ich bitte dich ums Himmels willen, laß mich nicht in dieser Unruhe; du hattest mir mehr Pünktlichkeit versprochen; dein Herz fühlte damals, was die Zunge sprach. Du, welcher die Natur Anmuth u. s. w. verliehen hat, wie kannst du Den vergessen, der dich mit so viel Wärme (chaleur, hier ein sehr seltsamer Ausdruck) liebt? ... nung ist schrecklich; die Nächte sind lang, langweilig und fade. Denke an mich, lebe für mich, sei überzeugt, daß es für mich nur Ein Unglück gibt: deine Liebe zu verlieren. Mille baisers bien doux, bien tendres, bien exclusifs." Der General hatte einen Nebenbuhler bei seiner Frau, mit dem er sogar das Bett der Geliebten theilen mußte; es war Fortuné, ein langer, rother Mops mit schwarzer Stumpfnase und einem Schwanze en tire-bouchon. Dieser Fortuné war der ganzen Familie Beauharnais theuer, weil mittels seines Halsbandes die Correspondenz zwischen Josephinen und ihren Kindern geführt wurde, als Josephine während der Revolution im Gefängniß war. Uebermuth führte das Ende beider Lieblinge der schönen Creolin herbei! Fortuné biß alle Leute und fiel selbst die stärksten Hunde an; ein mächtiger Hofhund, den er einst zu seinem Unglücke in den Hintern biß, verstand den Spaß unrecht, faßte den armen Fortuné beim Kopfe, und es war um sein schönes Leben gethan. Bonaparte war so nachgiebig, so unterwürfig, seiner Frau gegenüber, daß er ihr sogar un million de baisers für Fortuné schickt, en dépit de sa méchanceté. Kurz nach dem kläglichen Ende seines Rivals, dessen Zähne selbst die Beine des Generals nicht verschont hatten, bemerkte dieser den Koch, der im Garten spazieren ging und beim Anblick Bonaparte's ins Gebüsch entschlüpfen wollte. Auf die Frage, warum er sich so flink aus dem Staube zu machen suche, antwortete der Koch, nach Dem, was sein Hund gethan, würde es dem General vielleicht unangenehm sein, ihn zu sehen, versicherte ihn übrigens dabei, der Verbrecher, nämlich der Hofhund, solle nie wieder den Garten betreten, besonders jetzt, da Madame einen andern Hund habe; „laisse-le courir tout-à-l'aise, il me débarrassera peut-être aussi de celui-là". Diese letzte Anekdote ist echt, sie wird von Arnault im dritten Bande seiner „Souvenirs d'un sexagénaire" erzählt, der dabei die Bemerkung macht: „Sa (Napoleon's) résolution devant laquelle tout fléchissait, ne pouvait résister aux larmes d'une femme; et lui, qui dictait des lois à l'Europe, ne pouvait pas chez lui mettre un chien à la porte." Die „Lettres de Napoléon à Joséphine" sind eine Speculation, berechnet auf das allgemeine Interesse, welches sich bei Gelegenheit der letzten Juliſeier für Napoleon ausgesprochen hat, und wir haben den gewandten Verf. der Memoiren der Dubarry im starken Verdacht, diesem neuen pasticcio nicht ganz fremd geblieben zu sein. 148.

Redigirt unter Verantwortlichkeit der Verlagshandlung: F. A. Brockhaus in Leipzig.

Blätter

für

literarische Unterhaltung.

Sonnabend, —— Nr. 292. —— 19. October 1833.

Etwas über die neuesten Volksfeste in Süddeutschland, besonders in Baiern.

So weit diese Volksfeste, denen man jetzt auch, französischem Ausdruck nachstrebend, den allerdings umfassendern Namen: Nationalfeste, beilegt, eine Unterhaltung des Volks im höhern Sinn bezwecken, dürfen sie wol auch in d. Bl., besonders vom wissenschaftlichen oder künstlerischen Standpunkt aus, einer nähern Aufmerksamkeit gewidmet werden. Früher waren es fast allein nur kirchliche Feiern, Wallfahrten, Ausstellungen von Heiligthümern u. dgl., welche eine größere Anzahl deutscher Bürger aus den zerstückelten und abgestorbenen Gauen zusammenbringen konnten, oder Hinrichtungen, deren blutigen Augenweide auch jetzt noch in einem Umkreis von 10 und mehr Stunden die große Masse hart zu widerstehen vermag. Glücklicherweise geht uns auch hierin der schönere Stern eines zartern Sinnes auf; es möge uns nur erlaubt sein, denselben mit einigen leisen Wünschen und freundlichen Bemerkungen zu begrüßen. Allererstens also fürchten wir beinahe, es möchten dieser, Zeit und große Kosten erfodernden Feste jetzt allein nur in Baiern viere in Einem Jahre, zu Bamberg, zu Nürnberg, zu Augsburg und zuletzt noch in München selbst, in den kürzesten Zwischenräumen nacheinander, und jedes auf mehre Tage ausgedehnt, in der Hauptsache fast zu viele sein. Die olympischen Feste wurden immer erst nach Verlauf von vier vollen Jahren wiederholt. Hier folgen sich Schlag auf Schlag viere in einem einzelnen Jahre rasch aufeinander. Dem Jahr aus Jahr ein müßigen Griechen, der barfuß oder in Sandalen ankam, sein Nachtlager ohne ängstliche Vorherbestellung im nächsten besten Buchenhain nahm, seinen Magen mit einer Salatstaude und ein paar Oliven, seinen Durst an der kastalischen Quelle befriedigte, würden freilich solche, im schnellsten Rund wechselnde alljährliche oder allmonatliche Feste wenig belästigt haben; aber doch um durch größere Zwischenräume den Reiz der Neuheit zu bewahren und den Festordnern einen Raum zu neuen Befriedigungen zu geben, begnügte er sich mit Einem Fest, Einem alle vier Jahre, und zählte sodann in kindlicher Erwartung seine Tage, seine Jahre darnach. Es scheint auch, daß die allgemeinern Kosten dieser Feste, da sie ursprünglich eine religiöse Bedeutung hatten, zum Theil mit aus den Schätzen der Tempel oder andern Opferstiftungen bestritten wurden, auf keinen Fall also erst nachher in unbeliebiger Erinnerung durch Communalkassen, oder freiwillige oder gezwungene Umlagen gedeckt zu werden brauchten; und will man außerdem nicht in Anregung bringen, was in solchen Wochen der Feier und der Nachfeier und bis zur wiederhergestellten Arbeitslust an versäumter Arbeit, Lediggehen der Gesellen und Dienstboten und sonstigen unnöthigen und ungewohnten Zehrungen verloren geht. Denn daß einige andere Gewerbe, z. B. Wirthe, Schenken u. dgl., dabei wieder einen Theil gewinnen, oder, wie man sich meistens zu trösten sucht, daß das Geld in der Stadt bleibe, möchte am Ende doch nur in eine leere Täuschung übergehen; die verlorene Zeit wenigstens bleibe nicht in der Stadt, sondern rennt auch mit zum Thor hinaus und geht vor den Kellern und Garküchen im Rauch auf. Ein Geld, das man wegwirft oder verliert, bleibt auch in der Stadt, nützt aber doch weder dem vorigen Eigenthümer noch der Stadt selbst weiter etwas. Alles Geld, das insonderheit ein Gewerbsmann seinem Gewerbscapital abbricht und nicht wieder in das Gewerbe verwendet, verkürzt unwiederbringlich die Erwerbsfähigkeit und stört das Gleichgewicht der bürgerlichen Nahrung, davon keine auf den Leichtsinn und den Verlust der andern berechnet sein sollte. Jedoch sollen diese Betrachtungen keinen Bezug auf jene besondern Feierlichkeiten haben, welche neulich in Nürnberg zu Ehren des anwesenden Königs, und als er zum ersten Male seine unter die königl. Residenzschlösser aufgenommene Feste bezogen hat, als ein feierlicher und wohlanständiger Bürgerwillkomm stattgefunden hat, wie solches Alles umständlich und brav von dem Herrn Buchhändler Karl Mainberger unter dem Titel: „Das achte Nationalfest in Nürnberg am 25. bis 27. August" (Nürnberg, Riegel und Wießner, 4.) beschrieben worden ist. Dazu auch: „Drei Tage in Nürnberg am achten großen Nationalfeste von M. G. Saphir" (Nürnberg, Riegel und Wießner, 1833, 8.), ein Festnachspiel, meist selbst in Gaukelspielen der Worte bestehend. Es liegt in der Richtung aller Titularehren, daß ihre Träger sie doch immer auf irgend eine Art suchen geltend zu machen; und so wollen wir es auch diesem neuen Titularresidenzschloß Nürnberg wünschen, daß es wenigstens pro rata temporis allmälig immer mehr einige Wirklichkeit geltend mache. Ein schönerer Punkt für ein Königsauge von dieser Höhe herab und umher wird wol ohnehin im übrigen Reich nicht zu finden sein.

Also um es ja bei neuen Besuchen immer noch besser zu treffen, erinnern wir wohlmeinend, daß es gleichwol diesen bisher sogenannten Nationalfesten noch gar zu sehr an einer leitenden Idee, welche das Ganze zusammengehalten, an dem rothen Faden, der hindurchlaufen sollte, zu fehlen schien. Auch bei den olympischen Spielen war es nicht blos um das wilde Kämpfen, Rennen und Fahren zu thun, sondern das Ganze stellte eigentlich die Leichenspiele bei der Beerdigung des Pelops vor mit allen dazu gehörigen Opfern und Ceremonien, wovon die Kämpfe, Pferde- und Wagenrennen nur ein Theil waren. (S. Dissen, „De ordine certaminum Olympicor. per quinque dies" in den „Göttinger gel. Anzeigen", 1833, St. 78.) Allein was uns bis jetzt zur Anschauung geboten worden, war, ohne eine andere sinnige Deutung zuzulassen, aus lauter zerbrochenen Scherben untereinander gemengt, Baumklettern, Sacklaufen, Ententodschlagen, Gänsehälse abreißen, lauter derbe, grauseliche, meist undeutsche, russische und slowakische Gemüthsergötzungen (s. Gruber's „Russische Volksvergnügungen", Leipzig 1807), und daneben griechische Doppel- und Vierspannwagen, wahrhaftige Kinderspiele und Wiegengaulspromenaden, worüber unsere heutigen Fahrkünstler und selbst unsere thüringischen Karrenmänner mit ihren Gabelwagen nur lächeln könnten. Wie sehr würde aber die arme Seele des Pelops erschrocken sein, wenn sie erst über ihrem Grab die bairischen Hetzrenner aus Hallerthau und Nandelstaat über sich hätte dahinfahren sehen mit ihren scheußlichen Mähren, auf welchen hetzende armselige Knaben wie Affen in rothen Lappen hucken. Was kann ein solcher wilder, ungestalter, hier zu Land gar nicht gewöhnlicher Hunnenritt, wo man kaum den Anfang vor dem Ende erblickt, viel zu einem Volksvergnügen beitragen? So etwas mag passend sein für Landwirthschaftsfeste, zum Vorführen inländischer Pferde. Aber anderswo will das Volk schöne Reiter auf schönen Pferden, nicht im bloßen Rennsitz, sondern in künstlichen Spielen sehen, und man ruft nun wie sonst bei der Kaiserkrönung: Ist kein Dalberg? so jetzt: Ist keine Franconi da? Uebrigens, wo immer die Griechen auch sonst noch Festaufzüge veranstalteten, mußten es immer schöne Bilder und Erinnerungen aus der Geschichte sein, z. B. die Reisen des Osiris, der Zug des Bacchus, der Raub der Proserpina; so auch viel später noch in Italien die berühmten Feste der Medici zu Florenz, die Aldobrandini'sche Hochzeit, und in Oestreich der alte Lichtensteiner mit seinen Reisen der Frau Venus.

Solche Feste aber, meinen wir ferner, wenn sie das Volk ergötzen sollen, müssen etwas Phantastisches, Bizarres an sich haben und nicht mit solchem steifen und schmeichelnden Paradekunst vor dem nur gaffenden, aber stummen Haufen vorüberziehen. In diesem Stück könnten wol, wie uns von Hammer's „Geschichte der Osmanen" überzeugt, die Türken unsere Lehrmeister sein, denen wir wahrscheinlich die ganze Idee und Gestaltung dieser Volksfeste abgeborgt haben. Man sehe z. B. die Beschreibung der

türkischen Volksfeste von 1524, 1530, 1583, die n
stens etliche Wochen lang hintereinander gewährt, und
sich in unübersehlichen bunten Reihen Ringer, Tän
Wettrenner, Pfeilschützen, Becher- und Taschenspie
Feuerwerker, Feuerfresser, Schattenspieler, Mohren, Scha
narren, Schwerttänzer, Schlangenbändiger, Kunstreit
Balanzirer, indische und griechische Hochzeiten gedrän
und untereinander gemischt; und dann Wunderbäum
wilde fremde Thiere, lebendig und nachgemacht, Elefa
ten in Lebensgröße von Zucker, die man den Schlecke
Löwen aus Baumwolle, die man den lachenden Volk
pfern preisgab. Die Hauptsache dabei blieb aber no
daß die Kosten dazu allein der Sultan [illegible]
allen Ecken noch dazu Essen und Trinken, was nur d
Mund beliebte, gebratene Ochsen, Reis in großen Kü
pfannen zu tausenden ausgestellt, Confect, das gleichs
nur auf den Schauplatz hagelte, Limonade, Sorbet
Strömen, und dann überall noch viele tausend Dukat
mit denen man die Köpfe der Zuschauer übersäte.
den Aufzügen der Zünfte aber stellte man nicht sowol
Meister als die muthwilligen Lehrjungen in Vorgrun
Schusterlehrlinge, die aus Riesenpantoffeln vom reichs
Golddamast herausguckten; Schmiedejungen, die auf d
Kahlkopf ihres Meisters als Ambos, wie man glau
sollte, das glühende Eisen hämmerten. Selbst die Po
cei suchte ihren Ernst zu verstecken, indem z. B.
Feuerinspector auf einem elenden Gaul und in einer Un
form von Stroh bald hier bald da emsig die Mass
durchbrach und doch überall unter dem lautesten Geläc
ter einen fröhlichen Gehorsam fand. Auch von unse
deutschen Ahnen wurden solche Spiele des Scherzes ni
verschmäht; allgemein bekannt waren in den mittle
Jahrhunderten die Narrenfeste, die Wahlen und Inth
nisationen der Narrenbischöfe, die Schautrusel, die Sch
barte. Sogar der Tod mußte sich bequemen zu tanz
und deutsche Meister zauberten an die Wände der G
beshallen nicht den unbarmherzigen, sondern den tanz
den Tod. Bis ins Ungeheuere erschöpften sich die A
tritte riesenhafter Launen an den Tafeln und in den S
len des burgundischen Hofes (man sehe die Denkwürdi
keiten des Comines und des Olivier de la Marche),
ganz Frankreich ergötzte sich an den Späßen seiner [illegible]
weißen drei Bäckergesellen Gros Guillaume, Gautier-G
guille und Turlupin. Wo sich aber vollends ein deutsch
Kaiser oder ein böhmischer König sehen ließ, da ging
nicht ab ohne gebratene Ochsen, Springbrunnen von W
und blinkende Münzen, von Heroldshänden ausgestreut.
Kaiser, wohin sie kamen, liebten es, merkwürdige Erschein
gen des Fremdlandes der Anschauung preiszugeben: Ries
Zwerge, Mohren, Türken; im Jahre 1289 zog Kaiser Rud
zu Kolmar ein mit einem von Aller Augen begafften Kam
die Frau Kaiserin aber wies den Leuten zu Basel die Wun
Gottes an einem Stachelschwein. („Regina [illegible]
hortum praedicatorum in Basilea porcum spinosum,
viderent in eo Dei mirabilem creaturam." S. „Annal
Dominicanorum Colmariensium" bei Urstisius.)

(Der Beschluß folgt.)

Jean Paul Friedrich Richter's Leben und Charakteristik. Nach seinen Briefen und andern Mittheilungen, dargestellt von Heinrich Döring. Zwei Bändchen. Mit Jean Paul's Portrait. Leipzig, Klein. 1831—32. 8. 1 Thlr. 12 Gr.

Ein Buch, welches Jean Paul betrifft, wird immer Interesse haben, zumal wenn es wie die meisten und wie dieses meist aus ihm selber gemacht ist, nämlich aus Stellen seiner Werke und Briefe. Besäßen wir nicht das größere, aber etwas theuere Werk über das Leben dieses großen Mannes, welches er selbst begonnen, leider aber nicht selbst vollendet hat, so würden wir die Arbeit des Herrn Döring unschätzbar nennen dürfen. So gestaltet sich aber freilich die Sache ganz anders, und für Herrn Döring bleibt der ziemlich geringe Ruhm einer meist mit Hülfe jenes großen achtbändigen Werkes veranstalteten Zusammentragung (wir sollten eigentlich wol sagen Compilation) übrig. Wir gestehen aufrichtig, sein Buch nicht ganz gelesen zu haben, aber doch hinlänglich, um zu sehen, daß dasselbe zu neun Zehntheilen nur aus Jean Paul'schen Briefstellen, Notizen u. s. w. besteht, von denen wiederum der größere Theil, wenn wir uns richtig erinnern, bereits in dem mehrerwähnten größern Werk enthalten ist. Auf diese Weise gestaltet sich das Ganze fast zu einer Art von Nachdruck. Ließe sich das Gebiet des Rechten und Unrechten, des Erlaubten und Unerlaubten in dieser Hinsicht durch scharfe Grenzen bezeichnen, so möchten wir fast glauben, daß Herrn Döring's Werk von einem das geistige Verdienst abmessenden Geschwornengericht zu den unerlaubten gerechnet werden würde. Eigenthümlich und nicht zu bestreiten ist ihm indessen die am Schluß angefügte kritische Charakteristik des großen Dichters. Allein es wird ihm auch Niemand diese Arbeit von wenigen Seiten streitig machen wollen, da sie in der That zu dürftig ist, um zum Einwenden zu reizen; nicht nur dürftig in der Ausführung, sondern noch viel dürftiger in der Auffassung und gemein im Ausdruck. Fast in jeder Zeile beweist der Verf., daß seine Brust ein zu flaches Gefäß ist, um den tiefen Geist aufzufassen, an dessen Darstellung er sich gewagt.

Zum Beweise heben wir nur folgende Stelle heraus: „Zwar hat man nicht selten seiner Darstellung mehr Objectivität gewünscht, besonders in der Wahrheit und Haltung seiner Charaktere (?). Aber ihnen Einheit zu geben, lag weder in seinem Plane noch in dem Wesen seiner Poesie (?!); daher gleichen manche seiner Helden und Heldinnen, besonders die ernsthaften und rührenden, mehr bloß gedichteten als wirklichen Wesen (!!). Namentlich gilt dies von mehren Charakteren in seinem „Titan" (!). Wo sich überhaupt Einheit bei Jean Paul zeigt, erscheint sie nur als der äußere Rahmen seiner Empfindungen und Witzspiele (?!) u. s. w." Wir wüßten kaum, wie es möglich wäre, in einer so kurzen Stelle mehr Plattheiten, Verkehrtheiten und nichtssagende Phrasen zusammenzuhäufen. Auf eine Widerlegung kann sich daher Niemand einlassen, ohne Gefahr, sich lächerlich zu machen wie Dr. Zeune, als er in der Vorrede zu seiner Ausgabe des „Nibelungenliedes" mit größtem Ernst die Ansicht eines Schlesiers bekämpfte, der dieses großartige Heldengedicht für die allegorische Darstellung eines chemischen Processes hielt, in welchem Siegfried, wenn wir nicht irren, die Salzsäure repräsentirte. Wir wollen also nicht an Herrn Döring zum Don Quixote werden und etwa eine Windmühle für einen Riesen oder eine Herde Hammel für eine Ritterschar und ein Barbierbecken für einen Mambrinshelm halten. Er suche sich andere Gegner und Leser, die mit ihm streiten, ob Jean Paul Wahrheit und Haltung seiner Charaktere gehabt habe; Andere, die sich von ihm belehren lassen, was Objectivität, was Einheit u. s. w. sei; Andere, die mit ihm untersuchen, ob die Gestalten, welche der Genius der Dichtkunst schafft, wirkliche oder gedichtete sein sollen, obwol wir, ehrlich gestanden, nicht mehr recht wissen würden, was die Dichtkunst zu thun hätte, wenn sie ihre Gestalten nicht schaffen sollte. Doch wie gesagt, dazu suche Herr Döring sich andere Gegner, noch viel mehr aber zu einem andern Satze, in welchem er den großen entschlummerten Dichter in Schutz zu nehmen sucht (!!). Allbarmherzige Götter, warum legt ihr einen Drang nach Unsterblichkeit in unsere Brust, wenn das unser Loos werden kann! Nein, du Erhabener, der du die tiefsten Geheimnisse der Menschenbrust enthülltest und eine neue Sonne über deinem Jahrhundert standest, so wollen wir dich nicht entweihen! Es war genug, daß bei deinen Lebzeiten Dr. Merkel und Kotzebue deine Kritiker sein wollten; da du jetzt im Grabe liegst, so wollen wir dich wenigstens nicht gegen den Dr. Döring vertheidigen. Das thue dein unsichtbar umgehender, erhabener Geist, der mit luftumhülltem Götterspeer noch jetzt das Heiligthum der Wahrheit und Schönheit bewacht und beschirmt! *)

76.

Correspondenznachrichten.

Berlin, September 1833.

— — Was in den hiesigen geselligen Cirkeln über die hohen Freundschaftscongresse in Schwedt und Münchengrätz geschwatzt, geahnt, gehofft und gefürchtet worden ist, davon ward mir so dumm, als ging' mir ein Mühlrad im Kopf herum. Eine Grundstimmung ließ sich nicht daraus entnehmen; die einzelnen Tonleiter kennen und haben wir wol, aber unser Resonanzboden taugt nicht viel. Die öffentliche Meinung in Berlin ist ein dürftiges Wickelkind. Lösen wir nicht die Schnüre, von denen es zusammengepreßt wird, und lassen wir den neugeborenen Frischling in seinen Windeln, damit ihn sein Vater, der allmächtige Kronos, wieder verschlinge. Verschluckt er bei dieser Procedur Staub und Sand, so scheuert's ihm den Magen aus und ist noch nicht so unverdaulich wie der Stein, mit dem man ihn weiland betrog und anderwärts noch heutzutage betrügt!

Come what come may,
Time and the hour runs through the roughest day.

Und je schneller je besser, das langsame Absterben aller Interessen des innern und äußern Lebens ist verderblicher als jeder Taumel und jede Verirrung aus Thatenlust. Alles mit Allem zusammengenommen, so stehen wir allzumal am Endpunkt eines großen Abschnitts; die Krisis scheint dauernder als man wähnte, um so erschlaffender wirkt sie. Auch Philosophie, Poesie, alle Kunst, Musik vornehmlich, alle geistigen Interessen Deutschlands kommen mir so ausgeschöpft, so bis auf die Hefe geleert vor, daß ich mich gern einen Hypochonder schelten höre, um den Schein aufrecht zu halten, ich hätte Unrecht. Aber die Endfäden vom Ariadneknaul haben wir in der Hand; wir wissen nur noch nicht recht, sollen wir länger daran zerren und reißen, oder wieder aufwickeln und rückwärts gehen.

Man verzeihe diese sibyllinische Sprache; sie ist das misgerathene Kind unterdrückter Offenherzigkeit. Sollen wir die Dinge bei ihrem Namen nennen, so müssen wir uns auf einige Interlinearglossen beschränken. Wer eine vergleichende Anatomie anstellen wollte zwischen den Zusammenkünften in Schwedt und Münchengrätz, könnte Züge finden, die zur Charakteristik unsers Zeitalters interessant genug wären. Man lebte an der Oder und in Böhmen auf einem ganz verschiedenen Fuße miteinander, und nach der Art und Weise der persönlichen Berührungen muß sich das Esoterische der Verhandlungen modificirt haben. Schon die Ankunft des russischen Kaisers an beiden Orten und der Unterschied des Empfangs, der ihm zu Theil wurde, ist bezeichnend und charakteristisch. In Schwedt hält ein einzelner Wagen an dem Seitenflügel des Schlosses. Ein unbekannter Offizier in preußischer Uniform springt aus dem Schlage. Er gibt sich für den Adjutanten des Kaisers aus und verlangt Audienz. Von der Hoffnung getrieben, eine Courrierdepesche zu erhalten, steigt der König bereits die Treppe hinunter; auf den Stufen fliegen sich Beide in die Arme und sind alsbald von den jüngern Mitgliedern des königlichen Hauses umringt. So der Anfang der freundschaftlichen Familienidylle, die man im kleinen engen Schloß zu Schwedt in Scene setzte; wenige Tage waren beim Abwerfen alles Ceremoniellen hinreichend, um

*) Es wird nächstens über das Werk Spazier's über Jean Paul in d. Bl. gesprochen werden. D. Red.

sich ganz zu verstehen, und es bedurfte blos des erneuerten Handschlags, um die Sprache der Herzen harmonisch zu stimmen. Die sieben Tage in Böhmen glichen dagegen einem brillanten Schauspiel mit Chören und Tänzen. Hier gab es viel zu diplomatisiren, und zehn festliche Bücklinge mögen nicht so weit geführt haben als in Schwedt ein einziges trauliches Wort unter vier Augen. Der Kaiser ward in Böhmen auf der Grenze feierlich empfangen, hundertundein Kanonenschüsse bewillkommneten ihn mit Pomp. Alles ging großartig-ehrbar zu, und die zufällige Dummheit, daß die Schauspielergesellschaft aus Prag den hohen Personen das abgenutzte effectlose Drama: „Einer hilft dem Andern", vorspielte, hat man unbeachtet passiren lassen. In Schwedt hatten sich die Herrschaften am „Nante", dem Ideal der berliner Eckensteher, erlustigt. Die beiden Komiker, Rüthling vom königlichen, und Beckmann, der jetzige Lieblingsrepräsentant des berliner John Bull, vom königstädter Theater, waren herbeigeholt, um den hohen Ernst zu mildern. Ohne alle Unterstützung, ohne Decoration und Costum, ja, ohne vorbereitet zu sein, standen die beiden komischen Kerle plötzlich vor der erhabenen Gesellschaft und waren, in ihrem Nichts durchbohrendem Gefühle, ganz auf sich verwiesen. Das Frühstück mußten sie mit witzigen Complimenten würzen, bei der Mittagstafel spielten sie die Hofnarren, Abends verlangte man eine förmliche Vorstellung; nur Nachts gab man ihnen Zeit, auf neue Späßchen für den kommenden Tag zu sinnen. Beckmann soll im Improvisiren unerschöpflich gewesen sein. Besonders hat sein Witzwort gefallen, womit er vergleichungsweise über seine Ungeschicklichkeit sich Vorwürfe macht: „Die Russen", sagte er als Holzhauer Nante, „sind über den großen Balken gegangen, un haben sich nich den geringsten Splitter ingerissen — und ick Narr haue mir bei den lumpigen Ast in de Wade."

Unsere königstädter Bühne, die sich das Verdienst erwirbt, uns mit den neuesten Leistungen Donizetti's und Bellini's bekannt zu machen, hat sich gewissermaßen eine unsterbliche Krone aufgesetzt. Die Gegenwart der gastirenden Heinefetter wurde benutzt, um die Aufführung einer Rossini'schen Oper in italienischer Sprache möglich zu machen. So haben wir die „Semiramide, opera seria in due atti" in einer Vollkommenheit und Trefflichkeit der Darstellung gehört, die in den Annalen unserer Theaterwelt angemerkt zu werden verdient. Ein glänzendes neues Costum, brillante neue Decorationen, nichts hat die Direction der Bühne gescheut, um dem königlichen Theater den Rang auch in dieser Hinsicht abzugewinnen. Dem. Hähnel bewährte sich als Schülerin Salieri's und entzückte als Arsace durch die stürmische Kraft und die weiche Fülle ihres Organs, das sich in den südlichen Lauten ganz heimisch erwies und in den Schmeicheltönen der wälschen Zunge doppelt schön modulirte. Ihre Stimme scheint unzerstörbar; wir erinnern uns nicht, sie überhaupt jemals angegriffen und heiser gefunden zu haben; selbst die Heinefetter, die mit bedeutenden Naturgaben ausgestattet ist, muß neben ihr ökonomisiren mit ihrer Kraft, um in den Hauptmomenten ihr das Gleichgewicht zu halten. Dagegen ist die berechnete Kunst, die den Vortrag der Heinefetter auszeichnet, nicht minder erfreulich. Die Chöre hatten sich in Gegenwart eines Professors der italienischen Sprache vielfach eingeübt, sodaß sie mäßigen Anfoderungen genügten. Der divin maestro war uns aber in seiner Eigenthümlichkeit früher nie so als eine ganze, volle Person erschienen, weil wir seine Töne bisher nur im deutschen Vortrage hörten. Was man als Incorrectheit des Satzes an ihm getadelt, galt uns immer nur als geniale Licenz, die im liebenswürdigsten Uebermuth der Schulformen spottet; allein die Bizarrerie seiner Coups, die sich bei seiner spielenden Koketterie nicht verleugnen läßt, verschmilzt in dem Athem der italienischen Hauche weit milder, ungesuchter und naiver. Wie eine spiegelglatte Schlange beschleicht der Zauber seiner verführerischen Töne unser Ohr,

Dem Weste gleich,
Der auf ein Veilchenbette lieblich haucht,
Und Düfte stiehlt und gibt!

Und was die „Semiramide" an sich betrifft, so hat sich Rossini hier vielleicht am meisten der weichen Schwelgerei der Gefühle ergeben, weil der Stoff an Situationen dazu ergiebig war. Die üppige Heldin Asiens, die unwissenderweise, aber mit aller Glut der Empfindung den Sohn sich zum Gemahl erwählt, die sich mit dem Blute des Ninus befleckte, um der Genußsucht freien Spielraum zu eröffnen, Semiramis ist recht eigentlich Rossini's Heldin und Musagetin selbst. Wo Gluck und Mozart die entfesselten Furien völlig toben ließen, um die Grauen der verworrenen Leidenschaft zu schildern, da flöten bei Rossini noch Wollusttöne hindurch und beschwichtigen das Geschrei der Eumeniden; noch in den Schauern des Todes und in der Nacht des Untergangs flüstern Schmeichelstimmen und predigen die Lust der Sünde; wie eine Bacchantin tobt und schmiegt sich der Takt durch die ganze Oper, Genuß suchend und Genuß spendend. Ja — man entschuldige das Bild — Rossini selbst erschien uns oft schon wie eine schöne Hetäre, die verschwenderisch mit ihren Reizen, allzu leicht und schnell ihr Alles preisgibt, im Momente des Rausches die lange Kette des Lebens wegspottet und den mahnenden ernsten Ruf des Himmels sammt allen Schauern der Hölle im Genuß des Augenblicks übertäubt und begräbt.

In tal momento
Scorda il mio core
Tutto il rigore
Di sua terribile
Fatalità.

In diesen Worten und Tönen, mit denen Semiramide und Arsace, Mutter und Sohn, sich harmonisch berühren und versöhnen, liegt das Geheimniß der Zaubermacht, die Rossini über die Gemüther einer ganzen Welt ausübt.

Auf den Beginn des October ist im hiesigen Vergnügungsorte Tivoli vor dem hallischen Thore ein Weinfest angekündigt, wozu das gedruckte Programm Herrlichkeiten in Menge verheißt. Sollen wir einmal im Schoos des Friedens und im Vergessen tieferer Interessen des Daseins verweichlichen, so sorge ein wohlweisliches Geschick auch für Ergötzlichkeiten unter der Masse des Volks! Gebt panem et circenses — und ihr seid Herrscher der Welt. Was der Anschlagezettel zum Weinfest verheißt, streift mitunter an's Wunderbare; es heißt z. B.: „Man wird eine Flasche Wein für 5 Sgl. ab trinken können." Zu solcher Enormität bringt's allein der Berliner, und es wird dabei „enorm reell" bedient! Das mag hier allerdings zu dem Geheimdienst des Bacchusfestes gehören. Noch genießen wir den Herbst und seine Freuden; für den Winter wird wol auch Euterpe vielfach bei uns verkehren müssen. Unter dem Namen „Iris" wird sich ein musikalischer Verein zusammenfinden, in welchem junge Componisten ihre Erstlinge zur Aufführung bringen können. In der ersten Hälfte des September feierte die hiesige Singakademie den Todestag Bernhard Klein's, der am 9. vorigen Jahres hieselbst starb, durch eine treffliche Aufführung seines „Magnificat". Seine beiden großen Oratorien: „Jephta" und „David", hatte der Verstorbene auf eigne Kosten publiciren wollen; ob aber der bereits angefangene Stich der Partituren fortgesetzt wird, mag die Frage sein.

Von den architektonischen Denkmälern der Altmark, mit Text vom Redacteur des „Kunstblatts", Dr. Fr. Kugler, ist das zweite Heft erschienen, welches kirchliche Alterthümer der Städte Stendal und Tangermünde enthält. Das ganze Werk soll vier Hefte umfassen.

In der hiesigen Buchhandlung Mittler ist vom praktischen Arzte Balz eine Schrift mit folgendem pomphaften Titel herausgekommen: „Die phantastische und besonders die lebensgefährliche Seite der homöopathischen Theorie und Curmethode, nach medicinisch-moralischen Grundsätzen und von natur-, menschen- und staatsrechtlichen Gesichtspunkten aus betrachtet."

Parturiunt montes, nascetur ridiculus mus.

Blätter
für
literarische Unterhaltung.

Sonntag, —— Nr. 293. —— 20. October 1833.

Etwas über die neuesten Volksfeste in Süddeutschland, besonders in Baiern.

(Beschluß aus Nr. 292.)

Worüber man sich aber billig verwundern sollte, ist, daß man bei diesen Festen die lieben Kinder so ganz aus dem Spiel gelassen, sogar in Nürnberg, wo doch seine Chronik so bestimmt noch jene Feste beschreibt, wo die geschmückten Knaben gleichsam eine Engelgarde der anwesenden Fürsten gebildet, die frohlockenden und kecken Steckenreiter aber unter den Fenstern des Piccolomini 1650 ein fröhliches Getümmel erregt, wovon man noch die anmuthigen kleinen vergoldeten Silbermünzen findet. (S. Will's „Nürnb. Münzbelustigungen", Th. 1, S. 353.) War doch auch bei den olympischen Spielen ausdrücklich ein Tag den Knabenkämpfen vorbehalten. Der Zauber und die Lebendigkeit, welche durch solche Geniusgestalten und Cherubimsköpfe über die sonst allzu ernsten Züge im Freien und dann auch in den Sälen selbst ausgegossen werden kann, ist unbeschreiblich und vortrefflich auch schon benutzt von Denen, welche in den Prachtaufzügen des „Oberon" zu Wien diese kleine liebliche Welt gleichsam in alle Wolken haben flattern lassen.

Noch haben wir Einiges auf dem Herzen: über das gegebene Turnier, namentlich zu Bamberg, und die mitziehenden Ritter und Herolde in Nürnberg; über die Schauspiele im Freien an beiden Orten, und über die Zunftaufzüge im mittelalterlichen Costum. Die Zeit der Turniere ist Gott Lob vorbei; das Ding hat sein Ende genommen, nachdem man das Unbrauchbare und Lächerliche dieser Bewaffnung im Vergleich mit der jetzigen zur Anschauung bekommen. Die kleinste Wirthshauspatrouille heutzutage, mit offener Brust und freiem Arm, hat mehr Gefahr zu bestehen als weiland ein solcher in Blech eingenagelter und mit Schrauben und Riegeln fest genieteter Eisenritter auf einem ganzen Kreuzzug. Was hat da im Grunde viel Muth dazu gehört, mit solchen Eisenklötzen, die heutzutage jeder muthwillige Gassenjunge mit Schlingen an ihren Sporen fangen und niederreißen könnte, sich in leeren Luftstreichen zu messen. Cervantes hat diesen irrenden Rittern durch seinen Spott den letzten Streich versetzt; aber es bedürfte noch eines zweiten Spottgeistes, der auch noch den Spuk dieser Theaterturniere vertriebe. Diese hohlen Eisenrüstungen, wenn sie sich dem Auge noch in alten Sälen unfreundlich aufdringen, erscheinen demselben als die Riesenverpuppung eines alten Lindwurms, der aus ihnen ausgekrochen, aber von den Sonnenadlern einer jüngern und schönern Zeit aufgepickt und gefressen worden ist. Am wenigsten sollte es aber den Bürgern der jetzt freien Städte zugemuthet werden, nachdem sie sonst überall dem Raub- und Raufgeist solcher Ritter feindlich entgegengestanden und diese vielmehr überall mit dem Schwert ihrer Rache und Züchtigung, wie z. B. den Ritter Eppelein von Gallen u. A. m., ausgejagt, sich nun auf einmal selber in eine solche eiserne Unholdshaut stecken oder diese Gespenster des alten Unsegens und der Faustgewalt in den vordersten Reihen ausstellen zu lassen. Die Türken, wie uns Herr von Hammer erzählt, mischen zwar bei ihren Festen auch noch Turnierritter ein, aber nur als ergötzlichen Spaß, durch Juden vorgestellt, um durch ihre schlechte Reiterei und furchtsamen Grimassen das allen Volksfesten so nöthige Salz des fröhlichen Lachens auszustreuen.

Ganz verunglückt gewiß war die Wahl der im Freien gegebenen Heldenstücke in Bamberg, die Eroberung und Brandschatzung der Stadt Landshut durch den Schwedenkönig Gustav Adolf, ein Panoram der Demüthigung, welche einem ganzen Volke, auch unschuldig damit betroffen, niemals eine Festfreude bieten könnte, am allerwenigsten aber einer katholischen Priesterstadt, deren Bischof als Schwedenfeind hauptsächlich als ein Mitgezüchtigter dabei erscheinen mußte. Hätte man doch lieber die alte Babenburg zum Gegenstand genommen, als der unglückliche Markgraf Adalbert daraus seinen Abzug nahm; oder lag die Schwierigkeit etwa darin, daß sich Niemand für die Rolle des Erzbischofs Hatto gefunden hätte? oder hätte man Scenen aus dem Leben des Bischofs Otto I. vorgestellt, wie er als Heidenbekehrer nach Pommern zieht, wobei man bairische Große und Prälaten aus den von Otto daselbst gestifteten Klöstern in Menge hätte auftreten lassen können; oder den Kaiser Heinrich II. beim Einweihungsfest des Doms, oder der Kaiserin Kunigunde bestandene Feuerprobe, oder wenn alle Stricke reißen wollten, lieber noch den Pontius Pilatus als einen bamberger Landsmann und ein forchheimer Kind nach dem berühmten Reim: „Forchhemii natus est Pontius ille Pilatus". Ebenso ermangelt das nürnberger Schaustück, des jüngern Kurfürsten Maximilian Emanuel von Baiern angebliche erste Heldenthat, die Entsetzung Wiens, erstens alles poetischen Werthes, dann der Wahrheit und endlich aller Beziehung auf Nürnberg. Denn jedes Schulkind weiß es ja besser, daß Wien nicht von einem bairischen Fürsten, sondern von dem König Johann Sobieski von Polen und, wenn außer ihm irgend noch von Einem, von dem Herzog Karl von Lothringen entsetzt oder gerettet worden ist. Warum ist man dieser Armuth und Leerheit der Erfindung nicht aus dem Reichthum der eignen nürnberger Geschichte zu Hülfe gekommen? z. B. mit dem Jahre 1187, wie griechische und türkische Gesandte in Nürnberg ihren Einzug hielten und dem Kaiser Friedrich Freundschaft und Sicherheit für den vorbereiteten Kreuzzug schwuren? und welcher reiche Stoff dabei zu griechischen Decorationen und Anspielungen! oder aus dem Jahr 1422, wo vor allen Großen des Reichs die Kriegsfahne gegen die Hussiten aufgepflanzt und in der Sebaldskirche geweiht wurde? oder Kaiser Wenzel's Hoflager in der Feste zu Nürnberg aus den Jahren 1376, 1378, 1379, 1381, 1382, 1383, 1386, 1387, 1390, 1391, wo sich besonders aus dem Jahre 1387 die merkwürdigsten und wunderlichsten Scenen, besonders für Nürnberg selbst, in Walter Scott'scher Art hätten herausheben lassen. Auch wünschten wir, daß bei wiederholten glücklichern Versuchen griechische Chöre eingelegt und von den nun bestehenden tüchtigen Liedertafeln ausgeführt würden. Manches endlich hätten wir gegen den Aufzug der Zünfte zu erinnern in vermeintlichem mittelalterlichen Costume und unter vorausgetragenen katholischen Heiligenbildern, die bisher in dieser protestantischen Gewerbstadt längst auf die alten Kirchenböden verwiesen gewesen und dem Ganzen allerdings ein verzerrtes Ansehen gaben. Warum soll denn Alles immer nur auf die steifen und spitzeckigen Gestalten des Mittelalters zurückgeführt werden? Unsere Künste und Gewerbe stehen wahrhaftig im Vergleich mit dem Mittelalter auf einer ganz andern Höhe, besonders des Geschmacks, und verdienten daher auch einen solchen Ehrenrock, der zu der schönern neuern Sitte paßt und nicht vollends gar an die alten Lappen der Leibeigenschaft, der Pfahlbürgerschaft oder einer Pfaffenbrüderschaft erinnert. Soll das besonders Schöne immer nur darin liegen, daß man seine Bilder über 500 und mehr Jahre hinaus aus den Zeiten der volksthümlichen Kindheit sucht, so hätten in derselben Art die Zeitgenossen des Mittelalters sich mit ihrer Poesie und ihren Nachahmungen in die Finsterniß der altdeutschen Wälder und unter die Hütten der Menschenfresser flüchten müssen; und wohin soll uns dann zuletzt auch über diese hinaus eine solche Alterthümelei noch weiter führen? Das Merkwürdigste bleibt aber dieses, daß am Ende alles sogenannte Altdeutsche, besonders die verrufene altdeutsche Kleidung, burgundisch-französisch, das Mittelalterliche aber fast durchaus türkisch ist, nachdem zur Zeit der Kreuzzüge, der Pilgerfahrten und der Handelskarawanen die Moden nicht aus Paris geholt wurden, sondern aus dem byzantinischen, aber türkisch gewordenen Stambul, aus Bagdad und Kairo, sowie auch unsere meiste Wissenschaft aus den himmlischen Gärten der Khalifen von Corduba; und wir können uns, was besonders die Zünfte, ihre Aufzüge, Sinnbilder und Schutzheiligen betrifft, ganz getrost auf das gewichtige Zeugniß des Herrn von Hammer berufen, Th. V, S. 194, wo es heißt: „Die Einrichtung der Zünfte schreibt sich aus der Blütenzeit des Khalifats her, wo die Idee einer religiösen Verbrüderung von den (türkischen) Mönchsorden auf die Innungen übertragen und durch die Sage bis zum Propheten und seine ersten Gefährten und Nachfolger hinaufgeleitet wurde. Jede Zunft hatte einen Propheten oder Heiligen zum Patron, und das Schurzfell von der weißseidenen Schürze, welche Gabriel dem Propheten in der nächtlichen Reise durch die sieben Himmel verehrte, ist den Zünften und Innungen ein so heiliges Symbol des Vereins als den Brüderschaften der Rosenkranz und Teppich zur Ausbreitung beim Lesen des Korans." Selbst das Wort Zunft ist arabisch, Sainf. Wo die türkischen Kaiser aus- oder einzogen, auch bei allen Festen, mußten diese Zünfte sich mit im Gefolge bewegen; 600 Zünfte begleiteten im Jahr 1635 den Kaiser Murad bei seinem Auszug nach Erzerum. Was könnten sich aber unter unsern nürnberger Zünften oder Innungen die Schuhmacher für einen würdigern Patron wählen als künftighin den Hans Sachs, die Blecharbeiter einen Grübel, die Künstler einen Albrecht Dürer, einen Peter Vischer u. dgl., die Tuchmacher einen Mendel, die Buchdrucker einen Koburger u. s. w. Der römische Feldherr und Besieger Macedoniens, Aemilius Paulus, pflegte zu sagen: es sei die Aufgabe für denselben höhern Geist, eine Schlacht anzuordnen oder ein Festmahl. Unsere Bemerkungen mögen also den Wunsch ausdrücken, daß sich diese Festtaktik als eine Schwesterkunst der Helden auf den höchsten Punkt in ihrer poetischen Höhe unter uns baldigst erheben möge! 35.

Das Königreich Böhmen; statistisch-topographisch dargestellt von Johann Gottfried Sommer. Erster Band. Auch unter dem Titel: Böhmen. Leitmeritzer Kreis. Prag, Calve. 1833. Gr. 8. 2 Thlr. 4 Gr.

Wer weiß, wie sehr schwierig es ist, topographische und statistische Unterlagen über ein Land, das zur Zeit noch so gering gekannt ist als Böhmen, herbeizuschaffen, der kann es dem Verf. nicht genugsam Dank wissen, sich einer so mühevollen Arbeit unterzogen zu haben. Das Ganze ist mit einer ausgezeichneten Vollständigkeit bearbeitet und mit durchgehends bisher öffentlich ungekannten statistischen Angaben bereichert worden, sodaß man sagen kann, es gehe Einem durch dieses Werk über Böhmen eine neue Entdeckung auf. Das industriöse Leben im Innern dieses Staats ist auf diese Weise, wie wir hier Nachricht erhalten, vorher von dem Ausländer nicht geahnt worden, wodurch denn auch Regierung und Volk das gehörige Licht aufgesteckt wird. Gehen wir jedoch jetzt in die einzelnen Abschnitte des Buchs selbst ein.

Schon einige Jahre vor dem Erscheinen von [illegible]'s statistischer „Topographie des Königreichs Böhmen", hatte Joseph Eichler, k. k. Gymnasialprofessor zu Prag, ebenfalls den Entschluß gefaßt, eine vollständige Topographie von Böhmen zu bearbeiten. Eine Reihe von Fragen, die er in dieser Absicht entworfen, wurde durch die hochansehnliche Gesellschaft des k.

böhmischen Museums dem Landespräsidium überreicht und von diesem durch die Kreisämter und Consistorien den Oberbeamten der Domainen und den Geistlichen mit dem Auftrage zugestellt, dieselben möglichst vollständig zu beantworten. Das auf diese Weise gesammelte Materiale wurde zwar von Professor Eichler mit einem vierjährigen Aufwande von Fleiß durchgesehen und verglichen, Vieles auch den Localbehörden neuerdings zur Berichtigung oder Vervollständigung zurückgesandt, konnte aber, da seine Thätigkeit durch eine langwierige Krankheit unterbrochen wurde, nicht verarbeitet werden. Um daher das Gesammelte nicht veralten zu lassen, machte der Verwaltungsausschuß des vaterländischen Museums dem Verf. im Sommer 1831 das Anerbieten, ihm sämmtliche auf dem oben bezeichneten Wege eingegangenen Fragebeantwortungen zu überlassen, wenn er sich zur Bearbeitung einer neuen statistisch-topographischen Beschreibung Böhmens entschließen wollte. Dies die erste Entstehung des Werkes. Ueber Das, was der Verf. nun hier bietet, drückt sich derselbe folgendermaßen aus: „Wenn es mir gelungen sein sollte, den Anfoderungen, die das sachkundige Publicum an eine Arbeit wie die vorliegende zu machen berechtigt ist, einigermaßen Gnüge zu leisten, so muß ich einen nicht geringen Theil dieses Gelingens jenem Eifer zuschreiben, mit welchem Se. Excellenz der Oberste Burggraf, Graf von Chotek, sich für die möglichst schnelle Herbeischaffung alles Dessen, was mir nur immer wünschenswerth sein konnte, zu interessiren geruht haben. Auch dem k. k. Kreishauptmann zu Leitmeritz, Herrn Ritter von Blumencron, bin ich hochverpflichtet für die Mühwaltung, welcher er sich in Ansehung der später von den Localbehörden verlangten Auskünfte unterzogen hat. Manche einzelne schätzbare Notiz verdanke ich Sr. Excellenz dem hochverehrten Präsidenten des vaterländischen Museums, Herrn Grafen Kaspar von Sternberg, dem Geschäftsleiter des Museums, Hrn. Prof. Steinmann, wie nicht minder dem Herrn Prof. Millauer und dem Herrn Gubernial- und Commerzienrath Neumann." Als treuer Gehülfe stand dem Verf. Herr Zippe, Custos der mineralogischen Sammlung und außerordentlicher Professor der Mineralogie am technischen Institute, zur Seite.

Der eigentliche Text des Werkes beginnt mit einer allgemeinen Uebersicht der physikalischen und statistischen Verhältnisse des leitmeritzer Kreises; eine treffliche Abhandlung, die Alles, was man früher von diesem Staatstheile kannte, weit hinter sich läßt und eine Menge statistischer Originalangaben enthält. Bei der Schilderung der einzelnen Liegenschaften geht der Verf. von der Kreisstadt Leitmeritz aus, schildert ihre Lage, zählt die Eigenthümlichkeiten des Orts auf und macht auf einige merkwürdige Gegenstände besonders aufmerksam. Die Hauptnahrungsquellen des Orts sind die gewöhnlichen städtischen Gewerbe. Die Geschichte der Stadt (S. 15) ist eine sehr preiswürdige Zugabe. Das Gut Koblitz ist ein Dominium der Stadt. Der Verf. gibt nun die Details der Festung und Freistadt Theresienstadt, gelegen eine halbe Stunde oberhalb der Mündung der Eger in die Elbe. Hierauf folgt das topographisch-statistische Detail mehrerer Allodial- und Fideicommißherrschaften und Güter, die hier anzuführen, geschweige die Specialien, deren Erwähnung geschieht, der Raum nicht gestattet; auch aller einzelnen Ortschaften und ihrer Häuser- und Bewohnerzahl ist umständlich gedacht worden. Hierbei muß denn auch erwähnt werden, daß nicht allein sämmtliche Herrschaftsbesitzer namentlich aufgeführt sich befinden, sondern daß auch der Anfall an diese Besitzer so weit als möglich zurück geschichtlich nachgewiesen wird.

Bei einem an bedeutenden Domanialbesitzungen reichen Länderstrich, wie Böhmens leitmeritzer Kreis, treten die einzelnen kleinern Landstädte ganz in Hintergrund, und es ist leider ein Gebrechen der gewöhnlichen geographischen Handbücher, die Stadtgerichtsbarkeit so über alle Gebühr herauszuheben, daß die Herrschaft und der Herrschaftssitz dabei außer Betracht kommt. Diesem Fehler ist denn im vorliegenden Werke sehr zweckmäßig vermieden und alle Liegenschaften sind in Rücksicht ihrer Wichtigkeit rangirt und berücksichtigt worden.

Als summarisches Resultat des Einwohnerverhältnisses des leitmeritzer Kreises ergibt sich Folgendes: Die Bevölkerung des Kreises beträgt nach der Volkszählung vom Jahre 1831: 350,662 Seelen, wovon das männliche Geschlecht 165,329 und das weibliche 185,333 ausmacht. Von dem erstern sind 377 Geistliche, 120 Adelige, 834 Beamte und Honoratioren und 9914 Bauern. Diese gesammte Bevölkerung wohnt in 30 Städten, worunter 2 königl. Städte und 1 Festung, 6 Vorstädten, welche besondere Gemeinden bilden, 13 Märkten und 936 Dörfern. Die Anzahl der Wohnhäuser dieser gesammten Wohnplätze ist 56,156. Gegen die Volkszahl vom Jahre 1789 ergibt sich eine Vermehrung von 75,065 Seelen und 8256 Häusern. Nach einem zehnjährigen Durchschnitte von 1821—30 kommen auf ein Jahr 12,153 Geburten und 8931 Sterbefälle, mithin jährlicher Zuwachs der Bevölkerung 2222 Seelen. Diese im Verhältniß zum Flächeninhalte sehr dichte Bevölkerung (es kommen auf eine geographische Quadratmeile 5099 Menschen) ist jedoch keineswegs sehr gleichförmig vertheilt. Die verschiedene Dichtheit hängt von der Beschäftigung und den Nahrungsquellen der Einwohner ab; es ist daher im südlichen Theile des Kreises und in den ebenern Gegenden, wo Landbau die einzige oder vorherrschende Beschäftigung der Einwohner ist, das gewöhnliche Verhältniß der Volksmenge zur Area höchstens 4000: 1; in dem mittlern gebirgigen Theile des Kreises, wo viele Gewerbe neben dem Landbaue getrieben werden, ist die Bevölkerung viel dichter, und am dichtesten ist sie im nördlichen Theile des Kreises auf den Dominien Hainspach, Schluckenau und Rumburg; es findet sich da eine so starke Bevölkerung, welche Erstaunen erregt, im Betracht daß nur sehr wenig Städte und nur eine darunter mit 3400 Einwohnern vorhanden sind; es kommen da auf eine Quadratmeile 17,000 Einwohner, eine Stärke der Bevölkerung, welche unter solchen Verhältnissen nirgends in Europa, selbst auf der Insel Malta nicht, wo zwar (mit Gozzo und Comino) 15,000 Menschen auf die Quadratmeile kommen, aber Städte von 40,000 und 6000 Einwohnern (La Valette und Malta) mitgerechnet sind, ihres Gleichen haben dürfte. In dieser niedern Gebirgsgegend, wo der Grund und Boden, überhaupt von geringer Ertragsfähigkeit und in kleine Haushaltungen vertheilt, nur ein Weniges der nothwendigsten Bedürfnisse hervorbringt, und nur eine geringe Anzahl größerer Besitzungen vorhanden sind, welche den Eigenthümer als Landwirth ernähren, sind Gewerbe und Handel die vorzüglichste Nahrungsquelle. 201.

Kleine Erzählungen des alten Pfarrers von Mainau. Ein Buch zur Unterhaltung der Jugend. Nebst einem Vorworte für erwachsene Leser herausgegeben von Friedrich Jacobs. Leipzig, Dyck. 1833. 8. 1 Thlr. 12 Gr.

Seit einer Reihe von Jahren ist die deutsche Lesewelt gewohnt, neben andern schätzbaren Gaben aus der Hand des Hrn. Jacobs auch Schriften zu erhalten, welche den Namen des „Pfarrers von Mainau" als den ihres Verf. an der Stirne tragen. So erschienen die „Feierabende in Mainau" und die „Aehrenlese aus dem Tagebuche des Pfarrers zu Mainau". Es hat nun dem hochverdienten Verf. gefallen, noch einmal diese Maske vorzunehmen und unter ihr in die heitern Räume der Jugend- und Kinderwelt hinabzusteigen, wie er vor vielen Jahren in seinem „Alwin und Theodor" gethan hat, womit er die Reihe seiner deutschen Schriften eröffnete. Was seit jener Zeit und auch vor derselben von Fr. Jacobs in philologischer Hinsicht Großes und Treffliches ausgegangen ist, kennt und schätzt die Welt *); aber nicht minder sind seine deutschen Schriften durch Tiefe und Klarheit der

*) Seiner Uebersetzung Demosthenischer Reden ist erst kürzlich in Nr. 160 u. 161 d. Bl. gedacht worden.

Gedanken, Innigkeit des Gefühls, Reinheit und Frömmigkeit der Gesinnung, Natürlichkeit der Erfindung sowie durch die Eleganz, die Frische und den Glanz der Darstellung in die Classe der ausgezeichnetsten schriftstellerischen Erzeugnisse unserer Literatur getreten. Man kann in der That der deutschen Jugend heutzutage wenige Bücher mit so voller Ueberzeugung, daß in ihnen Belehrung und Unterhaltung vereinigt sei, in die Hände geben als die Schriften dieses mit einer so reinen Liebe zur Jugend erfüllten Schriftstellers. In allen Lesebibliotheken oder sonstigen Anstalten zur Beförderung eines guten Geschmacks verdienen sie einen Ehrenplatz, mehr noch als manche gerühmte Schrift oder Novelle, die das jugendliche Gemüth eher verwirrt als kräftigt, eher aufreizt als beruhigt.

Zu jener Art von Schriften gehören auch die vorliegenden Erzählungen, die Erzeugnisse einer heitern und edeln Muße. Sie sind zur Unterhaltung der Jugend bestimmt, aber auch ältere Leser werden bei der gemüthlichen Darstellung, bei der anmuthigen Einkleidung moralischer Lehren und Grundsätze und bei dem Reize der Naturschilderungen nicht ohne Genuß verweilen. Die Aufsätze zerfallen in solche, in denen die Erzählung selbst die Hauptsache ist, und in solche, in denen die Geschichte nur zur Einkleidung dient. Zur erstern Art gehören Nr. 1, 4, 5, 6, 7, 9, 10, 15, 17, 18, zur zweiten Nr. 2, 3, 8, 11, 12, 13, 16, in denen bald Betrachtungen und Reflexionen im Gewande der Erzählung, bald einzelne Charakterzüge, bald Erörterungen über einzelne menschliche Zustände miteinander abwechseln. Auch das Historische ist nicht ganz leer ausgegangen; der Aufsatz Nr. 16: „Max Joseph“, ist ein interessanter Beitrag zur Beehrung des wohlwollenden Fürsten, den der Verf. einst seinen Landesherrn nannte. Die Erzählung Nr. 17: „Ottmar“, schildert das Gefährliche und Unerlaubte verbotener Gesellschaften und enthält manches wahre Wort zur Beherzigung jüngerer Zeitgenossen.

Hoffentlich werden pädagogische Zeitschriften und Schulzeitungen demnächst ausführlicher auseinandersetzen, wie solche Erzählungen und Aufsätze für die Jugend bildender sind als Märchensammlungen, mystische Gebetbücher und spielende Kinderschriften, an denen jetzt leider kein Mangel ist. Nomina sunt odiosa. Wir wenden uns noch zum Schlusse zu dem Vorworte, in welchem Hr. Jacobs Das, was er selbst über Gegenstände der laufenden Zeit im Stillen denkt, dem alten Pfarrer von Mainau in den Mund gelegt hat. Religion und Erziehung der Jugend sind vorzugsweise diese Gegenstände. Schon aus dem ersten und dritten Bande der „Vermischten Schriften“ ist bekannt, wie gern unser Verf. in das Gebiet der Theologie hinüberstreift, und mit welch regem Interesse er die Erscheinungen auf demselben verfolgt. Hier gedenkt er von Neuem derselben. Sein alter Pfarrer setzt auseinander, wie Lehre und Leben bei einem Geistlichen Eins sein müsse, wie dem Lehrer vor Allem das Vertrauen seiner Gemeinde nothwendig sei, und wie das Wort der Lehre keinen Eingang finden kann, wenn ihm nicht der Glaube des Hörenden an den Lehrer den Weg bahnt. „Der Glaube an den Lehrer“, heißt es S. 9, „ist die Frucht der Achtung und Liebe zu ihm. Die Blume wendet sich nach dem Lichte und das Herz des Menschen dahin, wo es Liebe findet.“ Weiter spricht derselbe über die subtilen Streitfragen in der Theologie und tadelt die Prediger, welche davon auf der Kanzel oder in andern Verhältnissen zu ihrer Gemeinde Gebrauch machen oder sonst wol Einheit des Glaubens und der religiösen Ueberzeugung durch Gewalt und Willkür zu erzwingen suchen. Sehr schön ist, was im Folgenden über eine edle Mystik und die Einwirkung der göttlichen Kraft auf das moralische Leben des Menschen gesagt ist, dann über die Ausartung der Liebe zur Freiheit in einen Hang zur Ungebundenheit und zur Auflehnung gegen das Gesetz (S. 21—24), sowie über die Verdammungslust jener freisinnigen Partei, die jeden Glauben verklagt und verurtheilt, der nicht grade der ihrige ist, und Jeden, der sich im Herzen religiöses Gefühl bewahrt hat, einen Betbruder oder Pietisten schilt. Endlich spricht Hr. Jacobs über den Volksunterricht und über die Theilnahme des Geistlichen an demselben, wobei er andere pädagogische Betrachtungen, namentlich über die Aufgabe, in der Behandlung und Richtung des Muthes der Knaben das rechte Maß zu finden, anstellt. „Wenn ein Knabe“, sagt er S. 31, „muthige Gesinnungen zeigt, so hüpft der Mutter vor Freude das Herz in der Brust; wenn aber die Gesinnung zur That werden will, erblaßt sie vor Angst und wehrt aus allen Kräften ab.“ Das Verkehrte einer solchen Ansicht ist sehr psychologisch entwickelt, aber auch die Verwahrungsmittel dagegen sind angegeben. Den Schluß des Vorworts macht die Beschreibung einer Abschiedsscene im Pfarrhause zu Mainau. Wer sie liest, wird es wahrlich nicht bereuen, mit Hrn. Jacobs in demselben eingekehrt zu sein.

Schließlich kann Ref. die Bemerkung und den Wunsch nicht unterdrücken, daß es dem geschätzten Herausgeber der darmstädter „Kirchenzeitung“ doch gefallen möge, eine ausführlichere Nachricht über die in dieser und in andern Schriften des Hrn. Jacobs enthaltenen theologischen Ansichten, Meinungen und Bedenken zu geben, wo möglich auch Auszüge aus denselben. Denn wir haben oft Gelegenheit gehabt, zu bemerken, daß die Bekanntschaft mit diesen Schriften sich nur bei einem kleinen Theile des geistlichen Standes findet. 39.

Aphorismen.

Fouché.

Als Fouché Gouverneur von Illyrien war, sich aber für seine Person um Napoleon damals bei Görlitz befand, hatte er den Literaten Nodier in Triest zurückgelassen, um daselbst das Gouvernementsjournal zu redigiren. Eines Morgens empfängt Nodier daselbst eine Depesche von Fouché aus Görlitz, in welcher ihm die schwersten Vorwürfe gemacht werden, mit den Bourbons in Verbindung zu stehen, die Feinde des Kaisers nach allen Kräften zu begünstigen u. s. w. Er solle sofort von der Redaction des Journals abstehen und dieselbe einem bezeichneten Dritten übergeben. Nodier, im Gefühle seiner Unschuld außer sich, nimmt sogleich die Post und eilt von Triest nach Görlitz, wo er Fouché noch findet, der ihn unbeschreiblich freundlich aufnimmt. Er will seine Rechtfertigung anheben. „Schweigen Sie“, erwiderte ihm dieser, „zwei Stunden nach ihrer Abreise aus Triest sind die Engländer unvermuthet daselbst eingerückt; und ich wollte Sie für den Fall, daß Sie nicht mehr hätten entkommen können, diesen gegenüber durch meine Depesche sicherstellen.“

Die Charte.

Einer der alliirten Monarchen, welche sich im J. 1814 zu Paris befanden, hörte nicht auf, in Ludwig XVIII. zu dringen, daß er die Charte nicht geben solle, „avec laquelle il n'aurait pas plus de puissance qu'un bourgmestre“. „Monsieur, mon frère,“ erwiderte Ludwig XVIII., „je compte toujours garder cette charte; avec elle ma puissance s'augmente de toute celle que j'abandonne à mes sujets, tandis que j'ai peur de voir, aujourd'hui ou demain, rogner la vôtre par messieurs les étudians de vos universités.“

Audiatur et altera pars.

Mirabeau's Worte an Ludwig XVI. Ceremonienmeister, den Marquis von Dreux-Brézé: „Nous sommes assemblés ici par la volonté du peuple, et nous n'en sortirons que par la force des baïonettes!“ sind bekannt genug. Weniger ist es die rasche Antwort des Marquis. „Monsieur“, erwiderte er dem vorlauten Deputirten, „je ne puis reconnaître en vous que le député du baillage d'Aix, et nullement l'organe de l'assemblée.“ Man muß auch sie würdigen; denn in der That die Versammlung würde Mirabeau damals nicht zum Wortführer gewählt haben. 178.

Redigirt unter Verantwortlichkeit der Verlagshandlung: F. A. Brockhaus in Leipzig.

Blätter für literarische Unterhaltung.

Montag, —— Nr. 294. —— 21. October 1833.

Geschichtliche Darstellung der Eigenthumsverhältnisse an Wald und Jagd in Deutschland, von den ältesten Zeiten bis zur Ausbildung der Landeshoheit. Ein Versuch von Christian Ludwig Stieglitz. Leipzig, Brockhaus. 1832. Gr. 8. 1 Thlr. 18 Gr.

Bestimmung und Zweck dieser, auf unerschütterliche Grundlagen gestützten Untersuchung, welche stimmberechtigten Rathgebern größerer oder kleinerer constitutionneller oder nichtconstitutionneller Staaten willkommen sein muß, wissen wir nicht besser anzugeben, als indem wir sie aus der Schlußrede des gediegenen Werkes entlehnen. Umänderung mancher bisherigen Wald- und Jagdverhältnisse hat in vielen Ländern rühmlich begonnen und ist in keinem gänzlich abzuweisen, da sie dem wahren Vortheil des Ganzen wie des Einzelnen zusagt und in Uebereinstimmung mit gereifter Erfahrung dem allgemeinen Bedürfniß ausführbarer Verbesserungen entspricht. Die zu große Ausdehnung, welche frühere Jahrhunderte der Forsthoheit gegeben, die noch zum Theil obwaltet und mehr oder minder bemerklich wird, läßt sich vor dem jetzigen Standpunkte des Rechts und der Billigkeit nicht rechtfertigen und muß einer, der Natur der Sache angemessenen policeilichen Aufsicht weichen, die vielfache Beeinträchtigungen des Privateigenthums aufgehoben hat. Auch der anerkannte Grundsatz, daß alle Gerichtsbarkeit im Staate von dessen Oberbehörde ausgehe und auf gleiche Weise für alle Bürger verwaltet werden solle, muß eine heilsame Beschränkung der Forstgerichtsbarkeit auf feste Regeln begründen. Noch stehen nicht selten den Landeswaldungen und dem Fiscus Vorrechte und Begünstigungen gegen Privatwaldungen zu, die dem Volk weit mehr kosten und der Nationalwohlfahrt ungleich nachtheiliger sind, als der Gewinn der Forstkasse aufzuwiegen vermag. Wo daher dieser der Civilliste oder dem Landesschatz zufällt, liegt guter Staatswirthschaft ob, eine Ausgleichung darüber zu treffen, die zum Vortheil aller Betheiligten gereicht, ohne einen von ihnen zu beeinträchtigen. Befolgt man das Beispiel der preußischen Regierung, den Grundbesitz und die Person von jeder fremden Berechtigung zu befreien, so wird die Befugniß hergebrachter Forsthoheit und Forstgerechtigkeit so ablösbar als jede andere Servitut; und empfehlen staatswirthschaftliche Rücksichten eine Beibehaltung desselben, so ist wenigstens ein geregelter Forsthaushalt festzusetzen. Daß Privatwaldeigenthum so unbedingt wie das Eigenthum anderer Grundstücke niemals freigegeben, daß mit Staatsforsten nicht stets verfahren werden dürfe wie mit andern Kammergütern, liegt in der Natur der Waldungen und in ihrer nationalökonomischen Wichtigkeit, welche policeiliche Aufsicht zur Pflicht macht. Auch jagdrechtliche Bestimmungen bedürfen der Verbesserung. Die Zeiten sind längst vorüber, wo man eine große Anzahl Wild zum Reichthum der Staaten rechnete, und bei den Fortschritten unserer Bildung ist leidenschaftliches Hohnsprechen der Menschlichkeit und des Rechts moralisch und rechtlich unmöglich. Drückende Misbräuche, Wildbeschädigungen, deren Vergütung vormals Gnadensache war, die aber längst rechtsverbindlich geworden, sind theils schon verschwunden oder gehen doch mit unaufhaltsamen Schritten ihrer Beendigung entgegen. Unbeschränkte Jagdgerechtigkeit muß unbestechlicher Policeigewalt weichen. Selbst die Fortdauer des Jagdregals scheint problematisch; denn der Aufwand, welchen dessen Verwaltung erfodert, steht mit dessen Ertrage nicht im Gleichgewicht und mag wohlunterrichtete und wohlwollende Regierungen bewegen, es aufzuheben oder wenigstens einzuschränken. Das Jagdregal, an den Besitz großer und kleiner Güter gebunden, war in Deutschland von Alters her, was es nie hätte aufhören sollen zu bleiben, ein Theil des freien Eigenthums. Damit wird der Jagdbefugniß auf fremdem Boden der Stab gebrochen; wo sie jedoch gesetzlichen Herkommens ist, darf sie allerdings nur gegen billige Entschädigung aufhören. In geschichtlicher Begründung, in der Natur der Dinge liegt es, daß Jeder jedem Andern untersagen dürfe, seine Grundstücke außerhalb der Wege zu betreten, wie das römische Recht auch hier sehr richtig bestimmt; und daß Dem zukomme, das Wild zu tödten und für sich zu behalten, von dessen Bodenerzeugnissen es sich nährt und auf dessen Eigenthum es betroffen wird. Dagegen kann die Kleinheit einiger Grundstücke keinen bedeutenden Einwurf bilden, weil die Erhaltung großen Wildstandes und ergiebiger Jagd so wichtig nicht ist, daß ihretwegen der Staat die Foderungen des Rechts und der Vernunft abweisen müßte, sondern die Befugniß und Verpflichtung desselben zu polizeilicher Oberaufsicht und Einwirkung keinen Abbruch leidet. Allgemeine, nur von unwissenden Schreiern begehrte freie Pürsch ist weder geschichtlich begründet noch wünschenswerth, und in ökonomischer und policeilicher Beziehung ist es unstreitig vorzuziehen, selbst bei Gemeindegrundstücken und Jagden den Weg der Verpachtung einzuschlagen.

Nur ein praktischer Forstmann, wie der Verf. gewesen, konnte Gebrauch von Misbrauch so genügend unterscheiden; und nur ein akademischer Gelehrter, wie er jetzt ist, konnte die geschichtlichen Quellen so geduldig durchforschen, so richtig verstehen und so hinlänglich zur Hand haben. Es ist unmöglich, sich faßlicher, bündiger, wohlwollender und bescheidener über einen Gegenstand auszudrücken, der auch im gemeinen Leben so oft zur Sprache kommt, daß jeder Verständige wünschen darf, richtige Begriffe damit zu verbinden. Wir könnten uns daher begnügen, das bloße Dasein eines Werkes anzuzeigen, welches dieses Bedürfniß vollkommen befriedigt; doch glauben wir eine kurze Angabe seines reichen Inhalts und des Ganges seiner Darstellung unsern Lesern vorlegen zu müssen. Deren erste Abtheilung erläutert die Eigenthumsverhältnisse an Wald und Jagd in den ältesten Zeiten bis zur Entstehung der Bannforsten. Zu Cäsar's Zeiten war der Ackerbau Deutschlands unbedeutend, es gab kein bleibendes Privateigenthum, und das Land gehörte dem Völkerstamme, der es einnahm oder verließ, weil er wollte oder mußte. Der spätere Tacitus weiß schon von Gemeinden, welche einzelne Felder unter ihre freien Glieder vertheilten und den angesehensten größeres Eigenthum zuerkannten. Das ganze Land war voller Waldungen, welche die Deutschen, wenn sie von Fremden nach ihrem besondern Namen gefragt wurden, mit dem allgemeinen: „Hart", belegten, woraus die Römer eine zusammenhängende Hercynia sylva bildeten; wie sie drei kurze Worte, „tis 'n Wisch", in ein einziges fünfsylbiges Idistavisa verschmolzen. Der kriegerische Deutsche befehdete Wild, wenn ihm keine Menschen entgegenstanden, und mußte jenes befehden, um sich seiner zu erwehren, sich zu nähren und zu kleiden. Als noch kein festes Privateigenthum war, stand begreiflicherweise die Jagd Jedem frei, der die Waffen führen durfte. Einige Jahrhunderte nach Tacitus war Privateigenthum, echtes Eigenthum bekannt, das nur dem Freien zukam, und woran seine Hörigen, die Unfreien und Hintersassen, keinen Theil hatten. Von der Zeit an benutzte Jeder Wald und Jagd auf eignem Grund und Boden, woneben jedoch die Erhaltung ungetheilter Flächen bestand, die nicht Einzelnen, sondern der Gemeinde aller Freien gehörten. Solche Gemeindegüter umfaßten auch die unbebauten Strecken, welche, mehrentheils waldicht, sich bis an die Grenze erstreckten und daher den Namen Mark erhielten. Aus vorhandenen und von dem Verf. wie überall sorgfältig nachgewiesenen Gesetzen ergibt sich, daß Wälder und Weiden bei allmäliger Anwendung des römischen Rechts nach der Größe des Grundeigenthums benutzt wurden. Vom 6. Jahrhundert an finden sich deutlich Spuren davon, und im Verlauf des folgenden, bei bestimmterer Ausbildung des Privateigenthums an Feld und Wald, nahmen auch die Jagdverhältnisse eine veränderte Gestalt an und begründeten das Gesetz, daß Niemand wider Willen des Eigenthümers auf dessen Grund und Boden zu jagen berechtigt sei. Davon machte allein die sogenannte Jagdfolge eine Ausnahme, das Vorrecht nämlich, ein verwundetes Wild binnen bestimmter Frist auch auf fremdem Grund und Boden verfolgen und sich zueignen zu dürfen, welches zu vielen Zwistigkeiten Anlaß geben mußte, das sich aber eifrige Jäger niemals ausreden lassen wollen.

(Der Beschluß folgt.)

Mittheilungen über Griechenland. *)

Theben, 7. Juli 1838.

Seit 14 Tagen, lieber F., habe ich Athen verlassen und befinde mich auf dem von den Alten gepriesenen fetten Boden Böotiens; und fruchtbar sind allerdings die Landstriche, welche ich bisher sah, aber wenig angebaut, durch die Verheerungen des langjährigen Krieges noch mehr verödet, schattenlos, von der Sonne verbrannt, für Gemüth und Auge unerfreulich. Inzwischen habe ich doch in diesen zwei Wochen des archäologisch und historisch Interessanten bereits so viel gesehen, daß ich auf den Versuch verzichten muß, auch nur eine Uebersicht desselben in diese Zeilen zusammenzudrängen; ich gebe Ihnen daher nur eine Uebersicht meiner Reiserouten und unterhalte Sie lieber von dem unmittelbar Erlebten sowie von den gegenwärtigen Zuständen des Landes und seiner Bewohner.

Man reist von Athen nach Theben zur Sommerszeit in Einem Tage durch die eleusinische Ebene, durch das Thal von Eleutherai (jetzt Saranta Potamoi) und den kithaironischen Engpaß (den alten Dreihäupterpaß), in 12—13 Stunden. Ich nahm indeß meinen Weg über Chastia, auf meinem Lieblingsberge, dem herrlichen Parnes, und schlief die erste Nacht in dem Kloster der Panagia unweit dieses Dorfes. Die Besatzung desselben besteht gegenwärtig nur aus einem Abte und drei Mönchen, starkgebauten, stämmigen Gesellen, lauter Albanesen, die sich von den übrigen Bauern ihrer Nation nur dadurch unterscheiden, daß sie schwarze Jacken statt weißer, schwarze Kappen statt rother und lange Bärte tragen. Sie nahmen mich mit der gewohnten Gastlichkeit der griechischen Klostergeistlichen auf, sodaß ich meinen, in der pomphaften, halb altgriechischen Schreibweise der höhern Geistlichkeit abgefaßten Empfehlungsbrief des Despoten (Erzbischofs) von Athen nicht vorzuzeigen nöthig hatte. Freilich fehlt es den Klöstern noch an Mitteln, ihre Gastfreundlichkeit durch viel mehr als den guten Willen zu zeigen; ein Teppich zum Nachtlager (der natürlich aus pikanten Gründen abgelehnt wird), Brot, Käse, Oliven, Eier und gepechter Wein, das ist Alles, was sie dem Fremden anzubieten vermögen. Von der Bildungsstufe dieser guten Väter mag Ihnen folgende Anekdote einen Begriff geben. Beim Abendessen (δεῖπνον), wo sich die Unterhaltung wie gewöhnlich um die Politik des Landes drehte, fragte mich der „allerheiligste Epadt **)": „Τί ἄνθρωπος εἶναι ἡ ἀντιβασιλεία; τί τὸν ἔχει ὁ βασιλεὺς μας?" (Was für eine Art Mensch ist die Regentschaft? und was macht unser König mit ihm?) Er war nicht wenig verwundert, zu hören, daß dieser ihm räthselhafte Mensch aus drei andern Menschen und ei-

*) Die letzten Mittheilungen finden sich in Nr. [illegible] u. [illegible] d. Bl. D. Red.

**) Epadt, ὁ πρώην ἡγούμενος oder προηγούμενος. In den meisten griechischen Klöstern wird der Abt nicht auf Lebenszeit, sondern auf unbestimmte Frist erwählt. Sehen die Brüder nach einem oder mehren Jahren, daß seine Verwaltung dem Besten des Klosters nicht förderlich ist, so entsetzen sie ihn in aller Güte und erwählen einen andern aus ihrer Mitte. Im Titelwesen übertreffen die Griechen bisher wo möglich noch uns Deutsche. Der Erzbischof oder Bischof ist Ἱερότης und πανιερώτατος, der Abt oder Archimandrit πανοσιώτατος, der einfache Priester αἰδεσιμώτατος, u. s. w. Unzählige Abstufungen gab es in den Titeln der bürgerlichen Stände, doch hat die Revolution bereits [illegible] darunter aufgeräumt.

nem ergänzenden Mitgliede zusammengesetzt sei. Als ich diese Anekdote vor etlichen Tagen einem gebildeten Griechen erzählte, versicherte mich dieser, daß während der Revolution, als plötzlich eine Menge alter, dem gemeinen Mann fremder Benennungen in Gebrauch kamen, noch unglaublichere Dinge vorgekommen seien. In der ersten Epoche der Revolution war die Leitung der Dinge eine Zeit lang in den Händen einer Gerousia (eines Senats). Ein Bauer hatte eine Reise nach dem Sitze der Regierung gemacht. „Du hast also die Gerousia gesehen", fragte man ihn. „Ja", versetzte er; „sie saß grade im Fenster; sie sieht ungefähr aus wie eine Katze, ist aber etwas größer." Der gute Mann hatte einen zahmen Affen für die Leiterin der Schicksale Griechenlands gehalten. Einen damals in Athen errichteten Gerichtshof, den Ἄρειος πάγος, nannte das Volk in vollem Ernste den ἄγριος πάγος, und die Astynomen (Policeimeister) heißen bei ihm noch jetzt Astronomen u. s. w.

Ist es aber mit der Bildung dieser Klostergeistlichen, zumal der Albanesen, von denen die meisten Klöster auf dem Lande besetzt sind, schlecht bestellt, so haben sie andere achtungswerthe Eigenschaften. Sie sind mit wenigen Ausnahmen unverdorben, einfach und streng in ihrer Lebensweise, dabei arbeitsam, mit eigner Hand Acker und Garten bestellend, Holz fällend, u. s. w. Aber nur von den entlegenen Klöstern in den Gebirgen will ich dies gerühmt haben.

Vom Kloster stieg ich am folgenden Morgen über Phyle, das hoch und kühn gelegene Adlernest, von wo aus Thrasybulos den Athenaiern einst die Freiheit brachte, in die Hochebene von Skurta hinunter. Hier wandte ich mich links, den graden Weg nach Theben verlassend, um die Ruinen von Pänokton aufzufinden und in das Thal von Eleutherai zu gelangen. Während ich in der vollen Glut der Mittagssonne jene Ebene durchziehe, schildere ich Ihnen die Art, wie ein sparsamer Reisender in dieser Jahreszeit in Griechenland reist. Man miethet ein Pferd oder Maulthier für eine Miethe (ἀγώγιον) von 8—10 Piastern (ungefähr 20 Gr.) täglich. An den hölzernen Lastsattel (σαμάρι) werden auf beiden Seiten der Mantelsack, ein biegsamer Korb mit Brot, Käse, Oliven, kalter Küche, Kaffee, Zucker und Kaffeegeschirr, eine große, 3—4 Boutrillen fassende hölzerne Flasche (πλόσκα oder τζότρα) mit Wein und, wenn der Zug durch wasserarme Gegenden geht, auch wol ein hohler Kürbis mit Wasser angehängt. Ueber dieses Alles breitet der Reisende seinen Mantel und vollendet den Bau des ungeheuren Sattels dadurch, daß er sein Bett (πάπλωμα, d. h. ἐφάπλωμα, eine dünne aber lange und breite Decke aus gesteppter Baumwolle) drei- bis vierfach zusammengefaltet darüber legt. Mit Hülfe eines aus einem Stricke gebildeten Steigbügels erklimmt er den Gipfel dieses künstlichen Baus, auf dem es sich gar bequem sitzen läßt, faßt die Halfter (denn einen Zügel führen diese Pferde nie), und vorwärts geht es im langsamen Schritt; der Eigenthümer des Pferdes (ὁ ἀγωγιάτης) zu Fuße voraus. Aller 2—4 Stunden, je nachdem es die Gelegenheit gibt, wird in einem Dorfe oder lieber noch unter einem schattigen Baume neben einer Quelle Halt gemacht und das Pferd entladen, damit es bequemer grasen kann, während der Reisende dem Inhalte seines Korbes zuspricht. Nach einer Rast von einer bis zwei Stunden wird wieder aufgepackt und aufgebrochen. So roh und unbequem diese Art zu reisen dem verweichlichten Europäer erscheinen mag, so gewährt sie dennoch viele Vortheile. Man genießt der vollkommensten Freiheit, hängt von keinem Schwager, keinem Postreglement, keinem Wirthshause ab; ist die zu durchreisende Gegend nur einigermaßen sicher, so schlägt man, wo man eben von der Dämmerung überrascht wird, sein Nachtlager auf: man breitet seine Decke auf der Erde aus und wickelt sich hinein, und der Agogiates streckt sich daneben auf die bloße Erde. Nichts ist anmuthiger als so in diesem zauberisch milden Klima unter dem tiefblauen Dache des Himmels und seinen leuchtenden Sternen zu schlafen; man entgeht der Hitze und Unreinlichkeit in den schlechten Hütten der Bauern; der Thau fällt so schwach, daß er der Gesundheit nicht schädlich wird, und Regen oder Nebel treten kaum alle Monate einmal ein. Auch wenn ich in Dörfern übernachte, schlafe ich außen vor der Thür eines Hauses und in Klöstern in den eigens zu diesem Zwecke gebauten mit einem Dache versehenen Hallen, die vor den Gebäuden hinlaufen. Der gemeine Grieche, welcher beständig in seinen Kleidern schläft, bettet sich im Sommer immer draußen; und wenn man jetzt Abends in den Städten über die Gasse geht, liegen überall an den Mauern der Häuser schlafende Menschen in einen Mantel gewickelt, einen Stein oder Holzblock zum Kopfkissen. Des Morgens eine Stunde vor Sonnenaufgang steht man neu gestärkt auf und ist in wenigen Minuten wieder reisefertig.

Will man schnell reisen und blos um von einem Orte an den andern zu kommen, so miethet man besser neben dem Packpferde ein eignes Reitpferd; für den Archäologen aber, der den größten Theil seines Weges, rechts und links von der Straße abschweifend, zu Fuße zurücklegt und sich bei jedem alten Reste, an jeder merkwürdigen Stelle aufhält, und der mithin nur Tagereisen von 6—8 Stunden macht, genügt jene einfache Ausrüstung nicht nur, sondern ist jeder andern vorzuziehen.

Meinem Vorsatze gemäß führe ich Sie jetzt schweigend an mehren Ruinen vorüber, durch den Engpaß des Kithairon, über den heiligen, durch seine Tränkung mit Perserblut auf ewig geweihten Boden Plataias und über die breite, von dem (hier) kleinen Bächlein Asopós, das dennoch einst den Marsch der Thebaier aufzuhalten vermochte, langsam durchflossene Ebene nach der alten sagenberühmten Stadt des Kadmos, der siebenthorigen Thebe.

Theben (beim Volke jetzt ἡ Θήβα und nicht selten mit einer in der gemeinen Sprache öfter vorkommenden Verwechselung von θ und φ, ἡ Φήβα genannt) nimmt wie zur Zeit des Pausanias nur noch den Rücken der Kadmeia ein, eines länglicht runden, stumpfen, von Süden nach Norden gestreckten Hügels, der in der Mitte einer von Westen nach Osten laufenden Hügelkette fast ganz isolirt daliegt und gegen Norden unmittelbar an die große thebaiische Ebene stößt. Erst im Jahre 1826 wurde die Stadt bis auf den Grund zerstört, und nur einzelne elende Baracken sind bis jetzt unter den Trümmern wieder aufgestanden, sodaß z. B. der Präsident des hiesigen Gerichtshofes, um in seinem Bette gegen Wind und Regen geschützt zu sein, des Nachts einen Regenschirm über seinem Haupte aufspannt, und den Chef des hier garnisonirenden Reiterregiments fand ich in einem langen niedrigen Hause ohne Scheidewand, das nur Eine Thür hatte; das eine Ende des Hauses bewohnte er selbst, an dem andern standen seine Pferde! Um das Bild der Verwüstung vollständig zu haben, denken Sie sich hinzu, daß in einem Umkreise von einer bis zwei Stunden um Theben kein Baum stehen geblieben ist, außer vier etwa 12 Schuh hohen Weiden vor der Thür einer Mühle. In einem solchen Zustande findet sich heute die Stadt des Pindaros und Epaminondas, die einst um die Hegemonie Griechenlands buhlte. Doch hat Theben während des Sommers Vorzüge vor andern Orten, welche die geschilderten Unbequemlichkeiten leichter ertragen lassen: eine reine gesunde Luft, fast beständig einen kühlenden Luftzug vom korinthischen Meerbusen oder vom euboiischen Meere her, eine Fülle köstlichen kalten Quellwassers, welches Gefrorenes, Limonade und alle jene Künsteleien leicht vertritt, und endlich eine herrliche Aussicht auf die schönen gezackten Gipfel des Helikón und darüber hinaus auf den breiten, durch Schneestreifen heiter gefärbten Felsenrücken des Parnassós. Ich habe in Gesellschaft der Richter, lauter europäisch gebildeter Männer, recht angenehme Tage hier verlebt.

Von den Bewohnern Thebens ist erst ein Theil wieder zurückgekehrt; sie sind fast alle sehr arm, aber man spricht sie frei von den durch die Alten den Boiotern angeschuldigten Fehlern. Die benachbarten Dörfer sind alle von Albanesen bewohnt. Die Frauen des Dorfes H. Theodoros, wenige Minuten von Theben, stehen in dem Rufe großer Schönheit; aber wenn wir Abends gegen Sonnenuntergang durch das Dorf gingen, um — unsere gewöhnliche Abendunterhaltung — in der Hürde eines Schafhirten frische Milch zu trinken, entwichen sie gewöhnlich in die Häuser, oder wenn sie an der Straße sitzen blieben, verhüllten sie doch ihr Gesichtchen mit einem Tuche. So groß ist noch aus Vorurtheil die Scheu vor den Franken. Als Kopfputz tragen die Mädchen häufig mehre Schnüre aufgereihter Silbermünzen um ihr Fess geschlungen; meistens türkische Paras und Piaster; bisweilen finden sich antike Münzen darunter. Als ich eines Tages mich einer solchen Schönen näherte, um diese Münzsammlung durchzumustern, entfloh sie zitternd unter großem Geschrei und konnte nur mit Mühe durch das Zureden eines Bauern zum Stehen gebracht werden.

Mit den Richtern habe ich einen Ausflug nach Negroponte gemacht, dem jetzt sein alter Name Chalkis zurückgegeben worden ist. Diese Stadt, die während des ganzen Kriegs in den Händen der Türken geblieben war, ist unversehrt und gibt mit ihren engen und krummen Gassen, ihren hohen unregelmäßig gebauten Häusern und ihren schlanken Minarets einen guten Begriff von dem Innern türkischer Städte. Interessanter ist die gegenwärtige Mischung der Einwohner. Zuerst einige hundert meist wohlhabende Türken mit ihren Familien, bis vor wenigen Monaten Herren, jetzt im plötzlichen Wechsel Unterthanen der Griechen; bisher waffentragend, jetzt genöthigt, die blitzenden Pistolen, den Yatagan mit silberner Scheide daheim zu lassen. Man erzählte mir, daß an dem Tage, wo die Baiern in Chalkis einrückten, ein bejahrter Türke mit schneeweißem Barte sich selbst erschoß, weil er die Schande nicht überleben wollte, eine muselmännische Festung, dem Gebote des Propheten zuwider, ohne Blutvergießen den Ungläubigen überliefert zu sehen. Jetzt sitzen sie, ihre Pfeife rauchend, von Zeit zu Zeit ihren langen Bart streichelnd, den ganzen Tag fast unbeweglich vor den Barbierstuben oder Kaffeehäusern; aber dem gewöhnlichen Ernst ihrer schönen Gesichter ist doch ein gewisser Ausdruck von Niedergeschlagenheit beigemischt. Der General Kriezotis, vor 12 Jahren ein armer Schäfer in der Umgegend von Karystos, jetzt über diesen Beis, Agas und Effendis stehend, prunkt in prächtigen Kleidern vor ihnen vorüber, sie herablassend grüßend. Bisweilen machen sich wol ein Paar alte Palikaren den Spaß, sich neben eine Türkengruppe zu setzen und von ihren Kriegsthaten zu reden. „Ich habe in einem Jahre 20 Türken erschlagen!" — Warum erzählst du uns das? wir haben nicht danach gefragt. — „Und ich hatte drei der schönsten Beistöchter als Sklavinnen." Die Türken stehen stillschweigend auf und entfernen sich. Doch kommen solche kleine Neckereien selten vor; sie genießen den vollkommensten Schutz der griechischen Obrigkeiten und erkennen dies mit Dank an. Ihre Frauen gehen nach wie vor, freilich dicht verschleiert, aus, mitten durch die bairischen Wachen, ohne auch nur durch eine Miene belästigt zu werden.

(Der Beschluß folgt.)

Miscellen.

Eine deutsche Bibel mit hebräischen Buchstaben.

In einer neuen Schrift, wo man es nicht sucht, deren Verf. aber als unverdächtiger Augenzeuge spricht *), wird die wol meist unbekannte Notiz mitgetheilt, daß die Juden in der Gegend von Borissow **) sich bei ihren häuslichen Andachten einer deutschen Bibelübersetzung bedienen, welche aber mit hebräischen Charakteren gedruckt ist. v. Roos wurde 1812 an der Beresina, als er mit den würtembergischen Truppen, bei denen er Arzt war, den Rückzug machte, gefangen, in russischen Spitälern zu Borissow ebenfalls als Arzt angestellt und lebt jetzt in gleicher Eigenschaft, aber mit Würden und Ehren geschmückt, zu Petersburg. Damals (1812) hatte man ihn zu Borissow bei einer jüdischen Familie einquartirt, und als er Abends einmal nach Hause kam, „drang die ihm immer deutlicher werdende deutsche Sprache in sein Ohr". Er wurde, nur durch eine dünne Breterwand von der Familie des Wirths geschieden, immer aufmerksamer und hörte nun, daß seine Wirthin „in der Bibel und zwar in den Büchern Mosis las". Sie setzte dann in den Sprüchen Salomonis ihr Lesen fort und endete gleichsam betend mit einigen Psalmen David's. Er war nun unvermuthet überzeugt worden, „wie rein und gut sich die deutsche Sprache in den Schriften dieses jüdischen Volkes erhalten hat und sich mit hebräischer Schrift lesen und schreiben läßt". Indessen ging er selbst zu seiner Wirthin, „die übrigens zu den bessern Weibern dieses Volkes gehörte", und ließ sich die Bibel zeigen. Er bat sie, eine von ihm aufgeschlagene Stelle zu lesen, und „sie las abermals rein deutsch, d. h. rein und deutlich die Sprache, die die Juden unter sich im gewöhnlichen Leben schlecht und dem Fremden unverständlich reden". Er ließ sich nachher noch vom Manne seiner Wirthin und Tags darauf vom Posthalter vorlesen und bat noch andere Juden, das Resultat war gleich. Sicher ist diese Notiz den meisten Lesern d. Bl. neu. Daß die meisten Juden das Hebräische nur lesen können, ohne es zu verstehen, daß sie das Deutsche in ihrer Correspondenz mit hebräischen Buchstaben schreiben, ist bekannte Sache. Auch wird eben des Erstern wegen von aufgeklärten Israeliten so sehr darauf hingearbeitet, einen Tempelcultus in in deutscher Sprache überall einzuführen. Allein daß in Russisch-Polen eine solche Bibelübersetzung Eingang gefunden habe, lasen wir noch nirgend, und es fragt sich nur noch, welche Uebersetzung denn so mit hebräischen Buchstaben gedruckt worden sei? Wann sie sich in solches Kleid gehüllt habe? Ob sie sehr verbreitet oder nur in den Händen weniger Gebildeten sei? Nähere Antwort hierauf wird gewiß Vielen willkommen sein.

*) H. U. L. v. Roos, Ein Jahr aus meinem Leben (Petersburg 1832), S. 280 fg.

**) Vermuthlich also auch die andern polnischen Juden.

Die Opiumesser in der Türkei vor 300 Jahren.

Eine der besten und frühesten Nachrichten hiervon, die ohne Zweifel auf Selbstbeobachtung sich gründete, findet man in dem seltenen Buche des Joh. Wier: „De praestigiis daemonum" von 1568. *) Wier war im Morgenlande gewesen und ein sehr gelehrter, vorurtheilsfreier Mann. Und so erzählt er denn, obschon nur beiläufig, wo er der übernatürlich scheinenden Wirkungen der Belladonna, des Opiums, des Hanfes rc. erwähnt, auch von dem Opiumgenusse bei den Türken und Persern. Dieser ist hier, sagt er, so gewöhnlich, daß man sich gar nichts Gewöhnlicheres denken kann. Haben sie dies verschlungen, so fürchten sie minder die Gefahren des Kriegs, sowie bei uns ein Betrunkener sich auch den Wogen und dem Schiffbruche unerschrockener aussetzt. Wenn der Türke ein Heer zusammenzieht, so wird das Opium des ganzen Landes zusammengeschafft, obschon eine unglaubliche Menge jährlich aus dem leicht aufgeschlitzten weißen Mohne gewonnen wird, wenn er die Köpfe getrieben hat und wo dann einige Tropfen Milch herausquellen, die allmälig vertrocknen. Bei den Türken sät man diesen in den Ländern Kleinasiens, wie bei uns den Weizen. Man wird kaum einen Türken finden, der nicht Opium kaufte, und wenn er nur einen einzigen Asper in der Tasche hätte, so gäbe er die Hälfte für Opium hin und verzehrt es im Frieden wie im Kriege. Wer daran gewöhnt ist, kann eine ganze Drachme ohne Schaden zu sich nehmen. Es ist in der Türkei eine ganz gewöhnliche Redensart: „Du hast Opium gegessen!" wie man in andern Ländern sagt: „Du hast zu viel getrunken!"

Merkwürdig ist es, daß die Türken jetzt nicht viel mehr Gebrauch vom Opium machen. Man findet nur wenige Theriakis (Opiumesser), und sie sind verachtet wie die Säufer bei uns. Das übermäßige Trinken war zu jener Zeit in Deutschland Sitte und hat sich verloren; ebenso das Opiumessen in der Türkei. 195.

*) Oder auch 1563, wo die erste Auflage erschien.

Redigirt unter Verantwortlichkeit der Verlagshandlung: F. A. Brockhaus in Leipzig.

Blätter
für
literarische Unterhaltung.

Dienstag, — Nr. 295. — 22. October 1833.

Geschichtliche Darstellung der Eigenthumsverhältnisse an Wald und Jagd in Deutschland rc. Ein Versuch von Christian Ludwig Stieglitz.

(Beschluß aus Nr. 294.)

Ueber die Vorrichtungen und Hülfsmittel der Jagd, eine Lieblingsneigung unsers Volkes, ist der Verf., ohne weitläufig zu werden, sehr unterrichtend. Grausam, schimpflich und unerhört war die Bestrafung der Jagdfrevel, besonders bei den Burgundern. Wer bei ihnen einen Jagdhund entwendet hatte, mußte 2 Solidos Brüchte und als Ersatz dem Eigenthümer 5 Solidos bezahlen, oder vor allem Volk den Hintern des Hundes küssen. Der Dieb eines Falken mußte diesen 6 Unzen Fleisch aus seiner Brust fressen lassen, oder 2 Solidos Brüchte und 6 Solidos Entschädigung erlegen. Der menschenliebende Verf. erklärt dies für eine Art Poësie des Rechts, für eine gesetzliche Drohung, die nie zur Ausführung gekommen, weil der Schuldige gewiß lieber die Geldbuße erlegen wollen. Wenn er sie aber weder aufzutreiben noch zu erbetteln wußte? Das Metallgeld hatte damals ungeheuern, unsern Vorstellungen kaum begreiflichen Werth; wie denn der Verf. selbst S. 67, Anm. 19 anführt, daß selbst noch zur Zeit Karl's des Großen 480 dresdner Scheffel Roggen mit 60 Solidis oder Schillingen bezahlt wurden. Grausame Drohungen sind zu ernst für den Scherz und vergiften die Gemüther der Hörer. Der Shylock der Novelle und des Schauspiels war sicherlich kein Jäger; aber der Erfinder der Sage von ihm würde schwerlich auf den Einfall gerathen sein, dem Verwandten eines Volkes, das er haßte, seinen blutgierigen Vorschlag in den Mund zu legen, wenn er nicht vernommen hätte, etwas dergleichen stehe irgendwo dem Richter zu; wie es immer denkbar bleibt, daß der wirkliche oder vorgebliche Geßler die Tyrannensage gekannt und erneuert habe, von Dem, was einem Vater im entfernten Norden durch seinen Despoten angemuthet worden, und die nämliche freimüthige Antwort von dem Schützen aus Uri dafür hinnehmen müssen. Deutschlands Häuptlinge, von den Römern Könige genannt, besaßen frühzeitig großes Grundeigenthum, theils als Erbgut, theils als Antheil an der Eroberung, und übten darüber alle Rechte, die jedem echten Eigenthümer auf seinen kleinern Besitzungen zukamen. Verliehen sie ihren Schutzpflichtigen und Hörigen dergleichen, so behielten sie nicht selten, wahrscheinlich in der Regel, die Jagdgerechtigkeit für sich, welche sich daher über große Waldungen und Bezirke erstreckte. Daraus bildete sich unter Karl dem Großen der Begriff von Bannforsten, womit sich die zweite Abtheilung beschäftigt, von Waldungen und Fluren, in welchen zu jagen jedem Unberechtigten bei Strafe des Königsbanns untersagt war. Damals belief sich dieser Königsbann fünfmal höher als der Grafenbann und erstreckte sich unter seinen Nachfolgern auch über unbebaute Wälder, Gegenden und Marken, die dem Gesammteigenthum entzogen und in Bannforsten verwandelt wurden. Nun galt der Königsbann für ein Regal, doch ging man mit dessen Belehnung, besonders gegen Geistliche, so verschwenderisch um, daß endlich dem deutschen Kaiser nichts übrig blieb als seine Stammgüter, und sämmtliche Bannforsten, nebst allen damit verbundenen Rechten und Benutzungen, in die Hände geistlicher und weltlicher Fürsten und Großen übergingen. Daß dadurch auch der Gemeindewaldungen und Marken immer weniger wurden und gegen Ende des 15. Jahrhunderts sich in fürstlicher Besitznahme verloren, legt der Verf. wie jede seiner Behauptungen urkundlich dar. Das Vorrecht, an Orten zu jagen, wo keine Forstgerechtigkeit bestand, was man in Franken und Schwaben freie Pürsch nannte, war immer an den Besitz des Grundeigenthums gebunden, stand nur den Angesessenen eines bestimmten Bezirks zu und ward keinem Herumläufer gestattet. Nach Sitte des Mittelalters traten anerkannte Pürschberechtigte in Innungen zusammen, die ihre besondere Zucht und Ordnung hatten.

Die Eigenthumsverhältnisse an Jagd und Wald auf Privatgrundstücken weist der Verf. in einem sehr lesenswürdigen Abschnitt nach, dessen Auszug der Raum dieser Blätter verbietet. Zur Zeit des „Sachsenspiegel" war das Eigenthum des Waldbesitzers vor jeder Verletzung gesetzlich gesichert. Jagd auf eignem Grund und Boden außerhalb der Forsten blieb unverboten, aber nur dem echten Eigenthümer, nicht seinem Lehnsträger, wenn dieser nicht ausdrücklich damit belehnt war; wo das nicht stattfand, übte ausschließlich der Landesherr Jagdgerechtigkeit. Erfahrung ist richtige Anwendung der Vernunft auf unzweifelhafte Thatsachen und muß bei fortgeschrittener Erkenntniß und zunehmender Cultur die unbedingte Freiheit, die Willkür des Einzelnen überall mehr oder weniger beschränken, damit nicht dem Ganzen unersetzlicher Schaden zuwachse. Das ist der Ursprung heilsamer Ordnung und löblicher Policei. Es ward nothwendig, eine Zeit zu bestimmen, während deren dem Eigenthümer auf seinem Grund und Boden die Jagd freistehe, und eine andere, in welcher sie, wie man sich ausdrückte, auch für ihn geschlossen war, was sich aus der Satzzeit des Wildes und der Saatzeit der Fluren natürlicherweise ergab. So mußte gleichfalls dem Misbrauch oben erwähnter beliebter Jagdfolge mehr als bisher Einhalt geschehen, insonderheit aber der Holzverwüstung eigennütziger oder kurzsichtiger Eigenthümer, indem sich in manchen Bezirken, wie eine herzoglich sächsische Verordnung des 17. Jahrhunderts sich etwas wunderlich ausdrückt, bereits ein trefflicher Holzmangel spüren ließ. Eintheilung der Jagd in hohe und niedere und darauf gegründete Trennung ihrer Ausübung läßt sich vor dem 16. Jahrhundert durchaus nicht nachweisen, und Abgabe eines Zehnten von der Jagd ist nie allgemein geworden und immer selten geblieben.

Die dritte und letzte, durch erwiesene und genügende Thatsachen auf festem Boden der Geschichte und des Rechts fußende Abtheilung umfaßt die unserer Zeit zunächstliegende Veränderung und Entwickelung der Landeshoheit als förmlicher Staatsgewalt im 15. Jahrhunderte, welche der Verf. von der des 12. genau und sorgfältig unterscheidet. Erst in jener gestatteten die Ansichten befangener Rechtsgelehrten, welche römischen Begriffen und Entscheidungen einen Einfluß auf deutsche Verhältnisse und Einrichtungen zugestanden, der ihnen nie hätte eingeräumt werden sollen, eine förmliche Staatsgewalt und berechtigte Oberaufsicht über ihre Unterthanen und machten den Grundsatz geltend: dieser komme auf ihrem Gebiete Alles zu, was sonst dem Kaiser über das ganze Reich gebührt habe. „Illustris est regula: principes ceterosque territorii dominos tantum posse in suis territoriis, quantum Imperator in imperio.“ Forstordnungen entstanden, von denen der Verf. keine ältere auffinden konnte als die badische von 1483, und enthielten begreiflicherweise in verschiedenen Ländern verschiedene Bestimmungen. Aeltere Juristen verstanden unter dem Namen Regalien alle Rechte des Landesherrn, die nicht ausgenommen, welche von ihm an Andere vergeben waren. Neuere fassen den Begriff genauer auf, indem sie alle der Staatsgewalt als solcher zustehenden Rechte dadurch bezeichnen, die sie lieber Hoheitsrechte nennen möchten und nur fortfahren Regalien zu heißen, weil dieser Name das Herkommen und die Sprache der Gesetze für sich hat. Wesentliche Hoheits- oder Majestätsrechte sind solche, welche, zur Erreichung des Staatszwecks erfoderlich, aus seiner Natur sich ergeben; außerwesentliche oder zufällige, die in blos nutzbaren, vermöge positiver Bestimmungen dem Staat zukommenden Rechten bestehen. Diesen allein hat man in neuern Zeiten den Namen Regalien beigelegt, worüber daher auch nur das besondere Recht einzelner Staaten entscheidet. Trotz dieser Verschiedenheit entstanden sie in ganz Deutschland aus ziemlich ähnlichen Umständen und Verhältnissen, die jedoch freilich nicht überall dasselbe bewirkten. Ihre Hauptergebnisse, Verbesserungen und Folgen gibt der Verf. genügend an. Unter ihnen befindet sich auch das Jagdregal, besser Jagdhoheit genannt, das Recht nämlich, Vorschriften über die Ausübung der Jagd zu erlassen, insoweit sie auf allgemeine policeiliche Rücksichten gegründet sind, und über deren Beobachtung zu wachen.

Indem wir uns von einem Buche beurlauben, das nicht nur Freunden und Feinden der Jagd, oder Denen, welche das Studium der Gesetzgebung beschäftigt, sondern allen Beobachtern sittlicher Vor- und Rückschritte überreichen Stoff der Belehrung und Unterhaltung darbietet, können wir uns einer naheliegenden Betrachtung nicht erwehren. Nur Menschenhaß oder Unverstand mag verkennen, daß unser Jahrhundert und unser Vaterland gegen wirkliche Uebel und Unzuträglichkeiten so wenig blind und unempfindlich ist als irgend ein anderes. Die Herzen der Regenten und Regierten begegnen sich in der Absicht, Gutes zu fördern und Nachtheiliges abzuwenden; aber diese Absicht kann nur durch einträchtiges Streben, durch gegenseitiges Vertrauen erreicht werden. Beschränkung der Freiheit im Großen und Kleinen ist nie und niegend eingetreten, wo nicht Misbrauch der Freiheit vorherging, und es ist ein sehr falsch gewähltes Mittel, Beschränkungen, die grade Den am empfindlichsten treffen, der sich bewußt ist, sie nie verschulden zu wollen, zu ihrer wohlthätigen Anwendung zurückzuführen, wenn man Die, welche verbunden sind, Vertreter und Handhaber bestehender Gesetze zu sein, mit dem Misbrauch eintretender Freiheit, mit gewaltsamer und übereilter Umwälzung bestehender Verhältnisse bedroht. Sie sind verpflichtet, über wichtige Angelegenheiten nicht das wilde Geschrei unwissender Menge, sondern das Gutachten Unterrichteter zu vernehmen, welche durch die Ruhe und Mäßigung ihrer Darstellung die Begriffe aufklären, die Gemüther besänftigen und jeder Begehrlichkeit vorbeugen, die Unerreichbares in Anspruch nimmt. Das ist dem Verf. der vorliegenden Untersuchung in einem Grade gelungen, der seinem Herzen nicht weniger zur Ehre gereicht als seinem Verstande, und wir hoffen, die angenehme Erfahrung, wie viel Gutes er dadurch nicht blos in seiner Nähe bewirkt, werde ihn selbst belohnen und Andern, die sich ähnlicher Fähigkeiten bewußt sind, den Weg andeuten, auf welchem allein die Wahrscheinlichkeit liegt, sie geltend zu machen. Rom ward nicht in einem Tage gebaut, aber jeder geschickte Baumeister trug zu seiner Verschönerung bei.

95.

und
sehr
sich

Scene dieser Art war ich Zeuge. Zwei Baiern zechten in einem Speisehause mit einem griechischen Schneider. Dieser erzählte ihnen, er sei verheirathet und habe ein Töchterlein, welches bereits fünf Jährchen (πέντε χρόνια) alt sei. „Du", sprach der Eine, „jetzt glaube ich, der Kerl will uns foppen; er spricht von seiner Frau und seinen Kirdern, und dabei sagt er etwas von fünf Schweinchen, das verstehe ich sehr gut" (Er verwechselte χρόνια und γουρούνια). Sie fragten wiederholt nach, und der Grieche wiederholte dieselben Worte. Mich belustigte ihr steigender Zorn; als derselbe einem plumpen Ausbruche nahe war, schlug ich mich ins Mittel und machte den Dolmetscher. Ich erwarb mir den Dank beider Parteien, und ihre Freundschaft nahm nach Hebung dieses Misverständnisses sichtlich einen neuen Aufschwung.

Die berühmte Strömung des Euripus beobachtete ich zu verschiedenen Tageszeiten. Sie wechselt in dieser Jahreszeit fünfmal täglich und ist sehr stark. Die Ursache dieser merkwürdigen Erscheinung dürfte schwer zu finden sein; obgleich es, wenn unsere Physiker erst anfangen werden, nach Griechenland zu wallfahrten, binnen Kurzem leicht einige Dutzend infallibler Hypothesen geben wird. Die originellste Erklärung des Phänomens wird dennoch diejenige bleiben, welche einst ein türkischer Derwisch davon gab. Befragt über die Ursache desselben, versetzte er: „Ein frommer Türke bat einst Gott, ihm ein Zeichen zu geben, wie oft am Tage er beten solle. Da schuf Gott diesen Strom, der seine Richtung fünsmal am Tage ändert, zu den fünf Stunden des Gebets."

Lebadeia, 14. Juli.

Ich setze diesen Brief in Lebadeia fort, wohin ich von Theben aus über Thespiai, Haliartos und Koroneia gegangen bin. Die Ebenen zwischen dem Fuß der helikonischen Bergkette und dem Sumpfe Kopaïs sind unglaublich fruchtbar, aber nur theilweise und schlecht bestellt. Das Getreide wird an vielen Orten 6—7 Fuß hoch und trägt 15-, 20- bis 30fältig; am Ausflusse des Kephissos in die Kopaïs hat sich seit einigen Jahren ein Stück angeschwemmten Landes gebildet, wo die Orchomenier das Sechzigfache der Aussaat ernten. Ermüdend monoton sind gegenwärtig diese Ebenen; und doch kann ein Paradies aus ihnen werden, wenn einst nach 20, 30 Jahren sich Dorf an Dorf reiht, jeder Flecken Landes mit Umsicht benutzt ist und Fruchtbäume aller Art am Wege dem Wanderer ihre Zweige entgegenstrecken, ihm labende Früchte und kühlenden Schatten zu bieten. Gottes Segen ruht auf diesem herrlichen Lande und der Fluch der Menschen. Schafft Bedürfnisse und gebt Bildung diesem albanesischen Bauernstamme, dem es nicht an Kraft zur Arbeit, nicht an intellectuellen Fähigkeiten fehlt, daß er lerne, nach weiterm Erwerb zu trachten und diesen Erwerb zur Verschönerung und Verannehmlichung seines Lebens anzuwenden. So lange er sich begnügt, in einer elenden schmuzigen Hütte zu wohnen und das ganze Jahr von Brot, Oliven, Käse und rohen wilden Kräutern zu leben, wird er stille stehen und mit ihm das Land, das er bewohnt.

Nicht leicht halten Sie sich irgendwo bei Ruinen auf, die Trümmer betrachtend und messend, Inschriften abschreibend, ohne daß einige Albanesen von den benachbarten Feldern herbeigeeilt kommen. Sie beginnen mit Fragen an den Ägogatis, und ich verstehe von ihrer rauhen Sprache nicht viel mehr als das häufig wiederholte schkrua, schkrua (er schreibt, er schreibt). Dann fragen sie mich selbst, weshalb ich dies betrachte, schreibe u. s. w. Wenn ich irgend Zeit und Lust habe, lasse ich mich gern auf eine Erklärung ein; ich erzähle ihnen von den Begebenheiten und Schlachten, die an diesem oder jenem Orte vorgefallen; wie diese Dinge in den alten Büchern der Hellenen verzeichnet seien, und wie ich die Oertlichkeiten mit jenen Erzählungen vergleiche, um dieselben besser verstehen zu können. Namentlich die jüngern Männer hören mit Theilnahme zu, wiederholen mehrmals: ich verstehe, ich verstehe, und fragen sich gegenseitig mit klugen Mienen, ob der Andere es auch verstanden habe. Sie rufen wiederholt: προκομμένοι οἱ φράγκοι (die Franken sind gelehrte Leute), und Einer und der Andere setzt auch wol naiv hinzu: ἡμεῖς δὲν εἴμεθα παρὰ ζῶα τετράποδα (wir sind nur vierfüßige Thiere). Nur ein Vorurtheil lassen sie nicht leicht fahren: daß wir die Inschriften aufsuchen, um die Anzeige verborgener Schätze darin zu finden. Es ist mir bei Eretria begegnet, daß ein Schäfer mich fragte, ob ich eine lange Inschrift in der Nähe gesehen? „Nein." „Wenn du mir ein Trinkgeld gibst, will ich sie dir zeigen." Leider hatte ich keine Scheidemünze bei mir; aber vergebens stellte ich ihm dies vor. „Ihr Franken habt immer Geld; und da du ein Interesse (διάφορον) dabei hast, so ist es billig, daß du etwas dafür bezahlst." Er entfernte sich, und ich vermochte die Inschrift im dichten Gebüsch nicht zu finden.

Unter den Eingeborenen Lebadeias ist eine beträchtliche Anzahl von Grundbesitzern, und ihre Besitzungen gehören zu den bedeutendsten in Griechenland. Diese Familien bilden, ohne gesetzlich als Adel constituirt zu sein, eine förmliche Aristokratie. Sie nennen sich selbst die Wohlgeborenen (εὐγενεῖς) oder Archonten, und die erste Classe (πρώτη oder ἀνωτερική τάξις). Das griechische Blut hat sich vorzüglich rein in ihnen bewahrt, aber sie wachen auch sorgfältig über die Reinheit ihres Bluts. Nie verbinden sie sich durch Heirathen mit der untern Classe (δευτέρα oder κατωτερική τάξις) der Handel- und Gewerbtreibenden; findet ein Archontensohn (Junker, ἀρχοντόπουλος) keine ebenbürtige Gattin in seinem Geburtsorte, so sieht er sich nach den Archontentöchtern Athens, Thebens oder anderer Orte um. Diese Archonten hatten und haben einen großen Einfluß auf ihre geringern Mitbürger sowie auf die Bauern, und es mag von diesem Einflusse wol ebenso oft wie bei uns von ähnlichen Verhältnissen schreiender Misbrauch gemacht werden; aber die Formen sind wenigstens milder patriarchalischer als bei uns, und machen dem Geringern seine Abhängigkeit weniger fühlbar. Der Bauer, der seinen Herrn zu sprechen wünscht, ist nicht genöthigt, stundenlang auf der Hausflur stehend zu harren; unangemeldet tritt er ins Zimmer, legt die Hand auf die Brust zum Gruße, setzt sich unaufgefodert auf den Divan, oder wo er einen Platz offen sieht, und wartet dann, bis er angeredet wird.

Da ich hier bei einem der ersten Männer wohne, habe ich gute Gelegenheit, die Lebensweise und das Treiben dieser Archonten in der Nähe zu sehen. Der ganze Tag bis zum späten Abend vergeht mit einer Unterbrechung von drei Stunden wegen des Mittagsessens und des Nachmittagsschlafes in gegenseitigen Besuchen. Diese beginnen schon um 7 Uhr Morgens; herein treten die Herren Vasilákis *), Jannákis, Antonákis, Demetrákis u. s. w., und in einem Augenblicke ist das Zimmer mit Besuchenden gefüllt. Man raucht; es wird ein Glykon (eingemachte Süßigkeiten) oder Kaffee präsentirt; die Unterhaltung dreht sich um Politik, den Ertrag der Ernte, um gegenseitige Geschäfte oer provinzielle Verhältnisse. Es hört sich recht gut zu; denn diese Männer, die fast alle einen Anflug hellenischer Bildung haben, sprechen ihre Sprache rein und gewählt und tragen ihre Gedanken mit jener den Griechen angeborenen Fähigkeit klar und fließend vor. Die Frauen, deren Stellung seit der Revolution um Vieles freier und würdiger geworden ist, erscheinen mitunter auch auf ein Viertelstündchen und nehmen Theil an der Unterhaltung. Dann geht man in ein zweites, ein drittes Haus, und dasselbe wiederholt sich. Einige Tage lang läßt sich ein Europäer diese Lebensweise wol gefallen; aber die Leere dieses Treibens wird bald unerträglich.

Seit drei Tagen haben wir den in Lebadeia und der Um-

---

*) Es ist Sitte der griechischen Aristokratie, sich nur bei den Diminutiven ihrer Taufnamen zu nennen, was Leute aus der geringern Classe sich nicht erlauben. Dasselbe findet bei den Namen der Frauen statt: Mitrula (Δημητρούλα), Jannula u. s. w. Auch der berühmte Kapitain Karaiskakis hieß eigentlich Karaiskos. Ich erinnere mich noch, wie zu jener Zeit eine deutsche Zeitung seinen Namen gelehrt erklärte als „Kopf eines wilden Schweines" (κάρα ὑὸς κακῆς)!

gegend sogenannten großen Wind (ὁ μέγας), der, obgleich er über den westlichen Theil des Helikon zu uns kommt, eine Hitze von 30½° Réaumur (im Schatten) gebracht hat. Die Luft ist heiß, als ob sie aus einem glühenden Ofen käme; wie viel Wasser man auch trinken mag, Zunge und Gaumen sind trocken, und auch des Nachts mildert sich die Temperatur nur wenig. Selbst die Eingeborenen fürchten krank zu werden, und ich meinestheils habe beschlossen, auf den Gipfeln des Helikon Erquickung zu suchen.

Athen, 26. Juli.

Nachdem ich das südliche Boiotien nochmals auf andern Wegen von West nach Ost, von Thisbe bis Chalkis durchkreuzt, bin ich seit einigen Tagen wieder in Athen. Ich habe mehre interessante Entdeckungen gemacht und unter Anderm die Hippokrene aufgefunden. Wenn sie nur nicht hinfort ein Wallfahrtsort aller schlechten Poeten wird und die Zahl derselben vermehren hilft! Doch davon nächstens mehr; ich darf eine gute Gelegenheit zur Absendung des Briefs nicht versäumen.

Aus Athen habe ich Ihnen zu melden, daß heute ein königliches Decret eingetroffen ist, welches Athen vom ersten Januar 1834 an zur Haupt- und Residenzstadt erhebt und den Plan der Herren Kleanthes und Schaubert, von dem ich Ihnen im vorigen Jahre geschrieben, mit einigen geringen Abänderungen genehmigt. Namentlich ist der Vorschlag dieser Herren, die Gegend der Stadt um die Akropolis herum unbebaut zu lassen, um hier nach und nach Ausgrabungen vorzunehmen, in seinem vollen Umfange genehmigt worden. So ist denn diese wichtige Frage, die gewiß auch das gebildete Deutschland lebhaft interessirt hat, so entschieden worden, wie ich es Ihnen wiederholt vorhergesagt hatte; ungeachtet der angestrengten Bemühungen, welche ein großer Theil der Peloponnesier und Continentalgriechen in den letzten Monaten daran gewandt haben, die Wahl der Regierung auf den ungesunden und unbewohnbaren Isthmos von Korinth fallen zu lassen.

Die orientalischen Angelegenheiten scheinen sich friedlich ausgeglichen zu haben. Während selbst die Bauern in Boiotien voll Kriegsgerüchte waren und viel von der furchtbaren Macht Rußlands zu reden wußten, das überdies an Oestreich einen Verbündeten habe (oder wie sie dies ausdrücken: ὁ Μόσχοβος ἔχει καὶ τὸν Ἰμπεριάλην), und während die heißern Köpfe unter den Griechen schon als Alliirte Frankreichs und Englands in Thessalien einfallen wollten, erfahre ich hier, daß die Flotten bereits im Rückzuge begriffen sind, und daß auch die Franzosen mit Nächstem den Peloponnes räumen werden. 125.

Die Schlacht bei Kappel, Huldreich Zwingli's Todestag. Zürich, Schultheß. 1831. 8. 6 Gr.

Der Gedanke, daß die Persönlichkeit großer und edler Männer sich in wichtigen und gefahrvollen Zeitläufen in hellerm Lichte zeige und noch höhere Bewunderung einflöße als in den Tagen der Ruhe, bestimmte den Verf. der vorliegenden kleinen Schrift, in Stunden der Muße die Geschichte des Tages aufzuzeichnen, an welchem einst Ulrich Zwingli für die Lehre, welche er verkündigt hatte, den Heldentod starb, und er übergab das Resultat seiner Beschäftigung der Oeffentlichkeit, bald nachdem eine erhebende Säcularfeier des Todes Zwingli's gewiß vielfach das Verlangen nach einer genauern Kenntniß der nähern Umstände dieser Begebenheit angeregt hatte. Allein auch ohne diese begünstigenden äußern Verhältnisse würde sich diese kleine Monographie ohne Zweifel einer willkommenen Aufnahme zu erfreuen haben, da sie ein Ereigniß betrifft, welches nicht allein der schweizerischen, sondern auch der allgemeinen europäischen Geschichte angehört, und da sie mit Fleiß und Liebe gearbeitet ist. Der Verf. hat alle ihm zugängliche Quellen, unter diesen auch handschriftliche auf der Stadtbibliothek zu Zürich, sorgfältig benutzt, geprüft und verglichen, er hat mit Geschick und Einsicht die abweichenden Berichte gegeneinander abgewogen und vereinigt, und die Beweisstellen aus den Quellen in Anmerkungen unter dem Texte mitgetheilt. Der auf solche Weise gewonnene Stoff ist zu einer einfachen und doch lebendig veranschaulichenden Darstellung verarbeitet; man folgt der Entwickelung der Begebenheit Schritt vor Schritt, man erhält ein deutliches Bild des Locals derselben, man sieht die Personen handeln, man hört sie reden, nicht allein ihrem Charakter und dem ihrer Zeit, sondern auch den Quellen gemäß, und mancher Schweizer wird sich freuen, seinen Vorfahren mit wenigen, aber bestimmten Strichen gezeichnet zu erblicken. Zwingli kann allerdings, obwol vornehmlich seinem Gedächtnisse die Schrift gewidmet ist, in der Erzählung der Begebenheit nicht auf bedeutende Weise hervortreten, da er nur ermahnend und aufmunternd an dieser Theil nimmt. „Es ylt auch“, sagt der gleichzeitige Bullinger, dessen Nachrichten die Grundlage der Darstellung bilden, „mit der Panner M. Ulrich Zwingli, und das nach altem Brauch, nach dem man zur Panner allzeit einen fürnämmen Diener der Kilchen genommen hat; auch von deßwegen, daß er rathen könnte, darzu er in großem Ansehen und Gunst by dem Volk was, das er mit Vermanen und Tröstten leiten konnte.“ Vollständig ist indeß Alles zusammengestellt, was zur Bezeichnung seiner Ansicht von dem Ereignisse, seiner Erwartung von dem Ausgange und seines Benehmens während des Kampfes dienen kann. Der Verf. nennt seine Schrift selbst nur einen Versuch; Ref. kann ihn einen sehr wohlgelungenen nennen, und er wünscht, daß der Verf. ähnliche Sorgfalt und Liebe zur Sache auch andern Theilen seiner vaterländischen Geschichte zuwende. 16.

Literarische Notiz.

Welck's deutscher Ständesaal.

Jedes Bestreben, das constitutionelle Leben zu kräftigen und zu erweitern, sei es durch That oder Wort, durch eigne Schöpfungen oder sorgsames Auffassen und Sammeln zerstreuter Winke, Lehren, Zweifel und Rathschläge, muß dem Freunde der fortschreitenden Bildung des Menschengeschlechtes achtungswerth und wichtig sein. Je segensreicher aber in constitutionellen Staaten das lebendige Wort in freier Rede bei den selbstthätigen Vertretern wie bei den stummen Zuhörern wirkt und fördert, desto dringender ist das Bedürfniß für jene wie für diese an den Reden und Vorträgen über die wichtigsten in das innerste Staatsleben eingreifenden Fragen, gleich an Bildern, Scenen und Mustern sich zu laben und zu kräftigen und desto größer ist das Verdienst Derer, welche jene Reden sammeln und verbreiten, damit die segensreich fördernden Worte auch über den Kreis der Hörer hinaus Freunde und Leser finden, die sie ergreifen, belehren und ermuthigen. Beantworten diese Reden die Hauptfragen des constitutionellen Staatenlebens überhaupt und behandeln sie die wichtigsten Interessen aller zur wahren Freiheit erwachten Stämme eines Volkes, dann ist eine Sammlung solcher Reden das geistige Band, welches durch alle jene Stämme sich hinzieht.

Ueberzeugt, daß hierin alle wahren Freunde des constitutionellen Systems uns beistimmen, glauben wir sie auf die von Dr. Wilderich Welck zu Freiburg im Breisgau unter dem Titel „Deutscher Ständesaal“ angekündigte Sammlung von Reden aufmerksam machen zu müssen, welche nach einer vor uns liegenden Einladung zur Subscription vom August d. J. in einzelnen Heften von 6—7 Bogen zu dem höchst billigen Preise von 36 Kr. bei dem Herausgeber selbst erscheinen und die Reden eines Wessenbergs, Rotteck, Duttlinger, Itzstein, Welcker, Uhland, Pfizer, Menzel, Gagern, Zaup, Jordan, Saalfeld, Christiani — gewiß auch was ein Grosmann, Thielau, Eisenstuck, Mayer, Krug, Lindenau und alle jene Männer des Volkes im innigsten Gefühle für Wahrheit und Recht gesprochen haben, liefern und verbreiten soll. Hat nach jener Ankündigung das erste Heft bereits im September erscheinen sollen, dann können die Leser d. Bl. sicher in diesem den Eingang dieser beginnenden Sammlung erwarten. 16.

Redigirt unter Verantwortlichkeit der Verlagshandlung: F. A. Brockhaus in Leipzig.

Blätter

für

literarische Unterhaltung.

Mittwoch, — Nr. 296. — 23. October 1833.

Deutscher Musenalmanach für das Jahr 1834. Herausgegeben von A. von Chamisso und G. Schwab. Fünfter Jahrgang. Mit Friedr. Rückert's Bildniß. Leipzig, Weidmann. 16. 1 Thlr. 12 Gr.

Zum fünften Mal erscheint uns nun der willkommene Almanach, und ich vergleiche ihn gern mit einem freundlichen Knaben, dessen Schönheit sich jedes Jahr feiner und vollkommener entwickelt, und der auch die Blumen, die er bringt, immer sinniger und verständiger auszuwählen lernt. Schon seine Bekleidung gibt die fortdauernd sorgsame Pflege der Aeltern, vielleicht sogar erhöhten Wohlstand zu erkennen. Die goldenen Locken, wofür der Schnitt des Büchleins gelten mag, zierten ihn freilich schon früher; nun aber erhöht ein purpurfarbenes Seidenkleid den Reiz des schlanken Körperchens, und er tritt in gewählter Hülle auf als ein jugendlicher Bote, der uns werthe Gaben zu überreichen hat. Als reizenden Schmuck trägt er Friedrich Rückert's fein in Stahl gestochenes Bildniß auf der Brust, das ich, ohne den Dichter persönlich zu kennen, für ähnlich halte, weil Ernst und Milde, Heiterkeit und Tiefe, Besonnenheit und Laune daraus sprechen, als wäre sein Gesicht sein eignes Gedicht. Dies wenigstens ist mein Ausdruck für den Eindruck, den seine Züge auf mich machen, und der sich wiederholt, wenn ich die 49 Gedichte lese, die er dem Almanach diesmal mitgegeben hat. Alle sind dichterische Bilder ruhig dahinfließenden, äußerlich engbegrenzten, innerlich aber sinnerfüllten, geistdurchdrungenen, still und weise genossenen Landlebens. Jede einzelne kleinste Erscheinung der Natur gestaltet sich im Gemüth dieses Dichters zu einem reifen, wohlausgeprägten Gedanken; Frau, Kinder und Freunde, Großmutter und Basen, willkommene und unwillkommene Gäste werden, behaglich fortlebend, unbewußte Mitarbeiter an den Gedichten, die gleichsam nur poetische Protokolle sind über den Genuß und Ertrag des einzelnen Tages, ja selbst die Gans wird, indem sie sich der Metamorphose zum Kirchweihfestbraten unterwirft, der ländlichen Muse als willkommenes Opfer dargebracht. So sammelt sich denn allmälig eine Reihe von Bildern, deren jedes, wäre es auch nur durch die sichere Beherrschung und eigenthümlich unerwartete Wendung des Ausdrucks und der Versbildung, seinen besondern Reiz hat; das Ganze aber umschließt ein Stillleben so lebendig und doch so einfach, so anspruchlos und doch so gehaltvoll, daß man es als eine poetische Musterwirthschaft nachzuleben lernen möchte, wenn sich ein Leben nach fremden Mustern einrichten ließe. In der Phantasie aber genießt es sich vortrefflich mit. Die Fülle wird uns trotz der Gleichartigkeit des Inhalts so wenig lästig als eine lange Reihe in der Stille des Landlebens anscheinend gleichförmig durchlebter Tage, wenn wir jedem nur vom Gemüth aus seine eigne Gestaltung und Färbung zu geben wissen, und selbst das scheinbar Unbedeutende erhält seinen Reiz durch seine Beziehung zum Ganzen und die Stelle, die es darin einnimmt. Als mitzutheilende Proben wähle ich, durch den Raum auf die kürzern beschränkt, folgende:

Die Grillen.

Leute gibt es, welche klagen,
Daß sie heim nicht können bleiben,
Weil die Grillen sie verjagen
Und sie aus dem Hause treiben.
Diese haben an dem stillen
Herde nicht die rechten Grillen.

Eine Grill' an meinem Herde
Hab' ich, die so musiciret,
Daß der Schellenklang der Erde
Seinen Reiz für mich verlieret.
Stets daheim bei meinem Heimchen,
Horch' ich heimlich seinem Reimchen.

Wer nicht neidet und nicht leidet
Und ein gut Gewissen hat,
Sich bescheidet und sich weidet,
Ruh' hat auf der Ruhestatt,
Der wird heim bei sich nicht bangen,
Und nicht böse Grillen fangen.

Kindersinn.

Die Kinder, die sich jüngst gefreut
Aufs Land als wie die Kinder,
Sie freuen, da's zur Stadt geht heut,
Sich auf die Stadt nicht minder.

Großmutter ist beinah' verstimmt,
Daß in den Aufbruchstrubeln
Die Enkel, wie sie Abschied nimmt,
Nicht weinen, sondern jubeln.

Wer wie ein Kind genießt den Tag,
Hat keinen zu bereuen,
Und kann sich, was auch kommen mag,
Auf etwas Neues freuen.

Freuen wir uns nun der frischen Früchte aus Rückert's ländlicher Heimat, so ist ihm dies noch nicht genug.

Er führt auch noch einen Freund an seiner Hand herein, Karl Barth, denselben Künstler, der den Almanach mit seines Freundes Bildniß so würdig zierte. Aus einem poetischen Vorwort Rückert's erfahren wir, daß der Künstler, als der Dichter ihm zu diesem Bildniß sitzen sollte, demselben seine eignen noch ungedruckten Gedichte zu lesen gab, wobei denn dieser in die Worte ausbricht:

Welche Haltung soll ich dir genüber
Nun behaupten? Wo ich dir, dem Maler,
Kühn die Stirn als Dichter bot, erkenn' ich,
Daß du selbst ein Meister meiner Kunst bist,
Ich in deiner nicht einmal ein Pfuscher.

In der That findet sich in den hier mitgetheilten Gedichten von Barth eine so künstlerische Gestaltung und Färbung, daß darin, wenn nicht schon der vollendete, doch gewiß der werdende Meister sichtbar wird, wovon das folgende kurze Gedicht ein unverkennbares Zeugniß ablegt:

Alles nur ein Hauch.

Auf edler Frucht ein Dufthauch, den zerstört
Die leiseste Berührung, ist die Unschuld;
Die Sünd' ein gift'ger Hauch auf reinem Spiegel,
Deß erster Anflug ew'ge Flecken läßt;
Die ird'sche Lieb' ein Hauch der ew'gen Liebe;
Der Traum ein Hauch von einem schönern Leben,
Das Leben selbst ein Hauch aus Gottes Munde;
Das Wort ein Hauch des ewigen Gedankens,
Und was ich sing', ein Hauch Deß, was ich fühlte.

Von Adalbert von Chamisso enthält die Sammlung zehn Gedichte. Dieser Dichter hat, ohne an Kraft zu verlieren, an Ruhe, Milde und selbst an Heiterkeit gewonnen. Sein „Baal Teschuba" und die „Sage von Alexander" sind erzählende Gedichte in seiner besten Weise. Wie bei seinen mehrsten Gedichten dieser Gattung ist auch hier ein bedeutender Stoff gewählt und durch die Kunst der Behandlung zu ergreifender Wirkung benutzt, wozu bei dem letztgenannten Gedicht die Einfassung in den Rahmen eines frohgastlichen Tischgesprächs glücklich mitwirkt. „Die Blinde", „Der Klapperstorch" und „Im Winter" sind Gedichte jener lyrischen Gattung, die in das Epische hinüberspielt, indem ihnen der Dichter ein objectiv angeschautes Verhältniß zum Grunde legt. Auch in dieser Gattung ist er uns schon bekannt und lieb, und es stehen diese Gedichte gegen seine frühern aus diesem Kreise der Poesie keineswegs zurück. „Die Blinde" hat mich am mehrsten angesprochen; überhaupt aber sind Chamisso's lyrische Gedichte fast alle eindringlich und anregend, weil er niemals ein Gefühl darzustellen sucht, das er nicht entweder selbst empfunden oder doch in geistiger Anschauung, dem Gegenstande entsprechend, tief und wahrhaft als ein Empfundenes nachgebildet hätte. Beiläufig möge hier noch eine allgemeine Bemerkung über Chamisso's Poesie Platz finden. Es gibt überhaupt nur wenige Gedichte, die durch ihren Charakter das Alter ihres Verfassers errathen lassen. So würde man z. B. von wenigen Göthe'schen oder Uhland'schen Dichtungen sagen können, in welchem Alter der Dichter sie geschrieben, so weit nämlich die Zeit ihrer Entstehung aus äußern Umständen nicht etwa schon bekannt oder durch darin enthaltene Anspielungen angedeutet wäre. Chamisso's Gedichte hingegen tragen mit Ausnahme der wenigen aus seiner Jugendzeit herrührenden, die er in seine Sammlung aufgenommen hat, sämmtlich die deutlichste Spur an sich, daß sie von einem ältern, durch inneres und äußeres Leben bearbeiteten, gefestigten und beruhigten Mann gedichtet sind, und dieser Farbenton, weit entfernt, ihrem Eindruck zu schaden, gibt ihnen vielmehr, wenigstens nach meinem Gefühl, noch einen besondern Reiz. Es liegt hierin ein neuer Beweis, daß aus jener der Jugend eignen heftigen Gefühlstemperatur, aus jener brausenden Begeisterung des ersten Kampfes und der ersten Liebesregungen, mit denen der jugendliche Mensch der Welt entgegentritt, das Vermögen zu dichten wenigstens nicht ausschließlich hervorgeht, und daß, wenn das Horaz'sche „nascitur poeta" auch wahr ist, diese Geburt des Poeten im Menschen doch nicht immer in oder gar noch vor seine Jünglingsjahre fällt.

Die beiden eignen Dichtungen, die Gustav Schwab beigetragen hat, sind dem bekannten Werth seiner Muse entsprechend, weniger durch vollendete Kunstgestaltung als durch Wärme und Adel des Gemüths anziehend. Die von ihm frei aus dem Polnischen des Mickiewicz übersetzten „Bilder aus der Krim" bringen uns in die Nähe eines Dichters, den wir im europäischen Dichterkreise mit Ehrfurcht und Bewunderung willkommen heißen müssen. Zu einer so kühnen, kraftvollen Auffassung und dichterischen Bewältigung wilder, riesiger, prachtvoller Scenen einer fremden, eigenthümlichen Natur gehört ein Gemüth, das ihr an Größe gleich ist. Er durchwebt sie mit seinen eignen Gedanken und Gefühlen und erscheint nicht klein neben der großen Natur, die er darstellt. Ich sage nicht zu viel, wenn ich nach den wenigen Proben, die hier mitgetheilt sind, die Ueberzeugung ausspreche, daß wenige, ja auch nur ein Dichter wie Mickiewicz hinreiche, der polnischen Poesie einen ehrenvollen Platz in der europäischen Literatur zu sichern. Unmöglich kann ich vorübergehen, ohne dem Leser wenigstens eines dieser Gedichte mitzutheilen.

Die Ueberfahrt.

Doppelt rauscht die Woge; näher drängen sich des Meeres Schrecken;
Achtung, Kinder! seht im Tauwerk den Matrosen ihr, den kecken?
Droben in den fernsten Netzen hängt gestreckt er mitten inne,
Lauernd, wie aufs erste Zittern ihrer Fäden lauscht die Spinne.
Ha! der Wind! der Wind! das Fahrzeug, scheu, entledigt sich des Zaumes,
Und, erbos't vom Wetter, taucht es in den Wirbelwind des Schaumes.
Reckt den Hals, zerhaut die Wogen, will sich auf zum Himmel ringen,
Furch't die Wolken mit der Stirne, fängt die Wind' in seinen Schwingen.
Auch mein Geist fliegt mit dem Maste, schwingt sich über Abgrundswellen,
Und es schwillt die Phantasie mir, wie die vollen Segel schwellen,
Wider Willen misch' ich meinen Schrei in der Matrosen Schrei.

Offnen Arms stürz' ich zu Boden, und mit meiner Brust Bestreben
Treib' ich an den Flug des Schiffes, voll bin ich von leichtem Leben,
Wonnig schwebend; endlich weiß ich, weiß ich, was ein Vogel sei.

(Der Beschluß folgt.)

Das neue Jahrhundert. Von Heinrich Laube. Erster Band. Auch unter dem Titel: Polen. Fürth, Korn. 1833. 8. 1 Thlr. 12 Gr., Zweiter Band. Auch unter dem Titel: Politische Briefe. Leipzig, Lit. Museum. 1833. 8. 1 Thlr. 12 Gr.

Wenn man sich die Idee einer beginnenden Völkermündigkeit und Völkerfreiheit trüben und verkümmern will, so betrachte man ihre stufenweise Verwirklichung, wie sie, sich abschwächend und demüthigend, vom Großen zum ganz Trivialen in unsern Tagen hinuntersteigt. Man lasse sein inneres Feuer der sich selbst erfassenden Begeisterung an der kalten Juliflamme noch leuchten und brennen, aber doch schon matter werden, gehe nach Belgien hinüber und werde an dem kleinlichen Wirrwar irre, steige weiter in die deutschen Gauen, schaue hierhin und dorthin, z. B. nach dem frankfurter jünglingshaften, fast kindischen Mordspielwerk — und dann fühlt man schon allen Jammer der ärmlichen Nüchternheiten und alle Miseren eines Nichts, das von einem Etwas stammte, genugsam und vollauf. Oder dotto: will man einen andern Weg einschlagen, um mit allmäliger Entladung eines inwendigen Feuer- und Lebensstoffes, mit dem Gefühl der gleichgültigsten Leerheit zu enden, so durchlaufe man die Literatur der Revolutionnairs und Freiheitsapostel, blättere in Bailly's, Sieyes' und Mirabeau's Papieren, mache einen historischen Sprung zu Börne's Schriften und Briefen, zu Wirth's Heften und steige dann in die basse-cour hinab, wo das Hühnergeflügel und Federgezücht der dürftiger begabten Anhänger jener beiden Letztgenannten sich schmählich abmüht, die bereits gelegten Eier auszubrüten, beim Ausbrüten grober Weise sie zu zertreten und beim Zertreten unbehülflich zu schreien und zu gackern: hier wird der neue Heiland geboren!

Herr Laube ist, so weit Nachtreter talentvoll sein können, ein talentvoller, wenigstens nicht ungeschickter Nachtreter Börne's. Er will nichts, als was Börne gewollt, er paraphrasirt und commentirt genannten maître de révolte überall, wo er als Politiker seine Stimme erhebt. Auch als Aesthetiker hat er nichts Eignes, was nennenswerth wäre; in diesem Felde menzelt er. Witz und rührige, lebendige Diction hat er — nämlich gelernt von Börne, so weit man dies lernen kann; Grobheit und im guten Falle derbe Kernsprache hat er an Menzel's Weise nicht ohne Glück abgesehen. Wir haben nichts gegen diese Studien, auch nichts gegen Heinrich Laube; die Sache ist nur ziemlich klar und abgemacht. Warum soll man das bemänteln, da alle Bemäntelung nach dem Wunsche der Herren Ultras verschwinden soll, selbst wenn mit der gröblichen Enthüllung einem schönen Geheimniß, das eine Zeit im Schooße und unter ihrem Herzen trägt, aller Werth und Reiz genommen würde.

Wir dürfen uns jedoch nicht vergeblich in Raisonnements einlassen; hier ist nicht mehr mit Gründen zu streiten, noch Ansicht gegen Ansicht hinzustellen, nur Verständigung des Publicums unserer Blätter ist Ziel und Zweck. Wir müßten es aber lügen, wenn wir den beiden vorliegenden Bänden, die zusammen einen Raum von ungefähr 700 Seiten Mitteloctav einnehmen, etwas Eigenthümliches oder nur Eignes anmerken konnten; man hört das Alles, was hier gehimmelt und geteufelt wird, alle Tage, und Börne hat das weit einfach-origineller und stricter gesagt; auf diesem Felde breit sein, ist ganz und gar unerträglich und kann nur aus einer wüsten Schreibseligkeit hervorgehen. Einige Ohren, die wir während der Lecture machten, erlauben wir uns zu lüften; von Zusammenhang ist in dem Stoffe der beiden Bücher ohnehin nicht die Rede, soll auch nicht; Börne's Manier ist leger, sein legerer Styl gefällt, also will man auch leger sein und Alles durcheinanderwerfen. Der erste Band will freilich eine Geschichte Polens geben, und sein Untergang wird erzählt; allein auf das Amt eines Historikers sollte nur kein Anhänger Börne's Ansprüche machen, er gibt da sein freies Vagabundiren preis, ohne welches er weniger als nichts ist.

Also wir lüften einige Ohren. Bd. 1, S. IX: „Ach, es ist eine gottlose Zeit ohne Pietät" — das Gottlose bleibe dahingestellt; aber ohne Pietät ist unsre Zeit, das wissen wir schon; an die Stelle der Pietät, der unbedingten Hingebung, tritt jedoch die Tiefe der läuternden Vernunft, ein Fortgang von der Schwärmerei des Herzens zu einer tiefern Lauterkeit und Klarheit. Das weiß Hr. Laube nicht, und wenn er noch lernen kann, das muß er lernen.

S. XI heißt es: „Glaubt es doch endlich, der Liberalismus ist nichts als eine neue Auflage der Bibel, die zweite Epoche der Liebesreligion." Verdammt schief! Ist Börne ein Commentator der Bibel? ein Liebesritter? Ein Ritter der Ironie ist er in dunkelfarbigster Gestalt. Sein Gaul ist der Jahrhunderte lang genährte Haß einer getretenen Menschensekte, seine Peitsche die Geißel des Hohns, sein Sporn der stechende Uebermuth eines überschwenglichen Kitzels, sein Zügel — nun einen Zügel hat er eben nicht, das verdirbt die ganze Reitergestalt. Der beste Einfall im Buche Bd. 1, ist S. 7: „Die Kaiserin Katharina war ein toller Bursch u. s. w." Auf die Darstellung der polnischen Geschichte lassen wir uns nicht ein; ein einziger Satz stößt dies ganze Gewebe, was für historische Erzählung gelten soll, über den Haufen. Nämlich: „Unter den Jagellonen war Polen einer der bedeutendsten Staaten Europas." In diesem Lobe liegt der tiefste Tadel, denn daß Polen hier sich culminirte, zeigt, wo und in welcher Sphäre es lediglich seine Bedeutsamkeit zu finden vom Schicksal berufen und befähigt war. Ueberhaupt ist Polen in sich selbst beiweitem mehr untergegangen als am äußern Unglück. Die Hauptansicht des Verf.: zur Begründung eines freien, in sich seine Basis findenden Staats sei Alles 1831 bereit gewesen, es habe nur an einem Volks- und Kriegsgenie gefehlt — diese Ansicht, nach der alles Historische sich nach Zufälligkeiten modificirt, ist durchaus verwerflich. Es gibt in der Weltgeschichte keinen Zufall; auch Napoleon ist das wesentlich nothwendige Product einer wahrhaft tief motivirten nothwendigen Revolution. An Gestalten und Individuen ist die Geschichte nie verlegen gewesen, sobald die vorhandenen Elemente ihrer bedurften. Daran zu zweifeln, ist unwürdig und verräth einen schwächlichen Zustand der Gesinnung bei aller Rednerei des Gegentheils. Börne hat nie solchen trägen Gedanken producirt. Polen ist am Widerstreit seiner edeln und gemeinen Kräfte, an der eignen Barbarei, die mit aller Rohheit aus der Slawennatur wieder hervortauchte, untergegangen. Daß die Intelligenz Europas noch nicht so weit war, dazwischenzutreten, um Polen von sich selbst zu befreien, das ist unsere Barbarei gewesen.

Der zweite Band des „Neuen Jahrhunderts" enthält politische Briefe, als Commentar der Ereignisse letztverflossener Jahre. Es fehlt ihnen das originell Schlagende, die frisch geschöpfte Anschauung, das kurze Stechende der Börne'schen Briefe, denn sie sind nicht so unmittelbar und unwillkürlich hingeworfen, sie sind mehr „gemacht" und geben mehr eine fabricirte Exaltation; allein sie wollen als buntes Geschreibsel zufälliger Einfälle nichts Ganzes und Bestimmtes geben, wie der erste Band intendirte, und bleiben mehr in ihrem Felde. Es läßt sich, obschon man Manches nicht übel findet und eine Gewandtheit der exaltirten Federführung nicht zu verkennen ist, nicht viel über diese Briefe sagen, da sie nach Börne ins Leben treten. Sie bieten nicht genug Scharfsinn oder Gefühlstiefe, um sich mit den hier explicirten Ansichten näher einzulassen; denn auch ein tieferzeugter Irrthum hat einen mächtigen Reiz und macht mit Recht die Anfoderung, sich mit ihm zu verständigen. 203.

Eine neue Fortsetzung von Schiller's „Geisterseher".

Schiller hat bekanntlich in spätern Zeiten erklärt, daß er unter sich selbst herabsinken müßte, um dies Werk fortzusetzen, wie aus Woltmann's „Deutschen Blättern" vom Januar 1813, S. 151, zu ersehen ist. Nichtsdestoweniger hat die abenteuerliche Begebenheit zu mehr als einer Fortsetzung, von Follenius, Tschink, Grosse, Veranlassung gegeben, die im letzten Jahrzehend des 18. Jahrhunderts erschienen sind. Jetzt hat sich ein neuer Oedipus gefunden, Doctor Morvell, der in einem zweiten, dritten und vierten Theil des Schiller'schen „Geistersehers" unter dem Nebentitel: „Der Jesuit. Ein historisch-romantisches Gemälde aus dem Anfange des 18. Jahrhunderts nach den hinterlassenen Papieren des Grafen Orloff" die Räthsel des Schiller'schen Romans zu lösen unternommen hat. Wie der Verf. dazu kommt, dem Grafen Orloff die hinterlassenen Papiere des Grafen O. zuzuschreiben, wird uns nirgend gesagt. Seinem Romane hat er eine historische Unterlage zu geben gesucht, indem er die Herzoge Eberhard Ludwig und Alexander von Würtemberg (der Letztere ist vom zweiten Theile an der eigentliche Held des Romans und stellt den von Schiller erwähnten deutschen Prinzen vor), den Herzog Marlborough, den französischen Marschall Tallard, den Papst Clemens XI. als mithandelnde Personen aufführt; auch sind einige Scenen aus der würtembergischen Hofgeschichte im Anfange des 18. Jahrhunderts nicht ungeschickt benutzt worden. Aber ein großer historischer Irrthum macht die geschichtlichen Kenntnisse des Verf. sehr verdächtig. In Schiller's „Geisterseher" wünscht der deutsche Prinz bei der Geisterbeschwörung des Sicilier's seinen vertrautesten Freund, den französischen Brigadier de Lanoy zu sehen, der in der Schlacht bei Hastenbeck geblieben war. Dieser Begebenheit wird auch im gegenwärtigen Romane öfters erwähnt; aber sonderbar genug verlegt Hr. Morvell die Schlacht bei Hastenbeck, die am 26. Juli 1757 geliefert wurde, in die Zeit des spanischen Erbfolgekrieges! Denn während dieser Zeit, also während der Jahre 1700—13, soll der Roman des Verf. spielen. Solche arge Versehen hat sich der Altvater unter den Verfassern historischer Romane nie zu Schulden kommen lassen.

Hiervon abgesehen, ist die sogenannte Fortsetzung von Schiller's „Geisterseher" ein sonderbares Aggregat von sehr verschiedenen Bestandtheilen. Im ersten Theile nimmt die liederliche Wirthschaft am würtembergischen Hofe, bei der der Verf. mit besonderer Liebe zu verweilen scheint, den meisten Raum ein. Wer solche Scandalosa liebt und ausmalen will, dem empfehlen wir die Geschichte des Herzogs Eberhard Leopold von Würtemberg-Mömpelgart, die in Vulpius' „Historisch-literarischen Unterhaltungen und Ergötzlichkeiten" (erste Sammlung, Neustadt a. d. O. 1822) abgedruckt ist, zur fleißigen Benutzung. Wir wundern uns, daß diese Fundgrube bisher unentdeckt geblieben ist; unser Verf. hätte einige köstliche Züge aus derselben entlehnen können, da es ihm auf etwas mehr oder weniger Gemeinheit nicht anzukommen scheint. Dann geberden sich auch Herzog Marlborough, seine Gemahlin und eine Tochter Leontine (hatte der Herzog eine solche?) ziemlich wunderbar im ersten Theile. Im zweiten und im dritten Theile sind nun einzelne Begebenheiten aus Schiller's Romane in die Erzählung des Hrn. Morvell verflochten; Venedig ist hier der Schauplatz; der Marchese Civitella, Biondello — alte Bekannte — treten hier auf, Antonie heißt der Lockvogel, der den Prinzen fangen soll, und die Fäden des Ganzen leitet ein Jesuit, der in den verschiedensten Gestalten den Prinzen zur katholischen Kirche zu bekehren sucht. Und da nun diese Situationen und Nachahmungen Schiller's für zwei Theile nicht ausgereicht haben, so hat der Verf. es für gut befunden, seinen Lesern die Oertlichkeit von Venedig, Chiozza, Murano, die Gondeln und Gondolieri, die venetianischen Jagden auf dem festen Lande, das Fest der Vermählung des Dogen mit dem Meere, die Regatta, ja sogar eine sehr lange Beschreibung des zirknitzer Sees mitzutheilen. Alle diese Schilderungen sucht man hier nicht, auch sind sie nur mittelmäßig, und werden nicht blos in Cooper's „Bravo" oder in Pirch's „Caragoli", sondern auch in vielen ältern Reisebeschreibungen weit besser und anschaulicher gelesen als in dieser verunglückten Fortsetzung von Schiller's „Geisterseher". Was übrigens den oben erwähnten Herzog Alexander von Würtemberg anbetrifft, so ist derselbe allerdings am 28. October 1712 zur katholischen Kirche übergetreten, wie aus Hübner's „Genealog. Tabellen", Nr. 203, hervorgeht. Auch erinnern wir uns in Ammon's neuerdings erschienener „Convertiten-Galerie" die nähern Umstände seines Uebertritts gefunden zu haben, die aber freilich nicht so romantisch waren als die, durch welche Hr. Morvell die Leser seines Buches zu unterhalten gestrebt hat. 39.

Notizen.

Die Erziehung der Jugend im alten Griechenlande war doppelt, theils gymnastisch, in Betreff der körperlichen Ausbildung, theils musikalisch, die alles Das umfaßte, was die Bildung des Geistes beförderte. Die neuere Zeit, der es im Allgemeinen nur gar zu sehr an der rechten und echten Jugenderziehung, als der einzigen Grundlage des häuslichen und öffentlichen Lebens im Einzelnen und für das Volk fehlt, scheint das Nachahmungswerthe jenes trefflichen Vorbildes noch gar nicht erkannt zu haben. Der ausgezeichnete Kenner des griechischen Alterthums, Friedrich Jacobs, hat in seiner Abhandlung: „Ueber die Erziehung der Hellenen zur Sittlichkeit" (in seinen „Vermischten Schriften", Th. 3) jenes Vorbild lebendig veranschaulicht. Unter Anderm verdiente auch diese Abhandlung für die Neugriechen unserer Tage in ihre Sprache übersetzt zu werden. Je näher sie noch dem natürlichen Zustande des Völkerlebens stehen, um so weniger haben sie bisher die gymnastische Ausbildung vernachlässigt, und für die musikalische Erziehung fehlt es ihnen im Allgemeinen wenigstens nicht an den nöthigen Anlagen.

Der zweite Jahrgang des italienischen Vergißmeinnichts („Non ti scordar di me", Mailand 1833) ist uns, etwas spät zwar, zugekommen. Derselbe zeichnet sich, was den Inhalt und die beigegebenen Kupfer anlangt, vor dem ersten Jahrgange vortheilhaft aus. Die Figurenzeichnung könnte jedoch hinsichtlich der Kupfer besser sein. Der Inhalt ist theils poetisch, theils prosaisch. Die vorzüglichern Dichter des jetzigen Italiens haben daran Theil genommen, z. B. A. Maffei, Tommaso Sgricci, Niccolini, sowie die Damen de' Scolari, Rosa Taddei, Isabella Teotochi Albrizzi. Besonders möchten wir auf das „Lamento del ultimo Abencerragio" aufmerksam machen, worin die genannte, in Deutschland bereits rühmlich bekannte Kennerin deutscher Poesie, de' Scolari, die vorzüglichsten und interessantesten Momente aus Chateaubriand's Roman: „Les aventures du dernier Abencerage", zusammengefaßt und wofür sie von Chateaubriand eine sehr schmeichelhafte Zuschrift erhalten hat, die auch in der „Gazetta di Venezia" vom 15. Mai 1833 abgedruckt worden ist.

Im Jahre 1802 schrieb Friederike Brun („Römisches Leben", 1, S. 21), daß die Entvölkerung in der ganzen römischen Campagna in so reißender Progression abwärts gehe, daß man es sich mit Schaudern sage: dies Volk könne aussterben, und der Name Römer hätte auf Erden keinen Repräsentanten mehr. In Ansehung der guten Eigenschaften der alten Römer haben diese wol schon seit langer Zeit keine Repräsentanten mehr auf Erden gehabt; übrigens nannte der Franzose Duclos die Römer schon früher nicht Römer, sondern Italiener von Rom, und Wilh. v. Humboldt sagte von ihnen sehr passend, daß sie Wanderer seien, die an Ruinen ausruhen. 30.

Redigirt unter Verantwortlichkeit der Verlagshandlung: F. A. Brockhaus in Leipzig.

Blätter
für
literarische Unterhaltung.

Donnerstag, —— Nr. 297. —— 24. October 1833.

Deutscher Musenalmanach für das Jahr 1834. Herausgegeben von A. von Chamisso und G. Schwab. Fünfter Jahrgang.

(Beschluß aus Nr. 296.)

Polenlieder, und unter diesen auch schöne, sind in den letzten Jahren gar viele gesungen worden; ein Beweis, daß Siegen und Besiegtwerden in einem Freiheitskampfe poetisches Leben ist und erzeugt. Gedanken, Gesinnungen und Gefühle, die in der Poesie weiter leben, sind unvertilgbar, unsterblich; sie wirken, die Geschichte lehrt es, wie lange die That auch schlummern mag, durch alle Zeiten fort, und vergebens hofft man, sie zur Ruhe gebracht oder Frieden mit ihnen geschlossen zu haben. In diesem Sinn ist die Poesie wahrhafte Prophetin. Zwar sind nur drei Gedichte dieser Gattung hier zu finden, aber sie reichen hin, um daraus zu erkennen, daß das Gefühl für eine, wenn auch in ihrer äußern Erscheinung in manchem Sinne trüb gemischte, doch in ihrem innersten Wesen echte und edle Volkserregung noch immer nicht erstorben ist, und daß der Brennstoff der Wahrheit und des Lichts, wo seine Entwickelung zur reinigenden Flamme gehemmt ist, doch als Funken lebendig fortglimmt. Daher wird denn den Freunden Polens auch das hier mitgetheilte schöne Gedicht: „Der Prophet" von Wolfgang Menzel willkommen sein. Justinus Kerner hat in seinem „Sominski" eine Heldenthat, die den größten aller Zeiten sich würdig anreiht, in schöner poetischer Form der Nachwelt aufbewahrt, und Wilhelm Wackernagel's „Noch nicht" gehört zu den besten Gedichten, die aus diesen Weltbewegungen hervorgegangen sind. Die drei Gedichte von G. Pfizer sind, wenngleich schön, doch eigentlich in einem andern als im poetischen Sinne schön zu nennen. Sie sind in poetischer Gestalt gegebene Räthsel, deren Lösungswort nicht im Gebiet der Poesie, sondern in dem der Philosophie gesucht werden muß, und da die erstere die Thätigkeit der Vernunft nie ausschließlich und unmittelbar, sondern nur durch das Medium des Gefühls in Anspruch nehmen darf, so verfehlen diese Gedichte als solche ihre Wirkung. „Die Stimme in der Wüste", von Karl Streckfuß, besingt in trefflichen Terzinen die Schlacht von Navarin. Gleich nach dem Ereigniß gedichtet, erschienen diese Verse damals nur als Manuscript für Freunde, auf die sie ihre Wirkung nicht verfehlten. Daß diese „Stimme aus der Wüste" jetzt auch in das gesellige Leben der civilisirten Welt hereintönt, wollen wir der indeß erfolgten glücklichen Entwickelung der griechischen Angelegenheiten gern verdanken und uns freuen, daß die damals still ausgesprochne schöne Zuversicht so schön in Erfüllung gegangen ist. Es folgen acht Gedichte von Joseph von Eichendorff, der von den Freunden der lyrischen Poesie gar wohl gekannt und geliebt, doch, wie ich glaube, in den weitern Kreisen unserer Literatur viel zu wenig genannt und gelobt wird. Echte, treue, tiefrührende Naturgefühle tönen einfach wie Nachtigallweisen aus seinen Liedern. Ein bescheidenes, stillliebendes Herz schließt sich mit schlichten, zarten Worten unwiderstehlich an die verwandte Brust. Man höre:

Am Abend.

Was ist mir denn so wehe?
Es liegt ja wie im Traum
Der Grund schon, wo ich stehe;
Die Wälder säuseln kaum
Noch von der dunkeln Höhe.
Es komme, wie es will —
Was ist mir denn so wehe? —
Wie bald wird Alles still!

Wie glücklich wäre der Tonsetzer, der zu diesem sanft hingehauchten Liedchen die richtige Weise fände, der dieses schmerzlichleise Uebergehen des tiefen Herzeleids in die ersehnte Ruhe in Tönen wiedergeben könnte. Auch A. Schöll ist es gelungen, in seinem aus sechs Liedern bestehenden Gedicht: „Das Thal", dem Strahl des Schmerzes um eine verlorene Geliebte, wie er sich an den Erscheinungen einer reizenden Naturumgebung in mannichfachen Lichtern und Wiederscheinen bricht und abstuft, eine schöne poetische Gestaltung zu geben. Der von den beiden zuletzt genannten Dichtern ganz gleich gewählte Gegenstand führt fast auf die Vermuthung eines poetischen Wettkampfes, worin Jos. von Eichendorff durch die Wahrheit des nachempfundenen Gefühls und den einfach natürlichen Ausdruck desselben die Palme errungen haben dürfte.

In dem vorjährigen Almanach hat Anastasius Grün in einem Gedichte unter dem Titel: „Der alte Komödiant", das Bühnenwesen der heutigen Zeit, wie es vom Publicum, von Schauspielern selbst zu häufig leider betrieben, betrachtet und beurtheilt wird, in einem freilich etwas grellen, vielleicht zu dringend nach Effect strebenden,

oder auch durch wahren Unmuth über die im Allgemeinen doch unleugbar übliche Mishandlung der edelsten Kunst übertrieben und hoch tragisch gehaltenen Bilde dargestellt. Hat der Dichter damit wol die Schauspielkunst selbst in ihren Priestern verächtlich machen wollen? Gewiß nicht! Dazu ist Anast. Grün zu wahrer Dichter. Doch hat Karl von Holtei sich in seiner Liebe zu der Kunst, der er frei sein Leben geopfert, und für die er gelitten hat, **durch jenes Gedicht verletzt gefühlt und in dem vorliegenden** Almanach dem ältern **einen neuen „alten Komödianten"** entgegengesetzt, worin dieser dem Dichter die Verhöhnung der Schauspieler bitter vorwirft und wol auch nicht mit Unrecht sagt:

Bekenn's ja, unsre Kunst ist krank;
Sie steht mit Eurer Zeit im Bund!
Ist denn die Poesie gesund?

Besonders fühlt sich der alte Komödiant, den Holtei sprechen läßt, dadurch verletzt, daß der Dichter ihn einen alten Gauner und sein blühend Töchterchen ein Gaunerdienlein nennt und meint, die schlimmsten Gauner wären die mit den großen Ordenssternen, „die trieben ihre Gaunerei in den Coulissen frank und frei; was kümmre sie die Künstlerin, auf bloße Natur steh' nur ihr Sinn". Sowie der Angriff misverstanden worden ist, so könnte es leicht auch die Vertheidigung werden. Beide bewegen sich, wie es scheint, nicht im Gebiet der Poesie; auch werden beide Dichter darüber wol einverstanden sein, daß die wahre Kunst weder durch solchen Angriff leiden noch durch solche Vertheidigung gerettet werden kann. Unter vier schönen Gedichten von Anast. Grün gefällt mir „Das Vaterland" am besten. Der Dichter macht mit Reisenden aus mancherlei Ländern eine Seereise auf dem adriatischen Meere. Jeder rühmt seine Heimat und leert sein Glas auf deren Wohl. Da war aber

Ein Mann auch aus Venedig,
Der sprach in sich hinein:
„Mein Vaterland, o Heimat,
Du bist nur Wasser und Stein!"

„Einst glomm der Freiheit Sonne,
Da lebt' und sprach der Stein
Und tönte wie Memnon's Säule
Ins Morgenroth hinein!"

Der poetische Gedanke ist vortrefflich aufgefaßt und ausgeführt; Schade nur, daß die Geschichte kein unbedingtes Ja dazu sagen kann, denn jene Seufzerbrücke, über die das eiserne Wort der unerbittlichen Zehne so manchen Unglücklichen ungesehen zu ewigem Schweigen hinübersandte, jene Bleidachkammern, unter denen Silvio Pellico schmachtete, hat Oestreich nicht gebaut, sondern gefunden. Jener starre, stumme Aristokratismus, unter dem Venedig einst ein äußerlich blühendes, innerlich verfaultes Leben führte, jene auflauernde, feinspürende, verrätherisch spionirende Policei, die jeden Hauch des Familienlebens, jeden Athemzug der Liebe und Freundschaft belauschte und vergiftete, waren der Freiheit vielleicht noch bitterer tödtlich als die brutalen Fäuste, die mit roher Gewalt der Wahrheit und Intelligenz den Mund verschließen und das Ohr verstopfen. Fünf Gedichte von August Grafen von Platen sind ebenso viele Muster der vollendetsten Correctheit in Form, Ausdruck, Versbau und Wendung und bekunden von Neuem, daß er ein großer Dichter sein würde, wenn diese Vorzüge allein den Dichter machten. Originalität der Erfindung, Tiefe des Gedankens, Schärfe der Anschauung, Kraft der Darstellung bleiben bei ihm auf derselben untergeordneten Stufe stehen, und er scheint bestimmt zu sein, künftigen Dichtern, die diese Eigenschaften besitzen, als Muster für die Form empfohlen zu werden. Ganz in seine Fußtapfen tritt Ernst Freiherr von Feuchtersleben, der den Almanach mit sieben Sonetten beschenkt hat. Dieselben sind mit höchster Sorgfalt und Ausfeilung zur reinsten Form gestaltet und verrathen dabei eine größere natürlich-poetische Kraft und Tiefe, als in seinem Freund und Vorbilde gefunden wird. Er kann weit gehen, wenn er auf dieser Bahn vorschreitet.

Von alten Bekannten aus den frühern Jahren des Almanachs haben sich noch Folgende eingestellt: Nikolaus Lenau mit drei Gedichten unter der Ueberschrift: „Atlantica", die, auf ruhiger Meerfahrt gedichtet, von dieser eine beruhigtere, gegen die stürmische Bewegung seiner frühern Lieder contrastirende, sanft-schwermüthige Stimmung angenommen zu haben scheinen; Karl Mayer mit frischen Wald- und Feldblumen in seiner bekannten Tonweise; Georg Rapp mit einer schauerlich-undinischen „Braut am Bergsee"; G. Reinick mit einem trefflichen Liede voll tiefmelancholischer Naivetät des Schmerzes; D. A. Assing mit einer Romanze: „Kaiser Heinrich VII. Tod", der ein sehr schöner religiös-poetischer Gedanke zum Grunde liegt, welchem eine sorgfältigere künstlerische Ausführung jedoch zu wünschen gewesen wäre; Rosa Maria mit einem Wanderliede; Wilh. Wackernagel mit zehn gediegenen Gedichten, in denen ein wehmüthiger, zum vollsten Mitgefühl anregender Ton erklingt; Julius Mosen mit einem Romanzencyklus aus der Sage von Heinrich dem Löwen, der, einige Härten abgerechnet, recht wohl gelungen ist. Unter den Dichtern, von denen in den frühern Jahrgängen des Almanachs noch keine Beiträge sich fanden, sind folgende mit freudigem Beifall zu erwähnen. August Kopisch, der einige muntere wohlgemuthe Lieder voll gesunden Humors beitrug; Ludwig Giesebrecht, der sein lange bewährtes Talent weniger ruhen lassen sollte, als in der letzten Zeit geschehen ist, und Eduard von Schenk, der in seinem „Albertus Magnus" ein Bruchstück eines epischen Gedichts: „Der ewige Jude", beigetragen hat. Die Legende ist sinnvoll und schön; auch erscheint sie mit allem Schmuck der Poesie, der diesem Dichter so sehr zu Gebote steht, geziert. Dennoch dürfte sie Diejenigen, die nicht von der Fülle des katholischen Glaubens ganz durchdrungen sind und deren Zahl nicht gering ist, weniger tief ergreifen. Auch diejenigen Beiträge, die hier aus Mangel an Raum nicht besonders erwähnt werden können, sind nicht ohne poetisches Verdienst und beweisen die sorgfältige Wahl und das richtige Urtheil der Herausgeber. Der Reichthum dieser Jahressammlung zeigt, daß die Musen, wiewol ihres liebsten und begünstigtsten Dieners beraubt, doch noch gern in unserm Vaterlande weilen; und wie sollten sie nicht, da ihnen so wahrhafte, ernste Andacht erwiesen wird, da selbst in diesem poetischen Jahrbuch der gekrönte Dichter, **König Ludwig von Baiern**, dem Reigen vorangeht, da er die schönen Blüten seiner Poesie mit den Blumen glücklich begabter Sänger und den Purpurglanz des Thrones mit dem der reinsten Begeisterung vermischt. *) 119.

Sendschreiben an die geehrten Lehrer der Muttersprache in deutschen Gelehrtenschulen von **Georg Reinbeck**. Nebst sechs Beilagen, die deutsche Sprache und den Sprachunterricht betreffend. Ein Beitrag zur Methodik. Stuttgart, Löflund und Sohn. 1832. Gr. 8. 1 Thlr. 4 Gr.

Diese Schrift ist in mehrfacher Beziehung anziehend und belehrend. Das Sendschreiben selbst, welches nur etwa den vierten Theil des Buches ausmacht, ist ein Bericht über die Methode, welche der Verf. während einer vierzigjährigen Laufbahn als Lehrer der deutschen Sprache befolgt hat. Die Einzelheiten dieser Methode zu beurtheilen, überlassen wir billig praktischen Schulmännern, doch kann bemerkt werden, daß dieselbe allerdings mehr Mannichfaltigkeit aufzeigt, als wol in dem Verfahren vieler andern Lehrer desselben Fachs zu finden sein möchte. Und das ist kein unwesentlicher Vorzug, denn, wie jeder Schulmann weis, ist es eine der unerlaßlichsten Bedingungen der Wirksamkeit des Unterrichtes, daß dem Schüler Lust und Liebe zur Sache beigebracht werde. Und diesen Zweck zu erreichen, ist verständige und sachgemäße Abwechselung ein sehr geeignetes Mittel. Sodann müssen wir in die Klagen des Verf. über die unverhältnißmäßige Vorliebe, welche man den alten Sprachen auf unsern Gelehrtenschulen widmet, und über die Vernachlässigung der Muttersprache mit vollem Herzen einstimmen. Es leidet keinen Zweifel, daß diesem Uebelstande, welcher schon so oft gerügt worden ist, nur deshalb noch nicht abgeholfen worden ist, weil die meisten unserer dermaligen Schulmänner mit ihrer Muttersprache viel weniger bekannt sind als mit den alten Sprachen, und daß der Unterricht in der erstern zum Mittelpunkte der gesammten Gymnasialbildung gemacht werden wird, sobald die deutsche Nation zu einer selbständigen Bildung gelangt sein wird. Der Verf. berichtet uns, daß auf dem stuttgarter Gymnasium, auf welchem er lehrt, in allen untern Classen nur zwei, in der höchsten drei Stunden für den Unterricht in der Muttersprache eingeräumt sind, mit Einschluß der Literaturgeschichte. Das ist nun freilich sehr wenig, zumal da die 18 — 20 Stunden, welche meist für den Unterricht in der lateinischen und griechischen Sprache für nothwendig gehalten werden, häufig genug mit geisttödtenden Grübeleien über Wörter und Buchstaben ausgefüllt werden. Auf der andern Seite ist freilich nicht außer Acht zu lassen, daß es nur zu viele Lehrer der Muttersprache geben mag, welche schon nicht recht wissen, was sie in ihren zwei oder drei Stunden anfangen sollen, und welche mithin in nicht geringe Verlegenheit gesetzt werden würden, wenn ihnen mehr Raum angeboten würde.

Von allgemeinerem Interesse als dieses Sendschreiben sind die demselben angehängten Beilagen. In der ersten derselben, welche den Titel „Unsere Sprache“ führt, äußert der Verf. etwas seltsame Ansichten über die Mittel zur Fortbildung der deutschen Sprache. Namentlich erklärt er sich mit vielem Eifer gegen die Aufnahme von Provinzialismen in die Schriftsprache, oder Cultursprache, wie der Verf. sich ausdrückt. „Ist es eine Fortbildung“, ruft er aus, „wenn wir die sich etwa in den einzelnen Dialekten vorfindenden Formen oder veraltete in der Schriftsprache benutzen? und soll dies der Willkür jedes Einzelnen überlassen bleiben?“ Und doch sagt er wenige Zeilen später: „In der Bildung neuer Wörter sind wir unbeschränkt, insofern das keine wilden Schößlinge, sondern echter Bildung nach den organischen Gesetzen der deutschen Sprache, wodurch sie schon an sich allgemein verständlich sind und sich leicht Eingang verschaffen.“ Hierdurch ist die vorige Frage schon mit beantwortet, denn was hindert uns denn, diese organischen Gesetze der Sprache auch bei der Aufnahme von Provinzialismen zur Richtschnur zu nehmen?

Die zweite Beilage, überschrieben: „Von dem Bildungsgange auf unsern Gelehrtenschulen“, ist noch interessanter, weil der Verf. hier mit einem Anhänger neuerer Ansichten in Conflict geräth. Dieser, wie es scheint, noch junge Mann gehört zu den Gelehrten, welche von den neuen und tiefen Ansichten ihrer Lehrer so berauscht sind, daß sie dieselben nicht anders verkündigen können, als mit gewaltig vollen Backen. Sie glauben, die Mängel der herrschenden Ansichten nicht besser bekämpfen zu können als indem sie ihnen recht schroff und absprechend entgegentreten. Dadurch machen sie sich eines doppelten Fehlers schuldig, eines theoretischen und praktischen; einerseits nämlich verkennen sie das Positive, welches denn doch in jeder Ansicht, die sich historisch geltend gemacht hat, in reichem Maße zu finden sein muß, und stellen mithin einer Einseitigkeit die andere entgegen; andererseits verhindern sie durch ihre absprechende Darstellungsweise das Verständniß ihrer Ansichten und bringen dadurch die Sache der neuern Philosophie überhaupt in Verruf. Der in Rede stehende Reformator des Unterrichteswesens, Prof. Follen in Aarau, verlangt vor allen Dingen, die Erziehung und der Unterricht sollen dahin wirken, daß wir „wachend schön träumen lernen“, und deshalb vorzüglich die Phantasie bilden. Das ist nun allerdings ein hinlänglich seltsamer Ausdruck, und doch ist etwas sehr Wahres in dieser Foderung ausgesprochen. Denn in der That richtet die Erziehung sich gewöhnlich fast ganz auf die Reflexionsseite des menschlichen Geistes und vernachlässigt die Seite des Sinnes. Die Folge davon ist weniger Mangel an Phantasie — denn diese wuchert dann oft nur desto üppiger und wilder — sondern Mangel an Bildung der Phantasie und mithin entweder ein zügelloses Aufbrausen derselben oder stumpfsinnige Gemeinheit. Es wäre daher in der That eine sehr große Wohlthat für die Menschheit, wenn unsere Erzieher es sich angelegen sein ließen, den Sinn ihrer Schüler einerseits zu beleben, andererseits zu zügeln und zu leiten. F. geht nun aber weiter. Da es ihm einmal darum zu thun ist, die Wichtigkeit der Phantasie anschaulich zu machen, so versichert er uns, dieselbe sei die Grundkraft des menschlichen Geistes, die Erzeugerin aller übrigen Kräfte desselben. Hätte er die Encyklopädie der philosophischen Wissenschaften mit Bedacht gelesen, so würde er wissen, daß der Ausdruck: Grundkraft des Geistes, gar keinen philosophischen Begriff bezeichnet, und daß am allerwenigsten die Phantasie als solche bezeichnet werden kann

Außerdem setzt sich F. dem Spotte unsers Verf. noch dadurch aus, daß er häufig auf ganz ungehörige Weise von seinem Gegenstande abschweift. Unter Anderm fällt es ihm, indem er von der Wirksamkeit der Phantasie spricht, plötzlich ein, Hegel eine Lobrede zu halten, und dann springt er mit einem einfachen Aber dazu über, daß eigentliche Philosophie nicht auf Schulen gelehrt werden solle, worauf er alsdann wieder auf das Verhältniß der Phantasie zu den übrigen Geisteskräften zurückkommt. Unser Verf. erkennt im Allgemeinen an, daß Manches in dem besprochenen Aufsatze zu beherzigen sei, und das ist schon mit

---

*) In einem dem Almanach beigefügten besondern Blättchen werden die Dichter, die demselben ihre Beiträge zuwenden wollen, ersucht, solche der Weidmann'schen Buchhandlung in Leipzig spätestens im Laufe des Monats März zu übersenden, indem später eintreffende unberücksichtigt bleiben müssen. Ref. findet sich durch die Theilnahme, die diese vorzügliche Sammlung verdient, zur weitern Verbreitung dieser Auffoderung bewogen.

Dank anzuerkennen, denn sonst pflegen unsere ältern Gelehrten Alles, was nach neuerer Philosophie schmeckt, mit Achselzucken bei Seite zu legen. Im Einzelnen aber thut sich denn freilich hervor, daß der Verf. nur wenig auf die hier dargelegten Ansichten eingegangen ist. Wenn er unter Anderm zu der Behauptung, daß jeder Mensch von Natur Anlage zu poetischer Production habe, die spöttische Anmerkung macht, daß diese Anlage sich denn doch wol bei Vielen auf ein Minimum = 0 reduciren möchte, so können wir dieselbe nur mit Lächeln lesen, da nicht nur von den Urhebern der neuern Philosophenschulen, sondern selbst von Kantianern anerkannt worden ist, daß in keinem Menschen eine Kraft sei, welche nicht jeder Mensch mehr oder minder an sich habe. Wenn der Verf. ferner zu einer Expectoration F.'s über das Nichts bemerkt: „Also ist der Satz doch falsch: aus Nichts wird Nichts; und die Philosophie, der man so oft vorwarf, daß sie zu nichts führe, kehrt das Ding jetzt um und geht vom Nichts aus? Und wo hat nur Gott, der das All und die unendliche Fülle ist, das Nichts hergenommen (!), aus dem er die Welt erschaffen, er, in welchem Alles und welcher in Allem ist" — so sieht man wohl, daß er es nicht der Mühe werth gehalten hat, sich um die Bedeutung, in welcher das Nichts hier zu nehmen ist, zu kümmern. Wenn er ferner der Behauptung, daß in unserer Zeit wenig producirt werde, die Dickleibigkeit der Meßkataloge und die Tagesblätter entgegenstellt, so möchte sich denn freilich leicht zeigen lassen, daß grade diese Vielschreiberei eine Folge der Roheit ist, in welcher man die Productionskraft in den Kindern heranwachsen läßt. Wenn das Publicum gebildeter wäre, so würden neun Zehntheile jener Schriften nicht gelesen und folglich nicht gedruckt werden, wenn sie auch geschrieben würden; aber sie würden auch nicht geschrieben werden. Jene Dickleibigkeit der Meßkataloge rührt nur davon her, daß man jetzt der Erbärmlichkeit freien Spielraum läßt, sich nach Herzenslust auf dem von den Musen verlassenen Parnaß herumzutummeln.

In der dritten Beilage berichtet der Verf. über einen Streit, welchen er in diesen Blättern geführt hat. In einer Anzeige von Graff's Ausgabe von Ottfrid's Umschreibung der Evangelien war nämlich die gewöhnliche Methode des Unterrichts in der deutschen Sprache angegriffen worden, und unser Verf. sah sich gemüßigt, sich dieser Methode anzunehmen, worauf ihm denn entgegnet wurde, er habe gröblich misverstanden. Nun ist nicht zu leugnen, daß in unsers Verf. hier nochmals abgedruckten Erklärung mehrfache Misverständnisse zu finden sind, daß sie aber durch den Gegner einigermaßen veranlaßt wurden. Ohne mich in die Einzelnheiten dieses Streites einzulassen, will ich nur angeben, wohin nach meiner Ansicht von der Sache die streitenden Parteien sich zuletzt vereinigen werden. Unser Verf. selbst sagt (S. 126): „Folglich ist grade einer wissenschaftlichen Bildung eine wissenschaftliche Kenntniß der Muttersprache nöthig, d. h. eine Kenntniß nach Grundsätzen und zwar so, daß diese nicht als etwas Willkürliches durch den Gebrauch etwa und noch dazu einer einzelnen Provinz Gegebenes erscheine, sondern sich auf allgemeingültige Grundsätze und den Genius der Sprache stütze". Das muß der Gegner vollkommen billigen und darf nur hinzusetzen: „Diese Grundsätze werdet ihr aber niemals herausfinden, diesen Genius verstehen lernen, wenn ihr nicht die Anfänge der Sprache und ihre allmälige Fortbildung bis auf unsere Zeit gründlich studirt habt." Und hierin müssen wir ihm durchaus beipflichten. Sowie Derjenige das römische Recht auf geistlose Weise studirt, welcher nur die Gesetzsammlung Justinian's auswendig lernt statt die Entwickelung der rechtlichen Zustände vom Anfange der römischen Geschichte an zu verfolgen, ebenso können auch die Gesetze der deutschen Sprache nur dann gründlich erforscht werden, wenn man bis auf die Anfänge derselben herabgeht. Und daß dies z. B. unser Verf. keineswegs gethan hat, geht schon aus der verächtlichen Weise hervor, in welcher er von den literarischen „Herrlichkeiten" des Mittelalters spricht. Ob übrigens der Gegner unsers Verf. will, daß nur der Lehrer die altdeutsche Sprache studirt habe, um gründlichen Unterricht und zugleich gelegentliche Nachweisungen über die Entwickelung einzelner Formen ertheilen zu können, oder daß auch den Schülern eine zusammenhängende Kenntniß von der Geschichte der deutschen Sprache beigebracht werde, wird nicht ganz klar. Letzteres möchte allerdings bei dem gegenwärtigen Zustande der Wissenschaft nicht möglich sein.

Die vierte Beilage enthält im Auszuge die Ansichten Hofmeister's und Schuberth's über die Entstehung der Sprache. Beide sind einander als gleich gültig gegenübergestellt. Nach meiner Ansicht sind sie das nicht. Die Ansichten Hofmeister's sind Resultate des tiefsten, die Sache wahrhaft erfassenden Nachdenkens, und wenn man auch nicht Alles, was hier mitgetheilt wird, billigt, so fühlt man doch, daß auf diesem Wege weiter fortgeschritten werden müsse; die Ansichten Schuberth's dagegen enthalten zwar einige gute Aperçus; aber sie sind nicht gehörig verarbeitet und daher durch ein weitläufiges äußerliches Raisonnement verbunden und überdies mit den seltsamsten Ansichten vermischt. **Unter Anderm vernichtet die Hypothese von einer ursprünglichen Vortrefflichkeit der Sprachen, welche im Laufe der Zeiten immer mehr sich zum Schlechtern gewendet hätte, alle Geschichte, ja alle Wissenschaft.**

Literarische Notizen.

In Paris wird von den Hrn. Buchet und Roux angekündigt: „Histoire parlementaire de la révolution française, ou journal des assemblées nationales, depuis 1789 jusqu'en 1815". Außer der Erzählung der Begebenheiten werden darin die Debatten der Nationalrepräsentanten, die Verhandlungen der bedeutendsten Volksgesellschaften, namentlich der Jakobiner, die Protokolle der pariser Commune, die Sitzungen des Revolutionstribunals, die detaillirten Budgets rc. zu finden sein. Das ganze Unternehmen ist auf 15—20 Bände zu 4 Francs berechnet.

Eine neue Geschichte von Paris wird daselbst von G. Touchard-Lafosse angekündigt. Sie ist auf vier Bände zu 32 Bogen berechnet und soll in Lieferungen zu vier Bogen und zwei Abbildungen ausgegeben werden, deren Preis auf 50 Centimes bestimmt ist.

In Strasburg ist eine französische Uebersetzung von Harro Harring's (dessen Familienname Müller ist) Memoiren über Polen erschienen.

Von Quatremère de Quincy's „Histoire de la vie et des ouvrages de Raphael" ist eine zweite, verbesserte und vermehrte Auflage herausgekommen.

In Paris erscheinen: „Antiquités mexicaines; relation des trois expéditions ordonnées par le roi d'Espagne en 1805, 1806 et 1807, pour rechercher les antiquités antérieures à la découverte du Mexique, notamment celle de Milta et Palenque". Die erste Lieferung sollte am 15. September ausgegeben, und das Ganze von 6 zu 6 Wochen in 12 Lieferungen vollendet werden. Die Abbildungen sind von spanischem und französischem Text begleitet; der Preis jeder Lieferung ist 40 Francs.

„Es ist eine Schande, daß v. Hammer's Arbeiten über orientalische Geschichte nicht bekannter bei uns sind", bemerkt gelegentlich die „London literary gazette", und setzt hinzu: „Er hat 36 Jahre unter den Türken gelebt und mit deutscher Beharrlichkeit ihre Urkunden studirt". Das Erstere und Letztere zugegeben, möchten wir doch die Quelle der andern Behauptung kennen lernen. 8.

Redigirt unter Verantwortlichkeit der Verlagshandlung: F. A. Brockhaus in Leipzig.

Blätter

für

literarische Unterhaltung.

Freitag, —— Nr. 298. —— 25. October 1833.

Briefe über den moralischen und politischen Zustand der Vereinigten Staaten von Nordamerika von Achilles Murat, Bürger der Vereinigten Staaten, vormaligem Kronprinzen beider Sicilien. Aus dem Französischen. Braunschweig, Verlags-Comptoir. 1833. Gr. 12. 1 Thlr.

Amerika überhaupt, die Territorien der Vereinigten Staaten insbesondere werden täglich für uns wichtiger, und nicht blos der diesen neuen Staaten freundlich oder feindlich Gesinnte, sondern überhaupt Jeder, der an der Beobachtung neuer Gestaltungen gesellschaftlicher Verhältnisse Interesse nimmt, greift begierig nach einem neuen Werke, dessen Autor gründliche Kenntniß oder eigenthümliche Ansicht erwarten läßt.

Der Autor der vorliegenden Briefe hat nun gewiß eine höchst eigenthümliche Stellung, indem er, ohne der hohen Aristokratie Europas anzugehören, doch seine Kinderjahre in einer Lage zugebracht hat, die der derselben Angehöriger analog war, und Folgen dieser Lage durch Bekanntschaften und Verbindungen in hohen Kreisen sind ihm bis heute geblieben; aber ebenso ist ihm geblieben die bittere Opposition gegen diese Aristokratie, die nirgend verhehlt wird und auch vis à vis des Straßenpflasterkönigs, wie er Ludwig Philipp nennt, nichts von ihrer Animosität verliert. Diese Animosität hat eine jugendlich frische Seele nun abgewendet nicht blos von Allem, was einer alten, was überhaupt einer Monarchie ähnlich sieht, sondern vor Allem auch, was mit organisch-ständischer Gestaltung zusammenhängt. Achilles Murat ist nicht blos Republikaner, sondern er verlangt in der Republik auch die Selbstregierung des Volkes, und diese setzt er über Alles.

Bei aller Opposition gegen den größten Theil der speciellern Ansichten des Verf. werden wir doch öfter Gelegenheit haben, dessen richtigen Blick, wo es auf Entwickelung eines natürlichen Taktes ankommt, zu preisen; die Selbstregierung ist allerdings die Seite eines Volkslebens, wodurch erst wirkliche, wir möchten sagen materielle Freiheit in dasselbe gebracht wird. Uns erscheinen deshalb die germanischen Verfassungen des Mittelalters, uns erscheint deshalb die heutige englische Verfassung und allerdings (obwol in etwas beschränkterm Sinne) auch die Verfassung der nordamerikanischen Freistaaten so preiswürdig, weil sie diese materielle Freiheit gewähren. Eine bloße Repräsentativverfassung, welche nicht organische Stände vertreten, sondern arithmetisch nur eine gewisse Zahl sogenannter Volksvertreter aussondern, aber jeden von diesem nicht im Sinne seiner Committenten, sondern nach Lust und Belieben, was ihm einfällt, sprechen und willkürlich die Vertretung üben läßt — eine bloße Repräsentativverfassung ohne Theilnahme des Volkes in den Gerichten, an der Verwaltung im Einzelnen, ohne Rechte und Freiheiten der Corporationen u. s. w., wird immer nur eine formelle Freiheit gewähren; und wer z. B. das deutsche Reich vom J. 1500 und Frankreich vom J. 1833 miteinander hinsichtlich der wirklich vorhandenen materiellen Freiheit vergleicht, wird jenes himmelweit über dieses stellen müssen. In Europa sehen wir jetzt fast überall, auch in den Staaten, die wegen ihrer freien Verfassungen am geläufigsten gepriesen werden, die Regierung einer Beamtenhierarchie vorbehalten und von dieser in mechanischer Weise geübt. Dies fand in den frühern germanischen Staaten nicht statt, davon hat sich England in hohem Grade frei gehalten, wie uns Deutschen des Freiherrn von Vincke Schrift darüber so gründlich zeigt; davon ist auch Nordamerika trotz einer gewissen Hinneigung der Freistaaten zu Formalismus großentheils freigeblieben; und daß Murat diese Selbstregierung so hoch preist, preisen wir an ihm, nur erscheint dieser richtige Blick bei ihm durch Vorurtheile und durch Ansichten getrübt, die freilich bei seines Lebens Entwickelungsgange begreiflich sind, aber darum nicht minder gefährlich.

Wir wollen hier sofort zur Sprache bringen, daß der Verf. eigentlich innere, über dies irdische Leben hinausreichende Tendenzen wenig zu kennen scheint. Seine Grundansicht ist deistischer Natur, und mit einer Art Frohlocken verkündet er: „Das Volk wird in einigen Menschenaltern nicht mehr christlich sein"; S. 117 sagt er:

> Uebrigens ist die Meinung, welche man gewöhnlich über die bei uns herrschenden Vorurtheile hegt, bedeutend übertrieben, und der Augenblick, in welchem die Geistlichkeit und die durch sie forcirte Scheinheiligkeit und Heuchelei aufhören müssen, ist nicht fern; denn nur eine unbedeutende Anzahl von Menschen unterwerfen sich derselben gradezu. Die Partei der Ungläubigen braucht nur sich an ihre Kraft zu erinnern, um das Joch des Aberglaubens abzuschütteln, und in Kurzem wird sie diesen Zweck erreichen. Der Einfluß der Geistlichkeit ist überdies nur scheinbar; in Bezug auf die Formen ist er freilich tyrannisch, im Grunde bekümmert sich aber doch Niemand darum. Selbst ehe-

mals war er ja nicht einmal stark genug, um Jefferson's Wahl, der doch öffentlich ausgesprochen hatte, daß er nicht an die Bibel glaube, zu verhindern, jetzt ist er noch ohnmächtiger, und in funfzig Jahren wird er gar nicht mehr existiren.

In solchen Aeußerungen zeigt sich nur ein consequenter Zögling aus der Schule Bonaparte'scher Weltlichkeit, welche, das äußere Leben als eine an sich würdige Aufgabe für die Thätigkeit des Menschen betrachtend, mit aller Kraft an die von der Religion losgerissene Gestaltung desselben ging und höchstens die Religion in ihrer äußern Gestalt als Kirche neben andern äußerlich sich ge-

feit Verschrobenheit, Dummheit und Niederträchtigkeit in das Kleid der Frömmigkeit zu verstecken suchen, geben wir gern zu und finden es ganz naturgemäß, daß Murat solche einzelne Fälle, die er beobachtet hat, als entschiedene Belege anführt für seine Ansicht: daß es mit der christlichen Religion in dem Staate seiner Wahl zu Ende gehe. Wir aber können, auf andere tüchtige Berichte gestützt, just in diesem Punkte die entschiedenste Protestation einlegen gegen die Richtigkeit dieser Ansicht. Grade dies, daß in Amerika so viel wirkliche Freiheit neben der formellen zu finden ist, daß dort das atomistische Princip der Menschenrechte, weil die Verhältnisse der Atomen und

wickelt, dafür bürgt, daß zumeist d i e Kirchen, welche die wahrhaft christlichen Glaubensfundamente am ungetrübtesten bewahren, sich in der neuesten Zeit am meisten ausbreiten und sich von dem Zerfallen anderer kirchlichen Richtungen nähren. Indem wir so nach der religiösen Seite unsern Autor charakterisirt zu haben glauben, wird man uns auch verzeihen, wenn wir den fünften Brief über die religiösen Verhältnisse fernerhin gar nicht berücksichtigen. Er enthält neben einigen richtig sein mögenden Beobachtungen nur schiefe Auffassungen oder schlechte Spöttereien. Wie sehr übrigens diese religiöse Haltung auch zu Trübung der Auffassung anderer Lebensseiten beiträgt, möge folgende längere Stelle über den Eid (bekanntlich ist die Klage über Häufigkeit des Meineides in Nordamerika eine allgemeine) beweisen:

einen Eid zu leisten.
chen, wie B. in
richten sich

in wel-

wer

die
mei
len
ben, trotz
auch aus
giöser Fun
dings das
fessionen v
same, das

wir eine recht große Verbreitung wünschen, damit die Ansicht über die Verwerflichkeit des Nachdrucks in Deutschland und namentlich in Würtemberg immer allgemeiner werde. Er beginnt mit der Erinnerung an die bereits am 23. Mai 1821 in die Kammer gebrachte Motion, von der Regierung ein Gesetz gegen den Nachdruck zu verlangen, und beklagt es, daß dieselbe nur von zu wenigen Stimmen unterstützt worden, sowie daß factisch in Würtemberg eigentlich nur die alte „Buchbinderordnung" des Herzogs Eberhard Ludwig vom J. 1719 in Kraft sei. Nach dieser darf (da sich das Verhältniß der Verleger zu den Schriftstellern erst später gebildet hat) jeder Buchbinder, Bücherhöker und Buchdrucker verlegen, was er will, ohne Rücksicht darauf, ob es Original oder Nachdruck ist. Das ist nun allerdings ein sehr stabiles Verfahren und von einem constitutionellen Staate, wo das Gesetz der Bewegung herrscht, kaum zu glauben. Aber selbst der bekannte Bundestagsbeschluß vom 6. Sept. 1832 ist in Würtemberg noch nicht publicirt worden, ja er würde auch wenig helfen, da er nur Gleichstellung der auswärtigen Bundesangehörigen mit den Einheimischen verlangt. In Würtemberg ist aber der einheimische Verleger, wenn er kein Privilegium löst oder lösen kann, so wenig vor Nachdruck geschützt als ein auswärtiger.

Auf den folgenden Seiten setzt der Abgeordnete kurz und bündig das Eigenthumsrecht des Schriftstellers an seinen Büchern auseinander, das ihm aber nur durch den rechtmäßigen Verleger, mit dem er darüber contrahirt hat, gesichert werden kann. Diesem allein gebührt der Debit, wie er auch nach den Bestimmungen des jedesmaligen Contracts das alleinige Recht auf den Gewinn hat. Der Schriftsteller aber wird durch den Nachdruck offenbar in seinem Honorare verkürzt, er muß sich fehlerhaften Abdruck, willkürliche Auslassungen gefallen lassen, ja die Vortheile, die er von einer zweiten Auflage erwarten kann, gehen ihm verloren. Hr. Menzel führt dazu einen bestimmten Fall an, daß der Obrist von Witzleben (genannt Tromlitz) mit Extrapost habe nach Kannstadt reisen müssen, um den Nachdrucker Richter vom Nachdruck seiner ältern Romane und Novellen abzuhalten. Geschähe dies, so könne er vom rechtmäßigen Verleger seiner Schriften nur ein verhältnißmäßig sehr geringes Honorar erhalten. Und siehe, Richter war so edelmüthig, sich durch eine Entschädigung von mehren hundert Gulden bewegen zu lassen, von seinem Vorhaben abzustehen. „Aehnliche Beispiele", sagt Hr. Menzel S. 6, „waren bisher nur von Tunis, Algier und Tripolis bekannt."

Nicht minder richtig sind die folgenden Bestimmungen über das Eigenthumsrecht des Verlegers. Er besitzt dies Recht in zweiter Hand durch Uebertragung von Seiten des Verf. Er erlangt dasselbe gegen eine vertragsmäßige Gegenleistung, das Honorar; aber es bleibt immer ein Risico, da er das Buch drucken läßt, ohne zu wissen, ob es Käufer finden werde. Dieser literarische Verkehr muß also rechtlich geschützt sein, denn der rechtmäßige Verleger setzt einen bedeutenden Einsatz gegen einen ungewissen Gewinn, und wenn es zum Besten der Gesellschaft überhaupt einen literarischen Handel geben soll, so muß das Gesetz, welches den Verleger seinen von dem Bedürfniß oder der Laune des Publicums abhängigen Gewinn nicht sichern kann, ihn wenigstens vor dem offenbaren Verluste durch den Nachdruck schützen. Hr. Menzel hat dies nun weiter ausgeführt, den Einwand widerlegt, als ob das Publicum durch den Nachdruck wohlfeilere Bücher erhielte, und namentlich hervorgehoben, daß wir dem Muthe der Verleger, unbekannte Werke von Neulingen auf ihr Risico zu drucken, die trefflichsten Werke unserer Literatur verdanken. Es ist dies eine sehr wahre Bemerkung, die eine Regierung, die sich für Kunst und Literatur interessirt, nicht übersehen darf.

Ueber die Moralität des Nachdrucks wollte sich der Abgeordnete nicht ausführlich verbreiten. Lieber wählte er einige Beispiele von der Handlungsweise würtembergischer Nachdrucker, die allerdings seinen Antrag in der Kammer wol noch besser unterstützen konnten als seitenlange Deductionen. Er erzählt, wie der erwähnte Richter Spindler's sämmtliche Schriften, über welche derselbe mit der Franckh-Hallberger'schen Buchhandlung contrahirt habe, nachzudrucken angefangen, und wie der rechtmäßige Verleger, der bereits ein bedeutendes Honorar gezahlt hatte, nur ein Privilegium auf die noch nicht erschienenen Werke Spindler's erhalten konnte, wozu Richter noch Hohn und Spott fügte. Ebenso druckte Wolters in Stuttgart Chelius' „Chirurgie" nach, dessen Aushängebogen er durch einen Gesellen hatte aus der Druckerei des Verlegers Groos stehlen lassen; Macklot in Stuttgart Rotteck's „Weltgeschichte", Enslin in Reutlingen Ammon's „Handbuch der Moral", und Alle höhnten im „Schwäbischen Merkur" die rechtmäßigen Verleger und belobten die gerechte würtembergische Regierung, unter deren Schutz sie solche Unternehmungen ausführen könnten. Andere Beispiele (S. 13) zeigen, daß selbst ein erkauftes Privilegium nicht vor Nachdruck schütze, wie auf dem reutlinger Nachdrucke von Bröder's „Lateinischer Grammatik" sogar das würtembergische Privilegium der Originalausgabe mitabgedruckt ist, und daß würtembergische Schulbehörden sich nicht entblöden, nachgedruckte Werke in Schulen einzuführen.

Dringend bittet Hr. Menzel die Kammer, solche Flecken von dem würtembergischen Namen wegzuwischen; er gibt zu bedenken, welche üble Folgen entstehen würden, wenn die deutschen Bundesstaaten Repressalien gegen Würtemberg gebrauchten; er stellt endlich den Fall als nicht unmöglich, daß von Seiten des deutschen Bundes eine Mahnung an Würtemberg ergehen könnte, den Nachdruck nicht ferner innerhalb seiner Grenzen zu dulden. Ein solches Dehortatorium im Style des alten deutschen Reiches, eine Intervention im Style des neuen Staatsrechts würde jedoch für Würtemberg sehr schimpflich sein.

Ref. erinnert sich nicht, wie die Menzel'sche Motion aufgenommen worden ist. Sollte sie übrigens blos in dem Protokoll der Kammer eine Stelle gefunden und nicht vielmehr auf die Mitglieder einen starken Eindruck gemacht haben, so müßte man an den gepriesenen Folgen der Oeffentlichkeit fast irre werden; denn auf eine schlagendere Weise hat seit längerer Zeit Niemand gegen den Nachdruck gesprochen als Hr. Menzel auf den 16 Seiten seines Antrags, sodaß, wer auch seinen literarischen Urtheilen und Kritiken nicht immer seinen Beifall geben kann, der Rechtlichkeit seiner Gesinnung volle Anerkennung widerfahren lassen muß. 89.

Grundlage eines allgemeinen Creditvereins für Anlegung von Eisenbahnen und Beförderung anderer zeitgemäßen Handels- und Gewerbsunternehmungen. Von J. W. Schmitz. Leipzig, Fest. 1833. Gr. 8. 6 Gr.

Der durch mehre physisch-mathematisch-astronomische, politische, sowie andere, die Förderung des industriellen und mercantilen Lebens bezweckende Schriften bereits bekannte Verfasser vorliegender „Grundlage u. s. w." geht bei Feststellung derselben von der unleugbaren Thatsache aus, daß die neuern Verbesserungen der Staatswirthschaft, in Verbindung mit Handel und Gewerben, denen Eisenbahnen und Dampfkraft einen mächtigen Aufschwung geben, eine neue Periode der Gewerbthätigkeit herbeigeführt haben, und er verkennt dabei auch den Umstand nicht, daß ein allgemein fühlbar werdender Geschäftsmangel neue Nahrungszweige erfodere. Darum sei es erklärlich und nothwendig, daß allenthalben einsichtsvolle Männer ihr Augenmerk auf die Industrie, als auf die nothwendige Ernährerin einer steigenden Bevölkerung richten; allein, wie für andere Verhältnisse des Staatslebens, so sei auch hier eine Vereinigung der zerstreuten Kräfte und Mittel durchaus erfoderlich, und es müsse nothwendig der, außerdem unausbleiblichen Zerstückelung und Vereinzelung jener Kräfte und Mittel durch ausgedehnte Associationen abgeholfen werden; denn es heißt auch hier mit innerer Wahrheit: „Vis unita fortior", und auch noch heutzutage gilt für

vergleichen, was dort beim Römer Sallustius der numidische König Micipsa auf dem Todbette seinen Söhnen zuruft: „Concordia res parvae crescunt!" Nach diesen Wahrheiten hat nun der Verf. seine Ideen in einzelnen alphabetisch geordneten Abschnitten ausgesprochen, ohne sich jedoch, wie schon der Titel lehrt, nur auf die Anlegung von Eisenbahnen zu beschränken, sondern indem er auch andere auf Gewerbe und Handel einflußreiche Anstalten und Unternehmungen, deren Leitung unter uns noch ein Gegenstand der Wohlfahrtspolicei ist (wie: Straßenbeleuchtung, Straßenreinigung, Straßenpflasterung und Straßenbewässerung), oder auch in den Händen der Staatsgewalt sich befindet (wie: Handelsstraßen, Postverbindung, Telegraphen), berücksichtigt. Er thut es mit der nöthigen Klarheit, sodaß man der Entwickelung seiner Ansichten leicht zu folgen vermag. Hat er übrigens die vorliegende Schrift bei der Stellung, welche der Stadt Leipzig bei den Fortschritten der Gewerbsthätigkeit erworben werden kann, besonders den Bewohnern Leipzigs und ihrem Patriotismus zur Prüfung gewidmet, so hat sie doch bei der Mannichfaltigkeit der einzelnen Gegenstände, die der Verf. darin behandelt, und bei dem Zustande der Misachtung und Vernachlässigung, worin sich diese Zweige der Gewerbsthätigkeit in andern Staaten und größern Städten Deutschlands im Gegensatze zu England und Frankreich namentlich befinden, auch außer Leipzig und Sachsen Anspruch auf besondere Beachtung, den wir ihr, da es die Wahrheit erfodert, pflichtgemäß hiermit zugestehen, obgleich wir nicht unterlassen können, der Beachtung der Verwaltungsbehörde in Leipzig und dem Patriotismus seiner Bewohner vorzüglich auch Das zu empfehlen, was S. 45 fg. über Pflasterung gesagt ist. 30.

Aus Italien.

Auch in Italien fängt die Liebhaberei für Autographen an, häufiger zu werden, und mehr als eine Sammlung, die durch Juwelen dieses Faches ausgezeichnet ist, kommt jetzt zur allgemeinern Kenntniß. Ein Kleinod der Autographensammlung des Hrn. Antonio Gandini, Kapellmeisters am herzoglichen Hofe und Brigadeführers (!) der adeligen Leibwache zu Modena, hat jetzt Abate Severino Fabriani in einem Briefe an den gelehrten Pater Luigi Pungileoni bekannt gemacht, und das übrige Europa, besonders das kunstliebende, wird ihm für seine Wahl Dank wissen. Der Brief nämlich ist ein Handschreiben des Antonio Allegri in Bezug auf sein berühmtes Bild die Nacht, jetzt in der dresdener Galerie, und aus dem Briefe geht hervor, daß Meister Correggio für sein unsterbliches Werk vertragsmäßig vom Pratonero 208 Liren altreggianer Währung erhielt. Der Brief ist in der Schrift: „Lettera dell'abate Sev. Fabriani al padre Luigi Pungileoni sopra un autografo di Antonio Allegri, riguardante la famosa tavola della Notte" (Modena 1832) facsimilirt, und die gewichtigsten Gründe für seine Echtheit ergeben sich aus der Vergleichung mit mehren erwähnten. In den „Memorie di religione, di morale e di letteratura" verspricht Herr Gandini mehre andere Briefe seiner erlesenen und reichen Sammlung (von Ariosto, Bojardo, Castelvetro, Castiglione, Guglielmini, Leibnitz, Montecuccoli, Muratori, Metastasio, Morgagni, Maffei, Tasso, Tassoni) durch die Besorgung des Prof. Parenti folgen zu lassen.

Professor Ant. Mezzanotte hat „Fasti della Grecia" herausgegeben, bei denen aber ja Niemand, durch die Aehnlichkeit des Titels mit Clinton's berühmtem Werk verführt, an ein Buch voll gelehrter Erörterungen, Citate und classischer Gelehrsamkeit denken mag. Es ist eine Canzone auf die Großthaten der letzten griechischen Freiheitskrieger, und der ganze Titel der ziemlich dicken Schrift heißt: „Fasti della Grecia nel XIX. secolo. Poesie liriche del prof. *Antonio Mezzanotte*" (Pisa 1832).

Ebenso mag Niemand, der für italienische Museographie sammelt, in dem Schriftchen: „Il Museo di Cividale. In occasione delle nozze Paciani Cattaneo" (Udine 1833) einen methodisch verzeichnenden Beitrag suchen, er würde sich gewaltig täuschen. Auch hier wieder Verse unter dem ganz Anderes verheißenden Titel versteckt. Doch suchen den Versen beigegebene Erläuterungen den Gegenstand wirklich belehrend für Die zu machen, welche durch den Titel verlockt würden; und auch sie selbst halten sich so an die Sache, daß die Poesie dabei wesentlich zur Nebensache wurde. Mit sehr neuer Wendung fängt der Dichter damit an, der Braut zuzumuthen, daß sie ins neu errichtete Museum von Cividale gehe und dort — die zerbrochenen Töpfe studire. Eine Braut und noch dazu eine italienische — vielleicht eben aus dem Kloster entlassene! Das kann doch nur ein Abate, der sich's nie denken durfte, was eine Braut, eine eben vermählte Braut eigentlich zu bedeuten hat, und der in seiner Pedanterie einen Trost für diesen mangelnden Begriff findet. Der Bräutigam wird ihm hoffentlich die Einladung vergeben, aber schwerlich ihr folgen. 27.

Miscellen.

Die Matrosenfallen.

In London gab es oder gibt es vielleicht noch eine Matrosenfalle. Es wurden darin Matrosen gefangen, wie die Mäuse in der Mausefalle. Nicht weit vom Tower stand ein Schiff mit Masten und allem Zubehör auf dem festen Lande. Einfältigen, damit Unbekannten, welche es angafften, rief man, heraufzukommen und sich die Sache zu besehen. Aber heraus kamen sie dann nicht wieder, als bis sie am Bord eines Kriegsschiffes waren. Neuere Reisende sagen nichts davon, aber Moritz erzählt es in seinen „Briefen" (Berlin 1785), S. 20.

Diese und jene Krankheit zu heilen, steckte man in England zu Shakspeare's Zeit die daran Leidenden in eine heiße Tonne, worin sie geraume Zeit schwitzen und recht hungern mußten. In den alten Schauspielen aus jener Zeit kommt oft eine Anspielung auf diese Curmethode vor. So in „Maß für Maß", Act III, Sc. 2: „Wahrhaftig, Herr, sie hat alle ihr Rindfleisch aufgegessen und steckt nun selbst in der Tonne". Wer dies Verhältniß nicht kennt, erräth nimmermehr den Sinn und versteht den Scherz nicht. In einem andern ältern Schauspiel ist einer schon

zehnmal geheilt durch Schwitzen und die Tonne.

Was die karge Kost betraf, so sagt ein solches, „Die Heirath in der Stadt":

Und wie wir in den Keller kamen,
Da fing das Werk uns auf
Und steckt' uns in die Tonne.
Zwei Monat schwitzten wir darin
Und Brot und Wasser ward uns nur gereicht,
Und manchmal eine Rippe trocknes Schöpsenfleisch,
Auch dies war hart wie unser Schicksal selbst!

Die Tonne muß sehr tief gewesen sein, denn in einem alten chirurgischen Handbuche liest man: Tonne und Stuhl waren die alten Manieren zu schwitzen, aber wenn der Kranke in Ohnmacht fällt, kostet es viel Mühe, ihn herauszunehmen; der Stuhl war vermuthlich eine Abart der Tonne und wegen seiner Gestaltung so benannt.

In Philadelphia haben sie keine städtischen Communanlagen und Abgaben mehr nöthig. Vor einigen Jahren starb ein Franzose, Girard, dort, 80 Jahre alt, der gegen 25 Mill. Thaler hinterließ. Funfzehn davon vermachte er der Stadt, in der er durch Handel und Sparsamkeit reich geworden war. Was kann diese Commun nach Abzug ihrer gewöhnlichen Ausgaben mit solchem Fonds für ihre Umgebungen, für Anlegung von Fabriken, von Eisenbahnen thun! 195.

Redigirt unter Verantwortlichkeit der Verlagshandlung: F. A. Brockhaus in Leipzig.

Blätter für literarische Unterhaltung.

Sonnabend, — Nr. 299. — 26. October 1833.

Briefe über den moralischen und politischen Zustand der Vereinigten Staaten von Nordamerika von Achilles Murat.

(Fortsetzung aus Nr. 298.)

Etwas dem Institut der Eideshelfer sehr Analoges und in der That aus ihm Entwickeltes ist die von England nach Nordamerika übertragene Jury, von welcher wir, indem wir uns zu dem sechsten Brief wenden „Von der Gerechtigkeitspflege", weitläufiger handeln. Die Eideshelfer bei einigen germanischen Völkern bestanden aus einem für die Entscheidung eines einzelnen Rechtsfalles auf Verlangen der einen Partei gebildeten Collegium, welches zum Theil vom Kläger, zum Theil vom Beklagten zusammengestellt wurde, zuerst in geringerer Zahl der Glieder; sodann wenn der Ausspruch dieses in geringerer Anzahl zusammengetretenen Collegiums dem Wunsche der andern, dasselbe nicht verlangt habenden Partei entgegen war, konnte diese die Bildung eines zahlreichern Collegiums nach denselben Grundsätzen verlangen, und dann wieder vice versa, sodaß Eideshelfercollegien oder Jurys von mehr als hundert Personen vorkommen. Der Eid dieser Collegien lautet darauf, daß sie den angeklagten Theil oder den Kläger für im Recht befindlich halten. Ganz dem Aehnliches, nur unter etwas andern Formen, leistet die Jury; statt der ehemaligen Theilnahme an der Composition des Eideshelfercollegiums steht jetzt dem Beklagten sowol als dem Kläger noch die Recusation einzelner Glieder, die zur Jury in Vorschlag kommen, frei. Die Glieder der Jury — die gebildet wird, indem der Sheriff des Gerichtsbezirks eine Liste (ein pannel) oder auch zwei dergleichen von 48 boni et legales homines entwirft, und aus dieser nach der Reihe so lange vom clerk des Gerichtes Namen vorgelesen werden, bis man 12 Männer zusammengebracht hat, welche auf den Listen stehen und welche beiden Partien genehm sind — müssen einen Eid leisten, unparteiisch richten zu wollen; dann werden sie auf ihrer Bank, wo sie zusammensitzen, vom Sheriff bewacht, daß Niemand weiter mit ihnen conferiren kann, und währenddem wird ihnen die Anklageacte vorgelesen, und die Zeugen der Klage werden nochmals in ihrer Gegenwart verhört, sodann ebenso die Zeugen der Vertheidigung. Wenn nun diese Arbeit mehre Tage Zeit in Anspruch nimmt, so darf die Jury so lange nicht auseinandergehen und wird fortwährend bewacht. Nach dem Zeugenverhör folgen die Reden der Rechtsanwalte beider Parteien, zuletzt gibt der vorsitzende Richter ein Résumé und „die Jury zieht sich zurück, um sich zu berathen und wird von einem der Leute des Sheriffs, der als Wache dient, in ein Zimmer eingeschlossen, worin nichts weiter befindlich ist als ein Tisch, ein Schreibzeug nebst Papier und ein Krug Wasser. Ist die Jury einmal eingeschlossen, so hat Niemand mehr Zutritt zu ihr, und keines ihrer Mitglieder darf hinausgehen, bevor nicht einstimmig das verdict ausgesprochen ist. Nach dem alten common law blieben die Geschworenen so lange eingeschlossen, bis sie einig waren; allein wenn ein Geschworener vor Hunger, Durst oder auf eine andere Art starb, oder wenn er entfloh, konnte die Sache von den übrigen elf nicht gerichtet werden und wurde vor eine andere Jury verwiesen. Daher kommt, daß in der neuern Praxis es einem Geschworenen erlaubt wird, sich zurückzuziehen, falls alle Vereinigung unmöglich sein würde. Doch geschieht dieses nie, wenn die Jury nicht wenigstens 24 Stunden eingeschlossen ist und oft noch länger; denn so lange der Richter noch Hoffnung hat, daß sie sich vereinigen könnten, ist es seine Schuldigkeit, sie unter Verschluß zu halten."

Das Verhältniß, wie es hier dargestellt worden ist, kann recht eigentlich dazu dienen, zu zeigen, wie die modernen Vorstellungen vom Staate die materielle Freiheit verringert und unter Beibehaltung einer gewissen formellen Freiheit eine materielle Knechtschaft gegründet haben. Es können also in diesem sogenannten freiesten Lande der Welt, in welchem, wie wir keineswegs in Abrede stellen wollen, noch ein großer Fonds materieller Freiheit trotz der modernen Staatsansichten zu finden ist, alle boni und legales homines, d. h. alle freien, nicht minderjährigen, in irgend einer Weise angesessenen, steuerzahlenden Männer —, wenn sie noch so sehr durch Geschäfte und eigne Angelegenheiten dringend in Anspruch genommen sind (denn die Rücksicht auf solche Dinge liegt nicht in der Theorie, sondern lediglich im guten Willen des Sheriffs), aufgeboten werden, als Geschworene einem Gericht zu dienen, sie können hier mehre Tage unter Wache und in Gefangenschaft sich befinden, wenn die Zeugenverhöre so lange dauern, und zuletzt noch länger als 24 Stunden in einem Gewahrsam, ohne irgend eine Bequemlichkeit, selbst ohne Speise und ohne die Möglichkeit, ihre Nothdurft auf leidlich anständige Weise zu verrichten, zubringen — blos weil das Gesetz es so will, und ohne daß sie das mindeste Vergehen begangen haben. Freilich, kann man sagen, ist das Gesetz ein solches, welches vom Volke anerkannt ist; aber diese Anerkennung ist doch immer, in wie verschiedenen Brechungen und Zuspitzungen man sie sich auch denken mag, wesentlich Resultat eines arithmetischen Processes; und wenn ich nun bei der unterliegenden Minderzahl bin und durch die Mehrzahl ein widerwärtiges Gesetz erhalte, wer hilft mir davon? Also von Haus und Hof entfernt, bewacht, eingekerkert kann man hier werden, eben weil man ein guter Bürger ist. So ist die Jury, die allerdings ein wesentlicher Bestandtheil materieller Freiheit in Nordamerika ist, und die auch im alten Institut der Eideshelfer nach allen Seiten der materiellen Freiheit nicht zu nahe trat, blos dadurch, daß der moderne Staatszwang sich eingemischt hat, eine Bedrückung geworden. War ein Longobarde angeklagt, so konnte er sich von der Klage befreien dadurch, daß er den Thatbestand, welcher der Klage zu Grunde lag, bestritt und erklärte, er wolle seine Aussage beschwören. Dies konnte er aber nicht allein, sondern so, daß er elf Männer fand, die mit ihm schworen, daß sie seine Aussage für wahr hielten; von diesen elf, mit denen er selbzwölf schwor, mußten sechs von dem Kläger approbirt sein, und Alle mußten dann einmüthig den Eid leisten; widrigenfalls, wenn er nicht sechs Männer auffinden konnte, gegen deren Glaubwürdigkeit die Gegenpartei keine gegründete Beschwerde erheben konnte, und wenn nicht alle von dem Beklagten Genannten einmüthig seine Aussage beschworen, des Klägers Aussage Geltung behielt.

Diese Mitschwörer oder Eideshelfer sind eine wahre Jury, und Aehnliches findet sich bei andern germanischen Nationen; aber ein Staatszwang war nirgend, und ob Jemand Eideshelfer, ob er Mitglied der Jury werden wollte oder nicht, ob er sich dem Versäumniß und anderm Ungemach durch gerichtliche Formen aussetzen wollte oder nicht, hing lediglich von ihm ab. Hier war also wahre materielle Freiheit, und wenn Jemand in eine Anklage verwickelt wurde und unter Freunden und Bekannten nicht einmal so viel Theilnahme fand, daß sie, falls er als Unschuldiger erschien, für seine Unschuld sich den gerichtlichen Unbequemlichkeiten aus freiem Willen aussetzen wollten, achtete man mit Recht seine Persönlichkeit für eine zu schlechte, als daß ihm viel Unrecht durch eine Strafe geschähe, selbst wenn er sie im concreten Falle nicht verdient hätte; achtete man auf jeden Fall seine Persönlichkeit für eine zu geringe, als um seinetwillen gegen elf andere (oder wie in Nordamerika, wo der Auswahl wegen 48, ja 96 und noch mehr zu dem Gericht citirt werden) völlig Unbetheiligte eine Gerichtstyrannei zu üben. Diese Tyrannei muß das Institut selbst zum Theil verhaßt machen und in einzelnen Fällen nothwendig auf die Stimmung der Jury Einfluß haben. Wie drückend diese Art der modernen Gerichtsverfassung empfunden wird, zeigen am besten die preußischen Rheinlande, wo auch in der bestimmten Erkenntniß, daß durch die Theilnahme des Volkes in den Gerichten in der Form der Jury eine große materielle Freiheit gewahrt werde, doch in sehr vielen einzelnen Fällen nur die hohe Geldbuße, die da wie in Nordamerika den zur Jury Citirten und Vorgeladenen trifft, im Stande ist, die Glieder der Jury zusammenzubringen, und dies Collegium ohne Zwang vom Staate gar nicht herzustellen wäre. Stellte man es in altgermanischer Weise durch das Interesse und die Thätigkeit der Parteien auf, so würde es erst ein wahrhaft volksmäßiges und die materielle Freiheit nicht beeinträchtigendes Institut.

Von dieser kleinen, in jeder Criminal- und Civilklagsache thätigen sogenannten kleinen Jury der zwölf Eideshelfer ist in Nordamerika noch wesentlich verschieden das Institut der großen Jury, und dieses ist denn einmal nicht in dem Grade die materielle Freiheit des einzelnen Bürgers verletzend, indem wenigstens keine Bewachung und Einkerkerung damit verbunden ist, und sodann ist es die wahre Grundfeste Dessen, was in Nordamerika von materieller Freiheit vorhanden ist. Wir möchten diese Einrichtung durch alle Kategorien preisen, sie als ein wahres Institut politischer Freiheit, als im echtgermanischen Sinne gedacht, hervorheben, ungeachtet an etwas der Art auf unserm europäischen Festlande zur Zeit nicht gedacht ist, während man das durch die moderne Staatstheorie verpfuschte Institut der kleinen Jury in so vielen Zeitblättern ohne Sinn und Verstand preisen hört.

Die große Jury besteht aus mehr als 12 und weniger als 24 Personen, gewöhnlich 16—23, unter welchen der Richter einen zum Präsidenten oder Vormann (foreman) ernennt. Diese Jury leistet einen Eid, daß sie alle in der Grafschaft gegen das Gesetz verübte Handlungen untersuchen, das Gesetz beim Gerichte vertreten, Niemand aus Bosheit anklagen, sich durch keine Furcht von der Anklage irgend Jemandes abhalten lassen und strenge Verschwiegenheit über Alles, was sie sehen und hören sollte, beobachten wolle. Nach diesem Eid begibt sich diese große Jury in ein eignes Zimmer, wo sie von allen Friedensrichtern Berichte erhält über alle festgenommenen oder gegen Caution in Freiheit gelassenen Angeklagten, sowie Listen der Zeugen. Die Jury prüft die Anklagen, vernimmt die Zeugen, verhört aber den Angeklagten selbst nicht, und findet sie die Anklage unbegründet, so befiehlt sie auf der Stelle, den Angeklagten in Freiheit zu setzen oder ihm seine Caution wiederzuzustellen; findet sie aber die Anklage wahrscheinlich, so wird der Angeklagte dem Gericht überwiesen, und dann erst findet das Verfahren durch den Richter und die kleine Jury statt. Erst wenn die große Jury alle ihr obliegenden Sachen beendigt hat, beginnen die Thätigkeiten des übrigen Gerichts; zu jenen Obliegenheiten gehört aber außer der Vorentscheidung über die Anklagen in Sachen von Vergehen und Verbrechen auch die Controle der Administration; sie stattet einen Bericht ab über Alles, was sie an dem actuellen Zustand des Gerichtsbezirkes auch in administrativer Hinsicht auszusetzen findet, was aber von der Art ist, daß es nicht eine eigentliche Anklage der Beamten oder anderer Individuen zuläßt. Sie sagt z. B.: „daß die Wege schlecht sind; daß die Policeibeamten ihre Schuldigkeit nicht gehörig erfüllen; daß irgend ein neulich durchgegangenes Gesetz die erwartete Wirkung nicht äußere, und daß diese oder jene Maßregel von der gesetzgebenden Versammlung befolgt werden sollte". Diese presentments — so nennt man nämlich derartige Berichte der Geschworenen der großen Jury — werden in ihrer ganzen Wichtigkeit beachtet, und dieses Collegium, dessen Glieder gewiß weit wahrhaftiger die Interessen ihres Bezirkes kennen und kennen wollen als nach einem arithmetischen Verhältniß aus großen Massen erwählte und in glänzende Versammlungen (deren Aeußeres schon dem minder Gebildeten imponirt und ihn weniger frei sich bewegen läßt, aber oft oberflächlich Gebildeten Veranlassung gibt zu Declamationen, die gar nicht mit den wahren Interessen des Volkes zusammenhängen) vereinigte Deputirte ganzer Länder — dieses Collegium der großen Jury ist recht eigentlich eine Volksrepräsentation in gutem Sinne.

(Der Beschluß folgt.)

Ch. M. Frähn's Beleuchtung der merkwürdigen Notiz eines Arabers aus dem 11. Jahrhundert über die Stadt Mainz, vorgelesen in der Akademie der Wissenschaften in Petersburg am 23. Januar 1833.

Den Inhalt dieser Vorlesung, welche ich der gütigen Mittheilung meines petersburger Freundes verdanke, eile ich als eine neue, überraschende Erscheinung in dem Gebiete der orientalischen Literatur des Mittelalters ihren Grundzügen nach, mit einigen Bemerkungen begleitet, deutschen Lesern zur unterhaltenden Belehrung hier vorzulegen.

In dem höchst schätzbaren geographisch-biographischen Werke eines arabischen Schriftstellers aus dem 13. Jahrhundert, Sekerija Kaswiny — den vollständigen Titel nennt „Catalogus librorum tam manuscriptorum, quam impressorum in bibliotheca Gothana" (Gotha 1825, 4.), S. 61, Nr. 234 —, befindet sich nachstehender, aus einem Italinski'schen Codex mit Zuziehung einer Abschrift aus dem ebengenannten gothaischen Manuscripte entlehnter Artikel.

Magandsche (d. i. Mainz) ist eine sehr große Stadt, von der aber nur ein Theil bewohnt, der andere Ackerfeld ist. Sie liegt im Lande der Franken (bekanntlich der Europäer) an einem Flusse, der Rein (Rhein) genannt. Sie hat Ueberfluß an Waizen, Gerste, Sült (eine hülsenlose Gerstenart), Weinreben und Früchten. Man trifft in ihr samerkandisches Silbergeld aus den Jahren der Hedschra 301 u. 302 (d. h. 913—915 der christlichen Zeitrechnung) an, auf dem man den Namen des Fürsten, von dem es geprägt worden, und das Jahr, in welchem dies geschehen, sieht, und das Tortuschy (von welchem Schriftsteller gleich Nachricht gegeben werden soll) für Münzen, die der Samanide Nasr, der Sohn Ahmed's, hat prägen lassen, zu halten geneigt ist. Wunderbar ist's, daß man in dieser Stadt im äußersten Abendlande Gewürze in Menge findet, die nur im äußersten Morgenlande einheimisch sind, als Pfeffer, Ingwer, Gewürznelken, Narde, Kostus und Galanga, welche alle aus Indien verführt werden.

Tortuschy, der hier als Gewährsmann aufgeführt worden, war ein berühmter arabischer Schriftsteller des 11. Jahrhunderts, Abu-Bekr Muhammed ben el-Walid el Fihry, gebürtig aus Tortosa, der östlichen Grenzstadt des Sarazenenreichs in Spanien, der nicht nur Aegypten und mehre Gegenden Asiens, sondern auch viele christliche Länder bereist hat. Er schließt sich also den vielen ausgezeichneten Männern seiner Nation an, die von der Begierde, fremde Reiche, Völker und Sitten kennen zu lernen, getrieben, ihr Vaterland verließen und mit historischen, ethnologischen und geographischen Kenntnissen bereichert ihrer Heimat wieder zuwanderten. Daher auch die Araber, deren älteste historische und geographische Arbeiten in die erste Hälfte des 8. Jahrhunderts unserer Zeitrechnung hinaufreichen, sich einst der umfassendsten Erd- und Völkerkunde erfreuten.

Um die Frage zu beantworten, wie Silbermünzen, die der genannte Fürst der Samaniden (über diese Dynastie vom Ende des 9. bis zum Ende des 10. Jahrhunderts vergl. die Schrift: „The oriental coins ancient and modern. By *William Marsden*", London 1823, 4., Thl. I, S. 72—82, und „Comment. prima de numis orientalibus in numophylacio Gothano asservatis. Auctore *J. H. Moeller*", Gotha 1826, 4., S. 99—124) im Anfange des 10. Jahrhunderts zu Samarkand hatte prägen lassen, in eine so entfernte Gegend Deutschlands haben gelangen können, müssen wir uns erinnern, daß samanidische Münzen von jeher in Rußland sowol als in den skandinavischen Reichen und den südlichen Küstenländern des baltischen Meers in wahrhaft zahlloser Menge ausgegraben, und daß namentlich samerkandische Münzen in den orientalischen Münzsammlungen Europas häufig angetroffen werden.

Einen neuen Aufschluß gibt die Geschichte des Handels im Mittelalter. *) Persische und indische Waaren scheinen ungefähr im 10. Jahrhundert aus den Haupthandelsstädten Buchara, Balch, Samerkand u. s. w., die in der großen Bucharei und Chorasan, d. h. in den Gegenden lagen, die theils der Herrschaft der samanidischen Dynasten unterworfen waren, theils mit Bagdad in einem lebhaften Verkehr standen, den südlichen und östlichen Häfen des kaspischen Meeres zugeführt worden zu sein. Aus ihnen, namentlich aus dem wichtigen Stapelplatz Astrabad gelangten sie dann in den mannichfaltigsten Richtungen, sowol auf der Wolga nach den wichtigsten Handelsstädten Rußlands, als auf dem Tanais über Asow zu den Völkern, die auf beiden Seiten des finnischen Meerbusens und an der Ostküste wohnten, zum lebhaften Austausch.

In dem Handel, den die Bewohner der Ostseeküste mit den Russen, die von ihren asiatischen Nachbarn mohammedanisches Geld eingetauscht hatten, führten, bildete die Stadt Julin, wahrscheinlich das heutige Wollin, einen Hauptstapelort für die diesseitigen Provinzen am baltischen Meere. Sie ward schon im 12. Jahrhundert als eine bedeutende Stadt, die einen eignen Bischof hatte, ausgezeichnet, und wegen ihres Reichthums an Waaren aller nördlichen Völker gerühmt. Schön stimmt auch mit diesem Gesichtspunkt der grade in diesen Gegenden zu den verschiedensten Zeiten in keiner geringen Zahl ausgegrabene Vorrath an altarabischen Münzen zusammen.

Nun könnte man zwar manche Vermuthungen ersinnen, wie arabisches, besonders samerkandisches Geld endlich weiter seinen Weg nach Mainz gefunden haben möchte; wahrscheinlicher aber erklären eine solche Verbreitung einige von deutschen Annalisten uns aufbewahrte Thatsachen. Wir lesen nämlich in dergleichen

---

*) Der Kürze wegen beziehe ich mich auf meine Betrachtungen über die durch einen frühern Handel im Mittelalter in die Ostseeländer eingeführten arabischen Münzen in: „Olaf Gerhard Tychsen, oder Wanderungen rc." (Bremen 1820), Bd. II, Abth. 2, S. 26—47; auf Rasmussen's lehrreiche, in dänischer Sprache abgefaßte und ins Französische übersetzte historisch-geographische Untersuchung über den Handel und die Bekanntschaft der Araber und Perser mit Rußland und Skandinavien im Mittelalter, mitgetheilt im „Journal asiatique" (Paris 1824, 1826), Heft 28, 29, 30, 31, 32, und desselben Gelehrten erweiterte und verbesserte Schrift: „De Arabum Persarumque commercio cum Russia et Scandinavia medio aevo" (Kopenhagen 1825, 4.), S. 60.

Urkunden, daß in den Jahren 960 und 973 Gesandte aus Rußland an den Kaiser Otto I. gingen, ebenso im J. 1043 an den Kaiser Heinrich III. Ja, im J. 1074 sehen wir den flüchtig gewordenen Großfürsten Isäslaw I. zum Kaiser Heinrich IV. und zwar nach Mainz selbst kommen mit großen Schätzen, von denen er dem Kaiser reiche Geschenke an goldenen und silbernen Gefäßen u. s. w. darbot. Bei diesen oder andern ähnlichen Gelegenheiten konnten samanidische Münzen, die gewiß zugleich neben byzantinischem, englischem und ungarischem Gelde zu jener Zeit in Rußland gangbar waren, ebenso leicht nach Mainz kommen, als Münzen der deutschen Kaiser Otto II., III. und Heinrich nach Rußland gelangt sind, wo sie *) noch unlängst unter andern bei Wolodomir zugleich mit Khalifen- und Samanidenmünzen aus dem 8. — 10. Jahrhundert unserer Zeitrechnung in einem Grabhügel gefunden worden sind.

Ebenso wenig darf es uns befremden, bemerkt Herr Staatsrath Frähn, im 11. Jahrhundert Vorräthe von indischen Gewürzen in Mainz anzutreffen. Damals war bekanntlich der indische Handel in den Händen der Venetianer und Genueser; von Italien aus wurden diese Waaren nach dem Norden Deutschlands und den Niederlanden verfahren, und zwar zum Theil auf dem Rhein selbst. Man begreift, wie bei so bewandten Umständen eine beträchtliche Partie dieser Erzeugnisse des Morgenlandes auch in dem seit Karl dem Großen zu neuem Glanz erstandenen Mainz abgesetzt werden mochte.

Wir fügen erläuternd hinzu, daß **) seit frühen Jahrhunderten die Erzeugnisse der freigebigen Natur Indiens in die Häfen des mittelländischen und ägeischen Meers über den persischen und arabischen Meerbusen und meistentheils durch Syrien nach Aegypten geführt wurden. In Hinsicht auf den Mittelpunkt der cultivirten Welt waren diese Straßen die nächsten und bequemsten, und Italiens Küstenplätze, zwischen Thracien und Spanien in der Mitte, hatten die natürlichsten Ansprüche auf diesen Handel. Unter den aus Indien eingeführten Waaren werden uns genannt Gewürze: als Kubeben, Spike, Gewürznelken, Muscatennüsse, Muscatblüten, Galgantwurzel, Ingwer, Zimmt, Räucherwerk, am häufigsten aber Pfeffer, Edelsteine u. s. w.

Es dürfte also der vorliegende Bericht hinreichend aufgeklärt sein; über die Handelsgeschichte des Mittelalters aus morgenländischen Quellen wird sich indessen ein vollständigeres Licht verbreiten, wenn nach dem hier gegebenen Beispiele aus den vielen handschriftlich vorhandenen Nachrichten der Araber neue, durch Sprachkritik geläuterte Mittheilungen den Kennern werden übergeben worden sein. Ant. Theod. Hartmann.

Die Cherubimwagen, der Stolz der wagenbildenden biblisch-hebräischen Kunst und Phantasie, der Jehovathron Ezechiels und die Salomonischen Waschbeckengestelle. Ein monographischer Versuch zur Verdeutlichung des Undeutlichen und zur Erklärung des Unerklärten, das in ihrer Beschreibung vorkommt. Mit zwei lithographischen Abbildungen. Von Friedrich Jakob Zullig. Heidelberg, Winter. 1832. Gr. 8. 16 Gr.

Ein langer Titel vor einem kleinen Buch, dessen Inhalt zur Genüge darin ausgeboten ist. Aber ein höchst interessantes Büchlein hinter dem geschmacklosen Titel, der Niemanden abschrecken möge, welcher für die erhabenen Schöpfungen der Kunst des Alterthums Sinn besitzt. Der Verf. hat sich die überaus schwierige Aufgabe gestellt, aus den auf der einen Seite ebenso unvollständigen wie auf der andern beinahe weitschweifigen Beschreibungen alttestamentlicher Kunstwerke, wohin namentlich die zu verschiedenen Zeiten veränderte Gestalt der Cherubim gehört, ein klares Bild zu entwickeln, und hat dies zunächst mit dem von dem Propheten Ezechiel geschilderten Thronwagen Jehova's und mit den merkwürdigen Gestellen der zehn Opferwaschbecken im Vorhofe des Salomonischen Tempels zu Jerusalem gethan, da zwischen beiden Darstellungen, der visionnairen des Ezechiel und der kunstgeschichtlichen im ersten Buch der Könige, schon seit längerer Zeit von den Archäologen eine auffallende Aehnlichkeit bemerkt worden ist. Diese Aehnlichkeit bis in das einzelnste Detail durchzuführen und zugleich die Vision des Propheten wie die Form der Salomonischen Gestelle ganz genau zu construiren, ist hier versucht worden, und wir müssen jedenfalls den Geist der Combination bewundern, der den Verf. durch die Scylla und Charybdis der Exegese in einer der dunkelsten Stellen der Bibel hindurchgebracht hat, wenngleich wir den Versuch deshalb nicht für ganz gelungen halten können, weil der Verf. zur Vervollständigung seiner Erklärungen selbst moderne Gebräuche herbeigezogen hat, die sich durch keinerlei Analogie im Alterthum rechtfertigen lassen. Zwei beigegebene Lithographien stellen den Jehovathron und ein Exemplar der Waschbeckengestelle dar: jenen, getragen von vier doppelleibigen Cherubim, jeder mit vier Gesichtern von Mensch, Stier, Löwe, Adler, und acht Flügeln, davon vier ausgereckt, vier zur Bedeckung der Leiber herabgesenkt sind, und unterstützt von vier kreuzweise construirten Doppelrädern, die nach dem Geiste Gottes nach dieser und jener Weltgegend sich bewegen; über dem Krystallboden des Thrones, von dem feurige Blitze herabglühen, ist das sapphirne Throngerüste, auf welchem der goldene Stuhl den Höchsten in Menschengestalt trägt, von einem Regenbogen umstrahlt und in mächtigen Wolken eingehüllt. Die Gestelle haben gleichfalls vier Räder, an den Ecken und auf den Blättern des Kastens Bilder von Cherubim, Stieren, Löwen, Palmen; oben erhebt sich ein abgerundeter Deckel, aus dem ein knaufähnlich geformter Schlund emporsteigt, in welchen die Waschbecken eingesenkt zu werden pflegen. 46.

*) Vgl. Frähn's gelehrtes Werk: „Ibn Foßlan's und anderer Araber Berichte u. s. w." (Petersburg 1823, 4.), S. 81, und Ebend. Schrift: „Das Muhammedanische Münzcabinet der Akademie der Wissenschaften" (Ebend. 1821), S. 130.

**) Vgl. Hüllmann's „Geschichte des byzantinischen Handels bis zum Ende der Kreuzzüge" (Frankfurt a. d. O. 1808), S. 18, 19, 23, 67.

Literarische Notizen.

In Paris erschien die erste Lieferung vom „Exilé de la Pologne; recueil de contes et de morceaux littéraires originaux et traduits du polonais".

Die Reihe der Memoiren über das Napoleon'sche Zeitalter hat abermals einen Zuwachs erhalten durch „Mémoires de Mademoiselle Avrillion, première femme de chambre de l'Impératrice, sur la vie privée de Joséphine, sa famille et sa cour".

Bei F. Didot hat ein ehemaliger Offizier, R. P. [illegible], ein „Système universel de communication d'idées au moyen de signaux sonores et visuels, mis à la portée de tout le monde", herausgegeben.

Die Königin Hortense gibt bei Levavasseur in Paris den Bericht ihrer letzten Reisen in Frankreich und Italien heraus. Die französischen Buchhändler scheinen jetzt auf Alles, was mit dem Manne auf der Vendomesäule in Beziehung steht, mehr wie je Jagd zu machen, und so ward denn auch jene Fürstin um ein Manuscript der Art gebeten. In ihrem, von der „Revue de Paris" mitgetheilten Antwortschreiben erklärt sie, theils von den über sie verbreiteten verleumderischen Schriften und verfälschten Memoiren, vorzüglich aber von dem Wunsche ihrer Freunde, dieselben durch die Wahrheit zu widerlegen, zur Bekanntmachung dieser ursprünglich nicht für die Öffentlichkeit bestimmten Papiere veranlaßt worden zu sein. 3.

Redigirt unter Verantwortlichkeit der Verlagshandlung: F. A. Brockhaus in Leipzig.

Blätter für literarische Unterhaltung.

Sonntag, —— Nr. 300. —— 27. October 1833.

Briefe über den moralischen und politischen Zustand der Vereinigten Staaten von Nordamerika von Achilles Murat.

(Beschluß aus Nr. 299.)

Es ist sehr begreiflich, wenn Achille Murat bei seiner Bonaparte'schen Weltansicht, bei den einleuchtenden Vorzügen einzelner Institute, nun auch nicht blos für das Ganze des nordamerikanischen Staatswesens begeistert ist, sondern selbst die demselben zu Grunde liegende schlechte Theorie, neben welcher sich nur jene tüchtigen Institute aus früher gelegten Wurzeln entwickelt haben, mannichfach in ihren Consequenzen preist. Um so mehr aber muß es anerkannt werden, wenn hier und da seine eigne Natur sich gegen Consequenzen jenes rationalistischen Staatssystems wendet und sich grade da am schönsten ausspricht. Wir wollen von den vielen Punkten dieser Art, die in dem vorliegenden Buche vorkommen, nur drei ausheben: 1. Die Ansicht Murat's von den Todesstrafen; 2. Das, was er über das common law sagt, und endlich 3. Das, was er über die Sklaverei im Allgemeinen ausspricht.

In Beziehung auf den ersten Punkt, auf die Todesstrafe, heißt es S. 189:

> Die Anhänger des neuen Systemes (d. h. der Abschaffung der Todesstrafe) vergessen, daß der Zweck, welchen die Gesellschaft beim Strafen im Auge haben muß, durchaus nicht der sein kann, den Schuldigen zu züchtigen oder Rache an ihm zu nehmen, sondern daß die Wiederholung des Verbrechens unmöglich gemacht werden soll, was man vielleicht durch die Bestrafung des Schuldigen erreicht, indem andere Leute etwa daran ein Beispiel nehmen, und man den Verbrecher außer Stand setzt, Aehnliches zu beginnen. Die Wirkung, welche die Strafe auf den Verurtheilten selbst äußert, ist von untergeordnetem Werthe. Es gibt Verbrecher, von denen man voraussetzen kann, daß sie sich noch bessern werden. Für diese halte ich das amerikanische Strafsystem, welchem gemäß der Schuldige eingesperrt wird, arbeiten muß, Unterricht in der Moral und andern nützlichen Dingen erhält, am angemessensten. Allein es gibt Menschen, welche solche Handlungen begehen, durch welche sie sich in offenem Kriegszustand mit der Gesellschaft erklären, und bei denen man voraussetzen kann und muß, daß sie sich nicht bessern werden, und wenn sie es auch thäten, so würde die Gefahr, welcher die Gesellschaft bei einem solchen Versuche ausgesetzt wäre, viel zu groß sein. Der Mensch ist gefährlich geworden, man muß ihn also außer Stand setzen, fernerhin gefährlich zu werden.

Der Autor führt nun weiter aus, wie die zweckmäßigste Weise, zu diesem Ziel zu gelangen, die Todesstrafe sei, die er gewissermaßen nur als ein natürliches Ereigniß betrachtet, und wie dagegen jenes andere System, die Menschen einzusperren, zu den entsetzlichsten Inconvenienzen führe. Wir können uns nicht enthalten, hier noch eine Stelle wörtlich anzuführen, wo von dem Aufwand die Rede ist, mit welchem z. B. in Pennsylvanien todeswürdige Verbrecher gehalten und gepflegt werden:

> Dasselbe Gebäude (das Gefängniß nämlich) könnte ein Hospitium, ein Hospital sein; dasselbe Brot könnte den Hunger von Witwen und Waisen stillen, denen man es entzieht, nicht um die unglückliche Lage des Verbrechers erträglich zu machen, wie die Freunde und Anhänger des Bußsystems behaupten, sondern um auf Kosten der Gesellschaft, ohne irgend einen Nutzen für die Gesellschaft ihre Marter auf unendliche Zeit zu verlängern. Lege Jeder die Hand aufs Herz und frage sich, ob er nicht lieber hingerichtet werden will, als lebenslang allein eingekerkert bleiben, ohne alle Hoffnung, jemals seine Freiheit wiederzuerhalten? und dann frage er sich weiter, ob es nicht ein übelverstandenes Humanitätsgefühl ist, das an die Stelle der Todesstrafe ewige Einkerkerung setzt?

Nach Murat's Ansicht ist das einzige Mittel, die Todesstrafe zu umgehen, die Deportation, bei der jedoch in den Verbrechercolonien selbst gegen die Unverbesserlichen nothwendig die Todesstrafe bleiben muß. Wir führen diese Ansichten nicht an, als hielten wir sie für die höchsten und besten, die man von der Sache haben könne, vielmehr soll ja eben in der Todesstrafe eine weltliche Vergeltung, wenn auch nicht die höchste, Gott allein zustehende sein, doch eine von Gott auf Erden eingesetzte; und wir sind gegen die Abschaffung der Todesstrafe, weil in dieser Abschaffung verlangt wird, ein göttliches Institut solle subjectiver Weichmüthigkeit Platz machen, da doch sonst dergleichen Niemand einfiel, sondern Die, denen das weltliche Schwert anvertraut war, es im Namen Gottes (wenn ihre Person auch der Schauder überlief) getrost und in dem Bewußtsein, daß die Pflicht es so fodere, handhabten. Wir führen diese Ansichten nur an, um zu zeigen, wie, trotz einer sonst weltlichen, der Nützlichkeitstheorie huldigenden Richtung, eine reinmenschliche, frische Empfindung Das auch für das wahrhaft Humane halten muß, was eine falsche Humanität, ungeachtet (und beinahe weil) es göttliche Ordnung ist, angreift.

Das common law, von welchem S. 129 fg. geredet wird, ist so recht das Widerspiel der gesetzgeberischen

Narrheit unsers Continents, welche alle Rechtsentwickelung dem freien Walten der Gerichte und dem Volke entziehen und den reflectirten Bestimmungen einiger weniger gelehrter Individuen anheimgeben möchte. Hören wir nun, mit welcher richtigen Begeisterung Murat das common law preist:

Es ist ein gigantischer Geist, der sich aus den frühesten Zeiten her bis zu uns erstreckt, ein unsichtbares Wesen, das uns umgibt gleich der Luft, welche wir einathmen; es ist eins und dennoch veränderlich. Gleich der geheimnißvollen Sibylle hat es stets eine genügende Antwort für den Befragenden, oder als eine sanfte Gottheit erlaubt es seinen Priestern, die widersprechenden Orakel aufs beste in Uebereinstimmung zu bringen oder auszugleichen, und ändert seinen Willen gemäß der letzten Entscheidung. Seine Macht enthüllt, erklärt, modificirt Alles, Alles ist ihm unterworfen vom Evangelium bis zu der Verfassung; Volk und Könige und Priester und Bürgerliche oder Adelige, Sklaven oder Herren, Alle sind vor ihm gleich. Seiner Gewalt widersteht Niemand, und doch ist sie keine tyrannische. Alles wird aufs beste angeordnet oder ausgeglichen, und guter Rath wird nie verschmäht. Wie soll ich anders dieses Gesetzes erklären, das seinen Ursprung, wie die alten Gesetzgeber sagen, in den Gewohnheiten der alten Briten hat; das später durch die Gesetze und Gebräuche der Angelsachsen modificirt ward; das unter den Normannen mit dem Feudalwesen sich vermischte; das Schritt vor Schritt der wachsenden Aufklärung folgte und stets ein genauer, deutlicher Ausdruck der Bedürfnisse des Volkes war? Wo soll ich es aufsuchen, um es Ihnen deutlich zu zeigen, da es an jedem Tage in jedem Staate sich verändert? Sir William Blackstone hat in seinem gelehrten Commentare ein Gemälde davon gegeben, welches uns das damalige englische Gewohnheitsrecht deutlich veranschaulicht; doch heutzutage ist es bedeutend verändert und verbessert worden, obgleich Blackstone immer eine Autorität bleibt. Es besteht in allgemeinen Maximen, die oft einander widersprechen, mit Unterabtheilungen, Unterscheidungen, Entscheidungen u. s. w. Mylord Coke behauptet sehr würdig und ernsthaft, daß der gesunde Menschenverstand einen Theil des common law bilde.

Etwas weiter im Text behauptet der Verfasser, daß die christliche Religion, wie die anglicanische Kirche seiner Zeit dieselbe verstanden wissen wollte, ebenfalls einen Theil des Gewohnheitsrechtes ausmache u. s. w.

In dieser lebendigen Rechtsatmosphäre des common law, die durch jeden Spruch einer Jury, durch jede Rede eines Advocaten influirt wird und so unmittelbar aus der actuellen Intelligenz und aus dem Leben des Volkes sich nährt, besitzt Nordamerika noch das schönste Erbtheil älterer germanischer Zustände, und dieses Erbtheil ist zugleich durch und durch ein Stück jener materiellen Freiheit, die wir schon an Nordamerika priesen. Freilich kann dies common law, wenn einmal schlechte, seichte Theorien und daraus fließende Ansichten sich des Volkes bemächtigen, auch diesen zufolge sich gestalten, aber doch nicht länger als eben diese Ansichten selbst ihre Herrschaft behaupten, und die Rückkehr des Volkes zu gesunden, tiefern Ansichten ist auch die unmittelbare Umkehr zu einem tüchtigen Rechtszustand; während wir auf dem europäischen Continent, wenn eine Gesetzgebung von seichten, schlechten, liederlichen Gesichtspunkten aus einmal zu Stande gekommen ist, dann lange, nachdem die wissenschaftliche Ueberzeugung über die Seichtigkeit und Liederlichkeit derselben im Klaren ist, noch darunter leiden müssen, weil nur durch die heroische Arbeit einer neuen Gesetzgebung oder durch eine einer neuen Legislation vollkommen gleichstehende, nur noch umständlichere Revision dem Unglück ein Ende gemacht werden kann.

Der Darstellung der Sklaverei ist ein ganzer Abschnitt, nämlich der ganze vierte Brief (S. 67 fg.), gewidmet. Es ist nicht unsere Absicht, hier weitläufig zu wiederholen, was im Detail über den jetzigen factischen Bestand der Sklaverei und über die eigenthümlichen Eigenschaften grade der Negerrasse gesagt ist; auch wollen wir nicht die Parallelen der Negersklaven mit unsern europäischen Hand- und Fabrikarbeitern, die allerdings in gar manchen Punkten zu Gunsten der Erstern ausfallen, wiederabschreiben, denn theils ist das Alles schon genugsam gesagt, theils dadurch das Verhältniß selbst nicht nach der Seite der wissenschaftlichen Ansicht erledigt; aber eine Stelle können wir nicht umhin auch diesem Briefe zu entheben, eine Stelle, in welcher gezeigt wird, daß von einem Recht vis-à-vis der Sklaven selbst nie, sondern nur von einem solchen der Sklavenherren unter ihnen selbst die Rede sein kann. Nachdem (S. 70) das Verhältniß des Herrn zum Sklaven also dargestellt ist nicht sowol wie ein Rechtsverhältniß, sondern vielmehr wie das natürliche Ereigniß natürlicher Facten, heißt es S. 71:

Der Sklave hat ebenso viel Recht, seinem Herrn Widerstand zu leisten und davonzulaufen, als dieser Recht hat, ihn für seinen Nutzen arbeiten zu lassen und zum Gehorsam zu zwingen. Es besteht zwischen Beiden kein gegenseitiges Recht, denn ein sociales Recht kann nur auf ein anderes gegründet sein. Der Irrthum kommt daher, daß man dem Sklaven den leidenden Gehorsam hat zur Pflicht machen wollen; das ist abgeschmackt, da es einen Vertrag voraussetzen würde, in welchem aller Vortheil auf der einen und aller Nachtheil auf der andern Seite sein würde, ein solcher Contract ist aber ipso facto null und nichtig. Der Herr indessen hat ebenso viel Recht, von der Gesellschaft für seinen Besitz des Sklaven eben denjenigen Schutz zu verlangen, wie er ihn für den Besitz seines Pferdes in Anspruch nehmen kann.

Wir stimmen hier durchaus darin nicht mit dem Autor überein, daß die Quelle alles Rechts in einem Vertrage zu suchen sei, vielmehr gibt es viele, ja die höchsten und herrlichsten Rechte, die nie weder durch einen wirklichen noch durch einen fingirten Contract erklärt werden können; aber darin, daß zwischen Herren und Sklaven kein Rechtsverhältniß, sondern nur ein Verhältniß natürlicher Gewalt stattfinde, meinen wir dennoch, habe Murat den Nagel des Sklavereiverhältnisses auf den Kopf getroffen.

Wem es bei der Lecture besonders um Unterhaltung zu thun ist, dem empfehlen wir den achten Brief: „Von der Armee, der Marine und den Indianern". Die ersten drei einleitenden Briefe sind durchaus die uninteressantern, theils weil in ihnen die perverse Doctrin Murat's am schneidendsten hervortritt, theils weil das Material ihres Inhalts schon anderweitig genugsam bekannt ist. Das ganze Buch aber gehört, wie obige Auszüge und Anführungen hoffentlich gezeigt haben, nicht blos des Verfassers und Gegenstandes, sondern auch der Verarbeitung des letztern wegen durchaus zu den interessantern neuern Erscheinungen der Literatur. 69.

Zur Geschichte Polens.

Polens Revolution und Kampf im Jahre 1831. Von K. Reyfeld. Mit Karten und Plänen. Zweite Auflage. Hanau, König. 1833. Gr. 8. 2 Thlr.

Wenn auch die große Menge des an der Tagesgeschichte theilnehmenden Publicums schon seelenvergnügt ist, wenn sie in den dem Geschäftsleben oder dem Müssiggehen zur Lesefütterung abgerungenen Stunden die von ihrem Zeitungsschreiber vorgeführten wechselnden Bilder der Gegenwart behaglich beschauen kann, so sind doch gewiß auch Viele, welche die früher mit Theilnahme beschauten Bilder gern noch einmal vor ihrem jetzt schon klarern und unbefangenern Auge vorüberziehen lassen. Ein solches Bedürfniß rechtfertigt auch eine Zusammenstellung der großen Ereignisse, welche das oben angeführte Buch erzählt, selbst in jetziger Zeit, wo eine Geschichte derselben im höhern Sinne noch nicht denkbar ist. Ref. muß aber bekennen, daß die vom Capitain Reyfeld gegebene Zusammenstellung den Ansprüchen Dessen, der die Geschichte der polnischen Revolution nach den bis jetzt vorhandenen Quellen möglichst klar und gedrängt überschauen will, nicht genügen kann. Daß das Buch keine neuen Aufschlüsse gibt, oder daß es die Kriegsunternehmungen nicht von einem höhern Standpunkte kriegswissenschaftlicher Kritik beleuchtet, sondern dieselben blos populair bespricht — dies will Ref. nicht tadeln, erwähnt es aber nur, weil der lockende Zusatz auf dem Titel: „polnischer Capitain", wol zu beiden Vermuthungen berechtigen könnte. Ref. muß also als den Zweck des Verfassers annehmen, daß er das Bekannte gedrängt habe zusammenstellen wollen. Doch diesen Zweck hat er nicht erfüllt, indem er theils die Quellen nicht sorgfältig genug aufgesucht und benutzt zu haben scheint, theils eben deswegen wichtige Ereignisse zu kurz und ungenügend dargestellt und falsch beurtheilt hat, was er bei seiner sonst sichtbaren Unparteilichkeit nach gründlicherm Studium der Quellen leicht hätte vermeiden können. Am meisten trifft dieser Vorwurf die innere Geschichte der Vorbereitung, Entwickelung und des Verfalls der Revolution. So ist die Darstellung der Ursachen der Revolution und der Geschichte des Königreichs Polen seit 1815, wozu der „Coup d'oeil sur l'état du royaume de Pologne etc." (Paris 1832) die trefflichsten Materialien bietet, höchst ungenügend. Ebenso mangelhaft ist die Erzählung der innern Verhältnisse unter Cołopicki's Dictatur; ungenügend die Schilderung der Augustscenen und ihrer Folgen; unvollständig die Darstellung der Schicksale des polnischen Heers nach der Einnahme von Warschau; und doch sind dies alles Begebenheiten, die durch vielfache Berichte, Mittheilungen (in Spazier's Werke) und Schriftchen (z. B. „Mémoires officielles sur les négociat. etc."; „Verhandlungen des polnischen Reichstags ꝛc.") recht aufgeklärt erscheinen. Daß dieser Mangel an gehöriger Kenntniß des Stoffes auch nothwendig zu falschen Beurtheilungen führen mußte, leuchtet ein. Daher erscheint dem Verfasser Lubecki als ein unpatriotischer Intriguant, der unter dem Schein, die Revolution zu fördern, Polen wieder in die Hände des Zaren schleudern gewollt (S. 80, 120, 122); daher Chlopicki als dessen schwaches Werkzeug, dieselbe Absicht aus Verzweiflung an dem Sieg der Polen fördernd; daher Skrzynecki durch Stolz, Eitelkeit und Eigensucht Polen ins Unglück gebracht und Prondzynski aus beleidigter Eitelkeit später im Bunde mit Krukowiecki den Generalissimus gestürzt hat (S. 221, 330). Betrachtet man aber diese vom Verf. mehr berücksichtigten Helden des polnischen Aufstandes näher, so war Lubecki ein Mann, der sich mit redlichem Willen Polens Glück unter russischem Scepter zur Hauptaufgabe seines Lebens gemacht hatte und freilich den aus seinem Gleise gerissenen Wagen wieder einzulenken hoffte, aber diese Hoffnung nicht gleißnerisch verbarg. Man vergleiche nur den oben erwähnten „Coup d'oeil" und betrachte aufmerksam die Rolle, welche Lubecki bis zu seiner Abreise nach Petersburg spielte. Ebenso war Chlopicki viel zu entschieden, um sich als eines Fremden Werkzeug brauchen zu lassen; sein unglückseliger Wahn der Unmöglichkeit des Siegs der moralischen Kraft über physisches Uebergewicht leitete seine Schritte, und nur insofern Beide die Rettung der Constitution und die Abstellung der Misbräuche als das allein in Bereich der Möglichkeit liegende Resultat der polnischen Bestrebungen betrachteten, schien der Mann der That von dem Manne des Rechts abzuhängen. War auch Skrzynecki stolz und eitel, was sich übrigens nicht mit dem Verf. aus der Absetzung Uminski's und Krukowiecki's nach der Schlacht bei Ostrolenka nachweisen läßt, so war es nicht diese Eitelkeit, die Polen verdarb, denn sie hätte ihn eher zu Thaten antreiben müssen; sondern Mangel an Vertrauen zu sich, da er seine Plane von Prondzynski erhielt, und die Hoffnung, Das, was das Schwert nicht sicher verhieß, durch diplomatische Intervention zu erlangen, ließ ihn zaudern und die schönsten Gelegenheiten versäumen, sein Vaterland zu retten. Kühn und groß, wenn er gedrängt wurde, wie bei Ostrolenka, schwach und klein, wenn er selbst drängen sollte — es mußte ihm denn nach Plan und Vorbereitung der Sieg leicht und gewiß sein wie bei Wawre und Dembe Wielki — trat er grade vom Schauplatze, als durch ihn in den Verschanzungen der Hauptstadt Rettung allein möglich war. Prondzynski endlich, ein kühner Mann im Entwerfen großartiger Plane, ein schwaches Kind beim geringsten Unglück während der Ausführung, bewies am Besten dadurch, daß er später zweimal das Commando ausschlug, das Ungegründete des Verdachts eines Complotts mit Krukowiecki zum Sturze Skrzynecki's. Vielfach gedrängt, stellte er sich in redlicher Absicht dem Krukowiecki zur Seite, wurde nach der Erstürmung Wolas kindisch und förderte so die ehrgeizigen Absichten Krukowiecki's zum Falle der Hauptstadt. Diese und einige andere Männer sucht der Verf. dem Leser deutlicher vor Augen zu führen; viele andere dagegen fliegen als Nebelgestalten vorüber, wie Czartoryski und die übrigen Regierungsmitglieder, Ostrowski, Dembinski u. s. w. Ueberhaupt tritt das Wesen und Streben der verschiedenen Parteien zu wenig hervor; die Namen Aristokraten und Demokraten bezeichnen das Wesen der beiden herrschenden Parteien nicht genügend (S. 332). Die eine wollte Polens Rettung wo möglich durch diplomatische Intervention — und wir möchten sie die diplomatische Partei nennen — ohne zu berücksichtigen, ob sie sich Polen selbständig oder mit der redlich gehaltenen Constitution unter russischem Scepter wünschte. Daß unter ihr Aristokraten waren, ist gewiß, aber diese waren nur ein dieser Partei beigemischtes Element. Selbst die Opposition gegen die Bauernemancipation auf dem Reichstage war nicht, wie unser Verf. S. 244 meint, rein aristokratisch; denn Viele widerstrebten ohne Eigennutz, weil die Maßregel im damaligen Drange der Umstände unnütz, ja selbst ungerecht und gefährlich war. Die andere Partei, worunter alle Demokraten, aber auch viele Royalisten, wollten Polens Selbständigkeit durch Waffengewalt erzwingen; Ref. möchte sie Independenten nennen. Die Diplomaten herrschten bis zum August, der kurze Sieg der Independenten aus dem Club erzeugte Verwirrung, und dies benutzte der Intriguant Krukowiecki, um beide Parteien für seinen Zweck zu benutzen.

Sind gleich die Kriegsereignisse von dem Verf. sorgfältiger behandelt, so müssen wir doch auch hier oft ungenaue und mangelhafte Darstellung rügen. So findet man auch nicht erwähnt, daß Prondzynski die Plane zum Angriffe Geismar's und der Garden entworfen hatte. Auch **zweifelt** der Verf. **nur** an Skrzynecki's früherer Absicht, das Gielgud'sche Corps nach Lithauen zu schicken, da aus Dembinski's lithauischem Feldzuge bekannt ist, daß dieser erst nach der Schlacht bei Ostrolenka den Vorschlag that, das von Skrzynecki schon aufgegebene Corps durch Absendung nach Lithauen zu retten.

Ref. muß demnach Die, welche die polnische Geschichte des Jahres 1831 zu überblicken wünschen, jetzt immer noch an das freilich sehr umfangreiche Werk von Spazier verweisen. 93.

Ueber einige französische Sprüchwörter.

A propos de bottes.

Ein Höfling Franz I. hatte einen bedeutenden Proceß verloren und der König fragte ihn, welche Entscheidung das Gericht in der Sache gegeben hätte. „Ich war", erwiderte er, „mit der Post gekommen, um der Entscheidung beizuwohnen; kaum angekommen, hat mich der Gerichtshof Ew. Majestät entstiefelt (débotté)." Entstiefelt? „Ja, Sire; ich habe die Worte wohl verstanden: dicta curia debotavit, et debotat dictum actorem." Ah, ich verstehe Sie, versetzte der König; Sie weisen auf einen Misbrauch hin, den ich abstellen werde. Und einige Tage darauf erschien die Verordnung, daß alle richterlichen Erlasse in französischer Muttersprache und nicht anders ausgesprochen, eingetragen und den Parteien verkündigt werden sollten. Diese Verfügung gefiel den Rechtskundigen nicht, und sie glaubten sich zu rächen, wenn sie sagten, sie sei à propos de bottes gekommen. Diese Bezeichnung blieb, um das italienische un sproposito zu ersetzen.

Ein junger Offizier von den Chevaurlegers machte einst eine glückliche Anwendung von dieser Ausdrucksweise. Bei einer Musterung tadelte ihn sein General, weil er keine Stiefeln von der vorgeschriebenen Form anhatte, und setzte hinzu: „Was würden Sie sagen, wenn ich Sie mit Arrest bestrafte?" Er versetzte: „Mein General, ich würde sagen, Sie hätten mich à propos de bottes gestraft."

Faire une brioche.

Faire une brioche heißt zunächst einen Fehler in der Musik machen; man dehnte seit langer Zeit diese Ausdrucksweise auch auf Fehler jeder Art aus. Als die Oper in Paris aufkam, trafen die Mitglieder des Orchesters eine Uebereinkunft, derzufolge Jeder eine kleine Geldstrafe zu erlegen hatte, der sich eines Fehlers in der Ausführung eines Musikstückes schuldig machte; für diese Strafgelder sollte ein Butterkuchen (brioche) gekauft und gemeinschaftlich verzehrt werden. Eine solche Strafe war jedoch nicht geeignet, die Mistöne zu verbannen, und die häufigen Mahlzeiten, welche sie zur Folge hatte, war eben kein Beweis von dem großen Talent der Herren vom Orchester. Die Eigenliebe siegte über die Leckerhaftigkeit, und man kam überein, die Strafe aufzuheben. Um aber den alten Gebrauch im Andenken zu erhalten, ließen sie vom letzten Kuchen, den sie unter sich theilten, ein treues Abbild in Blech fertigen und hängten dasselbe im Kaffeehause der königl. Akademie der Musik auf, wo man es noch den Spielern zu zeigen pflegt, die beim Dominospiel einen Misgriff thun.

Tourner autour du pot.

Bekanntlich schrieb man früher um die Töpfe Inschriften aller Art, selbst in lateinischer Sprache. Wenn nun Jemand lange Zeit brauchte, ehe er einen solchen Spruch zu erklären im Stande war, sagte man, er drehe sich zu lange um den Topf, und bedient sich dieser Ausdrucksweise jetzt, um unser „um den Brei herumgehen" zu bezeichnen.

Se marier en face de l'église.

Man traute vor Alters das Brautpaar vor der Thüre der Kirche und nicht vor dem Altar. Wilhelm von Newbridge (um 1200) sagt, indem er von der Heinrich II. mit Eleonore von Aquitanien spricht: „Solutamque a lege prioris viri in facie ecclesiae, quasi illicita scientia, ille mox suo accepit conjugio."

Avoir une belle bague au doigt.

„Ein hübsches Eigenthum haben, das man leicht und vortheilhaft loswerden kann"; sodann: „eine einträgliche Stelle haben, mit der nicht viele Mühe verbunden ist". Man gab dem neuen Erwerber eines Besitzthums einen Ring, der mit einem besondern Zeichen versehen, als bestimmter Anspruch auf das Eigenthum galt. In der Gründungsacte des Klosters von Mici (St.-Maximin), das Clodwig dem Eusicius und seinem Neffen Maximin gab, heißt es: „Per annulum tradidimus".

Il ne faut point chanter le magnificat à matines.

Saint-Césaire, Abt von Arles, und Aurelian, sein Nachfolger, entwarfen Ordensregeln (Anfang des 6. Jahrh.) und befahlen den Mönchen, während der Metten das Magnificat zu singen; später wurde es jedoch nur bei der Vesper und bei dem Schlußgebet gesungen, daher das Sprüchwort, das ausdrückt: „rühme dich nicht vor der Zeit".

Parler français comme une vache espagnole.

Wahrscheinlich steht vache statt vasque, basque. Er spricht französisch wie ein Baske spanisch, wegen der schwierigen Sprache der Basken, von denen Scaliger sagt: „Man behauptet, sie verstehen einander, ich glaube es aber kaum".

Tenir quelqu'un le bec dans l'eau.

„Einen mit Versprechungen hinhalten." Ohne Zweifel stammt dieses Sprüchwort von der bekannten Strafe des Tantalus her.

Loger le diable dans sa bourse.

Dieses Sprüchwort schreibt sich aus der Zeit her, wo die meisten Münzen das Zeichen des Kreuzes hatten; wenn sich daher der Teufel in eine Börse schlich, war gewiß kein Geld darin. Die Schottländer sagten: „Der schlimmste Teufel ist Der, welcher in der Börse tanzt".

Faire avaler à quelqu'un des poires d'angoisse.

„Einen schlecht behandeln, ohne daß er klagen kann." Die poire d'angoisse war eine Eisenkugel, welche Räuber den Personen, die sie berauben wollten, in den Mund steckten, um sie zu hindern um Hülfe zu rufen. Sie soll eine Feder gehabt haben, welche sie im Munde ausdehnte. Palioly von Toulouse, Haupt einer Räuberbande, wird der Erfinder dieser Maschine genannt.

Regarder en Gatinois pour voir si la Champagne brule.

„Schielen." Dasselbe wie: „Tourner un oeil en Normandie et l'autre en Picardie". Wie bei Aristophanes (Eq. I, 3): „mit dem rechten Aug' nach Karien, mit dem linken nach Chalcedonien schauen".

Faire un trou à la lune.

„Verträge brechen, Bankrotte machen." Verträge wurden vor Alters (bis zu Karl IX.) beim ersten Vollmond vor und nach Ostern geschlossen; wer daher sein Wort brach, machte gleichsam ein Loch in den Mond. 56.

Notizen.

Ein amerikanischer Reisender, welcher 1830 Walter Scott in Abbotsford besuchte, kam mit ihm auch auf die in Amerika veranstalteten Nachdrucke von dessen Werken zu sprechen. Scott sah die Heiligkeit des literarischen Eigenthums für unverletzlich an, und jener bedauerte im Namen seiner Landsleute, daß die Gesetze ihm nicht das rechtlich zu fodernde Honorar sicherten. Walter Scott berief sich dabei u. A. auf die zum Schutz literarischen Eigenthumes zwischen Preußen und Destreich abgeschlossene Uebereinkunft. Die „Revue de Paris" bemerkt dazu, daß es nach einer solchen Convention zwischen zwei der Presse ihrer Natur nach nicht holden Staaten eine Schande für Regierungen sei, welche, wie die französische und belgische, von der Presse geboren wurden, an Liberalität gegen die Literatur absoluter Staaten nachzustehen, und verlangt die Abschaffung der piraterie des éditeurs belges.

Zu einer Notiz in Nr. 265 d. Bl. bemerken wir nach der „France littéraire", daß Paris 38 öffentliche Bibliotheken mit 1,963,000 Büchern und Manuscripten besitzt. 3.

Hierzu Beilage Nr. 10.

Redigirt unter Verantwortlichkeit der Verlagshandlung: F. A. Brockhaus in Leipzig.

Beilage zu den Blättern für literarische Unterhaltung.

Nr. 10. 27. October 1833.

Geschichte der letzten funfzig Jahre von C. F. C. Ludwig. Zweiter Theil. Auch unter dem Titel: Geschichte der französischen Revolution von der Berufung der Notabeln bis zum Sturze der Schreckensregierung, oder dem Tode Robespierre's. Altona, Hammerich. 1833. Gr. 8. 2 Thlr.

Der erste Theil dieses Werkes, über welchen in Nr. 70 d. Bl. f. 1832 berichtet worden ist, enthält, wie es auch der Nebentitel bezeichnet, einen Ueberblick der Geschichte der Menschheit und der verschiedenen Bildungsstufen ihres Fortschreitens in geistiger und sittlicher Bildung; in dem vorliegenden beginnt die Behandlung des eigentlichen Gegenstandes des Werkes, eines Gegenstandes, welcher, zumal wenn eine ausführlichere Darstellung desselben zu größern Erwartungen berechtigt, so vielfache Schwierigkeiten darbietet, daß ein nicht geringer Muth und ein langes und umfassendes Studium dazu gehört, um derselben Meister zu werden. Wenn es schon nicht wenige Zeit und Ausdauer erfodert, auch nur die bedeutendsten Quellen genauer kennen zu lernen, so bedarf es ebenso sehr der Sorgfalt und des Scharfsinns, um die von Parteigeist und Leidenschaft hervorgerufenen Entstellungen zu beseitigen und die Widersprüche auszugleichen; die Schwierigkeit der Behandlung wird ferner dadurch sehr vermehrt, daß die Erörterung von Ansichten, Stimmungen und Zuständen oft die Ermittelung der Thatsachen überwiegt, und daß es zur Beurtheilung jener einer tüchtig durchgebildeten politischen Einsicht und Gesinnung bedarf; endlich verlangt aber die Beschaffenheit des Gegenstandes und der Umstand, daß die Kenntniß desselben wenigstens in den Hauptpunkten als ein Gemeingut der gebildeten Leser zu betrachten ist, eine nicht gemeine Kunst der Darstellung. Der Verf. hat diese Schwierigkeiten nicht verkannt, und er äußert selbst, daß die Entwirrung und die klare Veranschaulichung so verwickelter Verhältnisse und so widersprechender Interessen, Ansichten und Foderungen, als die Geschichte der französischen Revolution darbietet, ein Seherauge und eine Meisterhand verlange; er hat sich bemüht, jene Schwierigkeiten zu überwinden, allein dennoch können wir nicht erklären, daß es ihm damit meistens gelungen sei, daß seine Arbeit den Anfoderungen entspreche, welche gegenwärtig an eine Darstellung der Revolution gemacht werden müssen. Fragen wir zunächst nach der Basis der Arbeit, nach den Quellen, so gibt der Verf. fast gar keine Auskunft darüber, obwol er anfangs eine solche erwarten läßt, indem in Beziehung auf den Zustand Frankreichs vor der Revolution wenigstens im Allgemeinen auf Mignet's Geschichte, auf Lacretelle, auf die Memoiren über die Regierung Ludwig XIV., des Regenten und Ludwig XV., namentlich auf die von Duclos verfaßten, und auf die vor sieben Jahren erschienenen Briefe der Maintenon und der Prinzessin von Orsini verwiesen und zugleich eine fast fünf Seiten lange Uebersetzung aus Mignet zur Schilderung jenes Zustandes gegeben wird. Im weitern Verfolge der Arbeit werden bisweilen wiederum Stellen aus Mignet übersetzt, es werden bei einzelnen streitigen Thatsachen die Ansichten und Berichte verschiedener Parteien einander gegenübergestellt, allein die Quellen, aus welchen sie entlehnt sind, werden nicht namhaft gemacht. Um in diesem Tadel nicht misverstanden zu werden, müssen wir noch hinzufügen, daß wir keineswegs der Meinung sind, ein zur Unterhaltung gebildeter Leser bestimmtes Werk solle einen schwerfälligen, nur dem Gelehrten willkommenen Quellenapparat mit sich führen; wol aber glauben wir, daß der Historiker größeres Vertrauen erweckt, wenn er bestimmte Beweise von genauem Studium der Quellen gibt, und daß dieses grade bei einer Begebenheit, wie die französische Revolution ist, auf eine ansprechende Weise hätte geschehen können, indem eine Charakteristik der Quellen über die Begebenheiten selbst ein helleres Licht verbreitet haben würde. Wir haben nicht einmal Veranlassung, zu glauben, daß der Verf. die bisher erschienenen Bände der gründlichsten Bearbeitung der Geschichte der französischen Revolution, nämlich der „Geschichte der Staatsveränderung in Frankreich unter König Ludwig XVI.", genauer benutzt hat; denn er würde sonst daraus, wenn er auch öfter anderer Meinung sein mag als der Verf. dieses Werkes, manche nähere Bestimmung für die Thatsachen haben entnehmen und einzelne Lücken seiner Darstellung ergänzen können. Für das Letztere können wir einen Beleg sogleich aus den einleitenden Vorlesungen entlehnen. Der Zustand Frankreichs wird nämlich hauptsächlich durch die schon erwähnte Uebersetzung aus dem Mignet'schen Werke dargestellt, ohne daß das in der übertragenen Stelle enthaltene Unbestimmte und Schiefe durch bestimmte Thatsachen berichtigt wäre; es wird weitläufig von der Sittenlosigkeit am französischen Hofe zur Zeit des Regenten und Ludwig XV. gesprochen, und die Behauptung, daß Philosophen und überhaupt Schriftsteller die vorzüglichste Schuld der französischen Revolution trügen, wird für einen Irrthum erklärt, welcher eine gänzliche Unkunde der Geschichte beweise; diese Erklärung wird aber durch nichts unterstützt, als durch einige allgemeine und oft schon gehörte Redensarten, jene Behauptung findet dagegen in dem angeführten Werke einen gründlichen, aus der genauesten Kenntniß der Geschichte hervorgegangenen Beweis, und wenn man an diesem auch Das ausstellen könnte, daß er einige nicht zu leugnende Nebenursachen der Revolution zu sehr bei Seite stellt, so gibt er doch die feste Ueberzeugung, daß die sogenannte neue französische Philosophie den politischen Fanatismus erzeugt hat, welcher jene Umwälzung hauptsächlich charakterisirt. Was die Auswahl des Materials betrifft, so können wir dieselbe auch nicht immer wohl begründet nennen, denn (um nur Eins anzuführen) obwol der Verf. seinen Raum beschränkt nennt, so trägt er doch kein Bedenken, weitläufig über die Verhältnisse der Königin Marie Antoinette zu reden und einen ganzen Abschnitt der bekannten Halsbandgeschichte zu bestimmen; dagegen wird weiterhin von dem für die Kenntniß der vorherrschenden Stimmung des Landes und für das Verständniß des Anfangs der Revolution höchst wichtigen Inhalte der den Deputirten mitgegebenen Cahiers gar nichts gesagt. Eine kritische Erörterung der Thatsachen lag nicht in dem Plane des Verf., und es hätte dazu auch eines umfassendern Quellenstudiums bedurft. Was seine politische Ansicht betrifft, so schaltet er allerdings S. 256 fg. ein politisches Glaubensbekenntniß ein, allein wir gestehen, daß es uns zu allgemein, zu unbestimmt erscheint, und daß wir uns daraus keine klare Vorstellung abstrahiren können. Der Verf. verdammt allerdings die Greuel der Revolution und die Wuth der Demagogen; allein der Gedanke, daß die Revolution wenigstens anfangs gegen Misbräuche gerichtet war, und daß ihre Gegner meist nur aus Selbstsucht und Eigennutz sie bekämpften, veranlaßt ihn bisweilen zu einem zu sehr mildernden Urtheile über die Helden und zu einer verschönernden Darstellung der Begebenheiten der Revolution, und so erscheint es uns wenigstens z. B. als ein verfehlter Ausdruck, wenn der Advocat Camille Desmoulins, als er im Palais royal das Volk zur Bewaffnung aufruft, ein kühner und feuriger Jüngling genannt wird, und wenn die Masse, welche sich darauf bewaffnet und sich gegen die Bastille wendet, dem gereizten und entfesselten Löwen verglichen wird. Außerdem hat eine Verwechselung auf eine ähnliche Weise der strengen historischen Wahrheit einigen Eintrag gethan, nämlich die Verwechselung des Enthusiasmus der Revolution, welcher, aus der Lebhaftigkeit des französischen Nationalcharakters rasch aufflackernd, sich seltener auf ein bestimmtes Ziel als vielmehr auf leere Abstractionen richtete, mit der wahrhaften, tiefen Begeisterung, welche den eignen Vortheil und die eigne Eitelkeit aufopfert und, mit einer klaren Erkenntniß der vorhandenen Bedingungen und Schranken verbunden, jenen die Realisirung ihrer Absichten für Gemeinwohl anpaßt und diese in Anerkennung vorhandener Rechte nur allmälig weiter hinauszuschieben sucht und trotz der mannichfachsten, immer von Neuem hervortretenden Schwierigkeiten nicht erkaltet. Die äußere Form der Darstellung endlich war dadurch gegeben und bedingt, daß der Verf. seine Arbeit ursprünglich in Vorlesungen mündlich mitgetheilt, und daß er auch diese Form beibehalten hat, als er sie dem Drucke übergab. 16.

Staatswissenschaftliche Vorlesungen für die gebildeten Stände in constitutionnellen Staaten. Von K. H. L. Pölitz. Dritter Band. Leipzig, Hinrichs. 1833. Gr. 8. 1 Thlr. 6 Gr.*)

Von einigen kritischen Blättern aufgefodert, hat der Herr Verf. den beiden ersten Bänden seiner „Staatswissenschaftlichen Vorlesungen" einen dritten folgen lassen und darin mehre staatswissenschaftliche Gegenstände, welche, da der ursprüngliche Plan des Werkes nur die vier Hauptlehren der Staatsbegründung, Staatsverfassung, Staatsregierung und Staatsverwaltung umschloß, in jenen nicht behandelt worden waren, gemeinfaßlich dargestellt. Diese Gegenstände sind: das philosophische Strafrecht, das philosophische Völkerrecht, das praktische Völkerrecht, das europäische Staatensystem nach seiner Entstehung und Fortbildung, das europäische Staatensystem in der Gegenwart, die Völkerverträge, der rechtliche Zwang zwischen den Völkern, die Diplomatie und das Gesandtenrecht und im Anhange: Sprache und Styl im constitutionnellen Leben, constitutionnelle und parlamentarische Opposition, Andeutungen über den Staatsdienst. Was der Verf. in den beiden ersten Bänden wollte und leistete, nämlich Denjenigen, die sich die Staatswissenschaften nicht zu ihrem Fachstudium gewählt haben, eine lichtvolle Uebersicht derselben mit beständiger Rücksicht auf constitutionnelle Staaten zu geben, das hat er auch in dem dritten Bande geleistet, und die im Plane des Werkes ursprünglich nicht gelegene Nachfolge dieses Bandes beweist, daß das Unternehmen auch den Beifall des Publicums erhalten hat, für das es berechnet ist. Neues hat der Verf. in diesem Bande nicht geschaffen, auch nicht schaffen wollen, und die Wissenschaft ist ihm nur insofern Dank schuldig, als er für eine größere Verbreitung ihrer ewigen Wahrheit gesorgt und sie Denjenigen zugänglich gemacht hat, welchen ihre tiefern Quellen unzugänglich sind.

Nach dem Grundsatze: minima non curat praetor, verschmähen wir jede Polemik, die weder praktische Folgen haben kann, noch zur Vertheidigung großer Principien nothwendig ist, allein wir gestehen, daß der Verf., auch wenn es sich um letztere hier nicht handelte, uns durchaus herausgefodert hat, ihm einige Kugeln aus unsern Battereien zuzusenden. Er erklärt nämlich ganz gegen seine sonstige Urbanität als Schriftsteller Diejenigen, welche den ungeheuern Frevel begehen sollten, „das Dasein und die Gültigkeit des philosophischen Strafrechtes überhaupt zu leugnen", sogleich für Sophisten. Das Feld des Wissens ist ein freies, und Niemand steht so hoch, daß er ein Recht hätte, ein Anathem gegen Forschende zu schleudern, die entgegengesetzte Resultate erzielen; nur Derjenige ist ein Sophist, der die Wahrheit kennt, aber, um zu täuschen, den Irrthum wählt und ihm den Schein der Wahrheit gibt. Leider sind sehr viele Lehren, theils heilige, theils profane vorhanden, die entweder durchaus nicht, oder deren herkömmliche Beweise den Prüfstein einer scharfen Logik nicht aushalten, die man aber, weil sich auf sie irgend ein religiöses oder gesellschaftliches Gebäude gründet, unangetastet läßt, bis die Frucht reif geworden ist. Es könnte sein, daß trotz der Bezeichnung „Sophisten", mancher Denker gar arge Zweifel hat, ob es wirklich ein Recht zu strafen gibt; es könnte sein, daß nur die Scheu, Verwirrung zu stiften, Manchen abhält, die Stimme zu erheben und klar zu beweisen, daß ein solches Recht nicht vorhanden ist; es könnte sein, ja es wird sogar gewiß eine Entwickelungsperiode der Menschheit kommen, wo wenigstens in einigen gottbegünstigten Völkervereinen Milde und Liebe das höchste Losungswort mächtiger Regierender geworden sein wird, wo die moralische Kraft der Menschheit erstarkt ist und man den Fehlenden großmüthig als einen Unglücklichen betrachten und behandeln darf, ohne fürchten zu müssen, daß das Gesetz seine Herrschaft verliert. Aber nicht von dieser schönen, fernen Zukunft soll hier die Rede sein, auch wollen wir für jetzt nicht kühn das Strafrecht leugnen, weil eine solche Lehre, herausgerissen aus einem den bisherigen staatswissenschaftlichen Systemen entgegengesetzten Gesammtgebäude, zu schroff, zu unpraktisch dastehen würde; aber wenigstens wollen wir, weil der Herr Verf. Diejenigen, welche ein philosophisches Strafrecht leugnen und nur eine philosophische Straftheorie zugeben, Sophisten schmäht, zeigen, daß sein Beweis, daß dem Staate das Strafrecht zusteht, übrigens ein uralter, gänzlich unhaltbar ist. Der Beweis des Verf., auf seinen einfachsten Ausdruck zurückgeführt, denn auf einen solchen läßt sich jeder Beweis, und wäre er auch noch so lang, zurückführen, lautet: der Staat hat das Recht, zu wachen, daß im Staate Recht herrsche; jedes Recht schließt das Zwangsrecht in sich; folglich hat der Staat das Recht zu strafen. Der Verf., der dieses vollendete non sequitur natürlich fühlte, suchte nun weitläufig zu beweisen, daß die Strafe ein Zwang sei. Aber der ganze Scharfsinn, den er dabei aufwandte, ist reine Verschwendung, denn die Strafe ist kein Zwang, und der Zwang ist keine Strafe. Die Strafe ist das Uebel, das Jemand erleidet, weil er ein Gesetz übertreten hat, und das Strafen ist die Anwendung von Gewalt, um dem Gesetzesübertreter das im Gesetze für den Fall der Uebertretung angedrohte Uebel zuzufügen. Der Zwang dagegen ist das Erleiden von Gewalt, um vermocht zu werden, etwas zu thun oder zu unterlassen, und das Zwingen ist die Anwendung von Gewalt, um Jemanden zu vermögen, etwas zu thun oder zu unterlassen. Es ist klar, daß diese beiden Begriffe coordinirt sind; der Herr Verf. hat sie aber subordinirt, mithin einen Fehlschluß begangen; ferne sei es aber von uns, ihm deswegen die Stückkugel „Sophist!" zuzusenden, wie er sie Denjenigen zugeschleudert hat, welche das philosophische Strafrecht leugnen! Da die „Staatswissenschaftlichen Vorlesungen" eigentlich ein populaires Werk sind, hätte sollen der plausibelste Beweis gewählt werden, daß der Staat das Strafrecht besitzt. Wir glauben, daß der aus dem Gesetzgebungsrechte hergeholte Beweis sich am glänzendsten ausführen ließe; einen logischen Kopf noch am meisten befriedigen würde und zum Theil auch den Anstrich der Neuheit hätte. Als Nebenbeweis könnte der aus dem Satze: volenti non fit injuria, und dem Axiom, daß Niemand bestraft werden kann, der das Gesetz erweislich nicht gekannt hat, abgeleitete dienen, und so ließe sich ein ziemlich festes Gebäude aufführen, das zwar auch, aber nicht so gar leicht erschüttert werden kann, wie das vom Verf. gezimmerte. Als philosophische Straftheorie genommen, befriedigt indessen die anderweitige Ausführung dieses staatswissenschaftlichen Gegenstandes. Sehr wundert uns aber, daß der Verf., nachdem er die Abschreckungs- und Präventionstheorie summarisch auseinandergesetzt hat, nicht davon gesprochen hat, daß der Zweck der Strafe Vollziehung der im Verbotsgesetze vorkommenden Drohung ist. Die sich auf diesen Satz gründende Theorie ist weder die der Abschreckung, noch der Prävention, sondern eine dritte, von diesen beiden wesentlich verschiedene und am leichtesten zu vertheidigende.

Das philosophische und positive Völkerrecht sowie die Darstellung der Diplomatie wird die hierin Unbewanderten sehr ansprechen; selbst Männer von Fache werden diese Gegenstände

*) Ueber den ersten und zweiten Band berichteten wir in Nr. 274 u. 275 d. Bl. f. 1831 und Nr. 217 f. 1832. D. Red.

hinreichend interessant und umfassend behandelt finden, weswegen wir auch sie zur Lecture auffodern. Die Theorie der constitutionellen Opposition halten wir für den Glanzpunkt der „Staatswissenschaftlichen Vorlesungen", und wir glauben keine Fehlbitte zu thun, wenn wir den Verf. einladen, eine Geschichte der constitutionellen Opposition zu schreiben. Es würde dies ein lehrreiches, ein interessantes, ein gemeinnütziges Werk werden, und der Verf. dadurch sein wissenschaftliches Streben, constitutionelle Wahrheit durch Wort und Schrift zu verbreiten, auf das Herrlichste krönen. 59.

Schütz, Allgemeine Erdkunde, oder Beschreibung aller Länder der fünf Welttheile u. s. w. Neu bearbeitet von einem Vereine mehrer Gelehrten. In 30 Bänden. Mit Kupfern. Wien, Doll. 1832—33. Gr. 8. Preis des Bandes 1 Thlr. 12 Gr.

Die Lieferungen dieser großen statistisch-geographischen Sammlung folgen sich so schnell, daß wir Mühe haben, ihnen mit unsern Anzeigen nachzufolgen. Wir fassen daher die seit unserer letzten Notiz erschienenen sieben Bände in einer ganz kurzen Nachricht zusammen, um doch nicht ganz damit im Rückstande zu bleiben.

Aus der dritten Abtheilung des Gesammtwerkes ist uns zugekommen:

1. Neuestes Gemälde von Amerika. Von G. A. Wimmer. Dritter und vierter Theil (23. und 25. Lieferungsband).

Im dritten Bande wird zuvörderst Mexico, ein Reich, das ohne Zweifel zu einer bedeutenden Rolle in der künftigen Weltgeschichte bestimmt ist, abgehandelt. Diese Schilderung füllt zwei Drittheile des starken Bandes und läßt nichts unberührt, was dem Liebhaber der geographischen Wissenschaft von Interesse sein kann. Die Darstellung ist concis, auf die neuesten (1829—30) Nachrichten gegründet, blühend, ohne rhetorisch zu sein, und in warmen, ansprechenden Farben, welche nie in trockenen Lehrton übergehen, ausgeführt. Auf einzelne zweifelhafte Angaben können wir hier keine Rücksicht nehmen, es ist genug, daß das Ganze mit Liebe und Sachkunde angelegt ist. Von Guatemala und dem colombischen Archipel, wie der Verf. die westindischen Inseln sehr gut bezeichnet, läßt sich dasselbe sagen; besonders ist Cuba mit Vorliebe und Genauigkeit behandelt.

Im vierten Bande dieser Abtheilung wendet der Verf. einen rühmlichen Fleiß auf Südamerika, diese unermeßliche, noch so undurchforschte Länderstrecke. Nach einem allgemeinen Bilde tritt zuerst Venezuela, dann Neugranada, hierauf Quito (Ecuador), Peru, Bolivia (Ober-Peru), Chile, Cisplatina und endlich Brasilien hervor, das verhältnißmäßig zu kurz behandelt erscheint. Hier treffen wir auf einige veraltete Angaben, welche jedoch in der übersichtlichen und tüchtigen Schilderung des Ganzen verschwinden. Die Classen und Stämme der Bevölkerung nach ihren Hauptbeschäftigungen und die Classen, in welche die Provinzen selbst als ackerbauende, handelnde oder bergbauende zerfallen, sind sehr gut dargestellt. Brasilien ist ein Land, das auf einem goldenen Untergrund ruht. Aber das Geld ohne die Arbeit des Menschen ist nichts. Ein Avis für die Mercantilisten, welche in unsern Tagen wieder aus verdientem Todesschlummer zu erwachen das Ansehen haben.

Aus der fünften Abtheilung begegnet uns sodann:

2. Neuestes Gemälde der deutschen Bundesstaaten, von W. A. von Schlieben. Zweiter Theil (22. Lieferungsband).

Der allgemeinen Uebersicht folgt die besondere Schilderung Baierns, Würtembergs, Badens, Hohenzollerns, Hessens, Oldenburgs, der Hansestädte. Wir haben hierbei wenig zu bemerken. Die Darstellung ist im Vergleich zu Amerika trocken, rein statistisch und ohne den Reiz, welchen andere Mitarbeiter ihren Schilderungen zu geben gewußt haben. Die darin bemerkten Fehler sind dem Datum der Herausgabe zuzuschreiben und nicht grade von Bedeutung. Die zweite Hälfte dieses Bandes bildet:

3. Neuestes Gemälde von Frankreich. Von J. G. Fr. Cannabich. Zweiter Theil.

Auch diese Arbeit ist tüchtig und ansprechend durch eine wärmere und lebendigere Darstellung. Es ist störend, daß demselben Bande die Fortsetzung von dem Gemälde Deutschlands beigegeben ist, welches Hanover, Kurhaus Hessen, Braunschweig, Sachsen, Mecklenburg und die kleinern Staaten enthält. Ein gutes Register macht diesen Uebelstand nicht ganz wieder gut. Als 21. Lieferungsband erscheint:

4. Neuestes Gemälde der östreichischen Monarchie. Von W. C. W. Blumenbach. Zweiter Theil.

welcher fortsetzend, Illyrien in einer sehr guten, die Lombardei in einer mittelmäßigen, Venedig wieder in einer tüchtigen und Böhmen in einer nicht so lobwürdigen Darstellung enthält. Die statistischen und streng wissenschaftlichen Nachrichten sind aus guten Quellen hergeflossen; Farbe und Styl der Schilderung könnte jedoch nach den Vorbildern, die Sommer und Wimmer dafür gegeben haben, besser sein. Die Naturschilderung ist wahrheitsgemäß, aber ohne Wärme wiedergegeben. Die hier zugegebenen Kupfer gehören jedoch zu den ausgezeichnetsten des ganzen Werks; besonders ist Triest, auch in der Schilderung mit Vorliebe behandelt, vortrefflich. Hiernächst folgt als 24. Lieferungsband:

5. Neuestes Gemälde des europäischen Rußlands und des Königreichs Polen (nebst Krakau). In zwei Theilen bearbeitet von J. G. Fr. Cannabich. Erster Theil.

Sehr gut gearbeitet, gedrängt, reich an Nachrichten, aber wiederum etwas trocken in der Darstellung. Großrußland geht voraus; hierauf folgt Neurußland, in dem die mohammedanische Bevölkerung eine besonders reichhaltige Schilderung gefunden hat, dann wird Kleinrußland und endlich Westrußland geschildert. Diese Eintheilung scheint ziemlich willkürlich; wir hätten eine andere und zwar nach Gouvernements vorgeschlagen. Polen, nach Woiwodschaften, ist eine gewiß tüchtige Arbeit, in der der Verf. die Wahrheit nicht verhehlt. Wäre das Land zur Freiheit reif, ertrüge der Pole ihre Last überhaupt, so würde Polen sie gewonnen haben. Ein Volk, das das kleine Grundeigenthum fast gar nicht kennt, kann ein tapferes, ehrenhaftes, selbst ein tüchtiges, liebenswürdiges Volk sein; ein freies wird es nimmermehr sein. Dies ist Schlüssel und Lösung des Räthsels. Krakau ist gut dargestellt. Die Kupfer sind sehr mittelmäßig, das Register ist dagegen gut.

Zum Schluß zeigen wir noch den 27. Lieferungsband an:

6. Neuestes Gemälde der europäischen Türkei und Griechenlands, von G. A. Wimmer

eine der tüchtigsten und lobwürdigsten Lieferungen in dieser ganzen umfassenden Sammlung. Der Verf. versteht es, zugleich den Foderungen der Wissenschaft und denen der Kunst, so weit sie bei solchen Arbeiten in Frage kommt, zu genügen. Er ist streng bei der ersten, geschmackvoll, warm, lebendig, mitfühlend bei der zweiten, ein trefflicher Natur- und Sittenschilderer und ein ausgezeichneter Stylist. Einer ganz vorzüglichen, durch Fülle und Uebersicht hervorstechenden Einleitung folgt die Schilderung von Rumelien (das Ejalet Rum), in der Konstantinopel eine ausführliche Darstellung gewonnen hat. Die alten und die neuen Namen, die nationalen und die Bezeichnungen der türkischen Eroberer sind überall mit größter Sorgfalt nebeneinandergestellt; Natur, Sitte, Bildungszustand und Kunstübung sind über dem Reinstatistischen nirgend vernachlässigt und die ganze Darstellung wird mit stets regem Interesse durchlesen. Die Kupfer gehören zu den bessern. Vorzüglich gut ist die Abtheilung Albanien, fast eine neue, wenigstens so noch nicht zusammengestellte Schilderung. Bosnien, Serbien, die Walachei und die Moldau (kaum noch dem Halbmonde angehörend) sind nicht minder tüchtig dargestellt. Thessalien, Livadien und Morea machen mit den Inseln den Beschluß. Wir finden diese Abtheilung verhältnißmäßig flüchtig behandelt, vielleicht weil die vorangehenden Gemälde für den vorbehaltenen Raum zu ausführlich ausgefallen waren. Indeß ist das gedrängte Bild darum kein übles; es ist vielmehr um so energischer und wärmer colorirt worden. Glück sei mit diesen zum Glück berufenen Ländern!

Hiermit schließen wir unsere Anzeige für jetzt, indem wir gern anerkennen, daß Verleger und Mitarbeiter bei diesem willkommenen Unternehmen, das nach erreichtem Abschluß eine Stelle in jeder Bibliothek verdient, ein unverkennbares Verdienst erworben haben. 34.

Das Leben Wilhelm Farel's aus den Quellen bearbeitet von Melchior Kirchhofer. Zweiter Band. Zürich, Orell, Füßli u. Comp. 1833. Gr. 8. 1 Thlr.

Wir haben in d. Bl. bereits das Erscheinen des ersten Bandes dieser Biographie angezeigt *) und freuen uns, auf die Fortsetzung und Vollendung des Werkes aufmerksam machen zu können. Das gründliche Quellenstudium des unermüdlichen Forschers hat ihn zur glücklichen Entwirrung der bisherigen Angaben über Farel's Leben und Schicksale geleitet. Dies zeigt sich in dem zweiten Bande so sehr wie in dem ersten, weil auch in den spätern Jahren seiner öffentlichen Wirksamkeit Farel rastlos von einem Land und Orte zum andern theils berufen, theils aus eignem reformatorischen Eifer reiste und im unaufhörlichen Kampfe mit Hindernissen und Gegnern sich befand. Und zwar standen ihm nicht nur aus der katholischen Kirche Feinde gegenüber, wie der Apostat Caroli u. A., welche aber allerdings weder durch Geist und Gelehrsamkeit, sondern durch rohe Invectiven, durch Verleumdung und Aufreizung der Volksmenge ihn beunruhigten, sodaß auch hier zu Tage liegt, daß die Störungen der bürgerlichen Ordnung und Wohlfahrt nicht von dem Protestantismus und dessen Anhängern ausgegangen sind. Auch im Schooße der neuen reformirten Gemeinden selbst erhoben sich gegen Farel und die beiden Freunde, die mit ihm das Triumvirat der französisch-schweizerischen Reformation bilden, Calvin und und Viret, solche Männer, welchen die theologischen Ansichten und kirchlichen Grundsätze derselben, früher über die Kirchenzucht, später die Lehre von der Gnadenwahl (Prädestination) zu streng bäuchten. Am Schlusse des ersten Bandes war erzählt worden, wie Farel aus Genf hatte weichen müssen, weil die Partei der Gegner einen temporairen Sieg über ihn und seine Freunde davongetragen hatte. Calvin ging späterhin wieder nach Genf zurück, als ihn das reumüthige Verlangen seiner Gemeinde rief. Dem Farel hingegen hatte sich in Neuenburg (Neufchatel) ein Wirkungskreis eröffnet, den er nicht mehr verlassen zu dürfen glaubte, und von welchem aus er auch andere Städte und Landschaften mit Rath und That kräftig unterstützte, damit das Werk der Reformation auch in ihnen zur Entwickelung und Reife käme. Dahin gehören unter andern Mömpelgard und Metz. In Angelegenheiten des züricherischen Consensus war Farel besonders thätig, und um eine Annäherung zwischen Reformirten und Lutheranern herbeizuführen, machte er, wiewol der deutschen Sprache unkundig, dennoch die Reise nach Strasburg, in die Pfalz und nach Schwaben, woselbst er sich mehre Tage zu Göppingen bei dem Herzoge Christoph von Würtemberg aufhielt. Hochbetagt, im 70. Lebensjahre, nahm er erst eine Gattin, deren Alter aber dem seinigen nicht zu unangemessen und ei welchem sie doch im Stande war, die Wärterin des Greis zu sein. Calvin war sein Vertrauter und Rathgeber bei diesem Entschlusse gewesen. Doch weit entfernt, sich nun zur Ruhe geben, setzte auch noch als Siebziger F. seine apostolischen Wanderungen fort, und auf einer derselben war es, wo er sich die Krankheit holte, die den Keim des Todes für ihn trug. Er starb 76 Jahre alt, 15 Monate und 14 Tage nach Calvin's Hinscheiden, am 13. October 1565. Am Schlusse des Ganzen entwirft der Verf., der bis dahin mehr nur eine quellenmäßige schlichte Darstellung der Thatsachen gegeben hatte, ein Bild des Charakters und der Wirksamkeit seines Helden, welches in kurzen treffenden Zügen das Gepräge der Wahrheit und Würde besitzt. Die Vereinigung von einer seltenen Kraft des Willens und einem oft unbesonnenen Feuer mit einer überaus schonenden Milde, von einer theologischen Gelehrsamkeit, bei der sich Andere Raths erholten, und einer außerordentlichen praktischen Gewandtheit und Beredsamkeit ist als ein herrliches Ganze geschildert, und die Manen Farel's werden den Mann segnen, dessen Liebe zur Wahrheit alle Schwierigkeiten überwunden hat, um den langher verkannten und verlästerten Diener des Evangeliums in sein Recht und seine Ehre wiedereinzusetzen. 46.

*) In Nr. 98 f. 1832. D. Red.

Reise in Columbien in den Jahren 1825 und 1826 von Karl August Gosselmann. Aus dem Schwedischen übersetzt von A. G. F. Freese. Zweiter Theil. Mit einem Steindrucke. Stralsund, Löffler. 1831. 8. 1 Thlr. 12 Gr.

Wir haben bereits den ersten Theil dieser Reise in d. Bl. angezeigt. *) Der gegenwärtige enthält wiederum Schilderungen und kleine, wiewol nicht merkwürdige Reiseabenteuer des Verf., aus denen man aber nichts Ganzes zusammenfassen kann, da er vom Zwecke seines Aufenthalts nichts angibt, auch kein Inhaltsverzeichniß eine Uebersicht erleichtert.

Schade, daß wir dabei noch die nicht sehr zu lobende Uebersetzung rügen müssen, die mitunter schlecht stylisirt, sich auch vor gemeinen Provinzialismen nicht hütet; von einem Geistlichen und Rector hätten wir es nicht erwartet.

Dieser Theil beginnt mit einer Reise auf die Anden, und schließt mit dem Aufenthalte in Bogota und der Abreise von dort. Herr G. bediente sich zu dieser Bergreise der Peonen, kräftiger Eingeborener, die eine halbe Mauleselslast, 125 Pfund, oft auch eine ganze, sich auf den Rücken laden, und so fünf Tage lang, vom frühesten Morgen bis zum späten Abend mit Schnelligkeit einen Weg zurücklegen, bei dem ein Anderer Mühe hat, nur seinen Körper vorwärts zu bringen. Sie flechten dabei eine Art Rohrstuhl oder Sitz, auf den sich der Reisende setzt und so gleichfalls von ihnen auf dem Rücken weiter getragen wird. Die Peonen sind ein eigner Menschenschlag indianischer Bergbewohner mit einer guten, aber schwermüthigen Physiognomie, und äußerst ehrlich, sodaß man ihnen selbst Geldsummen unversiegelt anvertrauen kann.

Merkwürdigkeiten erlebt der Verf., wie gesagt, nicht viele. Bald logirt er einmal schlecht, bald wieder gut, ebenso abwechselnd sind die Wege, der Boden, die Cultur. Viele Geistliche hier herum haben eine ebenso zahlreiche als unerlaubte Familie. Am längsten verweilt Hr. G. in Medellin in einer schwedischen Colonie, und beschreibt es ausführlich. Medellin ist die Hauptstadt von Antioquia und hat etwa 9000 Einwohner.

Am interessantesten sind uns die Nachrichten über Santander und Bolivar gewesen, welchen Letztern jedoch der Verf. nicht selbst gesehen. Dieser große Mann, damals 45 Jahr alt, sollte doch in Folge des mühe- und kummervollen Lebens, das er geführt, viel älter aussehen. Er war streng ernsthaft, aber in Gesellschaft von Freunden munter, gesprächig und voller Anekdoten. Den Tanz liebte er leidenschaftlich, nicht minder Eleganz und Putz der Kleidung. „Er lebt sehr mäßig, ißt wenig, trinkt keine starken Getränke und nicht viel Wein, raucht auch selten Taback. Er schläft wenig, steht gern zuerst auf und legt sich zuletzt. Zu seinen Fehlern zählt man einen etwas unbeständigen und heftigen Ausbruch seines Gemüthes, wobei er sich oft vergeht, und gegen Jedermann übereilte und beleidigende Ausdrücke gebraucht, über welche er hernach selbst misvergnügt ist und auf alle Art Diejenigen zu versöhnen sucht, welche er so verunglimpft hat." 14.

*) Vgl. Nr. 144 f. 1830. D. Red.

Redigirt unter Verantwortlichkeit der Verlagshandlung: F. A. Brockhaus in Leipzig.

Blätter

für

literarische Unterhaltung.

Montag, —— Nr. 301. —— 28. October 1833.

Mémoires de Mademoiselle *Adèle Boury.* Paris 1832.

Vor dem Titelblatte hat sie sich abzeichnen lassen. Für die Genauigkeit des Portraits bürgen die beiden Künstler, der Maler A. Regnier, der Lithograph Delaunois. Das Bild gleicht wirklich der Boury, die ich mehrmals während des Pistolenprocesses in dem pariser Justizpalaste gesehen. Es ist eine harmlose Figur, ein Alltagsgesicht. Der ganze Kopf hat nichts Merkwürdiges, etwa den hohen Zopf ausgenommen, und die zwei Locken, die zwei Pfropfenzieher, von denen der eine fast bis ans Auge verreicht, der andere hinter dem Ohr sich in die weite Welt erstreckt. Das Gesicht der Boury ist, wenn man will, ganz niedlich, nur sagt das Auge nicht viel, nirgend ein Lächeln, und um den Mund ein betrübter Zug. Um den Hals ein simpler Kragen. Die Taille hoch, die Gigots gewöhnlich, die Gestalt überhaupt, wie man sie täglich zu Hunderten auf der Straße sieht, ohne darauf zu achten. Kein Lavater kann aus diesem Gesichte, aus dieser Haltung erkennen, weß Geistes Kind die Boury ist, ob diese Ruhe im Blick eine Diplomatin verräth, oder ob man ein unbedeutendes Landmädchen vor sich hat; kein Gall und Spurzheim ist erschienen, um das Räthsel zu lösen, ob sie den König gerettet, Hrn. Thiers gekannt, eine Belohnung von dem Hofe und der Policei erhalten. Die pariser Journalisten freilich waren scharfsichtiger, gleich auf den ersten Blick haben sie die Boury beurtheilt, in jedem ihrer Züge fanden sie — was eben ein Jeder je nach seiner politischen Tendenz darin finden wollte, und die Verschiedenheit ihrer Urtheile ist also eher ein neuer Beweis, daß man aus dem Gesichte und dem Portrait nichts schließen kann; man muß die Untersuchung weiter fortsetzen, man muß die Memoiren der Boury lesen, wenn anders diese Memoiren wirklich von der Boury sind.

Wir brauchen nur das Titelblatt und ein paar weiße Velinseiten umzudrehen, so gewahren wir schon den Anfang der Memoiren? nein! die Boury will sich zuvörderst entschuldigen, warum sie eigentlich Memoiren schreibt. Dies ist der Gegenstand des ersten Capitels. Es beginnt recht naiv.

Ich kann es nicht sagen — sagt sie — wie schmerzlich und zugleich wie peinlich es ist, das Publicum von sich zu unterhalten, ihm Memoiren anbieten zu müssen — wenn man nicht 20 Jahre alt ist.

Naiv und durchtrieben, wir wissen jetzt, wie blutjung die Boury ist.

Aber — fügt sie auf einer der folgenden Seiten hinzu — ich habe bemerkt, daß durch großes Unglück der Verstand frühzeitig reift; obwol ich gefürchtet, die Publicität, die sich an meinen Namen hing, noch zu vermehren, so habe ich doch andererseits gedacht, daß ich wol zu lange Jahre zu leben hätte, um diese Zeit hindurch so unwürdigen und ungerechten Verdacht auf mir haften zu lassen. Ich schreibe also die Wahrheit, und bitte um Nachsicht, daß ich so wenig Uebung habe, meine Gedanken auszudrücken.

Gleich im folgenden Capitel, hinter ein paar weißen Velinseiten in Großoctav, beginnen sodann die eigentlichen Memoiren, im altherkömmlichen Memoirenton: „Mein Vater war Postmeister zu Berghes", „meine Mutter", „meine Schwester, mein Stiefvater, meine Schulfreundinnen", und wie man später hören wird, es kommen auch ein Dutzend Conqueten in dem Buche vor.

Doch Alles in gehöriger Ordnung; auf der 19. Seite fangen die Schuljahre an. Die Boury kommt in ein französisches Institut, dann in ein englisches. Sie beschreibt die Stuben, die Schlafzimmer, wie sie genäht, ob sie gut gegessen, gespielt, und wie die andern Mädchen hießen; ums Himmels willen! was so ein Frauenzimmer über das Kleinste nicht herzählen kann! Kaum wird es ihr ein Journalist nachmachen. Im französischen Institute kennt sie die beiden Fräulein Nicholle, deren Vater merkwürdig reich gewesen sein soll, und die Tochter eines Hrn. Olivier, seines Standes Maire in dem Orte Furnes; und das war eine charmante Person, sagt sie. Schwätzerin! was haben wir von der Jungfer Olivier, die in Furnes lebt? was sollen wir Geld für deine Memoiren ausgeben, um zu erfahren, ob die Olivier charmant ist? Dann erzählt uns die Boury, was für ein Abenteuer im Institut vorgefallen. Dort erneuerte sich die Fabel des Achill und der Deïdamia. Die Boury ist gelehrt. Ein junger Bösewicht wußte sich einzuschleichen, hat aber Gott Lob das Mädchen seitdem geheirathet. Plaudertasche! macht sie dem armen Mädchen einen bösen Namen! Wenn die Damen so schreiben, in welcher Schranke sollen wir Mannspersonen unsere Feder halten? Noch mehr, eines Tages, oder vielmehr in der Nacht, bricht ein Feuer neben dem Kloster aus, Alles springt aus dem Bette, läuft im Zimmer herum, auf den Vorplatz;

wie toll rennen die Lehrerinnen und die Schülerinnen im Hemde durch das Haus; aber die Nonnen kamen Gott Lob mit dem Schreck davon, und es drang diesmal keine männliche Seele ins Kloster. Memoirenschreiberin! Welcher Unfug! Endlich müssen wir noch hören, wie sie sich in London in Regent's Street bei der Frau Halet, jener guten, respectabeln Frau, und bei deren drei Schwestern amusirt. Gnädiger Gott, wir müssen hören, daß sie dort die Jungfer Deschamps von Lille recht hübsch und liebenswürdig fand und ebenso das Fräulein von Ayre aus der Gegend von Arras; sie vergißt auch die Pulcheria und Maria Stevenson nicht, sie sind von hoher Familie. Nein, wir haben genug gehört. Was so ein Frauenzimmer herzählen kann! Schwätzerin! Plaudertasche! Memoirenschreiberin! Frauenzimmer das du bist!! Gott bewahre!

Nur den Stiefvater müssen wir noch kennen lernen. Er wollte die Boury mit einem seiner Bekannten verheirathen, einem Manne, der im Auge einer Andern vielleicht ganz liebenswürdig sein konnte; „aber ich", sagt sie, „mochte ihn nicht leiden, nein, er war mir in den Tod verhaßt". Was war zu thun? sie flüchtete zu ihrer Schwester, blieb vier Monate dort, und der böse Stiefvater verlangte unterdeß die Posthalterschaft zu Berghes für sich selbst. Damit er nichts durchsetze, begab sich die Boury nach Paris, eilte aufs Ministerium und war so glücklich, zu erfahren, daß der Stiefvater seinen Zweck nicht erreicht hatte. Sie versichert, vorher mit Niemand gesprochen zu haben als mit den Wirthsleuten, wollte dann noch zwei Tage in der Hauptstadt bleiben, um die Merkwürdigkeiten zu sehen, und am 19. Morgens, vor Eröffnung der Kammern, habe sie sich einen Platz auf der Messagerie Notre Dame des Victoires genommen, wie man sich aus dem Register überzeugen könne. Sie habe namentlich Hrn. Thiers nicht gesehen. Zwar erzählten die Journale, sie habe auf der Brücke, nach dem Pistolenschuß, beim Erwachen von ihrer Ohnmacht gleich nach dem Hrn. Thiers gefragt. Sie gesteht auch, das „Journal de Paris" sei am meisten vom Vorfalle auf dem Pont royal unterrichtet gewesen, und dieses Blatt erscheint bekanntlich unter den Auspicien von Hrn. Thiers. Ferner hat mehr als ein Journal, und namentlich der „National", woran ehemals Hr. Thiers Mitarbeiter war, behauptet, die Boury sei vorher allzu bekannt mit ihm gewesen; und das Ministerialblatt „Journal des débats" sagte mit großer Wichtigkeit, sie habe Hrn. Thiers nie gesehen. „Nie habe ich ihn gesehen, und verliere nicht viel dabei, wie man mir sagt", bemerkt sie ärgerlich. Dasselbe wiederholte sie vor dem Präsidenten des Gerichts. Wer hat nun Recht? Sprach sie auf der Brücke von Hrn. Thiers? That sie es, weil sie wegen der Postangelegenheit an ihn dachte, oder war sie mit dem Policeiminister und frühern Journalisten schon vorher bekannt? Hat Hr. Thiers wegen seiner hohen Stellung nicht auch vor Gericht gestanden, oder weil der Präsident es nicht für nöthig hielt? Doch wir müssen die Pistolengeschichte auf der Brücke im Einzelnen kennen lernen; die Boury gibt eine ausführliche Beschreibung davon wie auch von ihrem Erscheinen nachher in den Tuilerien.

Ehe ich anfange — sagt die Boury in dem siebenten Capitel: „La matinée fatale", Seite 90 — bitte ich den Leser, nochmals das Ende des vorigen Capitels zu lesen; denn es ist wesentlich, und er darf nicht vergessen, daß ich meinen Platz am 19. Morgens nahm, um den 20. abzureisen, und ich kann in aller Wahrheit beschwören, daß ich, wildfremd in der Politik, beim Heraustreten aus dem Hôtel des ambassadeurs mir nicht träumen ließ, es werde ein Zug, eine Ceremonie, irgend so etwas in Paris zu sehen sein. Wie hätte ich es wissen sollen? ich sah Niemanden und las kein Journal. Am 19. also war ich um 11½ Uhr ausgegangen. Vor meiner Abreise nach Paris hatte mir Hr. Morel, ehemaliger Abgeordneter des Departements du Nord, einen Empfehlungsbrief an Hrn. Thiers mitgegeben, worin er den Minister bat, mein Gesuch, dessen Rechtlichkeit ihm bekannt war, bei der Generalpostdirection zu unterstützen. Da ich nächsten Tags abreiste, so wollte ich den Brief des Hrn. Morel zum Minister bringen und dachte, er werde ihn um so besser aufnehmen, da ich ihm mittheilen konnte, daß die Bureaux des Ministeriums gut bei der Sache disponirt wären.

Die Boury erklärt hier aber nicht, warum sie den Brief nicht früher an Thiers brachte. Der Hr. Morel und ihr Vormund und zur Noth ihr eigner Verstand hätte ihr wol rathen können, bei der Ankunft in Paris vor Allem den Brief an den Minister zu besorgen, auf dessen Unterstüzung sie ausging. „Mit diesem Briefe nun", fährt sie fort, „nahm ich meine Richtung nach der Vorstadt St.-Germain, sogleich nachdem ich meinen Platz auf dem Messageriewagen genommen." Das ist Alles sonderbar. Sie hätte den Platz eher nach der Visite nehmen sollen.

Ich erinnere mich — sagt sie weiter — daß ich unterwegs in die Kirche der Petits pères ging, um die Messe zu hören. Dann begab ich mich zum Minister, der, so weit ich mich bei meiner geringen Ortskenntniß erinnere, in der Straße Grenelle St.-Germain wohnte; so viel weiß ich, daß ich durchs Palais royal kam, wo schon ziemlich viel Truppen aufgestellt waren. Es kam mir nicht einmal in den Sinn, zu erfragen, warum diese Truppen dastånden; ich war so mit meinem Briefe beschäftigt, daß ich weiter ging.

Die Boury ist nicht neugierig. Aber fromm muß sie sein, denn ungeachtet des Briefes war sie in die Kirche gegangen.

Es mochte nun 1¼ Uhr sein, ich ging längs dem Palais royal hin u. s. w., und kam ans Hôtel; dort fragte ich nach dem Minister und glaubte in meiner Unwissenheit, um mit einem Minister zu sprechen, brauche man ihm nur melden zu lassen, man habe ihm etwas zu sagen. Auf die Antwort, er sei nicht da, verlangte ich den Secretair zu sprechen. Auf die Versicherung, daß ich einen Empfehlungsbrief von einem Abgeordneten brächte, hatte mich der Pförtner in ein Vorzimmer eingelassen, wo mehre Bedienten sich befanden. Der, an welchen ich das Wort richtete, antwortete mir, der Secretair des Ministers sei auch nicht da, aber in einer Stunde. Mein Entschluß war gleich gefaßt; ohne an die Länge des Weges zu denken, wollte ich heimgehen und wieder zurückkommen.

Ein sonderbarer Einfall! denn es bedurfte dazu mehr als einer Stunde, das Ministerium des Handels liegt am obern Ende der rue de Grenelle, das Hôtel des ambassadeurs nicht weit von der Vorstadt Montmartre.

Ich folgte demselben Wege, immer an meine Sache denkend, bemerkte aber doch eine gewisse Bewegung der Einwohner nach dem Kai des Flusses zu. Auf dem Pont royal angelangt, wo ein bedeutender Zudrang war, fragte ich, warum die Menschen so beieinander stünden. Man sagte mir, der König werde vorbeireiten, um sich nach dem Palais Bourbon zu begeben, wegen der Kammereröffnung, und jetzt erst kam es mir in den Sinn, stillzustehen, um den Zug defiliren zu sehen, was für mich ein ganz neuer Anblick war. Im Augenblicke da ich in der Menge, die jeden Augenblick zunahm, stehen blieb, war ich unterhalb des Fußweges, der ersten Laterne des Pont royal auf der Seite der rue du Bac gegenüber. Erst stand ich hinten und benutzte dann eine Bewegung, um mich weiter vor zu stellen, sodaß ich in der ersten Reihe der Zuschauer war, dicht hinter den Soldaten, welche in zwei Reihen gegeneinander über standen. Diese Dinge und die folgenden sind mir später beim Nachdenken wieder in den Sinn gekommen, denn bei den Erinnerungen ist es merkwürdig, daß man ins Gedächtniß zurückruft, was man erst nicht zu wissen glaubte; bei diesem ganzen Vorfall sah ich, wie Recht der Dichter hatte, als er sagte: „L'homme n'ignorait pas, il n'avait qu'oublié". Was mich betrifft, so ist es offenbar, daß ich ohne das nachherige Ereigniß die Einzelheiten nicht wußte, die mir jetzt so klar vor Augen stehen. Ich würde sie vergessen haben. Aber im Gegentheil glaube ich, während ich dies schreibe, noch zu sehen, was ich sah, und zu hören, was ich hörte.

Die Boury sucht also, was sie für wahr gibt, zugleich wahrscheinlich zu machen. Im ganzen Buche herrscht dies Bestreben vor. Sind daran die Autoren schuld, die ihr etwa beim Verfassen des Buches halfen? Oder that sie es selbst? Oder halb sie, halb die Autoren? Es wäre interessant, dies zu wissen. Aber die Sache wird noch viel verwickelter.

Hinter mir — erzählt die Boury weiter — stand eine ziemlich starke Gruppe von Individuen, auf welche ich anfangs nicht achtete. Einer von diesen Herren war ganz in meiner Nähe, als sich das erste Gerücht von der Ankunft des Zuges verbreitete; die Art, wie er mich stieß, machte mich so besorgt, wie eine junge Person es sein muß, wenn sie sich so in der Menge gedrängt fühlt. Kurz nachher sah ich drei Wagen vorüberfahren, worin, wie man mir sagte, die Königin mit den Damen ihres Gefolges saß. In diesem Augenblick gab mir der Mensch, von dem ich sprach und dessen Nähe mich so sehr genirte, mit dem rechten Ellbogen einen Stoß auf die Brust, um sich vor mir einzuschieben, und stellte sich wirklich dahin, ganz wider meinen Willen; aber was konnte ich Anderes thun, als ihm seine Brutalität lebhaft vorwerfen? Dies geschah, er kümmerte sich nicht darum und that, als ob er meine Vorwürfe nicht höre. Man wird später sehen, welchen heftigen Stoß er mir gab. So lange dieser Mensch hinter mir stand, hatte ich mich nicht umgesehen und ihn nicht bemerkt; nun aber sah ich, daß er einen kleinen Schnurrbart hatte, einen dunkelblauen Ueberrock trug, und daß er die linke Hand in diesem bis oben zugeknöpften Rocke hielt. Hätte ich sein Verbrechen gemuthmaßt, so würde ich ihn aufmerksamer betrachtet haben und ihn unter tausend Menschen erkennen. Das Gerücht von des Königs Herannahen wurde stärker, man hörte schon einige Vivats. Ich hatte meine Stellung bei jenem Menschen nicht geändert, stand immer hinter ihm, und da ich, obwol er nicht sehr groß, doch kleiner war als er, so mußte ich mich auf die Fußspitze stellen und sah über seine linke Schulter hinweg. Sobald der König sich dem Orte, wo wir uns befanden, genähert, zog jener Mensch vor mir aus seinem Rocke die linke Hand, welche er bis dahin beständig versteckt gehalten. Bei dieser Bewegung gab er mir einen zweiten Stoß mit dem Ellbogen, nicht so stark wie das erste Mal, aber heftig genug, daß ich das Gleichgewicht verlor, da ich auf der Fußspitze stand. In meiner Bemühung, nicht zu fallen, neigte ich mich etwas vorwärts, und da mein Blick natürlicherweise nach derselben Richtung ging, so bemerkte ich den Lauf der Pistole. Ich gerieth in einen unsäglichen Schrecken, obwol ich weit entfernt war, zu muthmaßen, welchen Gebrauch jener von der Waffe machen wollte. Alles dies geschah übrigens mit der Schnelligkeit eines Blitzstrahls. Endlich erschien der König vor uns. Als ich nun sah, daß der Mensch den Arm aufhob, um zu schießen, ergriff ich ihn mit all meiner Kraft mit beiden Händen am Ellbogen, und im selbigen Augenblick ging der Schuß los. Jetzt wurde ich von mehren Personen der Gruppe, die beständig hinter uns gestanden, über den Haufen geworfen, sodaß ich gezwungen war, den Arm des Menschen, den ich noch hielt, an den ich mich anzuklammern suchte, fahren zu lassen; all meine Kraftanstrengung war vergeblich; der Mensch benutzte das Untereinander und flüchtete sich über den Pont royal nach der Brücke zu. Durch die Bewegung um mich her war ich im Augenblick, wo ich den Arm des Mörders lassen mußte, auf den Boden gefallen; ich kann nicht sagen, welche Verwirrung, welcher Schreck über mich kam; ich wußte nicht, ob das Alles um mich her Wirklichkeit war, oder ob mich der Alp drückte; ich raffte mich auf, ohne zu wissen, wie, und stieg auf das Trottoir nach der rue du Bac hin. Dort hielt ich einen Moment inne, und da ich ohnmächtig wurde, so stützte ich mich eine Weile auf die Brustwehr. Als ich mich etwas erholt hatte und durch das Gespräch der Gruppen erfuhr, daß der König gerettet sei, so erinnerte ich mich wieder an den Gang nach dem Ministerium, und da ich hoffte, noch von meinem Platze auf der Diligence nächsten Tag Gebrauch machen zu können, so ging ich wie eine halbe Stunde vorher die rue du Bac hinauf bis nach der Straße Grenelle.

In diesem Theile der Erzählung unserer Memoirenschreiberin ist Einiges auffallend. Die Boury will trotz ihrer Verwirrung gesehen haben, nach welcher Richtung der Mörder floh; dies ist noch einigermaßen erklärbar. Sie hatte sich nicht umgesehen, sie sagt es mehrmals und spricht dennoch von einer Gruppe, die beständig hinter ihr gestanden. Letzteres erklärt sich nicht so leicht. Das Wichtigste ist, daß die Boury nach dem Schusse nicht von den Offizieren, welche herbeilten, vorgefunden ward.

(Die Fortsetzung folgt.)

Die Lutherbrille für Vergangenheit und Gegenwart, oder Kampf und Sieg in Bezug auf Papismus, Jesuitismus, Rationalismus und Absolutismus. Zur Ermunterung der Trägen, zur Bevestigung der Wankenden, zur Beruhigung der Verzagten herausgegeben von Robert Humbold. Erster Theil: Kampf. Leipzig, Hartmann. 1833. Gr. 8. 21 Gr.

Ein etwas wunderlicher und weitschweifiger Titel. Doch das thut der Sache keinen Eintrag. Das Buch ist wohlmeinend und gut geschrieben. Neues und besonders Pikantes wird man zwar vergeblich darin suchen, aber desto mehr Wahres und Verständiges darin finden. Die Wahrheit kann aber nicht oft genug gesagt und die Stimme der Vernunft nicht oft genug gehört werden, besonders in Zeiten des Kampfes und der Parteiungen. Der Verf. gehört seinem politischen Glaubensbekenntnisse nach zu den warmen Freunden der fortschreitenden Civilisation und bekennt sich zu den herrschenden Zeitideen, ohne indeß in Ultraismus zu verfallen. Das Ringen des Lichts mit der Finsterniß zur Zeit Luther's, das Leben dieses großen Reformators, dessen klares Wollen und consequentes Festhalten an dem für wahr Erkannten schwebten dem Verf. bei Betrachtung der Gegenwart vor Augen. Er kam zu der Ueberzeugung, daß nichts so nothwendig sei in Zeiten des Kampfes, als das Ziel fest im Auge zu behalten, und daß deshalb eine Hinweisung auf genauere Charakterisirung der Güter, um deren Erringung es sich handelt und der ihnen feindselig entgegenstehenden Elemente, ein dringendes

Bedürfniß sei. Aus dieser Ansicht, welche auch die unserige ist, scheint das vorliegende Buch hervorgegangen zu sein. Es enthält vier Abhandlungen und eine große Anzahl von Beilagen. Das erste Capitel predigt Kampf gegen den Papismus, das zweite gegen den Jesuitismus, das dritte gegen den Rationalismus, das vierte gegen den Absolutismus. Vielleicht würde der Verfasser den behandelten Stoff angemessener vertheilt haben, wenn er den Kampf gegen den Absolutismus in Staat und Kirche als ein Ganzes behandelt hätte, da Jesuitismus und Papismus nur einzelne Zweige des absoluten Princips sind und geistlicher und weltlicher Absolutismus aus derselben Quelle fließt und in seinen letzten Gründen miteinander zusammenfällt. Gegen den Rationalismus einen besondern Feldzug zu eröffnen, scheint uns der Tendenz der ganzen Schrift ebenfalls nicht völlig zu entsprechen. Es würde vielmehr unserer Meinung nach in dieser Beziehung genügt haben, wenn der Verf. anhangsweise eine Warnungstafel aufgestellt und auf den wahren Mittelweg zwischen Allesglauben und Nichtsglauben hingewiesen hätte. Auch in Bezug auf die, verhältnißmäßig einen viel zu bedeutenden Raum einnehmenden Beilagen (sie sind stärker an Seitenzahl als das ganze Buch) hätte der Stoff passender vertheilt werden können. Die Beilagen enthalten sowie das ganze Buch für den Laien viel Lehrreiches und Interessantes. Für den Mann von Fach kann der Verf. nicht geschrieben haben wollen, sonst würde er nicht so viel Bekanntes gegeben haben. Sein Ton und seine Sprache sind auch für ein größeres Publicum berechnet, sie sind allgemein verständlich, sprechen zugleich zum Kopf und zum Herzen und werden deshalb ihren Eindruck nicht verfehlen. Als Probe seiner Schreib- und Sinnesart stehe hier der Anfang des vierten Cap.:

„Zu den merkwürdigsten Zeichen unserer Zeit," heißt es hier, „gehört unleugbar das Erwachen der christlichen Völker aus ihrem politischen Schlafe. Früherhin kümmerten sich die Landesbewohner wenig um die innere und noch weniger um die äußere Politik. (Dies dürfte umgekehrt richtiger sein, wie es auch ganz natürlich zu erklären ist. Unsere Zeitungen brachten uns nur Nachrichten über auswärtige Verhältnisse, Krieg u. s. w.; über die innern Verhältnisse, namentlich des Inlandes herrschte aber das tiefste Schweigen. Daher mußte sich die Aufmerksamkeit auch weit mehr auf die äußern Verhältnisse lenken, und während die Politiker die Stärke des türkischen Heers bis auf den Mann anzugeben wußten, war ihnen gänzlich unbekannt, wie viel Müßiggänger auf Kosten ihres Beutels im Inlande ernährt wurden.) Sie zahlten, was man verlangte, ohne zu fragen, wie die Regierung ihre Steuern verwendete; sie thaten, was befohlen wurde, ohne die gesetzlichen Gründe zu prüfen; sie trugen, was man ihnen aufbürdete, ohne zu untersuchen, ob sie dazu verbunden wären. Als aber die Schriftsteller anfingen, immer mehr zu schreiben, und die Bürger und Bauern immer besser lesen lernten; als sich manche Bücher und Tageblätter, welche nicht nur die Pflichten, sondern auch die Rechte der Unterthanen entwickelten, selbst in die gemeinsten Hütten verirrten: da befaßten sich die Völker mit dem Nachdenken und dies gab Veranlassung zu mannichfachen Bedenken. Der vormalige tiefe politische Schlaf ging in einen leichten Morgenschlummer über, den goldene Träume umgaukelten. Die erste französische Revolution, welche das Ende des nächstvergangenen Jahrhunderts und den Anfang des gegenwärtigen in Menschenblut tauchte und wie furchtbares Wetter durch Frankreich und Deutschland zog, rüttelte gewaltig an den Träumenden. Die Franzosen erwachten; aber anfänglich mit allen Symptomen der Schlaftrunkenheit. Denn wie ein gesunder Schläfer, der geweckt wird, zuerst nach allen Seiten sich hinstreckt und dann mit beiden Fäusten widerwillig um sich schlägt, ohne zu beachten, daß er vielleicht sich selbst verletzt: so zertrümmerte auch dieses Volk im Anfange Alles, was ihm bisher lieb gewesen war, das Bürgerglück, das königliche Haus, die Altäre, und dehnte sich zu einer riesenmäßigen Länge und Breite aus. Bei der zweiten Revolution, in der sogenannten großen Woche des Jahres 1830, zeigte es klare Besonnenheit, indem es nicht unbändig um sich herumschlug, sondern seiner Kraft eine geregelte Richtung gab. Eine Regierung, welche das vormals Bestandene für unveräußerlich, für absolut vortrefflich hielt und ein Stabilitätssystem begünstigte, das sich mit den Fortschritten der Intelligenz nicht vertrug, wurde in wenigen Tagen beseitigt, und ein König, der früher Emigrant gewesen war, wurde zum Exulanten degradirt. Man conspirirte nicht gegen sein Leben, sondern gegen seine veralteten Grundsätze; man verdrängte nicht die Monarchie, sondern den Absolutismus. Dieser muß nothwendig den Völkern misfallen, die eine höhere Stufe der Cultur errungen haben; wo die Wissenschaft fortschreitet, kann die Landesverfassung nicht stereotyp bleiben. Sultan Mahmud führt das Lesen unter den Türken ein; er bereitet eine Constitution vor, und früh oder spät werden sie die Männer fodern, die jetzt nicht mehr schweigend und gedankenlos ihren Kaffee trinken und ihre Pfeife rauchen, sondern — sprechen! Wohl den Fürsten, welche die gerechten Ansprüche unserer Zeit erkennen, erwägen und befriedigen; sie sitzen fest auf ihren Thronen, und die aufrichtige Achtung, die herzliche Liebe ihrer Völker vergilt ihnen reichlich die Mühen, welche die nothwendige Veränderung für sie herbeiführt! Heil unserm Anton, unserm Friedrich August, die dem mündig gewordenen Volke bewilligten, was sein Bildungsstand verlangt! Unsere Ehrfurcht, unsere Treue lohnt ihnen!"

Daß der Verf. ein Sachse, und zwar ein echter Sachse ist, sieht man nicht blos aus diesen Worten, sondern das ganze Buch ist mit besonderer Beziehung auf Sachsen geschrieben, sowie denn auch die Ideen, welche in den letzten Zeiten hier die Gemüther bewegten, sehr vorherrschen. Ob der Verf. mit diesem ersten Theile den „Kampf" beschlossen hat, läßt sich nicht mit Bestimmtheit angeben. Jedenfalls aber wünschen wir, daß der „Sieg" bald folgen und nicht etwa ganz ausbleiben möge. 169.

Notiz.

Im Jahr 1802 konnte man in der, im Kloster S. Onofrio zu Rom, wo Tasso bekanntlich starb, befindlichen Todtenmaske desselben, welche sein Freund, der Cardinal Cincio Aldobrandini nach Tasso's Tode auf seinem Antlitze formen ließ, auf der einen Seite noch Haare des Bartes und der Augenwimper bemerken; die Todtenmaske war unvorsichtig genommen worden. Fr. Brun, die das sah und in ihrem „Römischen Leben" (I, S. 291) erzählt, setzt mit Bezug auf die nach jener Maske gebildete, in dem nämlichen Kloster befindliche Büste hinzu: „Der Kopf ist auffallend klein, das Angesicht zart, die Züge sehr hübsch, die Nase fein gebogen, offen die Stirn, das Kinn spitz und die eingesunkenen Augen bewohnten ein schönes Haus. Aber ach!" fährt sie fort, „an der halben Seite des Antlitzes zucken Züge eines wahnsinnigen Lächelns, welches mich wie ein Blitz durchfuhr. Vielleicht hat ein Schlagfluß im Tode dieselben hervorgebracht." Eigenthümlich, aber schmerzlich ist der Eindruck, den auf Denjenigen, der die letzten Augenblicke Tasso's sich vergegenwärtigt und, z. B. nach Zedlitz' „Todtenkränzen", seines schmerzbewegten Lebens sich erinnert, folgende Verse der zweiten Strophe seiner „Gerusalemme liberata" machen:

O Musa, tu, che di caduchi allori
Non circondi la fronte in Elicona,
Ma che nel ciel infra i beati cori
Hai di stelle immortali aurea corona.

Da Tasso eben im Begriff war, mit der vergänglichen Lorberkrone auf dem Capitole geschmückt zu werden, ward er von diesem Leben abgerufen, in andern Regionen den goldenen Kranz zu empfangen! 30.

Redigirt unter Verantwortlichkeit der Verlagshandlung: F. A. Brockhaus in Leipzig.

Blätter für literarische Unterhaltung.

Dienstag, — Nr. 302. — 29. October 1833.

Mémoires de Mademoiselle *Adèle Boury.*

(Fortsetzung aus Nr. 301.)

In ihrem Berichte, wovon hier das Wesentlichste mitgetheilt werden muß, fährt die Boury fort:

Als ich auf dem Ministerium ankam, fragte ich, ob der Secretair des Ministers zurück sei. Der Pförtner bejahte es, und da ich an allen Gliedern zitterte, da alle meine Nerven in einer Bewegung waren, woraus man meine Verwirrung erkannte, so foderte ich ein Glas Wasser, das er mir sogleich gab. Ich war noch nicht bei Sinnen, als man mich ins Cabinet zu Hrn. Martin, Secretair des Hrn. Thiers, führte. Ich war außer Athem, ich erstickte; endlich fing ich an zu weinen. Hr. Martin sprach mit vielem Antheil zu mir, doch wollte ich Anfangs nicht antworten, als ob ein Vorgefühl mir angedeutet hätte, wie viel ich nach dieser Aussage leiden müßte. Hr. Martin fragte nur um so mehr, warum ich in dieser Angst sei: „Ich glaube nicht, Mademoiselle", sagte er, indem er mich zu beschwichtigen suchte, „daß ich ein Mann bin, vor dem Sie sich fürchten müßten." Auf sein dringendes Ersuchen entschloß ich mich endlich, ihm Alles zu erzählen, was vorgefallen war, und wovon er noch keine Kenntniß haben konnte. Dies strengte mich so sehr an, daß mich Hr. Martin in ein anderes Zimmer führen und Alles für mich thun ließ, was meine Lage erfoderte. Er kam nach einigen Minuten und fragte, ob ich die Kraft hätte, in einen Wagen zu steigen, und bot mir an, mich zurückfahren zu lassen. Ich glaubte, man werde mich nach dem Hôtel des ambassadeurs bringen, ich sehnte mich dahin, der Stoß fing mir an wehe zu thun. Ich dankte Hrn. Martin, nahm sein Erbieten an; er schickte nach einem Fiacre, welcher dem Gebrauche zuwider in den Hof des Ministeriums fuhr, ließ mich einsteigen und mit mir die Frau des Pförtners. Hr. Martin frug mich auch, ob ich nicht erschrecken würde, wenn ein Municipalgardist zu Pferde den Wagen begleitete, und nachdem ich es verneint, ritt ein solcher Gardist hinterher. Am Thore der Tuilerien hielt der Fiacre an. Er fuhr nicht in den Hof, der mit Wagen angefüllt war, so sehr beeilten sich die Notabilitäten von Paris, dem Könige Glück zu wünschen, daß er der Gefahr entgangen sei. Jetzt erst kam es mir in den Sinn, daß ich so glücklich war, den Schuß abzuwenden, und dieser Gedanke tröstete mich für meine physischen und geistigen Leiden.

Die Boury geht dann zu einem andern Capitel über und beschreibt ihre „Viertelstunde in den Tuilerien". Zu Obigem ist wieder Manches zu bemerken. Hr. Martin, damals Secretair im Policeiministerium, ist seitdem auf besonderes Betreiben der Regierung zum Abgeordneten ernannt worden. Die Boury sagt mit Wichtigkeit, daß er von dem Vorfall auf der Brücke zuvor nicht in Kenntniß sein konnte. Sie entschuldigt also nicht blos sich selbst, auch das Ministerium. Sie weiß, daß ein Fiacre gewöhnlich nicht in den Hof der Ministerhôtels fahren darf; oder wissen dies die Mitarbeiter ihrer Memoiren? Sie sagt endlich, erst am Tuilerienthore sei es ihr in den Sinn gekommen, daß sie den König gerettet; geschah dies, weil sie vorher zu verwirrt war? aus Bescheidenheit, aus Geringschätzung ihres Verdienstes? oder liegt die baare Wahrheit zu Grunde? Die Sache ist sehr verwickelt. Wir wollen sehen, wie es ihr in den Tuilerien ging. Die Journale haben sehr Widersprechendes hierüber mitgetheilt, und auch bei den Gerichtsdebatten wurde nicht Alles klar.

Sobald der Wagen am Tuilerienthore anhielt — erzählt sie — ritt der Municipalgardist voraus; die Frau des Pförtners und ich blieben eine Viertelstunde im Fiacre; endlich kamen zwei Personen in Uniform und führten mich ins Schloß. Unterwegs bemerkte ich eine so große Menge von Wagen, wie sie in meinem Leben noch nicht gesehen. Im ersten Stockwerk ging ich durch mehre Gemächer, worin ein großes Gedränge war. Ich kam dann in einen Saal, wo die Menge noch größer war, und so viel ich in meiner Verwirrung bemerken konnte, waren viele reiche Uniformen da. Hier sah ich mich schnell umringt; alle diese Herren drängten sich um mich her und überhäuften mich mit Fragen. Es wurde mir unwohl (die Boury schreibt hier zwei Seiten, um zu beweisen, daß es nicht Verstellung war, und gibt später ein Zeugniß ihres Vormunds, daß sie solchen Zufällen ausgesetzt sei). Als ich wieder zu mir kam, munterte mich ein Jeder auf, dankte mir für den Dienst, den ich, wie man glaubte es damals, der königlichen Familie und Frankreich geleistet; jetzt bin ich vielleicht die Einzige, die ihn geleistet zu haben glaube! Unter diesen vielen Personen in meiner Umgebung bemerkte ich eine Dame in sehr großer Toilette, von freundlichem Ansehen, und von der man sich ein wenig entfernte, wenn man sah, daß sie mit mir sprechen wollte. Sie redete mich wirklich mit der Güte und Sanftmuth eines Engels an, sie gab mir den zartesten Trost wegen des Unglücks, das mich so nahe an den Mörder des Königs brachte. Sie fragte mich unter Anderm, ob ich den Mann mit der Pistole, wenn man mir ihn zeigte, erkennen würde. Ich bejahte es, und habe ich ihn seitdem nicht erkannt, so ist es blos, weil man ihn nie vor mich brachte, ungeachtet des ernstlichen Zweifels, den ich bei Einer Gelegenheit hatte, wie ich dies später erkläre. Erst nachher erfuhr ich, daß die Dame, die mich so wohlwollend aufnahm, Madame Adelaide (die Schwester des Königs) gewesen sei. Trotz aller Fabeln, die man damals umhertrug, sah ich weder den König noch die Königin. Glauben Sie mir, meine Herren und Damen, man lügt nicht, wenn man Dinge widerlegt, die am meisten geeignet wären, der Eitelkeit zu schmeicheln.

Dieses Capitel der Boury ist eines der merkwürdigsten. Es scheint von Anfang bis zu Ende auf die Zufriedenheit des Königs auszugehen. Sie spricht von den vielen Wagen, von dem Antheile, welchen die Gefahr des Königs fand. Sie erinnert ausdrücklich, daß sie ihn nicht in den Tuilerien gesehen. Sie gibt zu, daß der König wol nicht glaubt, sie habe ihn gerettet. Geschieht dies, um den Hof gut für sich zu stimmen? eine Belohnung oder doch eine Gnadenbezeigung zu erhalten? Oder ist der Grund verdeckter? Wir kommen jetzt zu den gerichtlichen Untersuchungen, zur Krankheit der Boury, und nachher nimmt ihr Leben eine etwas lustigere Wendung, sie hat viele Abenteuer.

Von den Tuilerien aus ließ ein königlicher Procurator die Boury in seinen Wagen steigen und brachte sie nach der Policeipräfectur. Dort wurde sie von Hrn. Gisquet ausgefragt in Gegenwart anderer Personen und des Procurators, der sie nachher heimfuhr. Ihre Schmerzen nahmen immer zu, sie will nicht viel Einzelheiten darüber geben, denn die Mysterien eines Corsets seien nicht für Memoiren geeignet. Kennt sie etwa unsere andern Memoiren nicht? Nur so viel will sie sagen, daß ein ganzer Busen ein blaues Maal war. Sie macht uns außerdem mit den Recepten des Arztes, Dr. Berthou, bekannt. Erst verschrieb er lindernde Getränke; darüber schreibt sie eine halbe Seite. Dann ließ er zur Ader und setzte Blutegel; dies nimmt die andere Hälfte der Seite ein. Nach sechs Wochen war sie hergestellt, und sie weiht uns in die Fiebergedanken ein, die ihr in dieser Zeit durch den Kopf fuhren. Wir erfahren auch den Betrag der Unkosten, die freilich zur Sache gehören. Sie glaubte dafür indemnisirt zu werden, sagt aber, daß sie viele Versprechen und sonst nichts erhalten. „Man deutete mir an, da die Bosheit ausgesprengt, ich hätte eine Rolle für die Regierung gespielt, so fürchte sie, diesen Lügen einen Anschein von Grund zu geben, wenn sie etwas für mich thue, was unfehlbar bekannt werden würde.“ Unfehlbar? es ist nicht gewiß. Vier oder fünf Tage nach dem Vorfall kam der königl. Procurator auf ihr Zimmer, vom Instructionsrichter begleitet, und confrontirte eine Person mit ihr. Im ersten Augenblick glaubte sie den Mörder zu erkennen. Es war aber in der Fieberhitze, und kaum hatte sie ihre Ideen gesammelt, so war sie überzeugt, daß sie sich geirrt, und erklärte nun aufs Bestimmteste, sie erkenne ihn nicht. Dies war ein Hr. Giroux, der nun auf freien Fuß kam.

Die Boury erhielt während der Krankheit eine Menge Briefe, sagt sie, theils anonym, theils mit Unterschrift. Tröstend sei ihr folgendes Schreiben eines Engländers gewesen. „Mademoiselle, erlauben Sie mir, Ihnen zu Ihrem guten Benehmen beim König Glück zu wünschen und Ihnen meine Gratulation zu Ihrem guten Geschick anzubieten. Sein Sie überzeugt, Mademoiselle, daß ich immer glücklich sein werde, zu hören, daß es Ihnen wohl geht, und mit der größten Achtung verharre Ihr unterthänigster Diener M. Lean, Hôtel Kelsminster u. s. w.“ Zu diesem sonderbaren Briefe gibt die Boury einen langen Commentar. Das Buch wird immer verwirrter. Entweder blieb der Boury ein Theil ihrer Fieberhitze, oder ihre Gehülfen waren in Eile. Sie erzählt mit einem Mal von der Geschichte der 40,000 Francs. Als sie noch bei ihrer Schwester lebte und im Begriff war, nach Paris zu reisen, wurde sie von einem Freunde ersucht, in Paris 40,000 Francs gegen Hypothek für ihn zu leihen; er hatte seine Gründe, dies nicht in der Provinz zu thun. Sie wandte sich zu diesem Zwecke an wen? an den König. Für Se. Majestät erwiderte der Adjutant Larochefoucould, sie möge sich an einen Capitalisten wenden. Sie begehrte es nun bei Rothschild, der, wie sie sagt, es nicht ausdrücklich abschlug, aber Weiterungen machte. Sie gibt das Datum nicht. Merkwürdig, was ein so junges Frauenzimmer bei ihrer Unerfahrenheit in ein paar Tagen Alles zu Paris besorgen will.

(Die Fortsetzung folgt.)

Neuere englische Literatur.

1. Dramatic scenes, from real life. By *Lady Morgan*. Zwei Bände. London 1833.

Das Beiwort dieser Darstellungen gründet sich nur darauf, daß der Dialog meistentheils die Stelle der Erzählung einnimmt. Die nichtigste ist die Geschichte eines Engländers, der eine große Besitzung in Irland geerbt hat und sich dort die Zuneigung seiner ganzen Umgebung zu erwerben sucht. Dabei wird auch zum tausendsten Mal die Härte des Zehntenunwesens und anderes Aehnliche zur Sprache gebracht. Die beiden andern sind Scenen aus dem fashionablen londoner Leben. Mylady hat sich die Sache so leicht gemacht, daß man unmöglich Freude daran und überhaupt noch Lust fühlen kann, irgend ein späteres Buch von ihr in die Hand zu nehmen.

2. Lectures on poetry and general literature; delivered at the Royal institution in 1830 and 1831. By *James Montgomery*. London 1833.

Die englische Literatur hat noch kein Werk aufzuweisen, was als vollständige Einleitung zu den schönen Wissenschaften betrachtet werden und den Leistungen eines Eschenburg, Sulzer, Le Breton an die Seite gestellt werden könnte. Das vorliegende mache auf einen solchen Rang zwar durchaus keine Ansprüche, allein es erinnert unwillkürlich an jenen Mangel, welcher der französischen und deutschen Literatur fremd ist. Für das dramatische Fach hat Black's Uebersetzung von Schlegel's „Vorlesungen“ zwar trefflich gesorgt, allein es fehlt an einem das ganze Gebiet umfassenden Werke, denn was in den „Lectures of Dr. Blair“ in dieser Beziehung versucht wurde, ist gar zu seicht und mangelhaft. Herr M. eröffnet sein Buch mit einer unsers Bedünkens sehr überflüssigen Apologie, welche der „Defence of poesie“ von Sir Philipp Sidney entlehnt ist, und führt dann in der ersten Vorlesung den Beweis, daß die Dichtkunst hoch über allen ihren Schwestern, sie mögen Namen haben, wie sie wollen, erhaben sei. Mit der Beredtsamkeit, Geschichte und Philosophie verglichen, bleibt ihr ebenfalls der Vorrang. Die Nachwelt erweist Homer und Virgil größere Ehre als Cicero und Demosthenes; Anakreon und Horaz ziehen mehr Aufmerksamkeit auf sich als Xenophon und Thucydides; die heidnische Poesie mit allen ihren Fehlern hat die heidnische Philosophie mit ihren Verdiensten überlebt. Die zweite Vorlesung beschäftigt sich mit Beantwortung der Frage: was ist poetisch? „Alles, was dem Auge oder Gemüth, je nachdem der Gegenstand ist, als höchst erhaben, höchst lauter, reizend und vortrefflich erscheint“, sagt der Verf. sehr unzureichend, was wir jedoch hier nicht weiter erörtern können. Die dritte handelt von der Form, und der Vers wird als unerläßlich dabei betrachtet; die vierte verbreitet sich über die dichterische Schreibart, die fünfte über die verschiedenen Arten der Dichtkunst, und die letzte führt die Ueberschrift: „On the poetical character, the themes and influences of poetry“. Nachdem wir einen Abriß der Anordnung des Stoffes gegeben, können wir nur noch hinzufügen, daß die Behandlung im Ganzen geistreich und durchdacht erscheint und für des Verf. kritischen Genius zeugt, der Rechenschaft von poetischen Schöpfungen zu geben versteht.

3. Narrative of the expedition to Portugal in 1832, under the orders of his I. M. Don Pedro, Duke of Braganza. By *G. Lloyd Hodges*, late colonel in the service of the queen of Portugal. Zwei Bände. Mit einer Karte. London 1833.

Wir haben hier die militairische Geschichte der ersten Hälfte eines Unternehmens vor uns, das seiner Entscheidung jetzt sehr nahe scheint. Oberst Hodges befand sich an der Spitze der ersten Mannschaften, welche in England für Donna Maria angeworben wurden, und entwirft gelegentlich auch eine Skizze der Intriguen, durch welche der portugiesische Consul Campayo und der Agent einer englischen Faction diese Hülfe zurückzuhalten versuchten. Ein Kundschafter des Consuls selbst, der von ihm zehn Schilling täglich, von Donna Maria's Agenten aber 15 Schilling erhielt, verrieth jedoch seine Gegenanstalten und erleichterte dadurch die Einschiffung und Abfahrt der Mannschaft, die bei Belleisle zu dem übrigen Geschwader stieß. Der Verf., welcher die guten Absichten, die Gerechtigkeitsliebe, Enthaltsamkeit und das gute Herz Don Pedro's vollkommen anerkennt, kann doch nicht umhin, über die Kälte und Geringschätzung zu klagen, mit welcher er den englischen und französischen Offizieren und Mannschaften wiederholt begegnete; überhaupt gibt er ihm Schuld, daß er sich durchaus nicht seiner Stellung angemessen und selbständig zu benehmen verstehe, sondern auf die Zuflüsterungen seiner vertrauten Umgebung viel zu viel gebe. Unter den mancherlei Anekdoten, die er von ihm erzählt, ist auch folgende, die sich während seiner Anwesenheit bei Belleisle zutrug.

„Seemöven zu schießen, war ein Hauptvergnügen des Kaisers; desgleichen waren die Possen und Gaukeleien der Matrosen und Schiffsmannschaften etwas sehr Anziehendes für ihn. Seine Aufmerksamkeit spornte die Letztern daher zu den gewagtesten Dingen an, die aber ein etwas tragisches Ende nahmen. Ein gewisser Jones stürzte nämlich vom Topmast herunter aufs Verdeck und würde wahrscheinlich das Leben eingebüßt haben, wäre er nicht auf den unten stehenden General Azevedo gefallen, den er mit zu Boden riß und dadurch mit einem Beinbruche davon kam. Der General verlor auf einige Augenblicke die Besinnung und war mehr erschrocken als verletzt. Sobald die Ueberzeugung gewonnen worden, daß Niemand das Leben verloren hatte, stellte der Kaiser eine Menge Vermuthungen über die Festigkeit von des Generals Schädel auf, der einen solchen Puff aushalten könne."

„Der Kaiser, welcher sich auf seine nautischen Kenntnisse viel einzubilden scheint, ließ sich dadurch verleiten, am Bord des von Admiral Sartorius befehligten Schiffes allerlei Anordnungen, ohne dessen Wissen zu treffen. Dieser machte ihm jedoch über das gänzlich Unpassende dieses Benehmens und die übrigen daraus hervorgehenden Misverhältnisse für den Dienst ernstliche Vorstellungen und erwähnte zugleich seines kalten, abstoßenden Betragens gegen die britischen Mannschaften. Don Pedro nahm dies ohne Unwillen auf und versicherte, weit entfernt zu sein, irgend Jemand durch zurücksetzendes Benehmen kränken zu wollen, was er den britischen Offizieren zu erkennen geben solle, wenn sie unglücklicherweise dergleichen von ihm dächten. Das gute Wetter am Bord ward jedoch durch einen gewaltigen Sturm unterbrochen, als zufällig Don Pedro's Wasserfiltrirmaschine zerbrochen wurde. Er gab Allen, Admiral und Offiziercorps nicht ausgenommen, deshalb Schuld, daß sie nicht die mindeste Rücksicht auf ihn nähmen, obgleich sie wüßten, daß er nur Wasser trinke, und vergaß nicht hinzuzusetzen, für die Aufbewahrung des Champagners würden sie wol besser gesorgt haben.

Bei der Ankunft der Expedition in Oporto ward das constitutionnelle Heer nichts weniger als enthusiastisch empfangen, und auf dem Zuge, welchen Oberst Hodges gleich darauf mit einem Bataillon nach Corvoeiro unternahm, fand er überall die größte Apathie bei den Bewohnern des Landes. Die Bauern sahen kaum von ihrer Arbeit auf, und Nachrichten waren nur mit großer Mühe von ihnen zu erhalten. In einem Dorfe, welches mit einem Lebehoch für Donna Maria begrüßt wurde, kamen ein Paar alte Weiber zum Vorschein; allein selbst das Versprechen eines Stück Geldes konnte die ärmlichste derselben nicht zu einem „Viva Don Pedro!" bewegen, und sie krächzte vielmehr ihr „Viva Don Miguel primeiro! viva o Rei absoluto!" was ihr beinahe schlimm bekommen wäre. Bei Penafiel zeigte die Bevölkerung sogar offen feindliche Gesinnungen, und weiterhin vor dem Städtchen Valize standen gegen 2000 Bewaffnete aufmarschirt, die jedoch nach kurzem Kampfe geworfen wurden. Unter ihren zurückgelassenen Todten und Verwundeten befanden sich sieben mit Musketen und Dolchen bewaffnete und mit reichlicher Munition versehene Mönche. Selbst Weiber zeigten sich in den feindlichen Reihen. Wie die constitutionnellen Völker hausten, davon spricht, daß ein vor dem Städtchen gelegenes Kloster, welches das britische Bataillon mit einem Verluste von nur drei Mann erstürmte, auf der Stelle geplündert und angezündet wurde. Oberst Hodges vermochte nicht diesem Unwesen zu steuern, hielt jedoch glücklich seine Leute von dem mit den ausgesuchtesten Weinen und geistigen Getränken aller Art gefüllten Keller zurück. Im Städtchen selbst war kaum ein Mensch zu sehen und alle Thüren blieben verschlossen.

Das britische Bataillon kehrte hierauf nach Oporto zurück, wo es aber nicht etwa zuvorkommend von Don Pedro empfangen wurde. Die Einwohner blieben, wie noch lange nachher, stumm. Nach dem Treffen von Ponte Terreira sollte ein teuflisches Complott der constitutionnellen Sache den Todesstreich versetzen. Alle Klöster nämlich, in denen die von zwei heißen Tagen ermatteten Truppen untergebracht worden waren, sollten des Nachts um 2 Uhr gleichzeitig in Flammen aufgehen, und in dem Tumulte darüber, von welchem der Kaiser zuverlässig nicht fern geblieben wäre, wollte ein allbekannter, verwegener Kapuzinermönch ihn aus dem Wege räumen. Häufig scheitern solche Anschläge an der Ungenauigkeit der Ausführung; so auch hier. Schon um 1 Uhr stand nämlich das St.-Domingokloster, wo das fünfte Regiment lag, an allen vier Ecken in Feuer, ohne daß die schlafende Mannschaft etwas davon wußte. Der Feuerlärm rüttelte sie endlich auf, und bis auf drei Mann entgingen Alle dem Flammentode. Die Regimentsfahne verbrannte. Von drei Mönchen, welche sich aus dem brennenden Kloster fortschleichen wollten, ward der eine auf der Stelle niedergemacht; die andern zwei wurden verhaftet, jedoch, so viel der Verf. weiß, durchaus nicht bestraft.

Die Eifersucht gegen die Ausländer und das grenzenlose Intriguiren der Portugiesen, zusammengenommen mit dem schlechten Empfange von Seiten der Bevölkerung, hätte damals bald Don Pedro zu dem Entschlusse gebracht, mit der Expedition wieder abzusegeln. Die Protestationen von Sartorius, Palmella und Villaflor machten ihn jedoch nach 48stündiger Ueberlegung andern Sinnes. Einige Monate darauf veranlaßten Beleidigungen, die wahrscheinlich auf Misverständnissen beruhten, den Verf. dieses unparteiisch abgefaßten Berichts, die Fahnen Don Pedro's zu verlassen und nach England zurückzukehren. Den langsamen Erfolg der Expedition mißt er übrigens hauptsächlich den unfähigen, unentschlossenen Rathgebern bei, denen Don Pedro leider sich hingab.

4. Narrative of a residence at the court of London. By *Richard Rush*, Envoy extraordinary and minister plenipotentiary for the United states of America from 1817—25. London 1833.

Der Verf. landete im December 1817 in Portsmouth und machte hier sogleich die unangenehme Bekanntschaft der Zollwächter, die sein Gepäck aufs Genaueste durchsuchten, weil der Befehl, dasselbe passiren zu lassen, noch nicht angelangt war. Einige Bücher, welche sich vorfanden, wurden in Beschlag genommen, „und ich hätte eigentlich über diese Scheingewissenhaftigkeit Beschwerde führen sollen", sagt der Verf., „allein ich mochte mein öffentliches Amt nicht mit Klagen beginnen. Hatte ich doch von Herrn Adams (Staatssecretair des Auswärtigen) gehört, daß das Gepäck der alliirten Monarchen, als sie 1814 von Paris aus England besuchten, in Dover durchsucht wurde, weil der Gegenbefehl liegen geblieben war." Welch eine treffliche Gelegenheit war das für einen Schriftsteller aus Basil Hall's oder Miß Trollope's Schule, über diese Impertienz u. s. w. loszuziehen, welche gleich beim ersten Schritt in England ihn erwartete! Des Amerikaners gesunder Verstand zog es vor, die Sache zu nehmen, wie sie war.

Während er mit seiner Familie im George-Inn zu Portsmouth das erste Mittagsessen in Altengland einnahm, ertönten alle Glocken, und man freute sich des schönen Geläutes noch mehr, als man erfuhr, es gelte der Ankunft des Ministers. Nach aufgehobener Tafel kam jedoch die Meldung, daß die „royal bell-ringers" vorgelassen zu werden wünschten. Acht Männer in langen, bis auf die Knöchel herabreichenden Röcken traten ein und pflanzten sich in der Nähe der Thüre in einer Reihe auf. Der Wortführer sagte dann, sie wären gekommen, zur glücklichen Ankunft des Herrn Gesandten pflichtmäßig zu gratuliren, und hofften von ihm, wie von andern Gesandten, die hergebrachte Gabe zu empfangen, wie aus ihrem Buche zu ersehen sei. Dieses war eine Curiosität und enthielt die Namen von einer Anzahl Gesandten, Minister u. s. w., welche seit vielen Menschenaltern in Portsmouth angekommen waren. Das verabreichte Geschenk stand neben jedem verzeichnet. „Gern gab ich den braven Leuten, was sie unter ähnlichen Verhältnissen von Andern empfangen hatten", setzt unser Verf. hinzu. Mit derselben praktischen Gutmüthigkeit skizzirt er auch, was ihm in den höhern und höchsten Regionen der englischen Welt begegnete, in die ihn sein officieller Charakter versetzen mußte, und da ihm Alles neu war, so sind seine Schilderungen detaillirter, als sie gewöhnlich von Europäern entworfen werden. Den skandalliebenden Engländern hat dieser wohlwollende Yankee indirect eine derbe, von den englischen Blättern auch anerkannte Lection mit diesem Buche ertheilt.

5. Lives of english female worthies. By Mrs. *J. Sandford*. Erster Theil. London 1833.

Der erste Band einer Galerie ausgezeichneter Frauen, welcher die Biographien der Mistreß Hutchinson und der Lady Johanna Grey enthält. Die Verf. scheint ihrem Unternehmen gewachsen. Es ist wol unbestritten, daß damit für Bildung und Lebensklugheit des andern Geschlechts, sowie für Herz und Gemüth sehr Verdienstliches geleistet werden kann, daher wir nicht verfehlen wollten, Freundinnen der englischen Sprache auf dieses Werk aufmerksam zu machen, das jene Voraussetzung zu erfüllen verspricht.

6. The wife; a tale of Mantua. A play in five acts; by *James Sheridan Knowles*. Second edition. London 1833.

Ein in die Scene gesetzter Roman, dem geschickt angewandte Kenntniß des Effectvollen auf der Bühne in England vielen Beifall erworben hat. Auf denselben Grund baut die moderne dramatische Kunst ihre Erfolge meistentheils, und so ist es denn nicht selten der Fall, daß ein Stück mit einigem Vergnügen zwar zu sehen, allein keineswegs zu lesen ist. Zeigt sich Letzteres auch nicht ganz auf das vorliegende anwendbar, so darf man doch auch keineswegs vergessen, daß es zunächst für die Aufführung, für Zuschauer geschrieben wurde. Der neutrale Titel verräth seinen unbestimmten Charakter; denn obgleich Held und Heldin zu einem erwünschten Ziele gelangen, bildet dabei doch der Tod eines Mannes, dessen Verdienst um diese Entwickelung kaum klar geworden ist, eine tragische Nebenpartie. Der Schauplatz ist Mantua und zuletzt ein Feldlager, die Handlung selbst nichts weniger als complicirt; Gift, Dolch und Verrath sind weidlich in Bewegung gesetzt, dafür zu entschädigen. Der Vers ist sehr flüchtig behandelt. Nur die Armuth der jetzigen dramatischen Literatur erklärt den Erfolg dieses wie manches andern, auf ebenso seichtem Grunde ruhenden Stückes. Wir hören, daß eine deutsche Bearbeitung des „Wife of M." beabsichtigt wird, bezweifeln aber, daß die deutsche Bühne etwas dabei gewinnt. Da bereits Correspondenzberichte in deutschen Blättern weitläufige Mittheilungen über den Inhalt des Stückes gaben, so halten wir uns jedes Weitern deshalb überhoben. *8.*

Miscellen.

Die verkehrte Welt.

In Australien ist die verkehrte Welt. Hier, wo zwei Menschen auf der Quadratmeile Landes wohnen, ist es Sommer, wenn bei uns Winter ist. Das Barometer fällt dort, wenn das unserige steigt; die Hütten sind von Cedernholz und die Zäune von Mahagoni; der Schwan ist schwarz und der Adler weiß; das Känguruh hüpft wie ein Eichhörnchen und hat Krallen wie ein Vogel an den Hinterbeinen; der Maulwurf legt Eier und hat Krallen und einen Entenschnabel; die Birne hat den Stiel am breiten Ende, und die Kirsche den Stein oder Kern auswendig. Es fehlt nur noch, daß auch die Menschen verkehrt wären.

Wie Rafael's Johannes in der Wüste erhalten ward.

Einer der Aufseher in der ehemaligen düsseldorfer Galerie besserte eine Landschaft aus, die in Wasserfarben gemalt und nicht ohne Werth war. Allein was bloße Leinwand zu sein schien, hielt einen Oelgrund. Die Neugier trieb ihn an, etwas weiter zu forschen. Es kam eine schöne Figur zum Vorschein, und nicht lange dauerte es nun, als die Landschaft dem davon bedeckten Johannes in der Wüste Raum gemacht hatte.

Der alte Don Juan.

Ob es denn nur wahr sein mag: Von Talleyrand liest man, freilich nach unverbürgten Quellen, in Scheridawind's „Ueberlieferungen und Materialien zur Geschichte", Heft 1, S. 29, daß er vom 17. bis 20. Jahre bereits sechs Ehemänner dahin gebracht habe, sich aus Eifersucht eine Kugel durch den Kopf zu jagen; 18 Liebhaber hätten sich seinetwegen die Hälse gebrochen; 10 Frauen vor Gram über seine Untreue waren ins Kloster, und 12 Mädchen aus Verzweiflung durch Gift aus der Welt gegangen, die Grisetten und Kammermädchen nicht gerechnet, die sich in die Seine gestürzt hatten; 40 gewesene Jungfrauen nannten ihn nach drei Jahren den Vater zu ihren Kindern und 24 Männer zogen die Brut auf, die ihnen der Kukuk zugetragen hatte. Ist dies Alles wahr, so haben wir den alten Don Juan noch nicht in der Hölle, sondern auf der großen Weltbühne.

Die Waffelkuchen müssen in England vor Alters schon ein Lieblingsgericht der höhern Stände gewesen sein, denn die Verkäuferinnen derselben wurden gern gedungen, Liebesbriefchen zu bestellen. So heißt es im „Weiberhasser" von Fletcher und Beaumont:

— Es war nicht möglich, sie zu treffen
Gewiß; denn seit drei Wochen war das Waffelkuchenweib
Nicht dort, so viel ich sicher weiß.

Im „Müllermädchen", einem alten englischen Stück, liest man es noch genauer:

Hältst du mich für ein Kind? Bin ich nicht im Stande,
Ein Briefchen artig abzugeben? Wie, ist das
So schwer, was jede Waffelkuchenfrau wohl thut?

Auch in Shakspeare's „Heinrich V.", Act II, Sc. 3, kommt eine Anspielung auf die Waffeln vor:

Ein Eid ist Spreu und Männertreu' ein Waffelkuchen.

195.

Redigirt unter Verantwortlichkeit der Verlagshandlung: F. A. Brockhaus in Leipzig.

Blätter

für

literarische Unterhaltung.

Mittwoch, —— Nr. 303. —— 30. October 1833.

Mémoires de Mademoiselle *Adèle Boury.*

(Fortsetzung aus Nr. 302.)

Die Memoiren werden immer interessanter. Die Boury schreibt ein Capitel über die Unannehmlichkeiten der Celebrität. Sie führt ihre Gedanken bei der Literatur und der Kunst durch und spricht nachher von berühmten Damen. Bei der Literatur geht sie auf den Classicismus und die Romantik ein, lobt beide und entscheidet sich leider nicht. Wie sie auf dieses Capitel kam, bleibt anfangs unerklärbar; allein man sieht später, daß die Liebesbriefe, die sie auf dem Krankenbette erhielt, theils erzclassisch, theils wüthend romantisch waren, und da muß man einem armen Mädchen nicht verübeln, wenn es nicht etwa halb classisch, halb romantisch, sondern Beides ganz ist. Dann über die berühmten Damen, 1) durch Schönheit, 2) durch Talent. Rec. bittet seine Leserinnen, auf den ersten Theil der Bemerkungen nicht zu achten. Die Boury räth den Damen, lieber häßlich als schön zu sein. Die Schönen seien von jeher unglücklich gewesen. Erstens Helena, welche schuld am Untergange Trojas war. Hierin also findet die Boury das größte Unglück der Helena. Nicht minder Lucretia, Anna Boleyn und Madame Dubarry.

Ich habe immer von schreibenden Damen gehört — fügt sie hinzu — und auf eine Art, daß ich nicht vier Zeilen hätte drucken lassen mögen, wenn mich nicht die Nothwendigkeit zur Herausgabe dieser Memoiren vermocht. Sind ihre Werke talentvoll, neu, scharfsinnig, überraschend, so lacht man und sagt geheimnißvoll, die Verfasserin sei mit dem und dem Schriftsteller bekannt. Sind es Verse? wenn sie unbedeutend, so hätte Madame besser gethan, ihres Mannes Wäsche in Ordnung zu bringen; wenn sie gut sind, so hat sie ein Anderer gemacht; wenn sie stark, harmonisch, gefühlvoll sind, so heißt es, diese Dame sei leidenschaftlich, sie hintergehe gewiß ihren Mann.

Rec. fürchtet, daß man auch der Boury vorwerfen werde, sie kenne Schriftsteller; daß die Memoiren, obwol ohne sonderliches Talent, nicht von ihr ausgearbeitet seien. Aber besonders bittet Rec., daß die Damen auf Nr. 1 der Rathschläge nicht achten mögen. Es wäre schlimm, wenn die Damen sich in den Kopf setzten, sie wollten nicht mehr schön sein. Wenn sie durchaus entschlossen sind, nicht mehr zu schreiben, je nun, das läßt sich eher hören; aber ich denke, auch dies trifft nicht ein.

Die Abenteuer der Boury nehmen jetzt ihren Anfang. Eines Tages geht sie aus Langerweile in den Tuileriengarten. Dort amusirt sie sich eine Zeit lang, indem sie die schönen Bildsäulen anschaut; das haben aber gewiß die Helfershelfer geschrieben, nicht die Boury. Dann geht sie in die Allee längs der Straße Rivoli. Das schöne Wetter hätte viel Welt angelockt, eine Toilette schöner als die andere. Der Boury macht dies Vergnügen, sie nimmt einen Stuhl, um eine halbe Stunde zuzuschauen. Einer von den Spaziergängern sieht ein junges Mädchen schüchtern einhergehen und auf Alles einen verwunderten Blick werfen. Das Alter, das Gesicht stimmen ein wenig mit dem Portrait der Mlle. Boury überein, das bei den Kunsthänd'ern aushing; er erkennt also das Mädchen sogleich. Er ändert die Richtung seines Weges, geht der jungen Person nach, ein Bekannter fragt ihn, wer es sei. Die Mlle. Boury, antwortet er. „Bah! du weißt es gewiß?" „Ob ich es weiß? ich kenne sie genau, habe sie bei Madame * gesehen." Andere Kameraden treten hinzu und erkennen ebenfalls die Mlle. Boury, nachdem man sie ihnen gezeigt. Da das Publicum ein junges Mädchen von ziemlich interessanter Haltung sieht, dem wol zwanzig Personen folgen, so fragt es nach der Ursache und geht gleichfalls nach. Die Menge mischt sich darein, umringt das Mädchen, und die Damen müssen auf Stühle steigen, um die Celebrität in der Nähe zu sehen. Sie ist charmant, sagt der Eine. Ja, aber ein wenig provinzial, erwidert der Andere. Ei, es ist Mlle. Boury, sonderbar! ruft ein Dritter, und Jeder fügt sein Wörtchen hinzu. Man drängt und stößt sich, geht einander über die Füße weg, und die vorn zunehmende Menge umringt das arme Mädchen, welches den Kopf verliert und nicht mehr weiß, wie sie sich herausziehen soll. Jeder wiederholt ihren Namen, macht seine Bemerkungen, Keiner bietet ihr Hülfe an.

In diesem Augenblick — sagt die Boury — stellte ich mich auf den Stuhl, um auch das Opfer meiner traurigen Celebrität zu sehen, denn ich war es nicht. Diese Müßiggänger, welche Mlle. Boury so wohl kannten, waren zehnmal vor meinem Stuhle auf- und abgegangen und hatten mich nicht erkannt. Sie hatten mich ebenso wenig gesehen als der Zeichner, der mein Portrait gemacht hatte. Ich bedauerte herzlich die arme Demoiselle und ging schnell zum Garten hinaus, ohne seitdem zu erfahren, wie sie sich half.

Von dieser ganzen Geschichte glaube ich kein Wort; denn es ist sonderbar, unwahrscheinlich, unmöglich, daß sie nicht zur Kenntniß der Journale, also des Publicums gekommen wäre. Wenn auch nur zehn Leute in Paris etwas sehen, so steht es den andern Tag in den Journalen. Aber gleichviel, wenn etwa auch die folgenden Abenteuer nicht wahr sein sollten, immer bleiben sie interessant, und die Erzählung trägt dazu bei, daß wir die Boury und ihre etwaigen Mitarbeiter näher kennen lernen. Das nächste Abenteuer bezieht sich auf ihr Portrait. Sie beginnt mit der unnöthigen Versicherung: „Jedes Frauenzimmer, welches sagt, es sei ihm gleichgültig, wenn man seine Schönheit rühmt, ist eine Lügnerin." Ebenso, bemerkt sie, mit den Männern in Bezug auf ihren Esprit. Dann schreibt sie eine Seite. „Sie haben mein Portrait vor dem Titelblatt gesehen", fährt sie fort; „glauben Sie, daß ich manchmal jene bezaubernde Melodie (sie sei schön) hören mußte?" Rec. muß bezweifeln, daß sie es oft vernahm. Nun schreibt sie drei Seiten. Sie gibt nachher den Text eines Briefes, den ihr der Maler Neuhaus schrieb. Herr Neuhaus bittet sie darin um die Gunst, ihr Portrait malen zu dürfen. Eine halbe Stunde Audienz reiche ihm hin, der Welt ein Gesicht kennen zu lernen, dessen Name eine Stelle in der Geschichte haben wird. Das Gesicht der Boury hat also einen Namen? Kurz, sie gab Herrn Neuhaus keine Antwort, nicht aus Unhöflichkeit, sondern sie war krank; hätte sie ihm erwidert, so wäre vermuthlich folgendes Abenteuer nicht eingetreten. Also jetzt das Abenteuer? Nein, sie will erst eine andere Geschichte erzählen. Ein wahrer Roman!

Nach dem Einzuge der Fremden in Paris geht der Graf Rostopschin auf dem Boulevard spazieren und sieht sich die Bilder an. Er findet Portraits, worunter sein Name; man hatte ihn schön gemalt. Er kauft eines und fragt, ob es ähnlich sei, worauf der Kunsthändler Ja! antwortete. „Aber", sagt der Graf, „es gibt ein anderes Bild von Rostopschin, worunter mit drei Ausrufungszeichen steht: „Der infame Rostopschin!!!" dieses möchte ich haben." „Es ist von der Policei verboten; man sagt, der Graf sei in Paris, und er ist auf diesem Portrait häßlich." „Ich bezahle es theuer." „In einer halben Stunde können Sie es haben für 20 Francs.". Nach einer halben Stunde hat Rostopschin die beiden Portraits in der Hand, das schöne und das häßliche. „Welches ist ähnlicher?" fragt er den Kaufmann. „Je nun, es kommt darauf an." „Wie so?" „Ja, die Bonapartisten finden das Bild mit dem „infamen Rostopschin" ähnlicher, die Royalisten das andere." „Und Sie?" „Ich glaube, der infame; ein Mensch, der Moskau verbrannt, muß häßlich sein." „Betrachten Sie mich, welches ist ähnlicher?" „Sie scherzen?" „Ich scherze nicht, denn ich bin der „infame Rostopschin" selbst." Diese Erzählung füllt 3½ Seiten; die Boury hat sie nicht aus der Provinz mitgebracht und dankt sie vermuthlich ihren Mitarbeitern.

„Mein Abenteuer", sagt sie, „ist nicht so verwickelt, es handelte sich nicht um zwei Portraits, nur um eines." In der Passage Bivienne ist ein Kunstladen. Eine Seite zu dessen Beschreibung. Dort ging sie mit Herrn und Mad. Wastermann auf und ab, trat allein in den Laden und verlangte kaltblütig das Portrait der Boury. Man sieht also, daß die Abenteuer ihr nicht immer begegnen, sie sucht welche; oder leisten die Mitarbeiter ihr diesen übeln Dienst? Der Kaufmann lobte die Aehnlichkeit, hatte aber kein Exemplar; alle seien verkauft, versprach aber eins für den andern Tag. Sie fragte, da er es ähnlich fand, ob er Mlle. Boury kenne? „Ja wohl, ich habe sie mehrmals gesehen." „Was ist denn eigentlich Mlle. Boury?" fragte sie weiter, „denn ich weiß eigentlich gar nicht, warum ich ihr Bild kaufen will." Der Kunsthändler erwiderte nichts; ein junger Mensch aber sprach lächelnd: „Mlle. Boury! was sie ist? gar nichts ist sie; sie ist die Geliebte von Thiers, von der Policei bezahlt, um eine schlechte Komödie zu spielen." Bei diesen Worten suchte sie ihren Unwillen zu bemeistern, ging schnell weg und den andern Tag nicht hin, aber einen Monat später mit einer Freundin, Madame d'A... Sie blieb außen, Frau von A. ging hinein; der Kunsthändler rühmte die Aehnlichkeit wieder, hatte aber von Neuem kein Exemplar. Frau v. A. sagte ihm, Mlle. Boury sei bei ihm gewesen, er habe sie nicht erkannt. Der Kunsthändler suchte eine Entschuldigung. Da trat die Boury selbst lachend in das Zimmer, und bei der Aufklärung, die man ihm gab, erröthete der Kaufmann.

Wir werden noch andere Abenteuer hören; aber jetzt wird der Inhalt des Buches viel ernster. Bergeron, der bekanntlich vor den Assisen angeklagt worden, er sei der Urheber des Attentats, und welchen die Jury für unschuldig erklärte, wurde mit der Boury confrontirt.

Sobald ich in Gegenwart der Herren Bergeron und Benoit war — bemerkt sie —, sah ich alsbald, daß weder der Eine noch der Andere der Mensch vom Pont royal war. Ich hatte sogar nicht jenen ersten Zweifel, der sich meiner bemeisterte, als der Procurator des Königs Herrn Giroux in meine Stube brachte. Kein Anschein, kein Zeichen von Aehnlichkeit konnte das Versehen der Justiz rechtfertigen, kurz, ich hatte die sicherste Ueberzeugung, die vollkommenste Gewißheit, daß weder der eine noch der andere dieser Herren die Pistole abgefeuert; und wer war besser als ich im Stande, dies zu beurtheilen? Ich weiß wohl, daß es schwer ist, eine Person zu erkennen, die man so zu sagen ohne sie zu betrachten gesehen hat; ich weiß wohl, daß mein Auge sich kaum auf den Mörder des Pont royal geheftet, und daß ich erst ein wahrhaftes Interesse, ihn zu sehen und zu erkennen, hatte, als er schon verschwand; aber in solchen Fällen ist das Verneinen von stärkern Beweisen umgeben als die Bejahung. Man kann nicht so bestimmt sagen: ich erkenne. Ich kann aber nicht nur sagen: ich erkenne nicht, sondern gewissenhaft vor Gott schwören: Nein, keiner von diesen Herren ist Der, welcher mir zweimal einen heftigen Stoß auf die Brust gegeben.

Auch hier also begnügt sich die Boury nicht mit Angabe des Factums, sie will es auch wahrscheinlich machen. Doch herrscht hier mehr Ueberzeugung vor als in der Sprache von andern Theilen des Buches. Immerhin fragt es sich noch: Konnte sie wissen, ob es Bergeron war? Stand sie wirklich in der Nähe des Ereignisses? Erhielt sie den Stoß von dem Urheber des Attentats? Daß Bergeron nicht schuldig war, ist auch ohne die

Boury klar geworden; aber gilt ihr Zeugniß? Wie man ihr einerseits vorwarf, eine Rolle für die Policei gespielt zu haben, ist es nicht andererseits möglich, daß sie beim Ereignisse durchaus keine Rolle spielte? Doch wir haben die Memoiren nicht bis zu Ende verfolgt.

Die Boury muß im Justizpalaste erscheinen, wo sie als Zeuge auftritt. Sie stellt bei dieser Gelegenheit ein Capitel voll Betrachtungen an über die Jury, den königlichen Procurator und das Publicum, das mehr aus Frauen als Männern bestand. Sie findet, daß die Geschworenen sehr verlegen aussahen, und klagt mit vollem Rechte, daß man bei ihrer Auswahl mehr auf Geld als auf Talent sieht. Die Art, wie diese Betrachtungen redigirt sind, lassen vermuthen, daß sie einen Advokaten zum Mitarbeiter hatte. Sie entschuldigt sich freilich:

Ich bin nur ein Frauenzimmer, verstehe nichts von Gesetz und Geschäften, aber es scheint mir, daß man nur gesunden Menschenverstand zu haben braucht, um solche Betrachtungen anzustellen. Irre ich mich aus Mangel an Kenntnissen, so fahre ich doch fort, dem Leser meine Beobachtungen zu eröffnen, und sie werden durch Naivetät ersetzen, was ihnen an Tiefe fehlt.

Kein Zweifel, daß diese Worte nicht von der Boury geschrieben sind. Sagt je eine Dame: ich bin nur ein Frauenzimmer? Auf jeden Fall spricht Niemand von seiner eignen Naivetät; dies ist eine Eigenschaft, die man Andern beilegt. Sich selbst wird einer eher einen Dummkopf und einen Spitzbuben nennen, als daß er sich naiv nennt. Wer naiv ist, weiß es nicht. Gleich darauf aber kommen Worte, die eher aus der Feder oder doch dem Munde eines Frauenzimmers fließen konnten. Sie erzählt, welche Theilnahme man ihr im Justizpalaste erwies.

Wenn ich mehr Eigenliebe hätte — sagt sie — und weniger Kenntniß der Welt, so könnte ich mich nach pariser Manier ausdrücken, daß ich Effect gemacht habe; denn von diesem Augenblicke an nahmen die anonymen Briefe zu, worin Unbekannte mir ihr Herz, ihre Protection anboten, oder Drohungen an mich richteten.

(Der Beschluß folgt.)

Die Cucaracha von Eugène Sue. Aus dem Französischen von O. L. B. Wolff. Zwei Theile. Leipzig, Allgemeine niederländische Buchhandlung. 1833. Gr. 12. 2 Thlr.

An diesem Werke Eugène Sue's, ist, wenn man den Verf. bereits kennt, nichts neu und hervorstechend als der Titel. Die nicht geschonte Kraft pflegt der Schwäche Platz zu machen, und da Sue ein schlechter Haushalter mit seinem Vermögen war, so geht er dem geistigen Bankrott entgegen. Im Vergleich zu „Atar Gull" und dem „Salamander" sind die hier mitgetheilten Erfindungen bis auf eine matt, skizzenhaft, kraftlos; es fehlt ihnen Feuer, Glut, Begeisterung und Form; sie sind hingeworfen, nicht ausgeführt, kurze Momente, keine andauernde Erhebung. Dies ist die Wirkung verschwendeter Kraft, welcher Sättigung, Ekel an der Vollendung, Erschlaffung zu folgen pflegt. Die wunderbare Kraft der Erfindung, welche sich im „Salamander" kundgibt, hätte für drei Romane ausgereicht — sie ist in einem erschöpft, und das Nichtige und Unbedeutende tritt an ihre Stelle.

Zuerst vom Titel. „Ihn sticht die Cucaracha", sagt der Spanier von Einem, der das Schwatzen nicht lassen kann. Die Lustigkeit des Südens ergießt sich oft in einem Wortschwall, der so unaufhaltsam fortrauscht, daß der ruhige Nordländer einen so Ergriffenen vom Wahnsinn befallen glauben würde. Von diesem sagt man, ihm steche die Cucaracha, eine Fliege, eine Fee, eine Elfe, oder was man will, kurz ein ideelles Wesen. Die von dieser Lustigkeit Erfaßten singen ein Lied:

Aï que me pica,
Aï que me araña
Con sus patitas
La Cucaracha.

Ach, wie sticht mich,
Ach, wie kratzt mich
Mit ihren Füßchen
Die Cucaracha.

Von dieser Sprach- und Erzählerlust gibt sich der Verf. ergriffen aus und führt zu mehrer Versinnlichung seines Zustandes Juana, eine junge Bäuerin aus der Gegend von Cadiz, als von der Cucaracha gestochen ein. Diese Einleitung steht mit den nachfolgenden Skizzen in gar keiner Verbindung; sie ist ex post dazu gemacht und zeigt sich darum als eine Rohheit, als einen Kunstfehler.

Folgen nun die einzelnen Skizzen. Zuerst: „Meister Ulrich's Mütze", phantastische Seemannsscene, wie wir deren schon hinreichend von dem Verf. erhalten haben, erschütternd, wie seine Art ist, und geheimnißvoll. „Caballo negro y perro blanco" (schwarzes Pferd und weißer Hund), andalusische Sage, soll beweisen, daß der Wahnsinn kein Uebel sei und mit Unrecht dafür gehalten werde. Die Ueberzeugung, die uns bleibt, ist die vom Gegentheil, und vielleicht ist dies auch des Verf. wahre Absicht. Auch dies Bild ist ergreifend. „Narziß Gelin's, des Priesters, Reisen und Abenteuer" ist eine schwache Satire, sowie die „Schlacht von Navarin" in ihren drei Stadien eine ziemlich matte Schilderung. Die Erzählung hat indeß Werth, weil der Verf. diesem untoward accident selbst beigewohnt zu haben scheint. „Crao" beginnt, wie ein Roman — es bleibt indeß bei der Skizze. Diese Skizze ist erschütternd. Der Verf. läßt Othello, Jago, Desdemona vor unsern Augen lebendig werden, indem er „Othello" auf einem Liebhabertheater spielen läßt. Der Gedanke ist in Deutschland oft gebraucht — in Frankreich ist er neu. Sein Secretair Crao, eine Wiederholung Quasimodo's, was den Körper betrifft, ist um hundert Procent gräßlicher als Jago; aber das Gräßliche hat seine Grenze wie jedes Ding auf Erden, und die hundert Procent schießen über. Sie sind rein verlorene Arbeit. Nichtsdestoweniger ist die Erzählung schauerlich-fesselnd und die einzige, unter den hier gegebenen, die Eugène Sue's werth ist. Sein Grundsatz ist: die Wahrheit ist schön, weil sie häßlich ist — das Häßliche allein ist naturgetreu. Dieser Grundsatz ist handgreiflich falsch. „Mein Freund Wolf" ist das Non plus ultra des Widersinnes der Unnatur. Wolf bringt die Erzählung einer Unthat seinem Freunde auf und duellirt sich dann mit ihm, weil derselbe sein Mitwisser ist und er von dessen Hand sterben will; das ist maßlos verkehrt. Die folgende Skizze: „Claude Belissan, des Copisten, Reisen", ist ein Stück in Voltaire'schem Geist ein bitteres Spottgedicht auf die Liebe, die Freiheit und die Idee der menschlichen Gleichheit, von denen nur die letztere, als im sichtbaren Widerspruch mit der Natur, des Spottes werth ist. Dies Bild ist hundertmal geistreicher im „Candide" schon vorhanden und unter uns so oft gemalt, daß wir den simpeln, aber menschenhasserischen Autor nur belächeln können. Natürlich wird Claude schließlich von den Wilden verspeist, denen er Humanität predigt — das geschieht ihm, weil es ihm geschehen muß. „Der Gewissensbiß" ist wiederum eine ärmliche Erfindung, die den großen Mangel an wirklicher Lebenserfahrung, welcher diesen gewissermaßen genialen Autor auszeichnet, zur Schau stellt. Bekanntlich sieht er, — oder gibt sich wenigstens das Ansehen —, das Leben durch die schwärzeste Brille an, wiewol wir gar nicht zweifeln, daß diese grundlose Hypochondrie ein bloßer Autorenkniff, und daß Eugène Sue ein junger lebenslustiger Pariser sei, der sich für seine in künstlichem Trübfinn verlebten Morgenstunden wol am Abend zu entschädigen wissen werde; ein frevelhaftes Spiel, eine Maskerade, die zum wirklichen Ekel am Leben, zur vollständigsten Zerrissenheit, zu einem Endschicksal wie D. Leßmann's und mancher Anderer führen muß. Wie dem auch sei — Wahrheit oder Dichtung — der Verf. glaubt zu glauben, die Welt sei nur dazu da, dem Laster zum Schemel zu dienen, und der blaue Himmelsbogen sei ein ungeheures Triumphthor für die Sünde. Ein toller Gedanke, so sinnverwirrt und verwirrend, daß er fast nur vorgegebene, nicht wirkliche Ueberzeugung sein kann. Nichtsdestoweniger gibt Sue diese Ueberzeugung vor, wahrscheinlich weil sie neu ist und bei einem jungen lebensfrohen, liebenswürdigen und gewiß geistvollen Pariser interessant erscheint. In diesem Geist schreibt er seine Geschichten, die er oft vielleicht selbst belächelt um des Contrastes willen, zwischen ihm und seinen Büchern. Der Grundgedanke dieses Buchs, und im Besondern dieser Erzählung, ist: „Das Böse, das wir thun, zieht uns nicht halb so viel Haß, Verfolgung und Reue zu als das Gute, das wir zu thun nicht lassen können." Trostloser, wahnsinniger Gedanke, bei dem die innere Natur des Menschen, sein geistiges Dasein für nichts genommen und Alles auf seine äußere Existenz reducirt wird. Gute Thaten bereuen — das ist unmöglich! Wir können ihre Wirkungen bedauern; aber in subjectiver Beziehung sie bereuen — niemals! Dies also ist offenbarer Unverstand, Verblendung, Mangel an Einsicht. Diese seine trostlose Philosophie, die der Verf. sich bei jeder Gelegenheit zu wiederholen gefällt, die er in der Vorrede zum „Salamander" auseinandersetzte, rollt er in dem Schlußwort zu diesem Buche wieder auf. Glückliches Laster, leidende Tugend, das ist sein Symbolum! Daß die Tugend eine Ausnahme sei, ist seine (angebliche) Ueberzeugung, die, sagt er, er sich nicht habe wählen können; daß die Moral der Leidenschaft, das Recht der Gewalt und der List, die Wahrheit — der Lüge stets unterliege, daß es verderblich sei, dem Menschen und die Natur schön darzustellen, daß alle gute Regierung eine Arithmetik des Lasters sei, daß Neid und Egoismus die Lebensprincipe unseres physischen und moralischen Daseins darstellen, daß in diesem Glauben Trost ruhe — das nennt er seine tiefe, innerliche, glühende, schmerzliche Ueberzeugung. Credat Judaeus Apella! — Wir halten dafür, daß das Alles nur eine ganz einträgliche Buchhändlerspeculation sei, die darum gut ausschlage, weil der junge Sue wirklich ein außergewöhnlicher, oft in Erstaunen setzender Kopf, ein glühendes, seltenes, wunderbares Talent ist. 89.

Literarische Notiz.

C. A. Schaab führt in seiner „Geschichte der Erfindung der Buchdruckerkunst durch Joh. Gensfleisch, genannt Gutenberg, zu Mainz", S. 547 in dem Verzeichnisse der ältesten Drucke an:

„38. Psalterium 20. December. Fol. Goth. Die vierte Auflage dieses kostbaren Druckwerkes, mit den Lettern der ersten Auflage, von Peter Schöffer allein gedruckt. Auch die Zahl der Blätter zu 175 ist die nämliche. Davon sind 154 mit der größern und 21 mit der kleinern Missaltype gedruckt. Alle Initialen dieser Auflage sind ohne Verzierung. Man kennt keine Pergamentabdrücke dieser Auflage. Herr Van Praet kennt nur drei Exemplare auf Papier. 1) das der königl. Bibliothek zu Paris, bei welchem der große Initial B auf dem ersten Blatte und der Initial P am Anfange der Endschrift nicht aufgedruckt sind, sondern dafür Platz gelassen ist; 2) das des Bartholomäusstifts in Frankfurt, welches jetzt in der dortigen Stadtbibliothek ist; 3) das des hiesigen Liebfrauenstifts, aus welchem das letzte Blatt mit der Schlußschrift ausgeschnitten gewesen. Niemand weiß, wohin dies Exemplar gekommen ist. Ein viertes Exemplar befindet sich in der Hofbibliothek zu Darmstadt. Es hat in einem Chor gedient und durch den Gebrauch an den Ecken gelitten. Der Initial ist von einfacher blutrother Farbe. Ein fünftes Exemplar soll sich in der königl. sächsischen Hofbibliothek zu Dresden befinden. Alle Exemplare dieser Auflage haben das Fust- und Schöffer'sche Wappen."

In Vorstehendem ist das Dasein von drei Exemplaren nachgewiesen; das des vierten (zu Dresden) ist — dem angezogenen Buche nach — nicht gewiß.

Aber noch ein Exemplar befindet sich in der Bibliothek der herzogl. anhaltischen Predigergesellschaft zu Dessau, welches aber von den vorstehend beschriebenen in Folgendem abweicht. Es enthält 177 Blätter. Vielleicht aber erklärt sich dieser Unterschied dadurch, daß bei dem 155. Blatte nur die vordere Seite gedruckt, die hintere aber geschrieben ist. Hierauf folgt ein, 156 bezeichnetes ganz geschriebenes Blatt; dann wieder Blatt 157—177 gedruckt. Es dürfte der Bemerkung werth sein, daß die Zahlen der Blätter nur bis 137 gedruckt sind; auf 138—145 sind sie mit rother Dinte geschrieben, 139 ist wiederum gedruckt, von 140 an sind sie wieder geschrieben.

In dem hiesigen Exemplare ist das Initial-B auf dem ersten Blatte in Dunkelgrün, Violett, Roth, Gelb gemalt und mit Gold verziert.

In der Schlußschrift vom 20. December 1502 steht vor den Worten: „urbe maguntina", das Adjectivum: „nobili", was bei der angeführten Schlußschrift der ersten Auflage nicht erwähnt ist.

Das Exemplar ist in Holzdecken, mit Schweinsleder überzogen, gebunden, mit Messinghaken zum Verschließen und Ecken von demselben Metall; auf dem Vorderschnitt ragen mehre eingeklebte Pergamentstückchen hervor, welche wahrscheinlich als Zeichen zum Umwenden dienten. Im Innern ist es ziemlich rein erhalten, doch sind die Blätter, an welchen die Pergamentstückchen angeklebt sind, mehr beschmuzt als die andern.

Angehängt sind noch 24 geschriebene Blätter, von welchen die ersten sieben Gebete in lateinischer Sprache, die letzten 17 aber überschrieben sind: „Ordo cantionum ecclesiasticarum ad Officium sacrae Missae secundum Usum et morem Be-

uf der zweiten Seite des ersten Blattes ist mit rother eingeschrieben:

Piæ Precationis Reverendissimi et Illustrissimi
Principis Georgij Principis ad Anhalt: Co-
mitis Ascaniae: Præpositi Magdeburgē-
sis et Misnensis: Domini in Czerbst
et Bernburgk. Quibūs quotidie
pie usus est tempore matūti-
no et vespertino. Qui obi-
it in vera Christi et ver-
bi illius agnitione et
confessione. An-
no à Christo
nato Mil-
lesimo
Quin-
gen-
tesi-
mo
Quin-
qūagesiō
tertio Die Mē-
sis Octobris de-
cima septima Cui9
anima requiescat in
sancta pace:

Auf der innern Seite der Decke steht geschrieben

1558.

Got schicks zum besten
Joachim Fürst zu Anhalt.

Dessau † . † . †" 202.

Redigirt unter Verantwortlichkeit der Verlagshandlung: F. A. Brockhaus in Leipzig.

Blätter für literarische Unterhaltung.

Donnerstag, —— Nr. 304. —— 31. October 1833.

Mémoires de Mademoiselle *Adèle Boury.*

(Beschluß aus Nr. 303.)

Auch im Justizpalaste hatte die Boury Abenteuer. Im Audienzsaal wurde sie bestohlen. Man nahm ihr, sagt sie, weder Schnupftuch noch Geld weg, sondern ihr kleines Taschenbuch, und das muß mit großer Geschicklichkeit ausgeführt worden sein, da sie ihre Hand keinen Augenblick von den Sackschnüren entfernte. Sie lacht über die wichtigen Entdeckungen, welche der Dieb durch den Inhalt des Portefeuilles machen konnte; darin waren 1) eine Epistel in Versen, worin ein junger Bursche, der eben das Gymnasium verließ, ihr seine Liebe erklärte; 2) eine Einladung zum Mittagsessen; 3) die Rechnung eines Gastwirths; 4) die Rechnung der Wäscherin und Nähterin; 5) die handschriftliche Copie eines possirlichen Liedes des Schauspielers Odry sammt gelehrten Anmerkungen von Touzez; 6) zwei Entréekarten fürs Kindertheater bei Comte; 7) endlich die Adresse eines Parfumeurs in der Straße St.-Honoré.

Am 29. Januar 1833 schritt der Generalprocurator Persil zur Anklage gegen Bergeron und Benoit. Am 11. März wurden die Debatten eröffnet.

Was mich betrifft — erzählt die Boury — so trug ich einen schwarzen Schleier, der mir das Gesicht bedeckte, und darüber einen carmoisin-purpurfarbigen Plüschhut. Ich muß gestehen, daß ich mir unter dem Schleier ins Fäustchen lachte aus Schadenfreude über die Neugierigen, die mich wegen des Schleiers nicht sehen konnten.

Die Boury schreibt dann über die Debatten. Unter Anderm wurde sie vom Präsidenten gefragt:

„Haben Sie vor dem Attentate Herrn Thiers gesehen?" Antwort: „Nein, mein Herr; als ich Morgens hinging, war er nicht mehr zu Hause." „Und nach dem Attentat?" „Ebenso wenig." Dann: „Haben Sie den Baron Athalin gesehen?" (Athalin ist Adjutant des Königs und erfreut sich der besondern Gewogenheit von Madame Adelaide.) Antwort: „Ich kenne ihn nicht." „Sie haben weder den König noch die Königin gesehen?" „Nein, mein Herr". Eine Sache — berichtet sie später — die ich mir noch nicht erklären kann, ist diese: als mir die Pistole auf dem Tische gezeigt wurde, erkannte ich sie ohne Zögern. Vielleicht irrte ich mich; aber noch jetzt glaube ich mich nicht geirrt zu haben. Ich erklärte also, daß ich sie erkenne. Beim Nachdenken finde ich übrigens, jene Ueberzeugung könne die Folge eines nicht auffallenden Irrthums gewesen sein; ich habe so wenig Waffen in meinem Leben gesehen, daß ich mich hierin täuschen konnte.

Endlich berichtet die Boury ausdrücklich, daß der Generalprocurator erklärte, sie sei von keinem Zeugen erkannt worden, sie sei offenbar nicht an Ort und Stelle und höchstens auf der Brücke gewesen. Sehr viel Neues sagt sie nicht über die Debatten. Jetzt aber kommen wir wieder zu sonderbaren Abschnitten, zu den anonymen Briefen, von denen schon oben die Rede war.

Diese Briefe sind von verschiedener Art.

Mademoiselle — beginnt der erste von den Briefen, welche 36 Seiten anfüllen — ich habe Sie gestern vor Gericht gesehen und finde Sie charmant. Ich werde Ihnen nicht sagen, daß ich von diesem Augenblicke an für Sie entbrannt bin, daß ich Sie anbete, daß ich sterblich verliebt bin u. s. w., ich lasse all diese Phrasen den Romanschreibern und Schulknaben; ich bin über das Alter der Hyperbeln hinaus.

Ich will den andern Theil des Briefes, worin von 600 Francs die Rede, nicht übersetzen.

Liebenswürdige Demoiselle — beginnt ein anderer Brief — ich habe einen merkwürdigen Geschmack für die Celebrität bei den Damen, wenn sie hübsch sind, und bin immer bereit, ihnen meine Bewunderung zu bezeigen. Unsere lieblichsten lyrischen und dramatischen Schauspielerinnen und die Tänzerinnen lassen mir Gerechtigkeit widerfahren; ich bin jung, reich, freigebig, und man sagt, ich sei nicht übel; ich belustige mich gern, besonders in Gesellschaft, habe ein Tilbury, schmucke Pferde, zierliche Livrée, eine Loge im Theater. Alles steht zu Diensten. Morgen können Sie mich da und dort im Theater sehen.

Ich will nicht den ganzen Brief übersetzen. „Je regraite bocoup", schreibt eine comtesse douérière aus dem Marais, „que ma ciatique me force à gardé la chambre, car j'oré eu un grand plésir a vous randre une visite." Und so drei Seiten, worin es auch heißt: „Si on vous mét en prizon; tout lés ami cincère du légitime socupéron de vous, et vous ne séré pas mal eureuse."

Mademoiselle Boury — habe ihr ein Anderer geschrieben — der Zufall machte Sie zum Zeugen eines wichtigen Vorfalls; zittern Sie vor den Folgen. Wenn durch Ihre Erklärung Blut auf dem Schaffotte fließt, so wird der Dolch der Rache Ihr eignes Blut bis zum letzten Tropfen verspritzen u. s. w.

Die Tochter eines neugebackenen Pairs gratulirt ihr: „Ach, warum war ich nicht an Ihrer Stelle? Mein Cousin, der Auditor beim Staatsrathe ist, würde mich dann gewiß noch mehr lieben." Dann ein karlistischer Brief:

Fliehen Sie nach England. Wenn es zu spät ist, trugnen Sie Alles, man wird Sie beschützen. Wenn Sie aus Schwäche oder aus irgend einem Grunde Person n nennen, die noch unlängst den ersten Rang in Paris einnahmen, so sind Sie verloren. Sie sind von Spionen umringt. Wenn Sie blos gegen Republikaner auszusagen haben, so bleiben Sie, sprechen Sie, und es droht Ihnen keine Gefahr.

Ein romantischer Brief:

Fräulein! Ihre Aethergestalt, Ihr Himmelsantlitz und der schwarze Zug, der leidend auf der Stirne ruht, wo die Schneefarbe der Frühlingsblume des Herzens Unschuld und Reinheit zeigt u.s.w., haben mit Freud und Leid mein hoffnungsvoll verzweifelndes Gemüth erfüllt. (Und so ein paar Seiten fort.) Im Namen vom Genius des Erhabenen, des Phantastischen, des Riesenhaften, wenn morgen im alterthümlichen Palaste der Könige, in den Tuilerien, der Glockenschlag zehnmal in der Frühlingsluft erklang, so finde dich zum Stelldichein.

Endlich Verse. Der Dichter vergleicht sie mit der Jungfrau von Orleans; ich will nur zwei Strophen anführen:

Par les efforts d'une vierge intrépide,
Dont Dieu lui-même a suscité le bras,
Philippe échappe à la balle perfide,
Qu'il sut jadis braver dans les combats.

Dès ce moment la France est votre mère,
Du peuple entier c'est le voeu le plus doux;
Chaque Français vous doit le coeur d'un frère,
Heureux celui qui sera votre époux!

Einen nicht anonymen Brief erhielt die Boury vom königl. Adjutanten Larochefoucauld. Er zeigt an, daß er täglich nach 1 Uhr Mittags für sie zu Hause sei. Er nahm sie gut auf, verschaffte ihr aber, sagt sie, trotz ihrer Bitten keine Audienz bei der Königin. Andererseits war sie selber stolz bei manchem Gesuche, das man an sie richtete. Ein Theaterdirector habe ihr eine schöne Loge angeboten und ein Honorar von 300 Francs unter der Bedingung, daß er auf die Affiche setzen dürfe: Mademoiselle Boury wird im Theater sein; dann knüpft ein vornehmes Kaffeehaus Unterhandlungen an, damit sie Comptoirdame werde und Gäste anlocke. Als man erfuhr, sie wollte Memoiren herausgeben, kamen Leute und wollten nicht etwa das Manuscript, sondern ihren Namen kaufen und das Buch selbst schreiben.

Bei diesem bewegten widerwärtigen Leben — so schließt sie ihr Buch — war ein Augenblick tröstend für mich: ich rede von der Aufnahme bei Herrn von Lafayette. Längst hatte ich ihn zu sehen gewünscht, aber vor dem Schlusse des Processes wagte ich nicht, darum zu bitten. Auf mein Ersuchen antwortete er: der General Lafayette hat die Ehre, Mlle. Boury zu grüßen und wird sehr „empressé" sein, sie übermorgen, Freitag, zwischen 10 und 11 Uhr zu empfangen. Punkt 10 Uhr war ich dort, wurde gleich eingelassen; der General empfing mich mit väterlicher Güte und bezeigte einen lebhaften Antheil an meiner Lage. Ich hatte nie eine Physiognomie gesehen, die so viel Ehrfurcht und Vertrauen einflößte. Er billigte mein Benehmen, lobte meine Ausdauer, mit der ich die Wahrheit gesagt. Nach kurzer Unterredung ging ich weg, von Dank durchdrungen.

Was sie aber eigentlich mit Lafayette sprechen wollte, sagt die Boury nicht.

Es ist Zeit, unsere kleinen Resultate zu ordnen, zu vergleichen und uns dadurch zu einem so allgemeinen Urtheil über diese Memoiren zu erheben, als es möglich ist, so lange der Proceß selbst keine andern Aufklärungen erhält. Sind die Memoiren wirklich von der Boury verfaßt? Die Schreibart ist manchmal weiblich, aber die Memoirenschreiber sind an die Kunst und die Fehler dieses Styles gewöhnt. Die Boury behauptet, das Buch sei von ihr geschrieben; sie bittet um Nachsicht wegen der Unerfahrenheit, womit sie ihre Gedanken aufzeichnet. Ist aber jene Behauptung wahr? Die Boury schreibt von Achill und Deïdamia, kennt Anekdoten, wie die von Rostopschin aus der Zeit der Invasion, versteht die Fiacreregeln in den Ministerien. Dies geht noch mit guten Dingen zu, aber ich glaube nicht, daß sie selbst von ihrer Anschauung der Bildsäulen in den Tuilerien erzählt; daß sie die Advocatenbemerkungen über die Jury geschrieben; daß sie von ihrer eignen Naivetät spricht; ich glaube mit ganz Paris, daß man ihr bei der Redaction geholfen hat. Wenn sie es nur gestünde! Allein durch ihr Leugnen bekommen wir ein Vorurtheil gegen ihre Wahrheitsliebe überhaupt. Sie widerspricht sich auch zuweilen; wir führten Beispiele an. Sie hat Niemanden als ihre Wirthsleute in Paris gesprochen, nimmt einen Platz auf der Messagerie, will nur noch zwei Tage wegen der Merkwürdigkeiten da bleiben; wann schrieb sie denn aber wegen der 40,000 Francs an den König? Wollte sie es in den zwei Tagen thun? aber sie blieb nur wegen der Merkwürdigkeiten. That sie es früher? aber dann hatte sie eine Art Verhältniß mit dem Hofe. Warum gibt sie das Datum nicht an? Vollends unwahr scheint das Abenteuer, das sie im Schloßgarten erlebt haben will.

Es ist nicht anzunehmen, daß die Boury seit langer Zeit ein Verhältniß mit Herrn Thiers hatte; dies würde man sonst nachgewiesen haben. Möglicher scheint ein Verhältniß seit ihrer Ankunft in Paris. Sie war vom Abgeordneten Morel an ihn empfohlen; der Gerichtspräsident fragte sie hierüber, auch, ob sie Herrn Athalin kenne.

War die Boury auf der Brücke, vor dem Menschen, welcher nach dem Könige schoß? Sie widerspricht sich. Sie hat sich nicht umgesehen und spricht dennoch von einer Gruppe, die beständig hinter ihr gestanden habe. Von den Offizieren wurde sie nicht vorgefunden. Man kann, wie man will, ihren Ausdruck deuten, daß es ihr erst an den Tuilerien in den Sinn kam, sie habe den König gerettet. Immerhin haben Zeugen ausgesagt, daß sie auf der Brücke in der Nähe des Vorfalls gewesen sei. Hat sie aber die Hand des Mörders abgewendet? Sie hätte kein Interesse daran, es zu behaupten. Sie ging auf eine Postdirection, auf 40,000 Francs aus. Sie suchte auch Vortheil v n ihren zwanzig Jahren, von den Briefen, Eroberungen und zuweilen von ihr selbst aufgesuchten Abenteuern zu ziehen. Es ist aber doch möglich, daß sie den Schuß abgewendet.

Glaubt die Regierung, daß sie es gethan? Steht sie noch in Verhältnissen mit der Regierung? Es ist merkwürdig, daß sie zwischen einiger Satire gegen das Cabinet im Wesentlichen ihm zu nützen sucht. Sie spricht davon, es sei großer Zudrang bei Hofe gewesen, um den geretteten König zu sehen. Sie sagt dies mehrmals. Sie versichert, Herr Martin, Secretair des Herrn Thiers, habe vorher nichts von dem Schusse wissen können. Sie bemerkt oft, daß sie den König nicht in den Tuilerien gesehen. Durch Einiges in den anonymen Briefen erfreute sie offenbar die Regierung. Das Herbste gegen den Hof ist ihre Aussage, daß sie keine Audienz bei der Königin erhalten konnte; allein es ist ja möglich, daß sie auch hierin einen Dienst leistet. Man habe ihr angedeutet, sagt sie einmal, es würde bekannt werden, wenn man sie belohnte.

Kurz, die Memoiren sind gewiß nicht von der Boury allein. Manche Angabe darin läßt an ihrer Wahrheitsliebe zweifeln. Man kann nicht unbedingt glauben, daß sie ohne alles Verhältniß zum Cabinete war; man kann auch nicht gradezu das Gegentheil glauben; es liegt im Interesse des Herrn Thiers, die Sache aufzuklären. Die Boury war vermuthlich auf der Brücke und hat wol den Schuß abgewendet, der bei der Beschaffenheit der Pistole auf keinen Fall den König treffen konnte. Es ist ungewiß, ob sie belohnt wurde; Herr Thiers könnte dies aufklären. Es liegt in seinem Interesse als Minister und Geschichtschreiber, diesen anziehenden Moment nicht länger im Dunkeln zu lassen. Es liegt auch im Interesse Ludwig Philipp's, damit die boshafte Welt in Paris nicht ferner sage, er habe so überlegt: „Soll ich ihr Geld geben? Sie hat mich vielleicht gerettet, vielleicht nicht; beim Zweifel nimmt man Anstand; ich gebe kein Geld." Und dies sind nicht die grausamsten Glossen der bösen Welt. 187.

Geschichte der römischen Literatur, von J. C. F. Bähr. Zweite, vielfach vermehrte und berichtigte Ausgabe. Karlsruhe, Müller. 1832. G. 8. 3 Thlr.

Daß ein gelehrtes Werk solchen Umfanges schon vier Jahre nach seiner ersten Erscheinung eine neue Ausgabe erfodert, zeugt von allgemeiner Anerkennung seines Werthes und ist nicht minder ehrenvoll für das Publicum als für den Verf., der seine Erkenntlichkeit nicht besser an den Tag legen können als durch die augenscheinlichen Verbesserungen und Vermehrungen, welche er dieser fleißigen Umarbeitung gegeben. Sein schönster Lohn bleibt ohne Zweifel die Benutzung des mühsamen Erzeugnisses; sein glänzendster, daß ein Kenner wie Orelli dazu beitrug, dieser Auflage Vorzüge vor der ältern zu ertheilen. Der Gedanke, welcher dieser Geschichte zum Grunde liegt und ihre Anordnung und Eintheilung bestimmte, konnte nicht glücklicher, belehrender und anschaulicher durchgeführt werden. Sie ist geworden, was sie sein sollte, eine systematisch-historische Darstellung alles Dessen, was von den Römern auf dichterischem und wissenschaftlichem Gebiete geleistet ist, und zerfällt in fünf Zeitabschnitte, deren Angabe eine Auskunft über ihre Sprache vorangeht. Ihr Ursprung ist älter als alle Geschichte, sodaß selbst der vielbelesene und eifrige Forscher Tiraboschi sich bewogen fand, nichts darüber zu entscheiden. Rom entstand aus verschiedenen kleinen Völkerschaften der Umgegend, bildete seine Sprache aus deren verschiedenen Mundarten und benannte sie nach dem Volke, welches an seiner Gründung den Hauptantheil genommen. Diese Angabe bleibt immer wieder abhängig von der nie vollkommen aufzulösenden Frage nach dem Ursprung der Völker selbst. Doch erlauben alte dunkle Sagen, Latium, Italiens Mittelpunkt, als das Land zu betrachten, in welchem aus mancherlei Mischungen eine Sprache, die lateinische, sich gestaltet, in der zwei Idiome, ein griechisches und ein ungriechisches, zu erkennen sind. Nach und nach siegte die Mundart Roms über die andern und das griechische Element über das ungriechische. Daß aber neben der Sprache der Gebildeten eine der Ungebildeten fortbestanden, eine lingua rustica neben der urbana, darf nicht befremden; und merkwürdige Trümmer der ungebildeten haben sich in der romanischen Sprache Graubündtens wie in der wallachischen bis auf den heutigen Tag erhalten. Das römische Alphabet scheint wenigstens größtentheils griechischen Ursprungs und die Aussprache einzelner Buchstaben nicht sehr von der griechischen verschieden gewesen zu sein.

Der erste Zeitabschnitt eigentlicher Literatur geht von von Erbauung der Stadt bis zur Beendigung des ersten punischen Krieges in ihrem 514. Jahre. Der zweite von Einführung der griechischen Literatur und Nachahmung der römischen bis auf Cicero 648 J. n. R. E. Der dritte bis auf den Tod des Augustus, im 767. Jahre der Stadt oder dem 14. der christlichen Zeitrechnung, welche man das goldene Zeitalter zu nennen pflegt. Ihm folgt das sogenannte silberne oder vierte bis auf Hadrian, im Jahre der Stadt 870, n. Chr. 117. Das fünfte und letzte, ehern genannt, bis zum Untergange des abendländischen Römerreichs unter Romulus Augustus, im Jahre 476 unserer Zeitrechnung. Mit ihm endigt sich gleichfalls die Oberherrschaft der lateinischen Sprache und Literatur. Der allgemeine Charakter jedes Zeitalters ist gedrängt und genügend angegeben, dessen vorzüglichste Schriftsteller sind genannt; doch bleiben die christlichen Dichter und Kirchenväter mit Recht von dieser Uebersicht ausgeschlossen, weil deren ganz verschiedene Richtung eine ganz verschiedene Behandlung erfodert, und die Darstellung der christlich-römischen Literatur ein eigentlich ihr bestimmtes Werk nothwendig macht. Sie wird sich, wie wir wünschen, bis auf spätere Zeiten herab erstrecken und, soll sie der Sehnsucht der Literaturfreunde ganz entsprechen, erst da ihr Ziel finden, wo Dichter und Prosaiker anfingen, sich ihrer durch sie gebildete Muttersprache lieber als der lateinischen zu bedienen, mit deren classischen Mustern sie nicht zu wetteifern vermochten. Treffend und gerecht bemerkt der Verf.: „Die römische Literatur, ohnerachtet sie der griechischen nachstrebt wie unsere besten Schriftsteller beiden, ermangelt keineswegs der Selbständigkeit. Nicht blos behält jeder geistvolle Bewerber um ein Verdienst, das seine Thätigkeit auffodert, neben der Anerkennung des Vorgängers, worauf sich Niemand besser versteht als er, seine eigne ihm allein zukommende Behandlungsart, sondern die gesammte römische Literatur hat ihr eigenthümliches Gepräge. Die Idee von Rom und dessen Weltherrschaft war und blieb die Seele des Römerlebens und ging in alle Römerwerke über. In dieser Entwickelung zeigt sich fortdauernd ein kräftiger Geist und ein frisches Leben, das man vergeblich in mehren durch Form und Bildung ausgezeichneten Schriften der Rhetoren und Sophisten von Hellas suchen wird. Das Gemüth des Menschen ist sein Maßstab für den Werth aller Dinge; es leitete auch die wissenschaftliche Thätigkeit des Römers und unterschied sie wesentlich von den Bestrebungen der Griechen. Dem Römer sagte nur Das zu, was seinem Staate und Vaterlande unmittelbar Vortheil oder Ehre erwerben konnte, und er verschmähte Speculationen, die keinen sichtbaren Einfluß auf das Leben hatten. Diesen Stempel prägte er seiner Sprache ein, ihrer gedrungenen Kürze, ihrem Ernst, ihrem gebieterischen Wohllaut, ihrer Kraft und Würde. Da ihm Ausbildung der Rede und der historischen Darstellung über Alles ging, ward Rhetorik die Grundlage jedes schriftstellerischen Erzeugnisses, dichterische nicht ausgeschlossen."

An diese allgemeine Charakteristik, welche das erste Buch umfaßt, schließt sich die der einzelnen Wissenschaften, welche die vornehmsten erhaltenen Schriftsteller nach der Zeitfolge aufstellt, würdigt und die vorzüglichsten Ausgaben derselben angibt, ohne sich auf ihre Uebersetzungen in lebenden Sprachen einzulassen. Selten, musterhaft und schwer zu erreichen ist die Unbefangenheit, womit der Verf., den wir uns freuen als akademischen Lehrer in Heidelberg angestellt zu sehen, sowol die Vor- und Rückschritte jeder Wissenschaft und

Kunst bei den Römern als auch das Verdienst ihrer ausgezeichneten Schriftsteller und die abweichenden Meinungen angesehener Kunstrichter über ihre Vorzüge und Mängel in kurzen aber genügenden Zügen zusammenstellt und nachweist, wo Ausführlicheres darüber zu finden ist. Dadurch wird seine gelungene, faßliche, vorurtheilsfreie Darstellung zum willkommenen und unentbehrlichen Handbuch aller Literaturfreunde, derer sowol, die das Ganze schnell übersehen wollen, als derer, die nur einzelnen Zweigen der Wissenschaft ihre Aufmerksamkeit widmen. Kritischen Zeitschriften des In- und Auslandes überlassen wir eine, unsern Blättern versagte Prüfung des gründlich gelehrten Werkes, und begnügen uns mit dem Geständnisse, daß wir nichts darin gefunden, dem wir widersprechen zu müssen glauben, oder das wir berichtigen zu können uns getrauen. Denn daß in Sachen des Geschmacks Jeder seinen eignen Sinn hat, daß er dem Ausspruche des bewährtesten Richters hier und da etwas hinzufügt oder abdingt, versteht sich von selbst und ist, so lange es die Grenzen der Bescheidenheit nicht überschreitet, ein heilsames Naturgesetz, dem ja auch wir weder entgehen können noch wollen.

Dies vorausgeschickt, dürfen wir uns auf die bloße Angabe der von dem Verf. beobachteten verständigen Ordnung beschränken. Das zweite Buch begreift die Poesie in nachstehender Folge: ihre ältesten Bruchstücke, die Tragödie, die Komödie, das Epos, die poetische Erzählung, das Lehrgedicht, die Satire, welche ganz eigentlich den Römern gehört und sich nicht nach griechischen Mustern bildete; die lyrische Poesie, die elegische, die bukolische, das Epigramm, welches von dem griechischen wesentlich abweicht, und worin Martial den Dichtern lebender Sprachen vorzüglich zum Muster geworden ist. Das dritte Buch umfaßt die Prosa: älteste Denkmale, die Geschichte, die Beredsamkeit, der Roman, der im neuern Wortsinn den Römern fremd blieb, und wozu von erhaltenen Schriftstellern nur Petronius und Apulejus gerechnet werden können, die bei allen Schönheiten der Einkleidung in sittlicher Hinsicht nicht zu rechtfertigen sind; die Epistolographie, als Beitrag zur Zeitgeschichte überaus wichtig; die Philosophie mit Inbegriff der Naturlehre und Naturbeschreibung, die noch jetzt in England mit Recht Naturphilosophie heißen; die Mathematik, Baukunst und Kriegswissenschaft, die Geographie, die Medicin, die Landwirthschaft, die Grammatik, und endlich die Rechtswissenschaft, deren entschiedener Einfluß auf die Gesetzgebung aller gebildeten Völker europäischer Abkunft unverkennbar ist. Ein sorgfältig gearbeitetes chronologisches Schriftstellerverzeichniß nach gewählter wissenschaftlicher Folge und ein zweites alphabetisches aller erwähnten Gegenstände und Namen erleichtert den Gebrauch des Werkes, dessen flüchtige Anzeige hinreicht, jede Empfehlung überflüssig zu machen. 95.

Miscellen.

Friedrich II. und die Jesuiten.

Thiébault, der zwanzig Jahre Friedrich II. Vorleser war, berichtet in seinen „Denkwürdigkeiten" (I, 14), daß der große König die Bulle Clemens XIV., durch welche der Jesuitenorden aufgehoben wurde, nicht gebilligt und dabei die Aeußerung gethan habe: „Ich hebe den katholischen Fürsten als guter Bruder dies Samenkorn auf; aber sie sollen es nicht umsonst bekommen, ich will es ihnen theuer genug verkaufen, dafür stehe ich." Diese im Munde eines solchen Königs anscheinend sehr auffallenden Worte erhalten durch die im Urkundenbuche zum dritten Bande von Preuß's „Geschichte Friedrich II." bekannt gemachten Cabinetsordres (S. 109—121) einige Erklärung. So schreibt derselbe am 21. Nov. 1773 — also wenige Monate nach der Aufhebung des Ordens — an den Minister von Carmer: „es sei ihm lieb gewesen, aus dessen Berichte zu ersehen, daß die Beibehaltung der Jesuiten in Seinen Landen und der Schutz, den Er selbigen widerfahren lasse, diesem ganzen Orden zu einiger Aufrichtung und Soulagement gereiche", und schließt dann: „und bin Ich auch ganz wohl zufrieden, daß sothane Provinz sich mit denen von Euch zugleich erwähnten Churpfälzischen Jesuiten wie auch mit denen Missionarien in Holland, England und in andern Welttheilen vereinigen und solchergestalt dieses nützliche Institut durch die Vermittelung der Schlesischen Provinz auch in mehrern Gegenden erhalten werden möge". Weiter bezeigt er dem Fürstbischof von Ermeland (27. Sept. 1775) seine Zufriedenheit mit den Reglements der Jesuitenschulen und erklärt, daß er in dieser Rücksicht sich bei dem Papste verwendet, der auch seine Intercession bereitwillig angenommen habe. Daher befiehlt er, „nichts, was diese Patres anbetrifft, sowohl in geistl. als weltlichen Sachen abzuändern, ja sie vielmehr in statu quo zu belassen und ihnen fernerhin die bisher genossene Gerechtsame zu verstatten und ihnen keines Weges weder die geistlichen Werbungen, weder andre Vergünstigungen, die ihrem Institut gemäß, zu versagen." In andern Cabinetsordres an den Jesuitenrector, Pater Reinach, erklärt sich der König ebenfalls über die zu Rom zu Gunsten des Ordens gethanen Schritte, die endlich die Beibehaltung der Ordensbrüder in den königl. preußischen Landen veranlaßten (3. Januar 1776), empfiehlt denselben, fortwährend die Erziehung der Jugend sich angelegen sein zu lassen, setzt ihm aber auch ebensowol als dem Superior P. Strobel zu Glatz einen Director für die Administration der Güter an die Seite (23. August 1783), da „er gar nicht zufrieden sei von der Wirthschaft der bisherigen Administration", gibt ihnen auf, „die Rechnungen alle Jahre prompt abzulegen und von der Ober-Rechen-Cammer in Berlin abnehmen zu lassen", und verspricht sich dadurch sowol Abzahlung der Schulden, als auch Ersparnisse zum Besten des Ordens.

Zur Geschichte des Tabacks.

Nach Europa kam der Taback 1559 zuerst aus der mexicanischen Provinz Yucatan. Zwei Jahre später brachte, wie aus Thomson's „Memoirs of the life of Sir Walter Raleigh" (London 1830) hervorgeht, Johann Nicot, der Gesandte Franz II. von Frankreich am Hofe zu Madrid, ihn nach Paris und machte ihn der Katharina von Medici zum Geschenk. Da hieß er: herbe de la reine, herbe sacrée, herbe sainte, und es ward sogar sprüchwörtlich zu sagen: „Et qui vit sans tabac est indigne de vivre". Franz Drake brachte die virginischen Blätter nach England, wo er aber nach einer Aeußerung Camden's wenig Beifall fand. Derselbe schreibt nämlich in seinen „Annales rerum Anglicarum et Hibernicarum regnante Elizabetha" (z. J. 1589, S. 408) der frankfurter Ausgabe vom J. 1616: „Et hic (Dracus) redux Indicam illam plantam, quam Tabaccam vocant et Nicotiam, qua contra cruditates, ab Indis edoctus, usus erat, in Angliam primus, quod sciam, intulit. Ex illo sane tempore usu esse coepit creberrimo et magno pretio, dum quam plurimi graveolentem illius fumum, alii lascivientes, alii valetudini consulentes, per tubulum testaceum inexplebili aviditate passim hauriunt et mox e naribus efflant; adeo ut tabernae tabaccanae non minus quam cerevisiariae et vinariae passim per oppida habeantur, ut Anglorum corpora (quod salse ille dixit), qui hac planta tantopere delectantur, in barbarorum naturam degenerasse videantur, quum iisdem, quibus barbari, delectentur et sanari se posse credant." Von dieser Zeit an lernte ganz Europa den Taback kennen und lieben, so sehr ihn auch die Geistlichen und einzelne Fürsten zu verbieten suchten. Papst Urban VIII. (1624) und Innocenz XII. (1690) bedrohten Alle mit dem Banne, die in der Kirche Taback nehmen würden; in Ungarn ward 1670 den Adeligen bei 50 Gulden, dem Bauer bei 6 Gulden Strafe zu rauchen verboten; ja, in Rußland verlor nach einem Ukas vom J. 1634 Derjenige seine Nase, der Taback schnupfte. Nicht minder eiferten Jakob I. von Großbritannien und der Großsultan dagegen; aber nichtsdestoweniger verbreitete sich der Gebrauch des Tabacks durch alle europäische Staaten und ward für nothwendig zur Würde eines Mannes geachtet, lange vorher ehe Tieck in einer seiner Novellen („Die Gesellschaft auf dem Lande", S. 126) dies mit beredten Worten ausgesprochen hatte. 39.

Redigirt unter Verantwortlichkeit der Verlagshandlung: F. A. Brockhaus in Leipzig.

Blätter

für

literarische Unterhaltung.

Freitag, — Nr. 305. — 1. November 1833.

Zur Nachricht.

Von dieser Zeitschrift erscheint außer den Beilagen täglich eine Nummer und ist der Preis für den Jahrgang 12 Thlr. Alle Buchhandlungen in und außer Deutschland nehmen Bestellung darauf an; ebenso alle Postämter, die sich an die königl. sächsische Zeitungsexpedition in Leipzig, das königl. preuß. Grenzpostamt in Halle, oder das fürstl. Thurn und Taxische Postamt in Altenburg wenden. Die Versendung findet wöchentlich zweimal, Dienstags und Freitags, aber auch in Monatsheften statt.

Handbuch des Wissenswürdigsten aus der Natur und Geschichte der Erde und ihrer Bewohner. Zum Gebrauch beim Unterricht in Schulen und Familien, vorzüglich für Hauslehrer auf dem Lande sowie zum Selbstunterricht. Von Gottfried Ludwig Blanc. Zweite, vermehrte und verbesserte Auflage. Mit Abbildungen. Erster Theil. Halle, Schwetschke und Sohn. 1833. Gr. 8. Pränumerationspreis für drei Theile 3 Thlr.

Es ist der gegenwärtigen Zeit eine entschiedene Richtung zur Verbreitung nützlicher Kenntnisse und zur Steigerung der Civilisation und Bildung, um dadurch einen bleibenden Nutzen hervorzubringen, nicht abzusprechen. Mag auch diese Richtung, zum Theil durch die politischen Veränderungen, die Europa seit 30 Jahren erfahren hat, veranlaßt, mitunter einen etwas stürmischen Charakter tragen, ja mag es wol gar den Schein haben, als ob unter dem Streben, Bildung in allen Classen des Volkes zu verbreiten, revolutionnaires Treiben verborgen sei, so liegt doch nichtsdestoweniger in diesem Wunsche, Neues zu lernen und zu erfahren, ein nicht unwirksames Gegenmittel gegen leere Theorien und eingebildete Glückseligkeit der Völker. Denn jene Schriften, größere sowol als kleinere, durch welche unsere Schriftsteller bemüht sind, einen Theil ihrer Kenntnisse in einer populairen Einkleidung zum Gemeingut der Masse ihrer Mitbürger zu machen, zwecken fast alle auf Erhaltung des politisch Bestehenden ab und wollen das Volk nur durch größere Bildung für allmälige Reformen empfänglich machen, es auf einem zwar langsamen, aber dafür um so gebahntern Wege zu seinem Glücke führen. Das Glück aber besteht darin, daß ein Jeder lerne den Gesetzen und der verordneten Obrigkeit gehorsam sein, daß er eine innige Anhänglichkeit an sein Fürstenhaus und Vaterland bewahre; daß er sich selbst des freiesten, uneingeschränktesten Gebrauchs seiner Kräfte bewußt werde; daß er vom Ausland lerne, aber das Ausland nicht nachahme oder die widerstreitenden Formen und Institutionen desselben in sein Heimatland übergetragen zu sehen wünsche. Dazu wirken historische, geographische, naturwissenschaftliche Schriften, wie sie jetzt sich in den Händen Vieler im Volke befinden, da diese auch durch die größere Wohlfeilheit des Preises in den Stand gesetzt sind, diejenige Bildung daraus zu gewinnen, zu der sie in wohleingerichteten Schulen den Grund gelegt haben. Solche Bücher sind z. B. Becker's „Weltgeschichte" und die einzelnen Bände der in Dresden erscheinenden „Historischen Taschenbibliothek", aus denen Geschichte gelernt werden kann, im Gegensatze zu dem sehr pomphaft angekündigten neuen Werke eines andern Schriftstellers, der die ganze Geschichte nur aus seinem Standpunkte und um seines Standpunktes willen zu schreiben beabsichtigt. Weiter rechnen wir hierher die Sammlungen anziehender Reisebeschreibungen von verschiedenen Verfassern; ferner Zeitschriften wie Froriep's „Notizen aus dem Gebiete der Heilkunde und Naturwissenschaften"; die „Blätter aus der Gegenwart" und das „Pfennig-Magazin", die sämmtlich auf ungesuchte Weise verschiedenartige Kenntnisse verbreiten. Wären Schriften, wie Brandes' „Vorlesungen über Astronomie", Schubert's naturwissenschaftliche Abhandlungen, Sommer's geographische Taschenbücher noch wohlfeiler, so würden sich von ihrer Verbreitung besonders ersprießliche Folgen erwarten lassen, denn ihre Verfasser vereinigen gründliche Gelehrsamkeit mit populairer Faßlichkeit. Ja, selbst die so sehr vervielfältigten Taschenausgaben der berühmtesten Schriftsteller des In- und Auslandes tragen zu der allgemeiner gewordenen Bildung und zu dem Bestreben, dieselbe noch mehr verbreitet und den Durst nach wissenschaftlichen Kenntnissen gestillt zu sehen, das Ihrige bei. Ueber Schiller und Göthe brauchen wir hier nicht zu sprechen; aber daß durch Scott's, Cooper's, Irving's und Bulwer's Schriften die Kenntniß von England und Amerika zugenommen habe und die Liebe zur Lecture historischer Compositionen gestiegen sei, kann selbst Derjenige nicht ableugnen, vor dessen strengkritischem Auge historische Romane keine Gnade finden. Endlich aber ist diese Bildung ganz besonders durch das viel angegriffene „Conversations-Lexikon" (wir meinen das echte Brockhaus'sche) unterstützt worden, ein Werk, welches in Anlage und Ausführung so zeitgemäß ist, daß man sich hieraus wol den Neid erklären kann, mit dem es seit seinem Entstehen zu kämpfen gehabt hat. Der verewigte Brockhaus hatte mit außerordentlichem Scharfblick die vorherrschende Richtung eines sehr großen Theils der Zeitgenossen für Geschichte, Politik, Gesetzgebung, Länderkunde, Handel, Fabriken und die verschiedenen Zweige der Technologie erfaßt und mit Berücksichtigung derselben ein Werk begründet, welches schon in seiner ersten unvollkommenen Gestalt mit vielem Beifalle aufgenommen ward und seitdem viel benutzt, viel aus- und abgeschrieben worden ist, und zwei französischen und einer nordamerikanischen Nachahmung zum Vorbilde gedient hat.

Am schlechtesten nahm sich diese Nachahmung in dem „Rheinischen Conversations-Lexikon" aus, von dem es im „Taschenbuche ohne Titel" für das J. 1830 (S. 230) sehr witzig hieß:

Das Lexikon der Conversation
Gleicht einem markgefüllten Knochen,
Woran Spitz und Consorten nagen.

Diese deutsche „Real-Encyklopädie" ist in ihrer fortgesetzten neuen Auflage und in der Fortsetzung oder in dem „Conversations-Lexikon der neuesten Zeit und Literatur" so vielfach bereichert und durch die ausgedehnten Verbindungen der Verlagshandlung sowie durch das einträchtige Zusammenwirken einer großen Anzahl Gelehrter eine wahre Fundgrube für Bildung und Civilisation der neuern Zeit geworden. Und da die ältern Ausgaben stets wohlfeiler verkauft werden, so hat es auch in die Wohnungen der Bürger und Bauern Eingang gefunden und Belehrung verbreitet. Daß es auch auf der andern Seite manchen Schwachen unterstützt, manchem Schriftsteller aus seinen Nöthen geholfen und hier und da manchen frommen Betrug veranlaßt hat, kann einem Werke nicht zum Tadel angerechnet werden, das bis in seine kleinsten Theile originell ist und also auch nothwendig das Schicksal alles Originellen haben mußte.

Es ist nicht der kleinste Vorzug des Brockhaus'schen „Conversations-Lexikon", daß es den Mittelpunkt für Forschungen und Entdeckungen mancherlei Art bildet. Solcher Mittelpunkte aber bedarf unsere Zeit, um sich zu orientiren, um auf dem mannichfach erschütterten Boden festen Fuß zu fassen. Ein solcher Mittelpunkt für Geschichte und Länderkunde ist auch das genannte Blanc'sche Werk, das wir nicht unpassend in den Kreis der Schriften ziehen zu können glauben, durch welche auf die Bildung und Wissenschaftlichkeit unserer Zeit nachhaltig eingewirkt werden kann.

Bereits im Jahre 1822 hatte Herr Professor Blanc die erste Auflage eines Handbuches geliefert, durch welches er der Dürre und Trockenheit, an welcher der geographische Unterricht in vielen Schulen und Lehranstalten litt, begegnen und ein Werk liefern wollte, welches Alles umfassen sollte, was der Jugend und jedem Gebildeten überhaupt in geographisch-statistischer und historischer Hinsicht zu wissen nothwendig wäre. In der erstern Beziehung kam es dem Verf. weniger auf die Schilderung des Topischen an (weil dies vorzugsweise durch Anschauung der Landkarten erreicht werden muß) als auf die klimatischen und physischen Eigenthümlichkeiten der Länder, die Producte und ihre Verarbeitung, die Art und den Charakter ihrer Bewohner, ihre Religion, Sitten und Vergnügungen u. s. w., weil grade dies ein Bild des Landes gibt, nicht aber die Kenntniß vieler unbedeutenden Namen und vieler Zahlen. In der zweiten Beziehung wollte Herr Blanc nicht blos eine Nomenclatur von Fürsten und Begebenheiten geben, sondern eine Schilderung der eigentlichen Lebenspunkte eines Volkes, er wollte, unparteiisch und frei von aller Bitterkeit, religiöse und politische Gegenstände darstellen, denn (und dies ist ein sehr wahres Wort) „die Jugend soll in aller Wahrheit unterwiesen, aber nicht fanatisirt werden". Nach diesen Rücksichten sollte sein Buch eine von den gewöhnlichen geographischen Hand- und Lehrbüchern abweichende Gestalt erhalten: nicht blos die quantitative Größe, sondern oft

nes Landes mußte berücksichtigt werden; nicht blos der Stand der Gegenwart, sondern auch ältere Verhältnisse, die eine vorherrschende Wichtigkeit erhalten hatten, gehör-

Die Aufnahme der ersten Ausgabe bewies, wie richtig Verfasser und Verleger das Publicum gekannt hatten. Herrn Blanc's gründliche Arbeit, die durch ihre stylistischen Vorzüge nicht wenig gehoben wurde, seine gebildete Darstellung, die überall den geistvollen, durch Welt, Reisen und Bücher gebildeten Mann errathen läßt, fand großen Beifall in Lehranstalten und beim Privatunterricht.
Eine
indeß
und besonders der treffliche Artikel über denselben in der Ersch-Gruber'schen „Encyklopädie" zeigen, mit welcher Umsicht und Gründlichkeit er dieselben betrieben hat) den frühern Beschäftigungen entfremdet worden und mußte sich also darauf beschränken, sein Handbuch nochmals durchzugehen, Irrthümer zu berichtigen, manches früher Aus-

gelassene hinzuzufügen und vor allen Dingen Alles nachzutragen, was seit der ersten Erscheinung des Buches in geschichtlicher, geographischer und literarischer Hinsicht von einiger Bedeutung vorgekommen war. Ref. kann nach angestellter Vergleichung mit der ersten Ausgabe bezeugen, daß der Verf. hierbei sehr gewissenhaft verfahren sei, und somit viele kleine Versehen und Irrthümer aus der neuen Ausgabe verschwunden sind.

(Der Beschluß folgt.)

Der Roman der Geschichte von Frankreich, in einer Reihe von Novellen, verbunden durch historische Uebersichten, nach Leitch Ritchie von R. O. Spazier. Drei Bände. Leipzig, Dyk. 1833. 8. 3 Thlr. 18 Gr.

Daß der historische Roman, der Vater so vieler Monstra in der Poesie, nahe daran wäre, gleiche Monstra auch in der Geschichte auszuhecken, lag nicht aus dem Wege, und so sehen wir, wie in England jetzt auch eine romanhafte Geschichtschreibung Mode geworden ist, die an Abgeschmacktheit vielleicht noch die trivialsten aller Trivialitäten übertrifft, in welche sich der historische Roman, der sich durch seine bessern Repräsentanten immer noch würdig zu vertreten weiß, je verirrt hat. Die Bearbeiter gehen zunächst von wohlmeinenden Absichten für die Verbreitung der Kenntniß der Geschichte im größern Publicum aus. Erhend, wie an Walter Scott's Romanen auch das als einer der Vorzüge gepriesen wurde, daß der zerstreute Leser dabei wie spielend zugleich ein Stückchen Geschichte für sich profitiren konnte, kam zuerst Reeie auf den Gedanken, diese träge und geistlose Bequemlichkeit, Geschichte zu studiren, zu einer Speculation zu benutzen, und so schrieb er die ganze Geschichte Englands in einer Reihe von Novellen, er machte aus der Geschichte Geschichtchen und verband sein Gemisch von Fabel und Wahrheit durch historische Uebersichten, welche, zwischen die Novellen gestellt, den geschichtlichen Gang der Ereignisse nach der Zeitenfolge berichteten. Der Leser sollte gewissermaßen, ohne daß er es merkte, Geschichte lernen. Man wollte ihm den Dornenpfad des Studiums mit Blumen bestreuen, und auf ein schwächliches Geschlecht rechnend, fürchtete man, daß die Großthaten der Kö[illegible]ge und Völker in der unmittelbaren Wirklichkeit zu sehr angreifen würden, und dämpfte deshalb Alles durch eingemischte romantische Amusements ab. Selbst in den historischen Uebersichten wurde aus Besorgniß, daß die reine Geschichte dem lieben Leser langweilen könne, die ernste historische Relation sehr gemäßigt; und die Sache machte ihr Glück und erweckte Nachfolger. Ein solches Machwerk ist denn auch der „Roman der Geschichte" von Frankreich von Leitch Ritchie, den Herr Spazier sich die Mühe genommen, ins Deutsche zu übertragen. Was soll man aber dazu sagen, wenn der Uebersetzer, welcher in seinem Vorwort mit übertriebener Vorliebe von Unternehmungen der bezeichneten Art spricht, die Hoffnung darauf setzt, durch solche romanhafte Geschichtschreibung „in eine neue Gattung der Geschichtsliteratur einzutreten und mit Hülfe dichterischer, nicht mehr blos philologischer und arithmetischer Exegese und der so vornehm verworfenen und schlecht benutzten Chroniken und Zeitmemoiren ein großes, treues, helles Panorama wirklicher Länder- und Völkerleben zu erhalten". Er glaubt also, daß der Geschichte durch solche Zwitterdarstellungen wirklich geholfen werden könne, während wir nur eine widerwärtige Befleckung des reinen Charakters der Geschichtschreibung darin zu sehen vermögen. Wer heutzutage ein solcher Barbar ist, daß ihn die Geschichte in ihrer unmittelbaren und ihrer Würde gemäßen historischen Darstellung so anekelt, daß man ihm, soll er ein Interesse daran finden, durch romanhafte Färbung und Illusion zu Hülfe kommen muß, für den bedarf es auch des Aufwandes dieser Mühe kaum. An sich aber scheint uns der Werth der in Rede stehenden Romandarstellungen der Geschichte so gering, daß wir nicht zu begreifen im Stande sind, wie sich daraus eine nur irgend vollständige Anschauung eines Länder- und Völkerlebens entnehmen läßt, und ein Leser sich dadurch lebendig haftende Kenntnisse von der Geschichte Englands oder Frankreichs gewinnen könne. Das Werk von Leitch Ritchie näher betrachtet, so finden wir darin nicht einmal in den historischen Uebersichten einigermaßen genügende Ausführungen, um die Hauptverhältnisse der französischen Geschichte mehr als oberflächlich zu verstehen. In den Novellen selbst ist zwar der reiche Stoff der Chroniken, die der Verf. fleißig durchforscht zu haben scheint, nicht selten glücklich ausgebeutet, aber was auffällt, ist, daß hier nicht einmal die geschichtlichen Hauptbegebenheiten jeder Periode oder die darin auftretenden bedeutendern Charaktere zur Grundlage der Erzählungen genommen werden, sondern oft ganz entlegene Stoffe, die entweder nur Nebenpartien der Geschichte skizziren, oder mehr nur in den Bereich der Geschichte des Privatlebens fallen. Sowol in historischer als poetischer Hinsicht scheint diese Arbeit daher keiner Uebersetzung werth gewesen zu sein, und diese hätte um so mehr unterbleiben können, da leider schon mehr als zuviel den Engländern und Franzosen von uns nachübersetzt wird. 88.

Correspondenznachrichten.

Paris, October 1833.

Talleyrand, der alte Mercur aller Systeme von Regierungen, welche seit der ersten Revolution in Frankreich sich die Hände gereicht haben; Mercur in dem ganzen Umfange dieser mythologischen Benennung, nicht zwar mit geflügeltem Fuße, aber desto geflügelterm Geiste, und stets den Vortheil seines Herrn, vor Allem aber den seinigen in den zahllosen diplomatischen Sendungen seines buntfarbigen Lebens im Auge behaltend; Talleyrand mit dem weiten Gewissen, mit dem offenen Kopfe und den offenen Händen d. h. zum Empfangen; Talleyrand der Republikaner, der Kaiserliche, der Bourbonendiener und Antinapoleonist; Talleyrand aus den Ruinen seiner Vergangenheit hervorhinkend, um der Julimonarchie den Beistand seiner diplomatischen Kunstfertigkeit zu bieten; Talleyrand, der Autor des schönen Satzes, der für sich allein ein Commentar und eine Biographie des Mannes ist: „Die Sprache ward dem Menschen gegeben, um seine Gedanken zu verdecken", der Großmeister der europäischen Diplomatie, ist von London in Paris angekommen, und seit seiner Ankunft ist in den höhern Cirkeln von nichts Anderm als von ihm die Rede. Er empfängt in seinem Hôtel gleich einem Fürsten, und der kleine Minister Thiers, belagert die Schwelle seines ehemaligen Gönners und Meisters, welcher frühzeitig den hohen Beruf in der damals bescheidenen Gestalt seines Secretairs erkannt hat. Während die Götter zweiten Ranges vor dem diplomatischen Götzen niedergeworfen sind, verbreitet sich das Gerücht, daß zwischen Talleyrand und dem König selbst einige Spannung eingetreten, daß das Verhältniß von unbedingtem Vertrauen nicht mehr das nämliche sei. Der König, der die Manie hat, von Allem, auch von der hohen Politik, im Aeußern wie im Innern, im pronomine possessivo zu sprechen, preßt dem alten Schlauen ein Lächeln der Ironie und des Spottes ab. Louis Philipp sinnt unaufhörlich darauf, wie er sich auf seinem Thron durch Heirathen seiner Familienglieder befestigen könne; Talleyrand findet diese Taktik alt, abgenutzt und einigermaßen lächerlich; der Prinz von Benevent ist unzufrieden mit der Stellung, welche der Bürgerkönig in der spanischen Angelegenheit, jetzt bei eingetretenem Tode Ferdinand's, genommen hat; er geht auf sein Schloß bei Valençay; auf wie lange, ist unbekannt. Sollte der politische Höhen- und Tiefenmesser ein übles Vorgefühl des Ganges der Dinge haben und darum kein besonderes Gewicht auf die Rückkehr an einen Gesandtschaftsposten legen, welcher für den ersten in der diplomatischen Welt gilt? —

Lassen wir diese Betrachtungen der Politik in engerer Bedeutung; mein Zweck hier ist, in dem Augenblicke, wo Talleyrand als diplomatischer Repräsentant des aus der Julirevolution hervorgegangenen Königthumes einen glänzenden Standpunkt einnimmt, einen Blick auf die geschichtlichen Data seiner frühern Laufbahn zu werfen; es ist nicht immer gut, unter der Gegenwart die Vergangenheit spurlos verschwinden zu lassen, stets dient die letztere der erstern als Deutung, und wie das Heute aus dem Gestern sich erkennen läßt, so auch mag einst die Geschichte den Charakter der sogenannten bürgerköniglichen Dynastie und Regierung nach den Vorgängen der eigenen Familie von Orleans und jener ihrer vorzüglichsten Staatsmänner bemessen.

Die „Tribune“ nennt Talleyrand den modernen hinkenden Teufel. Dies ist, obgleich sehr unartig, doch der Wahrheit näher, als wenn ihn das „Journal des débats“ die schützende Vorsehung der Monarchie heißt. Man hat unter andern Proben seiner Tüchtigkeit die Freundschaft Mirabeau's genannt, welcher die Menschen nur nach ihrem Werthe geschätzt habe. Hierauf wäre vielerlei zu erwidern, vor Allem, was die Competenz des Richters in moralischer Beziehung angeht. Aber es wird überflüssig, da die Thatsache selbst historisch sich ganz anders herausstellt. In einem Briefe an den Grafen d'Antraigues drückt sich Mirabeau über den Bischof von Autun folgendergestalt aus: „Ich muß schonende Rücksicht haben mit diesem feilen, habgierigen, niedrigen und intriganten Menschen; sein Element ist Koth und Geld. Für Geld hat er seine Ehre und seinen Freund verkauft; für Geld würde er seine Seele verkaufen, und er hätte Recht; denn er würde seinen Mist gegen Gold vertauschen.“ Nach der Geschichte von Montgaillard rühmte sich Talleyrand in einem Rechtfertigungsschreiben an den Convent vom 12. Dec. 1792 der Abfassung einer energischen Adresse des Departements von Paris an Ludwig XVI., welche, wie er sich ausdrückte, die Patrioten mit dem Namen einer „republikanischen“ beehrten. Damals war Ludwig XVI. in Untersuchung. Im Jahre 1798 wohnte er dem Jahresgedächtniß vom 21. Januar bei, welches stattfand, um des Tyrannen Tod zu feiern, welchen er „gerecht“ nannte, zu Bonaparte sprechend. Im Jahre 1799, in einer von ihm verbreiteten Flugschrift, drückte er sich also aus: „Meine Feinde behaupten, ich sei nur ein Constitutioneller vom Jahre 91 und böte keine Gewähr dar gegen den Umsturz der Republik. Seltsame Behauptung! Ein Patriot von 89, welcher keinen Anstand genommen hat, der Republik den Eid zu leisten, und der ihn seither in den entscheidendsten Verhältnissen wiederholte, hat keine Gnade von einer französischen Regierung zu hoffen, welche nicht Republik wäre.“ — „Es ist bewiesen, tausendfach bewiesen, daß ich keinen andern Wunsch haben kann, als jenen, die Republik befestigt zu sehen. Ein Franzose kann ohne Raserei die Freiheit nirgend anders als in der Republik suchen.“ — „Die englische Regierung gab mir den Befehl, binnen 24 Stunden England zu verlassen. Ihr Haß war für mich eine ehrenvolle Auszeichnung. Ich ging nach Amerika, da ich nirgend anders als auf freier Erde in Sicherheit sein konnte.“

An dem berüchtigten Tage des 18. Fructidors, welcher ein gewaltsamer Staatsstreich gegen die Constitution und die gesetzgebende Versammlung war, stattete Talleyrand, welcher einer der Hauptführer dieses 18. Brumaire des Directoriums war, an Bonaparte in einem officiellen Briefe vom 22. Fructidor folgenden Bericht ab: „Die Benennung: Patriot, war eine Beleidigung geworden; alle republikanischen Institutionen waren herabgewürdigt; das Directorium hat die Verschworenen ergreifen lassen; ein rascher Tod ist vom ersten Tage an gegen Jeden verhängt worden, welcher das Königthum oder den Herzog von Orleans zur Sprache brächte. Die Höfe von Wien und von London waren im Einverständnisse mit der Partei, welche soeben gestürzt wurde; sie hatten zum gemeinschaftlichen Ziele: die Wiederherstellung eines Königs in Frankreich und einen ehrlosen Frieden.“ Der Herzog von Orleans, von welchem hier gesprochen wird, ist der heutige König, und Derjenige, welcher damals so eifrig dazu half die Orleans'sche Partei zu zerstreuen, ist heute sein Minister und erster Gesandter!

Talleyrand war sehr thätig in der Sache des Herzogs von Enghien, welchen Bonaparte eigentlich nicht kannte. Talleyrand war der Hauptagent der Entthronung der Bourbons in Neapel. Im Jahre 1806 that er sein Möglichstes, um Napoleon von seiner Lieblingsidee, der Wiederherstellung Polens, abzubringen. „Mit den Leuten ist nichts anzufangen, man organisirt nichts als Unordnung.“ Bald darauf bestand er bei dem Kaiser auf die Entfernung der Bourbonendynastie aus Europa und namentlich aus Spanien. Im Jahre 1814 fing eine neue glänzende Laufbahn für das politische Wechselgestirn an. Alexander, um ihn für seine der Invasion der Alliirten geleisteten Dienste zu belohnen, überhäufte ihn mit Geschenken, wohnte bei ihm und verschaffte ihm die Ernennung als Minister der auswärtigen Angelegenheiten. An dem Verrathe Marmont's, welcher den Sturz Napoleon's entschied, weshalb der Name Marmont in den Augen des Volkes mit einem ewigen Brandmale behaftet ist, trägt Talleyrand einen namhaften Antheil; Marmont hatte dreimal die ihm gemachten Vorschläge zurückgewiesen, er wich endlich den Künsten und der Ueberredung Talleyrands. Werden unsere Nachkommen nicht mit Grund erstaunen, wenn sie einen solchen Namen unter den Ministern einer Regierung finden, welche sich für den Ausdruck der im Juli 1830 stattgehabten Umwälzung ausgibt? Doch, darin daß sie sich nur dafür ausgibt und es nicht ist, liegt die Lösung des Räthsels. Es besteht hier wie überall in der Geschichte kein Räthsel!

Das Assisengericht in Paris ist unermüdlich in politischen Verurtheilungen, und diesmal scheint die königliche Gerechtigkeit, Dank sei es der Auswahl des Präfecten auf der Geschworenenliste und der Sichtung des Präsidenten des Assisenhofes, in befriedigendem Maße gehandhabt zu werden. Alle Gerechtigkeit geht vom König aus, das ist einer der hier traditionell übernommenen Sätze, die eine große Abgeschmacktheit enthielten, wären sie weniger perfid, und erinnerte nicht die menschliche Schwäche bei Ausübung des heiligsten aller Aemter mit Schmerz auszurufen: In der That, alle Gerechtigkeit geht vom König aus, darum gibt es kein Recht in allen Processen, wo die Gewalt, die Regierung selbst, die Privilegien der Herrschaft ins Spiel treten und den Richterspruch vereiteln wollen. Der in diesem Augenblick anhängige Rechtsstreit wegen der Austreibung des Italieners Macchiarelli gibt davon ein neues Beispiel.

(Der Beschluß folgt.)

Notizen.

In Wilna ist nun neben der medicinischen Akademie kraft eines kaiserlichen Ukases vom 1. Juli d. J. auch eine „römisch-katholische geistliche Akademie“ errichtet und mit ihr die bisher daselbst bestandenen katholischen Seminarien vereinigt worden. Eine besondere Abtheilung dieser Akademie ist zur Ausbildung der armenisch-katholischen Geistlichen bestimmt.

Von Golebiowski sind vor einiger Zeit mehre sehr wichtige aus den Quellen geschöpfte Beschreibungen der Gewohnheiten, Wohnungen, Haushaltungen, Gastmäler, Kleidungen, Spiele u. s. f. des polnischen Volkes erschienen. Diese Werke bilden eine so vollständige vaterländische Archäologie, wie wir sie in mancher reichen Literatur noch vermissen.

In Posen ist eine neue Auflage von Mickiewicz sämmtlichen Poesien in einem Bande (1832) herausgekommen.

177.

Redigirt unter Verantwortlichkeit der Verlagshandlung: F. A. Brockhaus in Leipzig.

Blätter für literarische Unterhaltung.

Sonnabend, —— Nr. 306. —— 2. November 1833.

Handbuch des Wissenswürdigsten aus der Natur und Geschichte der Erde und ihrer Bewohner. Von Gottfried Ludwig Blanc. Erster Theil.

(Beschluß aus Nr. 305.)

Auf der andern Seite aber verkannte Herr Blanc ganz und gar nicht, daß seit der Erscheinung der ersten Ausgabe die Behandlung des geographischen Unterrichts wesentlich besser und geistvoller geworden ist. Die Verdienste eines Volger, Hoffmann u. A. hat er selbst nicht unerwähnt gelassen. Denn es herrscht jetzt eine ungemeine Bewegung in der Wissenschaft der Erdkunde, welche namentlich durch die glänzenden Fortschritte in den Naturwissenschaften, die von der Werner'schen Schule ausgingen, erzeugt, dann durch Leop. von Buch's geistreiche Forschungen und vor Allem durch Humboldt's großartige Universalität gesteigert worden ist. Aus dieser Bewegung ging Ritter's System hervor. Ritter hat nach höchst genauer Sammlung der Thatsachen zugleich das mühsame Geschäft der Kritik des aufgehäuften Stoffes übernommen und die Aufgabe und den letzten Zweck seines Werkes in das Durchdringen der todten Materie mit einem lebendigen, auf die bildende Seite der Wissenschaft gerichteten Sinne und Geiste, sowie in die Veranschaulichung des Naturgemäßen gesetzt. So ist ihm die Erde gewissermaßen zu einem geistig belebten Organismus mit einer höhern ethischen Bestimmung geworden, in welchem eine reiche Kette von Beziehungen zwischen der Natur und dem Menschen, dem Schauplatze und seiner Geschichte besteht, und das Eine nur im Lichte des Andern richtig aufgefaßt und erkannt zu werden vermag. Mit welcher Gelehrsamkeit, Gediegenheit und Klarheit diese Ideen von Ritter in seiner „Erdkunde" verwirklicht sind, ist keinem Gebildeten unbekannt; er ist, wie sich Göthe einst („Briefwechsel mit Schiller", V, S. 324) über den Physiker Ritter äußerte, „ein wahrer Wissenshimmel auf Erden". Aber zur Zeit sind diese Grundlagen zu einer Reform der Geographie noch das Eigenthum des Meisters und einiger ausgezeichneter Schüler desselben und die wenigsten in unsere Lehranstalten verpflanzt oder der Fassungskraft der Lernenden gehörig angepaßt worden. Berghaus versuchte dies in seinen „Elementen der Erdbeschreibung" (Berlin 1830); aber wie glänzend auch eine einzelne Partie, namentlich die Darstellung der Land- und Wasserräume der Erde ist, so hat es doch dem Meister in der graphischen Kunst, dem Freunde und Studiengenossen Ritter's, nicht gelingen wollen, ein für Schüler passendes Compendium zu schreiben. Mehr pädagogischen Takt zeigten K. von Raumer in seinem „Lehrbuche der allgemeinen Geographie" (Leipzig 1832) und Alb. von Roon in seinen „Grundzügen der Erd-, Völker- und Staatenkunde" (Berlin 1832); aber die tüchtige Arbeit des Letztern paßt besser für den ausgedehntern geographischen Unterricht, wie er in Militairerziehungsanstalten ertheilt zu werden pflegt (und solche hatte der Verf. auch zunächst vor Augen), als für den Lehrgang in höhern Lehranstalten und Bürgerschulen. Vielleicht also, daß der Meister selbst sich noch nicht ganz klar darüber ist, wie die neue Theorie recht zweckmäßig für die Praxis des Schulunterrichts zugerichtet werde. Haben wir doch auch noch keine deutsche Schulgrammatik aus und nach Grimm's Forschungen! Doch wir kehren zu Herrn Blanc zurück. Auch er kannte die Ritter'schen Ideen, aber er hat sie nur in einem geringen Grade und in Verbindung mit der frühern Methode seines Buches in Anwendung gebracht. Ihn leitete dabei die durch eifriges Nachdenken gewonnene Ueberzeugung, daß bei seinem Zwecke einer allgemein zu verbreitenden Bildung und Aufklärung sowie der Gewinnung richtiger Ansichten über Länder und Völker die topische Auffassung nicht schlechthin die erste Stelle einnehmen dürfte. Vielmehr mußte dieselbe mit der Kenntniß der Völker und Bewohner des Bodens eng verbunden sein. In dieser Vereinigung hatte sich das vorliegende Buch bereits in der ersten Gestalt Freunde und Leser in den verschiedensten Ständen erworben; weshalb also hätte Herr Blanc um einer allerdings sehr geistvollen Idee willen Alles umstürzen und einen Weg betreten sollen, der zwar nicht bahnlos vor ihm lag, dessen Ziel aber ihm sehr schwankend und unsicher erscheinen mußte? Ref. wenigstens — und gewiß mancher Freund der Erdbeschreibung mit ihm — freut sich eines Werkes, das die früher so oft ersehnte Vereinigung des geographischen und historischen Unterrichts so schön ins Leben gerufen, und in welchem neben gehöriger Berücksichtigung der Höhenzüge und Flußgebiete (die denn doch, zu ausführlich beschrieben, das jugendliche Gemüth nicht zu fesseln vermögen) auch dem Menschen, der ja, wie Herder so schön sagt, die Krone der Organisation unserer Erde, der erlesenste Inbegriff und gleichsam die Blüte der Erdenschöpfung ist, die gehörige Rücksicht zu Theil wird. Diese Berücksichtigung wird namentlich in der genannten Roon'schen Schrift sehr vermißt und in dem sonst sehr lehrreichen Raumer'schen Handbuche durch eine zu vorherrschende religiöse Richtung gestört.

Ref. wendet sich nun zu einigen Einzelheiten des Blanc'schen Buches. Die vorangeschickte „Allgemeine Einleitung" ist neu durchgesehen und recht zweckmäßig für Die, welche sich in der Kürze und doch gründlich über den Bau des Weltgebäudes, Magnetnadel, Barometer, Thermometer, Galvanismus, Elektricität, Luftschifffahrt, Fernröhre, Neptunisten und Vulkanisten u. dgl. zu unterrichten wünschen. Bei Erklärung der Globen (S. 27) waren noch die pneumatisch-portativen Erdgloben zu erwähnen, die zuerst in München (1832) und dann in Berlin, von J. L. Grimm gezeichnet und von W. Scharrer gestochen, erschienen sind. Diese sind namentlich für den öffentlichen und Privatunterricht sehr zu empfehlen, da man ein zusammenhängendes orographisches Tableau erhält und einen Erdglobus für das Studium der physischen Geographie, wie derselbe bisher nur für das Studium der mathematischen Geographie benutzt wurde. Bei Gelegenheit des Herschel'schen Spiegeltelestops (S. 32) durfte auch Frauenhofer's Riesenrefractor, der in seinen Wirkungen die Teleskope Herschel's und Schröter's übertrifft (s. Bode's „Astronomisches Jahrbuch", Bd. II, S. 212 fg.) nicht übergangen werden, sowie unter den merkwürdigsten Höhlen auf S. 77 die Höhlen von Ellora nicht fehlen dürfen.

Die in diesem Theile beschriebenen Länder sind: Portugal, Spanien, Frankreich, das britische Reich, die Niederlande, d. h. Holland und Belgien, die Schweiz, die skandinavischen Reiche. Es wird hinreichend sein, einzelne Punkte aus der großen Menge des Guten und Schätzbaren herauszuheben, um so die Aufmerksamkeit von Neuem auf dies nützliche Buch zu lenken. Die Naturbeschreibungen sind mit vieler Anschaulichkeit, aber doch nie zu überladen, wie in einer poetischen Prosa abgefaßt; so die allgemeine Uebersicht über die Vegetation (S. 86), die Charakteristik des festen Landes (S. 96 fg.), die Beschreibung der Alpen (S. 376), der Gletscher (S. 381), des norwegischen Bodens und Klimas (S. 453 fg.). Bei den Schilderungen der Landschaften und Städte hat der Verf. in dieser neuen Ausgabe einen besondern Fleiß auf genauere Beschreibung der wichtigsten Städte gewendet, wie die Artikel London, Paris, Edinburg, Madrid, Amsterdam, Stockholm hinlänglich beweisen. Hier zeigt sich besonders die Geschicklichkeit des Verf., lebensvolle Bilder aufzustellen und aus der Masse von Erscheinungen diejenigen herauszuheben, welche dem Leser das Bild der großen Stadt auf das lebendigste vor die Seele halten. Hierdurch hat er Raum für Dinge gewonnen, die Kleinigkeiten zu sein scheinen, die mancher Leser aber doch gern erfährt, und die besonders auf dem Lande, wo es an Büchern fehlt, oft aus der Noth helfen werden, z. B. über den französischen republikanischen Kalender (S. 171), über Diamantschleifereien (S. 351), über den Bau und die innere Einrichtung der Schiffe (S. 255 fg.), was bei der Lecture der Cooper'schen Romane sehr willkommen sein wird; über den Stier von Uri (S. 404), der so Vielen in Schiller's „Wilhelm Tell" unverständlich gewesen ist. Herr Blanc erklärt das Wort ganz richtig, nur hätte er noch hinzusetzen sollen, daß dies auch der Titel eines Rathsherrn im Canton Uri ist, um dadurch das Wappen von Uri, den Stier, recht lebendig zu symbolisiren. Und damit auch den Freuden der Tafel ihr Recht werde, hat der Verf. edeln Weinsorten und Leckerbissen seine Aufmerksamkeit nicht versagt, wie die Stelle über die Graveswеine (S. 165), den Austerfang an den Küsten der Bretagne (S. 190), die bayonner Schinken (S. 196) und die Champagnerweine (S. 210) zeigen.

Die geographischen Angaben haben in der neuen Bearbeitung durch die Angabe der Aussprache in den verschiedenen Ländern, durch die Hinzufügung der alten lateinischen Namen und durch Bezeichnungen einzelner Sylben hinsichtlich ihrer Länge und Kürze gewonnen. Auch abweichende Benennungen einzelner Stämme und Provinzen, wie Poitevin, Picard, Bourguignon u. dgl., haben ihre Erklärung erhalten.

Die historischen Bemerkungen und politischen Ansichten haben sich auch in der zweiten Ausgabe in ihrer Unparteilichkeit und Reinheit erhalten. Herr Blanc hat mehr als Einmal der Versuchung widerstanden, dem eignen, warmen Gefühle Worte zu leihen. Denn wer kann wol der neuesten spanischen und portugiesischen Geschichte ohne gerechten Unwillen gedenken, wer von Belgien ohne Bitterkeit sprechen? wer kann endlich die Julirevolution berühren, ohne sich des mannichfachen Unheils zu erinnern, welches von Paris aus über so viele Länder gekommen ist? Aber Herr Blanc ist stets wahr und einfach geblieben und hat sich an die ungeschminkte Darstellung der Thatsachen gehalten, aus der aber ein aufmerksamer Leser die ehrenhafte Gesinnung des Verf. hinlänglich errathen kann. Diese Geschichtserzählungen sind nun in besondern Abrissen entweder nach Beendigung der geographischen Beschreibung beigefügt oder bei einzelnen Städten in der Kürze verzeichnet worden. Ref. hat hier keine Unrichtigkeiten von Bedeutung wahrgenommen, auch glaubt er, daß das Maß des Gegebenen billigen Anfoderungen genügen werde. Um doch eins zu bemerken, so ist es uns auffallend gewesen, daß Napoleon's Geburtstag weder bei seinem ersten Auftreten (S. 235) noch bei Erwähnung der Stadt Ajaccio (S. 212) angegeben worden ist. Durch seine präcise und doch nie undeutliche Darstellung hat Herr Blanc auch Raum für zusammenhängendere Erörterungen gewonnen, die sowol für Zeitungs- als Romanleser von Nutzen sein werden, wie z. B. die Schilderung germanischer Verfassungen (S. 214 fg.), des Zustandes der englischen Kirche, Verfassung, Producte und Betriebsamkeit (S. 251 fg.) u. A. Dahin gehören auch seine Bemerkungen über die Charaktere der einzelnen Nationen, die wir ohne vorgefaßte Meinung oder Leidenschaftlichkeit abgefaßt finden. Nur bei Schweden hat es uns befremdet, wieder (S. 459, 461) zu lesen, daß die Schweden die Franzosen des Nordens wären, was doch W. Alexis in seiner „Herbstreise durch Skandinavien" (II, S. 248 fg.) recht gründlich widerlegt hat. Der Sage endlich hat Herr Blanc überall ihr Recht widerfahren lassen; auch wäre es in einem für die Jugend bestimmten Buche sehr verkehrt, sie schon auf das schlüpfrige Gebiet historischer Kritik führen zu wollen. In diesem Geiste hat er Tell's Geschichte (S. 404) erzählt, den Shakspearefelsen bei Dover nicht vergessen (S. 287), aber auch mit Unwillen der Versündigung Voltaire's an der Jungfrau von Orleans gedacht (S. 224).

Der Geschichte eines jeden Landes sind Bemerkungen über den Gang der Literatur, den neuesten Zustand derselben und kurze Anführungen der namhaftesten Schriftsteller beigefügt worden. Ein so erfahrener Literator, als Herr Blanc ist, konnte hier nicht falsch greifen; auch hat ihn eben diese Kenntniß verschiedener Literaturen vor Befangenheit und Vorurtheil geschützt. Blos den Holländern scheint er Unrecht zu thun, wenn er (S. 345) sagt: „auch hat die niederländische Literatur außer einigen Werken der niedrigkomischen Art und einigen verunglückten hochtrabenden Nachahmungen der französischen Manier wenig Eigenthümliches aufzuweisen". Je weniger die Natur des holländischen Bodens die heitern Spiele der Phantasie begünstigt, um so mehr müssen die poetischen Bestrebungen, die sich bei ihnen kundgeben, geehrt werden, wie die eines Bilderdijk, Loots, Wiselius, von Lennep, van Loo, Willems u. A., über welche das „Conversations-Lexikon der neuesten Zeit und Literatur" in mehren Artikeln und besonders Heft XVIII, S. 272 fg. spricht. (M. s. auch Niemeyer's „Beobacht. auf Reisen", III, S. 197—204.)

Schließlich müssen wir noch bemerken, daß auch die äußere Ausstattung und der wohlfeile Preis dies Buch, dem überdies erläuternde Abbildungen beigefügt sind, zum Gebrauch empfehlen. 89.

Correspondenznachrichten aus Paris.

(Beschluß aus Nr. 306.)

Was die neuen politischen Processe vor den Assisen angeht, so enthalte ich mich von jenem der „Tribune" zu sprechen; die Verurtheilung zu fünf Jahren Gefängniß- und 22,000 Francs Geldstrafe hat europäischen Wiederhall gehabt; dieser Proceß entgeht aber dem besondern Charakter dieses Artikels als literarisch-historischer Uebersicht; unter diese Ueberschrift kann ich eine andere Anklage reihen. Der Verf. der „Némésis", schon wegen einer frühern Verurtheilung in Saint-Pélagie sitzend, hat seinem gepreßten Herzen Luft gemacht und ein eignes Gedicht mit dem Titel: „Die Abdication und das Duell" geschrieben. Wenn ich sage „Némésis", so meine ich: „Némésis incorruptible" von Destigny, denn die bestechliche „Némésis" von Barthélemy hat mit den Gerichten nichts mehr zu schaffen. Barthélemy, unter seiner neuen Fahne, hat nunmehr die Ehrenkreuze des juste milieu, die Belohnung seines Verkaufes und die Verachtung Aller zu tragen; man könnte das viel für einen Mann finden! Destigny hat ganz den Faden der „Némésis" aufgegriffen, wo er den feilen Händen Barthélemy's entschlüpft war, das angeklagte Gedicht: „Die „Abdication und das Duell" bildete aber eine besondere Episode. Vor längerer Zeit war die Rede davon, daß Louis Philipp zu Gunsten des Herzogs von Orleans abdanken wolle; hierauf bezieht sich der eine Theil des Titels und des Gedichtes, der andere hat die Herausfoderung zum Gegenstande, welche die Söhne der Brüder Napoleon's dem Herzog von Orleans bei seiner Anwesenheit in London gemacht haben sollen und die von dem Sohne Louis Philipp's unangenommen geblieben sei.

Le conquérant d'Anvers, se drapant de sa gloire,
Donnait trève d'exploits au burin de l'histoire,
Et Londres, la superbe, étalait sa splendeur
Sous les vastes lambris d'un hôte ambassadeur
Qui s'enorgueillissait du roi de la galope;
Les neveux du Soldat, qui secoua l'Europe
Etaient là, se roulant dans un fleuve d'ébats,
Insoucieux du nom de ce nain des combats,
Quand il vint, boursoufflé d'un accès de jactance,
Déployer aux regards sa chétive importance,
Et bégayer contre eux: „Petits sots parvenus."
Ces guerriers à couronne ont dressé leurs fronts nus
Comme des pics brûlans où gronde la tempête;
L'éclair de leurs grands yeux a sillonné la tête
De ce monarque en graine, imbécille, poltron,
Qu'on veut sur notre autel ériger en patron,
Et ce lâche a tremblé comme un veau qu'on égorge:
Il n'a su que vomir la bile à pleine gorge;
Car l'effroi dans sa veine avait glacé le sang!
Ce fils du potentat, qu'ils nomment très-puissant,
A bu tout le mépris, dont sa coupe était pleine!
L'ombre du grand cadavre étreint dans Sainte Hélène,
En soulevant ses bras du fond des océans,
Incruste la terreur à tour les d'Orléans,
A tel point, qu'ils n'ont plus dans leur poitrine vide,
Que l'appétit de feu, qui ronge un coeur avide;
Honneur est un mot creux qui râle comme un son,
Fait grelotter leurs chairs d'un sinistre frisson,
Et se perd en échos sans frapper leurs oreilles,
Ils sont tous dévoré des insultes pareilles,
Et leur glaive jamais n'est sorte du fourreau.
Leur sang n'a pu salir que la main du bourreau!!

Die Schönheit dieser kräftigen Rhythmik, von welcher ich nur einen kurzen Auszug gebe, fand vor dem Geschworenen- und Assisengerichte keine Bewunderer, mindestens keine Gnade. Destigny wurde zu einem Jahre Gefängniß und 2000 Francs Geldstrafe verurtheilt. Das Résumé des Assisenpräsidenten soll zu dieser Verurtheilung nicht wenig beigetragen haben. Nach Ausspruch des Verdicts der Geschworenen, welche in ihrem Urtheile das Vorhandensein mildernder Umstände anerkannten, entstand über die Anwendung und die Größe der Strafe eine interessante, seltsam bizarre Discussion, es handelte sich darum, ob der Herzog von Orleans, der Sohn Louis Philipp's, der Kronprinz von Frankreich, Franzose sei oder nicht. In der That, so befremdend es auch lautet, das Indigenat des Prinzen Rosolin (so heißt er wirklich und nicht blos spottweise) konnte mit wichtigen Gründen angefochten werden. Schon während der Hauptverhandlung hatte der Vertheidiger des angeklagten Destigny in Hinsicht auf die Beschuldigung der Beleidigung gegen den Herzog von Orleans hervorgehoben, daß alle Franzosen vor dem Gesetze gleich seien, und daß der Sohn Louis Philipp's, wenn er überhaupt Franzose, nur ein gewöhnlicher Franzose (Français ordinaire) sei. Das Publicum stutzte über das Wenn und lachte über die Malice des Wortspiels. Bei der Anwendung der Strafe führte der Vertheidiger seine Ansicht näher aus. Bekanntlich ist der älteste Sohn Louis Philipp's im Auslande geboren, zu einer Zeit, wo die Familie von Orleans zufolge der Verurtheilung von Philipp Egalité zum Tode und des Decrets des Nationalconventes, welches sie außer dem Gesetze erklärte, bürgerlich todt war, er ist also der Sohn eines frühern Franzosen, welcher diese Eigenschaft verloren, er ist Ausländer, welcher nach dem Civilgesetzbuch unter gewissen Voraussetzungen und Förmlichkeiten die Eigenschaft eines Franzosen erlangen kann; diese Bedingungen aber hat der Sohn des Königs nie erfüllt, und ist daher rechtlich einem Ausländer gleich zu achten. Die Staatsbehörde ereiferte sich über eine solche Ketzerei, verzichtete aber doch auf die

Verurtheilung wegen dieses einen Punktes; da noch drei andere übrig blieben und die Herrn vom Gerichte so gut gestimmt waren, so konnte das „ein" Jahr und 2000 Francs nicht ausbleiben. Ich bin sehr geneigt zu glauben, daß dieser letzte Theil der Vertheidigung das Strafmaß eher vergrößert als verringert hat. Wenn die Gerichte in der von der Deputirtenkammer und den letzten Assisengerichten bezeichneten Weise fortfahren mit 10 und 22 tausend Francs Geldstrafen, so gibt es keine angenehmere Sinecur des bürgerlichen Königthums, als diese Einziehung der fiscalischen Strafgelder, die einer zweiten, raffinirten und durch die Mechanik der inamovibeln Richter Karl X. vervollkommneten Münzpröze nicht unähnlich sind.

In politisch literarischer Hinsicht wird es Ihnen nicht uninteressant sein, zu gewahren, wie das Ueberlebte, Veraltete, Schwachsinnige und Rückgängige dem lebendigen Fortschritte der Zeit allenthalben weichen muß. Kaum war die harte Verurtheilung der „Tribune" ausgesprochen, so erhoben sich die Journale aller Parteien in Paris, um die Sache derselben als Angelegenheit der Presse überhaupt zu verfechten und zu schützen, allenthalben wurden Subscriptionen eröffnet und in diesem Augenblicke laufen von allen Enden Frankreichs die Protestationen gegen das Assisenurtheil ein. Die „Gazette de France" und die „Quotidienne" boten der „Tribune" ihre Hülfe an und nahmen sogleich das Wort für sie. Alle thaten es, nur der einzige „Constitutionnel", der Patriarch der Oppositionspresse, das vorzugsweise Blatt der großen Retter von Frankreich, Dupin u. Comp., das Organ des eingefleischten Krämerthumes und das juste milieu in Folio der Gemeinheit, die pyramidale Spießbürgerlichkeit der rue Montmartre, das noch gelesenste Blatt in Deutschland — avis au lecteur! — schwieg hartnäckig über den ganzen Verfall und beschäftigte sich mittlerweile mit dem Ritter Bayard, der Einnahme von Jerusalem durch Gottfried von Bouillon, mit der Gefährlichkeit der Jesuiten unter der Restauration, mit einem neu entdeckten Horizonte am politischen Himmel und bewies sehr scharfsinnig, daß eine neu auftretende Sängerin an der italienischen Oper, die Mlle. Schulz heißt, nicht Madame Schütz sei. Man rüttelte, man schüttelte, man stieß den Koloß der Vergangenheit in seiner verfallenden Burg — keine Antwort, der „Constitutionnel" schläft, er wird erst in Jahresfrist, wenn überhaupt noch, bei der Julirevolution ankommen. Nach drei Tagen erlittenen unsäglichen Spottes gibt die Masse einen Ton von sich, man glaubte, der „Constitutionnel" werde etwas sagen, man vergaß, daß dies längst nicht mehr in seiner Natur liegt, auch sagte er nichts, er erklärte nur, er werde über etwas sehr Wichtiges sprechen, was allen andern Journalen entgangen sei. Zufällig zeigte sich aber, daß dieses Etwas längst behandelt war, daß er also auch nicht einmal mehr lese, was die übrige Presse gibt. Indessen wartete man Tag für Tag, es kam Nichts, der Patriarch war in seinen secularen Schlaf zurückgefallen. Armer „Constitutionnel", rührend-schmerzliches Exempel von Hinfälligkeit aller irdischen Dinge und der Herrschaft des Bauches über den Kopf; mit gräßlichem Uebergewichte wächst der erstere, und die Schlafmütze zieht sich mehr und mehr über die ganze unförmige, gestalt- und haltungslose Masse, „rudis indigestaque moles". Ihr sucht eine Zeitung und findet nichts mehr als eine alte Historie von weiland den Jesuiten; ihr sucht eine Opposition im „Constitutionnel" und findet nichts mehr als die willenlose von allem System und eigenen Grundsätzen entkleidete Nachbeterei des Wortkrams von Dupin, Etienne und andern großen Männern des juste milieu; ist gar die Denkmaschine des herrlichen Blattes zufällig abwesend, so geht nur der Leergang fort und der Abonnent bekommt 14 Tage später die durch die Post eingeschickte Instruction eines dieser Koryphäen, — Gott sei Dank, wenigstens portofrei — zugesandt. Von einem Oppositionsjournale ist nichts als der Name (und selbst dieser ist ein Anachronismus), von der frühern Größe ist nichts als die baumwollene Kappe, von der frühern Ausbreitung nichts als die leere Kasse und die leeren Abonnentenlisten geblieben, Alles ist leer, wie im Geistigen so im Materiellen. Daran ist aber der boshafte „Charivari" schuld, der hat die ehemaligen 25,000 Leser des „Constitutionnel" solchermaßen aufrührisch gemacht, daß der arme Alte in Kurzem die bisher beschriebenen Horizonte aller Art zum Zeitvertreib auf das unbenutzt liegende Papier malen kann; jeden Tag meldet der „Charivari" in unerschütterlichem Gleichmuthe als Schluß, als Mitte, als Anfang irgend einer Phrase: „Uebrigens fährt man fort sich auf den „Constitutionnel" zu desabonniren rue Montmartre Nr. 121", wie Cato seinen berühmten Satz gegen Karthago im Senat zu Rom wiederholte. Der „Constitutionnel" war einst eine Macht in Frankreich, seine Zeit ist vorüber, er ist unrettbar verloren, und es ist den deutschen Lesern nicht minder als den französischen ein wahrer Dienst erzeigt, wenn man ihnen bei Zeiten zuruft: „On se désabonne toujours au Constitutionnel, rue Montmartre No. 121." 171.

Notiz.

Friederike Brun sagt in ihrem „Römischen Leben" (I, S. 23), daß es, um den Grund der Verwilderung, Verödung und Entvölkerung in der Campagna von Rom zu bestimmen, nicht hinreichend, daß es sogar ungerecht sei, den jetzigen Besitzern, der jetzigen Regierung die Schuld allein beizumessen. Daran hat sie wol vollkommen Recht; allein sie geht offenbar zu weit, wenn sie bis zu den letzten Zeiten der römischen Republik hinaufsteigt, um den Grund des Uebels aufzusuchen. Er liegt insofern vielmehr ganz nahe, als er, nach meiner Meinung, nur in dem unfreien, aus Hierarchie und Aristokratie gegründeten Regimente von Oben und dem lebentödtenden Despotismus des Papstthums, in dem unfreien, allerdings auch durch äußere Umstände immer mehr in den Zustand der Verdumpfung versetzten Volkscharakter, und in dem, die ganze Thätigkeit des Menschen systematisch vernichtenden, erklärlich grade dort auf die äußerste Spitze getriebenen Principe der römisch-katholischen Kirche gesucht und gefunden werden kann und muß. Vieles, was die Verf. aus dem Bereiche der äußern Umstände aus frühern Jahrhunderten anführt, um jene Erscheinung zu erklären, paßt mehr oder weniger auch auf andere Theile Italiens, besonders aber auf das jetzige Griechenland und dessen Bewohner; und doch ist da die Erscheinung nicht die nämliche *). Warum z. B. haben nicht auch in Griechenland der Despotismus der Römer, der griechischen Kaiser und der osmanischen Sultane, warum nicht die verheerenden Züge der Gothen, Vandalen u. s. w., die Einwanderungen der Slawen, Franken u. s. w. denselben Einfluß auf Land und Leute gehabt, daß man nicht, auch nachdem nur erst seit Kurzem der osmanische Despotismus mit seinem Gefolge von der Oberfläche Griechenlands verschwunden ist, eine bessere Zukunft für Griechenland als ganz nahe hoffen kann? Und hat nicht auch unter der osmanischen Herrschaft selbst dieser Grad von Ertödtung in dem griechischen Volke niemals sich offenbart wie in den Italienern von Rom? Der letzte Grund von solchen äußern Erscheinungen bleibt daher immer der Mangel an Charakter im Volke; jener Grund liegt am Ende doch nur in dem sich selbst aufgebenden und darum nichts Rechtes wollenden Volkscharakter der Römer, wenngleich auch hier äußere Umstände das Uebel oft noch ärger machen und gemacht haben. Kann man dann aber sagen, daß die Römer das Uebel nur — fühlten? Nein, nein! und in der That sind sie nur, nach Wilhelm v. Humboldt, Wanderer, die an Ruinen — ausruhen! 80.

*) Denn die bekannte Behauptung Fallmerayer's von der völligen Vernichtung alles griechischen Lebens in den heutigen Bewohnern Griechenlands wird durch äußere Wahrnehmungen von der Gegenwart Lügen gestraft.

Blätter für literarische Unterhaltung.

Sonntag, — Nr. 307. — 3. November 1833.

Der Orden der Trappisten. Dargestellt von Ernst Ludwig Ritsert. Darmstadt, Heyer. 1833. Gr. 8. 1 Thlr. 12 Gr.

Der wahnsinnige Gedanke, dem Schöpfer durch die gewaltsame Unterdrückung aller Naturanlagen, womit er das Geschöpf ausgestattet hat, wohlgefällig zu sein, hat in der Regel der Trappisten seine höchste Ausbildung, seinen Culminationspunkt gefunden. In der Geschichte der Verirrungen des Menschengeistes wird diese Ordensregel daher immer eine merkwürdige Erscheinung bleiben, und wenn Inquisition und Orden de la Trappe auch nun verschwunden sind, so gehören sie dem Gedächtnisse der Geschichte doch als eine historische Thatsache an, die ein Theil des Menschengeschlechts hat durchgehen und erdulden müssen.

Ueber die Trappisten ist viel Einzelnes geschrieben; aber eine vollständige Geschichte des Ordens mangelte bis zum J. 1824, wo die „Histoire civile, religieuse et littéraire de l'abbaye de la Trappe etc." von L. D. B. in Paris erschien, und selbst nach dieser blieben die neuesten Schicksale des Ordens und seiner Mitglieder zerstreuter Erzählung vorbehalten. Aus jenem Buche nun und einer sorgsamen Zusammenstellung dieser zerstreuten Nachrichten hat der Verf. des oben angezeigten Buches seine vollständige Geschichte des Ordens der Trappisten gebildet, eine Arbeit, die allen billigen Ansprüchen genügt und das zu Leistende geleistet hat. Die Geschichte der alten Schicksale der abbaye de la Trappe, ursprünglich ein Cistercienserkloster in einer wilden Gegend, unzugänglich zwischen Sumpf, Wald und Bergen in der Normandie, Grafschaft Perche, unweit Mortagne, 34 Lieues nordwestlich von Paris an der bretagner Straße belegen, die Reformation, welche Rancé (Armand Jean le Bouthillier de Rancé) nach einem wüsten Leben in der Mitte des 17. Jahrhunderts mit der ganz ausgearteten Ordensregel vornahm, und mittels welcher er die Banditen von la Trappe, wie die Mönche dieses Klosters ihrer Sittenlosigkeit wegen genannt wurden, zu Anachoreten und Selbstpeinigern umwandelte, und die Geschicke dieses merkwürdigen Instituts in und nach den Zeiten der Revolution sind auf 260 Seiten ausführlich und anziehend genug, wiewol in etwas schwülstiger und allzu rhetorischer Weise erzählt. Aus dieser Erzählung lernen wir, abgesehen von dem reinhistorischen Vielerlei, sowol wie Menschensatzungen durch die Zeit hin ausarten können, an dem Beispiel der Klostergeschichte von Rancé's Reform, sodann wie ein an sich wohlgeordnetes, reichbegabtes Gemüth, wie das des Reformators, von einer nicht verstandenen Idee ergriffen, sich verwirren, das Naturwidrige für Gesetz, das Sinnlose für verständig, das Unmenschliche für Menschenpflicht anzusehen vermag, endlich wie selbst das Widersinnigste, wenn es der menschlichen Eitelkeit schmeichelt, seine Anhänger findet, und zuletzt, wie ansteckend zu allen Zeiten der Unsinn gewirkt hat. Der Stifter des neuern Ordens la Trappe, Rancé, war ein junger Mann von Erziehung, früher, seltener wissenschaftlicher Ausbildung, von Geburt und Reichthum, ja, was mehr ist, von Gefühl, weicher, empfänglicher Seele und der Liebe in allen ihren Richtungen zugänglich. Dessenungeachtet, oder vielleicht grade deshalb, ersann er eine Regel, die die zartesten Fäden der Menschenseele zerschnitt, die jeder edlern Regung von Freundschaft und Liebe wehrte, die besten Saiten des Menschengemüths zum Schweigen brachte und Den der Gottlosigkeit beschuldigte, der den einen Bruder mehr liebte als den andern.

Ursprünglich ein Lebemann, ein treuer Ritter der Lust und der Freude, war der plötzliche Tod einer Geliebten, der Herzogin von Montbazon, und der überraschende Anblick ihrer Leiche vermögend, diese anfangs weiche Seele unwiederbringlich zu verhärten und ihn, der bisher nur auf Lust und Genuß gesonnen hatte, so umzukehren, daß er von nun an nur darauf sann, wie er sich selbst und die Seinigen peinigen und grade an den zartesten Stellen der Seele am empfindlichsten peinigen konnte. So ward la Trappe zu einer großen Selbstmördergrube, seine Mönche zu wandelnden Opfern des Fanatismus und der Schwärmerei, und Rancé zu ihrem Henker. Die Regel, die er gab und mit einem unglaublichen Aufwand von Schlauheit, Menschenkenntniß, List und Selbstverleugnung allmälig einzuführen wußte, was fast unbegreiflich scheint, wenn man bedenkt, daß keiner der ihr Unterworfenen anfänglich das Gelübde auf diese Regel ableistete, war eine lebenslange Todesfolter, der Versuch, in lebenden und denkenden Wesen die Seele mit Allem, was ihr angehört, mit Wünschen, Regungen und Gefühlen zu tödten. Und dieser Versuch gelangte zum Ziele. La Trappe war die höchste Vervollkommnung der Idee des Klosterlebens. Jedes Gefühl ward als eine tadelnswerthe Anwandlung von Schwäche und Sinnlichkeit mit harten Bußen belegt, die Freundschaft selbst mit Strafen betroffen, die Erinnerung an Verwandte und Freunde mußte gebüßt werden. Hunger, Hitze, Frost, Durst und Wachen schrieb er vor, ohne Murren zu ertragen; ein ewiges Schweigen war Gesetz des Ordens. (Die Erzählung von dem Gruße: „Memento mori" ist falsch.) Keiner durfte nach den Verhältnissen des Bruders fragen oder diese mittheilen, Wünsche und Bedürfnisse mußten durch Zeichen ausgedrückt, jeder Gedanke auf Buße und Tod gerichtet sein. Zur Nahrung waren Wurzeln, Grütze und Wasser bestimmt; Fleisch, Wein, Butter waren nur Kranken vergönnt, die Kleidung war ein grobes härenes Gewand, das Lager bestand aus einem Sack auf Bretern, und zum Schlafe waren nur etwa vier Stunden vergönnt; denn um Mitternacht begann der Gottesdienst. Im Winter war es verboten, Anstalten gegen die Kälte, im Sommer gegen die Hitze zu treffen; um 6 Uhr Morgens beichtete jeder seine Sünden, empfing die Bußen und begann seine Tagearbeit, die Keiner freiwillig wählen durfte. Das, wozu er Trieb fühlte, ward ihm zu thun verboten. Graben, Steine tragen, Sand sieben, waschen, Wurzeln schaben u. dgl. machte die trostlose Beschäftigung ihrer Tage aus, bei der Niemand sprechen durfte. Entschlüpfte ihm ein Wort, so war die geringste Buße, daß er niederfallen und allen Brüdern die Füße küssen mußte; ebenso, wenn ihm bei Tische das geringste Geräusch entfuhr. Jede geistige Thätigkeit, schreiben oder zeichnen, war bei harten Strafen verboten, nur über Religion war an hohen Festen eine Stunde lang zu sprechen erlaubt, doch ohne jeden Streit, der mit schweren Bußen belegt war. Die Zellen der Mönche waren Kerker, in denen außer einem Betschemel, dem Bettlager, einem Todtenkopf und einem Andachtsbuche sich nichts befinden durfte. Kranke erhielten eine Decke und etwas Cider oder Bier, niemals Arznei, da Krankheit für eine Gunst des Himmels galt. Unbegreifliche Natur des Menschen! Es fehlte niemals an Personen, die sich dieser grausamen Regel freiwillig unter-

Freiburg sie ausstoßen mußte, kamen sie nach Deutschland, gründeten in Münster Colonien (zu Darfeld), bis das Jahr 1813, indem es sie von hier vertrieb, ihnen die Pforten Frankreichs wieder öffnete. Der frühere Abt zu Darfeld, Eug. Bonhomme de la Prade, führete die zerstreuten Brüder 1815 nach la Trappe zurück, und der eifrige Don Augustin zählte 1818 wieder 100 Mönche, zur Hälfte Professen, zur andern Hälfte Donaten (frères donnés) in seinem Kloster, wo er die alte Regel Rancé's hergestellt hatte. Die Verfassung des Klosters unter dem Abt Augustin de l'Estrange ist aus mehren Schilderungen bekannt. Es entstanden mehre Klöster dieses Ordens, Port du Salut bei Laval, vom Baron Geramb gegründet; Meillerape bei Chateaubriand, von Saulnier begründet; Bellefontaine bei Chemilly, Aiguebelle bei Montelimart, St.-Baume, Bricquebec, Vaisse u. a.; ja, 1825 gründeten 40 Trappisten aus Laval sogar eine Niederlassung zu in der Gegend von Mühlhausen, wo sich auch Nonnen einstellten. In Spanien und Belgien waren andere Stiftungen entstanden, und die glänzende Wiedergeburt des Trappistenordens war durch die unermüdlichen Anstrengungen L'Estrange's, Saulnier's, Geramb's und Maragnon's (des spanischen Trappisten) vollendet, als die herannahende Revolution von 1830 diesen ganzen mühsamen Bau wieder zertrümmerte. Jesuiten und Trappisten galten für die Führer der verhaßten Congregation (parti prêtre). Ihre Trümmer flohen nach der Schweiz; Solothurn wies sie zurück, Freiburg nahm sie auf, auch in Graubündten, Ilanz, Leuenburg fanden sie Aufnahme. Geramb ging nach Palästina, Saulnier behauptete sich als Eigenthümer von Meillerape bis 1831, andere Trappisten verloren sich unter die Schüler St.-Simon's und Chatel's und in die Anstalt des Grafen Recke zu Düsselthal.

In einer Reihe von Zusätzen behandelt der Verf. dieser lesenswerthen Geschichte des Trappistenordens verwandte Gegenstände: die Gesellschaft Jesu, die Karthäuserklöster, die Schriften Rancé's, deren merkwürdiger Index mit: „*Ἀνακρέοντος τὰ μέλη, μετὰ σχολίων Ἀρμάνδου Ἰωάννου Βουθιλλιερίου ἀρχιμανδρίτου*" (1639) beginnt und unter Nr. 13 mit seinen „Lettres spirituelles" endet, die Jansenisten, die Einsiedler, die Fakirs, den Hirtenbrief des Bischofs von Nancy und eine werthvolle und befriedigende Lebensgeschichte Antonio Maragnon's, des bekannten spanischen Trappisten und Todfeindes der Constitution — verdienstvolle Zugaben zu einem verdienstlichen Werke.

R4.

Westafrika.

Wie in frühern Zeiten im Orient die Sonne leuchtete, von welcher nach allen Seiten Strahlen der geistigen und physischen Cultur ausströmten und die Länder zu Sitte, Wissenschaft, Kunst und Betriebsamkeit beseelten, so steht diese belebende Sonne jetzt im Occident und sendet Licht und Wärme nach allen Seiten. Auch Afrika, worauf wir unsern Blick hier beschränken, wird ihrem Einflusse nicht mehr auf die Länge sich verschließen oder widerstreben können. Die Ereignisse der neuesten Zeit verstärken diese Hoffnung. Die Gebrüder Lander haben es ausfindig gemacht, daß der Niger, welcher sich in den Golf von Biafra ergießt, derselbe sei, der nicht weit von der Halbinsel Sierra Leone entspringt und somit einen Halbcirkel bildet, der die ganze Küste Guineas, das Land der Fulahs, Dinkeras, Ashantis, Fantis, Warfahs u. s. w. umzieht, leichte Verbindung mit dem berühmten Timbuktu, den Bezirken von Sudan und mittels des Sees Tsad und die in denselben mündenden Flüsse selbst mit Abyssinien bewirken kann. So ist denn der Civilisation ein Weg in das bisher verschlossene innere Afrika angebahnt! Es hatte zwar noch bis zum Jahre 1831 den trüben Anschein, daß der volkreiche, wilde, kriegerische Stamm der

Aſhantis im Weſten Afrikas die Plätze, wo für Weſtafrika und die angrenzenden, innern Lande ſich europäiſche Cultur angeſiedelt hatte, nämlich die britiſchen Niederlaſſungen auf der Halbinſel Sierra Leone und Cape Coaſt (in Oberguinea), überwältigen und zerſtören würde; aber auch jene Unholde ſind ſeitdem durch europäiſche Tapferkeit und Kriegskunſt gebändigt worden und haben im April 1831 ſich den ihnen vorgeſchriebenen Friedensbedingungen unterwerfen müſſen.

Belehrung über dieſe wichtigen Ereigniſſe finden wir in „Narrative of the Ashantee war; with a view of the present state of the colony of Sierra Leone. By Major *Ricketts*" (London 1831). Seit 1821, wo Sir Charles Mac Carthy der Oberbefehl in den britiſchen Niederlaſſungen an der afrikaniſchen Weſtküſte übertragen worden war, erwachten Zwiſte zwiſchen dem Könige der Aſhantis Oſai Tutu Quamina und den Bewohnern von Cape Coaſt. Man ſagt, holländiſche Kaufleute hätten aus Neid den Aſhantis zugeflüſtert, „es ſei der Briten Abſicht, Afrika zu erobern, wie Indien". Vielleicht, um es ſchnell, ehe die britiſche Macht anwüchſe, zu einem entſcheidenden Kampfe zu bringen, ließ nun Oſai einen britiſchen Sergeanten unter nichtigem Vorwand in der Nähe des britiſchen Forts Annamabu auffangen und ermorden. Britanniens Ehre zu retten, drang Mac Carthy tapfer, aber durch Leidenſchaft leicht zu Uebereilungen hingeriſſen, mit einer nur ſchwachen Schar raſch gegen Donqua vor, um dort in der Nacht die Mörder zu überfallen, ward aber irregeführt und kam erſchöpft und ohne zureichende Lebensmittel dort erſt am hellen Morgen an. Nun wurde er ſelbſt von einer ſtarken Macht Aſhantis und Fantis, die in einem dichten Wald ihm einen Hinterhalt gelegt hatten, unverſehens angegriffen, ſodaß er ſich kaum nach dem Fort zurückretten konnte. Jetzt ſchwoll dem Oſai der Kamm, und er ſandte durch den holländiſchen Befehlshaber in Elmina eine Botſchaft an Mac Carthy, „daß Cape Coaſt ſofort geräumt werden müſſe, weil er beſchloſſen habe, alle Briten ins Meer zu werfen. Wenn ſie aber den Kampf mit ihm wagen wollten, ſo gäbe er ihnen den Rath, vorher alle Fiſche in der See zu bewaffnen, obgleich auch Alles dieſes nichts ſein werde gegen das Heer, womit er gegen ſie anzurücken gedenke." Unter ſo bewandten Umſtänden mußte Mac Carthy wol auf Gegenwehr denken. Vor allen Dingen bereiſte er die benachbarten, den Briten befreundeten Stämme oder beſchickte ſie durch Botſchaften, um ſich ihres Beiſtandes zu verſichern. Auch ward er überall freudig bewillkommnet. Wo er durchreiſte, waren die Straßen und Hügel mit jubelndem Volke bedeckt; die Luft tönte von Muſik, Trommeln, Freudenſchüſſen und Geſang; Frauen gingen vor ihm und beſprengten die Pfade. So zog er bis Fu-rKarie (100 engl. Meilen von Sierra Leone) und beſuchte den durch Geiſtesbildung ausgezeichneten König Amora, der einen blühenden Landſtrich, wo der Kaffee wild wächſt, beherrſcht. Unterdeſſen lief Nachricht ein, die Aſhantis ſeien bereits mit großer Macht in das Land der Fantis eingebrochen. Es wurden deshalb in Eil die verbündeten eingeborenen Stämme in mehren Lagern geſammelt, und Mac Carthy hielt zu Annamabu eine glänzende Muſterung über das Bundesheer. Die verſchiedenen Häuptlinge zogen mit ihren Muſikchören, Leibwachen, Wedelträgern und Lieblingsdamen vor ihm vorüber, ſchüttelten ihm herzlich die Hand und ließen ſich dann rings um den Paradeplatz nieder, wo die Offiziere einige Manoeuvres ausführten, während Freudenſchüſſe, Hörnerblaſen, Trommeln, Kriegsgeſchrei und Singen und Jubeln der Weiber die ſeltſamſte Scene vollſtändig machten. Aber ſchon ſtand eine [illegible] bevor. Der König Apea von Aſſamakow ließ ſich anmelden. Der Zug begann mit einem Schwarm von Laſtträgern des Heeres; dann das bewaffnete Geleit des Königs mit zahlloſen, bunten Sonnenſchirmen; dann nahte mit Hörnerſchall und ungeheurem Getöſe der Trommeln der König ſelbſt; vor ihm her die Häuptlinge auf prächtigen Tragbetten, von breiten Sonnenſchirmen überſchattet und jeder von ſeiner Stammmannſchaft umgeben; der König, von ſeinen Hofleuten getragen und von ſeinen Pagen, die Elefantenſchwänze, das Zeichen der königlichen Majeſtät, in den Händen hielten und Schwerter mit goldenen Gefäßen führten, begleitet, ſchloß den Zug mit ſeinem Gefolge, nämlich ſeiner Lieblingsgemahlin und ſeiner Schweſter, ſeinen Hofſängern, die ſeine Siege und großen Titel verkündigten, und ſeinem Muſikchore, das die Lieblingsarien des Volkes, wodurch die Thaten der Helden in ſteter Erinnerung gehalten werden, ſpielte; die Trommeln waren aber diesmal mit Decken verhangen, weil man glaubte, die Schädel und Kinnbacken getödteter Feinde, womit ſie decorirt waren, möchten den Briten anſtößig ſein. Mit gegenſeitigen Höflichkeiten, ſchönſter Ordnung und großer Luſt ging die Muſterung zu Ende. Auch noch das Lager der Fantis, deren Landſchaft ſich nun auch bereits durch Anbau und einige hübſche Städte auszeichnet, beſuchte Mac Carthy und nahm den etwas läſtigen Treueſchwur der Häuptlinge, indem ſie hierbei ihre Schwerter möglichſt nahe an ſein Haupt brachten und dann um daſſelbe in raſchem Wirbel ſchwangen, entgegen.

So weit war Alles gut gegangen. Nun aber (24. Jan.) ward gemeldet, die Aſhantis zögen in 12 Heerhaufen gegen Cape Coaſt heran. Und jetzt beging Mac Carthy den Fehler, daß er ſeine Abtheilungen ohne beſtimmte Ordnung und Ziel und ohne gehörige Sorge für Lebens- und Kriegsbedürfniſſe dort und dahin ins Feld rücken ließ. Es kam hinzu, daß ihm die eingeborenen Träger des Gepäcks häufig entliefen und die Ladung mit ſich nahmen. Er ſelbſt zwar marſchirte an der Spitze ſeines Regiments (vom königl. afrikaniſchen Corps) raſch vorwärts; aber die inländiſchen Hülfsvölker, beſonders die Fantis, beeilten ſich nicht, nachzurücken. Schlechte Wege, bald Sümpfe, bald Abgründe ermüdeten die Mannſchaft aufs Aeußerſte. So erreichte der Gouverneur (14. Jan.) Aſſamakow (oder Abſchumakow), die Stadt der Warſahs (40 engl. Meilen von der Küſte am Fluſſe Pra), und machte Halt, um hier das Bundesheer abzuwarten. Als Beweis fortſchreitender Cultur kann dienen, daß jene Stadt (nach Rickett's Schilderung) wohlgebaut iſt, und das Haus, worin der Gouverneur herbergte, mit guten Fußböden, Fenſtern, Betten u. ſ. w. verſehen war. Die Aſhantis waren der Stadt bereits auf 20 engl. Meilen nahe gekommen und trieben das Heer der Warſahs und Dinkeras vor ſich her. Um dieſen Rückzug zu hemmen, ließ der Gouverneur den Verf. (Rickett) mit den wenigen regelmäßigen Truppen und den drei Compagnien Miliz vorrücken. Er ſelbſt blieb noch zurück, um die Schoren der Verbündeten heranzubringen. Unglücklicherweiſe war Mac Carthy von dem Wahn befangen, er dürfe nur das „God save the king" blaſen laſſen, ſo würde der größte Theil des feindlichen Heers zu den engliſchen Fahnen übertreten; auch hatte er den Kriegsbedarf unter viel zu ſchwacher Bedeckung unvorſichtig vorwärts gehen laſſen. Das Geſchrei der zahlloſen Menge von Weibern und Kindern, die ſämmtlich mitzogen, war höchſt entmuthigend. So befand ſich nun Ricketts am 20. Jan. während eines ſchrecklichen Regenſturms dem Feinde gegenüber, der Rückzug der Warſahs und Dinkeras dauerte unaufhaltſam fort. Jetzt rückte auch der Gouverneur vorwärts, ſtatt eines Heers aber nur von 200 Mann begleitet, die ihm der König von Aſſamakow zur Leibwache geſtellt hatte, und langte am 21. bei dem Major Ricketts an. Als eben Kriegsrath mit den Warſahs und Dinkeras gehalten werden ſollte, erhob ſich ein Geſchrei: „Der Feind iſt da!", jeder eilte auf ſeinen Poſten, und des Gouverneurs Leibwache zerſtreute ſich in die Gebüſche, unter dem Vorwande, daß ſie da am beſten zu fechten verſtände. In der That rückte der Feind, 10,000 Mann ſtark, in geſchloſſener Ordnung wohlbewaffnet, mit Hörnerblaſen und Trommeln durch den Wald heran. Zwar ließ der Gouverneur das „God save the king" mit aller Macht blaſen, aber erhielt von dort herüber wilde Muſik zur Antwort. Ueberläufer zeigten ſich nicht. Der Feind ſtellte ſich an dem Fluſſe, welcher die Heere noch trennte, auf; der Kampf brach los; nach zwei Stunden war auf britiſcher Seite bereits alle Munition verſchoſſen und friſche blieb aus; denn die Träger, als ſie den Rückzug ihrer Landsleute, der Warſahs, geſehen, waren entlaufen. Der Feind aber, als er das Nachlaſſen des

Feuers bemerkte, setzte über den Fluß, griff vorwärts, seitwärts, rückwärts an; die kleine, tapfere Schar, die sich noch immer mit dem Bayonnett vertheidigte, ward übermannt und vernichtet. Zwar gelang es dem Gouverneur, der bereits mehre Wunden empfangen hatte, anfangs sich zu dem König der Dinkeras, der endlich Halt gemacht hatte, zu retten; auch Ricketts, gleichfalls verwundet, folgte dahin nach; man machte den vergeblichen Versuch, durch ein kleines Geschütz, das unterdessen mittels Seile auf den Schultern herbeigetragen war, des Feindes Vordringen zu hemmen; es blieb zuletzt nichts übrig als Flucht. Ricketts entdeckte noch einmal den Gouverneur an seinem Federbusche, hörte aber bald nachher ein starkes Gewehrfeuer; der Federbusch verschwand, und von Mac Carthy ist seitdem nie wieder etwas gesehen worden. Ricketts erreichte, nachdem er eine Reihe der gefährlichsten Abenteuer bestanden, die Ufer des Pra und ward im Zustande gänzlicher Erschöpfung von dort in einem Korbe nach Cape Coast zurückgetragen. Es wurden daselbst schleunigst die besten Anstalten getroffen, eine hinreichende Macht zusammenzuziehen, um den Fortschritten des siegtrunkenen Feindes einen Damm zu setzen. Auch hatte dieses den glücklichen Erfolg, daß die Aschantis durch den holländischen Gouverneur von Elmina Friedensbedingungen vorschlagen ließen, die aber als schimpflich verworfen wurden.

Es wurde nun seit dieser Zeit bis zum September 1826 nur ein kleiner Krieg in Scharmützeln geführt. Dann aber trat der so kriegserfahrene wie tapfere Sir Neil Campbell an die Spitze eines regelmäßigen, wohlgeübten Heeres, und Stämme, ebenso wild und kampflustig wie die Aschantis selbst, verstärkten ihn. In einer Ebene, 24 engl. Meilen nordöstlich von britisch Akkra, trafen die Heere aufeinander. Die Aschantis waren anfangs so keck, daß Einzelne ganz nahe an die britische Linie heransprangen und sie Memmen schalten. Nun aber ließ der General den Mittelpunkt unter heftigem und sehr wirksamem Feuer vorrücken. Der Feind versuchte anfangs Stand zu halten, ward aber immer stärker gedrängt und begann zu weichen; mehre Häuptlinge sprengten aus Verzweiflung sich selbst in die Luft; Congreve'sche Racketen, die in die dichtesten Haufen geworfen wurden, vollendeten die Verwirrung und Niederlage. Auch auf dem rechten Flügel trieb der König von Akimbo Alles vor sich her, drang bis zum Lager des feindlichen Königs selbst vor und fiel dessen Heere in die Seite. Man konnte seinen Marsch an den Säulen von Feuer und Dampf, die über den Bäumen emporwirbelten, wahrnehmen; denn das kurze Gras war durch die Lagerfeuer, durch die Glut der Sonne und durch die Explosionen der Häuptlinge, die noch immer von Zeit zu Zeit sich in die Luft sprengten, in Brand gerathen; dazu das Geheul und Geschrei der Kämpfenden und der gräßlich gemetzelten Gefangenen. Ein Bild der Hölle! — Des Feindes Niederlage war vollständig. Um 1 Uhr wurden die Köpfe der ausgezeichnetsten Häuptlinge, großentheils vom königlichen Stamme eingebracht, vornehmlich auch das Haupt des vorletzten Königs der Aschantis. Der dermalige König hatte es als einen mächtigen Zauber mit sich geführt, täglich mit Rum übergossen und dabei es angefleht, daß es alle Häupter der Weißen auf dem Schlachtfelde um sich her möchte liegen lassen. Es war in Papier, mit arabischen Charaktern bezeichnet, gewickelt, ein seidenes Tuch umgeschlagen und dann das Ganze in ein Tigerfell, das Zeichen der königlichen Würde, gehüllt. Da man es anfangs für das Haupt des unglücklichen Mac Carthy hielt, ward es nach England geschickt. Das ganze, reiche Lager des Feindes fiel den Siegern zur Beute. Das Heer ruhte die Nacht auf dem Schlachtfelde, aber in Waffen, da man vermuthete, der König werde die Trümmer sammeln und noch einen zweiten Angriff versuchen. Man hörte aber durch die Stille der Nacht nur das Wehklagen der Weiber, die unter den Gefallenen umherirrten und ihre Männer, Kinder und Freunde aufsuchten. Der Stolz der Aschantis war gänzlich gebrochen. Der König erklärte, es sei kein Heil im Kampf mit den Weißen, bat, daß England ihm verzeihen und ihn unter seine Schützlinge aufnehmen möchte, zahlte 6000 Unzen Gold und stellte zwei der Vornehmsten des Landes zu Geiseln für sein künftiges gutes Verhalten.

Ueber Sierra Leone (Löwengebirg) gibt Ricketts folgende Nachrichten. Jenen Namen hat die gebirgige Halbinsel von den Portugiesen erhalten. Löwen zwar hausen daselbst nicht; aber das Rollen des Donners zur Regenzeit, von den Klippen widerhallend, gleicht dem Löwengebrüll. Die Halbinsel wurde 1808 von der afrikanischen Compagnie an die Regierung abgetreten. Menschliches Leben anbelangend, ein trauriges Geschenk! Zwar sollte man, wenn man hier landet, nicht glauben, daß der Aufenthalt so verderblich für die Gesundheit sei; aber die Folge lehrt es bald. Die Landschaft ist höchst malerisch, das Grün der Wälder entzückend, die Luft von Wohlgerüchen duftend. Man ankert einer schön gebauten Stadt, Freetown, gegenüber. Man kann während der trockenen Jahreszeit es sich nicht denken, daß diese Niederlassung für Europäer ein fast gewisses Grab sei. Nun aber macht im December der Hermitan, ein trockener Ostwind sich auf: alle Gewächse, mit Ausnahmen der Bäume, verdorren, das Holzwerk in den Häusern und die Fensterscheiben zerspringen, das Getäfel wirft sich. Darauf folgt die Regenzeit: das Holzwerk schließt sich wieder, der ausgedorrte Boden bekleidet sich binnen 24 Stunden wieder mit üppigem Grün. Der Regen behagt anfangs ungemein, der Körper wird wonniglich erfrischt. Nun dauert es aber nicht lange, so erglüht eine unerträgliche Hitze; die Luft sättigt sich mit Feuchtigkeit; es verbreitet sich ein widriger Geruch; man fängt an, sich unwohl zu befinden. Der sichere Vorbote der Krankheit und des Todes! Es reißen Fieber ein, die wenige der neu angekommenen Europäer überleben; entgehen sie selbigen auch im ersten Jahre, in den folgenden schwerlich. Mancher hält sich bis zum zehnten Jahre, länger aber nie. Man hat deshalb die europäischen Soldaten aus der Sierra hinwegverlegt und Eingeborene einrücken lassen. Die Bevölkerung beläuft sich auf 25,000 Köpfe und besteht aus europäischen Kaufleuten, befreiten Sklaven, Neuschottländern, Negern, entlassenen Soldaten der westindischen Regimenter und Verwiesenen aus Barbadoes. Vorherrschend ist der Mohammedanism, da die christlichen Missionnaire durch das tödtliche Klima hinweggerafft oder verscheucht worden sind. Der öffentliche Unterricht liegt darnieder. Wenige können lesen, vielleicht in den wenigen christlichen Gemeinden kaum der Prediger, gewöhnlich ein entlassener Soldat oder befreiter Neger. Dennoch versammeln sie sich fleißig in den Gotteshäusern und singen mit mehr Kraft als Wohllaut inbrünstig Psalmen, worin hauptsächlich ihr Gottesdienst besteht. Man darf hoffen, daß auch Sierra Leone, das man in Zukunft wol ganz den Eingeborenen (wie S.-Domingo) wird überlassen müssen, ein Platz werden kann, wo der gute ausgestreute Same gleich dem Senfkorn zu stattlichen Bäumen erwachsen wird, die sodann ihre heilbringenden Aeste allgemach immer weiter über das Festland von Afrika ausbreiten werden. 72.

Literarische Notizen.

Ein französisches Blatt bemerkt: Der in Stuttgart erscheinende „Thesaurus eroticus linguae latinae etc., ed. *Carolus Rambach*" sei mit Ausnahme des veränderten Titels ein vollständiger Abdruck des 1826 in Paris herausgekommenen „Glossarium eroticum linguae latinae" von Pierrugues und wirft dabei die Frage auf, ob die selbst so reiche deutsche Philologie solche Fälschungen wol nöthig habe.

Die Zahl sämmtlicher in Frankreich außer Paris herauskommender Zeitschriften ist einem neuerdings mitgetheilten Verzeichnisse zufolge 236; davon erscheinen in Bordeaux 6, in Lyon 9, in Metz 6, in Marseille 7, in Rouen 6 und ebenso viel in Toulouse. 3.

Redigirt unter Verantwortlichkeit der Verlagshandlung: F. A. Brockhaus in Leipzig.

Blätter
für
literarische Unterhaltung.

Montag, —— Nr. 308. —— 4. November 1833.

Wahrheit aus Jean Paul's Leben. Siebentes und achtes Heftlein. Breslau, Max und Comp. 1833. 8. 3 Thlr. 16 Gr. *)

Das siebente und achte Heftlein sind leider auch die letzten, die uns von diesem so überaus lieben Buche zukommen. Und die Ursache des Endes ist das Betrübendste dabei, da der abgeschnittene Lebensfaden des edeln Verf. (denn im Wesentlichen ist es doch nur Jean Paul selbst) auch das Buch seines Lebens abschneidet. Wie wir schon bei den frühern Erwähnungen desselben bemerkten, so ist es unmöglich, eine eigentliche Kritik dieses Buches zu schreiben, da diese sich nur an Plan, Bau, Charaktere u. s. w. halten und folglich nur an einem nothwendigen Kunstwerk zu einem selbst nothwendigen Ganzen herankämpfen kann. Durch ein so langes Gartengeländer von Briefen und einzelnen Nachrichten kann sich das kritische Bestreben nur wie eine Art von Schmarozerpflanze hinranken, die ihre Hauptnahrung aus dem gastlichen Boden zieht, auf den sie sich eindrängt. Trockener gesprochen, kann die Kritik hier wie in der Philologie den classischen Text nur mit unclassischen Anmerkungen begleiten, welche wie die des Eustathius zum Homer und die Anderer zum Virgil, Horaz u. s. w. sich nur als der Staub an den Sohlen dieser erhabenen Göttermenschen mit in das Elysium der Unsterblichkeit hinüberschleppen lassen. Die Organisation dieser letzten beiden Bändchen ist ganz der der frühern gleich. Briefe des Verstorbenen (aber nicht eines Verstorbenen) an seine vielfachen Freunde, die meist auch als Gipfel der Zeit hervorragen, nur nicht als so hohe wie er selber, Briefe an seine Gattin, seinen Fürsten, seine Fürstin, ferner die Antworten aller dieser und dazwischen das Band der Darstellung und Erzählung, an welcher der Herausgeber die echten Perlen zwischen den unechtern der Antworten aufreiht, bilden den Organismus des Buchs. Wir wollen es jetzt an seinen Ufern begleiten und den Leser mit den Hauptrichtungen des schönen Stromes bekannt machen. Das siebente Heft beginnt mit Briefen von 1804 an und reicht bis an den Schluß des Jahres 1813. Es waren dies die Jahre des babylonischen Exils für Deutschland, nur daß wir nicht zu dem fremden Volke geführt wurden, sondern dieses wie ein Heuschreckenschwarm auf unsere Fluren fiel und nur Ketten für die Unterworfenen mitbrachte. Wie ein so edler Geist als der unsers abgeschiedenen Freundes den ehernen Druck einer solchen Zeit empfand, haben uns seine eignen Werke schon in vielfacher Beziehung gelehrt. Wir wollen daher in Betreff Dessen, was diese Briefe darüber enthalten, den Leser auf das Buch selbst verweisen und uns dafür mit Gegenständen beschäftigen, die weniger bekannt sind, aber in Deutschland überall bekannt werden müßten. Aus der Masse vorliegender Gegenstände heben wir zuerst das Verhältniß Jean Paul's zum Fürsten Primas heraus, diesem edeln, viel verkannten Manne, der nichtsdestoweniger den Fürsten Deutschlands als Muster vorgeführt werden muß. Denn er war es, welcher zuerst dem edelsten Genius die rauhe Bahn des Lebens erleichterte und ihn, der mit seinen geistigen Schwingen zwar hoch über die Erde hinwegzufliegen wußte, dem aber das Wandeln auf ihr, der Kampf mit ihren rauhen Stürmen zu schwer wurde, schützend mit dem fürstlichen Mantel bedeckte. Der daniederliegende Buchhandel, die Lasten des Kriegs, die Theuerung machten es dem Schriftsteller unmöglich, mit seiner Feder allein den Kampf gegen so viele andringende Uebel durchzuführen. Von Preußen her waren ihm nur Versprechungen geworden, welche die unglückliche Lage dieses Staats damals zu erfüllen unmöglich machte. Das heißt unmöglich nach jener engen unwürdigen Ansicht, welche da glaubt, daß die edelste Kunst und Wissenschaft weit hinten in der Reihe der Bittstellenden stehen muß, während ein nichtsthuender, hirnloser Kammerherr oder ein schlemmender Domherr dem Thron viel näher stehen. Fürst Dalberg aber, wiewol aus Napoleon'scher Schöpferkraft entstanden und deshalb verhaßt, dachte edler; obwol selbst für den Augenblick in mislicher Lage, sandte er doch auf den ersten Brief Jean Paul's ihm ein bedeutendes Geschenk, und schon im nächsten Frühjahr, nachdem kaum sechs Monate verflossen, setzte er ihm eine Pension von 1000 Gulden aus. Diese ist ihm denn von seinem spätern Monarchen, dem Könige von Baiern, auch gelassen worden, und die ehrenvollen Actenstücke deshalb befinden sich ebenfalls in der vorliegenden Briefsammlung. Eine Episode, die Ver-

*) Zuletzt berichteten wir über dieses Werk in Nr. 289 d. Bl. f. 1832. D. Red.

wendung Jean Paul's für ein junges Ehepaar bei dem Herzog von Gotha, bleibt höchst ehrenvoll für das Herz unsers Dichters; umgekehrt fällt das Resultat für den Herzog von Gotha aus, der sich mit seinen drei Briefen zugleich ein Denkmal als geschmackloser Nachahmer Jean Paul's gesetzt hat. Wir finden uns in dem seltsamen Fall, bei jedem Weiterblättern in dem Buche anhalten zu wollen, weil uns eigentlich jeder Brief merkwürdig, wichtig, rührend, erfreuend, belehrend oder witzig erscheint. Wir wandeln gewissermaßen durch eine große Bildergalerie von Meisterstücken, in der uns jedes, auch das kleinste Bild lebhaft interessirt. Aber wir können unmöglich vor allen stehen bleiben (hier in der Recension nämlich, denn beim Lesen kehren wir sogar zu allen immer wieder zurück), sondern müssen weiter; daher will ich nur noch auf zwei Hauptabschnitte des siebenten Heftleins aufmerksam machen.

Es ist Jean Paul's Vater- und Hausleben und darin der Brief seiner ältesten Tochter, der uns die erquickendsten Blicke in das trauliche Vater- und Familienleben des großen Mannes thun läßt. Und wir wissen kaum, ob uns das hohe, kindliche Herz oder der hohe göttliche Geist des Dahingegangenen theurer wird. Die zweite Station, auf der wir uns noch verweilen, führt über einen Kirchhof. Es ist die Urne eines unglücklichen, aber edeln Mädchens, an der wir trauern. Maria ist der Name, unter welchem sie uns bekannt gemacht wird. Wir begreifen die Gründe, weshalb der Familienname verschwiegen bleibt; aber wir betrauern sie auch, denn der Name eines solchen Heldencharakters sollte der Nachwelt ganz übergeben werden. Freilich ist die That dieses Mädchens eine große Verirrung, aber eben eine große, deren nur die erhabensten Seelen fähig sind. Darum wollen wir sie bewundern, lieben und betrauern zugleich. Aber Niemand wird einem Wesen seine Ehrfurcht versagen, von dem unser großer Dichter schreibt: „Sie starb höher als Andere lebten. Froh bin ich, daß ich strengern Rathgebungen für meine Antworten an Maria nicht gefolgt, zumal da sogar meine mildern mir jetzo erbärmlich für diese hohe Seele vorkommen, wiewol in meiner unwissenden Lage keine andern möglich waren." Mit diesen Worten des Dichters schließen wir das siebente Heft. Vom achten Hefte sollten wir eigentlich nichts sagen, weil wir der Gerechtigkeit wegen sonst von Allem, was darin steht, reden müßten. Indessen wollen wir doch etwas aus dieser Lotterie voller Gewinne für den Leser ziehen. Wir lassen die Pensionsgeschichte, obwol sie die unrühmlichste für gewisse Monarchen ist, die sich weigerten, die edeln Verpflichtungen des entthronten Fürsten Primas zu übernehmen, bis endlich Baiern sich diese Ehre vindicirte, aus, machen jedoch den Leser auf den Brief (S. 18) an den Kaiser Alexander aufmerksam, der an Styl und Reichthum der Gedanken über Alles hervorragt, und unsers Bedünkens eine Perle von solchem Werth ist, daß sie allein mit der elenden Pension von 1000 Gulden viel zu kärglich bezahlt wäre. Wenigstens haben Fürsten oft genug Dinge, die ebenso tief-unwürdig sind als dieser Brief hoch-würdig, zehnfach theuerer bezahlt, z. B. ihre Maitressen, Günstlinge, Reitpferde, Tänzerinnen, Menagerien u. s. w. Doch für den größten Kopf, das edelste Herz Deutschlands hatten die vielen Civillisten, die das Land bezahlen muß, nicht 1000 Gulden übrig, daher sie endlich, und das nur mit größter Mühe, auf eine Staatskasse geschlagen wurden. Der Deputirte, welcher sich bei der Discussion des Budgets darüber beschwert, soll aber noch geboren werden; denn Fürsten und Grafen gehören in die Pairskammer. Doch wir wollten ja die Pensionsgeschichte zur Ehre Deutschlands übergehen, aber es riß uns wider Willen hinein. Wohl uns, daß wir wenigstens für Baiern, welches jetzt ein solcher Jesuitenfreund ist, daß es schwerlich einen solchen Jesuitenfeind wie unsern Verfasser belohnen würde, ein Wort des Dankes und der Anerkennung aussprechen können.

Später als bei Andern fallen bei dem Verf. seine Wanderjahre, nämlich fast in die letzten Jahre seines Lebens. Seine Wanderungen waren nicht weit; sie erstreckten sich nur bis Regensburg, Frankfurt, Stuttgart, Löbichau (dem Landsitz der Herzogin von Kurland) und Heidelberg; die Alpen und Italien und das Meer, wonach er sich so sehr sehnte, hat er niemals gesehen. Die Reise nach Löbichau hat Jean Paul in einem besondern Aufsatze im Cotta'schen Almanach beschrieben, der jetzt der Gesammtausgabe seiner Werke einverleibt ist; dorthin verweisen wir den Leser; für die übrigen Reisen muß er sich an das Buch, von dem wir sprechen, selbst wenden, denn jedes Blatt ist wichtig, und wir müßten also alle, oder können keines erwähnen. Wir sagen genug, wenn wir anmerken, daß fast auf jeder Seite seine Zusammenkunft mit einem berühmten Manne berührt wird, über den er urtheilt oder uns ein Bild entwirft. Doch bleiben uns von allen Reisebriefen immer die schönsten die, welche er nach Hause an seine Gattin Karoline schreibt, weil sie das kindlichste und erhabenste Herz zugleich bekunden.

Ein Capitel dürfen wir nicht umgehen, weil eine heilige Schuld der Dankbarkeit uns dabei in Erinnerung gebracht wird. Es ist „Jean Paul's Verhalten gegen junge Autoren". Den Documenten, welche über seine wohlwollende, hülfreiche und belehrende Freundlichkeit hier angefügt sind, könnte der Verfasser dieses Aufsatzes noch eines hinzufügen aus seinem eignen Leben; doch verspart er sich dies als eine ebenso große Freude wie heilige Pflicht zu einer eignen literarischen Arbeit, mit der er sich nächstens beschäftigen wird. Daß ihn bei den mancherlei ähnlichen Verhältnissen, welche das Buch berührt, seine eignen Erinnerungen tief bewegen, wird man begreifen; er verweist daher die Freunde des Verewigten ganz besonders auf diesen Abschnitt, den er mit einer solchen Mischung von Rührung und Dank gelesen. Von nun an kommen mit weniger Unterbrechung die Tage der Trauer für unsern Freund, nämlich der Tod seines hoffnungsvollen Sohnes Max. Noch immer muß der Verf. dieser Zeilen mit tiefster Rührung jener Zeit gedenken, da sie mit seinem Zusammensein mit dem großen Manne so nahe zusammen fiel, nämlich wenige Wochen danach.

Mit den letzten Tagen des August 1821 schied der Verfasser dieses von dem theuern Lehrer in Baireuth; im September starb schon der Jüngling, der des Vaters ganze Hoffnung war. Doch hier muß man das Buch selbst lesen, hier wie überall.

Der Aufenthalt in Dresden ist der letzte Sonnenschein, der auf das Leben des Dichters fällt. Dann ziehen Gewölke über seinen heitern Himmel; Krankheit beugt den Körper, manche Trauer senkt sich in das Herz. Nacht umschattet das Auge, in welchem sich Himmel und Welt so tief abspiegelten, das mit forschender Kraft in die tiefsten Tiefen der Brust schaute, bis zu den höchsten Sternenhöhen des Wissens drang. Nur der edle sittliche Wille blieb unerschüttert und beherrschte den einsinkenden Körper, bis er in Staub und Asche zerfiel. Aber ein Phönix steigt der leuchtende Geist aus der Gruft empor, doch nicht nach tausend Jahren, sondern für Jahrtausende. Und die Schwingen der davoneilenden Zeit, deren Sturmschlag jeden schwachen Funken bald erlöscht, werden die Flammen des Lichts und der Wahrheit zu stets weiterleuchtendem Glanze anfachen, und mit den Jahrhunderten wird seine erhabene Lehre, gleich der des Erlösers, nur wachsen, nicht verschwinden. Dies ist nicht unsere Hoffnung, sondern unser Glaube, unsere unerschütterliche Zuversicht.

Ludwig Rellstab.

Ueber die bevorstehende Umgestaltung der Kirchenverfassung des Königreichs Sachsen, in besonderm Bezuge auf die Behörden für die Angelegenheiten der evangelischen Kirche. Von C. G. von Weber. Leipzig, Barth. 1833. Gr. 8. 12 Gr.

Der Verf. der „Systematischen Darstellung des sächsischen Kirchenrechts" (2 Thle., 1818—28) war nach einer mehr als dreißigjährigen Geschäftsthätigkeit im Consistorialfache jedenfalls besonders berechtigt, über die fragliche Umgestaltung sich auszusprechen; und er konnte auch trotz der Rücksichten, welche seine gegenwärtige Stellung (als Oberconsistorialdirector in Dresden) ihm in dieser Hinsicht gleichsam aufnöthigte, dennoch sicher sein, daß er keine Pflicht verletzte, indem er auch wirklich nach langem Schwanken öffentlich darüber sich aussprach. Von der Nothwendigkeit und Räthlichkeit einer Verbesserung der Behördenverfassung im Königreiche Sachsen für Kirchen- und Schulwesen überzeugt, wollte er die wahren Verhältnisse der Kirchen- und Schulangelegenheiten in jener Beziehung darstellen und sein Gutachten über die diesfallsigen Plane der Regierung abgeben, um dadurch zugleich im Interesse der Regierung und der Volksrepräsentanten auf die Berathung und Entschließung der vereinigten Stände des Landes selbst einzuwirken. Um ein gründliches und unbefangenes Urtheil über die Nothwendigkeit und Nützlichkeit einer Reform der öffentlichen Kirchenverfassung Sachsens in besonderm Bezuge auf die Einrichtung der Behörden und über die zweckmäßigste Modalität einer solchen Reform fällen zu können, stellt der Verf. zuvörderst (S. 3 fg.) die Einrichtung der kirchlichen Behörden in Sachsen bis zum Erscheinen der Verfassung im J. 1831, sodann (S. 13 fg.) die gegenwärtige Einrichtung der Behörden für die Angelegenheiten der evangelischen Kirche dar und kommt darauf (S. 20 fg.) zur Beantwortung der Frage, wie die Competenz und Verfassung dieser Behörden nach der Absicht der Regierung für die Zukunft eingerichtet und verbessert werden solle? S. 39 fg. finden sich endlich die gutachtlichen Bemerkungen über die für nöthig und zweckmäßig erachteten Reformen der äußern Kirchenverfassung in Sachsen, woran sich (S. 61 fg.) einige unmaßgebliche, auf gewisse Grundzüge beschränkte Vorschläge über die Reform der kirchlichen Behördenverfassung anschließen. Mit Klarheit stellt der Verf. das bisher Bestandene und gegenwärtig Bestehende der angegebenen Verhältnisse dar, und mit derselben Klarheit und Freimüthigkeit entwickelt und prüft er die Pläne der Regierung und die darauf von Seiten der sächsischen Ständeversammlung zum Theil bereits gefaßten Beschlüsse in Betreff der äußern Kirchenverfassung, selbst bescheidenen Tadel in jener Beziehung nicht unterdrückend. Für alle Diejenigen, die ein entfernteres oder näheres Interesse an den Kirchenangelegenheiten Sachsens nehmen (namentlich aber für die Mitglieder der beiden Kammern selbst), ist die vorliegende Schrift in Ansehung der Vergangenheit der fraglichen Verhältnisse und Verfassung, wie in Betreff der Gegenwart derselben und der Zukunft, insofern sie so oder so umgestaltet werden sollen, können und müssen, ebenso belehrend als unentbehrlich; aber sie hat auch wegen der so oft schon ventilirten und noch unentschiedenen Frage über Presbyterien und Synoden in der evangelischen Kirche, auf welche auch hier der Verf. kommt, außerhalb Sachsen Anspruch auf Beachtung. Wir wünschen ihr dort wie hier recht viele Leser und überall Geneigtheit, Alles redlich zu prüfen und das Beste zu behalten.

50.

Polnische Gedichte.

Poezye Alexandra Chodźki. Petersburg 1829. (Poesien von Alexander Chodźko.) *)

Dieser Dichter, ein Freund Mickiewicz's, schließt sich der neuen romantischen Dichterschule in Polen an. Sein vorzügliches Verdienst besteht in Uebersetzungen. Die griechischen Volkslieder, welche uns aus Fauriel's Sammlung und aus Wilhelm Müller's trefflicher deutscher Uebertragung bekannt sind, treten uns hier in einem neuen zierlichen Gewande entgegen. Sehr gelungen sind die Uebersetzungen orientalischer Gedichte, welche Chodźko zum Theil selbst auf seinen Reisen im Oriente kennen gelernt hat. So findet man ein großes arabisches Gedicht: „Dalar, eine orientalische Erzählung in zwei Kasiden", und mehre persische Lieder; überdies aber auch einige morlakische und litthauische Volkslieder und Mignon's Lieder von Göthe. Alle diese Uebersetzungen zeichnen sich durch ungemeinen Wohllaut und viel Zierlichkeit der Sprache aus. Unter den Originalgedichten Chodźko's sind Liebeslieder und Elegien voller Zartheit und Innigkeit die zahlreichsten. Folgendes Gedicht, das sich auf die langen blutigen Kämpfe der Polen (Lachen) mit den Lithauern vor ihrer Verbindung bezieht, ist eins der wenigen romanzenartigen der Sammlung.

Das polnische und litthauische Wappen.

Die Schlacht ist lange zu End';
Warum, o lettischer Reiter,
Trägst blos du überm Haupte dein Schwert? —

Ich trage mein Schwert für die Söhne,
Noch raucht es von lachischem Blut.
Früh will ich sie lassen erkennen
Das Blut, das sie sollen vergießen
So reichlich, wie ich es gethan.

Wohin denn gehet dein Flug,
Du Adler? Dein Schnabel erglänzt
Wie die Lanze, befleckt ist die Brust,
Die weiße, häßlich mit Blut.
Wasch' erst im Niemen dich rein.

Ich bin der Adler der Polen
Und eile zu meinem Geschlecht.
Wir haben gekämpft und gesiegt.
Ich fraß das Gehirn und die Herzen

---

*) In Posen ist soeben die dritte sehr elegante und correcte Ausgabe dieser Poesien erschienen.

Und wetzt' am Gebein wie den Schnabel.
Laß mir dies lettische Blut!
Es soll eine liebliche Kost
Zur Probe seyn für die Kindern.

Genug, genug, Adler und Reiter!
Wetzt nicht den Schnabel, das Schwert
An zweier Völker Gebein;
Denn nach vielem Droben und Leiden
Und nach langem Schlachten und Streiten
Reichte der Lette dem Polen die Hand.

Vereint nun zur Schlacht, wie Söhne
Einer Mutter, sie eilen.
Auf beiden Schilden ergläuzen,
Auf beider Fahnen sich schwingen
Der Adler und Reiter vereinigt zum Sieg. 177.

Aus Italien.

Ein Künstler in Mailand, Massimo d'Azeglio, dessen Bilder bei den Kunstfreunden in Ansehen stehen, hat den Gegenstand eines vor einigen Jahren mit Beifall in Mailand ausgestellten Bildes unter dem Titel: „Ettore Fieramosca o la Disfida di Barletta" (2 Bände, Mailand 1833,) zu einem Romane umgestaltet, der er an Greuelthaten nicht fehlen läßt, da Cäsar Borgia eine Hauptrolle darin spielt. Der Roman hat als geschichtliche Grundlage jene Herausfoderung, die im Jahre 1503 13 italienische Kriegsleute 13 französischen bei Barletta zukommen ließen und siegreich bestanden. Der Gang der Geschichte selbst ist ziemlich verwickelt, doch fesselt sie durch sehr lebendige Schilderungen das Interesse.

sie das Mögliche, dem flüchtigen Reisenden Belehrung mitzugeben, so viel sich in die wenigen Tage drängen läßt. Grade für das nur auf der Durchreise besuchte Venedig gibt es sehr empfehlenswerthe Beschreibungen, wie Moschini's „Guida", das Prachtwerk über die Paläste und Hauptgebäude von Cicognara, Gamba und Diedo und ganz neuerlich ein „Itinerario interno e delle isole della città di Venezia inviso e descritto in IV parti" (1831, mit 32 Ansichten), dessen zweite Ausgabe in länglichem Quart zu Venedig 1832 erschienen ist. Der Verf. Jacopo Crescini hat in den kleinen Raum gedrängt, was nur sich anbringen ließ; aber wie reich war die Aufgabe, um nur in ihren obersten Spitzen berührt zu werden. Man lernt dies ermessen, wenn man Michele Battagia's „Cenni storici e statistici sopra l'isola della Giudecca" (Venedig 1832), eines der reichhaltigsten Büchelchen über Venedigs Oertlichkeit, mit dem dort Gegebenen vergleicht. Und wer wünscht nicht, auch wenn die Erinnerungen durch die Gegenwart nicht erhoben sein sollten, über das Einzelne dieser Weltstadt Genaueres zu erfahren; z. B. über diese Giudecca, nach der venediger Aussprache zuecca, die ursprüngliche Residenz der Hebräer in Venedig, das wahre Heimatland der Shylocks! Battagia wird Denen, die über die Insel Auskunft verlangen, durch seine Gründlichkeit genügen, aber nur Verlangen nach ähnlichen Bearbeitungen über alle einzelne Theile erregen.

Redigirt unter Verantwortlichkeit der Verlagshandlung: F. A. Brockhaus in Leipzig.

Blätter für literarische Unterhaltung.

Dienstag, — Nr. 309. — 5. November 1833.

Miscellen über Literatur, Kunst und öffentliches Leben in Paris.

Fünfter Artikel.*)

Neue Zeitschriften und Werke.

Das „Panorama littéraire".

Als die erste Anzeige der „Europe littéraire" vertheilt wurde; als die Redaction ein Unternehmen ankundigte, was seines Gleichen noch nie in Frankreich und der übrigen Welt gehabt und nie mehr haben werde; als alle Capacitäten der Erde daran betheiligt, mitarbeitend erklärt wurden; als die lange Liste der Gründer und Correspondenten erschienen war, die man blos als Fragment, als Anfang einer viel größern Hauptliste bezeichnete, welche aber nicht nachfolgte; als mit Einem Worte alle jene Kunstgriffe der pariser Literaturindustrie mit wahrer Profusion angewendet wurden, die manchem Unerfahrenen an ein Werk von ewiger Dauer und unerschütterlicher Grundlage glauben ließ, hörte ich die Aeußerung eines Mannes, welcher die Dinge in der Nähe zu sehen gewohnt ist, daß dieses Blatt nicht länger als sechs Monate bestehen und sodann auseinanderfallen werde. In der That, sechs Monate sind kaum um, und die Gesellschaft der „Europe littéraire" ist getrennt, das Blatt, sowie es gegründet wurde, erscheint nicht mehr. Eine erste Anzeige lautete: Mishelligkeiten, welche zwischen den Gründern, den Actionnairs und der Redaction entstanden, machten den Fortbestand der Gesellschaft unmöglich, das Blatt werde daher aufhören zu erscheinen und öffentlich versteigert werden. Bei der Versteigerung fand sich kein Liebhaber, obschon das Angebot von 16,000 bis auf 12,000 Francs herabgesetzt wurde. Die Gesammtzahl der Abonnenten war nur 1200. Wenn man bedenkt, daß die Direction auf den Boulevards am Eingang der rue de la chaussée d'Antin eine weite, große Wohnung gemiethet und offene Salons gehalten; daß das Blatt an typographischem Luxus Alles überbot, was bisher Aehnliches bestand, und in gleichem Maße die Mitarbeiter honorirte: so läßt sich leicht ermessen, worin der Grund der Auflösung bestanden, und warum ein solches Unternehmen den Actionnairs fernerhin nicht besonders reizend geschienen habe. Einige Tage darauf las man eine andere Anzeige, daß das Aufhören der „Europe littéraire" mit Unrecht angekündigt worden; daß die alte Gesellschaft zwar aufgelöst sei, daß aber das Blatt in neuer Form forterscheinen werde, indem die Redaction und einige der ursprünglichen Stifter dasselbe an sich gekauft haben. In diesem neuen Prospectus blickt der Unwille durch, daß das Publicum ein so großartiges, glänzendes Project nicht besser gewürdigt und unterstützt habe; leider sei es den Speculanten für einige Zeit gelungen, der ebenso ernsten als geistreichen Nation zu versichern, daß das Talent und die Kenntnisse in die Straße herabsteigen und mit dem Geiste des Almanachs zu 2 Sous sich messen sollen; die Gründer der „Europe littéraire" mit ihrer Pracht und Großartigkeit seien aus der Bahn einer möglichen Ausführung geworfen worden, weshalb die neue Direction sich bemühen werde, dahin zurückzukehren; die Ersparnisse hoffte sie insbesondere durch Vermeidung der Stempel- und Postgebühren zu erreichen. In Zukunft wird das Blatt nicht mehr in Folio, sondern in Octav, nicht dreimal, sondern nur zweimal wöchentlich erscheinen. Wirklich sind auch seither mehre Lieferungen des wiedergeborenen Europas vertheilt worden. Der Inhalt und der Charakter des Blattes ist derselbe geblieben, und darin liegt der Keim seiner Krankheit, welche die erste Krisis hervorgebracht hat und die mit einem erlöschenden Abgange endigen wird. Als Localblatt gleicht es den übrigen an Inhalt und Tendenz, mit dem Unterschied, daß es breiter, gedehnter und theuerer ist. Als europäisches Blatt, wie sein Name versprach, hat es bisher unendlich wenig geleistet. Den Hauptinhalt bilden Kritiken der Theaterstücke, neuer Romane und anderer literarischen Werke — versteht sich stets von Paris — und mitunter eine Novelle, eine leichte Erzählung, oder Fragmente aus eben erschienenen Schriften. Danach läßt sich leicht erachten, daß man in Wien und Petersburg kein besonderes Interesse für das Blatt nehmen werde.

Während die „Europe littéraire" ihr kurzgemessenes Stadium durchlief und von ihrem baldigen Hinscheiden noch keine offene Anzeige gemacht hatte, meldete sich bereits der Nachfolger, der Erbe bei lebendigem Leibe, der Doppelgänger mit kaum verändertem Namen: „Le panorama littéraire de l'Europe". War es Ahnung des baldigen Abtretens jener, für welchen Fall es rathsam war, gleich gewaffnet ihre Stelle einnehmen zu können, oder hatten die Unternehmer wirklich die Ansicht, daß ein zweites ganz analoges Unternehmen neben dem ersten bestehen und gedeihen könne — sie machten ihre einladende Anzeige und ließen die erste Lieferung vom Stapel laufen. An Versprechungen ist dieser Prospectus nicht karg, und die Namen und die Anzeigen sind oft das Beste an den literarischen Neuigkeiten:

„Seit langer Zeit beschäftigte man sich in Frankreich nur mit der französischen Literatur. Sie erleuchtete die Welt, und unsere geblendeten Augen sahen nichts jenseit des strahlenden Kreises ihres Ruhmes. Seit dem Frieden ist uns die Literatur von Großbritannien weniger fremd geworden. Byron und Walter Scott sind nach Frankreich gedrungen wie Chateaubriand und Lamartine nach England, und die Bildung der „Revue britannique" hat später in literarischer Hinsicht beinahe gänzlich die Meerenge ausgefüllt. Seit wenigen Jahren erst hat sich uns gleichmäßig die deutsche Literatur offenbart; allein Theaterstücke und Romane sind heute noch die einzigen Producte der germanischen Muse, welche nach Frankreich gedrungen sind. Deutschland, dessen Philosophie nichts Unerforschliches erkennt als die Geheimnisse Gottes, dessen Wissen nichts als die Verborgenheiten der Zukunft, dessen Einbildungskraft keine andern Grenzen hat als die Unendlichkeit; Deutschland, dessen Literatur sich durch die Leistungen verschiedener Länder, wie

*) Vgl. den dritten Artikel in Nr. 271—273, sowie den vierten in Nr. [illegible] d. Bl. D. Red.

Preußen, die Schweiz u. s. w., bereichert, wird uns ein unerschöpflicher Schatz sein, dessen Ausbeute wir unsern Lesern zu bieten gedenken. Rußland, Schweden und Dänemark fangen an, an dem literarischen Horizont zu glänzen; möchten die Schriftsteller des Nordens sich vor der Nachahmungssucht verwahren, welche das nationale Genie tödtet oder dessen Entstehen verhindert! Italien beweist noch von Zeit zu Zeit, daß es nicht blos das Land der großen Erinnerungen ist. Von Holland kennen wir nur die Handelsstuben; es ist Zeit, daß es seine Bibliotheken unsern Nachsuchungen öffne. Wir hoffen, daß Spanien nicht immer vergessen werde, daß es das Vaterland von Cervantes ist; und wenn der Camoëns keinen Nebenbuhler in Portugal hat, so finden wir ihm vielleicht Nachfolger. Was Frankreich betrifft, welches die Alten, die es nachahmte, übertroffen hat, so sehen wir mit Bedauern, daß es die Ausländer nachahmt, ohne ihnen gleichzukommen. Stolz, heute noch den größten Schriftsteller des Jahrhunderts zu besitzen, soll Frankreich nicht vergessen, daß es allein mehr Männer von Geist erzeugt hat als alle übrigen Nationen von Europa zusammen; auf seinen alten Ruhm gestützt, werden wir es um so sicherer zur Eroberung eines neuen Ruhmes schreiten sehen. Das „Panorama" wird jeden Monat das Merkwürdigste mittheilen, was die Literatur hervorgebracht hat und so der geistigen Welt ein Bilderkasten sein, in welchem sie alle schönen Gebäude der Hauptstädte Europas überschauen kann. Wir werden die Wissenschaften nicht als Professoren behandeln; allein wir werden das Resultat der Arbeiten der Gelehrten geben. Die literarische Kritik, welche in Deutschland und England so stark ist, ist in Frankreich sehr häufig nichts Anderes als das Product einer gefälligen und blinden Freundschaft und zuweilen einer boshaften und lügenhaften Feindschaft. Wir wollen den einen und den andern Nachtheil vermeiden, indem wir unsern Lesern die gewissenhaften und unabhängigen Urtheile der auswärtigen Kritiker über die Leistungen unserer Schriftsteller vor Augen legen. Außerdem werden wir die interessantesten Fragmente neuer oder ungedruckter Werke mittheilen u. s. w."

Diese Anzeige, welche im Uebrigen nicht aus der Bahn der vagen Allgemeinheit tritt, enthält dennoch eine interessante Thatsache: das Verlangen nach Erweiterung des literarischen Horizonts, das Bedürfniß nach Bekanntschaft mit auswärtigen, namentlich deutschen Geistesproducten, und das allmälige Verschwinden jener barbarischen Abgeschlossenheit und Ungerechtigkeit, mit welcher man wie in politischen so auch in literarischen Dingen auf das Ausland blickte; in dieser Beziehung ist eine wunderbare Veränderung vorgegangen. Wenn man heute den französischen Schriftstellern, der Literatur, den periodischen Sammlungen und Journalen einen Vorwurf machen kann, so ist es nicht der, daß sie mit Verachtung auf unsere deutsche Literatur sehen, daß sie sie ihrer Aufmerksamkeit unwerth schätzen — sie verlangen nichts mehr, als sie kennen zu lernen und ihre Schätze zu genießen —, sondern man ist vielmehr in ein entgegengesetztes Extrem verfallen, das in künstlerischer Hinsicht fast ebenso beklagenswerth ist als der frühere Zustand. Man kennt die Abstufungen der deutschen Producte, ihre Kategorien, die vorzüglichen Schriftsteller, die Masse der Alltagsschreiber nicht genug, trennt das Edle nicht von dem Trivialen, und so geschieht es denn, daß bei dem einmal bestehenden Vorsatze, bei dem Geschmacke, bei der Mode, auch von deutscher Literatur zu sprechen, der Zufall, der Unverstand und die crasseste Unkenntniß über die Auswahl das Loos werfen. Das größere Uebel liegt in der Unbekanntschaft mit der deutschen Sprache; als Folge dessen fehlt das eigne Urtheil, oder es bildet sich nach schlechten Uebersetzungen; da aber Clauren und Kotzebue viel leichter zu übersetzen sind als Schiller, Göthe, Herder und Wieland, so ist begreiflich, daß Erstere viel bekannter sind als die Letztern, und unsere armen Nachbarn schreiben dann in bedauerlicher Weise: „Leider ist beinahe noch nichts zu uns gedrungen als Theaterstücke und Romane!" Das einzige Mittel, Verständniß und Annäherung herbeizuführen, ist die Erlernung der deutschen Sprache. Dies Studium beschäftigt jetzt, wenn auch nicht ganz in dem Maße, wie es nothwendig wäre, doch in sehr bedeutendem Verhältniß gegen früher, gebildete Franzosen. Das ist die wunderbare Folge der ersten französischen Revolution und der langen und blutigen Kriege, die das Kaiserthum mit dem übrigen Europa geführt hat. Vor jener Epoche waren Deutschland und Frankreich geistig voneinander abgeschlossen, höchstens daß das Band durch einige hervorragende Individualitäten, wie Voltaire und Friedrich II., geknüpft und erhalten wurde, und dies war eine Sache des allgemeinen Aufsehens: Europa sprach davon; die Völker selbst, ihre geistigen Bestrebungen, ihre Literatur, ihre Studien hatten keine wechselseitige Annäherung, wie überhaupt ihr sociales und politisches Leben nur feindlich sich gegenüberstand. Nichts sollte überall mehr auf gleicher Grundlage, den Gesetzen der Denkkraft und der Vernunft, beruhen, nach dem nämlichen Ziel, der Wahrheit und der Erkenntniß, streben als die Philosophie, und nichts war abweichender als die Systeme und Lehren, worin die Denker beider Nationen sich absonderten. Was der Friede und die Ruhe nicht vermochten, das erzeugte das Schwert und seine lange blutige Saat. Der Anstoß war furchterlich, die gräßliche Umarmung dauernd und schmerzhaft; aber die Geburt ist segensvoll, herrlich und eine jener großen historischen Katastrophen, in welcher die stete, regelrechte Ordnung der Dinge, die Gesetze des Gleichgewichts zuweilen dem Chaos und der Zerstörung weichen müssen, um die Welt und ihre Organe von Neuem zu befruchten und zu kräftigen. So lange die Kriegsfahne noch wehte, war an eine deutsche Literatur und ihre Würdigung nicht zu denken, selbst in Frankreich bestand keine der Epoche würdige Literatur; das Kaiserthum, was in allen Dingen so groß, so herrschend, so leuchtend und überragend war, hat eine steife, gezwungene, unpoetische Literatur gebildet; vom Auslande war natürlich gar keine Rede; es gab damals nur eine Sprache, die französische, nur eine Presse, die kaiserliche, nur einen Gedanken, den des Kaisers! Als aber der blutige Troß seine Bahn vollendet, als die Todten begraben, die Thränen getrocknet und die glückliche Vergessenheit des vergangenen Uebels über den kaum geschlossenen Furchen hingezogen waren, da wuchs aus der Zerstörung der erste Keim einer neuen, lieblichen Pflanze hervor, die als sprechendes Zeichen des steten Fortschrittes der Menschheit auf den Ruinen des alten Hasses den versöhnten Völkern die Früchte eines wechselseitigen Verkehrs, aufrichtiger Freundschaft reichen soll. Frankreich hatte Deutschland achten gelernt, und Deutschland befruchtete in seinem Innern die ihm aus dem Herde der großen Revolution in Gestalt von Schwert und Lanze überbrachten Ideen. Auf diese Weise war die Restauration, die, oberflächlich betrachtet, ein großes Grab zu sein schien, nichts Anderes als der chemische Proceß, in welchem beide Völker die Vergangenheit analysirten und zur Erzeugung einer neuen Zukunft benutzten; man untersuchte, man forschte, man entdeckte und bestätigte, man lernte und erkannte; der Krieg, die Eroberung, die glänzende Barbarei hatten ihren Gipfelpunkt erreicht; hier war nichts Neues mehr zu erringen, das Maß erschöpft, Napoleon sollte der letzte Eroberer im Diadem sein, er hat seine Epopöe vollendet, mit ihm ist die Idee der Eroberung zu Grabe gegangen, um einer frischen, neuen und größern den Platz einzuräumen, der Verbrüderung der Völker, der Veredlung und Verbesserung der ganzen Menschheit, der Zerstörung alles Nationalhasses, der Begründung eines großen, der Weltschöpfung würdigen Kosmopolitismus in seinem reinsten Ausdrucke. Zu diesem Ziele führt vor allen andern Mitteln der Austausch der stählernen Waffen gegen die Schöpfungen der Musen, der Künste und Wissenschaften, der geistige Wettkampf, die innige Bekanntschaft in der nämlichen Bahn intellectuellen Strebens und Ringens. Je mehr Frankreich auf diesem Wege in die Nationalität Deutschlands, in die reichen Tiefen seiner herrlichen Poesie und seines gemüthvollen Talentes eindringen wird, desto mehr wird seine Achtung für ein Nachbarvolk steigen, das, mit ihm aus gleicher traditioneller Entstehung auftauchend, verallen andern berufen ist, in freundlichem Verbande mit ihm zu leben. Diese engere Bekanntschaft wird erreicht werden und der neuern romantischen Schule in Frankreich besonders zum Verdienste gezählt werden müssen, denn sie ist es, welche im Gegensatz der alten Classicität, die keine andere Sprache als die von Racine, keine andern Linien als die von Versailles, keinen andern Kothurn als die rothen Absätze kennen, und im 19. Jahrhundert noch die reifröckige Muse Ludwig XIV. als eine jugendliche Schönheit aufzwingen wollte, für die Emancipation der Kunst und Literatur, für einen größern, ungebundenern und inspirirtern Dienst der hohen Göttin in die Schranken getreten ist.

Ich kehre zum „Panorama littéraire" zurück. Das erste Heft, 104 Seiten stark, enthält folgende Artikel: „Politische Oekonomie", eine allegorische Erzählung der drei Kräfte des fließenden Wassers, des Windes und des Dampfes. Eine Gesellschaft von Auswanderern leidet Schiffbruch und wird auf eine unbewohnte, aber fruchtbare Insel verschlagen; sie suchen ihr Leben zu fristen und ihre Bedürfnisse zu befriedigen. Drei Riesen, welche sie allmälig entdecken, reichen ihnen hierzu hülfreiche Hand. Aquafluentes heißt der eine, welcher die schwersten Lasten von einer Stelle zur andern bewegt, das Getreide zermalmt u. s. w., Ventoso der andere, welcher die Thätigkeit des Erstern beschleunigt und das Mehl aus dem erzielten Getreide erzeugt, Vaporoso der dritte, welcher der Industrie der Colonie einen mächtigen Aufschwung gibt und in ihren Fabricaten einen Quell von Reichthum erschafft. Die Erzählung ist aus dem Englischen übersetzt und ohne sonderliche Würze und Neuheit. Der zweite Artikel führt die Aufschrift: „Merlin, ein allegorisches Drama von Karl Immermann", und beginnt mit folgender Aeußerung: „Der Verfasser dieses sonderbaren Werkes hat es Mythe genannt, von dem griechischen Worte μυθος, Fabel; allein wir glaubten seine Absicht besser durch das Wort: allegorisches Drama, auszudrücken. Es ist eines jener seltsamen Producte, in welchem der deutsche Geist sich in aller seiner Unregelmäßigkeit entwickelt und sich verliert in den unermeßlichen Tiefen einer speculativen Philosophie, die sich nicht begnügt, ihr System in einer ernsten Abhandlung in Prosa darzulegen, sondern selbst in das Gebiet der Dichtkunst und des Schauspiels sich eindrängt. Es ist nicht das erste Mal, daß die überrheinische Literatur Werke dieser Art erscheinen sieht: „Nathan der Weise" von Lessing und „Faust" von Göthe waren die Vorläufer des „Merlin" von Immermann." Ich hatte oben von entsetzlicher Unwissenheit und tollkühnen Urtheilen über Sachen, die man nicht kennt, gesprochen; sind Sie zufrieden mit diesem Muster? „Nathan der Weise" eine speculative Träumerei, Lessing und Göthe die Vorläufer von Immermann! Dieser, wie es weiter heißt, ist einer der ersten Dichter Deutschlands, gegen dessen Unternehmen der „Faust" von Göthe nur ein Kinderspiel ist! Lessing und Göthe könnten höchstens lachen; wäre ich aber Immermann, ich würde mich zu Tode grämen über eine solche ehrlose Unverschämtheit. Der dritte Artikel heißt: „Die philanthropische Anstalt". Es ist ein Fragment aus Sagoskin's „Roßlawlew oder die Russen im Jahr 1812", welcher demnächst in französischer Uebersetzung erscheinen soll. Der Verf. hat sich in diesem Fragmente die Aufgabe gesetzt, die Manie philanthropischer Anstalten, wie er es nennt, zu persifliren. Im vierten Artikel wird eine Sittenschilderung der nordamerikanischen Indianer gegeben. Interessant, aber nicht neu.

Unter der Aufschrift: „Theater", folgt im fünften Artikel ein Fragment von Oehlenschläger's „Correggio", ohne weitere Kritik. Der sechste Artikel ist das Fragment eines Gedichtes von Alexander Soumet über die Vision von Jeanne d'Arc. Eine dramatische Skizze von Walter Scott, die ungedruckt geblieben war, unter dem Titel: „Das Kreuz von Mac-Duff", und eine phantastische, aber wahr sein sollende Erzählung aus dem tiroler Revolutionskrieg, die aus dem „Metropolitan" entnommen, deren Original aber im „Morgenblatt" vor einiger Zeit erschienen ist, bilden den siebenten und letzten Artikel. Ein bairischer Capitain Lieber erzählt, wie er in Tirol die Bekanntschaft einer jungen schönen Tirolerin gemacht und dadurch wegen der erregten Eifersucht eines Italieners, der für ihren Liebhaber galt, mehrmals in Lebensgefahr gerathen; wie er endlich durch verschiedene Anzeigen und Entdeckungen das Geheimniß einer Verschwörung und einer nächtlichen Zusammenkunft erfahren, in welcher es sich von Verrath seines Vaterlandes und seines Königs, dem er sehr anhing, handelte; wie er seinen Nebenbuhler da getroffen und einen Felsen hinabgestürzt, sofort auf die Bitte der schönen Dorothea ein Papier angezündet, welches sie ihm bezeichnete; wie er diese Handlung für nichts Anderes als einen Act der Großmuth seinerseits angesehen, um die Beweise der Mitschuld seiner Geliebten zu zerstören, während er im Gegentheil das Werkzeug dieser patriotischen Dame gewesen sei, um das Alarmzeichen zum Ausbruch des tiroler Aufstandes zu geben, der die Baiern endlich aus Tirol vertrieb und in unmittelbarer Folge sein Regiment dem Würgeschwert der Tiroler überlieferte, und wie er endlich die Hand dieser Amazone erhalten und sie geheirathet habe. Schöne Erzählung, naiver Baier! Ich hoffe, sie nächstens in einem Melodram des Boulevard du Temple zu sehen!

Die „Europe littéraire" mit reichern Hülfsmitteln bestand nur sechs Monate; das „Panorama" wird dieses Alter kaum erleben.

(Die Fortsetzung folgt.)

Grundriß zur Kenntniß der hohen und höhern Lehranstalten in Europa und Amerika. Mit besonderer Rücksicht auf die in Deutschland in Ansehung der Universitäten ergriffenen Maßregeln und eingeleiteten zeitgemäßen Verbesserungen. Von Alexander Müller. Frankfurt a. M., Streng. 1833. Gr. 8. 12 Gr.

Hr. Müller, als Herausgeber des „Canonischen Wächters" hinlänglich bekannt und geschätzt, verzichtet (nach seinen eignen Worten) freiwillig auf die Ehre, mit seiner Zusammenstellung die Wissenschaft merklich bereichern zu wollen. Und dies ist auch in der That der Fall, da Rec. nicht recht weiß, für wen oder zu wessen Nutzen Hr. Müller diese 60 Seiten in die Welt geschickt hat. Denn was über die frühere Geschichte der Universitäten gesagt ist, steht besser in Meiners', Savigny's und anderen berühmten Schriften; was über die zeitgemäßen Einrichtungen auf den Universitäten zu sagen war, haben Thibaut, Jacobs, von Jakob, Eichstädt, Niemeyer, Jak. Grimm, Savigny u. A. weit besser gesagt und Hr. Müller hat nicht einmal einen nur etwas vollständigen Auszug geliefert, die statistischen Angaben endlich sind nur nothdürftig und selbst mangelhaft, wie z. B. bei der Aufzählung höherer Lehranstalten das Lyceum Hosianum zu Braunsberg, das katholische Seminar zu Mainz (in Hrn. Müller's Wohnorte), die Prediger-Seminarien zu Wittenberg und Herborn, das theologische Collegium zu Andover bei Boston und wol noch andere ausgelassen sind, auch noch ein akademisches Gymnasium zu Zürich aufgeführt ist, das doch schon seit anderthalb Jahren den Namen einer Universität führt. Die Lobpreisung der Lyceen, als einer Mittelanstalt zwischen dem Gymnasium und der Universität (S. 31 fg.), erweckt auch kein allzu günstiges Urtheil für die pädagogischen Einsichten des Verf. Wie wenig solche Anstalten nützen, hat noch neuerdings Cousin sehr richtig erkannt. Im Anhange theilt Hr. Müller einige ausführlichere Nachrichten über die italienischen Universitäten, die er aus Savigny's Reiseberichten (vermuthlich sind die in der „Zeitschrift f. gesch. Rechtswissensch.", VI, H. 1 u 2, S. 201—228, enthaltenen gemeint) entlehnt hat. Aber zur Vervollständigung mußte er auch berücksichtigen, was Förster in der gen. Zeitschrift, II, 2, S. 273—280, dann über die Unterrichtsanstalten im Kirchenstaate Schlieben in Hitzig's Journal, VI, S. 435—449, und über die im Königreiche Sardinien Kastner in Seebode's „Archiv für Philologie", I, 1, sowie Kephalides in seiner „Reise", I, 16 fg.

27 v. a. D., mitgetheilt hat. So ist es immer sehr charakteristisch, daß, wie Schlieben S. 437 erzählt, sich zu Niebuhr's Vorlesungen über römische Alterthümer nur fünf Zuhörer gefunden hatten.

Hr. Müller gedenkt in der Vorrede einer Aeußerung, die Steffens in seiner Schrift über Deutschlands protestantische Universitäten gethan hat und seines Wunsches, daß uns doch Jemand mit einer geistreichen Geschichte der Universitäten beschenken möchte. Vorzugsweise ist hiermit Deutschland gemeint. Dazu hat Scheidler in seiner Apologie des deutschen Universitätswesens („Minerva", 1832, IV, S. 65—157) viel brauchbares Material zusammengetragen, wobei er freilich die gediegenen Betrachtungen von Grimm in den „Gött. gel. Anz.", 1833, Nr. 12, 54 und 55, und von Savigny in Ranke's „Zeitschrift", 1832, IV, S. 569—592, noch nicht benutzen konnte. Auch Platner's lateinische Rede in der von Justi herausgegebenen Beschreibung der Säcularfeier der Universität Marburg gehört hierher, dann van Hemsde in seinen „Briefen über die Tendenz des höhern Unterrichts", S. 146 fg., und Leo's Bemerkungen in der Recension von Dubarle's Schrift: „Histoire de l'université de Paris depuis son origine" in den „Jahrbüch. f. wiss. Kritik", 1819, Nr. 69—72. Für die Geschichte der deutschen Universitäten bleibt immer der Haß charakteristisch, den Napoleon auf sie geworfen hatte und den Lucchesini, „Sulle cause della confederazione renana", Thl. II, S. 464, mit diesen Worten schildert: „Era in questo tempore cresciuta oltra modo l' avversione dell' imperatore a tutti gli studiosi delle scienze speculative dentro e fuori dell' imperio francese. Non credendo, che l' ideologi ponessero tra le leggi di natura, la necessità del suo despotismo tenevali per nemici e perturbatori della publica quiete." Ebenso charakteristisch aber ist es, daß noch im J. 1809 die Professoren zu Tübingen stehend einen Verweis anhören mußten, den ihnen König Friedrich I. von Würtemberg zu geben beliebte. (Dresch „Neuere Gesch. der Deutschen", XXIX, 313.)

In Beziehung auf nichtdeutsche Universitäten verbreitet sich Hr. Müller ziemlich ausführlich über Spanien. Doch verdienten hier außer der S. 38 angeführten Schrift von Rehfues die Briefe Doblado's, S. 86 fg., verglichen zu werden, sowie über Upsala Schubert's „Reise in Schweden", I, 366 fg., da hier Hr. Müller sich gar zu kurz gefaßt hat. Endlich hat es uns befremdet, die in unsern Tagen so oft angeregte Frage über die Concentrirung der Universitäten in Haupt- und Residenzstädte gar nicht berührt zu sehen. Für die Beibehaltung der Universitäten in kleinen Städten lassen sich wol immer weniger Stimmen vernehmen, um so mehr müßten des verstorbenen Cramer Worte in seiner „Hauschronik", S. 67, berücksichtigt werden. 39.

Reden an das Volk zur allgemeinen Verständigung über wahres Wohl. Von Joh. Aug. Gerdessen. Glogau, Heymann, 1833. 8. 1 Thlr. 8 Gr.

Hat der Verf. dieser „Reden an das Volk" dieselben „dem Vaterlande aus Herzensgrunde gewidmet", so erklärt er nun auch im Vorworte selbst, daß nichts als herzliche Liebe zum Vaterlande, das ist, nach seiner eignen Erklärung, innige Theilnahme für das wahre Wohl des Volks, ihn dränge, diese Reden, „vielleicht einen heilsamen Beitrag zur wechselseitigen Verständigung über Das, was wir alle wollen und suchen", darzubieten, und, wenn man es recht erwäge, gewiß nicht zur Unzeit. Denn eine solche allgemeine und wechselseitige Verständigung über die Erscheinungen des jüngsten Zeitlaufs schien dem Verf. ein Bedürfniß zu sein, um so mehr, als er der Meinung ist, daß es durch die Schriften des Tages wenigstens noch nicht hinlänglich befriedigt sei. Diese Verständigung schließt das ewig wahre Wort des göttlichen Weltverbesserers, Matth. 6, 33: „Trachtet am ersten nach dem Reiche Gottes und nach seiner Gerechtigkeit", nicht aus, sondern sie schließt sich vielmehr eng an die möglichste Verwirklichung desselben an. Zu jener Verständigung glaubt er aber durch Das, was er wohlmeinend und nach Kräften treu, offen, unbefangen und grade in diesen Reden ausgesprochen, und nicht allein nach den Erfahrungen der Gegenwart, sondern auch nach den gesunden Lehren der Vergangenheit beitragen zu können; und er verheißt sogar, Zeugniß und Beweis für die einzelnen Reden aus der allgemeinen Weltgeschichte nach Befinden nachzuliefern.

Wir selbst können dem Verf. im Allgemeinen das Zeugniß geben, daß er, nach unserer Ansicht, auf dem rechten Wege jenem Bedürfnisse abzuhelfen bemüht gewesen; und wir glauben daher auch, daß er auf diesem Wege das vorgesteckte Ziel wol erreichen könne. Daß es übrigens an und für sich rühmlich und löblich sei, das Volk über Das, was ihm, näher oder ferner liegend, mindestens nicht gleichgültig sein kann und soll, aufzuklären: darüber kann kein Zweifel sein, und nur das muß bedauert werden, einmal, daß die Geneigtheit in allen Classen des Volkes, sich über diese Angelegenheiten und Verhältnisse auf die rechte Art belehren zu lassen, noch nicht so verbreitet ist, als wol zu wünschen wäre, und dann, daß noch nicht der rechte Weg gefunden sein dürfte, auf diese Weise, wie der Verf. beabsichtigt, auf das Volk zweckmäßig einzuwirken. Denn wer im Volke wählt absichtlich die ihm dargebotenen Mittel, sich z. B. durch Lehren, wie sie die vorliegenden „Reden" enthalten, aufklären zu lassen? Herrscht nicht noch zu viel Gleichgültigkeit im Volke, um ebenso den Zweck, jene Verständigung „über Das, was wir Alle wollen und suchen", wahrhaft zu wollen, als auch diese Verständigung selbst auf die rechte Weise zu suchen? Mit dem Verfasser wollen wir übrigens im Einzelnen nicht rechten, da wir auch mit ihm selbst in Allem nicht einverstanden sein können; und namentlich scheint er manche Erscheinungen im Leben unserer Staaten (z. B. Büchercensur, Constitutionen) etwas zu sehr nach den Erfahrungen aus einem extremen Gesichtspunkte, nicht ganz unbefangen zu beurtheilen, wenngleich er in Ansehung der Constitutionen S. 28 sagt: „Unsere Landtage (er meint doch aber nicht die Provinziallandtage in Preußen?), wenn sie vom Volke und seinen Abgeordneten zumal erst werden recht begriffen werden, erheben aus dem Strudel der Meinungen die echten, achtungswürdigen Urtheile des Volkes." Abgesehen hiervon, wünschen wir diesen Reden recht viele Leser im Volke; sie können Viel nützen. 80.

Literarische Notizen.

Von der Contemporaine ist erschienen: „Mille et une causeries" (2 Bde., Paris 1833). Sonach hat sie ihre Pilgerfahrt nach St.-Helena, von welcher die „France littéraire" vor Kurzem sprach, noch nicht angetreten und tritt hier allein mit Erzählervereinen in die Schranken. Von den 23 Geschichtchen, welche diese zwei Bände enthalten, sind die besten: „L'inspirée d'Heliopolis", „Amour et vengeance", „La fuite d'un harem", „La fellah et les soldats français", welche afrikanischen Ursprungs sind und durch ihr lebhaftes Colorit verrathen, daß die Contemporaine nicht umsonst in Aegypten war.

Ueber Ducis, der schon zu Voltaire's Zeiten darauf dachte, die Schönheiten Shakspeare's für die französische Literatur zu benutzen, ist ein interessantes Buch: „Études morales et littéraires sur la personne et les écrits de J. F. Ducis", von Onésime Leroy in Paris erschienen.

P. Maroncelli, der Leidensgefährte Silvio Pellico's, ist nach Neuyork abgereist, wo er als Dichter und Musiker die große italienische Oper organisiren soll. Einen Theil des Manuscripts der „Gli anni del dolore", welche als zweiter Theil der „Mie prigione" erscheinen sollen, hat er fertig zurückgelassen und will binnen Kurzem den andern aus Amerika herübersenden. 3.

Redigirt unter Verantwortlichkeit der Verlagshandlung: F. A. Brockhaus in Leipzig.

Blätter
für
literarische Unterhaltung.

Mittwoch, —— Nr. 310. —— 6. November 1833.

Miscellen über Literatur, Kunst und öffentliches Leben in Paris.

Fünfter Artikel.

(Fortsetzung aus Nr. 309.)

Le Populaire.

Der „Populaire", Journal der politischen, moralischen und materiellen Interessen des Volkes, erscheint vom 1. September wöchentlich einmal, am Sonntag, und wird in den Straßen verkauft werden, wie bereits mehre ähnliche Blätter. Er hat zur Inschrift: „Moralität, Freiheit, Gleichheit", und zum Motto: „Die Volkssouverainetät ist ein unbestreitbarer und unbestrittener Grundsatz; es kommt nur darauf an, die Folgerungen daraus zu ziehen. Wir wollen Niemanden erniedrigen, noch unterdrücken, noch berauben, sondern das Volk erheben und durch Arbeit bereichern." Das Journal ist von einer patriotischen Association gestiftet und auf Actien zu 100 Francs gegründet, welche zur größern Erleichterung der Abnehmer in Coupons von 50 und selbst von 25 Francs vertheilt werden. Der Ertrag des Journals soll wesentlich zur fortschreitenden Verbesserung des Blattes, zu seiner größern Verbreitung, zur Verminderung seines Preises, zur Vertheilung populairer Schriften verwendet werden. Es ist dies eine interessante Erscheinung, daß die Idee der Preßvereine, welche zuerst in Deutschland ins Leben trat, jetzt in Frankreich aufgegriffen und befruchtet wird. Der „Populaire" wird unter das Patronat des Volkes gestellt, er wird für das Volk und unter seinen Auspicien erscheinen. Unter den ersten Stiftern und Actieninhabern bemerken wir besonders folgende Namen: Argenson, Audry de Puyraveau, Briqueville, General Duchaffaud, Dulong, Dupont de l'Eure, Garnier Pagès, Guinard, Joly, Laboissière, General Lafayette, Graf von Lasteyrie, Lemercier, De Ludre, Mauguin, Salverte, u. A., theils Deputirte, theils aus dem Militairstande, theils Gewerbetreibende. Die Direction des Journals ist dem Deputirten Cabet übertragen. Der „Populaire" ist besonders der Verbesserung der Lage des Volkes und seiner Erziehung, unter dem dreifachen Gesichtspunkte der Politik, der materiellen Interessen und der Moral gewidmet. Hiernach ist das Blatt in drei Hauptabschnitte eingetheilt, unter welche sich alle Gegenstände der Volksbelehrung reihen werden.

L'Impartial.

Auch die Regierung hat sich einen neuen Kämpfer gewählt und gedenkt die Reihe ihrer Vertheidiger zu vermehren; das „Journal des débats", das „Journal de Paris" und der „Constitutionnel", die bisherigen sichern Pfeiler der Monarchie vom 7. August, werden einen neuen Collegen erhalten, jenem erlauchten nicht mitgerechnet, welcher mit unsichtbarer Hand, allein mit kenntlichen Zügen, wie die Oppositionsjournale behaupten, seine Eingebungen aus den Tuilerien in die ministeriellen Journale sendet. Der „Populaire" soll, seiner Anzeige gemäß, keine Handelsspeculation sein; auch der „Impartial" ist fern von aller Gewinnsucht, seine Begründer sind „größtentheils Industrielle und Handelsleute, ihr einziger Zweck ist: eine Bahn zu eröffnen, in welcher Männer von Talent und Gewissen, welche ihre Grundsätze theilen, kämpfen können. Dieses Organ soll außerdem den Vortheil gewähren, daß es von Leuten redigirt und geleitet werde, welche ohne Vorgänge (wol ärgerliche?) und rein von frühern Verpflichtungen und Farben sind." Es ist dies ein Zusatz, welcher in dem Munde eines neuen Regierungsblattes höchst naiv, wenn auch nicht sehr schmeichelhaft für die übrigen Amtsbrüder ist. Das „Journal des débats" namentlich, dieser schlüpfrige Aal, welcher durch die Strömungen aller Systeme in Frankreich durchgeschwommen, nach Zeit und Gelegenheit untertauchend und wieder auf die Oberfläche kommend, voller Gewandtheit und Schmiegsamkeit der dienstfertige Begleiter der Gewalt des Augenblickes gewesen ist, könnte diese Anzeige ziemlich grob finden, hätte seine stets gleichgebliebene Personaldirection in einer bewunderungswürdigen Philosophie nicht einen Schild gegen solche geringfügige Verunglimpfungen gefunden. Sehr leicht möglich wäre es, daß man im Schlosse der Tuilerien dieses neue Organ dem vorzugsweisen Blatte der Doctrin vorgezogen habe, weil es in der letzten Zeit als heftiger Vertheidiger der Auflösung der Deputirtenkammer aufgetreten und dadurch in Zwiespalt mit der „pensée immuable" gefallen ist, welche alle Schritte des Ministeriums unbedingt befiehlt und dominirt und den einzelnen Titelträgern nur das unfruchtbare (den Geldvortheil abgerechnet) Verdienst beläßt, der Vollzieher ihres absoluten Willens zu sein. In diesem Charakter tritt Louis Philipp immer schärfer hervor, und seine Reise nach Cherbourg ist davon ein neuester und wichtiger Beweis. Der König spricht auf jeder Station nicht, wie es vor ihm die absoluten und sogenannten constitutionnellen Könige gethan, in allgemeinen Phrasen und conventionnellen Redensarten, sondern als selbsthandelndes Individuum, als Hebel und Impuls des Regierungssystems, als sein Quell und sein belebendes Triebrad, er spricht von seinem Systeme, von seiner Regierung, von seinen Principien, er erzählt den Beamten, welche ihre einstudirte Rolle vor ihm abspielen, wie er allein Frankreich retten konnte, wie ihm allein das Land die Befestigung der Anarchie, der Handel seinen Fortgang und die Nation den Wohlstand verdanke, er greift die Gegner seines Systems direct an, er geräth in Zorn über eine demuthsvolle Anrede, in welcher gesagt wird, daß es für die Könige heilsam sei, die Wahrheit zu hören, er warnt das Volk vor seinen Schmeichlern und den Verleumdern der Presse, und während er seine Thaten mündlich preist, jene der Opposition tadelt und in Paris ein neues Zeitungsblatt entstehen läßt, wird die „Tribune" zum 84. Mal in Beschlag genommen, weil sie es gewagt, auf den Angriff Louis Philipp's zu antworten und den von ihm gepriesenen Vortrefflichkeiten seiner hohen Person die Schattenseite und die Erwiderung der Nation auf seine Reden entgegenzuhalten. Der „Impartial" verwahrt sich gegen die herabwürdigende Doctrin des göttlichen Rechtes, denn sie führe geradeswegs zum Despotismus, sie erniedrige den Menschen; allein er adoptirt ebenso wenig das System des Volkswillens, welches sich auf die allgemeine Stimmfähigkeit gründet; denn wenn dieses auch nicht erniedrigend sei wie das erstere, so sei es doch nicht minder thöricht und verderblich. Er will eine Regierung des Lichtes, und damit diese bestehe, solle eine Nation ihren Mitgliedern die sociale Gewalt, welche stets nur ein Amt, nicht ein Recht sei, nur übertragen im Verhältniß des Zutrauens, welches sie verdienen, d. h. im Verhältniß ihrer Unabhängigkeit und Fähigkeit.

Le conciliateur. L'électeur.

Nicht zufrieden mit Einem Blatte, hat die Regierung der Anzeige des „Impartial" sogleich eine andere von noch zwei Blättern: „Le conciliateur" und „L'électeur", folgen lassen, sodaß der September drei neue ministerielle Stützen auf einmal entstehen sehen wird. Wenn in dieser Handlung eine unbezweifelbare Anerkennung der Macht der Presse liegt, so ist auch zu wünschen, daß die Regierung der Oppositionspresse freie Hand lasse und nicht sogleich den Herrn Persil als Secundanten der neuen Kämpfer gegen die republikanischen Blätter gebrauche. Der Kampf wird hierdurch zu ungleich, und dennoch erhält die Regierung in endlichem Resultat keinen Vortheil als den der Gewalt statt richterlicher Wahrheit. Von 84 Processen, welche der öffentliche Ankläger gegen die „Tribune" seit Juli 1830 begonnen, sind nur sieben zum Nachtheil des Blattes entschieden worden! Der „Conciliateur" erklärt sogleich offen und frei, daß er in dem Systeme des 13. März den Inbegriff der Vollkommenheit erblicke und dieses System als die Arche des Heils vertheidigen werde.

Memoiren von Mademoiselle Avrillon, erste Kammerfrau der Kaiserin Josephine. Zwei Bände. Paris.

Wie viele bunte Compilationen über die Zeit des Consulats und des Kaiserthums sind nicht schon geschrieben worden! Eine Masse von Elementen, der Stoff zu einem künftigen Gebäude, die Farben zu einem großen Gemälde sind in ordnungsloser Menge angehäuft; aber das Gebäude ist nicht aufgeführt, das Gemälde nicht gefertigt; wir haben hundert Memoiren über jene Zeit und nicht eine einzige Geschichte des Kaiserthums. Die Memoiren der Mlle. Avrillon enthalten interessante Details über den Charakter von Josephine, welche wir in ihren guten Eigenschaften wie in ihren Fehlern erblicken. Der ganze Hof zu St.-Cloud war damals leichtfertig, und Josephine ist davon nicht freigeblieben. Mlle. Avrillon bringt manche Belege dazu bei. Statt dieser will ich lieber zwei Briefe erwähnen, welche in die Zeit der Vermählung Napoleon's mit Marie Luise fallen und von Seiten der verstoßenen Kaiserin einen schönen Charakter beweisen:

„Josephine an Napoleon, drei Wochen nach der Vermählung mit Marie Luise. Sire, ich erhalte durch meinen Sohn die Zusicherung, daß Ew. Majestät mir erlauben, nach Malmaison zurückzukehren und mir die Vortheile bewilligen, welche ich von Ihnen begehrt habe, um das Schloß von Navarre in bewohnbaren Zustand zu setzen. Diese doppelte Gunst, Sire, zerstreut in großem Maße die Unruhe und selbst die Furcht, welche mir das lange Stillschweigen Ew. Maj. eingeflößt hatten, die Angst, gänzlich aus Ihrem Gedächtniß verbannt zu sein; ich sehe, daß ich es nicht bin. Ich bin darum heute weniger unglücklich und selbst so glücklich, als es mir jetzt möglich ist zu sein. Zu Ende des Monats werde ich nach Malmaison gehen, wofern Ew. Maj. kein Hinderniß dagegen sehen; allein ich muß Ihnen sagen, Sire, ich würde von der mir gelassenen Befugniß nicht sobald Gebrauch gemacht haben, wenn nicht das Haus von Navarre für meine eigne und die Gesundheit meiner Leute dringende Reparaturen erheischte. Mein Vorsatz ist, in Malmaison nur kurze Zeit zu verbleiben; ich werde bald von da weggehen nach dem Bade; allein während meines Aufenthalts in Malmaison können Ew. Maj. versichert sein, daß ich leben werde, als ob ich tausend Stunden von Paris entfernt wäre. Ich habe ein großes Opfer gebracht, Sire, und jeden Tag empfinde ich mehr seinen ganzen Umfang. Allein dieses Opfer wird sein, was es sein muß, es wird vollständig sein von meiner Seite; Ew. Maj. werden in Ihrem Glücke durch keinen Ausdruck meiner Trauer gestört werden. Ich werde nicht aufhören, das Glück Ew. Maj. anzurufen; vielleicht wünsche ich sogar, Sie wiederzusehen; allein, mögen Ew. Maj. überzeugt sein, ich werde allezeit Ihre neue Lage heilig halten, ich werde sie im Stillen respectiren; voll Vertrauen auf die Gefühle, welche Sie ehemals gegen mich hegten, werde ich keine neuen Beweise davon begehren, sondern Alles von Ihrer Gerechtigkeit und Ihrem Herzen erwarten. Ich beschränke mich, eine Gnade zu erbitten, sie ist: daß Ew. Maj. selbst ein Mittel suchen möchten, zuweilen mich und meine Umgebungen zu überzeugen, daß ich fortwährend einen kleinen Platz in Ihrer Erinnerung und einen großen Platz in Ihrer Achtung und Freundschaft einnehme. Dieses Mittel, wie es sei, wird meine Schmerzen lindern, ohne im mindesten, wie mich dünkt, Das zu gefährden, was mir vor Allem am Herzen liegt: das Glück Ew. Majestät!"

Dieser schöne Brief einer Kaiserin, voll Sanftmuth und Ergebung, erhielt von Napoleon folgende Antwort, in welcher die frühern Zeiten das Kaiserthum für einen Augenblick in den Hintergrund treten ließen:

„Meine Liebe, ich erhalte deinen Brief vom 19. April; er ist von schlechtem Styl. Ich bin stets Derselbe; meines Gleichen wechseln nicht. Ich weiß nicht, was Eugen dir gesagt haben mag; ich habe dir nicht geschrieben, weil du es nicht gethan, und ich Alles wünschte, was dir angenehm sein konnte. Ich willige mit Vergnügen, daß du nach Malmaison gehen und vergnügt sein mögest; ich werde es sein, wenn ich Nachricht von dir erhalte und dir solche geben kann. Ich sage nicht mehr, bis du diesen Brief mit dem deinigen verglichen haben wirst, dann überlasse ich deinem eignen Ermessen, wer besser und mehr Freund ist, du oder ich. Adieu, Liebe, lebe gesund und sei allezeit gerecht gegen dich und gegen mich."

(Die Fortsetzung folgt.)

Betrachtungen über die Repräsentation moralischer Personen, besonders des Staats. Von einem königl. preuß. (hohen) Beamten. Glogau, Heymann. 1833. Gr. 8. 12 Gr.

Hobbes, welcher das Princip der Monarchie in der Furcht vor der rohen Naturgewalt, und Montesquieu, der es in der Ehre suchte, haben sich bei großem Reichthum der Ideen völlig umsonst bemüht, der monarchischen Staatsidee eine rechtsbeständige Basis unterzulegen. Die kleine, scharfsinnige und wohlmeinende Schrift, welche uns eben vorliegt, macht denselben Versuch auf einem andern, und, irren wir nicht, auf einem durchaus neuen Wege. Indem sie von der rechtlich unzweifelhaften Idee der Unmündigkeit jeder moralischen (mystischen) Person, jeder Corporation und also auch des Staats ausgeht und die Nothwendigkeit der Bevormundung jeder Gemeinde hervorhebt, beweiset sie mit streng philosophischer Denknöthigung die nothwendige Individualität der Repräsentation, da jeder engere Ausschuß, der zur Repräsentation einer Gemeinde berufen würde, immer wieder einer Verengerung bedürfte, wenn der Begriff der Repräsentation dargestellt und erfüllt werden soll. Diese Verengerung endet immer und nothwendig in der Individualität, in einer einzigen, physischen Person. Die Nothwendigkeit der Repräsentation des Staats durch eine untheilbare Individualität, eine Person, oder mit andern Worten, die ideelle Nothwendigkeit des monarchischen Princips wird auf diesem Wege philosophisch und rechtlich in strenger Denkfolge begründet, sodaß sie an und für sich in beiden Beziehungen jeden Zweifel ausschließt. Es ist ein Meisterstück scharfer, juridischer Beweisführung, das der Verf. gibt, befriedigend für Jeden, der da weiß, was Denknöthigung ist, und der für philosophisch-juridische Consequenz einen offenen Sinn hat.

Wir gehen nicht so weit, zu behaupten, daß die politische Lebensfrage damit entschieden, der Knoten, welcher die politischen Fäden Europas verwirrt, gelöst sei; allein so viel ist wahr und richtig, daß für das monarchische Princip eine Grundlage hier gefunden ist, die an überzeugender Kraft die unzähligen Versuche hinter sich zurückläßt, welche für denselben Zweck in alter und neuer Zeit gemacht worden sind.

Nach den sechs ersten Capiteln, welche sich mit diesem durchaus gelungenen Beweise beschäftigen, den zu entkräften schwer, wenn nicht unmöglich fallen möchte, betrachtet der Verf. im siebenten Capitel die Theilung der Gewalten und die daran haftenden Gefahren. Hier müssen wir auf den Ursprung dieser Schrift zurückgehen. Sie war zu einer Vorlesung in einer gemischten philomathischen Gesellschaft bestimmt, und dem Verf. mochte es nöthig scheinen, nach dem streng logischen Inhalt der ersten Capitel hier in einen etwas populairen Ton überzugehen, um alle seine Zuhörer zu befriedigen, und unter ihnen auch den Theil, der an strengem Erweise weniger Geschmack fand. In diesem Sinne wird die Theilung der Gewalten, wie Montesquieu sie zuerst ohne besondere Schärfe sonderte, mehr aus dem Gesichtspunkt des Nützlichen und Zweckmäßigen, als aus dem philosophischer Consequenz betrachtet. Hätte der Verf. diesen letztern Gesichtspunkt behauptet, so würde er unsers Erachtens haben ausführen können, einmal: daß die strenge ideelle Sonderung der Gewalten eine unwirkliche Chimäre ist, eine Unmöglichkeit, ein absurdes Gedankending, und zweitens: daß in praktischer Beziehung diese Trennung der Gewalten etwa überall und in allen civilisirten Staaten in gleicher Art angetroffen wird, und daß verfassungsmäßig in England oder Amerika die richterliche Gewalt nicht mehr und nicht minder von der Gesetzgeber- und Vollstreckerqualität gesondert ist als in Oestreich, Neapel oder Spanien. In ideeller Beziehung unmöglich, hat in praktischer Beziehung die Nothwendigkeit überall auf diese Trennung hingeführt, zu ihr genöthigt.

Hierauf geht der Verf. jedoch weniger ein und begnügt sich, auf die Gefahren hinzudeuten, die eine strenge Sonderung der Gewalten in sich schließt. Er spricht weniger von der Trennung der richterlichen und vollstreckenden von der Gesetzgebereigenschaft, als er eine Trennung der Regierungsrechte in den Repräsentanten des Staats überhaupt im Auge hat. In diesem Betracht citirt er das sehr lehrreiche Beispiel Sachsens, dessen alte Verfassung ihm genau bekannt und aus praktischer Berührung werth ist. Mit großem Scharfsinn weist er hier die wahren Ursachen des Umsturzes dieser Verfassung in der isolirten Stellung nach, die der Regent in Bezug auf die Kirche seines Landes einnahm, und in dem strengen Halten an der Verfassung, die diese verderbliche Sonderung der Regierungsrechte vorschrieb. Wir glauben vollkommen, daß der Verf. Recht hat, und daß der Fürst, unberührt von Dem, was seinem Volke so hochwichtig war, durch eben diese isolirte Stellung, welche von der Idee der Gerechtigkeit geboten wurde, der Liebe und der schützenden Treue seines Volkes verlustig ging, mit einem Wort, daß die „polnische Krone" der Grund und die Ursache der Spaltung zwischen Volk und Regierung in Sachsen wurde. Indeß beweist dies nichts für oder wider die Trennung der Gewalten, die nicht identisch sind, mit den Regierungsrechten.

Desto beweiskräftiger ist das Beispiel aus dem Heiligsprechungsproceß gegen alle Volksjustiz und gegen den Grundsatz der „moralischen Ueberzeugung". Es ist in der That neu und höchst überraschend, in eben diesem, von uns als absurd verworfenen Proceß alle Formen der Juryjustiz anzutreffen und hierauf an seine Resultate zu denken. In den folgenden Capiteln bemüht sich der Verf. die Garantien aufzudecken, welche bei der Individualität der Repräsentation, die als nothwendig erwiesen dasteht, gefodert werden können. Hier wird nun stark auf Kaiser und Reich, oder wenigstens auf ein kräftiges Bundesgericht hingewiesen, das uns tief in der Gesinnung aller Deutschen begründet, und bei der Entwickelung, welche die Rechtsidee bei uns überhaupt erfahren hat, geradezu nothwendig und unentbehrlich zu sein scheint. Die Idee der Berufung und eines verbesserten Rechtsspruches scheint uns wesentlich deutsch und wahrhaft nationell zu sein. Hier, glauben wir, wird die Zeit helfen und Das zur Darstellung bringen, was ihr nothwendig ist, wenn man sie nur nicht von Haus aus in ihrer Wirkung hemmt und verkehrt, wie durch den französischen Liberalismus in Deutschland geschieht. In dem Deutschen lebt, trotz Allem, noch die Ueberzeugung, daß, wie jedes Ding der Erde, auch der Staat der Liebe nicht entbehren könne, zu seiner Erhaltung, und daß mit ihr ein besserer Schlußstein des Staatsdoms gegeben sei, als der Geist des Gesetzes je gewähren könne, vorausgesetzt selbst, daß er je zum Eigenthum eines ganzen Volkes werden konnte. Denn das Gesetz ist der Zeit unterthan und wandelt mit ihr; nur die Liebe bleibt und erhält. Hierin gibt der Verf. noch einen indirecten Beweis für seinen Satz; denn nur das Individuum, nicht aber eine Mehrheit, vermag als solche zu lieben, mit lebendiger Hand zu geben und zu empfangen. Den Beschluß macht eine „Warnung" gegen die Verirrungen der französischen Staatsraison, die, zu unserm Bedauern, nahe liegende Beispiele verschmäht, wenn auch schon erwiesen ist, was es mit einem Volksbeschluß eigentlich auf sich hat, und wie wenig er der strengen Idee der Gerechtigkeit zu genügen vermag.

Alle diese Gedanken sind in einem edeln, ruhig-schönen Styl vorgetragen, welcher selbst dem Gegner Recht und Ehrerbietung widerfahren läßt, wenn er, wie meistens geschieht, ohne Absicht irrt. Nur der Irrthum wird streng gerügt, welcher dem Verstande, der sich der Liebe entäußert hat, die letzte Entscheidung zusprechen will. Wir empfehlen diese treffliche, von seltenem Scharfsinn durchdrungene Schrift daher allen Denen, welchen es um eine Ueberzeugung ernsthaft zu thun ist, indem wir unserer Seits bekennen, ihr eine solche in dem oben angedeuteten reinphilosophischen Sinne allerdings zu verdanken. 34.

Aphorismen über das deutsche, besonders das sächsische Gymnasialwesen, von Philipp Wagner. Leipzig, Hahn. 1833. 8. 6 Gr.

Diese kleine Schrift verdankt ihre Entstehung der Eröffnung des sächsischen Landtages und ist daher mit besonderer Rücksicht auf die Landstände von ihrem Verf., dem Conrector Wagner an der Kreuzschule zu Dresden, geschrieben worden. Herr Wagner gehört durch seine trefflichen philologischen Leistungen sowie durch eine langjährige Thätigkeit im Gymnasialfache zu den bedeutendsten Schulmännern Sachsens und so verdient seine Stimme allerdings gehört zu werden. Ohnehin können die gelehrten Schulen bei den constitutionnellen Versammlungen nicht genug tüchtige Vertreter haben, da die Landstände so oft, wie noch ganz neuerlich in Würtemberg, ungünstig gegen dieselben gesinnt sind. Nachdem in der Einleitung wenige Worte zum Schutze der alten Sprachen und gegen den Misbrauch der Uebersetzungen gesprochen worden und auf die baldige Erscheinung der dahin bezüglichen Schrift eines dresdner Juristen verwiesen ist, betrachtet Hr. Wagner die Stellung, welche die Gymnasien zu den übrigen Staatsanstalten, namentlich in Sachsen einnehmen. Er weist zuerst sehr richtig die Verschiedenheit der Ansichten über staatsbürgerliche Wichtigkeit bei ältern und neuern Völkern, freilich zum Vortheil der erstern nach, indem die spätere Zeit die materiellen Interessen zum Hauptaugenmerke des Staats erhob, den intellectuellen dagegen eine ziemlich untergeordnete Stelle anwies, bemerkt alsdann, wie es bei dem großen und segensreichen Umschwunge, den die Reformation hervorbrachte, doch beklagt werden muß, daß es zu Luther's Zeit an allen Elementen zu einem in würdiger Selbständigkeit auftretenden Schulstande fehlte. Daraus leitet er die gewöhnliche Unterordnung der Schule unter die Kirche, daraus manche andere Inconvenienzen her. Mit Freude gedenkt er weiter der Emancipation des Schulstandes in Preußen, Hanover und Hessen, und dringt darauf, eine solche ebenfalls in Sachsen eintreten zu lassen. Wie nothwendig dies sei, zeigt er auf S. 19 durch folgendes allerdings sehr merkwürdige Beispiel. „Der gegenwärtige Rector der Kreuzschule, ein wahrer Roscius in seiner Kunst und Wissenschaft und als solcher in ganz Deutschland anerkannt (es ist Herr Gröbel), der Rector des einzigen Gymnasiums der Residenz, hat seinen Rang nach den Predigern am Ehrlich'schen Gestifte, d. h. nach der ganzen zahlreichen Geistlichkeit Dresdens; und indem zu jenen Predigerstellen, welche, weil sie mit dem Unterrichte der meist ärmern Schuljugend ihrer Stadtabtheilung vorzüglich beschäftigt sind, nicht zu den gesuchtesten gehören, immer jüngere Candidaten gewählt werden, so kann es leicht geschehen, daß ein Candidat, der vier Jahre früher noch auf der Schulbank saß, bereits den Rang über seinen ehemaligen hochverdienten Rector erhält." Solche und ähnliche Beispiele rechtfertigen hinlänglich den Wunsch des Verf., daß dem Schulstande ein bestimmter Rang und wenigstens (ja wol, wenigstens!) eine Gleichstellung mit der Geistlichkeit zu Theil werden möge. Auch in Preußen ist man sich in der neuesten Zeit nicht ganz consequent geblieben, namentlich haben in den katholischen Provinzen die Geistlichen mehr als einmal einen höhern Rang als die eigentlichen Gymnasiallehrer, die auch die Anciennität für sich hatten, erhalten.

Die zweite Abtheilung verbreitet sich über die Bedürfnisse der Gymnasien, die geringen Besoldungen der Gymnasiallehrer, vorzugsweise in Sachsen, die Nothwendigkeit besser ausgestatteter Schulfonds für die meisten sächsischen Stadtgymnasien (auf S. 27 ist ein wirklich curieuses Beispiel angeführt) und eine erforderliche Anzahl anständig besoldeter Lehrer. Es ist keine oratio pro domo, die Hr. Wagner hier geschrieben hat, denn die Lehrer an der Kreuzschule beziehen (so viel Ref. weiß) bei der Frequenz der genannten Schule ein ansehnliches Schulgeld, wenngleich der Rector als fixe Besoldung nur 100 Thlr. bezieht; seine Bemerkungen sind vielmehr im Interesse der gesammten sächsischen Gymnasiallehrer und verdienen daher von den Landständen, sei es nun schon jetzt oder recht bald wenigstens, nicht überhört zu werden.

Die dritte Abtheilung, über die Bildung zum Schulmanne auf der Akademie, bezieht sich auf Gegenstände, deren Erörterung und Beurtheilung unsern Blättern ferner liegt. Der edle Eifer des Verf. ist auch hier nicht zu verkennen. Am Schlusse legt er es den Landständen dringend an das Herz, doch ja nicht zu gestatten, daß die ausgezeichneten und kostbaren Bibliotheken Böttiger's und Beck's ins Ausland zerstreut würden, sondern dieselben vielmehr für die Landesbibliothek in Dresden und andere Bibliotheken anzukaufen.

Angehängt sind einige lateinische Gelegenheitsgedichte, einfach und würdig, wie sie sich von dem gelehrten Herausgeber des Heyne'schen Virgilius erwarten ließen. 59.

Notizen.

Schon Schiller sang in seinem Epigramme: „Griechheit" sehr richtig:

Griechheit, was war sie? Verstand und Maß und Klarheit.

Einen trefflichen Commentar zu diesen Worten enthält die dritte Sammlung von Karl Zell's „Ferienschriften" (Freiburg, 1833), in den darin mitgetheilten „Betrachtungen über die Wichtigkeit und Bedeutung des Studiums der classischen Literatur für die Bildung unserer Zeit", welche der Verf. in einer akademischen Gelegenheitsschrift bei Gründung des philologischen Seminariums zu Freiburg im Breisgau im J. 1830 als Director desselben aussprach. Wir empfehlen sie allen Denen, welche der Vorzüge des classischen Alterthums und seines möglichen Einflusses auf unsere Zeit und unsere Fortbildung von Neuem inne werden wollen, zur Lecture; sie den einseitigen Gegnern des Alterthums, zur Berichtigung ihrer Ansichten, zu empfehlen, hält uns das Sprüchwort ab, daß ein Mohr nicht weiß zu waschen sei. Wenn auch nicht auf dem Wege der Belehrung, so wird doch in der Grube, welche auch hier die Einseitigkeit dem Blinden so leicht gräbt, die falsche Ansicht selbst sich anz[illegible]en und vernichten müssen.

Was Bopp in dem Vorworte zu seiner „Vergleichenden Grammatik des Sanskrit, Zend, Griechischen, Lateinischen, Lithauischen, Gothischen und Deutschen", erste Abtheilung enthaltend die Lautlehre, Wurzelvergleichung und Casusbildung (Berlin 1833) von der Verwandtschaft der genannten sieben Sprachen untereinander und von der dadurch bedingten Nothwendigkeit sagt, nicht nur im Einzelnen das Sanskrit von tiefer eingehenden grammatischen Untersuchungen in irgend einem ihm verwandten Sprachgebiete in Zukunft nicht mehr auszuschließen, sondern auch im Allgemeinern, nämlich von Seite des eine dieser Sprache Lehrenden, den Blick über die engen Schranken eines oder zweier Individuen einer Sprachfamilie hinauszuwerfen: das kann unsern Philologen, die gewöhnlich nur an die griechische und lateinische Sprache sich halten, nicht genug ins Gewissen zur Beherzigung geschoben werden. Es ist, zur gründlichen Kenntniß einer jener Sprachen unumgänglich nothwendig, die Zeugnisse der sämmtlichen Sprachgenossen zu sammeln, um dadurch Leben, Ordnung und organischen Zusammenhang in das auszubreitende Sprachmaterial der zunächst vorliegenden Sprache zu bringen. Wie es in der Politik das Streben unserer Zeit ist, die einseitigen, auf Egoismus und Nationalhaß ruhenden Schranken zwischen den einzelnen Nationalitäten immer mehr verschwinden zu machen, also daß die gesammten Völker der civilisirten Welt dem Ziele einer einzigen großen Familie (nach der Idee des heiligen Bundes vom J. 1815) sich nach und nach immer mehr nähern können, so darf auch das Studium der Sprachen, namentlich der unter sich näher verwandten Sprachen, nicht einseitig nur auf die eine oder andere, mit Ausschluß der übrigen, gerichtet werden, sondern jenes Studium muß gleichsam an der Hand des Familienbandes, welches jene Sprachen verknüpft, die gesammte Sprachverwandtschaft umfassen. Denn das Vielartige verschwindet, wenn es als einartig erkannt und dargestellt wird, und wenn das falsche Licht, welches ihm die Farbe des Vielartigen auftrug, beseitigt ist. Es muß daher wenigstens die Vorrede zu Bopp's „Vergleichender Grammatik" allen Denen empfohlen werden, die sich für eine der sieben Sprachen besonders interessiren, auf welche die Vergleichung gerichtet ist.

Der bekannte Landschaftsmaler Peter Heß ist in diesem Jahre mehre Monate in Griechenland gewesen, und es ist nach seiner Rückkehr bereits Hoffnung gemacht worden, bald etwas von der Ausbeute seines dortigen künstlerischen Aufenthaltes durch Veröffentlichung zu erhalten. Gewiß bietet sich in jenem Lande für den Landschafts- und Portraitmaler, wie für den Architekturen- und Costumzeichner ein weites Feld dar, und es wird unter diesen Umständen nicht fehlen, daß Künstler dieser Art dem wiedergeborenen Vaterlande der Malerei, wie wenig wir auch grade in dieser Hinsicht vom alten Hellas durch eigne Anschauung wissen, sich zuwenden und die dort verborgenen Schätze durch ihre Kunst und für sich zu Tage fördern werden. Was sie in dieser Hinsicht thun werden, wird, wie auch in andern Beziehungen eine gleiche Wechselwirkung eintreten muß, günstig auf Griechenland zurückwirken und auch dort wieder den Künsten eine reiche Stätte bereiten helfen. Bis jetzt freilich hat in Griechenlands neuester Zeit nicht viel von Malerei die Rede sein können (S. Iken's „Leukothea", 1825); aber auch hier wird, bei den herrlichen Naturanlagen des Volkes im Allgemeinen, die weise Entwickelung derselben im Verein mit dem unveränderten Himmel und der Natur Griechenlands leicht die schönsten Blüten zur Reife bringen. 80.

Redigirt unter Verantwortlichkeit der Verlagshandlung: F. A. Brockhaus in Leipzig.

Blätter für literarische Unterhaltung.

Donnerstag, — Nr. 311. — 7. November 1833.

Miscellen über Literatur, Kunst und öffentliches Leben in Paris.

Fünfter Artikel.

(Fortsetzung aus Nr. 310.)

Le panorama de l'univers. La France pittoresque. La mosaique.

Journale und Magazine mit Kupferstichen oder Lithographien sind von England vornehmlich ausgegangen. Das erste in Paris war das „Magazin pittoresque", welches im Februar vor. J. erschienen ist und seitdem sich erhalten hat. Es verdient die Gunst des Publicums durch die sorgfältige Auswahl, welche die Redaction trifft. Des Glücks wegen, das es gemacht, und bei der Nachahmungssucht der Pariser in allem Neuen und vortheilhaft Scheinenden sind eine Menge ähnlicher Sammlungen entstanden; alle Zeitungen, alle Anzeigen und die Straßen sind davon angefüllt. Eine davon, von welcher ich früher gesprochen: „Le musée du peuple", ist in der Geburt gestorben. Von drei andern, welche jetzt sich zu empfehlen suchen, folgt hier ein kurzer Bericht.

„Le panorama de l'univers, journal à six francs par an, et contenant plus de quatre cents gravures" trägt im Titel und im Prospectus das echte Gepräge der Marktschreierei. „Nicht ein Land, nicht Europa, nein, die ganze Welt wollen wir in unserm Blatt beschreiben und sie in allen ihren Gestalten von den größten Monumenten bis zu den kleinsten Details in malerischer Form sehen lassen. Was wir geben werden, ist eine wahre Reise um die Welt ohne Mühe und mit wenigen Kosten, eine vollständige Encyklopädie, erklärt durch die Kupfer, und die nur auf ungefähr einen Heller per Tag kommen wird. Mit Einem Wort, wir werden mehr und Besseres geben als alle unsere Vorgänger. Das „Panorama de l'univers" erscheint jeden Donnerstag im größten Octavformat. Jede Lieferung von acht Seiten wird eine sehr große Anzahl Kupfer enthalten. Die Lieferungen eines Jahres werden ungefähr zwölf gewöhnliche Bände in 8. betragen!!" Diese letzte handgreifliche Lüge charakterisirt ganz die Anzeige. Ich habe mehre Lieferungen vor mir, sie kommen dem „Magazin pittoresque" an Interesse und Reichhaltigkeit beiweitem nicht gleich. Interessant ist eine Zusammenstellung der Eigenheiten mehrer großen Tonsetzer: Beethoven schuf seine Meisterwerke im Walde, in nächtlicher Stille, am Ufer der Seen und in den Grotten von Baden; Gluck, um seine Phantasie zu steigern, setzte sich an einem schönen Tage mitten auf eine Wiese, und hier, vor seinem Clavier, eine Flasche Champagner an der Seite, componirte er; auf diese Weise hat er seine beiden „Iphigenie", seinen „Orpheus" und mehre andere Werke geschrieben. Sarti erhielt die Begeisterung nur mitten in der Stille der Nacht, in einem großen Zimmer, welches nothdürftig durch eine Lampe erleuchtet war. Cimarosa im Gegentheil liebte den Lärm der Gesellschaftssäle und den Glanz der Lichter. Oft dichtete und schrieb er in einem einzigen Abend die Hauptsätze mehrer Arien, und am folgenden Tage, in einem andern Cirkel, beendigte er alle Theile. Cherubini, der zugleich Maler und Componist war, liebte gleichfalls in Gesellschaft zu sein, wenn er componirte; aber wenn die Ideen ihm nicht mit Leichtigkeit kamen, so nahm er ein Spiel Karten und fing an, die Bilder derselben in ebenso viele groteske Figuren zu verwandeln, welche er mit den sonderbarsten Umschriften umgab. Gewöhnlich nach dieser Ausschweifung des Geistes kam ihm die musikalische Inspiration. Sacchini konnte nur componiren, wenn seine Frau, oder lieber noch seine Geliebte bei ihm war, oder wenn er junge Katzen hüpfen und springen sah. Paesiello componirte im Bette, in den Decken vergraben: „Il barbiere di Seviglia", „La molinara" und andere Meisterwerke. Zingarelli dictirte seine Compositionen, aber erst nachdem er sich durch die Lecture der Bibel, der Kirchenväter oder der lateinischen Classiker inspirirt hatte. Haydn, in dem Schloß von Eisenstadt zurückgezogen, sagte, er würde keinen einzigen seiner Sobre haben componiren können, wenn er nicht an seinem Finger den kostbaren Diamantring getragen, welchen ihm Friedrich II. geschenkt hatte. Tartini endlich hat mitten in einem Anfalle von Somnambulismus seine berühmte Sonate des Teufels geschrieben.

„La mosaique, ou le livre de tout le monde et de tous les pays" will hinter keiner der frühern Sammlungen zurückbleiben, im Gegentheil, auch sie gedenkt ihre Concurrenten zu übertreffen: „Inmitten dieser zahllosen Menge von neuen Büchern, periodischen Erzählungen und Journalen aller Gattungen, welche eines der charakteristischen Zeichen unserer Epoche sind, ist es eine Art von Verwegenheit, in Concurrenz zu treten und besonders im Voraus sich für nützlicher und angenehmer als irgend sonst Jemand anzukündigen. Und dennoch thun wir dies vertrauensvoll." Was das „Panorama de l'univers" verheißt, wird in wenig verschiedenen Worten auch von der „Mosaique" versprochen; auch sie will alle ihre Erzählungen mit einem Kupferstiche begleiten, auch sie will die verschiedenen Gebiete der Geschichte, der Reisen, der Naturgeschichte durchwandern und als etwas ganz Neues eine Religionsgeschichte beifügen. Mit dieser Zugabe hofft der Herausgeber den Beifall der Aeltern und Erzieher zu ernten. Ferner verspricht er unter dem Titel: „Mélanges", Aufschlüsse über die berühmten Männer, welche im Augenblick am meisten die allgemeine Aufmerksamkeit fesseln. Zuletzt endlich soll ein monatlicher Bericht über die Tagesgeschichte und Vorschriften für die Erhaltung der verschiedenen Ernten und der Gesundheit folgen. Auch diese Sammlung erscheint wöchentlich einmal, die Lieferung zu 5 Sous. Die besondere Aufmerksamkeit, welche man der Religion zu widmen verspricht, und der Umstand, daß sich das neue Journal zum ersten Mal in dem kleinen karlistischen Blatte „Avant-garde" angezeigt findet, läßt mich annehmen, daß es ein karlistisches Unternehmen ist.

„France pittoresque", oder malerische, topographische und statistische Beschreibung der Departements und Colonien von Frankreich; für jedes Departement und jede Colonie im Auszuge darbietend: Die Geschichte, die Alterthümer, die Topographie, die Meteorologie, die Naturgeschichte, die politische und administrative Eintheilung, die allgemeine und malerische Beschreibung des Landes, die besondere Beschreibung der Städte, der Marktflecken, der Gemeinden und Schlösser, der Sitten, Gebräuche und Trachten u. s. w., mit Noten über die Sprachen, Provinzialismen und besondern Mundarten, über die öffentliche Erziehung und die locale Bibliographie, über die berühmten Männer u. s. w., und mit statistischen Aufschlüssen über die Bevölkerung, die Industrie, den Handel, den Ackerbau, den Reichthum des Bodens, die Steuern u. s. w., begleitet von der allgemeinen Statistik von Frankreich in Hinsicht auf Politik, Kriegswesen, Gerichte, Finanzen, Moral, Medicin, Ackerbau, Industrie und Handel, von A. Hugo, ehemaligem Oberoffizier, drei Bände in 4., mit 120 Karten und 720 Vignetten, welche die Hauptorte, Städte, Schlösser, Monumente, Naturmerkwürdigkeiten, Trachten, Sittenauftritte und geschichtliche Begebenheiten, Gemälde von berühmten Personen u. s. w. enthalten. Jeder Bogen, welcher nebst sechs Vignetten und einer Karte die vollständige Beschreibung eines Departements oder einer großen Stadt umfaßt, wird einzeln zu 5 Sous verkauft." Dieser lange Titel sagt Alles und enthebt mich einer weitern Analyse des Werkes. Wenn dasselbe nur einigermaßen hält, was der Titel verspricht, so wird es allerdings zu den interessantesten Leistungen der neuern Presse gehören. Eine vollständige statistische Uebersicht Frankreichs in so ansprechender und wohlfeiler Form besteht bis jetzt nicht. Ich behalte mir einen genauern Bericht über den Fortgang des Unternehmens und seine speciellen Leistungen vor. Die erschienenen Lieferungen enthalten das Departement der Niederpyrenäen mit einer allgemeinen Ansicht der Stadt und des Schlosses von Pau, dem Geburtsort Heinrich IV., eine Ansicht des Hafens von Bayonne, baskische Trachten, Heinrich IV., Bernadotte; ferner das Departement von Corsica, nebst einer allgemeinen Ansicht von Ajaccio, das Haus, in welchem Napoleon geboren ist, Napoleon und Paoli, Mad. Lätitia, corsicanische Trachten, die Ansicht des Thurmes von Seneca und die Karte der beiden Departements.

Pittoreske Geschichte der französischen Revolution, von Antony-Bérand.

Unter diesem Titel wird der Herausgeber eine populaire Darstellung jener großen Katastrophe der französischen Geschichte geben, die trotz ihrer hohen Wichtigkeit so sehr noch verkannt und so wenig in ihrer wahren Gestalt bekannt ist. Das besondere Verdienst dieses Werkes wird sein, daß es in doppelter Weise zu dem Fassungsvermögen der Leser spricht, durch den Text und die bildliche Versinnlichung der wichtigsten Begebenheiten. Die pittoreske Geschichte der Revolution wird zwei Quartbände umfassen und von hundert Zeichnungen der besten Künstler begleitet sein; sie wird in einzelnen Lieferungen von zwei Bogen und zwei Zeichnungen zu 1 Franc ausgegeben. Zwei Lieferungen sind erschienen und geben eine Einleitung und eine Uebersicht Frankreichs vor der Revolution. Diese bündige Zusammenfassung enthält sehr interessante Documente über die möglichen Ursachen der großen socialen Umwälzung. Die vier Zeichnungen, welche mit den beiden ersten Lieferungen erschienen sind, enthalten: eine königliche Sitzung im Parlament mit allen Details dieser historisch bekannten und wichtigen Versammlungen; den Tanz der Edelleute mit den Weibern von der Halle, ferner den alten Schandpfahl; unter den tanzenden Vornehmen unterscheidet man einen Prinzen von Geblüt, welcher sich späterhin durch sein politisches Betragen ausgezeichnet hat; endlich die englische Caricatur über die Theilung von Polen, der Königskuchen genannt. Das bisher Erschienene von diesem Werke rechtfertigt die Erwartung, welche der Name des Verfassers und das Talent der zugezogenen Künstler erweckt hatte; es wird seiner Klarheit und Wohlfeilheit wegen sehr geeignet sein, in die Hände des Volkes zu kommen.

Pittoreske Encyklopädie.

Wir sind im Viertel der pittoresken Unternehmen, und ehe das Jahr zu Ende geht, ehe ein neuer Name die Aufmerksamkeit der Speculanten und den Beifall des Publicums auf sich gezogen haben wird, werden wir noch eine Unzahl von pittoresken Artigkeiten und Industrien auftauchen sehen. Hier also eine pittoreske Encyklopädie, welche über die Wissenschaften, die Geschichte, die Literatur, die schönen Künste, die Industrie, über die Gegenstände der Unterhaltung und überhaupt über alle menschlichen Kenntnisse in der Art handeln soll, daß sie dem Fassungsvermögen eines Jeden zugänglich sind — also wieder ein Magazin, ein Panorama, eine Mosaik u. s. w. in ungeheuerm Maßstabe, von außerordentlichem Umfange und mit erstaunlichen Mitteln; so sagt wenigstens die Anzeige der Herren Furne und Ch. Gosselin, welche die erste Lieferung dieses Wunderwerkes am 1. October d. J. erscheinen lassen wollen. Diese Encyklopädie soll mit einer unermeßlichen Zahl von Kupferstichen im Text selbst geschmückt werden, und zu diesem Ende sollen bedeutende Fonds bereit liegen und eine Gesellschaft von Gelehrten, Schriftstellern und Künstlern seit langer Zeit damit beschäftigt sein. Die Herausgeber verweisen auf den Prospectus, welcher mit der ersten Lieferung vertheilt werden soll, und erklären, daß sie das Werk für den geringen Preis (welcher noch nicht genannt ist) nur darum geben können, weil sie auf einen Absatz von mehr als 100,000 Exemplaren zählen. Eine solche Bravade würde einem deutschen Buchhändler der Tod sein; Herr Gosselin aber versteht seine Sache und hat diese Anzeige nach seiner Kenntniß von dem individuellen Geschmacke seines Publicums berechnet. Er hat mit seinen 100,000 nöthigen Exemplaren mehr Garantie des Gelingens als ein Prospectus in bescheidener demüthiger Form gewährt, ein solcher flößt kein Vertrauen ein.

(Der Beschluß folgt.)

Die Bücher des polnischen Volkes und der polnischen Pilgerschaft. Aus dem Polnischen des Mickiewicz übersetzt von P. — J. B. — G..z.r. Deutschland, im Jahre der Gnade 1833. 18 Gr.

Herr Mickiewicz, berühmt als der beste epische Dichter seiner Nation, hat „diese Bücher des polnischen Volkes unter seinen Augen getreu ins Deutsche übertragen lassen und widmet die Uebersetzung als Zeichen seiner aufrichtigsten Achtung und Dankbarkeit für die brüderliche Aufnahme, die ihm und seinen unglücklichen Landsleuten bei demselben geworden, dem deutschen Volke".

Schon diese ehrenvolle Veranlassung würde eine besondere Berücksichtigung dieses Werkchens schicklich machen; allein der berühmte Name des Verfassers fodert eine tiefere, wir möchten sagen, nachdenklichere Beleuchtung seines Ehrengeschenkes. Der Dichter des „Konrad Wallenrod" (vgl. Nr. 215 d. Bl.) möchte in dieser Schöpfung kaum zu verkennen sein, und das dort gewählte Motto: „Bisogna essere volpe e leone!" scheint uns auch auf dieses Werkchen zu gehören.

Dasselbe zerfällt in zwei Abtheilungen: 1) in die Bücher des polnischen Volkes von Erschaffung der Welt bis zum Heldentod der polnischen Nation; 2) in die Bücher der polnischen Pilgerschaft. Das Ganze erscheint wie ein Plan zu einem Lehrgedicht, vielleicht zu einem didaktischen Epos und könnte mithin eine neue Gattung des Heldengedichtes geben, wenn dem Verf. nicht Dante als Vorbild und Muster vor der Seele gestanden hat. Die erste Abtheilung bildet die Exposition. Sie enthält die Grundzüge einer eigenthümlichen Philosophie der Geschichte der Menschheit und ihres politischen Entwickelungsganges. Der Glaube an einen Gott und die Freiheit sind ihm die ersten Emanationen des Geistes in der Welt. Die Verleugnung des einigen Gottes führt zur Abgötterei und dafür straft Gott mit der Sklaverei, die eine Hälfte der Menschen werden Knechte der andern Hälfte. Alle fallen unter die Sklaverei des römischen

Kaisers, der sich Gott genannt und der Welt seinen Willen als das oberste Gesetz aufgedrungen habe. In Rußland sei der Kaiser das Haupt des Glaubens, und was er befehle, das müsse man glauben. Christus aber sei dann in die Welt gekommen, habe gelehrt, daß alle Menschen Brüder seien und habe sich für die Brüder geopfert; durch seinen Tod habe er bewiesen, daß die eigne Aufopferung für das Beste der Menschen das Höchste auf Erden sei. Er habe sich Wahrheit und Gerechtigkeit genannt und die Richter der Erde haben ihn erschlagen, um Wahrheit und Gerechtigkeit von der Erde zu vertilgen. Er aber sei auferstanden, habe das Kreuz auf die Hauptstadt der römischen Kaiser aufgepflanzt und sie selbst heraus verjagt. Nun seien die Völker wieder Brüder geworden, d. h. Christen. Auch die Könige hätten sich als Brüder betrachtet und seien dem Kreuze gefolgt, woraus die heilige Begeisterung für die Kreuzzüge entsprungen. Dann aber seien die Könige böse geworden und hätten die Waffen und die Völker gegeneinander gekehrt. Jedes Volk habe sich von Neuem einen Götzen gemacht: die Franzosen die Ehre, sonst das goldene Kalb; die Spanier das politische Uebergewicht, sonst Dagon, auch Jupiter genannt; die Engländer die Herrschaft auf dem Meere und Handel oder den Mammon; die Deutschen den Brotsinn oder Wohlsein, sonst Momus oder Komus u. s. w. Indessen sei Christoph Colombo der letzte Kreuzritter gewesen, denn er habe Gold im Westen gesucht, um damit Mittel zu gewinnen, das heil. Grab wiederzuerobern. Die Abgötterei aber habe sich gemehrt und Machiavell habe den Götzen politisches Gleichgewicht, Preußen den der politischen Abrundung, Ancillon den der Sklaverei der Lateiner, Friedrich II., Katharina II. und Maria Theresia den des Interesses aufgebracht, bis Lafayette die Freiheit und den christlichen Glauben zu retten gesucht habe. Aber bald hätten die Völker dem Götzen Egoismus gehuldigt und nur ein einziges Volk, die Polen, hätten für diesen Götzen kein Wort in ihrer Sprache gehabt und den wahren Gott verehrt.

Nun schildert der Verf. dieses Volk als treu und gut, bis es endlich von Casimir Perier verrathen ward. Aber das Volk sei nicht gestorben; sein Körper liege wol im Grabe, doch seine Seele sei auf der Pilgerschaft, um die Sklaverei der Völker der Erde kennen zu lernen. Am dritten Tage werde die Auferstehung sein; die beiden ersten Tage, der erste und zweite Fall Warschaus, seien vorüber; aber der dritte Tag noch nicht; er werde aufgehen oder nicht untergehen.

Dies ist die erste Abtheilung, die Exposition des Gedichts. Wir haben nur das nackte Gerippe geben können, wovon jeder gewaltige Knochen mit der Fülle einer fruchtbaren poetischen Idee bekleidet ist. Es ist uns lange nichts Ideenreicheres vorgekommen. Ein tiefer, heiliger Ingrimm beseelt den edeln Dichter. Mit diesem begleitet er sein Volk auf der Pilgerschaft. In 24 Gleichnissen, welche alle den Stempel hoher dichterischer und politischer Weihe tragen und gleichsam die Disposition zu ebenso viel Gesängen darstellen, lehrt er, wie das pilgernde Volk über seine Gegenwart und seine Zukunft denken, wie es auf diese Zukunft, den großen dritten Auferstehungstag, der nicht untergehen werde, sich vorbereiten solle. Ein schönes Gebet der Pilger, und eine kräftige Litanei, welche alle Wünsche und Bitten der Polen enthält, schließen das Ganze.

Mit einer tiefen Wehmuth legte Referent, vielleicht zu empfänglich für die poetischen Reize dieser Schöpfung des Hrn. Mickiewicz, das Werkchen aus der Hand, und Konrad Wallenrod! Konrad Wallenrod! tönte es in seiner Seele schmerzhaft wieder. Aber Konrad Wallenrod nahm das schmachvolle Ende eines Verräthers und Meineidigen. Doch der Dichter wirkt nicht für das lebende Geschlecht; seine ahnende Seele schaut in eine unbestimmte Zeit mit einer gewissen Zukunft. Die Freiheit wird siegen und durch sie auch das veredelte polnische Volk; die Pilger werden die Freiheit nicht erleben; aber das polnische Volk. Die Idee der Freiheit ist eine ewige, sie ist an keine Zeit gebunden; noch harrt sie des Erlösers und er bleibt vielleicht noch lange aus.

Wir vermögen es nicht, dieses Gedicht seiner geistvollen Glut zu entkleiden und mit dem kalten Wasser politisch-philosophischer Reflexion zu übergießen. Wir mögen mit dem Dichter nicht rechten, der die Bildung und das Christenthum der Völker des europäischen Westens aus dem besondern Standpunkt eines Polen, eines Heimatlosen, eines Unglücklichen beurtheilt, und indem er seinem Volke das Helden- und Martyrthum idealisch hoch anrechnet, in seinem Ingrimm die ruhenden Völker des westlichen Europas mit ihrer Civilisation verachtet. Wir vermögen nur Eins zu wünschen: daß der edle Pole den Glauben an die Menschheit nicht verliere! Denn: überall ist der Mensch edel und gut, überall, wenn es die höchsten Ideen gilt! Dieser Charakter ist Folge seiner göttlichen Abstammung und Verwandtschaft. An ihn muß der edle Mann und besonders der Unglückliche sich halten und nicht mehr verlangen, als er uneigennütziger- und billigerweise von Zeit und Umständen verlangen kann.

Würde Hr. Mickiewicz, wie wir fast vermuthen möchten, seine Ideen in ein wirkliches Gedicht einkleiden, dann bezweifeln wir keineswegs, daß sie in der neuen Gestalt in alle Sprachen übergehen und dem Volke verständlicher als jetzt, in dessen Munde fortleben würde. 124.

Bibliothek parlamentarischer Beredtsamkeit, oder die politischen Redner aller Völker und Zeiten. In zeitgemäßer Auswahl. Erstes Heft. Mit einem Portrait. Leipzig, Wigand. 1833. Gr. 8. 6 Gr.

Wenn bei der Einführung constitutioneller Verfassungen in Deutschland sich vielfach der Mangel einer politischen Beredtsamkeit herausstellte, so war diese Erscheinung hinlänglich aus der frühern Form des Staats- und bürgerlichen Lebens erklärt, und eine schnelle Beseitigung derselben konnte wenigstens Derjenige nicht erwarten, der sich erinnerte, daß selbst in der englischen Literatur die Meisterstücke parlamentarischer Beredtsamkeit nicht in eine entferntere Zeit zurückgehen. Unentbehrliche Bedingung und Grundlage einer solchen Beredtsamkeit wird eine genaue Kenntniß der mannichfachen Verhältnisse und Angelegenheiten sein, auf welche sich die Berathung ständischer Versammlungen ausdehnen kann; Vorübung in kleinern, beschränktern Kreisen wird ebenfalls nothwendig und das Studium guter Muster wird namentlich für die Aneignung einer schönen Form am meisten förderlich sein. Da diese Muster aber theils in nicht immer leicht herbeizuschaffenden Büchern und Zeitschriften zerstreut, theils in fremden Sprachen abgefaßt sind, so kann man den Gedanken einer Sammlung und Uebersetzung der empfehlenswerthesten derselben an sich nur zweckmäßig und lobenswerth finden; wir können es aber nicht billigen, wenn ein Unternehmen dieser Art in einer solchen Beschränkung und mit einem solchen Nebenzwecke ausgeführt wird, als es bei der vorliegenden Arbeit der Fall ist. Es wird nämlich laut der Vorrede hier eine fortlaufende (?) Beispielsammlung der wichtigsten politischen Reden, gehalten für die Interessen des Volkes, aus älterer, neuerer und neuester Zeit in deutscher Sprache beabsichtigt, nicht für den Gelehrten und Staatsmann, sondern für den Bürger in allen Verhältnissen und für den gebildeten Landmann, damit dieser an fremder Kraft die eigne stähle und durch fremde Begeisterung die eigne wecke und kräftige; und es soll dem ständischen Vertreter aus dem Bauern- und Bürgerstande gleichsam die Waffe gegeben werden, mit welcher er „eine durch Ansehen, Reichthum und Bildung mächtige Widerpart bekämpfe", und sich „in dem Kampfe für Recht und Wahrheit gegen jesuitische Dialektik den Sieg verschaffen könne". Abgesehen davon, daß die ungenannten Herausgeber auf solche Weise einem Parteiinteresse, oder doch wenigstens einem einseitigen Interesse dienen, werden sie auch schwerlich Das erreichen, was sie durch ihre Arbeit bezwecken, sondern sie werden vielmehr zum Theil wenigstens Leidenschaftlichkeit anregen und Begriffsverwirrung veranlassen. Daß sie nämlich die Reden nicht blos als Vorbilder in Beziehung auf rhetorische Kunstform aufstellen, sondern daß sie zugleich auch den materiellen Inhalt der Reden zur Belehrung benutzt wissen wollen, ist deutlich genug in den mitgetheilten Worten ausgesprochen. Indem nun aber schwerlich, oder doch wenigstens sehr selten, diejenigen Verhältnisse wiederkehren, unter welchen die mitgetheilten Reden gehalten worden sind, wol aber häufig scheinbare Uebereinstimmung zwischen jenen und denen der Gegenwart hervortreten wird, so wird das nicht sehr geübte Auge diesen Schein für Wahrheit nehmen, und eine schiefe Beurtheilung der Gegenwart wird unumgänglich die Folge davon sein. Die Sprache des Affects aber, welche in rhetorischen Darstellungen häufig herrscht und herrschen muß, wird bei jener Verwechselung der Umstände nur dazu beitragen, die vorhandene Abneigung noch mehr zu erhöhen und zur Leidenschaftlichkeit zu steigern. Nur eine wissenschaftliche Bildung, nur eine genaue Kenntniß und Unterscheidung geschichtlicher Zustände und eine scharfe Sonderung der Form von dem Inhalte kann dem Studium von Musterreden den Erfolg sichern, welchen dasselbe für die Ausbildung politischer Beredtsamkeit haben kann; indem aber jene Bedingungen bei dem Bürger nicht häufig, bei dem Landmann aber sehr selten vorhanden sein möchten, so wird das Lesen politischer Reden und namentlich solcher, wie sie hier zusammengestellt werden sollen, nur die erwähnten Uebelstände erzeugen. Bürger und Landmann werden übrigens auch in einem solchen Kampfe, als der oben angedeutete ist, mit ihrem gesunden Verstande, mit einer richtigen Kenntniß der obwaltenden Umstände und einer schlichten und wahren Darstellung ausreichen, ohne der feinern Redekünste zu bedürfen. Wir können demnach nur wünschen, daß die Verfasser ihre Sammlung überhaupt, ohne einen beschränkenden Nebenzweck festzuhalten, zu einer Sammlung von Mustern für politische Beredtsamkeit erweitern, daß sie die Meisterwerke fremder und einheimischer parlamentarischer Beredtsamkeit, auch wenn sie sich auf andere Interessen beziehen als die des Volkes, aufnehmen und so durch ihre Sammlung auch das Studium der politischen Geschichte unterstützen mögen. Sehr zweckmäßig ist es übrigens, daß jeder Rede eine biographische Notiz über Den, welcher sie gehalten, und ein einleitendes Vorwort über die Umstände, durch welche sie veranlaßt wurde, vorangeschickt ist; die Portraits könnten dagegen sehr wohl fortbleiben und der Preis dafür etwas billiger gestellt werden. Schließlich bemerken wir noch, daß in dem vorliegenden Hefte enthalten sind: die am 4. Februar 1790 von Ludwig XVI. in der Nationalversammlung gehaltene Rede; die Rede Simon Bolivar's bei Uebergabe der neuen Constitution von Bolivia am 18. Juni 1826; die Rede, welche Livius den Volkstribunen Canulejus zur Unterstützung seiner Gesetzvorschläge im J. 445 v. Chr. halten läßt, und die von Friedrich Genz an den König Friedrich Wilhelm III. bei dessen Thronbesteigung gerichtete Rede. 16.

Aesthetische Programme.

1. Ueber Shakspeare's Romeo und Julie. Versuch einer Charakteristik, mit welchem zu den Schulfeierlichkeiten einladet J. P. E. Greverus. Oldenburg 1833. 4. 6 Gr.
2. Ueber Göthe's Faust, als Einleitung zu Vorträgen darüber. Von K. E. Schubarth. Hirschberg 1833. 4.

Zwei Schulschriften, die wir nebeneinander aufführen, weil sie beide auf gleiche Weise zur Aesthetik sich verhalten, nämlich vom Standpunkte der Schule aus. Von der Aesthetik muß es zwar noch mehr als von irgend einer andern Wissenschaft heißen: Non scholae, sed vitae discimus; aber wie es der Aesthetik gut ist, wenn sie einmal tüchtig zur Schule gegangen, so wird es auch andererseits der Schule zu gute kommen, wenn die Aesthetik sie öfter als sonst besucht und sich etwas in die Pädagogik und Jugendbildung einmischt, selbst auf die Gefahr hin, daß die liebe Kunst dabei von dem ästhetisirenden Herrn Rector und Conrector ein wenig geschulmeistert würde. Der Verf. von Nr. 1. ist jedoch schon sonst unter dem Namen Greif als ein wackerer Musenfreund bekannt, und hat als solcher zwar keine Adlerschwingen, aber doch in seinen „Jugendsünden" manche gute poetische Tugend entfaltet. Als Kritiker lasen wir ihn in seinen Anmerkungen zu Theokrit's Idyllen, die jedoch ebenso wenig sonderlich waren, als Das, was er jetzt in diesem Programm über Shakspeare's „Romeo und Julie" sagt. Wir loben ihn, daß er als deutscher Schulmann ein ästhetisches Programm in deutscher Sprache zu geben gewagt hat, aber an dem Versuch selbst, den er, nach seiner Vorbemerkung, schon im Jahre 1816 zu Hières im südlichen Frankreich niedergeschrieben — und zwar „ohne Schlegel's Charakteristik zu kennen" — ist in der That wenig, was ihm für die jetzige öffentliche Mittheilung eine Bedeutung gäbe. Originell ist vielleicht nur eine Ansicht darin, über die Charaktere der Tragödie, die der Verf., indem er sie als Gemälde betrachtet, mit den verschiedenen Malerschulen folgendermaßen vergleicht und danach eintheilt: „Romeo und Julie gleichen ganz den idealen italienischen Bildern, so schön wie sie nur das Genie eines Rafael zu geben vermag. Liebe und Muth sind ihre Grundzüge, wie jener Künstler seine Engel malt. Zur niederländischen Schule gehört die Amme, der Apotheker und der alte Capulet, wenn man für Letztern nicht etwa eine englische Goddamnschule errichten will; der Charakter dieser Personen ist gutmüthige Treuherzigkeit und Plauderhaftigkeit, mit Ausnahme des hungrigen Apothekers, den man jedoch auch, sammt seinem Laden und den getrockneten Herrlichkeiten in demselben, mit Büchsen, Blasen, Retorten u. s. w. leibhaftig auf niederländischen Bildern gesehen zu haben sich erinnert. Den Mönch Laurentius könnte man, wenn man seine Ehrlichkeit, Biederkeit und Treue berücksichtigt, zu den Deutschen rechnen. Der Graf Paris endlich erinnert durch die doppelte Beziehung seines Namens nicht nur, sondern auch durch sein leichtes, flatterhaftes Wesen an die französische Schule." Man sieht freilich, wie wenig bei solchen Betrachtungen herauskommt.

Nr. 2 rührt von einem bekannten Göthe-Exegeten her, der schon wieder etwas über Göthe, schon wieder etwas über den „Faust" geschrieben hat. Diesmal sehen wir Hrn. Schubarth von seinem hirschberger Schulkatheder herab über seinen Meister dociren; er gibt seinen Primanern eine Erklärung des „Faust", und leitet diese nach seiner Weise mit den uns schon so oft von ihm vernommenen Demonstrationen über die universale Bedeutung seines Dichters ein. Das müssen wir nun auch wieder zu lesen bekommen; es ist, als wolle man uns wirklich mit Göthe rein todt machen. Noch immer Göthe, und nur Göthe, und nichts als Göthe! Göthe ist unsterblich, aber die narrenhafte Göthokratie scheint bei uns leider auch unsterblich zu sein. Ein hübsches Pröbchen von dieser [illegible] Narrheit gibt der Anhang zu dem vorliegenden Hefte, der in der Mittheilung eines Entwurfs der Scenen zum zweiten Theil der Pandora, „wie sie der Dichter selbst schematisirt", besteht. Hr. Schubarth verbürgt ausdrücklich die Echtheit dieses Schema, und glaubt sich durch Mittheilung desselben noch ganz besonders den Dank aller Derer zu erwerben, „die dergleichen zu schätzen und zu würdigen wissen". Dies Schema besteht aber in Wahrheit nur aus lauter Namen und für uns unverständlichen aphoristischen Bemerkungen, wie sie sich der Dichter auf irgend einem verlorenen Zettelchen, das Hr. Schubarth begierig aufgefangen, mit Bleistiftstrichelchen zum Behuf einer künftigen Ausführung aufnotirt haben mag. Wenn Hr. Schubarth auch für seine Person durch den Kuß des Dalai Lama selig zu werden glaubt, so hätte er doch, wenigstens um Rückschritte in der Aufklärung zu hindern, abergläubische Zumuthungen dieser Art nicht dem Publicum machen sollen, auf dessen Dank er sogar bestimmt rechnet. 22.

Blätter
für
literarische Unterhaltung.

Freitag, —— Nr. 312. —— 8. November 1833.

Miscellen über Literatur, Kunst und öffentliches Leben in Paris.

Fünfter Artikel.

(Beschluß aus Nr. 311.)

L'essor, préludes philosophiques et littéraires.

Noch eine neue Zeitschrift, welche alle zehn Tage in Lieferungen von zwei Bogen in Octav ausgegeben werden soll. In der Anzeige und dem Prospectus ist über den nähern Inhalt des Journals nichts weiter gesagt, als was der Titel enthält und eine Zeile auf der Decke noch beifügt: „Es umfaßt Alles, was in das Gebiet der Literatur, der Wissenschaften und Künste gehört". Es ist nicht möglich, mit mehr aufgeblasenem Dünkel einer an nichts zweifelnden Seichtigkeit aufzutreten: „Ehemals verlangte man tiefe Studien, lange Vorarbeiten, hartes Abmühen, um sich in die Bahn der Literatur zu werfen; heute ist Alles anders, man reift schnell und welkt noch schneller, es liegt in der Natur unserer Generation, in dem Geiste des Fortschrittes, daß wir unser Werk beginnen, und es hieß das Jahrhundert verkennen, wenn man sich darüber als über ein abenteuerliches Project wundern wollte." Worüber wundern? Schreibt nicht Alles in Frankreich, und herrscht nicht das Universalfieber der Autorschaft? Haben vielleicht die Herausgeber das wahre Gefühl ihrer Unzulänglichkeit? so mögen sie abstehen. Nein, im Gegentheil, sie legen eine besondere Eitelkeit in den Umstand, daß keiner von ihnen gekannt und bisher genannt worden sei; das aber hindere nicht, daß sie vielleicht die Welt durch ihre Werke in Erstaunen setzen werden. „Ohne Zweifel sind welche unter uns, denen die Kunst ein Bedürfniß, der Ruhm das einzige Ziel ist. Vielleicht sind manche darunter, welche die Zukunft mit Stolz nennen wird. Für diese Letztern wären unsere Blätter nicht nothwendig. Vergeblich würden sich ihnen die Hindernisse entgegensträuben, der Neid waffnen und das Monopol sie verfolgen. Seid Richelieu und die Akademie, Ihr werdet dennoch Corneille nicht unterdrücken! Andere, welche mit uns arbeiten, werden das Ziel nicht außer Acht lassen, für welches die Natur sie bestimmt hat. Sie werden nicht vergessen, daß man vor Allem Bürger sein und seine Sendung hienieden erfüllen muß; daß es mehr als einen ehrenvollen Titel gibt, und daß man auf mehr als eine Weise von sich sprechen und auf seinem Gange die Köpfe entblößen machen kann." In diesen leeren und hohlen Phrasen treibt sich der erste Artikel herum. Diese Herren wollen das Lob, welches man bisher der Jeune France so verschwenderisch gespendet hat, rechtfertigen und verdienen. Ihre Kritik wird bescheiden aber muthig sein, gütig gegen die Geistesschwachheit (was in der That in ihrem eignen Interesse am meisten zu rathen sein möchte), strenge gegen die Laster des Herzens. Welches aber sind euere Grundsätze, welches ist euer System, wovon geht Ihr aus, wohin wollt Ihr?... „Wir haben Vertrauen in die Zukunft." Diese Phrase war schon oft da. Hier noch eine andere, welche ganz das Gepräge der anhaltslosen, selbstzufriedenen Hofmeisterei dieser jungen Weltverbesserer trägt und die Farben aushängt, mit welchen sie ohne irgend eine compromittirende Bestimmtheit sich schmücken zu müssen glauben, um die Augen des Publicums auf sich zu richten: „Bei uns wird die Immoralität keinen Platz finden. Auch jener nur allzu sehr verbreiteten insbesondere, welche unter dem so lobenswerthen und schönen Deckmantel der gesellschaftlichen Wiedergeburt dahin strebt, alle angenommene Ideen umzustürzen, den edeln Glauben der Seele anzutasten, als Fehler zu erklären, was bisher Tugend genannt wurde, und mit dem Namen der Tugend zu schmücken, was bis zu unsern Tagen als Laster gebrandmarkt worden ist." Das Alles sagt nichts und wenn wir in dem Augenblick, wo Alles sich in dem Kampfe der staatsgesellschaftlichen Wehen concentrirt, nach dem politischen Glaubensbekenntnisse der Herausgeber fragen, eine Frage, die sich an das soeben Vorgetragene ganz natürlich anschließt, da ein großer Theil unter ihnen ja seinen schönsten Ruhm in der würdigen Ausübung der Bürgerpflicht finden soll, so erhalten wir zur Antwort: Die Politik ist auf immer von diesen Blättern ausgeschlossen: „Wir waren der Ansicht, daß, trotz unserer Sympathie für diese oder jene Meinung, es unserm Alter nicht anstehe, ein Volk lenken zu wollen, daß übrigens unsere Reihe kommen werde und wir bis dahin tiefe Studien zu machen haben." Einstweilen also bekommen wir Kritiken, Belehrung, philosophische Vorträge über die Erhebung des Bürgers, ohne Politik und überhaupt eine literarische Zeitschrift ohne Studien. Schönen Dank! Was besonders die neue Zeitschrift in die Classe der todtgeborenen Producte verdammt und ihr den Stempel der Unkenntniß der Zeit und ihres philosophischen Strebens aufdrückt, ist die anachronistische Huldigung der sogenannten katholischen Idee, und die Anbetung der katholischen Kirche als das unerläßliche Heil der Welt. Dieser Einfall ist um so bedauernswürdiger, als unter der angenommenen Hülle durchaus kein wahrer Glaube wohnt, sondern es für genial und dem Fortschritte der Philosophie angemessen, für modisch gehalten wird, „zu dem Cultus von Pascal und Fénélon zurückzukehren, um die Welt von den tiefen Wunden zu heilen, welche ihr das infame Lob des Lasters und der bösen Leidenschaften geschlagen hat". Diese Herren haben uns selbst versprochen, daß sie erst noch tiefe Studien machen wollen, warten wir diese also ab. Was soll aber unterdessen eine Kritik wie die folgende über eine hochwichtige Arbeit und die geniale Leistung eines der ersten Schriftsteller der neuern Zeit bedeuten? Ueber die Schrift von Alexander Dumas: „Gaule et France" *) macht der „Essor" die Bemerkung: „Herr Dumas hat sich vermessen, ein historisches Buch zu schreiben und ist dramatischer Autor geblieben, nicht mehr und nicht minder. Seine Bilder sind entweder grandios oder lächerlich affectirt. Was den Werth des Herrn Dumas als Geschicht-

*) Ueber dieses Werk berichten wir nächstens ausführlicher. D. Red.

schreiber angeht, so hat er das Unglück gehabt, sich zu theilen zwischen A. Thierry, welcher das katholische Princip leugnet (?!) und dadurch das allgemeine Verständniß der ersten Epochen verfehlt, und zwischen Chateaubriand, welcher dem Absolutismus der Vorsehung huldigt; unter den Einfluß zweier ganz verschiedenen Systeme gestellt, befand sich Hr. Dumas in einer zweideutigen Stellung, welche vielleicht sein Buch in den Augen der Weltleute erhöhen, ihm aber in den Augen Derer schaden wird, welche die Geschichte Frankreichs studirt haben". Etwas sehr Originelles hat dennoch die neue Zeitschrift. Sie wird gestiftet durch ein Hundert junger Leute, welche sich vereinigt haben, um das Blatt wie aus eignen intellectuellen, so auch aus eignen pecuniairen Mitteln zu erhalten. In dieser Beziehung haben sie eine Probe von Urtheil und Vorsicht abgelegt, welches ich mich beeile anzuerkennen. Sie werden dieser eignen Tragkraft nöthig haben und ich wünsche vor Allem, daß der zweite Quell von längerer Nachhaltigkeit sein möge, als der erstere nach der bisherigen Erscheinung zu besitzen scheint.

Abenteuer eines Seesoldaten der Kaisergarde, von Heinrich Ducor. — Der Bierbauerkönig von Herrn von Arlincourt. — Marie Tudor, oder: Das Weib ist veränderlich, Drama von Victor Hugo.

Vorstehend gebe ich Ihnen die Namen der drei Werke, welche in diesem Augenblick am meisten die Neugierde des literarischen Publicums in Paris erregen. Der Verf. der „Abenteuer" war erst Soldat im spanischen Kriege. Nach der unglücklichen Affaire von Baylen ward er auf die Pontons von Cadix und von da auf den dürren Fels von Cabrera gebracht. Seine Erzählung geht in die Details einer damaligen Gefangenschaft unter den rachgierigen Händen der Spanier ein, und sein Gemälde soll geeignet sein, durch die einfache Schilderung der Wahrheit, das Entsetzen des Lesers zu erregen. Bald verschaffte ihm eine glückliche Flucht die Möglichkeit, die Fahne des kaiserlichen Heeres wieder einzuholen, und sein Geschick führte ihn diesmal nach Rußland, sodaß er innerhalb zwei Jahre in den zwei entgegengesetzten Himmelsgegenden Europas den wichtigsten Katastrophen des französischen Kaiserreiches und den Vorläufern seines Unterganges beiwohnte. Seine Abenteuer werden zuerst seine Gefangenschaft in Cabrera, sodann jene wunderbaren, beispiellosen Schicksale der in Rußland als Kriegsgefangene verweilenden und umherirrenden französischen Armee umfassen. Viele Bilder jenes schauerlichen Epos sind an uns vorübergezogen, sie waren nicht vollständig, denn von dem Ende des Dramas konnte noch keiner berichten; jetzt zum ersten Mal erscheint ein Zeuge wie aus dem Reiche der Todten und will den Faden aufgreifen, wo ihn der letzte glückliche Flüchtling der kaiserlichen Auflösung gelassen hatte. In dem Prospectus dieser Erzählung, welchen eine der geschätztesten Zeitschriften mit vielem Lobe und nach Einsicht des Manuscriptes mittheilt, heißt es u. A.: Der Erzähler ist gesund und wohlerhalten von da zurückgekommen, wo beinahe alle seine Gefährten umgekommen sind, und sie waren 300,000 irrend, zerstreut, vereinzelt und trotz ihrer Zahl ohne irgend eine andere Kraft und Bedeutung als die eines Individuums, welches durch den Zufall und ohne Hülfe in eine Schneewüste geschleudert ist; 300,000, welche ihren Weg und ihre Nahrung nur von Leichnamen begehren konnten und die von dem Hasse einer fanatisirten Bevölkerung aufs Grausamste verfolgt werden; 300,000 Soldaten, die sich in der schrecklichen Wahl einer tödtlichen Verbannung nach den Einöden von Sibirien oder eines durch die Barbaren verhöhnten Todeskampfes befanden: eine entsetzliche Lage, welche die kolossalste, die grelläste Widerwärtigkeit jenes Feldzuges, ohnehin so reich an Verhängniß, war. Nach der Anzeige des Prospectus wird dieses Werk sich besonders durch eine aufrichtige und wahrheitsliebende Darstellung auszeichnen, und dann kein Zweifel, daß es das höchste Interesse in Anspruch nehmen wird. „Die Geschichte unsers Seesoldaten ist jene der nach dem russischen Feldzuge verlorenen Masse in Rußland. Er kann, indem er sich zu allen Gefühlen der Familie und der Gesellschaft, zu allen Sympathien des Landes wendet, sagen: Dieser Sohn, dieser Bruder, dieser Gatte, dieser Geliebte, dieser Freund, welchen Ihr beweint habt, ich bringe Euch sein Lebewohl; ich melde Euch seinen letzten Seufzer, sein Verlangen nach dem heimischen Herde, nach dem Vaterland: meine Geschichte ist die seinige; ich habe ihm die Augen geschlossen; allein glücklicher als er, habe ich wiedergesehen, was er zu sehen wünschte, ich habe meine Mutter umarmt, welche ebenfalls um mich weinte!" Der polnischen Nation, den polnischen Frauen insbesondere werden neue Kränze gewunden für die menschliche Größe, für den Heldenmuth und die hingebende Aufopferung, mit welcher sie, trotz der auf die Aufnahme eines französischen Flüchtlings die Todesstrafe verhängenden Ukase, die Trümmer eines von dem allmächtigen Willen Gottes verfolgten Heers bewirtheten, verpflegten und versteckten!... Wol, ich freue mich darauf, diese Thatsachen zu lesen, sollten sie auch von Neuem Thränen des Unmuthes und der Verzweiflung entpressen, ich freue mich, weil sie ein neues Stigma für das Frankreich des Jahres 1831 und 1832 sein werden. Ist die französische Nation verantwortlich für die Sünden, welche ihre Regierung gegen Polen und die Menschheit begangen? Vielleicht nicht ganz; allein die Aufopferung Polens haftet in der Geschichte an ihrem Namen und das Volk muß endlich wiederkaufen, was seine Gewalthaber verschleudert haben, seine Größe, seinen Ruhm, seine Ehre. Die moralische Kränkung eines großen Volkes gibt die sichersten Bürgen einer baldigen Wiederauferstehung. Das Kaiserthum hat die Schuld Frankreichs gegen Polen gewissenlos begonnen; das Bürgerkönigthum der jüngern Bourbonenlinie hat sie bis zur Verschleuderung angehäuft; seinem Nachfolger ist es vorbehalten, sie zu tilgen, beneidenswerther Strich, welchen einst die Geschichte mit unauslöschlichen Zügen in ihre Tafeln eintragen wird.

Von dem nähern Inhalte des neuen Romans von d'Arlincourt kann ich Ihnen noch nichts Bestimmtes sagen, doch wird er ohne allen Zweifel, wie sein letztes Product, eine politische Anspielung, fern oder nahe, ähnlich oder nicht, darauf kommt es dem nobeln Vicomte nicht an, enthalten. Schon der Titel scheint der Art etwas anzudeuten, da man den Bürgerkönig oft auch den roi maçon u. a. dgl. nannte. Es gab eine Zeit, wo Herr von Arlincourt gern noch Geld gegeben hätte, damit man seine Schriften gelesen; heute wartet das Publicum und die Kritik mit Sehnsucht auf seine neue Geburt; die Kritik insbesondere hat ihre Feder gespitzt und wird den edeln Kämpen der Legitimität mit vereinter Aufmerksamkeit empfangen. Das [illegible] macht die Schriftstellerei des Hrn. d'Arlincourt interessant, und ihre politische Farbe sichert ihr ein ephemeres Interesse, nach welchem sie kraft ihres alleinigen innern Werthes vergeblich [illegible] gen würde. Diese Waffe hat der Verf. erkannt und [illegible] darum in der Anzeige des neuen Romans unverhohlen [illegible] aus, aus jedem seiner Romane eine politische [illegible] zu machen. Nach dem Prospectus soll der „[illegible]" von den Werken des Hrn. von Arlincourt dasjenige [illegible] am meisten Kühnheit, Schwung und Phantasie [illegible]. Hiernach dürfen wir uns mindestens auf einige [illegible] Umstände und Sonnenfinsternisse gefaßt machen.

Victor Hugo hat an der Porte Saint-Martin ein neues Drama vorgelegt, welchem man nach vielen Berathungen und Verhandlungen endlich den Titel: „Marie Tudor, ou femme souvent varie" gegeben hat. Dies reicht hin, sagt die „[illegible] de Paris", um zu wissen, daß uns der Poet diesmal nach England ins 16. Jahrhundert versetzen wird. Seine [illegible] Niemand anders sein als die Tochter Heinrich [illegible] Tudor hatte in ihrer Person nichts von der [illegible] leibigkeit ihres Vaters, noch von der anmuthigen [illegible] Mutter; sie war eine kleine, zärtliche und [illegible] mit lebhaftem aber kummervollem Auge; sie [illegible] die Juwelen, und gab durch ihr Beispiel Anlaß zu dem [illegible] heraustreiben des Luxus an dem Hofe. „Sie hat [illegible] Noailles, der französische Gesandte, den früher [illegible] glauben abgelegt, daß die Frauen weder Gold noch farbige Gewänder tragen sollen, indem sie selbst und viele ihres Gefolges mit Gold geschmückt und nach französischer Mode in Röcke mit weiten Ermeln gekleidet ist. Die Mylords und jungen Edelleute tragen Beinkleider ebenso kostbar von Stoffen und Tüchern und Gold und Stickereien, als ich deren in Frankreich oder sonst wo sehen konnte." Wir werden also schöne Costume bekommen. Sobald Marie als Königin erkannt war, mußte sie daran denken einen Gemahl zu wählen; diese Frage war doppelt wichtig, sowol wegen der Politik als wegen der Religion, da die neue Fürstin erklärt hatte, dem katholischen Glauben treu bleiben zu wollen. Marie schwankte einige Zeit zwischen Courtenay, welchen Frankreich unterstützte, und Philipp, König von Spanien, welcher den Sieg davontrug. Die Königin hatte mit Verschwörungen zu kämpfen und zog die Strenge der Milde vor, wie sie auch zur Wiederherstellung des Katholicismus die Hinrichtungen und den Scheiterhaufen beliebte. Darum haben die Katholiken ihre Talente und selbst ihre Tugenden gepriesen; die Protestanten dagegen sprachen von ihr wie von einer Jezabel. Uebrigens ist Marie ein dramatischer Charakter, und es lagen in den Personen, welche sie umgaben, sowie in den Vorfällen ihrer Regierungszeit alle Elemente einer Tragödie. Die von Victor Hugo ist in Prosa. 171.

Der Antichrist. Novelle in zwei Theilen, von Eduard Duller. Zwei Bände. Leipzig, Wigand. 1833. 8. 2 Thlr.

Diese symbolisch-metaphorisch-mystisch-apokalyptische Erzählung verkündet vor allen Dingen einen strebenden, poetisch angeregten, aber ungeordneten und darum vielleicht unkünstlerischen Geist. Es ist etwa ebenso leicht viel Gutes, als viel Uebles von ihr zu sagen. Man kann an ihr eine gewisse Tiefe der Lebensanschauung, eine gewisse poetische Kraft, viel Anlage für die Gestaltung, eine reiche blühende Ausdrucksweise, treffenden Witz anerkennen, und indem man sie dieserhalb lobt, gleichzeitig die Verwirrung in Ziel und Streben, das Ungenügende, Gewaltsame und Unüberlegte in der Charakteristik der symbolischen Gestalten, die Uebertreibung in Begebenheit und Sprache, das Geschmackwidrige in der ganzen Erfindung tadeln. Verachtung und Haß des Lebens ist der Grundton dieser ganzen wunderlichen Arbeit, die dennoch genug von Gewicht an sich hat, um nicht gradehin zu den unbedeutenden Erscheinungen geworfen zu werden, mit einem Wort, es ist eine seltsame, aus guten und schlechten Elementen zusammengesetzte, schwer zu verstehende und noch schwerer zu erklärende Dichtung, deren Verf., hätte er 20 Jahre früher geschrieben, mit Recht für einen der Koryphäen der Drang- und Sturmperiode hätte gelten müssen.

Der kurze Inhalt ist dieser: Ein König Diamond, der durch Brudermord den Thron bestiegen (aber doch kein Claudius), sucht das Elixir des Lebens, das Mittel gegen Vergänglichkeit und Tod. Er ist krank an Todesfurcht und schleicht als Bettler zu dem weisen Arsenius, in dem wir uns die rohe Naturnothwendigkeit versinnlicht denken können. Hier trifft er mit Ritter Humor (die beste Gestalt im ganzen Buche) und mit seinem hungrigen Diener Kreuzkopf (von dem wir nicht recht wissen, ob er die Völlerei oder die Trägheit oder den Spaß darstellen soll) zusammen, die von nun an seine beständigen Begleiter bleiben. Nach und nach erscheinen nun personificirt: die gelehrte Albernheit durch Magister Grütze, die streitende Kirche und das Dogma durch den Priester Basilius, die Giftmischerei, der T..., Ahasverus, die Philosophie, die Unschuld, der falsche Messias, Zacharias, Tod, Pest und Dorothea, aus der wir nichts zu machen wissen. Alle diese brauen wechselweis den Lebenstrank für König Diamond, zanken, streiten und ermorden sich dabei, und führen einen Graus aus, worüber dem Leser zuweilen Hören und Sehen vergeht. Alles und überall zu erklären, was der Verf. eigentlich gemeint hat, scheint unmöglich; wir müssen uns begnügen, den Sinn einiger durchsichtigern Allegorien wie im Fluge zu haschen, während uns der Schalksnarr mit seiner auf die äußerste Spitze getriebenen Sinnlichkeit noch am öftersten als eine ergötzliche Figur erscheint. Im Ganzen genommen ist der Graus und Greul jedoch durch seine Ausbreitung eintönig und langweilig, es zeigt sich ein allzu tiefer und grimmiger Haß gegen das Leben, als daß wir ihn nicht fur Caricatur halten sollen, eine allzu einseitige und oberflächliche Beobachtung der Natur, welche nur Augen für die Zerstörung und die Verneinung, nicht für die Liebe und die Wiedergeburt hat, eine allzu maßlose und ungezügelte Darstellung, eine jeder Begrenzung spottende Phantasie, als daß wir uns der zum Theil glücklich durchgeführten Allegorie erfreuen könnten. So ist die Scene, wo Griesgram den Humor erschlägt, an sich ergötzlich genug; aber die Verwirrung, die ihr vorhergeht und folgt, raubt uns das Vergnügen daran. Die Deductionen von „Nichts" der Liebe und von „Alles" der Selbstsucht sind bei Ritter Humor oft ganz erfreulich und Kreuzkopf's Späße erinnern zuweilen nahe genug an Sancho Pansa's unvergleichlichen Witz; aber das Ganze ist viel zu ungeordnet und zu düster, um irgendwo rechter Freude an den einzelnen Bildern Raum zu geben. Die Häufung des Greuls und des Unverständlichen erregt Ekel und Langweile, und wir machen das Buch zu, widerwillig gegen den Verf., der im Streben tief und erschütternd zu sein, barock und unverständlich geworden ist.

Dazu kommt, daß er die Sprache beiweitem nicht genug beherrscht, um nicht hier und da Unsinn zu schreiben. Folgendes Bild eröffnet das Buch: „Schwer und dumpf hängt die Neumondsnacht über der unermeßlichen Stadt, über den Thürmen und Zinnen streift und qualmt es von herbstlichen Nebeln, wie ein Büttel in des armen Sünders Schopf fährt, wie das Richtschwert gedankenschnell in den verfallenen Nacken zischt, so wühlt und saust unbarmherzig und schneidend, tückisch und schadenfroh in langsamen Athemzügen der Nachtsturm ringsum, stöhnt schwer auf, schwillt heulend an, verstummt plötzlich, als müßte er am ungeheuren Frevel ersticken, und ringt sich wieder los, als müßte er, ein dunkler Rabe, dem Jammer als Herold voranfliegen, und schrumpft, jetzt wie vom wüthenden Frost gliederweis ertödtet, ohnmächtig verhallend, in sich zusammen." Dies, mit des Verf. Erlaubniß, ist eitel Unsinn; ein Bild ohne Wahrheit, incongruent in sich, unfaßlich, und doch gefällt sich der Verf. in Tiraden dieser Art und setzt sie Seiten lang fort, Widersprüche zu Widersprüchen gesellend. Z. B. „Das Eselsfest ist in vollem Gange. Längst vermoderte Jahrhunderte und Sitten haben sich Staub an Staub, Gebein an Gebein aus dem Chaos der Verwesung in frischen Leibern zusammengeboren, und was längst gewesen, scheint wie nie gewesen; denn die Thorheit stirbt auf Erden nicht aus u. dgl. mehr." Was ist nun Zweck und Absicht dieses Buches? Der Sünde einen Spiegel vorzuhalten? Dazu gehört die Wahrheit und Treue eines Spiegelbildes und hier begegnen uns blos Gespenster! Erschütterung ohne Resultat? Eine solche ist nichts werth! Blicke in die Tiefe des Lebens? Dazu gehört die Darstellung des Lebens, und hier ist der Vorhof der Hölle geschildert. Unterhaltung? Diese gewährt das Buch nicht. Oder soll es eine lyrische Klage über den Unbestand des Lebens sein? Dann ist Jeremias wahrer und effectvoller. Kurz, Absicht und Zweck dieser Bogen verbirgt sich uns so, daß wir nichts daraus zu machen wissen. Und doch ist das Ganze aus einem gewissen gewaltigen Triebe zur Darstellung Dessen, was innerlich lebte, hervorgegangen, es ist kein frivoles, sondern ein durch wirkliche Seelenzustände bedingtes und nothwendig gewordenes Werk, das eine gewisse poetische Vertiefung und eine achtbare Ergründung des Lebens zur unverkennbaren Basis hat. Der Verf. hat sich nur selbst verirrt durch ein maßloses Streben, tief und bedeutend sein zu wollen. Hätte er, was er an Lehre und Wissen in sich trug, an wirklichen Gestalten des Lebens dargestellt, statt an Gestalten einer überspannten Phantasie, so hätte er vielleicht unsern Beifall gewonnen. Seine Ideen waren unbegrenzt, er mußte Begrenzung durch die Träger derselben suchen; statt dessen sind auch diese körperlos, unerfaßlich, nebelhaft und nun wird das Ganze dunkel, haltlos, unergründlich, sodaß der Witz Humor's und Kreuzkopf's als das einzige Reale an der ganzen Schöpfung übrig bleiben.

Auf diese Art wurden tüchtige Kräfte hier verschleudert, die bei gebührender Begrenzung und Concentration ein erfreuliches Lebensgemälde hätten darstellen können. Der Verf. muß sich selbst zurückrufen von dem Abwege der Verflüchtigung und dem Schein der Wirklichkeit nachringen, so wird er etwas Besseres leisten; denn unverkennbar stecken die Keime des Bessern in ihm, wie manch schönes Bild, manch glücklicher Gedanke und mehr als eine gute Allegorie kundgeben. 130.

Notizen.

Merkwürdiges Rechtserkenntniß.

In dem zweiten Theile des fast ganz vergriffenen altsatirischen Buchs, bekannt unter dem Titel: „Gesichte Phylanders von Sittewald", befindet sich S. 131 folgendes alte Erkenntniß oder Urtel abgedruckt, welches in einem Injurienprocesse gegen den Satiriker im Jahre 1641 von dem Gerichte zu Geroltzeck, einem ehemaligen festen Schlosse bei der Stadt Kuffstein in Tirol, gesprochen wurde: „Dieweil auff eingenommenen Bericht, vnd aus allen Vmbständen erscheint, auch beweißlich ist: daß Philander von Geburt vnd Eltern, zwar ein junggeseßener Teutscher seye, auß etlichen vngebührlichen Anzeigungen vnd Newrungen widrigen verdachts Vrsach geben: Als ist zu Recht erkand: daß Beklagter, auff geleistete Bürgschafft vnsers Lieben Getrewen vnnd Helden-Raths Experti Roberti der verhafftung zwar erlaßen seyn; doch an Eydstatt, mit Handgegebener Trew, angeloben soll, ohn gnädigste Erlaubnuß aus unsern Burgzwang nicht zu weichen; sondern in denselben so lang und viel sich auffzuhalten biß man deßwegen gnädigster Güte nach fernere Verordnung wird thun laßen: Vnterdeßen ihme frey stehen mag, in dem Burg-zwang ankommende und fürgehende Handlungen zu sehen vnd zu hören, ohne hinderung einiges Menschens. Vnd weil Kläger vber das, in etwas vnsers Teutschen Herkommens Schranken in Kleidung, in Geberden, Sprach vnd andern vberschritten; als ist zu billich mäßiger Abstraffung und Zäumung solcher einreißenden vnverantwortlichen Thorheiten, für gut erachtet worden, daß Er — Phylander — damit künftiger Zeit vnser geliebtes Vaterland nicht gar in Wälschen Vntugenden zu Grund gehe, in Zeit dreyer Monden diese Land bis auff acht Meilenweges raumen, sich in eine gelegene teutsche Stadt begeben: allda die Wälsche Trachten abschaffen: den Bart auff teutsch wachsen lassen, die Wälsche a la mode Kleidung einstellen, sich Ehrbar und vntadlich tragen, an statt der Feldhüner, Wildprets, Schnecken und anderer Schleckbißlein, sich mit Rindfleisch begnügen, die Muttersprach rein und vnverfälscht reden, mit keinen frembden Wörtern beschmitzen noch verunehren solle. Auch schuldig und verbunden seyn wann und wie offt wir es von ihm erfordern werden, wider solche new vnnd Wälschsüchtige Sprach-verderber, vnnd Namenflicker in Teutscher sprach zu schreiben, wie nit weniger alles dasjenige zu thun, was einem gebornen ehrlichen Teutschen zu seines Vaterlands Heyl vnd Bestens beförderung ohne das gebühret vnd wol ansteht. Alles bey vnausbleiblicher straff, so Beklagter in ichtwas deme nicht nachgeleben thäte: die wir vns aber eines beßern zu Ihm versehen wollen. Außgesprochen vorm Teutschen Heldenrath in vnserer Borg Geroltzeck im Waßgau. Vff Ruhbulffs Tag, im Jahr der Christen 1641." 187.

Eigenhändiges Schreiben der Kaiserin Katharine II. von Rußland an d'Alembert.

Moskau, 13. November 1762.

Wir theilen diesen merkwürdigen Brief ohne weitern Commentar, dessen er nicht bedarf, hier mit, und fügen nur die Bemerkung hinzu, daß wol wenige Regenten unserer Zeit der Philosophie eine so ausgezeichnete Huldigung darzubringen geneigt sein dürften, wiewol freilich solche Huldigung auch selten mehr an ihrem Platze war, als bei eben dem Schüler, wofür d'Alembert's Lehren vergehrt wurden. 187.

Eben hab' ich Ihre Antwort an Herrn Odar gelesen, worin Sie ablehnen, nach Rußland zu kommen, um zur Erziehung meines Sohnes *) beizutragen. Ich begreife, daß es einem Philosophen, wie Sie es sind, nichts kostet, was man die Größe und Ehre dieser Welt nennt, zu verachten. In Ihren Augen sind dies Armseligkeiten, und es wird mir nicht schwer, in diese Meinung einzugehen; ja, wenn ich die Dinge im rechten Lichte betrachte, so muß ich das oft gepriesene und oft mit mehr Recht getadelte Benehmen der Königin Christine von Schweden als etwas sehr Gewöhnliches ansehen.

Sie sind geboren und berufen, zu der Glückseligkeit und Belehrung eines ganzen Volkes beizutragen. Solchen Ruf ablehnen, heißt, wie es mir scheint, das Gute zu thun weigern, welches Ihnen so sehr am Herzen liegt. Der Zweck Ihrer Philosophie ist die Menschheit; erlauben Sie mir denn, Ihnen zu sagen, daß die Weigerung, ihr zu dienen, den Zweck verfehlen heißt. Ich kenne Sie als einen Mann von zu großem Werth, als daß ich diese Weigerung der Eitelkeit zuschreiben sollte. Ich weiß, daß die Ursache einzig Ihre Liebe zur Zurückgezogenheit ist, um den Wissenschaften und der Freundschaft zu leben. Gut denn! wenn es so ist, kommen Sie mit allen Ihren Freunden. Ich verspreche Ihnen und Jenen alle Annehmlichkeiten, welche zu bieten in meiner Macht steht, und vielleicht finden sie hier mehr Ruhe und Freiheit als daheim. Sie haben weder den Einladungen des Königs von Preußen, noch selbst Ihrer Dankbarkeit gegen ihn Gehör gegeben, allein dieser Fürst hat keinen Sohn. Ich gestehe Ihnen, daß die Erziehung des meinigen mir sehr am Herzen liegt, und Sie sind mir so nothwendig, daß ich Sie vielleicht zu sehr dränge. So verzeihen Sie denn meine Unbescheidenheit der Sache zu Liebe und sein Sie der Achtung versichert, welche mich so dringend gemacht hat.

Katharine.

Nachschrift. Ich habe in diesem Briefe blos von den Gesinnungen Gebrauch gemacht, die ich in Ihren Werken gefunden; Sie werden also nicht mit sich selbst im Widerspruch **sein wollen.**

*) Des nachherigen Kaisers Paul.

Wachsthum des russischen Reichs.

Unter Iwan I., i. J. 1462, enthielt das russische Reich 18,494 □Meilen; bei seinem Tode, 1505, — 37,137; bei Iwan II. Tode, 1584, war der Flächeninhalt bereits auf 125,465 □Meilen gestiegen; und bei Michael I. Tode, 1645, auf 254,361; bei Peter des Großen Thronbesteigung, 1689, betrug derselbe 263,900 mit 16,000,000 Einwohnern; bei seinem Tode, i. J. 1725 aber, 273,815 □Meilen mit 20,000,000 Einwohnern. Katharine II. fand beim Antritt ihrer Regierung, 1763, an Flächeninhalt 319,538 □Meilen mit 25,000,000 Einwohnern, und hinterließ bei ihrem Tode, 1796, 331,830 □Meilen und 33,000,000 Einwohner. Jetzt endlich hat das russische Reich 367,494 □Meilen und 50,000,000 Einwohner.

Welch ein riesenhafter Vorschritt an Macht, welche ungeheure Anhäufung der Kräfte!!! Hätt' es wol je dahin kommen können, wenn jene weiten Länderstrecken durch eine frühere Cultur mit der europäischen Welt näher zusammengehangen hätten? 187.

Redigirt unter Verantwortlichkeit der Verlagshandlung: F. A. Brockhaus in Leipzig.

Blätter für literarische Unterhaltung.

Sonnabend, — Nr. 313. — 9. November 1833.

Skizzen aus Amerika.

Von J. B. Adrian.

1. Canada.

Ein Engländer, Namens Gourlay, hat sich in dem obern Canada viele Jahre aufgehalten und ein interessantes Werkchen über die Eigenthümlichkeiten dieses Landstriches herausgegeben. Da man in Folge der vielen Auswanderungen nach Amerika mit immer steigender Theilnahme auf jenen Welttheil blickt, werden einige Mittheilungen aus diesem Buche, welches zunächst für Auswanderer bestimmt scheint, nicht unwillkommen sein.

Der Verf. stellt vorerst die Frage auf: Wer soll nach Canada auswandern? Alle Diejenigen, sagt er, welche sich in ihrer Heimat nicht durch ihre Arbeit bequem nähren können. Es mag Jemand noch so arm in dieses Land kommen, so verdient er als Feldarbeiter mehr, als er zum Unterhalt seiner Familie braucht. Ist er umsichtig und mäßig, so erspart er sich in kurzer Zeit so viel, daß er ein Grundstück kaufen kann; hat er Familie, desto besser! Kinder sind die beste Habe, die ein Grundbesitzer hier wünschen kann. Die Arbeit eines Kindes von sieben Jahren wirft so viel ab, daß man es unterhalten und erziehen lassen kann, und der Arbeitslohn eines Knaben von 12—14 Jahren beträgt mehr als der des geschicktesten und stärksten Arbeiters in den meisten Theilen Großbritanniens, gewöhnlich 3—4 Dollars monatlich, außerdem noch Bett, Tisch und Wäsche. In Europa spricht man von einem „armen Manne mit einer zahlreichen Familie". Eine solche Redensart ist hier in Canada ein absurder Widerspruch; denn hier muß ein Mann mit einer großen Familie unter den gewöhnlichen Umständen bald aufhören, ein armer Mann zu sein. Obgleich alle Handwerker und Gewerbsleute hier Verdienst finden, so sind doch Schmiede, Schneider, Schuhmacher und Gerber am willkommensten. Für reiche Leute ist das Land nicht; es ist vorzugsweise das Land des Armen, der hier bequem und anständig leben kann und, wenn er sparsam ist, sich leicht ein kleines Vermögen erwirbt. Reich wird Niemand hier; aber glücklich und zufrieden sind die Meisten geworden, welche sich hierher flüchteten.

Der schwarze Wallnußbaum liefert schönere Meublen als das Mahagony. Das canadische Leder ist schlecht, und man thut wohl, sich in Europa vorerst noch mit Schuhen und Stiefeln zu versehen. Hunde, welche abgerichtet sind, das Vieh zusammenzuhalten, sind unschätzbar, da sich die Heerden leicht in den Wäldern verlaufen und ein Ansiedler oft einen halben Tag verliert, um seine Ochsen aufzusuchen und nach Haus zu treiben.

Die Colonien, welche nach Obercanada gehen, landen gewöhnlich zu Quebeck. Man lebt in dieser Stadt so theuer, daß der Ankömmling am besten thut, sich sogleich in dem Montrealdampfboot einzuschiffen. Durch den Aufenthalt zu Quebeck, Montreal, Kingston und York verliert der Reisende Zeit und Geld. Mit der Summe, welche der Aufenthalt in diesen Städten kostet, kann sich eine Familie das erste und schwerste Jahr ihres Lebens in der neuen Welt nähren. Mancher hat sich durch Zaudern und Zögern in diesen überfüllten Städten um seine letzten Hülfsmittel gebracht.

Das Hurongebiet ist hier zum Anbau das geeignetste. Man sagt, dieser Landstrich liege außerhalb der Welt. Nichts ist lächerlicher. Orte, zu denen regelmäßig Dampfschiffe gehen, liegen nicht außerhalb der Welt, und wenn man in diesem Lande guten Boden wählt und etwas Tüchtiges producirt, so zieht man die Welt hierher. Vor 16 Jahren bestand die Stadt Rochester aus einer elenden Schenke und einer Schmiede — jetzt zählt sie 16,000 Einwohner. Vor 1827 hatte kaum der Fuß eines weißen Mannes das Hurongebiet betreten. Im Sommer 1828 zog sich schon eine Straße durch diesen Landesstrich; jetzt wohnen über 800 Familien hier und überall herrscht lebendige Thätigkeit.

Long-Point gehört zu den schönsten Ansiedelungen hier. Der Oberst Talbot hat durch seine Thätigkeit und Ausdauer Wunder gethan. Er war vor 40 Jahren als Soldat hier. Die Schönheit und Fruchtbarkeit dieses Landstriches entzückte ihn. Da er einsah, daß die Colonialverwaltung in England es recht darauf anlegte, dieses Land noch viele Jahrhunderte hindurch in seiner Wildheit und Oede zu lassen, verschaffte er sich von den Behörden in seiner Heimat die ausschließliche Vollmacht, es anzubauen. Er reiste hierher zurück und ließ sich in der Mitte des Gebietes nieder. Zwanzig Stunden umher war keine menschliche Wohnung. Die Weisen des Landes schüttelten die Köpfe; die Dummköpfe lachten. Er bekümmerte sich weder um jene noch um diese. Nach 15 Jahren harter Arbeit und Entbehrung jeder Art kam die Nachricht an die Regierung von York, die Talbotansiedlung sei im Gedeihen, man habe Wege gebahnt, schöne Häuser gebaut, einen großen Landstrich fruchtbar gemacht. Man freute sich zu York; man sah, daß sich hier ein geöffnetes und bebautes Land böte, wo man für sich, Kinder und Kindeskinder, Mann und Maus Unterkommen zu finden hoffen könnte. Als man diese den väterlichen Gefühlen der yorker Herren zur Ehre gereichende Idee dem Obersten Talbot überbrachte, war nichts im Stande, ihn zu überzeugen, daß er so vieler Jahre Mühe und Beschwerden an Unbekannte vergeudet haben sollte. Seine Antwort auf die klugen Vorschläge, welche man ihm machte, war nicht ganz in so feinen und diplomatischen Ausdrücken abgefaßt, wie man es wol wünschte; sie war kurz, soldatisch und nicht leicht zu misverstehen. Er drückte sich nämlich so aus: „Ich will verdammt sein, wenn Ihr einen Fuß Landes hier bekommt.“ Die Rathsexcellenz nahm diese kurzabschneidende Antwort gewaltig übel, und ein zwar unblutiger, aber doch langweiliger Krieg brach aus; man that alles Mögliche, den Ansiedler mismuthig zu machen, ihn zu necken und zu ärgern; im Mutterlande wurde er verleumdet, seine Handlungsweise schief dargestellt. Talbot stand aber eisenfest, und bei einem gelegentlichen Besuche in England öffnete er den Ministern die Augen über das Benehmen der yorker Herren. Die Gefahr wurde so für einige Zeit abgewendet. Spätere Intriguen mußte er durch eine zweite Reise nach England vereiteln. Jetzt hat er die Freude, einige Hundert Meilen der besten Straßen in der Provinz, auf beiden Seiten mit schönen Wohnungen besetzt, und in dem Umkreis seiner Ansiedelung glückliche Landbebauer zu sehen, welche Alles, was sie haben, seiner Ausdauer, seiner Einsicht und seinem Enthusiasmus verdanken, und welche ihm in dem Verhältniß seiner Wohlthaten gegen sie, die er ihnen früher in manchen Fällen sehr gegen ihren Willen angedeihen ließ, dankbar sind.

In keinem Theile von England ist die Kälte so groß wie in Canada; ja, es kommt kein Kältegrad in England dem von Virginien gleich, obgleich dieses Land, wenn es auf der europäischen Seite der Erdkugel läge, für ein fast tropisches Klima gelten könnte. Um einem Europäer klar zu machen, was er sich unter canadischem Klima zu denken hat, muß man den Sommer dieses Landes mit dem Sommer Italiens, den Winter mit dem holländischen Winter vergleichen. Diese Vergleichung hinkt jedoch wie fast die meisten Zusammenstellungen dieser Art; der canadische Winter sowie der Sommer haben Eigenthümlichkeiten, welche keines der genannten europäischen Länder besitzt. Die Hitze des canadischen Sommers hält sich gewöhnlich auf 80 Grad Fahrenheit, weht aber der Wind 24 Stunden steif aus Norden, so sinkt das Thermometer während der Nacht auf 40 Gr. F. herab. Der Grund davon scheint die unermeßliche Quantität Waldes zu sein, über welche der Wind hinweht. Eine bemerkenswerthe Eigenthümlichkeit in dem Klima von Canada im Vergleich mit den genannten Ländern Europas ist dessen Trockenheit. Fern von dem Meere werden Salztheilchen, in einer oder der andern Art in der Atmosphäre der von der See umgebenen Länder angetroffen, hier nicht gefunden. Verzinnte Eisenplatten, mit welchen man Dächer deckt, sind nach 50 Jahren noch so glänzend wie an dem Tage, an welchem man sie aus dem Laden brachte; so kann man eine Ladung Pulver vier Wochen in einem Gewehre lassen und wird finden, daß sie losgeht, als hätte man das Gewehr eben geladen. Auch die Krankheiten, welche in feuchten Himmelsstrichen heimisch sind, werden hier nicht gefunden. Brust- und katarrhalische Beschwerden, die man im Geiste mit einem kalten Klima sofort verbindet, sind hier kaum bekannt. In der Hauptkirche zu Montreal, wo sich jeden Sonntag 3000—5000 Menschen versammeln, hört man selten, nicht einmal im härtesten Winter und bei dem stärksten Froste, Jemand husten. Auch Lungensucht, die Geißel der Seeküste von Amerika, ist in den nördlichen Theilen von Neuyork, Pennsilvanien und dem ganzen obern Canada so selten, daß ich während meines achtjährigen Aufenthaltes in diesen Gegenden nicht so viele Lungensüchtige sah, als mir in einem kleinen Krankenhaus in England an Einem Tage vorkamen. Die einzige Krankheit, welche uns hier quält und mit der wir nicht von Haus aus vertraut sind, ist das Wechselfieber, und dieses ist, obgleich furchtbar langweilig, keineswegs gefährlich; das Schlimmste bei diesem Uebel ist in der That nur der Umstand, daß Niemand mit dem Kranken Mitleid hat, sondern man ihn nur auslacht; Jeder, der eine Zeitlang hier war, kennt den Grad der Gefahr dieser Ungeduldskrankheit.

Uebrigens ist das Klima unendlich gesünder als das englische, ja man darf es das gesündeste unter der Sonne nennen; die Kälte eines canadischen Winters ist groß, aber weder unangenehm noch schädlich. Es gibt keinen Tag im Winter, die Regentage ausgenommen, wo nicht Jeder seiner Arbeit nachgehen könnte. Das Thermometer entscheidet nicht über kaltes und warmes Wetter — eine Wahrheit, die hier Niemand in Zweifel zieht. So ist hier in Canada, wenn es auf Null steht, kein Lüftchen merkbar, und man kann die Kälte des Morgens nach dem Rauche beurtheilen, der aus dem Kamin eines Hauses aufsteigt und grade wie die Thurmspitze der Kirche emporquillt und sich dann allmälig in dem schönen klaren Blau des Morgenhimmels verliert; doch ist es bei solchem Wetter unmöglich, einen starken Marsch im Ueberrock zu machen. Wahrlich, ein canadischer Winter ist bezweitem die schönste Jahreszeit; der Arbeit ist nur wenig, und alle Welt ist entschlossen, sich auf das beste zu unterhalten. Die Zeit zwischen dem canadischen Winter und Sommer nennt man den indianischen Sommer. Während dieser Zeit ist die Atmosphäre räucherig, dunstig, was die Leute allgemein dem Verbrennen der Wiesen, welches in dieser Zeit in dem westlichen Theil des Festlandes stattfindet, zuschreiben. Ich halte diese Erklärung für abgeschmackt; wäre sie annehmbar, so müßte der Wind in dieser Zeit aus Westen kommen, was nicht häufig der

Fall ist. Diese Zeit fällt in den November und dauert ungefähr vierzehn Tage; die Nächte sind dann kalt und hell, die Tage lieblich, oft sehr sonnig. Ist sie vorüber, so beginnt die Regenzeit, welche regelmäßig dem Winter vorangeht, daher das Sprüchwort unter den französischen Canadern im untern Canada: die Gräben gefrieren nicht eher, als bis sie voll sind. Nun folgt der Winter, welcher, wenn Regen und Thauwetter es nicht hindern, viel Angenehmes hat, wie schon bemerkt. Regen beschließt ihn und dauert gewöhnlich bis in die Mitte des Mai, wo sich dann Alles trocken und in guter Ordnung gestaltet.

Nach dem Gesagten wird man es nur als einen schalen Spott ansehen können, daß ein Reisender behauptete, man schwimme zwei Monate im Frühjahr und zwei Monate im Herbst im Koth; vier Monate im Sommer werde man von der Sonne gebraten, vom Staub gedörrt und von den Fliegen zerbissen; und wenn man die übrigen vier Monate die Näse aus dem Schnee stecke, so beiße sie der Frost ab.

2. Bärenjagd in Canada.

Wenn ein Bär einmal seine Beute, z. B. ein Ferkel, in den plumpen Tatzen hat, hilft alles Nachschreien und Verfolgen nichts, man müßte denn sogleich ein gutes Gewehr bei der Hand haben. Er hat eine wahrhaft bärenhafte Art, seinen Raub für allen menschlichen Gebrauch flugs werthlos zu machen. Wenn man ihm aber bis zu dem Platze verfolgt, wo er seine verstümmelte Beute niederlegt und sich in einiger Entfernung versteckt, so kann man gewiß sein, daß er sich hier zu seinem Abendessen, das bei ihm wie bei den meisten Gourmands die Hauptmahlzeit ist, einfindet. Ja, es ist sehr wahrscheinlich, daß er, wenn er die Galanterie besitzt, die ein wohlerzogener Bär haben muß, Frau Braun und alle die holdseligen Kleinen mitbringt, um sie an dem Leckerbissen Theil nehmen zu lassen. Man kann dann, wenn man will, seine Geschäfte auf einmal mit der ganzen Familie abmachen.

Bei der Bärenjagd in Canada nimmt man gewöhnlich alle Bauerhunde in dem Dorfe in Anspruch. Jagdhunde sind ganz nutzlos bei dieser Gelegenheit; denn wenn sie nicht gehörig abgerichtet sind, springen sie dem Bären an die Kehle und werden für ihre Mühe in Stücke zerrissen oder durch eine der zärtlichsten Umarmungen aus der Welt befördert. Die Bauer- und Schäferhunde schnappen nach ihm, ärgern ihn durch ihr unmelodisches Bellen, geniren sich gar nicht, ihn in den Steiß zu beißen, und treiben ihn gewöhnlich auf einen Baum, sodaß man ihn leicht schießen kann.

Der canadische Bär ist selten gefährlich. Er ist stets bereit, in Unterhandlung zu treten — manchen Ständemitgliedern in England, Frankreich und Deutschland nicht unähnlich, die da denken: eine Hand wäscht die andere; wenn er aber verwundet ist, darf man sich wahrlich vor ihm wahren. Man jagt daher gern in Gesellschaft und hat einen zweiten Schuß oder einen tüchtigen Knüttel in Bereitschaft, den man ihm auf sein Nasenbein applicirt, wo er so verwundbar ist wie Achill an seiner Ferse. Man erzählt manche scherzhafte Geschichten von Bärenjagden, denn Braun ist einigermaßen ein Humorist in seinem Style. Einer meiner Freunde, von neun Männern begleitet, brachte einst einen sehr großen Bären so weit, daß er sich auf einen Baum flüchtete; man verschaffte sich sofort Knüttel und fing an, den Baum zu fällen. Braun schien geneigt, seine Stellung zu behaupten, bis der Baum sich zu neigen begann; jetzt glitt er bis 15 Fuß ungefähr vom Boden nieder, klammerte seine Vordertatzen um den Kopf und ließ sich mitten unter sie niederfallen. Jeder Knüttel wurde erhoben, aber Braun war auf seiner Hut. Er machte einen Angriff, stürzte den ihm zunächst Stehenden nieder und entsprang mit zwei oder drei Hieben auf seinen Steiß, die er nicht hoch anschlug. Wenn dieses Thier einmal ein Ferkel getödtet hat, so muß man es zu erlegen suchen, sonst behält man kein Schwein; es kommt wieder, bis es das letzte derselben geholt hat, selbst der Schweinstall ist dann nicht sicher vor ihm. In dem Neucastledistrict hatte ein Irländer einen Bären in flagranti ertappt, der eben ein Schwein über die Mauer des Hofes entführete. Der gute Paddy dachte nicht daran, den Bären anzugreifen, er wollte nur sein theures Eigenthum retten. Er sprang sonach hinzu und ergriff das Schwein an dem Schwanz; Braun hielt es an den Ohren fest, und so zerrten sie das arme Thier hin und her, bis das Halloh des Irländers in melodischem Verein mit dem Angstgeschrei des gezerrten Schweines einen Nachbar zu seiner Hülfe herbeiführte, welcher den Kampf zu Gunsten des Irländers entschied, indem er dem Angreifer einen derben Schlag auf den Kopf gab.

Ein würdiger Freund von mir, ein Schüler Justinian's und jetzt einer der ersten Beamten in der Colonie, verirrte sich eines Tages in den Wäldern und kletterte endlich auf einen hohen Baumstumpf, um sich in der Gegend zu orientiren. Als er in dieser Absicht den Stumpf erstiegen hatte, glitt sein Fuß aus, und er fiel in den hohlen Stamm; alle Mühe, sich herauszuhelfen, war vergeblich. Während er sein unglückliches Loos beklagte und keine andere Aussicht mehr hatte als einen langsamen Hungertod, wurde plötzlich das Licht über seinem Kopfe bedeckt und die Aussicht auf den blauen Himmel, die einzige, die er hatte, ihm entzogen. Bald fühlte er die haarigen Schenkel eines Bären, der in die Höhlung herabstieg, wo er wahrscheinlich sein Lager hatte. Mit dem Muthe der Verzweiflung faßte er den Bären von hinten und wurde so an das Tageslicht gezogen. Braun forschte nicht lange nach den nähern Qualitäten des Geretteten, sondern flüchtete in Eile den Baum hinab, und der Schüler der Themis suchte, nicht wenig erfreut, aus den Schatten der Bäume zu kommen.

(Der Beschluß folgt.)

Miscellen.

Friedrich II. und die Sängerin Mara.

Aus dem dritten Theile von Preuß's, Biographie Friedrich's des Großen und namentlich aus den im Urkundenbuche (S 148 — 159) mitgetheilten Cabinetsordres ersieht man, mit welcher

Theilnahme der König für die Ausstattung und Ordnung seines französischen Theaters besorgt war. Es findet sich unter Andern eine Instruction für den Grafen von Arnim, den Intendanten des Theaters, vom 12. April 1776, in welcher es heißt: „In Ansehung der Mädchens und Comediantinnen müsset Ihr Euch ebenfalls um gute ordentliche Personen bemühen und solche, die gar zu liederlich und ausgelassen sind, gar nicht annehmen, denn daraus entsteht nun gleich wieder neue Unordnung und die andern werden mit dadurch verführet." Solcher und anderer strengen Instructionen bedurfte es aber auch, um das unruhige Völkchen der Tänzer und Tänzerinnen, Sänger und Sängerinnen in Ordnung zu erhalten. Mit ihrem Gehalte waren sie schon damals, ganz wie jetzt, nicht zufrieden, und der Tänzer Picq mit der Tänzerin Binetti — um nur ein Beispiel anzuführen — verlangte einen jährlichen Gehalt von 6000 Thlr. „Je n'en suis pas étonné", schrieb der König, „ces sortes de gens là n'en font point d'autres prétensions" (14. Febr. 1772), und befahl, ihnen die Summe von 3000 Thlr. anzubieten. Dann verlangten die französischen Komödianten, in Hofequipagen zu den Vorstellungen abgeholt zu werden, und nahmen es sehr übel, als ihnen diese Anmaßlichkeit stark verwiesen wurde (28. Dec. 1775). Zänkisch, neidisch und unfolgsam, wie sie waren, gingen sie gewöhnlich mit ihren Klagen und Beschwerden über die Intendanten, die Grafen Zierotin und Arnim, an den König und veranlaßten die genannten Männer zu desfallsigen Erklärungen. Solche hielt aber der König gar nicht für nöthig und rieth fortwährend, nur gleich die schlechten Subjecte und Unruhstifter fortzuschicken (5. Oct. 1772), denn „les spectacles doivent Me servir d'amusement et non pas de Me donner d'occupations sérieuses. Je manquerois de mon but, si je voulois entrer dans le détail de la justification que Vous m'avez addressé sous le 15 de ce mois sur les plaintes, que les comédiens m'ont porté contre Vous u. s. w." Kurz, die heutigen Intendanten der königlichen Schauspiele in Berlin können sich bei manchem Aerger und Verdruß wenigstens damit trösten, daß es ihren Vorgängern nicht besser ergangen sei.

Für deutsche Leser werden nun namentlich die Verhandlungen mit der berühmten Mara interessant sein. Schon aus dem ersten Theile von Rochlitz's Schrift: „Für Freunde der Tonkunst" (S. 70—81), die jedoch Preuß nicht angeführt hat, ist die Unzufriedenheit bekannt, welche die Mara, so lange sie in König Friedrich's Diensten war, bezeigte, und wie sie fortwährend wünschte, aus denselben entlassen zu sein. Der König aber wollte nicht einwilligen, da er sie als Sängerin schätzte (man s. mehre Cabinetsordres bei Preuß S. 167) und sie auch gern dem Einflusse ihres Mannes entzogen hätte. Auf ihre wiederholten Bitten bezieht sich wol die folgende Cabinetsordre vom 30. Juni 1776 (S. 192) an den Theaterintendanten von Arnim: „Vous pourrez dire à la chanteuse Mara en réponse à la lettre qu'elle vient de M'addresser, que je Vous convoye ci-inclus, que Je la payois pour chanter et non pour écrire, que les airs étoient très bien tels qu'ils étoient et qu'elle devoit s'en accommoder sans tant de verbiage et de difficulté." Eigenhändig dazu: „elle est payée pour chanter et non pour écrire. Fréderic." Noch bestimmter ist folgende Cabinetsordre vom 5. Juli 1776 an denselben: „Vester, besonders lieber Getreuer! Ich werde aus Eurer Vorstellung vom 4. d. gewahr, daß Ihr sehr sanftmüthig und ein großer Freund seyd von der Mara und ihrem Manne, weil Ihr Euch derselben so sehr annehmet und vor sie das Wort führet: Ich muß Euch aber nur sagen, daß Eure Sanftmuth hier schlecht angebracht ist, und daß Ihr weit klüger handeln werdet, wenn Ihr dasjenige thut, was Ich Euch befehle und Euch nicht angewöhnet zu raisoniren: denn das leide Ich durchaus nicht und müsset Ihr Euch dergleichen nicht in Sinn kommen lassen: die Mara soll die Arien singen, wie Ich es verlange und nicht widerspenstig seyn, wo sie nicht will, daß es ihr eben so wie ihrem Manne ergehen soll, und er soll sitzen bis auf weitere Ordre: darnach kann sie sich nur richten: Ihr hingegen müsset Euch nicht einbilden, daß Ihr Mein Geheimer Rath seyd, dazu habe Euch nicht angenommen, sondern Ihr habt Euch besser zu befleißigen, Meinen ordres parition zu leisten, wenn Ihr wollet, daß Ich ferner sey Euer gnädiger König." Zum Verständniß dieses Rescripts muß noch bemerkt werden, daß die Mara mit ihrem Manne, der Violoncellist in der Kapelle des Prinzen Heinrich war, einen Versuch zur Flucht gemacht hatte, um sich dem königlichen Dienste zu entziehen. Sie wurden jedoch eingeholt; Mara ward mit Arrest bestraft und dann zum Trommelschläger in einem Garnisonregimente degradirt, seine Gattin aber blieb straflos.

Zschokke's Abällino im Schlachthause zu Aarau.

Im Jahre 1820 (so erzählt Münch in Zschokke's Biographie) theilte mir Zschokke in Aarau den Theaterzettel des Abends mit und sagte scherzend: „Heute wird mein Erstgeborener zur Schlachtbank geführt, es geschieht aber dem Banditen nur sein Recht." Dies traf in zweierlei Hinsicht buchstäblich ein. Das Theater befand sich damals grade im obern Stocke des Schlachthauses, und das Theaterpersonal war sehr mittelmäßig. Nun begab sich der merkwürdige Zufall, daß zugleich mit der Aufführung des „Abällino" die Abschlachtung eines Ochsen in der untern Region stattfand. Die rechte Seite des Parterre hörte die Klagetöne des Opfers nicht, wol aber die linke Seite, welche der Thüre näher saß. Während nun der Held auf dem Prosceníum gräßlich brüllte und „Abällino" in ästhetischer Hinsicht wirklich abgeschlachtet wurde, gab der Director der Metzelbank dem Thiere unten den Fang in wörtlicher Bedeutung. Dies Zusammentreffen beider Katastrophen hatte für die linke Seite des Parterre natürlich einen unendlich komischen Eindruck, und sie brach in das furchtbarste Gelächter aus, während die rechte in Thränen schwamm und vor Rührung fast vergehen wollte. Nicht ohne Befremden und Empfindlichkeit sah sie lange auf die rohen Parodisten ihres Seelenschmerzes hinüber, bis endlich bei dem Steigen der Jammertöne von unten das Räthsel sich löste und Alles laut auflachte.

Italienische Parodie von Göthe's Werther.

Der Verf. der „Fragmente über Italien" (1798) erzählt, daß er in Neapel den „Werther" durch den Pulcinell habe parodiren sehen. Das Ende der burlesken Komödie war, daß Pulcinell, nachdem er Gift, Dolch und Pistole versucht und wieder weggelegt hatte, endlich beschloß, um seine Geliebte noch im Tode zu bestrafen, sich ihrem Bette gegenüber zu hängen. Der ganze Apparat war fertig, er hing schon — als er sich plötzlich anders besinnt, seinen Nebenbuhler herbeischleppt und aufhängt, sich aber, um seine Rache recht eclatant zu machen, in Lottens Bette legt!

Französische Volksberedtsamkeit.

Als Pius VII. nach den Unterhandlungen zu Fontainebleau im Januar 1815 nach Savona zurückkehrte, passirte er zwischen Beaucaire und Tarascon die Rhone. Die ganze Bevölkerung war auf den Beinen, um den erhabenen Reisenden unter lautem Jubel ihre Ehrerbietung zu beweisen. Der begleitende Oberst, ein ehemaliger Priester, fragte, hierüber ergrimmt: „Und was würdet Ihr denn thun, wenn der Kaiser käme?" „Ihm zu trinken geben", riefen tausend Stimmen, und tausend Hände bewegten sich dabei gegen den Fluß. Der Oberst wurde noch wüthender. Als es ihm aber entgegenschallte: „Habt Ihr etwa auch Durst?" da ließ er dem Jubel freien Lauf. 39.

Redigirt unter Verantwortlichkeit der Verlagshandlung: F. A. Brockhaus in Leipzig.

Blätter
für
literarische Unterhaltung.

Sonntag, — Nr. 314. — 10. November 1833.

Skizzen aus Amerika.

Von J. V. Adrian.

(Beschluß aus Nr. 313.)

3. Der Genesee.

Der Genesee ist einer der malerischsten Flüsse Nordamerikas. Sein Name ist charakteristisch. Das Wort Genesee ist Indianisch und bezeichnet ein freundliches Thal, ein Ausdruck, welcher dem Flusse und seinen Umgebungen angemessen ist. Die Wasserfälle des Genesee haben nicht die majestätische Größe des Niagarafalls, aber seine pittoreske Schönheit bietet für die mangelnde Ausdehnung des letztern reichlichen Ersatz.

Der Genesee entspringt auf der Hochebene des westlichen Pennsilvaniens, durchströmt Neuyork und ergießt sich, sechs englische Meilen unter Rochester, in den Ontariosee. Sechs Meilen vor seiner Mündung stürzt er sich eine Höhe von 96 Fuß nieder, und eine Meile höher hinauf ist ein Fall, der 75 Fuß beträgt. Jenseit des letztern ist er beinahe 70 Meilen für Boote schiffbar; die zwei Wasserfälle, welche die Fahrt hier unterbrechen, liegen eine Meile auseinander; der eine dieser Fälle hat 60, der andere 90 Fuß. An der Quelle des Genesee ist ein Landstrich, zwei Stunden im Umfang, der viele Quellen enthält und diese theils dem Golf von Mexico, theils der Cheasapeakebai, theils dem Golf von St.-Lorenz zusendet. Dieser Landstrich liegt 1600—1700 Fuß über dem atlantischen Meer. Der schönste Fall des Genesee ist der bei Rochester, 7 Meilen südlich vom Ontariosee. Die Wasserleitung, welche den Eriekanal über den Fluß führt, ist mit Recht ein Gegenstand der Bewunderung der Reisenden. Sie ist ganz von gehauenen Steinen und hat 11 Bogen, jeden von 50 Fuß Spannung; ihre Länge beträgt 800 Fuß. Der Anblick dieses an die Römerarbeiten erinnernden Werkes ist in der That erstaunenswerth, und man bedauert nur, daß der Eindruck in neuerer Zeit dadurch geschwächt wird, daß an beiden Enden Mühlen angebaut wurden.

An dem Rande der Insel, welche das Hauptbett des Flusses von dem Mühlenwasser trennt, sieht man einen Vorsprung, von welchem ein excentrischer, aber kühner Abenteurer, Namens Sam Patch, einen verzweifelten Sprung in die Tiefe hinab wagte. Patch hat sich durch manche Sprünge dieser Art einige Berühmtheit erworben, obgleich seine Thaten nicht in die Annalen der Weltgeschichte kommen werden wie der tollköpfige Patriotismus des Marcus Curtius seligen Andenkens. Vom Niagarafall herab sprang Patch zweimal wohlbehalten — das eine Mal 80, das andere Mal 130 Fuß — in die schäumenden, brausenden und nach einem Fall von fast 200 Fuß hochaufschießenden Wasser. Im November 1829 erschien Patch zu Rochester, um die ruhige Bewohnerschaft dieses reizenden Ortes durch einen Sprung von der Höhe des Wasserfalls in Sorge und in Bewunderung zu versetzen. Der erste Versuch glückte; Tausende von Zuschauern hatten sich eingefunden; die ganze Provinz nahm den lebhaftesten Antheil an dem Ereigniß; er sprang von dem Vorsprung, dessen wir oben gedacht haben, wohlbehalten in den Strudel hinab, eine Höhe von 100 Fuß.

Sofort wurde ein zweiter Sprung angekündigt, der wenige Tage darauf stattfinden sollte, und der, wie Patch sich prophetisch ausdrückte, sein „letzter Sprung" sein sollte, womit er jedoch nicht mehr und nicht weniger sagen wollte, als was berühmte Bühnenkünstler durch ihr „letztes" und „allerletztes Auftreten" zu bezeichnen pflegen. Die versammelte Menge war noch größer als bei dem ersten Sprung, und der Held des Tages erschien eine Stunde nach der angekündigten Zeit. Der Tag war ungewöhnlich kalt, und Sam Patch war berauscht. Der Fluß war seicht und der Fall zu beiden Seiten des Vorsprungs nur unbedeutend, das schäumende Wogengewühl in der Tiefe aber doch noch bedeutend genug, um den Beherztesten zurückzuschrecken. Sam Patch stürzte sich hinab, und die Wasser, um das Pathos einer neuyorker Zeitung nicht unbenutzt zu lassen, „nahmen ihn in ihre kalte Umarmung auf; die Flut gischte, wie das Leben von seinem Körper schied, und dann lagerte sich die Stille des Todes auf dem Busen der Wasser". Man fand seinen Leichnam in der Nähe der Mündung des Stromes; er war über zwei andere Wasserfälle hinabgeführt worden, ohne daß man bedeutende Verletzungen an ihm gefunden hätte.

Der Geneseefluß bewässert einen der schönsten Landstriche in Neuyork. Die Flächen, welche er anspült, sind ausgedehnt und fruchtbar. Wahrscheinlich sind sie von den Indianern umgerodet worden (obgleich die jetzigen Indianer keine Tradition davon haben) und liegen in einer Ausdehnung von vielen tausend Morgen zwischen den Dörfern Genesee, Moscow und Mount Morris, welche die Abhänge der umliegenden Gründe krönen. Der Contrast zwischen ihrem lieblichen, freundlichen Grün und den scheckigen Hügeln, welche den Gesichtskreis begrenzen, zwischen dem anmuthig zerstreuten Gruppen schattiger Bäu-

, nackten Ueberresten der alten Wäl-

ebener und waldiger Gebiete lange gewohnt war, ungemein wohl.

4. Nordamerikanische Wölfe.

Die Wölfe sind in allen Theilen der Vereinigten Staaten sehr zahlreich. Es gibt zwei Arten: der gewöhnliche oder schwarze Wolf und der Steppenwolf. Der erstere ist ein großes, wildes Thier, das den Schafen, Schweinen, Kälbern, dem Geflügel und selbst jungen Pferden sehr gefährlich wird. Die schwarzen Wölfe begeben sich in Scharen auf den Raub, benutzen jede List, um ihre Beute zu umgehen, und greifen mit einem merkwürdigen Ungestüm an. Dem Indianer gleich sind sie stets darauf bedacht, ihr Opfer zu überraschen, und wissen den Todesstreich so zu versetzen, daß für sie keine Gefahr dabei ist. Menschen greifen sie selten an, sie müßten denn entschlafen oder verwundet sein. Die größten Thiere werden, wenn sie verwundet, oder in eine Schlinge gerathen, oder sonst ihrer Kraft beraubt worden sind, ihre Beute; gewöhnlich aber greifen sie nur solche an, die keines Widerstandes fähig sind. Man hat oft bemerkt, daß sie sich am Ufer der Ströme in den Hinterhalt legen, wo die Büffel durch das Wasser zu gehen pflegen; ist eines dieser ungelenken Thiere so unglücklich, in den Schlamm zu sinken, so springen die Wölfe plötzlich auf sie und tödten die alles Widerstandes unfähigen Büffel. Ihre gewöhnliche Beute ist das Reh, auf welches sie regelmäßig Jagd machen. Wenn der Hunger sie spornt, kommen sie in der Nacht zu den Wohnungen und holen sich ihre Beute unter den Augen der Bewohner weg. Ist der Hauseigenthümer mit seinen Hunden abwesend, so sehen die zurückgebliebenen Frauenzimmer den Wolf oft am hellen Mittag heranschleichen, gleichsam als wäre er mit dem unbeschützten Zustande der Familie bekannt. Unter solchen Umständen fiel mancher Wolf durch den Schuß der entschlossenen Frauen. Der Geruch von brennender assa foetida hat eine auffallende Wirkung auf dieses Thier. Wenn man im Wald eine Quantität desselben in das Feuer wirft, sodaß die Atmosphäre von dem Geruche gesättigt wird, so versammeln sich alle Wölfe, welche sich in dem Bereiche dieses Geruches finden, sogleich um dasselbe und heulen auf die erbärmlichste Weise, und der Zauber, unter welchem sie dann stehen, ist so groß, daß sie sich lieber todt schießen lassen als den Platz verlassen.

Unter den wenigen bekannten Beispielen, wo sie menschliche Wesen angegriffen haben, ist das folgende geeignet, eine Vorstellung von ihrem Gebaren zu geben. Vor Jahren kam ein Neger in den Fall, in dem untern Theil von Kentucky während der Nacht

zu

orohydrographischen Karte von Europa. Heidelberg, Groos. 1832. Gr. 8. 5 Thlr.

Welche wichtige Dienste der Verf. der Statistik und den Staatswissenschaften durch seine Schriften geleistet hat, ist bekannt und auch allgemein anerkannt; aber ein neues Feld betritt er, indem er auch den Militairwissenschaften seinen Zoll bringt. Ein talentvoller Autor weiß jedem Fache eine interessante Seite abzugewinnen, und so dünkt es uns, als ob Hr. v. Malchus in der Militairgeographie ganz zu Hause sei, und seiner außerordentlichen Bekanntschaft mit der Literatur verdankt man eine große Anzahl sehr schätzbarer Citate.

Der Verf. bemerkt in dem Vorworte, daß die Kriegführung in der neuern Zeit von jener in frühern Zeiten dadurch wesentlich verschieden sei, daß dieselbe aus einer bloßen empirisch erworbenen Kunst zu einer umfassenden, rationell begründeten

*) Im December theilen wir noch einige Skizzen mit. D. Red.

Wissenschaft ausgebildet worden ist, und daß als Folge hiervon die Märsche und Bewegungen der Armeen, überhaupt die Kriegsoperationen nach Plänen angeordnet werden, die mit sorgfältigster Berücksichtigung aller möglichen Wechselfälle entworfen sind. Hieraus entwickelt sich die Nothwendigkeit einer besondern wissenschaftlichen Ausbildung für Diejenigen, die sich dem Waffendienste widmen, die insbesondere für Offiziere in höhern Chargen und für solche, die in dem Generalstabe dienen, unerläßlich ist, und jene der Aneignung einer Summe von mannichfachen Kenntnissen, unter welchen diejenige von der natürlichen Beschaffenheit der Area eines jeden gegebenen Kriegsschauplatzes, von den Vorkommnissen auf derselben und von den materiellen Kräften und Mitteln, welche dieselbe für die Kriegführung darbieten kann, oder das Studium der reinen Geographie und der Statistik, eine wesentliche Stelle einnehmen.

Die Verschiedenheit, die in der förmlichen Behandlung oder in der Einkleidung des Vortrags in beiden Abtheilungen insofern stattfindet, als in der ersten der Continent von Europa, ohne Rücksicht auf seine Zerfällung in Staatsgebiete, in der zweiten Abtheilung aber diese Zerfällung die Unterlage oder den Grund des Gemäldes bilden dürfte, bedarf, als durch die Natur und die Eigenthümlichkeit der darzustellenden Gegenstände geboten, keiner besondern Rechtfertigung. Bei Anwendung der in dieser letztern befolgten Form der Einkleidung in der ersten Abtheilung würde der in so hohem Grade wichtige Ueberblick des Zuges und des Zusammenhanges der Gebirge, des Laufes der großen Ströme und Flüsse und ihre Verbindungen rc., bei Uebertragung derjenigen, die für diese Abtheilung als die sachgemäßeste erscheint, auf die zweite Abtheilung, die nicht minder und nur in anderer Beziehung wichtige Uebersicht von der Summe der materiellen Kräfte der einzelnen Staaten und von jener der Hülfsmittel verloren gehen, welche ein gegebener Kriegsschauplatz für die Kriegführung darbieten kann, die der Verf. außerdem durch Vereinigung der ausschließlich deutschen Bundesstaaten in drei Gebietsmassen zu erleichtern gesucht hat. Das Werk selbst beginnt mit einem allgemeinen Ueberblicke von Europa, wobei denn der Arealgröße, Gestaltung und Gliederung dieses Erdtheiles mit seinen Gebirgssystemen, Meer-, Strom- und Flußgebieten, klimatischen Verhältnissen, Producten, seiner Bevölkerung, seinen Unterrichts- und Bildungsanstalten, Verfassungen und Regierungen gedacht wird. Die eigentliche Erdkunde von Europa behandelt der Verf. einmal in orographischer und dann in hydrographischer Beziehung, wobei alle in der Natur vorkommende Einzelnheiten gehörige Erwähnung finden. Den Schluß der ersten Abtheilung bildet eine allgemeine Uebersicht der Größe der einzelnen Strom- und Flußgebiete und der Länge des Laufes ihrer Ströme und Hauptflüsse. Obschon die einzelnen Momente zu diesem Tableau in vielen andern geographischen Schriften auch zu finden sind, so ist das Entsprechende der Einrichtung für den beabsichtigten Zweck besonders zu beachten.

Die zweite Abtheilung des Werkes begreift die europäische Staatenkunde, wo bei Aufführung jedes einzelnen Staats die eigentliche Staatenkunde von der Topographie geschieden ist. Bei ersterer ist besonders abgehandelt: a) Arealgröße, Begrenzungen, Bestandtheile des Staatsgebiets, Gebirge und Flüsse, Benutzung der Bodenfläche; b) Production aus dem Pflanzen-, Thier- und Mineralreiche; c) Bevölkerung und deren Vertheilung in Wohnplätzen; d) industrielle und technische Production und Handel; e) Unterrichts- und wissenschaftliche Bildungsanstalten; f) Staatseinkommen und Staatsschuld; g) bewaffnete Macht; h) Staatsverfassung und Verwaltung. Daß die kleinern europäischen Staaten meist nur collectiv behandelt sind, liegt in der Sache.

Die dem Werke beigegebene Karte zur Uebersicht der Gebirgssysteme und Flußgebiete von Europa gewährt ganz den beabsichtigten Eindruck, den die Massen- und Abdachungsverhältnisse darbieten. Die Behandlung der Erdkunde nach Naturgrenzen findet in dieser Karte ihre Hauptabtheilungen bezeichnet und es müßte sehr interessant sein, die hier abgehandelten Stromgebiete wiederum in ihr kleineres Detail zerspalten zu sehen. 201.

Zur Naturgeschichte.

Die Bären des Propheten Elisa!

Neunhundert Jahre ungefähr vor Christi Geburt sollen in den Gebirgen von Palästina bei Beth-El nahe bei Jericho zwei Bären einen Haufen muthwilliger Knaben, welche den Propheten Elisa verspotteten, mit großer Wuth angefallen und deren kurzweg 42 zerrissen haben, so erzählt wenigstens die Heilige Schrift im zweiten Buche der Könige!

Der Bär des Berges Libanon ist also wol der erste, von dem die Geschichte erzählt, und daher in dieser Hinsicht vor den andern merkwürdig. Aber weit entfernt, daß er uns nach seinem Aeußern und seiner Naturgeschichte auch der bekannteste wäre, hat vielmehr nicht einer der vielen Reisenden, welche jene Gegenden bis jetzt besuchten, weder ein solches Thier mit nach Europa gebracht, noch desselben als gesehen erwähnt. Seetzen, der vor etlichen zwanzig Jahren Syrien und Palästina bereiste, ist der Einzige, der erwähnt, daß der arabische Name des Bären einem dort einheimischen Thiere gegeben werde; auch erzählt er, daß man ihm gesagt, daß es in den Bergen von Palästina Bären gäbe, und Klöden hat diesen von Seetzen erwähnten Bären ohne Weiteres als den gewöhnlichen braunen Bär (ursus arctos) angenommen. Andere Reisende der neuern Zeit, Shaw, Volney, Burckhardt, Scholz, erwähnen in der Aufzählung der Thiere jener Gegenden nicht einmal des Namens. Erst Ehrenberg ist es gelungen, diese Bärenart wieder zu entdecken, und er gibt von derselben nähere Nachricht („Symbolae physicae": „Mammalia", Dec. I), da es ihm möglich ward, ein Individuum zu erlegen und mehre Häute zu sehen. Er hat der Art den Namen syrischer Bär (ursus syriacus) gegeben.

Der erlegte Bär war ein Weibchen und maß von der Nasenspitze bis an die Wurzel des Schwanzes 3 Fuß 8 Zoll, der Schwanz aber 6 Zoll pariser Maß, die höchste Höhe betrug 2 Fuß 9 Zoll. Der Pelz war einfarbig gelblichweiß, doch soll das Thier auch braun gefleckt und ganz bräunlich vorkommen, was, den Fellen nach zu urtheilen, wol meist davon herrührt, daß sich die sogenannten Seidenhaare (die langen) abreiben und der Wollpelz (die kurzen wolligen auf der Haut) zum Vorschein kommt. Die Ohren sind lang, die Stirn ein wenig gewölbt und zwischen den Schultern steht eine Art Mähne aufgerichtet, deren Haare gegen 4 Zoll lang sind. Die Seidenhaare sind nicht wie bei dem Eisbär, mit dem dieser Bär in der Farbe übereinkommt, sehr bogig, sondern fast grade, und der Wollpelz ist im Gegensatz von dem bei jenem sehr dünn. Dieser Bär lebt nur auf dem Theil des Libanons, der bei Bischerre liegt und Makmel genannt wird. Er lebt zwar nicht selten auch von Thieren, meistentheils aber von Gewächsen und verwüstet die Kichererbsenfelder (cicer arietinum), welche nahe an der Schneegrenze liegen. Im Winter soll er oft bis in die Gärten des gedachten Ortes kommen, im Sommer aber an der Schneegrenze leben. Sein Koth, Bar ed dub genannt, wird in Aegypten und Syrien verkauft und gilt als ein Augenmittel, seine Galle aber gilt als etwas sehr Kostbares und die Reisenden mußten sie deshalb den eingeborenen Jägern zurückgeben. Obgleich schon Plinius von Bären in Afrika spricht, so haben doch die meisten neuern Naturforscher theils an dieser Thatsache gezweifelt, theils, wie Cuvier, sie ganz geleugnet. Uebrigens sah Ehrenberg auch noch ein schwärzliches, ganz bärenartiges Thier, also wahrscheinlich eine andere Art, in Afrika. Für die Alterthumsforscher ergibt sich aus dem Obigen noch die Folgerung, daß der weiße Bär, der bei dem Triumphzug des Ptolemäus Philadelphus in Rom erschien, nicht, wie Cuvier meint, ein Eisbär, sondern jedenfalls dieser syrische war.

Ueber das Manna der Israeliten finden wir in dem ausgezeichneten Werke Ehrenberg's („Symbolae physicae": „Insecta", Fasc. I.) folgende interessante, manche bisherige Irrthümer berichtigende Angaben. Es ist zwar hinlänglich bekannt, daß nach den Angaben der Heiligen Schrift die Israeliten auf ihrer langen Wanderung aus Aegypten nach dem gelobten Lande in der Wüste am Berg Sinai von Gott bei Brotmangel mit Manna gespeist wurden; indessen ist über diese Substanz viel gestritten worden. Viele gaben diesen Namen gewissen Säften, welche in verschiedenen Gegenden von manchen Pflanzen ausgesondert werden, wohin unter andern auch das Manna der Apotheken gehört, welches von der Mannaesche (fraxinus ornus) und verwandten Arten abstammt; Andere meinten, daß Gott nur ein einziges Mal den Israeliten dieses Manna gegeben habe, und daß es seitdem nicht wieder gefunden werde.

Unter den Fragen und Aufgaben, welche der berühmte Theolog Michaelis an Niebuhr und Forskål, als sie ihre Reise nach Arabien antreten wollten, stellte, war auch die, an Ort und Stelle, nämlich am Sinai, nach der eigentlichen Bedeutung des Wortes Manna zu forschen. Es gelang indessen diesen unermüdeten und gelehrten dänischen Reisenden nicht, weder etwas über das Manna selbst, noch über die Pflanze, welche es liefert, oder das Thier, welches dasselbe hervorlockt, zu ermitteln. Forskål gibt sogar an, daß er sich nicht erinnern könne, am Sinai eine solche Cicade gesehen zu haben, wie man eine Art kennt, welche die Erzeugung des Eschenmanna bewirkt. Niebuhr spricht blos von einer in Persien Manna genannten Pflanze. Da die Mönche, die im Sinaikloster leben, auch noch jetzt betrügerischerweise den Reisenden das Märchen aufbinden, als falle jährlich einmal Manna auf das Dach ihres Klosters, und von diesem kleine Mengen als Geschenk mitgeben, so ist es kein Wunder, daß alle Diejenigen, welche dieses Kloster am Sinai besuchten, auch von dem dortigen Manna reden. Burckhardt und Seetzen, diese neuern berühmten Reisenden, haben Nachrichten über dies Manna gegeben, welche auch Rüppell in seinen Briefen wiederholt. Seetzen gab eine genauere botanische Beschreibung des Mannastrauches und nannte denselben tamarix gallica. Indessen muthmaßten Einige aus Burckhardt's undeutlicher Beschreibung, daß das Manna nicht von einer Tamariskenart, sondern von einer Akazie herrühre, und Niemand gab an, weder die Art und Weise, wie das Manna ausfließt, noch auch, warum derselbe Strauch nicht überall Manna liefert.

Ehrenberg glückte es im Jahr 1823 nach einer langen Reihe von Jahrhunderten, das so zu sagen heilige Mysterium des Manna als Naturforscher aufzudecken. Dieser süße Mannasaft, noch jetzt aus der Luft auf die Erde (aber nicht vom Himmel, sondern aus den höchsten Spitzen des Strauches) herabfallend, wird häufig am Berge Sinai gefunden und von den Arabern man genannt. Diese sowol als die griechischen Mönche essen es gleich Honig zum Brote. Ehrenberg sah ihn an Ort und Stelle fallen, sammelte davon, zeichnete Pflanze und Thier und brachte von beiden Exemplare nach Berlin. Der Mannastrauch selbst weicht von dem, welchen Seetzen beschrieben und benannt hat, etwas ab, sodaß er wol als eigne Art betrachtet werden kann, indessen hat ihn Ehrenberg nur als Varietät angenommen und tamarix (gallica) mannifera genannt. Die äußersten, ganz schwachen Aeste dieses Strauchs erscheinen bisweilen mit einer ganzen Menge Schildinsekten bedeckt, gleichsam warzig, und die Rinde wird von den Stichen derselben durchbohrt. Aus diesem ganz kleinen, dem unbewaffneten Auge unsichtbaren Wunden fließt nach Regen häufig ein flüssiger, nach und nach dicker werdender und wie ein röthlicher Syrup herabträufelnder Saft aus. Vor Sonnenaufgang und kurz darnach ist er wegen der mäßigen Hitze etwas starrer und wird leichter von der Erde, schwerer von den Bäumen abgenommen. Bei starker Sonnenhitze zerfließt er auf der Erde. Die Mannasammler füllen in wenig Tagen ihre zwei Fuß langen und einen Fuß weiten Schläuche. Sowie die Mannacicade Veranlassung zum Ausfluß des Eschenmannas gibt, so ist das Mannaschildinsekt die Veranlassung des Ausflusses des echten Manna aus der oben genannten Tamariske. Die Araber nennen es daher ain el man, d. h. Mannaquelle. Ehrenberg hat dies Insekt coccus manniparus genannt und in dem oben genannten Werke sammt Pflanze und Manna schön abgebildet. Das Weibchen ist flügellos, wenn es trächtig, 1—2 Linien lang, stumpf-kegelförmig, wachsgelblich und sitzt fest an der Pflanze; jung und unbefruchtet ist es ½ Linie lang, weich, weißlich, elliptisch, der Körper unten flach und glatt, oben gewölbt, mit Haarbüscheln besetzt, welche weiß sind und in bestimmten Quer- und Längenlinien stehen. An der Wurzel der Fühlhörner, welche sammt den Füßen wasserhell-durchsichtig sind, stehen zwei undeutliche Augen. Der Saugrüssel steht unter ihnen und ist ganz kurz. Das Schild, welches wie bei andern Schildinsekten auch hier, nachdem das Weibchen geboren hat, übrig und an der Pflanze angeheftet bleibt*), umhüllt einen rothen mit weißen Wollhaaren umgebenen Kern. Das Männchen blieb Ehrenberg unbekannt.

Es geschieht nirgend Erwähnung davon, daß dieses Mannainsekt noch anderwärts als in der Sinaigegend angetroffen werde, und da dasselbe auch nicht in Aegypten und in andern Erdstrichen von Ehrenberg aufgefunden ward, so glaubt derselbe, daß der Mangel des Manna weniger von der kleinen Verschiedenheit des Strauches als der Abwesenheit des Insekts herrühre. 170.

Notiz.

Von dem gelehrten Neugriechen, Konstantinos Oikonomos, nicht nur unter seinen Landsleuten, sondern auch in den Kreisen des um das neue Griechenland sich bekümmernden Auslandes durch die Schriften: *„Περὶ τῆς πλησιεστάτης συγγενείας τῆς Σλαβονο-Ῥωσσικῆς γλώσσης πρὸς τὴν Ἑλληνικήν"* (Von der engen Verwandtschaft der slawisch-russischen Sprache mit der hellenischen, 3 Bände, Petersburg 1828) und *„Περὶ τῆς γνησίας προφορᾶς τῆς ἑλληνικῆς γλώσσης"* (Von der echten Aussprache der hellenischen Sprache, Petersburg 1830), bekannt und deshalb geschätzt, ist soeben eine Sammlung geistlicher Reden, welche er in den Jahren 1821 und 1822 in der griechischen Kirche zu Odessa gehalten hat, unter dem Titel: *„Λόγοι ἐκκλησιαστικοί"* u. s. w. (Berlin 1833, in der Druckerei der Akademie der Wissenschaften) erschienen. Es ist dabei besonders zu bemerken, daß ein Grieche aus dem Peloponnes, Jo. P. Wosos, die Kosten dazu hergegeben hat. Der Reden sind übrigens sechs, und unter ihnen befindet sich auch, außer dreien, die mehr ethischen Inhalts sind, die auf den Patriarchen Gregorios gehaltene Leichenrede, ferner die Gedächtnißrede auf denselben und die drei mit ihm im April 1821 in Konstantinopel hingeopferten Erzbischöfe, und eine politische nicht gehaltene an die Griechen vom J. 1821. Im Allgemeinen genügt es hier, zugleich als Urtheil über die vorliegenden Reden auf Das sich zu beziehen, was Risos Nerulos in seinem „Cours de littérature grecque moderne" (1827), S. 129, von K. Oikonomos sagt: „Le savant professeur (er war früher Lehrer am Gymnasium in Smyrna) et curé Const. Oeconomos se distingue dans sa prédication par des connaissances positives, par une étude approfondie des livres saints et des écrits des Pères, surtout par la justesse et la vivacité de son esprit, par la fécondité de son imagination et par ce goût exquis, sans lequel il n'y a ni grands orateurs ni grands poëtes." Seine Reden haben Werth auch für unsere Prediger. 80.

*) Jedermann kann solche Schilde in jedem Gewächshause, von der gewöhnlichen Orangenschildlaus herrührend, an den zarten Zweigen und an den Blättern der Orangenbäume, der Myrtensträucher und Rosenstöcke sehen.

Redigirt unter Verantwortlichkeit der Verlagshandlung: F. A. Brockhaus in Leipzig.

Blätter
für
literarische Unterhaltung.

Montag, —— Nr. 315. —— 11. November 1833.

Taschenbücherschau für 1834.

Erster Artikel.

1. Urania. Taschenbuch auf das Jahr 1834.

Wir lassen die Mehrzahl der sieben Stahlstiche sich selbst empfehlen und machen nur auf Zelter's wohlgetroffenes Bildniß, das neben dem Titelblatt sich darbietet, und auf zwei andere Stiche aufmerksam. Referent hat den verewigten Zelter selbst gekannt und seine riesige Kraftgestalt, welcher etwas derbe Unbeholfenheit zugemischt war, oft in Berlins Straßen wandeln sehen. Hier haben wir nach einem Gemälde von Beggas den Alten selbst in sprechenden Zügen, wie sie im späten Greisesalter sich dem Beschauer ergaben, dies treuherzige, auf eine Offenbarung harrende Auge, das kräftige weiße Haar, die grobkörnige, barsche Nase, die gutmüthig und empfänglich halb geöffneten Lippen, die einen Ton gleichsam erhaschen möchten, selbst die unbequeme steife Führung der Hand: mit Einem Worte, wir haben den alten musikalischen Benvenuto Cellini leibhaft vor uns. Die beiden andern Stahlstiche, die wir rühmend erwähnen dürfen, sind die Scene der Clubbisten nach David Wilkie, einem Geistesverwandten Hogarth's, und die Pilgerinnen vor Rom nach Heß. In jener ist the gentleman in the chair, wahrscheinlich der Dorfpfarrer mit seinem ledern anmaßlichen Gesicht, der sich als Sprecher mit dem Hammer geltend macht, besonders glücklich in englischer Volksthümlichkeit gegeben. In der Pilgerscene sind die beiden stehenden Weiber echt römische Gestalten voll der urnatürlichen Ueppigkeit, wie der verewigte Waiblinger seine Albaneserinnen zeichnete. Charakteristisch ist die Gruppe der Knienden, eine alte Frau, welche die Hände, mit dem Kreuz umwunden, sehnsüchtig nach dem Orte des Heils ausstreckt, wo die heiligende Weihezeit beginnt, an der sie Theil nehmen will. Der Knabe neben ihr mit der dürren, geistesarmen, verkümmerten Gestalt ist maschinenartig in dumpfe Katholicität versunken. Die vier übrigen Stiche mögen Andere bestechen, wir blieben unbestochen.

Der literarische Gehalt der diesjährigen „Urania" ist theilweise bedeutend; eine Novelle von Ludwig Tieck nimmt einen Umfang von 160 Seiten ein. Beim Durchblättern fällt unser Auge auf einige Stellen, deren Duft sich betäubend um unser armes kritisches Gehirn zieht; der alte Phantasus schlummert noch nicht, er senkt blos, behaglich sein Leben und die Vergangenheit überdenkend, das tiefe, trunkene Auge, und wenn er aufsieht, dann blitzen Funken mit allem Regenbogenschimmer unter der dunkeln Wimper auf; die Lippe zuckt in der alten Ungebundenheit der tiefsinnigsten Laune und auf Momente steht das verklärte Antlitz mit allen Spielen der Phantasie in lichten Flammen. Der Leser merkt wol, daß Schreiber dieses ein und derselbe ist mit dem Taschenbücherbeschauer vom vorigen Jahre, dem die nüchternkalte Weisheit anderer Journalkritiker es zum Vorwurf machte, daß der alte Phantasus ihn noch berauscht habe. Mäßigt und beruhigt euch nur! Wer weiß, wer nach Tieck überhaupt einen Rausch erregt! Ohne Rausch, ohne Entzücken, ohne Liebe, die sich ans Herz drängt, gibt es aber gar keine Kritik. Flaues Gerede, principloses Theegeschwätz, kalte Sauce um einen dampfenden Braten ist keine Kritik; ohne Versinken in das Centrum, aus dem die Strahlen brechen, ohne Festhalten des Nervs ist auch das Verständniß des Einzelnen nicht möglich. Und wenn Tieck einen Ton wieder anstimmt, der an die alten brausenden Harmonien selbst als Echo oder Nachklang nur erinnert, so wachen doch jene wie von selber in unserm Innern auf, sowie wir, wenn der Meister nur mit einem Pinselstriche eine Landschaft mit Felsen und dunkelm Laube, mit düstern Schatten und blinkendem Quellwasser zu entwerfen beginnt, des alten süßsinnigen Schwermuthsliedes uns nicht erwehren können, das den Golo betäubte und dessen berauschende Melodie seine ganze Seele vernichtete:

> Dicht von Felsen eingeschlossen,
> Wo die stillen Bächlein gehn,
> Wo die dunkeln Weiden sprossen — —

Wir beginnen jedoch, um die Ordnung des Gegebenen nicht unnöthig zu unterbrechen, mit der zuerst gebotenen Novelle von C. Fr. von Rumohr: „Der letzte Savello". Wir treffen hier auf einen Styl und eine Darstellungsweise, wie sie sich aus der Periode der Göthe'schen Marmorglätte und Marmorkälte hervorgebildet hat. In der Geschichte der vielfach wechselnden Dichtungsweisen Göthe's beginnt diese Epoche mit der „Natürlichen Tochter"; in der Prosa machte sich diese zierliche, kühle Gewandtheit der Diction, die die Eleganz des Faltenwurfs der griechischen Statue für das Höchste der

Schönheit nimmt, vor Allem in Göthe's „Dichtung und Wahrheit" aus seinem Leben geltend. Ist die Darstellungsweise des Autors selbst nichts Anderes als ein berechnender Calcul, eine vergleichende Anatomie äußerer und innerer Bedingnisse und Anregungen, die ein Lebensgemälde motiviren, so kann kein Zweifel übrig bleiben, daß diese Dictionsnorm in ihrer weisen Milde, kühler Bedachtsamkeit und allgelenkigen Anmuth als die angemessenste und höchste, mithin im Memoirenstyl als durchaus vollendet anzusehen ist. Werden die Quellen des Lebens aber dichterisch und mit aller tiefsten Enthüllung des psychischen Daseins aufgezeigt, so bricht die Schale, denn der Kern dehnt sich bedeutender aus, und es ergibt sich ein heißerer Strom der Rede, dem die begrenzte Anmuth und das ionische Maß oft fehlen mögen, oder diese müßte etwa nicht als Höchstes, sondern nur als Letztes angesehen werden. Trotz aller glücklichen und geistigen Reflexionen, mit denen die Novelle Fr. von Rumohr's ausgestattet ist, hält sich der ganze Verlauf der Begebenheiten, die den Untergang des letzten Savello zur Zeit Karl V. zum Thema haben, in dieser eleganten Memoirenfläche und das Vorgeführte trägt den Charakter von Erscheinungen, hinter denen die innere Welt des Seelenlebens nicht immer auftaucht. Nehmen wir die Novelle für Das, was sie ist, nicht was sie sein könnte, so ergibt sich in der That eine Reihe von Scenen, in denen sich das geübte Auge eines Weltkenners kundgibt, der alle Nuancen des feinern Daseins, alle lockende Genüsse des edelsten Bedürfnisses bis zu den Sphären kennt, wo Schwarz und Weiß sich mischen, und bei dem epikuräischen Vollgefühl der Seele die Welt lediglich als eine genußsuchende und genußspendende erscheint. Der letzte Savello ist der schönste Jüngling Roms und zugleich der erste Wüstling seiner Zeit; hinter der schönen Larve seiner anmuthigen Gestalt lauert der Tiger der Begierde. Cassandra ist das Weib, für das er in der Messe zu glühen begann. Ein Geschenk soll sie bestechen, aber ein Dämon, ein dunkles Gefühl, von Ehrfurcht und scheuer Unterwürfigkeit gemischt, nimmt ihm den Sinn berechnender Klugheit. Er ist ihr nicht entgangen, und sie gesteht ihrem Manne in der wunderbaren Offenheit ihres echt modern römischen Wesens, daß sie für den Savello, in dessen Antlitz die edlere Natur der angeborenen Schönheit mit dem Laster der Gesinnung und Gewohnheit kämpften, Mitleid fühle und daß er ihr, da sie, wenngleich kein gewöhnliches, doch ein Weib sei, gefährlich werden könne. Das harmlose Dahinleben der Gatten ist mit dieser Entdeckung vernichtet. Gleichwol beschließen sie, ihre Ruhe durch die Fortschaffung des Frevlers wiederherzustellen. Cassandra lockt den Bethörten zu sich; sie führt ihn ins Waffenzimmer, wo er von der Hand ihres Mannes, ehe die That der Sünde vollzogen, blutig niederstürzt. Cassandra sitzt neben der Leiche und weidet sich an den schönen Zügen des Todten, bis die Häscher erscheinen, während der Mörder entflieht. In allen diesen Scenen ist die Malerei des Costums, die Gruppirung der Figuren, die feine Berechnung der Convenienz und der Sitte des Zeitalters zu meisterlicher Vollendung gesteigert. Ebenso gediegen und geschickt ist die Darstellung der historischen Bezüge, der Verhältnisse Margarethens von Parma zu ihrem Vater, die Schilderung der offenbaren Geheimnisse der hohen fürstlichen Gesellschaft und die Andeutung der Regierungsmaxime Karl V., der die Tochter da zur Vertrauten machte, wo hohe, mit tiefer Weisheit begabte Männer nur dienerisch beschäftigt waren und nach seiner Absicht beim Betrachten des Einzelnen den Ueberblick des Ganzen verlieren mußten. Die Festlichkeiten und Aufzüge bei Margarethens Einzug in Rom, die Darstellung der heidnischen Zustände des italienischen Lebens, die Jagdstücke, die Scene eines Mädchenraubes, Alles bewegt sich elegant und geschmackvoll vor unsern Augen vorüber, erfreut, erfrischt und macht vergessen, daß die Licht- und die Nachtseiten des Lebens weit tiefer und innerlicher aufgefaßt werden können.

„Eine Sommerreise", Novelle von **Ludwig Tieck**. Als Ganzes betrachtet, kann dies Werk von Tieck kaum für eine Novelle gelten; um so bedeutsamer erscheint es, faßt man es als Zusammenstellung einiger Blätter aus seinem Tagebuche, die er mit Familienpapieren eines ihm nahe befreundeten gräflichen Hauses mischte und zusammenschob. Sollten die interessanten Bezüge auf selbsterlebte Ereignisse und Figuren aus dem wirklichen Leben unsers Dichters als Hauptelemente hervortreten, so durfte keine strictere Novellenkatastrophe den geschäftigen Müßiggang eines Reise- und Badelebens, wie es sich in Tagebüchern ergibt, straffer zusammenziehen und die harmlose Muße des Hinschlenderns stören. In der That ist Das, was als Katastrophe in den Familienangelegenheiten sich ergibt, grade auch nur geeignet, einen Anknüpfungs- und einen Ruhepunkt zu finden, deren beide gleichwol eine fortgesetzte Mittheilung von Familienbriefen zulassen. Im Auftrag eines Freundes in Warschau und noch mehr aus eignem Drang tritt Walter von Reineck eine Reise durch einen Theil Mitteldeutschlands an, um die Spuren eines heimlich entflohenen Mädchens, der Cousine des polnischen Freundes, die am Arm eines Geliebten verschwunden war, aufzusuchen. Der Zufall führt ihn beim Uebersetzen über die Oder mit einem Fremden, Namens Ferdinand, zusammen, in dessen Gesellschaft er die unbestimmte Reise in der Irre sich anmuthiger zu machen gedenkt. Dieser Ferdinand ist Niemand anders als Ludwig Tieck, der Jüngling selbst. Nicht blos äußere Hindeutungen auf sein Zusammenleben in Jena mit Schelling, Novalis und den beiden Schlegel, sondern die ganze innere Natur dieser Gestalt bürgt für die Hypothese: der Dichter habe sein Jünglingsleben in dieser Persönlichkeit zusammengefaßt. Ein räthselvolles Wesen schwebt um den Fremden; in den äußern Motiven wie in den innern Anlässen seiner Reise bleibt er gleich sehr geheimnißreich. Ist's der bloße dunkle Drang, die Welt zu schauen, so bleibt es auffallend, daß der Ausführung dieses Plans keine bestimmte Richtung zum Grunde liege. Es scheint auch fast so zu sein, denn die beiden Endseiten seines Wesens heißen Tiefsinn und Launenhaftigkeit; von keckem Humor, der die Wolken der Laune mit seinen goldenen Strahlen besäumt, ist damals noch kein Anklang in dem Jüngling zu finden. Je mehr sich die Figur jedoch entwickelt, desto augenscheinlicher wird es, Ferdinand suche das Gefühl einer unglücklichen, erbitterten Neigung auf Reisen zu verscheuchen, und die Metamorphose, die sein Gemüth dabei erleidet, ist merkwürdig genug. Indem er reist, um sich zu zerstreuen, vertieft er sich vielmehr in die Romantik der Ruinen und Denkmäler des mittelalterlichen Lebens und des Katholicismus. Die Leidenschaftlichkeit, die Erhitztheit der Seele des unglücklich Liebenden bleibt; nur die Gegenständlichkeiten wechseln. Ueberall sieht seine trunkene Seele das enthüllte Mysterium des göttlichen Geistes, Alles und Jedes in der Natur und Außenwelt ist ihm als Symbol des Heiligen geweiht und voll tiefer Beziehung. Auf einer Höhe schaut die Gesellschaft der Reisenden dem Sonnenuntergange zu, und Ferdinand's Entzückung über den Anblick macht sich in folgender Phantasie Luft:

Kann man nicht — sagt er — diese Glut, diesen Purpurbrand und alle diese Röthen in ihren Abstufungen bis zum lichten Rosenschmelz, als Blut des Heilandes, vom Haupte strömend, aus der Seite, den Füßen und Händen fließend, anschauen? Sein Haupt, die Sonne, sinkt tiefer und tiefer hinab, der Nacht und dem Tode entgegen; nun ist die göttliche Scheibe verschwunden, und die Röthe gleitet ihr dunkler und farbloser nach. Er ist scheinbar todt, der göttliche Tag, und sein Alles erleuchtendes Licht erloschen. Ueber uns thürmen sich Wolken und kreisen umher, vom letzten Licht getroffen und schwach gefärbt. Sie bäumen sich auf und ergreifen flockend, anwachsend, sich lösend, diese und jene Gestalt. Es sind die alten Fabelgötter, die ein Traum- und Scheinleben erringen. Da sitzt der alte Jupiter, ungeheuer und insichschwankend auf seinem bebenden Dunstthrone, Bacchus erhebt trotzig und jubelnd den Pokal, und sowie er trinken will, zerfließt und schwindet der große Arm und die Figur des Trunkenen wandelt sich unvermerkt in den springenden Pardel, der jetzt den leeren Wagen zieht. Von dort schreitet der Juno erhabene große Gestalt durch das dunkle Blau, sie sucht ihren Gemahl und schrickt zusammen, weil dort schon ein goldener Stern durch den Aether blinkt. Haupt und Locken lösen sich, die gewölbte Brust schmilzt wie Silber im Osten, die zerbrochenen Formen leuchten noch einmal auf und tauchen dort in den finstern Streif, in welchen sich alle rollenden Bildnisse versenken. Der Traum ist ausgeträumt und die dunkle Nacht tritt herauf. Ein Sternbild nach dem andern bricht aus dem finstern Dome glänzend hervor; oben die unvergänglichen festen Lichter, unten auf Erden Dunkelheit, Nacht, Tod; kein Fels, kein Wald mehr zu unterscheiden, Alles unkenntlich in eine schwarze Masse zerronnen, die ohne Anfang, die ohne Ende ist. Beides ein Bild der stummen Ewigkeit. So steht die Nacht fest, unerschütterlich, wie es scheint. Abend- und Morgenroth sind Wahn; die erhabene Unendlichkeit der Gestirne, die unzählbaren Lichter und Welten in unermeßlichen Fernen wandeln dem rückgekehrten Blick die Erde in nichtig Spielwerk und den Glauben an Gnade und Erlösung in Fieberphantasie. Der Zweifel und das Dahingeben an das Unbegrenzte, Schrankenlose gibt sich für Wahrheit und Religion. Da erzittert die ewige Nacht in sich selbst, die finstern Wälder schütteln sich im Morgenhauch, die ergrauende Dämmerung wächst wie weissagend am Horizont empor. Plötzlich tritt die liebliche Morgenröthe hervor, mit ihren Wundern über die Berge klimmend; Farbe, Licht, Wärme, Gestalt vertreiben siegreich den Unglauben der formlosen Nacht, und der Glaube tritt wieder in die jauchzende Natur. Sie trägt, die trostreiche, freundliche Mutter, den glänzenden, auferstandenen Sohn als leuchtendes Kind in ihren Armen, und Wälder und Gebirge sind im blauen und grünen Schimmer der letzte Saum des fließenden Gewandes, wie sie aufgerichtet steht, hoch in die Himmel ragend. Und die Ströme jauchzen und schluchzen in Freude, und die Blumen lachen und duften, und die Felsen erklingen, und die Waldung rauscht Lobgesang.

Welche Fülle der tiefsten Liebe, welche Verklärung des Daseins, welche symbolische Philosophie hat hier der alte Phantasus zusammengefaßt!

(Der Beschluß folgt.)

Deutschlands Geschichte für alle Stände deutscher Zunge, von den frühesten Zeiten bis zum Jahre 1832, von J. H. Wolf. Erste bis sechste Lieferung. München, Fleischmann. 1832—33. Gr. 8. Jede Lieferung 4½ Gr.

In der Bearbeitung der Geschichte keines andern Staats und Volkes hat je eine so bedeutende Umgestaltung, ein solcher Umschwung stattgefunden als in der Behandlung der deutschen Geschichte unter dem Einflusse eines durch die Noth der Zeit und den Druck einer Fremdherrschaft zuerst angeregten und durch ruhmvolle Befreiung von derselben aufs höchste gesteigerten Nationalgefühls. Allein wenn dieses Gefühl einerseits wesentlich zu der Erweiterung und Verklärung der deutschen Reichsgeschichte zu einer Volksgeschichte beigetragen, wenn es die Aufmerksamkeit auf die verschiedenen Weisen und Formen des volksthümlichen Lebens geschärft und auch der Darstellung frischeres Leben eingehaucht hat, so hat es doch auch anderseits zu manchen unerfreulichen Erscheinungen Veranlassung gegeben, indem es sich zu einem eiteln Großthun mit der seltenen Trefflichkeit der Ahnen und zu einer unermüdlichen Bewunderung ihrer gewaltigen Kraft und ihrer makellosen Sitte aufspreizte und wol gar die Meinung erregte, daß ein solcher überschwenglicher Patriotismus, verbunden mit einer pomphaften, aus ihm hervorgehenden Rhetorik, auch ohne mühsame Forschung zum Geschichtschreiben des Vaterlandes am besten befähige. Indem wir hinzusetzen, daß diese Gedanken durch vorliegende deutsche Geschichte in uns wiederangeregt wurden, so ist damit wenigstens schon im Allgemeinen der Eindruck bezeichnet, den sie auf uns gemacht hat. Mit nicht geringen Ansprüchen und Verheißungen tritt sie hervor, sie will namentlich zuerst die Geschichte des deutschen Gesammtvaterlandes zu einem eigentlichen Nationalwerke machen; allein leider spricht sich die übrigens sehr weitläufige Vorrede durchaus nicht auf eine klare Weise darüber aus, wie eine solche Aufgabe gelöst werden soll. Der Verf. zählt allerdings kurz die Grundsätze auf, welchen er gefolgt sei; allein dies sind keine besondern, sondern nur solche, welche jede historische Darstellung festhalten muß, wenn sie Werth haben soll, allenfalls mit Ausnahme eines einzigen, der uns übrigens nicht recht verständlich ist, nämlich: „Aufmerksammachung auf Dasjenige, was nach bestimmten Regeln der Vergangenheit geschehen konnte". Worin aber die Mängel aller bisher erschienenen deutschen Geschichten bestehen, weshalb sie nicht als Nationalwerk zu betrachten sind, was das Charakteristische eines solchen sei, und wodurch nun diese neue Bearbeitung sich einen Anspruch auf „eine liebevolle Aufnahme in Hütte und Palast" erwerben soll, das wird nicht auf eine bestimmte Weise und mit der erfoderlichen Genauigkeit und Ausführlichkeit erörtert. Wenn der Verf. aber, wie es scheint, das Eigenthümliche seines Buchs in eine praktische Tendenz desselben setzt, wenn er dasselbe geschrieben hat, „damit (wie er am Schlusse der Vorrede sagt) recht viele Söhne Hermann's lernen, wer sie waren, und wer sie sein sollen: einig, frei und wahr, Männer an Geist und Herz!" — so bemerken wir dagegen, daß es keiner weitläufigen historischen Darstellung bedarf, um sich von der Wahrheit der einfachsten

Vorschriften des Verstandes und der Moral zu überzeugen, und daß die deutsche Vergangenheit schwerlich im Stande sein möchte, bei der völligen Umgestaltung und Auflösung der frühern politischen Verhältnisse und bei dem raschen Fortschritte der geistigen Entwickelung besonders und unmittelbar Anwendbares für die Gegenwart und Zukunft zu lehren. Wir wollen des Verf. guten Willen und seine Liebe und Achtung für sein Vaterland keineswegs in Abrede stellen; allein um eine solche Aufgabe zu lösen wie diejenige ist, welche er sich gestellt hat, bedurfte es auch eines gründlichen, durchgängigen Quellenstudiums; von einem solchen enthält indeß die Arbeit weder äußere noch innere Beweise, höchstens sind in einzelnen Theilen derselben einzelne Quellen befragt worden. In der Darstellung ist der Verf. dem von ihm selbst aufgestellten Grundsatze, einfach, bündig, verständlich und ohne oberflächlichen Sprachglanz zu schreiben, nicht treu geblieben, denn in vielen Stellen zeigt sich ein sehr entbehrlicher Schmuck, und nicht wenige, welche Ansichten und Reflexionen enthalten, ermangeln der Deutlichkeit und Verständlichkeit. Was den Inhalt der vorliegenden Hefte betrifft, so bemerken wir, daß die vier ersten, welche den ersten Band bilden, bis zum Erlöschen der Karolinger herabgehen, und das sechste Heft bei dem Anfange der Regierung Heinrich IV. abbricht. Daß das Buch indeß trotz der Mängel, welche wir von dem Standpunkt aus, auf welchen der Verf. den Beurtheiler selbst stellt, rügen mußten, ein zahlreiches Publicum gefunden hat, dessen Verlangen nach näherer Kenntniß der vaterländischen Geschichte es befriedigt, scheint sich daraus zu ergeben, daß schon nach dem Erscheinen des zweiten Hefts eine neue Auflage des ersten nothwendig geworden ist. 16.

Notizen.

Für die Maler unserer Zeit.

Auch die Maler unserer Zeit müssen, wenn sie nicht nur in unserer Zeit, sondern auch für dieselbe malen wollen, die Richtung und die Bedürfnisse dieser Zeit beachten; nicht aber dürfen sie dabei die Richtung und die Bedürfnisse vergangener Zeiten einseitig vor Augen haben, und noch viel weniger als servum pecus imitatorum sich geriren. In dieser Beziehung wird ihnen in dem zweiten Bande der „Caragell" (Berlin 1832) S. 171 fg. ein beachtenswerther Wink gegeben. In einem Gespräche nämlich, welches dort angeblich in der scuola delle belle arti zu Venedig geführt wird, geht der Verf. davon aus, daß in derjenigen Malerei, welche ihre Stoffe aus der heiligen Geschichte entlehnte, durch die Meister im 15. und 16. Jahrh. das Größte bereits geleistet worden, was in dieser Kunst wol möglicherweise zu leisten sei. Dabei habe nun auch unsere Zeit ein anderes, höheres Bedürfniß als jene; das Religiöse sei für uns in sein eigentliches Gebiet, in die Kreise des Uebersinnlichen, Unsichtbaren, nicht körperlich Darzustellenden zurückgetreten, und dagegen bedürfe unsere Zeit (die gleichsam eine positive, praktische, historische genannt werden kann) als der Gegenstände sinnlicher Darstellung nur der Poesie und der Geschichte, d. h. der Wahl historischer Gegenstände und einer poetischen Ausführung derselben. Was allen Zeiten als Geschehenes angehört, muß, auf die rechte Weise sinnlich dargestellt, auch als Werk der Kunst allen Zeiten angehören und alle Generationen ansprechen. Prüfet auch hier Alles, und das Beste behaltet!

Im J. 1802 schrieb Friederike Brun aus Rom („Römisches Leben", I, S. 20): „Ein Papst ist vielleicht unter allen europäischen Potentaten derjenige, zu dessen Ohren die Wahrheit am schwersten dringt." Galt das schon damals, so glaube ich, daß seitdem die Zeiten den Papst (denn der Papst stirbt nicht, so lange die bisherige Idee des Papstthums bleibt, und man kann in der That auf ihn das Wort Chateaubriand's anwenden: Le roi est mort, vive le roi!) noch harthöriger gemacht haben, oder daß die ihn umgebenden Hierarchen noch eifriger bemüht sind, die Wahrheit nicht zu seinen Ohren kommen zu lassen. Rom hat übrigens an und für sich von der Wahrheit eine eigenthümliche Ansicht; es ist ganz die, welche der Behauptung des römisch gewordenen Adam Müller zum Grunde liegt, daß nur diejenigen Thatsachen wahr sind, die die römische Kirche dafür anerkennt.

Von der bereits Nr. 295 d. Bl. angekündigten Sammlung ausgezeichneter Landtagsreden über die Hauptfragen des constitutionnellen Lebens, unter dem Namen: „Deutscher Ständesaal", welche Dr. Wilderich Weick in Freiburg im Breisgau herausgibt, ist nun auch das erste Heft erschienen. Es ist „den deutschen Volkskammern" vom Herausgeber gewidmet worden, und gewiß mit Recht, da an diesem Ständesaale vornehmlich die Tüchtigkeit unserer künftigen Volksvertreter sich bilden und gleichsam sich selbst großziehen kann und soll. So kann auch jeder Einzelne unter den Volksvertretern Deutschlands selbst dafür sorgen, daß er als ebenbürtig erkannt werde, neben den andern Volksrednern in diesem Ständesaale zu erscheinen. Aber nicht minder bedarf es für die immer regere Fortbildung des constitutionnellen Lebens der lebendigen Theilnahme des Volkes selbst, das in den Formen dieses Lebens wie in seinem Wesen durch sich selbst und für sich selbst lebt; und auch dieser Theilnahme kommt der „Deutsche Ständesaal" würdig entgegen. Was den Inhalt des vorliegenden ersten Heftes anlangt, so findet der Leser darin: einen Vortrag des Hofraths Behr über den wahren Beruf des Deputirten, aus dem J. 1819, ferner: Ueber die Freiheit des Handels zwischen den deutschen Bundesstaaten, von Liebenstein, aus dem J. 1819; Begründung der Motion auf Abschaffung der Zehnten, von Rotteck, aus dem J. 1831; Commissionsbericht über diese Motion, von Hoffmann; endlich einen Vortrag von Behr, über die Einführung der Landräthe in Baiern, aus dem J. 1819. Wir wünschen die ununterbrochene Fortsetzung des „Ständesaales" mit Rücksicht für alle constitutionnelle Staaten Deutschlands; aber für das Publicum darf es nicht vergeblich heißen: Introite, nam et hoic vere dii sunt. 30.

Die erste Bücherauction in England wurde 1676 vorgenommen, wo die Bibliothek Dr. Seaman's unter den Hammer kam. Ein Vorwort des Katalogs besagte: „Leser! es war zeither in England nicht bräuchlich, Bücher in Auctionen oder an den Meistbietenden zu verkaufen. In andern Ländern hat man es jedoch mit Vortheil für Käufer und Verkäufer gethan, und so ward denn zur Beförderung der Gelehrsamkeit beschlossen, diese Bücher auf demselben Wege zu versilbern."

Konstantinopel besitzt 32 öffentliche, dem Publicum das ganze Jahr zugängliche Bibliotheken, welche sämmtlich durch Zahl und Werth ihrer Handschriften berühmt sind. In jeder ist ein Katalog mit Nachweisungen über den Inhalt der vorhandenen Werke zu finden. Der Koran und seine Ausleger, Jurisprudenz, Medicin, Philosophie und Geschichte sind es vorzüglich, welchen die Anhänger Mohammed's ihre Aufmerksamkeit zuwenden. Im Serail befindet sich eine 38. Bibliothek, welche von Achmet III. und Mustapha III. gegründet und seitdem fortwährend vermehrt worden ist. Sie enthält 15,000 Bände, deren Werth aber, nach dem Abbé Sevin, weniger groß sein soll als der mancher öffentlicher Büchersammlungen. Der Koran und seine Ausleger spielen auch hier die Hauptrolle, von historischen Handschriften ist wenig vorhanden. Die nicht zahlreichen lateinischen und griechischen Manuscripte sowie einige wenige in andern europäischen Sprachen enthalten nichts Unbekanntes. 5.

Blätter
für
literarische Unterhaltung.

Dienstag, —— Nr. 316. —— 12. November 1833.

Taschenbücherschau für 1834.

Erster Artikel.

(Beschluß aus Nr. 315.)

In Dresden ergibt sich den reisenden Freunden mannichfacher Stoff zu Betrachtungen über die Kunst und für den Dichter vielfache Gelegenheit, uns zu zeigen, mit welcher wunderbaren Intensität ein Gemälde in seinen technischen und künstlerisch-ideellen Eigenthümlichkeiten kritisch aufgefaßt werden könne und müsse. Für den Aether, der um einen Rafael schwebt, weiß Niemand so das rechte Wort zu finden als Tieck. Ein seltsamer Mensch, Namens Wachtel, dessen Originalität darin besteht, ewig trunken oder vielmehr betrunken zu sein, gesellt sich zu den Freunden in der Galerie zu Dresden; es ist ein Jugendfreund Ferdinand's, ein erst später untergegangener, verirrter Mensch, dessen barock-platter Humor aber nunmehr mit der Stimmung der andern Beiden ein buntes Kleeblatt abgibt. In dieser verzerrten Fratze eines taumelnden Trunkenboldes ist der Vertreter einer eigenthümlich toll-humoristischen Lebensanschauung hingestellt, nach der Alles umgekehrt, der Koth in die Sterne erhoben und die Sterne in den Koth getreten erscheinen. Die lallende Zunge des Wachtelpeters drischt viel Triviales zusammen, aber dieser Galimathias ist mit einem Aufwand von geistreichen Aristophanien und einem überlegenen Talent zusammengewürfelt, das einzig in seiner Art außer Tieck Niemand besitzt. In jeder andern Hand würde das hier angestimmte Thema zu Brei werden. Die Philosophie des Wahnsinns, die Schilderung der verwilderten Waldeinsamkeiten und Nachtstücke des Seelenlebens, die Tieck schon in einer ansehnlichen Reihe seiner humoristischen Menschenkinder bald in dunkeln und düstern Figuren, bald in Gestalten, die hinter der lachenden Maske das Grauenhafte der innern Zerstörung verbergen, gegeben und hingestellt hat, schließt sich immer umfassender zusammen, und Wachtel ist ein Stein in diesem Brete. Er ist die Travestie Ferdinand's, denn wenn dieser im Rausche der Seele die Welt umarmt und die süßen Düfte einer phantasievollen Religion ihm das ganze Dasein durchwürzen, steigen dem Wachtel die Geister des Weins durch das emphatische Gehirn und lassen ihn irre reden; er greift täppisch in alle Regionen des Lebens mit derber Faust hinein und krempelt die ganze Welt wie einen Handschuh nach der rauhen Seite um. Ihm gilt alles Bedeutsame im Leben für Trunkenheit oder Wahnsinn, wie nach seiner Meinung in jedem Individuum irgend etwas stecke, das, durch Leidenschaft gepflegt und aus seinem Winkel zu sehr hervorgezogen, zu bestimmter Narrheit werde. Dem Nichts vindicirt er eine große Bedeutsamkeit, und wie er im Nebel einer Morgenlandschaft „diesen blöden Lehrling des Seins", der doch nichts geworden, anschaulich macht, so zeigt er in seiner Rede über die Kunst, Scheinlebendige zu tödten, welche Mittel in allen Kreisen des bürgerlichen Lebens angewandt werden, um das in die Wirklichkeit eingedrungene Nichts und die Schattenmenschen, die Alles, nur kein Ich besitzen, wieder zu nihiliren. Sein Vorschlag zu einer Doppellecture von hinten und vorn ist eine seltsame Verhöhnung der Journalwuth unserer Zeit.

Die drei Freunde sind vollauf in Besitz der Kunst, mit einem wohlthuenden Schlendrian zu reisen; Ferdinand zumal ist ein geborener Vagabunde, der es mit dem Satze des alten Paracelsus hält, daß Reisen sei das Lesen eines herrlichen Buches, in welchem man die Blätter mit den Füßen umschlage. Der Natur und allen ihren Launen sich zu fügen und die kleinen Spuren im Menschenleben aufzusuchen, wo hinter der seltsamen Maske der Lüge sich still die Wahrheit birgt, das ist für Ferdinand und für Tieck die Idee des Reisens. Walter's Zweck tritt ganz in den Hintergrund; ob Ferdinand einen überhaupt habe, läßt sich blos schwach ahnen; Wachtel erstrebt nur das Rheinland und einen Taumel an Ort und Stelle. So zieht sich der Wanderfaden dünn und plan von Karlsbad nach Erlangen, Würzburg, Heilbronn u. s. w.; einige Briefe der Reisenden an heimatliche Personen enthüllen eines Jeden Eigenthümlichkeit. Plötzlich taucht dann hie und da während des schläfrigen Hinschlenderns eine neue Gestalt auf dem Lebenswege auf, und eine Scene im Spielsaal zu Liebenstein fesselt uns mit ihrer schlagenden Wahrheit. Freyfing, ein Jugendgenosse Walter's, hat sich der Verirrung eines Spielerlebens preisgegeben; er hat Glück, aber das Bewußtsein einer zerrütteten Seele vergällt ihm Alles.

Ich war in dem Zaubernetze gefangen — so erzählt er — daß ich nur Karten dachte und träumte. War die Nacht schon weit vorgerückt und ich übermüdet und demnach fieberhaft aufgereizt, so war es, als wenn ein Dämon meine Finger in meiner Betäubung regiere, und ich, so stumpf ich war, bestimmt wisse, welche Karte gewinnen müsse. Wer es nicht selbst erlebt und diese quälende Last an sich erfahren hat, hat keinen Begriff davon, wie teuflische wild wie gräßlich-lustig das Leben eines Spielers ist. Ich war bald reich genug, um selber Bank zu halten. So ist der grüne Tisch, Gold und Karten meine Heimat, mein Ein und Alles, mir Frau und Kind und Religion und Natur. Ich habe keinen Sinn für irgend was. Wenn meine Gehülfen schon in der Nacht kaum noch die Augen aufzwingen können, fluche ich über mein verdammtes Geschäft, lege mich betäubt und krank nieder, wandle umher, esse, und kann die Zeit nicht erwarten, bis das Geklirr und Rauschen des Goldes auf dem grünen Tische wiederanhebt. Ich stehe auf, um fünf- oder sechstausend reicher, und es macht mir keine Freude; ich verliere ebenso viel, und es ist mir ganz gleichgültig, und doch ist der verfluchte Gewinn der Sporn, welcher mich stachelt. Wenn ich reise, so kommt oft eine ferne Erinnerung aus Wald und Fels, ein edles Gefühl auf mich zu, eine Wehmuth ergreift mich über mein zerstörtes Leben, und ich entlaufe dem Gefühl im Pharo. Oft schon dachte ich, ein schönes, liebes Mädchen könne an meiner Seite mit mir meines Reichthums genießen; aber plötzlich fallen mir die Fratzenbilder der Kartendamen ein, welche mir schon große Summen gewonnen, und Leben und Schönheit erblaßt vor diesen Gespenstern. Meine Aeltern sind gestorben, und ich habe sie nicht wiedergesehn. Wenn ich einmal Alles verlieren sollte, so werde ich mir mit der größten Kaltblütigkeit eine Kugel durch mein zerrüttetes Hirn jagen.

Hier in Bad Liebenstein ist es denn auch, wo uns der Dichter eine Figur zu genießen gibt, die als Caricatur naturkräftig deutscher Gemüthlichkeit und als ein John Bull unserer Romandichter, ewig denkwürdig dastehn wird. Dies ist der berühmte Oberforstmeister Cramer aus Meiningen, den Tieck zeitlebens als ergötzliche Fratze des deutschen Dichterthums ins Auge gefaßt und schon früher unter einer Horde vagabundirender Handwerksgesellen travestirt hat. Einer eigentlichen Travestie bedarf es kaum bei diesem Cumpan der deutschen Grobsucht; ein einfaches Zusammenfassen und Hinstellen seines Wesens ist schon vollendete Parodie. Wachtel erzählt, er habe, weil er ein unnützer Bengel war, in der Jugend die Cramer'schen Romane vom „Erasmus Schleicher" bis zum „Paul Ysop" gelesen, und somit nimmt er die Gelegenheit wahr, das bedeutende Thier von Poeten kennen zu lernen. Er schildert den Mann groß, ziemlich corpulent und sein Gesicht als eins von denen, die das Glück und die Auszeichnung haben, gar keinen Ausdruck zu besitzen. Seine triviale Gutmüthigkeit zog dermalen alle simpeln Dummköpfe herbei, um ohne Aengstlichkeit den berüchtigten Vetter Michel für den Vorsteher der Grazien zu halten. Ein schwindsüchtiger Medicus, der von der Gesellschaft ist, erinnerte den Autor an einen verstorbenen Universitätsfreund, Lange, mit dem sie so manchen Abend durchschwärmt hatten.

Wohl, sagte Cramer, indem er sein Glas erhob; und der große Mund lächelnd durch die Nähte der Pockennarben brach: das war ein großer Mensch! Himmel, wie idealisch konnte er beim Sonnenaufgang oder in den Frühlingsmonaten gestimmt sein! Es war eine Wonne, mit der kräftigen Menschheit des Kerls zu harmoniren. Viele von Klopstock's Oden wußte er auswendig; wenn er sie declamirte, zitterte er vor Entzücken wie ein eingefangenes Rothkehlchen. Wir nannten ihn nur Selmar. — und das arme Vieh hat nachher so miserabel crepiren müssen!

Wie so? fragten die Freunde, indem sie die Weingläser niedersetzten.

Weil der Schwerenothshund — sagte der Autor mit edlem Ingrimm — es nicht lassen konnte, sich trotz seines Aufschwungs mit liederlichen Menschern einzulassen. Das war nun einmal seine schwache Seite. Petrarch und Laukhard, oder ein Anderer der Zunft, Bahrdt, oder wer es sei, war er in demselben Augenblick. O seine zarte, himmlische Jenny! was das hohe Wesen über diese zu weit getriebene Vielseitigkeit des hochgestimmten Schwärmers gelitten hat! Die Creatur war doch wirklich so, als wenn ein himmlischer Engel in dieses Erdenleben herabgestiegen wäre, um uns eine Darstellung der hohen Züge eines Plato im sterblichen Abbild zu geben. Mehr als Sophronia und Clorinde des Tasso, höher als Werther's Lotte oder die Sophie des Fielding, war sie so einzig, daß die Brutalität selbst in ihrer Nähe zur Tugend wurde. Tausendschwerenoth noch einmal! Wenn sie so mit ihrem Inamorato dahinwalzte! Als den auch, wie Ihr wißt, Freunde, an der schlechten Krankheit der Teufel so rein weggeholt hatte, so gab sie endlich den Bitten des dünnbeinigen Assessors Gehör und verheirathete sich mit der verfluchten Mamsette. Sie hatte aber schon von ihrer ersten Liebe ein Kind gehabt, das sie heimlich erziehen ließ. Der Junge bekam nachher den Erbgrind und verreckte im Hospital. Die himmlische Laura ergab sich dem Brantwein, und es war wegen des Athems in den letzten Jahren nicht mehr bei ihr auszuhalten. So verwelken die edelsten Blüten des Lebens.

Von einem andern verunglückten Genie ist Cramer ebenso entzückt; er rühmt besonders eine Periode aus dessen Leben, wo ihm derselbe besonders genialisch erschien. „Was er damals schrieb oder sagte, war classisch, er selbst aber immer besoffen." Vor Kummer wurde der Mensch endlich verrückt und endete im Narrenhause an der Kette, und Cramer schließt tief ergriffen und pathetisch: „So habe ich so manche echte Genies, die die Zierde unsers Vaterlandes werden konnten, zum Teufel fahren sehen. Ich habe mich gehalten, so viel ich auch erlebt, so viel ich auch erduldet habe. Der Dienst der Musen ist kein leichter. Mit dem Teufel ist nicht zu spaßen."

Es wird uns schwer, vom Einzelnen, das die Novelle bietet, uns loszureißen und über das Ganze etwas zu sagen. Als Ganzes ist es kaum ein volles Werk zu nennen. Der dünne Novellenfaden verknüpft nicht einmal die Interessen der drei Reisenden miteinander. Walter entdeckt die Spuren zweier Liebenden, die, von den Menschen verfolgt und getrennt, sich hier und dort Rendezvous geben. Ferdinand wird immer räthselhafter; er erscheint und verschwindet auf seltsame Weise; endlich ergibt sich in Ferdinand selbst der Flüchtling, der von Walter wegen der Entführung der Cousine seines polnischen Freundes zur Verantwortung gezogen werden sollte. Das Ehebündniß wird durch Vermittelung eines Dritten möglich gemacht, und die Versöhnung versteht sich von selbst.

Von den Zerwürfnissen des innern Daseins werden wir plötzlich in die anmuthig gefärbte, aber flache Außenschale des Lebens verschlagen, wenn wir von Tieck's Novelle zu der nachfolgenden historischen Erzählung von Johanna Schopenhauer: „Margaretha von Schottland", übergehen. Waren dort Menschenbilder mit innerlichst erlebten und durchlebten Richtungen der Geisteswelt, ohne durch einen Stoff verbunden zu sein, so finden wir hier umgekehrterweise keine Menschen, für deren Wesenheit wir uns interessiren könnten, sondern bloße Themata, die von Puppen, welche Menschen vorstellen sollen, getragen werden. Zunächst werden wir in die Zustände Frankreichs unter Karl VII. mit jener Oberflächlichkeit, die von Damen bei der Betrachtung historischer Ereignisse beliebt wird, eingeführt; die Situationen der Parteien im Costum der Zeit werden angedeutet. Dann erscheint der vierzehnjährige Dauphin, der nachherige Ludwig XI., der im Hafen seine schottische Braut empfängt; Festlichkeiten nehmen Raum fort; das Leben am Hofe der jungen Dauphine ist dann weiter Gegenstand der Darstellung. Allein man schaut dem zu wie einem Puppentheater; kein Herz ist da, das man schlagen hörte, athmen fühlte, wir schauen all den Leuten nicht in die Seele. Daß uns Margaretha von Schottland als der personificirte Frühling geschildert wird, damit ist ihr und uns kein Genüge geschehen; Ludwig, der als Dauphin das Gegenstück von Dem war, wie er als König erschien, könnte mit dieser Metamorphose seines innern Zustandes allein schon Gegenstand einer Novelle sein; aber dergleichen Höhlen überschleiert eine sanfte Frauenhand gar zu gern. Der Dichter Alain Chartier, „eine interessante Misgestalt", wie es heißt, ist weder interessant noch überhaupt eine Gestalt; der Günstling des Königs du Tillay gibt nichts als die Maske eines gewöhnlichen Höflings. Wir haben hier durchaus das Lieblingsthema der Frauen vor uns: einen Engel von Weib in dem verführerischen Glanz des Hoflebens. Die schottische Prinzessin ist die liebe Unschuld, deren ungenirtes Dahinleben allgemein anstößig gefunden wird. Der Intrigant du Tillay benutzt zwei Situationen, die scheinbar gegen ihren Wandel sprechen und ein allzu vertrautes Verhältniß mit einem jungen Ritter und ihrem Lieblingsdichter aufdecken könnten, um sie zu verleumden. Die liebe Unschuld weiß von nichts, und als die Königin den schwarzen Verdacht ihr eröffnet, fällt sie wie aus den Wolken und in starre Ohnmacht, aus der sie nur aufwacht, um für immer das Auge zu schließen. Der Jammer ist in der That groß, aber wir begreifen ihn nicht.

Die Redaction des Taschenbuchs hat merkwürdig genug dafür gesorgt, uns alle Stufen der Darstellungsweisen in Novellendichtungen betreten zu lassen. Waren die Töne, die Rumohr, Tieck und J. Schopenhauer anschlugen, ebenso verschiedenartig, wie sich Glätte, Tiefe und Fläche gegeneinander charakteristisch absetzen, so steigen wir die Scala noch um ein bedeutendes hinunter, wenn wir das vierte Product, das uns geboten wird: „Miß Jenny Harrower", eine Skizze von Eduard Mörike, genießen wollen. Erfreute uns bei der Schopenhauer noch ein edler Styl und in den Reflexionen ein zartes, gebildetes Gemüth voll Wärme und voll Reinheit, so vermissen wir schon beides an letztgenanntem Werkchen, bei Ermangelung sonstiger löblicher Eigenthümlichkeiten. Von zwei Schwestern stirbt die eine aus Gram, weil ihr Geliebter, ein Offizier, sie verlassen hat. Jenny, die andere, wirft ihrem Freunde den Wunsch oberflächlich hin, an dem Treulosen Rache zu nehmen. Dieser faßt es lebhafter auf, als sie gewollt: der Wortbrüchige fällt im Duell, und der Sieger muß fliehen. Um von ihm den Verdacht abzuwenden, gibt sich Jenny als die Schuldige an, bis es sich durch einen Dritten erweist, sie sei an der That unbetheiligt. Die ganze Skizze — leider ist es nur skizzirt! — ist angeblich eine Episode aus den ungedruckten Memoiren eines englischen Geistlichen.*) Diese Fiction ist höchst unglücklich, denn die ganze Darstellung der gerichtlichen Verhandlungen zeigt die offenbarste Unkenntniß des englischen Brauches; selbst im Einzelnen sind Verstöße gegen den Gang eines Juryprocesses, die selbst dem bloßen Zeitungsleser auffallen müssen. 206.

Die Einheit des deutschen Vaterlandes. Zugleich eine Jubeldenkschrift auf Kant, den Weltweisen. Von Professor Joseph Schram. Bonn, Marcus. 1832. Gr. 8. 16 Gr.

Nachdem die Hambacher auf der einen Seite, auf der andern Seite mehre Schriftsteller, wie Wilhelm Schulz, Rauke, Mundt u. A., die Frage über die Einheit Deutschlands erschöpft oder vielmehr in ihrer labyrinthischen Unentschiedenheit ohne eine genügende Antwort gelassen haben, da auch nur die Alles entscheidende Geschichte selbst sie zu beantworten vermag, tritt noch der Verf. der obigen uns etwas verspätet zugekommenen Schrift mit der Einheit Deutschlands auf, um sie zu einem Jubeldenkmal für Kant, den Weltweisen zu benutzen! Das ist possirlich, aber doch geht es ganz natürlich zu, wenn wir auch fürchten, daß der selige Königsberger ob der Ehre, die ihm hier widerfährt, sich noch einmal im Grabe umdrehen dürfte. Es geht insofern natürlich zu, als unser wohlmeinender Verf. die sich selbst aufgeworfene Frage: „Wie läßt sich die Einheit des deutschen Vaterlandes mit der Philosophie und zwar mit der Lehre Kant's vereinen, der von dem Gedanken einer solchen Anwendung weit entfernt war?" unumwunden so beantwortet: „Die Weisheit läßt sich mit Allem vereinen, was gut ist!" Das ist nun in der That eine biedere, echtdeutsche, treuherzige Antwort, gegen die Niemand etwas haben wird, und bei der man sich, man mag wollen oder nicht, schon aus Gutmüthigkeit hier beruhigen muß. Hr. Prof. Schram ist aber noch ein ausschließlicher und höflichst enthusiastischer Anhänger des „Alten von Königsberg", und hat die Meinung, die er eifrig zu verfechten sucht, daß die Kant'sche Philosophie noch einmal wieder auf den Thron kommen muß, um als universale Philosophie über alle Denker und Nichtdenker zu herrschen. Diese Ansicht läßt sich nicht bekämpfen. Wir geben daher nur noch kurz den Ideengang an, welchen der Verf. in dieser seiner durch und durch legitimen und vollkommen loyalen Schrift nimmt. Er läßt sich zuerst im Allgemeinen über Volkseinheit, Vaterlandsliebe, Verfassungsurkunden, Volksvertretung, Oeffentlichkeit der Berathungen, Preßfreiheit, öffentliches Recht, Adel u. dgl. aus, erklärt alsdann den hohen Sinn des Ausdrucks: „von Gottes Gnaden", geht darauf zu den Einflüssen der Philosophie auf Sitte und Denkungsart über, gibt eine Darstellung der Kant'schen, bezeichnet sie als ein „unübertreffliches Ergebniß" und weist die Uebereinstimmung derselben mit der Christuslehre nach. Nachdem er darauf die neuern Systeme der Philosophie mit ziemlicher Heftigkeit abgefertigt, Einiges über veredelte Volksbildung gesprochen und Schlußfolgen daraus auf den Zustand von Deutschland gezogen, endet er damit, auf die Wichtigkeit der Zusagen und Beschlüsse des hohen Bundes in Hinsicht auf Deutschlands Einheit und Selbständigkeit hinzuweisen. Besonders wichtig und wohlthätig erscheinen ihm aber die Bundestagsbeschlüsse vom 28. Juni 1832.

*) Das Werk, aus dem jene Skizze entnommen, ist jetzt vom Verf. wol in der Handschrift bereits vollendet und dürfte bald erscheinen. D. Red.

Sapienti sat! Wir lassen den ehrenwerthen Herrn Verf. jetzt laufen. Wenn er aber in Bezug auf seine Polemik gegen die neuern Philosophien selbst bemerkt: „Die vorgerückten Jahre werden dem Verf. zur Entschuldigung dienen, sollte der Eifer für das Wesentliche seine Abneigung gegen die Spitzfindigkeiten der Vernünftler etwas mit Bitterkeit vermischt haben“: so hätten wir eher im Gegentheil erwartet, daß ein alter Mann, der nicht mehr recht mit den Zeitinteressen vorschreitet, sich grade durch seine „vorgerückten Jahre“ zur Milde und Resignation hätte bewegen lassen sollen. 140.

---

1. Die Erde und ihre Bewohner, ein Lehr- und Lesebuch für Schule und Haus, bearbeitet von K. F. V. Hoffmann. Zweite durchgesehene Auflage. Mit vier Erläuterungstafeln. Stuttgart, Hoffmann. 1833. Gr. 8. 1 Thlr.

Ein Buch, welches in so kurzer Zeit eine zweite Auflage erlebt*), muß nothwendig den Vorzug haben, den Bedürfnissen eines großen Kreises wirklich zu entsprechen. Es ist dies im Grunde die beste Kritik eines Buches, indem dann auf jeden Fall die Recension nicht sowol von dem Buche, welches seinem Zweck ja entspricht, als vielmehr nur von dem Kreise, dem das Buch gefällt, zu machen ist. Nun ist aber vorliegendes Buch auch von der Art, daß der Kreis, dem es gefällt, schon eine ganz hübsche Bildung haben und verlangen muß, obwol Ref. nicht in die Bemerkung des Verf. einstimmen kann, daß des großen Ritter große Ideen für die Schule nicht paßten, sondern sogar der Meinung ist, daß sie, versteht sich cum grano salis behandelt, grade da recht hingehören. Auch ist die Einwirkung der Umgestaltung des geographischen Unterrichts durch Ritter trotz der Abwehr des Verf. in dessen Buche nicht ganz zu verkennen.

Das Auseinanderreißen der einzelnen Landestheile und deren isolirte Betrachtung, sodaß dann der Betrachtung der Erdabtheilung nach Staats- oder Gesellschaftsverbänden nur noch Statistisches anheimfällt, möchte sich vertheidigen lassen, wenn nicht doch gewisse individualisirte Ländermassen als Glieder der Erdtheile nachgewiesen werden könnten, in deren Betrachtung sich dann, um zu einem anschaulichen Ganzen zu kommen, recht wohl Gebirge und Flüsse in eigenthümlicher Vereinigung und Beziehung darstellen und auch sofort die gesellschaftlichen Verbände und die darauf sich beziehenden statistischen Angaben anführen lassen. In vorliegendem Buche findet aber Jemand vom Erzgebirge gehandelt S. 150, dann erst, nachdem von allen Meeren gehandelt ist, S. 169 auch von der Mulda und S. 338 vom Königreich Sachsen. Das geographische Bild muß also zusammengesucht werden. Daß jenes abstracte Hinstellen einzelner Landestheile, wie z. B. der Gebirge, beim geographischen Unterricht und das Durchgehen aller Gebirge, ehe man zu den Gewässern übergeht u. s. w., methodisch nicht ganz zu empfehlen ist, daß weit festere, sicherere Bilder durch die Gesammtbehandlung aller Landestheile in den einzelnen Abschnitten, welche nach Gliederungen der Erdformen zu machen sind, entstehen, glaubt Ref. aus Erfahrung behaupten zu können. Das ganze fünfte und sechste Hauptstück der zweiten Abtheilung, in welchem nun auch die Naturerzeugnisse so abstract herausgerissen und doch nur höchst oberflächlich katalogisch behandelt sind, sodaß kaum einige Vorstellungen von Pflanzen- und Thierfamilien in dem zu Unterrichtenden geweckt werden sollen, ungeachtet sie so nahe liegen und die einzige Beziehung sein können, worin der Abhandlung der Naturerzeugnisse in dieser Verbindung mit Geographie ein Interesse abgewonnen werden kann — diese beiden Hauptstücke scheinen uns verfehlt. Dabei ist aber das Gute im Buche beiweitem überwiegend; alle Zahlenangaben so weit wir sie irgend zu controliren vermochten, sind äußerst genau und die ethnographischen Schilderungen vortrefflich. Auch ist das Aeußere schön, und die beigegebenen Kärtchen und Kupfertafeln in jeder Hinsicht zweckmäßig gewählt und vortrefflich ausgeführt.

*) Es sind selbst schon von der dritten Auflage einige Hefte erschienen. D. Red.

2. Beschreibung der Erde, nach ihrer natürlichen Beschaffenheit, ihren Erzeugnissen, Bewohnern und deren Wirkungen und Verhältnissen, wie sie jetzt sind. Ein Hand- und Lesebuch für jeden Stand. Bearbeitet von W. Hoffmann. Mit erläuternden Beilagen und Karten. Erster Band. Heft 1—7. Stuttgart, Schweizerbart. 1832. Gr. 8. Subscriptionspreis eines jeden Heftes 4½ Gr.

Wenn das Werk, wovon wir vorher handelten, vorzüglich die Bestimmung hat, als Leitfaden beim Unterricht zu dienen, so scheint dagegen das eben genannte zum Handbuch bestimmt und ist daher in weit ausgedehnterm Maßstabe. Dazu eignet es sich auch, wenn es in gleicher Weise zu Ende geführt wird, wie es begonnen ist, recht gut. Die Darstellung liest sich angenehm, ist reich an Notizen und in einer gewissen, der Popularität durchaus zuträglichen Breite. Dabei hat das Buch aber auch noch größere Vorzüge; es hat eine reiche, auch unmittelbare Beziehung zu den Quellen, dabei eine klare Uebersicht der Terrain- und Völkerverhältnisse in den Ländern, welche beschrieben werden — kurz, es wird wenige einem solchen Buche wünschenswerthe Eigenschaften geben, die wir nicht davon rühmen könnten, und überall sucht es eben jene Gliederungen der Erde in aller ihrer Eigenthümlichkeit mit Gebirgen und Flüssen und Formen und Producten aller Art in Totalanschauungen abzubilden, also im Gedächtniß des Lesers vollkommene Bilder zu hinterlassen. Auch der gelehrte Leser wird nicht ohne Frucht seine Zeit der Lectüre dieses Buches widmen, und der Verf. ist in dem seltenen Falle, mehr zu gewähren, als der bescheidene Titel ahnen läßt. Die vorliegenden sieben Hefte enthalten die allgemeine Einleitung und den größten Theil von Asien. 69.

Notiz.

Von der Vergangenheit soll die Gegenwart lernen, wenn anders der Römer Cicero Recht hat, da er die Geschichte eine „Leuchte der Wahrheit, eine Lehrerin des Lebens“ nennt. So können auch viele unserer sogenannten Freiheitshelden, wenn es ihnen nur sonst um die wahre Freiheit und nicht nur um Befriedigung ihrer Eitelkeit, nicht nur darum zu thun wäre, durch Geschrei und durch Wüthen, durch ewiges leeres und hohles Declamiren von Freiheit und über Freiheit Aufsehen zu erregen, — viele dieser Freiheitsbacchanten könnten von dem Römer Agricola lernen, von welchem Tacitus, der erste Freund der Freiheit und Feind des Despotismus, der sich selbst zu solcher Ansicht bekannte, sagt: „Es gelang ihm längere Zeit, den Domitian durch Mäßigung und Klugheit zu besänftigen, weil er nicht durch Trotz, noch leeres Gerede von Freiheit das Gerücht und das Schicksal gleichsam herausfoderte.“ Dabei macht Tacitus folgende Nutzanwendung: „Diejenigen, welche nur Verbotenes zu bewundern pflegen, mögen daraus lernen, daß auch unter schlechten Fürsten große Männer bestehen können, und daß Gehorsam und Mäßigung, wenn Thätigkeit und Energie damit verbunden ist, um so mehr Lob verdienen, als Viele mit schroffem Trotze, aber ohne Nutzen für das Allgemeine durch einen aus Ehrgeiz gesuchten Tod berühmt werden sind.“ Wie Manche haben gegen die, dieser Lehre zum Grunde liegende Ansicht in neuerer Zeit und z. B. nur seit 1830 in Frankreich, Deutschland u. s. w. gehandelt und sind, wenn sie auch nicht durch ihren Tod ihre Grundsätze besiegelten, doch gleichsam als neue Herostrate der Freiheit durch ihre Freiheitswuth bekannt geworden. 30.

Redigirt unter Verantwortlichkeit der Verlagshandlung: F. A. Brockhaus in Leipzig.

Blätter

für

literarische Unterhaltung.

Mittwoch, —— Nr. 317. —— 13. November 1833.

Briefe aus Wien.

An Frau von L—u.

— den —

— — — Den 26. September 1833 wurden auf dem Theater in Prag Scenen aus dem „Cinna" und dem „Cid" von Corneille französisch aufgeführt. Herr Jerrmann vom Hoftheater zu München hat sich die tragische Darstellungsweise der Franzosen so zu eigen gemacht, daß ich (wären die Mitspieler ihm gleich gewesen) hätte glauben können, ich säße wieder einmal im Théâtre français, und Diejenigen, welche nie in Paris waren, erhielten dadurch auf eine wohlfeile und genügende Weise mehr wie eine Klaue des angeblich altclassischen Löwen (ex ungue leonem). Denn er streckte würdig seine Pfoten aus und zog sie wieder an sich, schüttelte seine Mähne, kraute sich mit Majestät hinter den Ohren, drückte die Augen zu und machte sie weit auf, runzelte die Stirn, gähnte, und was der erhabenen Dinge mehr waren, welche auch alle Diejenigen verstehen konnten, welche das Französische des tragischen Leuen nicht verstanden.

Deshalb hat denn auch Jemand (ich weiß nicht mehr wo) in höherm Tone von diesen kolossalen Leistungen gesprochen und für seine unbegrenzte Bewunderung nicht Worte genug finden können. Kolossal? Allerdings in dem Sinne, wie man in einem Löffel oder Hohlspiegel ein kolossales Gesicht oder bei schiefer Beleuchtung eine kolossale Nase an der Wand sieht, oder wie eine langbeinige Tänzerin mit dem Koloß von Rhodos verglichen ward.

Was es im Ernste mit diesen kolossalen Fratzen für eine Bewandniß hat, ist ja schon vor mehr als 50 Jahren von Lessing augenfällig dargethan worden. Da indeß die meisten Schauspielbesucher, ja viele Schauspieler von seiner Dramaturgie nichts wissen, so thäten die Journalisten beim häufigen Mangel anziehender Gegenstände nicht übel, einzelne Abschnitte daraus abzudrucken und mit neuen Beispielen zu belegen.

Geschichtliche Hinweisungen auf Das, was die Franzosen zur Zeit Ludwig XIV. für das Höchste der tragischen Kunst hielten, und so gelungene Proben, wie Herr Jerrmann gab, sind an sich nützlich und verdienstlich; sie werden aber schädlich und thöricht, sobald man in jener Methode und Schule das wahrhaft Schöne und Erhabene zu erblicken wähnt. Indeß finden wir in Dem, was die Franzosen irrig das Classische nennen, wenigstens Schule und Methode; in Vielem, was ihnen romantisch heißt, fehlt dagegen beides ganz, und man könnte jenes als ein Gegengift oder niederschlagendes Pulver betrachten.

Nachdem der misverstandene Aristoteles, Unkenntniß der alten Welt, Einfluß des Hofes, Vorurtheil des Publicums, Eigensinn der Schauspieler u. s. w. unzählige tadelnswerthe Fesseln angelegt hatten, hat sich nun die frühere Verehrung in Verachtung gewandelt, und nach dem Wegwerfen aller Regeln gilt grenzenlose Willkür für Beweis und Inhalt aller dichterischen Kraft. Es wäre einseitig und unbillig, den Häuptern der neuen französischen Dichterschule Anlagen und Geschicklichkeit abzusprechen; aber je größer ihr Pfund ist, desto strengere Rechenschaft sollen sie dafür ablegen. Der Terrorismus, welcher auf eine in der Geschichte fast beispiellos entsetzliche Weise Frankreich in den neunziger Jahren heimsuchte, ist jetzt auf eine nicht minder unerhörte, unglaubliche Weise in der schönen Literatur wiedergeboren worden!! Aus Grausamkeit, Wollust, Egoismus und Niederträchtigkeiten aller Art wird ein angebliches Kunstwerk auferbaut und das Widerwärtigste und Ekelhafteste nicht verschmäht, um die abgestumpften Organe des Geistes und Leibes aufzureizen. Von Schönheit und Maß ist nirgend mehr die Rede, und die Kritik soll damit zum Schweigen gebracht werden, daß diese Literatur jetzt nothwendig sei. Nach diesem oberflächlichen Systeme ließe sich aber auch jedes Verbrechen der Einzelnen wie der Völker rechtfertigen, und Ordnung, Recht, Gesetz, Sitte und Religion werden leere Schatten vor jener satanischen Realität. Es ist, sagt man ferner, nur eine Durchgangsperiode. Das gebe Gott! denn sonst wäre es besser, auf allen Vieren mit dem Viehe nach Rousseau's Vorschlage zu wandeln als auf diesen gepriesenen Höhen der Menschheit, welche in Wahrheit nur ein Rabenstein und ein Narrenhaus sind.

Verzeihen Sie meinen Zorn; er ist aber gerecht, wenn ich sehe, wie dieses Gift auch in unserm einfachern, ruhigern Deutschland (hier gewiß ohne innere Nothwendigkeit) Eingang findet, und Mütter, welche Shakspeare'sche Lustspiele anstößig finden, das Verruchteste der Gegenwart ihren zarten Töchtern in die Hände geben, damit Grund und

Boden und Haltung ihres Daseins ausgehöhlt und die unschuldigen Visionen schöner heiterer Jugend in höllische Phantasmagorien verwandelt werden.

Sie verlangen genaue Beispiele und Beweise; diese zu geben ist hier nicht der Ort. Doch will ich eins zur Probe anführen, welches deutlich zeigt, in welcher Richtung, und wohin wir uns bewegen. Armide läßt, der Liebe und Treue Rinald's vertrauend, ihn in der heitern Gesellschaft der schönsten Nymphen; Roschane ruft im „Oberon" ihre Kammerjungfern zu Hülfe, um Hüon zu verführen; in „Robert dem Teufel" endlich leitet der alte Satan an heiliger Stätte die Auferstehung der Todten und will seinen eignen Sohn bethören mit den Leichen liederlicher Nonnen.

Den —

Die Fähigkeit, ein Kunstwerk als ein Ganzes, als ein in jedem einzelnen Theile wesentlich Bedingtes und Ineinandergreifendes zu verstehen und sich dafür zu begeistern, wird immer seltener; ja, die Foderungen der allernatürlichsten und unwiderleglichsten Kritik gelten den flachen Enthusiasten des Tages für kalte Thorheit. Sie übertäuben sich und Andere mit unverständigem Beifall und führen die Kunst einem immer tiefern Verfalle entgegen. In der „Semiramis" von Rossini z. B. singen Arsaces und Assur in einem Duett ganz dieselben Schnörkeleien, obgleich der Erste lauter Liebe und der Andere lauter Haß im Munde führt. Nachdem Arsaces entdeckt, daß seine Mutter Semiramis seinen Vater umbrachte und ihn selbst dem Tode bestimmte, in einem Augenblicke, wo Verbrechen der widerwärtigsten Art zu Tage kommen und der edelste Zorn, der großartigste Schmerz, die bitterste Reue herzzerreißend in Worten und Tönen hervorbrechen sollten, ergehen sich Beide in den süßlichsten Zärtlichkeiten, welche an dieser Stelle ganz absurd, ja ekelhaft und verbrecherisch sind. Und so reichen sich der wahrhaft sündige Leichtsinn des Componisten und des Publicums die Hände, und wer an echtdramatische und charakteristische Musik erinnert, heißt ein Krittler, der sich und Andern den Genuß verdirbt. Von aller wahren Kunst abzusehen, sie nicht zu fodern, sie nicht zu vermissen, gilt für Lebensweisheit, und durch ein paar Takte leicht nachzutrillernder Tanzmelodien weiß der wunderthätige Magus alle schwache Herzen in somnambule Zustände zu versetzen, daß ihnen, während sie Augen und Ohren aufsperren, doch in Wahrheit das rechte Hören und Sehen bereits ausgegangen ist.

Alles wahrhaft Schöne und Echte hat seinen Ort, seine Zeit, seine eigenthümliche Umgebung, seinen nothwendigen Zusammenhang; aus dem Allem herausgerissen oder willkürlich umgestellt, wird es zum Unnatürlichen und Häßlichen. Das schönste Auge auf der Brust, die schönste Nase zwischen den Schultern sitzend, erweckt Entsetzen; und kann denn ein wahrhaft Einsichtiger zweifeln, daß wie dem Maler und Bildhauer, so dem Tonkünstler und Schauspieler hierüber feste Gesetze vorgeschrieben sind?

Ich habe gesehen, daß eine talentvolle Schauspielerin als Luise in „Cabale und Liebe" die Scene mit der Milford so spielte, als wäre sie die Jungfrau von Orleans; sie hätschelte, weinte und zankte in den „Rosen des Malesherbe" meisterhaft — und das Publicum klatschte, obgleich Alles an den bezeichneten Stellen übertrieben und lediglich auf einen ungehörigen Effect angelegt war.

Diese Betrachtung führt mich auf Das zurück, wovon ich ausgehen und worüber ich Ihnen schreiben wollte, nämlich das Burgtheater in Wien. Dadurch, daß dieses blos auf Trauerspiel, Schauspiel und Lustspiel angewiesen und von Oper und Ballet getrennt bleibt, hält es seine Kreise von tausend Störungen frei, und es ist eine höchst löbliche und erfreuliche Erscheinung, daß die reichere und vornehme Welt immerdar die Logen ausfüllt, während die so Gestellten in Berlin für jene Richtung der Kunst meist ganz gleichgültig sind und nur Beine der Tänzerinnen eine mächtigere Anziehung auszuüben scheinen.

Bequem und nicht unnatürlich ist ferner die bestimmte Sonderung der Rollen, sodaß ein Schauspieler fast nie in die Kreise des andern hineingreift. Doch hat diese Theilung andererseits auch ihr sehr Bedenkliches, sofern sie leicht eine vielseitige Ausbildung hindert und z. B. durch stetes Spielen der rhetorischen Tragödien zu leerer, übertriebener Declamation verführt. Auch ist auf diesem Wege ohne andere der Direction zu Gebote stehende Mittel nicht immer ein harmonisches Zusammenspiel erreicht worden. In der „Jungfrau von Orleans" z. B. erlaubte sich der Schauspieler, welcher über das glückliche Gefecht Bericht zu erstatten hatte, so zu schreien, daß ihm zuletzt Stimme und Gedächtniß versagte. Er vergaß, daß sich dies in seiner Stellung, dem Könige gegenüber, durchaus nicht schickte, und für die Erzählung, für das Epische nie die zum eigentlich Dramatischen erfoderliche volle Kraft verwendet werden darf. Auf solche Weise wagt sich der Hintergrund des Bildes bis in den Vordergrund, sodaß zuletzt Gruppirung, Abstufung und Zusammenhang ganz verloren geht.

Ebenso wenig kann ich billigen, daß die schöne Stelle: „für seinen König muß das Volk sich opfern u. s. w.", nicht mit dem vollen Tone der edelsten Festigkeit und erhabensten Sicherheit ausgesprochen, sondern wie ein convulsivischer Schrei der Verzweiflung herausgestoßen ward. Am meisten schien mir die Scene verfehlt, wo die Liebhaber Johannens über ihre Gefangenschaft [illegible]. Da der Vorhang gleich hinter der ersten Coulisse niedergelassen war, so schrie er, auf den Knien herumrutschend, aus Leibeskräften zur Rechten und Dunois zur Linken des Souffleurloches; Beide handthierten und [illegible] auf unglaubliche Weise, bis der schöne und rührende Ton, welchen Gott in die menschliche Stimme gelegt hat, zum klirrenden, schneidenden Schrei ward, und das Ganze nur wie eine lächerliche oder jammervolle Parodie der wahren Tragödie erschien. Wenigstens habe ich auf keinem französischen Theater etwas Uebertriebeneres gesehen. Wie kann ein Schauspieler, der von Natur so reich begabt ist, der tiefe Einsicht in die edelsten dramatischen Meisterwerke besitzt, der den [illegible] durch seine Darstellungen

Calderon's und Shakspeare's noch neue Offenbarungen zu geben vermag, wie kann der sich durch den Beifall der Menge so verlocken lassen, oder die Menge so zu verführen trachten, daß Maß und Schönheit wie Stimme und Gesundheit leichtsinnig hingeopfert werden.

(Der Beschluß folgt.)

Merke zum deutschen Volksthum von Friedrich Ludwig Jahn. Hildburghausen, Knopf, 1833. 8. 1 Thlr. 18 Gr.

Komm her, deutsche Mitwelt, und versammle dich um den Prediger in der Wüste, der dir die einzige kraftblühende Oase in dir selber zeigt! Du hast wieder ein Häuflein Franzosenthümler, verwelschte Wälschlinge in deinem Schooße; auch auf dem hambacher Maulwurfshügel, wo alle Mäuler deutsch sein sollten, haben manche gefranzelt; duldet dies verzwergte Mischgezüchte nicht unter euch, entvolkt sie, d. h. wenn ihr kein deutsch versteht, entnationalisirt sie und lagert euch um das Kraftmahl, das der Deutschthumsmeister hier euch auftischt, labt euch an dieser Rumford'schen Starksuppe — wehe! — Brühe hätte ich sagen müssen! Suppe, soupe, ist undeutsch, es entfuhr mir zur Schmach meiner selber und meiner Zeit, die schon manches Kerndeutsche wieder verkumfeit, und ich lese mit Beschämung, wie S. 15 von Jahn geschrieben steht: „Die Altdeutschen, im unverwüstlichen Urwalde ihres herrlichen Sprachthums, konnten Alles ausdrücken, was zu einer Begriffsbezeichnung nothwendig war, ohne wie spätere verzwergte Strauchdiebe wälschlüstern zu bublen und zu betteln." Es ist nicht zu leugnen, wir sind wieder von uns abgefallen in vieler Hinsicht; die öffentliche Meinung huldigt nicht mehr französisch geschriebenen Werken und Ansichten, aber sie horcht am meisten auf Die, welche in Paris sitzen, sich dort liberale Undeutschheit einsaugen und seit der „pariser Hundswoche" wie toll und besessen lärmen. Es ist, wie sie Jahn in der Vorrede nennt, „das Deutschschofel in Paris, was aus giftigem Schlunde Deutschland beschmeißt". „Es spukt", sagt er an einer andern Stelle ebenso wahr als trefflich von der deutschen Journalistik, „ein beschreibfedertes Zwerggesindel, was überall Klatschbuden aufschlägt und auf dem Trödelmarkte schmuzige Lumpen feilbietet. Dieses lustige, lose Gelichter weicht, wenn man vordringt, und flattert nach, wenn man aus dem Wege gehn will. Mit lautem Geschrei bekennt sich diese namenlose, vermummte Schreiberschaft zur Oeffentlichkeit und Preßfreiheit und spielt heimlich und unvermerkt ein falsch Wort nach dem andern, gibt Ungeschehenes als Thatsache, und als Begebniß, was sich niemals ereignet. Wo aber Tadel und Hohn nicht hinreicht, und Schmähung nicht zieht, da hat sie ein Meuchlingslob auf der geifernden Zunge und weiß Einen hart und schwarz zu rühmen. Aus Feigheit machen diese ungenannten, falschnamigen Briefwechsler und Schriftsteller es grade wie jener Mucker, der kein Thier schlagen durfte, sehr oft aber von einem Hunde angebellt wurde, was ihm sehr lästig fiel. Da sagte der sanftmüthige Schleicher: „Ich werde dir einen bösen Namen machen!" Mit angstvoller Miene warnte er ein Rudel Gassenbuben: „Nehmt euch in Acht, der Hund scheint mir toll zu sein." Die Buben nicht faul, denen war das ein Fest, die machten sich auf und trieben den unschuldigen Beller dem Henker unter die Keule. Das ist Zeitschriftenwitz — Zeitschriftler verbrieftes Ränkespiel!"

Das vorliegende Buch, in welchem der Verf. Altes, schon in früheren Jahren Zerstreutes, und Neues zusammenstellt, tritt heutzutage mit seiner kantigen Ehrlichkeit wunderbar fremdartig zwischen die Erscheinungen unserer Literatur. Jahn ist älter und um nichts kälter geworden. Seine scharfen, biedern, hartgeformten Gesichtszüge sind noch dieselben und stechen gegen das lächelnde, allseits humorisirende Mienenspiel unserer raisonnirenden Tagesschriftsteller auffallend genug ab. Dies Zeitalter, in dem wir leben, bringt sich noch mit seinem kleinlichen Gehetze, seinem Witzeln und Sticheln, mit seinem spielerischem Humorisiren um allen Ernst, um alle tiefern Interessen. Jahn's Witz ist schwerpfündig; er tändelt nicht mit Quentchen, er wägt Centner; seine Gedanken und Aussprüche sind keine anmuthig fliegenden Federpfeile, sie sind Keile, oft Klötze. Seine Figur ist eine plastisch und concentrisch fertige. Schon dies, daß er Er ist und bleibt, daß er Das hat, was man Charakter nennt, unterscheidet ihn von den meisten politischen Rednern der Jetztzeit. Die Charaktere beginnen zu schwanken: das ist das Zeichen eines erschöpften Zeitalters, das sich trostlos schäkernd um allen Inhalt schwatzt, sei's in der Philosophie, sei's in der Politik. Gott wolle ihm eine derbe, tiefgreifende Erschütterung nicht allzulange versagen! Offener, ja einheimischer innerer Krieg kann nicht mehr entnerven als gegenwärtig diese immerdar gereizte Anspannung, die beim Mangel an Spielraum sofort erschlafft.

Was man auch von diesen Winken und Merken zum deutschen Volksthum sagen mag, wie Liberalisten und Absolutisten — die echte Gesinnung hat vor beiden einen horror vacui — die Werke Jahn's bekritteln, bespötteln und veralfanzen werden: Biederkeit, Vollkraft der Gesinnung, Gradheit mit dem bittersten Haß gegen Winkelzüge, gegen ironisirende Tücke und Geheimkram — diese Cardinaltugenden muß ihm sein Feind lassen. Die Erörterung mancher Fragen, die auch die Gegenwart berühren und von allzeitiger Wichtigkeit sind, ist nicht blos von dem eigenthümlichen Standpunkte des Verfs. aus, sondern allgemein gültig, wacker, brav und voll kernhaftiger Gesundheit. Mit innerm Beifall las ich Folgendes unter vielem Andern, dem alle Bessern beipflichten: „Einst haben in der Vorzeit Grübler gezweifelt: ob die Henne älter, oder das Ei? Ihnen gleich kommen die Staatszimmerlinge, die Staaten für älter als Völker halten. Ehe Staaten waren, waren schon Völker, und mußten wesen, wenn jene sein sollten. Völker sind älter als Staaten, und dauernder. Staaten sind oft zufällige Erscheinungen, die in einem Menschenleben gar oft entstehen und vergehen. Völker sind keine Kleisterwürmer, so in einer Dörrsucht dahinsterben und durch einen jeden Staatstropfen, durch einen Hulbaufguß ins Leben gerufen werden. Ein Staat hat nur bloßes Dasein, aber ohne Volk kein Leben." Daran schließt sich denn auch seine Ansicht, daß die Einheit einer Volksgesammtheit durch Staatenvielheit momentan und der- und derzeitig gestört, nie aber vernichtet werden könne, vielmehr jene tieferzeugte, tiefwurzelnde auch wieder in die Erscheinung zu treten im Stande sei. „Der Staat", sagt der Verf. an einer andern Stelle, „kann nur die äußere Befriedigung des Volksthums sein. Ohne inwohnendes Volksthum spielt jeder Staat ein gewagtes Spiel. Die abgewogenste Vertheilung der Gewalten, die genaueste Berechnung der Staatskräfte, der triebwerkigste Geschäftsgang, die durchgreifendste Staatsverwaltung verbürgen keine sichere Zukunft. Es gibt keine andere Gewährleistung für die Reichsdauer, als das Volksthum. Nur dieser Hort ist unantastbar und unvergänglich. In Eisen und Erz gegossene Gesetztafeln verzehrt die Zeit, die auch steinerne Handvesten zermalmt." „Welcher im Aberwitz dabei beharrt: Wo ein Staat, ist auch ein Volk — der ist grade so umsichtig als jener Schildbürger, so steif und fest behauptete: Wo Rauch steigt, brennt auch drunten Feuer. Den fertigte Eulenspiegel für immer ab, als er ihn mit der Nase in einen dampfenden Misthaufen stieß."

Die Aufsätze in vorliegender Sammlung, in denen Jahn frühere, bereits in seinem „Deutschen Volksthum", seiner mit Eiselen in Berlin herausgegebenen „Deutschen Turnkunst" und in seinen „Runenblättern" aufgestellte und ausgeführte Themata mit der alten Derbheit von Neuem behandelt, spielen i[illegible]cherlei Gebiete über, die von dem Brennpunkte: deutsch[illegible]leneinheit, in Ermangelung einer andern, und Begeisterung z[illegible] den Kern des Deutschen mit Wegwurf seiner Schale, beleuchtet und betrachtet werden. Die ersten Abschnitte enthalten etymologische Sprachuntersuchungen, historische Forschungen über deutsche Namen und den Begriff deutsch. Die Abhandlungen: Erbfeind, dreißigjähriger Krieg, Jesuwider (Jesuiten) u. s. w. gewähren geschichtliche Einblicke in das Werden und das Gewordene des deutschen Lebens. Unter dem Artikel „Geschichtsel" finden wir eine treffliche Darstellung der deutschen Zustände zwischen dem Ende des siebenjährigen Krieges und der französischen Umwälzung. Dem Deutschen entschwand immer mehr das öffentliche Leben und er suchte im häuslichen Ersatz und Schadloshaltung. In diesem moosigen Gebiete versumpfte sein weinerlich Gemüth, und um sich von den Miseren der alltäglichen Jämmerlichkeit der häuslichen Einpferchung zu erholen, schuf er sich Geburten des müßigen Gehirns, Rittergeschichten, Räuberromane, Liebesschwächungen und Abzehrungen. Miller's „Siegwart" und Göthe's „Werther" stehen als Mond und Abendstern am Himmel jener Zeit. „In der Nacht und Dämmerung eines großen Völkermorgens", sagt Jahn so kräftig als wahr, „trieb man das Liebeln und Bübeln. Diese widerlichsüße, zu Buch getragene Leseliebe ist ein thatenloser Dämmertraum. Ohne Mühe, ohne Arbeit, ohne Anstrengung, ohne Wage und Strebniß erwächst sie schnell wie ein Giftpilz und blendwerkt wie eine Lufterscheinung. Verborgenheit ist der Boden, wo sie gedeiht. Nichtsthun ist ihr Gelübde, Ruhsucht ihr Schwur. In einer Duftlaube betäubt sie sich zu unseliger Vergessenheit, sie trinkt von Rausch zu Rausch und zerfoltert sich durch weinerliches Geliebel u. s. w." Von Schillers „Räubern" sagt der Verf., diese Jugendverirrung habe unsäglichen Schaden gestiftet und dem Hange zu geheimer Selbsthülfe Vorschub geleistet. Darum duldete Jahn als Fahnenführer in der Lützower Schar niemals, „Ein freies Leben führen wir" zu singen. Theodor Körner, sein Waffengefährte, war damit einverstanden; er legte alten Weisen bessere Worte unter. Andere Erscheinungen Schiller's und Göthe's weiß der Verf. gar nicht zu würdigen. sie passen nicht in seinen Kram, deshalb ignorirt er sie, und sieht also nur eine halbe Seite vom echt deutschen Wesen. „Nach des glanzvollen Befreiungskrieges milden Siege", fährt er später fort in seiner Schilderung deutscher Zustände, „dessen Wesen nur die Preußen und ihre Sinnesverwandten verstanden, aber weder Schmalz, noch Götzgöthe und Göthegötz begriffen, dauerte bei den Meisten ein halb Menschenalter die Siebenschläferei des lockern und losen, listigen und lüstigen Genusses. Der Heune von Großenhain taschenspielerte mit Taschenbüchern. Er wußte aus seiner Heimat, daß der Schütze die Trappen am leichtesten hinter einem Grasemädchen und Mistwagen beschleicht, und fröhnt dem Zeitgeschmack im Schaumwein und Unterrockstänzen." Man hat hier wie überall den alten Recken, der im Eifer seiner Biederkraft oft hohle Mohnköpfe abschlägt und blindlings auch Blumenbeete, obschon es nur die Disteln gelten sollte. Die Abschnitte: Völkerscheiden, wo er seine bekannte Ansicht vom Rhein und dessen Grenze wieder zusammenstellt, Hammen, Wohnlichkeit u. s. w. enthalten Geographisches. Gegen seine Strafpredigt über Wortmengerei haben wir hier auf frischer That gesündigt und deshalb uns gegen seine ängstliche Lehre erklärt. 131.

Miscellen.

Rechtlichkeit eines preußischen Justizministers.

Die Proceßsache des Müller Arnold im Jahre 1779 ist eins der merkwürdigsten Ereignisse unter der Regierung Friedrich's des Großen und in ihren Wirkungen durch ganz Europa von einem weit größern Einflusse gewesen als der Fonk'sche Proceß, den man wol in neuerer Zeit damit verglichen hat. Preuß hat im dritten Bande seiner Biographie des Königs Friedrich eine ausführliche, aus den Acten entnommene Darstellung gegeben. Wir heben aus vielen interessanten Einzelnheiten nur eine, die den Justizminister von Zedlitz betrifft, aus. Bekanntlich hatte der König, nachdem er die Strafbarkeit der betheiligten Kammergerichts- und Regierungsräthe eingesehen zu haben meinte, befohlen, gegen dieselben eine Criminaluntersuchung einzuleiten. Dies geschah, aber das Resultat fiel dahin aus, daß den Räthen nichts zur Last zu legen sei. Dieselbe Ansicht hatte, wie aus Biester's „Berliner Monatsschrift", Bd. 21, S. 541, bekannt ist, auch der Minister Zedlitz. Aber Preuß theilt (S. 406) folgende merkwürdige Stelle aus dem Berichte des Ministers an den König mit: „Ich habe Ew. königl. Majestät Gnade jederzeit als das größte Glück meines Lebens vor Augen gehabt und mich eifrigst bemühet, solche zu verdienen; ich würde mich aber derselben für unwürdig erkennen, wenn ich eine Handlung gegen meine Ueberzeugung vornehmen könnte. Aus den von mir und auch vom Criminalsenat angezeigten Gründen werden Ew. königl. Majestät zu erwägen geruhen, daß ich außer Stande bin, ein condemnatorisches Urtheil wider die in der Arnold'schen Sache arretirten Justizbedienten abzufassen. Berlin am 31. December 1779." Darauf erging die entscheidende Cabinetsordre an den Staatsminister von Zedlitz vom 1. Januar 1780, in welcher der König sagt: „wenn sie (die Mitglieder des Criminaldepartements) also nicht sprechen wollen, so thu' ich es und spreche das Urtheil nachstehendermaßen", und am Schlusse: „Uebrigens will ich Euch noch sagen, wie es Mir lieb ist, daß Ich Euch bei dieser Gelegenheit so kennen lernen, und werde nun schon sehen, was Ich weiter mit Euch mache. Wornach Ihr Euch also richten könnt, und bin ich also sonsten Ew. wohlaffectionirter König."

Die Acten des merkwürdigen Processes liegen dieser neuen Darstellung wiederum zur Einsicht und Kenntnißnahme vor. Besonders scheint aus denselben hervorzugehen, daß der König durch den Bericht des Obersten von Heyking sich habe gleich anfangs einnehmen lassen. In einer in dieser Beziehung beachtungswerthen Cabinetsordre vom 28. December 1779 (S. 519) äußert er sich darüber, warum er „einem ehrlichen Offizier, der Ehre im Leibe hat, mehr glaubt als allen Advocaten und Rechten", und nach diesem Grundsatze handelte er auch hier, da zugleich der Justitiarius des Grafen Schmettau (und den Justitiarien traute er nun einmal nicht) dabei betheiligt war. Ebenso geht aus mehreren Stellen der Acten, besonders aus der Eingabe der Ritterschaft des züllichauischen Kreises (S. 518) hervor, daß der Auditeur Bech, der dem Obersten in der Untersuchungssache diente, eben nicht im besten Rufe gestanden habe. Also dürfte wol die mangelhafte Instruction einen nicht unbedeutenden Einfluß auf die ganze Proceßsache geübt haben, wie denn auch in der Fonk'schen Sache von Seiten der Instruenten manche Fahrlässigkeiten vorgekommen sein sollen.

Friedrich II. prophetische Worte über die deutsche Literatur.

Am Schlusse der Schrift: „De la littérature allemande" sagt der königliche Verfasser: „Wir werden einst unsere classischen Schriftsteller haben, ein Jeder wird sie lesen, um sich daran zu bilden, unsere Nachbarn werden Deutsch lernen, an den Höfen wird man es gern (avec délice) sprechen, und es kann geschehen, daß unsere Sprache, wenn sie vollkommen gebildet ist, durch die Gunst, die unsern guten Schriftstellern zu Theil wird, von einem Ende Europas zum andern sich verbreitet!"

Mögen diese Worte für Diejenigen, welche sich durch Göthe's geistvolle Darstellung des Einflusses Friedrich II. auf die deutsche Literatur noch nicht zum wahren Glauben bekehrt haben, eine Anregung mehr sein, die schätzbaren, urkundlichen Erörterungen zu lesen, die Preuß im dritten Bande seiner Biographie des großen Königs mitgetheilt hat.

Friedrich II. bestimmt den Anzug einer Balletttänzerin.

Eine eigenhändige Randbemerkung des Königs zu einem Briefe des Kammerherrn und directeur des spectacles, Grafen von Zierotin-Lilgenau, vom 21. Juni 1771 lautet: „Il ne faut que des ballets ordinaires". „Tisbé doit être habillée en Ninfe Pastoralle Satin Couleur de cher et Gaze d'argent avec des fleurs." (Preuß's „Biographie Friedrich II." Urkundenbuch zu Band III, S. 150.) 89.

Redigirt unter Verantwortlichkeit der Verlagshandlung: F. A. Brockhaus in Leipzig.

Blätter für literarische Unterhaltung.

Donnerstag, —— Nr. 318. —— 14. November 1833.

Briefe aus Wien.

(Beschluß aus Nr. 317.)

Alle falschen und verderblichen Richtungen in Kunst und Wissenschaft gehen von großen Talenten aus. Deshalb soll neben der verdienten Bewunderung dieser Talente, die bestimmteste Rüge des Misbrauchs stattfinden und nachgewiesen werden, wo derselbe beginnt und daß er übermächtig emporwächst, sofern man ihm nicht bei Zeiten ernst entgegentritt. Anstatt z. B. einen Charakter in allen seinen Theilen gehörig aufzufassen, nach allen Abstufungen und Richtungen zu entwickeln, nirgend des Guten zu viel oder zu wenig zu thun, nichts vorsätzlich oder leichtsinnig hervorzuheben oder fallen zu lassen; statt dieses harmonischen, gleichartigen, überall angemessenen Spieles, wodurch sich besonders die Crelinger auszeichnet, streben manche Künstler und Künstlerinnen mit Aufopferung des Ganzen nur dahin, an einzelnen Stellen die Kraft ihrer Mittel übertrieben geltend zu machen und dadurch unpassenden Beifall gleichsam zu erzwingen. Sie vergessen, daß das Vereinzelte stets mangelhaft, das Gewaltsame nie erhaben, das Uebertriebene immerdar krankhaft und häßlich ist.

Von allen Seiten wird jetzo Kraft, Feuer, Stärke und Fülle gefodert, empfohlen und bewundert; aber jene Kraft ist in Wahrheit nur zu oft jene eines Nervenkranken, die angeblich feurigen Bewegungen gehen aus innerm Froste hervor, die gerühmte Stärke des Tons wird tonlos, und die Fülle der Accente ist nichts als leerer Bombast. Wenn aber die Hauptrufer im Streit voranschreien, vergessen die Uebrigen in ihrer Beifallsgier ihre eigne Natur und Stellung und überbieten sich untereinander, bis es scheint, man führe nur ein einziges Schauspiel, den Thurm zu Babel, auf.

Obgleich insbesondere Milde, Schönheit und Stimmen der Weiber verloren gehen, sobald sie sich auf solchen Wettlauf einlassen, feuert das Publicum (statt davon zurückzuhalten) mit lautem Halloh und Tajo zu dieser Kunsthetze an. Da soll dann die Fournier so stark sprechen wie die Crelinger, die Crelinger wie die Schröder; und doch verschwindet wiederum dies vermeinte non plus ultra, im Fall die Duchesnois und die Georges losgelassen würden. Es wäre Zeit, man wendete einmal um und stellte den Preis an das andere Ende der Laufbahn; wenigstens haben mit Recht bewunderte Künstlerinnen (wie die Mars, die Bethmann und die Wolff) ihn weit mehr in dieser als in der jetzt vorherrschenden Richtung gesucht und erlangt. Fodert man aber z. B., daß unsere Jungfrauen von Orleans nicht hinter unserm Dunois zurückbleiben, so sollte man ihnen an den Helm gleich ein Sprachrohr oder einen Elefantenrüssel anschnallen, damit sie ihre Begeisterung urkräftig bis in die Galerie oder das Paradies hinauf aussprudeln und ausschnauben könnten.

Um gut und schön zu spielen, dazu gehört in unsern Tagen nicht blos Anlage und Geschicklichkeit, sondern auch Muth; man muß dem irrigen Beifalle des Augenblicks oft entsagen, ja auch wol Misfallen überstehn, um erst später als treuer Anhänger der echten Kunst Lorbern zu ernten.

Den —

Meine Zeit erlaubt nicht, über die treffliche Aufführung einiger Lustspiele im Burgtheater Bericht zu erstatten, oder hinsichtlich der Tragödie Gutes und Bedenkliches genauer zu sondern: nur so viel, daß in der „Jungfrau" Korn und La Roche, die Peche und die Fournier durchaus nicht in die obengerügten Fehler verfielen, sondern einen zusammenstimmenden löblichen Kern des Ganzen bildeten. Obgleich Sie über die letzte Schauspielerin ausdrücklich ein umständliches, wohlbegründetes Urtheil fodern, muß ich doch bitten, daß sie sich mit kurzen Andeutungen begnügen.

Zu der Zeit als die Fournier Dresden verließ und zuerst in Berlin auftrat, fand ich in Hinsicht auf Gang, Haltung, Bewegung, Mienenspiel u. s. w. mancherlei an ihr auszusetzen, sie that überall des Guten zu viel und schien einer gezierten Manier ergeben, welche den Zutritt zur echten Kunst verschließt. Später bemerkte ich, daß diese Spielweise in sich keineswegs völlig abgerundet, keineswegs zur Meisterschaft ausgebildet sei, etwa wie bei Fräulein —. Diese Unvollkommenheit erweckte zuerst Hoffnung in mir; denn nur das vermeintlich Vollendete, in Wahrheit aber Versteinerte ist in diesen Regionen ganz unheilbar. Ferner vernahm ich, die junge Künstlerin sei in ihrem übrigen Wandel einfach und natürlich und hier von Kunstspreizereien nichts zu sehen und zu hören. Endlich ward mir glaubhaft versichert, daß sie den ernsten, nichts durchlassenden Tadel treuer Freunde nie mit falscher Höflichkeit oder innerm Verdrusse aufgenommen, sondern sorgfältig geprüft und ihren Dank dadurch auf die erfreulichste Weise ausgesprochen habe, daß ihr Streben zum Bessern und ihre Fortschritte sich in jeder Darstellung offenbarten. Denn wenn nichts dem verständigen Besucher des Schauspiels langweiliger wird als die stets gleichbleibende Mittelmäßigkeit, so ist fast nichts anziehender, als zu beobachten, wie ein jugendliches Talent sich auf rechtem Wege entwickelt. Vor Allen sollte jede Theaterdirection hierfür ein scharfes Auge haben und in der Gegenwart schon die Zukunft erkennen, um beim Annehmen und Entlassen der Schauspieler nicht Misgriffe zu begehen.

Als die Fournier leider Berlin verließ, hatte sie im Lustspiele schon sehr viel geleistet, aber fast keine Gelegenheit gehabt, sich fürs Tragische auszubilden; in Wien hingegen ist sie ausschließlich auf das letztere angewiesen. Doch bleibt aus den schon oben angedeuteten Gründen zu wünschen, daß die einsichtige Direction ihr von Zeit zu Zeit auch eine heitere Rolle anvertraue und ihre Kräfte nicht durch übergewaltige Rollen zu sehr in Anspruch nehme.

Ich sah von ihr unter Andern zweimal die „Jungfrau von Orleans" und möchte ein wichtiges Lob an einen Tadel anknüpfen, nämlich: daß sie das zweite Mal einzelne Fehler (z. B. des Athmens, des Mienenspiels) ganz beseitigt hatte; ein Beweis nicht blos preiswürdiger Aufmerksamkeit, oder verständiger Benutzung guten Rathes, sondern vor Allem ein Beweis von Bildsamkeit. Denn wie oft werden manchen Schauspielern gewisse Mängel vorgehalten, und doch bleiben jene unverändert auf derselben Stelle.

Ich will nicht wiederholen, was wir schon oft hinsichtlich jener Tragödie sprachen; über die Abweichung vom Geschichtlichen, die Mischung des Natürlichen und Wunderbaren, die plötzliche Liebe u. s. w. Nachdem ich unzählige Mal die „Jungfrau von Orleans" (die einige Mal vielmehr ein Kerl von Orleans war) spielen sah, hegte ich die Ueberzeugung, daß diese Rolle eben von jeder oder von keiner Schauspielerin könne dargestellt werden. Denn gewisse declamatorische und rhetorische Stellen finden immer Beifall, und daß der Charakter durch den Dichter in zwei Stücke gebrochen zu sein scheint, gibt dem daran gewöhnten Publicum keinen Anstoß.

Die Darstellung der Fournier war dessenungeachtet so neu und eigenthümlich, so gar nicht gerühmten Vorbildern nachgebildet, daß ich erst das zweite Mal mich ganz hinein gedacht und gefühlt und ihrem Kopfe und Herzen Recht gegeben habe. Jener Mangel an Einheit im Charakter der Jungfrau wird gewöhnlich dadurch auf ungenügende Weise zugedeckt, daß das kriegerische oder zärtliche Element vorherrscht; die Fournier hingegen hob das Doppelte, scheinbar Widersprechende auf, indem sie dafür den einzig richtigen Grund fand und zur Klarheit brachte. Johanna nämlich ist von Natur eine zarte Hirtin, eine (ungeachtet des Abweisens eines Liebhabers) liebefähige Jungfrau, von weicher Stimme, bescheiden, zurückgezogen. Nicht einen breitschulterigen Dragoner in Weiberkleidern hatte die Madonna zu ihrem Rüstzeuge auserſehen, sondern der Herr wird in den Schwachen mächtig. Kommt nun der Geist über Johanna, so ist sie muthig, rasch, kriegerisch, mit sich fortreißend; in andern Augenblicken und Lebensverhältnissen sehen wir dagegen die Hirtin ohne übernatürliche Zuthat, und (ich wiederhole es) dieser Zwiespalt und Gegensatz begründet erst auf echte Weise eine höhere Einheit der doppelten Natur, der menschlichen nämlich und der göttlich begeisterten.

Sowie in der gesammten Auffassung zeigte sich auch Eigenthümliches und Löbliches im Einzelnen. Beim ersten Anblick Lyonel's verwandelte sich z. B. das Gesicht der Sophie Müller plötzlich in selige Verklärung; auf dem beweglichen Gesichte der Crelinger sahen wir schon während des Schweigens jede Abstufung von grimmigem Hasse, Erstaunen u. s. w. bis zur festgehaltenen glühenden Liebe; bei der Fournier wirkte der Anblick Lyonel's wie ein Blitz, zugleich erleuchtend und erschreckend, und sie vermied vielmehr seinen Blick, als daß sie ihn suchte. Für jede dieser drei Auffassungen läßt sich viel sagen: die erste ergreift den Augenblick als fertiges Wunder; die zweite zeigt die innere psychologische Verwandlung; die dritte erinnert zugleich an das menschliche Gefühl und die höhere Pflicht, und verknüpft Wunder, Psychologie und Moral.

Man sage mir, daß die Fournier in Maria Stuart, Ophelia und Desdemona großen Beifall gefunden, und ich glaube, daß diese Regionen der Tragödie ihrer Natur mehr zusagen als etwa die Phädra und ähnliche Rollen. Ueberhaupt ist es ein Irrthum der Zeit, überall das Erhabene dem Schönen voranzustellen, besonders wenn jenes mit dem Unnatürlichen, Ungemäßigten verwechselt wird. Weiß die Fournier immer die Charaktere so angemessen aufzufassen und ihre Kräfte so richtig zu vertheilen, wie im „Enzio" und der „Jungfrau", hält sie das Gewaltsame und Uebertriebene wie das Gezierte durchaus fern, opfert sie die aus dem Herzen kommende und zu Herzen gehende Empfindung nie gewissen Knalleffecten, so wird ihr trotz anfänglicher Schwierigkeiten auch das Schwierigste gelingen: nämlich frühere Gegner und strenge Beurtheiler in Freunde zu verwandeln und ihren aufrichtigen Beifall zu verdienen.

75.

Neueste Kunde von Abyssinien.

Den ältern Nachrichten, die wir besonders dem Patre Lobo, aus der Mitte des 17. Jahrhunderts zu verdanken haben, und den neuern Bruce's, Lord Valentia's (Graf v. Mountmorris) und dessen damaligen Secretairs, Salt's, sind jetzo neueste gefolgt: „The life and adventures of Nathan Pearce, written by himself, during a residence in Abyssinia, from the year 1810—19. Together with Mr. Coffin's account of his visit to Gondar. Edited by *J. J. Halls* (2 Bände, London 1831). Pearce, der unter den seltsamsten Schicksalen bereits alle Theile der Erdkugel durchstrichen, war von Salt beauftragt, mehre Jahre in Abyssinien zu verweilen, um über Sitten, Klima, Producte, Manufacturen und andere für den Handel wichtige Gegenstände sich so genau und vollständig wie irgend möglich zu unterrichten; was er denn auch gethan, auf der Rückreise nach England seine Tagebücher zu Alexandria in Ordnung gebracht und sie, als ihn am letztern Orte Krankheit und Tod übereilten, dem Generalconsul Salt überliefert hat. Coffin, ein verständiger Kaufmann, gab dann seine eignen Bemerkungen dazu. So ist jenes zwar schlecht stylisirte, aber reichhaltige Buch entstanden. Für die letztere, gute Eigenschaft werden einige Auszüge sprechen. Das Königreich ist in Bezirke getheilt, die unter Statthaltern (Ras), unabhängigen, gesetzlosen Herrschern, stehen. Diese Statthalter sind in unaufhörlichen Fehden begriffen und schelten einander Rebellen und Usurpatoren. Pearce und Coffin hatten ihren Aufenthalt zu Chelicut, bei dem Statthalter von Tigre, Namens Welled Selasse, genommen und standen bei ihm in hohem Ansehen wegen ihrer Geschicklichkeit, die drei Kanonen, welche der Ras vom Hrn. Salt zum Geschenk erhalten, und wodurch er alle seine Feinde, besonders auch die schlimmsten Nachbarn in Süden des Reiches, die Galla (Neger), aus dem Felde schlug, zu handhaben. Uebrigens war dieser Ras ein milder und gerechter Mann, der nur offenbare Mörder mit dem Tode bestrafte. Mit dem Königthum von Abyssinien steht es etwas wunderlich. Es gab damals einen Oberkönig, Tekla Gorgis, und drei Unterkönige, die sämmtlich ihre Abstammung von Menelek herleiten und eine Dynastie ausmachen. Die rechte, legitime Linie läßt sich nicht mehr herausfinden, und so entscheidet denn in zweifelhaften Fällen die größere Gewalt. „Itsa" ist der Königstitel. Die alte Hauptstadt ist Gondar, ausgebreitet über eine weite Ebene, aus welcher einzelne Hügel hervorragen. Einen großen Raum nimmt hier der Sitz des ersten Bischofs des Reichs ein, zugleich eine Freistatt für alle Verbrecher, ausgenommen jedoch Mörder. Die Stadt, überall mit Bäumen bepflanzt, zwischen welchen die Häuser zerstreut umherliegen, gleicht einem Walde. Die Hauptkirche ist innen mit blauer Seide und vielen Spiegeln behangen. Die Rechtspflege betreffend (von der Religion, der Moralität, den Sitten u. s. w. werden wir nachher Einiges berichten), gibt es zwar im Reiche ein geschriebenes, aus den Büchern des Alten Testaments gesammeltes Gesetzbuch, das aber, da der Wille der Häuptlinge (des Oberkönigs, der Unterkönige und der Statthalter) meistens statt des Gesetzes gilt, nur selten angewandt wird. Der Advocatenstand ist sehr zahlreich; auch die Frauen sind nicht davon ausgeschlossen. Vor Gericht stehen die Advocaten neben ihrer Partei und führen mit lauter Stimme deren Sache. Man bietet dem Gegenpart Wetten von Kühen, Schafen, Geld u. s. w. an, wer den Proceß gewinnen werde. Den Preis der Wette zieht aber dann der Statthalter ein. Auch wird ein Stück Geld, ein Esel oder dergleichen darauf gesetzt, wer den Andern nicht werde ausreden lassen, und da ereignet es sich dann gewöhnlich, daß, wenn der eine Advocat oder dessen Client handgreifliche Lügen vorbringt, der andere, obgleich er sich bisher den Mund zugehalten hat, doch in der Wuth ausbricht: „Eine Lüge!" der Esel oder das Geld verfallen ist. Denn des Statthalters auflauernder Diener springt sogleich zu und setzt sich in Besitz des verfallenen Gegenstandes. „Ich habe einen ehrlichen Mann gekannt", erzählt Pearce, „der auf diese Weise 50 schöne, weiße Maulesel verlor." Wie von den Statthaltern auch außer Gericht schnelle Justiz verwaltet werde, davon nur folgendes Beispiel. Welled Selasse machte eine Reise durch seine Landschaft, da trat ihn ein Weib an und klagte, ein Nachbar habe ihren Gatten getödtet. Der Verbrecher wurde vorgeführt, die Zeugen abgehört, die That wahr befunden. Der Ras that den Ausspruch, die Witwe möge, nach den Gesetzen, mit dem Mörder verfahren, wie es ihr beliebe. „Aber ich habe keinen Speer und kein Schwert und keine Verwandte, die mir helfen!" erwiderte die Frau. „So hänge ihn!" sagte der Ras. „Wie kann ich das?" antwortete die Frau. „Einen Riemen habe ich zwar, aber keine Kraft." Welled Selasse befahl nun einem seiner Pagen, der Frau den armen Sünder an einem Baume aufhängen zu helfen. „Gott segne Euch!" rief die Frau. „Alle Verwandte des Mörders sind hier gegenwärtig und können den Körper sogleich auf dem nahen Kirchhofe begraben." Der Verbrecher ward gehenkt. Nach einer Weile stieg die Frau auf den Baum, um den Riem, den sie nicht mit wollte begraben lassen, abzulösen. Der Gehenkte fiel herab, die Verwandten nahmen den Körper in Empfang, um ihn nach dem nahen Kirchhofe zu tragen. Kaum waren sie aber 50 Schritte gegangen, so sprang der todte Mann davon und war im Augenblicke aus dem Gesicht. „Gerechtigkeit! Gerechtigkeit!" schrie das bestürzte Weib. Aber der Ras lachte herzlich und sprach: „Kannst du wünschen, daß ein Mensch getödtet werde, den Gott nicht will sterben lassen? Willst du, thörichtes Weib, dich dem Willen des Allerhöchsten widersetzen?" Sogleich besann sich die Frau und sagte: „Ein nichtswürdiger Kerl ist es zwar; doch kann er Dinge thun, die uns Andern unmöglich sind. Nie wagen es die Heuschrecken, sein Korn zu berühren." Sie ging darnach zur Kirche, bat für ihn um Vergebung seiner Sünde und nahm — wie Pearce hörte — ihn bald nachher zum zweiten Mann.

Um Religion und, in Folge davon, um Sittlichkeit, steht es in Abyssinien sehr übel. Das dortige, sogenannte Christenthum ähnelt am meisten dem griechischen, ist aber noch mit vielem heidnischen Wuste vermischt. Dahin gehört z. B. die religiöse Verehrung der Schlange. Wer eine Schlange tödtet, wird mit dem Tode bestraft. Auch findet noch Vielweiberei statt. Die Verheirathungen sind kein kirchlicher Gegenstand. Hin und wieder ereignet es sich jedoch, daß ein Paar erklärt, sie wollen miteinander zufrieden sein, in welchem Falle dann Gemeinschaft des Eigenthums bedungen, vor der Versammlung der Aeltesten der Vertrag beschworen und durch gemeinschaftlichen Genuß des Abendmahls geheiligt wird, auch eine solche Ehe nur durch eine förmliche Scheidung wieder getrennt werden kann. Der zahlreiche Klerus ist im Allgemeinen höchst verderben. Die Geistlichen sind die ärgsten Säufer und Fresser im Lande, außerdem Klopffechter, Raufbolde, Lügner und Betrüger. Da sie untereinander sich alle als gleich betrachten und, wie es den weltlichen Häuptlingen beliebt, angestellt werden, so fehlt es an Ordnung. Das gute Beispiel einiger Wenigen ist von geringer Wirkung. Heirathen dürfen sie, aber, wie bei den Griechen, nur einmal, was denn sehr schlimme Folgen nach sich zieht. Eine Menge junger Geistlicher, die noch kein bestimmtes Amt haben, ziehen im Lande umher und halten Schule. Dieses geschieht unter freiem Himmel und nach einer Art wechselseitigen Unterrichts. Die Knaben sind oft so ungezogen, daß der Lehrer sie monatelang in Ketten legt. Da nur Wenige schreiben lernen, so steht Geschriebenes und Zauberformeln in ziemlich gleicher Bedeutung und Ansehn. Man glaubt, daß durch dergleichen geschriebene Blätter Hagel und Heuschrecken können abgehalten und alle Krankheiten geheilt werden. Die Geistlichkeit zieht von diesem Aberglauben reichen Gewinn und macht sich bei dem großen Haufen so furchtbar, daß auch die mächtigsten Häuptlinge es nicht wagen, dem Unwesen zu steuern. Statt mehrer Beispiele nur eins. Ein geistlicher Gauner durchzog zu Pearce's Zeit das Land und rühmte sich, die bösen Geister, denen man Hagel, Heuschrecken und andere Uebel zuschreibt, vertreiben zu können, wofür dann gute Bezahlung geleistet werden mußte. Er übte seine Kunst aber jedesmal in der stärksten Sonnenhitze, setzte sich auf einen mit gedörrtem Pferdedünger bestreuten Platz, und alles Volk mußte eine Strecke zurücktreten, um ihn nicht, wie er vorgab, in seinen Gebeten zu stören. Dann fing er verstohlenerweise — wie aber Pearce es bemerkte — mittels des Bodens einer zerbrochenen Glasflasche die glühenden Sonnenstrahlen wie durch ein Brennglas auf, setzte den trockenen Dünger in Brand, warf einiges Räucherwerk hinein und erregte einen gewaltigen Dampf. Indem der Qualm gen Himmel emporwirbelte, rief er: „Gott hat mich erhört. Vom Himmel hat Er selbst dieses Feuer gesandt, um Eure Feinde, sowol die sichtbaren als die unsichtbaren, zu vertilgen." Pearce entdeckte zwar dem Statthalter die Betrügerei; dieser aber getraute sich es doch nicht, Unglauben an dem Wunderthäter zu bezeigen. Auch gibt es eine Sekte von Flagellanten, Zackarys genannt, die mit großem Geschrei umherziehen, sich geißeln und das Fleisch mit Messern zerschneiden und sich für Abkömmlinge vom heil. Georg ausgeben. Sie besitzen eine Kirche, in der ein ewiges Licht brennt und ein Wasser sprudelt, das, wie sie rühmen, gegen böse Geister schützt. Toleranz in Abyssinien steht nicht in Ehren. Der Statthalter konnte sich nicht genug darüber wundern, daß der König von England bei seiner großen Macht nicht alle Mohammedaner und Heiden vertilge, wofern sie sich nicht wollten zum Christenthum bekehren lassen. Pearce antwortete: „Die Engländer zwingen Niemand mit Gewalt zu Annahme einer Religion, tragen aber den Völkern die wahre Religion aus der Heiligen Schrift vor, damit sich die Bekehrten dann hierauf gründen können." „Sehr gut!" erwiderte der Statthalter; „aber besser wäre es doch, den Ungläubigen einen tüchtigen Schlag zu versetzen und ihre Städte niederzureißen und zu verbrennen, um ihnen zu zeigen, daß die Nachfolger Jesu unter dem Schutze des Allerhöchsten mächtiger sind als die Anhänger Mohammed's und anderer Abgötter."

In Sitten und Bräuchen sticht manches Seltsame hervor. Z. B., wenn die Eltern eine Tochter (man findet achtjährige Frauen und zehnjährige Mütter) zu verheirathen wünschen, putzen sie dieselbe schönstens heraus und setzen sie vor die Thür, wo sie spinnt oder sonst ein weibliches Geschäft betreibt, sodaß ein Jeder sie sich ansehen kann. Meldet sich ein Freier, so wird er bald mit den Aeltern einig, darf das Mädchen zur Probe mit sich nehmen und kann, wenn sie ihm nicht gefällt, sie wieder entlassen; doch ist dieses Verfahren nur in den niedern Ständen üblich. Zimmerleute, Gold-, Silber- und Kupferschmiede stehen als Personen von hohem Range in großer Achtung; Eisenschmiede und Töpfer aber werden für unehrlich gehalten. Sie dürfen an den heiligen Sacramenten nicht Theil nehmen, und man glaubt, daß sie sich in Hyänen verwandeln können. Sie lassen sich diesen Aberglauben gern gefallen und bestärken vielmehr die Leute darin, um ihr einträgliches Gewerbe als Monopol in ihren Familien zu behalten. Man nennt sie Budas. In den Häusern der Abyssinier herrscht die äußerste Unreinlichkeit. Es wimmelt darin von Ungeziefer. Hauptnahrungszweig ist Ackerbau und kostet wenig Mühe. Man baut Weizen, Gerste, Bohnen, Erbsen, Hanf und manche bei uns unbekannte Früchte. Die Aussaat dauert vom April bis Juni, die Ernte vom September bis November; für manche Kornarten fällt sie jedoch erst in den December und Januar. Wo man die Felder bewässern kann, gibt es Ernte das ganze Jahr hindurch. Die Regenzeit dauert vom Juni bis August. Mit zwei Feinden hat der Landmann zu kämpfen, mit den Affen und dem Unkraut. Nur den bewaffneten Landleuten weichen jene, unbewaffnete schlagen sie in die Flucht. Aber auch das Unkraut, dessen es hier viele Arten gibt, wird durch bewaffnete Macht angegriffen. Der Häuptling eines Districts zieht, wenn Unkraut überhandgenommen hat, sein Armeecorps zusammen und führt es in das Kornfeld. Dort werden die Waffen niedergelegt; ein Frauenzimmer tritt vor die aufmarschirte Linie; ein Chorgesang hebt an; die Linie rückt an, reutet das Unkraut Schritt vor Schritt aus, und ein weites Feld ist in kurzer Zeit gereinigt. Ist das Werk vollbracht, so folgt ein Fest. Rohes Rindfleisch mit Pfeffer und Oel, der Abyssinier Leckerbissen, und Mais sind die Hauptgerichte. Ueberhaupt sind die Abyssinier starke Esser. Deshalb besteht eine Hauptartigkeit darin, den Gast vollzustopfen, und es wird für eine große Unhöflichkeit gehalten, wenn die Hausfrau dieses nicht mit eignen Händen vollführt. Je mehr der Gast hinterschlingt, für desto wohlerzogener wird er gehalten. Außer Gesang, Musik und Tanz sind auch Jagd und Schach sehr beliebt. Wandernde Dichter und Sänger beiderlei Geschlechts durchziehen das Land und bieten bei fröhlichen und traurigen Ereignissen ihre Dienste an. Ausgezeichnete in ihrer Kunst werden hoch bezahlt und erwerben sich Reichthum. Man hat mancherlei musikalische Instrumente: Trompeten aus Elefantenhaut, Hörner, hölzerne Pfeifen verschiedener Art, kleine und große, kegelförmige Trommeln, Geigen mit nur einer Saite, auch eine Art Lyra mit sechs oder zehn Saiten. Beim Tanzen werden mehr die Schultern und das Haupt als die Füße bewegt. Tanzen Mehre, so geschieht es im Kreise. Die Männer hüpfen zuweilen hoch empor, während die Damen niederhocken und Kopf, Schultern und Brust nach dem Takt bewegen und dann gar anmuthig wiederaufspringen. Gewöhnlich wird zum Tanze gesungen. Auch die Geistlichen grimassiren stark bei den kirchlichen Gesängen. Musik und Tanz werden auch als ein Heilmittel bei einer seltsamen Krankheit, einer Art Grippe, die aber besonders nur das Frauenzimmer befällt, angewandt. Der Vater oder Gatte dingt eine Schar Trompeter, Pfeifer und Trommler, sorgt für Branntwein und versammelt die jungen Leute vor seinem Hause. Die Kranke, schon abgezehrt, fast sprachlos, ohnmächtig, in Thränen zerfließend, wird mit eignem oder zusammengeborgtem Schmuck geputzt. Nachdem die Trompeten einige Minuten geschmettert haben, fängt sie an, die Schultern zu bewegen, dann Kopf und Brust; nach einem Viertelstündchen sitzt sie aufrecht im Bette, bewegt sich immer heftiger nach dem Klange der Musik, springt plötzlich aus dem Bette, tanzt im Zimmer umher; alle Mattigkeit ist verschwunden. Am folgenden Tage wird sie auf den Markt geführt, tanzt, bis der Abend hereindunkelt, und stürzt zuletzt plötzlich nieder. Man schießt ein Gewehr über sie ab, fragt, ob sie curirt sei. Sie steht auf und ist wieder gesund. Pearce meint, es möchten doch wol manche Frauenzimmer, die gern Aufsehen erregen, geschmückt erscheinen und einen glänzenden Ball haben wollen, sich dieses Kunstgriffs bedienen, um bei zähen Aeltern oder Gatten zum Zweck zu gelangen. Ihm wenigstens sei mit seiner eigenen Frau es dort so ergangen.

Die Münze im Lande ist Zeuch in Stücken, jedes etwa 1 Thaler werth. Bei geringern Preisen für andere Waaren werden diese Stücke halbirt oder in Viertheile zerschnitten. Lebensmittel aller Art sind sehr wohlfeil. Die Steuern werden insgemein in Naturalien bezahlt; in einigen Bezirken aber auch in Gold und in Fabricaten. Sie fallen in die Kasse der Häuptlinge der Bezirke, die dann wieder dem Statthalter der Landschaft einen jährlichen Tribut erlegen.

Die Abyssinier sind ein Mischlingsvolk wie vielleicht kein zweites auf Erden. Manche sind schwarz, manche weiß, manche kupferfarben; bei manchen ist das Haar lang, bei manchen wollig und kraus. Wenige können sagen, von welchen Vätern sie abstammen. Denn bei dem häufigen Wechsel der Statthalter, da gewaltsame Veränderungen hier an der Tagesordnung sind, pflegt der neue einen großen Theil des Grundeigenthums an sich zu reißen und die bisherigen Besitzer fortzujagen, die dann anderswo unterzukommen suchen müssen. Auch die Soldaten laufen von einem Herrn zum andern über. Nach dem Absterben des alten guten Statthalters Welled Salasse (1816) brachen über die Nachfolge so heftige Fehden unter den verschiedenen Häuptlingen aus, daß Pearce beschloß, das zerrüttete Land zu verlassen. Ein Häuptling, Namens Subegadis, ein tapferer, gescheiter, junger Mann, hat die Nebenbuhler besiegt, wird wahrscheinlich sich auch der Oberherrschaft im Reiche bemächtigen, und es sind dann durchgreifende Verbesserungen zu hoffen. 72.

Anekdote.

Cardinal Pacca auf der Bibliothek zu Paris.

Als Pacca im Januar 1813 aus seinem Kerker zu Fenestrelles auf Napoleon's Befehl nach Paris gebracht war, wurde ihm auf der Bibliothek unter andern Merkwürdigkeiten die Originalhandschrift von Pascal's „Pensées" gezeigt, und zufällig ward das Blatt aufgeschlagen, auf welchem der Satz steht: „la force est la reine du monde". „Ja, Herr Bibliothekar", versetzte der Cardinal, „die meisten Handschriften, die Sie mir gezeigt haben, sind Beweise für die Wahrheit dieses Satzes." 39.

Redigirt unter Verantwortlichkeit der Verlagshandlung: F. A. Brockhaus in Leipzig.

Blätter für literarische Unterhaltung.

Freitag, —— Nr. 319. —— 15. November 1833.

Deux ans de règne. 1830—32. Par *Alphonse Pepin*, avocat. Paris 1833.

Unter den zahlreichen Schriften über die Julirevolution und deren Folgen hat kaum eine so großes Aufsehen erregt und zu so heftigen Debatten Anlaß gegeben als das Buch des Herrn Pepin. Die Broschüren berühmter Autoren wie Chateaubriand und Thiers über denselben Gegenstand waren nicht so eifrig und so lange Zeit besprochen worden als diese Leistung eines Schriftstellers, der zum ersten Male in der Literatur auftrat und sich auch im Advocatenstande vorher durchaus nicht bekannt gemacht hatte. Das Buch erregte schon Aufsehen, ehe es noch erschienen war. Die Ministerialblätter füllten ihre Columnen mit Auszügen, die Opposition eiferte schon gegen den Inhalt, ehe man wußte, bei welchem Verleger und wann das Buch herauskommen würde. Die kleinen Journale prophezeiten mit ihrer gewöhnlichen Malice aus dem Namen des Verfassers, der König sei es wol selbst; das Titelblatt zeige anstatt der Frucht nur den Kern. Wie aber erst als das Werk in den Buchhandel kam! Die doctrinairen Blätter konnten nicht Worte genug finden, es zu rühmen; in den vornehmsten Salons feierte man die Schrift und den Verfasser, der sich glücklich schätzen konnte, daß die Gegner seiner politischen Ansicht, anstatt wie gewöhnlich zum Rappier, diesmal zur Feder griffen. Was Vielen ihr Leben hindurch nicht gelingt, erreichte Herr Pepin bei seinem ersten Auftreten in der Literatur: er gewann viele Freunde und eine größere Anzahl von Widersachern. Diesen Vortheil erlangen Andere durch ein überwiegendes Talent; Herr Pepin verdankte ihn mehr dem factischen Inhalte und der Tendenz seines Buches. Er hatte den ganzen Zeitraum von dem Ausbruche der Julirevolution bis zur dritten Feier des Sieges im Jahre 1833 geschildert, alle Namen genannt, über Jeden abgeurtheilt und mußte dadurch die Zufriedenheit der Einen erlangen und sich die Rüge der Andern zuziehen. Was aber besonders die Aufmerksamkeit des Publicums auf sein Buch lenkte, war die Erklärung in der Vorrede, daß er es nach authentischen Documenten geschrieben habe.

Die Kritiker, welche in Paris gegen Herrn Pepin auftraten, haben zum Theil die Wahrheit dieser Erklärung bezweifelt; Andere gaben zu, daß er nach Quellen geschrieben, die er als authentisch anzusehen befugt war, behielten sich jedoch vor, einzelne Angaben jener Quellen zu widerlegen. Vom größten Interesse war eine Kritik, die in der pariser Zeitschrift: „Revue des deux mondes", erschien, und deren ungenannter Verfasser Herr Loeve Veimars ist, ein junger Schriftsteller von deutscher Abkunft, der nach seinen bisherigen Leistungen dazu bestimmt scheint, einen hohen Rang in der französischen Literatur einzunehmen. Er spricht die Ansicht aus, die ersten Capitel des Buches müßten wol von Herrn von Schonen in die Feder dictirt sein, die folgenden vom Grafen Montalivet, und er deutet an, daß der König Ludwig Philipp selbst großen Antheil an dem Werke zu haben scheine. Gegen diese Bemerkung erhob sich Herr Pepin in den pariser Zeitungen, und es bedarf also zuvörderst einer kurzen Untersuchung, wer von Beiden Recht hat; denn ehe wir wissen, nach welcherlei Quellen ein Geschichtschreiber arbeitete, können wir über den Werth seiner Schilderungen nicht füglich urtheilen.

Den Herrn von Schonen hatte man bisher zu den französischen Politikern von untergeordnetem Range gezählt. Man wußte, daß er vor den Julitagen zur Opposition gehörte, und daß er nach dem Siege fleißig bei Hofe erschien, wo er immer durch die weitgeöffnete Flügelthüre empfangen werden mußte, denn Herr von Schonen kann durch die einfache Thüre nicht ins Zimmer, er ist beleibt. Man wußte auch, daß er seitdem königlicher Procurator an einem Gerichtshofe ward und in der Kammer einen Vorschlag zu Gunsten der Ehescheidung machte, angeblich, weil er mit seiner Gemahlin nicht zufrieden war. Im Uebrigen wußte man nichts vom Herrn von Schonen. Durch das Buch von Pepin wird er plötzlich eine bedeutende Person. Man erfährt, daß die vorige Königsfamilie ihm eine ganz besondere Abneigung habe angedeihen lassen. Als er einmal in die Tuilerien kam, wollte die Herzogin von Angoulême den Anblick nicht ertragen und hielt sich den Fächer vors Gesicht; ein anderes Mal, da sie ihn in Verneuil gewahrte, rief sie aus: „Immer diesen Schonen! ich ersticke! ich ersticke!!" Es ist doch merkwürdig, daß Herr Pepin, ohne sonst viel von der Restauration zu sprechen, ausdrücklich erzählt, welche Unbill damals Herr von Schonen ertrug. Noch viel öfter wird derselbe Politiker bei Gelegenheit des Julikampfes genannt. Der Verf. belehrt uns, wie jener eine Stunde nach der andern zugebracht; und sonderliches Gewicht legt er darauf, daß der Weg des Herrn von Schonen nach dem Hause des Herrn Gassicourt in der Straße St.-Honoré, Nr. 108, nicht ohne Gefahr war. Die unglücklichen Patrioten, die am selben Tage von Kugeln durchbohrt wurden und eine Familie zurückließen, welche der gleichzeitige Geschichtschreiber, ohne die Geduld des Lesers zu ermüden, der königlichen Gewogenheit empfehlen kann, diese vergißt Herr Pepin ausdrücklich zu nennen; aber der König soll erfahren, daß Herr von Schonen nicht ohne Gefahr über die Straße ging. Derselbe Politiker wird in den ersten Capiteln bisweilen auf Einer Seite fünfmal genannt, und das berühmte Wort Lafayette's zu den Abgeordneten Karl X.: „Es ist zu spät, der Kampf hat entschieden!" das nach S. 70 Lafayette allein zugehört, wird nach S. 34 im Chor von Lafayette und von Herrn von Schonen ausgesprochen. In den folgenden Capiteln ist dann plötzlich von Letzterm nicht mehr die Rede; und sowie in den ersten Abschnitten Herr von Schonen gleichsam als die Hauptperson der Julitage erscheint, so dreht sich nachher Alles um den Grafen Montalivet. Die Vermuthung in obgedachter pariser Zeitschrift gewinnt also einige Wahrscheinlichkeit.

Das sechste Capitel bildet den Uebergang von Herrn von Schonen zum Grafen Montalivet. Hier werden Beide nebeneinander genannt, aber der Erstere flüchtig, und von nun an besingt Herr Pepin hundert Seiten hindurch den Ruhm des jungen Grafen, der allerdings in einer Geschichte der Julirevolution und ihrer Folgen eine specielle Erwähnung verdient, denn er war vor der Umwälzung Mitglied und Secretair einer geheimen Gesellschaft und später Minister, der aber doch; ehe Herr Pepin schrieb, gewöhnlich nicht an die Seite Lafayette's und zumal nicht über ihn gesetzt ward. Es ist interessant, bei Herrn Pepin nachzulesen, wie Herr von Montalivet „in eigner Person" die Exminister vom Palaste der Pairs nach Vincennes begleitete, mit wie wenigen Soldaten er diesen Weg machte; „seine Lage war nicht ohne Gefahr", und er führte diese That aus, während Herr von Lafayette „inmitten der Nationalgarde", also wenigstens näher bei der Emeute, „in Sicherheit war". Es wäre interessant, wenn man je mit Bestimmtheit erführe, daß Herr von Montalivet in eigner Person diese Worte schrieb. Allein der junge Graf steht nicht nur hoch über Lafayette, er wird als der Mann geschildert, der nach dem Tode Périer's allein Atlas genug war, um Frankreich aufrechtzuhalten. „Als Périer sein Ende herannahen sah", erfahren wir S. 173, „bezeichnete er Herrn von Montalivet dem Könige für das Portefeuille des Innern." Und Périer selbst verdankte seine Größe keinem Andern als Herrn von Montalivet, welcher (S. 196) „allein von Sr. Majestät die Ernennung dieses Ministers verlangte".

Die dritte Abtheilung des Buches wäre den pariser Kritikern zufolge vom Könige Ludwig Philipp selbst dictirt. Hier wird ausführlich die Unterredung angeführt, welche der König am 6. Juni nach dem Kampfe bei St.-Méry mit drei Deputirten hatte; die Herren Lafayette, Laffitte und Arago standen in keinem Verhältnisse zu Herrn Pepin; aus welcher Quelle muß sie also entnommen sein, wenn sie anders auf authentischen Angaben beruht? Dem sei wie ihm wolle, es ist erklärbar, daß bei der Aufregung, wozu sein Buch Anlaß gab, bei der Feindschaft, die sich seine Gönner zuziehen würden, wenn sie seine Worte verbürgen wollten, Herr Pepin die ganze Verantwortlichkeit über sich selbst nahm, auf Gefahr, der Authenticität dadurch zu schaden; es ist auch erklärbar, daß die Personen, die in dem Buche angegriffen sind, zum Theil lieber in Fehde mit ihm sein möchten als mit dem Hofe und dem König; aber für uns ist die Hauptsache, daß sich aus Allem ein wirklich nahes Verhältniß zwischen dem Verf. und dem Hofe zu ergeben scheint, die Aufschlüsse des Schriftstellers erhalten dadurch für uns einen höhern Werth, und wir wollen sogleich von seinen Belehrungen Gebrauch machen. So erhaben übrigens auch die Quellen des Herrn Pepin sein mögen, ist uns doch wol im Einzelnen die Kritik gegen seine Versicherungen und Urtheile erlaubt, ein Recht, welches ja die Publicisten heutzutage kaum aufgeben, wenn ein gekröntes Haupt ohne Umschweife den eignen Namen aufs Titelblatt setzt!

Es ist gewiß für unsere Leser anziehend, wenn sie möglichst viel über den Herzog von Orleans im Augenblicke seiner Thronbesteigung, über sein erstes Auftreten bei der Julirevolution erfahren. Ueber die vorherige Zeit, ob der Herzog den Thron gewünscht hatte, spricht der Verf. wenig und räthselhaft, desto umständlicher jedoch vom Augenblicke der Revolution an. Er weiht uns in manche Kleinigkeit ein, welche dem ernstern Geschichtschreiber entgeht, und worauf am Ende nicht viel ankommt, die man aber doch in unserm neugierigen Zeitalter gern hört. Er zeigt uns bisweilen den König gleichsam oder wirklich im Négligée; es ist besonders merkwürdig, die Stelle zu lesen, wo der König aus dem Bette springt und sich, während er Unterbeinkleider anzieht, erzählen läßt, daß Karl X. auf seiner Reise nach Cherbourg Schwierigkeiten machte, was dann den Feldzug nach Rambouillet veranlaßte. Im vierten Capitel erfahren wir recht ausführlich, wie sich Ludwig Philipp von den Juliordonnanzen bis zu dem Augenblicke benahm, da er zum Generallieutenant ausgerufen wurde. Hr. von Schonen, der seit drei Jahren das Palais royal und die Tuilerien besucht, kann hierüber mehr wissen als mancher Andere.

Zur Zeit der Juliordonnanzen also, berichtet der Verf., war der König mit seiner Familie in Neuilly und wußte durchaus nicht, was man in St.-Cloud vorbereitete. Der Hof hatte das Geheimniß gut bewahrt, und der Herzog erfuhr somit den Staatsstreich erst durch den „Moniteur" vom 26. Juli; diese Angabe scheint ziemlich genau. Man wußte wol in Paris, daß ein solches Unternehmen im Werke war, allein den Zeitpunkt, wo die Ordonnanzen erscheinen würden, hielt man für entfernter. Es wird versichert, daß auch Hr. James von Rothschild, Chef des berühmten Bankierhauses zu Paris, erst am 26. Juli

Morgens um 11 Uhr, als er von seinem Landgute kam, durch den „Moniteur" Kenntniß von dem Staatsstreiche erhielt, vor welchem man ihn vergeblich gewarnt hatte, und daß er durch seinen Unglauben 20 Millionen Francs verlor, während Ludwig Philipp bei den Ordonnanzen einen Thron gewann. Doch wir wollen Hrn. Pepin anhören. Er wundert sich selbst, daß der Hof bei Bekanntmachung der Ordonnanzen so wenig Rücksicht auf den Herzog von Orleans nahm, den man in den Tuilerien stets für einen Verschwörer gehalten hatte. Man sprach dort oft von den états de Blois. Die Erinnerung an den Herzog von Guise machte Karl X. Sorgen, und als man im Théâtre français „Heinrich III." von Alexander Dumas spielte, der vom Herzoge von Orleans Pension erhielt, glaubte man bei Hofe, er habe das Stück bei Dumas bestellt. Hr. von Martignac, damals Minister des Innern, wohnte der ersten Vorstellung bei und sandte jeden Moment Nachrichten über das Stück an den Hof, der sich nicht eher zufrieden gab, bis er erfuhr, daß der Herzog von Guise unter gehässigere Farbe dargestellt sei. An der Genauigkeit dieser Erzählung des Verf. wird man vielleicht zweifeln; man wird einwenden, der Hof habe gewiß schon vorher durch den Theatercensor Nachricht gehabt. Es scheint aber in der That, daß „Heinrich III." vor der Aufführung durchaus nicht bekannt war. Der damalige Redacteur des „Figaro", welcher mit Dumas einen Contract geschlossen, der ihm einen Theil des Ertrages sicherte, gab einen Tag vor der Aufführung ein glänzendes Frühstück, das 3000 Francs kostete und von jenem Ertrage bezahlt werden sollte; dieser Redacteur sogar kannte das Drama nicht. Das Stück fand bei dem Publicum wenig Beifall, eben darum weil es dem Hofe gefiel. Doch ich vergesse Herrn Pepin. Ich will mich bemühen in Zukunft nicht so viele inedirte Anekdoten in meinen Auszug zu verweben.

Donnerstag Morgens am 29. Juli, heißt es weiter, wußte man in Neuilly nicht, was in Paris vorging, oder die Nachrichten waren voller Widersprüche. Um 11 Uhr wurde gemeldet, der Hof triumphire, aber um 2 Uhr kam Hr. Bavoux, jetzt Präfect des Departements de la Nièvre, und zeigte an, die dreifarbige Fahne sei entfaltet. Dasselbe wurde durch fliehende königl. Gardisten bestätigt. „Da man aber an diesem Resultat noch zweifelte und eine Ueberraschung von Seiten des Hofes fürchtete; da sogar der Adjutant Berthois zwei Kugeln am Gartengitter zu Neuilly niederfallen sah" (Hr. Pepin gibt viele Gründe an), so übernachtete der Herzog am 29. in einem Hause zu Villiers unweit Neuilly. Nach dem Siege, nach der energischen Antwort „der Herren von Schonen und Lafayette" auf die Vorschläge Karl X. dachten die Herren Laffitte, Thiers und Mignet, „um von der politischen Bewegung Nutzen zu ziehen und die Julirevolution zu consolidiren, wäre es am besten, die Krone auf das Haupt des Herzogs von Orleans zu bringen". Sie beschäftigten sich in der Nacht mit Aufrufen an das Volk, und es wurde beschlossen, daß sich Tags darauf am 30. Juli Hr. Thiers im Namen des Hrn. Laffitte nach Neuilly begäbe. Schon Mittwochs (den 28.) hatte Hr. Laffitte zu gleichem Zwecke drei Personen zum Herzog geschickt. Dieser aber wollte nicht nachgeben und beschloß, es nur dann zu thun, wenn die Auffoderung von der Deputirtenkammer ausginge. Am Freitage, den 30. Juli, um 10 Uhr Morgens, kamen Dupin und Persil aus der Versammlung bei Laffitte in Eile nach Neuilly, wo sie den Herzog nicht fanden. Er war in Raincy. Die Prinzessinnen waren im Garten zu Neuilly geblieben. Dupin kündigte den Willen der Kammer an, den Herzog zum Generallieutenant des Reichs zu ernennen, und kehrte zurück. Bald darauf kam Hr. Thiers und sprach mit Madame Adelaide, welche erwiderte, man müsse sich besonders hüten, daß die Revolution nicht für eine Palastintrigue gehalten werde. Hr. Thiers schrieb einige Zeilen an den Herzog und fuhr zu den „Herren Laffitte und Sebastiani" zurück. Die Deputirten waren schon in der Kammer, die Häuser waren mit Proclamationen zu Gunsten des Herzogs bedeckt. Als zwölf Abgeordnete der Kammer nach Neuilly kamen, um die Ernennung des Generallieutenants anzuzeigen, war der Herzog noch in Raincy; er kam Abends nach Neuilly und ging auf den Vorschlag ein. Mit einem dreifarbigen Bande, das seine Schwester ihm vorsteckte, und in Bürgertracht ging er zu Fuße mit drei Adjutanten nach dem Palais royal und erwiderte unterwegs jedem Posten mit dem Rufe: „Es lebe die Charte!" Den andern Morgen, am 31. um 6 Uhr, ließ er Dupin kommen und dictirte ihm in Gegenwart Sebastiani's die Proclamation, die mit den Worten schloß: „La charte sera désormais une vérité!"

Ich kann leider nicht Alles mittheilen, was der Verf. über den Herzog und König erzählt; allein merkwürdig, doch nicht vollständig ist sein Bericht über die Unterredung des Generallieutenants mit Cavaignac und andern Republikanern. „Am Abend des 31. Juli wurden einige junge Leute, die sich Vertreter der republikanischen Partei nannten, von Hrn. Thiers zum Herzoge ins Palais royal geführt. Man sprach von der constituirenden Versammlung, von der legislativen Versammlung und vom Convente. Diese jungen Leute entwickelten ihre republikanischen Theorien und prophezeiten dem Generallieutenant das baldige Ende des monarchischen Princips in Frankreich. Der Herzog von Orleans setzte freimüthig seine Gedanken und sein System über die constitutionnelle Monarchie auseinander, die er als die beste Regierungsform betrachtete. Er sagte ihnen, sie hätten nicht wie er die Revolution gesehen; auch er sei in seiner Jugend Republikaner gewesen, aber das allgemeine Unglück, dessen Zeuge er gewesen, habe ihm die Gefahr der in Frankreich immer unanwendbaren und unmöglichen Theorien bewiesen. Der Herzog sprach in energischen Worten und mit besonderm Eifer über die Handlungen des Berges. Der Herr Herzog vergißt, entgegnete Herr Cavaignac, daß mein Vater beim Berge war! Und der meinige auch, mein Herr, erwiderte lebhaft der Herzog; aber es gibt Dinge, an die man sich erinnert und die man nicht nachahmt. Darauf nahmen diese Herren vom

Generallieutenant Abschied, und einer von ihnen sagte im Weggehen: Das Königthum hat keine drei Jahre vor sich!" Dieser Bericht scheint so weit genau. Es ergibt sich daraus, daß Ludwig Philipp am 31. seine Ernennung zum Könige vorhersah und daß er mit den Republikanern zu parlamentiren versuchte. Cavaignac warnte noch beim Weggehen den Herzog und prophezeite, daß er wie sein Vater enden würde. „Davor bewahre Gott Se. königl. Hoheit!" erwiderte Hr. Thiers, und damit schloß die Unterredung. Cavaignac trat später an die Spitze der Volkssectionen und gehört noch in diesem Augenblicke zu den Häuptern der republikanischen Partei.

(Der Beschluß folgt.)

Das staatsrechtliche Verhältniß der deutschen constitutionnellen Staaten zum deutschen Bunde, mit besonderer Beziehung auf Würtemberg, und unter Rücksichtnahme auf abweichende Meinungen ausführlich entwickelt von Joh. Heinr. Zirkler. Leipzig, Scheible. 1833. 8. 10 Gr.

Der Verf. des vorliegenden publicistischen Schriftchens ist Oberjustizrath an dem königl. Gerichtshofe zu Tübingen. Wie er sagt, hat er schon früher ein ähnliches Schriftchen geschrieben, das wir jedoch weiter nicht kennen, dessen wesentlichen Inhalt er aber hier wiederholt (S. 10). Im Ganzen ist es dem Verf. um Vertheidigung des fraglichen Verhältnisses, wie er es sich denkt, gegen die bekannte Motion Paul Pfizer's wegen der Beschlüsse vom 28. Juni 1832 zu thun, und er nimmt darum auch auf Würtemberg (er schreibt Württemberg) besondere Rücksicht. Seine Ansicht geht nun im Allgemeinen dahin, daß er sich gegen gewisse Selbständigkeitsträume, durch deren Verwirklichung die einzelnen Staaten Deutschlands von dem großen Ganzen losgerissen werden sollen, erklärt; und wir können auch für unsere Person dieser Ansicht recht wohl beistimmen, während wir dennoch der Meinung sind, daß das sympathische Nervensystem, welches, wie der Verf. S. 4 sagt, alle einzelnen Staaten Deutschlands durchdringt und ihnen neben dem eignen ein gemeinschaftliches Leben gibt, noch mehr und inniger als die bestehende Bundesverfassung auf die wahre Sympathie aller deutschen Regierungen und Völker gegründet und auf die, nicht äußere Einerleiheit, wol aber kräftige und organisch lebendige Einheit Deutschlands, als eines wahren nationalen Ganzen, gerichtet sei. Diese Meinung stimmt auch mit Dem überein, was einst auf dem wiener Congresse und von Seiten des Präsidiums am Bundestage selbst in dieser Hinsicht vielfach laut geworden ist; aber es ist nur bei Ansichten, Wünschen und Verheißungen auch hier wie in ähnlichen Fällen geblieben. Wir können und wollen demnach dem Verf. alles Das zugeben, was er gegen Pfizer und zur Rechtfertigung der Beschlüsse vom 28. Juni 1832 sagt; doch erlangt er dadurch weiter nichts, als daß er diese letztern nur nach der bestehenden Bundesverfassung, also als äußerlich nothwendig, sowie als dies demnach gültig in formeller und materieller Hinsicht, gerechtfertigt hat; allein für die innere Nothwendigkeit gibt es ein höheres Gesetz als das des Bestehenden, und ein höheres Recht der Vernunft als das, das für die Vernünftigkeit eines Bestehenden den Grundsatz der Infallibilität und Unverbesserlichkeit in Anspruch nimmt. Nur ein „Werdender", sagt Göthe, „wird immer dankbar sein". So erklären wir uns auch hier für den innerlich nothwendigen Fortschritt zum Bessern, nicht im Sinne Derer, die die Selbständigkeit der einzelnen deutschen Staaten ohne ein äußeres gemeinschaftliches Band, oder nur eine Monarchie für ganz Deutschland wollen, sondern im Sinne v. Wangenheim's, der die kräftige Einheit Deutschlands auf die in Gerechtigkeit und Freiheit wurzelnde Wechselwirkung zwischen der Bundesverfassung und den Verfassungen der *einzelnen* Staaten gegründet wissen will. Sprächen auch *nicht die* immer wiederkehrenden Angriffe auf die bestehende Bundesverfassung für ein nothwendiges Bessere, so glauben wir doch, daß die Bedürfnisse Deutschlands selbst nach 18 Jahren dafür Zeugniß geben; und ebenso meinen wir, daß, wenn allerdings der Wille unserer Zeit von gewisser Seite her nur negativ und defensiv ist, von der andern Seite die Gewalt der Umstände Manches vermittelt, was der Wille nicht verhindern kann. Der Geist unserer Zeit, wenn man ihn nur sonst recht begreift, ist kein Stubenhocker.

30.

Miscellen.

Der Ausdruck: „das sind mir böhmische Dörfer", ist auf verschiedene Art erklärt worden. Einige schreiben ihn dem bekannten Jakob Böhme zu, der allerdings ebenso mystisch als unklar schrieb; Andere meinen, die Veranlassung dazu liege in dem Umstande, daß die Namen der böhmischen Ortschaften oft seltsam lauten. Dies scheint am wahrscheinlichsten. Der deutsche Landsknecht zur Zeit der Hussiten konnte die Namen der Dörfer, die er mit niederbrennen helfen, nicht angeben — daher jener Ausdruck.

Görenz macht zu Matthiä's Abhandlung über einige Stellen der Schrift von Cicero „De finibus bon. et mal." mehre sehr scharfsinnige Bemerkungen, von denen wir nur die ad II, 6, 17 hier erwähnen wollen. Er behauptet nämlich, daß es im Lateinischen nicht gleich sei, ob ich sage: prudentem dico, oder prudentem esse dico, und führt hierbei mehre Gründe für diese Ansicht an, vorzüglich daß im letztern Satze mehr ein Urtheil, auf einzelne Aeußerungen, Handlungen des Geschilderten gestützt, enthalten sei. Auch im Deutschen scheint ein großer Unterschied zu sein, ob ich Jemand einen klugen Mann nenne, oder sage, daß er ein kluger Mann sei. Freilich liegt schon hier mehr Verschiedenheit in der Rede, als in jenem bei beiden Aeußerungen gebrauchten dico, ich sage.

Zu welchen Irrthümern sich bisweilen die Freunde des classischen Alterthums aus Sucht, neue Ideen und Ansichten aufzustellen, verleiten lassen, davon ist unter Andern Christ. Falsterus in seinen sonst schätzbaren und nicht genug benutzten „Memoriae obscurae" ein Beleg. Die hamburger Ausgabe des Werkes von 1722 liegt vor uns, und es wird in dem dritten Abschnitte, überschrieben: „Monumenta nonnulla in certorum auctorum titulos et fragmenta continens", unter Andern behauptet, daß es Werke gegeben habe, die den Titel geführt hätten: „Jurisperitorum veterum libri sive commentarii", und „Oratio Pii Antonii etc." Die Erwähnung beider unter so allgemeinen Bezeichnungen berechtigt noch lange nicht zu der Vermuthung, daß auch wirklich Schriften unter solchen *Titeln* — nach unserm heutigen Sprachgebrauche — erschienen wären, denn die Rede eines römischen Kaisers bedeutet so viel als Mandat oder Edict, und die Schriften der alten Rechtsgelehrten würden, als besondere Titel betrachtet, zu dem Glauben berechtigen, als wären die verschiedenen Ansichten der classischen Juristen der Römer unter dieser Benennung gesammelt worden, wozu sich keine Belege vorfinden. Noch wollen wir den heutigen Schriftstellern, die oft um einen Titel verlegen sind, als einen solchen den bei den Alten — so behaupten wenigstens Gellius und Plinius — gewöhnlichen *λειμών*, pratum, Aue, Wiese, vorschlagen, der wol ebensowie *ἀνθολόγιον*, florilegium, Blumenlese, und sylvae Nachahmung verdient.

15.

Redigirt unter Verantwortlichkeit der Verlagshandlung: F. A. Brockhaus in Leipzig.

Blätter
für
literarische Unterhaltung.

Sonnabend, —— Nr. 320. —— 16. November 1833.

Deux ans de règne. 1830—32. Par *Alphonse Pepin*, avocat. Paris 1833.

(Beschluß aus Nr. 319.)

Hr. Pepin spricht zu wenig von dem Kronprinzen, aber als angehender Hofmann glaubt er wol die „unbekannte Größe“, wie man jetzt die Thronerben zu nennen pflegt, nicht voreilig enthüllen zu dürfen. Er erzählt blos, der Herzog von Chartres, jetzt Orleans — und das berichtet er in einer Note — sei nach der Revolution von Joigny aus, wo sein Regiment stand, nach Paris gekommen und auf dem Wege nach Neuilly von dem Maire zu Montrouge festgehalten worden. Durch einen Brief des Generals Lafayette kam er auf freien Fuß und hielt es für seine Pflicht, zu seinem Regimente zurückzukehren. Bei Melun begegnete er der Herzogin von Angoulême, die von Dijon her nach Paris zu fuhr. Die Herzogin ließ anhalten und fragte: „Sie kommen von Paris? Was gibt es dort? Wo ist der König?“ „Madame, ich glaube, der König ist in St.-Cloud“, antwortete Chartres; „ich selbst konnte nicht nach Paris hinein, ich sah von Weitem die dreifarbige Fahne auf allen Gebäuden wehen.“ „Wo gehen Sie hin?“ „Zu meinem Regiment in Joigny.“ „Sie werden es uns treu bewahren?“ „Madame, ich werde meine Pflicht thun.“ Und damit fuhr er weiter. Hr. Pepin hätte besser gethan, lieber gar nichts vom Kronprinzen zu erzählen. Doch Alles erklärt sich. Hr. von Schonen erwähnte vielleicht des Kronprinzen nur, um die Herzogin von Angoulême gelegentlich zu ärgern, die ihm bekanntlich in den Tuilerien und in Verneuil ihre besondere Abneigung angedeihen ließ.

Der eigentliche Zweck des Hrn. Pepin war ohne Zweifel, gegen Lafayette aufzutreten. Er wollte, wie es sich schon aus den vielen Citaten ergibt, das Buch von Sarrans widerlegen, that es aber ohne sonderliche Geschicklichkeit. Er hat Recht, wenn er Sarrans einen Panegyristen nennt; dieser findet an dem Helden seines Werks nicht das Geringste auszusetzen, ist von Bewunderung für ihn durchdrungen und würde seine Fehler rühmen, wenn er sie nur herausfände. Anstatt nun aber seinerseits diese Fehler anzugeben, was ihm ebenfalls nicht gelingt, will Hr. P. Thatsachen leugnen, deren Zeuge ganz Paris war, und schadet dadurch der Glaubwürdigkeit seines Buches, das er als völlig authentisch hinstellen will. Er leugnet, daß Lafayette, als er das Stadthaus in Besitz hielt, durch einen Wink die Ernennung des Königs verhindern konnte. Hr. P. ist hier im Irrthum. Die Nationalgarde, welche jetzt dem Könige so treu ergeben, die Bevölkerung der Vorstädte, die jungen Leute, welche mitgekämpft, und besonders die Zöglinge der polytechnischen Anstalt, die keine Ordre des Palais royal vollführten, ehe sie durch Lafayette gutgeheißen war, hätten ohne die Scene, die an dem Fenster des Stadthauses vorfiel, nicht dieselbe politische Richtung genommen. Man braucht nur einige Minuten zur Zeit der Revolution vor dem Stadthause verweilt und die allgemeine Begeisterung für Lafayette gesehen zu haben, um an den Versicherungen unsers Verf. zu zweifeln. Er behauptet auch, Lafayette habe nicht die Nationalgarde in Paris und Frankreich organisirt. Er nennt Hrn. Charles Durosoir, Professor der Geschichte, als Den, welcher beim Ausbruche des Kampfes zur Einberufung der Bürgerwache gerathen. Dies verdient kaum eine ernste Antwort. Die Nationalgarde wäre auch ohne Hrn. Durosoir gekommen. Allein ohne Lafayette hätten sich wol keine 80,000 bewaffnete Bürger bei der ersten Heerschau um den König versammelt. Ebenso sonderbar ist es, daß Hr. P. versichert, Lafayette sei bis zum jetzigen Augenblicke vom Hofe mit größter Verehrung behandelt worden. Ist nicht das Buch des Hrn. P. ein Gegenbeweis?... Uebrigens müssen selbst der Neid und unser Verf. dem General Lafayette einige Gerechtigkeit widerfahren lassen; denn das Buch erschien in Paris und hätte sonst leicht allzu große Unzufriedenheit erregt. „Es ist unnütz, zu bemerken“, heißt es, „daß ich mit allen aufrichtigen Leuten völlig anerkenne, Hr. von Lafayette sei stets ein vortrefflicher Bürger gewesen, ein Mann von bewundernswerth reiner Bürgertugend, entschlossen bis zum Heldenmuthe, daß er nie vor einer Gefahr zurückwich, wenn es galt, die Interessen der Freiheit zu vertheidigen; Hr. von Lafayette war stets vor allen Franzosen sich selbst in jeder Lage getreu; es fehlte ihm nie an jenem expansiven Gefühle für die Rechte des Menschengeschlechts; Hr. von Lafayette war stets großmüthig gegen die Parteien, die ihn gehaßt und aufgeopfert, und hegt keinen Groll gegen sie; die Freiheit fand stets in ihm einen aufrichtigen Verehrer im Feldlager zu Maubeuge wie in dem Kerker von Olmütz, unter dem Kaiserthum wie unter der

Restauration.“ Hr. P. gönnt gern dem General Lafayette alles mögliche Lob, aber Eines gibt er nicht zu: daß derselbe im Juli 1830 der „nothwendige Mann“, die Hauptperson gewesen sei; die Hauptperson war vielmehr — Hr. v. Schonen und später, wie gesagt, Graf Montalivet, natürlich nächst „dem tadellosen Achilleus“, wie sich Homer ausdrücken würde, nächst Ludwig Philipp. Was Hrn. Laffitte betrifft, so gibt Hr. P. zu, daß er zu den Männern gehörte, die am meisten für die Erhebung des neuen Königshauses wirkten. „Hr. Laffitte“, bemerkt er ausdrücklich, „war seit langer Zeit dem Fürsten, welchen Frankreich im J. 1830 mit Begeisterung erwählte, von Herzen zugethan; er hat edelmüthig und mit Thätigkeit seinen Einfluß für ihn verwendet; auch ist ganz Frankreich dem Hrn. Laffitte erkenntlich für Das, was er zu Gunsten der Julirevolution that; es wird nie vergessen, was er für die neue Monarchie leistete.“ Aber Laffitte war nicht nur der Erste, welcher an die Erhebung des Herzogs von Orleans dachte, er nahm unter den schwierigsten Umständen die Präsidentschaft des Ministerrathes an. „Man bewarb sich damals nicht sehr um die Portefeuilles“, bekennt der Verf., „nicht Jeder wollte die Verantwortlichkeit über sich nehmen. In dieser Zeit die Herrschaft zu ergreifen, war ein Beweis von Patriotismus, von muthiger Ergebenheit; unter diesen schwierigen Verhältnissen trat Laffitte an die Spitze des Cabinets.“ Aber zugleich richtet Hr. P. im ganzen Laufe seines Buches die heftigsten Vorwürfe gegen Laffitte. Er wirft ihm eine thörichte Neigung zur Volksthümlichkeit vor und gesteht somit, daß der Zweck des Hofes schon ein anderer war als Volksthümlichkeit; daß er „die inconsequenten Worte“ Lafayette's anhörte, und beweist somit, daß Laffitte der Absetzung des Generals ganz fremd war; daß er endlich das Compte rendu gegen die Minister unterzeichnete, er, welcher dem Könige so viele Verbindlichkeiten zu danken habe. Er gibt die Berechnung des Geldes, welches der König für den Ankauf Laffitte'scher Güter ausgegeben, und theilt die von Laffitte bekannt gemachten Erwiderungen nicht mit. Er berichtet ebenso wenig, wie viel Geld der Hof beisteuerte, um für Laffitte den Besitz des Hauses zu sichern, von welchem, wie er eingesteht, die Erhebung des neuen Königsstammes ausging.

Der Verf. gibt einige Aufschlüsse über Dupin. Er habe fünfmal eine Ministerstelle ausgeschlagen: das erste Mal nach den Julitagen, dann bei der Bildung des Laffitte'schen Ministeriums, ferner beim Entstehen der Verwaltung Périer's, welchen er (also im Chor mit Montalivet) zur Annahme der Präsidentschaft vermochte, das vierte Mal nach dem Tode Périer's, und fünftens bei der Bildung des Ministeriums vom 11. October „ungeachtet der lebhaftesten und wiederholtesten inständigsten Bitten“. Ein Brief, den Dupin am 7. Oct. 1832 von Raffigny aus an den Marschall Soult schrieb, ist abgedruckt; er beginnt mit den Worten: „Je m'abstiens donc“, woraus erhellt, daß Hr. P. die Hauptsache, die Gründe, seinen Lesern vorenthält. Die Gründe, weshalb Dupin oftmals die Portefeuilles ausschlug, sind verschiedener Art. Gleich nach den Julitagen war er nicht volksthümlich, weil er in einem Vereine der Journalisten erklärt hatte, man könne nur theoretisch gegen die Ordonnanzen protestiren und sich nicht anders dagegen auflehnen; er hätte unter solchen Umständen das Portefeuille nicht lange halten können und wartete also auf günstigere Zeiten. Noch bedenklicher war die Lage, als Laffitte ans Ruder kam; es bedurfte thätiger Staatsmänner, die Redner halfen nicht viel; er wagte nicht, die Stelle anzunehmen. Als Périer Minister ward, nahm Dupin kein Portefeuille an, weil er nicht der Zweite sein mochte, und ebenso wollte er später nur als Präsident des Conseils, und wenn der König ihm wirklich die Leitung der Geschäfte überließe, ins Cabinet eintreten. Hr. P. ist übrigens freundlich für Dupin und handelt darin dem Sinne des Hofes gemäß, welcher immer jenen Politiker als künftigen Minister betrachtet.

Unter den Männern, welche an der Julirevolution Theil nahmen, zeichnet der Verf. mit Recht den Obersten Heymès aus, den ehemaligen Adjutanten des Marschalls Ney, jetzt General und Adjutant des Königs. Heymès trug dazu bei, daß die Truppen, welche auf dem Vendômeplatze standen, zu dem Volke übergingen; dadurch war die Communication zwischen den Königlichen, die theils in den Tuilerien, theils an der Madeleinenkirche aufgestellt waren, plötzlich unterbrochen, und dies bewog den Herzog von Ragusa zum Rückzuge. Hr. P. hat ein verdienstli-

tag, berichtet er, war man bei Laffitte versammelt, als ein Sergeant vom 53. Linienregimente hinkam, welches auf dem Vendômeplatz in Schlachtordnung stand. Er meldete, daß viele seiner Kameraden, die sich schon in den verschiedenen Theilen von Paris geschlagen, nicht länger Lust zeigten, auf die Bürger zu schießen, und es wäre ihnen ganz recht, wenn man sich mit ihnen abfinden wollte. Der General Gérard beschloß sogleich, von dieser Nachricht Nutzen zu ziehen. Es kam darauf an, Jemanden

Hrn. Laffitte, stellte sich an ihre Spitze und kam durch die Straße Choiseul und über den Ventadourplatz nach dem Vendômeplatz, wo er die Andern ersuchte, ihre Gewehre niederzustellen und ihn zu erwarten; darauf ging er ganz allein auf die Truppen zu. Zwei Linienregimenter standen hier in Schlachtordnung, das 53. und das 5. Hr. Heymès ging zuerst vors 53. und verlangte den Obersten zu sprechen. Als er sich genannt, umringten ihn die Offiziere. Er spricht vom Zustande der Hauptstadt, es handle sich nicht um eine partielle oder unbedeutende Bewegung, sie sei allgemein, sie nehme zu; wenn sie sich noch länger von den Bürgern trennten und gegen sie kämpften, so würden sie dem Volke gegenüber eine falsche Stellung einnehmen; es sei Zeit, daß die Linie mit dem Volke gemeinschaftlich handle, sich an die Nation anschließe und dem Blutvergießen ein Ende mache. Die Unterredung dauerte eine Weile, dann ergriff Hr. Heymès die Hand des Obersten. Dieser ließ das Regiment nach dem Boulevard marschiren. Hr. Heymès beauftragte dann Hrn. Laffitte, das Regiment nach dem Laffitte'schen Vereine in der Straße Artois zu geleiten. Während diese Bewegung vor sich ging, rührte sich das 5. Regiment auf dem Vendômeplatz nicht von der Stelle, und da es nicht wußte, was zwischen dem 53. und Hrn. Heymès vorgefallen war, so schien es unruhig wegen des Marsches der andern Truppen nach dem Boulevard. Hr. Heymès ging nun zum 5. und wiederholte, was er beim andern Regimente gethan. Nach kurzer Zögerung einiger Offiziere bemerkte Hr. Heymès den Oberstlieutenant, einen alten Soldaten, der, die kritische Stellung der Truppen dem Volke gegenüber erwägend, es über sich nahm und das Regiment ziehen ließ; das 5. folgte dem 53. und begab sich mit Hrn. Heymès nach dem Vereine Laffitte. Dort versammelten sich alle Oberoffiziere in den Salons des Hrn. Laffitte, der General Gérard hielt eine Rede an sie, und sie waren für die Sache des Volkes gewonnen. Der Oberst Heymès, schließt der Verf., trug also zu diesem Uebergange der Regimenter Vieles bei. Allerdings. Nur hätte Hr. P. hinzufügen müssen, daß das Volk selbst noch mehr dazu beitrug. Während Hr. Heymès und der Bruder Laffitte's auf dem Platze erschienen, und noch früher, drängte sich das Volk in großer Menge an die Linie und übte sich in der Propaganda; auch Ausländer halfen, und im Augenblicke, da Hr. Heymès erschien, stürzte ein junger Russe auf einen Soldaten zu, der schon lange Miene zum Schießen machte, und hielt ihn mit Lebensgefahr zurück.

Als später Karl X. selbst den Herzog von Orleans als Generallieutenant anerkannte, erwiderte ihm Ludwig Philipp, Hrn. P. zufolge, er sei Generallieutenant durch die Wahl der Abgeordneten, und sandte ihm diese Antwort durch seinen Adjutanten, Hrn. Berthois, welcher gelegentlich Beobachtungen anstellte und sie, ich weiß nicht, ob Hrn. von Schonen oder Hrn. Pepin mittheilte; sie sind belehrend, sie zeigen, auf welche Art nach den Truppen auch die Hofleute übergingen. Hr. Berthois wurde in Rambouillet zu Karl X. geführt, der ihm ruhig, ohne Besorgniß zu sein schien, er hatte sogar in der Nacht vor seiner Ankunft gut geschlafen; während Hr. Berthois auf Antwort wartete, unterhielt er sich mit mehren Personen vom Gefolge Karl X. und sah, wie schnell die Ergebenheit und der Eifer erkaltet waren, und daß Jeder nur an das eigne Interesse dachte. Einige ersuchten Hrn. Berthois, für sie zu sprechen, damit sie bei der neuen Ordnung der Dinge ihre Stelle behielten. Auf dem Rückwege traf er einen Obersten der berittenen Grenadiere; dieser sagte, er verlange nichts von der neuen Regierung, bringe ihr aber sein Regiment. Merkwürdig war der Herzog von Treviso. Als man ihn auffoderte, Karl X. nach Cherbourg zu bringen, nahm er es nicht an, wollte es aber auch nicht abschlagen und erwiderte in einem wahren just-emilieu-Ton, da er Cordon bleu sei, so könne er nicht vor dem König erscheinen, ohne diesen Orden zu tragen!

Es gibt Seiten in dem vorliegenden Buche, welche fast die Wichtigkeit diplomatischer Noten haben. An einer Stelle heißt es, der Feldzug nach Ancona sei unternommen worden, „afin de laisser à la liberté (in Italien) la faculté de se développer peu à peu et avec le temps", und damit Oestreich nicht Herr bis zum Fuße der Apenninen werde. Hr. P. erinnert sodann, daß die französische Diplomatie in Rom auf Reformedicte drang. Er schreibt auch den merkwürdigen Satz: „Nous avons arboré à Ancone le drapeau tricolore en face des Autrichiens, drapeau de gloire et de triomphe, tenant en respect les satellites du despotisme qui ne se souviennent que trop de ce signal par eux tant de fois éprouvé, et par cela même intéressés à ne pas faire un pas de plus contre la volonté des Français, sous peine de voir encore, par la seule force des choses, le sol du monde remué au nom de la liberté." Diesen revolutionnairen Satz hätte ich nicht abzuschreiben gewagt, stände er nicht in dem Abschnitte des Werkes, der von dem Könige Ludwig Philipp selbst dictirt sein soll! In demselben Abschnitte liest man folgende Vertheidigung des Systems der neuen Regierung: „Das juste milieu, welches man beschuldigte, es sei zu kraftlos, um das Land glücklich zu machen, hat die Emeuten unterdrückt, die Herzogin von Berri verhaftet, die Chouannerie gedämpft, überall die Ordnung hergestellt, dem Handel und der Industrie einen neuen Aufschwung gegeben und im Innern wie nach außen dem Verkehr neue Wege eröffnet. Was die auswärtigen Fragen betrifft, so ist das juste milieu dreimal in Belgien eingezogen, hat im Angesichte der friedlich bleibenden Mächte Antwerpen genommen, die Unabhängigkeit Belgiens proclamirt, Europa zu dessen Anerkennung genöthigt; es hat sich zwischen Oestreich und Italien gestellt und den Papst gezwungen, den Italienern Zugeständnisse zu machen, während es zugleich Oestreich durch den Anblick der dreifarbigen Fahne in Respect hielt; es hat die Unabhängigkeit Griechenlands durch Mannschaft und Geldhülfe aufrecht gehalten, so viel als möglich für das unglückliche Polen unterhandelt und zuletzt den überwundenen Soldaten dieses Landes Hülfe und Zuflucht angeboten; es hat zuerst offen die Bestrebungen der portugiesischen Constitutionnellen aufgemuntert, und dem juste milieu wird die Ehre angehören, durch seine Vereinigung mit England eine Ligue der südlichen und mitteleuropäischen Staaten gegen den Norden, wenn dieser nochmals die Freiheit der Völker antasten wollte, gebildet zu haben, kurz, eine heilige Allianz der constitutionnellen Throne gegen Anarchie und Despotismus." Alles dies in dem Abschnitte, welcher von pariser Kritikern dem Könige Ludwig Philipp selbst zugeschrieben wird!

Hr. P. vertheidigt nicht nur das Regierungssystem im Allgemeinen; er geht auf die einzelnen Erfolge und Handlungen der Minister ein, aber sehr ungeschickt. Er lobt z. B. die Minister, sie hätten die allgemeine Entwaffnung herbeigeführt: „le désarmement est général" (S. 331).

Hat er auch diese Worte nach authentischen Quellen geschrieben? Er entschuldigt die Minister, welche die Herzogin von Berri weder vor die Kammer noch vor ein Gericht führten, und spricht hierüber nicht viel anders als das Ministerialblatt Karl X., welches er (S. 28) angreift, und worin es hieß: „was man Staatsstreich nennt, ist etwas Sociales und Regelmäßiges, wenn der König im Interesse des Volkes und sogar scheinbar gegen die Gesetze handelt.“ Hr. P. ist sogar royalistischer als die Minister. Er sagt (S. 427): „Als das Volk den Generallieutenant zum König machte, so legte es eben dadurch sein Souverainetätsrecht nieder, welches nunmehr in dem constitutionnellen Monarchen resumirt war.“ Diese Ansicht, welche in dem letzten Abschnitte des Buches sich findet, hatte bisher kein französischer Minister seit der Julirevolution entwickelt oder auch nur angedeutet.

Schließlich und in aller Kürze mein Urtheil über das Buch. Es scheint wirklich großentheils nach authentischen Quellen verfaßt, oder wenigstens mit Hülfe halbamtlicher Mittheilungen; es enthält neben gehässigen Worten gegen die Widersacher des Regierungssystems mancherlei Anziehendes über die Personen und Thatsachen seit der Julirevolution, es gibt sogar einige diplomatische Andeutungen und läßt uns einen Blick in die künftige französische Politik werfen. Nehmen die gehässigen Ausfälle zu vielen Raum ein, so sind doch die andern Theile des Buchs dankenswerth. Der Verf. läßt sich übrigens zu oft in langweilige Discussionen ein, die kaum in Frankreich, viel weniger im Auslande interessiren können. Er stellt endlose Betrachtungen an und schildert zu selten. Er schreibt im Allgemeinen ohne sonderliches Talent, sogar nicht ohne Sprachfehler; er hat vielleicht nicht gewagt, diese Mängel in den Mittheilungen seiner hohen Gönner zu ändern. 137.

Ueber den Geist, der zur Zeit des dreißigjährigen Krieges auf der Universität Tübingen herrschte. Eine akademische Rede von J. H. F. von Autenrieth. Tübingen, Osiander. 1832. Gr. 8. 4 Gr.

Der Abdruck dieser am 6. Nov. 1832 gehaltenen Rede verdankt seine Entstehung einer falschen Relation in einem stuttgarter Blatte, welche der Kanzler von Autenrieth zu widerlegen bemüht ist. Nach seiner Versicherung ist diese Rede ganz genau nach dem Manuscripte abgedruckt worden, und man hat keine Ursache, dieser Versicherung zu mistrauen, da Jeder von den Hunderten, vor denen diese Rede gehalten ward, den Verf. sofort hätte der Unwahrheit beschuldigen können. Man muß es übrigens bedauern, daß ein so ganz im Interesse der tübinger Universitätsgeschichte gewähltes Thema Veranlassung zu einer öffentlichen Verunglimpfung geben konnte.

Die Rede selbst, die in einem durchweg ruhigen Tone, der sich mehr dem Vortrage auf dem Katheder als auf der Rednerbühne nähert, abgefaßt ist, handelt von dem traurigen Zustande der medicinischen und theologischen Facultät zu Tübingen vor und in dem dreißigjährigen Kriege. Die traurige Beschaffenheit der medicinischen Facultät wird durch zwei Gutachten dargethan, von denen das erste ein im Mutterleibe schon abgestorbenes und bereits in anfangende Fäulniß übergegangenes Kind für den Teufel (!) selbst erklärt, das andere ein Weib aus Möhringen, unweit Eßlingen, als eine Erzhexe verdammt, da sie Milch in den Brüsten hatte, obschon sie nicht säugte. Die in dieser Rede aus den Registraturen mitgetheilten Gründe und Ausführungen sind einestheils belachenswerth, anderntheils verbrußerregend. Die damalige theologische Facultät wird in den Gutachten charakterisirt, durch welche sie den Herzog Johann Friedrich in einer ekelhaften Polemik warnte, sich nicht mit den Calvinisten einzulassen, namentlich nicht den Kurfürsten Friedrich V. von der Pfalz zu unterstützen; ja, Einer aus ihrer Mitte, Theodor Thummius, wagte es im Jahre 1618, dem Erzhause Oestreich in einer sehr heftigen Schrift blutschänderische Ehen vorzuwerfen, und veranlaßte dadurch seinen Landesherrn zu demüthigen Bitten und Entschuldigungen. Die Facultät erhielt zwar, wie sie es verdient hatte, einen derben Verweis wegen ihrer unbefugten Einmischung, aber die nachtheiligen Folgen für das Land blieben nicht aus. Plünderungen und Contributionen waren das Loos Würtembergs, von dem vielleicht manches Unheil, alles wol schwerlich, abgewendet worden wäre, wenn die Polemik seiner Theologen nicht die Maßregeln seines Regenten im entscheidenden Momente gelähmt hätte. 39.

Miscellen.

Fouché.

Lavalette in seinen Memoiren, welche ein besonderes Vertrauen verdienen, erzählt ausdrücklich, Ohrenzeuge gewesen zu sein, daß Napoleon nach seiner Rückkunft von Elba zu Fouché, seinem damaligen Policeiminister, auf Veranlassung einer entdeckten Spitzbüberei dieses Nichtswürdigen, gesagt habe: „Vous êtes un traître. Il ne tiendrait qu'à moi de vous faire pendre, et tout le monde y applaudirait.“ Gleichwol blieb Fouché Policeiminister. Einen stärkern Beweis, daß er als solcher von eminenter Brauchbarkeit gewesen sein müsse, däucht mir, gibt es nicht.

Vaucanson.

Als der durch seine kunstreichen Automate bekannte Vaucanson in die Akademie aufgenommen worden war, fand er sich von seinen Collegen sehr übel behandelt. Er fragte Buffon nach der Ursache, welcher ihm mit seiner gewöhnlichen Gutmüthigkeit antwortete: „C'est que vous n'êtes pas plus fort que moi en géométrie, et qu'ici ils ne font cas que de cela.“ „Eh! que ne me le disaient-ils?“ erwiderte der Mechaniker, „Je leur aurait fait un géomètre.“ Er glaubte nämlich, dies sei nicht schwerer als sein Flötenspieler oder seine selbst verdauende Ente, zwei seiner bekanntesten Automate.

Das hölzerne Pferd.

Der Herzog von Bourbon, Dauphin, Sohn Ludwig XV., starb bekanntlich an einer Krankheit, deren Ursache damals geheim blieb. Es hing damit so zusammen. Einer seiner Kammerherren, der Marquis de la Haie, hatte ihn als Kind auf ein hölzernes Wiegenpferd gesetzt, von welchem der Prinz herabfiel und sich innerlich verletzte. Er hatte aber dem Marquis Stillschweigen versprochen und hielt Wort. Wäre dieser tugendhafte und entschlossene Prinz zur Regierung gekommen, so hätte Frankreich keinen Ludwig XVI. und keine Revolution gesehen; und ein hölzernes Pferd hat also vielleicht den Napoleon über Europa gebracht.

Für Maler.

In einem französischen Gemälde des Raubes der Europa habe ich eine hübsche Idee bemerkt. Der Stier biegt seinen großen Kopf, um den allerliebsten kleinen, nackten Fuß der Europa zu küssen. 178.

Hierzu Beilage Nr. 11.

Redigirt unter Verantwortlichkeit der Verlagshandlung: F. A. Brockhaus in Leipzig.

Beilage zu den Blättern für literarische Unterhaltung.

Nr. 11. 16. November 1833.

Histoire constitutionnelle et administrative de la France depuis la mort de Philippe-Auguste. Par *M. Capefigue.* Dritter und vierter Band. Paris 1833.

Die uns jetzt vorliegenden Theile dieses schätzbaren Werkes, von dessen beiden ersten Bänden wir früher in d. Bl. mit gebührender Anerkennung ihres Gehalts gesprochen haben *), führen die Entwickelung der constitutionnellen und administrativen Verhältnisse Frankreichs bis zum Ende der ersten der drei großen Perioden, in welche der Verf. seine Darstellung eingetheilt hat, nämlich bis zum Ende der Regierung Ludwig XI., und sie schließen somit die Geschichte der politischen Cultur dieses Landes während des Mittelalters ab, indem sie die zweite Hälfte des 14. und das 15. Jahrhundert behandeln. Das Resultat des ersten Abschnitts dieser ersten Periode bestand darin, daß die alleinige Geltung und Herrschaft des Lehnswesens im Staate durch die politische Bedeutung, welche der Bürgerstand namentlich in den Reichsversammlungen erlangt hatte, gebrochen war, daß das Bürgerthum neben und zum Theil über das Ritterthum und das Königthum sich erhoben hatte, und daß auch die mittlern und untern Classen des dritten Standes zu einem Selbstgefühl und zu einer Geltung gelangt waren, welche nach der Schlacht bei Poitiers in Paris eine demokratische Revolution zu bewirken vermochte, und welche durch die bald eintretende Reaction zwar in ihrer öffentlichen Aeußerung zurückgehalten, aber nicht vernichtet werden konnte. Die Elemente des politischen Lebens Frankreichs in den noch übrigen Zeiten des Mittelalters hatten sich auf solche Weise entwickelt, und die Erörterung, wie theils aus dem feindlichen Zusammenstoßen theils aus der Befreundung und Verknüpfung dieser Elemente ein das ganze Reich umfassendes und der Unumschränktheit sich näherndes Königthum zugleich mit einer Administration von gleichem Umfange hervorgegangen ist, wurde die Aufgabe für die zunächst folgende Darstellung. Bevor der Verf. indeß zur Lösung dieser Aufgabe übergeht, nimmt er den Faden einer allgemeinern Entwickelung wieder auf, welchen er im ersten Bande seines Werkes hatte fallen lassen, und sowie er im Anfange desselben eine Skizze von den Verhältnissen der Kirche, von dem politischen und constitutionnellen Zustande Europas überhaupt und Frankreichs insbesondere und von dem Fortschritte der geistigen Entwickelung während des 13. Jahrhunderts entworfen hatte, so beginnt er den dritten Band mit einer allgemeinen Erörterung über die weitere Gestaltung dieser verschiedenen Gebiete während des 14. und 15. Jahrhunderts. Der schwierigste Theil dieser vorläufigen und einleitenden Untersuchungen ist offenbar die Darstellung der Entwickelung der europäischen Civilisation im Allgemeinen, indem grade in den zwei letzten Jahrhunderten des Mittelalters sich die verschiedenen europäischen Nationalitäten auf eine bestimmtere Weise und in einem mehr und mehr sich steigernden Gegensatze ausprägten; allein wenn eben deshalb die Untersuchung des Verf. nicht die allgemeine Haltung behauptet, welche er anfangs selbst erwarten läßt, und größtentheils nur den Gang der französischen Civilisation darlegt, so bietet sie doch in Beziehung auf diese eigenthümliche und hinreichend begründete und durch Thatsachen belegte Ansichten dar. Der Verf. erkennt in derselben nämlich vier vorwaltende charakteristische Züge: den gerichtlichen Geist, das heißt die Anwendung der Formeln der Gerichtshöfe auf alle Verhandlungen des Lebens, auf die Sitten und Gewohnheiten der Gesellschaft; den Geist der Ritterschaft oder die fast vollständige Verdrängung der alten und rohen Lehnsgesellschaft durch eine galante und geregelte Ritterschaft; den Universitätsgeist oder die Herrschaft der Regeln, der wissenschaftlichen Axiome, der Sitten und Privilegien der Corporationen; endlich den Geist der Geheimwissenschaften oder einer düstern Dämonologie. Außerdem werden diese Jahrhunderte aber auch bezeichnet als eine Zeit angestrengter Geistesarbeit und mannichfacher Untersuchungen, als die Zeit des Uebergangs mittelalterlicher Bildung in die Civilisation der neuern Zeit, und wenn es wünschenswerth erscheint, daß dieser Uebergang in Beziehung auf Geistesbildung im engern Sinne noch bestimmter dargestellt wäre, so ist einerseits zu erwarten, daß die Fortsetzung des Werkes darüber noch nähere Angaben enthalten werde, und andererseits ist nicht außer Acht zu lassen, daß eine solche Untersuchung hier nur Nebensache ist.

Die Behandlung der eigentlichen Aufgabe der beiden vorliegenden Bände, nämlich die constitutionnelle und administrative Geschichte Frankreichs vom Jahre 1358 bis zum Jahre 1483, wird insbesondere durch einen Ueberblick über die verschiedenen Classen der Bevölkerung und über die administrative Organisation des Landes eingeleitet, und es wird sodann, wie in den frühern Theilen, in chronologischer Folge alles Dasjenige, was die Geschichte jeder Regierung in Beziehung auf den vorherrschenden Gesichtspunkt darbietet, mit ebenso großer Gründlichkeit als Umsicht hervorgehoben und erörtert. Allerdings wird bei einer solchen Anordnung die Darstellung etwas zerstückelt und die verschiedenen Fäden derselben müssen oft abgerissen und wiederangeknüpft werden; allein der bedeutende Einfluß, welchen die Persönlichkeit der Könige grade auf die darzustellende Entwickelung ausgeübt hat, rechtfertigt oder entschuldigt doch wenigstens jene Anordnung. Da die Beschaffenheit des Stoffes ein genaueres Eingehen in das Einzelne hier nicht gestattet, so beschränken wir uns zur nähern Charakteristik des Werkes darauf, einige der allgemeinern Ansichten mitzutheilen, zu welchen der Verf. durch die Betrachtung des Einzelnen gelangt und von welchen aus er wiederum dies würdigt. Die zweite Hälfte der Regierung des Königs Johann, während welcher der nachmalige König Karl V. die Staatsangelegenheiten leitete oder doch großen Einfluß darauf hatte, sowie die Regierung dieses Fürsten selbst erscheinen als eine Zeit der Reaction, und namentlich zeigt die ganze Gesetzgebung des Letztern eine entschiedene Abneigung gegen die Versammlung der Reichsstände und ein ebenso großes Mistrauen gegen die unabhängigen und durch Wahl bestimmten Municipalitäten. Karl's Regierungsweise wird als ein System von Temporisiren, List und Betrug bezeichnet, welches er dem Uebergewicht der Reichsstände und allen den Elementen der entstehenden Freiheit entgegenstellt, welche sich unter Johann gezeigt hatten; er wußte sich mit Mäßigung und Gewandtheit zu benehmen, und ließ die königliche Autorität, welche er unumschränkt machen wollte, in der Gestalt einer schützenden und behütenden Macht erscheinen. Es gelang ihm indeß so wenig, den demokratischen Geist zu ersticken, daß derselbe vielmehr unter seinem Nachfolger sogar ochlokratische Erscheinungen hervorbrachte, daß in Paris während die bemittelten Bürger mit dem Adel in dem Streben nach der Erhaltung des bestehenden Zustandes der Dinge einig sind und nicht mehr den frühern unruhigen Geist und die frühere Eifersucht auf die königliche Autorität zeigen, der große Haufe, mit welchem die Universität, die meisten Justizbeamten, die Bettelmönche und ein Theil der Weltgeistlichen gemeinsame Sache machten, nicht allein der Stadt Paris, sondern auch der Regierung selbst Befehle vorschrieb. Aus dieser politischen Parteiung erklärt sich allein die leichte Begründung der englischen Herrschaft in einem großen Theile Frankreichs sowie die Bedeutung der Orleans'schen oder Armagnac'schen und der burgundischen Partei, indem der Herzog von Orleans das Haupt der Ritterschaft,

*) Vgl. Nr. 57 d. Bl. f. [illegible]. D. Red.

der Herzog von Burgund dagegen, der erste aus dem Hause Valois sowie seine Nachfolger, der Mann der pariser Hallen und der Gewerke war. Die Ursache des Sturzes der englischen Herrschaft sucht der Verf. mit Recht, indem er den großen und ersten Impuls, den das Mädchen von Orleans der Ritterschaft gab, anerkennt, doch vornehmlich in den fehlerhaften Maßregeln, durch welche die englische Regierung ihre eigne Basis in Frankreich untergrub, indem sie die Interessen der Hallen, der Bürgerschaft, des Parlaments, der Universität und der Geistlichen verletzte und aus Geldmangel zum Theil verletzen mußte. Eine unparteiische Würdigung der Regierung Karl VII. konnte über die erste Hälfte derselben, zumal indem sie der gleichzeitigen englischen Verwaltung gegenübergestellt wird, nur zu einem sehr ungünstigen Urtheile führen; allein eine gleiche Beurtheilung muß auch denselben Fürsten während der zweiten Hälfte seiner Regierung für einen besonnenen und staatsklugen Regenten erklären, und durch eine umsichtige Erörterung der politischen und administrativen Thatsachen dieser Zeit wird ein solches Urtheil begründet. Sehr treffend wird als vorherrschender Charakter seiner Regierung ein proceßsüchtiger Geist, eine Richtung auf die Chicane, eine vollständige Verdrängung der Gewalt der Ritterschaft durch die parlamentarische Macht bezeichnet. So einsichtsvoll und gründlich nun auch alle frühern Abschnitte dieses Werkes gearbeitet sind, so möchten wir doch der Behandlung der Geschichte Ludwig XI. den Preis zuerkennen und sie als den am meisten gelungenen Theil bezeichnen. Fern von der Parteilichkeit, mit welcher die Geschichte dieses Fürsten meistens behandelt worden ist, stellt der Verf. als Resultat gründlichster Forschung und zwar großentheils in handschriftlichen Quellen ein streng historisches Bild desselben und in genauer Beziehung auf seine Zeit, aus welcher sich seine Eigenthümlichkeit allein erklären läßt, auf, indem er zunächst eine zusammenhängende Entwickelung seiner rastlosen Thätigkeit im Innern seines Reiches und in Beziehung auf das Ausland gibt und sodann den Geist seiner Gesetzgebung noch besonders charakterisirt. Ludwig erscheint als ein Mann, dem Gefühl, Mitleid für Unglück, Erbarmen mit dem Leidenden fremd ist, aber als ein gewaltiger, thätiger Kopf, der trotz der Beweglichkeit und Unruhe seines Charakters durch alle Hindernisse hindurch zu seinem Ziele gelangt; sein Charakter ist ein seltsames Gemisch von Kraft und Schwäche, von Macht und Aberglauben, aber über alle diesem herrscht Ein Gedanke, der Gedanke der Macht. Da die Zeiten der ritterlichen Gewalt vorüber waren, so bemächtigt er sich der neuen Macht, die an die Stelle jener getreten war, und gelangt durch Gewandtheit und Chicane zu seinem Ziele. Seine Regierung ist ein umfassendes administratives System, welches alles in sich begreift: auswärtige Verhältnisse, Communalwesen, Justiz, Corporationen, Industrie und Gewerbe. Seine rastlose Thätigkeit in Negociationen und politischen Intriguen bezeichnet ihn als den Schöpfer der Diplomatie in Frankreich, welche allerdings in seiner Hand nur ein Gewebe von Treulosigkeiten war, allein später, nachdem sie in den folgenden Jahrhunderten gereinigt worden war, oft den Misbrauch der Gewalt verhindert hat. Eine solche Diplomatie, gestützt auf ein scharfes Durchschauen seiner Gegner und eine seltene Kenntniß der Angelegenheiten seines Reiches bis in das Einzelnste, ist es auch vornehmlich gewesen, durch welche er endlich dem Königthume in der Einheit und Macht, wie er es aufgefaßt hatte, den Sieg über das Lehnswesen verschafft hat. Die Behandlung der Geschichte dieses Königs in dem vorliegenden Werke gibt zugleich die sicherste Gewähr dafür, daß der Verf. in der Fortsetzung desselben, welcher wir mit großem Verlangen entgegensehen, nicht weniger treffende und reichhaltige Aufschlüsse über die neuere Geschichte Frankreichs geben wird, als er bisher über das französische Mittelalter gegeben hat. 16.

Geschichte des osmanischen Reichs, großentheils aus bisher unbenutzten Handschriften und Archiven, durch Joseph von Hammer. Neunter Band. Schlußrede und Uebersichten I—X. Pesth, Hartleben. 1833. Gr. 8. 5 Thlr.

Wir sind diesem deutscher Gelehrsamkeit und Arbeitsamkeit so großen Ruhm bringenden Werke fast Schritt vor Schritt mit unsern Anzeigen gefolgt *) und wollen jetzt, wo es sich seinem Ende nähert, nicht stehen bleiben. Der achte Band hatte das eigentlich Geschichtliche der Darstellung nach beendet und zwar mit dem Frieden von Kudschuk Kainardsche im J. 1774 (dem Geburtsjahre des Verfassers). In dem ersten, „Schlußrede" betitelten Aufsatze dieses Bandes (I—XLVIII) erörtert nun vorerst Herr von H. die Gründe, warum er hier abbreche, und führt vor Allem den Mangel weiterer orientalischer Quellen an, da deren gedruckte Folge mit jenem Jahre schließt und neuere in den dortigen und den russischen Archiven minder zugänglich sind. Denn im Laufe des 18. Jahrhunderts sei Polen in demselben Verhältnisse in den Hintergrund gewichen, wie Rußland in den Vordergrund getreten und das osmanische Reich gesunken. „Die erste Abtheilung des ersten mag als Vorläuferin der letzten Abtheilung des letzten betrachtet werden. Von 1774 an war Rußland Stimmangeberin der diplomatischen Verhandlungen mit der Pforte, die Herbeiführerin von Krieg und Frieden, die Schlichterin der wichtigsten Geschäfte des Reichs; Oestreich aber hat sich auf die Erhaltung des wiederhergestellten Friedens und freundschaftlichen Rath beschränkt; Rußland allein ist seit jener Zeit dort mit dictatorischem Fuße aufgetreten." Die politischen Verwickelungen und Ränke russischer Minister unmittelbar nach jenem Frieden, die Begebenheiten des östreichischen Türkenkrieges hatten schwer besiegbare Schwierigkeiten dargeboten; halbe Wahrheit, leise Andeutungen, scheue Winke, die nur dem schon Halbunterrichteten verständlich, mildernde Ausdrücke, wie dieselben von politischen Tagesblättern gefodert und zu Tage gefördert werden, erschienen dem Verf. von jeher des historischen Kiels unwürdig; der Verf. hörte auf, wo er die Geschichte „weder so vollkommen noch so frei wie bisher" (S. 47) hätte schreiben können. Dann gibt der Verf. selbst eine Schilderung des Geistes und Gehaltes seines Werkes, für welches er den Namen eines pragmatischen mit Recht vindicirt, manchem Vorwurf leise ablehnt und versichert, daß keine erhebliche Thatsache, wenn sie auch im ungünstigen historischen Lichte erscheine oder in diplomatischem Dunkel verhüllt gewesen, von ihm verschwiegen oder von der Censur gestrichen worden sei. Dann geht er auf die Masse der Quellen über und der Hülfsmittel, wobei auch erwähnt wird, daß die eigne Sammlung orientalischer Werke, mehr als 200, von der k. k. Hofbibliothek erworben worden sei. Ein Verzeichniß der neuesten osmanischen Geschichtschreiber wird dem Literator sehr willkommen sein. Dann bringt der Verf. den Förderern und Gönnern seines Werkes seinen Dank, unter denen auch die dresdener Bibliothek und Ebert genannt werden. Dann wird den Kritikern mit Ausnahme Hamaker's gedankt, aber von 25 Blättern, welche das Werk besprochen haben, nur fünf Kritiker, Schlosser, Wilken, Veit, Tychsen und Sacy, als solche genannt, welche sich tiefer in das Werk einstudirt hätten. Alle übrigen hätten nur oberflächlich abgeurtheilt. Da dies auch unsere Blätter trifft, so ist dieser Vorwurf völlig ungerecht, weil es hier niemals auf eine ihrem Zwecke völlig fremde gelehrte Kritik abgesehen sein konnte und durfte. Mehres Einzelne dieser Schlußrede lassen wir unerwähnt, empfehlen aber die von S. 35—48 gegebenen Bemerkungen über das Ganze der osmanischen Geschichte an sich und des Werks, dessen Signalstern nur die Wahrheit gewesen. „Lieblosen Kritiken (schließt Herr von H.) und entstellenden Recensenten habe ich nichts zu sagen; billige Leser und Kunstrichter werden mich, sowie ich geschrieben, beurtheilen, nämlich mit

*) Zuletzt berichteten wir darüber in Beil. 19 d. Bl. f. 1831. D. Red.

Liebe und Wahrheit, und hoffentlich das Zeugniß nicht versagen, daß der nun, Gott sei Dank! ausgemeißelte Memnonskoloß dieser Geschichte im Morgenlichte wiedertönt von Liebe und Wahrheit."

Dieser vorletzte Theil enthält nun Verzeichnisse der Würden und Aemter des osmanischen Reichs, der Moscheen Konstantinopels, der hohen Schulen, Bibliotheken, der Hammer'schen (nun Theil der kaiserlichen) handschriftlichen Sammlung orientalischer Werke über osmanische Geschichte, dann von dritthalbhundert Dynastien aus Mohammed Effendi's Universalgeschichte, dann der Capitulationen, Friedensschlüsse, Handelsverträge der Osmanen bis 1774; dann der Gesandtschaften von 50 europäischen, asiatischen und afrikanischen Mächten an die Pforte und von dieser an jene; hierauf das Verzeichniß von 4000 osmanischen Staats- und Geschäftsschreiben, Diplomen u. s. w., endlich das Verzeichniß von 40 Titulaturen der osmanischen Staatskanzlei. Manche dieser Sammlungen müssen dem Verf. unendliche Mühe gemacht haben und sind höchst dankenswerth; Manches ist freilich blos Rüstwerk, vom Baue des Hauptwerks übriggeblieben, aber bei der Schwierigkeit der Materialien dennoch für jeden neuen Forscher unentbehrlich.

Der zehnte Band wird, nach S. XVIII, enthalten eine kalendarische Ueberficht der wichtigsten Begebenheiten der osmanischen Geschichte nach den Tagen (eine rein chronologische Tafel möchten wir auch noch von dem so freigebigen Verf. herauspressen!), das Verzeichniß der bisher in Europa erschienenen Druckwerke über osmanische Geschichte; dann über die in den acht Bänden vorkommenden türkischen Wörter, deren die wenigsten in den Wörterbüchern gehörig verdolmetscht, die meisten ganz ausgelassen sind; dann das Hauptregister der Namen und Sachen; die Rechenschaft über den dem letzten Bande beizugebenden Plan Konstantinopels mit der bisher noch nirgend gegebenen Eintheilung der Stadtviertel Konstantinopels, Peras und Scutaris; endlich Gegenkritik und Selbstkritik über die Geschichte des osmanischen Reiches. 20.

Novellen von August Lewald. Dritter Theil. Hamburg, Hoffmann und Campe. 1833. 8. 1 Thlr. 12 Gr.*)

Wenn die folgenden Theile der Erzählungen des Verf. auch nicht ganz die Erwartungen erfüllten, welche einige Bruchstücke des ersten Theils, und besonders die sehr gelungene Erzählung: „Der Familienschmuck" bei uns erweckten, so gehören doch auch diese Novellen zu den würdigern, wenigstens zu den lesenswerthen. Der Verf. legt seinen historischen Erzählungen gute Studien zum Grunde und hält sich an Charaktere, die durch ihre geschichtliche Bedeutung schon an sich mit einem äußerlichen Interesse ausgerüstet auftreten. Ein absolut erfindender Erzähler ist er so wenig wie ein sehr poetischer, aber die gegebene geschichtliche Anregung benutzt er mit Geschick, mit Studium, mit Geschmack. So hat er in dem ersten und vorzüglichsten der hier zur Schau gestellten Bilder eine Anzahl bekannter Charaktere in einen nicht übeln Conflict zusammengestellt, und was man eine anziehende Taschenbuchserzählung nennt, wirklich zu Stande gebracht. Er zeigt uns nämlich den großen König Friedrich auf dem Schlosse des mährischen Grafen Hodiz, Roswalde, berühmt durch den Luxus und die Geschmackswunderlichkeiten seines Besitzers in den Tagen seines Delassements, umgeben von seinen preußischen Cavalieren, von Voltaire, von dem räthselhaften und hier den Deus ex machina spielenden Philadelphia, nebst seinem Schüler Pinetti und einer großen Sängerin Doristea, von der wir nicht wissen, ob sie ebenso historisch ist als der große König. Die Begebenheit ist hinreichend seltsam, aber doch gar nicht unnatürlich. Doristea, die Tochter des Schulmeisters aus Roswalde, des Grafen Schützling, ist herbeigerufen, um den königlichen Gast zu überraschen; aber sie verschwindet, bevor sie singen kann. Dies geschieht darum, weil sie heimlich an Graf Hugo v. S. vermählt ist, der öffentlich Voltaire's Nichte, die Marquise Hauteroche, heirathen soll. Der große König läßt sich herab, selbst den Spion nach der Verlorenen zu machen und bei dem Dorfschulmeister ins Fenster zu guken. Dies Bild ist nicht schön. Alles endet damit, daß der ungetreue Hugo von dem königlichen Richter genöthigt wird, Doristea zur Gräfin zu machen und sich nach gegebenem Ja sofort von ihr zu trennen. Dieser Spruch ist von Salomonischer Richterweisheit und für den Novellenleser zugleich befriedigend. Anekdoten aus Voltaire's und Friedrich's Leben sind hierbei mit Geschick benutzt, auch mag das Ganze des Vorganges geschichtlichen Grund haben, wenigstens ist gewiß, daß Friedrich Roswalde zum Gegenstand einer schönen französischen Epitre machte und davon sang:

> Roswalde, entre vos mains en heritage passé
> Le disputa bientôt au palais de Cireé
> Et ce bourg ignoré du Tanais à l'Ebre
> Graces à vos talens est devenu célèbre.

und daß es zum freundlichen Stelldichein zwischen ihm und Joseph II. dienen mußte. Genug, diese Erzählung ist würdig und gut, wenngleich sie wenig mehr als eine wohlerzählte Anekdote ist. Am wenigsten darin hat wol Philadelphia zu gefallen ein Recht, der beiweitem nicht phantastisch genug gehalten ist, wogegen Voltaire in wenigen Zügen sehr treffend charakterisirt erscheint.

Die zweite Erzählung, „Die Verbrechercolonie", spielt nicht in Mähren, sondern in Neuholland und zwar in dem noch völlig wüsten Theile. Hier erscheint der bekannte Morris, der Falschmünzer. Die Novelle bietet zwei gut gehaltene Charaktere, den Alten und die Wilde Banalok dar; aber die Geschichte mit der Brunnenvergiftung, um die ganze Colonie auszurotten, ist gräßlich und häßlich zugleich. Wir nehmen nicht einmal Antheil an dem Tiger Pinkson und seiner sinnlosen Rachgier; denn die Beleidigung „für einen Juden gehalten zu sein" kann nur bei außerordentlichen Naturen, zu dem Entschlusse führen, gegen die Menschheit überhaupt in den Krieg zu ziehen. Diese Erzählung ist schlecht, unwahr und ohne wirkliches Interesse. Die Sage: „Die heilige Linde" ist ein Lückenbüßer mit verbrauchten Effecten, von dem es sich mehr zu sagen, nicht der Mühe lohnt. Die letzte Erzählung: „Das heimliche Gericht", macht den Anspruch, für eine humoristische Novelle zu gelten. Der Humor besteht darin, daß ein vor Demagogen und Republikanern, vor Sands und Guillotine bebender Magistratsrath in Nürnberg, der sich zwei alberne Wächter als Leibgarde hält, durch ein heimliches Gericht mystificirt wird, welches nämlich keine Fehme ist, wie er glaubt, sondern ein wilder Schweinskopf, den ihm sein Neffe heimlich bereitet. Dieser Spaß ist zu plump, um für humoristisch gelten zu können. Dennoch sind einige Momente in der Erzählung anzutreffen, die auch in dieser Richtung hin Talent ankündigen, und das einleitende Gespräch zwischen den beiden Nachtwächtern scheint eine nicht verunglückte Parodie der ersten Hamletscene darzustellen, und der Pegnitzschäfer Dünkelspiel und der speculative Buchhändler sind ganz ergötzliche Nebengestalten.

Ein wiederholender Ueberblick dieser ganzen Sammlung von Novellen scheint uns das ziemlich scharf begrenzte Gebiet genau zu bezeichnen, in dem sich der Verf. mit Glück bewegt: es ist die kleine historische Erzählung, welche ein geschichtliches Factum mit einiger Erhebung über die Wirklichkeit angenehm und gefällig erzählt. Eine Stufe tiefer, würde es bloße Anekdote sein. Die Motive sind meistens haltbar und würdig, die Charaktere aus einem anziehenden Gesichtspunkte aufgefaßt, die Sprache, ohne ausgezeichnet zu sein, natürlich und geschmackvoll. Ueber dieses Gebiet hinaus wird der Verf. höchst wahrscheinlich niemals etwas Bedeutendes an den Tag stellen. Non omnia possumus omnes! Er mag sich mit dem ihm zugetheilten Pfunde begnügen. 39.

---

*) Vgl. Nr. 69 d. Bl. f. 1831 und 296 f. 1832. D. Red.

Memoiren Ludwig XVIII., gesammelt und geordnet von dem Herzoge von D**. Deutsch durch Karl Wilhelm Schiebler. Fünfter, sechster und siebenter Band. Leipzig, Allgemeine niederländische Buchhandlung. 1832—33. 8. 4 Thlr. 12 Gr.*)**

Als Uebersetzer des siebenten Bandes nennt sich L. v. Alvensleben. Bei gegenwärtiger Anzeige, welche die Fortsetzung der Uebertragung dieser Denkwürdigkeiten veranlaßt, mag nochmals darauf aufmerksam gemacht werden, daß nicht sowol die Mittheilung bisher unbekannter wichtiger Thatsachen, als der Gesichtspunkt, aus welchem bekannte Ereignisse hier zusammengereiht werden, dem Werke ein höheres Interesse verleiht. Wenn, wie wol entschieden ist, Ludwig XVIII. keinen unmittelbaren Theil an dem Werke hat, so ist doch sein Standpunkt und Gesichtskreis recht geschickt festgehalten; in der Erzählung der Begebenheiten reflectirt überall der Charakter dieses geistvollen Königs. Manche Motive der verhängnißvollen Revolutionsbegebenheiten sind hier mit unübertreffbarer Freimüthigkeit beleuchtet. Was wird nicht alles den Sünden der damaligen Politik, der Ländersucht der coalisirten Fürsten u. s. w. schuldgegeben? So läßt der Verf. kurz nach der Ermordung Ludwig XVI. den als Reichsverweser auftretenden Monsieur sagen: „So lange ich zu Hamm verweilte, war meine Lage eine der mislichsten von der Welt; ich war von geheimen Agenten der verschiedenen Höfe umgeben, welche den Auftrag hatten, mir Zugeständnisse (Länderabtretungen) zu entlocken und mich zur Abschließung von entehrenden Verträgen zu bewegen. Es war nicht leicht, dieser beständigen und sich vermehrenden Intriguen sich zu entledigen; denn während ich nichts bewilligte, durfte doch Niemand misvergnügt gemacht werden. Ich hatte zu gleicher Zeit mit 20 Agenten zu unterhandeln und nimmermehr würde ich zuletzt ihren Krallen entgangen sein, hätte ich nicht in der gegenseitigen Eifersucht der verschiedenen Höfe ein Auskunftsmittel gefunden. Wenn der Abgesandte des einen Hofs mich allzu sehr in die Enge trieb, so schlug ich ihm vor, seine Foderungen dem Ausspruche der andern zu unterwerfen, und dies reichte hin mir eine kurze Frist zu gewähren. Ich war der Schwächste; folglich mußte ich zur List meine Zuflucht nehmen. Gott sei gedankt! es gelang mir, diesem Wespenneste ohne Nachtheil zu entkommen. Wahr ist, daß mein Widerstand gegen die Theilung eines Theils des Königreiches meiner Vorfahren das Ende der Revolution verzögerte." (Bd. VI, S. 5.) Er konnte von sich ohne Selbsttäuschung rühmen: „Ich liebte nie in die Rolle eines nichtsthuenden Königes verwiesen zu werden. Gott sei gedankt, ich habe Schnabel und Krallen, den Kopf auf der rechten Stelle, ein freies Urtheil, und wenn ich schlecht gehe, so denke ich doch gut." (Bd. VII, S. 16.) Besonders beklagt sich Ludwig XVIII. über die persönliche Feindschaft Oestreichs wider ihn, welche Breteuil mit seinen Ränken so geschickt zu unterhalten wußte. Freilich darf nicht unbedingt Alles als wahr angenommen werden, was hier erzählt wird; zu dieser Vorsicht nöthigt die Entdeckung mancher mitgetheilten Unrichtigkeit und die kecke Aufstellung von Behauptungen, die nur mit thatsächlichem Beweis versehen Glauben verdienen, z. B. wenn man Ludwig XVIII. oft sagen läßt: Oestreich sei Ludwig XVI. und seiner Gemahlin zur größten Dankbarkeit verpflichtet gewesen, besonders für den Empfang großer Geldunterstützungen. Die Beschuldigung, daß Maria Antoinette den französischen Staatsschatz geplündert habe, um Oestreich aus Geldverlegenheiten zu reißen, ist als völlig unerwiesen, ja als unmöglich längst beseitigt. Selbst wider die Genealogie, worin, wie gewöhnlich die Fürsten, auch Ludwig XVIII. sehr taktfest war, kommen Verstöße vor. Band V, S. 133 redet er von einer Gräfin Enoff, als Friedrich Wilhelm, Königs von Preußen, zweiter Gemahlin zur linken Hand.

Die hier vorliegenden drei Bände umfassen den Zeitraum vom Frühjahre 1791 bis zum September 1801. *61.*

*) Ueber die letzten Bände berichteten wir in Beil. Nr. 8 d. Bl.
D. Red.

Aphorismen.

Le déserteur.

Wem wäre diese rührende Oper von Sédaine mit der effectvollen Musik von Monsigny unbekannt? Sie verdankt ihren Ursprung einem sehr einfachen Vorfalle. Im Jahre 1767 hatte Ludwig XV. gegen 10,000 Mann Truppen in einem Lager bei Compiegne zusammengezogen, welche daselbst große Manoeuvres ausführen sollten; sie wurden von Herrn von Ségur, nachherigem französischen Kriegsminister, commandirt. Der König wohnte der Revue selbst bei und nahm nachher ein Mittagsessen bei Herrn von Ségur an. Gegen Ende der Mahlzeit ward die Wiederergreifung eines Deserteurs gemeldet; er sollte erschossen werden. Frau von Ségur indeß, welche zugegen war, warf sich dem Könige zu Füßen und erlangte die Gnade des Schuldigen. Diesen Stoff hat Sédaine so niedlich zu bearbeiten gewußt; und wahrhaftig! die Fürsten sollten öfter Gnade üben, wäre es auch nur, um den Operndichtern Gelegenheit zu geben, ihr Talent zu zeigen.

Reflexion.

Es wird nie so gut oder so schlimm, als der Mensch denkt; und auch dies zeigt seinen überirdischen Ursprung an, demzufolge er bei allen seinen Maßen immer das gewohnte Ideal als Maßstab anlegt. Daher kommt es, daß der Mensch auch seiner Ahnung des Bösen eine ideale Ausdehnung gibt. Wie furchtbar erscheint aus der Ferne ein Angeschuldigter! wie umfassend und tiefgreifend ein schwarzer Plan! In der Wirklichkeit befindet sich das Alles ganz anders. Der vermeinte furchtbare Bösewicht hat vielerlei zu seiner Entschuldigung anzuführen; und jener gräßliche Plan leidet an den Schwächen und Inconsequenzen aller menschlichen Entwürfe. Und dies schon deswegen, weil der unfreiwillige Kampf zwischen Pflicht und Begier in der menschlichen Brust den determinirten Entschluß zum Bösen selten vollkommen reif werden läßt.

Danton.

Ich finde in einer der improvisirten Reden, mit welcher Danton eine in der Convention nationale gegen ihn erhobene Anklage wegen Concussion und angeblichen Einverständnisses mit Dumouriez niederschlug, folgende donnernde Peroration: „Je me suis retranché dans la citadelle de la raison, j'en sortirai avec le canon de la vérité et je pulvériserai les scélérats qui ont voulu m'accuser." Widerstehe wer kann! Ein stürmischer Beifall der Montagne und der Tribunen *belohnte* den Redner, und die Anklage verstummte. Warum vertheidigen sich angegriffene Minister gegen unsere heutigen Landstände nicht auf ähnliche Weise?

Delille.

Der Abbé Delille, dieser liebenswürdige französische Dichter, war bekanntlich blind und verwahrte seine Verse nur in seinem Gedächtnisse, indem er sie sich selbst durch häufiges lautes Recitiren einprägte. Dabei war er aber stets besorgt, daß ihn ein Plagiarius belauschen und seine Arbeiten voreilig niederschreiben möchte, daher er nur wenigen Personen den Zutritt zu sich erlaubte. Jedoch genoß desselben seine Freundin, die Baronesse Dubourg eine geistreiche und angenehme Dame. Eines Tages, als sie ihm auch zuhörte, wollte sie gar zu gern ein Paar der vorgetragenen Verse niederschreiben und versuchte es ganz sacht mit einer sehr feinen Rabenfeder. Allein der boshafte Poet vernahm es doch, und unterbrach sich selbst sogleich durch den Ausruf:

Mais tandis que je lis mes chefs-d'oeuvre divers,
Le corbeau devient pie et me vole mes vers!

178.

Redigirt unter Verantwortlichkeit der Verlagshandlung: F. A. Brockhaus in Leipzig.

Blätter
für
literarische Unterhaltung.

Sonntag, — Nr. 321. — 17. November 1833.

Historisches Taschenbuch. Mit Beiträgen von Förster, Gans, Loebell, Stieglitz, Wachsmuth, herausgegeben von Friedrich von Raumer. Fünfter Jahrgang. Mit den Faust'schen Bildern aus Auerbach's Keller zu Leipzig. Leipzig, Brockhaus. 1834. 12. 2 Thlr.

Wie es Personen gibt, denen man gern wiederholt begegnet, ja denen man mit Freude und Liebe entgegensieht, so gibt es auch dergleichen Bücher. Unter diese gehört für den Ref. gegenwärtiges Taschenbuch. Etwas mismuthig von einer durch schlechtes Wetter und Anderes noch mislungenen Reise zurückgekehrt, fand einer seiner ersten Blicke auf dem verödeten Arbeitstisch gegenwärtiges Büchlein als ein salve redux vor und hieß es in seiner blauen wohlbekannten Uniform herzlich willkommen. Zuerst, um recht historisch-genetisch an die Arbeit zu gehen, wollte Ref. vorher erbauliche Betrachtungen eines an den Arbeitstisch zurückkehrenden Reisenden und Gegenbetrachtungen des Arbeitstisches bei der Wiederkunft seines Herrn niederschreiben, wollte jene gelehrte Werkbank mit ihrem Geräthe an Heften, Notaten und Tagebüchern, Lexiken und den eignen durchschossenen Werken, mit dem vertrockneten Tinten- und dem ausgestäubten Sandfasse, mit den eingeschnurrten Federn und den unterdeß von den Kindern mishandelten Bleistiften anschaulich vor den Leser hinführen, mit einem nach Abzuge des Feindes sich wieder bevölkernden Dorfe vergleichen, wollte im poetischen Plagiat die alten Freunde in Folio, Quart und Octav an der Wand mit den Worten ins Gewölbe ziehn:

> Die Bücher stehn und sehn sich fragend an:
> Was hat man unserm armen Herrn gethan?

wollte die Bücher selbst nach Größe, Band, Schnitt, Titel mit einer gewaltigen Gesellschaft vergleichen und charakterisiren; allein, mittem in seinem Vorsatze hatte Ref., er weiß nicht wie, den blauen Ankömmling schon aufgeschlagen und saß auf einmal in dem, neben dem Titelblatte befindlichen Auerbachskeller in einer ziemlich lustigen Compagnie von zehn Menschen und einem Hund. Da müssen deutsche Studenten dabei sein! dachte Ref., denn ohne Hunde thun diese Herren es (wenigstens in unsern Gegenden) nicht, und hatte sich nicht geirrt. Was thun aber die Herren? Weinfaß und Geige könnten gar an ein hambacher Fest im Kleinen erinnern, und der Pokal des Bepelzten könnte von den Dutzenden sein, welche, zum Trinken und Betrinken zu viel, zum Ertrinken zu wenig, gefeierten Männern wie sonst Weihrauchfässer an den Kopf geschleudert werden. Indeß sehen wir zum Glück keinen Gendarmen und hören keine Marseillaise; vielmehr geht's mit einem „vive, bibe, obgraegare" barbarisch lustig und unlateinisch ab, und wer sonst Befürchtungen haben möchte, es könne sich doch noch Gefährliches entwickeln, wird sich endlich wol durch die Jahrzahl 1525 beschwichtigen lassen, obgleich damals auch recht demagogische Umtriebe und zwar im Großen mit den Bauernunruhen abgethan waren. Die zweite Tafel enthüllt indeß die Sache zu unserer völligsten Beruhigung. Ein vor zwei Kellnern und Jungen, vor drei leipziger Abladern mit ihren Ziehhaken an der Hüfte und andern Groß und Klein auf einem Fasse aus einem Keller herausreitender Gesell mit Pudelmütze und steifer Halskrause, ist so wenig ein Bacchus als der vorauslaufende Hund ein Leopard, sondern nur ein Bachant oder fahrender Schüler, genannt Dr. Faust, und da in der gereimten Unterschrift des Bildes versichert wird, daß er den Teufelslohn bereits empfangen, so werden ihm alle Central- und Specialcommissionen wenig mehr anhaben dürfen. So viel von den Bildern, die bereits auf einen Theil des Inhalts haben schließen lassen. Doch nun zum Inhalt selbst.

Der erste Aufsatz (1—123) ist überschrieben: „Wallenstein als regierender Herzog und Landesherr", von (Hofr.) Friedr. Förster. Ref. nannte Wallenstein einmal eine historische Hieroglyphe, aus welcher Jeder herauslese, was er eben in derselben zu finden meine. Hr. Förster scheint nun einmal entschlossen, den von einer gewaltsamen Zeit und einer rohen Soldatesca emporgetragenen, durch anfängliche Erfolge und Unentbehrlichkeit hoch gehobenen Mann unschuldig zu finden, und so ist denn auch in der Natur dieser Hieroglyphe Vieles leicht gefunden, was dafür spricht, und Wallenstein's Briefwechsel, den Hr. Förster bereits gegeben hat, verleiht in einer Anzahl Documenten seiner Meinung immer größere Wahrscheinlichkeit, auch wird kein ehrlicher Mann Hrn. Förster zutrauen, daß er eben nur die seiner Ansicht günstigen Papiere und Actenstücke bekannt gemacht habe. Ueberhaupt liegt auch in der Entfernung, in der örtlichen so gut wie der zeitlichen, eine gewisse reinigende und verschönernde

Kraft. Wie das rauheste Gebirge von Weitem immer einer schönen blauen Bergkette gleicht, treten mit der Zeit auch an historischen Ereignissen und Personen die rauhen Seiten und Ecken zurück, werden durch vieles Besprechen und daran Gewöhnen gleichsam abgeschliffen, finden auch wol eine gemilderte ruhigere Stimmung der Menschen, eine christlichere Mildigkeit des Urtheils; mancher nur Zeitgenossen bekannte charakteristische Zug des Hauptbildes verschwindet, und so kann allmälig, traditonell, von Generation zu Generation eine so völlig veränderte Ansicht sich bilden, daß sie an die heidnischen Statuen und Bilder erinnert, welche ein frommer Glaube und eine angebrachte gloriola zu christlichen Heiligen umgeschaffen hat. Wir zweifeln nicht, daß, wenn Hr. Förster in gleichem Sinne auch die beabsichtigte große Biographie Wallenstein's geliefert haben und diese Ansicht in die Schulen und Schulbücher übergegangen sein wird, in 30—40 Jahren eine andere Generation (besonders eine für so etwas viel empfänglichere Jugend) Stein und Bein auf Wallenstein's Unschuld schwören und nicht begreifen wird, wie man 200 Jahre lang einem so großen Manne ein so schreiendes Unrecht habe anthun können. Auf ähnliche Weise scheint es auch mit der sonst berüchtigten, nun schon berühmten Maria Stuart zu gehen.

Zwar gilt es im vorliegenden Aufsatz einem solchen Purificationsprocesse nicht unmittelbar, sondern nur einer Schilderung jenes Mannes als regierenden Landesherrn, nachdem das frühere Werk es vorzugsweise mit dem Feldherrn zu thun hatte. Diesmal ist nicht das Arnim'sche Familienarchiv zu Boitzenburg und das des Geh. Kriegsrathes in Wien, sondern eine Sammlung Briefe und Decrete zu Grunde gelegt, welche Wallenstein an seinen Landeshauptmann Gerhard von Taxis und an seine Kammer zu Gitschin geschrieben und erlassen, und welche Hr. Professor Dr. Glückselig in Prag (bekannter unter dem Namen Legis) dem Verf. mitgetheilt hat. Diese und anderweitige dankbar anerkannte Unterstützungen setzten Hrn. Förster in den Stand, den Feldherrn nun auch als Regenten zu betrachten und Manches zu vervollständigen und zu berichtigen, was Schottky in seinen „Vorlesungen über Wallenstein's Privatleben" (s. Nr. 318 d. Bl. f. 1832) ziemlich einseitig und mit vorgefaßter günstiger Meinung gegeben hatte. Die Arbeit war nicht gering, den oft so verschiedenartigen Inhalt eines einzelnen Briefes in gewisse, die Uebersicht erleichternde und zusammen ein Ganzes bildende Rubriken zu bringen. Dieser Abtheilungen sind acht: 1) Statistische Uebersicht der zu dem Herzogthum Friedland gehörenden Herrschaften, Städte, Schlösser, Dörfer; Lehnstafel des Herzogthums. 2) Antritt der Regierung. Einrichtung einer Kammer zur Verwaltung der Einkünfte, einer Kanzlei zur Verwaltung der Justiz; Vorbereitungen zu einer ständischen Verfassung 3) Wallenstein's Sorge für Kirchen, Klöster, Unterricht. 4) Staatshaushalt, Landwirthschaft, Fabriken, Gewerbe. 5) Bauunternehmungen, Gartenanlagen. 6) Herzogl. Hofstaat, Garderobe, Trinkgelder. 7) Vermögen des Herzogs. Die Wege und Mittel. Die Münze. Contributionen. Erpressungen. 8) Des Herzogs Nachlaß und letztwillige Verordnungen. Den Grund seines Herzogthums Friedland bildeten eine Masse zerstreuter Städte (9), Schlösser und Dörfer (57), deren Namen, Lage nach den böhmischen Kreisen, frühere Besitzer, Schätzung, Ankaufspreis auf einer Tabelle zusammengestellt sind und an Werth mehr als 7 Mill. Gulden betrugen. Da es Güter waren, welche in Folge der Schlacht am weißen Berg confiscirt worden, und deren Erwerb man für unsicher und ehrlos hielt, so mag sich ihr wirklicher Werth wol auf das Doppelte belaufen haben, wie sie denn auch meistens unter dem Schätzungswerthe bezahlt wurden. Der Verf. schätzt Wallenstein in der Zeit zwischen seinen Erhebungen in den Grafen- und Fürstenstand (1620 und 1623) auf 20 Mill. Gulden an Vermögen; wobei nicht zu vergessen ist, daß auch Sagan, Glogau und Mecklenburg noch dazukamen. Im J. 1623 verwandelte Ferdinand II. eine Menge zur Confiscation verurtheilte Herrschaften im Wege der Gnade in Wallenstein'sche Lehngüter (249), wodurch Wallenstein eine sehr bedeutende Vasallenschaft bekam (s. Lehnstafel S. 12—14). Die Gesammtzahl der lehnpflichtigen Grundstücke belief sich auf 3403, von denen gar viele wegen unterlassener Lehnsmuthung der Besitzer noch vom Herzog eingezogen worden zu sein scheinen. Die Einkünfte verwaltete eine Kammer, die Justiz eine Kanzlei, die Oberaufsicht im Allgemeinen ein Landeshauptmann, auf den einzelnen Gütern Hauptleute, in den Kreisen Gubernatoren und über diesen wieder ein Regent (S. 22). (Was über die projectirte Verfassung mit einem geistlichen, adeligen und bürgerlichen Stande gesagt ist, ist schon aus Schottky und Hormayr's Taschenbuch bekannt.) Interessant zu lesen ist des Herzogs Verhältniß zu den Jesuiten, denen er Seminarien und Collegien zu Gitschin und Sagan (und Leutmeritz) fundirt hatte. Aber über ihre Bekehrungswuth entstand ein Aufstand der Unterthanen, über welchen er den um Hülfe vom Lande angerufenen und deshalb an den Herzog berichtenden Taxis schreibt:

Er habe vernommen, was vor Rumor mit den Jesuiten die Unterthanen angefangen haben. Es ist ein welsch Sprichwort: cosi vol cosi habbia! Derowegen mischt ihr euch nicht drein. Werdens die Jesuiten gutt machen, werden sie's gutt haben, ich begehr ihre impertinenzen nicht mit brachio seculari zu defendiren, denn ihre exorbitanzen seindt unerträglich. Mit den Bürger zu Friedland dissimulirt, bis dieser Actus ein wenig gestillt worden, sonsten im Uebrigen gebt auf Alles gut Achtung und von den Jesuiten laßt euch nicht bei der Nasen führen, denn ihr seht, was sie vor feine Händel itzt im Land ob der Ens angericht haben; in summa es geht überall so zu, wo sie einwurzeln! Könnte ich mit 100,000 Fl. der fundacion, so ich ihnen gethan hab, ledig werden, so thät ich's gern. — Daß die Jesuiten — schreibt er später — ihre Contributionen wollen selbst nach Prag abführen, das lasse ihnen der pater Rector vergehen, denn sie gehören unter mich, und nicht unter das Land; dahero will ich, daß sie mich in temporali vor ihren Oberherrn erkennen; werden sie die Contribution nicht abführen, wie sich gebührt, so befehle ich, daß ihr euch in ihre Güter einführt; im Widrigen, so würde ich's bei euch suchen.

Bekehrungsversuche läßt Wallenstein nur zu gelegener Zeit vornehmen (1627: „und dieweil itzunder Zeit ist, so hebt wiederum an, die Leut catolisch zu machen"). Seine

Sorge für die Landwirthschaft geht ins kleinste Detail. Er befiehlt (S. 59) „die kranken blöden Kapaunen und Hühnlein in die Vorwerke auszutheilen, damit sie an der jungen Grasweide wieder gesund werden". Bei dem Hofstaat waren ein Graf Lichtenstein als Oberhofmeister, ein Harrach als Oberkämmerer, ein Harbegg als Oberstallmeister angestellt. Jedem der 24 Kammerherren wurden 10—15 Personen und 20 Pferde gehalten. Im J. 1633 zählte der ganze Hofstaat des Herzogs 899 Personen und 1072 Pferde. Auch 60 Edelknaben kommen vor; und der Hofstaat der Herzogin war nicht minder prachtvoll. Von der Beschuldigung, daß der Herzog aus den deutschen Reichslanden, welche er durchzogen, viele Millionen nach Böhmen geschleppt habe, wird Wallenstein (S. 99) ganz freigesprochen. Der ihm zur Last gelegte Despotismus gegen seine Beamten beginnt eigentlich erst nach der lützner Schlacht und mag, wie Hr. Förster (S. 114) meint, Schuld sein, daß sich nach Wallenstein's Ermordung keine rächende Hand, keine Stimme der Vertheidigung erhob. Von seinen Testamenten und der Weise, wie sein nachgelassenes Vermögen, wohin auch große Foderungen an den Kaiser gehörten, trotz seinen Anordnungen behandelt wurde, spricht der Verf. zuletzt und schließt mit den schweren Worten (S. 123): „Nicht nach Gesetz und Recht, sondern nach Willkür und Belieben wurde die Verurtheilung ausgesprochen, und dies dürfte der Punkt sein, auf welchen bei dem neuerdings wieder aufgenommenen Proceß der Waldstein'schen Erben gegen den kaiserlichen Fiscus insonderheit die Aufmerksamkeit zu richten wäre. Eine blutige Abrechnung hat das Haus Oestreich mit dem Hause Friedland gehalten. Mit dem Mordstahl konnten wol die Schulden getilgt werden, nicht aber die Schuld."

(Der Beschluß folgt.)

Literatur der Sprüchwörter. Ein Handbuch für Literarhistoriker, Bibliographen und Bibliothekare. Verfaßt von Christ. Konrad Nopitsch. Zweite Ausgabe. Nürnberg, Ebner. 1833. Gr. 8. 1 Thlr. 16 Gr.

Wir haben die erste im Jahre 1822 erschienene Ausgabe dieses literarhistorischen Werkes nicht gesehen, können also auch nicht beurtheilen, um wie viel vollständiger die zweite Ausgabe ist. Ebenso vermögen wir nicht zu bestimmen, ob die vielen Nachträge zur ersten Ausgabe, die in der „Jen. Allg. Lit. Zeit.", 1822, Nr. 142 fg., und in den „Heidelberg. Jahrbüchern", 1827, März, Nr. 15 und 16, enthalten waren, vom Hrn. Nopitsch dabei benutzt werden sind. Insofern ihm dieselben nicht unbekannt geblieben, läßt sich mit Bestimmtheit von dem emsigen Verf. die Benutzung derselben erwarten. Diese zweite Ausgabe ist nun durch den Fleiß und die Belesenheit des Hrn. Nopitsch ein sehr nützliches Handbuch für Literarhistoriker und Bibliothekare geworden, da sich dasselbe nicht allein über deutsche, griechische, lateinische, englische, französische und italienische Sprüchwörter verbreitet, sondern auch über äthiopische, arabische, böhmische, chaldäische, chinesische, dänische, esthnische, flämische, galische, hebräische, henneberg'sche, holländische, holsteinische, isländische, magyarische, neapolitanische, neugriechische, niederdeutsche, niederländische, persische, plattdeutsche, polnische, portugiesische, preußische, provenzalische, russische, sassische, schottische, schwäbische, slawonische, spanische, tamulische, türkische, ungarische und westfälische Sprüchwörter. Schon aus dieser Aufzählung ist der Reichthum der literarischen Nachweisungen ersichtlich. Künftig werden wol noch serbische und indische Sprüchwörter hinzukommen müssen. Bei der Sorgsamkeit des Verf. ist es auffallend, grade in der neuesten und neuern Literatur manche Lücken zu finden. So vermissen wir bei der Literatur der römischen und griechischen Schriftsteller mehre der in Krebs' „Philolog. Bücherkunde", I, 542—544, aufgeführten Werke, ferner mußten bei den Gedichten des Theognis der neuesten Ausgabe von Welcker (Frankfurt a. M. 1826), bei der Collectaneenschrift des Diogenes von Laerte die neueste Ausgabe von Hübner (Leipzig 1818 fg.) gedacht werden, sowie auch der treffliche Aufsatz von Zell über die Sprüchwörter der alten Griechen in den „Ferienschriften", I, 91—124, nicht unerwähnt bleiben durfte. Ueber französische Sprüchwörter erinnern wir uns in der „Zeitung für die eleg. Welt", 1825, Nr. 170, 171, gute Bemerkungen gelesen zu haben. Und so ließen sich hier und da wol noch manche Nachträge anbringen, zu deren Mittheilung der Verf. ja selbst auffoderte. Aber der Verdienstlichkeit des Werkes werden sie keinen Eintrag thun, ja man muß sich freuen, daß der Verf. die ihm von den Geschäften seines Pfarramts übrige Muße auf eine so gemeinnützige Weise benutzt hat. Seine Sammlung wiegt viele theologische Streitschriften und Tractätchen der neuesten Zeit auf.

59.

Neueste französische Romane.

1. Juive et Mauresque, par *H. Bonnelier*, ancien secrétaire de l'intendance générale d'Alger.

Von jeher haben die Raubstaaten in der Romanliteratur eine große Rolle gespielt, besonders in der französischen. Der Held ging nie zu Schiffe, ohne von einem Seeräuber aus Algier, Tunis oder Tripoli gefangen zu werden; gewöhnlich wurde er an irgend einen reichen Kaufmann dieser Gegenden verkauft und durch eine Schöne aus dessen Harem oder Serail, wie man damals sich ausdrückte, befreit, und der Himmel weiß, wie in solchen unausbleiblichen Episoden die Sitten und Gebräuche dieser Gegenden geschildert wurden. Heutzutage, wo man sie in der Nähe, an Ort und Stelle studiren kann, dürften die Romandichter darin eine reiche Quelle neuer Situationen und Effecte finden. Bereits haben einige Versuche von Hrn. Eusèbe de Salles, dem Verfasser von „Ali le Renard", und Andern Glück gemacht. In „Juive et Mauresque" gibt Hr. Bonnelier ein Gemälde von diesen beiden Völkerschaften, welche den größten Theil der Einwohner von Algier ausmachen, und schildert den Kampf der europäischen Civilisation mit dem kalten und grausamen Starrsinn eines Einwohners dieses noch halb barbarischen Landes. Zum geschichtlichen Grund seiner Novelle hat der Verf. folgende Zeilen, die sich im „Moniteur" vom 27. Jan. 1832 befinden, genommen: „In Folge eines Beschlusses des Civilintendanten, hat Hr. J. C. aufgehört, Mitglied des Justizhofes zu sein. Hr C., nachdem er mit einigen maurischen Weibern in unerlaubten Verhältnissen gelebt, hat diese Weiber, welche ihre Familien verlassen hatten, mehre Tage lang in seinem Hause versteckt gehalten." Im Roman des Hrn. Bonnelier ist der Justizbeamte ein Engländer, Robert Cowel, dessen Familie aber schon seit längerer Zeit in Frankreich ansässig ist. Simon Barsla, ein Malteser, steht als Dolmetscher in seinen Diensten. Von seiner Terrasse aus hat Robert auf der Terrasse des benachbarten Hauses, welches dem reichen Sidi Ta'eb zugehört, eine wunderschöne Maurin, Fatme, in Begleitung zweier anderer Frauen, erblickt. In einer mondhellen Nacht, wo Fatme ihre Schleier zurückgeschlagen, weil sie sich unbeobachtet wähnte, hat der junge Europäer Gelegenheit gehabt, ihre Schönheit zu bewundern; er verliebt sich in Fatme; Barsla gibt sich zum Kuppler her, und bald theilt die Schöne die Leidenschaft, welche sie eingeflößt. Es ist übrigens nicht ihre erste Liebschaft: schon hatte ein junger Moslim ihr Herz zu rühren gewußt; sie beweint seinen gewaltsamen Tod, bewahrt seinen Kopf auf, den sie sogar von Zeit zu Zeit mit sich zu Bette nimmt, als ein Präservativ gegen die Liebe. Bald wird Robert untreu und verliebt sich, man weiß eben nicht recht wozu, noch warum, in die Tochter des reichen Juden Abrahams, die reizende Johane, die indessen, obgleich sie den jungen Franzosen oder Engländer, wir wissen nicht recht, wie wir ihn nennen sollen, wiederliebt, ihm dennoch widersteht. In der Zwischenzeit das wird Einverständniß zwischen Fatma und Cowel entdeckt; sie flüchtet mit ihren zwei Frauen zu ihrem Verführer; der treulose Malteser liefert sie dem wilden Sidi in die Hände, der sie alle Drei ermordet. Gabale, eine treue Sklavin der armen Fatma, rächt den Tod ihrer Gebieterin an dem schändlichen Brasia. Die schöne Jüdin bekehrt sich zum Christenthume aus Liebe zu Cowel; aber im Augenblick, wo sie wähnt, mit ihm auf ewig verbunden zu werden, ruft er ihr mit echt alt-französischem Leichtsinne zu: „Je suis marié!" Dieser Cowel ist in Wahrheit ein erbärmlicher Wicht. Die Jüdin stirbt; es sterben nebst dem noch mehre Nebenpersonen: es ist eine wahre Cholera in dem Buche. Zu oft mischt der Verf. in seine Erzählung Details über die Verwaltung und Verwalter, die das Interesse stören und füglich in einigen Noten hätten folgen können.

2. Les réverbères, chroniques du vieux et du nouveau Paris, par la comtesse douairière de B., auteur des Chroniques de l'Oeil-de-boeuf, publiées par *Touchard-Lafosse*.

Die „Chroniques de l'Oeil-de-boeuf" sind eine ziemlich pikante Compilation, in welcher die französischen Sitten der letzten Jahrhunderte in ein romantisch-historisches Gewand eingekleidet sind. Die auftretenden Personen, welche in der Chronik noch mit einiger Zurückhaltung auftreten, erscheinen hier so ziemlich im Négligé; ihre Sitten sind eben nicht sehr erbaulich, indessen mag der Verf. allerdings als Historiker das Recht in Anspruch nehmen, treu zu malen; man verzeiht dem Sueton, was man dem Aretin verübelte. Im Jahre 1667 ließ der Policeilieutenant La Reynie die ersten réverbères in Paris aufrichten. Der Verf. nimmt an, daß er zugleich mehre Personen bestellt, um bei jener hellern Lichte die nächtlichen Abenteuer der Stadt zu beobachten und darüber an den König Ludwig XIV. zu berichten, zum Zeitvertreib und zur Ergötzung Sr. Maj. Diese Beobachter sind im Buche ein junger Offizier, ein Abbé, eine Dame aus der großen Welt, ein Doctor und ein Baccalaureus. Die beiden ersten Bände gehen bis zu Ende der Regierung Ludwig XIV. Es folgen noch vier, in welchen die Erzählungen bis auf unsere Tage fortgeführt werden.

3. Heures du soir, livre des femmes. Sechster Band.

Mit diesem sechsten Bande ist das Unternehmen geschlossen, welches geschickter ersonnen als ausgeführt worden. Wir haben nur Weniges gefunden, was über das Mittelmäßige ginge, und Vieles unter dem Mittelmäßigen. Nichts ist lächerlicher als die Annoncen in den Blättern, welche das jungfräuliche Talent und die Schamhaftigkeit und Delicatesse dieser jungen Musen anpreisen, von denen die Hälfte Schnurrbärte und Hosen trägt, und Taback raucht, die mit einem Worte männliche Musen sind. Dieselbe Buchhandlung kündigt ein „Livre des femmes étrangères" an, welches gleichfalls aus sechs Bänden bestehen soll.

4. Atab de Montbard, ou ma campagne d'Alger, par Madame *Adele*.

Zur Zeit, wo Barthélemy, jetzt gleichfalls ein Deserteur, den berühmten Deserteur von Waterloo, Bourmont, so arg mitnahm, erhob eine Dame muthig ihre Stimme zur Vertheidigung des Generals und dichtete ihm zu Ehren eine schlechte Ode. Wir haben diese Madame Adele stark in Verdacht, daß sie gleichfalls die Verfasserin des gegenwärtigen Romans ist, den man gewissermaßen als ein Lobgedicht auf den Eroberer von Algier betrachten kann. Die „Quotidienne" rühmt besonders an diesem „Atab de Montbard" daß die Verf. eine Geschichte des Serails, wahrscheinlich des Harems, und eine neue Beschreibung der Wüste gegeben. Die Beschreibungen der Wüste fangen nachgerade an, ebenso einförmig und langweilig zu werden als die Wüste selbst.

5. Marie, ou l'initiation, par *Francis Dazur*.

Ein mystisch-religiöser Roman, ungefähr im Geschmacke des Hrn. Gustav Drouineau. Marie, eine Novize im Kloster des Herzens Jesu (sacré-coeur), sucht dem Bräutigam einer ihrer Freundinnen fromme Gefühle einzuflößen. In dieser Absicht knüpft sie mit dem jungen Manne eine Correspondenz an, auf welche dieser mit Gründen antwortet, welche den Glauben Mariens erschüttern, sodaß sie endlich in einen vollkommnen Skepticismus verfällt. Dieses Buch soll aus der Feder einer jungen Dame sein. Die Lehren der Madame Sand scheinen angesteckt zu haben; man lese nur folgende Stelle an Marie über die Ehe: „Le mariage commence à passer beaucoup de l'opinion.... le mariage est peut-être comme la peine de mort: ils vont l'un et l'autre à notre ordre social; c'est lui qu'il faut commencer par réformer *d'abord*, par préparer à recevoir d'autres lois, etc."

Die allerneuesten französischen Romane sind:

„Ainsi soit-il, histoire du coeur", von Hrn. Alphonse Brot, einem der Verfasser von „Onze heures et minuit", in unsern Augen eine schlechte Empfehlung. Ferner: „Une actrice", von einem Hrn. Guérin, dessen Name uns hier zum ersten Male zu Ohren oder zu Augen kommt. „La double méprise", vom Verf. des „Théatre de Clara Gazul", nämlich von Hrn. Mérimée. „La double méprise" ist eine höchst interessante Erzählung, deren Gegenstand der Verf. aus einer amerikanischen Novelle entlehnt hat, die in einer Sammlung, betitelt: „Contes américaines", schon vor drei Jahren erschienen ist. Hr. Mérimée denkt wie jene marchande de modes: „Il n'y a de nouveau que ce qui a été oublié." Wie der Buchhändler uns diese Novelle des Hrn. Mérimée, die bereits in der „Revue de Paris" gestanden, zu zwei Bänden hat ausspinnen können, begreifen wir nicht. „Les soirs au Lido", von dem Verf. des „Ecolier de Cluny". „Les matinées d'un dandy", von Hennequez. 144.

Miscellen.

Della Genga.

Der Cardinal della Genga, nachheriger Papst Leo XII., war ein ebenso feiner als galanter Mann. Er gab ein Beispiel davon in Baiern, wohin er als Nuntius gesandt worden war. Bezaubert von den Reizen der Gräfin von —, wußte er die Gegenliebe dieser ebenso schönen als geistreichen Dame in dem Maße zu gewinnen, daß der König von Baiern, als er seine nachherige Erhebung erfuhr, unwillkürlich ausrief: „Was? della Genga Papst? Nun um so besser für die lieben Kinderchen der Gräfin von —!"

Bonmot.

Nach der Restauration der Bourbons war bekanntlich der gewandte Napoleon'sche Generalpostmeister Lavalette entfernt und seine Stelle durch den Grafen Ferrand, einen wackern, aber geschäftlich unbeholfenen Mann, besetzt worden. Ueberdies litt er an der Fußgicht und mußte stets durch zwei Bediente mehr getragen als geführt werden. In diesem Zustande begegnete ihm Herr von Talleyrand auf der Treppe des Luxembourg. „Voyez", sagte er zu seinen Begleitern, „c'est l'image du gouvernement: il croit marcher, on le porte." Ja wohl, es ward getragen, die Aristokraten trugen es.

Intervalla lucida.

Katharina II. erwachte zuweilen aus dem Taumel sinnlicher Lust, in welchen sie ein übermächtiges Temperament einwiegte, und verstand dann, Fürstin zu sein. Eines Tages überzeugte man sie von Veruntreuungen eines ihrer Gouverneurs. „Ich hoffe", sagte ihr der Fürst Besborodko auf diese Veranlassung, „daß Ew. Majestät ihm öffentlich ihren Unwillen zu erkennen geben werden." „Nein", erwiderte die Kaiserin, „das hieße ihn zu sehr herabwürdigen. Ich werde warten, bis er allein mit mir ist. Ich lobe öffentlich und tadle in der Stille." 178.

Redigirt unter Verantwortlichkeit der Verlagshandlung: F. A. Brockhaus in Leipzig.

Blätter

für

literarische Unterhaltung.

Montag, —— Nr. 322. —— 18. November 1833.

Historisches Taschenbuch. Mit Beiträgen von Förster, Gans, Loebell, Stieglitz, Wachsmuth, herausgegeben von Friedrich von Raumer. Fünfter Jahrgang.

(Beschluß aus Nr. 321.)

Die „Sage vom Doctor Faust" behandelt Dr. Stieglitz d. Aeltere (S. 125—210). Wenig deutsche Sagen haben eine solche Popularität erlangt als die vorliegende. Von der plumpen Behandlung auf dem wandelnden Marionettentheater, wo Faust entweder zuletzt vom Teufel geholt und in der Luft zerrissen oder selbst des Teufels Meister und von Engeln entführt wird, bis zu Göthe's Meisterwerke hinauf, welche Scala! Mit dem Faust schon scheidet sich das sagenreiche Mittelalter von der neuern Zeit; sie ist die letzte Sage wie Götz von Berlichingen der letzte Ritter, beide schon hereinreichend in eine der Sagen- wie der Ritterwelt fremder gewordene Zeit. Für beide fängt an, das Gemüth zu fehlen, der Verstand zu mächtig zu werden. Faust wurzelt indeß auf historischem Boden, der hier aufgesucht und nachgewiesen wird. Es gab im Anfange des 16. Jahrhunderts einen Faust aus Kundlingen im Würtembergischen, den glaubwürdige Männer wie Manlius, Wier und Konrad Gesner gekannt haben, der, ein sogenannter fahrender Schüler, daneben eine Art Cagliostro seiner Zeit gewesen sein mag, auf welchen nachher, wie auf einen Generalnenner viele Zähler, eine Menge früher schon im Munde des Volkes gewesene Wunderhistorien zusammengehäuft wurden. Wer in Astronomie und Magie erfahren war, galt für einen Bundesgenossen des Teufels, mußte sich ihm verschrieben haben. So galt ja auch Fust, der Gehülfe Guttenberg's, wegen der unerhörten Buchdruckerkunst für einen solchen Teufelsbraten, und die Buchdruckerkunst wurde recht absichtlich von den in ihrem Abschreibererwerbe gestörten Mönchen eine schwarze Kunst genannt. Neues ist nicht viel über Faust zusammengebracht; aber auch schon die Zusammenstellung des Vorhandenen ist dankenswerth, zumal da eine so reiche Literatur über Faust und seine Bearbeiter angehängt ist. Selbst die wieder durch Göthe's „Faust" veranlaßten Schriften fehlen nicht, sowie die bildlichen Darstellungen von Rembrandt an. Unter den Schriften, die Faust erwähnen, vermissen wir die (weimarischen) „Curiositäten" (Band VIII, St. 1) und Grohmann's „Geschichte der Universität Wittenberg" (VII, 239—97). Zum Schlusse erinnert der Verf. an Göthe's Worte über seinen „Faust":

> Den Beifall, den dies Werk nah und fern gefunden, mag es wol der seltenen Eigenschaft schuldig sein, daß es für immer die Entwickelungsperiode eines Menschengeistes festhält, der von Allem, was die Menschheit peinigt, auch gequält, von Allem, was sie beunruhigt, auch ergriffen, in Dem, was sie verabscheut, gleichfalls befangen, und durch Das, was sie wünscht, auch beseligt worden. — Faust's Charakter auf der Höhe, wohin die neue Ausbildung aus dem alten rohen Volksmärchen ihn so weit gehoben hat, stellt einen Mann dar, welcher, in den allgemeinen Erdschranken sich ungeduldig und unbehaglich fühlend, den Besitz des höchsten Wissens, den Genuß der höchsten Güter für unzulänglich achtet, seine Sehnsucht auch nur im mindesten zu befriedigen, einen Geist, welcher deshalb, nach allen Seiten hin sich wendend, immer unglücklicher zurückkehrt.

Die nächsten 70 Seiten nimmt ein für manchen Leser vielleicht etwas zu gelehrter, aber gewiß höchst schätzbarer Aufsatz: „Ueber das (den?) Principat des Augustus", von Joh. W. Loebell, ein. Der Verf. geht von der Frage aus, wodurch in Rom die Republik unterging, und findet, daß unmittelbarer als die sittlichen Ursachen das nicht zu lösende Misverhältniß zwischen einer herrschenden Stadtgemeinde und einem beherrschten, durch große stehende Heere im Gehorsam zu haltenden Erdtheil zum Umsturz der Republik gewirkt habe. Die abgesonderte Stadtgemeinde sei aber als die Wiege und Pflegerin der Cultur Europas im Alterthum zu betrachten, zu der sie im Mittelalter nochmals zurückkehrte. Der Stadtgemeinde gehört die Staatsform der Republik an, größere zusammengesetzte Staatsganze bedürfen der Monarchie, welche in ihnen die bürgerliche Freiheit nicht nur nicht vernichtet, sondern vielmehr aus ihrem Princip erzeugt und aufrecht erhält. Dann werden die verschiedenen Urtheile über Augustus und seine Beweggründe, sich der Fürstengewalt zu bemächtigen, über Beruf und Mittel dazu mit ebenso großer Belesenheit als kritisch-psychologischer Schärfe durchgegangen. So von Tacitus, Montesquieu, Gibbon, Wieland, der A.'s Charakter am entschiedensten herabgewürdigt, weil er seine ganze Regierung nur für eine Komödie mit den albernen Römern halte, während der sterbende Fürst mit jener berühmten Frage an seine Freunde doch nur habe sagen wollen: ob er die vom Schicksal in dem großen Weltdrama ihm angewiesene Rolle der Weltherrschaft gut durchgeführt habe. Der Verf. findet vielmehr in Octavian's Regierung die wohldurchdachte und gelungene Lösung der schwierigen Aufgaben: absterbende und sich auflösende Verfassungsformen zu beseitigen, ohne sie zu zerstören, und die tiefen, dem Reiche durch so viele Kriege geschlagenen Wunden durch eine zweckmäßige Verwaltung zu heilen.

Wie der reine Verstand an der Erforschung, Zergliederung, Bildung eines Kunstwerkes eine Freude findet, welche man von Gemüth und Liebe ganz abgesondert denken kann, so betrachtete Augustus den Staat und seine Verwaltung, so fand sein Geist hier eine Beschäftigung und Befriedigung, die weit über dem blossen Machtbesitz stand, auf dessen Erhaltung die gewöhnlichen Tyrannengelüste sich beschränken. Sieht man seine Regierung von dieser Seite an, so darf man, um ihre Wesenheit und Art zu erklären, weder zu einer gänzlichen Umwandlung seiner Natur, noch zu einer bloßen mühsam durchgeführten Täuschung seine Zuflucht nehmen.

Was der Verf. über den keineswegs beständigen Consulat (gegen Dio Cassius, LIV, 10) und den Plan des August, seine Residenz nach Troja oder Alexandria zu verlegen (Horaz's Oden, III, 3), sagt, wird für den kritischen Geschichtsforscher vielleicht größeres Interesse als für die Leser haben, welche der Herausgeber sich gedacht haben mag und so zahlreich erworben hat; denen wird die nächste Schüssel besser munden.

Den längsten (S. 281—408) und zugleich einen höchst anziehenden Beitrag zu diesem Jahrgang lieferte Professor **Wachsmuth**: „Aufstände und Kriege der Bauern im Mittelalter". Die Geschichte der Verknechtung eines ursprünglich freien Standes im germanischen Europa durch Adel und Geistliche oder durch Lehnswesen und Hierarchie und der unglücklichen Reactionen dagegen ist eine der merkwürdigsten und für neuere Zeit, wo die Constitutionen jenen gräßlichen Mißton völlig lösen und vollenden sollen, was die Reformation in dieser Beziehung mild und segensreich begonnen, von ganz besonderm Interesse. Zugleich wird indirect dadurch der Vorwurf abgelehnt, daß die Reformation an dem großen Bauernkriege 1524 und 1525 unmittelbaren Antheil gehabt habe. Denn in der That sind Uebel und Abwehr desselben so alt wie Staaten und Völker überhaupt und wie die Frage über Mein und Dein. Der Krieg an der feinen Grenze des Herrschens und Gehorchens ist alt wie die Weltgeschichte und der Friedensschluß noch heute fern. Es sind neun Kriegsbilder aus dem Mittelalter, welche uns unter obigem Gesichtspunkte hier vor Augen gestellt werden: 1) die Stellinger (oder die Reaction der Sachsen um 842 gegen fränkisches Staats- und Kirchenjoch); 2) die Kämpfe der Bauern im Aargau und Thurgau (gegen Adel und Klerus um 992 u. d. f. J.); 3) die Bauern der Normandie (zwischen 996—1026), in Folge der Herabwürdigung der freien Bauern und Pächter, vilains, zu hörigen Hof- und Ackerknechten (serfs) (Robert Wace's „Roman de Rou et des ducs de Normandie" ist benutzt); 4) die Bauern in Jütland und Schonen (am Ende des 11. Jahrhunderts, besonders gegen die Foderungen der Geistlichkeit ankämpfend); 5) der Stedingerkrieg (der Friesen im 13. Jahrhundert, fast gleichzeitig mit der Albigenserverfolgung und Gegenstück dazu, besonders gegen die Erzbischöfe von Bremen gerichtet); 6) die Pastoureaux (in Frankreich, Mitte des 13. Jahrhunderts, gleichfalls gegen den Klerus); 7) die Jacquerie (in Frankreich 1358 u. d. f. J. gegen den Adel); 8) die englischen Bauern 1381 (Wat-Tyler, Ball und Straw gegen Adel und Steuern), und 9) der Bauernkrieg in Ungarn unter Gy. Dosa 1514 (wo Bucholtz, „Gesch. der Regierung Ferdinand II.", noch hätte als Geschichtschreiber angeführt werden können) gegen den Adel. Merkwürdig ist, daß in allen diesen Reactionen die unterdrückte Partei unterlag, also der Weg gewaltsamer Abhülfe nicht der glücklich gewählte erschien.

Wie Alterthum, Mittelalter in den bisherigen Gaben, so ist in der letzten Mittheilung vom Prof. Ed. Gans die neuere Zeit bedacht. Die früher wirklich gehaltenen und schon im vorigen Jahrgange beginnenden „Vorlesungen über die Geschichte der letzten 50 Jahre" sind hier wieder um zwei über Ludwig XIV. und die Regentschaft vermehrt worden. Ermangeln sie gleich einer Fülle des Wissens und der Ideen nicht, so wird man außerhalb Berlin sich doch theilweise erst mit der gewählten Sprache bekannter zu machen haben. Wir heben eine Probe, welche Beides belegt, aus:

Das Reich Ludwig XIV. sank, weil es eine Durchgangsherrschaft war, lediglich durch die Mittel, die es gebildet hatten. Der Gedanke der Ichheit foderte einen geistvollen Herrscher, der nicht immer in der Folge der Geschlechter zum Vorschein kommt; die Armee konnte nur durch die Kraft dieser Ichheit selber erhalten werden und mußte herabkommen, als diese ihr fehlte; die Civilregierung hatte die staatsrechtlichen Besonderheiten enthauptet (sic!), aber private Verschiedenheiten, die sie dafür gewonnen hatte, zu bekämpfen. Endlich waren die Geistlichkeit durch ihre Entwurzelung, der Adel durch den Verlust alles Edeln, die Parlamente durch ihre starren und eiteln Reminiscenzen, der dritte Stand durch seine freie und vom Hofe abliegende Bildung wenig geeignet, den Gedanken dieser Monarchie durch sich ziehen zu lassen und zu den Momenten ihrer Einheit zu werden. 11.

Kalila und Dimna, eine Reihe moralischer und politischer Fabeln des Philosophen Bidpai, aus dem Arabischen übersetzt von C. A. Holmboe. Christiania 1832. 8.

Ein unerwartetes und gewiß willkommenes Geschenk erhält in diesem Büchlein unser Publicum aus dem jetzt so häufig von deutschen Gelehrten bereisten gastfreien Norwegen. Es ist die Uebersetzung eines allbekannten Buches, die aber vor allen frühern den Vorzug hat, daß ihr als Urschrift die erste kritische zu Paris im Jahre 1816 von Silvestre de Sacy verfaßte arabische Ausgabe zum Grunde liegt, wogegen jene aus persischen, türkischen oder gar lateinischen Bearbeitungen hervorgegangen sind. Sie zeichnet sich daher durch Vollständigkeit und alterthümliche Naivetät vortheilhaft aus. In der Einleitung wird die Entstehung dieser Sammlung von Märchen und Fabeln nach morgenländischen Sagen wie auch von den Lebensumständen des Arztes Barzujeh berichtet, welchen der persische König Nuschirwan (531 — 579 unserer Zeitrechnung) nach Indien schickte, um das berühmte Werk des Haus- und Hof-Philosophen des Königs Debschelim daselbst, der nach dem Aufzuge Alexander's des Großen regierte, abzuschreiben und auf persischen Boden zu verpflanzen.

Die Uebersetzung des gelehrten norwegischen Orientalisten, eines Schülers von Silvestre de Sacy, dem er auch seine Arbeit zugeeignet hat, zerfällt in 14 Capitel, von denen die beiden ersten die Ränke und den Proceß des Fuchses Dimna umfassen, die andern dagegen die übrigen Fabeln und Märchen enthalten, welche Bidpai seinem Könige Debschelim erzählt haben soll. Von den letztern mögen folgende zur Probe dienen:

Die Elefanten und die Hasen.

Man erzählt, daß in einem der Länder der Elefanten mehre Jahre aufeinanderfolgten, worin kein Regen fiel; das Wasser nahm ab, die Quellen versiegten, die Pflanzen welkten und die Bäume starben aus. Es befiel nun die Elefanten ein brennender Durst, und sie klagten darüber bei ihrem Könige. Der König entsandte seine Boten, um allerwärts nach Wasser zu forschen. Einer der Boten kam zurück und meldete ihm, er habe an der und jener Stelle eine Quelle gefunden, genannt die Mondsquelle, sehr ergiebig an Wasser. Der Elefantenkönig begab sich sofort mit seinen Genossen an diese Quelle, um zu trinken. Die Quelle war in einem Lande, welches den Hasen gehörte; aber jene zertraten die Hasen zwischen dem Gestein und tödteten ihrer viele. Diese versammelten sich um ihren König und sagten: „Du weißt, was wir von den Elefanten gelitten." Er sagte: „Jeder Kluge sage seine Meinung!" Da trat der Hasen einer auf, welcher hieß Firus und dem Könige als verständig und klug bekannt war. Der sagte: „Wenn es dem Könige also gut däucht, so sende er mich zu den Elefanten und schicke einen Zuverlässigen mit mir, um zu sehen und zu hören, was ich thue und sage, und dem Könige Bericht davon abzustatten." Der König sagte: „Du bist zuverlässig; deine Rede gefällt uns. Gehe zu den Elefanten und sage meinerseits, was du willst. Wisse, daß ein Gesandter durch seine Klugheit und seinen Verstand, durch seine Freundlichkeit und Güte Kunde gibt von dem Verstande Dessen, der ihn gesandt hat. Sei daher freundlich und gefügig! Denn der Gesandte ist es, welcher die Herzen erweicht, wenn er sanft, und sie verhärtet, wenn er hart ist." Der Hase zog dann in einer mondhellen Nacht von dannen, bis er zu den Elefanten kam, wollte sich aber nicht nähern aus Furcht, sie möchten mit ihren Füßen auf ihn treten und ihn tödten, wenn auch gegen ihren Willen. Darauf ging er hinauf auf einen Berg, redete den König der Elefanten an und sagte: „Der Mond hat mich zu dir gesandt; und ein Gesandter muß nicht um deswillen getadelt werden, was er bringt, wenn seine Rede auch hart ist." Der König der Elefanten sagte: „Was ist denn dein Auftrag?" Er sagte: „Er läßt dir sagen: Derjenige, der seine Ueberlegenheit an Stärke über die Schwachen kennt und darum nicht der Stärkern achtet, dessen Stärke gereicht ihm zum Schaden. Nun kennst du deine Ueberlegenheit an Stärke über die Thiere. Dieses hat dich betrogen, sodaß du an eine Quelle gegangen bist, welche meinen Namen trägt, davon getrunken und sie trübe gemacht hast. Nun hat er mich zu dir gesandt, um dich zu warnen, solches öfters zu thun; und wofern du das thust, will er dich deines Gesichtes berauben und dich in Elend stürzen. Wenn du an meinem Auftrag zweifelst, komme gleich hieher an die Quelle, dann will ich dir da begegnen." Der König der Elefanten stutzte bei der Rede des Hasen und ging hin an die Quelle mit dem Gesandten Firus. Und als er den Blick hineinwarf, sah er darin das Bild des Mondes. Der Gesandte Firus sagte zu ihm: „Nimm Wasser in deinen Rüssel, wasche damit dein Angesicht und falle nieder vor dem Monde!" Der Elefant streckte seinen Rüssel in das Wasser; dies gerieth in Bewegung, und es däuchte dem Elefanten, als zittere der Mond. Er sagte: „Wie ist es mit dem Monde; meinest du, er sei böse, weil ich meine Lippen in das Wasser steckte?" Der Hase Firus sagte: „Ja." Da fiel der Elefant abermal nieder, bat um Verzeihung für Das, was er gethan hatte, und versprach, daß weder er noch einer seiner Elefanten es öfter thun solle.

Der Mönch, welcher Honig und Oel über sein Haupt schüttete.

Man erzählt, daß ein Mönch war, welcher jeden Tag zu seinem Unterhalte Oel und Honig aus dem Hause eines Kaufmanns erhielt. Davon aß er, so viel er bedurfte, und goß das Uebrige in einen Krug. Diesen hatte er an einem Nagel in einem Winkel des Hauses hängen, bis er voll wurde. Während nun eines Tages der Mönch auf dem Rücken lag mit einem Stocke in der Hand, und der Krug hing über seinem Haupte, gedachte er des hohen Preises des Oels und Honigs und sagte: „Ich will, was in diesem Kruge ist, für ein Goldstück verkaufen und dafür Ziegen kaufen. Die sollen mir Milch verschaffen und jeden fünften Monat mir mehre Zicklein werfen. Dann wird es nicht lange währen, bis eine große Heerde daraus wird, wenn ihre Zicklein wieder werfen." Darauf machte er seine Berechnung nach diesem Maße auf zwei Jahre, und fand, daß es mehr denn 400 Ziegen wurden. Und er sagte: „Für diese will ich 100 Kühe erhandeln, nämlich für je vier Ziegen einen Ochsen oder eine Kuh, und ich will mir ein Stück Landes und Getreide kaufen und Arbeiter miethen. Dann brauche ich die Ochsen zum Ackerbau und mache mir die Milch und die Kälber zu Nutze. Es gehen keine fünf Jahre ins Land, daß ich mir nicht durch Ackerbau viel Geldes erworben. Dann baue ich ein prächtiges Haus und kaufe mir Sklaven und Sklavinnen, und ich nehme mir eine schöne und stattliche Hausehre und pflege ihres Umganges, daß sie schwanger wird. Dann gebiert sie einen herrlichen, edeln Knaben; und er soll den schönsten Namen tragen. Wenn er dann heranwächst, unterrichte ich ihn mit Fleiß und gebe mir viele Mühe mit ihm. Ist er dann gelehrig — wo nicht, dann schlage ich ihn mit diesem Stocke." Zugleich streckte er die Hand aus nach dem Kruge und zertrümmerte ihn also, daß Alles, was darin war, ihm über das Gesicht hinabfloß. — Ich habe dir nur diese Fabel erzählt, damit du dich nicht übereilest und von Dem redest, was du nicht nennen darfst und nicht weißt, ob es in Erfüllung gehen werde.

Zum Schlusse steht hier noch folgende Fabel aus dem eigentlichen „Kalila und Dimna":

Der Fuchs und die Trommel.

Man erzählt, daß ein Fuchs in einen Wald kam, wo eine Trommel an einem Baume aufgehängt war; und jedes Mal, daß der Wind in die Zweige dieses Baumes wehte, setzte er sie in Bewegung, daß sie auf die Trommel schlugen, und es ward ein überaus starker Laut gehört. Der Fuchs ging dahin um des starken Lautes willen, den er hörte. Als er dahin gekommen war, bemerkte er, daß die Trommel dick war, und glaubte als gewiß, daß viel Fett und Fleisch darin sein müßte. Er machte sich über sie her, bis er ein Loch darin gerissen. Als er nun sah, daß sie hohl und leer war, sagte er: „Das verstehe ich nicht; je erbärmlicher ein Ding, desto stärker ist sein Laut, und desto größer seine Masse." 66.

Denkwürdigkeiten aus dem Kriege des Jahres 1812 von H. U. L. von Roos. Auch unter dem Titel: Ein Jahr aus meinem Leben, oder Reise von den westlichen Ufern der Donau an die Nara, südlich von Moskwa, und zurück an die Beresina mit der großen Armee Napoleon's, im Jahre 1812. Petersburg, 1832. Gr. 8. 2 Thlr.

Lange Titel — unbedeutende Bücher — ist ein alter Satz, der sich auch bei diesem langen Titel wieder bewährt. Der Verf. hat den besten Willen, auch sein Scherflein von Erfahrung aus dem unvergeßlichen Jahre 1812 und dem großen Kriege Europas gegen Rußland beizutragen, und in der That hatte er hinreichende Gelegenheit, als Oberarzt des würtembergischen

Hauptquartiers und in der Nähe des kaiserlichen gute Erfahrungen zu sammeln. Allein es fehlt ihm an Dem, was ein Buch oder die Erzählung von Erlebnissen überhaupt bedeutend machen kann: der vergleichende Blick, die Uebersicht der Ereignisse, die Zusammenstellung und die Unterordnung des Kleinen unter das Große, und die Unterscheidung zwischen dem Wichtigen, Bedeutenden und dem Unwichtigen und Unbedeutenden. Die Erzählung seiner persönlichen Geschicke zwar ist seine bescheidene Hauptabsicht; aber wer kann stets an seine Person denken und von sich erzählen, ob er fror oder schwitzte, kochte oder nüchtern zur Ruhe ging, wenn ein Weltreich neben ihm zu Grunde geht und eine neue Aera sich gestaltet? Der Verf. hat dies gekonnt, und daß er Das konnte, machen wir ihm eben zum Vorwurf.

Nichtsdestoweniger muß der Bericht der persönlichen Erlebnisse in einem solchen Untergang, wie der des französischen Heers in Rußland war, auch solche Einblicke in die Geschichte dieses Unterganges enthalten, welche, auch von der Person abgesehen, ihr Interesse mit sich führen. Der Verf. ist sogar hin und wieder historisch lehrreich und tritt, wenn er muß, berichtigend gegen allgemein anerkannte Geschichtschreiber dieses Wunderkrieges auf, namentlich gegen seinen Berufsgenossen Larrey und gegen Ségur. Die große Heerschau von Ostrolenka, die Excesse in und um Wilna und deren Bestrafung, die Krankheiten, welche früh im französischen Heere epidemisch wurden, das Gefecht von Spas-Kuplia am 4. October, die Verzögerungen und die Fehler, welche an der Nara und Czarniznia begangen wurden und das Verderben der Armee veranlaßten (S. 219), der Mangel an Munition gleich beim Anfang des Rückzuges, die Verluste an der Berezina nach dem Uebergange des Gros der Armee, die Ermordung gefangener Russen (S. 187), die auf Napoleon's ausdrücklichen Befehl geschah, was Ségur bestreitet und der Verf. beweist, und viele andere Dinge sind in seinem Buche entweder zum ersten Male zur Sprache gebracht oder berichtigend vorgetragen worden. Hierzu kommt, daß der Verf. nach seiner Gefangennehmung, unfern von Wilna, in Rußland zurückblieb und seitdem geblieben ist, daß er später die Sprache erlernte, die russischen Berichte mit seinen Erfahrungen verglich, die Namenschreibung der russischen Orte nach nach dem russischen Staatskalender berich'tigte und auch hierdurch seinem Buche manchen eigenthümlichen Vorzug vor ähnlichen Berichten verschaffte, welche ihm einen besondern und sehr hohen Werth hätten mittheilen können, wenn er von seinen persönlichen Begegnissen ab den Blick auf die großen Geschicke, welche um ihn her vollendet wurden, hätte richten wollen, oder wenn ihm die Fähigkeit zu ihrer Darstellung nicht gemangelt hätte. Statt dessen unterhält er uns jedoch mit kleinen Begebenheiten, Particularereignissen und geringen Anekdoten, und wenn sein Buch auch weder langweilig noch gradezu schlecht ist, so ist es doch lange nicht so anziehend und bedeutend, als es leicht hätte sein können, und als von einem Oberarzt und heutigen Statsrath zu erwarten stand. Man ersieht hieraus, daß zur Geschichtschreibung, selbst einer einzelnen historischen That, etwas mehr gehört, als — gesehen zu haben, wie es dabei herging; der verklärende und ordnende Geist der Darstellung macht die Begebenheit erst zu einer historisch-beschriebenen. In dieser Beziehung stehen Larrey und Ségur, die der Verf. zuweilen berichtigt, unendlich über ihm, und nur seine bescheidene Selbstwürdigung kann uns abhalten, zu sagen, daß er kein ihrer würdiger Gegner ist.

Der Verf. rechnet das Verderben der Franzosen mit Recht ihrem eignen unbesonnenen Muthwillen, der völlig sinnlosen Zerstörungslust zu, welche sie auf dem Zuge nach Moskau begleitete; und daß die Nemesis sie zwang, dieselbe, von ihnen so sinnlos und muthwillig verwüstete Landschaft flüchtig wieder zu durchziehen, ist kein unbedeutendes Merkmal von dem Mitwirken einer höhern Hand in dieser großen Welttragödie. Nächstdem rechnet er die Unordnung im Heer schon von der Kläsma und Pachra ab — also etwa acht Tage nach dem Abmarsch von Moskwa — und setzt das Aufhören aller militairischen Organisation vom 1. November — der ersten Winternacht — an. Die Greuel seiner Erzählung, wiewol stets in einem kleinen Rahmen zur Schau gestellt, häufen und mehren sich von hier ab mit jedem Tage; indeß hat der Verf. die persönlich beneidenswerthe Geschicklichkeit, sich selbst immer noch so ziemlich durchzuwinden. Merkwürdigerweise wächst mit dem Mangel die Zerstörungswuth, und Werreja, Ghask, Orscha, Borissow werden Opfer von Haus zu Haus getragener Brandfackeln. Ueber die Ermordung der russischen Gefangnen beim Kloster Klotzkoi ist der Verf. entscheidend. Der Befehl dazu kam aus dem Hauptquartier, und obgleich Berthier, Ney und Sebastiani sich Mühe genug gaben, ihn in seiner Wirkung zu hemmen, so traf der Verf. doch an einer Stelle auf acht Leichen so Ermordeter. Es waren würtembergische Grenadiere, die diesen Blutbefehl vollstrecken mußten, da die Gefangenen die Gelegenheit, die man ihnen zur Flucht bot, nicht zu benutzen wußten. Bei dem Dorfe Studenka wird der Verf. von Kosacken gefangen, ein Zufall rettet sein Leben, und er wird nun Arzt in einem russischen Lazareth. Alles Uebrige hat nur noch ein individuelles Interesse.

Die Vorrede zu diesem Buche ist gut geschrieben; das Buch selbst macht keinen Anspruch auf gefälligen Vortrag oder kunstmäßige Darstellung. Es ist ein Tagebuch und verleugnet diesen Ursprung nicht. Wollten wir ihm Anekdoten, Scenen, einzelne Schilderungen entlehnen, so böte sich Stoff genug hiezu dar.

Was der Leser von diesem Werke, dem man stets unwillkürlich die Frage: Warum so spät? anhängen muß, zu erwarten berechtigt sei, haben wir angedeutet. Es ist ein Gruppenbild aus dem kolossalen Gemälde vom Untergang einer halben Million Menschen in den Sümpfen und Schneefeldern Rußlands. Das Ganze zu überblicken, macht der Verf. keinen Anspruch, und an seiner persönlichen Noth sich zu ergötzen, ist nicht Jedermanns Sache. Indeß liest sich diese, im behaglichen Lehnstuhl hingestreckt, doch so weit ganz behaglich. 130.

Notizen.

Bulwer sagt gelegentlich in seinem neuesten Werke: „England and the English": „Nichts ist schwieriger zu bekämpfen als ein ins Volk übergegangener Irrthum. Ein Beispiel von dem zähen Leben einer glänzenden, aber irrthümlichen Behauptung liefern u. A. die dem Archimedes in den Mund gelegten Worte: „Man gebe mir einen Hebel und einen Stützpunkt, so will ich die Welt aus ihren Angeln heben." Angenommen, er habe das Verlangte gefunden und besitze außerdem die Geschwindigkeit einer Kanonenkugel; wie viele Jahre bedürfte er, um die Erde nur einen Zoll hoch zu heben? Nicht weniger als 44,963,840,000,000!" 3.

Man kennt, wenigstens in einzelnen Strichen Norddeutschlands, den Ausruf der Verwunderung: O jemine! Könnte man wirklich annehmen, wie neulich geäußert ward, daß dies Jemine aus dem lateinischen gemini entstanden sei und also eigentlich auf die beiden Zwillingsbrüder Kastor und Pollux sich beziehe, deren Namen allerdings schon die alten Römer bei Ausrufen der Verwunderung, bei Schwüren und dergl. brauchten (ecastor, edepol, wie das ähnliche hercle, mehercle, von Hercules)? Eine Analogie für jene Uebersiedelung der beiden heidnischen Halbgötter in die deutsche Volksprache bietet der ähnliche Ausruf der Italiener dar: „Per Bacco, cospetto di Bacco u. s. w., den auch dort das Volk, wie ähnlich bei uns, neben dem: „Per Cristo, per corpo di Cristo u. s. w., hat und vielfach gebraucht. 30.

Redigirt unter Verantwortlichkeit der Verlagshandlung: F. A. Brockhaus in Leipzig.

Blätter

für

literarische Unterhaltung.

Dienstag, —— Nr. 323. —— 19. November 1833.

Zur Geschichte der neuern schönen Literatur in Deutschland. Von H. Heine. Zweiter Theil. Paris, Heideloff und Campe. 1833. Gr. 12. 1 Thlr. 8 Gr.*)

Die Consequenz der Gesinnung, die sich in dem ersten Theile dieser Schrift, der den Boden zu sichern bestimmt ist, deutlich ausspricht, vermag es nicht, den Mangel tieferer Grundlage zu bedecken; weniger fühlbar ist dieser Mangel in dem zweiten Theile, der sich nicht sowol mit allgemeinern Betrachtungen, als mit der Darstellung einzelner literarischer Charaktere beschäftigt. Diese Darstellung, geistreich und witzig, zeigt selbst eine gewisse Unbefangenheit der Ansicht. Denn obwol der Verf. auf dem Standpunkte seiner alleinseligmachenden politischen Confession fest beharrt; die Erscheinungen, die er an sich vorbeigehen läßt, üben an ihm ihr Recht, und aus besänftigter Flut glänzt ein Widerschein der vorüberstreifenden Poesien. Ein reines, gegenständliches Auffassen des Gegebenen ist jedoch hier ebenso wenig zu suchen als eine deutliche Beziehung auf die innern Gründe der Kunst; denn sehen wir selbst davon ab, daß jedes Einzelne wenigstens in seiner Stellung der negirenden Tendenz des Ganzen dienen muß, so ist doch meistentheils weniger das Ergebniß treuen Eindringens in den Charakter und die Bedeutung der Dichter und ihrer Werke dargeboten, als vielmehr eine poetische Aeußerung der Stimmung, in die der Verf. durch sie versetzt wurde, und diese allerdings geistreiche und anziehende Manier ist von geschichtlicher Betrachtung und von wissenschaftlicher Kunstkritik gleich weit entfernt.

Der Verf. kehrt im Eingange dieses Theils zu Friedrich und August Wilhelm Schlegel zurück; gegen den Letztern wendet sich sein ganzer Ingrimm. Eine schmuzige Geschichte, die bereits von Hrn. Menzel sorgfältig benutzt worden ist, wird mit widerlichem Behagen am Skandal und mit sehr wohlfeilem Witze aufgetischt. Den Gebrauch so unehrlicher Waffen weiß Heine auf eine denkwürdige Weise zu rechtfertigen. „Mit der Gewissenhaftigkeit, die er sich streng vorgeschrieben", erwähnt er, daß sich mehre Franzosen beklagt, er behandle die Schlegel mit allzu herben Worten. Diesen Vorwurf weist er sogleich zurück, indem er ihn aus ungenauer Bekanntschaft mit der deutschen Literaturgeschichte ableitet. Obwol er ferner selbst „einigermaßen" zu den akademischen Schülern des ältern Schlegel gehört habe, erkennt er doch eine Verpflichtung zu einiger Schonung nicht an. „Hat Herr A. W. Schlegel den alten Bürger geschont, seinen literarischen Vater? Nein, und er handelte nach Brauch und Herkommen. Denn in der Literatur, wie in den Wäldern der nordamerikanischen Wilden werden die Väter von den Söhnen todtgeschlagen, sobald sie alt und schwach geworden." Nur die ungenaueste Bekanntschaft mit der deutschen Literaturgeschichte wird sich die Vergleichung der hier gegen Schlegel losgelassenen Polemik mit jenem trefflichen Aufsatze Schlegel's über Bürger gefallen lassen. Der Verf. findet freilich in jenem Aufsatze „die innere Leerheit der sogenannten Schlegel'schen Kritik". Beispielsweise erwähnt er, daß Schlegel Bürger's Balladen mit den altenglischen verglichen habe.

Hinlänglich begriffen hat Hr. Schlegel den Geist der Vergangenheit, besonders des Mittelalters, und es gelingt ihm daher, diesen Geist auch in den Kunstdenkmälern der Vergangenheit nachzuweisen und ihre Schönheiten aus diesem Gesichtspunkt zu demonstriren. Aber Alles, was Gegenwart ist, begreift er nicht; höchstens erlauscht er nur etwas von der Physiognomie, einige äußerliche Züge der Gegenwart, und das sind gewöhnlich die minder schönen Züge; indem er nicht den Geist begreift, der sie belebt, so sieht er in unserm ganzen modernen Leben nur eine prosaische Fratze. Ueberhaupt nur ein großer Dichter vermag die Poesie seiner eignen Zeit zu erkennen; die Poesie einer Vergangenheit offenbart sich uns weit leichter, und ihre Erkenntniß ist leichter mitzutheilen. Daher gelang es Hrn. Schlegel beim großen Haufen, die Dichtungen, worin die Vergangenheit eingesargt liegt, auf Kosten der Dichtungen, worin unsere moderne Gegenwart athmet und lebt, emporzupreisen. Aber der Tod ist nicht poetischer als das Leben. Die altenglischen Gedichte, die Percy gesammelt, geben den Geist ihrer Zeit; und Bürger's Gedichte geben den Geist der unsrigen. Diesen Geist begriff Hr. Schlegel nicht, sonst würde er in dem Ungestüm, womit dieser Geist zuweilen aus den Bürger'schen Gedichten hervorbricht, keineswegs den rohen Schrei eines ungebildeten Magisters gehört haben, sondern vielmehr die gewaltigen Schmerzlaute eines Titanen, welchen eine Aristokratie von hannövrischen Junkern und Schulpedanten zu Tode quälten. Dieses war nämlich die Lage des Verfassers der „Leonore", und die Lage so mancher andern genialen Menschen, die als arme Docenten in Göttingen darbten, verkümmerten und in Elend starben. Wie konnte der vornehme, von vornehmen Gönnern beschützte, renovirte, baronisirte, bebänderte Ritter August Wilhelm von Schlegel jene Verse begreifen, worin Bürger laut ausruft: daß ein

*) Vgl. über den ersten Theil Nr. 225—228 d. Bl. D. Red.

Ehrenmann, ehe er die Gnade der Großen erbettele, sich lieber aus der Welt heraushungern solle!

Die Wirrniß dieser Stelle, einer der mildesten der gegen Schlegel gerichteten, ist nicht zu verkennen. Keinem Verständigen wird es widerfahren, die Ausbrüche freien, männlichen Muthes und edler Entrüstung, die sich in Bürger's Gedichten finden, im Ernste für den rohen Schrei eines ungebildeten Magisters zu halten; die kräftige Gesinnung Bürger's muß mit Achtung erfüllen, und mit tiefem Mitleid der Laut des Schmerzes, den er in fruchtlosem Kampfe gegen ein trübes Geschick ausstößt (obwol seine Lebensgeschichte die Anklage der hanöverischen Aristokratie und der göttinger Schulpedanterie sehr ermäßigt); wenn jedoch von Poesie die Rede ist, so können wir weder auf solche Ergüsse des Zorns und des Schmerzes hohen Werth legen, noch den Manifestationen des Zeitgeistes an sich besonderes Gewicht zugestehen. Wollten wir aber auch den baaren Ausdruck tüchtiger Gesinnung oder die Stimme der Zeit zur Poesie genügen lassen, so erlitte doch diese Ansicht keine Anwendung auf die Bürger'schen Balladen. Es konnte dem Dichter nicht begegnen, diese Gedichte zu Trägern seiner persönlichen Stimmung und Gesinnung, oder zu Herolden des Geistes zu machen, der sich der Zeit bemächtigte, und so kann die Schlegel'sche Kritik derselben gar keines Verkennens dieses Geistes beschuldigt werden. Die Vergleichung der Bürger'schen Balladen mit den altenglischen, deren Herrlichkeit erkannt und zum Theil nicht unwürdig reproducirt zu haben dem deutschen Dichter zu bleibendem Ruhme gereicht, war von einer gerechten Beurtheilung derselben untrennbar; was Schlegel an ihnen tadelt, ist auf keine Weise aus einer Regung des Geistes der neuen Zeit hervorgegangen, sondern aus einer unvollständigen Auffassung der Volkspoesie, die vorzugsweise nur durch ihre Kraft und Natürlichkeit auf Bürger einwirkte, und deren tiefere Erkenntniß, wie sie Göthe erfaßte, in späterer Zeit reiche Früchte getragen hat.

Die Würdigung eines Dichters kann die Wahrheit nicht erschöpfen, wenn er als Einzelnes, losgerissen von dem gemeinsamen Boden seiner Zeit, betrachtet wird; die Ansicht aber, welche Bestimmung und Werth des Dichters einzig darein setzt, daß er den Geist seiner Zeit ausspreche, entwürdigt die Poesie, die eine Offenbarung ist nicht des Wechselnden und Vergehenden, sondern der einen und ewigen Idee, und müßte, wenn sie sich der Dichter selbst bemeisterte, nothwendig zur Barbarei führen. Aus dem irdischen Boden der Zeit saugt der immergrüne Baum der Dichtung seine Nahrung, aber seine Zweige streben dem Aether zu. Dem Verf. genügt es, in Racine das Organ einer neuen Gesellschaft zu erblicken, um alle Einwendung Schlegel's gegen diesen Tragiker nichtig zu finden.

Herr Schlegel, wie ich schon oben gesagt, vermochte immer nur die Poesie der Vergangenheit und nicht der Gegenwart zu begreifen. Alles, was modernes Leben ist, mußte ihm prosaisch erscheinen, und unzugänglich blieb ihm die Poesie Frankreichs, des Mutterbodens der modernen Gesellschaft. Racine mußte gleich der Erste sein, den er nicht begreifen konnte. Denn dieser große Dichter steht schon als Herold der modernen Zeit neben dem großen Könige, mit welchem die moderne Zeit beginnt. Racine war der erste moderne Dichter, wie Ludwig XIV. der erste moderne König war. In Corneille athmet noch das Mittelalter. In ihm und der Fronde röchelt noch das alte Ritterthum. Man nennt ihn auch deshalb manchmal romantisch. In Racine ist aber die Denkweise des Mittelalters ganz erloschen; in ihm erwachen lauter neue Gefühle; er ist das Organ einer neuen Gesellschaft; in seiner Brust entsprossen die ersten Veilchen unsers modernen Lebens; ja wir könnten sogar schon die Lorbern darin knospen sehen, die erst später, in der jüngsten Zeit, so gewaltig emporgeschossen. Wer weiß, wie viel Thaten aus Racine's Versen erblüht sind! Die französischen Helden, die bei den Pyramiden, bei Marengo, bei Austerlitz, bei Moskau und bei Wa-

Zumal die schönen Schlußworte dieser Stelle lehren, daß hier nicht bloße Höflichkeit gegen die Franzosen, oder das bloße Streben, Schlegel in allen seinen Leistungen zu annihiliren spricht, sondern eine lebendige Ueberzeugung. Aber wie glänzend auch ihre Aeußerung sein möge, wir finden in dem Gesagten nichts, das Schlegel's Kritik entkräftete. Worin denn nun diese Poesie des modernen Lebens bestehe, ist nicht bezeichnet; es bleibt bei der allgemeinen Behauptung, daß sie Racine's Werke belebe; die Thaten, die Heine aus Racine's Versen erblühen läßt, können den poetischen Werth seiner Stücke nicht belegen, da auch die Beredtsamkeit, die Niemand dem französischen Poeten abgesprochen hat, die Mutter gewaltiger Thaten ist. Und selbst, daß Racine das Organ der neuen Gesellschaft sei, ist schwer zuzugestehen; wir erblicken in ihm ein Organ moderner Etikette, einen Meister der Rhetorik, die den Sinn der Franzosen mit blendender Täuschung umfing, und in der auf lange Zeit die poetische Kraft selbst der französischen Sprache unterging. Wenn Schlegel, von den französischen Poesien ausgehend, die Franzosen prosaischen Sinns bezüchtigt, so erhebt Heine lauten Widerspruch: „Dies sagte der Mann zu einer Zeit, als vor seinen Augen noch so mancher Chorführer der Convention, der großen Titanentragödie, leibhaftig umherwandelte; zu einer Zeit, als Napoleon jeden Tag ein gutes Epos improvisirte, als Paris wimmelte von Helden, Königen und Göttern..." Was lehren diese Worte mehr, als daß Heine selbst mit poetischem Auge die großen Gestalten und Ereignisse der neuern französischen Geschichte betrachtet? Der poetische Gehalt dieser Geschichte kann zum Zeugen des poetischen Sinnes der Franzosen nur mit derselben spielenden Willkür genommen werden, die sich in noch höherm Grade zeigt, wenn Heine darin, daß Racine seine neuen französischen Helden mit antiken Gewändern costumirte, unendliche Anmuth, süßen Scherz, tiefen Reiz und das Interessante einer geistreichen Maskerade findet. „Herr Schlegel war sogar tölpelhaft genug, jene Vermummung für baare Münze zu nehmen." Gleiche Tölpel waren nicht nur alle Franzosen, die sich an dieser Maskerade seit mehr als anderthalb Jahrhunderten mit ehrfurchtsvollem Ernste ergötzten, sondern auch die Vielen, die sie endlich wol lächerlich, aber nicht witzig fanden. Racine selbst würde sehr erstaunt sein, wenn er es vernähme, wie seinen nobeln Intentionen eine Ironie, von der er so fern war wie irgend ein Nichtpoet, beigemessen würde. Die Willkürlichkeit der hier dargelegten Ansicht der classischen Poesie der Franzosen verstattet es, sich statt aller Gegengründe auf die unbefangene Betrachtung jener Werke zu berufen, die zu der entgegengesetzten Ansicht führt und es erkennen läßt, wie die bedeutende Kraft Racine's, durch den kalten Glanz des Hofes geblendet und gelähmt, es nur bis zu einer Caricatur der alten Tragödie brachte, in der Antikes und Modernes sich gegenseitig vernichtet, himmelweit entfernt von jener Vermählung antiken und modernen Geistes, die wir in unserm deutschen Dichter bewundern. Insofern nun diese unnatürliche Poesie eine Wiedererweckung der alten Tragödie zu sein prätendirte, und die Anhänger derselben sich immerdar auf jene bezogen, war Schlegel vollkommen befugt, sie einer strengen Vergleichung zu unterwerfen, und der Vorwurf, er habe nichts Besseres vermocht, als mit dem Lorberzweige eines ältern Dichters den Rücken eines jüngern zu geißeln, ist in Beziehung auf Racine ebenso ungegründet als in Hinsicht auf Euripides, den Schlegel mit Sophokles und Aeschylos zusammenstellte.

(Die Fortsetzung folgt.)

Gregor, ein Gespräch über das Papstthum und die Monarchie. Auch unter dem Titel: Gregor, ein Versuch zur Versöhnung des Streites zwischen den höchsten Interessen der öffentlichen Meinung. Aus den Papieren eines Reisenden. Erster Theil. Nürnberg, Otto. 1833. Gr. 8. 1 Thlr.

Anfangs werden hier große Erwartungen erregt, späterhin dieselben aber nur sehr unvollkommen erfüllt. Schon der zweite Titel verspricht uns sehr viel, indem er die Arbeit einen Versuch zur Versöhnung des Streites zwischen den höchsten Interessen der öffentlichen Meinung nennt. Noch höher aber wird unsere Erwartung gespannt, wenn wir bald nach dem Anfange des Gesprächs (Seite 8) folgende kühne Aeußerung lesen: „Lohnt es wol der Mühe, daß Ihr so viele Worte über Gespenster, die kaum eines halben Daseins genießen, über Radicalismus und Ultramontanismus, ja über Rationalismus und Irrationalismus gewechselt? Kein Theologe, der diesen großen Namen wahrhaft verdient, kann unter den Kategorien solcher Einseitigkeiten befangen sein. Beide Richtungen sind nur die Ruhepfühle für die Gemächlichkeit Derer, denen es an Muth gebricht, sich der Kraft des lautern, alldurchgreifenden Denkens hinzugeben, und, weder bei äußerlichen Anschauungen, noch bei beliebigen (subjectiven) Meinungen stehen bleibend, dem festen Verstande wie dem reinen Gefühle, jedem seine wahren Rechte, die mit einander durchaus in Harmonie sind, zuzugeben."

Sollte man hiernach nicht meinen, daß der Verf. uns in die tiefsten Tiefen der Speculation einführen, und daß er das Wesen des Staats, der Religion und der Wissenschaft bis ins Innerste ergründen werde. Das geschieht nun aber hier noch nicht, und wir müssen erwarten, ob es in einem spätern Theile des Gesprächs geschehen werde. Als Hauptthema dieses ersten Theils wird die Behauptung aufgestellt, „daß der römische Katholicismus, sobald die Staatsgewalt mit ihm in Collision gerathe, und auch ohne das revolutionnairer Natur sei". Den ersten Theil dieser Doppelbehauptung muß man ihm freilich zugeben; denn was immer mit der Staatsgewalt in Collision geräth, kann freilich eben darum als revolutionnair bezeichnet werden. Die Behauptung dagegen, daß der römische Katholicismus auch dann, wenn er nicht mit der Staatsgewalt in Collision geräth, revolutionnairer Natur sei, bedarf einer nähern Beleuchtung. Der Verfasser verwahrt sich, was kaum nöthig gewesen wäre, gegen die Meinung, als habe er hierbei die Besonderheit des Cultus oder irgend eine andere Aeußerlichkeit im Sinne, und erklärt sich dagegen dahin, daß er in dem ihm so beschwerlichen Romanismus eigentlich die Abhängigkeit der Staatsglieder von etwas außerhalb des Staats hasse. Diese, sagt er, beleidige die Majestät des Staats und untergrabe seine Unabhängigkeit. Das ist nun freilich sehr wahr, und zugleich der Grund, warum im Mittelalter Staat und Kirche in beständigem Zwiste waren.

Aber die Zeit dieser Abhängigkeit ist längst vorüber. Gegenwärtig herrscht überall die subjective Willkür, und nur da, wo das Interesse der Subjectivität mit den Foderungen einer veralteten Autorität übereinkommt, wird Hingebung an die letztere geheuchelt, weil auf diese Weise das Interesse der Subjectivität am bequemsten gefördert wird. Mithin sind weitläufige und heftige Angriffe gegen diese scheinbare Abhängigkeit der Staaten den Kämpfen Don Quixote's nicht unähnlich, d. h. zwar meist sehr wohlgemeint und oft mit edler Mannhaftigkeit ausgeführt, aber ohne sonderlichen Werth sowol für die Wissenschaft als auch für die Praxis.

Indem wir nun der Absicht unsers Verfassers noch näher treten, bemerken wir zunächst, daß er, was zu loben ist, einen Unterschied macht zwischen dem Papste in der Menge und dem außer der Menge, und daß er eingesteht, daß die Entfernung des äußern Papstes in der Hauptsache nicht viel ändern würde, und daß die Entfernung des in den Gemüthern der Menge wohnenden Papstes (S. 115) „im Widerspruch mit dem Geiste der Unterthanen und zwar überall sogleich, ohne den Verstand der Völker reif werden zu lassen, im Verlauf einer einzigen Regierung" unmöglich sei. Nach diesen und ähnlichen Aeußerungen unsers Verfassers ist der Papst in der Menge nichts Anderes als der Inbegriff aller Vorurtheile und Irrthümer, welche der Menge einwohnen. Hiernach verwandelt sich also die Foderung, das Papstthum zu stürzen, in den frommen Wunsch, daß die Völker gefälligst ihre Irrthümer aufgeben möchten. Aber dergleichen unbestimmte und darum leere, nichtssagende Declamationen liebt man nun einmal heutzutage! Anstatt sich gründlich um die Mittel, zum Bessern zu gelangen, zu bemühen, zieht man es vor, nur immer wieder die abstracte Foderung, daß es besser werden solle, bis zum Ekel zu wiederholen.

Um nun jener Lieblingshypothese, daß der Katholicismus revolutionnairer Natur sei, einigen Schein zu verschaffen, läßt unser Verf. sich zu Behauptungen verleiten, welche sich in jeder Beziehung als unhaltbar erweisen. Unter Anderm bezieht er sich auf die Thatsache, daß die meisten Revolutionen in den katholischen Ländern ausgebrochen sind, als auf einen Beweis jener Hypothese. Da nun aber in den neuesten Zeiten auch in protestantischen Ländern Volksbewegungen stattgefunden haben, so versichert er uns, daß diese Folge ganz besonderer Umstände gewesen seien. Daraus würde nun hervorgehen, daß die Revolutionen in katholischen Ländern keine andere Veranlassung gehabt hätten als die religiöse Verfassung jener Länder; eine Behauptung, welche durchaus verkehrt erscheint, wenn man nicht etwa wieder unter religiöser Verfassung den Inbegriff aller nur möglichen Irrthümer und Misverhältnisse verstehen will. Wenn ferner der Verf. sogar behauptet, daß die Anhänglichkeit an die päpstliche Gewalt und die Demagogie dem Principe nach identisch seien, Aeußerungen einer und derselben geistigen Richtung in verschiedenen Sphären, so stellt er sich, seinem vorgefaßten Hasse gegen den Romanismus zu Liebe, in directen Widerspruch mit den Aussprüchen der Philosophie sowol als auch des gesunden Menschenverstandes. Der Protestantismus vielmehr und der Liberalismus, deren Ausartung flacher Unglaube und Demagogie sind, haben den gemeinschaftlichen Charakter, daß sie der in neuerer Zeit herrschend gewordenen Erhebung des subjectiven Gedankens über den Glauben an Autorität, das Objective im menschlichen Geiste, ihre Entstehung verdanken. Den Kampf zwischen der Anhänglichkeit an das Objective und dem dieselbe allmälig besiegenden subjectiven Denken nennen wir Reformation, wenn die Formen des religiösen Bewußtseins der Völker vorzugsweise der Gegenstand des Streites sind; Revolution dagegen, wenn das politische Bewußtsein hauptsächlich in Anregung kommt. In den Staaten nun, in welchen die Reformation entschieden und gewaltsam war und mithin sich auch äußerlich durch die Trennung von der katholischen Kirche offenbarte, da ging die politische Reformation oder die Revolution allmäliger und minder gewaltsam von statten; dagegen in denjenigen Staaten, in welchen die Reformation nur innerlich, in dem Bewußtsein der selbständigern Geister vor sich ging, da mußte die Menge in einer gewaltsamern Revolution sich jene Selbständigkeit des Gedankens erwerben, welche nicht nur die blinden Verehrer des Alten, sondern auch wahre Staatsklugheit ihr streitig zu machen geneigt und durch die Umstände gezwungen waren. Daher fand allerdings das äußerliche Factum statt, daß die Revolutionen in den Ländern, die katholisch geblieben sind, häufiger und heftiger waren als in denen, welche sich offen zum Protestantismus bekannt haben.

Nichtsdestoweniger ist es eine Verdrehung der Geschichte, wenn man behauptet, daß der Katholicismus den Geist der Revolution hervorgerufen habe. Vielmehr gehörte er stets zu den Gegenständen, gegen welche die Revolutionen sich richteten.

Wenn in neuerer Zeit katholische Geistliche sich mit Demagogen zu scheinbar gleichem Zwecke verbunden haben, so geschah dies nach dem Grundsatze, nach welchem man auch das Feindlichste, wenn es sich dazu hergibt, für seine Zwecke benutzt und es von sich wirft, wenn man am Ziele steht; nicht aber weil irgend eine Sympathie zwischen dem Katholicismus und der Demagogie bestehe. Wollte aber der Verf. etwa weiter nichts behaupten, als daß die römisch-katholische Geistlichkeit theils durch hartnäckigen Widerstand gegen alle Neuerungen, theils durch schlaue Benutzung derselben für ihre Zwecke dazu beigetragen habe, daß die Revolutionen gewaltsamer und zerstörender wurden, dann hatte er wahrlich nicht nöthig, ein Buch deswegen zu schreiben. Denn das hört man auf allen Kathedern, ja in jeder Schulstube. Oder wenn diese Ansicht ja in den Umgebungen des Verf. noch nicht hinlänglichen Eingang gefunden haben sollte und er deshalb für zweckmäßig gehalten hätte, zu ihrer weitern Verbreitung beizutragen, dann war wenigstens der weitläufige philosophische Apparat, welchen er hier zur Schau trägt, die allerungeeignetste Form, in welcher er jenen Zweck verfolgen konnte.

Auf ähnliche Weise nimmt der Verf. den Schein für das Wesen, indem er von den Concordaten spricht. Diese sind nämlich wesentlich gar nicht Verträge, sondern gesetzliche Bestimmungen in der äußern, zufälligen Form von Verträgen. Es war nothwendig, die Verhältnisse katholischer Unterthanen unter einander, zu ihrer Geistlichkeit und zu andern Glaubensverwandten durch gesetzliche Vorschriften festzustellen, und wenn man den in Folge dieses Bedürfnisses entstandenen Bestimmungen die Form eines Vertrags mit dem Papste gab, so geschah dies nur, um Vorurtheile der Menge zu schonen, ich möchte fast sagen, aus diplomatischer Delicatesse.

Hald und halb scheint der Verf. das auch einzugestehen; aber um so weniger begreift man, was die weitläufigen, mit gelehrten Citaten verbrämten Declamationen gegen die Treulosigkeit der Päpste und gegen die Unklugheit Derer, welche dennoch Verträge mit ihnen abschließen, bedeuten sollen. Man sieht, daß der Verf. auch hier wieder nur nach einer Gelegenheit gehascht hat, seinem Grolle gegen das Papstthum Luft zu machen.

Daß der Verf. selbst sich dieser und ähnlicher, ganz am unrechten Orte angebrachten Schmähungen gewissermaßen selbst schämt, geht daraus hervor, daß er dieselben niemals dem Mitunterredner in den Mund legt, welcher die Unterredung leitet, sondern einem Untergeordneten, welchem ausdrücklich eine einseitige Hinneigung zum Rationalismus zugeschrieben wird. Unter dieser Maske glaubt der Verf. sich jede Einseitigkeit, ja entschiedene Thorheiten erlauben zu dürfen und dieselben dadurch wieder gut zu machen, daß er den Hauptunterredner etwa hinzufügen läßt, der Andere habe wol etwas zu heftig gesprochen. Auf diese Weise wird unter Anderm sogar der fränkischen Geistlichkeit zur Zeit Clodwig's zum Vorwurfe gemacht, daß einige Glieder derselben, oder auch vielleicht die meisten, Straßenraub, Ehebruch und andere Verbrechen begangen haben. Ich für meinen Theil möchte mich darüber fast weniger verwundern als darüber, daß es damals auch solche Geistliche gab, welche an jenen Verbrechen nicht Theil nahmen und dagegen eiferten.

Zum Schlusse möchte ich dem Verf. noch rathen, in der Fortsetzung seines Gesprächs etwas mehr als bisher geschehen auf Ordnung und Zusammenhang zu halten. In dieser Beziehung sind die Gespräche Plato's dem Verf. als Muster zu empfehlen; dieser hat keineswegs geglaubt, daß es mit der Form des Gesprächs unverträglich sei, streng bei der Sache zu bleiben und die verschiedenen abzuhandelnden Gegenstände nicht nur in systematischer Ordnung aufzuführen, sondern auch diese Ordnung genau und wiederholt anzugeben. Unser Verf. dagegen schweift zügellos nach allen Seiten hinaus, wie es etwa wol bei wirklich gehaltenem Gespräche geschehen mag, und hält es für zu geringfügig, dem Leser das Verständniß durch Vor- oder Rückweisungen zu erleichtern. Andererseits muß anerkannt werden, daß die Abschweifungen des Verf. die gehaltreichsten Stellen dieses Gesprächs sind. So zeugen unter Anderm die Bemerkungen über die belgische Revolution und über die Bedeutung verschiedener Stände und namentlich des Adels von Nachdenken und richtigem Sinne. Doch läßt er, indem er vom Adel spricht, seinen Haß gegen das Mittelalter wenigstens in sofern walten, als er es hervorzuheben versäumt, daß der Adel wirklich in jener Zeit Das war, was er sein soll, nämlich die vorzugsweise gebildete Classe, und daß er mithin erst in den letzten Jahrhunderten seine welthistorische Bedeutung verloren habe.

Aus dem Gesagten geht hervor, daß der Verf. der vorliegenden Arbeit ein guter Kopf ist, und daß er es sich hat angelegen sein lassen, sich mit den Ansichten [illegible] bekannt zu machen und die Geschichte unserer Zeit gründlich zu studiren; daß er aber in diesem Studium [illegible] nicht so weit vorgerückt, als nöthig ist, um die Ereignisse [illegible] Vergangenheit in ihrem wahren Wesen aufzufassen. Indessen müssen wir es ihm als einem Süddeutschen doppelt hoch anrechnen, daß er sich in eine philosophische Anschauungsweise hineinzuarbeiten gesucht hat, deren Vielseitigkeit und Tiefe in Norddeutschland noch nicht allgemein und in Süddeutschland wol nur selten [illegible] erkannt wird. 178.

Literarische Notizen.

André Chénier's „Poésies posthumes et inédites" erschienen zu Paris in zwei Bänden.

Von dem Vicomte de Conny ist „Histoire de la révolution de France" in sechs Bänden angekündigt, von denen die beiden ersten am 15. Januar künftigen Jahres erscheinen sollen. 178.

Redigirt unter Verantwortlichkeit der Verlagshandlung: F. A. Brockhaus in Leipzig.

Blätter für literarische Unterhaltung.

Mittwoch, —— Nr. 324. —— 20. November 1833.

Zur Geschichte der neuern schönen Literatur in Deutschland. Von H. Heine. Zweiter Theil.

(Fortsetzung aus Nr. [illegible].)

Schlegel's Kritik des Euripides veranlaßt folgende Expectoration:

Es würde zu weit führen, wollte ich hier entwickeln, wie Herr Schlegel gegen den Euripides, den er in jener Manier herabzuwürdigen gesucht, ebenso wie einst Aristophanes das größte Unrecht verübt. Letzterer, der Aristophanes, befand sich in dieser Hinsicht auf einem Standpunkte, welcher mit dem Standpunkte der romantischen Schule die größte Aehnlichkeit darbietet; seiner Polemik liegen ähnliche Gefühle und Tendenzen zum Grunde, und wenn man Hrn. Tieck einen romantischen Aristophanes nannte, so könnte man mit Fug den Parodisten des Euripides und des Sokrates einen classischen Tieck nennen. Wie Hr. Tieck und die Schlegel trotz der eignen Ungläubigkeit dennoch den Untergang des Katholicismus bedauerten; wie sie diesen Glauben bei der Menge zu restauriren wünschten; wie sie in dieser Absicht die protestantischen Rationalisten, die Aufklärer, die echten noch mehr als die falschen, mit Spott und Verlästerung befehdeten; wie sie gegen Männer, die im Leben und in der Literatur eine ehrsame Bürgerlichkeit beförderten, die grimmigste Abneigung hegten; wie sie diese Bürgerlichkeit als philisterhafte Kleinmisère persiflirten, und dagegen beständig das große Heldenleben des feudalistischen Mittelalters gerühmt und gefeiert: so hat auch Aristophanes, welcher selber die Götter verspöttelte, dennoch die Philosophen gehaßt, die dem ganzen Olymp den Untergang bereiteten; er haßte den rationalistischen Sokrates, welcher eine bessere Moral predigte; er haßte die Dichter, die gleichsam schon ein modernes Leben aussprachen, welches sich von der frühern griechischen Götter-, Helden- und Königsperiode ebenso unterschied wie unsere jetzige Zeit von den mittelalterlichen Feudalzeiten; er haßte den Euripides, welcher nicht mehr wie Aeschylus und Sophokles von dem griechischen Mittelalter trunken war, sondern sich schon der bürgerlichen Tragödie näherte. Ich zweifle, ob sich Hr. Schlegel der wahren Beweggründe bewußt war, warum er den Euripides so sehr herabsetzte in Vergleichung mit Aeschylos und Sophokles: ich glaube, ein unbewußtes Gefühl leitete ihn, in dem alten Tragiker roch er das modern demokratische und protestantische Element, welches schon dem ritterschaftlichen und olympisch-katholischen Aristophanes so sehr verhaßt war.

Mit lauter Stimme protestirt die Geschichte gegen diese Verunglimpfung des Aristophanes. Als mit Perikles' Tode die herrschende Macht der Einsicht und der Tugend aus dem Leben des athenischen Volkes gewichen war, und freche Zügellosigkeit die Grundfesten des Staats erschütterte, da hat Aristophanes mit hellem Bewußtsein und tiefem Blick in die Zukunft das heilige Amt der alten Komödie, in heitern Gebilden des Scherzes den schweren Gehalt ernster Warnung auszuprägen, muthig und getreu verwaltet. Perikles, in mächtigem Streben, sein Volk, das durch die Thaten des Perserkriegs zu lebendigem Gefühle seiner Kraft gelangt war, auf die Höhe der Größe und des Ruhms zu erheben, und zu hoch gestellt in seiner erhabenen Persönlichkeit, als daß er die Gebrechlichkeit gewöhnlicher Naturen, denen er seine Plane auferlegte, vollkommen hätte ermessen können, hatte Athen aus den Grenzen ererbter Sitten und Satzungen gerissen und auf schwindelnde Bahnen geführt, wo nur die entschiedenste Ueberlegenheit, wie er selbst sie besaß, den unsichern Fuß der Menge an den drohenden Abgründen vorbeizulenken vermochte. Unmittelbaren und ungehemmten Einwirkens auf das Volk bedürftig, hatte er sich der Behinderung, die ihm die Geltung der Obrigkeiten entgegensetzte, entledigt und in die Macht des Redners die Herrschaft über den Staat gelegt. So lange nun die Zügel des Staats in seiner festen und reinen Hand lagen, drängte er das Unheil, das aus diesem Systeme nothwendig hervorgehen mußte, indem es an die Stelle des Gesetzes die momentane Macht des Wortes und den leichtbeweglichen Willen der Menge setzte, gebieterisch zurück; aber sobald er geschieden war, durchbrach es in wilder Verwirrung alle Schranken. Trügerische Sophistik, deren Ausbildung durch die politische Gewalt der Beredtsamkeit herbeigeführt worden war, befing das Volk, das durch die Greuel der Pest und des Kriegs zerrüttet war und durch sein Wohlgefallen an den Künsten der Rede sowie durch die Begier nach dem Solde, den es durch müßiges Zuhören erwarb, in die Versammlungen gedrängt wurde, und untergrub im Dienste selbstsüchtiger Demagogen Tugend und Sitte. Aus klarer Erkenntniß dieses Verderbens, das der Freiheit Athens den Untergang brachte, nicht aus schläfrigem Haften an dem Alten und Hergebrachten, noch weniger aus der Beschränktheit einer Vorliebe für die Aristokratie in der für jene Zeit Athens ungültigen Bedeutung feudalistischer Bevorrechtung einer Kaste ging Aristophanes' beharrlicher Kampf hervor, und mit festem Muthe führte er seine Waffen gegen jede Richtung des eindringenden Sinnes, gegen die heillose Volksverführung Kleon's und ähnlichen Gesindels, gegen das Unwesen einer Erziehung, die der Jugend das

Mark aussog, gegen die Misachtung der Religion, gegen die Entartung der Kunst. Und eine Entartung der Kunst werden wir mit Schlegel und allen Denen, die sich aus altphilologischer Befangenheit und aus traditionneller Bewunderung zumal der einzelnen Sentenzen, die sich bei Euripides in lästiger Menge finden, weil dem Ganzen seiner Werke die tiefere sittliche Idee gebricht, durch freiere und würdigere Ansicht der Kunst und des Alterthums erhoben haben, in Euripides so lange wahrnehmen, bis dieser Dichter durch andere Mittel gerechtfertigt wird, als durch die inhaltslose Allgemeinheit der Phrasen von modern demokratischem und protestantischem Elemente, bürgerlicher Tragödie u. s. w. Mit großem Unrecht würde man aus Heine's Tirade gegen Aristophanes eine Billigung des anarchischen Treibens in jener Zeit der Auflösung echter Freiheit folgern; wir sind durch nichts berechtigt, eine nähere Kenntniß jener geschichtlichen Zustände bei ihm vorauszusetzen. Er erblickt in jeder Abwandlung eines bisher Bestandenen ein Werden, wenn sich auch der ungetrübten Betrachtung ein bloßes Sinken und Vergehen darstellt, wie in der Tragödie des Euripides. Wenn Sophokles die Tragödie aus dem Kreise des strengen Waltens ewiger Mächte, in denen sie bei Aeschylos gefangen ist, hinüberleitete in die leisern Beziehungen sittlicher und gemüthlicher Zustände und durch seine milde Kunst die symbolischen Typen des Aeschylos durch individuelle Gestaltungen ersetzte, so zeigt sich in den Abweichungen der Euripideischen Tragödie ein sophistisches Deuteln der alten Mythen, mit denen er in glaubenloser Willkür schaltete. Dieser Verdünnung der Religion, diesem Rütteln an dem Heiligen widersetzte sich Aristophanes mit der Kraft eines tiefen Gemüths; darin, daß er selbst die Götter mit seinen Scherzen nicht verschonte, liegt kein Zwiespalt, keine Unklarheit seiner Tendenz. Die Götter der Griechen, die mit Gebrechen und Leiden den Menschen in vertraulicher Nähe standen, konnten, unbeschadet ihrer Geltung und Verehrung, in den Tagen festlicher Lust heiterm Scherze dienen, wie sich im Mittelalter ähnliche Erscheinungen finden; ein „Verspötteln" der Götter, wie es etwa die leere Frivolität Lucian's darbietet, kann in Aristophanes nur entschiedene Misdeutung finden. Noch offener liegt diese Misdeutung vor Augen, wenn dem tiefsittlichen Dichter ein Haß gegen den „rationalistischen Sokrates, welcher eine bessere Moral predigte", beigelegt wird. Wir dürfen bei der gangbarsten und durch gewichtige Gründe verbürgten Deutung des Problems der „Wolken" stehen bleiben, nach welcher Aristophanes durch das vielfache Lächerliche des äußern Erscheinung des Sokrates bewogen wurde, ihn zum Mittelpunkte seiner Dichtung zu machen, in der er die entsittlichende, durch Zungenfertigkeit und Trug die Ehrfurcht vor Gesetz und Sitte vertilgende sophistische Erziehung abbildete; wir können es zugestehen, daß er den Sokrates nur äußerlich erfaßt und in seiner innern Verschiedenheit von den Sophisten nicht erkannt habe; gegen eine bessere Moral hat er sich nirgend aufgelehnt. Aber jene rationalistische, bessere Moral des Sokrates konnte eine durchdringende sittliche Erneuung des hellenischen Volkslebens nicht bewirken; wie groß auch die Herrlichkeit der Philosophie, die sich von Sokrates ableitet, sei, sie zeugt von der Ohnmacht der von concretem Glauben geschiedenen Speculation.

Die innere Aehnlichkeit der Tendenzen des Aristophanes und der romantischen Schule hat Heine gewiß [illegible] richtig erkannt; aber im Widerstreit mit seiner Würdigung preisen wir es als ein hohes und untilgbares Verdienst jener Schule, in vielseitigem Streben sich immer um den Mittelpunkt des Kampfes für die Tiefe des Glaubens gegen die breite Flachheit im Leben und in der Kunst bewegt zu haben. Die heftige Bestreitung ihrer antiquirten Gebrechen würde heutzutage nicht viel höhern Werth haben als jener Muth, qui deserta castra expugnat, wenn sie auch weniger, als hier allenthalben geschieht, sich in allgemeiner Verneinung hielte. Die Unfruchtbarkeit bloßer Negation wird besonders deutlich bei der Beurtheilung Friedrich Schlegel's, dessen Bedeutsamkeit sich im Ganzen eine widerwillige Anerkennung erzwingt. Die Charakteristik desselben concentrirt sich in folgenden Worten:

Friedrich Schlegel war ein tiefsinniger Mann. Er erkannte alle Herrlichkeiten der Vergangenheit, und er fühlte alle Schmerzen der Gegenwart. Aber er begriff nicht die Heiligkeit dieser Schmerzen und ihre Nothwendigkeit für das künftige Heil der Welt. Er sah die Sonne untergehn und blickte wehmüthig nach der Stelle dieses Untergangs und klagte über das nächtliche Dunkel, das er heranziehen sah; und er merkte nicht, daß schon ein neues Morgenroth an der entgegengesetzten Seite leuchtete. Fr. Schlegel nannte einst den Geschichtsforscher einen umgekehrten Propheten. Dieses Wort ist die beste Bezeichnung für ihn selbst. Die Gegenwart war ihm verhaßt, die Zukunft erschreckte ihn, und nur in die Vergangenheit, die er liebte, drangen seine offenbarenden Seherblicke.

Gegen die Gültigkeit dieser Schilderung haben wir nichts einzuwenden; wahren Werth würde sie erst durch den Gegensatz einer deutlichern und gründlichern Darstellung des Wesens der neuen Zeit erhalten, als sie die Proclamationen eines neuen Morgenroths, einer Wiedergeburt und eines künftigen Heiles der Welt gewähren. Manches Einzelne von Dem, was über die Schlegel gesagt wird, ist gewiß sehr triftig. So z. B. wenn als das Gebrechen der Lucinde bezeichnet wird, daß sie kein Weib ist, sondern eine unerquickliche Zusammensetzung von zwei Abstractionen, Witz und Sinnlichkeit. Mehr in das Besondere geht Heine bei A. W. Schlegel, weil der Haß nach dem Besondern greift. Wir bewundern dabei die Vielseitigkeit des Verfassers, der über Schlegel's Leistungen in Poesie, ästhetischer Kritik, Geschichte, Altdeutsch und Sanskrit mit gleicher Entschiedenheit, wie sie doch nur selbständig erworbene Kenntniß gewähren kann, abspricht. Nur verfällt er in denselben Fehler, den er an Schlegel rügt: sein Urtheil beschränkt sich auf Vergleichung, oder vielmehr auf die Erwähnung Größerer, Solger's, Jak. Grimm's, Niebuhr's, Bopp's. Gehässig ist Alles, z. B.: „im Studium des Altdeutschen steht thurmhoch über ihm erhaben Herr Jakob Grimm, der uns durch seine deutsche Grammatik von jener Oberflächlichkeit befreite, womit man, nach dem Beispiel der Schlegel, die altdeutschen Sprachdenkmäler erklärt hatte". Mit welchem Rechte kann die Ober-

Fleckichkeit im Studium des Altdeutschen, von der vor Grimm's Grammatik nur sehr Wenige frei waren, dem Beispiele der Schlegel zugeschrieben werden? Die begütigenden Worte: „obgleich die Schule zu Grunde ging, so haben doch die Anstrengungen des Hrn. Schlegel gute Früchte für unsere Literatur getragen", laufen im Ganzen darauf hinaus, daß er in die Behandlung wissenschaftlicher Gegenstände Eleganz der Sprache eingeführt habe. Auch die Uebersetzung des Shakspeare wird nochmals gepriesen.

(Die Fortsetzung folgt.)

Correspondenznachrichten.

Paris, 29. October 1833.

Als ich vorgestern mit dem Dampfschiffe La ville de Sens von Montereau herabfuhr und mich den Häusern von Charenton näherte, die jetzt mit Bercy und Paris dergestalt zusammenhängen, daß man wol sagen kann, die Stadt fange zwei Stunden vor dem Thore an, hörte ich, daß eine Dame ganz naiv die Frage eines Briten: „Est-ce déjà Paris?" mit den Worten beantwortete: „Pardon, monsieur, c'est la maison des fous." Seine Herrlichkeit, die wol nicht wußte, daß Charenton ein berühmtes Narrenhaus besitze, nahm diese ganz richtige Replik sehr ungnädig auf, indem er mit stoischer Miene sagte: „Il paraît, madame, que nous allons tous deux dans cette maison des fous", welches die ganze Gesellschaft des Verdecks lachen und den Misverstandenen nur noch ärgerlicher machte; denn er drehte uns den Rücken und ging in die Kajüte, ganz gewiß mit der Ueberzeugung, er sei der allein ernsthafte oder allein vernünftige Mensch auf dem Boote.

Ich folgte ihm aus Menschenpflicht, um ihn aus dem Irrthume zu ziehen. Aber vergeblich; er nahm meine Definition eben wol für Ironie und las ohne Aufmerksamkeit in einem Bande Byron's, kalt die Worte murmelnd: „Je vous remercie, monsieur." Der Zufall ist also einmal wieder Schuld, daß ein Mensch als unversöhnlicher Murrkopf seinen Einzug in Paris hält. Als wir am Quai der Cité landeten, saß er noch immer wie eine Bildsäule in der Kajüte; er war der Letzte, der ans Land stieg.

Es sind vier Monate, daß ich nicht in Paris war; in dieser Zeit sind hier vier neue Journale, zwei neue Straßen, mehre Institute, einige politische und literarische Societäten, ein Theater, zwei Concertsäle und ungefähr hundert Kaffeehäuser und Restaurationen entstanden — von den Juliproductionen des Obelisken und Napoleon's kann nicht die Rede sein. Die Karlisten haben bereits vierzehn Tage einen König und sind eifrigst beschäftigt, in Spanien sich noch einen zu machen, da in Madrid der lange conservirte Ferdinand II. dem juste milieu den Possen spielte, plötzlich zu versterben, ohne der französischen Gesandtschaft die allerhöchste Intention zu notificiren. Ganz Paris ist außer sich, wie ich sehe, ob all den Erscheinungen am politischen Horizont, und sogar der „Constitutionnel" ist außer sich, weil Konstantinopel verbrannte und keiner seiner Redacteure die Favoritsultanin rettete.

Nach meiner Ueberzeugung hat die Republik nie so große Schritte gemacht wie in diesem Augenblicke, wo sie in den allerschlechtesten Händen ist. Aber das kommt von der Kameeltrommel und der Affenpfeife. Sie zieht, nach einer satirischen Abbildung, als Virtuosin durch die Gassen und trägt eine kleine Guillotine als Mandoline auf dem Rücken, dem Janhagel Musik zu machen. Das gefällt gewaltig. Der Janhagel ist wie toll; er tanzt die Carmagnole und schreit: „A bas Philippe, à bas les royalistes, vive la république!" Die crieurs des „Bon sens" haben seit acht Tagen die ausgedehnteste Erlaubniß, Jedermänniglich den „Bon sens" in die Ohren zu schreien und die Taschen nach Belieben damit vollzupfropfen. Die Policei darf nicht muxen. Sogar in der Opéra, im Théâtre français stößt die Partei Cavaignac ins Horn und ruft mit großen Lettern: „Le peuple est souverain!"

Gestern Abend war ich eben fest entschlossen, im Parterre ein Schläfchen zu halten, so wunderbar uninteressant, aber harmonisch, klang die Musik von „Ali-Baba" an mein Ohr, da fiel von des Altans Rand, ich glaube vom vierten Stock, ein großes Blatt mit einem Freiheitsbaume in meinen Schoos, worüber die Worte standen: „Déclaration des droits de l'homme et du citoyen, présentée à la convention nationale et proclamant la souveraineté du peuple, l'égalité, la fraternité et le droit de repousser l'arbitraire par la force."

Es versteht sich, daß ich einen kleinen Schreck bekam, als ich diesen Titel las; denn es fiel mir ein, daß in jedem Theater geheime Policeibeamte herumspioniren. Für Alles in der Welt hätte ich nicht für ein Mitglied der Société des droits de l'homme angesehen sein mögen.

Nichtsdestoweniger erregte ein Umstand in diesem ernsten politischen Momente die Bewegung meiner Lachmuskeln. Ein deutsches Wesen nämlich, das neben mir saß und das Manna der Presse aus den Wolken des Kronleuchters fallen sah, wandte sich ganz unschuldig mit der Frage an mich: ob das Papier das Programm der Oper sei?

„Ja, ja wohl", erwiderte ich. „Da lesen Sie."

Und er las, ganz unten, Artikel 33: „Les rois, les aristocrates, les tyrans, quels qu'ils soient, sont des esclaves révoltés contre le souverain de la terre, qui est le genre humain, et contre le législateur de l'univers, qui est la nature!"

Ich sah, daß sein deutsches Gemüth ob diesen Worten erblaßte und sein Gesicht ganz scharlachroth wurde. Das Blatt entsank seiner Hand wie der unverschämte Antrag eines ausschweifenden Residenzers den kleinlauten Fingern eines unverdorbenen Landmädchens, das eben zur Tante in die Stadt kam. „Mordio", exclamirte er, „das nenn' ich Progressen." Und als er das gesagt hatte, wandelte die Declaration von Hand zu Hand, von Bank zu Bank, bis zum Orchester. Dort glaubte ich noch während des Shawltanzes der Demoiselle Taglioni den 33. Artikel auf der ersten Violine zu hören: „Les rois, les aristocrates, les tyrans —" und bravo! bravo! rief das besessene Haus, als sich die Bajadere wie eine Wetterfahne auf dem Absatz drehte.

„Ist das schon Paris, Madame?"

„Nein, mein Herr, es ist Charenton."

Es ist kein gutes Zeichen für die Regierung, daß die constitutionnellen Blätter anfangen, die schlechtesten Geschäfte zu machen. Der „Constitutionnel" hat in Jahresfrist enorm viel Abonnenten verloren und, wie das „Charivari" sagt, kürzlich 17 Umträger verabschiedet, die jetzt bei der entreprise des brioches angestellt sind und Bäckerbrödchen austheilen. Das ist natürliche Satire, die sich hier auf der Gasse findet, wenn man nur einen Schritt vor die Thür thut. Der „Temps" ist ebenso schlecht berathen und macht eine Oekonomie über die andere, was ihm freilich bei seinem dicken Bauche wenig Erleichterung verschafft. Sein Hauptredacteur, Fauchet, hat ihn verlassen. Wie es um die „Débats" steht, erfährt man nicht so eigentlich; es ist aber anzunehmen, daß ihre Abonnenten so lange sich halten als ihre Regierung. Die „Caricature" hat ihr Miserere in mehren Blättern in trefflichen Figuren gesungen und sie als filles publiques von *feuilles* publiques mit ihren Gönnern dargestellt. „La débats et son préfet" ist das amusanteste dieser Pärchen. „La constitutionnel" ist eine dicke alte Vettel aus dem café d'Italie, die sich blos mit ihrem garçon de bureau abgibt.

Es ist, als ob die Presse hier allmälig die Zeichen den Figuren abtrete. Immer mehr Bilder werden gemacht, und immer mehr Witz zeigt sich darin. Wenn er nicht Geist genannt werden kann, so muß man ihm doch die Tugend einräumen, daß er nicht so ungeschlacht als die demokratische Typenpresse ist, von der man nichts mehr sieht als den Bengel und die Druckerschwärze. Die Satire der Lithographien und auch die Satire der kleinen Blätter ermordet die grobschrötige Politik der großen ernsten Journale. Das Publicum will sich selbst mit den ernstesten Dingen nur wie zum Spaß beschäftigen und, wenn es einmal geblutet und gestorben sein muß, wie Mercutio mit einem Scherz von hinnen gehn.

Auf diese Weise ist es erklärlich, daß Journale, deren politische Tendenz man gar nicht aussprechen mag, ihre Leser finden, sobald sie nur mit savoir faire und Feinheit ihren Feind bekämpfen. Lese ich doch selbst sehr gern den „Brid-Oison", ohne mich vom „Figaro", „Corsaire", „Charivari" und der „Caricature" zu trennen, während ich es fast gar nicht über mich gewinne, die „Quotidienne" oder die „Tribune" oder den „National" mehr als durchzublättern. Es ist ekelhaft, zu sehen, daß Leute in allem Ernst und im Schweiße ihres Angesichts ihr Brot mit miserabeln Lästerungen gewinnen. Der Teufel selbst kann kein solcher Republikaner, der Großinquisitor und der Jesuitengeneral nicht so ein Heuchler und Fanatiker sein als diese Journalisten, zur Unehre der schreibenden Welt sei's gesagt.

Aber wozu nützt es, daß man bellt? Die Canaille will wie die Frösche in der Fabel ihren Klotz haben, um darauf zu tanzen. Könnte sie nur erst ordentlich lesen, sie fräße sich selbst auf in kannibalischer Freiheitsfreude.

Das ist doch traurig genug.

Eine öffentliche Person muß in Paris mit Unempfindlichkeit wie ein Igel mit Stacheln versehen sein. Je höher hinauf, desto mehr Hiebe fallen, desto mehr Anklang finden sie. Wer nur einen Namen hat, der hat Hoffnung auf Kreuzigung, Steinigung oder Vergötterung. Es ist um ein Versehen, so fällt man aus der Marterkammer ins Himmelbette. Glückselig, wer gut fallen kann, darum glückselig, wer eine schöne Schauspielerin ist oder goldene Hufe trägt!

„Les rois, les aristocrates, les tyrans!" für sie ist allein keine weiche Matratze von Papier hier aufzufinden, ihre alten roßhärenen müssen zulangen. Der tolle John Bull Frankreichs bildet sich ein, ihre Gestalten seien blos Erscheinungen der Theater, und darum geht er täglich vor die Breter und beklatscht die Richelieu's und Louis XIII. und Henri IV. und Louis XI.

Richelieu vor Allem ist jetzt en vogue. Nachdem sie seine Jugend zum Besten gaben, verarbeiteten sie auch sein Alter. Ich habe ihn eben im Vaudeville gesehen, 80 Jahre alt, in dem Cabinete einer Frau, seiner Frau, den Galant spielen. Und da dreht er sich mit aller ministerieller Schlauheit ein ellenlanges Hirschgeweih, das mit fasernackter Moral verknüpft ist. Der Dichter, nachdem er den Cardinal seine Frau mit ihrem Liebhaber persönlich und quasi par force einsperren läßt, hat am Ende so viel Rücksicht, es der alten Excellenz nicht merken zu lassen; denn er verheirathet den Stein des Anstoßes mit einer Jungfrau oder Zofe der Herzogin, die als enfant trouvé einem 65jährigen Abbé verlobt war. Das ist doch sehr höflich.

Das Vaudeville gefällt. Dies ist genug, um alle unsere Vaudevillisten lüstern auf ähnliche Sujets zu machen. Es sollte mich wundern, wenn es nicht bald Richelieu's regnet im Drama, Schauspiel, in der Posse, wol gar in der Oper. Vor drei Monaten waren die fameusen Actricen aller Zeit, die Sophie Arnoulds, und vor etwas längerer Zeit die Friedrichs von Preußen und die rasenden Weiber der Porte-Saint-Martin im Zuge. Dies Theater ist jetzt an seinem dreizehnten oder vierzehnten weiblichen Scheusal, der Giftmischerin Brinvilliers. Zuerst lebte es von Henkern und Mördern und männlichen Ungethümen, jetzt von der schönen zartern Rasse. Ich bewundere die Demoiselle Georges, die jeden Abend ihren Vollmond noch vor den Lampen dieser Mordbrenner und Banditen leuchten läßt. Aber auf Cavalierparole, hätte sie Napoleon in diesen Fratzen gesehen, sie wäre nie seine Maitresse geworden, so schön sie damals mochte gewesen sein.

Die Mars ist wieder da. Morgen, glaub' ich, debutirt sie mit der Königin Elisabeth. Ich werde ihr dazu guten Appetit wünschen. Der Kindermord in den „Enfans d'Edouard" spielt vier lästerliche Stunden; das kann ein Mensch, der kein Pariser ist, höchstens einmal aushalten. Die Italiener müssen mich entschädigen, die Italiener!

Aber was sage ich? Es gibt ja hier kein Théâtre italien mehr. Ich war da im „Pirata" und fragte: „He, meine Herren, wer ist die Dame, die so lieblich Alto singt und so schön ist wie die griechische Cypris?" Man antwortet: „Monsieur, c'est mademoiselle Amigo, une Espagnole." „Und diese Sopranistin mit dem bescheidenen und jungfräulichen Wesen?" „Elle est de l'Allemagne, mademoiselle Unger." „Aber die dritte, der sie ebenfalls applaudiren?" „Elle est Danoise, Schulze de nom."

Ein Russe, Namens Ivanow, ist beim Regiment, und eine Polin und Engländerin. Der alte Stamm, die Grisis und Rubini und Tamburini und Profeti sind einzig und allein aus Italien gekommen. Das Gros ist französisch bis zum Souffleur und Friseur, wie mir die Logenschließerin versichert, die ein besonderes Register des Personals besitzt.

Wir werden diesen Winter den „Don Giovanni" wieder hören vom alten ehrenfesten Mozart. O wie dumm sind die Franzosen, daß sie sich nicht die Mühe geben, alle Werke dieses Meisters in Scene zu setzen. Sie, die Rossini's „Figaro" so entzückt, sie würden bei unsers Wolfgangs „Hochzeit" des göttlichen Barbiers, bei seiner „Entführung", seiner „Zauberflöte" nothwendigerweise vor Enthusiasmus bravo auf Noten singen. Aber es hält so gewaltig schwer, ehe man hier etwas Deutschem auf die Beine hilft. Ein miserables, kostenloses Buch bleibt sogar stecken im alten gallischen Sumpfe.

Sie schreiben hier jetzt alle Tage in die Journale, die Franzosen wären vernünftig geworden und hielten große Stücke auf die Deutschen und ihre Literatur, denn sie studirten Deutsch und kauften sich eine leipziger Grammatik. Es ist aber *nicht wahr*. Ich wollte wol wetten, daß Loeve-Veimars der Einzige hier ist, der ordentlich was Deutsches los hat. Er war in Deutschland, war überall, ist unterrichtet, ein Mann von Welt und Kenntniß und Talent. Es ist unbegreiflich, daß man ihn nicht nachahmt, daß man nicht reist. Sie stecken in Paris die Köpfe wie Maulthiere blos in den Futtersack, wenn sie kein Präceptor oder Magister hinaustreibt in die Welt. Bis in die Schweiz gehen sie höchstens, aber auch dort sorgfältig blos bis nach Chamouny und Vevay, dieweil darüber hinaus kein Französisch gesprochen wird. Die Dummköpfe! Wenn wir's in Deutschland und England auch so machten, was wäre dann der Franzose? Er säße wie der Kuckuck auf seinem Neste und brächte bei allem Schreien nicht ein einziges Junges zur Welt. Darum lebe Deutschland! 207.

Musikalische Notiz.

Es ist zwar in diesen Blättern nicht Sitte, die Hervorbringungen anderer Künste als der poetischen zu beurtheilen. Indem wir aber die Leser auf eine musikalische Composition aufmerksam machen, geschieht es auch nur, sie Denjenigen einfach zu empfehlen, welche mit den gemüthlichen Weisen eines schon öfters hier besprochenen Bearbeiters alter deutscher Volksmelodien im vierstimmigen Satze noch nicht vertraut wären. Der Musikdirector der tübinger Hochschule, Hr. Friedrich Silcher, hat bei Laupp in Tübingen „Die kleine Lautenspielerin", ein Schauspiel mit Gesang für Kinder und Kinderfreunde, mit Begleitung des Pianoforte und der Guitarre, gewidmet dem verehrten Verf. der „Ostereier", herausgegeben, und es ist in dieser Sammlung von ein- und mehrstimmigen Liedchen eine solche Vereinigung von sinnigen, ansprechenden Weisen, daß manchem Kreise, in dem die Kleinen mit den Erwachsenen frühe der schönen Kunst des Gesanges dienen, dieselben willkommenen heißen dürften. 46.

Redigirt unter Verantwortlichkeit der Verlagshandlung: F. A. Brockhaus in Leipzig.

Blätter

für

literarische Unterhaltung.

Donnerstag, —— Nr. 325. —— 21. November 1833.

Zur Geschichte der neuern schönen Literatur in Deutschland. Von H. Heine. Zweiter Theil.

(Beschluß aus Nr. [illegible].)

Ueber Tieck verbreiten sich sehr unbedeutende Reden. Anerkannt wird in ihm der echte Dichter, der wirkliche Sohn Apollo's, der, trunken von lyrischer Lust und kritischer Grausamkeit, wie sein ewig jugendlicher Vater nicht blos die Leier, sondern auch den Bogen und den Köcher voll klingender Pfeile führte. Drei Perioden oder, wie sie hier genannt werden, Manieren lassen sich in seinen Werken unterscheiden. In der ersten schrieb er, der alten Schule noch ganz angehörig, auf Antrieb und Bestellung eines Buchhändlers (Nicolai's) Erzählungen und große, lange Romane ohne Bedeutung, ja sogar ohne Poesie, worunter „William Lovell" der beste. Bei diesem Urtheile ist schwerlich eine lebendige Erinnerung an den „Lovell" gegenwärtig gewesen, denn unter dem brütenden Nebel, der dieses trübe Werk einhüllt, zeigen sich bereits die Umrisse reicher Poesie, die, wie von Träumen gefangen, der hellen Sonne des Tages harrt. „Sowie Herr Tieck mit den Schlegeln in Berührung kam, erschlossen sich alle Schätze seiner Phantasie, seines Gemüths und seines Witzes." Der „Octavian", die „Genoveva" und der „Fortunat" werden hierauf als die empfehlenswerthesten dramatischen Producte Tieck's in dieser zweiten Periode genannt, und in schönen Bildern wird der zauberische Reiz seiner gleichzeitigen Erzählungen geschildert. Nur ist die Anerkennung, die in dieser phantastischen Schilderung liegt, schon vorher aufgehoben, indem Heine diese Poesien im Dienste der Schlegel entstehen läßt.

Diese reiche Brust war die eigentliche Schatzkammer, wo die Schlegel für ihre literarischen Feldzüge die Kriegskosten schöpften. Herr Tieck mußte für die Schüler die schon erwähnten satirischen Lustspiele schreiben und zugleich nach den neuen ästhetischen Recepten eine Menge Poesien jeder Gattung verfertigen.

Aus einer solchen Arbeitsamkeit auf Anordnung und nach vorgeschriebenen Recepten hätte nimmermehr die Fülle lebendiger Dichtungen entstehen können, die Tieck uns schenkte, in den Dienst gegeben nicht der Schlegel, sondern seiner innern Begeisterung. Ueberhaupt ist die hier zum Grunde liegende Vorstellung der sogenannten romantischen Schule als eines organisirten, durch die Oberpriesterschaft der Schlegel geleiteten Ordens, worin Jeder nach seiner Fähigkeit an einen bestimmten Platz gestellt gewesen, um den Planen des Ganzen zu dienen, zu lächerlich, als daß sie einer bestimmten Widerlegung bedürfte. Die satirischen Dichtungen Tieck's vergleicht Heine mit den Lustspielen des Aristophanes und findet außer den Unterschieden der Form den wichtigen auf, daß in Aristophanes eine tiefsinnige Weltansicht waltete, wogegen sich die deutschen Aristophanesse jeder höhern Weltanschauung enthalten und über das politische und religiöse Verhältniß des Menschen mit Bescheidenheit geschwiegen und das Theater zum Gegenstande ihrer Satire genommen hätten. Es ist undeutlich, ob diese Herabsetzung blos die nicht näher bezeichneten Nachahmer Tieck's oder zugleich ihn selbst treffen soll. In letzterm Falle ist sie völlig nichtig. Nicht allein, ja selbst nicht vorzugsweise gegen Mängel der Bühne hat Tieck die Fülle seines Gemüths und seines Witzes entfaltet. Die Jämmerlichkeit der Alles überschwemmenden Theaterrecensirerei ist im Verfolg mit verdienter Verachtung geschildert. Ob das politische Geschreibe, das in unsern Zeitschriften zum Theil an die Stelle desselben getreten ist, an innerm Werthe höher anzuschlagen ist, und ob Heine die Bestrebungen für die Kunst mit Gerechtigkeit aus dem unfreien Zustande Deutschlands ableitet, lassen wir dahingestellt sein, da es uns unmöglich ist, auf jedes Einzelne dieser Schrift einzugehen. Die dritte Manier Tieck's bekundet dem Verf. eine merkwürdige Veränderung, die sich mit dem Dichter begeben. Die Darstellung dieser merkwürdigen Veränderung läßt sich jedoch auf innere Zustände, die der Dichter durchlebt, nicht ein, sondern beschränkt sich darauf, einem ehemaligen schwärmenden Enthusiasten für feudalistisches Mittelalter einen jetzigen vernünftigen Mann gegenüberzustellen, den Gegner aller Schwärmerei, der in der Kunst das klarste Selbstbewußtsein verlangt, den Schüler Göthe's. Daß derselbe Strom der Poesie, der sich früher von den Höhen der Jugend herabergoß, in den neuern Werken Tieck's mit geebneten Wellen in Beruhigung dahinfließt — die Eigenthümlichkeit des Dichters, die wol Stadien durchlaufen hat, innerlich aber dieselbe geblieben ist, wird nirgend zur Anschauung gebracht. In den Werken der dritten Manier Tieck's stellt sich dem Verf. ein sonderbares Misverhältniß zwischen dem Verstande und der Phantasie des Schriftstellers dar.

Jener, der Tieck'sche Verstand, ist ein honetter, nüchterner Spießbürger, der dem Nützlichkeitssysteme huldigt und nichts von Schwärmerei wissen will; jene aber, die Tieck'sche Phantasie, ist noch immer das ritterliche Frauenbild mit den wehenden Federn auf dem Barett, mit dem Falken auf der Faust. Die Beiden führen eine curiose Ehe, und es ist manchmal betrübsam, zu schauen, wie das arme hochadelige Weib dem trockenen bürgerlichen Gatten in seiner Wirthschaft oder gar in seinem Käseladen behülflich sein soll. Manchmal aber, des Nachts, wenn der Herr Gemahl mit seiner baumwollenen Mütze über dem Kopfe ruhig schnarcht, erhebe die edle Dame sich von dem ehelichen Zwangslager und besteigt ihr weißes Roß und jagt wieder lustig wie sonst im romantischen Zauberwald u. s. w.

Indessen wird zugestanden, daß Tieck bei all seinem dürren Verstande immer noch ein großer Dichter sei; aber eine gewisse Schwächlichkeit war, nach Heine, von jeher an ihm bemerkbar, und in Allem, was er schrieb, offenbart sich keine Selbständigkeit. Früher war er ein getreuer Schildknappe der Schlegel, jetzt ist er ein Nachahmer Göthe's; seine Theaterkritiken sind noch das Originalste, was er geliefert hat. Außer Göthe ist es Cervantes, den er am meisten nachahmt (denn zur Nachahmung ist er einmal hier verdammt), auch in der humoristischen Ironie, die nichts ist als der einzige Ausweg, welcher der Ehrlichkeit übriggeblieben ist, um Das zu sagen, was in dem Zustande politischer Unfreiheit sich nackt nicht zeigen darf, wie Cervantes aus Furcht vor der Inquisition zu einer humoristischen Ironie seine Zuflucht nahm, und Göthe in gleichem Tone Dasjenige zu sagen pflegte, was er als Staatsmann und Höfling nicht unumwunden auszusprechen wagte. Wir sind weit entfernt von der Anmaßung, den Dichter gegen diese wunderbaren Ansichten in Schutz zu nehmen, und vermeiden es gern, dem Verf. aus diesen Seichtigkeiten auf das völlig Trockene zu folgen, wenn er erzählt, Tieck habe sich der ernsten Disciplinen nie sonderlich beflissen, daher seine Schriften nur Blumensträuße und Stockbündel seien, nirgend eine Garbe mit Kornähren. Den Vielen, die sich bisher um das Wesen der Ironie bemüht, wird es erfreulich sein, endlich zu erfahren, daß sie nichts ist als Menschenfurcht.

Der dritte Abschnitt dieser Schrift beginnt mit den Worten: „Unter den Verrücktheiten der romantischen Schule in Deutschland verdient das unaufhörliche Rühmen und Preisen des Jakob Böhme eine besondere Erwähnung." Fügt man dazu die bald darauf folgenden: „ob jener sonderbare Schuster ein so ausgezeichneter Philosoph gewesen ist, wie viele deutsche Mystiker behaupten, darüber kann ich nicht allzu genau urtheilen, da ich ihn gar nicht gelesen; ich bin aber überzeugt, daß er keine so gute Stiefel gemacht hat wie Herr Sakoski"; so können diese Stellen sehr schicklich als Motto des ganzen Capitels gelten, das sich mit der deutschen Philosophie beschäftigt. Ueber Schelling's Philosophie und ihr Verhältniß zu Fichte's Idealismus wird einige Notiz ertheilt, worauf sich sogleich wieder die Lust an Persönlichem hervorthut. Es wird nämlich erzählt, Schelling sei trübselig als mediatisirender Philosoph in München herumgewandelt und habe sich in neidischem Schmähen auf Hegel, der ihn verdunkelt, auf das Allerjämmerlichste ausgelassen. Dies erhärtet Heine durch sein eignes Zeugniß. Das Folgende hat er zwar vorausgesehen, scheint aber doch von dem Eintreffen seiner Prophezeiung nur durch Andere unterrichtet zu sein. Er behauptet, alle Zeugnisse stimmten darin überein, daß Schelling die Philosophie an die katholische Religion verrathen habe und durch seinen Unmuth über Hegel's immer steigendes Ansehen in die Schlingen der katholischen Propaganda geführt worden sei. Von Hegel's Philosophie wird nicht viel Besseres behauptet. Der Verf. fühlt sich nämlich gedrungen, gegen edle, für die Interessen des Liberalismus besorgte Franzosen die deutsche Philosophie in Schutz zu nehmen. Diese Freunde des klaren Denkens und der Freiheit klagen, seitdem sich einige ihrer Landsleute mit der Schelling'schen und Hegel'schen Philosophie beschäftigt, über den schädlichen Einfluß der deutschen Philosophie in Frankreich. Zum Troste dieser klaren Denker und zu einiger Verständigung auch der Deutschen wird nun gelehrt, der Name der deutschen Philosophie gebühre eigentlich nur den Forschungen über die letzten Gründe der Erkenntniß und alles Seins, und dies sei vor Schelling's Auftreten das eigentliche Thema der deutschen Philosophen gewesen.

Es ist wahr, die metaphysischen Systeme der meisten vorschellingschen Philosophen glichen nur allzu sehr bloßem Spinnweb. Aber was schadete das? Konnte doch der Jesuitismus dieses Spinnweb nicht zu seinen Lügennetzen benutzen, und konnte doch ebensowenig der Despotismus seine Stricke daraus drehen, um die Geister zu binden.

Seit Schelling nun hat die deutsche Philosophie diesen dünnen, aber harmlosen Charakter verloren und ist

Unsere Philosophen kritisirten seitdem nicht mehr die letzten Gründe der Erkenntnisse und des Seins überhaupt, sie schwebten nicht mehr in idealistischen Abstractionen, sondern sie suchten Gründe, um das Vorhandene zu rechtfertigen, sie wurden Justificatoren Dessen, was da ist. Während unsere frühern Philosophen, arm und entsagend, in kümmerlichen Dachstübchen hockten und ihre Systeme ausgrübelten, stecken unsere jetzigen Philosophen in der brillanten Livree der Macht, sie wurden Staatsphilosophen, nämlich sie ersannen philosophische Rechtfertigungen aller Interessen des Staats, worin sie sich befanden. — — Ja wie einst die alexandrinischen Philosophen allen ihren Scharfsinn aufgeboten, um durch allegorische Auslegungen die sinkende Religion des Jupiter vor dem gänzlichen Untergange zu bewahren, so versuchen unsere deutschen Philosophen etwas Aehnliches für die Religion Christi. Es kümmert uns wenig, zu untersuchen, ob diese Philosophen einen uneigennützigen Zweck haben; sehen wir sie aber in Verbindung mit der Partei der Priester, deren materielle Interessen mit der Erhaltung des Katholicismus verknüpft sind, so nennen wir sie Jesuiten. Sie mögen sich aber nicht einbilden, daß wir sie mit den ältern Jesuiten verwechseln. Diese waren groß und gewaltig, voll Weisheit und Willenskraft u. s. w.

Philosophie sich zugetragen, bleibt verschwiegen, und wir wollen auch die Tröstungen des Verf. nicht zu schmälern versuchen, indem wir darauf hinweisen, wie die Philosophie, seitdem sie das Absolute nicht mehr als eine Abstraction in dunkler, unerreichbarer Ferne schweben läßt, sondern in der Fülle und Nähe des Concreten erfaßt, den concreten Gehalt des Christenthums anerkennen muß. Durch eine solche Darlegung würde auch in der That den vagen Behauptungen des Verf., unter denen wir die ausdrückliche Erwähnung des Satzes von der Vernünftigkeit des Wirklichen schmerzlich vermissen, nichts entgegnet werden, da ihm das Christenthum ein veraltetes Institut ist, und da er, recht eigentlich dem Nützlichkeitssysteme huldigend und die gültige Errungenschaft mit dem Misbrauche zusammenmengend, sich um die Wahrheit der neuern Philosophie wenig bekümmert, weil sie der Wiedergeburt der Welt, die er immerdar, wenn auch nur in unbestimmten und verneinenden Phrasen verkündigt, sich zu widersetzen scheint.

Unter den Genossen der Schelling'schen Schule werden Steffens und Görres hervorgehoben. In Steffens' Novellen wird viel Scharfsinn und wenig Poesie gefunden, wogegen wir nicht streiten; seinen wissenschaftlichen Werken wird höherer Werth zugestanden. Ferner wird berichtet, Steffens halte sich für den größten Mann seines Jahrhunderts, und seine Philosophie sei seit den letzten Jahren nichts als ein weinerlicher, lauwarmwässeriger Pietismus. Grimmiger ist Heine begreiflicherweise gegen Görres gestimmt. Da sich die ganze Schilderung nur in gehässigen Invectiven hält und eine eindringende Charakteristik dieser jedenfalls sehr merkwürdigen Individualität nicht versucht ist, macht sie keine weitere Erwähnung nöthig. Mit Unwillen gedenken wir aber der listigen Zurückhaltung, mit der Heine um Erlassung der nähern Particularitäten von Görres' Leben und dem Leben der meisten seiner Genossen bittet und doch dann in Gleichnissen allerhand sittliche Verworfenheit ahnen läßt. Dieses künstliche Verschweigen ist wie die ganze Schrift darauf berechnet, alle literarischen Notabilitäten, denen die Gesinnung des Verf. widerstrebt, auf jede Weise zu Falle zu bringen. Mag diese Art der Polemik auch bei Vielen ihre Wirkung nicht verfehlen; für eine würdige und selbst der allgemeinern Wirksamkeit des mannichfachen Wahren, das in dieser Schrift enthalten ist, ersprießliche vermögen wir sie nicht zu halten.

Seit die Naturphilosophie durch Schelling in Schwung gekommen, ist, wie Heine bemerkt, die Natur viel sinniger von den Dichtern aufgefaßt worden. Sehr schön unterscheidet er die Dichter, die sich mit allen ihren menschlichen Gefühlen in die Natur versenkten und, den indischen Religiosen ähnlich, in der Natur aufgingen und mit der Natur in Gemeinschaft zu fühlen begonnen, und die Andern, die sich Zauberformeln gemerkt hatten, durch die sie als Beschwörer etwas Menschliches, ja die feindlichen Geister der Natur hervorzurufen vermochten. Zu den Ersten gehört Novalis, der überall liebliche Wunder sah und die zarten Geheimnisse der Natur belauschte; zu den Andern Hoffmann, der überall nur Gespenster erblickte und den das Leben selbst wie einen trüben Spuk von sich stieß. Dennoch hält Heine Hoffmann als Dichter für viel bedeutender als Novalis, der mit seinen idealischen Gebilden immer in der blauen Luft schwebe, während Hoffmann sich mit allen seinen Fratzen doch immer an den Boden der Wirklichkeit festklammere. Als idealische Gebilde sind, wie wir glauben, Novalis' Dichtungen nicht ganz treffend bezeichnet. Das Reich der Wirklichkeit scheint er mit sehr klarem und tiefem Blicke überschaut zu haben, und seine Poesie trägt für uns mehr den Charakter einer reinen Verklärung des Irdischen als eines vom Irdischen losgerissenen Schwebens in freier Luft. Ueberhaupt aber ist es zu einer genügenden Beurtheilung des Novalis nicht hinreichend, bei seinem „Ofterdingen" stehen zu bleiben; sein übriger Nachlaß ergänzt vielfach das Bild, das Heine aus dem „Ofterdingen" genommen hat. Mit aller der eindringenden Unmittelbarkeit, durch die sich Heine's Darstellung auszeichnet, wird eine wehmüthige Geschichte von einem Mädchen erzählt, das bis zum Tode immer und immer in diesem Buche gelesen.

Sehr geistreich und treffend ist die Charakteristik Brentano's, dessen launenhafte Muse mit einer chinesischen Prinzessin verglichen wird, deren höchste Wonne es war, kostbare Gold- und Seidenstoffe zu zerreißen, bis sie all ihr Hab und Gut zerrissen hatte. „Ponce de Leon" und „Die Gründung Prags" werden in treuer Schilderung besonders hervorgehoben; von den Novellen, in denen Brentano seiner bizarren Laune weniger nachgibt, wird nur die Geschichte „vom braven Kasperl und dem schönen Annerl" erwähnt. Jedenfalls kann die hier gegebene Charakteristik dazu dienen, auch unser deutsches Publicum auf den merkwürdigen Dichter, der unter dem literarischen Treiben der neuern Zeit fast verschollen ist, wieder aufmerksam zu machen. Auch über die deutschen Volkslieder, die Brentano und Arnim herausgegeben, verbreitet sich der Verf. in so schönen und dichterischen Worten, daß ein friedlicher Leser, der den Weg durch die schroffe Polemik dieser Schrift nicht ohne Widerwillen zurückgelegt hat, in dieser erfreulichen Schilderung ausruhen und eine behagliche Frische athmen kann. Bei Gelegenheit des „Wunderhorns" berührt H. auch das Lied der Nibelungen, dessen gewaltige Größe er in einem Gleichnisse schildert. Nur wenn er in diesem Gedichte eine Sprache von Stein findet und Verse, die gleichsam gereimte Quadern sind, vermögen wir nicht beizustimmen. Eine nähere Kenntniß dieser Sprache, die dem Ungewohnten allerdings starr und steinern erscheinen muß, läßt milde Anmuth und große Feinheit erkennen.

Zum Beschlusse wird Ludwig Achim von Arnim mit großer Anerkennung besprochen. Obwol H. diesem Dichter eine Phantasie von weltumfassender Weite, ein Gemüth von schauerlichster Tiefe und eine unübertreffliche Darstellungsgabe zugesteht, so vermißt er doch das Leben in seinen Dichtungen, und aus diesem Mangel leitet er es ab, daß das Volk ihn vernachlässigt habe.

Er war kein Dichter des Lebens, sondern des Todes. In Allem, was er schrieb, herrscht nur eine schattenhafte Bewegung, die Figuren tummeln sich hastig, sie bewegen die Lippen, als wenn sie sprächen, aber man sieht nur ihre Worte, man hört sie nicht. Diese Figuren springen, ringen, stellen sich auf den Kopf, nahen sich uns heimlich und flüstern uns leise ins Ohr: wir sind todt. Solches Schauspiel würde allzu grauenhaft und peinigend sein, wäre nicht die Arnim'sche Grazie, die über diese Dichtungen verbreitet ist, wie das Lächeln eines Kindes, aber eines todten Kindes.

In dieser Ansicht liegt ohne Zweifel sehr viel Wahres, zumal wenn wir sie auf einzelne seiner Werke beziehen; denn in andern, wie in den „Kronwächtern", findet unser Gefühl nichts Todtenhaftes, vielmehr ein sehr reiches und individuelles Leben. Aber von einer seltsamen Willkürlichkeit der Erfindung hat sich Arnim fast nirgend frei erhalten; die einzelnen Gestalten seiner Dichtungen bewegen sich in lebendiger Wirklichkeit, aber sie werfen gleichsam keinen Schatten auf einen festen Boden, auf dem der prosaische Verstand fußen könnte. Diese Willkürlichkeit, die mit historischen Personen zumal befremdlich schaltet, kann dazu beigetragen haben, das größere Publicum von Arnim's Werken abzuschrecken. Die Poesie trat ihm darin zu ungebunden und unverhüllt entgegen.

Mit großer Heiterkeit und Wahrheit erklärt Heine zuletzt noch den Franzosen, daß das Grauenhafte, wie es sich bei Hoffmann und in anderer Weise bei Arnim findet, nicht ihr Fach, das helle, gesellige Frankreich kein Boden für trübe Gespenster sei. Auch in Deutschland ist die Zeit jener hoffmannisch-unseligen Poesie des Spuks und Grausens, von der sich der lichte Gott der Dichtkunst abwendet, vorüber. 196.

Physische Geschichte unserer Erde und der vorzüglichsten Länderentdeckungen seit Colon's bis auf unsere Zeiten. In Briefen an einen Freund von Johann Jakob Günther. Nürnberg, Schrag. 1833. Gr. 8. 15 Gr.

Schon die Briefform, in der diese kleine Schrift abgefaßt ist, weist darauf hin, daß der Verf. seinen wichtigen Gegenstand nicht als ein organisches Ganze aufgefaßt, und dieselbe mehr zur Belehrung für der Sache Unkundige als für den Mann vom Fache bestimmt hat. Noch mehr aber wird dies durch die Schrift selbst zur Gewißheit, denn abgesehen davon, daß sich darin auch nicht eine einzige neue Idee auffinden läßt, hält sie sich gleichsam nur an die Oberfläche des Gegenstandes, ohne in den Kern selbst einzudringen, und rückt zwar dem Leser eine Menge interessanter, zur physischen Erdbeschreibung gehöriger Dinge vor das Auge, ohne ihm indessen einen philosophischen Standpunkt anzuweisen, von dem aus er diese verschiedenartigen Dinge richtig beschauen und zu einem Ganzen vereinigen könnte. Das Ganze ist Compilation, aber — dies müssen wir dem Verf. zum Ruhme nachsagen — eine recht fleißige, mit Benutzung der besten Quellen gefertigte Compilation, durch die der Laie eine klare, in angenehmer Form dargestellte Ansicht von der Erde, ihrer muthmaßlichen Entstehung, ihren verschiedenen Erdlagern, Versteinerungen, ihrer Form, ihren Gebirgen, Vulkanen, Erdbeben, Seen und Meeren, Höhlen u. s. w. erhält. In dem siebenten und achten Briefe gibt der Verf. eine, wenn auch kurze, doch nicht uninteressante Geschichte der vorzüglichsten neuern Entdeckungsreisen. 183.

Miscellen.

Wo befindet sich Schill's Kopf?

In Nr. 243 d. Bl. wird aus Lud. Wienbarg's Schrift: „Holland in den Jahren 1831 und 1832", referirt, daß Schill's Kopf, der bis zum Jahre 1817 auf der Anatomie zu Leyden in Spiritus aufbewahrt worden, seitdem spurlos verschwunden sei. Wir ergänzen zu dieser Bemerkung aus Haken's „Lebensbeschreibung Ferd. von Schill's", II, S. 175, Anm., daß früher — wenigstens bis zum Jahre 1824 — dieses Haupt in Leyden als Curiosität nebst den übrigen zur Schau vorgezeigt ward, und daß die eindringlichen Bitten und Vorstellungen mehrer Freunde Schill's seit dem Jahre 1825 die Zurückgabe der ihnen so werthen Reliquie nicht hatten erhalten können. Dafür scheint aber das niederländische Gouvernement seit einigen Jahren das öffentliche Vorzeigen abgestellt zu haben.

Der Verf. der in Nr. 273 d. Bl. angezeigten „Erinnerungen eines alten preußischen Offiziers" ist nach Preuß's Angabe in seiner Biographie Friedrich's des Großen, Th. III, S. 202, der preußische Generallieutenant von Valentini.

Hardenberg — Novalis.

In Tieck's Novelle: „Eine Sommerreise", im Taschenbuche „Urania" für das Jahr 1834 erhalten die Leser einen neuen Aufschluß über den Namen Novalis. Nach Tieck's Versicherung (S. 111) ist Novalis ein Gut, nach welchem die ältere Hardenberg'sche Linie sich unterscheidet, und nach dem sich der Schriftsteller Hardenberg nannte, um sich nicht mit seinem eigentlichen Namen unterschreiben zu müssen. Es kann keinem Zweifel unterliegen, daß Tieck diesen Aufschluß geben konnte; auffallend aber ist, daß in genealogischen Handbüchern einer doppelten Linie des Hauses Hardenberg nicht gedacht wird. Nun bleibt aber immer noch die Frage, ob man Novalis mit langer oder kurzer Mittelsylbe sprechen soll. Die letztere Betonung ist allerdings die gewöhnlichere; aber A. W. von Schlegel hat in einem frühern Sonette die erstere Betonung gebraucht, die allerdings auch der Quantität des lateinischen Wortes novalis entspricht, wie in Virgil's erster Ekloge: „Impius haec tam culta novalia miles habebit."

Sindflut nicht Sündflut.

Das Wort Sündflut ist nicht mit der Sünde in Verbindung zu bringen, es stammt vielmehr von den altdeutschen Formen sintfluote, sinvluot, sindvluot ab, die sich bei Notker finden. Sin aber ist ein Intensivwort (s. Grimm's „Deutsch. Grammat.", II, 554), daher ist Sindflut die starke, große und, weil Stärke oft in Dauer übergeht, auch die dauernde, ewige Flut. So verstand Luther im 1. Mos. 6, 17 und Ps. 29, 10 nur eine große Wasserflut (vgl. Grimm in den „Gött. gel. Anz.", 1824, Nr. 78), und Schiller hat das Wort ganz richtig in seiner „Maria Stuart" gebraucht, wenn er Act 3, Sc. 7, seinen Mortimer sagen läßt:

— — mag eine zweite Wasserflut
Herwogend alles Athmende verschlingen!

Auch bei den Italienern hat das Wort diluvia ganz und gar nicht die gewöhnliche, dem Worte diluvium beigelegte Bedeutung. Nach Fr. Brun's Bemerkung („Römisches Leben", I, 79) nennt der Römer diluvia eine Art von Regen, welche wie aus Pfeifenstielen herabläuft und nicht in Tropfen, sondern in Strahlen fällt.

Ludwig XVIII. und Gabriele d'Estrées.

Man weiß, wie eifrig Ludwig XVIII. bemüht war, Frankreich wieder religiös zu machen, namentlich die Ehen zu heiligen und alle Scheidungen durch gesetzliche Bestimmungen zu hindern. Und in derselben Zeit schickte der Herzog Decazes auf Befehl des Königs der Stadt Laon zum Geschenk die Büste der schönen Geliebten Heinrich IV., der Gabriele d'Estrées. „Et nos fêtes publiques", setzt Abt Montgaillard in seiner „Histoire de France", hinzu, „retentirent annuellement du chant de la belle Gabrielle, des éloges d'une prostituée." 39.

Redigirt unter Verantwortlichkeit der Verlagshandlung: F. A. Brockhaus in Leipzig.

Blätter
für
literarische Unterhaltung.

Freitag, — Nr. 326. — 22. November 1833.

Konrad Wallenrod.

Das erzählende Gedicht des Mickiewicz, welches diesen Titel führt, ist schon früher in d. Bl. als eins der trefflichsten Erzeugnisse der neuesten polnischen Poesie bezeichnet worden, und eine nähere Darlegung des Inhalts mag zum Beleg dieser Behauptung dienen und auf die soeben erschienene Uebersetzung *) desselben aufmerksam machen.

Der Verf. hat sein Gedicht durch eine prosaische Vorrede eingeleitet, in welcher er über den aus der ältern lithanisch-preußischen Geschichte entlehnten Stoff sowie über die Hauptperson und seine Auffassung dieses Charakters Nachricht gibt. Die Geschichtschreiber jener Zeit sind über Wallenrod in Widerspruch, und zumal darüber, daß er als Hochmeister des preußischen Ordens nach einer verlornen Schlacht die Flucht ergriff und sein Heer in der größten Verlegenheit zurückließ. Einige schreiben dies Benehmen gar einer plötzlichen Verstandeszerrüttung zu. Der Dichter sucht sich dies sowol als auch die Widersprüche in seinem Charakter durch die Annahme zu erklären, daß er ein Lithauer gewesen und in den Orden getreten sei, um sich an ihm zu rächen. Sein Tod erfolgte im Jahre 1394 und war den Chroniken zufolge von Stürmen, Regengüssen und Ueberschwemmungen begleitet. Auch sein Freund Halban ist geschichtlich, ein Mönch, Leander von Albanus, der aber im Ruf der Ketzerei oder des Heidenthums sowie der Zauberei stand. Dagegen wird die dritte Hauptperson des Gedichts, Aldona, die Gemahlin Wallenrod's, eine Tochter des lithauischen Königs Kiejstut, in der Vorrede nicht erwähnt und ist daher wahrscheinlich erfunden.

Das Gedicht ist nicht reinepisch, sondern enthält einige lyrische Stücke; daher auch die im Ganzen herrschenden fünffüßigen gereimten Jamben bisweilen durch andere Sylbenmaße, einmal auch bei einer eigentlichen längern Erzählung durch eine Art von Hexameter unterbrochen werden. Ein eigentliches Epos ist es aber auch schon wegen der nicht bedeutenden Länge, da es nur gegen zweitausend Verse zählt, kaum zu nennen; man möchte es eher den Ossian'schen oder einigen Gedichten von Byron vergleichen; mit den letztern hat es Kürze und Kraft der Darstellung sowie Leidenschaftlichkeit und Düsterheit der Charaktere gemein, dagegen findet sich bei Byron kaum ein so zarter und edler weiblicher Charakter wie der der Aldona, und wie die Ossian'schen fast sämmtlich sind. Dieser Vergleich soll aber der Eigenthümlichkeit des Gedichts keineswegs Abbruch thun. Für den deutschen Leser hat schon die von Zeit und Ort hergenommene Farbe etwas Ungewöhnliches und Anziehendes. Dazu kommen nicht wenige, wie es mir geschienen hat, ganz neue Bilder und Gleichnisse. Konrad Wallenrod ist aber durch und durch ein Gedicht, und zwar ein Gedicht, zu dessen Genuß der empfängliche Leser gewiß zurückkehren wird, das durch genaueres Verständniß nur gewinnen kann und den Vergleich mit den besten Poesien seiner Art nicht zu scheuen hat. Es ist in sechs Abschnitte getheilt, von denen einige noch besondere Ueberschriften haben. Diesen geht eine poetische Einleitung vorauf, welche so anfängt:

Schon hundert Jahre taucht' ins Blut der Heiden
Der deutsche Ordensritter seine Hand;
Sklav ward der Preuße, oder mußte meiden,
Die Seele rettend, seiner Väter Land,
Der Deutsche folgt', in Ketten ihn zu schlagen
Und bis Lithauens Grenzen Mord zu tragen.

Der Niemen trennt die beiden feindlichen Nationen der Preußen und Lithauer. Niemand darf ihn, den ehemaligen Gastfreund der beiden Brudervölker, ohne Lebensgefahr überschreiten.

Lithauens Hopfen nur allein, empfindend
Für Preußens Pappel alten Sehnsuchtsdrang
Und über Schilf und Weide hin sich windend,
Streckt kühn den Arm zum liebenden Umfang
Und überspringt mit schönem Kranz die Wellen,
Sich drüben der Geliebten zu gesellen.
Die Nachtigallen auch von Kauens Wald
Mit ihren Schwestern hinter ihm vom Hügel,
Ihr altes lithauisch Gespräch erschallt,
Entflatternd eilen sie mit freiem Flügel
Zu eines Holms gastlichem Aufenthalt.
Die Menschen, o die schied des Krieges Brand,
Der Völker einstige Vertraulichkeit
Erstarb. Doch Einz'le knüpft zu all'r Zeit
Die süße Liebe. Zwei hab' ich g'kannt.

Im Anfang des ersten Abschnitts finden wir die Ordensritter zur Wahl eines neuen Hochmeisters versammelt. Sie können sich nicht vereinigen, obwol der Fremdling

*) Leipzig, Brockhaus. 1834. 12. 14 Gr.

Wallenrod wegen seiner Tapferkeit, die er nicht blos in Preußen, sondern früher zu Wasser und zu Lande gegen die spanischen Mauren gezeigt hat, sowie wegen seiner christlichen Tugenden, der Armuth, Bescheidenheit und Weltverachtung, die meisten Ansprüche, doch wegen seines kalten, ungeselligen, düstern, leidenschaftlichen Benehmens auch viel wider sich hat.

Wer stolz er und gefühllos von Natur,
Ward er's durch Alter, denn, ein Jüngling, war
Doch schon die Wange welk, ergraut das Haar,
Bezeichnet mit der Altersleiden Spur,
Wer räth es?

Doch gibt es Augenblicke, wo Gespräche ihn anziehen, wo er scherzen und den Damen Schmeicheleien sagen kann. Nur dürfen gewisse Wörter, z. B. Pflicht, Geliebte, Vaterland, nicht genannt werden, wenn er nicht aufbrausen oder sich in geheimes Brüten verlieren soll. Auch ist ihm ein Fehler eigen:

Konrad war nicht dem Leichtsinn zugethan,
Konrad verschmähte bacchische Gastmäler;
Jedoch in seines Zimmers Einsamkeit,
Wenn Langeweil' ihn plagt' und Herzensleid,
Da sucht' in hitzigem Getränk er Heil.
Ein neues Ansehn ward ihm dann zu Theil,
Krankhafte Röthe ließ sein Antlitz schauen,
Der Blässe sonst sowie der Strenge Sitz,
Und seine mächtigen und ehdem blauen
Augäpfel, durch die Zeit etwas verglüht,
Entschleuderten des alten Feuers Blitz;
Ein weher Seufzer aus der Brust entflieht,
Von einer Thräne perlt das Augenlied,
Die Lipp' ertönt, der Laut' entbeben Klänge,
Ausländscher Sprache zwar sind die Gesänge,
Die dennoch in das Herz der Hörer drangen,
Denn wer verkennte wol des Grabes Ton?
Den Sänger zu betrachten gnügte schon,
Denn der Erinnrung Pein zuckt auf den Wangen,
Die Braue schwillt, der Blick, gekehrt zum Grund,
Will etwas ziehen aus der Erde Schlund.
Und was verknüpft er mit melod'schem Bande?
Gewiß, die irrenden Gedanken jagen
Der Jugend nach in längst entschwundnen Tagen.
Wo ist sein Geist? In der Erinnrung Lande.

Einer solchen Stimmung kann ihn nur sein Freund, sein einziger Freund, Halban, entreißen; ja, von diesem läßt er sich gewissermaßen beherrschen, es bedarf nur eines Blickes von ihm. Dieser Blick gibt zu folgendem Gleichnisse Gelegenheit, das den ersten Abschnitt beschließt:

Also der wilden Thiere Wächter, der
Beim Thiergefecht die Damen grüßt und Ritter,
Sodann aufsprengt des Eisenkäfigs Gitter,
Die Losung gibt trompetend; laut und hehr
Brüllt nun der Thiere Fürst, Jeder erbleicht,
Indeß der Wächter nur, furchtunbewegt,
Die Hände kreuzend auf der Brust, nicht weicht,
Und mächtig ihn — mit seinem Blicke schlägt.
Die unvernünft'ge Kraft thut in den Bann
Der ew'ge Geist durch diesen Talisman.

Der zweite Abschnitt beginnt mit einem Hymnus der Ordensritter, nach welchem sie von dem Großkomthur entlassen werden, um die Wahl nochmals zu überlegen. Halban zieht einige mit sich in den nahen Wald.

Mai war es, eine stille sanfte Nacht,
Geheim blickt schon von fern der Morgen auf,
Der Mond vollbringt durch Sapphirau'n den Lauf,
Wechselnd den Blick, die Wang' veränderlich,
In Wolken, düstern, lichten, birgt er sich,
Sein still und einsam Haupt gebeugt, wie wer
In Liebesträumen in der Wüste weilt,
Den ganzen Lebenskreis im Geist durcheilt,
Hoffnung, Vergnügen, Kummer und Beschwer,
Bald Zähren weint, bald wieder froh sich zeigt,
Dann auf die Brust die müde Stirne neigt,
Und fühllos sich versenkt in Träumereien.

Beim Anbruch des Morgens befinden sie sich am Gestade eines Sees und wollen eben umkehren, als sie von einem nahen Thurme eine Stimme vernehmen. Es ist die Stimme einer Einsiedlerin, welche dort haust; aber ihr Aufenthalt ist zugleich ihr Gefängniß und Grab, die Thür ist auf ewig geschlossen, sie erhält Speise von dem Mitleid der Umwohner, und sie bleibt vor Jedermann verborgen.

Seit sie verschlossen wär in ihrem Grabe,
Hat Niemand sie am Fensterchen gesehn,
Um einzuschlürfen frischen Windes Wehn
Und anzuschaun des Himmels süße Labe,
Die holden Blumen auf den Aun der Erde
Und die noch holdre, menschliche Geberde;
Man wußte nur, sie sei annoch am Leben,
Denn oft hält noch auf einen Augenblick
Nachts einen heil'gen Pilgersmann, der neben
Dem Ort hinwallt, ein süßer Klang zurück.
Wahrscheinlich sang sie dann ein frommes Lied.
Und wenn der Kinder Schar des Abends zieht
Aus Preußens Dörfchen in das nahe Thal,
Dann schimmert's weiß vom Fenster, wie ein Strahl
Von eben aufgeblühtem Morgenschein,
Mag's ihres Haares Bernsteinlocke sein,
Vielleicht der Schnee auf ihrer kleinen Hand,
Den Kindeshäuptern segnend zugewandt.

Diese Eremitin belauschen jetzt die Ritter, sie schauen empor und sehen ihre Hand. Sie scheint zu winken, auch flimmert und schwebt etwas im Gebüsch wie Helm und Mantel, ohne daß sie es erkennen. Sie haben die Worte verstanden:

Gott, Konrad, du? Das Schicksal ist erfüllt,
Hochmeister sollst du sein zu ihrem Mord.

Halban erklärt diese Worte für einen göttlichen Wink, und mit dem Ausruf: „Wallenrod soll Hochmeister sein!" eilen die gläubigen Ordensbrüder davon, während Halban noch einige Augenblicke verweilt und ein bedeutungsvolles Lied anstimmt, in welchem er die Wilia, einen Nebenfluß des Niemen, mit einem lithauischen Mädchen vergleicht, mit Bezug auf die Eremitin.

Dritter Abschnitt. Wallenrod als Hochmeister küßt das Gesetzbuch und legt den Eid ab.

Ein Lächeln, sonst ein Gast, den er nicht kennt,
Durchzuckt sein Antlitz, schwach zwar und verschwindend,
Dem Blitz gleich, der die Morgenwolke trennt,
Gewitter sowie Sonnenaufgang kündend.

Alle Brüder glauben, daß er sogleich den Lithauern den Krieg ankündigen werde. Aber sie täuschen sich in ihm. Ein Jahr verstreicht, er klagt den Orden der Unmäßigkeit, der Habgier, der Lasterhaftigkeit an, richtet Fasten und Bußübungen ein, ahndet das kleinste Vergehen,

Verbrechen ist's, selbst schuldlos froh zu sein,

mit den strengsten Strafen, wol selbst mit dem Tode, und läßt die günstigste Zeit zum Kriege, während Lithauen von innerer Zwietracht zerrissen ist, und der lithauische Fürst Witold, von Thron und Reich vertrieben, den Orden mit den glänzendsten Versprechungen um Schutz und Beistand bittet, ungenutzt vorübergehen. Die Ritter murren, sie wollen endlich Rath halten; aber Wallenrod ist nicht zu finden. Halban sucht ihn auf, denn er weiß, daß er Nachts zur Einsiedlerin schleicht und sich mit ihr heimlich unterhält. Dort steht er häufig die Nacht durch, in den Mantel gehüllt, am Fuß des Thurmes. Der Dichter macht uns zum Zeugen einer solchen Unterhaltung. Die Eremitin erinnert sich in einem Gesange an ihre Jugend, sie war glücklich mit ihren beiden Schwestern, aber sie lernte ein höheres Glück kennen, sie ward Christin, sie ward es durch Wallenrod, ihren Geliebten, aber es kostete ihr freilich große Opfer.

Du nahmst mir Alles, ließest keinen offen
Der Wege mir zum Heil, als den — zu hoffen.

Bei dem Worte „hoffen" erwacht Konrad aus der Träumerei, in welche er während des Gesanges versunken war. Er klagt sich an, daß er sie unglücklich gemacht habe, er bittet sie, ihm zu fluchen, er wünscht, daß ihre Thräne versengend auf seine Stirn falle; aber Aldona, so heißt die Eremitin, sucht ihn zu beruhigen.

Nur einen Augenblick lebt' ich mit dir,
Doch dieser Augenblick, was ist er mir?
Nicht möcht' ich gegen aller Menschen Leben,
Ihn gegen das langweilig dumpfe geben!
Du sagtest selbst, der Menschen größte Zahl
Sei Muscheln gleich in des Gewässers Moor,
Die die Gewalt der Flut ein einzig Mal
Im Jahr aus dem Moraste treibt hervor,
Sie schnappen seufzend nach der Sonne Funkeln
Und kehren wieder zu dem Grab, dem dunkeln.

So freut sie sich auch in ihrem Unglücke, denn es gebe nichts Höheres, als wenn

Den großen Gott im Himmel man erkannt
Und einen großen Mann hier durfte lieben.

Aber das Wort: Größe, entflammt Konrad's Unmuth nur noch höher, denn Größe sei Knechtschaft. Der Gedanke an ihren gegenwärtigen jammervollen Zustand quält ihn. Er fragt, warum sie nicht im Kloster geblieben sei, er verflucht sich. Sie hemmt seine Wuth durch die Drohung, das Gespräch abzubrechen. Da bereut er:

Du bist ein Engel, schenke Mitleid mir!
Halt, halt! Und wenn die Bitte dich nicht hält,
Werd' an der Ecke hier mein Haupt zerschellt,
Mit Kain's Tode sieh ich dann zu dir.

(Dieser letzten Zeile zufolge scheint Mickiewicz zu glauben, daß Kain sich selbst gemordet habe, was aber meines Wissens die Bibel nicht berichtet.) Sie gesteht nun, daß sie bei ihrer irdischen Liebe zu ihm sich des Nonnenstandes unwürdig gefühlt habe, daß sie aus Sehnsucht nach ihm hierhergekommen sei, und nun nicht blos in seiner Nähe lebe, sondern auch seine Stimme aufs Neue vernehme und mit ihm vereint weinen könne. Doch nicht vom Weinen will er wissen, Rache glüht in seinem Innern, und er freut sich, daß er sie bald werde stillen können, wiewol vor ihrer Gegenwart er Alles, selbst die Rache, vergesse.

Seit du von deines Thurmes Fenster mir
Zuwinktest, ist im ganzen Weltrevier
Nichts Andres weiter, was mich kann erfreun;
Ecke, Thurm und Gitter reizt mich nun allein.
Rings um mich hör' ich Kriegsgetümmel schwirren,
Die Trommel schallet laut, die Waffen klirren,
Mein ungeduldiges gespanntes Ohr
Horcht nur zu deinem Himmelslaut empor,
Erwartung ist's, was meinen Tag erfüllt,
Und wenn der Abend nun die Welt verhüllt,
Möcht' ich nachsinnend größre Läng' ihm geben.
Ich zähle jetzt nach Abenden mein Leben.

Doch werde er dem Verlangen des Ordens nicht länger widerstehen können, er müsse sie bald verlassen, um in den Krieg gegen Lithauen zu ziehen, wiewol er einen Tag nach dem andern zögere. So verläßt er sie, und der Dichter vergleicht ihn zum Schluß mit dem Höllengeist, der von des Eremiten Schwelle beim Ton des Morgenglöckleins weicht.

Der vierte Abschnitt ist der längste. Konrad bewirthet die sämmtlichen Ritter. Auch Andere sind zugegen, nämlich Witold und dessen Begleiter. Das Benehmen der Ritter misfällt dem Hochmeister:

Freu'n wir uns! spricht er. Wie denn? meine Brüder,
Geziemt dies Rittern? Anfangs ein Gebraus
Von Trunkenbolden, und nun Flüstern wieder?
Ist dies ein Ränber-, ists ein Klosterschmaus?

(Der Beschluß folgt.)

Mémoires du maréchal Ney, duc d'Elchingen, prince de la Moskowa; publiés par sa famille. Paris 1833.

Michael Ney war in demselben Jahre (1769) zur Welt gekommen, wo Napoleon, Cuvier und W. Scott geboren wurden. Sein Vater, welcher in der Schlacht von Roßbach gefochten, war ein schlichter Handwerksmann; da bereits einer seiner Söhne bei der Armee stand, so sollte Michael anfangs die Rechte studiren. Der Vater erzählte ihm oft von seinen Feldzügen; des Jünglings Phantasie entzündete sich; er dürstete nach Kampf und Kriegsruhm. Nachdem er in der Schreibstube eines Notars und später bei einem Procurator gearbeitet, ward er als Aufseher bei den Minen von Apenweiler und dem Bergwerke von Saleck angestellt. Auch diesen Posten verließ Ney bald wieder, um sich im Jahr 1787 beim Regimente Colonel-général, späterhin das vierte Husarenregiment, anwerben zu lassen. Ney war damals 18 Jahre alt, und noch hatte er nicht das 35. erreicht, so sollte er zum Marschall erhoben werden. „Erinnern Sie sich noch, Capitain", sagte er zu einem Offizier, der ihm zu seiner Erhöhung Glück wünschte; „erinnern Sie sich noch der Zeit, wo Sie zu mir sagten: Recht so, Ney, ich bin mit dir zufrieden, du wirst deinen Weg machen. — „Sehr gut", erwiderte sein ehemaliger Hauptmann, „ich hatte die Ehre, einen Mann zu commandiren, der mir überlegen war; so was vergißt sich nicht."

Als Soldat, als Marschall war Ney immer der nämliche: tapfer, unerschrocken, edel und menschlich. Mitten im Schlachtgetümmel, den sausenden Kugeln blosgestellt, behielt er die unbeschränkteste Geistesfreiheit, die ruhigste Unbefangenheit des Urtheils, die dem Feldherrn bei den verwickelten Bewegungen der Schlacht so sehr Noth thut. Einer seiner Offiziere fragte ihn einst, ob er nie Furcht gehabt habe. „Je n'en ai jamais eu le tems", war die Antwort. Eines Tages stattete ihm ein Offizier während der Schlacht einen Bericht ab, eine Kugel pfeift so dicht an diesem vorüber, daß er unwillkürlich den Kopf beugt, nichtsdestoweniger fährt er mit seinem Berichte fort, ohne die mindeste Regung von Furcht merken zu lassen. „C'est très-bien", sagte der Marschall, „mais une autrefois ne saluez pas si bas."

Ney stieg nach und nach zum Brigadier, Maréchal des Logis u. s. w. und ward endlich Adjutant eines Divisionsgenerals. Unter Kleber befehligte er jene bekannte Flanqueurcolonne, an deren Spitze er so große Thaten verrichtete. In den letzten Jahren seines Lebens war er kahl geworden, aber früher hatten ihm seine hochblonden Haare den Beinamen Pierre-le-Roux, oder auch Lion-Rouge zugezogen; wenn man in kritischen Augenblicken von ferne seine Kanonen krachen hörte: „Courage", sagten dann die Truppen zueinander, „le Lion-Rouge grogne, tout va se débrouiller."

Während der Belagerung von Mainz ward er zum General ernannt; er lehnte aber diesen Posten aus Bescheidenheit ab, weil er sich desselben nicht würdig hielt; erst nach dem Uebergang über die Sieg und die Rednitz, nach den Gefechten von Altenkirchen, Diesdorf und der Einnahme von Würzburg glaubte er die Generalepauletts verdient zu haben. Nach der Affaire bei Neuwied ward er beim Verfolgen der Flüchtigen nach einem heldenmüthigen Widerstande zum Gefangenen gemacht und nach Gießen abgeführt. Nach der Unterzeichnung der Friedenspräliminarien zu Leoben ward Ney freigegeben. Als die Feindseligkeiten aufs Neue ausgebrochen, zeichnete er sich durch den kühnen Angriff auf Manheim aus und ward zum Divisionsgeneral erhoben. Seine Wunden zwangen ihn, die Donauarmee zu verlassen; späterhin ward er zur Rheinarmee berufen, deren Oberbefehl ihm provisorisch übertragen wurde. Ney befand sich noch am Rheine, als die Revolution vom 18. Brumaire vor sich ging. Bonaparte wußte Ney beim ersten Blicke zu würdigen: er beschloß, ihn an sich zu fesseln; Ney's Heirath war das Werk des ersten Consuls. Bald darauf erhielt der junge General eine diplomatische Sendung in die Schweiz und begab sich von da in das Lager von Boulogne, wo er den Befehl über das sechste Armeecorps erhielt.

In der Zwischenzeit hatte sich das Kaiserreich gebildet: Ney war Marschall geworden. Mit der Schlacht von Elchingen schließt die erste Lieferung der Memoiren. 143.

Notiz.

Selbstbiographie der Miß Harriet Martineau.

Die Verfasserin der „Illustrations of political economy" wurde von dem französischen Uebersetzer ihrer Werke, Herrn Maurice, um Nachrichten über ihre Person angegangen und erfüllte dessen Wunsch in einem Schreiben vom 3. Juni 1833, welches dem ersten Bande der französischen Uebersetzung vorgedruckt ist. Es heißt darin: „Meine Familie ist französischen Ursprungs, wie schon der Name verräth. Mein Aeltervater, ein Wundarzt, verließ um der Religion willen zur Zeit der Widerrufung des Edicts von Nantes sein Vaterland, ließ sich in Norwich, in der englischen Grafschaft Norfolk, nieder und heirathete eine aus gleichen Gründen ausgewanderte Landsmännin. Seitdem stand meine Familie stets auf einer ehrbaren Stufe in der Gesellschaft. Die ältern Söhne lebten dem wundärztlichen Berufe, die jüngern legten sich auf Handel und Fabrikwesen. Das letzte that auch mein Vater, der jüngste von fünf Brüdern. Von acht Kindern, welche er erzeugte, war ich das sechste und bin im Juni 1802 geboren. Auf literarische Beschäftigung ward ich vorzüglich durch meine in jungen Jahren sehr schwankende Gesundheit, durch ein Uebel (Taubheit), das mich zwar dem Verkehr mit der Welt nicht ganz entfremdete, allein mich doch sehr auf mein Inneres beschränkte, und durch die Anhänglichkeit an den mir dem Alter nach nächsten meiner Brüder, hingewiesen, der sich dem gelehrten Stande gewidmet hatte. Meine erste literarische Arbeit, welche dem Publicum bekannt wurde, ist ein 1822 erschienenes Jugendschriftchen: „Devotional exercises". Der Beifall, den es fand, ermuthigte mich zu einem zweiten: „Adresses with prayers and hymns", das für Erziehungsanstalten und Familien berechnet war. Um jene Zeit gab der Auftrag eines Buchhändlers, ihm etwas im erzählenden Fache zu liefern, den ersten Anstoß zu den „Illustrations of political economy". Da mir die Wahl des Stoffes freistand, so glaubte ich das Nützliche mit dem Angenehmen verbinden zu können, wenn es mir gelänge, die Thorheit des gemeinen Volkes von Manchester nachzuweisen, das soeben großen Nachtheil durch Zerstörung der Maschinen den Fabriken zugefügt hatte, von denen gleichwol sein Unterhalt abhing. Ich ließ also eine kleine Erzählung: „The rioters", und im folgenden Jahre eine zweite über die Arbeitslöhner: „The turn-out", erscheinen, ohne jedoch zu ahnen, daß beide Fragen mit der Nationalökonomie in Verbindung ständen, deren Namen ich vielleicht noch nie hatte nennen hören. Erst als ich einige Zeit später die „Unterhaltungen" der Mistreß Marcet über Staatswirthschaft las, erfuhr ich, daß ich unbewußt in dieses Feld gerathen war. Zugleich kam ich aber auch auf den Gedanken, daß, wenn einzelne Grundsätze dieser Wissenschaft mit Glück in Erzählungen abzuhandeln waren, dasselbe mit allen möglich sein müsse. Von nun an unterhielt ich mich mit meiner Mutter und dem schon erwähnten Bruder fortwährend über den Plan, mit dessen Ausführung ich jetzt beschäftigt bin. Ich besaß indessen keinen Freund in der literarischen Welt, der mich an Buchhändler hätte empfehlen können, und wer mir ja nützlich werden konnte, wollte von meinem Unternehmen nichts hören, das auch in Wahrheit sonderbar und von sehr ungewissem Erfolge scheinen mußte. Ich bedauere die dadurch entstandene Verzögerung aber keineswegs, indem ich dabei Zeit gewann, mich in mehren literarischen Arbeiten zu versuchen und die zu meinem Zweck unerlaßliche Bekanntschaft mit der Welt zu erwerben. Während der letzten drei Jahre vor Herausgabe meiner „Illustrations" schrieb ich ohne Unterbrechung über die mannichfachsten Gegenstände und besorgte Anzeigen von metaphysischen und theologischen Werken für das „Monthly repository". Im Jahre 1830 gab ich noch „Traditions of Palestine" heraus, und im folgenden brachte die [illegible], der ich angehöre, drei an die Katholiken, Juden und Mohammedaner gerichtete Traktätchen von mir, welche den Preis erhielten."

„Fest entschlossen, mit meinen „Illustrations of political economy" endlich hervorzutreten, und obgleich der Plan lange von der Gesellschaft zur Verbreitung nützlicher Kenntnisse verworfen worden war, fand ich doch endlich auf Empfehlung des Hauptredacteurs, der vorhin genannten Monatsschrift, W. J. Fox, meinen Verleger. Alle Stimmen vereinigten sich [illegible] gegen das Unternehmen; nach Monatsfrist war das Gegentheil schon bewiesen. Anfänglich war mein Plan, nur 24 Erzählungen zu geben; allein der Wichtigkeit wegen, welche die Regierungsangelegenheiten jetzt für das Volk haben, erweiterte ich die Zahl derselben auf 30. Außerdem habe ich noch eine kleine Reihe von vier Erzählungen über die Armengesetze begonnen, welche unter der Aegide der Gesellschaft zur Verbreitung nützlicher Kenntnisse erscheinen."

„Seit verwichenem Herbst bin ich von Norwich nach London gezogen, wo ich meinen bleibenden Aufenthalt zu nehmen gedenke u. s. w."

Redigirt unter Verantwortlichkeit der Verlagshandlung: F. A. Brockhaus in Leipzig.

Blätter für literarische Unterhaltung.

Sonnabend, —— Nr. 327. —— 23. November 1833.

Konrad Wallenrod.

(Beschluß aus Nr. 326.)

Er sei es bei seinen frühern Kriegszügen in Finnland und Castilien gewohnt geworden, daß man ein Mahl durch Gesang verherrliche.

Der Wein erfreut das menschliche Gemüth,
Jedoch ein Lied ist Wein für die Gedanken.

Sofort erheben sich zwei Sänger. Ein Italiener preist in weichen Weisen Konrad's Frömmigkeit, ein Troubadour der Liebe Freud und Leid. Aber der Hochmeister ist damit nicht zufrieden, er will ein rauhes, wildes Lied.

„Uns, die wir uns nur weihen, um zu morden,
Ein mörderisch Lied nur ziemt dem heil'gen Orden,
Das rühren mag und ärgern und langweilen,
Um Langeweile dann durch Schreck zu heilen.
So ist das Leben, so ist unser Gang.
Wer wird ihn singen, wer?" — „Ich, ich!" so klang
Es von der Thür her, wo ein grauer Greis
Saß in der Pagen und der Knappen Kreis,
Der Kleidung nach Lithauer oder Preuße,
Ihn ziert ein dichter Bart von Silberweiße,
Ein Schleier decket Stirn und Augenlicht.

Dieser sagt, daß er einst den Lithauern, seinen Landsleuten, gesungen habe, jetzt aber wären diese todt oder irrten umher, oder suchten bei ihren Feinden Schutz wie Witold. Solche Verräther aber würden nach ihrem Tode selbst von ihren Ahnherren verleugnet werden. Er selbst gehe auch in der Irre umher, nichts vom Vaterlande bleibe ihm als die Erinnerung, aber diese könne ihm Niemand nehmen; jetzt wolle er seinen Schwanengesang singen. Konrad, der bei diesen Worten Witold beobachtet und seine Unruhe bemerkt hat, gewährt dem Greise seine Bitte, obgleich die Ritter ihn verachten und die Knappen ihn necken,

Die Pagen, in die Nüsse pfeifend, schrein:
Das ist lithauischen Gesanges Klang.

Wahrscheinlich werde dem Fürsten Witold ein Gesang in der Muttersprache Freude machen sowie ihm selbst.

„Ich habe manchmal diese Seufzer gern
Im unverständlichen Lithauerklang.
Süß ist es auf der Wogen dumpfes Rauschen
Und Frühlingsregens leisen Ton zu lauschen,
Und einzuschlafen. — Greis, gib den Gesang!"

Es folgt nun der Gesang des Waideloten oder lithauischen Barden, eine der schönsten Partien des Gedichts. Er beginnt mit einer Beschreibung der Pest, die als Jungfrau dargestellt wird; sie hat einen Feuerkranz um das Haupt; sie ragt in weißem Gewande hoch über die Haine empor; in der Hand hält sie ein blutbeflecktes Tuch. Aber sie dient nur zur Vergleichung. Schlimmer als die Erscheinung der Pest war für Lithauen die Straußfeder auf dem Helm und der Mantel mit dem schwarzen Kreuz. Durch sie sei das ganze Land zur Einöde geworden, die Ueberlebenden könnten nur weinen, träumen, singen. Und nun die köstlichen Zeilen:

Volkssage, Bundeslade zwischen heut
Und gestern! In dir ruhn, geweiht
Vom Volk, des Ritters Waffen, der Gedanken
Geweb' und der Gefühle blum'ge Ranken.
Du, Arche, wirst von keinem Schlag versehrt,
Sofern dein eignes Volk dich nicht entbehrt.
O Volksgesang, du, Wache, bist bewährt
Im Volkestempel der Erinnerungen
Mit des Erzengels Fittigen und Zungen,
Zuweilen selbst mit des Erzengels Schwert.
Geschrieb'ne Kunde geht in Flammen auf,
Vor Dieben birgt sich nie ein Goldeshauf,
Das Lied entkommt, läuft durch die Menschen hin.
Verkennt ein niedrer Geist auch seinen Sinn,
Und nährt's mit Reue, tränkt's mit Hoffnung nimmer,
So flieht's und lehnt sich an der Berge Trümmer,
Und macht die alten Zeiten kund von dort.
So fliegt aus brennendem Gebäude fort
Die Nachtigall, macht auf dem Dach noch Halt,
Und, wenn das Dach stürzt, eilt sie in den Wald;
Ob Schutt von Städten, über Grabesschauer
Stimmt sie dem Wand'rer an das Lied der Trauer.

Solch ein Lied habe er einen Landmann singen hören; sein ganzes Herz sei ihm aufgegangen; er habe sich in die glückliche Vergangenheit geträumt, aber sei erwacht und tief betrübt; doch bisweilen rege sich eine neue Hoffnung.

Doch sank der Jugend Glut nicht ganz zusammen
In meiner Brust, oft jüngen neue Flammen
Den Geist, und hell wird der Erinn'rung Reich.
Dann ist sie der krystall'nen Lampe gleich,
Geschmückt mit reicher Zierath, hehrem Bild;
Wie sehr sie dunkler Staub und Rost auch füllt,
Wirst einen Leuchter in ihr Herz du stellen,
Gleich wird sich zauberisch die Farb' erhellen,
Es breiten an der Wand im hohen Haus
Die buntschattirten Teppiche sich aus.

Er wünscht, auch Andere begeistern zu können, auch verklage er die Gegenwart nicht, denn es lebe noch ein großer, naher Mann, ihn wolle er singen. Und nun beginnt er eine lange Erzählung, welche Konrad's und seine eignen Schicksale, nur diesem allein unter allen Zuhörern verständlich, enthält. Der Inhalt ist folgender: Die Lithauer kehren von einem Siege in die Heimat nach Stadt Kauen zurück, zwei deutsche Ritter mit ihnen als Ueberläufer, ein jugendlicher und ein bejahrter. Der Jüngling, zu dem lithauischen König Kiepstut geführt, berichtet, er sei als Kind aus Lithauen bei einem Ueberfalle, Brand und Gemetzel von den Ordensrittern entführt worden, der Hochmeister Winrich habe ihn liebgewonnen, er heiße Walter und auch Alf. Aber er habe diese Zuneigung nicht erwidern können, ein alter Waidelote, sein jetziger Begleiter, habe das Heimweh ihm angeregt, sein Ingrimm sei dann ausgebrochen.

„Und kam ich dann nach Hause, schärft' ich aus Rachbegier
Mir insgeheim ein Messer, zerschnitt damit voll Haß
Dem Winrich Deck' und Teppich, zerstieß das Spiegelglas,
Auch seinen Schild bewarf ich mit Sand und spie ihn an."

Auch durch ein Gleichniß wußte der Greis den Jüngling zu entflammen;

Da sprach er: „Schau den Teppich der Wies' am Meeresstrand,
Der Sand bedeckt sie leicht nur, aufstrebt das Gras und fast
Durchdringt's mit seiner Stirne die mörderische Last.
Ach, eine neue Hyder des Wirbels streckt mit Graus
Die weißen Flossen über des Landes Leben aus,
Oed' ist's und wüst, wo eben noch wehte Blumenduft.
Sohn, dieses Reich des Frühlings, verschlungen von der Gruft,
Sohn, unterjochte Völker, Lithauer sind's, sind wir,
Und jener Sand vom Meere, das ist der Orden hier."

So sei er denn jetzt bei dem ersten Treffen zur Heimat zurückgekehrt. Kiepstut findet Gefallen an ihm, aber noch mehr an dessen Tochter Aldona. Alf bekehrt sie zum Christenthume und erhält sie zur Gemahlin. Aber ein neuer Krieg mit dem Orden bricht aus. Das Glück schwankt. (Bei der Kriegsbeschreibung kommt wie schon früher ein Anachronismus vor, indem von Bomben, Kanonen und anderm Schießgewehr zu einer Zeit, wo das Pulver noch nicht erfunden war, die Rede ist.) Doch werden die Lithauer immer mehr zurückgedrängt. Alf sieht ein, daß Lithauen seinem völligen Verderben entgegengeht; er wird tiefsinnig, er denkt auf Rettung des Vaterlandes, denn dies gilt ihm über Alles, wie es vorher heißt:

Und o das Wörtchen Liebe, kein süß'res wird genannt,
Seinsgleichen gibt's nicht außer dem Worte — Vaterland.

Er faßt endlich einen Plan, vor dem er selbst zuerst erschrickt, den er Keinem mittheilen will, den Plan, zu den Feinden überzugehen, sich ihre Gunst zu erwerben und dann sie den Lithauern in die Hände zu liefern. Aber es ist das einzige Rettungsmittel. Nach langem Kampf mit seiner Liebe zu Aldona theilt er es dem Kiepstut mit; noch einen fröhlichen Abend feiert er und entflieht dann frühmorgens mit seinem Freunde, dem Waideloten. Aber er hat die Liebe nicht täuschen können. Aldona folgt ihm, holt ihn ein; da entdeckt er sich auch ihr, begleitet sie nach einem Kloster und verläßt sie. Die Erzählung schließt:

Von Alf, vom Waideloten vernahm man nichts bis jetzt.
Weh, wehe, wenn er dennoch den schweren Eid verletzt,
Sich opfernd auch Aldonens Wohlfahrt gesetzt aufs Spiel,
Wenn er dahingegeben zwecklos so viel, so viel!
Die Zukunft lehrt es. Deutsche, mein Lied ist jetzt am Ziel.

Konrad ist bei den lauten Aeußerungen der Versammlung über das Vernommene zuerst still und tiefbewegt, denn Alf oder Walter ist er selber, und die Erzählung hat den Stachel der Rache geschärft, dann trinkt er zu wiederholten Malen, springt auf und fodert den Schluß der Erzählung. Der Greis, der sich schon zurückgezogen hat, muß wieder erscheinen. Er sagt ihm, er habe nur zu lange ihm zugehört, jetzt treibe es ihn aber, selbst ein Lied zu singen. Und nun folgt eine treffliche Ballade, „Alpuhara" betitelt, in welcher der maurische König Almansor bei der Eroberung der Stadt Granada zu den Feinden, den Christen, übergeht, durch Handdruck und Umarmung ihnen die Pest, von der er selbst angesteckt ist, mittheilt und so das ganze Heer vernichtet. „So", fährt Konrad alsdann fort, „haben sich die Mauren gerächt. Werden sich die Lithauer auch so rächen? Nein, lieber kommen sie wie Fürst Witold und bitten, daß man ihr eignes Volk verderbe." Doch nicht Alle denken wie er! Mit einzelnen Andeutungen wirft er die Laute weg, er will allein sein, Wein und Leidenschaft haben ihn überwältigt, er taumelt zu seinem Sessel hin, stößt Tisch und Becher um und schlummert ein. Alle Anwesenden nehmen ein Aergerniß an dem Betragen und dem Rausch des neuen Hochmeisters. Man fragt nach dem alten Sänger. Er ist verschwunden. Einige vermuthen, Halban sei es gewesen und habe die gute Absicht gehabt, den unschlüssigen Konrad durch seinen Gesang zum Krieg zu entflammen. Auch das Benehmen Witold's und der Sinn der Ballade ist den Rittern räthselhaft.

Im fünften Abschnitt kommt es zum Krieg. Witold ist entflohen, hat unterwegs mehre preußische Burgen überfallen und das Land verwüstet. Ein ungeheueres, durch Bundesgenossen verstärktes Heer des Ordens rückt aus und entfernt sich immer weiter, aber die Zurückbleibenden erhalten bald keine Nachricht mehr. Endlich nach geraumer Zeit kehrt es zurück, aber in dem kläglichsten Zustande, durch Hunger und Frost fast aufgerieben. Wallenrod wird als der Urheber dieses Unglücks betrachtet, er hat die Zeit vor Wilna und auch nachher unter allerlei Vorwänden vergeudet, sich dann durch Witold täuschen und überraschen lassen und in der Schlacht zuerst die Flucht ergriffen. Das Volk murrt; noch wagt man es nicht, ihn öffentlich zur Rechenschaft zu ziehen, aber die heilige Vehme versammelt sich in den unterirdischen Tiefen Marienburgs; er wird angeklagt nicht blos als Verräther, sondern auch als Betrüger. Das Wehe wird über ihn ausgesprochen.

Der sechste und letzte Abschnitt beginnt mit einem Gespräche Wallenrod's und Aldona's. Er erzählt ihr, daß sein Racheplan gelungen und die Macht des Ordens auf lange Zeit gebrochen, daß aber jetzt seine Rache auch gekühlt sei. Der Anblick Kauens, des Thals und Hains, der Flur und des Gartens, welche Zeugen ihrer aufkeimenden Liebe und Zärtlichkeit gewesen wären, habe ihn weich gestimmt, er bittet sie, mit ihm zu entfliehen, um in einem fernen Walde der Heimat sich zu bergen und Ruhe und Glück zu finden. Aldona schweigt auf diesen Antrag; er beschwört sie; sie antwortet endlich, es sei zu spät, er dürfe sie nicht sehen, sie sei nicht mehr die blühende Aldona, sie sei gealtert, entstellt, sie wolle auch ihn nicht sehen, sondern sein Bild, des ehemaligen, stattlichen Jünglings, in ihrem Herzen festhalten. Sie wünsche, in ihrem Zufluchtsorte zu bleiben und außerdem nichts, als daß er früher, öfter zu dem Thurme komme, auch etwa nicht weit von ihrem Fenster eine Laube wie die in der Heimat baue, damit sie sich in die alte Zeit hineinträumen könne. Aber Alf will sie nicht länger hören, irrt fast wahnsinnig im Walde umher, und als er am Morgen sich der Stadt nähert, sieht er einen Schatten und vernimmt den Weheruf. Dieser Ruf gibt ihm sein volles Bewußtsein wieder, er versteht ihn; er kehrt zur Eremitin zurück. Sie ist noch am Fenster, er bietet ihr zum ersten Mal einen guten Morgen, denn bisher war er nur Abends und Nachts zu ihr gekommen. Sie fürchtet, er wolle sie aufs Neue zur Flucht bereden; aber er bittet nur um ein kleines Andenken, um ein Band aus ihrem Haar, ein Fädchen ihres Kleides, ein Steinchen aus der Wand ihres Thurmes; er werde vielleicht nicht wiederkehren, er fühle den nahen Tod. Sie werde aus dem Schloßthurme, den sie erblicken könne, jeden Morgen ein schwarzes Tuch wehen, jeden Abend eine Lampe schimmern sehen. Wenn sie beides nicht mehr erblicke, dann kehre er nicht wieder. Er eilt hinweg, bezieht jene ihr angedeutete Wohnung und will am Abend desselben Tages noch ein Mal zu ihr hin, vielleicht mit dem Entschluß des Selbstmords, denn er trägt dem Halban auf, wenn er nicht zurückkehren sollte, das Tuch herabzuwerfen. Noch ehe er den Auftrag vollendet hat, hört er einen Lärm mit dem bekannten Weherufe; das äußere Thor seiner Wohnung wird erbrochen, der Lärm kommt näher, er verriegelt sich und leert den Giftbecher, fodert auch Halban auf, ein Gleiches zu thun, aber dieser zaudert und sagt:

„Nein, dich auch will, mein Sohn, ich überleben,
Ich bleibe, dir die Augen zuzudrücken,
Um Kunde deiner Heldenthat zu geben.
Die Nachwelt soll sich ewig dran erquicken;
Ich laufe durch Litthauens ganz Gebiet,
Wohin mein Fuß nicht kommt, kommt doch mein Lied,
Der Barde singt's, den Krieger spornt sein Klang,
Die Mutter singt den Kindern diesen Sang.
Aus diesem Lied steigt in der Zeiten Lauf
Einst unserer Gebeine Rächer auf."

Alf schaut noch einmal nach Aldona hinüber und umarmt seinen Freund, während die Thür aufspringt und die Schergen der Behörde hineindringen, um ihn zum Tode abzuholen. Jetzt wirft er die Zeichen seiner hochmeisterlichen Würde zur Erde, tritt sie mit den Füßen und ruft hohnlachend aus: „Das sind die Sünden meines Lebens!" jauchzt, daß ihm sein Racheplan gelungen sei, daß er die zahllosen Köpfe der Hyder mit Einem Schlage abgehauen habe. Das Gedicht schließt:

Er sprach's, sah noch hinaus, sank nieder, doch
Erst warf die Lamp' er von dem Fenster noch,
Die drei Mal sich umwälzt und leuchtend fliegt,
Bis sie vor Konrads Stirne ruhig liegt.
Das Oel entfließt, man sieht des Dochts Gefunkel.
Der Docht sinkt um und wird allmälig dunkel,
Zuletzt, gleichsam des Todes Zeichen gebend,
Noch einen Strahlenkreis um sich erhebend,
Erhellt Alf's Augen er zum letzten Mal.
Sie sind schon weiß, und nun erlischt der Strahl.

Und jener Thurm erscholl zur selben Stunde
Von jähem starken Schrei. Aus wessen Munde?
Aus wessen Brust? Ihr werdet's rathen können.
Wer ihn gehört, er würde leicht erkennen,
Daß, wessen Brust der Klageschrei entflohn,
Nie mehr hervorbringt einen einz'gen Ton.
In diesem Laut erscholl ein ganzes Leben.

So macht ein starker Schlag die Saiten beben,
Doch sprengt sie auch; und wenn die Töne scheinen
Zum Anfang eines Lieds sich erst zu einen,
Hofft Niemand doch, daß sie noch fürder klingen.

So mein Gesang auch von Aldona's Leid.
Mag ihn der Engel der Musik jenseit
Und meines Hörers Seele weitersingen!

K. L. Kannegießer.

Abt Prechtl, eine biographische Skizze; zur Erinnerung an ihn für seine Freunde. Mit dessen Portrait. Von Johann Baptist Weigl. Sulzbach, Seidel. 1833. Gr. 8. 9 Gr.

Wenn der Leser nur nach den ersten Blättern dieses Nekrologs den Geist, in dem er für den Verstorbenen und von dem Verfasser geschrieben, beurtheilen wollte, so würde sich von seinem Urtheile über diese, von einem der römisch-katholischen Kirche angehörigen Lycealrector und Prof. der Theologie herrührende, Biographie eines römisch-katholischen Abtes wol nur sagen lassen können: olet Romanam ecclesiam. Denn gleich auf der Rückseite des ersten Blatts findet sich die Approbation des bischöflichen Ordinariats in Regensburg, die der biographischen Skizze eines „um die (katholische) Kirche sehr verdienten" Mannes mit dem Zusatze ertheilt wird, daß das Leben und Wirken dieses Mannes „auf eine gelungene und würdige Weise geschildert" sei, — und gewiß könnte und müßte man hierbei consequent annehmen, daß ein bischöfliches Ordinariat die ihm übertragene Censur nur im Sinn der römisch-katholischen Kirche üben und nichts gutheißen würde, was nur im Geringsten und offenbar gegen dieselbe sei; zweitens aber wird im Vorworte (auch in der Skizze daselbst) des Jesuitenordens auf eine Weise gedacht, daß man nicht verkennen kann: „daß der Verf. die Aufhebung dieses, von dem Zeitgeiste gelästerten" Ordens bedauert. Indeß darf man sich durch diese Wahrnehmungen im Anfange der biographischen Skizze vom Lesen derselben durchaus nicht abhalten lassen. Denn allerdings wird darin ein katholischer Klostergeistlicher, der es bis zum Abte des 1803 aufgehobenen Benedictinerklosters in Michelfeld bei Amberg in Baiern gebracht, und dem sogar 1821 der Antrag gemacht worden war, die Stelle eines Dompropstes und Weihbischofs von Passau anzunehmen, geschildert, von dem, wenn man eben das System einer Kirche nimmt, wie es an und für sich ist, ohne ihm jedoch die unbedingte Herrschaft über die christliche und vernünftige Freiheit des Einzelnen zuzugestehen, gesagt werden kann und muß, daß er besser war als das System der römisch-katholischen Kirche, wie es in den Büchern derselben enthalten ist. Das lehrt schon Dasjenige, was Seite 71 fg. über des Abts Charakter gesagt wird; und wir können, ohne hierbei grade ausschließlich und einseitig den protestantischen Gesichtspunkt festzuhalten, nur von dem echt-christlichen aus uns freuen, daß die römisch-katholische Kirche unserer Zeit selbst in ihrer Hierarchie Männer zählt, welche den Grundsatz des neuesten Papstes Gregors XVI. freilich in anderm Sinne, Lügen strafen: daß es nämlich nicht allein auf die sittliche Ehrbarkeit und Rechtschaffenheit, sondern auf das kirchliche Glaubensbekenntniß ankomme (Hirtenbrief vom 15. Aug. 1832). Zwar stößt der Leser auch hier auf manche Punkte, welche ihn nur gar zu sehr daran erinnern, daß sowol der Gegenstand der Skizze als der Biograph der römisch-katholischen Kirche angehören, welche noch im J. 1832 durch das Organ des Stellvertreters Christi auf Erden (in demselben Hirtenbriefe) die Wikliefiten u. s. w. als Belialssöhne bezeichnete; indeß muß man sich auch in dieser Beziehung den Schatten gern gefallen lassen, damit man sich des Lichts um so mehr erfreuen könne. Uebrigens ist Abt Prechtl (geb. 1757, gest. 12. Juni 1832) den Protestanten im Allgemeinern wol dadurch bekannt, daß er als Gegner Tzschirner's, nämlich seiner Schrift: „Protestantismus und Katholicismus", einige Schriften mit demselben wechselte. Daß der Biograph namentlich bei Erwähnung dieser Verhältnisse (z. B. S. 49, 54) die engen Rücksichten der römisch-katholischen Kirche in dogmatischer Hinsicht nicht aufgibt, ist erklärlich, schon um der bischöflichen Approbation willen; aber den Protestanten, der sich früher, nach S. 56, Prechtl's gegen Tzschirner annahm, ohne hierin immer ganz wahr zu sein und sich selbst zu ehren, hätte Herr W. nicht so hoch anschlagen sollen, als er S. 67 gethan hat. Denn es heißt: In necessariis unitas, in dubiis libertas, in omnibus caritas! 50.

Romanenliteratur.

1. Die seltsame Ehe aus der vornehmen Welt. Uebersetzt aus dem Englischen der Miß Baillie von Luise Eck. Zwei Theile. Berlin, Rücker. 1833. 8. 1 Thlr. 16 Gr.

Trügt ein sonst sicheres Kennzeichen nicht: ist die Verf. jung, so läßt sich von ihren Anlagen eine der bessern Romanschreiberinnen erwarten; sie hat die negativen Tugenden, nicht zu predigen, nicht mit Gefühlen zu tändeln und zu kokettiren, und dabei den Vorzug einer natürlichen Schreibart und klarer Auffassung des Darzustellenden. An Erfindung ist sie nicht reich; weil aber die Geschichte nicht ausgedehnt wird, vermißt man das weniger. Ein junger Brite vornehmer Abkunft, liebenswürdig und gescheit, bringt seinem Vater das Opfer, durch eine ihm misbehagende Heirath den zerrütteten Finanzen aufzuhelfen. In den Stricken einer koketten Frau, erkennt er erst spät die Reize und Tugenden der ihm Angetrauten, sträubt sich gegen dies Erkennen, wähnt von ihr geringgeachtet zu sein, weil sie, seine unwürdige Neigung kennend, aus jungfräulicher Scheu die glühende Liebe zu ihm sorgfältig verbirgt. Zufall und Eifersucht gleicht endlich Alles aus, Fitzhenry merkt, daß er nun erst wahrhaft liebt, und Emmeline schämt sich nicht länger ihrer Zärtlichkeit; die Leute könnten in aller Zufriedenheit lange Jahre leben, wenn es nicht der Verf. beliebt hätte, den Lord todtzuschlagen und die Lady zur trostlosen Trauer zu verdammen. Die Jugend gefällt sich im Tragischen, gleichviel ob motivirt, ob nicht, und eben deshalb halten wir Miß Baillie für jung. Die Uebersetzung ist fließend, vermuthlich auch treu.

2. Cyanen, gesammelt von Agnes Franz. Erstes Bändchen. Essen, Bädeker. 1833. 12. 21 Gr.

Das Talent der bekannten beliebten Schriftstellerin, sittliche Wahrheiten, Lebensregeln für ihr Geschlecht in angenehme Formen zu kleiden, bewährt sich auch hier. Stilles Verdienst wird zwar belohnt, aber nicht auf die marktschreierische Weise, in der so oft die Nutzanwendung zweideutig, selbstisch sich vernehmen läßt und gegen das aufgestellte Beispiel eher Polemik erregt als Nacheiferung weckt. Die erste der vier Erzählungen, „Wolfgang und Althea", liegt ihrem Stoffe nach, dem Sängerkrieg auf der Wartburg, außer dem Bereich der gegen alles Aeußerste, Gewaltige, aus Ueppige Ausschreitende zagenden rücksichtsvollen Frauenseele. Gewohnt, die Fabel kühn und und phantastisch vortragen zu hören, will es bedünken, als sei diese Variation im Vergleich mit den frühern fahl und matt und das Ziel verfehlend.

3. Märzveilchen. Eine Sammlung von Novellen u. s. w. von Emmy. Als Denkmal ihren Manen gestiftet. Wien, Tendler. 1834. 8. 1 Thlr. 8 Gr.

Laut des den Erzählungen voranstehenden kurzen Lebensabrisses, war Fräulein Zanini ein liebliches schön begabtes Mädchen, bescheiden und vernünftigem Tadel zugänglich. Lebte sie noch, wir würden einige Erinnerungen ihr über ihre Novellen, noch mehr über ihre Verse machen, die zuweilen in gereimte Prosa ausarten und kaum Die, welche die früh Vollendete kannten, ansprechen können. Den Tadel weiter auszudehnen, wäre ungerecht, zumal sich in den Erzählungen ein inniges Gefühl, Geschick für Erfindung angenehm bemerklich macht. Hätte die Verstorbene selbst ihre Sammlung dem Druck übergeben, so würde vermuthlich hier und da gekürzt, gesichtet haben, eine Mühe, die der Herausgeber billigerweise übernehmen sollen, der auch den Corrector besser antreiben können, seiner Pflicht nachzukommen; es wimmelt von Druckfehlern, wenn man auch die fehlerhafte Verdopplung des r in englischen Namen, Marry, und das dimunitive Märtchen, für eine Ableitung von Marie, und Paulowna für einen Taufnamen als eine Eigenheit der Verf. ansehen will. 18.

Literarische Notizen.

Es ist ein eigener Unsegen in der neuesten Schachspielliteratur, daß sich nur die Wenigsten zu der gewöhnlichen einfachsten Bezeichnung der Felder nach Allgeyer, bis jetzt noch der beste Meister unserer Schachspielkunst, den aber Herr H. gar nicht zu kennen scheint, verstehen, sondern Jeder seine eignen Noten erfinden will, nach denen hernach, wie man sagen möchte, der Kuckuck geigen mag. So auch Mauvillon in seiner fünften Schachpartie, und unser Verf. mit seinen Buchstaben und Seite Weiß und Schwarz. Die Verleger sollten sich solche Seltsamkeiten verbitten, weil sonst Jeder, wenn er nur ins Buch hineinsieht, dasselbe verdrüßlich wieder wegwirft. Fast blind und vom Blatt weg weiß Jeder alsbald nach Allgeyer, was A 5 sei; nach Mauvillon soll man das Bret mit Kreide numeriren und dann jedesmal mit einem Hülfstäfelein jedes Quadrat erst herausklittern. S. 17 bei unserm Verf. spielt der Weiße ohne König. Die Stellung S. 105 herauszubringen wollte uns schlechterdings nicht gelingen, ob der W. K. im Felde H 1 nach Allgeyer, oder A 1 stehe, weil nirgend der feste Satz ausgesprochen ist, welche Lage ein für allemal für Weiß oder Schwarz anzunehmen sei. Alles dieses wäre nach Allgeyer kinderleicht gewesen, warum also nicht beim Besten bleiben?

2. Ausführliche Beschreibung und Geschichte der evangelischen Hauptkirche zu Heilbronn am Neckar; bearbeitet von Heinrich Titot. Mit Abbildungen und Grundriß der Kirche. Heilbronn 1833.

Der Grundstein zur Kirche soll 1013 gelegt worden sein, was sich aber wahrscheinlich nur auf ein älteres Kirchlein bezog, das in den Umfang dieses viel jüngern Baus mit hereingezogen wurde; die Höhe des Thurmes, die Erhebung des Straßenpflasters mitgerechnet, ist 225 Schuh; nach dem ulmer Münster also der zweithöchste Thurm im Königreich Würtemberg. Die Altarinschrift: Date et dabitur vobis lucem vim (S. 11 aus Luc. 6, 38), wird wol zu lesen sein: Date et dabitur vobis invicem. 35.

Redigirt unter Verantwortlichkeit der Verlagshandlung: F. A. Brockhaus in Leipzig.

Blätter für literarische Unterhaltung.

Sonntag, — Nr. 328. — 24. November 1833.

Handbuch der populairen Astronomie für die gebildeten Stände, insbesondere für denkende, wenn auch der Mathematik nur wenig oder gar nicht kundige Leser. Von J. A. L. Richter. Zwei Theile. Mit 17 Tafeln Abbildungen und drei Tabellen. Quedlinburg, Basse. 1831—32. 8. 6 Thlr. 20 Gr.

In der gegenwärtigen fieberkranken Zeit politischer Aufregung, wo das auf Erden noch Bestehende alle Ansprüche auf Dauer verloren zu haben scheint und jeder Augenblick mit einem Wechsel der Gestaltung droht, richtet man den Blick doppelt gern zum Himmel und seinen Sternen, welche in der Ewigkeit ihrer Constellationen einen schönen Gegensatz zur Gebrechlichkeit jener schwankenden Formen bilden. Wie innig das Interesse am Irdischen mit seinen unmittelbaren Darbietungen auch sein mag, der ihm beiwohnende, durch jene Tendenz unserer Zeiten ganz besonders hervorgehobene Charakter der Vergänglichkeit raubt ihm einen mächtigen Theil seines Reizes; und man schaut in dem Maße öfterer und sehnsüchtiger nach oben, als unten Alles bedenklicher und zweifelhafter erscheint. Auf diese Weise wird es erklärlich, warum die Neigung zur Sternkunde grade in den letzten Jahrzehnden so überraschende Fortschritte gemacht hat, und wie eine Wissenschaft, welche sonst das ausschließende Besitzthum einiger wenigen Geweihten gewesen ist, gegenwärtig in der allgemeinfaßlichsten, populairsten Gestalt so durchgängige Theilnahme findet. Die astronomischen Handbücher eines Littrow, Bruckner, Frankenheim u. s. w., über welche wir seiner Zeit sämmtlich in d. Bl. berichtet haben, sind überall verbreitet; und gleichwie die Politik gegenwärtig die Leidenschaft beschäftigt, also ist es die Himmelskunde, welche sich mit ihrem geheimen Attrait einer stillern Aufmerksamkeit versichert.

Der Verf. des vor uns liegenden neuen Handbuches der populairen Astronomie hat also durch die Herausgabe desselben wenigstens gewiß nichts Zeitungemäßes unternommen. Er fühlt mit dem Referenten das Motiv des Interesses, welches sich jetzt für die allgemeinste Verbreitung dieser schönen Wissenschaft veroffenbart, und er hat also (Vorrede S. xi) bei Abfassung seines Werkes „ein Publicum vor Augen gehabt, welches alle gebildete Männer, auch Frauen, die nur einen guten Schulunterricht genossen und sich zum Denken gewöhnt haben, umfaßt, sollte ihnen auch keine Gelegenheit geworden sein, sich näher mit der Mathematik zu befreunden".

Letztere Anführung darf nun freilich nicht im ganzen Ernste genommen werden. Ein systematisches Studium der Astronomie ohne Mathematik ist nicht möglich; beide Wissenschaften sind Zwillingskinder einer gleich erhabenen Abkunft, und das Studium auch gegenwärtiger populairen Astronomie fodert nicht ganz unbedeutende Kenntnisse in der Geometrie, der ebenen und sphärischen Trigonometrie, der Lehre von den Kegelschnitten und in der Algebra. Allein zu einem solchen systematischen Studium der Sternkunde werden auch die wenigsten Leser Beruf fühlen. Alle neuere astronomische Handbücher zum populairen Gebrauche enthalten einen mehr oder weniger reichlich ausgestatteten Abschnitt unter der Benennung: „Himmelstopographie", in welchem Rechenschaft von Demjenigen ertheilt wird, was Beobachtung und Analogie über die physische Natur der Himmelskörper, besonders der übrigen Planeten unsers Systems, veroffenbaren. Dieser schöne Theil der Himmelskunde ist, insofern er blos Resultate und unmittelbar darauf begründete Conjecturen vorträgt, durchaus allgemein verständlich, ohne die mindeste Unterstützung Seitens der Mathematik zu bedingen, und dieser Theil der Astronomie ist es denn auch, welchen die meisten Leser bei ihrer astronomischen Lecture hervorheben. Hier eröffnet sich für die Einbildungskraft ein unermeßliches Feld, auf welchem die Blumen der Gewähr aller möglichen reizenden Zukunftshoffnungen zu erblühen scheinen, und dem geheimen Sehnsuchtzauber, welchen diese astronomischen Darstellungen hervorrufen, widersteht Niemand. Unser Verf. hat daher ganz eigentlich im Sinne astronomischer Liebhaberei gehandelt, indem er diesen Theil seiner Himmelskunde ganz vorzüglich bedachte. Die Wissenschaft der Sterne hat noch einen tiefern Sinn als den einer bloßen Kenntnißbereicherung; sie eröffnet einen Schauplatz neuen planetarischen Lebens, wenn Naturgesetze das Scheiden aus dem irdischen Leben erheischen, und weist unsern Erwartungen von der Zukunft gleichsam einen festen Grund und Boden an. In der That scheint es fast unmöglich, die Ideen von geistiger Fortdauer und planetarischer Metempsychose von einander zu trennen. Der Ahnung, welche sich durch die Himmel schwingt, muß ein Vermögen entsprechen, sich der anticipirten Gegenstände einst sinnlich zu bemeistern, und die Durchwanderung der verschiedenen Planeten unsers Systems, namentlich in einer Folgereihe von Leben und nach einer Stufenleiter wachsender Ansprüche auf vervollkommnetes Dasein ist die natürlichste Form, unter welcher sich die Lehre von der Unsterblichkeit der Seele darstellen läßt.

Betrachtet man aber die Himmelstopographie von diesem unbeschreiblich interessanten Gesichtspunkte aus, so gewinnt alles Detail, welches Beobachtung und Conjecturalastronomie über die Natur und muthmaßliche Lebensform auf jenen übrigen Planeten unsers Systems gewähren, eine ganz andere Wichtigkeit. Die vier schönen Monde des prächtigen Jupiter z. B. werden bedeutsamer in der Hoffnung, einst noch ihres milden Scheines zu genießen, als in der blos rechnenden Erwartung einer guten irdischen Längenbestimmung, und die mathematische Astronomie verliert, jener Hoffnung gegenüber, in unsern Augen an Wichtigkeit. Vermöge dieser finden wir uns mit der ganzen Unermeßlichkeit des Weltalls in Rapport, indeß uns jene nur augenblickliche irdische Vortheile darbietet.

Die Verschiedenartigkeit der Natur- und Lebensformen auf den verschiedenen Weltkörpern, bei deren Betrachtung wie den Verf. dem in unsern Lesern erweckten Interesse dafür gemäß nun vorzugsweise begleiten, wird übrigens von ihm in ihrer Nothwendigkeit auch besonders gründlich und anziehend herausgestellt.

Wenn auch das Gesetz der Analogie — sagt er Th. II, S. 505, darüber — und zum Theil auch die Beobachtung lehrt, daß in physischer Hinsicht manche Aehnlichkeit zwischen der Erde und den übrigen Weltkörpern stattfindet, sodaß Einiges, was auf der Erde ist, wahrscheinlich auch auf jenen vermuthet werden darf, so ist doch gewiß auch kein Zweifel, daß sich die Schöpfungskraft der Natur auf jedem derselben in eigenthümlicher Form werde ausgeprägt haben. Ist dies doch schon auf der Erde selbst in ihren verschiedenen Zonen der Fall. Andere Mischungen der Stoffe, andere chemische Kräfte, ja wol specifische Verschiedenheit der Stoffe selbst werden auf jedem Planeten andere Aggregatformen bilden und den Einfluß der allgemeinen Naturkräfte auf mannichfaltige Art modificiren. Und gleichwie man als ausgemacht annehmen kann, daß sich auf jedem Weltkörper lebende und empfindende Wesen vorfinden, ebenso ausgemacht erscheint es auch, daß das Leben auf jedem ein anderes Gepräge annehmen, und daß sowol die innere Natur als die äußere Gestalt eine andere sein werde. Unser Mond ist der Erde unter allen Weltkörpern vielleicht am ähnlichsten; aber wie ganz anders muß gleichwol schon dort Alles, was sich Analoges mit unserer Thier- und Pflanzenwelt finden könnte, von der Natur ausgeprägt sein, da, nach unsern Beobachtungen, die Masse der dortigen Gewässer gering und die Atmosphäre viel feiner als die irdische Atmosphäre ist (eine Behauptung, welche mit einiger Sicherheit, freilich nur von der der Erde zugewendeten Mondhalbkugel aufgestellt werden kann, da uns der allergrößte Theil der jenseitigen Hälfte beständig unsichtbar bleibt, und von dieser höchst wahrscheinlich nicht gilt, was für jene so sein mag). Das Gesetz der Natur ist die [illegible] Mannichfaltigkeit unter einer höchsten Einheit, und wir dürfen also die Analogie bei vergleichender Beziehung anderer Weltkörper auf unsere Erde nicht zu weit treiben und mit vollkommener Berechtigung auf vollkommen und weniger vollkommen organisirte Planeten schließen.

Indem wir dem Verf. das Zeugniß geben, diese Ideen mit einer Klarheit und Anmuth behandelt zu haben, die wir wenigen seiner Vorgänger im nämlichen Fache nachzurühmen wüßten, erkennen wir auch die geschickte Wahl des Mittels an, welches er vorschlägt, um unser Urtheil bei Bildung dieser analogischen Schlüsse zu leiten. Er schlägt nämlich, was freilich [illegible] von andern Astronomen, nur nicht in [illegible] geschehen ist, vor, genauer zu untersuchen, wie [illegible] die Erde erscheinen würde, wenn wir dieselbe etwa vom Monde aus betrachteten, und zeigt z. B., daß uns, von dort aus gesehen, die Wüsten Arabiens mit ihrem [illegible] schimmernden Sande und die glänzenden [illegible] der Polarzonen ziemlich ähnlich erscheinen, und wir also sehr irren würden, von diesen zwei so [illegible] kungen auf eine gleiche Ursache zu schließen: eine Bemerkung, welche sich einbildungsreiche [illegible] ter, wie namentlich unser wackerer [illegible] Herzen nehmen mögen!

(Der Beschluß folgt.)

Denkmäler der persischen Literatur [illegible]

In den letzten Tagen des verflossenen Jahres [illegible] Kennern hochgeschätzte russische Collegienrath und [illegible] mann zu Kasan herausgegeben:

1. Expeditio Russorum Berdaam versus [illegible] Nisamio disseruit *Franciscus Erdmann*. [illegible] san 1832. 8.
2. Die Schöne vom Schlosse, [illegible] Gendscher nachgebildet von Franz von [illegible] Ludwigsluster. Kasan 1832. Fol.

Nr. 1. Mit diesem dritten Bande ist [illegible] Bande (Kasan 1828) angefangene Commentar [illegible] Werk eines der berühmtesten persischen Dichter [illegible] Jahrhundert, welches im ersten Bande (nebst [illegible] einer biographischen Einleitung und einer [illegible] lateinischen Uebersetzung erschienen ist, [illegible] philologische Anmerkungen aus handschriftlichen [illegible] kographischen Werken und Scholiasten, [illegible] chen und geographischen Aufklärungen und [illegible] terungen mythologischer und bildlicher [illegible] scher Sitten und Gebräuche, die auch [illegible] nicht unfruchtbar geblieben, sind zum [illegible] in Kasan zum ersten Mal gedruckten [illegible] ein reichhaltiger Schatz hier niedergelegt [illegible] winn wir um so bedeutender anschlagen, [illegible] handschriftlichen Werken der Perser [illegible] nebst mannichfaltigen Berichtigungen [illegible] fügt sind.

Doch abgesehen von diesen [illegible] kritischen Blättern mit Recht allein [illegible] in der vorliegenden, aus einem größern [illegible] me", d. h. das Buch Alexander's, [illegible] neuer willkommener Beitrag zur [illegible] schen Geschichte dargeboten.

Von einem Feldzuge, den Russen [illegible] rische Völker im 10. Jahrhundert [illegible] blühende Handelsstadt Arran [illegible] Araxes, welche dem [illegible] war, unternommen haben, [illegible] derselben, mit einer Zerstörung [illegible] der herrlichen Landschaft [illegible] Schriftsteller [illegible] ein vollständiges [illegible] Freiheit gesetzt und dem König [illegible] genen gemacht.

Dieser für die Russen so unglücklich endigende Krieg ward unserer persischen Erzählung zufolge, die wir in einer noch nicht vollendeten vorzüglichen Ausgabe durch einen ausgezeichneten petersburger Orientalisten Charmoy unter dem Titel: „Expédition d'Alexandre le Grand contre les Russes etc." (erster Theil, Petersburg 1828), erhalten haben, von dem gefeierten Helden des Orients, Alexander dem Großen, der in mehren siegreichen Schlachten neue Lorbern pflückte, geführt und zu dem Ziele durchgekämpft.

In der vorliegenden dichterischen Beschreibung eines aus der Vorzeit überlieferten, durch mündliche Erzählung ausgeschmückten denkwürdigen Ereignisses erhält der kritische Forscher, der aus der Sage das Thatsächliche, aus dem Bilde das Wirkliche zu sondern versteht, über die älteste Geschichte der Russen, Wohnsitze, Charakter, Lebensweise, Handel u. s. w. neue schätzbare Aufklärungen in charakteristischen, bestätigenden Zügen, die an die in den letzten Jahren von Frähn aus arabischen Quellen, von Krug u. s. w. aus andern alten Denkmälern gegebenen Bereicherungen und an Rasmussen's Schrift über den Handel der Araber und Perser mit Rußland und Skandinavien im Mittelalter mit einzelnen willkommenen Beiträgen sich anschließen.

Noch werde bemerkt, daß Erdmann durch ein sorgfältig gearbeitetes doppeltes Register den Werth seines gelehrten Werkes nicht wenig erhöht hat.

Nr. 2. Hier wird uns aus einem andern handschriftlichen Werke desselben Dichters*): „Heft peiger", d. h. die sieben Schönheiten, eine anmuthige Erzählung dargeboten, die die vierte Stelle in der Urschrift einnimmt. Der persische Text, der früher nie gedruckt worden, ist nach zehn miteinander verglichenen Handschriften, wovon acht der kaiserlichen Bibliothek zu Petersburg angehören und zwei sich im Besitze des Herausgebers befinden, kritisch gewürdigt und geläutert. Ihm gegenüber steht eine in sechsfüßigen gereimten Jamben abgefaßte deutsche Uebersetzung, die sich aber mehr durch eine fast wörtliche Treue als durch Geschmeidigkeit und eine gefällige Form auszeichnet, und unter demselben sind kritische, historische und sinnerläuternde Anmerkungen aus einem reichen Schatze von orientalischer Gelehrsamkeit gespendet worden.

Die Einfassung des Gedichtes vergegenwärtigt die in persischen Handschriften beobachtete Sitte, eine das Titelblatt verzierende Abbildung stellt uns einen morgenländischen Beherrscher dar, der, seinen Gaumen mit dargebotenen Leckerbissen labend, dem ergötzenden Spiele zweier Sklavinnen in behaglicher Ruhe zulauscht. Die Vorrede unterhält von dem Geist der in europäischen Sprachen verfaßten Uebersetzungen orientalischer Schriften, gibt die Veranlassung an, der wir dieses neue Geschenk aus Persien zu verdanken haben, beschreibt die benutzten Hülfsmittel und nimmt mit frohen Wünschen und Hoffnungen Abschied.

Doch nicht länger dürfen wir zögern, dem ungeduldigen Leser aufzuschließen die verborgenen Schätze; aufgerollt werde zur ungestörten Betrachtung die persische Schrift!

Zusammenkunft Behram's am Dienstage in dem rothen Gemache.

Er (dieser persische Schah) eilte früh hin ins Gemach, das roth genannt,
Zur rothen Antlitz's slawischen Gebieterin.
Mit seiner Sklavin trieb er Kurzweil hin und her,
Mit diesem schönen Mond als Sonn im Wonnenmeer,
Die eilends hier und dort zu dienen ihm bereit
Als seines Schlosses Zier auch keine Mühe scheut.
Als schon die Nacht die breite Fahne aufgestreckt,
Der Sonne hohen Dom mit ihrem Schleier deckt,
Erbat von diesem rothen Honigapfel sich
Der Schah ein Märchen, das der heitern Laune glich.
Gebot Erfüllung dieses Wunschs ihr Zärtlichkeit,
Zu Füßen ihm aus dem Rubin sie Perlen streut.

Es war, sprach sie, in Rußlands weitem Landesbereich
Die eine Stadt, an äußerm Glanz Jungfraun gleich.
Ein Padischah, dem sie den sichern Sitz gewährt,
Hatt' eine Tochter, die, in Weichlichkeit ernährt,
Durch zartes Augenspiel in jedes Herz sich schlich.
An Wangen rosenroth, der hohen Ceder glich u. s.
Zu ihrer Schönheit und anmuthigem Gespräch

Ihr
Und
Als

Es
Und
Da
Und
Die
Der gegen Werber Ungestüm ein sicherer Hort.
Eine Burg, die wie ein Berg aus Berg's Gehirn ergraut
Das Recht zu pflegen in dem hohen Land erbaut u. s. w.
Da sie in dieser Sphäre sich befriedigt fand,

Wer sich in die Gefahr ohn' Ueberlegung stürzt
Dem auch das Leben schon des Schwertes Schärfe kürzt u. s. w.
An solcher Burg müht nur der Mann von Muth sich ab,
Und wer nicht Mann, nicht Held, stürzt dort gewiß ins Grab.
Ja, fest muß sein Entschluß, wie jeder Tritt ihm sein.
Muß vier Bedingungen an die Erfüllung reihn.
Als erste dieser vier nennt sie der Bundes Pflicht u. s. w.
Bei deiner Ankunft wird die vierte endlich sein,
An mein Gefolge dich zur Hauptstadt anzureihn,
Damit an meines Vaters Hofe männiglich
Ich tief versteckte Fragen richte dort an dich,
Und daß geziemend du mir diese dann enthüllt,
So wird gewiß von mir gegebenes Wort erfüllt
Mein theurer Gatte sei daher der Ehrenmann,
Der Das, was ich verlangt, genau erfüllen kann.
Doch wer sich diesem nicht zu unterziehn vermag,
Besudelt seinen Hals mit Blut an jenem Tag u. s. w.
Als sie der Ordnung nach dies zu Papier gebracht,
Und einem übergab in ihrer Diener Tracht,
Steck' auf, sprach sie zu ihm, häng' diese Rolle auf,
So wie es sich gebührt, nach ihrer Ordnung Lauf;
An der Stadtpforte dir bekanntem hoh'n Altan
Heft' an der Veste Kron mir diese Rolle an,
Damit, wer in der Stadt, im Heere doch geehrt,
Der mich zu seiner Braut so sehnsuchtsvoll begehrt,
Mit solchem Lösungswort zur Reise sich bereit',
Als Fürst der Burg ich ihn, — als Leiche ihn geleit u. s. w.
Als nun der Herrscher und der Kronenträger viel
In Kenntniß sich gesetzt von diesem Wunderspiel,
Da eilten wol aus mannichfalt'ger Neubegier
Aus jeder Gegend hin zum selt'nen Burgturnier.
Jedoch der edlen Jüngling rasches Jugendblut
Verwirkt des Lebens Hauch durch ihres Kampfes Glut u. s. w.
Ja, auch gewahrte man der Wagehälse Kopf
Am Stadtthor aufgehängt mit ihrem blut'gen Schopf u. s. w.
Ein Prinz jedoch aus angeseh'nem Fürstenblut,

*) Der Name Gendscher bezieht sich auf Nisami's Geburtsort Gendsché, eine der größten Städte in der Provinz Arran, und die Bezeichnung Ludwigslustier zeigt an, daß der Herausgeber zu Ludwigslust, der Residenz des Großherzogs von Mecklenburg-Schwerin, zuerst das Licht der Welt erblickt hat.

Schön an Gestalt, nicht minder groß an Edelmuth,
Der mit beherztem Sinn des Geistes Kraft verband,
Vor dem Waldesel sich und Löw' im Staube wand u. s. w.
Der war im Herzen voll Verlangen Nacht und Tag.
Nicht Nacht war ihm die lange Nacht, der Tag nicht Tag u. s. w.
Er sann und sann, ob er kein einzig Mittel fänd,
Das für der Fesseln Bruch ihm zu Gebote stånd.
Er bot in dieser Absicht alle Kräfte auf
Und ließ dem Phantasienreichthum freien Lauf,
Damit er Aufschluß fänd für jede Fessel.
Wenn sie gleich Diwen oder Engel Werkstätt' sei,
Er schoß den Zügel jeder Kühnheit Ausgeburt,
Er schürzte bald für jedes Wissen seinen Gurt.
Und der Geheimniß Tiefen hatt' er bald ergründ't,
Durch die für jede Fessel man die Lösung find't u. s. w.
Was zum Erklimmen dieses schroffen Königstein
Nothwendig ihm erschien, führt er ins Treffen ein,
Er schloß mit allen Geistern einen Teufelsbund,
Für seinen Willen wol der beste Fund,
Und was die schwarze Kunst als Zeit ihm erwies,
Der Talismanenschar den Untergang verhieß u. s. w.
Ein jeder Talisman, der ihm entgegengrinst,
Hatt' für der Grube Pfand sich seinem Schwert verzinst,
Und wie den Talisman vom Berge er gebannt,
Sich gegen Schwert um Schwert auf dem Gebirg ermannt,
Da drang gewappnet er bis an der Veste Thor,
Wo seinem Schwerte schon das offne Dehli schwor.
Er schuf durch diese Grube sich den leichtern Pfad,
Damit der Platz von selbst entspräche seiner That.
Doch wie der Spalte Bau sogar zum Schlüssel drang,
Und er schon sichtbar ward aus seiner Spalte Gang,
Da sandte auf die Nachricht von der selt'nen Bahn
Des Mondes leuchtend Bild hin seinen Hofkaplan u. s. w.
Jetzt richte deinen Schritt zur Stadt, dem Wasser gleich,
Gedulde noch zwei Tage dich, an Langmuth reich,
Damit ich in der Stadt mich an den Vater wend'
Und deiner Trefflichkeit ein Pröbchen mehr noch send';
Denn heischt die Werbung noch der Räthsel viere dir,
So löse das Geheimniß deine Kunde mir.
Und da uns schon der Freundschaft holdes Kleinod eint,
Nicht ohne Werth sofort Verbindung mir erscheint u. s. w.
Nach Haus geleitet tausendfaches Hurrah ihn,
Gesang und Spiel sah man zu seiner Seite ziehn,
Es streute Blumen auf sein Haupt der Bürger Schar,
An Thüren wie auf Dächern lauter Jubel war u. s. w.
Da zog der Mond mit seiner langen Schar und eilt
Zur Stadt vom Abhang dieses schroffen Königsteins,
Im Zelt gleich einer Blume wunderbaren Scheins
Der Vater war ob ihrer Ankunft hoch erstaunt;
Doch seine Tochter theilte ihm gar wohl gelaunt,
Was Gutes oder Schlechtes ihr auf jedem Schritt
Begegnet sei, aus eigener Erfahrung mit u. s. w.
Bis zu der Zeit, da sich der Erbprinz ihr gezeigt
Und sich mit ganzem Herzen zu ihr hingeneigt u. s. w.
Am besten ist's daher, daß bei Aurorens Licht
Der Schah auf seinen Thron sich setze zum Gericht.
Da ordnete der Schah ein fürstlich Gastmahl an
Und legt' zu seinem Dienst des Glückes Gürtel an;
Er lud zu sich die Großen seines Reiches ein,
Die Recht und Wahrheit opfern jedem falschen Schein.
Hierauf nahm er den Platz, der ihm gebührte, ein,
Ließ auch die Gäste sich an ihre Sitze reihn.
Es saß entgegen ihm der Tochter holdes Bild,
Der es um leichtes Spiel mit ihrem Freier gilt u. s. w.
Vom Ohrgehänge nahm zwei schlichte Perlen sie
Und gab's dem Kammerherrn mit dem Befehle: „Sieh
Dem list'gen Gaste bring's in aller Eile hin
Und eine Antwort mir aus seiner Klugheit Sinn u. s. w."
Da seine Freundin drauf den Perlenstein erblickt
Und ihn holdlächelnd dann an ihre Lippen drückt,
Die Einsichtsperle, wie den Stein entgegennimmt,
Den Stein für ihre Hand, fürs Ohr die Perl' bestimmt,
Da sprach zum Vater sie: „Steh' auf, bereite dich
Zur Förderung des Glücks für deine Tochter, mich.
Mein Glück erkenne du in diesem meinen Freund,
Der als der einz'ge mir für meine Wahl erscheint,
An dem ich den Gemahl gefunden, dessen Geist
In allen Gegenden der angestammte heißt u. s. w."
Da ordnet er, wie sich's gebührt, die Hochzeit an,
Nebst allem Zubehör, den er nur schaffen kann,
Legt der Verlobten ihren Schmuck geziemend an
Und gibt die Cedern=, Rosengleiche ihrem Mann! u. s. w.

Die vorstehende in leichten Umrissen, aber doch hoffentlich mit kenntlichen Zügen gezeichnete Erzählung hat also den in Asien von jeher so beliebt gewesenen Unterhaltungen, die Ref. in der Einleitung zu der historisch-kritischen Beleuchtung der „Tausend und eine Nacht" (s. „Hermes", B. XXX, S. 158—168), nach ihrer Eigenthümlichkeit zu schildern versucht hat, ihre Entstehung zu verdanken und offenbart in den lieblichen Dichtungen aus der Natur und der Mythologie, die mit den köstlichsten Sprüchen der Handlung eingefügt sind, die mit den blühendsten Farben malende persische Darstellungsweise.

Aber sowol lockende Proben aus diesen Gebieten als ergötzliche, der europäischen Geschmacksbildung jedoch fremde Schilderungen der Liebe und weiblicher Schönheit würden ohne eingemischte Erläuterungen der schmückenden Bilder und Anspielungen, die indessen dem Zwecke dieser Blätter widerstreben, weder die Unterhaltung noch den Genuß der Leser befördern.

Daher mag es genügen, auf dieses Erzeugniß eines der berühmtesten persischen Dichter hier aufmerksam gemacht zu haben.

Anton Theodor Hartmann.

Notizen.

Giraud, Rath bei dem königlichen Gerichtshofe zu Kolmar, gibt ein interessantes Werk: „Succès et revers de la liberté chez les Anglais depuis l'ère vulgaire jusqu'à nos jours", in drei Bänden heraus. Als Anhang dazu gibt er eine Abhandlung über die französische Magistratur. Giraud gab schon früher eine Geschichte des revolutionnairen Geistes des Adels heraus, worin er den unruhigen Geist der ehemaligen Aristokratie darstellte.

Der Staatsrath Dégérando ist vor Kurzem von einer Reise nach Deutschland zurückgekehrt, welche er im Auftrag der französischen Regierung unternommen hat, um die Wohlthätigkeitsanstalten in mehren deutschen Staaten kennen zu lernen. Er hat in einem interessanten Bericht die Ergebnisse seiner Beobachtungen niedergelegt. Wie die französischen Blätter besonders herausheben, geht es aus den von ihm mitgetheilten Thatsachen hervor, daß in den unter Napoleon mit dem französischen Reiche vereinigt gewesenen deutschen Ländern die Zahl der Kindermorde nach der in neuern Zeiten stattgefundenen Aufhebung der Findelhäuser sich nicht vermehrt hat. Sie bemerken dabei, es sei nicht zu übersehen, daß man in jenen Ländern die durch das französische Gesetzbuch verbotene Forschung nach der Vaterschaft gestatte.

Nach französischen Blättern wurden im Jahre 1831 in England 160 Millionen Centner (quintaux métriques) Steinkohlen gewonnen. Hätte England dieses Feuerungsmittel nicht, so würde es 60 Millionen Klaftern (cordes) Holz zum Ersatz brauchen, welche, die Klafter im Durchschnitt zu 40 Francs gerechnet, eine Summe von 2 Milliarden Francs gekostet haben würden. Dazu wäre eine Bodenfläche von 16 Millionen Hektaren Wald nöthig. Da der Preis der gewonnenen Kohlen nur 320 Millionen Francs betrug, so wurden dadurch gegen Holz in einem Jahre 1680 Millionen erspart. 9.

Redigirt unter Verantwortlichkeit der Verlagshandlung: F. A. Brockhaus in Leipzig.

Blätter

für

literarische Unterhaltung.

Montag, —— Nr. 329. —— 25. November 1833.

Handbuch der populairen Astronomie für die gebildeten Stände, insbesondere für denkende, wenn auch der Mathematik nur wenig oder gar nicht kundige Leser. Von J. A. L. Richter.

(Beschluß aus Nr. 328.)

Freilich sind in andern Fällen die Analogien außerordentlich stark; und wer würde dem Verf., mit einstweiliger Aufgebung der jetzt vorherrschenden, alle Geister verwirrenden politischen Tendenzen, nicht gern auch in dieses reizende Detail folgen! So ist eine der merkwürdigsten, von ihm in aller Ausführlichkeit mitgetheilten Beobachtungen die, daß die Polargegenden des Mars ebenso mit Schnee oder wenigstens schneeähnlicher Materie bedeckt zu sein scheinen als die Polarzonen der Erde. Die Gegenden um die Pole jenes Planeten zeichnen sich vor den übrigen Theilen seiner Oberfläche durch ein viel glänzenderes Licht aus; und diese Erscheinung ist so beständig, daß man sie nicht von atmosphärischen Veränderungen herleiten kann; sondern sich überzeugt halten darf, an diesen Stellen wirklich den festen Körper des Mars selbst zu erblicken. Diese glänzende Zone ist an jedem Marspole in der Jahreszeit seines Winters am größten, nimmt mit Annäherung der Sonne bis auf eine gewisse Grenze allmälig ab, wobei jedoch das glänzende Ansehen unverändert bleibt, und nimmt dann mit der scheidenden Sonne wieder zu. Wenn man nun überlegt, daß die irdischen Polargegenden für ein Auge im Mars ganz dieselben Erscheinungen darbieten würden, so scheint der physische Schluß vom irdischen Schnee auf Marsschnee wenigstens ebenso wohl begründet als der mathematische Schluß von Horizontalparallaxe und scheinbarem Durchmesser eines Planeten auf dessen wirklichen Durchmesser.

Jupiter, dieser größte und wahrscheinlich schönste Planet unsers Systems, zeigt ebenfalls Erscheinungen, welche auf Ursachen schließen lassen, wovon wir Aehnliches auf Erden sehen. Dem fleißigen Himmelstopographen Schröter erschien die Scheibe dieses Planeten durch fünf hellere Zonen ausgezeichnet, davon eine um den Aequator selbst lief, eine sich nördlich, die andere südlich davon erstreckte und die zwei übrigen die Gegenden der beiden Pole einnahmen. Diese Zonen zeigten mehrfache Veränderungen, besonders aber enthielt die nördliche Zone mehre wechselnde helle Stellen, unter denen eine durch ihre lange Dauer ausgezeichnet war. Man konnte sich unter diesem hellen Flecke, dessen Größe über 500 Meilen im Durchmesser betrug, eine vorzüglich heitere Gegend der Jupitersatmosphäre denken, die sich bald westwärts erweiterte, bald ostwärts mit Wolken bedeckte. Die Gesammtheit aller dieser Erscheinungen aber ließ sich durch einen dem Aequator parallelen Wind erklären, welcher also mit den beständigen Ostwinden unserer heißen Zone zu vergleichen wäre.

Vergleicht man die gesammten Planeten unter sich in der Voraussetzung, daß die Lebensdauer ihrer Bewohner mit der Zeit ihres Sonnenjahres in Verhältniß stehe, so würde ein 80jähriger Greis (im irdischen Sinne) auf dem Merkur ein Alter von 19 Erdenjahren (binnen welchen nämlich dieser Planet seinen Umlauf um die Sonne etwa 80 mal vollendet), auf der Venus von 49 Jahren, auf dem Mars von 150, auf dem Jupiter von fast 1000, auf dem Saturn von über 2000 und auf dem Uranus von gegen 7000 Jahren haben (indem der Uranus nämlich gegen 7000 unserer Jahre gebraucht, ehe er seinen Lauf um die Sonne 80 mal zurücklegt). Es scheint wirklich nicht unwahrscheinlich, daß die Dauer des Lebensprocesses auf den verschiedenen Planeten in diesem Verhältnisse zu den Umlaufszeiten stehe. Für die Vegetation wenigstens, soweit sie vom Sonnenstande abhängt, ist es ganz unzweifelhaft, daß ihre Periode durch die Dauer des Sonnenjahres bestimmt wird; und die Norm des vegetabilischen Lebens muß doch hinwiederum das animalische Leben bedingen. Dieser Umstand läßt sich als das Anfangsglied einer Schlußkette betrachten, welche sehr weit führt, und man kann auf diesem Wege namentlich eine Vollkommenheitszunahme in den Natur- und Lebenseinrichtungen der sogenannten Planeten deduciren, da auf denselben die mittlere Lebensdauer des Individuums so bedeutend wächst, und also Alles im Vergleiche zur Vergänglichkeit der irdischen Dinge den Charakter größerer Sicherheit und Stabilität besitzen muß. Ich weiß nicht, ob ich mich irre; aber ich sollte meinen, es könne kaum einen Leser geben, welchem Betrachtungen dieser Art, wie sie in gleichem Umfange in keinem frühern astronomischen Lehrbuche vorkommen, gleichgültig wären. Und welche Gründe könnte es in der That zu der Annahme geben, daß wir mit jenen, solchergestalt so viel begünstigern Planeten nie in eine nähere als die blos teleskopische Relation kommen sollten?

Eine andere höchst merkwürdige allgemeine Eigenschaft unsers Planetensystems endlich, welche sich aus dem in unserm Werke über die physische Beschaffenheit desselben vorgetragenen Detail ergibt, ist sein Zerfallen in zwei große Gruppen, welche sich durch generelle Kennzeichen voneinander unterscheiden, und deren erste mit dem Mercur anhebt und mit dem Mars schließt, die zweite aber den Jupiter, Saturn und Uranus umfaßt, indeß die vier Planetoiden keiner der beiden Classen anzugehören scheinen und gleichsam Uebergangsglieder bilden. Die Hauptkennzeichen der ersten Gruppe sind die, allen vier dazu gehörigen Planeten gemeinschaftliche Rotationszeit von 24 Stunden und der Mangel der Monde, worin der Erdmond die einzige Ausnahme macht. Die Planeten der zweiten Gruppe dagegen: Jupiter, Saturn und Uranus, haben sämmtlich eine sehr viel schnellere, etwa nur 10stündige Rotation und eine bedeutende Trabantenzahl, sodaß sie, ohne die Abhängigkeit vom Centralkörper der Sonne aufzugeben, ihrerseits auch schon wieder als Centralkörper kleinerer Systeme erscheinen. Gruithuisen in seinen „Analekten zur Erd- und Himmelskunde" trägt a. mehren O. über diesen merkwürdigen Umstand sehr erhabene Ideen vor, deren Vergleichung wir dem Verf. für den Fall einer zweiten Auflage seines instructiven Werkes, welche dasselbe allerdings zu verdienen scheint, angelegentlich empfehlen. Vielleicht mittelt die Conjecturalastronomie, unterstützt von neuen, schärfern Beobachtungen, indessen auch den innern, noch nicht entdeckten Zusammenhang zwischen der Nothwendigkeit der reißend schnellen Rotationsbewegung *) jener drei Riesenplaneten und ihrer übrigen Lebensformen aus. In jedem Falle gehören alle diese Untersuchungen zu den anziehendsten und erhabensten, mit welchem sich der menschliche Geist nur irgend beschäftigen kann; und das Interesse z. B. an Landtagsverhandlungen auf einem Planeten, auf dem das Leben höchstens 70 — 80 Jahr dauert, verschwindet zu einem Nichts gegen die nähere Betrachtung des Uranus, auf welchem man, wie oben nachgewiesen worden, fast 7000 Jahre alt wird. Zu dieser zeitgemäßen Schlußbetrachtung hat uns die vorliegende populaire Astronomie verholfen, und mit dem Danke dafür verlassen wir das Werk. 178.

Europa. Ein Naturgemälde von J. F. Schouw. Aus dem Dänischen. Auch als Beigabe zu jeder Geographie. Kiel, Universitätsbuchhandlung. 1833. Gr. 8. 12 Gr.

Seitdem es die unmündige Menschheit bei ihren gelehrten Erziehern soweit gebracht hat, daß sie ihr erlauben, neben den lateinischen und griechischen Büchern auch ein wenig in dem großen Buche der Natur zu lesen, und seitdem Commentare zu diesem Wunderbuche gegeben werden, die auch der Laie zu lesen und zu fassen vermag, — mit einem Worte, seit dem allgemeiner gewordenen Studium der Natur und zugleich durch dieses ist der Standpunkt der wahren Bildung so viel höher und unbeschränkter, daß wir uns gedrungen fühlen, von ihm herabspähend und sehnsüchtig das Auge über die ganze Erde wandern zu lassen und alle Erscheinungen, die hier in tausendfacher Form sich dem erstaunten Beobachter darbieten, aufzufassen und zu ordnen.

Den Beweis für dieses überall erwachte lebendige Streben nach besserer Kenntniß unserer Erde finden wir nicht in den dicken Ballen von Geographiebüchern, welche bei jeder Messe dem obenstehenden Beobachter noch unter die Füße geschoben werden; nicht in den Rollen von Landkarten, die sie dem Spähenden als Fernröhre in die Hand gibt; noch weniger in dem schnellen Näherrücken der Länder und Städte, wodurch Rio Janeiro uns schon nicht ferner liegt als unsern Großältern die heilige Roma; jenen Beweis finden wir vielmehr darin, daß die Erdkunde nunmehr ein allgemein gültiger Maßstab für echte Bildung geworden ist. Was aber kann dem Bedürfnisse, diese Art der Bildung zu erreichen, willkommener sein als ein Meister, der die Formen, welche das forschende Auge nicht zu erreichen vermag, mit allen ihren Gestalten auffaßt und als ein lebendiges Gemälde vor unsere Augen stellt. Denn die Laien — und diese bedürfen der meisten Hülfe, nicht die Gelehrten von Fach — sind die Kinder in der Wissenschaft, und Kinder wollen Bilder haben. In der That, gebt ein treues lebendiges Bild der Erde, auf dem das Auge mit Lust und Nachdenken ruht, und wenn nicht die Wissenschaft, doch das Studium der Erdkunde ist begründet. Im vorliegenden Buche wird uns ein Theil dieses Bildes versprochen im Gemälde von Europa. Der Titel des Stückes und der Name des Meisters verkünden Gutes.

Doch ehe wir den Vorhang von dem Bilde selbst nehmen, müssen wir aussprechen, was wir von einem solchen Gemälde erwarten. Nicht eine Zeichnung mit schwarzem Umriß erwarten wir, sondern ein Gemälde mit frischen, lebendigen Farben, mit Schatten und Licht, mit Nähe und Ferne, ein Gemälde, das wie die Natur, deren treue Copie es sein soll, das Auge mit Entzücken oder mit Erstaunen fesselt; das Bild des Nordens soll dastehen in seinem ernsten Grau, das Bild des Südens in seinen glühenden Tinten; vor dem Auge soll gleich einem ungeheuern Panorama das Land liegen mit seinen Gebirgen und Ebenen, die Gebirge bedeckt mit Schnee und Eis oder mit dem wechselnden Grün der Waldungen, die Ebenen mit ihren Saaten oder Wüsten, Ströme und Seen mit ihrem leuchtenden Spiegel und Wogensturz, und belebt soll das Bild sein von allen Thieren der Gegend, die Menschen soll es zeigen in ihrem eigenthümlichen Ausdruck, in ihrem Leben und in ihren Beschäftigungen auf Feld und Berg und selbst in den Schachten der Erde. Wie in der Malerei jede Schule ihren eigenthümlichen Charakter hat, den auch der Laie, ohne sich das unterscheidende Merkmal selbst klar machen zu können, bald erkennt, so soll über das Gemälde jedes einzelnen Landes der eigenthümliche Charakter desselben ausgegossen sein, sodaß der Beschauende unbewußt sich davon ergriffen fühlt. Die Sprache also — denn sie ist hier Pinsel und Farbe —, welche solche Gemälde entwirft, muß lebendig und blühend, nicht blos docirend, sondern schildernd sein; sie muß den Orient malen mit der glänzenden Rede orientalischer Phantasie, den Norden mit den ernsten und sinnigen Worten seines Bewohners. Ein solches Gemälde müßte wie ein Rafael'sches die Eigenschaft haben, daß es das Auge immer mehr fesselt, je länger man es betrachtet. Es müßte aber nicht blos blühend, lebendig und treu sein, sondern auch mit gewissenhafter Genauigkeit die einzelnen Partien darstellend und zusammengruppirend. Und wer uns ein solches Bild geben wollte, müßte noch mehr geben, wenn er von den Heroen der Wissenschaft selbst nicht den Vorwurf der Oberflächlichkeit verdienen wollte. Wie in der Gemäldegalerie der erklärende Cicerone, so müßte neben dem blühenden Gemälde und in dieses selbst verwebt ein streng wissenschaftlicher Führer sicht-

*) Die Rotationsgeschwindigkeit eines Punkts des Jupiteräquators beträgt fast 40,000 Fuß in der Secunde, beinahe das Dreißigfache der Rotationsgeschwindigkeit des irdischen Aequators.

bar sein, der, den einmal gefesselten Beschauer aufmerksam machend, erklärend, belehrend in die tiefern Kenntnisse des Bildes selbst einführte.

Geographische Gemälde nach der angegebenen Weise thun uns noth, das ist keinem Zweifel unterworfen, und auch Herr Professor Schouw mag das gefühlt haben, als er seiner Schrift den Titel: „Naturgemälde" gab, die laut Vorrede besonders auf das Bedürfniß für „solche Personen berechnet ist, die in anderer Beziehung eine hohe Bildungsstufe einnehmen". Aber fürwahr, die Herren Gelehrten können es schwer verantworten, daß sie aus der lebensvollen Wissenschaft eine todte machen, daß sie, nachdem sie selbst sich an den vollen Brüsten der Natur genährt haben, nun ihren Schülern einen todten Körper zur Anatomie geben und die lebendige Natur nur als kunstvoll zusammengesetztes Skelet zeigen. Wollen wir lebendige Schilderung haben, so finden wir sie — es ist traurig, aber wahr — nur noch zuweilen in guten Romanen und müssen hier in allen breiten Rahmen die zollgroßen Bildchen zusammenlesen. Doch ist es nicht zu leugnen, daß ein Steffens, wenn er die Skieläufer über die Schneeflächen Norwegens gleiten läßt, uns ein lebendigeres Bild des Landes gibt, als viele gelehrte Lehrbücher es thun.

Unser Verf. — wir nehmen nun den Vorhang von seinem Gemälde — hebt mit seiner Beschreibung der Naturverhältnisse Europas vom Norden an und schreitet, die einzelnen Ländermassen nach ihrem natürlichen Zusammenhange nehmend, nach Süden fort. Bei jeder einzelnen Partie (er theilt Europa in 17 Ländermassen) gibt er erst eine allgemeine kurze Ansicht der Gestalt und Lage des Landes und stellt alsdann dar: Gebirge, Flüsse, Seen, Temperatur, Regenmenge, Winde, Schnee, Pflanzenproducte, Haus- und wilde Thiere, Bewohner. Jeder einzelne Gegenstand ist mit Gründlichkeit und tiefer Kenntniß, und die Berechnungen sind mit bewundernswerther Sorgfalt zusammengestellt. Aber wer in aller Welt wird es für ein Gemälde halten, wenn er z. B. den Umriß eines Berges sieht und daran geschrieben: 6000 Fuß hoch, Schneelinie 5600 Fuß (wie im südlichen Norwegen), und auf der Ebene kurz bemerkt: Region der Buche, Region des Oelbaums, Kornbau, Wein oder dergleichen? Der Verf. gibt Regen und Sturm, Hitze und Kälte, aber Alles in bloßen Zahlen, und die Sätermädchen in Handanger-Fjeld, die mit ihrem Vieh Monate lang auf den Bergen 8—10 Meilen vom Hause entfernt zubringen, haben ebenso wenig Leben wie die weißen und blauen Füchse des höchsten Nordens. In seiner gehaltenen kalten Sprache läßt sich derselbe durch nichts irremachen, und sein Gemälde des reizenden Südens ist ebenso farblos als das Gemälde von Island mit seinen Jöklern (Jökler heißen alle über der Schneelinie liegenden Berge), seinem Hekla und Strocken (jetzt thätiger als der alte Geyser), mit dem Gewimmel von Seehunden an seinen Küsten und den Eisbären, die auf Eisbänken von Grönland herschwimmen. Und während der Verf. auf Leser rechnet, denen er das Leichteste erklären zu müssen glaubt, wie Opal „ein schöner Edelstein", Schneelinie ꝛc. versäumt er ihnen z. B. auf den britischen Inseln den Namen der Gebirge zu sagen, deutet er bei Irland nur nebenbei auf das merkwürdige Inselchen Staffa, ohne in die berühmte Fingalshöhle zu treten, erwähnt er den Riesendamm von Basaltsäulen nur mit den Worten: „The giant's causeway"; Irland und den riechenden Killarneysee gar nicht. Doch es ist leicht zu finden, daß unser Vorwurf den Verf. nur insofern trifft, als er dem Titel nicht entspricht. Er verspricht ein Naturgemälde, und das gibt er nicht; aber wenn wir sein Werk Materialien, Skizzen zu einem Gemälde nennen, so müssen wir ihm nur das größte Lob zollen. Wenn auch das bloße Aufzählen von Namen und Zahlen etwas langweilig ist, so ist es doch für den Geduldigen interessant genug. Mit besonderer Vorliebe behandelt der Verf. die Temperaturverhältnisse der einzelnen Länder, und die Resultate sind, wie dies nach des Verf. frühern „Beiträgen zur vergleichenden Klimatologie" (1827) zu erwarten ist, sehr lehrreich. Nach Beobachtungen von 40—50 Jahren ergibt sich z. B., daß der Unterschied der Sommerwärme zwischen Wien und Palermo nur 1½°, der der Wintertemperatur aber 9° beträgt. In Stockholm stieg in 68 Jahren die höchste Hitze auf 28°, in Kopenhagen in 50 Jahren auf 26°, in Palermo in 40 Jahren auf 33°; dagegen kann die höchste Kälte in Stockholm 16°, in Kopenhagen 18°, in München 23°, in Palermo aber nicht unter 0° sein. Auf dem Hospiz von St.-Gotthard und auf dem St.-Bernhard ist die mittlere Wärme geringer als auf dem Nordcap. In dieses Capitel gehören Humboldt's Isothermen, d. h. die Linien, die er durch die Orte zog, welche die nämliche jährliche Mitteltemperatur genießen. Interessant ist auch die Zusammenstellung der Zahl der Regentage in den einzelnen Ländern: in Dublin jährlich 208 Regentage, in London 178, in Kopenhagen 134 ꝛc., in Preußen 20 Zoll Regen, am südlichen Fuß der Alpen 57″, in Palermo 21½″. Auch des Verf. Gründlichkeit in seinem frühern Werke: „Grundzüge einer allgemeinen Pflanzengeographie", tritt in der vorliegenden Schrift wieder hervor. — Dem dänischen Originale ist noch ein Atlas in sechs Blättern beigelegt, die einen Ueberblick der Hauptgebirge, ihrer Höhengrade, der vier Hauptgürtel zur Pflanzengeographie ꝛc. geben. 194.

Mexicanische Alterthümer.

Das Werk von Humboldt und Bonpland über die Cordilleras, welches mit allem Luxus ausgestattet erschien, enthielt bis jetzt fast allein Berichte und Zeichnungen über die im alten Amerika in späterer Zeit entdeckten oder vorgefundenen Antiken und Monumente; aus ihm wissen wir, daß Mexico zur Zeit seiner Entdeckung vor Cortez in civilistischer und artistischer Hinsicht höher stand als der damalige europäische Norden, als Schweden, Rußland und Dänemark; daß der religiöse Cultus, daß seine Hieroglyphen und selbst seine Tempel mit Pyramiden und Statuen dem ägyptischen und syrisch-babylonischen Götzendienste, wo nicht auch dem indisch-chinesischen ähnlich war. Ich glaube daher, da eben Humboldt und Bonpland weniger als Architekten und bildende Künstler denn als Naturforscher und Reisende die neue Welt aufsuchten und beleuchteten, sie nur ein großes Nebengeschäft aus der Aufsuchung der altmexicanischen Bildwerke und Tempelruinen machten, die entweder von den Mönchen Spaniens zerstört worden oder in abgelegenen, unzugänglichen Wildnissen verborgen liegen, daß es für die ganze archäologische und artistische Welt von Interesse ist, zu erfahren, daß seit dem Entstehen der neuen mexikanischen Republik gar Vieles für die Urbarmachung dieses wissenschaftlichen Bodens gethan wurde.

Ein deutscher Baumeister, Namens Nebel, der soeben aus Mexicos Mauern in den Hafen von Bordeaux einlief, nachdem er sein Vermögen während eines fünfjährigen Aufenthalts im spanischen Amerika großentheils dem Studium der Antiken und der alten und modernen Architektur aufopferte, hat mich hierüber und überhaupt von der Wichtigkeit der mexicanischen Vorzeit eines Umständlichen belehrt. Derselbe besitzt einen unbezahlbaren Schatz von Grundrissen und Ansichten vieler zur Zeit Humboldt's noch vergrabener Monumente, besonders aus der interessanten Gegend des großen mexicanischen Golfs und der waldigen, blos von Pflanzern bewohnten Binnenlande, ehemals fast unzugänglich wegen des herrschenden gelben Fiebers.

Humboldt scheint wenige von den mexicanischen Pyramiden gesehen zu haben, da er in seinem Atlas eine der bedeutendsten, die Teocalli von Cholula, uns in einer Gestalt vorführt, die sie wol einst mochte gehabt haben, jetzt aber, wie ich mich aus der höchst getreuen Aufnahme Nebel's überzeuge, so sehr verlor, daß man die Masse, die über und über vergrast und mit Baum- und Strauchwerk bewachsen ist, wol eher für einen kleinen Felsenberg als für eine Teocalli, oder offene mexicanische Basilika ansieht, von denen man weiß, daß sie terrassenförmig sich erhoben, vier Reihen Stufen zählten und auf der Plattform die kolossalen Statuen zweier Gottheiten enthielten, gewöhnlich der Sonne und des Mondes, genannt Tonatiuh und Meztli.

Die perspectivische landschaftliche Ansicht, welche uns Nebei von der Pyramide von Cholula mitbringt, versetzt uns sogleich an Ort und Stelle, zumal die Details dazu nicht fehlen. Ich kann mir nie mit Hülfe der Humboldt'schen Reflexionen, denen ich gern die höchste Gerechtigkeit widerfahren lasse, eine vollständige Idee von dem Wesen der Religion dieser Länder machen, indem ich die beiden Collectionen von Zeichnungen vergleiche. Natürlich finde ich bei Nebel manche Objecte der „Vues des Cordillères" wieder, Objecte, die Humboldt in den angelegten Sammlungen zu Mexico und andern Orten vorfand, wie z. B. den originellen, runden, schildähnlichen Kalender und das Konterfei eines Doppelgottes, den Humboldt ein Idol nennt, Nebel dagegen mit Sicherheit, und wahrscheinlich nach der Ansicht der amerikanischen Alterthumsforscher, für die Statue hält, welche auf dem vor Cortez berührten Haupttempel der Residenz stand.

Dies Monument ist eins der merkwürdigsten in seiner Art. Es ist schwer zu enträthseln, schwer zu erkennen. Nach der Erklärung aber, die mir Hr. Nebel gab, habe ich alsogleich die Embleme zweier ineinander verkörperter, gliederweise verschlungener Götter darin erkannt, sodaß ich nun Humboldt's Meinung und Behauptung, in jedem Tempel, Gotteshause oder Teocalli hätten zwei Götzen gestanden, dahin ausdehne, daß diese zwei Götzen nicht selten in einer Person vereinigt wurden, nämlich als Gott und Göttin. Die Statue, von der ich spreche, stellt auf der einen Seite den Kriegsgott und auf der andern die Göttin des Todes vor. Es ist möglich, daß die Sonne und der Mond, von denen Humboldt spricht, auf dieselbe Weise personificirt wurden.

Nebel, der in der Gegend von Puebla auf historisch-antiquarische Beute ausging, ist dort in der üppigsten Landschaft ein Pflanzer geworden. Seit zwei Jahren vollendete er daselbst die Conturen eines Werkes, das, nach seiner bescheidenen Aeußerung, der Introitus zu einem größern Versuche, dem er den Ueberrest seines Lebens widmen will, werden soll. Er hat Amerika verlassen, um in Europa zu versuchen, ob sein Project die Mühe lohne.

Zu den wichtigsten Ausbeuten, die Nebel machte, zähle ich die Entdeckung eines alten indianischen befestigten Kazikenschlosses mit mehren Teocallis, nebst der Entdeckung eines Tempels, zu dessen Centrum ein unterirdischer Gang führt, der mit der Höhe der Pyramide correspondirt. Nach seiner Ueberzeugung gibt es einen Tag im Jahre, an welchem die Sonne senkrecht über der Oeffnung dieses Tempels steht und auf diese Weise den unterirdischen Raum, worin ein Altar steht, beleuchtet. Ich schließe daraus, daß dieser Ort der Sonne geweiht war.

Was die Veste betrifft, soweit die Grundrisse und Ansichten der bedeutenden erhaltenen Theile anzeigen, so bestätigt sie einigermaßen, was Humboldt von den befestigten Teocallis der Priester sagt, die nach seiner Meinung wegen der Menschenopfer nicht selten bewaffneter Hände und bewaffneter Mauern bedurften. Nebel hat dieselbe, wol nicht zuerst, in einer wilden und unbewohnten Gegend, vielleicht ganz in dem Zustande gefunden, wie sie von den Spaniern vor 300 Jahren zerstört oder geschleift und darauf von den Eingeborenen verlassen wurde. Der Gegenstand ist so merkwürdig, daß sich ein Buch darüber schreiben ließe, die Ruine selbst so groß und so schön, daß ich der Lesewelt mit Erlaubniß des Besitzers der Zeichnungen ein Ausführlicheres darüber in einer besondern Abhandlung versprechen zu müssen glaube.

Man stelle sich vorläufig nur zwei aneinander gelehnte Berge vor, darauf eine Art Felsenburg als Castrum, das über den Rücken der niedern Höhen seine Vorwerke ausdehnt. Stufenweise konnte die Eroberung vorschreiten und Mauer nach Mauer erstürmen, ehe sie auf der hohen Zinne den Besitzer schlug. An der einen Seite finden sich viele Häuserruinen, auf der Anhöhe Gemächer eines Palastes und zwei Teocalli in Form kleiner Pyramiden, die alle noch in großen Massen vorhanden sind und das Studium des Ganzen erleichtern, das alle Menschen interessiren muß.

Seit einigen Tagen beschäftige ich mich ausschließlich mit dem kleinen Museum des Hrn. Nebel. Daß dieses aus nicht minder interessanten, ja noch interessanteren Objecten besteht als seine Mappen, läßt sich begreifen. Alles, was derselbe in den mexikanischen Staaten entweder für Geld erkaufte oder durch kostspielige Nachgrabungen erbeutete, brachte er zu uns herüber: ein Schatz von großem Werthe, den ich mit Aerger schon in den Händen eines Briten oder Franzosen zu erblicken glaube, da der Eigenthümer nicht abgeneigt zu sein scheint, ihn zu veräußern. Die Sammlung besteht aus einer großen Zahl steinerner und thönerner Götzenbilder, Reliefs und Instrumente, mehrer Thiere, einiger kleiner Tempel oder Teocallizinnen, wie sie auf der Höhe der Pyramiden standen und als Opferaltar dienten. Sie liefern alle den Beweis, daß die Mexicaner zur Zeit des Columbus und vor demselben schon zierlich und mitunter ganz regelmäßig bildeten. Ich finde einen Kopf und mehre Figuren, besonders Gesichter, die einer hetrurischen Vollkommenheit nahekommen. Dies läßt sich besonders von einer kleinen liegenden Figur sagen, die blos eine Nachbildung der Natur zu sein scheint. Der Sonnengott, der Mond, der große Geist und mehre Götter der Winde sind an ihren Emblemen kenntbar.

Bewundernswürdig ist die Fertigkeit, mit welcher die alten Indianer Pfeifen aus Thon machten. Ich finde hier mehre Exemplare in der heterogensten Form, in Thier- und Menschengestalt, einige mit Dudelsackbäuchen, die mehre Fingerlöcher haben und daher auch mehre Töne von sich geben, welche zur Hervorbringung einer Melodie dienten. Sie sind nicht größer als die meisten hetrurischen und alten römischen Lampen und werden wie unsere gewöhnlichen Pfeifen geblasen, indem man Wind hineinläßt. Zwei ganz verschiedene Exemplare geben ganz dieselben Töne auf allen Löchern.

Es ist noch ein anderer deutscher Künstler aus Amerika zurückgekommen, der sich Frank nennt. Derselbe soll aber blos die nordamerikanischen Freistaaten besucht haben. Ich kann es nur für ein gutes Omen halten, daß unsere Nation auch in der neuen Welt wieder die Stollen zu einer wissenschaftlichen Mine öffnet. Humboldt und Bonpland haben den Grundstein gelegt. Die Franzosen haben ihrerseits jetzt auch etwas dazu beigetragen. Sie leiten den Simonismus nach der neuen Welt ab, wie ich glaube, mittels Eisenbahnen und Dampfmaschinen. Papst Enfantin und sein erster Cardinal Chevalier, von Louis Philipp begnadigt, sind auf dem Punkt, sich einzuschiffen.

Leider müssen wir Deutschen Alles ohne Unterstützung der Regierung vornehmen, und daher kommt es so oft, daß wir untergehen, ehe wir aufkommen. Wer nicht das Glück hat, Vermögen zu besitzen, der verzichte nur auf die Gunst der Musen, wenn er ein angenehmes Leben lieb hat. 207.

Miscellen.

Beraud hat in seinem Trauerspiele „Guido Reni", die Beatrice Cenci beibehalten, sie muß aber die Geliebte des Malers werden und sich nicht im Gefängnisse, sondern in des Künstlers Werkstätte malen lassen. Nach Bisshe Shelley's poetisch dargestellter Geschichte der Beatrice Cenci malt sie im Gefängnisse Guido Reni und rührt durch des Bildes sanfte Züge Richter und Volk so, daß sie begnadigt wird. Beides aber ist gegen die Geschichte, so weit sie auf uns gekommen ist.

Ernst von Heimburg erzählt in „Almansor und Almansaris" (Th. von Kobbe's „Wesernymphe", 1831, S. 80) die Entstehung des Kusses, wonach derselbe beim Tode zweier Geliebten als Versicherung der Treue, Vereinigung im Tode entstanden sein soll. 15.

Redigirt unter Verantwortlichkeit der Verlagshandlung: F. A. Brockhaus in Leipzig.

Blätter

für

literarische Unterhaltung.

Dienstag, —— Nr. 330. —— 26. November 1833.

Beiträge zur Gelehrtengeschichte.

Es ist eine schlimme Sache um manche Beiwörter. Sie können, sonst löbliche Dinge, um Meinung und Schätzungbei Leuten bringen, denen die Sprache, wie billig Ormusd's beste Gabe ist. So kann sich der Schreiber dieser Zeilen nie eines unangenehmen Eindrucks erwehren, wie wenn man in Semmel auf Sand beißt oder mit dem bloßen Fuß auf einen Dorn tritt, wenn eingebildete Spießbürger oder gutmüthigplappernde Fremde Dresden das deutsche Florenz nennen. Dresden ist Dresden, und Florenz bleibt Florenz! Nur die selbstgefällige Beschränktheit, die nie über die Feldmark hinaus und in die rechten Bücher niemals hineinkam, kann eine solche über den andeutenden Vergleich hinübergreifende Bezeichnung als was sinnig Gesagtes hinnehmen. Wer die eigenthümlichen Merkmale der Dinge ausfindig zu machen im Stande ist, wird eine solche Gleichstellung sich, wie billig, versagen, am wenigsten, gleich Richard Roos, an eine so viele Blöße gebende Vergleichung wie eine Schnecke an einen heißen Stein sich kleben. Ein kleines Büchelchen, das von einem gelehrten Bauer spricht, war der Anlaß zu dieser Bemerkung. War der Bauer gelehrt im ganzen Sinne dieses Beiwortes, so bezogen sich seine gelehrten Kenntnisse entweder auf seine Beschäftigung mit dem Landbau, und dann wäre er allenfalls ein gelehrter Bauer zu nennen gewesen, wie man von einem gelehrten Musiker oder Offizier spricht; oder sie bezogen sich nicht darauf, und dann war er ein Gelehrter im Bauernstande. Das Letztere, wenn man unter einem Gelehrten einen Mann verstehen will, der Vielerlei weiß, quae annonam non reddunt viliorem, der sogar orientalische Bücher zu handhaben verstand, war der Mann, von dem hier die Rede sein soll; doch muß man sich wohl hüten, zu fragen, ob er die Idee der Wissenschaften in sich auszubilden in Versuchung gekommen. Nikolaus Schmidt, genannt Künzel, ein Bauer zu Rodenacker, einem voigtländischen Dorfe im fürstlich reuß-ebersdorfischen Amte Hirschberg, gehört aber gewiß zu den merkwürdigen Erscheinungen, wenn er auch kein gelehrter Bauer war, trotz der Vocabeln, die er beim Pflügen auswendig lernte, und der Exempel, die er beim Dreschen berechnete. Gab es je einen Sterblichen, der den Segen innerer Erheiterung und Beruhigung, den schönsten Segen, den wissenschaftliche Beschäftigungen verschaffen können, an sich erfuhr, so kann Nikolaus Schmidt als dieser gerühmt werden, und der Prediger J. H. Scherber zu Berg im Voigtlande, der aus Leichenpredigten, Kirchenbüchern und sogar aus akademischen Dissertationen das Andenken dieses Mannes erneuerte, verdient einen herzlichen Händedruck. Künzel war eine lebendige Bewährung für das alte Ciceronische: „Studia adversis rebus perfugium ac solatium praebent, delectant domi, pernoctant nobiscum, rusticantur", und das kleine Büchelchen: „Leben und Selbstbildungsgeschichte des gelehrten Bauers, Nicolaus Schmidt, sonst Künzel benannt, zu Rodenacker im Voigtlande, ein Beitrag zur Gelehrten- und Sittengeschichte des 17. Jahrhunderts" (Schleiz 1832, gr. 8. 12 Gr.), ist in dieser Hinsicht vielleicht für die größten Gelehrten belehrend, wenn es auch schwerlich bei irgend einem Leser die Ueberzeugung hervorbringen wird, daß Künzel in seinen Kenntnissen je anders als in einem fremden Eigenthum gelebt, daß er sie persönlich besessen, sich ein sicheres und lebendiges Organ für sie erworben und jeden Augenblick neu sie aus sich zu erzeugen die Fähigkeit gehabt habe. Er war weder ein gelehrter Bauer noch ein Gelehrter aus dem Bauernstande; aber er war mehr als dieses, ein praktischer Weiser, der in den unruhigsten Zeiten des dreißigjährigen Krieges, als in dem Voigtlande die wildesten Parteigänger sich Monate lang herumtrieben, als Pest (wie sie dort genannt wurde: die Ungnade) und Brand Dörfer und Städte unwohnlich machte, bei der Beschäftigung mit mathematischen, ja selbst mit orientalischen Büchern und der sorgsam erlernten Musik Trost und Erquickung fand und den Muth für bessere Zeiten. Und dieser Mann war durch mühselige Anstrengung zu den Kenntnissen gekommen, die sein Glück ausmachten. Nach langem Schmachten hatte er von einem Kühjungen Lesen gelernt, und einmal vertraut mit dem Genuß, den erworbene Kenntnisse verschaffen, konnte er sie selbst pflügend und dreschend zu vermehren nicht müde werden. Denn unverlöschbar ist der Funke des ewigen Lichts, wo er einmal wahrhaft gezündet. Jeden Kreuzer, welchen die Plünderung übrigließ und der nothwendige Bedarf des Hauses, oder der in endlich ruhigern Zeiten aus den vollgescheuerten Vorräthen gewonnen wurde, wandte Nikolaus Schmidt auf Bücher, Instrumente, ein Clavicord u. s. w.; und die Scheune mußte diese theuern Schätze vor der Misgunst der Nachbarn und der Habsucht der raubenden Juden und Zigeuner verbergen. Endlich brachte die Herausgabe eines Kalenders, den er zu Hof 1663 zum ersten Male ins Publicum brachte, seit 1664 aber zu Nürnberg herausgab, wo er lange Zeit unter seiner Firma fortdauerte, Wohlstand in dieses Hauswesen, und der brave Mann fand in dem Erfolg seiner Bemühungen und der Anerkennung seines redlich errungenen Wissens den Lohn seiner Ausdauer. Begreiflich bietet die Biographie wenig Abwechselung, wenn auch die Zeit, die K. durchlebte (1606—71), Anlaß genug zu Auswanderungen, Flucht in Verstecke u. s. w. gab, die aufzuzeichnen damals Niemand der Mühe werth hielt. Selbst die Besuche an den fürstlichen Höfen zu Weimar und Schlackenwerde, wohin der Ruf von Künzel's Kenntnissen gelangt war, und die förmlichen Prüfungen, die er in Dresden und Gera, und die gelehrten Gespräche, die er in Nürnberg bestand, werden nur so gelegentlich erzählt, daß wir wenig Genaueres über sie erfahren. Das Büchelchen ist zu rhetorisch und ohne eingehende Kritik geschrieben, um für den Mann, der doch so weise war, seinen eigentlichen Beruf nicht um der erwählten Beschäftigungen willen zu versäumen, durch sich selbst zu interessiren. Eine und die andere Notiz gibt es jedoch, die des Aufhebens werth scheinen wird. So finden Freunde alter Musik auf S. 50 Sammlungen geistlicher und weltlicher Lieder angeführt, die Schmidt-Künzel zusammengekauft hatte, und die vielleicht nicht überall wieder so vorkommen. „Zum 200jährigen Andenken an den Ausbruch des dreißigjährigen Krieges im Voigtlande, im J. 1632", wie auf dem Titel steht, gibt die Schrift vielfältigen Anlaß.

Auf dem Gebiete wirklicher Gelehrtengeschichte werden aber die Leser H. Scherber's augenblicklich sich fühlen, wenn sie von ihm weg sich zu der andern kleinen Schrift wenden, die ein Zufall gleichzeitig in unsere Hand führte. Wir meinen „Joseph Dobrowsky's Leben und gelehrtes Wirken, geschildert von Franz Palacky" (Prag 1833, gr. 8. 12 Gr.), ein Wort eines Gelehrten im oben angegebenem Sinne über einen Gelehrten. Auch hier keine Abenteuer, wie sie die Menge verlangt; aber statt deren die Geschichte eines Geistes, der überall, wo er auftrat, sichtend, aufhellend, ordnend erschien, und geistreiche Andeutungen dabei, wie dieser schimmernde Stein seinen Glanz und seine Strahlung gewonnen. Jos. Dobrowsky, „der Patriarch der slawischen Literatur", war 1753 zwar in Ungarn bei Raab geboren, aber seine Aeltern waren aus Böhmen. Sein Vater, Sergeant in einem kaiserlichen Reiterregimente, wandte sich daher nach erlangtem Abschiede nach Bischofteinitz in Böhmen, und dort wurde der Knabe, der sich mit Stolz den Böhmen zurechnete, durch seine Erziehung ein Deutscher. Polyglottie war dem Knaben sonach vom Schicksale selbst zur Mitgift gegeben; doch ein beinahe drolliger Umstand mußte es fügen, daß diese blos praktische Fertigkeit zum wissenschaftlichen Vorzuge sich ausbilden konnte. D.'s Vater war ein guter Wirth, der von einem Verwandten in Deutschbrod Geld nicht zurückerhalten konnte, das er ihm vorgeschossen hatte. Um seinem Schaden, so viel thunlich, beizukommen, schickte er seinen Sohn zu dem bösen Schuldner, damit er die Schuld abzehre, und gelegentlich sollte er auch das dortige Gymnasium besuchen, weil der Katechet in Bischofteinitz seine Talente gerühmt hatte. Später mußte D. aus gleicher Veranlassung Deutschbrod mit Klattau vertauschen, wo er im Jesuitencollegium seine Bildung erhielt. 1768 kam er auf die Universität nach Prag, beinahe bestimmt entschlossen, in den Jesuitenorden zu treten. Die Aufhebung der Jesuiten 1773 führte ihn aus Brünn, wohin er in jener Absicht gegangen war, nach Prag zurück, und der freiere Geist der Forschung, der sich damals besonders in theologischen Dingen im östreichischen Staate verbreitete, fand an dem sprachgelehrten, unermüdet forschenden und strebenden Jünglinge den eifrigsten Pfleger. Von entschiedenem Einflusse auf seine geistige Richtung war der Eintritt in das Haus des Oberstburggrafen von Nostitz (1776) als Erzieher seiner drei Söhne; denn die schöne Muße und die Mittel, die ihm dort gewährt waren, unterstützten seine schriftstellerischen Arbeiten, deren Gediegenheit kaum den jungen Mann ahnen ließ. Berühmt ist seine Untersuchung über das Fragment einer Handschrift des Marcus, das gläubig für ein Autographon des Evangelisten ausgegeben wurde (Prag 1778, 4.), eine Schrift voll scharfer Kritik, großer Gelehrsamkeit und unbefangener Erörterung. Aber nicht alle Augen waren schon stark genug, solches Licht zu ertragen. Den gehässigen Streitigkeiten der Beschränktheit zu entgehen, wandte D. sich von der Theologie ab, besonders seit er von dem öffentlichen Lehramte wieder entbunden war, dem er nur kurze Zeit vorgestanden hatte, und wandte seine ganze Kraft den Sprachstudien zu. In den Ruhestand durch die allgemeinen Maßregeln einer Partei versetzt, die Kaiser Joseph's Reformen umzugestalten zum Zweck hatte, lebte er seit 1791 als Privatgelehrter von einem kleinen Jahrgehalte, den ihm der Staat gab, und einem bedeutenderen von der Nostitz'schen Familie; desto entschiedener gehörte er nun seinen Studien und seinen Freunden. Böhmen, oder richtiger die slawische Literatur in allen ihren Verzweigungen war damals schon der Hauptgegenstand seiner Untersuchungen, und als die 1784 gestiftete böhmische Gesellschaft der Wissenschaften eine literarische Reise eines Gelehrten beabsichtigte, um die nach Schweden im dreißigjährigen Kriege entführten Bücherschätze an Ort und Stelle untersuchen zu lassen, wozu ein Geschenk des Kaisers Leopold im J. 1791 großmüthig die Mittel hergab, dachte man zunächst an D., als den begeistertsten unter ihren jüngern Forschern. Graf Joachim von Sternberg war auf dieser Reise D.'s Begleiter. Ueber Kopenhagen und Stockholm, wo es sich ergab, daß die aus Böhmen und Mähren weggenommenen Werke durch die Sage als zu bedeutend dargestellt waren, dann über Abo gingen die Reisenden nach Petersburg, wo D. die bereitwilligste Unterstützung für seine Sprachforschungen fand; dann nach Moskau; und D. kehrte, ehe das Jahr seiner Abwesenheit umlief, im Februar 1793 über Warschau und Krakau nach Mähren zurück.

Der Erfolg dieser so unterstützten und so vorbereiteten Reise würde vielleicht noch schneller zu Tage gekommen sein, hätte ein Anfall von Geisteskrankheit, der D. 1795 zum ersten Male und seitdem leider oft, beinahe regelmäßig zweimal im Jahre befiel, nicht seine Studien unterbrochen und ihm Pausen auferlegt, die Niemand schmerzlicher fühlte als der achtenswerthe Kranke und seine ihm befreundeten sorgsamen Pfleger. Indessen schien ein sehr heftiger Anfall im J. 1801 das Uebel der Art gebrochen zu haben, daß alle spätern von minderer Bedeutung waren und nur vorübergehend die begonnenen Arbeiten störten. Welche psychische Erscheinungen sie begleitet, welche Anlässe die Krankheit herbeigeführt, wird von dem geistreichen Biographen unerwähnt gelassen, dessen edler Sinn sich glücklich fühlt, durch die Erwähnung der D.'s Namen ehrenden Werke (des „Slawin", seit 1806, des „Ausführlichen Lehrgebäudes der böhmischen Sprache", 1809, und besonders der „Institutiones linguae Slavicae dialecti veteris", Wien 1820) den Beweis zu führen, daß dieser so umfassende Geist nur vorübergehend sich unklar war. In seiner eifrigen Theilnahme an allem Vaterländischen war D. begreiflich auch einer der thätigsten Förderer und Ordner des seit 1818 bestehenden böhmischen Museums und einer der fleißigsten Mitarbeiter an den seit 1827 erscheinenden Zeitschriften des Museums in beiden Sprachen. Die Bearbeitung des Jordanes (oder Jornandes): „De rebus Geticis", für das große Nationalwerk, die „Monumenta Germaniae historica", war das letzte bedeutende Unternehmen des Greises, der nur in Dingen wissenschaftlicher Untersuchung sich einer Sicherheit bewußt war, die in den Beziehungen des täglichen Lebens ihn oftmals verließ. D. starb am 6. Januar 1829 zu Brünn auf einer Reise, die er, seine Kräfte nicht berechnend, unternommen hatte. Was diesen so bedeutenden Mann nun zum Gelehrten im weitesten und höchsten Sinne des Wortes machte, hat Hr. Palacky S. 50, 51 seiner Schilderung auf das geistreichste hervorgehoben. Es war die Vollständigkeit und Gründlichkeit seiner Kenntnisse in dem erwählten Gebiete, die dadurch indessen von so vorzüglichem Werth wurde, weil sie von einem steten Bewußtsein der organischen Bildungsformen begleitet war. Diese das Einzelnste nicht verschmähende Forschung, bei der jedoch der Blick stets auf das Ganze gerichtet war, gab seinen Arbeiten jene mehr kritische als dogmatische Richtung und sichert ihnen den Namen, den die Zeitgenossen schon zugestanden.

31.

Die physiologischen und pathologischen Verhältnisse der menschlichen Stimme, oder Untersuchungen über das Wesen und die Bildung der menschlichen Stimme, ihre krankhaften Zustände und die Beseitigung derselben. Sowol für Ärzte als auch für Sänger selbst. Von F. Bennati. Nach dem Französischen frei bearbeitet. Mit drei Kupfertafeln. Ilmenau, Voigt. 1833. Gr. 8. 16 Gr.

Der Mechanismus der menschlichen Stimme ist ungeachtet der manichfaltigen genauen Untersuchungen von Dodart, Ferrein, Kempelen, Magendie, Cagniard de la Tour, Liscovius, Savart u. A. noch immer ein Gegenstand, über den uns eine klare Erkenntniß fehlt, und es geht damit wie mit so vielen Dingen, die wir täglich vor unsern Augen sehen oder gebrauchen, ohne eigentlich zu wissen, was es für eine Bewandniß damit habe. Gern folgen wir daher einem Manne, dessen Forschungen darüber uns ein neues Licht aufzustecken versprechen, um so mehr, wenn er wie der Verf. dieser kleinen Schrift, schon vermöge seiner Anlagen und Stellung dazu vollkommen befähigt zu sein scheint. Der Verf. ist nämlich Physiolog und Musiker zugleich, er hat sich vorzugsweise dem Studium des Gesangs gewidmet, ist selbst Sänger und hatte als Arzt bei der italienischen Oper mannichfaltige Gelegenheit, solche Individuen zu untersuchen und zu beobachten, deren Stimmorgane am geeignetsten sind, um über diesen Gegenstand Aufschluß zu geben. Das Resultat seiner Beobachtungen hat er in den zwei von der pariser Akademie des Preises würdig erkannten und von dem Uebersetzer hier zu einer Schrift vereinigten Abhandlungen über den Mechanismus und über die Krankheiten der menschlichen Stimme niedergelegt.

Der Verf. fand durch Beobachtung an sich selbst und an andern Sängern und Sängerinnen (und darin besteht eigentlich das Neue seiner Theorie), daß nicht, wie man bisher annahm, die Muskeln des Kehlkopfes allein beim Gesang in Thätigkeit sind, sondern auch die des Zungenbeins, der Zunge und die des obern, vordern und hintern Theils des Stimmkanals, ohne deren gleichzeitige und gleichmäßige Wirksamkeit die verschiedenartigen, für den Gesang nöthigen Modulationen der Stimme nicht würden stattfinden können. Wenn man nämlich die Bewegungen der Zunge bei dem Gesang verschiedener Stimmgattungen mit Aufmerksamkeit beobachtet, so sieht man bei hohen Tönen, wie ihre Basis sich zusammenzieht, sie selbst sich zugleich ausbreitet, und wie bei der vollen Thätigkeit des zweiten Registers (diesen Namen gibt der Verf. den sogenannten Kopf- oder Falsettönen; Töne, die nach ihm durch die Thätigkeit des obern Theils des Stimmkanals gebildet werden, notes sur laryngiennes) der hohen Soprane die Ränder der Zunge sich erheben und eine halbkegelförmige Höhlung darstellen, deren Gipfel die Zungenspitze bildet. Gleichwol zeigt die Zunge bei vollkommenen Sopranen, nämlich bei solchen, welche mit einer runden, klangvollen, fast einzig durch das erste Register gebildeten Stimme begabt sind, eine Gestalt, die von der völlig verschieden ist, die man bei Sopranen, deren Stimme beide Register umfaßt, beobachtet. Anstatt sich an ihren Rändern zu erheben und eine halbkegelförmige Höhlung zu bilden, erhebt sie sich an ihrer Basis und breitet sich an derselben aus und stellt so eine Oberfläche dar, welche in Folge des Niedergedrücktseins ihrer Ränder wenig voll und gerundet erscheint. Im Allgemeinen ist bei den tiefen Tönen die Zunge weniger thätig und behält dabei ihre gewöhnliche Form bei, höchstens zeigt sie eine leichte Wellenbewegung. Bei der berühmten Sontag, die ein merkwürdiges Beispiel von Fülle und Geläufigkeit des zweiten Registers darbietet, bemerkte der Verf., daß jene Höhlung bedeutender ist als bei irgend einem andern von ihm beobachteten Sopran. Eine nicht weniger gewöhnliche Erscheinung findet sich bei Sängern, welche eine sehr starke und volle, fast nur vom ersten Register gebildete Stimme besitzen. Bei ihnen ist oft die Zunge von einer Größe, welche die gewöhnliche um ein Drittel und mehr übersteigt. Die berühmte Catalani, Lablache und Santini liefern hierzu die Beispiele. Die Zunge des letztern Sängers ist die längste und breiteste, die der Verf. je gesehen, und wenn der Musculus genioglossus den höchsten Grad seiner Contraction erreicht hat, so vermag Santini mit seiner Zungenspitze das Kinn zu berühren und bei hohen Tönen biegt sie sich in Gestalt eines Hakens von vorn nach hinten zurück.

Bei mehren Sängern beobachtete der Verf., daß den innern Muskelbewegungen des Stimmorgans gewisse Bewegungen des Unterkiefers, der Lippen und der Zunge, zu denen sich bisweilen auch gewisse Grimassen gesellten, entsprachen. Unter Anderm bemerkte er zu wiederholten Malen an einer Dame, daß sich vorzüglich beim Singen des zweigestrichenen C der Mund nach der linken Seiten zog. Zweifelhaft, ob diese Erscheinung Folge einer übeln Gewohnheit sei, oder ob eine Eigenthümlichkeit im Bau ihrer Stimme die Schuld trage, bat er sie um die Erlaubniß, den obern Theil ihres Stimmkanals während des Singens jenes Tons untersuchen zu dürfen und fand, daß die Bewegung des Mundes und des Unterkiefers von dem fehlerhaften Bau der Zunge abhängig sei, welche statt in ihrer Mitte die beschriebene halbkegelförmige Höhlung zu zeigen, sie an der linken Seite bildete, wo die Zungenmuskeln wirksamer waren.

Zum Beweis für die Muskelthätigkeit des obern Theils des Stimmkanals und insbesondere für die Mitwirkung der Organe der Mund- und Rachenhöhle bei der Stimme führt unser Verf. einige pathologische Fälle an, die zu interessant sind, als daß wir sie hier übergehen dürften. Der eine betrifft einen Fürsten M., welcher einen Absceß in der Gegend der Mandeln hatte. Dr. Koreff, sein Arzt, wollte ihn öffnen, konnte ihn aber auf keine Weise wahrnehmen. Nach dem vergeblichen Gebrauch der hier angezeigten Mittel, namentlich der Anwendung eines Brechreizes, fiel ihm ein, den Kranken einen möglichst hohen Ton singen zu lassen, um so ein Hervortreten der Mandeln zu bewirken. Es geschah, und die Operation wurde auf die gewöhnliche Weise mit Leichtigkeit verrichtet. Der zweite Fall ist folgender. Der Graf Fredigotti war ein ebenso großer Liebhaber als Kenner des Gesanges, aber leider verhinderte ihn ein organisches Halsübel, seine an sich schöne Stimme so zu benutzen, wie es außerdem der Fall gewesen sein würde. Er fragte einen berühmten Chirurgen um Rath und ging auf dessen Vorschlag, sich zwei Drittel der abnorm vergrößerten Mandeln exstirpiren zu lassen, mit Vergnügen ein, einzig in der Absicht, seiner Barytonstimme mehr Umfang und Geläufigkeit zu verschaffen. Die Operation wurde gemacht, und der Erfolg war, daß die sogenannte Bruststimme, die vorzüglich durch die Kehlkopfmuskeln gebildet wird, einen hellern und vollern Klang erhielt und an Umfang um zwei Töne zunahm, daß aber dafür vier Mundtöne (Töne des zweiten Registers) verloren gingen. Nur das zweigestrichene C war sehr unvollkommen, weil der obere Theil des Stimmkanals ebenfalls nicht mehr vollkommen war. Er konnte diesen Ton nur mit der höchsten Anstrengung hervorbringen und mußte dabei so tief athmen und die Luft mit solcher Gewalt ausstoßen, daß seine Anstrengungen sich in allen Zügen ausdrückten. Es scheint hieraus zu folgen, daß dieses C, was ihm so viel Mühe machte, nicht zum zweiten Register gehörte, sondern sein letzter Kehlton war. Und wirklich bemerkte man, wenn er diesen Ton sang, im hintern Theil seines Mundes eine ganz auffallende und ungewöhnliche Stellung und Bewegung der Organe, gänzlich abweichend von der, wie sie bei Tenoristen, welche diesen Ton vollkommen in ihrer Gewalt haben, sich vorfindet.

Es läßt sich nicht leugnen, daß die Theorie des Verf. viel Ansprechendes hat, namentlich scheint die Behauptung, daß zur Modulation der Stimme außer den Organen des Kehlkopfes und vorzüglich der Stimmritze auch die der Mund- und Rachenhöhle wesentlich beitragen, durch seine Beobachtungen und Versuche fast zur Gewißheit geworden zu sein. Auch das neuerlich durch die tiroler Alpensänger so beliebt gewordene Jodeln scheint darin seine Erklärung zu finden. Es läßt sich nämlich annehmen, daß bei dem dabei stattfindenden Wechsel der Töne die Organe des Kehlkopfes und der Mund- und Rachenhöhle alternirend fungiren, und die zwischen Kehlkopf- und Rachentönen mitteninnen liegenden bald durch den einen bald durch den andern Mechanismus hervorgebracht werden können. Ein Versuch an sich selbst lehrt, daß dieses nicht ohne einige Anstrengung der dabei betheiligten Organe geschieht, und man fühlt an sich selbst, daß bei dem Ueberspringen von einer Region in die andere verschiedenartige Organe in Thätigkeit versetzt werden müssen. Ueber die Richtigkeit oder Unrichtigkeit dieser Erklärung müssen freilich noch Versuche entscheiden, indessen erscheint sie uns doch naturgemäßer als die von Liscovius, dessen Annahme zufolge bei der Falsetstimme der hintere Theil der Stimmritze verschlossen, und nur ein kleiner, vorderer offen bleiben soll. Uebrigens scheint zwischen den Falset- und den hohen Tönen, namentlich der weiblichen Stimme, doch noch ein Unterschied stattzufinden, den aber der Verf., wenn wir ihn recht verstehen, nicht annimmt. Bei den letztern ist nämlich jenes Ueberspringen oder Ueberschlagen von der einen Region in die andere nicht wahrzunehmen wie bei Männern, und wir möchten daher die höhern Töne der weiblichen Stimme nicht mit den Falsettönen der Männer auf eine Linie stellen.

Außer den vom Verf. angeführten Organen tragen aber gewiß noch andere das Ihrige zur Stimmbildung bei, namentlich die Luftröhre und die innere Haut derselben, sowie ihre größere oder geringere Anfeuchtung, und es nimmt Wunder, daß der Verf. auf diese Umstände gar keine Rücksicht genommen hat, obwol grade die pathologischen Zustände dieser Theile den Arzt darauf hinweisen mußten.

Auch die pathologische Abtheilung dieser Schrift ist nicht ohne Interesse, obwol zunächst mehr für den Arzt als für den Laien. Unter den Krankheiten der Stimmorgane zogen vorzüglich folgende Zustände die Aufmerksamkeit des Verf. auf sich: 1) die Anschwellung der Mandeln; 2) die Schwierigkeit, diejenigen Muskeln zu bewegen, welche die Schlundenge, isthmus faucium, bilden; 3) die Vergrößerung des Zäpfchens. Für den Arzt haben wir nicht nöthig, zu erinnern, daß mit diesen drei pathologischen Zuständen der Stimmorgane wol nicht alle abgethan sein können, aber hinweisen müssen wir ihn auf eine eigenthümliche Behandlung eines lähmungsartigen Zustandes der die Stimmorgane versorgenden Nerven und namentlich einer daraus entstehenden Heiserkeit der Stimme durch die Anwendung des Alauns in Substanz oder in Gurgelwassern, die, wenn die angeführten Beobachtungen ihre volle Richtigkeit haben, als eine wahre Bereicherung dieses Theils der medicinischen Technik angesehen werden kann.

Ohne eine Vergleichung des Originals mit dieser Uebersetzung angestellt zu haben, können wir doch der letztern Deutlichkeit und fließenden Vortrag nicht absprechen. 183.

Literarische Notizen.

Charpentier de Saint-Prest, Prof. der Rhetorik am Collège de Saint-Louis zu Paris, hat in seinem „Essai sur l'histoire littéraire du moyen âge" eine geistreiche Uebersicht gegeben, die jedoch in literarischer Hinsicht manche Lücken hat.

Unter der Leitung des Capitains Dumont d'Urville, bekannt durch seine Entdeckungsreisen mit den Schiffen Coquille und Astrolabe, erscheint „Voyage pittoresque, ou résumé général des voyages de découverte". Das Werk soll die Ergebnisse der wichtigsten Entdeckungsreisen von Byron, Wallis, Bougainville, Cook, bis herab auf Beechey und Laplace in lebendiger Darstellung enthalten. Das Ganze wird aus 100 bis 120 wöchentlichen Lieferungen bestehen, die zusammen zwei Quartbände bilden. Die erste Lieferung erschien am 12. October. Sainson, der als Zeichner auf dem Astrolabe angestellt war, liefert dazu 450 — 500 Vignetten in Stahlstich.

In der vierten Lieferung der bereits in diesen Blättern erwähnten, zu Paris erscheinenden Zeitschrift: „Le polonais, journal des intérêts de la Pologne", befinden sich zwei interessante Mittheilungen. Die eine, „L'émigration polonaise", ermahnt die ausgewanderten Polen, fest und einig zu bleiben und sich von allen politischen Parteien in Frankreich fernzuhalten. Die andere spricht von den in Polen gegen die Katholiken verhängten Verfolgungen. 9.

Redigirt unter Verantwortlichkeit der Verlagshandlung: F. A. Brockhaus in Leipzig.

Blätter

für

literarische Unterhaltung.

Mittwoch, —— Nr. 331. —— 27. November 1833.

Taschenbücherschau für 1834.

Zweiter Artikel.*)

2. Vergißmeinnicht. Taschenbuch für das Jahr 1834. Herausgegeben von C. Spindler.

Spindler's flinke Spindel dreht sich in unverwüstlicher Geschäftigkeit Jahr aus Jahr ein wie weiland nach altväterischer Sitte der fleißigen Jungfrauen Spinnrad am Kamin in langen Winterabenden. Da gilt kein Verschnaufen und Besinnen, ob die Speicher der Leihbibliotheken noch halten und nicht erliegen; über allen Bedarf hinaus geht diese Wollspinnerei seiner krausen, bunten, verschlungenen, meist dunkeldüstern Romane und Novellen. Der Faden reißt nur ab, um alsbald neu sich anzuknüpfen, und wie den alten Spinnjungfern muß dem Autor selbst im Schlaf sein Poetenfuß den alten eingewöhnten Tritt im Rade mechanisch fortsetzen. „Je länger je lieber", das ist ein treffender Titel, den er sich und seinen Lesern zu lieb für eine Sammlung seiner Erzählungen erfunden; sie ranken sich wie Geißblatt und Schlingkraut und wuchern wie Schmarotzergewächs. „Moosrosen" ist auch schier paßlich für seine mittelalterigen düstern Blut- und Wuthgemälde; „Winterspenden" sind alle seine Gaben, beim warmen Ofen, wenn's draußen stürmt, lesen sich gut solch schaurige Geschichten; der lachende Frühling spottet der wunderlich-phantastischen Angst, die Spindler's erhitztes Gehirn dem Leser einjagt, und in der Schwüle des Sommers ist der qualmende Dunst seiner Atmosphäre vollends unleidlich. Bei alledem müssen wir unter den Alltagslieferanten der ephemeren Literatur Spindler's Talent hoch genug schätzen. Er hat einen tüchtigen Fonds phantastischer Bilderkraft; er kennt seine Stärke, fühlt sich keck und frei und gefällt sich in seinem Elemente, mit dem er sich identisch weiß. Die Schauer mittelalteriger Vorzeit, die Sprache wilder Leidenschaften, die Begier roher naturkräftiger Ueppigkeit und ein Talent, durch geschickte Zusammenstellung plötzlich herbeigezogener Katastrophen und überraschender Gruppirungen zu spannen und zu fesseln, stehen ihm zu Gebote. Er zeichnet Gestalten mit dreister Sicherheit, und eine feiste Frische des Componirens ergötzt ebenso sehr wie der Anblick vollblütiger Gesundheit und ungenirter Derbheit. Alle Ansprüche, die tiefere Saiten berühren, müssen wegfallen.

Vorliegendes Taschenbuch gibt 323 enggedruckte Seiten voll von Spindler. Die erste der drei Erzählungen setzt zu einigen guten Momenten und Conflicten an, ohne sie jedoch vortheilhaft zu benutzen und gelungen durchzuführen. „Die Freibeuter von der Herrenwiese", wie sie betitelt ist, sind eine Zigeunerbande im Schwarzwalde; düstere Naturlocalität und eine verwilderte Menschenrasse harmoniren miteinander, und Spindler ist hier in seiner Sphäre. Die Zeit der Begebenheiten fällt kurz nach dem dreißigjährigen Kriege; wüste Raubgewalt, finsterer Aberglaube, Hexenspuk, stich- und schußfeste Schützen mit Paßkugeln, demoralisirte Roheit und alle Tücken der Barbarei gehen unter den Menschen im Schwange. Eine „Wittib" mit ihrer Tochter Victoria tritt zunächst in das Interesse des Lesers. Das Mägdlein war einem schwedischen Quartiermeister verlobt, den aber der Krieg von hinnen rief. Vergeblich harrten Mutter und Kind; der wilde Mars läßt ihn nicht wiederkehren und hat ihm wol schon ein fernes Grab bereitet. Heribert, der Förster und Liebling des Markgrafen, freit um Victoria, und sie wird ihm angetraut, obschon manches Geheimnißvolle und Seltsame, das die Umgebung des Mannes umschwebt, Bedenklichkeiten erregt. Heribert ist Witwer; sein Herz ist edel und gut, aber wenn er nach der Taufe seiner beiden Kinder Etzel und Holda gefragt wird, so muß er erröthen, und eine Misgestalt von roher Lasterhaftigkeit, sein eigner Bruder, ist an seine Schwelle gebannt. Victoria besiegt, ihrem Namen und der Bedeutung ihres Wesens getreu, die finstern Gewalten in ihres Mannes Nähe. Roman, der Schwager, entfernt sich seiner Vergehen wegen, allein es gelingt ihm, bald wieder zu erscheinen und eine Scene der Versöhnung herbeizuführen, die wir als Nexus des Stoffes und als bezeichnend für Spindler's Manier herausheben:

Vor deinem Glücke, Bruder — sagte Roman — legt mein unglückliches Loos im Staube. Schalte über mich als über einen Knecht; nur verzeihe mir und martere mich nicht mehr mit Vorwürfen. — Habe ich denn ein böses Wort zu dir gesagt? fragte der Bruder gerührt entgegen und öffnete die Arme; komm her, du Wiedergefundener, ich will vergessen ein- für allemal! — Roman erbebte und fügte sich unbeholfen in die Umarmung. Er hatte schon so lange nicht an seines Bruders Herzen gelegen, daß ihm die Zärtlichkeit fremd

*) Vgl. den ersten Art. in Nr. 315 u. 316 d. Bl.
D. Red.

geworden war, und er zürnte schier dem Sturme tiefer Bewegung, der wider Willen seine Seele bedrängte. Wie ein grollender Feind, wie Einer, der grade nur dem bittern Streich des Schicksals die freche Stirne beugt, stand Roman, von des Bruders Armen umschlungen. Die seinigen regten sich nicht, dagegen fuhren seine Blicke unstät nach der Seite, wo Victoria erschien, aus der Küche tretend. Blitze waren's, die aus seinen Augen über Heribert's Schulter nach dessen Weibe schossen. Sie sagten unverhohlen: Nicht des Bruders Angesicht, das deine suchen wir, nach dir verlangen, dein begehren wir! — Victoria's Unschuld verstand jene dreiste Sprache freilich nicht; dennoch fühlte sich die junge Frau von dem unwillkommenen Gaste bitter angeregt. Ihr war zu Muthe, als sei der heutige Tag dem Unglück geweiht und Roman's Erscheinen das Siegel eines bösen Fluchs.

Die Begier nach seines Bruders Weib und der Zorn über sein eignes trübes Schicksal lassen ihn mit Hülfe eines bösen Freischützen einen Plan zu Heribert's Verderben schmieden. Im Forste wird ein ermordeter Reitersmann gefunden; es ist der schwedische Quartiermeister, der jetzt rückkehrend seine Braut zu freien gedachte. Alle Anzeigen vereinigen sich dahin, Victoria's Mann zu verdächtigen, der in dem ältern Geliebten seines Weibes einen Nebenbuhler fürchten konnte. Er wird gefänglich eingezogen, und Roman bestürmt Victoria mit seiner Liebe. Sie entflieht heimlich, und ihre Freundin spielt in der lampendüstern Kammer mit verhülltem Angesicht bei Roman's erneutem Besuche ihre Rolle. Der Wilde dringt in das stumme, weinende, vermummte Weib; sie entwindet sich seinen Armen, er hascht nach ihr in wüster Begier, ihr Sträuben steigert seine Leidenschaft zur Wuth. Im Fliehen und Haschen stürzt die Lampe zusammen; sie ringen im Dunkel, aber der Mondenglanz bricht durch die Nacht und fällt auf das Bild des Heilandes an der Wand, das himmlische, bleiche Angesicht des sterbenden Erlösers mit seinem Geisterschein umspielend. Das geängstete Weib stürzt vor dem Crucifixe nieder, und der Dämon der Begier erstarrt beim Anblick des Geheiligten in der Seele des Verfolgers. Er steht gebannt, er zittert; da fällt ein Schuß durchs Fenster, das Crucifix schmettert nieder, aber auch Roman liegt in seinem Blute. Die Freileute umschwärmten das Haus, und des Häuptlings Weib führte die Schar zur Rettung herbei. Auf diese Scene wollten wir den geneigten Leser aufmerksam machen, denn sie gehört zu denen, die Spindler zu einem dichterischen Rembrandt machen könnten, wenn er berechnender, weiser und künstlerischer im Ausführen der aufgefaßten Gruppen wäre. So, wie wir sie skizzirten, mit dissen Conflicten und dem Wechsel der Affecte und Situationen, hätte sie sein und werden müssen; wie der Verf. sie gibt, ist sie weit weniger motivirt, weniger concentrirt und ohne Ahnung tieferer Bezüge des Seelenlebens. Wir lasen zwischen den Zeilen und gaben das Unsrige dazu. Die Entfädelung des Stoffes ist, wie alle Gestalten selbst, gewöhnlich. Die Frau des Häuptlings der Zigeuner ist Heribert's erste Geliebte, die ihm in heimlicher Ehe die beiden Kinder gebar; sie ist es, welche dem geliebten Manne sein Weib wieder zuführt, nachdem sie ihn selbst aus dem Kerker befreite und seine Unschuld sich bethätigt hat.

„Die Ulme des Vauru", die zweite der Spindler'schen Vergißmeinnichtserzählungen, ist dadurch einzig in ihrer Art, daß sie aus zwei Abschnitten besteht, die gar nichts miteinander gemeinschaftlich haben und rein durch Zufall zusammengepfercht sind. Der Verf. hat vielleicht die Eigenheit, stückweise dann und wann eine historisch-romantische Episode auszuarbeiten, und um sein Taschenbuch zu füllen, flickt er solche zwei heterogene Fetzen zusammen, gibt dem geleimten Ding einen Namen und läßt's laufen, es mag Hand und Fuß haben oder nicht. Jämmerlich! wenn man die Nähte und das Kleistermaterial so aufgedeckt sieht. Genug, die Interessen beider Stücke, die hier ein Ganzes ausmachen sollen, sind sich ebenso entlegen und voneinander verschieden wie die Darstellungsweise, die im ersten und zweiten sichtbar ist. Angeblich ist die Zeit der Handlung des wahnsinnigen Karl's von Frankreich Regierung. Im ersten Theile treten zwei gutgehaltene Figuren hervor, zwei pariser Bürger, ein Bader und ein Pastetenbäcker, die mit Rasirmesser und Zuckergift sich in die Hände arbeiten, um der Uebervölkerung ebenso im Stillen zu steuern, wie die Ecorcheurs und andere Räuberbanden öffentlich mähen, sengen und köpfen. Der zweite, flüchtig und in seichter Wässerigkeit hingesudelte Theil der Erzählung schildert die Unthaten eines Herrn von Vauru, der unter dem Namen des Bastards allerhand ritterliche Räubereien und Schwelgereien begeht und die geplünderten Bauern an seiner Ulme aufzuknüpfen pflegt, bis er einem gleichen Schicksal unterliegt. Besonders legt er es darauf an, ein armes Weibsstück, das als Magd früher in Paris bei dem Kuchenbäcker diente, auf alle mögliche Art zu chikaniren, zu septembrisiren. Das ist so das Band der beiden Stücke. Von den politischen Zeitumständen, dem wahnsinnigen Fürsten, seiner Mutter Isabeau von Baiern, dem leichtsinnig-gracieusen Dauphin, dem Kampf der Burgunder und Armagnac's, der Ermordung des Herzogs von Orleans, der Katastrophe von Montereau, deren Opfer der Herzog von Burgund war, von allen diesen eigensten Zeitinteressen hört man fast nichts, während sie, soll einmal jene Zeit Thema sein, in den Vordergrund treten mußten. So grauenhaft-wüst jene Zeitverhältnisse waren, so liegen in ihnen doch weit bedeutendere Elemente und bessere Interessen, als Spindler's kleinliche, schmachvoll penible Privatsituationen bieten können. Ein volles Nest läßt sich freilich schwerer bauen, als an einem stehengelassenen mit Schwalbenkitt dazwischenflicken; deshalb gehen die historisch-romantischen Schriftsteller so gern um den heißen Brei und kosten und naschen nicht einmal mit Geschmack und Kritik.

Unter den Kupfern des diesjährigen „Vergißmeinnicht" zeichnen sich außer dem Titelkupfer, das ein anmuthiges Mädchenbild aus dem 16. Jahrhundert gibt, die aus Spindler's „Juden" und „Invaliden" entlehnten Scenen, aus. Auch die Darstellungen des Scott'schen Mac-Auley und eines ländlichen Festes im Kirchenstaate sind wohlgelungen. Selbst der Buchbinder beschämt den Poeten durch fleißige und saubere Ausführung Dessen, was er vermag.

3. Rheinisches Taschenbuch auf das Jahr 1834. Herausgegeben von Adrian.

Wir müssen es dem Herrn Herausgeber dieses Taschenbuchs Dank wissen, daß er das Princip der Mannichfaltigkeit unter den Gaben und Beiträgen durchzuführen versteht. Obwol er das Lyrische auszuschließen pflegt, so geht doch sein Bestreben, wie es scheint, sichtlich dahin, die novellistischen Productionen von Lieblingen des großen Publicums, die keineswegs die tiefern Bedürfnisse eines gewähltern Kreises zu befriedigen im Stande sind, durch sonstige künstlerische Leistungen im Uebersetzungsfache oder durch Töne und Bilder aus der wirklichen Welt zu unterbrechen. Die in frühern Kränklichkeitsperioden von den idealistisch ohnmächtigen Deutschen so geschmähte Wirklichkeit in ihrem schlichten, treuen und wahren Dasein für poesiehaltiger anzuerkennen, als es früher geschah, thut in unsern Tagen um so mehr Noth, als jene Menge historisch-romantischer Dichter sie in den Erscheinungen der Vergangenheit aufzufassen und geistig regenerirend hinzustellen sich vergeblich abmühen. Die Freuden und Schmerzen selbsterlebter Begegnisse sind noch nicht alle besungen und zur Kunde der Menschen gekommen, und es scheidet hier und dort ein Mensch von seinem stillen Wirkungskreis, von dem viel mehr zu sagen wäre, als was jene historisch seinwollenden Dichter vom Leben überhaupt wissen. Die uns hierbei in den Ohren ertönenden Verse eines freundlichen Sängers wollen wir den Lesern nicht vorenthalten:

Doch ach! es sorgt das arme Leben,
Daß es auch Thränen möge geben,
Die, still geweint, das Lied verschweigt.

Auch der Freuden in der wirklichen Welt sind gar mannichfache, die unbeachtet blieben; ein Wandel über Markt, durch Thal und Feld macht Vieles anschaulich, was Leben ist und Leben gibt. Von Adrian werden uns in dieser Art vorliegend einige Scenen aus dem Volksleben dargereicht in sieben anmuthigen idyllenartigen Bildern aus dem ländlichen und kleinstädtischen Leben der deutschen Welt.

Von entfernterer weise verwandtem Interesse ist eine andere Gabe dieses Jahrgangs: „Briefe in die Heimat", von Friedrich Eduard Schulz. Der Herausgeber bevorwortet Einiges über die Lebensschicksale dieses der Wissenschaft zu früh entrissenen Mannes, der im östlichen Persien ein Opfer seines Eifers wurde. Zu Darmstadt im J. 1799 geboren, docirte Schulz an der Universität zu Gießen als Professor der Philosophie, als er sich behufs des Studiums der orientalischen Sprachen nach Paris begab. Er zog alsbald daselbst die Aufmerksamkeit der berühmtesten Orientalisten auf sich, und die französische Regierung ertheilte ihm den Auftrag, auf ihre Kosten eine Entdeckungsreise nach Asien zu machen. Die ersten hier mitgetheilten seiner Briefe, die der Herausgeber der Güte eines Freundes verdankt, sind aus Toulon vom Bord der Corvette Pomone und aus Konstantinopel. Im Sommer 1827 kam er in Erzerum an und von da nach dem See von Wan, wo er eine große Anzahl wichtiger Inschriften in den Trümmern der Paläste der Semiramis copirte. Der derzeitige Ausbruch des russisch-persischen Kriegs verhinderte vor der Hand seinen weitern Zug nach Persien, und er kehrte im Spätherbst nach Konstantinopel zurück, um über Bagdad nach den südlichen Theilen Persiens zu gelangen. Eine Krankheit hielt ihn in Tiflis bis zum Beginn des nächsten Jahres auf, und er setzte langsam zu vielfachem Gewinne seiner wissenschaftlichen Zwecke über Elisabethpol, Schamachi und Baku seinen Weg nach Tauris fort. Von Astara aus drang er durch die prachtvollen Bergwaldungen, die Rußland und Persien scheiden, und brachte in Ardebil, am Hofe des Sohnes vom Kronprinzen Abbas Mirza, 14 Tage zu. Im Mai 1829 traf er endlich in Tauris ein, wo ihn der persische Kronprinz ehrenvoll aufnahm. Bei Lord Macdonald und dem englischen Gesandtschaftspersonale fand er die größte Theilnahme an seinen Unternehmungen. Die nächsten Ziele, die er sich setzte, waren Ispahan und Schiras, von wo er weiter die von ihm noch unbesuchten Gegenden von Kurdistan bereisen wollte. Die kurdischen Fürsten dieser Landstriche stehen nur in einem sehr schlaffen Verbande mit dem persischen Hofe; die Hinterlist und Tücke der Bewohner jener entlegenen Theile wurde dem wackern Deutschen nahe genug vor Augen gerückt; gleichwol blieb sein Vertrauen auf sein Geschick standhaft, und seine angeborene Arglosigkeit räumte alle Vorstellungen, die man ihm machte, fort. Mit Empfehlungsschreiben von Abbas Mirza und nebst einem kleinen Geleite zog er aus bis nach Djulmerik. Unter der Warnung, sein Gefolge sei zu klein, gab ihm der Fürst dieses Landes, der einen geheimen Botschafter vom persischen Hofe in ihm fürchtete, eine größere Begleitung mit auf den Weg, die ihn verabredetermaßen in unwegsame Einöden führte, wo er nebst seinem Gefolge erschossen wurde. Nur ein einziger Diener entfloh mit seinem Gepäck den Mordgewehren der Kurden. Diese Facta sind nach Adrian's Behauptung einem Berichte des englischen Gesandten in Tauris an den französischen Botschafter in Konstantinopel entlehnt. Der Herausgeber des Taschenbuchs gibt der Hoffnung Raum, die sämmtlichen Briefe des Verstorbenen nebst einer Lebensbeschreibung desselben dem Publicum mittheilen zu können.

Ueber den sonstigen Gehalt des Taschenbuchs berichten wir kurz. Eine Novelle von Blumenhagen: „Der Unthat Ernte", streift etwas an die wüste, grobkörnige und breitmäulige Brutalität, in welche dieser Autor, wenn er sich nicht zusammennimmt, gar leicht hineinzugerathen Gefahr läuft. Freundlicher spricht die Novelle von Georg Döring: „Die beiden Freunde", an, ohne uns freilich, was sie soll und will, weil sie die Scene nach Damaskus versetzt, in den Orient hinüberzuführen. Echte Kunstwerke bieten sich uns in den Kupfern dar. Schon für die fortgesetzte Auswahl aus Byron's reichen Schätzen müssen wir der Redaction unsern Dank abstatten. Außer einigen Scenen aus dem „Don Juan" des englischen Dichters machen wir auf die Gruppe der Liebenden aus Byron's „Braut von Abydos" und auf die „Korsarenbraut" aufmerksam. Letzterm Stahlstiche, einer Kupferſammlung zu Byron's Werken vielleicht entlehnt, gebührt der Preis. Der griechiſche Korſarenhäuptling iſt ſchon länger als er ſollte meerwärts ausgeblieben. Medora, einſam zurückgeblieben auf der ſtillen Inſel, liegt auf dem Polſter, das lockige Haupt auf den Arm geſtützt; das dunkle Auge voll Glut und Liebe ſchwimmt ſinnend in die ungewiſſe Ferne. Das Lauſchen und Harren liegt in jedem Gliede ihres üppigen Körpers; ſelbſt die Finger der rechten Hand heben ſich harmoniſch mit der Stimmung der geſpannten Seele. Die Zither liegt umgeſtürzt; ihr Buſenkleid iſt nachläſſig aufgelöſt, die Haare ringeln in freieſtem Spiel; des Mädchens Sinnen und Trachten, ihre ganze Seele iſt weit ab. Das Titelblatt ziert des vor Kurzem verewigten G. Döring's Bildniß.

(Die Fortſetzung folgt.)

Sculptur und Architektur in Polen.

Die jagielloniſche Univerſität zu Krakau hat Anfangs dieſes Jahres einen Concurs zur Beſetzung der Profeſſur der Bildhauerkunſt eröffnet. Die Aufgabe war ein Basrelief: die Verſtoßung der Hagar aus dem Hauſe Abraham's. Es haben ſich zwei Künſtler um den Preis beworben: Tatorkiewicz, ein Schüler Thorwaldſen's, und Schimſer. Erſterer hat den Abraham die Abgehenden ſegnend dargeſtellt, Hagar ergibt ſich in Trauer dem göttlichen Willen, Sara iſt über die Erfüllung deſſelben erfreut. Das Werk hat einen echtbibliſchen Charakter, es herrſcht eine Einfachheit und Ruhe darin, wie ſie ſich bei Ausübung eines göttlichen Gebotes geziemt. Auf Schimſer's Werke umfaßt Abraham leidenſchaftlich das Kind, während die Mutter daſſelbe faſt zornig und mit Gewalt fortzieht. Dies Kunſtwerk zeigt viel Uebung, aber das Religiöſe fehlt ihm ganz, es offenbart nur weltliche Leidenſchaft und trägt etwas franzöſiſch Theatraliſches an ſich. Beiden Künſtlern werfen die polniſchen Kritiker bedeutende Fehler in der Zeichnung vor, wie auch, daß Abraham nicht tief genug gefaßt ſei; doch reichen ſie die Palme an Tatorkiewicz und hoffen in ihm einen würdigen Schüler ſeines großen Meiſters zu erblicken. Von Thorwaldſen ſelbſt befinden ſich drei Kunſtwerke in Polen. Für das ſchönſte derſelben gilt das Denkmal des Grafen Wladimir Potocki in der Schloßkirche zu Krakau. Auf einem Piedeſtal mit Basreliefs (die aber nicht von Thorwaldſen ſind) erhebt ſich die lebensgroße Statue des Grafen edel und einfach gehalten.*) Die andern beiden Bildwerke Thorwaldſen's befinden ſich in Warſchau: es iſt die Reiterſtatue des Fürſten Joſeph Poniatowſki und die Bildſäule Kopernikus' auf dem geräumigen Hofplatze des Palaſtes der ehemaligen Akademie der Wiſſenſchaften.

Der Senat der Republik Krakau hat eines der ſchönſten Denkmäler der ehemaligen Wohlhabenheit der polniſchen Nation und der auch bei ihr vormals blühenden Baukunſt, die St.-Katharinenkirche in Krakau, welche dem Einſturze nahe iſt, auszubauen beſchloſſen. Sie zeichnet ſich unter den Kirchen Polens durch ihre Größe und ihr Alter aus und iſt im gothiſchen Style erbaut. Kaſimir der Große hat im Jahre 1512 ſelbſt den Grundſtein dazu gelegt. In Folge eines Erdbebens 1444 wichen die Gewölbe und wurden erſt 1506 von Grund aus neu gebaut. Durch ein wiederholtes Erdbeben am 12. Dec. 1786 borſten die Fundamente ſo ſehr, daß man ſeit der Zeit nicht gewagt hat, Gottesdienſt darin zu halten. Daß die Polen ſolche Denkmäler noch heute zu ſchätzen verſtehen, beweiſt der Aufruf, welchen der jetzige Präſident des Senats zu Krakau, Wieloglowſki, um die Bürger der Republik zur Unterſtützung des Ausbaus aufzumuntern, erlaſſen hat. „Unſere Stadt", ſagt er, „hat gleichſam die Verpflichtung, die in ihrer Mitte niedergelegten Denkmäler zu bewahren und zu erhalten. Sie ſind nicht nur Zierden derſelben — Krakau würde trauern, wenn dieſes Gebäude, ein Ruhepunkt in ſeinem Bilde, verſchwände — ſie ſind auch ein Eigenthum des ganzen Landes und ein Erbe der nacheinander folgenden Geſchlechter. Sehen wir denn in ihnen nur Steine? Wie innig und tief ſprechen ſie ein empfängliches Gemüth an. Derſelbe Geiſt des Glaubens, der dieſe Gebäude erhoben, wird ſie auch gegen den Untergang zu ſchützen vermögen." In neuerer Zeit hat Polen viele ſeiner hiſtoriſch wichtigen Gebäude verloren. So iſt nun durch einen Sturm auch das Schloß der berühmten Familie Tarlo im Kreiſe Sambor in Galizien („w [illegible] [illegible]"), in dem man vor Kurzem noch 46 ſehr ſchöne alterthümliche Zimmer zeigte, zerſtört worden. Das alterthümliche Schloß („w Jazlowcu") im Kreiſe Czortkow ward ſchon früher verwüſtet. Zu den in Galizien am beſten erhaltenen Schlöſſern gehört das in Kraſiczyn im Kreiſe Przemyſl. Es iſt aus dem 16. Jahrhunderte und bildet ein im gothiſchen Style erbautes Viereck, auf jeder Spitze erhebt ſich eine Warte, mitten ein Thurm. Es liegt ſehr romantiſch am See, von Bergen umſchloſſen.

177.

*) In derſelben Kirche befindet ſich neben dem Gewölbe, in dem Johann III. Sobieſki ruht, Koſciuſzko's Grabmal von Fr. Lanci, ein Sarkophag aus einheimiſchem Stein, einfach und kräftig in antikem Style gearbeitet und mit Basreliefs verziert. Ueber dem Sarkophage erhebt ſich eine Lampe, deren verborgene Flamme das ganze Gewölbe mit einem magiſchen Helldunkel erfüllt.

Notizen.

Im Jahre 1660 richtete das Parlament die [illegible] Briefposten in England ein. Im J. 1664 trugen ſie dem Staate 21,000 Pf. St. ein; 1728, 201,000 Pf., und 1796, [illegible] Pf. Seit dieſer Zeit hat ſich der Ertrag der Poſten bedeutend vermehrt. Die ſogenannte petite-poste welche in London und Paris ſo große Dienſte leiſtet und ſo viele Laufereien erſpart, ward in letzter Stadt erſt im J. 1759 errichtet, während ſie in London ſeit 1683 beſtand.

Hier folgt eine Ueberſicht der im Durchſchnitt in beiden Städten täglich ankommenden und abgehenden Briefe:

	Paris.	London.
Briefe, die aus dem Innern oder dem Auslande kommen	32,000	55,000
Briefe durch die kleine Poſt	15,000	40,000
Nach dem Innern oder dem Auslande abgehende Briefe	70,000	46,000
Journale	85,000	90,000
Totalſumme	202,000	219,000

Statiſtiſche Notiz.

Ueberſicht der Land- und Seemacht Großbritanniens im Jahr 1833.

Landmacht.

	Mann.
Großbritannien	[illegible]
Irland	[illegible]
Oſtindien	[illegible]
Vorgebirge der guten Hoffnung	1725
Gibraltar	[illegible]
Malta	[illegible]
Joniſche Inſeln	[illegible]
Beide Canadas	[illegible]
Antillen	[illegible]
Neuſchottland, Bermuden	[illegible]
Weſtliches Afrika	[illegible]
Jamaica, Bahama, Honduras	[illegible]
Inſel Mauritius	1646
Ceylon	[illegible]
Neu-Süd-Wallis	[illegible]
Totalſumme	[illegible]

Seemacht.

In Allem 147 Kriegsſchiffe mit 22,500 Soldaten, darunter 5 Schiffe vom erſten Range mit 2910 Mann. [illegible]

Redigirt unter Verantwortlichkeit der Verlagshandlung: F. A. Brockhaus in Leipzig.

Blätter

für

literarische Unterhaltung.

Donnerstag, — Nr. 332. — 28. November 1833.

Taschenbücherschau für 1834.

Zweiter Artikel.

(Fortsetzung aus Nr. 331.)

4. Penelope. Taschenbuch für das Jahr 1834. Herausgegeben von Theodor Hell. Dreiundzwanzigster Jahrgang.

Ein stupides Bauermädchen mit dummen, gen Himmel glotzenden Ringelaugen und einer nüchternen Physiognomie, macht als Titelblatt das Entrée. Die kleine Stupide soll Niemand anders sein als Jeanne d'Arc, und Hr. Hell besingt das misrathene Kind mit allzu vieler Gutmüthigkeit:

So blickte sie zu der empor,
Die sie zur Streiterin erkor,
Und kreuzte ihre frommen Hände,
Daß zum Berufe, fremd und schwer,
Madonna ihr von oben her,
Vollbringungssegen sende.

Jeder nur einigermaßen Gebildete macht auf die Jungfrau, für die ihn Schiller begeistert, bessere Verse; das mislungene Brustbild aber zu feiern, wäre gewiß kaum ein Schüler zu vermögen. Der Herausgeber des Taschenbuchs aber vermag das. Unter den übrigen Kupfern ist die Darstellung der Villa d'Este zu Tivoli sehr artig; einige andere, welche Scenen aus neuen unbedeutenden Bühnenstücken geben, sind wegen der Wahl des Sujets zu nichtssagend. Das letzte Kupfer gibt eine Situation aus L. Kruse's Novelle: „Die Brüder", womit die Reihe der literarischen Productionen eröffnet wird. Das Kupferbild sollte die Marquise von Montespan, einsam sinnend, auf einem Gartenplätzchen darstellen; ein Mädchen, das in der Erzählung die Hauptrolle spielt, kniet vor ihr, während ein „schöner Mann im schlichten zugeknöpften Jagdanzug, um dessen stolzlächelndes Antlitz ein Meer von braunen Locken herabwogte", die Gruppe überrascht. Dieser Mann ist Niemand anders als Ludwig XIV.; auf dem Bilde freilich sehen wir einen vierschrötigen Bauer mit täppisch-breiter Miene. Schade, daß der Herausgeber nicht auch dies Kupfer besungen hat.

Wir erwähnen des dürftigen Bildleins nur, um zu Kruse's Novelle den Eintritt zu eröffnen. Flora ist die kleine, geschmeidige Französin, die der Montespan den Strauß überreicht. Als Nichte des Ofenheizers im königlichen Schlosse wohnt sie dort, und beim Pfänderspiel auf der Wiese, wo sich die Dorfjugend erlustigt, wird ihr das Loos, der schönen und in stilles Sinnen verlorenen Dame, die den Herrscher Frankreichs beherrscht, das Bouquet zu bieten. Der König im Jagdgewand überrascht sie; ihm fällt das dreiste und doch noble Wesen des Kindes auf, er schenkt ihm ein Medaillon zum Angedenken und drückt einen Kuß auf seine blühenden Lippen. Fröhlich schäkert die Kleine nach Hause; erst dort hört sie vom Oheim, wessen Mund den ihrigen berührt, und wie der Alte sich über die Gnade, die dem Kinde widerfahren, bekreuzt und hohe Dinge prophezeit, prägt sich mit dem Bilde des Königs der Gedanke in die Seele des enthusiastischen Mädchens, ihre Lippen seien geweiht, und mit dem Kuß sei ihr das Siegel eines höhern Bundes aufgedrückt. Inzwischen führt das Geschick Flora's sie von dem Schauplatze ihrer Kindheit und dem Abgott ihrer Anbetung fort; je ferner sie aber zieht, desto reiner, geläuterter und erhabener steht der hohe Mann, dem sie ihr Leben still gelobt, in ihrer kindlich-träumerischen Seele fest. Ihre Stiefältern ziehen nach Flandern, und dort erwächst sie im Hause eines Dorfpfarrers zur anmuthigen Jungfrau. Die beiden Söhne des Pachters bemühen sich um ihre Neigung, jeder auf seine Weise seinem Naturell gemäß. Des schönen Gabriel leichtsinnige Lebendigkeit ist ihr ebenso widerwärtig, als des zurückgesetzten Raimund's schüchterne Treue ihr wohlthut. Allein auch für ihn kann sie sich nicht entscheiden; eine innere, ahnungsreiche Stimme deutet auf ein höheres Geschick, die geweihte Lippe scheint heiligerm Dienste aufbewahrt bleiben zu sollen. Schrecklich tobt der Krieg durch Flandern. König Ludwig's Henker morden und brennen, und während der Name des Gewaltigen überall mit Furcht und Empörung genannt wird, lebt nur in der verschlossenen Mädchenseele sein angebetetes Bild und hat hier seinen reinsten Altar. Die Familien des Pfarrers und des Pachters sind verödet; in einem furchtbaren Brande rettete der treue, umsichtige Raimund die Geliebte seines Herzens; ohnmächtig wie sie ihm in den Armen lag, fühlte sie blos zwei Lippen sich schüchtern auf die ihrigen drücken. Da sie nun wach ist und ihm das Leben verdankt, er aber die dankenden Worte von sich weist, so gedenkt sie des geraubten Kusses nicht weiter. Sie faßt den Entschluß, nach Paris zurückzukehren, um der Mahnung ihres Herzens ein Genüge zu thun. Als ein Freund der fernen Nichte meldet sie sich im Mannestracht bei dem alten Onkel Ofenheizer, der sie als jungen Heizerburschen in seinen Dienst nimmt. Lange war sie schon wieder im Schlosse und ging in den Zimmern des Königs ein und aus, ohne den Erhabenen, den sie noch mit der alten Inbrunst verehrt, gesehen zu haben. Um so reiner, ungetrübter steht er im Geiste vor ihr, noch ganz der blühende Mann mit dem huldreich hohen Wesen, der ihre kindische Lippe küßte. Der Diebstahl eines Kronleuchters mit dazwischen sich kreuzenden Situationen und Anlässen zieht auch den jungen Einheizer inzwischen zur Untersuchung. Der Befund ihrer Sachen verdächtigt ihn nicht wenig; obschon keine Spuren vom Kronleuchter, so findet man doch in Flora's Zimmer mehre Kleinigkeiten, unter Anderm eine Haarlocke aus der Garderobe der Majestät. Endlich gesteht die kleine Uebelthäterin: sie hat aus heimlichem Gelüst, von Dem, was der König an sich trägt, etwas zu besitzen, dem Kammerdiener Meyers abgekauft, die Locke von der königlichen Perücke aber wirklich still abgeschnitten und entwendet. Der Richter hörte, bringt dem Könige die seltsame Entdeckung und diesen treibt die Neugier, das junge Mädchen zu sehen, die eine so wunderbare Neigung zu ihm verbarg und verräth. Dem alten Onkel wird der verschwiegene Auftrag ertheilt, die Kleine des hohen Empfanges würdig auszustatten, und der alte devote Mensch, der schon die Nichte in den Armen des Königs nach seiner muthmaßlichen Berechnung schlummern sieht und in Gedanken die Ehrenleiter, die ihm selbst errichtet werden dürfte, in die Höhe steigt, bereitet ihr ein duftendes Bad und läßt sie im üppig decorirten Schlafgemach sich selbst und dem aufsteigenden Gedankenspiel, das sich der Kleinen bemächtigt. Ihr Zimmer stößt an die Reihe der königlichen Gemächer; von Weitem rauscht lockende Ballmusik aus der Stille der Nacht, und an Florens Seele zieht die Jovisgestalt des königlichen Herrn, der ihr auf die kindische Lippe den verhängnißvollen ersten Kuß gedrückt, in entzückender Hoheit auf und nieder. Endlich springen die Flügelthüren auf; Ludwig steht vor ihr, und sie sinkt ihm in der Demuth ihrer Seele zu Füßen. Ganz erfüllt von der Gestalt, die in ihrem Innern lebt, blickt sie gar nicht auf, um die Hoheit des Herrschers gegenwärtig zu betrachten; erst als er sie an sein Herz schließt und das lüsterne Auge dringender das ihre sucht, als ein genußsüchtiger Kuß an ihren Lippen brennt, fährt sie erschrocken zur Besinnung zusammen und sieht einen in den Lüsten der Leidenschaft erfahrenen und geprüften Vierziger vor sich, wo sie noch die ideale Jugendgestalt von früher erwartete. So endete der schöne Kindertraum der harmlosen Seele. Sie entwindet sich den Armen des Monarchen, und Ludwig, obschon nicht beleidigt, bricht die Unterredung doch schneller ab, als er gewähnt. Sie hat ihm die Geschichte ihres Lebens erzählt, und da er sie für die Braut eines der Brüder in Flandern nimmt, beschließt er in königlicher Milde, die spröde Unschuld vom Lande ihrem Geschicke wiederzugeben. Ein Ehrencavalier begleitet sie nach der genannten Gegend, wo Raimund mit ihrer Hand beglückt wird. Kleinere Intriguen und Erlebnisse spielen noch anmuthig dazwischen, und das Ganze erfreut besonders wegen des hübsch ersonnenen Grundgedankens. Des mitunter allzu verstrickten Periodenbaues ungeachtet, gestehen wir gern, eine gewisse Vorliebe für Kruse zu haben, und wir finden uns hier in unserer Neigung nicht gestört. Kruse kennt das Leben und seine vielfachen Situationen in der bürgerlichen Sphäre; er kennt auch die Regungen des menschlichen Gemüthes und setzt das Interesse seiner Erzählungen grade in einen Conflict äußerer und innerer Erlebnisse. Nach historischem Putz und Außenwerk hascht er nicht; die Gemüthswelt ist ihm das eigentliche Ziel dichterischer Darstellung, und die äußere Gruppirung gelingt ihm gleichwol nicht übel.

Sonst, reicher an Inhalt als Gehalt, bietet die heurige „Penelope" noch mancherlei. Eine historische Novelle von **Fr. Laun**: „Die Sängerin von Augsburg", beginnt also nach altem Schauerstyl: „Es war ein höchst stürmischer Februarabend. Zwischen den Schneeflocken, welche

Poesie als in den meisten Erzählungen der beliebten Historioromantiker unserer Zeit. Der alte Laun hat aber viel von seiner Laune eingebüßt, seitdem er historisirt, ohne den tiefern Geschichtsblick zu haben. Der Ueberall und Nirgends, **W. Blumenhagen**, erzählt in einer nächstfolgenden Novelle auf seine Hetzmanier die Schandthaten einer höchst verbrecherischen Stiefmutter. Sodann bieten sich einige nicht uninteressante Beiträge zur Charakterschilderung der Florentiner dar, von **Albano**. Eine **Henriette May** gibt eine Erzählung auf englischem Grund und Boden und **Borromäus von Miltitz** ein Phantasiebild: „Die Pagode", voll komischer Züge aus dem Leben eines deutschen gelehrten Grillenfängers und Sonderlings. Allerhand kleine, ziemlich gut versificirte Lyrika schließen den Jahrgang.

(Die Fortsetzung folgt.)

Eine Uebersetzung aus dem Englischen. Hr. Frédéric Cuvier hat im Namen der Familie gegen dieses Buch protestirt; indessen, obgleich es nicht so vollständig ist, als es geworden wäre, wenn dem Verfasser sämmtliche Familiendocumente zu Gebote gestanden, so enthalten diese Memoiren dennoch keine falschen Angaben und manches Neue und Interessante. Cuvier wurde geboren im Jahre 1769, in welchem, wie bereits mehrmals bemerkt worden, so viele andere berühmte Männer zur Welt gekommen, als: Napoleon, W. Scott, Canning, Mackintosh und Chateaubriand, die Hr. Cuvier fast alle überlebt hat. Sein Geburtsort war Montbelliard (Mömpelgard), welches bekanntlich damals den Herzogen von Würtemberg gehörte. Er vollendete sein Schulstudium zu Stuttgart und zeigte von seiner Kindheit an eine große Vorliebe für naturhistorische Wissenschaften. Da er von Haus aus kein Vermögen hatte, so war er gezwungen, eine Hofmeisterstelle bei dem Grafen Héricy in der Normandie anzunehmen, der wol nicht vermuthete, daß er dem armen Studenten einst eine Art Celebrität und gewissermaßen die Unsterblichkeit würde zu verdanken haben; wer hätte ohne Cuvier je von einem Grafen Héricy gehört! Hier begann Cuvier die wissenschaftlichen Arbeiten, durch welche er einst zu so großem Ruhm gelangen sollte. Es bestand damals in der kleinen Stadt Valmont, in der Nähe des dem Grafen Héricy gehörigen Schlosses Fiquainville, eine Gesellschaft, welche jeden Abend zusammenkam, um sich über Gegenstände, die sich auf den Ackerbau bezogen, zu besprechen. Unter den Mitgliedern befand sich Hr. Tessier, welcher während der Schreckenszeit Paris verlassen hatte und unter einem andern Namen als Wundarzt bei einem in Valmont garnisonirenden Regimente stand. Er sprach über die vorkommenden Fragen mit solcher Fertigkeit, er schien so ganz in der Wissenschaft zu Hause, daß der junge Secretair der Gesellschaft, Cuvier, an ihm den Verf. der auf den Ackerbau Bezug habenden Artikel im „Dictionnaire encyclopédique et méthodique" erkannte. Cuvier näherte sich ihm und nannte ihn bei seinem Namen: „Ich bin verloren!" rief der Abbé Tessier erschrocken aus. „Verloren!" erwiderte Cuvier: „im Gegentheile, wir werden uns ihrer mit desto größerer Liebe annehmen." Auf diese Art knüpfte sich zwischen beiden ein inniges und dauerndes Freundschaftsverhältniß. Tessier schrieb an Parmentier: „Ich habe eine Perle in dem Miste der Normandie gefunden." Die Gelehrten, mit welchen Cuvier durch Tessier's Vermittelung in schriftlichen Verkehr trat, beriefen ihn bald darauf nach Paris. Kurz nach seiner Ankunft wurde Mertrud zum Professor der vergleichenden Anatomie im Jardin des plantes ernannt. Da Mertrud bereits alt und gebrechlich war, so nahm er Cuvier zu seinem Gehülfen an. Damals legte dieser den Grund zu seiner berühmten Sammlung: es befanden sich zu jener Zeit im Museum kaum vier bis fünf schlecht erhaltene Skelette, die Daubenton gesammelt hatte. Bei Errichtung des Institut wurde Cuvier zum Mitglied ernannt. Den Antrag, welcher ihm von Berthollet gemacht wurde, die Expedition nach Aegypten zu begleiten, lehnte er ab. 1800 erschienen die zwei ersten Bände der „Anatomie comparée", zum Theil nach den von Duméril gegebenen Notizen, die Cuvier aber gänzlich umschmolz; er übernahm insbesondere die Redaction der allgemeinen und philosophirenden Artikel, und was sich auf das Gehirn und die Samenwerkzeuge bezog. Duméril bearbeitete den myologischen und zoologischen Theil. In demselben Jahre wurde Cuvier an die Stelle des rühmlichst bekannten Gelehrten Daubenton ernannt. 1802 bezeichnete Bonaparte Cuvier als einen der sechs Generalinspectoren, welche beauftragt wurden, die Lyceen zu errichten. Während seiner Abwesenheit wurde die innere Einrichtung des Instituts abgeändert: einer jeden Classe wurde ein secrétaire perpétuel mit 6000 Francs Gehalt gegeben: „Un secrétaire perpétuel doit être à même de recevoir à sa table tous les savans étrangers qui visitent la capitale", äußerte Bonaparte bei dieser Gelegenheit. Cuvier wurde zum secrétaire perpétuel de la section des sciences naturelles ernannt. 1803 heirathete er die Witwe des Hrn. Duvaucel, eines Generalpächters, der im Jahre 1793 war guillotinirt worden. Sie gebar ihm vier Kinder, die er alle überlebte. 1808 verfaßte Cuvier in seiner Eigenschaft als secrétaire perpétuel einen Bericht über die Fortschritte der Naturwissenschaften seit 1789, eines der merkwürdigsten Werke unserer Zeit: ein Leuchtthurm zwischen zwei Jahrhunderten, der zugleich den Weg zeigt, den man zurückgelegt, und die Bahn, die man einschlagen muß, wie Hr. Pasquier sich ausdrückt. Drei Jahre später erschienen „Recherches sur les ossemens fossiles", ein Werk, welches im Studium der Zoologie eine völlige Umwälzung veranlaßte. 1809 erhielt Cuvier als conseiller de l'université den Auftrag, die Akademien und Lyceen in den dem französischen Kaiserreiche einverleibten Staaten zu organisiren; 1811 ging er zu demselben Zwecke nach Holland. Während Cuvier die Universität zu Rom einrichtete (und es ist wahrlich keins der minder merkwürdigen Schauspiele, welche Napoleon's Regierung darbot, einen Protestanten zu sehen, der in der Hauptstadt des Kirchenstaats den öffentlichen Unterricht organisirt), ernannte ihn Bonaparte zum Requetenmeister im Staatsrathe. 1813 ward Cuvier sogar mit einer ganz politischen Mission beehrt: Bonaparte sandte ihn in die Rheinprovinzen, um sie in Vertheidigungszustand zu setzen. Von Ludwig XVIII. zum Staatsrath ernannt, verlor er diese Würde während der hundert Tage. Nach dem Sturze Napoleon's ward Cuvier mit den höchsten Universitätswürden bekleidet und theilte seine Zeit zwischen den Wissenschaften und der Staatsverwaltung. Er beschäftigte sich vorzüglich mit dem Departement des Innern und ward mehrmals als commissaire du roi an die Kammer geschickt, um die Gesetzvorschläge der Regierung zu unterstützen. 1817 erschien „Le règne animal". Das folgende Jahr wurde Cuvier Mitglied der Académie française, nämlich derjenigen Abtheilung des Instituts, die sich zunächst mit der französischen Sprache und Beredsamkeit beschäftigt, und die man wohl unterscheiden muß von der Académie des inscriptions et belles lettres, deren Wirkungskreis archäologische, antiquarische und historische Studien umfaßt, und der Académie de Paris, die ungefähr Dem entspricht, was wir unter Universität verstehen. 1819 ward Cuvier Präsident des Comité des Innern im Staatsrath und von Ludwig XVIII. zum Baron erhoben. Zweimal war er bereits Großmeister der Universität gewesen, nämlich Chef des sämmtlichen öffentlichen Unterrichts im ganzen Königreiche. 1827 verlor er seine Tochter Clementine; während zwei Monaten kam er nicht in das Comité des Staatsraths; am Tage, wo er zum ersten Male wieder daselbst erschien, hörte er ruhig die Discussion an; als aber der Augenblick gekommen, das Résumé zu machen, ließ er den Kopf sinken, und indem er sich beide Hände vor das Gesicht hielt, brach er in Thränen aus und sagte einige Augenblicke nachher: „Entschuldigen Sie, meine Herren, ich war Vater, ich habe Alles verloren." Hierauf resumirte er die Discussion mit seiner gewöhnlichen Ueberlegenheit. Der erste Band der Ichthyologie (Naturgeschichte der Fische) kam 1828 heraus. Das ganze Werk sollte aus 20 Bänden bestehen. Ludwig Philipp ernannte Cuvier zum Pair von Frankreich. Den 8. Mai 1832 hielt er seine letzte Vorlesung im Collège de France: am Ende derselben gab er eine Uebersicht der Gegenstände, die ihm zu behandeln blieben, indem er hinzufügte: „Voilà, Messieurs, quels seront les sujets de nos investigations, si le tems, mes forces et ma santé me permettent de les continuer avec vous." Einige Tage nachher wurde er von einer allgemeinen Lähmung befallen: er beobachtete die Fortschritte der Krankheit mit der größten Ruhe; indessen starb er ungern. Er hatte die Materialien zu drei wichtigen Werken bereits im Gedächtniß geordnet, es blieb ihm nur noch übrig, sie niederzuschreiben: „Et voilà" sagte er zu Hrn. Pasquier, „que la main fait faute et entraine avec elle la tête."

145.

Ueber Volksschulwesen und Volksveredlung, als gegenseitige Bedingungen der Begründung eines bessern bürgerlichen Zustandes. Ein Bruchstück aus der innern Politik. Familienvätern, Staatsbeamten, Lehrern in Kirche und Schule, zunächst den deutschen Volksvertretern gewidmet von G. A. Gruner. Wiesbaden, Ritter. 1833. Gr. 8. 21 Gr.

In einer kräftigen und begeisterten Sprache redet der Verf. vorliegender Schrift zur Empfehlung des Volksschulwesens und macht die Verbesserung und Vervollkommnung desselben zu einer Hauptstütze der neuen, innern Politik. Ohne gute Volksschulen kein Heil für die Gegenwart und für die Zukunft, das ist der Hauptgedanke, den unser Verf. im ganzen Buche verfolgt, dessen Verwirklichung er namentlich den Volksvertretern an das Herz legt. Als das erste Mittel zur Erreichung dieses Zweckes gilt ihm die Hinwendung zur Natur oder der Unterricht des Kindes durch die Ansprache der unmittelbaren Anschauung der Natur (S. 12). Diese soll sowol durch das Allgemeine des Unterrichts, also in der Familienerziehung, als in der Volksschule erstrebt werden. In der Volksschule will er den gesunden Menschenverstand vorzugsweise berücksichtigt wissen, sowol im Religionsunterrichte als in der Sprachunterweisung, im Unterricht in der Orthographie, im schriftlichen Ausdrucke, im Kopfrechnen, im Lesen, Schreiben, Zeichnen, Singen. Alles soll naturgemäß sein und vorzugsweise auf Naturanschauung beruhen. Dagegen erklärt er sich auf das Bestimmteste gegen allen Formelkram sowie gegen die allgemeinen Formvorschriften für das Einzelne im Schulunterrichte. Dann geht er zum Einzelnen in der Volksschule über. Er gibt an, wie sich der Lehrer einer Schule stellen müsse, was von der Triebfeder des Ehrgeizes in Schulen zu halten sei, und wie die eigentliche Schulzucht (unter der er vorzugsweise die Bestrafungen versteht) nur als ein Nothbehelf eintreten müsse. Das Verhältniß der Schule zur Kirche wird als ein nothwendiges, unauflösliches dargestellt, ebenso das der Volksschule zur Aelternschaft, deren Antheil sich bei Schulprüfungen und Schulfesten, bei dem Anhalten der Kinder zur Schule aussprechen müsse. Auf der andern Seite ist aber das Leben im gesammten Volke nur eine Bedingung des Lebens in der Schule und der Veredlung des Volkes aus ihm. Dies zeigt sich in der Abneigung gegen alle Verbildung, Unnatur und „gelehrte Strohdrescherei" (S. 124), in der Bewahrung guter Sitte im Volke, in der geachteten Stellung des Volksschullehrers unter seinen Mitbürgern, in den öffentlichen Anstalten zur Versorgung und Erziehung armer, verwaister und verwahrloster Kinder und zur Rettung in Verdorbenheit irgend einer Art „verrannter" (S. 155) Glieder des aufkommenden Geschlechts; es zeigt sich endlich in der Bildung der Volksschullehrer, die für ein wirkliches, thatkräftiges Leben selbst gebildet sein müssen, wenn sie in ihrem Berufe tüchtig sein wollen; nicht aber sollen die „Kinder" verschiedener Schulclassen von jungen Leuten, die demnächst „Lehrer" genannt werden sollen, in jeder auf besondere Art gemisbraucht werden, nicht sollen sie „Schleifsteine ungeschickter Plumpheit sein" (S. 171).

In allen diesen Aeußerungen, die wir in der Kürze skizzirt haben, wird Niemand den guten Willen und die eifrige Gesinnung des Verf. verkennen, dem, wenn wir nicht irren, ein Theil der öffentlichen Erziehung im Herzogthume Nassau zur Leitung anvertraut ist. Wir bedauern nur unsererseits, daß die gedankenreiche Sprache durch zu große Kürze öfters unverständlich oder dunkel wird und dadurch wol der Verbreitung des Buchs bei Aeltern und Volksvertretern hinderlich sein dürfte. Denn da die wenigsten Volksvertreter in den verschiedenen deutschen Staaten Pädagogen vom Fache sind, so lesen sie wol auch nur solche pädagogische Schriften, die klar und faßlich geschrieben sind. Die Schriften eines Pölitz oder Zerrenner hätten unsern Verf. als Muster dienen können. Wir bedauern dies um so mehr, da so manche Partien des Buches einer allgemeinen Beherzigung sehr werth sind, wie die Stellen über Schulprüfungen, über das Verhältniß der Aeltern zur Schule und besonders über die Stellung des Volksschullehrers zu seinen Mitbürgern (S. 126–130).

Trotz dieser lobenswerthen Seiten fühlen wir uns doch zu einer doppelten Ausstellung veranlaßt. Einmal nämlich vermissen wir ganz die historische Grundlage in dieser Schrift. Herr Gruner beklagt den dermaligen Zustand des Volksschulwesens, er tadelt Vieles, er wünscht Verbesserungen; aber warum hat er da nicht die wunden und faulen Stellen im deutschen Vaterlande deutlicher bezeichnet? warum nicht die Landschaften, die Städte, die Schullehrerseminare namhaft gemacht, die einer gedeihlichen Entwickelung des Volksschulwesens im Wege stehen? Solche müssen ihm doch nothwendig bekannt sein, und eine solche ernste Kritik würde der Sache wol Nutzen gebracht und die Leser besser auf die heilsamen Rathschläge des Verf. aufmerksam gemacht haben. An Theorien fehlt es uns ohnehin in Deutschland nicht. Mit dieser Ausstellung hängt nun die zweite zusammen. Ist es denn wirklich so schlecht, als unser Verf. will, mit dem Volksunterrichte in Deutschland bestellt? Haben denn Männer wie Niemeyer, Schwarz, Overberg, Denzel, von [illegible], [illegible]torp, Zerrenner, Fürstenberg und Andere so ganz umsonst gewirkt? Es ist vielmehr nicht zu verkennen, daß seit den Befreiungskriegen ein weit regerer Eifer und ein weit lebendigeres Interesse sich an der großen Angelegenheit der [illegible] bethätigt hat, und daß man dabei auf eine weit [illegible] Weise zu Werke gegangen ist als früher, wo Rousseau und dann die erste französische Revolution eine Menge von [illegible] in das Leben gerufen hatten, die zwar sehr hochtrabend über Nationalerziehung und naturgemäßen Unterricht sprachen, aber in ihren Folgen nichts weniger als nachhaltig gewesen sind. [illegible] ist jetzt nicht leicht ein deutscher Staat, wo nicht der [illegible] selbst oder die landständischen Versammlungen mit Eifer auf den verbesserten Volks[illegible]richt dringen, und wenn man gewissen Ständeversammlungen wol die Theilnahme an höherer Kunst und Wissenschaft absprechen und ihnen eine zu [illegible] Richtung Schuld geben kann, so hat dagegen der Vorschlag, den [illegible]unterricht zu verbessern und die Volksschullehrer besser zu bilden, überall ein williges Gehör gefunden und wird [illegible] gesinnte Regenten auch erhalten und unterstützt werden. [illegible] wenn Hr. Gruner (S. 175) die vielen Ausbrüche von [illegible]rohheit, welche in den letzten Jahren in verschiedenen [illegible] Ländern vorgekommen sind, mit Recht auf Rechnung [illegible] vernachlässigten Volkserziehung setzt, so müssen wir an [illegible] ihn auffodern, uns doch solche Auftritte grade in [illegible] nachzuweisen. Die bedauernswerthen Auftritte in [illegible], Dresden, Leipzig, Chemnitz (der in Aachen war [illegible] rer Art) haben nur wenige Ausbrüche von Pöbel[illegible] die bei einer solchen Aufregung auch in den am [illegible] organisirten und erzogenen Staaten niemals [illegible] werden; aber wo finden wir in Deutschland [illegible] die Ermordung des Major Gaillard in Löwen, [illegible] während der Cholerazeit in Paris und die [illegible] tismus in Irland und im südlichen Frankreich! [illegible] Regierungen in England und Frankreich, und [illegible] jetzt so eifrig mit der Einführung einer nach [illegible] deutschen Mustern eingerichteten Nationalerziehung [illegible]

Miscellen.

Die Thorheiten der Studenten hat [illegible] Kobbe's „Erdenwallen des Burschen" (Bremen 1828) [illegible] Albert Wichgreve in seinem „Cornelius relegatus sive comoedia nova, festivissime depingens vitam pseudo-studiosorum et continens nonnullos lusus academicos in Germania" (Rostock 1602) dargestellt. Der Verf., zu Hamburg geboren, war damals Rector zu Pritzwalk in der Mark Brandenburg und schrieb, weil er sehr klein war, eine „Oratio pro homullis seu μικρανθρώποις", außerdem noch 800 Anagramme und mehre satirische lateinische Gedichte. In jener Komödie wird auch die Sitte der Deposition, depositio cornuum, wodurch die Studenten unter seltsamen Gebräuchen aufgenommen wurden, und wobei ihnen Mützen mit Hörnern aufgesetzt wurden, daher der Act die Ablegung der Hörner genannt, wovon das Sprichwort: „sich die Hörner ablaufen", geblieben ist, ausführlich geschildert.

Neulich wurde von einem preußischen Autor in einer preußischen Zeitschrift ein sonderbarer Wunsch ausgesprochen: es wäre doch hübsch gewesen, wenn die Schlacht von Großbeeren den 1. Mai stattgefunden hätte, damit mit der Wiederkehr dieses Jahrestages der Frühling von den Preußen könne gefeiert werden. Nun, man könnte ja da die Schlacht bei Lützen am 1. und 2. Mai 1813 feiern! Denn wenn sie auch grade nicht gewonnen worden ist, so haben doch Preußen in dieser Schlacht am Beginn des Wonnemonds mitgefochten. 15.

Redigirt unter Verantwortlichkeit der Verlagshandlung: F. A. Brockhaus in Leipzig.

Blätter für literarische Unterhaltung.

Freitag. — Nr. 333. — 29. November 1833.

Taschenbücherschau für 1834.

Zweiter Artikel.

(Fortsetzung aus Nr. 332.)

5. Huldigung den Frauen. Taschenbuch für das Jahr 1834. Herausgegeben von J. F. Castelli. Zwölfter Jahrgang.

In Betreff der Stiche können wir sagen, daß zwei derselben, die uns als Ideale aus der Phantasie des Zeichners angegeben werden und ein „Mädchen mit dem Lorberkranze", sowie ein dergleichen „mit der Harfe" darstellen, uns einen deutlichen Begriff davon zu geben im Stande sind, wie sehr die wienerischen Ideale ins Fleisch hineingerathen. Das Titelblatt ziert das Bildniß der jungen Nichte des Kaisers von Oestreich, Erzherzogin Maria Theresia, lieblich und schüchtern und ganz der alte Franz. Eine bunte Fülle lyrischer Kleinigkeiten macht auch den heurigen Jahrgang mannichfaltig. Karl Egon Ebert besingt in dem Wohllaut seiner tonreichen Sprache „Die Macht der Musik", ein Gedicht, das einen passenden Prolog zu Concerten abgeben kann; Anastasius Grün gibt eine schöne Romanze: „Die Leidtragenden"; von einem uns unbekannten C. F. Müller lesen wir ein kurzes, aber werthvolles Skolion: „Unter das Gemälde eines davonfliegenden Amors"; Ritter Braun von Braunthal gibt einige kurze Seebilder; J. Gabr. Seidl spendet eine Ballade und zwei gleich schöngefugte Lieder; ein Sigmund Schlesinger lehrt wienerisch-anmuthig die Theorie des Kusses; der Herausgeber steuerte eine Sammlung von lyrisch explicirten Gedanken, Erfahrungen und Urtheilen über das Weib unter dem Titel: „Frauenspiegel", bei. Wir heben aus den 51 Liedlein folgende zwei heraus:

Beständig sind die Frauenzimmer,
Wie das schon in ihrem Blute steckt,
Sie lieben immer, immer, immer,
Nur ändert oft sich das Object.

Was reimt sich denn auf Frauenzimmer?
nimmer,
schlimmer,
immer.
Sind wahrlich treffend alle drei,
Denn besser werden sie wol nimmer,
Im Gegentheile täglich schlimmer,
Und dennoch lieben wir sie immer,
Und Keiner bleibt von Liebe frei.

Auch an Nüssen zum Aufknacken für schöne Zähne fehlt es in Räthseln und Charaden nicht. Daß unter die Tändeleien der zahllosen wiener Lyriker auch manch seichtes Geplärre zwischentöne, ist nicht zu leugnen. Man lese nur folgendes „Wiegenlied":

Still! Still!
Laßt mein Kindlein ruhig schlafen,
Müßt es nicht so sehr begaffen,
Still! Still!
Wollt mein Mägdlein ihr belauschen,
Müßt ihr nahen ohne Rauschen.
Ist die Blütezeit gekommen,
Mögt ihr lauschend wiederkommen.
Still! Still!
Wollt ihr bringen eure Lieder
Kommt in sechzehn Jahren wieder.
Still! Still!

Der gute Schäker, der dieses schuf, nennt sich Pulvermacher; wir gaben mit obigem sein ganzes Lied und ließen nur acht „Still!" davon weg. Es ist das einzige, was das gute Dichterl hier gibt, — vielleicht auch gar das einzige, das er je schuf? O wunderbar! Wir sind nicht so bitter, ihm seine letzte Strophe zuzurufen: „Willst du bringen deine Lieder, komm in sechzehn Jahren wieder"; der blöde Schäferton seiner kümmerlichen Muse und der ironische Name „Pulvermacher" darunter hat uns wahrhaft gerühret. Von Jos. von Hammer findet sich ein Gedicht in Distichen: „Der Abend, nach morgenländischen Dichtern". Der berühmte Mann macht immer noch so schlechte Verse wie sonst. Von niederdeutschen Dichtern liest man eine Ballade von Raupach und eine Novelle von L. Kruse: „Der Geisterbanner". Der Stoff, der hier angeblich zum Theil dem Dänischen entlehnt wurde, ist seit der vielfachen Variation des durch Schiller's Fragment angeregten Sujets eines Geisterbeschwörers etwas veraltet; allein Kruse hat ihn durch eine neue Behandlung und vielfache Conflicte, die sich als die hauptsächlichen herausheben, pikant zu machen gewußt. Die interessant verschlungene Erzählung eröffnet sich mit einer Schilderung zweier Freunde in den Jahren der Kindheit, von welchen dem einen ein unwiderstehlicher Drang nach den Naturwissenschaften innewohnt. Gellert's freundlich wohlgemuthe Rede, dessen Ruf die Jünglinge nach Leipzig zog, und dem Adalbert den Widerspruch seiner Bestimmung zur Theologie mit seiner Neigung zur Naturwissenschaft mittheilt, vermag jedoch über den Jüngling so viel, daß er zunächst den Worten des alten verehrten Hauptes, bei der Gottesgelahrtheit auszuharren, Gehör gibt. Gellert's anmuthige Pedanterie ist recht gut geschildert.

Er fürchtet die Versuchung — sagt Gellert zu dem Jüngling, der von den Gefahren der Welt spricht — weil es Ihm kein rechter Ernst ist, dieser einen festen Widerstand zu leisten. Die bunten schillernden Farben der Welt locken Ihn, weil Er von dem unscheinbaren Heile eines stillen häuslichen Lebens keinen Begriff hat, weil Ihm ein solches vielleicht noch nicht begegnet ist, und eben diese patriarchalische Weise ist vor Allem dem Geistlichen vorbehalten — gewiß — fuhr er still vor sich hinlächelnd fort — gewiß hat Er noch nicht geliebt? — „Nein! verehrter Herr Professor"! — Eine tugendhafte Liebe, sowie ich sie öfters in meiner Moral aufgestellt habe, würde Ihm den Sinn des Lebens, auch der christlichen Nächstenliebe und der Entsagung weltlicher Begierde erschließen und Ihm manches Schroffe in einem mildern Lichte zeigen als Das, welches Ihm sein beobachtender Verstand angesteckt hat.

Daß ihm der Alte den Rath gibt, sich tugendhaft zu verlieben, ist ein treffender Zug aus des guten Gellert Charakter. Gesagt, gethan. Der ehrwürdige Mann empfiehlt ihn einem Gastwirth, wo der arme Studiosus seinen Mittag hat, und in des Wirthes Tochter verliebt er sich alsbald ebenso sterblich als tugendhaft. Agnes hängt ebenso schnell und ebenso treu an ihm, und in dieser Treue liegt später die Rettung seiner sich verirrenden Seele. Der junge Student wird unschuldigerweise relegirt; die Stimme eines Bauchredners schalt einen Edelmann Schuft, und der Verdacht, der auf ihn fällt, gibt zu einer mit vieler Lebendigkeit geschilderten Schlägereiscene Veranlassung, der alsbald die Verweisung Adalbert's folgt. Er muß seinen Stand und die Stadt verlassen. Schmerzlich ist der Abschied von Agnes; der alte Gastwirth sagt ihm das Mädchen nur unter der Bedingung zu, daß er als ein Mann wiederkäme, der sein Brot hat. Der alte treue Gellert ist todt. Voller Verzweiflung geht Adalbert mit einer kleinen Summe fort und wagt sich hinaus in die Welt. Das Ungemach folgt ihm auf allen Wegen, bis seine Spur verschollen ist. Nach einiger Zeit machte sich in Leipzig ein Fremder unter dem Namen Schröpfer ansässig, dessen geheimnißvolle Weisheit bis zur Magie stieg. Er stand im Rufe eines Geisterbanners; es war die Zeit des vorigen Jahrhunderts, wo die in Lüsten ausgestorbene und ermattete Welt sich dem Glauben des mystischen Hinblicks in das Reich jenseits hingab; je leerer und hohler der Rationalismus und die auf- und abgeklärte Manie der Zeit, das Göttliche im Menschlichen zu leugnen, desto mehr bedurfte man zur Füllung der schreckbaren Leere, in der es schauerlich zu hausen war, des Aberglaubens und eines unmittelbaren Verkehrs mit Geistern. Schröpfer versteht das Wunder; er citirt die entflohenen oder fernen Seelen der Menschen; die vornehme Welt stürzt zu ihm, um Rath zu holen für ihre zerrissenen Herzen oder ihre trostlosen entsittlichten Familienzustände. Zur selben Zeit erschien jedoch auch Adalbert im alten Costum des Relegatus von ehedem im Gastzimmer des alten Vater Kraller. Er schlägt den Gästen die Volte und läßt Schellendaus sich verfärben. Man erkennt ihn, aber Jedermann fährt vor Dem zurück, der Dinge thut, die nicht mit rechten Dingen zugehen. Auch Agnes entsetzt sich vor dem rückgekehrten Geliebten. Ach! er ist nicht mehr derselbe Adalbert, dem sie ihre Seele gelobt; dieser bleiche, mit entstellten Zügen und schreckbaren Blicken gezeichnete Mann ist wie sein Gespenst. Adalbert hatte in der Zwischenzeit ein wildes Leben geführt, mit einer Italienerin die Zeit vertändelt, der grüne Tisch war seine Heimat geworden, wo das Glück ihm gelächelt. Agnes flieht ihn, und Adalbert entfernt sich, ungewiß, ob sie ihn noch liebe. Aber sie liebt ihn in der That noch schmerzlich mit aller Gewalt der alten Neigung, und der Kummer um den verirrten Mann nagt schwer an ihrer Seele. Die Ungewißheit, wo er sei, und ob er auf glücklichen Pfaden weile, treibt sie zu dem Entschlusse, den geheimnißvollen Fremdling zu befragen und ihn zu bitten, Adalbert's Geist erscheinen zu lassen. Der Räthselhafte, der im Bunde mit höhern Welten steht, empfängt sie in dem seltsam erleuchteten Gemache seines Hauses. Er verspricht dem zagenden Mädchen, den Geist zu citiren; statt des Geistes liegt aber alsbald Adalbert selbst in ihren Armen. Schröpfer und Adalbert sind derselbe; der Magier, der die Welt mit Staunen erfüllt und bethört, ist Niemand anders als der frühere Student, den die Lust, die Geheimkräfte der Natur zu ergründen, so weit geführt hat. Agnes verabscheut aber sein Gewerbe, und obwol sie lange vergebens ihn flehte, in den sichern Schoos des ehrlich offenen Daseins als Mensch unter Menschen zurückzukehren, und der auch von andern Seiten Entlarvte und Verachtete den Entschluß faßt, durch einen Selbstmord der Verwickelung seines irren Lebens ein Ende zu machen, so löst sich das Ganze doch glücklich. Mehrere andere dazwischenlaufende Intriguen machen das Gemälde lebendig und mannichfach. Wir mußten hier abermals einem Kruse'schen Werke mit Antheil folgen; nur drängte sich uns hier mehr noch, obschon auch sonst bei der Lectüre seiner Erzählungen, der Gedanke auf, der wahre, ächte Dichter sei auch in der Schilderung verworrener Irrgänge der menschlichen Seele viel heiterer, weit deutlicher und sicherer; es liegt über dem Horizont Kruse'scher Erzählungen immer etwas Drückendes, Bewölktes, obwol im Einzelnen der Witz sich zeigt und wol hie und da aufblitzt. An dem Hintergrunde, der ein Gemälde umfaßt und charakterisirt, indem er ihm seinen Nimbus gibt, erkennt man recht den bloßen Thyrsusträger und den eigentlichen wahren Bacchanten.

Unter den sonstigen erzählenden Beiträgen des vorliegenden Taschenbuches machen wir außer zwei Novellen von Luise Beck und H. Meynert ein Märchen von Reland und eine krainerische Volkssage von Andr. Schumacher namhaft, auf die wir uns jedoch des Raumes wegen hier nicht weiter einlassen dürfen.

(Der Beschluß folgt.)

Eine Jesuitenbekanntschaft.

Freiburg Schweiz, im October 18[illegible].

Die Jesuiten sind jetzt eine Seltenheit, eine Antiquität, die man wie berühmte Bilder und Statuen aufsucht. Ich habe darum aufmeiner diesmaligen Reise in der Schweiz ihnen zu Liebe von Thun aus wieder den Rückweg nach Bern eingeschlagen, um von dort aus über Freiburg an den Genfersee zu fahren, ungeachtet ich durchs romantische Simmenthal nach Vivis viel nähere und angenehmere Wege gehabt hätte. Freiburg ist das Eldorado der ehrwürdigen Väter, das Mutterland des derzeitigen, allerwärts in Miscredit gekommenen Ordens der Gesellschaft Jesu. Man sieht es dem ganzen Lande schon an der Grenze an.

Als ich das letzte bernische Dorf und mit ihm die schönen Mädchen mit ihren weißen Busentüchern und schwarzsammetnen Miedern verließ und in das jenseitige Dorf der berühmten Republik der Käse von Gruyères gelangte, worin plötzlich die Röcke kurz, die Strümpfe roth, die Gesichter lang, bigot, schafmüthig und leichtgläubig werden, vermeinte ich mit einem Male in ein ganz anderes, weit entlegenes Land, in eine kältere Zone versetzt worden zu sein. Selbst die Sprache wechselte und wurde wegen des sogenannten romanischen Dialekts so unverständlich, daß ich große Mühe hatte, von den Leuten etwas nur Gedankenähnliches herauszubekommen. Ich glaube, das Volk in den Gegenden, wo es so viele Jesuiten, Mönche und Nonnen und selbst jesuitische Magistrate gibt, befaßt sich gar nicht mit Denken.

Es war grade Sonntag, als ich meinen Einzug in Freiburg hielt. Dessenungeachtet machte ich auf dem Lande blos die Bemerkung, daß im Vergleich zu den stattlichen berner Dörfern in allen Häusern wie in der Tracht und der Lebensweise die Dürftigkeit vorherrschte. Es ist, ich muß es mit Betrübniß sagen, überall so in den katholischen Ländern, die nicht durch Cultur und Industrie politische, geistige Fortschritte machen.

Man sehe einmal eine Freiburgerin in ihrem Hauswesen, in der Küche, auf dem Felde, und ziehe die Parallele mit ihrer Nachbarin. Der Unterschied ist Tag und Nacht. Plombirt sind die Mädchen mit bleiernen Heiligen und Madonnen, die sie am Halse und in den Ohren tragen, und obendrein ein Gebetbüchlein, wenn sie lesen können. Ihr Hausgeräth ist schmuzig, ihre Küche noch mit hölzernen und irdenen Näpfen versehen. Sie halten nichts auf ihren Körper; sie sind faul und gleichgültig und gottesfürchtig. Ebenso die Männer, die in blauen Jacken oder in Hemdärmeln dahergehen und in jeder Woche drei Feiertage haben, an welchen sie Kegel schieben und Karte spielen.

Der ganze Canton Freiburg ist arm, der Bezirk vom Murtenersee ausgenommen, wo es viele Protestanten und mehr Industrie gibt. Die Stadt selbst hat wenig Nahrungsquellen außer den Schulen und dem Collegium der Jesuiten; daher der Magistrat unsinnigerweise behauptet, er müsse es mit dem Orden halten, um nicht eine bedeutende Quelle den Einwohnern zu verstopfen.

Allerdings ziehen die Jesuiten und ihr Pensionat für Zöglinge eine große Zahl junger Leute in die Stadt, mehre Hunderte vielleicht; ich sehe aber nicht ein, warum nicht die Lehrinstitute unter weltlicher Leitung gleichen Erfolg haben sollten. Die Jesuiten geben sich Mühe, sparen die Anlagen und Kosten nicht; die Regierung sollte ihr Beispiel nachahmen und ihnen das Ruder entziehen.

Im ganzen Lande gibt es nur Jesuitenschulen oder Schulen, die unter den Jesuiten stehen. Zunächst das große Pensionat für Ausländer, dann das Gymnasium und zuletzt die Elementarschulen. Sogar die weiblichen Lehranstalten befinden sich unter der Leitung von Jesuitinnen, die dem Provinzialen gehorchen und seine Lehrvorschriften befolgen.

Man muß aber den Jesuiten Gerechtigkeit widerfahren lassen in allen Punkten, die das Praktische ihrer Hauptanstalt betreffen. Das Pensionat ist ein fürstliches Gebäude mit allen möglichen Einrichtungen, [illegible], Hörsälen, Reitschule, Turnplatz und Erholungslocalen. Vielleicht gibt es seines Gleichen nicht in Europa. Die Eleven sind in Sectionen getheilt, das Lehrerpersonal ebenfalls. Es steht unter einem Rector und Inspector, und zählt über dreißig Professoren für alle Fächer für Sprachen, Geschichte, Philosophie, Mathematik, Zeichnung, Musik und Religion. Es ist natürlich, daß dieser eine große Aufmerksamkeit gewidmet wird.

Der Pater, der mich in den Anlagen herumführte, zeigte mir zwei Gotteshäuser, davon das eine für die Eleven höherer Reife bestimmt war. Sie müssen darin die salbungsvollen Reden eines Lehrers anhören und täglich der Messe beiwohnen. Ihre Namen sind auf großen Tafeln an die Wände geschrieben.

In dem Augenblick, in welchem ich dem Pater eine Visite machte, hatte das Institut Ferien. Daher fand ich nur wenig Schüler in den Gebäuden. Man bemerkte mir, daß der größte Theil auf Reisen sei, und zwar eine Abtheilung in Deutschland, eine in der Schweiz und eine in Italien. Bei jeder befindet sich ein Jesuit in bürgerlicher Kleidung als Chef der Expedition. Die jüngern Eleven bringen ihre Vacanz auf einer nahen Villa oder in den Promenaden der Gärten des Pensionats zu, worin sich auch Kegelspiel, Billard und andere Objecte zur Zerstreuung vorfinden.

Und dies Alles bieten die Jesuiten den Aeltern wißbegieriger Söhne für den geringen Jahrespreis von einigen Hundert Gulden, unterdeß andere Institute, wie z. B. das berühmte Fellenberg'sche und das Pestalozzi'sche, bei minder bedeutenden Anlagen oder minder jesuitischer Sorgfalt, das Doppelte verlangen.

Die Patres sind, das muß ich ihnen nachrühmen, sehr gefällig und haben scheinbar kein Geheimniß vor dem Auge des Besuchers. Ihre Zahl ist nicht groß, eben weil sie viele Missionaire ausschicken und Noviziate stiften; doch hoffen sie sich bedeutend diesen Winter zu recrutiren, da sie sich des Wohlwollens Baierns und Belgiens gewaltig rühmen. Noch als ich dort war, kamen zwei Novizen an, worunter ein Westfale, der sogleich vor dem Provinzialen das erste Examen ablegte. So viel ich erfuhr, wurde er für die Probezeit nach Brieg in dem Canton Oberwallis geschickt, wo sich ein Noviziat für Deutsche befindet, worin die Neulinge zwei Jahre debutiren. Für Franzosen ist seit Kurzem ein ähnliches Seminar am Neufchateller See zu Estavayer errichtet worden.

Mein Pater Guido beklagte sich über die Deutschen, daß sie so wenig Antheil an dem Orden nähmen. „Wir bekommen", sagte er, „allemal fünf Franzosen, ehe einen von Ihren Landsleuten. Indeß hoffen wir, daß dies sich ändert, wenn unser Bestreben, zu nützen, erst allgemein bekannt wird."

Den Freiburgern geht es mit ihren Jesuiten wie gewissen Thieren mit dem Ungeziefer. Sie sind dessen gewohnt und werden groß dabei und unempfindlich. Indeß haben sie ein riesiges Project durchgesetzt, um den Canton durch die bisher unpracticable Straße nach Lausanne etwas zu beleben. Beide Theile der Stadt, die durch ein Felsenthal getrennt sind, das 600 Fuß mißt, werden nämlich durch eine [illegible] dergestalt vereinigt, daß die Wagen der Landstraße horizontal von einem Berge auf den andern hinüber fahren können. Ein erstaunliches Werk, das der Aberglaube des Volkes nicht begreift und als eine Zauberei anstaunt. Wirklich sieht es übernatürlich aus, wenn man da unten im Thal am rauschenden Flusse steht und hoch auf der Felsenhöhe die Brücke durch die Luft gespannt sieht. Es ist, als ob ein Seiltänzer darauf seine Sprünge machen sollte. Die Arbeit ist so weit gediehen, daß in einigen Monaten die Straße eröffnet werden kann. Die Brücke wird 280 Fuß hoch und ist ganz geeignet, im künftigen Jahre dem Canton Freiburg eine reiche Ernte von Reisenden zuzuwenden, die früher nur selten sich in seine Gebirge verirrten. 207.

Oeffentliche Bauten in Paris.

Paris verschönert und verjüngt sich auf eine wunderbare Weise; nichts ist mehr geeignet, das Staunen des Beobachters zu erregen als die Schnelligkeit, mit welcher die bedeutendsten Bauten unternommen und ausgeführt werden. Ganze Straßen verschwinden, andere entstehen, eine Masse Häuser wird niedergerissen, um einen Durchgang zu gewinnen; man sieht heute nur Ruinen und Schutt, und wenige Wochen vergehen, so hat sich ein neues Quartier erhoben, dessen Häuser in Pracht und Reichthum wetteifern. Welche Veränderungen hat das Quartier der Tuilerien seit dem Anfange der ersten Revolution erlitten! Der Platz des Carroussel wird immer mehr von den daselbst befindlichen Gebäuden geräumt, und wer in Wochen und Monaten nicht dahin gekommen ist, traut seinen Augen kaum. Auf der Seite nach der Straße Rohan steht nunmehr ein einzelnes, vielstöckiges Haus wie alle pariser Wohnungen; Alles, was daranstieß, ist nach und nach verschwunden, und das Uebriggebliebene ist wie der letzte Flügel eines großen Ganzen, unheimlich und der endlichen Vernichtung verfallen. Es wäre schwer, das Theater der merkwürdigsten Auftritte der 1790er Jahre hier zu bezeichnen. Als die Königin zur Zeit der Flucht nach Varennes sich aus den Tuilerien entfernte, verirrte sie sich in dem Gewinkel der alten Häuser und Gebäude, welche den Carrousselplatz anfüllten; heute wäre dies ebenso wenig möglich als eine heimliche Flucht überhaupt. Wenn die Verbindung der Tuilerien mit dem Louvre vollendet sein wird, so hat die Welt nichts aufzuweisen, was diesem kolossalen Werke an Umfang und Pracht gleichkäme. Der innere Hofraum wird eine furchtbare Heeresmacht fassen können, und außerhalb des verlängerten Vierecks fehlt nichts als ein Graben, um eine Burg, eine Festung zu haben. An die Verbindung der Tuilerien mit dem Louvre und deren gänzliche Abschließung wurden von jeher Besorgnisse und geheime Pläne der Regierenden geknüpft. Schon Heinrich IV. soll beabsichtigt haben, durch jene Verbindung sich einen Rückzug nach den Tuilerien offen zu halten, wenn er im Louvre einem Mordanschlage ausgesetzt sein sollte. Ueber die Pläne Napoleon's, über jene der Restauration ist in den letzten Zeiten viel verhandelt worden, und die plötzliche Vorlegung des Planes von Clermont-Tonnerre, Kriegsministers Karl X., machte die Entwürfe Louis Philipp's wegen der Aehnlichkeit mit den frühern Projecten und ihres Zusammentreffens mit der Befestigung von Paris in den Augen des Volks verdächtig, und sie mußten aufgegeben werden. Dies Schloß, das die furchtbare Katharina von Medici erbauen ließ, ward von Ludwig XIV. verschmäht; er zog vor, seinen Prunk auf den Waldanhöhen von Versailles zu entfalten und der Geschichte eine moderne Ruine zu überliefern. Erst Ludwig XVI. kehrte wieder in die Tuilerien zurück, fast gegen seinen Willen, um sie noch unfreiwilliger am 10. Aug. 1792 gegen seinen letzten Aufenthalt im Temple umzutauschen. Seitdem hat der Convent seine Allmacht in dem Königsschlosse geübt und der Kaiser seinen Stern darin verbleichen sehen. Zweimal noch sind die ältern Bourbonen im Gefolge der fremden Mächte in ihr früheres Besitzthum eingezogen und werden nun wol nie in dasselbe zurückkehren.

Die neue Brücke, welche zwischen dem Pont des arts und dem Pont royal aufgeführt wird, ist sehr weit vorgeschritten; die Pfeiler erwarten nunmehr die Decke, welche die Straße des Ueberganges bilden soll; und auch diese würde der Vollendung näher sein, wenn nicht die Beschwerden der Arbeiter und ihre Dienstverweigerung einige Unterbrechung veranlaßt hätten. Durch diese Brücke wird eine geradere und schnellere Verbindung des Palais royal, der Straßen Saint-Honoré und Richelieu mit der Vorstadt Saint-Germain hergestellt, eine Verbindung, die bisher in wenig vollkommenem Maße vorhanden war, da der Pont des arts keine Fuhrwerke aufnimmt, und der Pont royal einen Umweg veranlaßt. Der medicinischen Schule gegenüber wird ein neues Amphitheater erbaut, wie die erstere zum Dienste der Facultät und der Vorlesungen bestimmt, was diesen Theil der Stadt [illegible] verschönern wird; bisher stand ein altes Gemäuer an dieser Stelle, in störendem Misverhältnisse mit der schönern Ordnung der Medicinschule.

Das Quartier der Börse, der Börsenplatz werden zufolge der an diesem Stadttheile vorgenommenen Veränderungen den großartigsten Anblick gewähren; auf der Seite der Straße Richelieu haben sich in kürzester Zeit regelmäßige, breite Straßen mit den reichsten Wohnungen und Säulengängen erhoben, wodurch das Gebäude der Börse von der Richelieustraße aus sichtbar wird. Sonderbar genug führte bisher keine gerade Straße von dem Palais royal nach den Boulevards, und man war, um dahin zu gelangen, genöthigt, von dem Börsenplatze aus durch mehre Winkelstraßen entweder nach der Straße Richelieu oder durch die Galerie der Panorama's zu gehen. Jetzt eben ist jenseit des Börsenplatzes in grader Richtung von der Straße Vivienne eine neue Straße nach den Boulevards durchgebrochen, welche diese beiden belebtesten und merkwürdigsten Theile der Hauptstadt unmittelbar verbindet. Es ist dies eine der größten Verschönerungen, welche Paris erhalten, und heute, wo das Werk vollbracht ist, begreift man kaum, wie man [illegible] bisher entbehren konnte.

Alle Bauten und Unternehmungen werden übrigens nicht mit gleichem Eifer gefördert: das Monument der Julirevolution auf dem Bastilleplatze hat nur langsamen Fortgang; auf dem Revolutionsplatze oder Place de la Concorde steht einstweilen ein hölzerner Obelisk; von dem Denkmale der [illegible] ist keine Rede mehr, und auch der Triumphbogen de l'[illegible] unvollendet. Hinsichtlich des Symbols oder der [illegible], welche den Triumphbogen krönen soll, war die Regierung [illegible] Architekten und Künstler in großer Verlegenheit. [illegible] der gelesensten jungen Schriftsteller der heutigen [illegible]rischen Welt, schlug vor, einen mächtigen Adler mit [illegible]teten Flügeln und den Blick nach den Tuilerien gerichtet, auf dieses kaiserliche Denkmal zu stellen. 17[illegible]

Notiz.

Im leipziger „Repertorium" 18[illegible] [illegible] äußert Prof. Hermann in Leipzig [illegible] die Meinung, daß eine griechische Uebersetzung der „[illegible]" von Schiller einen gewaltigen Eindruck auf die [illegible] unserer Tage, auch unter allerdings [illegible] Verhältnissen in Betreff der Religion machen müsse. Freilich dürfte diese Uebersetzung nicht gar zu sehr in [illegible] zu haben [illegible] z. B. nicht in der Sprache des Aeschylos, Pindaros [illegible] gehalten sein. Nachdem bereits so manche [illegible] und einzelne Stücke seiner Trauerspiele ins [illegible] worden, mag man sich wol auch einmal an die [illegible] gestellte Aufgabe machen. Ueberhaupt darf [illegible] den, daß auch durch Uebersetzungen ins [illegible] griechisch, sei es Neugriechisch (letzteres [illegible] Hinsicht zweckmäßiger), deutsche Gelehrte manchen [illegible] denen Aufsatz, manches deutsche Gedicht [illegible] dieser Art dem griechischen Volke zugänglich [illegible] Pflicht auf sich haben, um nun auch auf [illegible] Werke seiner weitern Wiedergeburt thätigen [illegible] Was das alte Hellas durch die unsterblichen [illegible]ster auch an Deutschland gethan hat und [illegible] wieder von dieser Seite her den Nachkommen zu Gute kommen, und am schönsten in [illegible] oder auch in der ausgearteten Mundart, [illegible] Volk der Griechen nun einmal spricht. [illegible]dopulos, da er Göthe's „Iphigenie" ins [illegible] setzte (Jena 1818), dabei beabsichtigte, „[illegible] chenland zu bringen", so mag nun auch [illegible] jenige wahr werden, was er in der Widmung [illegible] an Göthe aussprach: „Sie sei für mein Vaterland [illegible] was Deutschland ihm gibt, ein Pfand der [illegible] von dem schreckenvollen Ufer der Scythen kommt [illegible] kommt nach Griechenland von Germanien, [illegible] man den Griechen willkommen heißt und wo er [illegible] seiner Väter findet."

Redigirt unter Verantwortlichkeit der Verlagshandlung: F. A. Brockhaus in Leipzig.

Blätter

für

literarische Unterhaltung.

Sonnabend, — Nr. 334. — 30. November 1833.

Taschenbücherschau für 1834.

Zweiter Artikel.

(Beschluß aus Nr. 333.)

6. Lies mich! Ein Taschenbuch für gesellige Unterhaltung. Jahrgang 1834. Mit Beiträgen von Posga, Freiligrath, Fre[illegible]enreich, Gutmann, E. Karoli und W. Jemand.

Wenn in unserer alterschweren, vor Gedankenschwere den Kopf hin und her träge bewegenden, vom Tiefsten bereits, was die Geister schufen, gesättigten Zeit, wenn in einer solchen Zeitperiode noch so unwissend naiv getändelt und dilettirt wird, wie in vorliegendem Taschenbuch dies gradezu sich als Tendenz herausstellt, so kann man sich des gerechten Unwillens nicht erwehren. Ein ebenso drucklustiger wie schreibseliger Buchhändler, der sich als Schriftsteller unter dem Namen W. Jemand bekannt zu machen gesucht hat, ist der Herausgeber des Taschenbuchs und steht dieser Clique schwachsüßlicher Dilettanten vor. Das schreibt und treibt, hämmert und dämmert, duselt und fuselt, daß einem bei all diesem Machwerk nur die Ueberzeugung neben dem Ueberdruß entstehen kann, Schreiben und Verseln könne sich bis zur Sünde, bis zur Mania steigern und als nichts denn als Denkmal und Zeugniß einer müßigen Thätigkeit in einer Zeitkatastrophe sich geltend machen. Statt das vorhandene Große begreifen und anschauen zu lernen, häufelt das Völkchen immer frisch in die Weite hinein. Jeder Wurm heutzutage, der da kriecht mit seinem bischen Etwas in der Seele, läßt beim Kriechen seinen Sinn nach. Wie aber W. Jemand als Poet seicht sein kann, mag aus einem paar Versen, die wir mittheilen, abzunehmen sein. Dieser Jemand hat sich nämlich ohne allen Beruf dazu auf den Teufel verlassen; er meint, er dürfe es mit ihm aufnehmen und ihn besingen, ohne zu wissen, daß dazu unendlich viel dämonisch-dichterisches Talent gehört. So fabricirt er eine Reihe „diabolischer Dichtungen", wie er's nennt, und besingt nun alle Einzelthaten, wo der Sage nach der Teufel ins Menschendasein schreitet. Des Herrn Versuchung, Merlin, Faust, alle diese tiefsten Tiefen der geheimnißvollsten Offenbarung fertigt dieser Jemand in ein paar Liedchen so muntre ab, daß uns diese Oberflächlichkeit eines Kopfes wunder nimmt. Zu diesen angeblich diabolischen Dichtungen gehört denn auch „Der träge Bauer", den der Schwarze versucht:

> Es war einmal ein Bauer,
> Ein rechter Tagedieb;
> Der ging nicht an die Arbeit,
> Als wenn die Noth ihn trieb u. s. w.
>
> Da trat zu ihm ein Kobold,
> Es war des Abends spät;
> Der machte tiefen Bückling
> Und that dann diese Red':
>
> „Es grüß' euch Gott, Herr Bauer!
> Ihr habt wol großes Leid?
> Ihr sehet ja so sauer
> Als wie die theure Zeit."
>
> Der Bauer gab zur Antwort:
> „Ja wol bin ich in Noth;
> Ich hab' noch nicht geerntet,
> Und hab' nicht Mehl noch Brot u. s. w."

Ein Kalbsfell um die schnöden Glieder einer solchen Ohnmacht! Will man mit der Schlafmütze auf dem Kopf den Teufel citiren? Die Reimereien der andern Herren, deren namenlose Namen auf dem Titelblatte verzeichnet sind, verrathen ebenfalls nichts als einen gemüthlichen Dilettantismus. In dem Poeten Freiligrath ist bei sonstiger Ununterscheidbarkeit von Verslern gleicher Gattung nur die Sucht zum Ungewöhnlichen, zum Dunkeln vorherrschend; man lese nur den schwierigen Gallimathias: „Heiligenschrein, Vögel und Wandersmann". Ein anderer dieser Herren, die wie Güldenstern und Rosenkranz nicht leicht Absonderlichkeiten vor einander haben, verschaffte uns den seltenen Genuß bei seinen Versen, uns in die schöne Zeit zu versetzen, wo wir als schüchterner junger Mann im bunten Flügelkleide der Phantasie den ersten cäsurlosen Vers wagten:

> Anfangs lebten die Menschen in Frieden und kindlicher Unschuld —
>
> Aber Asträa vor Allen liebte die Kinder der Erde u. s. w.

Also Herr Gutmann, gewiß ein guter Mensch.

Von diesen Herrlichkeiten schon ganz erfüllt, können wir unmöglich noch „Den verlorenen Sohn", Novelle aus dem Gebiete der Kunst und des Lebens, von Posga, in die Richte bringen. Ebenso wenig ist es uns nun noch vergönnt, „Rembrandt's Meisterstück", (angeblich) ein dramatisches Charaktergemälde in Versen und einem Aufzuge, von E. Karoli, in Betracht zu ziehen. So weit wir

Rembrandt kennen, steht er und die süßlich-lächelnde Berlinerin zu wenig auf einer Verwandtschaftsstufe, als daß sie sich richtig becomplimentiren könnten. Zehn gegen Eins gewettet, die berliner Dame hat dem Alten eine solche sentimentale Eitelkeit zu seinem Meisterstück eingeflößt, wie man sich's eben in Berlins Theecirkeln von jedem Künstler denkt. Das heißt freilich sich das Große homogen machen und einer großen Künstlergestalt ein Schnippchen schlagen.

7. Vesta, Taschenbuch für das Jahr 1834. Auch unter dem Titel: Vesta, kleine Halle für deutsche Kunst und Literatur. Vierter Jahrgang.

Die artige Titelvignette, über welche die keusche Vestaflamme freilich erbleichen müßte, zeigt einen frischen, muntern Amorbuben, der soeben aus einem zerborstenen Ei herauskriecht und nach Rosen greift. Das Titelkupfer gibt das Bild jener schönen Irene, die unter Konstantinopels rauchenden Trümmern kühn dem Heiden Mohammed II. sich entgegenbot und den Sieger durch ihre Schönheit besiegte. Als ebenso glücklich in dem Entwurf wie fein und gediegen in der Gravirung zeichnen sich die andern Stahlstiche aus, die meistens Scenen aus nachfolgenden literarischen Beiträgen liefern. Zur Ballade „Wittekind" von Johann N. Vogl, sehen wir die Gruppe, wo der Sachsenheld, der, über die Niederlage seiner Brüder empört, an Kaiser Karl's Person Rache zu nehmen sich allein und heimlich aufmacht, den großen Gegner, von seinen Töchtern umringt, vor dem Altar des Herrn knieend findet. Von den Weihetönen der Orgel und den Saitenklängen der Messe berauscht, zerschmilzt ihm aber der blutige Rachegroll im finstern Heidenherzen,

> Denn — ach! ein selig Ahnen, eine nie gefühlte Lust
> Erwacht mit einem Male in seiner finstern Brust.

Die Nähe des Heiligthums heiligt auch ihn, macht ihn zum Christen und zum Freunde seines Todfeindes. Die Ballade von Vogl, die in dem Maße des Nibelungenliedes gedichtet ist, liest sich mit vielem Interesse. Ein anderer Stahlstich: „Die Unschuld", zu einem Gedichte gleichen Namens von Grillparzer, zeigt ein harmlos liebes Bauerkind mit einer Taube in den Händen und übertrifft die Kunst des Dichters beiweitem an Milde und heiterer Anmuth. Ein dritter ebenso gelungener Stich gibt eine bei Sturm und Blitz zum Marienbild flüchtende Bauernfamilie. Zur mittelalterigen Familiengeschichte der „Kuenringer", die von Christian Wilhelm Huber erzählt wird, liefern zwei andere Stahlstiche eine doppelte Ansicht der Ruinen des Dürnstein (Dürrenstein, auch Thierstein) an der Donau im Lande unter der Enns.

Den Hauptinhalt des Literarischen bilden zwei umfangsreiche Werke: „Die Abbassiden", ein Gedicht in neun Gesängen, von August Grafen von Platen Hallermünde, und „Die Jagdpartie", eine Erzählung von Stierle Holzmeister. Die letztere schildert in dem Organisten Moll einen gutmüthigen Sonderling, leidet aber an manchen Misgriffen und falschen Takten in der Erzählungs- und Darstellungsweise. Das Product ist zu wienerisch gehalten und zu sehr mit blos technischen Interessen der Tonkunst angefüllt, um sich 130 Seiten hindurch mit ihm zu befreunden. Platen's Gedicht besingt die Irrfahrten der drei Söhne Harun al Raschid's. Es beginnt mit der Schilderung eines Festes in Bagdad. Ein Mohr bringt dem Khalifen ein hölzernes Wunderpferd zum Tribut, das, sobald es einen Reiter auf seinem Rücken fühlt, die Eigenschaft hat, mit demselben wie im Fluge zu den Wolken sich zu erheben. Der Mohr, der das Pferd aus den Händen der Magier erhalten zu haben vorgibt, fodert jedoch einen Lohn dafür, den der Khalif verweigert. Er begehrt dessen schöne Tochter und den Ehrensitz als sein Eidam und Vezier neben dem Herrn. Prinz Amin entbrennt vor Zorn über die Zumuthung des Sklaven; er will das Flügelpferd selbst prüfen, da er eitel Trugwerk dahinter wähnt. Er besteigt das räthselhafte Thier und fährt sofort mit ihm in die Luft. Staunend sieht man ihm nach und harrt vergebens seiner Rückkehr. Der Mohr wußte das Geheimniß allein, dem Rosse durch einen Druck auf die Schraube am Halse die Kraft des Steigens zu nehmen, sodaß es sich sanft wieder heruntersenkte. Die Trauer um den in den Räumen der weiten Luftwelt verlornen Amin ist tief und groß. [illegible] und Assad, seine Brüder, machen sich auf, den Geliebten, und wär's auch nur seine zerschmetterte Leiche, zu suchen. Sie trennen sich alsbald, und Jeder von ihnen geht andern Schicksalen entgegen. Amin aber flog durch alle Sphären der Welt, bis er todesmatt, dem Untergang sich nahe glaubend und entkräftet, den Zügel fallen läßt und mit seinen Armen den Hals des Pferdes umfaßt. So drückt er die geheime Schraube nieder, und das Flügelroß sinkt allmälig auf die Erde zurück. Der Ort, wo er nach der weiten Luftschifffahrt landet, ist Konstantinopel, wo am griechischen Kaiserhofe alsbald Abenteuer seiner harren. Alle vorgeführten Situationen sind jedoch mit jener Kühle und jener vervornehmten Außenglätte, die sich an der Schale weidet und nie den Kern berührt, dargestellt, wie dies als Platen's Charakter längst anerkannt ist. Nirgend werden wir heimisch, nirgend bricht die kalte [illegible] Schale; alle Figuren bewegen sich wie seelenlose Hofschranzen vorbei. Trotz der Gewandtheit, die dem Dichter in der Diction zu Gebote steht, hat es ihm hier doch nicht gelingen mögen, die im Deutschen allzu leicht in prosaischen Takt ausartenden fünffüßigen ungereimten Trochäen, in denen das Gedicht geschrieben ist, überall im poetischen Schwunge zu erhalten. Soll es nicht die Stanze sein, so wird immer der Hexameter den Vorzug verdienen; der Trochäus ohne Reim ist zu wohlfeil und zu dürftig ausgestattet in der deutschen Diction.

[illegible]

Das Sultanat Mogh'rib-ul-Aksa oder Kaiserthum Marokko. In Bezug auf Landes-, Volks- und Staatskunde beschrieben von J. Graberg von Hemsö. Stuttgart, Cotta. 1833. Gr. 8. 1 Thlr. 8 Gr.

Der Verf. dieser Schrift, welcher durch eine nicht geringe Zahl von Arbeiten in verschiedenen europäischen Sprachen sich besonders als Geograph und Statistiker einen ehrenvollen men erworben hat, und welcher nicht allein zu denjenigen Gelehrten gehört, welche sich auf dem Gebiete der geographischen Wissenschaften durch fleißiges Sammeln und geschickte Combination des auf solche Weise erlangten Stoffes Verdienste erworben, sondern auch zu denen, welche, durch Autopsie unterstützt, neue Quellen für jene Wissenschaften eröffnet haben, wurde bereits vor 16 Jahren durch seine amtliche Stellung als schwedischer Consul zu Tanger und später zu Tripoli zu der Ausarbeitung einer historisch-geographischen Beschreibung des nördlichen Theils des afrikanischen Continents angeregt. Nachdem er bereits früher einige Abschnitte dieses Werkes in einer zu Florenz unter dem Titel: „Antologia", erscheinenden Zeitschrift mitgetheilt und in einem zu Lyon 1821 erschienenen Abriß der historischen Literatur von Mogh'rib-ul-Aksâ, die über dieses Land, welches gewöhnlich, aber nicht richtig, mit dem Namen Marokko bezeichnet wird, vorhandenen Nachrichten kritisch gewürdigt hatte, vertraute er dem Verf. der uns vorliegenden Uebersetzung den Haupttheil seiner Arbeit zur Uebertragung in das Deutsche an. Diesem Umstande verdankt die deutsche Literatur noch vor der Erscheinung des in italienischer Sprache abgefaßten Originals ein Werk, welches zuerst eine genaue, durchaus glaubwürdige und theils aus mehrjähriger und eigner Ansicht, theils aus zuverlässigen Nachrichten Einheimischer hervorgegangene geographisch-ethnographisch-statistische Beschreibung des Kaiserreichs Marocko enthält und unsere bisherige mangelhafte Kenntniß desselben auf mannichfache Weise ergänzt und berichtigt.

Der Verf. hat seine Beschreibung in drei Abtheilungen geordnet, deren Inhalt durch die Ueberschriften: Chorographie, Ethnographie und Nomographie im Allgemeinen bezeichnet wird, und in deren einzelnen Abschnitten der Gegenstand nach den verschiedenen Gesichtspunkten und auf eine meist erschöpfende Weise erörtert wird. Die geographische Beschreibung des Landes, mit welcher die erste Abtheilung beginnt, gibt der bisherigen allgemeinen Ansicht gleichsam eine bestimmtere Füllung; sie gewährt ein auch in den Einzelnheiten sorgfältig ausgeführtes Bild dieses von der Natur fast in jeder Hinsicht sehr begünstigten Landes; sie läßt den geognostischen Gesichtspunkt nicht außer Acht und widmet auch den Producten des Landes besondere Aufmerksamkeit. Eine Aufzählung und Beschreibung der beachtungswerthesten Städte beschließt diese Abtheilung. Die ethnographischen Erörterungen geben zunächst einen um so schätzbarern Beitrag zu den Untersuchungen über die sogenannten Berbern, als der Verf. sich mit besonderm Interesse auch mit der Sprache derselben beschäftigt hat. Die Völker, welche man mit jenem Namen zu bezeichnen pflegt, haben sich in Mogh'rib-ul-Aksâ immer Amazirghen genannt — ein Name, der in ihrer Sprache edel, ausgezeichnet, frei, unabhängig bedeutet. Der Verf. erkennt in ihnen die echten Abkömmlinge der ältesten Bewohner nicht blos jenes Landes, sondern des ganzen nördlichen Afrikas vom Nilufer bis zum atlantischen Meere; ihre Stammgenossen verbreiten sich, in viele Stämme getheilt, noch jetzt bis nach Aegypten, ihre Sprache hat nicht die mindeste Verwandtschaft mit den semitischen, und fast alle Dialekte derselben sind wenig voneinander verschieden und in viel geringerm Grade als die italienische, spanische und portugiesische, die deutsche, schwedische und dänische Sprache, oder der genuesische, venetianische und neapolitanische Dialekt. Diese sprachliche Uebereinstimmung bezeugt der Verf. insbesondere von den Berebern und Schellöchen, in welche man die Amazirghen Marokkos eintheilt, indem er sich in dieser Beziehung auf seine eigenen Untersuchungen beruft; allein wenn er darauf die Verschiedenheit dieser beiden Völker in Rücksicht auf Körperbeschaffenheit, Hautfarbe, Beschäftigung und Lebensweise auseinandersetzt und es auch erwähnt, daß sie selbst da, wo sie einander benachbart sind, in keinem Verkehr miteinander stehen und sich namentlich nie untereinander verheirathen, so müssen wir es um so mehr bedauern, daß er durch eine nähere Mittheilung in seinen Untersuchungen nicht die Zweifel beseitigt hat, welche über die Sprachverwandtschaft jener beiden Völker noch obwalten, wiewol wir nicht anstehen, auch seiner schlechthin aufgestellten Behauptung ein bedeutendes Gewicht beizumessen. Die Aeußerung aber, daß jene Eintheilung der Amazirghen nicht ihren Ursprung, aber sehr wahrscheinlich ihre jetzige Gestaltung dem alten und berühmten Stamme der Barguaten verdanke, reicht deshalb nicht aus, weil sie auch der nähern Ausführung ermangelt. In Beziehung auf den Namen Berbern führt der Verf. es als einen Beweis seines fremden Ursprungs an, daß die damit belegten Völker denselben kaum aussprechen können, da ihrer Sprache der Anfangsbuchstabe desselben fehlt, und er hält es für wahrscheinlich, daß der Name aus dem Worte Barbaros hervorgegangen ist, in welches die spanischen Juden die Benennung übersetzten, welche die Araber in frühester Zeit den Bewohnern des westlichen Afrikas gaben, nämlich A'dschémi, d. i. Fremde, welche nicht die arabische Sprache reden. In Beziehung auf die Mauren läßt sich der Verf. nicht auf eine genauere Untersuchung ihrer Abstammung ein; er gibt dagegen als Resultat aufmerksamer und vieljähriger Beobachtung eine Schilderung der Gemüthsart und des sittlichen Charakters derselben, in welcher sie in der That als „menschlich gestaltete Ungeheuer" erscheinen, deren allgemeinen Charakter „alles Gemeinste und Verächtlichste bildet, was es im menschlichen Herzen gibt". „Untereinander abgemessen, noch zurückhaltender aber gegen Fremde, sind sie mistrauisch und selbstisch; unter einer tyrannischen und der unumschränktesten Regierung der bekannten Welt, sind sie furchtsam, kleinmüthig und gemein; sie ertragen jede Demüthigung, wo es nur etwas zu gewinnen gibt; mit ihres Gleichen sind sie von einer niedrigen, ja bisweilen unsittlichen Vertraulichkeit; weder tapfer noch edelmüthig, besitzen sie eine thierische Wildheit, die nie mit einer edeln Herzhaftigkeit verbunden ist; sie handeln mit Ungestüm und gemäß Gemüthsbewegungen, die sie Phantasien nennen, und sind dann der größten Excesse fähig; der Zorn gährt in ihren Herzen, ihr Element scheint der Haß." Eine vortheilhaftere Schilderung gibt der Verf. darauf von der unvermischten arabischen Bevölkerung, welche die alten Sitten und die Lebensweise der ursprünglichen Heimat meist bewahrt hat. In Rücksicht auf die während des Mittelalters zu verschiedenen Zeiten aus Europa eingewanderten zahlreichen Juden bestätigt er im Durchschnitt das Sprichwort, daß die Juden in Fez und Marocko alle übrigen in List und Betrügereien übertreffen. Eine nähere Erörterung des Ackerbaus und der Viehzucht, der Jagd und des Fischfangs und der Industrie und des Handels des Landes macht sodann mit dem Leben der verschiedenen Arten von Einwohnern genauer bekannt, und ein Blick auf die Civilisation — welches Wort aber hier nur in dem beschränkten Sinne eines progressiven Fortschreitens der Gesellschaft gegen die positive Civilisirung hin genommen wird — beschließt die zweite Abtheilung. Die dritte enthält ein durch seine Vollständigkeit sehr befriedigendes Gemälde der Regierung und Verwaltung des marokkanischen Reichs, einer unumschränkten Despotie, in welcher Alles von der Laune und Willkür des Sultans und seiner Statthalter abhängt, und in welcher man hauptsächlich dem Grundsatz folgt: das Volk in Armuth zu halten, damit es sich nicht empöre. Eine willkommene Zugabe ist die Aufzählung der Verträge, welche die meisten europäischen Mächte mit Marokko geschlossen haben, und ein Ueberblick der alten und neuern Geschichte dieses Landes. 16.

Funfzig Fabeln für Kinder. In Bildern, gezeichnet von Otto Speckter. Nebst einem ernsthaften Anhange. Hamburg, Perthes. (Ohne Jahrzahl.) 8. 1 Thlr. 12 Gr. *)

Wenn die liebe Weihnachtszeit herannäht und die Mutter ausgeht, um Puppen, Soldaten und andere dergleichen Spiel-

*) Obgleich Anzeigen und Beurtheilungen von Kinderschriften diesen Blättern, ihrem Wesen nach, fremd sind, so rechtfertigt doch die obige durch ihre Vortrefflichkeit die hier gemachte Ausnahme. D. Red.

waaren einzukaufen, setzt sich wol auch ein guter Vater in Bewegung, um Eins und das Andere heimzuholen, was zur Verherrlichung der Christbescherung dienen könnte. Vom Einkauf der Spielwaaren versteht er nichts, darum überläßt er dies lieber der Mutter, aber die Bücher, die sind sein Element; wenn er daher zuvor die gelehrten Bollen nacheinander durchgemustert, wendet er sich auch zur Kinderliteratur oder zur literarischen Kinderei. Es kommt ihm hart an; aber was thut man nicht den Kindern zu Liebe? Himmel, welche Masse, bunt von Innen und Außen, auf feinem Velin- wie auf grauem Löschpapier, dick und dünnleibig, nürnberger, leipziger und berliner Tand läuft ihm da durch die Hände! Die Wahl thut ihm wehe; nicht weil er des Guten zuviel fände, wol aber, weil eines immer schlechter ist als das Andre. Hier zwar mittelmäßiger Text, aber die Kupfer so erbärmlich, daß er es nicht übers Herz bringen kann, damit den Geschmack seiner Kinder auf Abwege zu bringen; dort zwar schöne Kupfer, aber ein schaler, saft- und kraftloser Text; hier ein Büchlein in kindischer Gesprächsform, wie sie keinem kindlichen Gemüth zusagt, dort eins in gelehrter Weise, wie sie von keinem Kinde verstanden wird u. s. w. Eines und das andere dünkt ihm wol gut, aber er hat es schon im vergangenen Jahre gekauft, denn das Heer der Kinderschriften kommt alle Jahre wieder wie die Zugvögel; kehrt eine und die andere auch mehre Male zurück, so bleibt sie doch einmal irgendwo in einer Schlinge hängen.

Ref. hat für diese Weihnachten sein Vögelein gefangen, ein charmantes, nettes Ding, das ihm immer werther wird, je länger er es betrachtet; er meint die obengenannten funfzig Fabeln mit Bildern von Otto Speckter. Wer, wie er, sucht, was für den kindlichen Sinn paßt, und Allem gram ist, was Verstand und Gemüth frühzeitig hinaufschraubt in die Region der sogenannten gebildeten Welt, der kaufe sich das Büchlein. Nicht allein, daß es ihm selbst Freude gewähren, er wird sich auch noch ein freundliches Gesicht von seinen Kindern verdienen.

Die Bilder sind allein des Geldes werth. Der Zeichner hat die schwere Kunst verstanden, in ein wenige Zoll großes Blättchen so viel Sinn, so viel Charakteristisches zu legen, daß Alles für sich selbst spricht und auch sprechen würde, wenn kein Text dabei wäre. Auf dem 8. Blatte z. B. sehen wir oben auf einem Baum ein Kätzchen liegen, was sich dahin zurückgezogen hat, um den Verfolgungen eines unten am Stamme stehenden Pudels zu entgehen. Man sieht es dem kleinen Thiere an, daß es seinen Feind nicht außer Augen läßt, obwol es sie halb geschlossen hat; aber es hat sich dabei ruhig auf dem Baumaste hingebettet, weil es weiß, der Hund kann ihm dorthin nicht folgen. Dieser versucht an dem Stamme hinaufzuspringen, aber es geht nicht; seine ganze Stellung drückt jedoch die Begierde aus, dem armen Miezchen das Fell wacker zu zerzausen. Das 18. Blatt löst auf ebenso kleinem Raume eine noch bei weitem schwierigere Aufgabe. Wir sehen im Vordergrunde den schmalen First eines Daches sammt dem Schornsteine und blicken von da in die darunter liegende Straße des Städtchens hinein. Ueber das Dach fliegt so eben ein großer Papierdrache, den die Jungen unten angeseilt haben. Das Auffallendste ist aber die Sensation, welche die neue Erscheinung unter den Vögeln macht. Diese hat der wackere Künstler eigentlich bezeichnen wollen, und dies ist ihm denn auch recht gut gelungen. Einige sitzen auf dem Dache und machen lange Hälse nach dem fremden Ungethüm hin, andere erheben sich flatternd von ihren Sitzen, noch andere (die Schwalben) fliegen, darauf stoßend, umher u. s. w. So haben fast alle diese Bilder etwas Eigenthümliches, aber dabei Einfaches, der Natur Getreues und dem kindlichen Gemüth Entsprechendes. Besonders gut sind dem Künstler die Thiere gelungen.

Auch der Text zu den Bildern hat seine eigenthümlichen Vorzüge; nur darf man zur Beurtheilung desselben den Maßstab nicht von Fabeln hernehmen, wie sie der Erwachsene und die heutige gebildete Welt verlangt; da würde man durchgehends die eigentliche Pointe und das attische Salz vermissen. Sie machen keine höhern Ansprüche, als wörtliche Deutungen der Bildchen in kindlich-einfältiger Sprache zu sein. Das Kind spricht mit dem Kätzchen, das Möpschen mit dem Spitzchen, wie sie wol die Kinder auch in ihren unschuldigen Spielen zusammen sprechen lassen; und wie sich diese nicht gern durch die Dazwischenkunft älterer Personen in dergleichen Zwiegesprächen stören lassen, so möge sich auch hier kein ernster Recensent mit der kritischen Elle an diese schlichten, gutmüthigen Reimereien wagen. Geben wir sie lieber unsern Kindern, die werden uns am besten sagen, ob sie gut sind, und die moralische Nutzanwendung, die hier und da ungesucht und gleichsam zufällig mit in das Ganze verwebt ist, wol herauszufinden wissen. Um übrigens den Geist dieser kleinen Fabeln zu bezeichnen, theilen wir hier nun eine zur Probe mit:

Vogel am Fenster.

An das Fenster klopft es: pick! pick!
Macht mir doch auf einen Augenblick.
Dick fällt der Schnee, der Wind geht kalt,
Habe kein Futter, erfriere bald.
Lieben Leute, o laßt mich ein,
Will auch immer recht artig sein.
Die ließen ihn ein in seiner Noth;
Er suchte sich manches Krümchen Brot,
Blieb fröhlich manche Woche da.
Doch als die Sonne durchs Fenster sah,
Da saß er immer so traurig dort;
Sie machten ihm auf! husch war er fort.

Auch der Anhang, der vorzüglich religiösen Betrachtungen gewidmet ist, enthält viel Gutes, ja manches Vortreffliche und dem kindlichen Gemüthe Verwandte.

Das Aeußere des Büchleins entspricht ganz seinem innern Gehalte.

183.

Miscellen.

Das Milchbad.

Frau von Genlis erzählt in ihren Memoiren sehr ungenirt, daß sie einige Jahrzehnde vor der Revolution auf ihrem Schlosse oft eine sehr große Badewanne mit reiner Milch habe füllen und letztere mit Rosenblättern bedecken lassen, lediglich um darin ein Bad zu nehmen. Wovon lebten die Gutsbauern indeß? und was machte man mit der Milch, nachdem darin gebadet worden war? Wahrlich, man darf sich nicht wundern, wenn der französische Bauer während der Revolution so viel Eifer zur Zerstörung der Schlösser seiner Tyrannen verrieth.

Man verdankt Gluck eine Idee in der Composition, welche leider nicht genug nachgeahmt worden ist, nämlich der Begleitung an solchen Stellen den wahren Charakter zu übertragen, wo ihn die Worte des Textes verleugnen. In der „Iphigenia" z. B., als Orest, bald nach dem Muttermorde aus Phantasien erwachend, in die Worte ausbricht: „Der Friede kehrt in meine Brust zurück!" drückt das Accompagnement indeß das tiefste, finsterste Seelenleiden aus. Die Musiker machten Gluck auf diesen vermeinten Widerspruch aufmerksam; aber der Componist erwiderte ihnen barsch: „Orest lügt; er hat seine Mutter ermordet!"

178.

Redigirt unter Verantwortlichkeit der Verlagshandlung: F. A. Brockhaus in Leipzig.

Blätter für literarische Unterhaltung.

Sonntag, — Nr. 335. — 1. December 1833.

Zur Nachricht.

Von dieser Zeitschrift erscheint außer den Beilagen täglich eine Nummer und ist der Preis für den Jahrgang 12 Thlr. Alle Buchhandlungen in und außer Deutschland nehmen Bestellung darauf an; ebenso alle Postämter, die sich an die königl. sächsische Zeitungsexpedition in Leipzig, das königl. preuß. Grenzpostamt in Halle, oder das fürstl. Thurn und Taxische Postamt in Altenburg wenden. Die Versendung findet wöchentlich zweimal, Dienstags und Freitags, aber auch in Monatsheften statt.

1. Die Lehre von den letzten Dingen, eine wissenschaftliche Kritik aus dem Standpunkt der Religion unternommen von Fr. Richter. Erster Band, welcher die Kritik der Lehre vom Tode, von der Unsterblichkeit und von den Mittelzuständen enthält. Breslau, Joh. Fr. Korn. 1833. Gr. 8. 1 Thlr. 16 Gr.
2. Die neue Unsterblichkeitslehre. Gespräch einer Abendgesellschaft als Supplement zu Wieland's „Euthanasia", herausgegeben von Fr. Richter. Breslau, Aderholz. 1833. 8. 10 Gr.

Vorliegende Schriften mögen auf Verschiedene sehr verschieden wirken. Ref. gesteht, daß es ihm ein Anblick von fast widernder Neuheit war, einen Enthusiasmus für das rein Negative und Zerstörende zu sehen, wie er hier sich zur Schau gibt. Indeß mag die Sache, als komische Zwischenscene betrachtet, im vielaktigen Drama der deutschen Philosophie sogar vielleicht vorübergehende Merkwürdigkeit gewinnen. Der Verf. obiger Werke nämlich, philosophischer Theolog par excellence, früher sogar, wie aus den von ihm angeführten Predigten hervorgeht, evangelischer Geistlicher, hat endlich die Quelle all unserer Uebel glücklich entdeckt und eilt, sie für immer zu verschließen durch obige Schriften! Es ist der leidige Glaube an ein Jenseits, an eine Fortdauer nach dem Tode. In geläufigem Predigerton schildert er die Gebrechen der Zeit, den Mangel an wahrer Geistesgröße, an Aufopferung und Frömmigkeit, die allgemeine Unzufriedenheit mit der Gegenwart. Ist dagegen nur, meint er, die unmittelbare Welt, das Jetzt als das Paradies, als die volle Gegenwart Gottes philosophisch decretirt, so gibt sich jenes Alles von selbst! Deshalb kämpft er mit dem Ingrimm eines Zeloten, mit wahrem Prophetereifer gegen die persönliche Fortdauer; und in der That handelt es sich bei dieser Unternehmung von nichts Geringerm als von einer gänzlichen Umschaffung des Christenthums in die neue Religion des absoluten Diesseits, als deren Hohenpriester und Gründer sich Herr Richter nicht undeutlich ankündigt, sowie er bereits für dieselbe einen neuen Cultus einzurichten sich anschickt. Er schwärmt mit Einem Worte für die bekannte Hegel'sche Kategorie des Diesseits, die ihm in den trockenen Kopf gestiegen ist, und welche er als ihr begeisterter Prophet mit dem Feuer und Schwert seiner Polemik überall einzuführen gedenkt. Alles dies wäre nun an sich sehr geringfügig, und man könnte diese Verkehrtheit, gleich vielen andern ähnlichen Ursprungs, ruhig ihrer Entwickelung und damit dem Selbstüberdrusse und der Vergessenheit überlassen; aber diese Lehre kündigt sich an im Namen eines bedeutenden philosophischen Systemes, „für welches das Jenseits und die persönliche Fortdauer schon seit vielen Jahren gar nicht mehr existiren" (S. 19). Diesem müsse es sogar erwünscht sein, wenn Einer es über sich nehme, dies grade heraus zu sagen; denn erst dadurch könne das System ganz verstanden werden und grosartig wirken. Herr Rosenkranz habe die bisherige Unsterblichkeitslehre zwar nicht ausdrücklich widerlegt, wol aber mit Satire verworfen, ja die Marheineke'sche Dogmatik beschuldigt er geradezu der Zweideutigkeit, indem ihre Darstellung dieser Lehrpunkte für den schlimmsten Fall noch immer orthodox gedeutet werden könne (S. 30).

Allerdings hängt es mit der noch abstract bleibenden, daher einseitigen Auffassung der speculativen Idee bei Hegel zusammen, daß in diesem Systeme die Persönlichkeit nicht zur Anerkennung gelangt; sie ist nur Moment im unendlich übergreifenden Processe des absoluten Geistes, daher die Individuen den sittlichen Mächten des Staats und der Weltgeschichte nur dienen als Werkzeuge ihrer Manifestation, an sich selbst aber werth- und machtlos sind. Das Princip unendlicher Individuation ist daher zwar anerkannt, aber es ist selbst noch als das

Abstracte aufgefaßt, welches seine Gebilde wieder in sich absorbirt; der absolute Proceß bringt sich Alles wieder zum Opfer, und so ist es dem Principe nach hier völlig consequent, die persönliche Unsterblichkeit zu verneinen, ja es wäre eine Fortdauer der Persönlichkeit, nachdem der Hauch des Weltgeistes durch sie hindurchgegangen, sogar völlig bedeutungslos. Indeß ist deutlich das Recht wie das Unrechte dieser Lehre schon mehr als einmal abgewogen, ebenso aber auch das ergänzende Moment für ihre Einseitigkeit wissenschaftlich dargelegt worden, und da sich in speculativer Hinsicht dagegen schwerlich viel wird einwenden lassen, so kann man den Keim der höhern Einsicht ruhig seiner Entwickelung überlassen, womit diese und viele andere Härten der bezeichneten Philosophie von selbst sich erledigen werden, ohne daß zu einer besondern Abreißung derselben Veranlassung wäre. Sie dienen nur, verschuldet oder unverschuldet, dem Kundigen zum charakteristischen Belege einer mangelhaften Ansicht und verschwinden mit deren Geltung. Anders kann es indessen mit dem persönlichen Fürwahrhalten ihres Urhebers stehen, der sich durch die wohlthätige Inconsequenz eines speculativen Instinctes über sein einseitiges Philosophieren oft weit erhebt. Es ist das noch unentwickelte, aber untrügliche Menschenbewußtsein der Wahrheit, welche jenen Mangel des Princips ergänzen kann und sogar es soll. Die wissenschaftliche Entwickelung und Rechtfertigung derselben ist freilich der Philosophie vorbehalten, die aber in ihren einzelnen Erscheinungen sich nur theilweise genügt, während die in solcher theoretischen Einseitigkeit Befangenen divinatorisch der ganzen Wahrheit sich erfreuen, die sie durch Vorausnahme in ihr mangelhaftes Princip schon hineintragen. Aber grade ans Mangelhafte halten sich die Anhänger, weil sie als Eintagsmenschen, als schwindende Eingebungen des Augenblicks, von dem ewigen Fortwallen und Durchwirken des Geistes keinen Begriff haben. Sie sind es, welche das Charakteristische eines Standpunktes bis zur Plattheit oder zur Carricatur herausarbeiten und sich dann am blöden Erstaunen des Volks darüber ergötzen, vermeinend, weit über ihm erhaben zu sein, während sein richtiger Instinct der Wahrheit, indem er ihre Ausgeburten verwirft, ihnen gegenüber sogar berechtigt ist und Recht behält. So ist im vorliegenden Falle Hegel's suchen; Nichts gehe unter, sondern verwandle sich nur und wirke so ungesehen fort —? So gehe auch kein menschlicher Gedanke verloren und dergleichen („Die neue Unsterblichkeitslehre", S. 54 fg.). Ebenso blickt hier noch überall der pantheistische Irrthum durch, von welchem sich auch Andere nicht gründlich befreien können, daß unsere Individualität die Scheidewand sei, die uns von Gott trenne („Die Lehre v. d. letzten Dingen", S. 209 u. sonst). Als ob wir aufhören müßten Person zu sein und in die abstracte Bewußtlosigkeit zurückkehren, um darin erst der Einheit mit Gott recht sicher zu werden! Und wenn der Hegelianismus endlich überall auf das absolute Diesseits dringt, sieht er denn nicht, daß er damit ebenso einseitig nur den Einen Gegensatz hervorhebe wie seine Gegner den andern, wenn er ihnen vorwirft, daß sie die Wahrheit zu etwas Jenseitigem und [illegible] machen? Das Jenseits wie das Diesseits ist [illegible] die unendliche Eine göttliche Allgegenwart in der Schöpfung. Der Unterschied selbst ist damit wiederhergestellt und bestätigt, ohne doch zum Gegensatze, zur Zerreißung zu führen; denn es ist fürwahr nicht einzusehen, warum, wenn Gott sich schon hier im Menschen verklärt, demselben deshalb nicht auch jenseits noch ein höherer Grad dieser Seligkeit beschieden sein kann.

Was nun die Richter'sche Kritik der sogenannten Beweise für die Unsterblichkeit betrifft — wer weiß es nicht, daß diese ungenügend sind, wen braucht er noch durch seine weitläufigen Widerlegungen davon zu überzeugen? Aber die Idee der Unsterblichkeit ist nicht erst erfunden worden durch solche Beweise, sondern sie wird gefunden und erweist sich im ursprünglichen Bewußtsein des Menschen selbst. Er ist ebenso einfach überzeugt, fortzudauern, als er des objectiven Daseins einer Außenwelt unmittelbar gewiß ist, ohne dafür eigentliche Beweise zu haben noch zu begehren, wiewol er nach dem Grade seiner Ausbildung und Reflexion sich ja auch verschiedene Vorstellungen von der Beschaffenheit dieser Außenwelt macht, und da es ihm an einem eigentlichen Beweise für dieselbe fehlt, sogar an ihr zweifeln kann. Und diese einfache Gewißheit der Fortdauer ist nicht ein bloß [illegible] consensus gentium, welchen der Verf. („Die Lehre von den letzten Dingen", S. 183) in seiner Weise [illegible]

Erde nur zur Erleuchtung diene. Welcher wissenschaftliche Mann indeß hegt noch jenen Glauben, oder, wenn es auch wäre, welcher Wohlmeinende wird nicht gelassen zusehen bei diesem unschädlichen Wahne? Und gäbe es denn wirklich für die Geisterwelt keinen andern Raum, wenn man sie nicht mehr an irgend einen weltkörperlichen Schwerpunkt befestigen will?

Des Verf. Hauptargument gegen die Fortdauer der Seele besteht darin, daß Leib und Seele Eins seien, also auch im Tode miteinander untergehen, denn „der menschliche Leib ist die Gestalt, welche sich die menschliche Seele in ihrer Entwickelung gibt" („Die Lehre v. d. letzten Dingen", S. 72 fg.). Auch wir halten dies für die einzig richtige Ansicht jenes Verhältnisses; aber gleichwie der Verf. dadurch auf seine Behauptung gekommen ist, so hat sie grade die entgegengesetzte Einsicht in uns erzeugt und befestigt. Was wir Tod nennen, ist selbst nur ein organischer Vorgang des Lebens, eine Krise, nicht die Negation und Aufhebung desselben; und wenn schon die geistvollsten Physiologen dies zu erkennen anfangen; wenn sie sogar analoge Erfahrungen dafür geltend zu machen wissen, soll die Philosophie dabei zurückstehen und immer nur in ihren leeren Allgemeinheiten festgebannt bleiben?

Den Ausschlag für diese Mortalitäts- und Diesseitigkeitslehre soll endlich der Beweis geben, daß sie zugleich die wahrhaft und allein christliche sei; denn es wäre ein Widerspruch, Christum als Gottmenschen anzuerkennen und doch noch eine Jenseitigkeit des Göttlichen anzunehmen! Köstlich ist es dabei, zu lesen, wie die bestimmt auf eine Fortdauer lautenden Stellen des neuen Testaments umgedeutet oder auf die Seite gebracht werden, wobei der absolute Standpunkt, aus welchem die Bibel hier erklärt wird, allerdings viel zu verantworten bekommt. Um das fast Unglaubliche glaubhaft zu machen, führen wir eine Probe davon an. Die Worte Christi an den Schächer (Luc. 23, 43): σήμερον μετ' ἐμοῦ ἔσῃ ἐν τῷ παραδείσῳ, werden also erläutert („Die Lehre von den letzten Dingen", S. 208): „Ebenfalls ein sehr gewöhnliches dictum probans für die Behauptung, daß Christus eine Unsterblichkeit der Seele gelehrt habe; aber auch dies, wie ich glaube, mit Unrecht. Offenbar liegt der Accent hier auf dem ersten Worte: σήμερον. Der Schächer am Kreuz bittet den gekreuzigten König der Juden: „„Gedenk an mich, wenn du in dein Reich kommst!"" Der sterbende Jesus erwidert darauf diesem ihm vielleicht vorher ganz unbekannten reuigen Mörder nichts Anderes, als daß er die Condition, die bestimmte Zeit, welche der Bittende setzt, sogleich negirt (!!) und ihm die feste Versicherung gibt: Heute, sogleich werde ich mit dir im Paradiese sein! Und was ließ sich unter jenen Umständen Anderes sagen? War nicht der Sünder eigentlich in demselben Augenblick, wo er Reue über sein bisheriges Leben empfand und den Mund zu jener Bitte öffnete, eo ipso Bürger des Paradieses? Der einzige Irrthum, der in der Bitte lag, war nur der, daß er sich das Paradies noch örtlich (!) denkt, an einem gewissen Orte gelegen und den Eintritt in dasselbe auf eine bestimmte Zeit beschränkt. Diesen Irrthum corrigirend (!) erwidert ihm Jesus, daß er auf jene Bitte sogleich und ohne Weiteres dem Reiche Gottes angehöre und an dessen höchsten Segnungen Theil habe". So hat sich das Futurum: ἔσῃ, wie durch Zauber ins Präsens verwandelt: du bist im Paradiese. Eine bewundernswürdige Taschenspielerei, wobei nur zu befürchten, daß dem Künstler sein Publicum allmälig ausbleiben wird.

Fichte.

Zur Naturgeschichte.

Wenn wir einen jungen Hund sehen, welcher mit Schrecken die Flucht ergreift, wenn er zum ersten Male einen Wolf erblickt, der doch mit seiner Race sehr nahe verwandt ist, während er dreist auf ein Pferd oder einen Stier zugeht, so können wir uns freilich nicht erklären, wie dieses warnende Gefühl in ihm entsteht; aber wir sehen zum wenigsten ein, daß es durch das allgemeine Erhaltungsprincip der Natur bedingt wird. Wir schreiben es daher dem Instincte zu, und sobald wir dieses Wort ausgesprochen, ist unser Geist befriedigt. Wie aber erklären wir die Angst, die ein Löwe beim Erblicken einer Maus bezeigt? Es ist dies eine Thatsache, die man, wenn sie uns blos vom Plinius berichtet würde, allenfalls leugnen könnte; allein Cuvier hat sich davon mehrmals im Jardin des plantes überzeugt. Und nicht der Löwe allein, der furchtbare asiatische Tiger, der Königstiger, ist derselben Schwachheit unterworfen. Der durch seine Reisen bekannte Capitain Basil Hall erzählt darüber Folgendes: „Wir hatten Gelegenheit, die Gewohnheiten des Tigers aufs genaueste an einem schönen Thiere bei dem britischen Residenten zu beobachten, wohin er noch ganz jung zwei Jahre vorher war gebracht worden. Er war in einen großen Käfich, mitten im Hofe, gesperrt; sein Behälter war so geräumig wie ein gewöhnliches Zimmer, und er konnte darin herumspringen und sich herumtummeln nach Herzenslust. Er fraß täglich einen Hammel, und außerdem reichte man ihm noch den Tag hindurch einige Stücke Fleisch. Unsere jungen Leute fanden Gefallen daran, ihn zu necken: dann stürzte er sich gegen das eiserne Gitter des Käfichts und stieß ein so furchtbares Gebrüll aus, daß die Pferde zitterten und ängstlich wieherten. Man neckte ihn auf mancherlei Weise: man stach ihn mit einem zugespitzten Stocke, oder hielt ihm ein Stück Fleisch hin, das man zurückzog, ehe er es erreichen konnte; aber nichts ärgerte ihn mehr, als wenn man eine Maus in seinen Käficht ließ. Sobald der Tiger sie sah, sprang er in den entgegengesetzten Theil seines Behälters. Zwang man die Maus, ihm zu folgen, so flüchtete er in eine Ecke des Behälters und drückte sich an das Gitter; er zitterte und schrie und schien eine so entsetzliche Angst auszustehen, daß wir am Ende Mitleid mit ihm hatten und das Spiel aufgaben. Manchmal zwangen wir ihn indeß, nach der Seite hinzugehen, wo die Maus ganz ruhig und furchtlos herumstöberte; in diesem Falle aber nahm er nicht die gerade Richtung, sondern machte einen so mächtigen Seitensprung, daß sein Rücken oft die Decke des Behälters erreichte."

Jedermann kennt und Niemand erklärt die leidenschaftliche Vorliebe der Katze für gewisse Pflanzen, wie z. B. für die valeriana und besonders für die nepeta cataria. Um diese letzte Pflanze in den Gärten zu erhalten, muß man sie mit einem wohlverwahrten Gitter einschließen, sonst haben sie die Katzen, indem sie sich darauf herumwälzen, bald zerstört. Der Geruch lockt sie aus weiter Ferne herbei und scheint sie ordentlich mit Wollust zu berauschen; sie reiben sich an den Zweigen und beißen mit einer Art von Wuth in die Blätter, von denen sie sich indeß nicht nähren. Andere Pflanzen bringen auf andere Thiere nicht minder seltsame, jedoch entgegengesetzte Wirkungen hervor, wie z. B. die Esche auf die Schlangen. „Es gibt kein kräftigeres Heilmittel", sagt Plinius, „als den Saft der Blätter der Esche zu trinken und die Blätter auf die Wunde zu legen.

Der Baum selbst ist ihnen dergestalt zuwider, daß sie sogar den Schatten desselben fliehen. Ich habe eine Schlange gesehen, welche, in einem halb aus Feuer, halb aus Eschenblättern gebildeten Kreise eingeschlossen, es vorzog, durch das Feuer zu entkommen."

Man legt in der Regel kein großes Gewicht auf das Zeugniß des Plinius, und man muß zugeben, daß er häufig Beweise von kindischer Leichtgläubigkeit ablegt; allein er lügt wenigstens nicht, und hier spricht er als Augenzeuge. Zwar berichtet Camerarius, daß ihm dieses Experiment mit den Schlangen in Deutschland nicht gelungen ist, und Moses Charras versichert, daß eine Schlange, als er sie in einen Kreis von Eschenblättern gelegt, nicht den mindesten Abscheu gezeigt und sich in den Blättern verborgen habe. Plinius unterschibet vier Gattungen von Eschen, und es ist möglich, daß weder Camerarius noch Charras die echte gebraucht haben. Die weiße Esche in Nordamerika soll dieselbe Eigenschaft besitzen, und ein neuerdings angestelltes Experiment scheint die allgemein herrschende Meinung zu bestätigen. In einem der letzten Hefte des Journals von Silliman wird Folgendes darüber berichtet:

„Im verflossenen Monate August begab ich mich nebst Hrn. Hertland und Dr. Dutton auf die Hirschjagd. Nachdem wir ungefähr eine Stunde auf unserm Posten gestanden, erschien statt eines Hirsches eine Klapperschlange, welche aus einem Loche im Felsen, auf dem wir standen, gekrochen war und sich nach dem Wasser zu bewegte. Als das Thier unsere Stimmen hörte, blieb es plötzlich unbeweglich und streckte sich in den Sand, den Kopf dicht am Flusse. Es schien mir dieses eine treffliche Gelegenheit, um zu bewähren, was ich von der weißen Esche hatte erzählen hören; nachdem ich also meine Freunde gebeten, auf der Lauer zu bleiben, holte ich in einiger Entfernung einen Schößling dieses Baumes von etwa zehn Schuh in der Höhe und brachte zugleich einen Zuckerahornast mit, um den Unterschied zwischen beiden zu ermitteln. Hierauf trat ich auf die Schlange zu, indem ich mich zwischen sie und ihr Loch stellte, um ihr den Rückzug abzuschneiden. Als ich ihr auf sieben bis acht Fuß nahe gekommen war, rollte sich das Thier zusammen, hob den Kopf acht bis zehn Zoll in die Höhe und rüstete sich zum Kampfe. Ich hielt ihm zuerst den Eschenast vor, sodaß ich seinen Körper mit den Blättern berührte. Sogleich ließ die Schlange den Kopf sinken, streckte den Leib aus, und indem sie sich auf den Rücken legte, fing sie an, sich in großer Angst zu krümmen und zu winden. Kaum hatte ich den Zauberast von ihr entfernt, so richtete sie sich aufs Neue in einer drohenden Stellung auf. Als ich ihr den Ahornast hingehalten, schoß sie wüthend darauf los, sodaß der Kopf sich in die dichten Zweige und Blätter verwickelte; sie zog sich zurück und stürzte zum zweitenmale auf den Ast mit der Schnelle eines Pfeils. Nachdem ich sie so eine Zeit lang gereizt, ergriff ich den Eschenast und hielt ihn ihr vor: auf der Stelle ließ sie den Kopf sinken und legte sich auf den Rücken wie das erste Mal. Ich schlug sie verschiedenemal; allein statt ihren Zorn zu reizen, vermehrte ich nur ihre Angst, und sie schlug mit dem Kopfe gegen den Boden, gleichsam als suchte sie eine Oeffnung zu machen, um dieser Verfolgung zu entgehen."

„Fast in allen wärmern Theilen des spanischen Amerikas bedient man sich, um die Wirkungen des Schlangenbisses abzuhalten und sich gegen den Zahn dieser gefährlichen Thiere zu verwahren, gewisser Pflanzen, die man mit einem gemeinschaftlichen Namen bezeichnet, obgleich sie verschiedenen Gattungen angehören. Man nennt sie Guaco-Lianen (Bejucos de Guaco), weil man vergeblich dem Guaco die Entdeckung der Eigenschaften dieser Pflanzen verdankt. Der Guaco ist ein Rohrdommel, ungefähr so groß wie der unsrige, aber von zarterer Gestalt und glänzenderm Gefieder. Seinen Namen hat er von dem Schrei erhalten, den er des Abends ausstößt. Während [illegible] Aufenthalts zu Mariquita, einer Stadt in Neugranada, habe ich über die Wirkung der Guacopflanze Folgendes erfahren:

Ein Negersklave, Namens Pio, der einer der [illegible] sten Einwohner von Mariquita aus einer [illegible] mitgebracht, hatte sich durch die Kühnheit berühmt [illegible], mit welcher er die gefürchtetsten Schlangenarten [illegible]; er hatte diese Thiere vor ihm fliehen sehen, ohne [illegible], ihn zu verwunden, und es hieß, er könne mittels einer Operation diese Zaubermacht einem Andern mittheilen. [illegible] kam dem Botaniker Mutis (1788) zu Ohren, [illegible] sie ihm auch vorkam, so glaubte er sie dennoch nicht [illegible] lassen zu müssen. Bald hatte er Gelegenheit, sich von der Wahrheit des Factums zu überzeugen, und nun gab er sich alle mögliche Mühe, das Geheimniß dem Neger abzulocken. [illegible] nicht so leicht, als man vielleicht glaubt. Die [illegible] nennen sich im Lande die Leute, welche die Schlangen [illegible] len) bilden unter sich eine Art Brüderschaft. Indem sie in das Geheimniß eingeweiht werden, machen sie sich anheischig, es nur unter gewissen Bedingungen mitzutheilen, und [illegible] solche Leute, die ein Geschäft daraus machen: sie betrachten die Schlangen als Thiere, die ihnen großen Nutzen bringen, und vermeiden jede Gelegenheit, ihnen zu schaden. [illegible] Drohungen, Versprechungen wußte Mutis endlich den [illegible] bewegen, ihm das Arcanum mitzutheilen, und stellte [illegible] Reihe von Experimenten an, denen auf seine [illegible] achtbare Personen als Zeugen beiwohnten."

„Das erste fand statt den 30. Mai 1788 zu [illegible] in dem Hause des Mutis, in Gegenwart von [illegible], unter denen sich Don Diego Ugaldo, später [illegible] dova in Spanien, Don Anselmo Alvarez, [illegible] Santa-Fé, mehre Gelehrte u. s. w. befanden. [illegible] der Neger Pio mit einer äußerst giftigen Schlange, die [illegible] seinen Händen rollte und aufs heftigste [illegible] Thier im mindesten Furcht noch Zorn blicken [illegible] gidor Vargas suchte das Thier zu reizen, [illegible] Mantel hinreichte: es fuhr wüthend darauf [illegible] beinahe einen Zoll langen Zähne in das [illegible] gleichsam um es zu strafen, versetzte ihm [illegible] Hand. Vargas entschloß sich hierauf, [illegible] Operation zu unterwerfen, durch welche der [illegible] wundbar gemacht hatte; seinem Beispiele folgten [illegible] die gegenwärtig waren. Der Corregidor [illegible] gefallene ein Protokoll auf, und Mutis [illegible] richt, der in zwei spanischen Zeitschriften [illegible]. Der Gebrauch des Guaco verbreitete sich [illegible] nada. Zehn Jahre nachher schrieb Mutis [illegible] sich als Bevollmächtigter von Colombien [illegible] stirbt Niemand mehr an den Schlangen[illegible] Schafe werden so gut geheilt wie die [illegible] angestellten Versuche sind so zahlreich, [illegible] damit anfüllen könnte."

Notiz[illegible]

Zu den zum ersten Mal erschienenen [illegible] gehört: „The oriental annual, or [illegible] Stahlstichen und erläuterndem Text, [illegible] Caunter.

Der 13. Band der „Edinburgh [illegible] Geschichte des alten und modernen [illegible] Crichton.

Die neuesten Nachrichten über [illegible] London erschienenen „Excursions in [illegible] Australia and van Diemen's Land [illegible] 1830—33", von Lieut. Breton von [illegible]

In Boston (Nordamerika) ist [illegible] men: „A collection of the familiar [illegible] papers of Benjamin Franklin, [illegible]

Redigirt unter Verantwortlichkeit der Verlagshandlung: F. A. Brockhaus in Leipzig.

Blätter

für

literarische Unterhaltung.

Montag, — Nr. 336. — 2. December 1833.

Historisch-politische Zeitschrift, herausgegeben von L. Ranke. Zweiter Band. Erstes Heft. Berlin, Duncker und Humblot. 1833. Gr. 8. Preis eines Bandes von vier Heften 5 Thlr.

Geringe Theilnahme bezeigte noch vor wenigen Jahren in Deutschland die große Menge, welche man mit einem Lieblingsausdruck der Zeit das „gebildete Publicum" nennt, der Politik und den mit dieser zusammenhängenden Dingen. Man freute sich der erworbenen Rechte, schaffte hier und dort manches Todte im Staate hinweg (aus dem Reiche des Lebendigen, und nur Wenige überließen sich dem Hange der politischen Speculation. Die gewöhnlichen politischen Zeitschriften, nichts als das dürre Factum verbreitend, oder zuweilen einen über dasselbe raisonnirenden Artikel eines französischen oder englischen Blattes wiederholend, wurden gelesen ohne weiteres Interesse, als um doch auch zu wissen, was unsere Nachbarn beschäftige. Wenige einheimische politische Zeitschriften, größere Ausführlichkeit und Gediegenheit in Behandlung des Factischen sich rühmend, fristeten mehr ihr Dasein, weil sie einmal schon Jahre hindurch bestanden und die Gewohnheit sie erhielt, als daß sie eines lebendigen, frischen Entgegenkommens des Publicums sich erfreuen konnten.

Diesen im Ganzen ruhigen Zustand in Deutschland störte plötzlich der Ausbruch der Julirevolution im J. 1830 zu Paris. Wie der elektrische Schlag alle Glieder einer Kette durchzuckt und nur in dem äußersten eine etwas schwächere Wirkung zeigt, auf gleiche Weise empfanden fast alle Glieder des europäischen Staatensystems die erschütternden Wirkungen dieser neuen Revolution Frankreichs. Schnell folgten die Aufstände in Belgien, Polen, Italien und mehren Staaten Deutschlands, der Sieg des Ministeriums mit der Reformbill, seine Annäherung an Frankreich. Man konnte versucht werden zu glauben, ganz Europa werde von Neuem diesen Bahnen folgen. Aber gleich anfangs fand diese Bewegung ihren Gegensatz. Holland, Rußland ergriffen sogleich den offnen Kampf gegen dieselbe mit großer Kraftentwickelung; Preußen, Oestreich und andere standen gerüstet, sie in ihrem Fortschritt zu hemmen.

Neubelebt war das politische Interesse in Deutschland. Die Veränderungen in der Verfassungen mehrer deutscher Länder erhielten dieses Interesse lebendig. Nahegelegt ward einem Jeden, dem Einen mehr, dem Andern weniger, sich klar zu werden über die Fragen der Zeit in dieser Beziehung.

Bei dieser geistigen Geburt suchten die Tagesblätter Hebammendienste zu verrichten. Wie Pilze im fetten Waldboden schossen sie in größerer und immer größerer Anzahl hervor, suchten zu lenken, zu leiten, zu bewegen und anzuhalten. Mit der großen Anmaßung, die periodische Presse sei es, die in unserer Zeit vorkämpfe und den Weg führe des Menschengeschlechts, traten sie auf. Aber dem Tieferschauenden entging es nicht, wie die Rollen eigentlich verwechselt waren. Nicht sind diese Blätter die Vortreter, sie sind die Nachtreter im eigentlichsten Sinne des Wortes. Die Richtung, der Anstoß ist im Ganzen längst vorhanden, ehe sie ihr schallendes Wort erheben. Nur die Consequenzen und die Uebertreibung dieser Richtungen zu befördern, ist oft ihr Werk. Ferne sei es von uns, unter diesem Spruch auch die größern, gediegenern Zeitschriften zu umfassen, welche mit Einsicht in die Sachen und Kenntniß, mit Urtheil und ohne äußere Leidenschaft zu erforschen wie darzustellen streben, was der Natur des Staates, dieses reichsten Organismus in der Welt, angemessen wie ersprießlich sei. Nur die Tagesblätter, die mit etwas Geist, Witz und Verstand den Mangel gründlicher Kenntniß zu ersetzen gedenken, wollen wir verwerfen; wir wollen uns erinnern (verzeihe der gütige Leser dieses Gleichniß), daß wir von Dem, der uns Schuhe macht, verlangen, er habe Schuhe machen gelernt. Es macht sich auch so leicht Keiner an das Schuhmachen ohne dieses Lernen; aber an der Beurtheilung des Staates glaubt jeder nur einigermaßen Denkende nicht nur Theil nehmen, was Niemand ihm wehre, sondern auch seine Meinung in die Welt schicken, sein breites Wort in aller Leerheit mitsprechen zu können, als wenn es genügend sei, mit einigen Floskeln und Ideen über Menschenrecht und Freiheit sich an das Begreifen des Wesens des Staates zu machen. Geht doch hin, ihr Weisen, und schaut, welches Studium es koste, den Bau und die Natur auch nur einer schönen Pflanze, deren Organismus zu verstehen; wie wollt ihr den Bau und die Natur des Staates, dieses edelsten aller Gewächse unter der Sonne, so leicht begreifen?

Unter die große Menge der Zeitblätter dieser Art gehört nicht die vorliegende Zeitschrift Ranke's, dessen Name, geachtet und mit Auszeichnung bekannt unter den Historikern Deutschlands, uns hiefür schon allein eine sichere Bürgschaft darbietet. Während jene in immerwährender Wiederholung ihre allgemeinen Ansichten, je nach der Grundfarbe, die sie tragen, fast täglich entwickeln und darauf zu vertrauen scheinen, daß, wie der Lügner durch stetes Erzählen seiner Lügen zuletzt selbst an die Wahrheit derselben glaube, so auch der Leser durch die Gewohnheit, in diesem Ideenkreis sich zu bewegen, ihn für den richtigen halten werde — während jene diese Taktik befolgen, verzichtet unsere Zeitschrift meistentheils, auf diese allgemeinen Streitfragen des Tages einzugehen, sondern strebt danach, in einzelnen wissenschaftlichen, gründlichen Untersuchungen verschiedene Punkte und Ansichten theils aus dem Gebiete der Staatswissenschaft, theils aus dem der äußern Politik ihrer innern Natur nach zu besserer Würdigung auseinanderzulegen.

Man hat, namentlich in Blättern, die sich liberaler Tendenz rühmen, gleich bei dem ersten Auftreten diese Zeitschrift zu verdächtigen gesucht, indem man behauptet, daß sie unter Einfluß des preußischen Cabinets stehe, daher nicht frei eine wahre Ueberzeugung aussprechen werde. Nichts ist wol bösartiger und illiberaler als ein solcher Angriff, ein solches Vorbauen gegen die Wirkung auf unbefangene Leser.

Diese Unfreiheit des Geistes, nur die eigne Ansicht für die eines vernünftigen Menschen allein würdige und mögliche zu halten, jede abweichende aber irgend einem äußern Einfluß zuzuschreiben, ist leider nur zu häufig bei unsern sogenannten Liberalen zu bemerken. Wir geben zu, daß die vorherrschenden, aus den einzelnen Untersuchungen resultirenden Ansichten in dieser Zeitschrift, namentlich die auf Staatswirthschaft Bezug habenden, dieselben oder wenigstens sehr ähnlich denen sind, von welchen die preußische Regierung seit dem Jahre 1808 geleitet wird; müssen sie darum jetzt auf Befehl oder unter Einfluß der Regierung dargestellt werden? Es wäre dies ein zu schneller Schluß. Viel natürlicher und ungezwungener scheint diese Erscheinung sich uns zu erklären. Die preußische Regierung ging im Jahre 1807 mit diesen staatswirthschaftlichen Einrichtungen, die bekanntlich eine wesentlich liberale Tendenz haben, den meisten andern deutschen Ländern voran; sie erkannte zuerst, was der damaligen Zeit noth war und schuf, gestützt auf diese Kenntniß, ihre innere Administration. Aber sie begnügte sich nicht mit diesem einmal ins Lebenrufen derselben; sie erkannte zugleich, daß nur ein diese Ansichten mit Bewußtsein ergreifender, redlicher Beamtenstand fähig wäre, das Werk fort- und auszubilden; sie suchte also diesen Beamtenstand zu bilden. Einen redlichen fand sie vor, wie wol kein anderes Land ihn aufweisen konnte. Fleiß und Treue, diese beiden Eigenschaften, die alle andern Anfoderungen an einen Staatsdiener in sich schließen, zeichneten schon unter dem „alten Fritz" Preußens Beamte rühmlichst aus. Es kam also nur darauf an, die das hohe Staatsministerium leitenden Grundsätze und Ansichten zum Eigenthum der einzelnen Behörden zu machen. Zur Realisirung dieses Zweckes trug die Richtung der ganzen Zeit, der jene neuen Ansichten ja analog waren, wesentlich bei; theils aber auch wirkten die gesteigerten Anfoderungen in wissenschaftlicher Hinsicht, die man an die Candidaten des Staatsdienstes machte, darauf hin, daß ein durch gründliche Studien gebildeter Beamtenstand in wenigen Decennien dastand, der nicht nur Vollstrecker ministerieller Befehle war. Ist es nun so wunderbar, wenn dieser Beamtenstand selbstthätig sich erhebt zur Untersuchung und Würdigung dieser Ansichten, wenn er Meistentheils übereinstimmt mit Dem, was wirklich auch die Ansicht der obersten Staatsbehörden ist?

In dieser Vertheidigung der vorliegenden Zeitschrift gegen den ihr gemachten Vorwurf der Unfreiheit haben wir zugleich die Farbe bezeichnet, welche in ihren Untersuchungen über staatswirthschaftliche Gegenstände herrscht. Sie gehört hierin ganz rein der liberalen Richtung an, wie überhaupt Preußen in dieser Beziehung wol unter die liberalsten Staaten der jetzigen Zeit gerechnet zu werden verdient. Gewerbefreiheit, Ablösung der sogenannten bäuerlichen Lasten, Separation gemeinschaftlicher Dorfsluren und Nutzungen, alle diese gepriesenen Vortheile für das neuere Staatsleben finden wir in Preußen nicht erst seit den letzten politischen Bewegungen, sondern schon seit mehren Decennien in umfassendster Ausdehnung.

In dieser, wenn man also will, preußischen Richtung sind nun auch die beiden umfassendsten Aufsätze des vorliegenden Werkes geschrieben, auf welche wir zuerst näher einzugehen uns veranlaßt sehen, da sie uns als die bedeutendsten erscheinen.

Der eine derselben führt die Aufschrift: „Ueber die Veränderungen, welche die Benutzung und der Ertrag der Landgüter durch politische und wissenschaftliche Einflüsse und durch die Gesetzgebung in neuerer Zeit erfahren haben". Es ist dieser Aufsatz in mehrfacher Beziehung uns bedeutsam erschienen. Einerseits gibt er die nachtheiligen Folgen für Wohlstand und ruhigen Besitz, welche die neue Gestaltung der landwirthschaftlichen Verhältnisse durch Aufhebung der gutsherrlichen Rechte u. s. w. hervorgebracht, zu; er weist mit umfassender Kenntniß die speciellen Ursachen wie den Zusammenhang der Dinge nach, die diese schlimmen Folgen zu Wege bringen mußten; andererseits aber baut er dennoch auf die Wahrheit und Zweckmäßigkeit der eingeschlagenen Richtung und gibt die Mittel an, diese jetzt unglücklichen Folgen zu beseitigen. Den Klagen über Entwerthung der Grundstücke, Verschwinden des Realcredits, gänzliche Unsicherheit des Reinertrags der Güter und der aus allen diesen hervorgehenden und sich aussprechenden Unbehaglichkeit fast aller Landwirthe stellt er die größere cultivirte Bodenfläche, die Zunahme der Erzeugnisse des Bodens an Werth und Masse, die Vermehrung und Veredlung der Viehstände, die Vermehrung der Menschenzahl, ihrer Lebensgenüsse, ihres Beitrags zu dem höhern Bedarf der Gesammtheit gegenüber, mit Einem Wort: die vermehrte Productivität im Staate.

Mit entschieden umfassender Sachkenntniß stellt uns der Verf. recht deutlich vor Augen, welche Kette von speciellen Ursachen, die ihren Ausgangspunkt in der Veränderung der Stellung der Landwirthschaft finden, jener sich aussprechenden Unbehaglichkeit zu Grunde liegt, wofür wir ihm unsern besten Dank sagen. Auch stimmen wir ihm vollkommen bei in seiner Behauptung, daß nur das Schicken in die neue Zeit diese wieder zur alten guten erheben könne. Aber nun entsteht die Frage, ob dieses sich Schicken eine Möglichkeit sei, oder mit andern Worten, ob es mit der innersten Natur der Landwirthschaft und ihrer Stellung im Staate übereinstimme.

Außer dem Verlangen eines ungleich größern Anlage- und Betriebscapitals stellt der Verf. als erstes und Hauptmittel zur Bezwingung jener unglücklichen Folgen der neuen Gestaltung landwirthschaftlicher Verhältnisse die Foderung auf: „daß an einem heutigen Landwirth äußere und innere Anlagen, gründliche Sachkenntniß und Erfahrung, scharfes Rechnen, richtige und glückliche Speculation unentbehrliche Eigenschaften sind, während in dem sonstigen einfachen, gleichförmigen Laufe der Wirthschaft ein geringes Maß von Kenntnissen und Erfahrung, bei einiger Rührigkeit mit mäßigem Fleiß und geregelter Sparsamkeit völlig genügten, um eines guten Auskommens gewiß zu sein.“

Ob nun ein dieser Anfoderung entsprechender Bauern- oder auch nur Gutsbesitzerstand wirklich noch, der Sache und seiner Stellung im Staate nach, einen ackerbautreibenden Stand mit seinen bis jetzt eigenthümlichen Interessen, wie deren Einfluß auf das Ganze des Staates, bilden werde oder könne, diese Frage wird unserer Meinung nach verneint werden müssen. Wir wollen uns nicht an das wehmüthige Gefühl wenden, welches jeden Empfindenden ergreifen wird bei der Betrachtung des Ruins eines großen, kräftigen und im Ganzen moralisch-gesunden Theils unserer Bevölkerung, der, herausgerissen aus der ihm eignen, seiner Natur gemäßen Lage, in ein schwankendes Meer der Unsicherheit seines Bestehens hineingestoßen wird, aus dem vielleicht nur Kind und Kindeskind sich zu retten im Stande sein werden. Diese Seite der Betrachtung einer gänzlichen Veränderung alter Verhältnisse wollen wir zurückdrängen; wir wollen unsere Augen wenden auf die glänzende, glückliche Zukunft, die aus diesem Elende für unsere Nachkommen sich bilden soll, die man als Ersatz für so viele Leiden, so viele Thränen uns hinstellt. Aber auch so finden wir wenigstens keinen Trost!

(Die Fortsetzung folgt.)

Die neuere Literatur ist reich an Sammlungen, welche uns die Geschichte und Untersuchung von Thatsachen aufbewahren, welche die menschliche Gesellschaft mehr oder weniger gefährden, und die deshalb von den Strafgesetzen mit gewissen Uebeln bedroht sind. Ihre Darstellung gewährt nicht blos dem Manne von Fach, sondern jedem Menschen ein eigenthümliches Interesse. Das letztere kann indeß durch die Bearbeitung sehr erhöht werden. Dabei kommt es natürlich auf den Zweck der Bearbeiter vornehmlich an. Pfister schrieb vorzugsweise für angehende Inquirenten, seine Sammlungen sind mehr praktische Beispiele, an welchen er den angehenden Untersuchungsrichter die Kunst des Inquirirens erläutern will. Der verewigte Feuerbach stellte sich mehr auf den reinmenschlichen Standpunkt. Seine Criminalfälle haben sich deshalb auch des ausgebreitetsten Kreises von Lesern zu erfreuen. Für jedes denkende Wesen bleibt der Mensch immer der interessanteste Gegenstand des Forschens. Wir sind alle mehr oder weniger Psychologen. Wo findet aber diese Neigung mehr Befriedigung als bei der Betrachtung von Verbrechern, wo uns unverschleiert und unverhüllt die menschliche Natur in ihrer ganzen Nacktheit entgegentritt? Feuerbach hat diese psychologische Richtung im Menschen am besten zu benutzen gewußt, und seine Darstellungen sind deshalb auch für den Laien von hohem Interesse. Unübertrefflich in seiner Art ist namentlich sein letztes Werk: „Kaspar Hauser oder Verbrechen an dem Seelenleben eines Menschen“. Es ist wahrhaft classisch und

gen die Familie des Pfarrers und Adjunctus Christian Gottlob Mouille in Bienenhain wegen Kindermords und anderer Verbrechen. Die Kindesmörderin ist die Tochter des Pfarrers, ihre eigne Mutter Mitschuldige. Die Tendenz des Falls gibt das vom Verf. gewählte Motto:

Erzitt're vor dem ersten Tritte;
Mit ihm sind schon die andern Schritte
Zu einem naden Fall gethan!

sehr treffend an. Nun folgen noch: ein Untersuchungsproceß gegen Maria Elisabeth von Bartheld und den Secretair Joh. Christoph Engelbert Hartung wegen Kindermords, welcher uns in dem Letztern die menschliche Verdorbenheit auf ihrem Culminationspunkte zeigt; drei Urtheile, Verbrechen gegen das Eigenthum betreffend; eine Untersuchung wegen angeschuldigter Verübung eines Straßenraubes und ein Criminalproceß gegen Elisabeth Tag wegen versuchter Brandstiftung. Den Beschluß der reichhaltigen Sammlung macht ein Untersuchungsproceß von bedeutendem Umfange gegen Joh. Friedr. Weißmantel und dessen Ehefrau wegen Brandstiftung. 169.

Astronomische Notizen.

Die chronometrische Expedition der Russen im Sommer 1833.

Die russische Regierung wünschte die genaue astronomische Länge von Petersburg auf ähnlichem Wege zu ermitteln, wie einige Jahre früher die von Altona durch Vergleichung mit Greenwich ermittelt worden war. Bei der bedeutenden Ausdehnung der Ostseeküsten bedurfte es der Mitwirkung sämmtlicher Uferstaaten und einer mehrmaligen Wiederholung. Russischerseits ward das Dampfschiff Hercules von 32 Kanonen dazu bestimmt, mit 56 Chronometern und sonst erfoderlichen Instrumenten u. s. w. versehen und unter den Befehl des Generallieutenants v. Schubert, Chef des russischen Generalstabs, gestellt, dem der Oberstlieutenant Baron v. Wrangel beigegeben war. (Bei der zweiten und dritten Reise war auch Prof. v. Struve am Bord und besuchte mehre Stationen.) Preußischerseits wurden in Pillau, Danzig, Swinemünde und auf Cap Arkona (Nordspitze der Insel Rügen) kleine Sternwarten errichtet und Beobachter stationirt: Pillau unter des königsberger Prof. Bessel's unmittelbarer Leitung; Danzig unter Hrn. Anger und noch einem dem Ref. unbekannten Mathematiker; Swinemünde unter Hrn. Wolfers und Prem.-Lieut. Adam; Arkona unter dem ausgezeichneten berliner Meteorologen Mädler und Lieut. v. Gersdorff von eben daher; dänischer- und schwedischerseits waren Lübeck (Gebrüder Petersen) Kopenhagen, Christiansöe, Stockholm und noch einige Nebenpunkte bestimmt und mit Beobachtern und Instrumenten versehen.

Obgleich nun russischerseits blos die Länge von Petersburg gewünscht ward, wozu nur genaue und regelmäßig fortgesetzte Zeitbestimmungen erfoderlich waren, so war es doch natürlich, daß die übrigen Regierungen eine so bequeme und mit so großen Kosten geschaffte Gelegenheit auch zu andern Zwecken zu benutzen wünschten.

Wir werden hier nur nach den uns von Arkona gemachten Mittheilungen berichten.

Es wurden Sternbedeckungen, Mondesdistanzen, die Sonnenfinsterniß u. s. w. zur Längenbestimmung und Zenithalsterne nach Bessel's Methode zur Polhöhenbestimmung beobachtet und berechnet. Für den erstern Zweck waren auch zu drei verschiedenen Malen (vom 4.—8. Juni, 15.—21. Juli und 9.—15. September) auf der von Kopenhagen und Arkona aus sichtbaren dänischen Insel Moen Pulversignale und Raketen (10—16 jeden Abend) abgebrannt und an beiden genannten Orten beobachtet worden. Aehnliche Signale wurden auch zwischen Altona und Lübeck sowie zu Balga zwischen Königsberg und Pillau abgebrannt und beobachtet. Es wurden die Winkel aller von Arkona aus sichtbaren Thürme und anderer gutgelegenen Punkte terrestrisch gemessen, ebenso später von Stralsund aus. Endlich wurde noch veranstaltet, daß zwei der preußischen Beobachter (Wolfers und Mädler) nach beendigtem Geschäfte nach Lübeck und Altona reisten, um dort vergleichende Beobachtungen mit den dänischen Observatoren (Petersen und Capitain v. Nehus) anzustellen und so zu ermitteln, ob und welche individuelle Beobachtungsdifferenzen in Rechnung zu ziehen wären.

Auf Rügen (Arkona) blieben die Beobachter vom 14. Mai bis 2. October 1833. Die astronomische Beobachtungsreihe begann am 29. Mai und endete am 16. September, in welcher Zeit 81 mehr oder weniger günstige Nächte fielen. Die Stürme und Regengüsse waren von ungemeiner Heftigkeit und sehr hinderlich. Die Wärme stieg nur einmal (30. Juni) auf + 19°, später hat sie nie + 15° überstiegen. Vom 3.—6. October Arbeit in Stralsund, vom 10.—17. in Lübeck und vom 19.—21. in Altona.

Die Russen besuchten Arkona 20. Juni, 11. August, 16. September. Zweimal (am 4. August und 9. September) zeigten sie sich in der Nähe, allein die stürmische See hinderte die Landung.

Die Station Swinemünde besuchten sie 19. Juni und 5. August, worauf diese aufgehoben ward.

Lübeck haben sie viermal besucht und im Uebrigen immer die Südseite zuerst umfahren und sind jedesmal nach Petersburg zurückgekehrt (überhaupt also dreimal). Den Beobachtern auf Arkona (von denen, wie es heißt, Hr. Mädler bei der berliner Sternwarte angestellt werden soll) waren nur die Zeitbestimmungen zur Pflicht gemacht; alles Uebrige ward blos gewünscht, angedeutet und ihrem freien Willen überlassen.

In Ostpreußen wurden mit diesen astronomischen Arbeiten auch geodätische Messungen unter Bessel's Leitung verbunden, zu welchem Zwecke der Hauptmann Bayer und mehre Beobachter auf der kurischen Nehrung und an andern Punkten der Küste stationirt waren.

Zur geographischen Darstellung unsers Nebenplaneten.

In einem historischen Ueberblicke entwickelte neuerlich der Bankier Wilhelm Beer (Bruder des Componisten Meyerbeer) zu Berlin vor der geographischen Gesellschaft daselbst zunächst die Bedingungen, unter welchen die Weltkörper hinsichtlich ihrer Stellung, Phasen u. s. w. dem Erdbewohner ihre Abbildung möglich machen. Nachdem er die günstigen Eigenthümlichkeiten des Mondes vor allen andern Weltkörpern in dieser Hinsicht für den Erdbewohner erörtert, die Fortschritte des höhern Calculs mit ihrer Anwendung auf das Gesammtgebiet der Astronomie und die einflußreiche Vervollkommnung der Instrumente charakterisirend hervorgehoben, führte er die einzelnen Leistungen von den ersten Versuchen eines Galiläus, Scheiner, Schirläus, Hevel u. s. w. bis auf die neueste vortreffliche Arbeit Lohrmann's an und bezeichnete ihren Werth. Interessirt eine solche Zusammenstellung in wahrhaft pragmatischer Weise schon deshalb, daß sie von dem in einem bestimmten wissenschaftlichen Streben sich entwickelnden Menschengeiste ein vortreffliches Bild gibt, so erhöhte Hr. Beer durch sie auch noch die bereits mit Recht gehegten Erwartungen, von ihm vielleicht in kurzer Frist ein Werk zu erhalten, das als sorgfältiges Ergebniß jahrelanger, fleißiger Beobachtungen für die historische und wissenschaftliche Selenographie ein großer Gewinn sein wird.

Die von dem Könige von Dänemark gestiftete Preismedaille ist dem Hrn. Gambart zu Marseille für die am 19. Juli 1832 von ihm gemachte Entdeckung eines neuen Kometen ertheilt worden.

Von den vollständigen Himmelskarten der königl. Akademie der Wissenschaften zu Berlin sind in diesem Jahre abermals zwei Blätter, nämlich Nr. 9, St. VIII, und Nr. 23, St. XXII, mit den dazu gehörigen Sternverzeichnissen erschienen. Nr. 8 und 24 werden auch noch in diesem Herbst ausgegeben. 87.

Redigirt unter Verantwortlichkeit der Verlagshandlung: F. A. Brockhaus in Leipzig.

Blätter für literarische Unterhaltung.

Dienstag, —— Nr. 337. —— 3. December 1833.

Historisch-politische Zeitschrift, herausgegeben von L. Ranke. Zweiter Band. Erstes Heft.

(Fortsetzung aus Nr. 336.)

Wir unterscheiden im Großen und Ganzen zwei Classen der ländlichen Bevölkerung. Zu der einen rechnen wir alle Diejenigen, deren Lage sie darauf hinweist, sich ganz und gar der Bebauung ihrer Aecker zu widmen, um nur ihre Existenz zu sichern; die andere Classe wird gebildet von Gutsherren, deren Besitz so bedeutend ist, daß sie nicht genöthigt sind, ihre ganze Zeit der Leitung oder selbthätigen Besorgung ihrer Wirthschaft zu opfern, sondern noch Muße genug haben, ihren Geist zu bilden, sowie sich fähig zu machen, auch noch höhere Richtungen des menschlichen Lebens, wenn auch nicht selbständig zu erforschen, doch in ihren Resultaten aufzufassen und durch sie das Leben zu verschönern und zu erheitern; mit wenig Worten, deren Lage es erlaubt, ihren Geist frei und rege für höhere Dinge zu bilden, als die Landwirthschaft, trotzdem, daß man ihr den Namen Wissenschaft freigebig ertheilt hat, immer und ewig bleiben wird.

Die erstere Classe wird natürlich die zahlreichere sein, da zu ihr nicht nur der Bauer, sondern auch der geringere Gutsbesitzer gerechnet werden muß. Wird diese Classe je im Stande sein, ihren Söhnen und Erben eine solche Erziehung angedeihen zu lassen, die sie befähigt, das Studium der „rationalen Landwirthschaft" mit einem nicht geringen Aufwande von Kosten und Zeit zu betreiben, um dereinst ihr Besitzthum dieser gemäß zu verwalten? Wir glauben dies geradezu verneinen zu können. Der Sohn lernt in diesen Verhältnissen die Wirthschaft entweder bei dem Vater, dem er von Jugend auf an die Hand gegangen, oder bei einem Bekannten desselben, der in gleichmäßiger Lage sich den Ruf eines tüchtigen Landwirths erworben. Höchstens schickt man einen solchen jungen Menschen auf ein bedeutendes Gut, um ihm hier Gelegenheit zu geben, den Gang einer großen Wirthschaft zu betrachten. Hierher kommt er jedoch mit wenigen Schulkenntnissen ausgerüstet, er wird sogleich praktisch in Anspruch genommen, sodaß ihm wol wenig Zeit für ein höheres Studium der Landwirthschaft übrig bleiben wird. Dies ist der naturgemäße Gang der Bildung von Landwirthen in beschränktern Verhältnissen. Aber auch aus freier Wahl und Neigung widmet sich eine nicht geringe Zahl von Söhnen städtischer Familien dem Landbau in diesen engern Besitzverhältnissen. Vielleicht erwartet man, daß diese, durch Schulunterricht wie überhaupt geistiger gebildet, eine solche rationale Richtung der Landwirthschaft einschlagen werden. Aber wir müssen dies gleichfalls verneinen, sobald wir nur einen Blick auf die Beweggründe zu einer solchen Wahl des Lebensberufes werfen. Was treibt diese jungen Leute zum Landbau? Unter hundert Fällen wird man kein anderes Motiv zu Grunde liegen finden als grade die Abneigung dieser Menschen vor einem an das Zimmer, an die Stadt gefesselten Studium oder Gewerbe. Sie sehnen sich hinaus in Gottes freie Natur aus den engen, dumpfen Schreib- und Studirstuben; es treibt ihre Natur sie hinaus in Wald und Flur mit mehr körperlicher als geistiger Anstrengung ihres Lebens Thätigkeit zu finden. Für diese Menschen ist der alte Landbau das Wasser, in dem das Fischlein behaglich schwimmt. Sie sind ihrer Natur nach hierauf angewiesen und wir knicken ihr von Gott so geschaffenes Dasein in all seiner Freudigkeit, zwingen wir sie, auch beim Landbau zu studirenden, weit- und feinspeculirenden Menschen zu werden. Daß jede natürliche Richtung ihr Element finde, hat Gott gesorgt, die Menschen aber wollen diese natürliche Richtung binden, ans Spalier schlagen wie das junge Bäumchen und es ertödten.

Wenden wir uns zu der zweiten Classe unserer ländlichen Bevölkerung. Ein größerer Besitz befreite sie in früherer Zeit von der zu ängstlichen Sorge und Anstrengung, sich und den Ihrigen ein wohlhäbiges Dasein zu sichern. Sie erhoben sich zu höherm, geistigerm Genuß in Kunst und Wissenschaft, sie vermittelten so den Landbau mit den geistigen Richtungen des Lebens, ohne seiner eigenthümlichen Natur Abbruch zu thun. In Folge der Umgestaltung unserer landwirthschaftlichen Verhältnisse ist auch ihnen diese Ruhe und Sicherheit des Besitzes, die aus derselben hervorgehenden Folgen genommen. An mehren Stellen der vorliegenden Abhandlung können wir die Ursachen dargelegt finden, welche diese größern Gutsbesitzer vorzugsweise zu noch größerer Anstrengung im wirthschaftlichen Betriebe zwingen; wir finden, daß an sie vor Allem jene Foderungen erhöhter landwirthschaftlicher Kenntniß und Speculation gemacht werden. Nicht zu leugnen ist es, daß diese Classe wol Mittel und Gelegenheit haben kann, Studien der Art mit Erfolg zu treiben, welche Möglichkeit wir der ersten Classe absprechen mußten; daß sie also fähig ist, sich durchzukämpfen durch die böse Zeit. Welches Bild der künftigen guten Zeit zeigt sich aber für sie? Die Theilung der Arbeit, dieses Lieblingsthema neuer Zeit, das den Fabrikarbeiter zum lebenslänglichen Stecknadelknopffabrikanten bringt, ein Loos, welches wahrscheinlich dem deutschen hörigen Bauer früherer Zeit als die härteste Sklaverei erscheinen würde, bringt auch hier ihre bösen Früchte. Nur auf den Landbau, nur auf die Speculation über Schafe, Rinder, Dünger, und wie die Dinge alle heißen, die in der Wirthschaft in Betracht kommen, soll sich der Geist des reichern Gutsbesitzers wenden, er soll in diesen seine Arbeit, seine Lust, sein geistiges Vergnügen finden! Er wird sein wie das

— — Thier auf dürrer Haide, — —
Und ringsumher liegt schöne, grüne Weide.

Die übeln Folgen aber, welche eine so gestaltete ländliche Bevölkerung, wie sie der Verfasser jenes Aufsatzes wünscht, für den Staat hat, trotz der vermehrten Production an Naturerzeugnissen und Menschen — hier weiter zu entwickeln, fehlt es uns an Raum wie Zeit, und wir behalten uns vor, bei anderer Gelegenheit sie zu betrachten. Denn es gibt noch eine andere Seite der Betrachtung staatswirthschaftlicher Gegenstände, die es nicht allein zu thun hat mit der Untersuchung, unter welchen Umständen die größtmögliche Production hervorgerufen werden könne, sondern auch berücksichtigt, welche Wirkung die verschiedenen Beschäftigungsarten auf den geistigen Charakter des Menschen äußern, sowie welche geistige Charakterunterschiede der Massen (Stände) überhaupt in dem Organismus eines Staates passenden Platz finden. Wenn wir „passenden" Platz schreiben, so versteht es sich gewissermaßen von selbst, daß wir eine Wohlbehaglichkeit des Daseins mit dieser Stellung für die Betreffenden voraussetzen. Denn das Ausbleiben dieser Wohlbehaglichkeit irgend einer Stellung im Staate würde uns grade zum Beweise dienen, daß diese Stellung nicht die wahre und passende sein könne.

Der zweite bedeutende Aufsatz dieses Hefts ist überschrieben: „Zur Geschichte der deutschen; insbesondere der preußischen Handelspolitik von 1818—28". Mit den Befreiungskriegen von 1813—15 erwachte in Deutschland das durch die französische Herrschaft über den deutschen Rheinbund verletzte und auf eine Zeit gänzlich unterdrückte Gefühl der Nationaleinheit des gesammten Vaterlandes von den Ufern der baltischen See bis zu Tirols Alpen, von den Grenzen slawischen Wesens bis zum deutschen Rheinstrom. Der im Jahre 1806 bei Auflösung des Reiches erhaltenen Souverainetät freuten sich die Fürsten des Rheinbundes und dünkten sich viel größer und herrlicher als sonst; auch die ihnen untergebenen Stämme faßten einen gewissen Stammstolz, der in solcher Ausdehnung im deutschen Reich trotz der größern Vereinzelung und des schwachen Zusammenhalts von oben sich doch nie gezeigt hatte. Das Aufstehen Preußens gegen die französische Macht weckte das schlummernde Bewußtsein deutscher Nation zum Kampfe gegen die Fremden. Der siegreiche Krieg steigerte dieses Nationalgefühl bis zur Höhe der Schwärmerei, und hierin liegt wol mit ein Grund, daß trotz des besten Willens der Fürsten die gesuchten und erstrebten Einrichtungen zur Beförderung deutscher Freiheit nicht den gewünschten Fortgang fanden, sondern theils an den übertriebenen Foderungen, theils an der Verwickelung der Verhältnisse scheiterten, die sich nicht in wenig Tagen auf dem Papiere ordnen ließen. Wie Preußen in jenen Jahren der Erhebung den Anstoß gab zur Abschüttelung des fremden Jochs in nationaler Einmüthigkeit, wie es sein Volk, seine Kriegsmacht zu einem Anhaltspunkte darbot, wo die Vereinzelten, die Schwächern mit Vertrauen sich anlehnen, sich stärken konnten, so gehe von demselben Preußen in unsern Tagen eine neue Bewegung aus zur Beförderung jener deutschen Einheit; es bietet sich von Neuem zum Halt- und Anschlußpunkte dar in einer Sache, die schon lange die Wünsche deutscher Patrioten bewegte. Aber nicht wie zu jener Zeit wird es ihm leicht, die Getrennten um sich zu vereinigen zum kräftigen Widerstand gegen das Ausland, zur Förderung eigner Wohlfahrt und Gedeihens. Es scheint, als wäre der allgemeine Eifer, der allgemeine Wunsch nach Einrichtungen dieser Art gänzlich erloschen. Man verbirgt sich hie und da hinter die Souverainetät der einzelnen Staaten, strebt der Bund etwas gemeinsam Durchgreifendes festzustellen, mit kurzen Worten: das Mistrauen gegen Preußens auf dem System der Legitimität wesentlich ruhenden Politik ist auf Seiten der liberalen Partei so stark, daß selbst die reellsten Vorschläge dieser Macht zur Realisirung längst gewünschter deutscher Einheitsverhältnisse nicht erkannt, nicht gewürdigt zu werden scheinen. Je weiter verbreitet dieses Mistrauen, vornehmlich in Süddeutschland zu sein scheint, je mehr dort das preußische Zollsystem verdächtigt wird, um so größern Dank sind wir dem Verf. dieser Darstellung schuldig, der mit großer Wahrheit diese verwickelten Zustände darlegt.

Der deutsche Handel litt seit dem Bruch der französischen Continentalsperre vorzüglich an zwei Uebelständen. Einerseits wurde unser Markt mit englischen Waaren dermaßen überschwemmt, daß keine einheimische Fabrication eine Concurrenz aushalten konnte, und England, Holland und Frankreich umgaben sich mit einem prohibitiven Zollsystem, welches allen deutschen Natur- und Fabrikerzeugnissen zum Schutz der eignen Production den Eingang theils erschwerte, theils gänzlich versagte; andererseits hinderte die große Zerrissenheit der deutschen Länder in einzelne Staaten mit verschiedenen Zollsystemen das Aufkommen jeder nationalen Industrie. Diesen Uebelständen abzuhelfen, war dreierlei erfoderlich: 1) die Befreiung des innern Verkehrs deutscher Länder; 2) eine Stellung gegen das Ausland, um dieses zu einer gewissen Reciprocität nöthigen zu können; 3) mit diesem zugleich die finanziellen Bedürfnisse der einzelnen Länder zu berücksichtigen. Gemeinschaftliche Berathungen führten nicht zum Ziel. Da entschloß sich Preußen, wol auch weil es das größte Bedürfniß vor allen dazu fühlte, ein neues Zoll- und Steuersystem zur Erreichung jener drei Zwecke zunächst für seine eignen Unterthanen einzuführen. Die eigenthümlichen Schwierigkeiten, die aus dem großen finanziellen Bedürfniß des Staates, aus der Gesondertheit seiner verschiedenen Landestheile, aus der Wechselwirkung zwischen Zoll- und Steuersystem hervorgingen, nach vieler Mühe überwindend, stellte Preußen am 26. Mai 1818 dieses neue Zoll- und Steuersystem auf.

Es ist wesentlich auf eine freisinnige Handelspolitik gebaut, im Gegensatz der seit Colbert nicht wieder verlassenen Prohibitivsysteme, wie sich jeder Unbefangene leicht überzeugen kann. Huskisson, der so unterrichtete Verfechter des freien Handels „one of the earths great spirits", vertheidigte dasselbe in der Sitzung des Unterhauses am 7. Mai 1827 auf das glänzendste und schloß mit den merkwürdigen Worten: „Ich hoffe, die Zeit wird kommen, wo man das Nämliche von unserm englischen Tarif wird sagen können". Es befreite dieses neue Zollsystem einerseits den innern Verkehr von seinen bisherigen Fesseln durch Verlegung sämmtlichen Zolles an die Grenzen des Staates, andererseits aber eröffnete es dem auswärtigen Handel durch keine Aufstellung von Ausfuhr- und Einfuhrverboten sowie durch geringe Taxen weniger Einfuhrartikel die Möglichkeit einer allgemeinen Reciprocität, d. i. in letzter Instanz einer allgemeinen Freiheit. Funfzehn Jahre sind seitdem verflossen, das glänzendste Resultat für Preußen in commercieller Hinsicht liegt vor Augen.

Eine lebhafte Opposition erwachte in Deutschland gleich Anfangs. Preußen hatte sich gegen das übrige Deutschland ebenso abgeschlossen wie gegen das Ausland; viele Unbequemlichkeiten traten ein, mehre Interessen wurden verletzt. Mit Heftigkeit nahmen mehre Staaten diese Opposition auf. Heftige Reibungen wurden erwartet. Doch zur Ehre der preußischen Regierung muß bemerkt werden, daß sie gänzlich Alles der Art vermied, daß sie, ohne Repressalien zu gebrauchen, in würdiger Haltung ihren Gang ging, unbekümmert um das Geschrei des Tages. Endlich siegte die reale Unbehaglichkeit, in der man sich hier und dort fühlte. Die bessere Einsicht gewann die Oberhand, und nach Vorgang mehrer kleiner Fürsten, welche Enclaven im Preußischen besaßen, haben Hessen-Darmstadt, Hessen-Kassel sowie fast alle deutsche Fürsten den Beitritt nachgesucht und erhalten.

So frohen Hoffnungen wir uns nun auch überlassen mögen bei der Betrachtung der wohlthätigen Folgen dieses Anschlusses für das gesammte Vaterland, so bleiben doch viele Schwierigkeiten zurück, namentlich in der Ausgleichung der Steuersysteme, deren Lösung nicht leicht und nur durch ernsten Willen wie gegenseitiges Vertrauen möglich sein wird. Dieses Vertrauen in den Vertretern der übrigen deutschen Staaten zu erwecken, hierzu an seinem Theile mitzuwirken, wünschen wir vorliegendem Aufsatz. Von Tag zu Tag schließt sich leider die Ausbildung der „Meinung" dem französischen Nachbar an, entfremdet sich dem Zusammenhang aller deutschen Stämme und scheint eher mit dem Erbfeinde der Nation als mit dem Bruderstamm sich versöhnen zu können. Sollte die Geschichte der drei letzten Jahrhunderte nicht kräftig genug sprechen, welche unglückliche Folgen diese innere Uneinigkeit der Deutschen für das gesammte Vaterland gehabt? Abgerissen sind von den Fremden herrliche Länder deutschen Stammes, geplündert und beraubt die übrigen, in den Staub getreten ward die ganze Nation unter die Füße Napoleon's. Vergessen wir nie, daß auch hier Preußen so unendlich viel gethan für die Befreiung der ganzen Nation, daß es hier so rein deusch sich zeigte, während die Politik der Franzosen durch alle Jahrhunderte eine feindliche war! *)

(Der Beschluß folgt.)

Ueberlieferungen und Materialien zur Geschichte, namentlich zu jener des 18. und 19. Jahrhunderts; Originalarbeiten und Uebertragungen der interessantesten ausländischen Memoiren und Geschichtswerke. Erstes Heft. Auch unter dem Titel: Die Staatsmänner Grey, Talleyrand, Fox, Pitt und Canning. Britische Schilderungen und Urtheile. Mit dem Portrait von Georg Canning. Von Dr. Schneidawind. Neuhaldensleben, Eyraud. 1833. Gr. 8. 8 Gr.

Hr. Prof. S. scheint die neuere und neueste Geschichte seit der Revolution in einer Auswahl ihrer merkwürdigsten Begebenheiten und Männer zu seiner schriftstellerischen Domaine gewählt zu haben. Mag er dadurch den Vortheil einer größern Leserclasse sich sichern, so ist auch wegen der strengern Controle, der Widersprüche der Parteien und Einzelner und der selten noch geschlossenen Acten die Aufgabe dornenvoll und für den nicht mit großen Talenten und Hülfsmitteln Ausgerüsteten bedenklich. Der Hr. Verf. hat bereits über Napoleon's Feldzug in Aegypten (3 Bde.), dessen Feldzüge von 1812—15 (4 Bde.), dann über denselben im Felde und im Feldlager, nebst Organisation seiner großen Armee (1 Bd.), nicht minder über Mirabeau und Robespierre geschrieben; verspricht auch ein Leben Marat's und für die folgenden Hefte dieser Ueberlieferungen an Originalwerken (denn auch Uebertragungen der interessantesten Memoiren und Geschichtswerke des Auslandes, z. B. der Memoiren von Ney, der Herzogin von Abrantes, Ludwig XVIII., Lavalette's, der Werke von Ségur, Nervolos, Nodier werden auf dem Umschlage versprochen) den Feldzug von 1809, nebst den übrigen Feldzügen Napoleon's, eine Geschichte der Wechabiten, die Biographie der Charlotte Corday, den Feldzug Eugen's von 1813 und 1814, die Biographie Gottfried's von Bouillon, die Geschichte der Chevalerie der Franzosen, die Geschichte Karl's des Großen und Hannibal's u. s. w. Diese Gegenstände können in ihrer bunten Mannichfaltigkeit allerdings einiges Bedenken erregen; denn schon eine wirkliche zeitgemäße Biographie Hannibal's oder Karl's fodert jetzt ganz andere Studien als zu Schröckh's und Schirach's Zeiten. Darum möchten wir den Hrn. Verf. bitten, alte Zeit und Mittelalter aus dem Spiele zu lassen, und sich mit verdoppelten Kräften ganz dem Studium der Zeit seit der Revolution zu widmen. Es ist noch unermeßlich viel zu arbeiten, und eine Galerie der public characters unserer Zeit mit Nachweisung und Sichtung der Quel-

*) Man vergleiche nur die Aeußerungen des „Journal des débats" im Juli d. J. mit der durch Jahrhunderte fortgeführten Politik Frankreichs, deren Schilderung in der besten Uebersicht F. Rühs' „Historische Entwickelung des Einflusses Frankreichs und der Franzosen auf Deutschland und die Deutschen" gibt, ein Buch, auf welches aufmerksam zu machen wir uns erlauben, da es, wie K. F. Eichhorn urtheilt, „viel weniger gelesen zu werden scheint, als es verdient".

ler würde ein willkommneres Unternehmen sein, als ein solches buntes Gemisch von Darstellungen, die mehr an eine historische Chrestomathie erinnern würden.

Die Quellen: Bulwer, Hugh Greigh, das „New monthly magazine" sind nur ganz flüchtig und fast alle andern ohne bestimmtere Nachweisung angeführt, und von einer Vergleichung mit andern Quellen oder andern biographischen Nachrichten, z. B. der „Biographie universelle", der „B. des hommes vivans" und Jenn's „Nouvelle biographie" ist keine Spur, obgleich auch französische Urtheile über solche britische Celebritäten von großem Interesse sein müßten. Endlich hätte auch die politische Partei und Farbe, welcher die Originalschriften angehören, angeführt werden müssen, weil nicht alle Leser darüber orientirt sind und manches Raisonnement für ausgemachte Wahrheit annehmen werden, was offenbar Factionston ist.

Unter den mitgetheilten Lebensskizzen möchten die über Talleyrand und Pitt am meisten ansprechen. Zu der von Grey hätte der Uebersetzer über Geburtsjahr u. s. w. noch einige Ergänzungen anbringen können, wenn der Leser sich nicht in dem, wo nicht aus gleicher Feder, doch aus gleicher Quelle geflossenen Artikel im „Conv.-Lexikon der neuesten Zeit" Raths erholen soll. Am Schlusse wird die baldige Auflösung des Ministeriums Grey wahrscheinlich gefunden und diesen Whigs ein ziemlich stolzes Betragen vorgeworfen. Talleyrand wird als ein Schauspieler seiner selbst charakterisirt und Stellen aus seinen Vorträgen im Nationalinstitut über Colonien und Nordamerika mitgetheilt. Von W. Pitt wird nur eine geheime Lebensgeschichte gegeben, worin seine ausschweifende Jugend, seine Schulden (mit kaum 15 Jahren 6000 Pfd. St. und eine Maitresse, bald auch eine Frau, mit der er Schauspieler wird) wol den meisten Lesern bisher unbekannt gewesen sein dürften. Die Schilderung ist vom Jahre 1801 von Hugh Greigh.

Die Uebersetzung ist meist so, daß man keine Uebersetzung zu lesen meint; nur mitunter ist eine Dunkelheit oder eine verfehlte Form, z. B. „sie besitzten das Volk" oder „die Mehrzahl des Landes" oder „der unbändigste Geradsinn" u. s. w. Referent wünscht dem Unternehmen, sollten besonders einige oben sine ira et studio gegebenen Winke dem Verf. Beachtung zu verdienen scheinen, guten Fortgang. Es läßt sich das utile dulci in der historischen Literatur so leicht verbinden; während der Leser um des Lesens willen den Text genießt, will der Leser um des Lernens willen auch historische Begründung und Nachweisung der Thatsachen aus ihren Quellen haben. Das kann in wenig Noten und doch befriedigend abgethan werden. 116.

Romanenliteratur.

1. Elisabeth. Erzählung von Henriette Hanke. Berlin, Bethge. 1835. 8. 1 Thlr. 12 Gr.

Der Oertlichkeit niederschlesischer Gegenden treu mag im Wesentlichen die Erzählung der Wahrheit nachgebildet sein; ein solcher gutherziger Pharmaceut und Arzt, menschenscheu durch seine Zwerggestalt mag in irgend einem Winkel der Gegend gehaust haben, wohlthätig noch übers Grab hinaus und mittelbar Ursache, daß sich eint, was sich fand. Verwundete werden geheilt, Vorurtheile besiegt, das echte Liebesgefühl bewährt sich in Treue und Glauben und endlich weckt nur Das, was, ein dürres Blatt, schon längst dem Tode verfallen war; kurz, in jeder Hinsicht ist diese Erzählung als eine für den täglichen Lesebedarf recht gute Familiengeschichte anzuerkennen.

2. Erzählungen und Novellen — fremd und eigen —. Herausgegeben von Fanny Tarnow. Henrico und Ernestine. Lorenzo. Adeline. Die Rose von Jericho. Leipzig, Kollmann. 1835. 8. 1 Thlr. 12 Gr.

Vortreffliche Schreibart kann auch das Romanhafte zum Romantischen, das Gemeine zum Edlern erheben, wie uns hier die erste Erzählung zeigt, vermuthlich französischen Ursprungs, in welcher die heutige Modefigur eines edelmüthigen, über seine Bestimmung verzweifelnden Scharfrichtersohns in Conflict mit einer [illegible] gebracht ist, woraus [illegible] tionen und Wechselreden hervorgehen, die mit [illegible] Kotzebue's „Friedrich Schubart" nahe verwandt sind. Die [illegible] menschlichen Empfindeleien des Originals [illegible] durch die geschickte Hand der Bearbeiterin zu [illegible] Betrachtungen. In „Adeline" vereinen sich im [illegible] beyde, die Laune, Empfindlichkeit, übertriebenes Zartgefühl und ein wenig Intrigue einer vor Allem das Wohl ihres [illegible] bedenkenden Frau in ihrem Lenz auseinanderhielt. Die [illegible] und ernsten Schicksale einfacher Landleute, deren [illegible] töchtern aus einer höhern Bildung kein Schaden erwachse, [illegible] den wol eben so sich gestaltet haben, wenn auch keine Großmutter eine Rose von Jericho im Schatzkästlein aufbewahrte, wenn auch die vertrocknete Blume nicht wieder aufgeblüht wäre und sich den Zwillingen zugeneigt hätte. Wie [illegible] dadurch für geweiht hält, so kann durch dies [illegible] Zauberkräfte die Familiengeschichte für eine romantische Erzählung gelten. Eine Schriftstellerin, die sich Karoline [illegible], führt uns in „Lorenzo" ein junges Mädchen und einen [illegible] premier vor, die einander bestimmt sind, ohne sich zu [illegible]; eine Sache, die just nicht neu ist, durch artiges Wesen, [illegible] und natürlichen Ton sich jedoch ein Recht erwirbt, [illegible] dern erfindungsreichern Erzählungen zu stehen.

3. Wahrheit und Dichtung. Eine Sammlung [illegible] Novellen aus alter und neuer Zeit von Charlotte von Glümer. Erstes und zweites Bändchen. Auch [illegible] Titeln: Die Familie Hardt, Erzählung aus dem [illegible] Leben. — Arnold von Brescia, oder [illegible]. Schleusingen, Glaser. 1835. 8. 1 Thlr. 12 Gr.

Krieg und Vertiebungen übers Kreuz bilden [illegible] zu der ersten Erzählung, in welcher Glück und Unglück nach Gunst, oder vielmehr wie durchs Loos gezogen, vertheilt wird. Damit es uns nicht zu nahe gehe, wenn dem [illegible] eine Niete zu Theil wurde, goß die Verf. über [illegible] die Wassertaufe der Alltäglichkeit, und so bleiben wir [illegible], wenn auch das eine Mädchen von einem [illegible] und dem andern die Entsagung [illegible] wird. Es [illegible] und lieben im „Arnold von Brescia" Viele [illegible] gar Leib und Leben darum ein, und dennoch [illegible] Ernst damit bedünken, es scheint fast, als [illegible] ten und verliebten sie sich nur, um der [illegible] genwelle, die sie mit sich herumschleppen, zu entgehen. [illegible] wäre es schwierig für diesen Schatten des Arnold [illegible] sich zu begeistern, und die schöne Bianca wäre [illegible] brecherin, vielmehr mit kranken Gelüsten behaftet, [illegible] die man allenfalls einsperrt, aber nicht [illegible] schwachen Gebilden einen Halbgott sieht [illegible]. „Die Familie Hardt", an so manchem [illegible] hat doch vor der zweiten Novelle Das [illegible] Personen aufzustellen, die, in der [illegible] ähnlich wie die Jahrmarktsbilder [illegible] fürliche Begriffe geben und bei besser [illegible] erwecken.

Miscellen.

Anekdote.

Als ein Ultra in einer animirten [illegible] von Staël sagte: „Il nous faut nous entendre [illegible]", antwortete sie ihm schnell: „Oui, comme [illegible] dans le cheval de Troie, pour brûler la ville".

[illegible]

[illegible] Bénoit-Lorillon wurden während der [illegible] Akademie gewählt worden. Bei der zweiten [illegible] klärte der Minister die Wahl für ungültig; Ludwig XVIII. [illegible] bestätigte sie aber. „Il ne doit pas y avoir de [illegible] littérature!" sagte er.

Blätter
für
literarische Unterhaltung.

Mittwoch, —— Nr. 338. —— 4. December 1833.

Historisch-politische Zeitschrift, herausgegeben von L. Ranke. Zweiter Band. Erstes Heft.

(Beschluß aus Nr. 337.)

Zwei kleinere Aufsätze dieses Hefts übergehen wir mit einer kurzen Angabe ihres Inhaltes. Der eine, über die „Mémoires d'un homme d'état", weist merkwürdigerweise nach, daß dieselben aus Bertrand de Molleville's „Histoire de la révolution en France" *) fast nur ausgeschrieben sind, während man lange den Staatskanzler von Hardenberg für den Verfasser jener „Mémoires" hielt. Der zweite dieser Aufsätze handelt: „Ueber den Schweizerbund von 1815". Er beschäftigt sich vorzüglich damit, die Lage der Schweiz von den Zeiten der helvetischen Republik in ihren innern politischen Verhältnissen zu schildern. Die Schwierigkeiten im J. 1815, eine Bundesverfassung zu finden, welche den verschiedenen Anfoderungen entspräche, sind dargelegt, sowie die Mängel, die trotz aller Mühe in dieser Verfassung blieben, woraus dann das Bestreben der neuen Partei in der jetzigen Schweiz entstand, eine größere Centralgewalt vis-à-vis den Cantonssouverainetäten der Bundesregierung zu verschaffen. Zur nähern Kenntniß dieser neuesten Verhältnisse bringt der Verf. jedoch nichts Wesentliches bei, wie überhaupt der Aufsatz nicht eine Vergleichung mit einem in dem ersten Jahrgang dieser Zeitschrift über Keller enthaltenen aushält.

Es bleibt uns jetzt noch übrig, den ersten Aufsatz dieses Heftes: „Die großen Mächte, Fragment historischer Ansichten", zu betrachten. In einer kurzen Einleitung gibt uns der Verf. selbst den Standpunkt an, von dem aus seine Darstellung aufgefaßt werden muß. Er wünscht, es möge ihm gelingen, durch denselben einige Irrthümer über den Bildungsgang der modernen Zeiten, die sich fast allgemein verbreitet, zu erschüttern; er strebt danach, den Weltmoment, in dem wir uns befinden, deutlicher, unzweifelhafter, als es gewöhnlich geschehen mag, zur Anschauung zu bringen. Sein Gang ist dieser: Das Gleichgewicht Spaniens und Frankreichs war der allgemeine Gegenstand der europäischen Politik im 16. Jahrhundert, Frankreichs ganze Richtung bis in die Zeiten Ludwig XIV. wurde hierdurch bestimmt. In Folge dieses Kampfes trat es siegreich mit großer Bedeutsamkeit in die Reihe der Staaten Europas. Bald hatte es das Uebergewicht in höherm Maße, als je Spanien dieses besessen, in seinen Händen. Der Norden Europas unterlag dem Einflusse französischer Politik. Schweden und Polen, die Türkei, diese drei damals herrschenden Mächte des Nordens waren ihr verbunden, sie dirigirte alle Kräfte derselben. Deutschlands gewaltige Kraft paralysirte der französische Hof durch die in den süddeutschen Fürsten unterhaltene Furcht vor Ausdehnung der kaiserlichen Gewalt und dadurch erfolgtes Anschließen derselben an Frankreich. Selbst in Spanien siegte französischer Einfluß. Der junge König vermählte sich mit einer französischen Prinzessin. Frankreichs Botschafter regierte das Land. England allein wäre frei geblieben, aber die Richtung der Stuarts zum Katholicismus gab auch hier Ludwig XIV. Gelegenheit, für seinen Vortheil zu wirken. Gegen dieses Supremat, allen furchtbar, erhoben sich endlich die andern Staaten. Ein Umschwung der Dinge erfolgte. England zuerst machte sich durch Vertreibung der Stuarts frei. Ins Unglaubliche wuchs durch Einheit der Nation und des Königs seine Macht wie sein Einfluß. Es folgte der Norden. Der Kampf Karl XII. und Peter's von Rußland führte hier die Veränderung herbei. Schweden verlor die Leitung des Nordens. Rußland trat mächtiger in seine Stelle; Polen unterlag schon damals gänzlich russischem Einfluß. Aber auch die letzte den Franzosen übrigbleibende verbündete Macht im Norden und Osten ward gedrückt, geschwächt. Die Eroberung Ungarns stellte Oestreich fest; Rußlands Macht hielt auf der andern Seite die Türkei in Schranken. Auf Deutschland, Spanien, Italien war der französische Einfluß beschränkt; diesen fester zu gründen, lag Frankreichs Politik bei dem Aussterben des habsburgischen Mannesstammes zu Grunde. Oestreich wollte man auf Ungarn einschränken; Baiern mit Böhmen, Sachsen mit Mähren, Preußen mit Niederschlesien verstärkt, sollten vier Staaten niedern Ranges bilden. Man hoffte, diese dann leicht zu beherrschen. Preußens Politik unter Friedrich II. rettete Oestreich und hiermit die größere Selbständigkeit Deutschlands. Oestreich erhielt sich die Kaiserkrone wie die meisten seiner deutschen Besitzungen. Dieses Auftreten Friedrich's erweckte Frankreichs Haß. Man verband sich mit Oestreich gegen Preußen, fast alle

*) B. de Moleville war französischer Minister in der letzten Zeit Ludwig XVI.

Mächte Europas waren im Bunde. Der für Preußen siegreiche Ausgang des siebenjährigen Krieges stellte in Deutschland einen Frankreich feindlichen mächtigen Staat hin. Es war mit dem Einfluß desselben in Deutschland vorbei. Man sah schon damals, daß nur in Verbindung von Preußen und Oestreich der wahre Schutz politischer Unabhängigkeit dieses Landes bestehe. England, Rußland, Oestreich, Preußen waren Hauptmächte Europas gleich Frankreich geworden. Die französische Revolution strebte nicht blos, den innern Zustand zu reformiren, mit gleicher Macht drängte sie zu einer Reformation der äußern Verhältnisse Frankreichs. Man verkannte dort den gebliebenen, wenn auch verminderten Einfluß auf die Leitung der europäischen Dinge; man wollte einen übermächtigen wie früher besitzen. Es gelang durch Erweckung aller nationalen Kräfte; es erreichte diese Richtung in Napoleon von Neuem ihren Culminationspunkt. Dagegen erhoben sich die Gewalten der großen Mächte, gleicherweise verjüngend ihren nationalen Geist. Sie wiesen Frankreich in seine Schranken zurück. Zum drittenmale war Europas Freiheit gerettet!

Welches sind nun die Resultate dieser Vergegenwärtigung der anderthalb letzten Jahrhunderte für die bessere Anschauung des Weltmomentes, in dem wir uns befinden, für das Hinwegräumen jenes weltverbreiteten Irrthums über den Bildungsgang der modernen Zeiten? Hieran wollen wir unsere Ansichten über den ganzen Aufsatz knüpfen, zu deren besserm Verständniß wir es nöthig fanden, die vorhergehende Uebersicht mitzutheilen.

Zwei Resultate sind es, die der Verf. durch seine Darstellung hervortreten lassen will. Einerseits schöpft er aus ihrer Betrachtung den Trost, daß, wenn auch von Neuem seit der Julirevolution eine allgemeine Umkehr der Dinge zu drohen scheine, diese dennoch nicht stattfinden werde; daß, sowie in jenen Jahrhunderten die verschiedenen Nationen sich gehoben, sich frei gemacht von französischer Suprematie in Staat und Literatur, auch jetzt wieder eine solche Haltung erfolgen werde; andererseits erkennt er, daß die Meinung: unsere Zeit sei nur eine negative, Alles zerstörende, widerlegt würde durch die Erscheinung jener höhern Ausbildung der einzelnen großen Mächte, daß also dieselbe ein rein positives Resultat zu Stande gebracht habe. Dieses sei nur möglich gewesen durch die Entwickelung eigner Nationalität, und das Gerede einer immer gleichförmigen Bildung der Staaten sei ein nichtiges.

Sollen wir frei unsere Meinung äußern, so müssen wir gestehen, daß der Aufsatz unsern Erwartungen keineswegs entsprochen hat. In keiner Art wollen wir der historischen Kunst des Herrn Verf. in Auffassung und Darstellung dieses Ueberblicks des Ganzen der äußern Politik Europas zu nahe treten; wir wollen gestehen, daß sie meisterhaft geschrieben ist. Aber sie gibt uns nicht jene Resultate, welche der Eingang hoffen läßt. Mit Einem Wort, sie bleibt im Aeußern stehen, hat keinen wahren, geistigen Inhalt. Was ist es anders, was der Verf. als Resultat hinstellt, als: der liebe Gott hat bisher geholfen, er wird auch weiter helfen. — Wir sehen dies Wogen der Dinge; wir bemerken, wie bald Dieser bald Jener oben schwebt und dann von der folgenden Welle wieder hinabgestürzt wird, aber eine Kenntniß des innern, geistigen Princips dieser Bewegung der Stürme und Wogen erhalten wir nicht. Ein inneres Princip verlangen wir wie in der Weltgeschichte so in jedem Theile derselben. Wir wollen erkennen, wie dieses allgemeine Princip sich gestaltet in organischer Form bis in das kleinste Geäder des großen Baumes. Uns verlangt zu wissen, welchen einigen Zweck all dieses Durcheinanderstürmen und Wogen für die Menschheit habe. Es sind nicht „einzelne Kräfte, geistige, Leben hervorbringende, die wir in ihrer Entwickelung sehen“; diese einzelnen Kräfte gehören zusammen, sie haben eine Einheit und streben in all ihrer Vielheit zur Vollendung, zur weitern Fortbildung dieser Einheit. In dieser Arbeit zum gemeinschaftlichen Ziel besteht die Aufgabe der einzelnen Völker. Jedes trägt seinen Theil dazu bei; hat es seine Aufgabe vollendet, so sinkt es herab, es stirbt für die Weltgeschichte und hinterläßt das geistige Product seiner Arbeit kommenden Geschlechtern. Diese verschiedenen Aufgaben bilden eben die verschiedenen Nationalitäten, auf deren Entwickelung der Verf. hofft, ihr inneres Sein und Wesen uns aber nicht enthüllt. Es wird sich etwas Gemeinsames in dem Entwickelungsgang all dieser Staaten nachweisen lassen, ohne daß darum eine Uniformität stattfände, ebenso wie etwa der einzelne Mensch trotz seiner Individualität nie den allgemeinen Charakter seiner Zeit, seines Volks verleugnen kann. Dieses Allgemeine in der Entwickelung der verschiedenen Völker zu erkennen, darzustellen, wie grade die Verschiedenheit dazu beiträgt, dieses Allgemeine zu entwickeln, weiter zu fördern, ist Aufgabe des Historikers, will er etwas mehr als des äußern Thun und Treibens äußern Zusammenhang begreifen.

In der Weltgeschichte erscheint uns die Entwickelung des menschlichen Geistes als dieses Allgemeine. Auf diesen Zweck arbeitet Alles hin, auf ihn muß daher Alles bezogen werden. Man hat oft behauptet, daß alle Richtungen dieses Geistes, die auf Kunst, Poesie, Sprache, Recht und politische Gestaltung unter sich in gemeinschaftlicher Wechselwirkung ständen, — daß jede einzelne in ihren verschiedenen Entwickelungsstadien immer einen Charakter zeige, dem ähnlich, welchen die übrigen in denselben Zeitstadien an sich aufwiesen. Was liegt dieser Erscheinung zu Grunde? Wir glauben, nichts Anderes als die gesammte Entwickelung des menschlichen Geistes überhaupt, die sich in jeder seiner Richtungen manifestirt; wie nun in einem Menschen die Entwickelung seines Geistes ihren bestimmten, festen Gang geht, so auch die der Gesammtheit der Menschen. Wollten wir den Gang dieser Entwickelung in Gestaltung des politischen Lebens ganz verfolgen, so müßten wir eine Weltgeschichte schreiben, aber aus ihm allein ist „der Bildungsgang der modernen Zeiten, der Weltmoment, in dem wir uns befinden“, erkennbar.

Als Grundtypus aller Erscheinungen der neuen Zeit vom 16. Jahrhundert an erscheint uns die Richtung des menschlichen Verstandes gegen die organisch, unbewußt erwachsenen Lebenszustände des Mittelalters und das hieraus hervorgehende Streben, diese Verhältnisse jenem Verstande gemäß zu gestalten.

In der Geschichte aller Völker zeigt sich diese Richtung, jedoch immer modificirt durch die verschiedene Individualität derselben, sowie immer nur in allmäliger Progression, bis sie in der französischen Revolution ihren Culminationspunkt erreicht hat, von dem sie, zwar noch immer kämpfend, oft von Neuem und in veränderter Gestalt sich erhebend, herabsinkt und sich zur Vernünftigkeit umzuwandeln strebt. Hierin liegt nun auch das Negative wie Positive dieser Zeit. Vorzugsweise erscheint als Organ dieser Richtung in der neuen Geschichte das französische Volk, weshalb Frankreich wol der Hebel und das bewegende Princip in derselben genannt zu werden verdient. Im Gegensatz gegen dasselbe erscheinen vorzüglich Deutschland, der Norden, nicht zwar in der Art, daß sie sich frei hielten von seinem Einfluß, sondern daß sie diese Richtung modificiren, daß sie dazu dienen, dieselbe eben durch diese Modification zu reinigen und einer höhern, der der Vernunft, entgegenzuführen.

Die Geschichte κατ' ἐξοχὴν hat es nun allerdings mit der äußern Form der politischen Entwickelung zu thun; doch muß sie nie vergessen, daß jener äußern Gestalt ein inneres Treiben zum Grunde liegt. Sie hat also nachzuweisen, aus welchen Gründen sich hier oder dort eine Richtung zuerst und wesentlich äußerlich gestalten konnte, welche Organe diese Richtung zu ihrer Verbreitung, ihrem Kampf, Sieg oder ihrer Niederlage gebrauchte.

So wäre im vorliegenden Fall zu zeigen gewesen, weshalb die Richtung des menschlichen Verstandes zuerst darauf hindrängte, die absolute Monarchie im Staate zu gründen; aus welchen Ursachen diese zuerst in Frankreich ihre Ausbildung erhalten mußte; dann, wie grade das von Frankreich durch sie erlangte Uebergewicht auch die übrigen Staaten dazu hindrängte, Gleiches zu erreichen; wie in Rußland, Preußen, Oestreich und England, in jedem zwar in verschiedenem Grade, dieses Streben nach absolut monarchischer Form gelang, sowie hierdurch ihr Widerstand gegen Frankreichs Suprematie glückte. Der Fortgang der Entwickelung müßte dann zeigen, wie dieselbe Richtung des Verstandes ihre Befriedigung nicht länger in der absoluten Monarchie fand, wie sie zum Begriff der Republik fortgehen mußte im Gegensatz des absoluten Monarchen, und welche äußere Ursachen die Verwirklichung dieser Richtung in der politischen Gestaltung zuerst in Frankreich herbeiführten. Darauf wären die Ursachen zu entwickeln, welche dem Kampf gegen diese Richtung zu Grunde lagen, die Art und Weise, wie sie dennoch auch in den gegenüberstehenden Staaten siegte und sie, wenn auch in anderer Gestaltung, doch ihr gemäß umschuf. (Man vergleiche den Zustand Preußens z. B. vor und nach dem Jahre 1806.)

Der Fortgang dieser Richtung zeigt uns dann in der jetzigen Zeit das Streben, dem Begriff des abstracten Staates gemäß unsere politischen Zustände einzurichten, ihn als Dirigens in Allem erscheinen zu lassen. Zu gleicher Zeit ist auch hier wieder der Gegensatz zu bemerken, der darauf hindrängt, nicht die absolute Monarchie von Neuem hervorzubringen, sondern eine neue organische ständische Gliederung des Staates zu erstreben.

Nachdem wir so die einzelnen Aufsätze dieser Zeitschrift unsern Lesern vorgestellt, scheiden wir von ihr mit der Anerkennung, daß sie zu den besten, gründlichsten Arbeiten gehört, die uns in diesem Felde der deutschen Literatur begegnet sind, sowie mit dem Wunsche, daß es ihr noch ferner gelingen möge, ihren Fortgang zu finden. 204.

Einige Bemerkungen gegen die in Nr. 291 d. Bl. ausgesprochene Ansicht über die „Lettres de Napoléon à Josephine".

So scharfsinnig die Gründe aufgestellt sind, durch welche aus dem Inhalte dieser Briefe selbst deren Unechtheit nachzuweisen versucht wird, so können doch wol keinem Leser auch die Gründe für die entgegengesetzte Ansicht entgehen. Die Briefe Napoleon's an seine Gemahlin waren nicht lange Relationen, nicht lange Unterhaltungen mit ihr; sie sind kurze Ausdrücke oft augenblicklicher Empfindung, in der Absicht flüchtig hingeworfen, der so zärtlich von ihm Geliebten ein Zeichen seines Andenkens und der Fortdauer seiner Zärtlichkeit zu geben. Welcher Gatte in ähnlicher Lage wird da wol die Worte auf die Wage legen? War dies auch möglich, da ihm zu dieser Correspondenz nur Minuten übrig blieben? Und ist es nicht erklärlich, wenn da der ernsteste Mann eine kleine Uebertreibung sich zu Schulden kommen läßt, wo er den Ausdruck der in ihm fortdauernd regen Gefühle in wenige Zeilen zusammendrängen muß? Erwägen wir nun, daß Napoleon hier blos für seine Gemahlin schrieb, daß wir hier die Ausdrücke eines Franzosen vor uns haben, daß bekanntlich auch im Uebrigen Napoleon excentrisch und, wie seine Liebschaften und natürlichen Kinder beweisen, der Liebe keineswegs abhold war: so möchten die, dem Inhalte jener Briefe entnommenen Gründe gegen deren Echtheit schwerlich durchgreifend sein. Allein der Unterzeichnete kann einen schlagendern Beweis dafür geben. Es wurden ihm nämlich zu der Zeit, wo die Trennung des Kaiserpaars erfolgte, von einer mit den nächsten Umgebungen desselben vertrauten Person mehre eigenhändige Briefe Napoleon's an Josephinen aus der Zeit vor Besteigung des Kaiserthrons zur Durchsicht vorgelegt. Sie waren ganz in denselben Ausdrücken und trugen durchaus ganz den Charakter der vor Kurzem erschienenen. Ja, irrt Einsender nicht, so glaubt er sogar in einigen der fraglichen Briefe jene Originalbriefe wiederzuerkennen. Diese machten damals einen tiefen Eindruck auf ihn, theils weil er bis dahin dem Kaiser, besonders nach den Ansichten, die man zu jener Zeit großentheils in Deutschland über ihn hegte, ein so menschliches Verhältniß mit seiner Gemahlin gar nicht zugetraut hätte, theils wegen der Umstände, unter denen Einsender die Briefe zu sehen bekam, daher er sich ihrer noch ganz deutlich erinnert. Es war in der Zeit der ärgsten französischen Spionerie in Deutschland. Es wurde daher nach Mitternacht, nachdem alle Zeugen entfernt waren, ihm die Mittheilung der Briefe gemacht, die aus einem verborgenen Orte hervorgeholt wurden. So oft später Referent Facsimiles und Originale von Napoleon's Hand aus ganz verschiedenen Quellen gesehen hat, fand er immer darin die Form und die Züge jener ihm noch klar vor der Seele stehenden Briefe wieder, für deren Echtheit ihm ohnehin die Verhältnisse, die Umsicht und die Gewissenhaftigkeit der Person bürgen, die sie ihm zeigte. Sollte Einsender — wofür ihm nicht alle Hoffnung abgeht — in den Besitz von mindestens Abschriften jener noch existirenden Briefe gelangen können, so wird er sie dem literarischen Publicum nicht vorenthalten.

Leipzig, im November 1833.

Buddeus.

Geschichte der unüberwindlichen Flotte Philipp II. Ein Beitrag zur Geschichte Spaniens und Englands von Georg v. Krämer. Nürnberg, Campe. 1833. 8. 16 Gr.

In einfacher und ungeschmückter Rede schildert der Verf. die gewaltigen Zurüstungen Philipp II. gegen Elisabeth von England, erzählt, welche geistliche und weltliche Waffen in Bewegung gesetzt worden sind, und setzt zugleich auseinander, wie listig der König von Spanien verfahren sei, um die Königin von England über den Zweck seiner Rüstungen lange Zeit zu täuschen. Die Anstrengungen der englischen Nation werden darauf nach Verdienst und Würdigkeit geschildert; hierauf der Kampf selbst, die wiederholten Verluste der Spanier, ihre Leiden und mannichfachen Bedrängnisse, die durch die Stürme und die englische Tapferkeit herbeigeführt wurden. Aber man ersieht auch aus der ganzen Darstellung, wie wacker sich die spanischen Truppen benahmen, und wie dieselben Truppen zu Lande (die See war nun einmal ihr Element nicht) selbst der Wuth der Orkane hätten Widerstand zu leisten verstanden. Die so rasch aufeinanderfolgenden Unglücksfälle erregen das höchste Mitleid und haben uns mehr als einmal an die Schicksale der französischen Armee auf ihrem Rückzuge aus Rußland erinnert. Auch damals war es ja der eiserne Wille eines Einzigen, der viele Tausende in den Tod gejagt hat. Unser Verf. wollte sich nicht auf Raisonnements einlassen, sonst hätte es ihm an Stoff zu historischen Parallelen nicht gefehlt.

Daß Hr. v. Krämer aus guten Quellen geschöpft hat, ist auch ohne die Anführung derselben aus seinem Büchlein zu ersehen. Historische Unrichtigkeiten haben wir nicht wahrgenommen; einige unrichtige Eigennamen, wie: Janibelli (st. Gianibelli), Moncado (st. Moncada), Fließingen (st. Vlißingen) u. a. m. sind wol nur als Druckfehler zu betrachten. Auffallend war es uns, auf S. 76 ein „byzantinisches Schiff" in der Flotte Philipp's erwähnt zu finden. Da Hr. v. Krämer unstreitig mehr für ein gemischtes Lesepublicum als für Historiker vom Fache geschrieben hat, so hätte dieser Ausdruck, wie hier und da noch mancher andere, wol eine Erläuterung nöthig gemacht.

Uebrigens rechnen wir es dieser Schrift, deren schöne typographische Ausstattung wir nicht übergehen dürfen, zum Verdienste an, daß das große Publicum aus derselben lernen wird, daß Philipp's Flotte nicht als eine durch Größe und Pracht ausgezeichnete Seemacht den Namen der Armada führte, sondern daß dies überhaupt spanischer Ausdruck für jede größere Flotte ist. So ernannte noch ganz kürzlich Don Pedro von Braganza den Capitain Napier nach dem Seesiege bei Cap St.-Vincent zum Befehlshaber der „portugiesischen Armada", die denn wol, wie sie jetzt ist, mit Philipp's Armada nur im Namen Aehnlichkeit haben kann. 89.

Notizen.

Bei Dumont erscheint nächstens eine französische Uebersetzung der „Nonne von Gnadenzell", von Spindler. Derselbe Buchhändler druckt einen neuen Roman der Frau Desbordes-Valmore: „L'atelier d'un peintre". Die berühmte Dichterin hat bereits Mehres in Prosa geschrieben, was sich eben nicht sehr über das Mittelmäßige erhebt.

Die Buchhandlung Didot hat die Uebersetzung der Idyllen des Theokrit von Firmin Didot mit großem typographischen Luxus herausgegeben.

Unter dem Titel: „Rome souterraine" erscheint ein neuer Roman von Didier, der bereits durch seine trefflichen Studien über Italien und die Campagna bekannt ist. Seine tiefen Kenntnisse, der würdevolle Ernst seiner Darstellung, die Strenge seiner Formen lassen uns sehr befürchten, daß sein Werk wenig Glück in Paris machen werde.

Charles Nodier ist endlich von der Académie française aufgenommen worden. Sein Mitbewerber, Salvandy, ließ den Tag nach der Wahl verkünden, er habe seine Candidatur zurückgenommen. Nodier hat seine Aufnahme der Presse zu verdanken, die sich des bescheidenen und liebenswürdigen Schriftstellers eifrig annahm.

Der bekannte Roman: „Struensée" von Arnould und Fournier, ist auf die Bühne gebracht worden durch Gaillardet, dessen „Tour des Nesles" so gewaltigen Eindruck gemacht. Sein letztes Drama ist ausgezischt worden.

„Revue des deux mondes." Das erste Novemberheft dieser gründlichsten und gewissenhaftesten aller pariser Zeitschriften enthält: 1° „De la Chine et des travaux d'Abel Rémusat", zweiter Artikel, von J. J. Ampère. Der erste war am 15. November 1832 erschienen. 2° „Kout-oudgi ou comme on fait un amiral turc. Histoire racontée pendant la halte d'une caravane"; die Erzählung einer Begebenheit aus dem Jahr der Hegira 1115 (1703 nach Christus), drei Monate vor der Thronbesteigung des Schah-Zade Achmet, Nachfolgers Mustapha II., die Zierde des Gartens der souverainen Macht, Sprößling der Weinrebe des Ruhmes und des Glücks, köstliche Frucht des Baumes der Glückseligkeit in dieser und jener Welt. Der Aufsatz ist unterzeichnet: Prince Démétrius Caradja. 3° „Histoire biographique et critique de la littérature anglaise depuis cinquante ans", von Allan Cunningham. 4° „Impressions de voyages; la mer de glaces", von Alex. Dumas. Fröhlich und lebendig erzählt, voll pittoresker Beschreibungen und gutmüthigen, humoristischen Witzes. 5° „Revue de la quinzaine." Diese geistreichen Uebersichten der Zeitereignisse haben seit einiger Zeit großes Aufsehen gemacht. Sie rühren von einem wohlunterrichteten Referenten her, der sich trefflich aufs Persifliren versteht.

„Revue de Paris." Erstes Novemberheft. 1° „Les Pongos", eine höchst seltsame Geschichte: eine Frau und ihr Kind werden von den Pongos oder Orangutangs geraubt; sie lebt einige Zeit unter ihnen als Königin, bis sie ihr Mann wiederfindet. 2° „Daniel de Foë", eine Biographie des bekannten Verf. des „Robinson", oder vielmehr ein vollständiges Bild seiner Zeit, von Phil. Chasles. 3° „La marquise de Flory", eine höchst ergötzliche Anekdote. Eine reiche demoiselle du monde oder fille entretenue heirathet aus Eitelkeit den Marquis de Flory. Hier sind einige Clauseln aus dem Heirathscontracte: „Der Hr. Marquis de Flory wird mir den 28. d. M. in der Kirche St.-Roch seine Hand reichen; und da ich nicht Zeit habe, mich mit Bestreitung der Unkosten zu befassen, so wird er dieses Geschäft übernehmen mittels 60 Thlrn., die ich ihm nach Unterzeichnung gegenwärtigen Contracts werde auszahlen lassen"; dagegen bemerkt der Hr. Marquis: „Wenn die 60 Thlr. ausreichen, so übernehme ich Alles; aber ich bitte Mademoiselle Dufresne zu bemerken, daß ich nicht ausgeben kann, indem ich weder Rock noch Perrücke habe." Die Dufresne mußte in der Schreckenszeit für diese Schwachheit schrecklich büßen; sie ward als Aristokratin guillotinirt. 4° „Léviathan-le-Long, Archikan des Patagons de l'île savante, ou la perfectibilité pour faire suite à Hurlubleu", von Ch. Nodier. 5° „Lettre sur la bibliothèque royale", von Ch. Magnin, einem der Conservateurs. 6° „Album." 143.

Blätter für literarische Unterhaltung.

Donnerstag, — Nr. 339. — 5. December 1833.

Das Storthing des Jahres 1833.

Bei der Wahlverwandtschaft aller constitutionnellen Staaten und bei dem gemeinschaftlichen Interesse der kleinern mag es nicht unangemessen sein, einen Blick auf die monarchisch-demokratische Constitution Norwegens zu werfen, wie sich dieselbe auf dem siebenten ordentlichen Storthinge dieses mit Schweden vereinigten selbständigen Königreichs bewährt hat. Norwegens Nationalversammlung und die Ständeversammlungen der Königreiche Sachsen und Würtemberg, der Großherzogthümer Baden und Hessendarmstadt und des Kurfürstenthums Hessenkassel, welche gleichzeitig in Thätigkeit waren, geben Stoff zu mannichfaltigen Vergleichungen. In der constituirenden Ständeversammlung des Königreich's Hanover, dessen Verband mit Großbritannien dem zwischen den beiden nordischen Reichen seit 1814 bestehenden ähnlich ist, gedachten Männer wie Christiani und Saalfeld des norwegischen Grundgesetzes mit Lob und Sachkenntniß. Daher steht zu vermuthen, daß der Blick des deutschen Staatskundigen auch die constitutionnellen Erscheinungen des Nordens umfaßt, wie wenig Platz sie auch in den politischen Tagesblättern einnehmen.

In Ansehung der Wahlen, die im vorigen Jahre in den Städten und Landgemeinden veranstaltet wurden, herrschte eine ganz andere Ansicht als im Kurfürstenthume Hessenkassel. Hier hielt das Volk die Beamten für seine geeignetsten Stellvertreter; in Norwegen war man seit dem Storthinge des Jahres 1831 entgegengesetzter Meinung geworden. Dies rührte keineswegs von der Untüchtigkeit der Beamten, auch grade nicht von den Auffoderungen eines demagogischen Zeitungsschreibers, sondern von der Gefahr her, welche damals dem Buchstaben des Grundgesetzes dadurch drohte, daß der größte Theil der anwesenden Staatsdiener — weniger aus Willfährigkeit gegen die Regierung als aus Furcht vor der Wiederbesetzung des Statthalterpostens mit Subjecten wie der eigennützige, ränkesüchtige Graf Sandels und der offenbar feindselige Graf Platen — zur Annahme der königlichen Proposition auf das dringendste gerathen hätte, nach welcher der Kronprinz auch abwesend die Würde eines Vicekönigs bekleidet haben würde. Da zu solchen Beschlüssen jedoch eine absolute Mehrheit erfodert wird, geschah es, daß die Proposition durch wenige Stimmen verworfen ward. Mit Aengstlichkeit wacht der Normann über seinem Grundgesetze, überzeugt, daß, wenn man einmal angefangen, an demselben zu ändern, des Aenderns, Besserns und Verunstaltens kein Ende sein werde. Deswegen fielen die Wahlen, insonderheit in den Landgemeinden, fast ausschließend auf Gutsbesitzer oder Bauern; von den Städten wurden jedoch viele Beamte zum Storthinge gesandt, und die vier Abgeordneten, welche die Hauptstadt zu wählen hat, gehörten, was nie zuvor der Fall gewesen, sämmtlich zu dieser Classe. Die Anwesenheit des Königs im vorigen Sommer gewährte einen auffallenden Beweis von der verstärkten Anhänglichkeit des Volkes an die neue Dynastie, welche er durch seine edle Persönlichkeit und sein vertrauensvolles Auftreten auch völlig verdiente; allein auf die Wahlen war dies ohne Einfluß.

Am 1. Februar versammelten sich die Deputirten in dem gewöhnlichen Locale zu Christiania, welches von den Comptoiren der Regierung umgeben ist. Ihre Zahl war diesmal 96, welche nach alphabetischer Ordnung der Aemter und Städte ihre Plätze einnahmen. Pastor Riddervold, der beim Schlusse des vorigen Storthings Präsident gewesen, hatte den Vorsitz. Zum Secretair ward Landrichter Aas gewählt. Diese Wahlen gelten nur für eine Woche, von einem Dienstag zum andern; gewöhnlich werden aber die Abtretenden von Neuem gewählt. So blieb der Letztgenannte die ganze Zeit über Secretair, und es lag nur an Hrn. Riddervold selbst, daß er nicht ununterbrochen die Verhandlungen geleitet hätte. Seine Rechtlichkeit, Besonnenheit und genaue Kenntniß der Gewohnheiten und Formen fand auch diesmal Anerkennung; allein, wiewol in kräftigem Alter, unterlag seine Gesundheit doch von Zeit zu Zeit dermaßen der anstrengenden Arbeit, daß er sich zu mehren Malen die Ehre verbat, die ihm jedoch, sobald er sich nur erholt hatte, immer von Neuem ertheilt wurde. Nächst ihm erfreute sich der Anwalt beim höchsten Gericht, Hr. Sörenssen, ein junger Mann von strengem Rechtsgefühle, festem Charakter und ausgezeichnet durch die Kraft und das Feuer seiner Rede, des Zutrauens der Versammlung.

Das erste Geschäft war natürlicherweise die Prüfung der Vollmachten. Von allen wurde blos diejenige eines Bauers aus dem Amte Laurvig-Jarlsberg für ungültig erklärt, weil sein Wahldistrict nicht zu diesem, sondern zum angrenzenden Amte Budskerud gehörte. Zwar hatten die Wahlversammlungen an manchen Orten nicht immer dem Gesetze völlig Genüge gethan; allein die Abweichungen fanden in der Unbestimmtheit desselben ihre Entschuldigung, und von Uebertretungen, Umtrieben, Bestechungen und andern Misbräuchen war gar nicht die Rede, weil solche nirgends stattgefunden hatten. Danach trennte sich das Storthing in seine sogenannten Abtheilungen, die wir jedoch, größerer Deutlichkeit wegen, Kammern nennen wollen, indem es aus dem vierten Theile der Gesammtzahl durch Stimmenmehrheit das Lagthing oder die erste Kammer bildete, dem die nähere Prüfung der vom Odelsthinge oder der zweiten Kammer gefaßten Beschlüsse obliegt. Das Lagthing, bestehend aus 24 Mitgliedern, hatte eine Ueberzahl von Bauern, nämlich 13, und verhältnißmäßig nur wenige, aber sehr ausgezeichnete Juristen, unter diesen den Advocaten beim höchsten Gericht Hjelm, dem Freimuth und Unbefangenheit des Urtheils zur andern Natur geworden sind. Das Odelsthing hält seine Sitzungen in demselben Saale wie das Storthing; das Lagthing versammelt sich in einem kleinern daranstoßenden. Alle Sitzungen sind öffentlich, außer wenn die Mehrzahl das Gegentheil beschließt, welches aber zu den seltenen Fällen gehört. Als Odelsthingspräsident erwarb sich der Assessor am höchsten Gericht Holst durch unerschütterliche Festigkeit, parteilose Haltung und sowol liberale als christliche Gesinnung allgemeines Zutrauen. Mit welchen Schwierigkeiten das Geschäft eines Präsidenten verbunden ist, zeigte sich den 11. März auf eine rührende Weise im Lagthinge. Herr Rott, Justitiarius des Gerichtes zu Drontheim, ein in jedem Betrachte achtungswerther Mann, unterlag der Anstrengung des Auffassens und Vereinigens der verschiedenen Meinungen dermaßen, daß er ohnmächtig auf den Stuhl zurücksank. Während ihn seine bekümmerten Collegen in ihren Armen halten, erwacht er, und so sehr ist sein Gemüth noch von dem Gegenstande der Verhandlungen erfüllt, daß er sofort wieder anfangen will, wo ihm der Faden entschlüpft war; nur mit Mühe vermögen ihn jene dazu, sich nach Hause bringen zu lassen und sich zur Ruhe zu begeben. Zum Glück hatte dieser Unfall keine weitern Folgen, und groß blieb der Pflichteifer dieses würdigen Mannes insonderheit in den Ausschüssen.

Die feierliche Eröffnung des Storthings geschah, sobald es sich constituirt hatte, den 13. Februar durch den Staatsrath Jonas Collett, der in Ermangelung eines Statthalters an der Spitze der Regierung steht. Er verlas ein Schreiben des Königs, welches von seiner Achtung der Rechte eines freien Volkes wie von der Zufriedenheit zeugte, welche sein letzter Aufenthalt in Norwegen in seinem Gemüthe hinterlassen hatte. Der Bericht über den Zustand des Reiches seit dem vorigen Storthinge war überaus erfreulich. Wiewol der Handel, insonderheit wegen der fortwährenden Beschränkungen der Einfuhr norwegischen Holzes in England noch immer gedrückt und das Land mit Theuerung heimgesucht worden war, auch die Vorkehrungen gegen die Cholera bedeutende Ausgaben erfodert hatten, welche Seuche sich jedoch nur in der Stadt Drammen und der nächsten Umgegend während einiger Monate eben nicht verheerend geäußert hatte, waren doch die Abbezahlungen der Staatsschuld auf das Pünktlichste von Statten gegangen, und die Regierung hatte nicht nur keinen Gebrauch von dem Creditive an die Bank, welches ihr das vorige Storthing verwilligt, zu machen nöthig gefunden, sondern obendrein einen Ueberschuß der Staatseinnahme aufzuweisen; in allen Zweigen der Verwaltung gab es Verbesserungen; mehre neue Leuchtthürme sicherten die Schiffahrt; mit den fremden Mächten unterhielt man die freundschaftlichsten Verhältnisse; ein mit Preußen geschlossener, auf Reciprocität gegründeter Handels- und Schiffahrtstractat reihte sich an die mit den andern Seestaaten bestehenden; nur Neapel hatte durch prohibitive Maßregeln den Uebereinkünften zuwidergehandelt, weswegen denn auch norwegischerseits dessen Schiffe als keiner privilegirten Nation angehörig betrachtet werden. Den Beschluß des vorigen Storthings zur Versteigerung des Kongsberger Silberwerkes hatte die Regierung anfangs wegen Mangel an Kauflustigen nicht vollziehen können, zuletzt aber zu vollziehen Bedenken getragen, da durch die Gunst des Himmels dieses wegen seiner Unergiebigkeit von der dänischen Regierung preisgegebene, von der norwegischen mit großen Aufopferungen betriebene Silberbergwerk seit 1831 einen solchen Schatz von edlem Metalle zu Tage gefördert, daß es reichlichen Ersatz aller Unkosten gewährt hatte und fortwährend zu den frohesten Hoffnungen berechtigt. Eine Dankadresse pflegt nach den constitutionnellen Gebräuchen Norwegens nicht verfaßt zu werden.

Die erste Periode des Storthings bis Ostern gewährte auch diesmal nicht viel Anziehendes. Viele Zeit nahmen sonst die Verhandlungen über die Geschäftsordnung weg; jetzt ward aber die im Jahre 1830 beliebte unverändert zur Richtschnur angenommen, und so konnten sich Storthing und Odelsthing einzig mit dem Entgegennehmen von Anträgen, Vorschlägen, Gesetzesentwürfen und Petitionen theils von ihren eignen Mitgliedern, theils von andern Staatsbürgern beschäftigen. Man pflegt ein Wahlcomité niederzusetzen, welches sofort die andern Ausschüsse nach Maßgabe der Tüchtigkeit der Einzelnen auswählt. Jeder Zweig der Verwaltung hat seinen eignen Ausschuß, dessen Mitglieder selbst ihre Sprecher und Secretaire ernennen. Unter diese Ausschüsse werden dann die verschiedenen Eingaben, die nicht ihrer Unform oder ihrer Abgeschmacktheit wegen durch Stimmenmehrheit zur Nichtberücksichtigung verurtheilt worden, entweder zur Bearbeitung oder zur Begutachtung vertheilt. Manche, die von besonderer Wichtigkeit zu sein scheinen, gibt man wol gar einem besondern Ausschusse anheim. Sowie unter den Ausschüssen des Storthings diejenigen für das Budget, das Zollwesen und die Bank die erheblichsten sind, so nimmt unter denjenigen, die das Odelsthing einsetzt, das sogenannte Protokollcomité den ersten Platz ein; denn dieses hat von den Protokollen des Staatsrathes Einsicht zu nehmen, ob sich nämlich aus denselben Misbräuche der Gewalt ergeben, welche das Odelsthing veranlassen möchten, irgend ein Mitglied der Regierung vor einem Reichsgerichte zur Verantwortung zu ziehen. Dies ist das gemeinhin sogenannte schwarze Comité, weil seine Verhandlungen in Nacht gehüllt zu werden pflegen, bis es seine Beschwerden dem Odelsthinge zur Entscheidung übergibt. Zu Mitgliedern desselben ernennt man nur Männer von erprobter Gewissenhaftigkeit und Festigkeit des Charakters. Durch einen eignen Zufall wurden die königlichen Propositionen wegen des Budgets und des Zollwesens, statt gleich nach der Eröffnung, dem Storthing erst den 26. Februar vorgelegt, weswegen ihnen mehre Vorschläge von Privatpersonen den Vorsprung abgewannen und die Berathung derselben verspätet wurde.

Die Festsetzung der Summen, welche den mit der Stellung von Pferden für die Cavalerie und Artillerie belasteten Bauerhöfen zu vergüten, und wie viel an Quartiergeldern für das Militair zu entrichten sei, waren die ersten Beschlüsse des Storthings. Das akademische Collegium trug darauf an, daß fortan Niemand zum medicinischen Examen zugelassen würde, der keiner gelehrten Bildung genossen, weil bei der zunehmenden Frequenz der Universität kein Mangel an Aerzten und Chirurgen zu befürchten sei, wenn man die bisherige Examenfreiheit einschränkte und künftighin nur Eine Classe von Doctoren oder Licentiaten der Medicin gestattete. Bei dieser Gelegenheit (den 18. März) redeten die Herren Sörensen und Holst wie auch die drei anwesenden Rectoren gelehrter Schulen mit vielem Nachdruck für die Nothwendigkeit des Unterrichts in den alten Sprachen; zu Beleg der Richtigkeit dieser Ansicht ward sogar ein weitschichtiges deutsches Wörterbuch aller aus diesen entlehnten medicinischen Kunstausdrücke vorgelegt. Allein grade hieraus folgerte Hr. Ridervold die Nothwendigkeit, sich mehr der neuern Sprachen, namentlich der an Originalen wie an Uebersetzungen so reichen deutschen Literatur zu befleißigen als das Studium der Alten als Hauptsache zu betreiben; und da es sogar in Ländern wie Preußen, wo die Wissenschaften eine bewunderungswürdige Höhe erreicht hätten, neben den wissenschaftlich gebildeten Aerzten auch andere, die eine weniger kostspielige und mehr praktische Bildung erhalten hätten, gäbe, so sah er in der vorgeschlagenen Beschränkung gar keinen Nutzen für ein Land, wo es noch sehr an ausübenden Aerzten mangelt. Hr. Foß, ein Offizier von vielseitigen Kenntnissen und geschätzter Schriftsteller, ließ sich mit einiger Ironie über das gelehrte Zunftwesen aus, das der Gesammtbildung des Volkes im Wege stehe. Der Antrag des akademischen Collegiums ward verworfen.

(Der Beschluß folgt.)

Die Geschichte der Vereinigten Staaten von Nordamerika, von der Entdeckung des Landes bis auf die neueste Zeit, von Ludwig Kufahl. In drei Theilen. Erster und zweiter Theil. Berlin, Sander. 1832. Gr. 8. 5 Thlr.

Die Behauptung, daß die Geschichte europäischer Ansiedelungen in Amerika nicht solche Pflege gefunden hat, als die Einwirkung eben dieser Ansiedelungen auf eine neue Gestaltung des europäischen Staats- und Handelslebens vermuthen lassen sollte, hat etwas Räthselhaftes, da die Wirkung und Anerkennung der Begebenheit schon Geschichte ist. Die politischen Systeme, welche den europäischen Cabineten die bequemsten, mithin die beliebtesten sind, fassen die in Amerika durchgefochtenen Staatsconstructionen nicht gern ins Auge. Das ganze Colonialwesen Spaniens, Englands und Frankreichs hat so unhaltbare, zurückschreckende Seiten, daß man sich die Furcht der Betheiligten gegen alle hierher gehörige geschichtliche Forschungen leicht erklären kann. Dieses Loos traf vorzüglich die Vereinigten Staaten von Nordamerika als der ältesten, bedeutendsten und lehrreichsten der Staatsinstitutionen, welche aus despotischer Politik des Mutterlandes hervorging und den Völkern und Regenten auf verhängnißvolle Weise das Geheimniß der Schwäche unpopulairer Minister verrieth, eine Lehre, welche die Völker besser im Gedächtniß behielten als die Regenten. Hierin lag der wuchernde Revolutionskeim des letzten halben Jahrhunderts, nicht, wie man fälschlich vorgibt, in einer das Heiligste muthwillig verspottenden Afterphilosophie, welche in Büchern und Coterien zur Unterhaltung dienen mag, aber im rüstigen Volke, das nur frei beten und arbeiten will, keinen Anklang findet. Unter allen europäischen Reichen war keines so empfänglich, die von den unwirthlichen Gestaden Amerikas zu uns herüberkommenden Lehren der Menschenrechte, deren harmonischer Verein der Staat sein soll, zu würdigen und geschichtlich aufzubewahren als das britische, wenn nicht alle freisinnige Gerechtigkeit dort verloren ginge unter den Steinkohlendampf des merkantilischen Egoismus. So gab es von dorther nur einseitige, oft aus aller Verbindung gerissene Nachrichten, welche zu vervollständigen die mit den Nordamerikanern (unter denen es wenig Schriftsteller gab, da den Bedürfnissen ihres Geistes Freiheit und Religion genügten) in vielfacher Berührung stehenden Franzosen am wenigsten geeignet waren. Je näher Berichterstatter den politischen Quellen des nordamerikanischen Colonialverbandes, der bald zum Staatenbunde heranreifte, standen, um so weniger konnten sie einer Parteifarbe entsagen; aber darin stimmten alle überein, daß es nach ihren Zwecken nicht rathsam sei, die politische und merkantilische Wichtigkeit der mit Riesenschritten vorwärtsstrebenden nordamerikanischen Freistaaten zu präconisiren.

Jene Quellen der nordamerikanischen Geschichte haben sich neuerlich bedeutend vermehrt, denn die gesitteten Menschen sind sich näher getreten. An unparteiischem Sammlerfleiß hat es auch diesmal Deutschland unter dem Vortritte J. M. Sprengel's und Ebeling's nicht mangeln lassen, und wir müssen es Hrn. Kufahl Dank wissen, daß er diesen folgend mit vorliegendem Geschichtswerke unsere Literatur bereichert. Diese Anerkennung wird dadurch nicht vermindert, daß, wie schon anderwärts angegeben ist, die historischen Materialien nicht erschöpft sind, sondern daß der Verf. zur Vervollständigung seiner Darstellung noch eine reiche Nachlese veranstalten kann. In einer gewichtvollen Beziehung steht dieselbe, so viel uns bekannt ist, verdienstvoll und unübertroffen da, recht was die Geschichte sein soll: ein belehrender Spiegel für die Gegenwart. Man lernt aus der Bildung der nordamerikanischen Freistaaten, wie das Bestreben vernünftiger Menschen nach Kenntniß und Mitwirkung bei der Normirung der Verhältnisse, welche Staat genannt werden, nicht etwas von Philosophie oder Verschwörungssucht, Hervorgerufenes, sondern ein in der menschlichen Natur tief begründetes Princip ist, welches gleich dem des Bewußtseins und der Selbsterhaltung weder vertrieben noch verschuldet werden kann, ein friedliches, gesetzliche Formen suchendes Princip, das nur durch die Geißel des Despotismus aufs Aeußerste gereizt, zum wüthenden Thiere wird. Diese Lehre ist zu entnehmen aus diesem ruhig einfachen historischen Gemälde, welches in drei Abschnitte zerfällt. Der erste Theil zeigt nach einer etwas weit ausgeholten Einleitung, Geschichte des britischen Seewesens betreffend, die Gründung der nordamerikanischen Colonien, die Fehden mit ihren indianischen und europäischen Feinden und die vorbereitenden Ursachen ihres Abfalls vom Mutterlande, also die Vorschule, welche die Freiheit der Nordamerikaner bedingte. Der zweite Theil entwickelt Veranlassung und Folge der Losreißungsrevolution bis zur Annahme der Bundesverfassung; und der dritte und letzte (der uns noch nicht zugekommen ist) soll die Art und Weise der so errungenen Freiheit und Selbständigkeit, wie sie sich im Leben der Bürger der Vereinigten Staaten offenbart, näher würdigen. Die meisten als revolutionssüchtige Verbrechen verschrienenen politischen Grundsätze finden in der Erzählung des Ganges hierhergehöriger Begebenheiten Anklänge, denen kein Commentar beigefügt zu werden braucht, um ihre Rechtsbegründung, das heißt ihre Unschuld darzuthun, daher eine gewisse Nüchternheit des Vortrags besonderes Lob verdient. Dadurch, daß die in dem langen Streite zwischen den Colonien und dem Mutterstaate verhandelten Urkunden wörtlich angeführt werden, entgeht der Verfasser oft der Verantwortlichkeit, welche man auf ihn fallen lassen könnte; ohnehin vertheidigte man sich von beiden Seiten damals besser, als es jetzt ein Anwalt zu thun im Stande wäre. Man höre die um ihren Freiheitsbrief besorgten Bewohner von Massachusets (1662): „Wenn Jemand in einem bestimmten Lande sich aufhält, so erklärt er sich dadurch mit den daselbst bestehenden Staatseinrichtungen zufrieden (???), und Vernunft und Gewissen fodern ihn auf, sich den Gesetzen des Gemeinwesens zu unterwerfen. Allein die Entfernung aus dem Gebiete eines gewissen Staates löset der Natur der Sache nach die Bande des Gehorsams, welche den Auswanderer bisher an seine Obrigkeit knüpften. Vielleicht, daß wenn die Umstände es gestatten, Anhänglichkeit an das Vaterland und Vorliebe für die Verfassung, welche so lange sein Betragen im bürgerlichen Leben regelte, ihn bestimmen, die Gesetze des Gemeinwesens, dessen Mitglied er nicht länger ist, auch ferner als bindend anzuerkennen; aber ob und in wie weit er dieses thun müsse, darüber hat nur sein eigner freier Wille und sein Interesse zu entscheiden, und die Treue und der Gehorsam gegen das Mutterland sollt er nicht länger als einen pflichtschuldigen Tribut, sondern als eine freiwillige, durch die Gefühle des Patriotismus geheiligte und von dem Empfänger dankbar anzuerkennende Gabe. Und dies ist unser Verhältniß zur englischen Krone. Zwar fodert sie das Land, welches wir behaupten, als ihr Eigenthum; aber was ist dieses Recht des ersten Entdeckers, an sich schon im Widerspruche mit den Gesetzen der Vernunft und Billigkeit, wenn sie in demselben Augenblicke die Häupter der Eingeborenen von Amerika als unabhängige Fürsten anerkennt. Konnte die englische Regierung, ehe ihre grausame Unduldsamkeit (politische und kirchliche) uns und unsere Väter aus dem Schooße der Heimat verstieß, hier nur einen Fuß breit Landes ihr Eigenthum nennen, und verlangt sie, daß selbst ihre Fehler nur ihre Gewalt mehren, ihre Herrschaft ausbreiten sollen? — Ohne die geringste Unterstützung von Seiten der Krone, ja trotz der vielfachen Hindernisse, die sie uns in den Weg zu legen bemüht war, und nach Befriedigung ihrer vermeinten Ansprüche haben wir dieses Land von den wirklichen Eigenthümern mit unserm Vermögen erkauft, mit Aufopferung jedes Lebensgenusses unter Gefahr und Arbeit angebaut, mit unserm Blute vertheidigt und werden es dem eingegangenen Vertrage zufolge auch fernerhin als treue Freunde und Unterthanen Englands gegen jede fremde Gewalt behaupten. So für die Verbreitung von Englands Herrschaft geschäftig, mögen wir uns mit gleichem Rechte das Verdienst zuschreiben, durch unsern Fleiß und unsere [illegible] seinen Wohlstand vermehrt zu haben. Und was ist unser Lohn für alle diese Bemühungen? — Die Verfassung des Mutterlandes paßt nicht für die Verhältnisse einer entfernten, schwachen, vielfach bedrohten Colonie, und der Befehl, diejenigen unserer Gesetze abzuschaffen, welche dem königlichen Ansehen nachtheilig erachtet werden möchten, stellt uns zahllosen Bedrückungen bloß und überliefert uns gebunden der Gnade unserer Feinde, da wir weder Abgeordnete im Parlament haben, noch auch der Weg zum Throne in Sachen, wo der Monarch zugleich Kläger und Richter sein will, uns offen stehen dürfte. — Was unsern Monarchen veranlaßt habe, während er die Worte unsers Freiheitsbriefs bestätigt, den Geist dieser Urkunde anzugreifen — [illegible] zu beurtheilen verbietet die Pflicht seinen treuen Unterthanen, aber eine augenblickliche Vollziehung seiner Befehle würde in diesem Falle nicht ein Beweis des Gehorsams sein, sondern nur einen Mangel an Vertrauen auf seine Weisheit und Gerechtigkeit bezeugen." (Theil 1, S. 153—156)

In diesen Worten und den denselben zum Grunde liegenden politischen Grundsätzen liegt der Schlüssel der nordamerikanischen und jeder spätern, das in Europa vorwaltende monarchische Princip bekämpfenden Revolution, aber [illegible] bestreitend, sondern leider oft getrübt durch Leidenschaft, Egoismus und Rachsucht.

Es wird nicht an Veranlassung fehlen, [illegible] scher Unterhaltung auf dieses beliebte Thema [illegible] werden. Zu literarischem Streite gibt Herr Kufahl, [illegible] lich er auch seine Erzählung durchführt, [illegible] denn grade der Friedliche weckt dieser [illegible]. [illegible] Lust hat, politische Theorien durchzufechten, [illegible] Meine, ob Virginien seinen Namen führt von der [illegible] Elisabeth (S. Eichhorn's „Geschichte der drei letzten [illegible]", Band 6, S. 394), oder wie Herr Kufahl [illegible] zählt: „1587 wurde in den Gegenden von [illegible] des Gouverneurs, Gattin des Ananias Dare, [illegible] entbunden, nach welcher, als dem ersten [illegible] Kinde europäischer Ältern, das Land [illegible] Virginien erhielt".

Notizen.

Von A. Delacoux wird in Paris [illegible] phie des sages-femmes célèbres anciennes [illegible] contemporaines". Das Werk erscheint in [illegible] gen mit Portraits.

Herr Charles Comte, Schwiegersohn [illegible] B. Say, hat aus dessen Nachlasse [illegible] et correspondance d'économie politique".

Die französische Uebersetzung von [illegible] würdigkeiten hat schon die dritte Auflage [illegible]

Von G. L. Duvernoy erschien in [illegible] „Notice historique sur la vie et les [illegible] Cuvier".

Das britische Museum besaß [illegible] scripte, die 1832 auf 21,604 vermehrt [illegible] selben Zeitraume hat sich die Zahl [illegible] verdoppelt, und ist von 115,925 auf [illegible]

In Paris erschien: „La [illegible] nelle Gradzinska, ou les [illegible] und H. Demolière.

Von der Herzogin Abrantès [illegible] in Paris, gleichzeitig in Folio und [illegible] célèbres de tous les pays, leur vie [illegible] Es ist auf 30 Lieferungen, [illegible] berechnet, und die erste [illegible] werden.

Die ersten Lieferungen [illegible] ses célèbres anciennes et modernes [illegible], von einer Gesellschaft [illegible] Paris erschienen.

Redigirt unter Verantwortlichkeit der Verlagshandlung: F. A. Brockhaus in [illegible]

Blätter

für

literarische Unterhaltung.

Freitag. —— Nr. 340. —— 6. December 1833.

Das Storthing des Jahres 1833.

(Beschluß aus Nr. 339.)

In der zweiten Periode des Storthings bis Pfingsten beschäftigte man sich zunächst mit der Revision der während der drei letztverflossenen Jahre mittlerweile von der Regierung bewilligten Pensionen. Eine der bedeutendsten war diejenige des Hrn. Peter Collett, der, in einer Zeitung wegen Untüchtigkeit und Nachlässigkeit in seinem Amte als Assessor des höchsten Gerichts angegriffen, nach einem vergeblichen Versuche, diese Beschuldigungen vor Gericht von sich abzuwälzen, nothgedrungen „seiner Taubheit wegen" um seine Quiescirung angesucht und in der That zwei Drittel seines Gehalts als Pension ausbezahlt erhalten hatte. Wiewol er, sobald diese Sache im Storthing zur Sprache kam, nach langer Zögerung den Redacteur vor die letzte Instanz beschied, mithin sein Proceß noch nicht entschieden war, wurde dennoch der Name dieses begüterten Mannes durch eine bedeutende Mehrheit von der Pensionsliste gestrichen. Man schloß aus dieser Strenge, daß es auch den übrigen Pensionisten nicht nach Wunsche ergehen und das Storthing seine Sparsamkeit zu weit treiben würde; allein, wo sich nur irgend ein Verdienst ergab, erhöhte es bisweilen sogar die von der Regierung bewilligten Jahrgelder. Am allerwenigsten hatten sich die Wittwen unbescholtener oder namhafter Beamten, wie des auch als Begründer der Constitution, als Repräsentant und Geschichtschreiber ausgezeichneten Falsen und des Landrichters Holmboe, der mit Aufopferung eignen Vermögens zwei bisher unbewohnte Thalgegenden in den Nordlanden durch Colonisirung blühend gemacht hatte, über die Kargheit des Storthings zu beschweren. Die Frage, ob das Storthing auch das Recht habe, Pensionen anzuweisen, die auf den von der Regierung eingereichten Listen nicht verzeichnet wären, kam diesmal nicht zur Erörterung; allein dagegen das Recht, die Nutznießer ungebührlich bewilligter Pensionen oder die solche betreibenden Staatsräthe selbst zur Rückzahlung zu verpflichten. Es war nämlich der Fall eingetreten, daß seit dem vorigen Storthing ein Gutsbesitzer und Kaufmann, wie es schien, ohne gegründeten Anspruch machen zu können, pensionirt worden, aber gestorben und dieser Betrag unter der Rubrik des Ersparten angeführt war. Es ward lebhaft darüber debattirt, ob nicht Diejenigen, die zu solcher Ungebühr gerathen, die Summe zu ersetzen hätten; und das Storthing verwahrte sich desfalls wenigstens sein Recht.

Dem Odelsthing lag die Decision der Staatsrechnungen der Jahre 1828, 1829 und 1830 ob. Da es sich aus denselben ergab, daß dem ersten Staatsrathe, Jonas Collett, zufolge einer königl. Resolution 3000 Speciesthlr. als Tafelgelder ausbezahlt worden waren, ohne daß das Storthing solche verwilligt hatte, wurde er durch einstimmigen Beschluß zur Wiederbezahlung gehalten; allein mit derselben Einstimmigkeit gestand ihm in der Folge, als die Gehalte des Civiletats festgesetzt wurden, das Storthing 3000 Speciesthlr. als Gratial zu, um ihm seine Zufriedenheit mit der vortrefflichen Verwaltung des Finanzfaches, welchem er vorsteht, zu bezeigen.

In diese Zeit fiel die Feier des neunzehnten Jahrestages der norwegischen Constitution (17. Mai). Am frühen Morgen ward vor den Augen einer zahlreichen Menge ein dem Andenken des im J. 1829 verstorbenen Christian Krohg geweihter, aus Eisen gegossener Obelisk auf einer Anhöhe an der nach Drontheim führenden Landstraße, von wo dieser ausgezeichnete Bürger so oft als Repräsentant gesandt worden, enthüllt. Die Frühlingssonne beleuchtete Stadt, Land und Meerbusen, als unter einem patriotischen Gesange die Decke sank und das aus freiwilligen Beiträgen errichtete einfach schöne Denkmal mit seinen goldenen Inschriften und dem norwegischen Löwen hervortrat. In diesem Augenblicke schwieg der Gesang, es ertönte freudiger Jubel; darauf allgemeine Stille, als der Dichter Wergeland eine begeisterte Rede an die Versammlung richtete. Nach derselben trennte man sich ruhig und friedlich, um nach dem Beispiele des Storthings, dessen Mitglieder der Feierlichkeit beigewohnt hatten, den Vormittag den Berufsgeschäften zu widmen, die übrigen Stunden aber bis in die Nacht hinein in größern und kleinern Kreisen festlich zu begehen.

Auf einmal verbreitete sich das Gerücht, als würde das Storthing schon im Juni geschlossen werden, ohne irgend eine Arbeit von Bedeutung beendigt zu haben. In der That wandte es sich in einer Adresse an den König, um ihn auf die noch obschwebenden Geschäfte aufmerksam zu machen und um Verlängerung anzusuchen; denn nach dem Grundgesetze ist das Storthing nur drei Monate lang versammelt. Dieses billige Verlangen ward denn, jedoch nur auf unbestimmte Zeit, gewährt; zugleich traf aber die gewisse Nachricht ein, der Kronprinz werde nächstens nach Norwegen kommen und in der Eigenschaft als Vicekönig die Schließung anordnen und vollziehen.

So geschah es denn, daß das Storthing in seine dritte Periode treten und die Verhandlungen, wie es sich gebührt, zu einem glücklichen Ende führen konnte. Bei der Festsetzung des Zolltarifs vom 29. Mai bis 10. Juni bekämpfte Hr. Mariboe, ein Mann von vieler Erfahrung und großen Einsichten in den Staatshaushalt, dem auch die Sprache ganz zu Gebote steht, mit glücklichem Erfolge die Vorurtheile für prohibitive Maßregeln, wodurch man wähnte, dem Absatze der Erzeugnisse des Landes Vorschub zu leisten, den Gewerbfleiß zu heben und dem Luxus zu wehren. Unter den sehr lebhaften Debatten überzeugte sich die Mehrzahl wie auf dem Wege des wechselseitigen Unterrichts von den finanziellen Vortheilen eines liberalen Handelssystems, und wie durch hohe Zollsätze nur der Schleichhandel befördert und der zur Vollkommenheit in nützlichen Gewerben nothwendige Wetteifer gelähmt würde. Alles, was für und gegen beide Systeme gesagt werden kann, die Erfahrungen anderer Staaten, sogar Anekdoten wurden bei dieser Gelegenheit angeführt, und das liberale siegte dermaßen, daß nur Modewaaren eine höhere Besteuerung erlitten.

Die höchst unpopulairen königlichen Propositionen zu Veränderungen des Grundgesetzes, die zu den stehenden Artikeln der Storthinge gehören, nämlich in Betreff der Ertheilung eines absoluten statt des suspensiven Veto, des Vorschlagsrechtes bei Naturalisationen, der Befähigung des Kronprinzen, auch außerhalb Norwegens die Würde eines Vicekönigs zu bekleiden u. s. w., veranlaßten freilich wiederum sehr ausführliche Comitébegutachtungen, aber keinen weitern Aufenthalt, indem sie am Schlusse der Storthingssitzung den 27. Juni nach kurzer Anzeige des Inhalts einer jeden und des Bedenkens des Ausschusses sämmtlich ohne Debatten einhellig abgewiesen wurden. Die Verwerfungsgründe liegen größtentheils in der Thatsache, daß die bestehenden Einrichtungen sich von keiner nachtheiligen Seite gezeigt haben; denn blos in diesem Falle gestattet das Grundgesetz Abänderungen.

Es fehlte nicht an Naturalisationsgesuchen von geborenen Dänen und Schweden. Da es Ausländern unverwehrt ist, sich als Handwerker, Künstler oder Kaufleute in den Städten anzusiedeln, wenn sie nur den Gesetzen Genüge leisten, auch Consulatsposten und Bedienungen als Schul- und Universitätslehrer, insonderheit ärztliche zu übernehmen, und da sie nach zehnjährigem Aufenthalt im Lande in alle Rechte der Eingeborenen treten, so befolgte das Storthing den 28. Juni, als diese Gesuche an der Tagesordnung waren, mit Strenge den Grundsatz, daß die Naturalisation eine Ehre sei, die nur entschiedenem Verdienste um das Vaterland gebühre, und verwarf alle Gesuche bis auf dasjenige eines Studenten, Thaulow aus Schleswig, theils weil er, als von einer norwegischen Familie abstammend und von einem norwegischen Vater zur Zeit der Vereinigung Norwegens und Dänemarks erzeugt, eigentlich keiner Naturalisation bedürfe, theils auch weil er von den ausgezeichnetsten Professoren der Universitäten Kiel und Berlin die vortheilhaftesten Zeugnisse beibringen konnte.

Ueber die Stiftung von Ackerbauseminarien und eines polytechnischen Instituts konnte man sich nicht einigen; desto größere Eintracht herrschte aber in Betreff eines Antrags des Propstes Stockfleth, der sich mit apostolischem Eifer der Civilisation der Lappländer annimmt und zu diesem Zwecke ihre an Bezeichnungen der schwierigsten Begriffe überreiche Sprache erlernt hat, indem man eine Summe von 22,000 Spthlr. theils zu einer Bibelübersetzung in dieselbe, theils zur Unterweisung von Lappländern in zweckmäßigen Hantirungen anwies. Nunmehr schritt man zum Budget (den 10. Juli).

Auf die erfreulichste Weise wurden die Verhandlungen durch die Ankunft des Kronprinzen in Christiania den 18. Juli unterbrochen. Dieser liebenswürdige und geistreiche junge Fürst legte sowol während seiner Anwesenheit in der Hauptstadt als auf seiner Rundreise durch das Land nach Bergen eine solche Einsicht und vielseitige Thätigkeit an den Tag und gewann durch sein in jedem Betracht musterhaftes Verhalten dermaßen die Herzen der Normänner, daß sich Jeder den schönsten Hoffnungen ergab, und zwar um so mehr, da sich allenthalben der blühende Zustand des Landes immer mehr hervorthat, welches, an sich selbst eben nicht reichlich von der Natur ausgestattet, bei seinem Auftreten in der Reihe constitutionneller Staaten durchaus entblößt und sogar der Mittel der Selbständigkeit beraubt schien, jetzt einen solchen Aufschwung gewonnen hatte, daß man nichts angelegentlicher in Erwägung ziehen konnte, als wie der Ueberschuß der Einnahmen am zweckmäßigsten zu verwenden sei.

Es würde zu weitläufig sein, die lehrreichen Debatten über diesen Gegenstand auch nur obenhin zu berühren; es sei daher genug, folgende Punkte aus dem Budget anzuführen. Die Staatseinnahme beträgt nach demselben jährlich 825,000 Speciesthlr. in Silber und 1,739,136 Spthlr. in Zetteln, die Ausgabe in Silber 364,158 Spthlr., wovon die Civilliste des Königs 64,000 und diejenige des Kronprinzen 32,000 Spthlr. wegnimmt, das Uebrige aber zur Abtragung der Staatsschuld angewendet wird, wornach noch 461,141 Spthlr. 80 Schill. übrig bleiben. Unter den Ausgaben in Zetteln führen wir an, wie folgt: für das Storthing 39,292 Spthlr., die Regierung und der Staatsrath 117,698 Spthlr., das höchste Gericht 20,590 Spthlr., die nicht unbegüterte Universität 30,500 Spthlr., worunter 3000 Spthlr. für ihre Bibliothek und 2500 Spthlr. für ihre übrigen wissenschaftlichen Sammlungen, 700 Spthlr. zu gelehrten Reisen im Auslande, 3000 Spthlr. zur Kunst- und Zeichnungsschule in Christiania, 130,086 Spthlr. für die Leuchtthürme und Feuerbaken, 30,000 Spthlr. zur Beendigung des Schloßbaues, 82,330 Spthlr. an Pensionen, 55,500 Spthlr. für die ausländischen Angelegenheiten, für den Landetat 595,000 Spthlr., für den Seeetat 166,000 Spthlr. u. s. w., Alles für jedes der drei folgenden Steuerjahre. Wir bemerken hierbei blos, daß die Regierung für den Schloßbau nur 20,060 Spthlr. verlangt hatte, und daß das Storthing sehr geneigt war, noch mehr für die Marine, diese Hauptwaffe Norwegens, zu bewilligen, auf welche der Seecapitain Christin durch eine eigne freimüthige Denkschrift die Aufmerksamkeit hingelenkt hatte, wenn es sich über die einzelnen Bedürfnisse hätte einigen können; wie es auch auf die Bedingung, daß der norwegischen Kauffartheiflagge auf dem Wege der Unterhandlung Anerkennung jenseits des Caps Finisterre verschafft würde, sich gern zu einem größern Beitrage behufs der auswärtigen Angelegenheiten verstehen wollte. Die allgemeine Stadt- und Landsteuer erlitt eine sehr bedeutende Ermäßigung, indem jene auf 185,000, diese auf 35,000 Spthlr., mithin etwa um das Dreifache herabgesetzt wurde. Von der Stadtsteuer kommt auf den Antheil Bergens, als der reichsten Stadt, der 23., auf Christiania der 20. Theil u. s. w. Nur die Stadt Christiansand wies sich als verarmt aus. Es war die Rede davon, sie zu einem Freihafen zu erklären.

In Ansehung der zweckmäßigsten Anwendung des Ueberschusses gab es viele und vielerlei Meinungen. Großen Ruhm erwarb sich Hr. Nikolai Jensen aus Drontheim durch seinen hellen Blick in das Geld- und Bankwesen, und durch die Klarheit seiner Entwickelungen. Der Beschluß fiel den 20. August dahin, daß von dem gegenwärtigen Ueberschusse baldmöglichst wenigstens 300,000 Spthlr. zur Abtragung der 1822 geschlossenen sechsprocentigen Staatsanleihe durch Aufkündigung eines entsprechenden Betrags in Partialobligationen angewendet, daß 100,000 Spthlr. in der Bank niedergelegt und damit die Zettelmasse vermehrt und, falls es thunlich wäre, 150,000 Spthlr., welche die Staatskasse der Bank schuldig ist, zurückbezahlt werden sollten. Schon früher war man übereingekommen, daß das kongsberger Silberwerk, das am 10. August wiederum 2701 Mark 4 Loth gediegenes Silber als Ausbeute des letzten Monats zur Schmelzhütte lieferte, ferner auf Kosten des Staats zu betreiben wäre.

Die Verhandlungen der Kammern sind größtentheils nur von örtlichem Interesse. Eins der ersten Gesetze, welches in denselben beseitigt wurde, betraf die Belehnung des Ortes Wadsöe im äußersten Norden mit städtischen Privilegien, da derselbe durch seine Lage den Handel mit den Russen weit mehr begünstigt als das minder zugängliche Wardöe. Von dem entschiedensten Einflusse auf die Verbreitung constitutionellen Geistes durch alle Glieder der Gesellschaft würde der Beschluß der Kammern in Betreff einer neuen Communalverfassung der Landgemeinden sein, nach welcher alle innern Angelegenheiten sowol der Kirchspiele als der Aemter durch selbstgewählte Verordnete verwaltet werden sollten; allein, obwol der Entwurf derselben von der Regierung in Christiania selbst ausgegangen war, erhielt er doch nicht die königliche Sanction. Ebenso wenig ward ein Beschluß genehmigt, welcher bezweckte, den Besitzern [illegible] der [illegible] ([illegible]) [illegible] Bauern so [illegible] Theilnahme an [illegible] seiner Grundstücke zu verziehen.

Das vorerwähnte Protokollcomité hatte zwar dem Odelsthinge 21 Rügen der Staatsverwaltung zur nähern Prüfung vorgelegt, welche jedoch bis auf drei nicht geeignet schienen, Jemanden vor ein Reichsgericht zu belangen. Zwei derselben bezogen sich auf Gehalte, welche den ausdrücklichen Beschlüssen des vorigen Storthings zuwider fortbezahlt worden waren, und die dritte auf die Aufhebung der eingehenden Kornzölle im Sommer 1831, als das Land mit Theurung bedroht wurde, welche in den natürlichen Gang des Getreidehandels störend eingreifende Maßregel trotz des Abrathens des Staatsrathes in Christiania vom Staatsminister Löwenskjold in Stockholm empfohlen und vom Könige beschlossen worden war. Statt einer Anklage begnügte sich das Odelsthing nach Anhörung der schriftlichen Vertheidigung der betheiligten Staatsräthe Diriks und Silbern, welcher letztere dem Staatsminister beigestimmt hatte, mit einem misbilligenden Ausspruche über ihr Verhalten, insonderheit aber über das Verfahren des Staatsministers, welcher, statt sich zu vertheidigen, in einer der letzten Sitzungen des Storthings einen Protest einreichte, in welchem er dem Odelsthinge das Recht absprach, dergleichen Urtheile zu fällen, indem es allein grundgesetzlich befugt sei, sich klägerisch an ein Reichsgericht zu wenden, womit jedoch schon der bedeutenden Unkosten wegen keiner Partei gedient sein kann. Ein solches Gericht wird nämlich aus den Mitgliedern des Lagthings und des höchsten Gerichts gebildet, von welchen der Angeklagte eine gewisse Anzahl ausscheiden kann.

Zuletzt nahm das Storthing die alte Beschwerde der Einwohner des Amtes Smaalehen wieder auf, welchem die schwedische Oberbehörde während des Feldzugs im J. 1814 wegen seiner mannichfaltigen Verluste eine Entschädigung feierlich zugesagt, aber bisher nur eine Kleinigkeit hatte auszahlen lassen. Es fehlten nach einer von gemeinschaftlichen Commissarien vorgenommenen Abschätzung noch etwa 75,000 Spthlr., die auf keine Weise zu erlangen waren. Es ward auf diesem Storthing vorgeschlagen, ihnen, wie das vorige schon beschloß, eine Ermäßigung der Landsteuer zu verwilligen; allein weder dieser Vorschlag, noch ein anderer zur Inanspruchnahme der schwedischen Nationalehre, indem man sich an den nächsten schwedischen Reichstag mit der Beschwerde wenden solle, ward angenommen, dagegen aber beschlossen, den Archivarius des Storthings mit der Abfassung eines historischen Berichtes über den ganzen Hergang der Sache zu beauftragen.

Nachdem sonach das Storthing mit vieler Thätigkeit und bei unausgesetzt lebhafter Theilnahme des Publicums Alles beseitigt hatte, was von unumgänglicher Nothwendigkeit war, erfolgte die Schließung desselben Mittags den 27. August durch den Kronprinzen im Namen seines königlichen Vaters auf die in den Zeitungen angeführte Weise, in welchen auch die bei dieser Gelegenheit gewechselten Reden zu lesen sind. Wie geringe Hoffnungen selbst entschiedene Patrioten von diesem Storthing hegten, auf welchem die sogenannten Bauern die Mehrheit ausmachten, so hat es doch, trotz des langsamen und verwickelten Ganges der Verhandlungen, zumal in den Kammern, nicht wenig geleistet und bei einer Nation, die nicht geneigt ist, zu viel, geschweige Unmögliches zu fodern, die Anhänglichkeit an die Constitution, wie sie ist, verstärkt, weswegen denn auch das Schicksal der vom Könige vorgelegten Propositionen zur Abänderung des Grundgesetzes, unter denen eine ganz neue, nämlich in Betreff der Zuziehung der Staatsräthe zu den Debatten, auf dem nächsten ordentlichen Storthing mit Sicherheit vorauszusehen ist. Noch verdient bemerkt zu werden, daß sich diese Nationalversammlung vielleicht noch mehr als eine ihrer Vorgängerinnen fern von jener Parteisucht hielt, durch welche der eine Theil veranlaßt wird, beständig gegen, der andere für die Maßregeln der Regierung zu stimmen. Vaterlandsliebe und Rechtlichkeit war in der That die Seele der Verhandlungen, und wie sehr die Einsicht in alle Gegenstände der Staatsverwaltung bei einer durchaus freien Presse zunimmt, zeigte sich insonderheit unter denjenigen Repräsentanten, welche nicht zum ersten Male einer solchen Versammlung beiwohnten. 66.

Kleine Aufsätze aus bedrängter Zeit. Von Karl Schildener. Rostock, Oeberg. 1833. Gr. 8. 14 Gr.

Der Verf., ein Denker, seinem Berufe nach Jurist, seiner Seelenstimmung nach einem achtbaren Deismus ergeben, geht von der Prämisse aus, daß unsre Zeit einer Entfaltung des Religiösen in uns bedürfe, und will dieser Entwickelung durch seine kleinen Aufsätze förderlich sein. In der Auferbauung der Gesinnung unserer Zeit am christlichen Dogma der Liebe sieht er, und zwar mit Recht das einzige Mittel zur Beruhigung ihrer geistigen Aufregung, zur Vermittelung ihrer unauflösbaren Widersprüche. Diese Gesinnung ist, wir leugnen's nicht, der unserigen verwandt, und wir haben diese Aufsätze daher mit Vergnügen und mit Befriedigung durchlesen. Das ist aber auch Alles, was wir davon sagen können. Wer des Verf. subjective Stimmung nicht zu der seinigen machen kann, der wird in diesen Abhandlungen nichts finden, das ihn anzieht, belehrt oder überzeugt, denn für die Ueberzeugung sind sie überhaupt nicht geschrieben. Wohlmeinende Anregungen zu religiösem Nachdenken finden in unsern Tagen, welche scharfe, den Verstand befriedigende Deduction und einen durchaus realen Hintergrund verlangen, überall nur einen kleinen Kreis, und der Verf. ist in seinem Ideengebiet zu befangen, als daß er für eine entgegengesetzte Denkart Brauchbares oder Belehrendes darzubieten hätte. Daher hat er denn auch mehr zu seiner eignen, als zu fremder Befriedigung geschrieben, und die Welt hätte nichts verloren, wenn diese Gedanken ungedruckt geblieben wären.

Seine acht Aufsätze verbreiten sich über religiöse Sinnesart, welche der Verf. unnütz in ein dreifaches Gebet zerlegt. Hier zergliedern und Grenzen ziehen zu wollen, ist unsers Erachtens Thorheit; im Gebet ist Alles subjectiv, und in jedem Individuum ist eine andere Begrenzung. Hieraus ist daher für Andere nichts zu lernen. Besser sind die Versuche, einige Bibelstellen zu erklären; sie sind sogar scharfsinnig, wie die Beantwortung der Frage, was Bürgerthum sei und ist. Nur wird die rein ideelle Begriffsform für den Civismus den positiven Forderungen unserer Zeit nirgend genügen, und der Verf. wird sich gefallen lassen müssen, für einen Feind des Liberalismus zu gelten, so gut wie andere ehrliche Leute, die sich nicht überzeugen können, daß, Alles in Frage zu stellen, der Weg zu festem Bürgerglück sei. „Die Religion im Rechte" versucht die Aussöhnung des oder der Moralprincipe mit den positiven Rechtsformen und findet in der Gewohnheit als nothwendigem Bestandtheil des Rechts seine Begründung. Dieser Gedanke kann für neu gelten, wiewol er, streng genommen, nur eine Umschreibung des historischen Rechtsprincips darstellt. Das Recht ist, was sich als Recht ausgebildet hat. So lehrt Savigny und so lehrt der Verf. Die Ermahnung an den studirenden Sohn versucht zu erweisen, daß der politische Fortschritt zur Abstreifung aller Bande der Lehnstreue (alte germanische Verfassung) ohne einen religiösen Fortschritt zu innigerer Gemeinschaft mit Gott kein befriedigendes Resultat geben könne. Dieser alte Satz ist mit unnütz-kunstvollen Demonstrationen erörtert. Er bedarf nur der festen Anschauung, um sofort Ueberzeugung zu gewähren. Was aber der Verf. unter dem Namen einer ihm nothwendig scheinenden Kirchenreform verlangt, ist uns nicht klar, da jene individuelle sittliche Erhebung und die Auferbauung des ethischen Princips in uns mit Dem, was man gemeinhin die Kirche nennt, offenbar gar nichts zu schaffen hat. Daß ohne Sittlichkeit politische Freiheit undenkbar sei, das ist vielleicht der einzige politische Lehrsatz, über den dermalen alle, oder doch fast alle Stimmen einig sind. Hiermit genug über diese wohlmeinenden, aber wenig bedeutenden kleinen Aufsätze. 39.

Meine Gefangenschaft in Rußland in den Jahren 1812 und 1813. Ein Blick in Rußlands Größe und Herrlichkeit. Von F. L. von Lindeman. Nebst zwei lithographirten Tafeln. Ronneburg, Weber. 1833. 8. 12 Gr.

Eine einfache und, wie es scheint, aufrichtige Schilderung der Schicksale eines sächsischen Offiziers, der am 12. August 1812 in russische Kriegsgefangenschaft gerieth und sich während der ganzen Dauer einer sehr milden und freundlichen Behandlung zu erfreuen hatte. Für Völker- und Länderkunde ist darin keine große Ausbeute zu finden (man müßte denn die auf S. 27 erzählte Begebenheit als einen Beitrag zur Charakteristik des polnischen Adels ansehen); auch sind die Schicksale des Verf. weit einfacher als die des Sergeanten Rob. Guillemard, des bekannten jungen Feldjägers oder seines Leidensgefährten Fr. von Soden. Indessen wollen wir damit dem Büchlein einen gewissen Werth doch nicht streitig machen, indem die Jahre 1812—15 zu merkwürdig sind, als daß nicht ein jeder Beitrag zur Geschichte derselben willkommen sein sollte. So wird auch dies Büchlein nicht allein die Kriegskameraden des Verf., sondern auch manche andere Leser, die nicht grade zu viel verlangen, einige Stunden lang wohl unterhalten. 39.

Literarische Notizen.

Den vor Kurzem herausgekommenen 40. Band von Schöll's „Cours d'histoire des états européens etc." eröffnen Nachrichten über den während des Drucks des 39. Bandes verstorbenen Verfasser. Das ursprünglich auf 30, später auf 48 Bände berechnete Werk hat der thätige Schöll vollkommen ausgearbeitet in der Handschrift hinterlassen, sodaß der Abdruck der noch rückständigen Bände keine Unterbrechung erleiden soll, eine Verheißung, die der eben erschienene 41. Band bestätigt.

Béranger gibt jetzt seine „Oeuvres complettes" in vier Bänden heraus. Sie erscheinen einzeln in 52 wöchentlichen Lieferungen zu zwei Bogen mit zwei Kupfern jede.

„Paris révolutionnaire", von Ader, Alhoy, Altaroche, Cm., Et. Arago, H. Anger u. s. w., erscheint in 6—8 Bänden, jeder zu vier Lieferungen.

Am 13. Oct. starb, 69 J. alt, zu Amsterdam Witsen Geysbeek, in der niederländischen Literatur als Epigrammatist, als Verf. eines Wörterbuchs holländischer Dichter und durch andere literarische Arbeiten bekannt. 179.

Redigirt unter Verantwortlichkeit der Verlagshandlung: F. A. Brockhaus in Leipzig.

Blätter für literarische Unterhaltung.

Sonnabend, —— Nr. 341. —— 7. December 1833.

Geschichte des russischen Reiches von Karamsin. Nach der Originalausgabe übersetzt. Elfter Band. Nach des Verfassers Tode herausgegeben vom Minister des Innern Bludow. Leipzig, Brockhaus. 1833. Gr. 8. 1 Thlr. 20 Gr.

So hat sich denn deutscher Fleiß und deutsche Thätigkeit abermals ein Werk angeeignet, welches, wenn auch nicht auf unserm Grund und Boden entsprossen, doch durch den Geist der Forschung und Darstellung, durch den Ernst der Behandlung, durch den Sinn für historische Würde nicht nur eines Deutschen würdig wäre, sondern auch durch eine meist gelungene Uebersetzung uns zugeführt zu werden verdiente. Eine unverkennbare und empfindliche Lücke ist damit ausgefüllt, und in dieser Form reiht es sich glücklich an die Werke eines Hammer, Mailáth, Leo, Pfister, Voigt und Anderer an. Leider ist es ein Torso geblieben, denn der edle Verf. starb seinem großen kaiserlichen Freunde und edeln Beförderer des Werkes bald nach (3. Juni 1826). Was im 11. Bande (dem 12. des Originals) unvollendet (nur zwei Jahre fehlten noch bis zum Hauptabschnitt von der Thronbesteigung des Hauses Romanoff 1613) gegeben ist, war die letzte Lecture Kaiser Alexander's, und das Manuscript kam aus Taganrog zurück, als der Verf. schon schnellen Laufes dem Tode zueilte. Der Minister des Innern, von Bludow, besorgte nach dem Tode des Verf. und dessen Wunsche gemäß die Herausgabe, und Karl Goldhammer besorgte die im Ganzen wohlgerathene Uebersetzung, welche freilich nicht wie die der frühern Bände der Verf. selbst durchsehen und mit dem Originale vergleichen konnte. Wie der erste Band der Uebersetzung (das Original ist dem Kaiser Alexander gewidmet), so ist auch dieser letzte dem Könige von Preußen vom Uebersetzer zugeeignet.

Es sei erlaubt, über den Verfasser und sein Werk im Ganzen Einiges zu sagen, da über Erstern der Artikel des „Conversations-Lexikon" fast zu kurz, und sein Hauptwerk trotz des herabgesetzten wohlfeilen Preises von 11 Thalern noch lange nicht genug in den Händen deutscher Geschichtsfreunde ist, während die erste Auflage des Originals zu 3000 Exemplaren in Zeit von weniger als vier Wochen vergriffen war. Karamsin's Werk war in der That ein von jedem gebildeten Russen gefühltes Bedürfniß. Des Fürsten Schtscherbatoff Werk (1770—1791, 7 Bände) ging nur bis 1610. Lomonossoff's „Jahrbuch der russischen Regenten" (Riga 1771) war keineswegs Nationalgeschichte, und des Fürsten Jakowl. Chilkow „Kern der russischen Geschichte", in drei Theilen, war zwar das gewöhnliche Lehrbuch, aber mangelhaft und unkritisch. (Ein bis auf die neueste Zeit reichendes Werk über die russische Geschichte vom Major Sergei von Glinka in Moskau in 14 Theilen scheint noch durch keine deutsche Uebersetzung in unserm Vaterlande bekannt geworden zu sein.) — Karamsin (Nikolai Michailowitsch), 1765 im Gouvernement Simbirsk geboren, in Moskau erzogen und auf der dortigen Universität gebildet, diente erst als Gardeoffizier und begab sich dann auf mehrjährige Reisen im westlichen Europa (1789—91). Die „Briefe eines reisenden Russen" 4 Thle., 1797) fanden auch in Richter's deutscher Uebersetzung (6 Thle. Leipzig 1800—2) Beifall. Dann gab er das „Moskauische Journal" und den „Europäischen Verkündiger", drei Theile Gedichte; ein Pantheon der ausländischen Literatur, ein ähnliches über russische Schriftsteller, Erzählungen u. A. heraus. Man hat ihn den russischen Zschokke genannt. Dem ihm 1803 übertragenen Amte eines russischen Reichshistoriographen entsprach er besser als gleichzeitig Johannes von Müller in Berlin; 1816 überreichte er acht Bände seiner Geschichte dem Kaiser, bekam 60,000 Rubel zum Druck des Werkes, die Würde eines Staatsrathes und den St.-Annenorden erster Classe. Auf einem Lustschlosse der Kaiserin Katharina II. hatte er freie Wohnung. Nachdem 1821 der neunte und 1823 der zehnte und elfte Band erschienen waren, sollte der zwölfte die Geschichte bis zum Regierungsanfang der Romanoffs, 1613, führen; aber die Kränklichkeit des Verf. nahm zu, und ein unheilbares Brustgeschwür raffte ihn hinweg, ehe er noch die Fregatte besteigen konnte, welche auf Kaiser Nikolaus' Befehl ausgerüstet wurde, um ihn in das mildere Klima Italiens zu bringen. Im Kloster von Alexander Newski wurde er begraben. Eine jährliche Leibrente von 50,000 Rubel verblieb seiner zahlreichen Familie. Sein Verdienst um die russische Geschichte und Literatur erhöhte sich noch dadurch, daß er eigentlich Urheber einer neuen russischen Sprachepoche wurde und die Nation für die Literatur immer mehr gewann. Deutschlands Literatur ehrte er als eine der ausgebildetsten; und so ist es auch von dieser Seite Pflicht, den Mann wiederum zu ehren. Muß man dem frommen und patriotischen Sinne, der durch das ganze Werk geht und selbst in Rußlands traurigsten frühern Perioden ahnend auf eine bessere Zukunft hinweist, Gerechtigkeit widerfahren lassen, so ergreift in Betrachtung seiner körperlichen Leiden die Kraft seiner Darstellung, die Energie seines Styls gewiß um so mehr, je weniger man solche Spannung und Anstrengung des Geistes vom Körper unterstützt sieht. Man ahnt nicht, daß das kräftige Wort aus einer Brust ertönt, in welcher schon der Tod sich die Hütte des Schmerzes und der Vernichtung gebaut hatte.

Der Verf. gehört nicht zu den trockenen Annalisten, sondern zu den aus den besten Quellen unermüdet forschenden und mit Kritik sichtenden, zu den pragmatischen Historikern, denen es gleichsam um Reconstruction der Ereignisse und Thatsachen aus ihren Ursachen und in ihrem innern Zusammenhange zu thun ist. Er erstickt den Leser nicht im gelehrten Wuste, sondern gibt seiner Darstellung den lebendigen Reiz, zu welchem die Farben eben aus der Betrachtung des Lebens selbst genommen sind. Die alte Volkssage, das Lied ist ihm eine nicht verschmähte, aber mit Beurtheilung benutzte Quelle historischen Stoffes. Das Volk will die Träume seiner Kindheit in seiner Geschichte wieder anklingen hören, aber nicht verspottet sehen. Aber es will sich auch selbst in seiner Geschichte wiederfinden, nicht blos die Herrschernamen, denn auch hier heißt es mit dem Dichter:

> Die hohen Häupter sie kommen und gehen,
> Wir sind die Diener, aber wir bleiben stehen.

Volkssitte und Brauch, Cultur in jeder Art und nach jeder Richtung hin findet hier seinen treuen Spiegel, Tugend und Laster in der Hütte wie im Zarenpalaste sein Gericht, der im Leben Gefeierte sein gesegnetes Andenken, wie der der Strafe im Leben Unzugängliche seine Geißel. Solche Schilderungen müssen grade für ein Volk, welches allmälig dem Gängelband des Despotismus zu entwachsen anfängt, höchst erhebend und bildend sein. Es ist eine ungeheure Aufgabe, eine solche Geschichte in sich aufzunehmen, geistig und technisch zu verarbeiten und als treuen Spiegel der Vergangenheit auch in möglichster stylistischer Vollendung wiederzugeben. Wir halten uns nicht für befugt, zu fragen, ob Karamsin, wenn ihm ein längeres Leben gegönnt gewesen wäre, bei der Darstellung der Geschichte nach Peter dem Großen (der selbst gewiß seine trefflichste Schilderung erst von Karamsin erhalten haben würde) dieselbe Freimüthigkeit und Popularität hätte behaupten können; aber wir sind überzeugt, daß er eher geschwiegen als etwas seiner Unwürdiges gegeben hätte.

Wir haben eigentlich nur eine einzige Stelle im ganzen Werke gefunden, wo wir Karamsin's Ansicht nicht ganz zu theilen vermögen, die wir indeß nicht ohne besonderes Interesse gelesen haben, weil das Urtheil eines so denkenden Mannes, eben weil er einer dritten Kirche angehört, ein eigenthümliches sein mußte. Wir theilen die Stelle über Luther aus dem 7. Bande der Uebersetzung, S. 156, mit, da den wenigsten unserer Leser noch ein Urtheil über diesen Reformator und sein Werk von einem russischen Reichshistoriker vorgekommen sein wird:

Schon hatte in den Reichen des Abendlandes die durch viele Misbräuche befleckte geistliche oder päpstliche Macht längst an Stärke verloren, bestand aber noch hartnäckig auf ihren stolzen Ansprüchen und wollte sich, den Fortschritten der Aufklärung zum Trotz, nicht dem wahren Geiste des Christenthumes zuwenden. Da erschien ein armer Mönch, Martin Luther, der, nachdem er das Mönchsgewand abgeworfen hatte, mit dem Evangelium in der Hand, den Papst einen Antichrist zu nennen wagte, ihn des Betrugs, der Habsucht, der Entweihung des Heiligthumes überwies und einen neuen Glauben stiftete, zwar auch gegründet auf die Lehre des Evangeliums, allein doch mit Abschaffung vieler wichtiger, bedeutender Gebräuche, die noch im Anfange des Christenthums eingeführt und ohne Zweifel von Nutzen waren; denn die Menschen haben nicht allein Verstand, sondern auch Einbildungskraft, welche nicht weniger als der erstere auf das Herz wirkt. Dieser entschlossene Reformator, der den Gottesdienst entkleidet, seiner Feierlichkeit beraubt und dem Gedanken gleichsam den Himmel entrückt hatte, zu dem Blick und Geist von der Pracht der Altäre, von der geheimnißvollen, heiligen Handlung der Messe emporstreben, begnügte sich mit einer bloßen Sittenpredigt, zeigte noch mehr Haß gegen Rom als Eifer für Zion, berief sich zwar einzig auf Christus und die Apostel, ahmte aber ihre Sanftmuth nicht nach, unterwarf die Dogmen der Kirche dem Richterstuhle des Verstandes und redete die Sprache der Leidenschaft, beraubte den Papst in vielen Ländern Deutschlands, in den drei nordischen Königreichen, in den gewesenen Besitzungen des deutschen Ordens und in Liefland seiner geistlichen Macht, spielte aber hier selbst die Rolle eines Kirchenoberhauptes und verdankte seinen Triumph nicht dem Fanatismus des Volkes, sondern den irdischen Berechnungen der Herrscher, welche, den Christennamen und das heilige Evangelium beibehaltend, das Joch der Abhängigkeit von dem stolzen, vielverlangenden, habsüchtigen Rom durch ein neues Glaubensbekenntniß abschüttelten, die Abgaben und Gefälle der Kirche zu ihren Einkünften schlugen und in Gewissenssachen den Kirchenbann nicht mehr zu fürchten brauchten. Viele Ausleger der Weltbegebenheiten sprechen von dem Lutherischen Glauben wie von einer großen Wohlthat für die Menschheit. Er hat unstreitig zu den Fortschritten der Aufklärung und einer damit verbundenen bessern Sittenlehre beigetragen; allein die erste Folge davon war Blutvergießen und neue christliche Sekten, die zum Theil für die Regierungen und die bürgerliche Ruhe selbst nachtheilig waren. — Mit Einem Worte, wenn die Feinde der lateinischen Kirche diese mit Recht der Untreue an dem wahren Christenthume beschuldigten, so konnten auch die eifrigen Katholiken jene getrost der Heuchelei, des Betrugs und der Gesetzlosigkeit anklagen.

Eine andere Frage ist, wie der Verf. seinen gewonnenen Stoff zum Behuf deutlicherer Uebersicht wieder in geeignete einzelne Perioden zerlegt hat. Schlözer's Eintheilung dieser Geschichte in fünf Perioden: in die Periode des entstehenden, des getheilten, des unterdrückten, des siegreichen und des blühenden Rußlands findet der Verf. mehr scharfsinnig als richtig; er zieht die Eintheilung in die alte, von Rurik bis Johann III., die mittlere von Johann bis Peter, und in die neue von Peter bis Alexander vor und findet das Eigenthümliche jeder dieser drei Perioden in dem Systeme der Theilungen bei der ersten, in der Alleinherrschaft bei der zweiten und in den Veränderungen in Sitten und Gebräuchen bei der dritten. Uns dünkt die Bezeichnung des Charakteristischen für die dritte Periode nicht scharf genug hervorgehoben, denn Veränderungen in Sitten und Gebräuchen eines

bestimmend sein, und gewiß würde der Verf. dieser Unbestimmtheit abgeholfen haben, wenn ihn die Vorsehung sein Werk bis auf die neuere Zeit hätte heraufführen lassen.

(Der Beschluß folgt.)

Novellen von Friedrich Seybold. Aarau, Sauerländer. 1833. 8. 1 Thlr. 8 Gr.

Die beste unter den vorliegenden Novellen ist ohne Zweifel diejenige, welche den Titel führt: „Rache bis in den Tod". Genauer gesagt, sind es zwei Erzählungen, welche unter diesem Titel zusammengekoppelt worden sind. Beide fallen dem Inhalte und der Form nach so ganz auseinander, daß man, wenn es möglich wäre, sich überreden möchte, der Buchbinder habe aus Versehen zwei ganz verschiedene Bogen ineinander hineingebunden. Ueberdies ist der erwähnte Titel von derjenigen unter diesen beiden Begebenheiten entlehnt, welche in der Erzählung selbst entschieden als Nebensache behandelt wird. Die erste dieser Halbnovellen ist nämlich eine Posse, in welcher ein erster Liebhaber von gewöhnlicher Sorte einem kaufmännischen Pedanten ein Mädchen abjagt. Der eigentliche Zweck dieser Erzählung ist die Schilderung kaufmännischer Pedanterie, und von Rache bis in den Tod ist dabei nicht im Entferntesten die Rede. Diese kommt vielmehr nur in der zweiten Erzählung zum Vorschein, in welcher zwei feindliche Parteigänger einander so lange bekämpfen, bis sie beide umkommen. Beide Hälften sind nur durch das Band der Gleichzeitigkeit verbunden, und das ist denn freilich das lockerste Band, das sich erdenken läßt. Wir wollen es aber damit nicht so genau nehmen und die einzelnen Hälften betrachten, als wären sie wirklich getrennte Novellen. So betrachtet, muß ihnen ein gewisser, wenn auch untergeordneter Werth zugestanden werden. Die erste Halbnovelle namentlich ist eine zwar übertriebene, aber verständige und oft witzige Schilderung. Der Witz ist zwar von sehr untergeordneter Art, aber in seiner Art wohl ausgeführt. Um eine Probe der Sorte von Witz, welche hier geliefert wird, zu geben, hebe ich einen Brief aus, in welchem um die Hand eines Mädchens angehalten wird.

S. 225. „Sintemalen Herz ein Artikel, der kein langes Lager verträgt, sondern bei Zeiten abzusetzen, als offerire hiermit verehrtester Jungfrau sämmtlichen meinen hiervon bestehenden Vorrath. Es steht derselbe in dem zum Absatze rechten Alter von 30 Jahren und fällt mit zwei Millionen ins Gewicht. Ich halte solches billig und bin wohlgeneigt, dasselbe gegen den Vorrath, welchen verehrte Jungfrau liegen hat, ohne Aufwechsel abzulassen, wenn derselbe auch um ein Merkliches geringer. Nicht zweifelnd, daß solches Geschäft verehrter Jungfrau angenehm, als bitte darüber um geneigten Avis, um das Nöthige in dem Conto corrente vermerken lassen zu können. Verbleibe u. s. w." Die andere Halbnovelle ist sehr ernsten Inhalts und in einem angemessenen einfachen, zuweilen würdigen Ton vorgetragen. Auch in ihr spricht sich zwar nicht eben poetisches Talent aus, aber sie ist leidlich und beleidigt nicht durch handgreifliche Verstöße.

In ähnlichem Tone wie die zuletzt erwähnte Erzählung ist auch „Der Kampf um die Heidenbraut" gehalten. Jener Kampf im Entlibuche, in welchem 800 Schweizer eine überlegene Anzahl wohlausgerüsteter Krieger besiegten, ist hier in alterthümlich [illegible] Tone erzählt. Die [illegible] der Landleute wird im Gegensatze mit dem [illegible] der [illegible] der fremden Kriegsleute ziemlich gut [illegible]. Ein glücklicher Einfall ist es unter Anderem, daß die Führer der

[illegible] nur allzusehr an, daß er keineswegs das Ergebniß poetischer Anschauung, sondern einer kalten Berechnung ist. Aus den verschiedenen sonst etwa üblichen Tonarten ist diejenige ausgewählt worden, welche als die für den Gegenstand passendste erschien. Dabei hat aber jene Begeisterung durchaus gefehlt, welche in solchen Fällen allein eine wirkliche Harmonie zwischen dem Gegenstande und der Form hervorbringt. Daher findet sich hier eigentlich nur ein Aggregat alterthümlicher, größtentheils aus der Luther'schen Bibelübersetzung entlehnter Redensarten, und der Ton des Ganzen nicht nur erhält dadurch etwas Gesuchtes, Geziertes, welches um so unangenehmer auffällt, da eben das Gegentheil des Gezierten erstrebt wird, sondern auch an einzelnen Stellen werden jene Redensarten gradezu sinnwidrig. Nachdem z. B. Ully seine Braut vor der Schlacht im Entlibuche in Gegenwart ihres Entführers gesprochen hat, heißt es S. 294: „Ihm nach schaute Iwan Belcaib, und da er seine Augen wegwandte von dem trotzigen Jüngling und sah die Thränen der Jungfrau fließen und ihre Wangen von Kummer gebleicht, gedachte er in seinem Herzen des Unrechts, das er gethan; seine Züge aber wurden heiter und herrischer sein Blick, denn der Stolz verhärtet das menschliche Herz, und Unrecht erwächst zur Sünde, wo christliche Demuth fehlt". Das Gezierte in der Fügung und Stellung der Worte in jedem einzelnen dieser Sätze wird Niemanden entgehen; aber gradezu sinnlos sind einige der obigen Redensarten. Das „gedachte in seinem Herzen des Unrechts, das er gethan" ist schon ganz falsch gebraucht. Im Allgemeinen heißt es zwar wirklich, was es hier heißen soll, nämlich „er bereute, was er gethan"; natürlich aber kann es nur dann gebraucht werden, wenn ein längstvergangenes, vielleicht schon vergessenes Unrecht durch irgend ein Ereigniß, etwa durch einen Unglücksfall, welcher für eine Strafe angesehen wird, in Erinnerung gebracht worden ist. Aber eines Unrechts, in welchem man noch begriffen ist, kann man unmöglich in diesem Sinne „gedenken". Ferner, wie hat der Kriegsmann es angestellt, daß seine Züge heiter und doch zugleich sein Blick herrisch wurden! Das ist eine verunglückte Nachahmung der bekannten Parallelverse. Noch komischer aber sind die angehängten Reflexionen. Die erste: „denn der Stolz verhärtet das menschliche Herz", ist zwar unbestreitbar, aber durchaus nichtssagend und kann selbst, wo sie an ihrer Stelle ist, nur eine oratorische Wirkung haben. Hier aber, wo grade davon die Rede ist, daß das Herz des Uebelthäters einigermaßen erweicht worden sei, und er nur mit Mühe sich enthalten habe, das durch die Gesichtszüge zu verrathen, ist nichts Ungehörigeres denkbar als diese Redensart. Und doch ist die letzte Phrase: „Unrecht wird Sünde, wo christliche Demuth fehlt", noch viel einfältiger. Zunächst ist es gar nicht wahr, daß Sünde etwas Schlimmeres sei als Unrecht, sodann ist es nicht wahr, daß Mangel an Demuth ein begangenes Unrecht verschlimmere; vielmehr ist die demüthige Sünde oftmals viel erbärmlicher als die übermüthige. Ueberdies klingt die Phrase in dem Munde unsers Verf. noch obendrein wie Parodie, wie denn überhaupt in der ganzen Erzählung nicht selten der Satire hindurchzublicken scheint.

Gesetzt aber auch, dieses Mosaik von Redensarten wäre mit mehr Geschick zusammengesetzt, so wäre das immer noch kein Kunstwerk. Es wird uns durchaus kein bestimmter Seelenzustand veranschaulicht; kein tieferer Blick in die Natur der Verhältnisse, noch auch ein selbständiges Bearbeiten des gewählten Gegenstandes ist hier zu finden, sondern nur ein leidlich verständiger Bericht über äußerliche Thatsachen. Und doch sind die noch zu beurtheilenden Novellen noch schlechter. In der Novelle: „Der Zauberer", hat der Verf. sich eine Aufgabe gestellt, welcher er ganz und gar nicht gewachsen ist. Die Anhänglichkeit an einfache Sitten und herkömmliche Verfassung soll hier im Gegensatze mit einer starren, aber in ihrer Art ebenfalls als hochherzig anzuerkennenden Anschauungsweise, deren Wahlspruch ist: fiat justitia, pereat mundus geschildert werden. Das gelingt nun natürlich sehr schlecht. Dem Verf. fehlt durchaus jener kindliche Sinn, welcher die Möglichkeit einer unbedingten Hingebung an ein Herkömmliches oder an eine von Außen gegebene Ueberzeugung begreift, und ohne diesen Sinn kann eine Hingebung der Art auch nicht geschildert werden. Obgleich der Verf. daher Miene macht, die patriarchalischen Zustände, von denen hier die Rede ist, zu loben und das Gute davon aufzuzeigen, so kommt er damit doch selten über die gewöhnlichsten, allgemeinen Redensarten hinaus. Unter Anderm sagt er S. 16: „Die katholische Religion ist, so wenig sie die kritische Beleuchtung eines gesunden, durch Kenntnisse aufgeklärten Verstandes zu ertragen vermag, dennoch, wie eine berühmte Frau sagt, sehr geeignet die Einbildungskraft zu fesseln u. s. w." Wahrlich, es thut nicht Noth, eine berühmte Frau zu citiren, damit eine so gewöhnliche, allgemein bekannte Phrase bestätigt werde. Man sieht indessen schon hieraus, wie wenig Sinn der Verf. für die Gegenstände hat, welche er hier zu schildern unternimmt. Daher kommt es denn auch durchaus zu keiner Schilderung, und was erzählt wird, ist noch obendrein mit fadem Spotte gemischt. Indessen nimmt uns das nach Dem, was wir sonst von dem Verf. wissen, nicht eben sehr Wunder; dagegen sollte man freilich erwarten, daß die gegenüberstehende Anschauungsweise mit mehr Liebe und Erfolg geschildert werde. Das ist aber keineswegs der Fall. Die Person, welche diese Anschauungsweise repräsentirt, tritt fast nie aus dem Hintergrunde hervor. Im Anfange steht sie auf einem Berge und sinnt nach, dann wohnt sie einer Schlacht bei und zuletzt begünstigt sie die Flucht ihrer Tochter. Hierbei übt nun dieser Held eine ganz seltsame Art von Heroismus aus. Nachdem er nämlich seine Tochter in Sicherheit gebracht hat, begibt er sich dahin zurück, wo die Todesstrafe wegen unbefugter Freilassung von Gefangenen seiner wartet. Da durchaus kein Grund dieser Handlung angegeben wird, so erscheint sie gradezu als eine Albernheit. Der größte Theil dieser Novelle wird übrigens durch die Beschreibung einer Flucht ausgefüllt, welche den Leser auf eine unangenehme Weise spannt. Ein guter Dichter würde das mit wenigen Worten abgemacht haben. „Der Renegat' ist noch unbedeutender als die vorigen. Hier werden Adelstolz und religiöser Fanatismus auf ganz so plumpe Weise dargestellt, wie in den schlechten Romanen, welche im Anfange unsers Jahrhunderts Mode waren. Ein junger Spanier will seine Geliebte, welche der Stolz ihrer Familie ihm vorenthält, aus dem Kloster befreien, findet aber selbst unter Räubern keine hinlängliche Unterstützung und muß sich zuletzt eines türkischen Raubschiffes bedienen, um sich des Mädchens zu bemächtigen. Sinn und Zusammenhang ist gar nicht darin.

Die letzte der vorliegenden Novellen, „Die Antipoden", ist deshalb merkwürdig, weil sie sichtlich eine Art von „Wahrheit und Dichtung" aus dem Leben des Verf. ist. Sie geht zuweilen gradezu in den Memoirenton über. Jene Antipoden nämlich, welche auch „physische und moralische Antithesen" genannt werden, sind zwei junge Männer, von denen der eine als ein Enthusiast, der andere als ein Egoist beschrieben wird. Letzterer wird absichtlich als ein Scheusal geschildert, ersterer fällt unabsichtlich nicht viel besser aus, obgleich der Verf. ihn gern recht herausschmücken möchte. Er ist nämlich einer von jenen ganz leeren besinnungslosen Phantasten, welche Alles verachten, was ihren Träumereien nicht entspricht. Dieser Mensch bildet sich unter Anderm ein, Alles, was mit dem Freiheitskriege vom Jahre 13 in Verbindung stehe, müsse von ganz überschwenglicher Natur sein, und da er nun findet, daß die Menschen, welche denselben mitmachen, so ziemlich sind wie andere Menschen, daß z. B. der General Blücher mit Karten spielt, daß ferner einige strategische Verstöße gemacht werden u. s. w., so geht er zu einer ebenso geistlosen Verachtung alles Dessen, was er um sich sieht, über. Nichtsdestoweniger kehrt er, so oft sich ein Anlaß findet, immer wieder zu seinen Träumen zurück, hofft, sie überall verwirklicht zu sehen, wo über Verfassung disputirt und Blut vergossen wird, macht daher alle kleinen Revolutionen des vorletzten Jahrzehends mit und wundert sich dann noch darüber, daß man ihn in seiner Heimat einen Phantasten nennt. Wie im öffentlichen, so beträgt er sich auch im Privatleben. Zuerst schwärmt er mit einer Bertha, findet sie aber, als er aus dem Freiheitskriege zurückkehrt, mit seinem obenerwähnten Antipoden verheirathet. Statt sich wegen seiner einfältigen Wahl auszulachen, verflucht er das weibliche Geschlecht und schwört ihm ewigen Haß, geräth aber doch sehr bald in ein, wie es scheint, sehr enges Verhältniß zu einer Italienerin und ist sehr erstaunt, als sie ihm auf seine Bitte um ihre Hand versichert, sie sei schon verheirathet. Darauf kommt er in einer Grotte mit einer Griechin zusammen und ist eben wieder im Begriffe, sie zu heirathen, als er erfährt, sie sei eine aus dem Harem eines Türken entlaufene Sklavin. Das verdirbt ihm den Appetit. Eine Spanierin, welche unsern Helden hierauf mit gewaltiger Glut liebt, verläßt ihn, als sie erfährt, daß er kein Katholik sei. Zuletzt heirathet er die Tochter eines Pastors, von welcher gesagt wird, sie sei „nicht ohne Bildung, nicht verbildet, ehrbar, fleißig, züchtig und von himmlischer Herzensgüte" gewesen; d. h. er ergibt sich, nachdem er die üblichsten Phantastereien durchgemacht hat, der Ordinairheit und dem Philisterthume, wie geistlose Köpfe zu thun pflegen.

Wenn alle diese Verirrungen mit jener geistreichen Ironie geschildert wären, welche wir z. B. in einigen Werken Tieck's bewundern, so wäre diese Novelle eine bittere, aber treffende Satire auf die verbreitetsten Thorheiten der letztverflossenen Jahrzehnde. Dies ist aber keineswegs der Fall; vielmehr ist Alles so erzählt, daß man deutlich sieht, wie der Verf. selbst in einer gewissen plumpen Bitterkeit gegen alles Bestehende befangen ist. Die Verirrungen des Helden werden keineswegs als solche geschildert, sondern vielmehr der Lauf der Welt wird verkehrt genannt, wenn er den Foderungen desselben nicht entspricht. Zuletzt wird zwar „von ernsterm Studium der Geschichte" gesprochen, welches manche Ansichten unsers Helden verbessert habe. Das Ende der Novelle aber lehrt, daß die Resultate dieses Studiums unmöglich von Bedeutung gewesen sind. Insofern der Held dieser Novelle mit dem Verf. zusammenfällt, könnte man diesen Schluß auch aus den vorliegenden Novellen ziehen; denn aus denselben geht in der That hervor, daß der Verf. weder seine Zeit noch seine Bestimmung begriffen hat.

173.

Notizen.

Auf den Abhängen des Libanon hält sich eine besondere Ziegenart mit langem seidenartigen Haar und langen Ohren auf, deren Zähne durch eines der Kräuter, von denen sie sich nähren, vergoldet werden. Man hat noch nicht entdecken können, welche Pflanze diese merkwürdige Eigenschaft besitzt. So erzählt der ehemalige französische Consul Ch. Ed. Guys, welcher 30 Jahre in Syrien lebte und von dem ein wichtiges Werk über dieses Land erwartet wird.

In England hat sich neuerdings eine religiöse Sekte: The free thinking Christians, gebildet, welche in einer Zeitschrift die Lehren des reinen Christenthums zu verbreiten sucht, weder an den Teufel, noch ans Fegefeuer und die Dreieinigkeit glaubt, keine Sonn-, Fest- und Fasttage anerkennt und in der Taufe so wenig wie in der Ehe eine göttliche Anordnung sieht. In ihren Versammlungen kann jeder Anwesende lehren und predigen, nur muß er sich kurz fassen.

1.

Redigirt unter Verantwortlichkeit der Verlagshandlung: F. A. Brockhaus in Leipzig.

Blätter für literarische Unterhaltung.

Sonntag, —— Nr. 342. —— 8. December 1833.

Geschichte des russischen Reiches von Karamsin. Elfter Band.

(Beschluß aus Nr. 341.)

Ehe wir zu dem letzten Theile des Werkes übergehen, wollen wir ganz kurz den Inhalt der frühern angeben. Der erste Band der Uebersetzung (Riga 1820) enthält außer dem gediegenen Vorworte des Verf. über den Werth und Nutzen sowie über die verschiedenen Behandlungsarten der Geschichte einen vorausgeschickten Abschnitt über die Quellen der russischen Geschichte bis zum 17. Jahrhundert; dann haben es die ersten drei Hauptstücke mit den dunkeln originibus Russicis und vorzüglich mit einer Schilderung der Slawen überhaupt und der russischen insbesondere zu thun, welche für jeden Historiker des Mittelalters von Interesse sein muß und auch nächst Anton's, Gebhardi's, Schlözer's, Schaffarik's Werken vielfach benutzt worden ist. Es folgt die Schilderung der Gründung der Monarchie durch die Waräger (862) Rurik, Sineus, Truwor, dann die Regierungen von Oleg, Igor, Swätoslaw, Jaropolk und Wladimir (in der Taufe Wassily genannt) bis 1014; eine Darstellung des Zustandes des alten Rußlands macht den Beschluß. Der zweite Band führt die Geschichte von 1015—1169 durch die Regierungen Swätopolk's, Jaroslaw's, dessen Gesetze in einem eignen Capitel gewürdigt werden, Isäslaw (Dimitry), Wsewolod, Swätopolk-Michail, Wladimir Monomach (Wassily), Mstislaw, Jaropolk, Wsewolod und Igor Olgowitsch u. A. bis auf den Großfürsten Mstislaw Isäslawitsch hindurch. Der dritte Band geht bis auf die traurigen Zeiten der Mogolenüberschwemmungen, 1169—1238. Eine sehr interessante Beilage (S. 239—251) ist ein vom Staatsrath Frähn gemachter Auszug aus Jakut's „Geographischem Lexikon" (gest. 1228), der eines gewissen Ibn-Foszlan (kam als Gesandter des Khalifen Mukledir an den König der Slawen um 992 an die Wolga) Nachrichten über die heidnischen Russen in sein geographisches Lexikon aufgenommen hatte, wo außer Andern auch ein Leichenbegängniß eines Oberhauptes geschildert wird, welches den indischen Suttees nicht unähnlich ist, indem sich gewöhnlich ein Mädchen mit ihrem verstorbenen Herrn verbrennen läßt, nachdem sie sich vorher von sieben Männern beschlafen und dann erdrosseln lassen. (Man vgl. auch Ersch „Literatur der Geschichte", Leipz. 1827, Nr. 7779.) Der vierte und großentheils der fünfte Band (dem Karamsin's Bild beigegeben ist) sind nicht mehr vom Collegienrath von Hauenschild, sondern von einem ungenannten Uebersetzer, dessen Styl ein Herr Aug. Oldekop corrigirte und die Uebersetzung des sechsten Bandes hinzufügte. Diese drei Bände gehen von 1238—1362—1462 und schließen mit Johann dem Furchtbaren 1505. Wir dürfen nicht weitläufig sein und machen daher nur beziehungsweise auf neuere Ereignisse, auf die Bd. IV, S. 245 und in den Anmerkungen geschilderte Entstehung der Fürstenthümer Moldau und Wallachei aufmerksam, wo schon in frühester Zeit Russen ansässig waren. Mit dem siebenten Bande beginnt die Uebersetzung durch Ritter D. Oertel. Karamsin schildert die Regierung des Großfürsten Wassily Johannowitsch bis 1533 und beginnt die des ersten Zar Johann IV., Wassiljewitsch II. (v. 1533—84). Die Geschichte des schrecklichen Johann zieht sich nun durch den ganzen achten und den Anfang des neunten Bandes hindurch, der mit der Eroberung Sibiriens, einer sehr interessanten Episode, beginnt. Die furchtbaren Greuelscenen, welche man Bd. VIII, S. 127 fg. liest, mögen wir nicht mittheilen. Diesmal bestätigte es sich nicht, daß die Tage des ärgsten Despotismus gewöhnlich goldene für den Pöbel waren. Den Schluß des neunten Bandes macht die Regierung des Theodor (Feodor) Johannowitsch 1584—1598, mit dem der Rurik'sche Mannsstamm unterging, nachdem Theodor's Schwager, Boris Godunow, den Zarewitsch Demetrius (Johann's jüngsten Sohn) hatte 1591 zu Uglitsch ermorden lassen (Bd. IX., S. 191).

Dies ist der Wendepunkt der russischen Geschichte; aus dem Blute dieses neunjährigen Knaben keimte funfzehnjähriges Verderben Rußlands, innere und äußere Schmach und Entwürdigung, wie sie von da an bis zur Erhebung eines neuen Herrscherstammes das unglückliche Reich trifft. Aber fürwahr, was bestehen soll, muß durch des Unglücks Feuer geprüft werden! Die Nation mußte durch die unsäglichsten Leiden und Zerrüttungen, wie die Franzosen neuerer Zeit zu dem berühmten, 1830 ausgesprochenen Gedanken von 15 Jahren, zu der Einsicht gebracht werden, sich selbst einen Herrscher zu geben.

Der zehnte und elfte Band sind ihrem Inhalte nach unzertrennlich. Wir wüßten beinahe kein tragischeres Ge-

mälde in der Geschichte als diese 15jährige Revolution, wo alle Leidenschaften und Verbrechen entfesselt, furien-artig durch das große Reich gehen, und bedauern es abermals recht aufrichtig, daß der elfte Band (wenn es auch von fremder Hand hätte geschehen müssen) nicht ganz bis zum J. 1613 geführt worden ist, wo Wichmann, Campenhausen u. A. Karamsin freilich lange nicht ersetzen, aber doch den Faden fortführen würden. In diesem kurzen Zeitraume drängen sich die Regierungen des Boris Godunow 1598—1605, des Theodor Borissowitsch 1605, des ersten Pseudo-Demetrius 1605—6, des Schuiski 1606—10, das Auftreten eines Pseudo-Peter und eines zweiten Pseudo-Demetrius (dem noch Mehre seines Gleichen und Namens folgten) zusammen. Auch ein polnischer Prinz Wladislaw bekam bedeutenden Anhang als Zar, und selbst die Schweden hätten sich, einen Fürsten für das Land herzuschaffen, endlich noch bereitwillig finden lassen. Welche russische und allgemeine Geschichte hätten wir bekommen, wenn Gustav Adolf, einer der in Vorschlag gekommenen schwedischen Prinzen, auf den Zarenthron wirklich gestiegen wäre! Selbst die Jesuiten spielen von Polen aus ihre Rolle bei diesen Umtrieben, gleichsam um wahr zu machen, was von ihnen ein Le Tellier sagte: „Die Jesuiten waren gewiß ehrliche Leute, aber es hat keine Schurkerei seit drei Jahrhunderten gegeben, wo sie nicht dabei gewesen wären". Wie gewöhnlich in Zeiten solcher Staatszerrüttungen, verschlechterte sich die Nation selbst ungemein; die elendesten Ueberläufer, die ihre Partei unzählige Mal wechselten, nannte man blos Zugvögel; Freunde und Verwandte verabredeten sich, wer beim Schuiski in Moskau bleiben, oder wer nach Tuschino zum zweiten Pseudo-Dimitri (nur Zarik oder das Zärchen genannt) hinübergehen sollte, um die Vortheile auf beiden Seiten zu genießen und im Falle eines Unglücks hier und dort Vertreter zu haben. So ließ man sich auch erst hier, dann dort seinen Gehalt auszahlen. Der rechtliche Mann war eben darum fast verloren, und Salvian von Marseille hätte noch einmal schreiben können: „res in id sceleris devoluta erat, ut, nisi qui malus, salvus esse non possit!" So ging's dem edeln Michael Skopin Schuiski.

Aber zweierlei gereichte in solchem Unglücke zum Trost. Die Revolution fraß wie Saturn ihre eignen Kinder; der gräßliche Menschenaderlaß jener Zeit raffte auch viel schlechtes Blut hinweg, und die Vorsehung (aber auch nur diese!) erhielt einzelne wenige Männer, welche Pfeiler und Leuchtthürme im allgemeinen Sturme und Vorboten einer ruhigern Zeit werden sollten. Ein solcher war der 1606 gewählte Patriarch Hermogen. Ihn, den eines apostolischen Zeitalters Würdigen, blendeten weder Gnadenbezeigungen noch Verweisung und Drohung augenblicklichen oder langsamen Martertodes. Er war es, der schon 1610 Michael Romanoff zur Zarenwürde vorschlug und, wenn er auch nicht durchdrang, doch seinen richtigen Blick in der nebelvollsten Zeit beurkundete. Doch wie Einzelne sich dem allgemeinen Verderben entgegenstemmten, so gab es auch noch ganze Vereine und Gemeinden, die von Märtyrermuth beseelt waren. Ein köstliches Cabinetstück ist die Schilderung der Belagerung des Troizk- oder Dreieinigkeitsklosters des heiligen Sergius, oder vielmehr dessen muthige und glückliche Vertheidigung (S. 82—101). Ein ähnliches Gemälde ist der Brand Moskaus 1611 (S. 237 fg.). Da focht auch der heldenmüthige Fürst Dimitry Poscharski gegen die Polen und sank endlich, vom Blutverlust ermattet, ohnmächtig zu Boden. Doch wurde der künftige Retter Rußlands ins Dreieinigkeitskloster für bessere Zeiten geflüchtet, und während des blutigen Kampfes betete, im Vorhofe des Cyrillklosters eingeschlossen und auf alle Drohungen stets antwortend: „Ich fürchte nur den Einzigen dort droben!" unsichtbar für die wackern Russen der große Hierarch Hermogen „aus der Tiefe seines von unauslöschlichem Eifer für die Tugend glühenden Herzens den treuen Streitern seinen Segen zu". Ein drittes schauderhaftes, aber mit den kräftigsten Farben aufgetragenes Gemälde ist die Erstürmung von Smolensk durch die Polen unter König Sigismund, am 3. Juni 1611. Nachdem 70,000 Menschen durch Feind, Mangel und Seuche gefallen waren, gelang es den Polen nur mit Hülfe eines verrätherischen Ueberläufers, der eine schwache Mauerstelle zur Bresche verrieth, sich der Stadt zu bemächtigen.

Diese Mauer — sagt Karamsin Bd. 11, S. 250 — wurde durch unablässiges Schießen zerstört, und um Mitternacht drangen die Polen dort und an andern Stellen, welche von den wenigen Russen zur Vertheidigung der Bresche verlassen worden waren, in die Festung. Lange wüthete der Kampf noch auf den Trümmern, den Mauern, in den Straßen, beim Geläute aller Glocken und unter dem feierlichen Gesange in den Kirchen, woselbst Weiber und Greise beteten. Die Polen, überall die Oberhand gewinnend, drangen gegen die Kathedrale der heiligen Mutter Gottes vor, in der sich viele Bürger und Kaufleute mit ihren Familien, ihren Schätzen und dem Pulvervorrathe eingeschlossen hatten. Nun gab es keine Rettung mehr! Die Russen zündeten das Pulver an und sprengten sich so mit Weibern, Kindern, Vermögen und — Ruhm in die Luft. Von dem schrecklichen Donner und Gekrach des Sprengens erstarrte selbst der Feind, für einen Augenblick seines Siegs vergessend, und erblickte mit gleichem Entsetzen die ganze Stadt in Flammen, in welche die Einwohner Alles, was sie an Kostbarkeiten besaßen, und zuletzt sich selbst und ihre Weiber hineinstürzten, um dem Feinde nichts als Asche, dem geliebten Vaterlande aber ein Beispiel an Tugend zurückzulassen. Auf den Straßen und öffentlichen Plätzen lagen ganze Haufen halbverbrannter Leichen. Smolensk erschien als ein zweites Sagunt, und nicht Polen, sondern Rußland konnte über diesen für seine Geschichte so erhabenen Tag triumphiren. Noch stand ein Streiter auf einem hohen Thurme mit blutgetränktem Schwerte und widersetzte sich den Polen — der heldenmüthige Schëin. Er wollte den Tod; aber vor ihm weinten seine Gattin, seine junge Tochter, sein minderjähriger Sohn; gerührt von ihren Thränen, erklärte endlich Schëin, daß er sich dem polnischen Heerführer ergeben wolle, und ergab sich dem Potocki. Soll man wol dem Geschichtschreiber glauben, daß man diesen Helden im königlichen Lager in Fesseln schlug und folterte, um von ihm das Geständniß zu erpressen, wo sich der von ihm, wie man glaubte, verborgene smolenskische Schatz befände?

Wenn man diese durch die Polen verübten Greuel liest, drängt sich der Gedanke auf, ob und welchen Einfluß die durch Karamsin's Werk so feurig wiederbelebte Erinnerung daran auf das neuere Benehmen der Russen gegen die Polen gehabt haben könne? — Den Freund der Geschichte endlich brauchen wir wol nicht darauf aufmerksam zu machen, welche Masse historischen Stoffs auch in den Noten, welche dem Texte jeden Bandes ziemlich zahlreich folgen, enthalten sei.

20.

Handbuch der griechischen und römischen Mythologie. Nach den Vorstellungen der Dichter bearbeitet, von K. Geib. Mit 41 Abbildungen auf 5 Tafeln. Erlangen, Palm. 1832. Gr. 8. 1 Thlr. 20 Gr.

Die Absicht des Verf. ging nicht dahin, das umfassende Gebiet der Mythologie auf symbolischem und geschichtlichem Wege zu beleuchten, oder widersprechende Meinungen gelehrter Forscher seiner Kritik zu unterziehen; sondern die Sagenlehre von Göttern, Dämonen und Heroen bei Griechen und Römern auf Denkmale und Zeugnisse classischer Werke gegründet darzustellen, welche auch in Dichtungen und Kunstschöpfungen einer spätern Zeit als reizende Bilder und Gedanken fortleben und daher der Kunde jedes gebildeten Lesers und Schauers unentbehrlich sind. Diese dürfen seine Angaben auf Treu und Glauben annehmen, ohne zu fürchten, daß sie irgend etwas zu verlernen nöthig haben. wenn ein einzelner Gegenstand sie veranlassen sollte, Alles, was darüber gesagt, erzählt, gedeutet oder vermuthet worden, eigener Prüfung zu unterwerfen. Gläubiger Vorwelt erhaltene Aussagen sind, von ihrer ersten Erwähnung an bis auf ihre letzte, aufgeführt, wo angesehene Zeugnisse dafür entschieden, sodaß die bloße Beobachtung der Zeitfolge hinreicht, die hinzugekommenen, erweiterten, verschmolzenen oder getrennten Begriffe und Vorstellungen von den ursprünglich einfachern, bessern oder rohern zu sondern. Schien es nothwendig, den alten Dichter selbst zu vernehmen, so wählte Hr. G. die vorzüglichste Uebersetzung, oder ersetzte ihren Mangel. Dankbar ist zu erkennen, daß er nichts Wesentliches hat unterdrücken wollen, ob es auch geläuterten Begriffen, der Gottheit und des Heros unwürdig erscheint, und sehr zu billigen, daß seine Ausdrücke nie unanständig werden, daß er das Anstößige zwar andeutet, aber nicht ausmalt, daß daher sein Bericht unbedenklich von Denen zur Hand genommen werden darf, die etwas dergleichen nicht hören wollen oder dürfen. Denn allerdings beut die Mythologie, als Inbegriff des Volksglaubens, viel Schönes in dichterischer und philosophischer Hinsicht; doch kann nur dem Dichter gestattet werden, die Vielgötterei einzig von Seiten dieser Schönheit aufzufassen, und dem Geschichtschreiber der Wirklichkeit geziemt, auch Das nicht zu übergehen, was die Herzen der Weisesten im Volke von ihr abwendete und nach und nach die Tempel verödete. Der Religionsbegriffe Ursprung ist älter als alle Geschichte und kann daher nicht mit historischer, sondern mit moralischer Gewißheit, mit dem höchsten Grade anthropologischer Wahrscheinlichkeit angegeben werden. Der ungebildete Mensch fühlte Naturkräfte, die den seinigen überlegen waren, deren Begünstigung er bedurfte, wenn ihm Bedeutendes gelingen sollte. Der Wunsch, diese Begünstigung zu erlangen, ward zur Hoffnung, die Hoffnung zum Glauben, der Glaube zur Ueberlieferung, die Ueberlieferung zur Richtschnur. Das vererbte sich von Aeltern auf Kinder, von Wissenden auf Unwissende, endlich auf einen ganzen Völkerstamm und dessen Verwandte. Denn der ungebildete Mensch empfindet das Bedürfniß, zu begreifen, nicht minder lebhaft als der gebildete und unterscheidet sich nur dadurch von diesem, daß er sich leichter bereden läßt, etwas begriffen zu haben, und keine Schranken eigner und fremder Erkenntniß ahnt als Mangel an Nachrichten. So ist nichts begreiflicher, als daß er lebendigen Naturkräften Persönlichkeit zutraute und ihrem Willen oder Unwillen beimaß, was ihm von ihnen widerfuhr. Wirkte die nämliche Naturkraft nichts als Gutes, so galt sie ihm für ein gutes Wesen; geschah das Gegentheil, für ein böses; da aber jede auf die Länge Gutes und Böses bewirkt, so fiel man endlich darauf, ihr menschliche Leidenschaften und Triebfedern beizulegen und auf Mittel zu denken, sie zu gewinnen oder zu versöhnen. Naturkräfte, die sich widerstrebten, galten für Wesen, die sich bekämpfen wollten, und da sie zwar im Allgemeinen übermächtig sind, aber in verschiedenen Ländern verschiedene Wirkungen hervorbringen, so schloß man, das nämliche Wesen habe in einem andern Lande andere Thaten verrichtet, und erzählte Ankömmlingen, welche dergleichen aussagten, was es im Lande der Hörer bewirken wollen. Es konnte nicht befremden, daß die nämliche übermenschliche Kraft, als Person, als Gottheit gedacht, in verschiedenen Ländern verschiedene Namen geführt; auch verwarf man keine derselben, sondern hielt alle für gleich heilig. Menschen von ausgezeichneter, schon im Leben angestaunter Persönlichkeit galten bei der Nachwelt, der das Gerücht ihre Thaten unter immer zunehmenden Vergrößerungen zuführte, für Sprößlinge der Götter, für göttliche Erscheinungen, und es ist gar nicht unwahrscheinlich, daß Einige von ihnen absichtlich dazu beigetragen haben, ein Vorurtheil zu erzeugen und zu nähren, welches ihrer Selbstliebe vielleicht theilte. Entschieden war von dem Augenblick an der Sieg menschlicher und sinnlicher Begriffe über reinmoralische, die sich freilich den Bedürfnissen der Vernunft nie ganz entziehen. Da einmal Personen, die man jetzt als Götter verehrte, wirklich gelebt hatten und wie alle Menschen durch gute und böse Gerüchte gegangen waren, deren letzte durch die ersten verdunkelt, doch nicht ganz vertilgt wurden, so war keine Folgerung richtiger als der Schluß, auch Götter wären leidenschaftlicher Aufwallungen fähig und blos durch das Uebermaß ihrer Kräfte mehr als Menschen. Vergötterte Menschen hatten sich mit abwechselndem Glück befehdet, besiegt, versöhnt und bestraft: sie standen folglich unter der Gewalt eines allmächtigen Schicksals, dessen unwiderruflichen Rathschluß sie nicht aufzuheben vermochten, wie oft sie es auch versuchten. Nichts geschieht oder wird als geschehen erzählt, was die Vernunft, dieser Naturtrieb des Menschen, nicht als gut oder böse, Recht oder Unrecht erkennen müßte. Bei aller Verehrung gegen die Ueberlieferung konnten daher Männer, die das Bedürfniß empfanden, achten zu können, was sie anbeten sollten, das Nachdenken darüber nicht unterdrücken, mußten, wo sie Lücken und Widersprüche fanden, wahrscheinliche Vermuthungen an die Stelle setzen, vieldeutige Berichte im ehrenvollsten Sinne auffassen, unvollständige weiter führen und, wenn sie sich mit Gleichgesinnten im Vertrauen darüber besprachen, ein Ganzes ausbilden, das ihnen besser zusagte. Aus diesen ersten schwachen Keimen der Religionsphilosophie erhob sich nach und nach eine wissenschaftliche Ansicht, die zwar den Foderungen späterer Kritik nicht mehr genügt, dieser aber nothwendig vorherging, hier und da laut ward, mehrentheils jedoch Zunftgeheimniß blieb, das nur Geweihten ohne Rückhalt geoffenbart und dem Volk unter Bildern, Symbolen und Allegorien vorgetragen ward, wodurch öffentliche religiöse Umzüge und gottesdienstliche Gebräuche oder geheime theatralische Vorstellungen, Mysterien entstanden. Dichter, mehr oder minder philosophischen Geistes, Zöglinge schöner Sinnlichkeit überließen sich noch rücksichtsloser ihrer heitern oder traurigen, scherzhaften oder erhabenen Einbildungskraft, und so vereinigte sich, was wir Mythologie nennen. Es ist aus verschiedenen Bestandtheilen zusammengesetzt: physischen, symbolischen, allegorischen, moralischen und unmoralischen, gesetzlichen und gesetzwidrigen, wissenschaftlichen und nichtwissenschaftlichen, philosophischen und dichterischen, geheiligten und ungeheiligten Ursprungs, zum Theil älter, zum Theil jünger als erhaltene Denkmale der Kunst und der Schrift, das sich zuweilen errathen, selten mit Sicherheit nachweisen läßt, und zwar die Aufmerksamkeit in hohem Grade in Anspruch nimmt, worüber aber abweichende Meinungen von dem Verstande gerechtfertigt werden können und daher nie mit Bitterkeit gerügt werden sollten. Denn allerdings muß der Geschichtschreiber der Zeitordnung des Vorhandenen folgen und das jüngere Kunstdenkmal dem ältern, spätere Schriftsteller den früdern nicht voranstellen; damit ist jedoch die Gewißheit des frühern oder spätern Ursprungs einer Sage oder eines Symbols nicht über allen Zweifel erhoben. Die ältesten und ersten Denkmale und Dichterwerke sind nicht zu unserer Kunde gelangt. Vorstellungen und Aussagen verschiedener Völkerschaften wichen nicht weniger von einander ab als ihre Verhältnisse, und es bleibt keineswegs unmöglich, daß der jüngere Berichterstatter ein Vorurtheil aufbewahrt habe, das sich seit undenklichen Zeiten in seiner Heimat fortgepflanzt hatte, und älter war als ein Erzähler oder Bildner, der Jahrhunderte vor ihnen gelebt. Der einfache Kindersinn einer Sage oder eines Denkmals, welcher keine wissenschaftlichen oder künstlerischen Kenntnisse voraussetzt, empfiehlt sie unserm Nachdenken als die frühere, obgleich sie nur in spätern Zeugnissen und Bildern zu uns gelangte. Der Gedanke:

> Wenn ich ein Vöglein wär'
> Und auch zwei Flüglein hätt',
> Flög' ich zu dir!

mit welchem Hohne die Schulweisheit sein spottet, ist sicherlich so alt als der Wunsch des ersten Kindes, das sich nach seiner entfernten Mutter sehnte und einen Vogel fliegen sah, und wiederholt sich bis ans Ende des Menschengeschlechts bei allen Unwissenden. Jahrhunderte mußten vergehen, ehe er dem gelehrtern, plastisch annehmlichern Begriffe von elastischen Schwungsohlen weichen und diese zur Regel für den bildenden Künstler werden konnten; und es ist schwer zu glauben, daß ein solcher bis dahin keinen, jetzt freilich verloren gegangenen Versuch gemacht haben sollte, die Idee, daß weder Höhen noch Tiefen ihre Gottheiten zu hemmen vermöchten, durch das Symbol der Flügel auszudrücken. Die Sage will den Dädalus als einen Maschinisten vom ersten Range, als einen Geweihten des göttlichen Hephästos schildern, und doch läßt sie ihn nicht Schwungsohlen, sondern Flügel verfertigen, um sich und seinen Sohn übers Meer aus Kreta zu retten. Gäbe es auch sonst keine kritischen Gründe, die Rhapsodien der Ilias und Odyssee, welche zugleich auf uns gekommen, nicht dem nämlichen Dichter zuzuschreiben, so würde der einzige, von Benjamin Constant siegreich geführte Beweis hinreichen, daß Religionsbegriffe der Odyssee von denen der Ilias wesentlich verschieden sind und eine spätere Entwickelung beurkunden. — Hr. G. hat gethan, was ihm oblag, erfüllt, wozu er sich anheischig gemacht, nach der Zeitfolge berichtet, was er vorfand, und mit seltener und ehrenwerther Unbefangenheit das Urtheil dem Leser überlassen. Seine Darstellung ist einfach und angemessen, das Ganze vollständig, gedrungen und genügend. Dieses Handbuch ist vollkommen hinreichend, um Lesern der Werke des Alterthums und Besuchern eines Museums erwünschte Auskunft zu ertheilen, und die vorangesetzte Inhaltsanzeige wird jeden Unterrichteten in Stand setzen, aufzufinden was er sucht. Nur Minderunterrichteten oder Vergeßlichen würde auch ein alphabetisches Register willkommen sein, da einiger Namen nur gelegentlich erwähnt worden und in der Angabe des Inhalts keinen Platz gefunden; und wir empfehlen dem Verf., sie der neuen Auflage eines Werks hinzuzufügen, dessen Absatz solche hoffentlich bald veranlassen wird. Die von Hrn. G. gewählte Ordnung ist wohl getroffen. Die Erzeugung der griechischen Gottheiten wird nach der ältesten Theogonie des Hesiodus erzählt. Ihr folgt der Titanenkrieg und die Erscheinung der Giganten. Mit der Herrschaft der Kroniden oder Saturnier beginnt das letzte der herrschenden Göttergeschlechter. Obere Gottheiten. Untere. Männliche Göttervereine der Gewässer, der Winde, der Wälder, Berge und Fluren, des Schlafs, der Träume und des Todes, Dämonen oder Genien. Einzelne männliche Untergottheiten. Männliche, den Griechen unbekannte, römische Nationalgottheiten. Weibliche Göttervereine, Nymphen, Musen, Charitinnen, Horen, Eumeniden, Mören, Ate und Liten. Einzelne weibliche Untergottheiten der Griechen und Römer. Lieblinge der Götter und einzelne mythologische Erscheinungen. Göttliche Zauberwesen, Riesen, Ungeheuer, Zwerge, Raub- und Zugthiere der Götter. Opfer, Vorbedeutungszeichen, Orakel. Bildung des Menschengeschlechts. Heroen vor dem Argonautenzuge, während desselben, zur Zeit der thebanischen Kriege und des trojanischen. Mit ihm und dessen nächsten Folgen endet die eigentliche Zeit des Mythus, da bis dahin selbst das Historische, das sie berührt, meist aus dichterischen Sagen und verschiedenartigen Ueberlieferungen hervorgeht, spätere Ereignisse aber der Geschichte, obgleich nicht immer der beglaubigten, angehören. Mit Recht hat also der Verf. seine Darstellung der Mythologie hier geschlossen, und, wie man sieht, keinen Gegenstand übergangen, den man berechtigt war darin zu suchen. Die beigefügten Umrisse mythischer Personen sind nach antiken Gemmen und Kunstwerken von Hrn. Rudolph Schlicht in Mannheim schön gezeichnet und lithographirt. Man wird ihm Dank wissen, daß er Dannecker's Meisterwerk, Ariadne auf dem Leoparden, zum Vorbilde der seinigen erwählte. 95.

Miscellen.

Friedrich der Große über mathematische und Naturwissenschaften.

Der Dr. Marc. Elieser Bloch in Berlin, durch sein großes Werk über die Fischkunde bekannt, bat im J. 1781 den König Friedrich II. um einen Befehl an die Kammern, daß dieselben ihm ein Verzeichniß aller in ihrem Bezirke befindlichen Fische, allenfalls auch ein Exemplar von den selteneren Fischarten zusenden möchten. Darauf gab der König unter dem 27. März 1781 folgenden seltsamen Bescheid: „Se. K. M. von Preußen, Unser Allergnädigster Herr, lassen dem Doctor Bloch auf seine allerunterthänigste Anzeige vom 25. d. M. und in Ansehung des darin gethanen Antrages zu erkennen geben, daß es nicht nöthig ist, von den Kammern eine Liste von den Fischen zu erfordern; denn das wissen sie schon allerwegen, was es hier im Lande für Fische giebt. Das sind auch durchgehends dieselben Arten von Fischen; ausgenommen im Glogischen, da ist eine Art, die man Kaulen nennt, oder wie sie sonst heißen, die hat man weiter nicht; sonsten aber sind hier durchgehends einerley Fische, die man alle weiß und kennt. Und darum ein Buch davon zu machen, würde unnöthig seyn; denn kein Mensch wird solches kaufen. Die zugleich mit eingereichten Kupferabdrücke von einigen Fischen erfolgen hierbei wieder zurück." Charakteristisch ist die buchhändlerische Rücksicht, die der König hier auf den Absatz des Buches nimmt, und die auch in andern Cabinetsordres nicht undeutlich zu erkennen ist, wie in dem bekannten Bescheide, den Professor Müller in Berlin auf die Herausgabe seiner „Mittelhochdeutschen Gedichte" (Berlin 1782) erhielt. Am Schlusse heißt es nämlich: „Viele Nachfrage aber verspricht dem Werke nicht Euer sonst gnädiger König." (Preuß, „Geschichte Friedrich's des Großen", III, S. 335).

In Beziehung auf die Cabinetsordre an den Dr. Bloch meint Preuß a. a. O. S. 287, daß dieselbe wol ihre genügende Erklärung durch Das finde, was der König über höhere Mathematik dachte. An Voltaire schrieb derselbe nämlich unter dem 13. Febr. 1749: „J'aime beaucoup la philosophie et les vers. Quand je dis philosophie, je n'entends ni la géometrie, ni la métaphysique." Dann unter dem 16. Mai desselben Jahres: „Tout ce qui n'est ni utile, ni agréable, ne vaut rien. Quand aux choses utiles, elles sont toutes trouvées, et pour les agréables, j'espère que le bon goût n'y admettra point d'algèbre." (Oeuvres de Voltaire, Th. 76, S. 4, 19.) An d'Alembert schreibt der König unter dem 1. Mai 1780: „Die höhere Mathematik wird der menschlichen Gesellschaft nur nützlich, insofern man sie auf die Astronomie, auf die Mechanik, auf die Hydrostatik anwendet, außerdem ist sie blos ein Luxus des Verstandes." (Friedrich II. Werke, II, S. 269.) 89.

Redigirt unter Verantwortlichkeit der Verlagshandlung: F. A. Brockhaus in Leipzig.

Blätter
für
literarische Unterhaltung.

Montag, — Nr. 343. — 9. December 1833.

Skizzen aus Amerika.

Von J. V. Adrian.

Zweiter Artikel.*)

1. Der Essequibo.

Ich wollte, erzählt der vielgereiste Capitain Alexander, den stattlichen Essequibostrom hinaufschiffen und Sir Walter Raleigh's Eldorado; die mächtigen Wälder des innern Landes und die verschiedenen Volksstämme sehen, welche dort wohnen. Unsere Wohnung auf der Insel Wakenaam war eine wahrhaft tropische. Während der Nacht hörten wir das ununterbrochene Concert der mannichfaltigsten Insekten u. s. w. Wenn die Sonne aufging und die Blumen sich erschlossen, eilten die kreischenden Vögel, mit dem Metallglanz auf den Flügeln, rasch von Zweig zu Zweig. Die prachtvoll gelben und schwarzen Spottdrosseln flogen aus ihren hängenden Nestern, begleitet von ihren Nachbarinnen, den wilden Bienen, welche ihre erdenen Stöcke auf demselben Baume bauen. Der anhaltende Regen hatte die Schlangen aus ihren Höhlen getrieben und man sah auf dem Wege den sogenannten Buschmeister (connacouchi), welcher sowol hinsichtlich seiner glänzenden Farben als der tödtlichen Natur seines Giftes seines Gleichen nicht hat; ebenso die Labari, welche, gleichfalls giftig, ihre Schuppen auf eine furchtbare Weise erhebt, wenn man sie reizt. Auch die Klapperschlange läßt sich nun sehen, und harmlose Baumschlangen von mancherlei Art zeigen sich. An dem Ufer des Flusses liegen die riesigen Alligatoren. Wilde Hirsche und der Peccarieber erschienen in den lichten Waldstellen in der Mitte der Insel, und der Jaguar und Cougóur (der amerikanische Leopard und Löwe) schwammen dann und wann vom festen Lande herüber.

Wir segelten in einem kleinen Schoner von 30 Tonnen gegen 100 englische Meilen den Essequibo hinauf; gelegentlich benutzten wir Canoes oder Coorials, um die Einbuchten zu besuchen. Wir beschifften dann einen Theil des Mazaroonyflusses und besuchten den fast noch ganz unbekannten Coloony; diese zwei Flüsse ergießen sich ungefähr 100 englische Meilen über der Mündung des Essequibo in den letztern Strom. Als wir den Strom hinaufsegelten oder ruderten, fanden wir ihn so breit und der waldigen Inseln so viele, daß wir auf einem großen See zu schiffen glaubten. Die Holländer hatten in frühern Zeiten Baumwollen-, Indigo- und Cocospflanzungen den Essequibo entlang, namentlich über Kykoveral, auf einer Insel in der Nähe der Ausmündung des Mazaroony und Coloony. Jenseits der Inseln an der Mündung des Essequibo sind jetzt keine Pflanzungen mehr, und der mächtige Wald hat alle Spuren frühern Anbaues vernichtet. Einsamkeit und Schweigen herrschen an beiden Ufern, und keine Spur von den Wohnungen der Holländer ist zu sehen; nur wenn man zuweilen durch das verwachsene Gehölz sich einen Weg bahnt, stolpert man über einen marmornen Gradstein, der vom Zuydersee hierhergebracht wurde.

Bei jeder Wendung des Stroms stießen wir auf Gegenstände von hohem Interesse. Der dichte und fast undurchdringliche Wald zog unsere besondere Aufmerksamkeit auf sich. Prachtvolle Bäume, wie wir sie nie gesehen hatten, waren mit Schlingpflanzen aller Art wie überwachsen; ihre Blüten machen, daß der ganze Wald wie mit Guirlanden geschmückt erscheint. Vor allen zeichnete sich die stolze und majestätische Mora aus, mit ihren mächtig emporstrebenden Aesten, auf deren Spitze der König der Vögel seine unermeßlichen vom Nachtthau befeuchteten Schwingen ausdehnt, um sie zu trocknen. Der eigenthümliche und lockende Ruf des Glockenvogels (campanero) läßt sich dann und wann hören; er ist weiß, von der Größe einer Taube, mit einem lederartigen Auswuchs auf dem Kopf, und der Ton, den er in den einsamen Wäldern hören läßt, gleicht dem einer Klosterglocke, die zum Gebete ruft.

Das Laubwerk rauscht, die Aeste krachen an dem Ufer, und der Tapir, der Elefant des Westen, erscheint, um seinen Durst zu löschen und sich im Schlamm zu wälzen; die Flußkuh (manati) hebt ihren schwarzen Kopf und ihre kleinen scharfen Augen über das Wasser, um die Blätter des Coridorebaums abzupflücken. Wenn man diese Thiere schießen will, macht man ein Gerüst in dem Wasser und behängt es mit Zweigen von seinem Lieblingsbaum; ein vor Kurzem getödtetes wog 22 Centner. Höher am Flusse hinauf, wo die Anschwemmung der Mündung sich in weißen Sandstein mit gelegentlichem schwarzen Braunsteinkalk verwandelt, haben die Fische einen köstlichen Geschmack, unter andern der Pacoo, der platt,

*) Vgl. den ersten Artikel in Nr. 313 u. 314 d. Bl. D. Red.

20 Zoll lang und 4 Pfund schwer ist; er lebt von dem Samen des Arum arborescens; wenn er diesen verzehrt, schießen ihn die Indianer mit Pfeilen; zu demselben Geschlecht gehört der Cartubak, der Waboory und der Amah.

Die merkwürdigsten Fische dieser Flüsse sind: der Perl oder Omah, zwei Fuß lang; seine Zähne und Kinnladen sind so stark, daß er die Schalen der meisten Nüsse knackt, um die Kerne zu verzehren; er ist sehr gefräßig; die Indianer behaupten, er reiße den Frauen die Brust ab und entmanne die Männer; die Gattung Silurus, dessen Junge in einer Schar von 150 über dem Kopf der Mutter schwimmen, welche bei einer herannahenden Gefahr den Schlund öffnet und so ihre Nachkommen rettet; Loricaria calicthys, oder Assa, welche auf der Oberfläche stehenden Wassers von den umhertreibenden Grasblättern ein Nest baut und ihren Laich darauf absetzt, den die Sonne ausbrütet. In der heißen Jahreszeit hat man diesen merkwürdigen Fisch aus dem Boden ausgegraben, in welchen er sich während der feuchten Jahreszeit einwühlt. Auch der elektrische Aal ist ein Bewohner dieser Wasser und bedroht zuweilen das Leben des stärksten Schwimmers. Wenn man ihn in Fässern nach England sendet, wirken Holz und Eisen als Conductoren und versetzen den Aal in eine stete Erschöpfung, die ihm nicht selten den Tod bringt. In einem Geschirr von Steingut läßt er sich wohlbehalten transportiren.

Eine indianische Familie kreuzte in ihrem Canoe den Strom und verschwand unter dem Buschwerk auf der andern Uferseite; mein Begleiter und ich ruderten ihnen nach und fanden, als wir unter einer Gruppe Akazien landeten, eine indianische Ansiedelung. Sie wohnten unter Schoppen, die ringsum offen und mit Palmblättern, manche 24 Fuß lang, bedeckt waren; an dem Bambusholz des Dachwerks waren Hängematten von Netzwerk befestigt, in welchen sich die Männer träge schaukelten. Einer oder zwei dieser Männer waren wach und beschäftigten sich mit der Verfertigung von Pfeilspitzen, die sie aus einer sehr festen Holzart machten. Die Männer und Kinder waren ganz nackt, wenn man die blaue Schürze ausnimmt, welche die Schenkel bedeckte; die Weiber in ihren blauen Röckchen und mit dem geflochtenen Haar schnitten die Wurzeln des Cassavabaums in einen Trog von Rinde; man that diese dann unter eine Presse von Matten, wo der giftige Saft ausgepreßt wurde; das trockene Mehl wird dann auf einer Eisenplatte gebacken. Die ältern Frauen webten das viereckige Coëso, welches zuweilen ohne das Röckchen getragen wird; andere machten irdene Töpfe, sowie denn das weibliche Geschlecht auf das emsigste beschäftigt war. Sie boten uns ein rothes Getränk, das sie Cassiri nennen und aus der süßen Patate bereiten; auch Piwarry, das berauschende Getränk, welches aus den zermalmten und zur Gährung gebrachten Cassavawurzeln gefertigt wird. Die Indianer füllen bei ihren Piwarryfesten ein kleines Canoe mit diesem Getränk, um welches sie sich zwei oder drei Tage in toller Trunkenheit wälzen. Das Piwarry ist insofern ein harmloses Getränk, als es nicht die Krankheiten und schlimmen Wirkungen nach sich hat, welche der Branntwein erzeugt; nach einem kurzen Schlafe steht der Indianer frisch und gesund auf; auch sind Ausschweifungen dieser Art nur sehr selten. Fische, welche die Männer mit ihren Pfeilen geschossen hatten, und Vögel wurden aus dem Canoe herbeigebracht und auf einem Bambusrost über dem Feuer geröstet. Ein alter Mann zeigte uns auch ihre Cassavapflanzung, welche hinter den Schoppen angelegt war. Sie hatten einen Theil des Waldes mit einem Graben umzogen und denselben dann angesteckt, um den Cassava auf diesem Raum anzupflanzen. Diese Indianer gehörten dem Arawakstamme an.

Die Flüsse und Buchten und das ganze Innere des britischen Guiana in einer gewissen Entfernung von der See hat noch Niemand untersucht. October und November sind die trockensten Monate des Jahres und am geeignetsten zu einer Untersuchungsreise. Unserm Reisenden hinderten die kalten, anhaltenden Regen, so weit vorzudringen, als er es gewünscht und beabsichtigt hatte.

(Der Beschluß folgt.)

Tre nuove tragedie di *Silvio Pellico da Saluzzo*. Turin 1832. *)

In Turin, las man in öffentlichen Blättern, hat ein Trauerspiel des Silvio Pellico, welches einen Stoff aus dem Zeitalter der Guelfen und Ghibellinen behandelte, solchen Eindruck gemacht, solchen Beifall gefunden, daß es auf Requisition des benachbarten Landes verboten wurde. Dieselben Quellen nannten dies Stück. Es war angeblich „Gismonda di Mendrisio". Die Sache kann möglich sein; allein wir wünschten, daß die Nachricht unwahr wäre, denn obwol der Stoff aus der Geschichte Italiens und der Zeit entlehnt ist, wo die Parteien der Guelfen und Ghibellinen sich auf Tod und Leben verfolgten, so hat das Stück doch selbst kein politisches Interesse und der ganze Parteienkampf dient blos dazu der Liebe eines Weibes Relief zu geben, die für den Gatten Alles opfert; den Haß eines andern Weibes zu motiviren, die sich für verschmähte Liebe rächen will. Möglich aber ist es auch allerdings, daß man bei der jetzt so gereizten Stimmung Italiens den Kern über der Schale vergessen hat; daß man in jedem Vers des Dichters, wo er Italiens damaliges Geschick andeutet und berührt, hineintrug, was ihm selbst kaum oder gar nicht eingefallen war; genug, der vor uns liegende Theil von S. Pellico's neuesten Trauerspielen beginnt mit der verbotenen „Gismonda di Mendrisio" und mit zwei Strichen malt uns gleich der Dichter Italiens Lage jener Zeit. Ermanno, der Sohn des Grafen di Mendrisio und Gemahl Gismonda's, ist kaum von seinen schweren Wunden genesen, als er schon wieder davoneilen will, denn Mailand ist gefallen und:

— — sehen will
Ich es in seiner Schmach: von seinen Trümmern
Will ich selbst Zeuge sein! —

Er will hin, den Kaiser zu bestimmen, daß dieser, wie er geschworen, das stolze Haupt des Lombardenbundes schleife, und seine Wuth ist um so größer, da der eigne Bruder dort kämpft. Von gleicher Parteiwuth ist seine Gemahlin Gismonda beseelt. Sie wünscht nichts mehr, als:

Allegrar del grande
Ispirato spettacol mie pupille:
Milano in fiamme! —

denn ihr sind in Lodi, als es dem stolzen Mailand einmal in die Hände fiel, Vater, Mutter und Brüder getödtet worden,

*) Vgl. [illegible] und [illegible] d. Bl. D. Red.

und als sie unter den Leichen als Waise herumirrte, rief sie, daß es auch einst so in Mailand zugehen möchte. Und siehe, ihr und ihres Gemahls Wunsch ist schon erfüllt. Ein Krieger des alten Grafen von Mendrisio kommt und berichtet Mailands schreckliches Verderben. Das „Fuit Troja" Virgil's findet hier in der Schilderung Pellico's sein Seitenstück:

— — Ella fu! l'altera donna
Delle provincie, la città, che il pugno
Stese alla fronte degli Augusti e il serto
Sveller volerne ed a se stessa imporla!

In sechs Colonnen stürzte sich Friedrich's Heer hinein und:

— la città è sparita.

Doch auch des alten Grafen zweiter Sohn daselbst, Ariberto, war unter den Erschlagenen nach dem Berichte dieses Augenzeugen, und Gismonda hat so eine doppelte, schreckliche Freude. Je mehr sie ihn einst geliebt hatte, desto größer war ihr Haß gegen ihn und die von ihm gewählte Gattin geworden. Aber Ariberto war **nicht** geblieben. Im zweiten Acte erscheint er mit seiner Gattin, Gabriella, die als Mann verkleidet ist, und seinem Kinde. Erschöpft vom Kampfe und dessen Schrecknissen, steht er jetzt vor dem väterlichen Schlosse, und indem der Dichter alle Erinnerungen der frühesten Jugendzeit bei ihm rege werden läßt, entwirft er uns das ergreifendste Bild von der Gewalt des Parteienkampfes, der alle Gefühle zu vertilgen im Stande ist. Da tritt Gismonda aus dem Schlosse. Er zieht sich zurück und bittet sein getreues Weib, daß sie ihn für todt ausgeben solle, um so zu sehen, wie man sie aufnehmen werde. Gismonda befiehlt ihren Begleiterinnen, in der Gegend ringsherum alles zu einem Feste aufzubieten, „weil Mailand in der Asche liege", und mit großer Kunst weiß der Dichter kleine Umstände, die der Zuschauer wissen muß, um sich der Täuschung ganz hinzugeben, zwanglos in den Dialog einzuflechten, den beide Frauen miteinander haben. Gismonda's Herz ist nicht zu rühren; einst die Geliebte Ariberto's, von ihm aber endlich geflohen, weil ihn ihr unversöhnlicher Haß gegen Mailand empörte, nagt auch diese Treulosigkeit zu sehr an ihrem Herzen. Anders ist es mit dem hinzukommenden Vater des Ariberto, bei dem sich Gabriella für einen jungen Krieger ihres Gemahls ausgibt. Sein Parteihaß ist längst vom Jammer über den vermeinten Tod des Sohnes verdrängt und ihm kann sich Gabriella erst als Witwe des Getödteten zu erkennen, dann aber mit einem: „Viva Ariberto!" diesem selbst das Zeichen geben, zu den Füßen seines Vaters zu stürzen. Gismonda, so plötzlich aus ihrer Täuschung aufgescheucht, ist allein der Stimme der Versöhnung unzugänglich und der Anblick der Nebenbuhlerin macht die mühsam unterdrückte Liebe, welche sie zu Aribert im Herzen trug, nur aufs neue rege. —

— Se colei (Gabriella) non fosse,
La cui vista m'uccide, ad Ariberto
Riveggendolo forse io perdonava!

ruft sie, alle ihre Wildheit gegen die Schuldlose kehrend, die den Geliebten ihr geraubt hatte. Umsonst sucht dieser die gereizte Tigerin zu besänftigen:

— Or piaccia
A te scusar magnanima un errore,
Che giovane commisi, uomo condanno!

Nichts macht auf sie Eindruck:

— In te il nemico
Odio de' miei, di Cesare, d'Iddio!

Und sollte Gabriella es wagen, sich ihr zu nähern:

— — con queste mani io stessa —
Trema! — la mente mia celar non degno!
Vo' suffocarla!

Auf gleich furchtbare Weise stößt ihn der Bruder zurück. Kein Wort des Vaters kann den wilden, unversöhnlichen Ermanno besänftigen oder milder stimmen. Da kommt ein kaiserlicher Herold. Er verlangt die Auslieferung des Aribert. Solches Ansinnen aber weist der alte Graf mit gebührender Verachtung zurück; auf sein festes Schloß bauend, will er lieber der ganzen kaiserlichen Macht trotzen, als den Sohn opfern. Der wilde Ermanno dagegen beabsichtigt, die schwäbisch kaiserlichen Krieger auf einem verborgenen Pfade ins Schloß zu führen, seinen Bruder zu verderben, daß selbst Gismonda's Herz sich darüber empört, denn die Liebe zu Aribert siegt bei ihr allmälig über die Gefühle der Rache und die Menschheit über die wilde Leidenschaft. Sie fleht zum grimmigen Gatten:

— — Cessa! agli stranieri
Un genitor non vendere, un fratello!

Und mit bittern Thränen muß sie es sich bekennen:

Cangiata, ohimè! cangiata son! La vista
D' Ariberto m'affascina. Invocai
Mille volte sua morte e or la pavento!

Da kommt der Knabe des gehaßten und geliebten Mannes:

— — Oh come è vago! Al padre
Come somiglia! —

Sie kann sich nicht enthalten, ihn an den von unnennbaren Schmerzen zerrissenen Busen zu drücken, und jetzt überrascht von Gefühlen schmilzt das verstockte Herz der Armen:

— da contrari affetti,
Da dolori incredibili angosciata.

Schon ist Ariberto entschlossen, dem greisen Vater keine Gefahr zu bereiten, die Treulosigkeit, den Uebermuth des Bruders, die wahnsinnige Gismonda zu meiden, in Veronas noch freien Mauern Zuflucht zu suchen, da aber dringt schon der Feind durch den ihm geöffneten dunkeln Pfad ins Schloß hinein. Ermanno selbst führt ihn an. Der Vater tritt ihm entgegen und bittet und beschwört ihn, des Bruders zu schonen. Mit Vorwürfen überhäuft er Gismonda, denn **sie** hält er für die Verrätherin und ihr Jammer empört ihn nur um so mehr. Sie kann sich nicht mehr halten. In Thränen zerfließt sie. Den Gatten will sie nicht als Verräther bezeichnen und doch nicht mit solcher Schmach ins Grab steigen:

Si scellerata non sono!

ruft sie verzweifelnd. Und bei dem Greise wird nun der Gedanke wach:

— — Il Traditor fu Ermanno!

Der kaiserliche Feldherr will ihn, Ariberto's Kind und Gattin gefangen fortführen, da dringt ein Fähnlein lombardischer Krieger plötzlich zum Entsatze herbei; die Kaiserlichen werden aus dem Schlosse vertrieben. Im Kampfe treffen die Brüder aufeinander; obgleich Ariberto ausweicht, so wird doch Ermanno das Opfer eines andern Kriegers. Gabriella rettet den Gatten, der kaiserliche Feldherr stürzt und Gismonda bittet nur noch um eins:

La pace
D'un monister mi seppellisca al mondo!

(Der Beschluß folgt.)

Kosmologische Vorschule zur Erdkunde. Von Gottlieb August Wimmer. Wien, A. Doll. 1833. Gr. 8. 1 Thlr. 12 Gr.

Dies Werk, wiewol selbständig und in sich befriedigend, will doch als Einleitung zu dem großen und Antheil erweckenden geographischen Werke, dessen wir in d. Bl. schon mehrmals gedacht haben (Schütz's „Allgemeine Erdkunde"), betrachtet werden. Es hält demnach den propädeutischen Gesichtspunkt fest und ist für Leser und Lernende geschrieben, die ihren Cursus in der Welt- und Erdkunde beginnen. Ein sicherer Charakter der Selbständigkeit, eigner Forschung und unabhängigen Nachdenkens zeichnet es jedoch vortheilhaft vor den gewöhnlichen Lehrbüchern aus, und sind die eignen Ansichten des Verfassers auch nicht so überzeugungskräftig, daß wir ihnen überall unbedingt beistimmen möchten, so ist es doch schon ein Verdienst, und ein bedeutendes obenein, selbstgewonnene und freigebildete Ansichten über Gegenstände dieser Art zu haben und kundzugeben.

Der Verf. ist ein entschiedener Vulkanist, jedoch nicht Das, was man vor 25 Jahren unter einem solchen verstand. Das belebende, bewegende Princip im Weltgebäude ist seiner Ansicht nach das Feuer, auf das er sich beruft, um alle Bewegung (alle Kraft) zu erklären. So nimmt er an, der gewaltige Sirius z. B. werde von seiner Centralfeuermasse um seine eigne Achse getrieben. In dieser Rotation reißt er ein unendliches Aethermeer mit sich wirbelnd um. Unser Sonnensystem fällt in diesen Wirbel, die Sonne aber hat ihr eignes Leben und widersteht, so gut sie kann. Ihre Bewegung indeß reißt die Planeten mit hin, diese ihre Monde; Alles vielleicht in einer Spirallinie, die die kleinern Weltkörper den größeren nähert. Diese Ansicht ist weniger ursprünglich, als des Verfassers Bedenken gegen das Gravitationsgesetz es sind. Er behauptet, die Centripetal- mit der Centrifugalkraft nicht reimen zu können, und supponirt statt der letztern seine Wirbeltheorie und seinen Aetherstrom. Es ist damit nicht viel gewonnen; denn da die Wirkung doch wieder auf eine unsichtbare Ursache zurückgeführt wird, so ist es für die sinnliche Wahrnehmung gleichgültig, ob man diese Ursache eine **Kraft**, oder einen **Strom** nennt. Von diesen Grundideen abgesehen, die doch immer von eigner Forschung zeugen, hält der Verf. sich an herkömmliche und hinreichend bewährte Erklärungen. Seine „Phantasie über den Bau der Welten" ist geeignet, von jungen Gemüthern mit Theilnahme aufgenommen zu werden. Sie befriedigt selbst den Vorgeschrittenen. Der Hauch Gottes ist ihm die Störung des Gleichgewichts, in dem die Elemente sich hielten. Von nun an wirkten ihre eignen, in sie gelegten Gesetze: das Gleiche strebte zusammen, die Wärme trieb das Trockene um, die Massen nahmen die Kugelgestalt an. Mit dem Erkalten schwindet die umtreibende Kraft, und was nicht mehr widerstehen kann, wird von dem noch Umgetriebenen angezogen. Daher die Gewißheit (!) des Todes der Weltkörper. Dies ist selbst nach des Verfassers Hypothese vom Centralfeuer keineswegs gewiß. Warum soll dies Feuer, von unbekanntem Ursprung, nicht auch auf unbekannte Art sich ergänzen? Und ist dies nicht mit mehr Wahrscheinlichkeit anzunehmen als seine allmälige Abnahme?

Das zweite Capitel behandelt das Sonnengebiet, kurz und faßlich, in guter Lehrmethode vorgetragen. Drittes Capitel. Die Erde insbesondre. Viertes Capitel. Die Alter der Erde. Kindes-, Knaben-, Jünglings-, Mannesalter. Warum soll unsre Zeit grade das Mannesalter darstellen? So lange der **Anfpunkt** der Reihe nicht bestimmt ist, ist dies eine grundlose Annahme. Von den antediluvianischen Thierbildungen hat der Verf. die Meinung, daß sie nicht andern Gattungen angehören, sondern im Allgemeinen nur durch Klima und Ernährung anders bedingte Individuen derselben Gattung sind. Auch mit dieser Unterscheidung ist nicht viel gewonnen. Aber darin hat er Recht, daß wir bei weitem noch nicht alle Arten der jetzt lebenden Thierwelt genugsam kennen, um darüber auszusprechen, daß der Mastodont, das Mammuth, der vorweltliche Tapir ganz und völlig verschwunden seien. Besonders beklagt er die vernachlässigte Naturgeschichte der großen Quadrupeden mit Recht. Wir besitzen Monographien von der Seidenraupe, aber vom Elefanten u. s. w. keine. Die Abwesenheit antediluvianischer Menschenbildungen erklärt der Verf. aus der Seltenheit des Menschen, seinem verwitterbaren Gebein, dem Begraben und Verbrennen. Alles unzureichend! Das Geheimniß ist und bleibt Geheimniß. Sehr lehrreich ist besonders das sechste Capitel von den Vulkanen. Hier bewährt der Verf. viel Belesenheit, viel Studium, viel eignes Nachdenken, und seine überraschenden Zusammenstellungen enthalten in der That einen wesentlichen Fortschritt in der Wissenschaft. Der tief unterirdische Zusammenhang aller vulkanischen Erscheinungen des Erdbodens ist von ihm mit neuen Thatsachen und gründlicher Sachkunde dargethan worden. Wir bedauern aufrichtig, seiner Darstellung hier nicht näher folgen zu können. Verdienstvoll ist auch die Physiognomik der Meere im siebenten Capitel, die Phänomene des Luftkreises im achten Capitel, und besonders die klimatische und geographische Verbreitung der Pflanzenwelt im neunten Capitel. Das System des Thierreichs im zehnten Capitel gründet sich auf die ältern Ordnungen. Im elften Capitel: „Der Mensch", nimmt der Verf. großen Anstoß an der Parallelisirung des physischen Menschen mit dem Affengeschlecht sowie an der Raceneintheilung. Er ereifert sich hier und wird auf eine merkwürdige Weise im Eifer unwürdig und, was schlimmer ist, unwissenschaftlich. Daß eine einzelne Negerbildung auch in Oestreich angetroffen werde, beweist doch wol keineswegs, daß der „geträumte (!) Unterschied zwischen der kaukasischen Menschenbildung und der des Negers nicht vorhanden sei". Und im grellen Widerspruche mit sich selbst geht der Verf. nach dieser eifrigen Verwerfung aller Raceneintheilung gleich darauf doch in eine Schilderung der „verschiedenen" Völkerfamilien über. Den Ursprung des Menschen und sein Alter, als Gattung, hat er nicht zum Gegenstand seiner Untersuchung gemacht.

Trotz dieses etwas wunderlichen Schlusses können wir die „Kosmologische Vorschule" nur als ein recht empfehlenswerthes Lehrbuch für diesen Theil des Jugendunterrichts ansehen. Zwar fehlt dem Vortrage des Verfassers zuweilen die nöthige Würde, welche auch selbst jugendliche Leser sehr ungern vermissen; und der Verf. scheint zu Zeiten von dem falschen Gesichtspunkt auszugehen, daß **faßlich** schreiben und **niedrig** schreiben Eins und Dasselbe sei: ein Grundsatz, der zum Verderben der **Kanzel** wie des **Katheders** gereicht hat und den Verf. in seiner „Naturgeschichte" bis zum non plus ultra des Lächerlichen ausdehnte; aber gewöhnlich findet er sich bald wieder zurecht und macht durch Stellen voll frommer Begeisterung das eben begangene Unrecht gegen seinen Lehrberuf schnell wieder gut.

An diesen wenigen Bemerkungen müssen wir uns hier genügen lassen, indem wir dem Buch das Zeugniß eines brauchbaren und schätzenswerthen Handbuchs der Kosmologie mitgeben.

34.

Notizen.

Von „L'éducation familière complète", von L. Sw. Belloc, ist kürzlich die fünfte und sechste Lieferung herausgekommen. Das Werk bildet 12 Bände oder 6 Lieferungen, nach der Stufenfolge des Alters eingerichtet, von fünf bis vierzehn Jahren.

In den „Sensations" von Hrn. Constant Berrier trifft man Allerlei: Metaphysik, altes und neues Drama, Elegien, Dithyramben, eine Ode, Fabeln und Idyllen, und hie und da auch Prosa.

Der 12. Band der „Salmigondis" schließt das Unternehmen. Der Herausgeber kündigt eine neue „Bibliothèque des romans" an, die zunächst bezweckt, eine Analyse der 40—50 monatlich erscheinenden Bände zu geben.

„Une séduction" von Hrn. Felix Davin. Charles de Harles ist ein ausgezeichneter Mann, ein geistiger Epikuräer. Nachdem er alle Freuden des Lebens erschöpft, nimmt er seine Zuflucht zur keuschen Liebe. Diese keusche Liebe sucht und findet er bei einer verheiratheten Frau.

Ein polnischer Offizier, Karl Forster, hat die erste Lieferung eines Werkes, betitelt: „La vieille Pologne", herausgegeben. Es ist ein historisches und poetisches Album und enthält unter Anderm die berühmten Legenden von Niemcewicz, von ausgezeichneten französischen Dichtern übertragen. Die Damen Tastu, Desbordes-Valmore, Ségalas, und die Herren Alexander Dumas, Frédéric Soulié, Pongerville werden das Unternehmen des Hrn. Forster durch Beiträge unterstützen.

145.

Blätter für literarische Unterhaltung.

Dienstag, — Nr. 344. — 10. December 1833.

Skizzen aus Amerika.

Von J. V. Adrian.

Zweiter Artikel.

(Beschluß aus Nr. 343.)

2. Die Musquitojagd.

Humboldt hat schon bemerkt, daß die Plage, welche man in der heißen Zone von den Musquitos zu erdulden hat, die Eingebornen und Acclimatisirten minder belästige als die frisch angekommenen Europäer. Daher denn auch die häufig vorkommenden, wahrhaft blutigen Schilderungen der Qual, welche diese Insekten verursachen, von solchen Reisenden herrühren, welche die Aequinoctialgegenden nur auf kurze Zeit bereisen. Wer längere Zeit an einem Orte verweilt, der wegen seiner tiefen Lage oder Feuchtigkeit diese Quälgeister anzieht, schützt sich, wenigstens während der Nacht, ziemlich leicht, indem er sein Bett mit einem feinen Gazevorhang versehen läßt, in welchen der Feind nicht einzudringen vermag. Dieser Vorhang muß sorgfältig unter der Matraze eingeschoben werden, damit nirgends die geringste Oeffnung bleibt. Beim Schlafengehen entfernt man durch das Schwingen eines Tuches oder eines Wedels die Insekten und schlüpft dann in das Bett, die Oeffnung schnell wieder schließend.

Wenn eines dieser verschlagenen und blutgierigen Insekten so glücklich war, mit dem Ruhelüsternen in die Schlafstätte einzudringen, so mag er nur dem Schlafe Valet sagen. In der Regel hält es sich aber anfangs ruhig und versteckt und erwartet den günstigen Augenblick, um seine Operation zu beginnen. Ein leiser, schnarrender Ton verräth dem Sachkundigen bald, wer mit ihm unter dem Netze weilt; das Beste ist, sich in Geduld zu fassen, denn jeder Kampf mit dem im wahren Sinne des Wortes unsichtbaren Feind macht das Uebel nur ärger. Der Geängstigte glaubt, das Thierchen schnarre um sein Ohr; er meint, eben sei es im Begriff, sich einen kleinen Schmaus zu bereiten; er hebt die Hand auf und gibt sich eine Ohrfeige; in demselben Augenblicke aber fühlt er einen Biß in der Hand und zwei in den Fersen. Schmerzt die Wunde, so ist der Aerger über die hinterlistige und fast höhnische Weise, mit welcher sie beigebracht wurde, noch empfindlicher, und der hintergangene Dulder entbrennt in Wuth gegen einen so tückischen Feind. Er erhebt sich auf die Knie, faßt den Wedel, das Tuch, den Roßschweif, oder welche Waffe er sonst mit in das Bett genommen, und schlägt grimmig um sich; kein Theil des Bettes entgeht dem Zürnenden, und er kann zuletzt sich nichts Anderes denken, als er müsse den Feind erlegt haben. Er legt sich wieder nieder. Zehn Minuten — und der schnarrende, trompetenartige Ton läßt sich oben am Vorhang von Neuem hören, kommt näher und näher, verstummt einen Augenblick, um sich im nächsten wieder um so lauter hören zu lassen. Der Dulder bedeckt das Gesicht — und fühlt Arm und Hand zerbissen; er wüthet von Neuem und fühlt neue Wunden. So vergeht die lange, lange Nacht unter Angriff und Abwehr, unter Wüthen und Beißen, unter Aufspringen und Einhüllen, fieberisch, zornig, schläfrig, aufgeregt und an dreißig verschiedenen Orten verwundet. Endlich dämmert der so lange erwartete Morgen, und man fällt, gänzlich erschöpft, in einen schweren Schlaf, während dem der triumphirende Feind ganz nach Lust und Behagen in trunkener Muße sich gütlich thut.

Um seinen Aerger zu vermehren, fragt ihn am Morgen jeder seiner Bekannten, nicht etwa: Wie habt ihr geschlafen? sondern: Wie habt ihr diese Nacht die Zancudos (der richtige Name für diese kleinen Quälgeister, welche in der Nacht ihr Wesen treiben, die Tagesplage den eigentlichen Musquitos überlassend) gefunden?

3. Luisiana.

Drei Achttheile der Bevölkerung dieses Staates und namentlich seiner Hauptstadt, Neuorleans, sind Amerikaner aus andern Theilen der Vereinigten Staaten. Bruder Jonathan, wie der Engländer scherzweise seinen Verwandten jenseits des Meeres nennt, ist in allen Staaten der Union zu finden und nirgends heimisch. Wenn er sich tausend Meilen von seinem frühern Wohnsitz niedergelassen, ein Stück Land urbar gemacht und Wohnhäuser und Stallungen aufgeführt hat, zieht er, sobald ein anderer Platz ihm mehr Vortheil zu bieten scheint, sofort weiter. Er ist ein Abenteurer, dem es gleich gilt, ob er in Mexico oder Südwales lebt, wenn er nur Hoffnung hat, bei dem Wechsel reicher zu werden.

In Neuorleans wimmelt es von französischen Auswanderern. Man findet unter ihnen sehr achtungswerthe

Kaufleute, Aerzte, auch eine kleine Anzahl Rechtskundiger u. dgl.; die Mehrzahl besteht jedoch aus Abenteurern, Haarkünstlern, Schauspielern, Musikanten, Tanzmeistern u. s. w. Unter allen Nationen sind Franzosen für einen neuen Staat die am wenigsten zu wünschende Acquisition. Leichtsinnig und ohne innern Gehalt, verderben sie ihre Zeit mit Kleinigkeiten, welchen Niemand, sie selbst ausgenommen, irgend einen Werth beilegt. Tanzen, Fechten, Reiten und Liebeln sind die täglichen und stündlichen Beschäftigungen dieser Leute. Ihr Einfluß auf einen neuen, noch nicht nach allen Seiten geregelten Staat, dessen Bewohner keine richtige Ansicht von echter Bildung und Gesittung haben, ist sehr nachtheilig. Ohne Religion, ohne Moralität, ohne Erziehung sogar, maßen sie sich an, in Allem, was guter Ton heißt, die erste Stimme zu haben, weil sie von Paris kommen; ihre Dreistigkeit sichert ihnen auch in der Regel den Erfolg. Was Religion und Grundsätze betrifft, so sind sie, eine Art point d'honneur abgerechnet, gewiß eine verwerfliche Race und tragen hier Vieles zur Verbreitung schlechter Sitten und leichtsinniger Charakterlosigkeit bei.

Auch Deutsche leben in großer Anzahl zu Neuorleans. Die meisten sind in einem wahrhaft bedauernswerthen Zustande. Sie haben sich gewöhnlich mit einer kleinen Summe zu Hamburg eingeschifft, die nicht hinreicht, die Kosten der Ueberfahrt zu bestreiten. Sie werden als weiße Sklaven, oder wie man sie hier nennt, Redemptioners, verkauft, sobald sie das Land betreten. Da man sie zu derselben Art Arbeiten wie die Neger braucht, finden sie auch nicht mehr Beachtung und Theilnahme als diese. Viele sind dem Trunk ergeben und werden, wenn sie nicht entlaufen, von ihren Herren fortgejagt. Die Nachtwächter, Lampenanzünder, Gassenfeger sind in der Regel Deutsche.

Der übrige Theil der weißen Bevölkerung besteht aus Engländern, Irländern, Spaniern und einer kleinen Anzahl Italiener. Das freie farbige Volk bilden losgegebene Sklaven, besonders aber die Sprößlinge von Verbindungen zwischen Weißen und Schwarzen. Der Grund davon ist in der Natur des Klimas zu suchen, wo sinnliche Leidenschaften so leicht geweckt werden. Unter den Nachkommen solcher Verbindungen zeichnet sich das weibliche Geschlecht durch große Schönheit aus; die reichere Classe der Franzosen und Kreolen hat eine große Vorliebe für solche Mädchen; der Amerikaner dagegen erlaubt sich nur höchst selten eine Freiheit dieser Art; in der Regel heirathet er früh und bleibt dem Weibe, das er gewählt, treu ergeben. Ernster und religiöser, kälter und solider, liebt er einen gewissen äußern Anstand, der ihn allein schon von Unregelmäßigkeiten der bezeichneten Art entfernte, wenn er nicht aus Stolz die republikanische Strenge der Sitten sorgsam im Auge hätte. Er glaubt, die Ehre des Landes wahren zu müssen; die Achtung seiner Mitbürger ist gewissermaßen das höchste Ziel seines Strebens. Der Ausländer macht sich natürlich aus solchen Rücksichten nichts und jagt jedem Genusse nach, der sich ihm bietet. Doch gibt es, wie überall, so auch in Neuorleans, Ausnahmen: Amerikaner, die sich wie der sittenlose Europäer, und Europäer, die sich wie der strenge, enthaltsame Amerikaner betragen.

Die Neger machen die unterste Classe der Bevölkerung dieses Staates aus. Man findet Leute unter ihnen, welchen ihre Ehrlichkeit und Treue die begründetsten Ansprüche auf unser Lob geben; Tausende aber zeigen die lasterhafte Natur eines erniedrigten und sklavischen Charakters. Bosheit und Grausamkeit charakterisirt hier durchweg die Schwarzen; Knechtschaft kann überall nichts Besseres erzeugen. Man hat das Uebel einigermaßen gelindert; gründliche Hülfe erwächst aber nur aus vollständiger Emancipation der Sklaven und zweckmäßiger Sorgfalt für die Erziehung der schwarzen Jugend.

Tre nuove tragedie di *Silvio Pellico da Saluzzo.*

(Beschluß aus Nr. 343.)

Wenn, wie wir vorher zeigten, nur die Fassung dieses dramatischen Edelsteines eine mistrauische Regierung zu einem Verbote reizen konnte: was mag diese da wol zu dem nun folgenden „Leoniero da Dertona" sagen? Hier opfert ein Vater den eignen Sohn, damit er nicht die Freiheit verrathe und sein Vaterland den Barbari tedeschi überliefere. Lessing's Odoardo ist hier in einem Seitenstücke zu sehen. Geht die Giovane Italia mit Leoniero's furchtbarer Consequenz zu Werke, dann ist sie allerdings eine schreckliche, drohende Feme. Der Mensch ist frei und wär' er in Ketten geboren! Dies Wort tritt lebendig in diesem Trauerspiel entgegen, denn Pellico dichtete es, in Ketten, von Hunger und Krankheit gequält, in den Kasematten des Spielbergs *), und fast jedes Wort darin athmet Freiheit. Leoniero, ein alter Ritter, kommt vom Kreuzzuge aus dem Morgenlande zurück nach Dertona; die „Ferocia e il foco degli stranieri" hat alles verheert. Und doch schweigen noch nicht die innern Parteien. Sein eigner Sohn gehört zu Denen, die sich mit dem „empio suevo", mit dem Hohenhausen verbunden haben. Seit vier Jahren bereits behauptet er widerrechtlich die Consularwürde, Dertonas Bürger dem Kaiser unterthan zu halten, und nur das Schloß ist nicht in seiner Gewalt. Aber auch dies hofft er bald zu gewinnen. Mit List nahm er den Tribun des Volkes, das dort haus't, Arrigo, gefangen. Dem greisen Leoniero stürzt fast zuerst unter allen die Tochter Eloise entgegen, welche in seiner Abwesenheit dem Sohne seines Feindes, Ariberto, die Hand gegeben hatte und jetzt ihren Gatten von ihrem eignen Bruder eingekerkert sieht. Da kommt der despotische Schwabenknecht, der Consul, denn er hat gehört, daß der todtgeglaubte Vater aus dem Orient zurück sei, und nun tritt der Letztere als ein Republikaner auf, wie ihn Alfieri im Vater der Virginia, Schiller in seinem Verina, Shakspeare in seinem Brutus zeichnet. Erst kommt bei ihm die Freiheit und dann die Vaterliebe. Enzo, sein Sohn, ruft nach ihm. Wie antwortet er dem Rufe?

— Hier steht Leonier'!
Als er einst schied, es sind nun viele Jahre,
Da segnete er einen Sohn; der Knabe
Küßt' ihm das Knie und weinend sprach er nach
Den Schwur, den ich ihm sagte; wenn der Sohn
Noch lebt, so trete er hervor und sage,
Welcher Schwur es war!

Alle Windungen des feinzüngigen Sohnes helfen zu nichts. Der Vater muß die Worte des Schwures hören:

— — Allo stranier giogo la fronte
Non lascerò che mai Dertona inchini!

Und diesen Eid hat er gebrochen. Und bei solchem Meineidigen

*) Denkwürdigkeiten des S. Pellico, von [illegible], Leipzig [illegible], S. [illegible].

soll der Vater Herberge nehmen? Bei ihm, der den Gatten der eignen Schwester in Fesseln warf? Nimmermehr. Lieber wandert er zu seinem alten Feinde Auberto aufs Schloß, denn wie er selbst ist dieser vor Allem ein „Dertonese". Das Schicksal hat diesen auf eine harte Probe gesetzt. Er soll das Schloß ausliefern oder seinen Sohn sterben sehen. Nur solche Wahl läßt der Despot ihm und der armen Schwester, die für den Gatten fleht. Ein Meisterstück des Dialogs gibt Pellico in der fünften Scene des zweiten Actes. Hier hat der Consul seinen Schwager vor sich führen lassen:

Enzo. Ti consigliasti? Arrigo. Coll' onor.
E. Sei padre! A. Son cittadin.
E. miei patti accetti? A. Infami son!

Welche Kürze und welche Kraft hier wie in dem Folgenden! Im dritten Acte langt ein Bote aus Mailand an und verheißt dem bedrohten Schlosse nahen Entsatz. Um keinen Preis soll es sich ergeben und feierlich verlangt der alte Auberto, daß, wenn er einen Augenblick zwischen der Pflicht, es zu vertheidigen, und dem Wunsche, das bedrohte Leben seines Sohnes zu retten, schwanke, jeder ihn auf der Stelle tödten möge. Er und Leoniero entsagen aus Liebe zur Freiheit dem alten Familienhasse, und die Scene, wo beide sich endlich miteinander versöhnen, kann als ein treffliches Seitenstück zu der gelten, wo Schiller's feindliche Brüder den gegenseitigen hohen Werth erkennen. Beide sind edle Männer, aber die Wuth, Rache für die im Kampfe gefallenen Freunde zu nehmen, die Familienrache, welche zu jener Zeit so viele Geschlechter Italiens entzweite, hatte sie stets aufs Neue voneinander entfernt, ohne daß einer je des andern Tugend und Tapferkeit verkannt hätte. Eloisens Kinder sollen den neuen Bund besiegeln:

— Suggel siate d'amicizia eterna
Infra le due rivali schiatte.

Doch, wer einmal aus den Schranken trat, der kann zuletzt das Heiligste verletzen! Und so geht der nichts mehr achtende Sohn des Leoniero so weit, daß er den Vater unter dem Vorwande, mit ihm selbst Alles auszugleichen, zu sich lockt. Lang und anfangs langweilig ist die (vierte) Scene des vierten Actes, wo diese Zusammenkunft stattfindet. Der Republikaner sucht den Despotenknecht zu überzeugen, dieser des Kaisers Macht als Mittel darzustellen, Italiens Zwiste zu beendigen, und als endlich nichts mehr bleibt, läßt er die Maske fallen. Als Gefangener soll sein Vater bei ihm bleiben, bis das Schloß in seinen und des Kaisers Händen ist. Jetzt bricht der ganze Zorn des Greises los und ergießt sich in einem Fluche, wie ihn der alte Lear über seine Töchter Regan und Goneril spricht; vielleicht ist kein Seitenstück in einem italienischen Dichter hierzu zu finden. Nur Einiges sei mitgetheilt:

Maledetto sia il dì, ch'io da tua madre
Un figlio ricevendo il più felice
M'estimai de' viventi! Maledetta
La lagrima di gioja, onde t'aspersi,
E il sorriso infernal, che su tue labbra
Parea d'angelic' anima il sorriso!
Maledetto ogni palpito d'amore,
Con che in età crescer vedeati e augurii
Stolti di gloria al nome pio sognava!

Doch der furchtbaren Aufregung folgt eine entsprechende Abspannung und er kann nur stammeln:

— Il padre il maledisse!

soll die ganze Welt erfahren.

Im fünften Acte ist das Schloß vom kaiserlichen Heere umringt und Arrigo an einen Pfahl gefesselt. Sein Tod oder seine Freiheit hängt von der Vertheidigung oder der Uebergabe ab. Schon läßt Enzo den Henker kommen. Schon soll die Glocke das Zeichen geben. Da sendet der alte Vater zum verfluchten Sohne und läßt sagen, daß er Vorschläge zu thun habe:

— Che a tutti fien salute [illegible]

Er kommt. Er bittet das Ungeheuer, Mitleid mit ihm zu haben. Er wünscht den Fluch zurücknehmen zu können:

Riamarti voglio, ma riamarti
Non saprò mai, se non ritorci il piede
Da tanta scelleraggine!

Umsonst ist jedes Wort. Es wirft sich dem Sohne zu Füßen, aber die Sterbeglocke läutet, der Henker macht sich fertig. Nun, so bleibt denn dem Greise nichts, als solchem Sohne den verborgen gehaltenen Dolch in die Brust zu stoßen, und diese Katastrophe ergreift um so mehr, je flehender vorher das Wort und die Geberde gewesen war. Dertonas Schloß ist gerettet. Die Besatzung stürzt sich heraus auf die Kaiserlichen und verjagt sie; Arrigo, entfesselt, stößt den feindlichen Führer nieder. Aber auch der Greis empfängt eine schwere Wunde und stirbt, Arrigo, seine Eloise und ihre Kinder segnend:

— — Ma se un dì lor (figli) traditor fosse:
Ecco, Arrigo, il pugnale!

Daß S. Pellico es versteht, den Schrecken und das Mitleid seiner Zuschauer zu erregen und sie in gespannter Aufmerksamkeit bis zum letzten Worte zu erhalten, ersieht man sicher aus dieser Skizze. Nicht minder zeigt er diese Kunst in dem dritten Stücke dieses Bandes: „Erodiade". Mit großer Umsicht ist hier ein reinbiblischer Stoff behandelt. Johannes der Täufer eröffnet die Scene:

Dal carcer mio perchè mi traggi, o Erode?

Kurz ist seine Rede, rauh und rücksichtslos, wie ihn die Schrift gezeichnet hat. Er soll die Unruhe und Angst der Herodias beschwören, verlangt der König, aber Mitleid gegen sie zeigen, ihre Schrecken nicht steigern. Was denkst du ihr zu sagen? fragt Herodias den heiligen Mann.

Nichts oder Wahrheit nur und nichts als Wahrheit!

ist seine Antwort. Da erscheint die vom Gewissen gepeinigte Fürstin. Der Dichter hat sich wohl gehütet, sie uns als ganz verabscheuungswerth zu schildern. Sie macht unser Mitleid rege, da sie dem Bruder des Herodes gezwungen sich vermählt hatte und, gemißhandelt von ihm, dem schon von ihr früher Geliebten in die Arme geeilt war, aber vor dem strengen Heiligen gilt solche Entschuldigung um so weniger, weil Herodes seine rechtmäßige Gemahlin Sefora ihretwegen verstieß. Ihr soll sie den Thron und das Herz des Königs wieder abtreten, denn:

Nach Pharisäer Art ist jede Reue,
Wenn sich der Sünder nicht zur wahren wendet.
Herodias.
Und diese ist?
Johannes.
Er muß ein andrer werden!

Dies Opfer kann Herodias nicht bringen. Dies läßt die verbrecherische Liebe zum König, der Haß gegen Sefora nicht zu. Und doch quält sie das Gewissen. Sie möchte gern alles thun. Sie will endlich den Palast meiden, nur die Nebenbuhlerin soll nicht zurückkehren. Aber der Prediger der Wüste tritt ihr entgegen:

— — Leggi imporre a Dio
Può chi tornar vuol di giustizia al calle?

Erhaben ist die Sprache, in welcher der Prophet schildert, woher ihm die Verwegenheit komme, womit er nach dem Ausspruche der Herodias ihr Vergehen schildert:

— Oh quale
Possanza m'incatena anzi un inerme,
Un prigioniero, un, ch'al mio cenno è polve?

hatte Herodias gerufen, und er antwortet ihr:

„La possanza di Colui, che parla
De' deboli pel labbro e allor son forti!
— — — e che, s'a un cenno
Polve puoi farmi, questa polve il vero,
Il terribile vero avrà pur detto!

Sein Wort erschüttert sie in der That, daß sie unbedingt den Herodes flieht, den heuchlerischen Tyrannen, der keine Leidenschaft als die Liebe zu ihr kennt. Doch fast im nämlichen Augenblicke erscheint Sefora. Sie ist aus dem Lager ihres Vaters geflohen, den Gatten zu retten, der sie verstoßen hatte und welchen jetzt Arabiens Herrscher, ihr Vater, züchtigen will. Welche Anhänglichkeit! Wohl kann der Heilige, der Zeuge ihrer Ankunft ist, rufen:

> Tutto opra Iddio, per ricondur quest' empio (Erode)
> Alla salute. Sperar deggio? Io tremo.

Und er hatte Ursache zu zittern! Denn mit Sefora's Rückkehr ist auch die der Herodias entschieden. Die ganze Hölle ihres Busens ist wieder erwacht. Sie war bei ihrem Weggange aus dem Palaste vom Volke verspottet und verwünscht, Sefora laut gerühmt worden. Johannes schien ihr nur ein Haupt von Rebellen zu sein und als nun das Heer des Herodes von den Arabern geschlagen wird, als das ganze Volk aufzustehen droht, da fällt die milde, sanfte Sefora unter dem Dolche der Wüthenden und bald soll auch Johannes das Opfer ihrer Rache werden. Der Dichter hat das vom Evangelisten berührte Gastmahl, wo sie dem furchtsamen Tyrannen Herodes den Befehl hierzu entlockt, trefflich zu benutzen gewußt, den fünften Act des Trauerspiels ebenso ergreifend als lyrisch-dramatisch zu gestalten. Herodes hat den Aufruhr in Galiläa glücklich gedämpft; es ist sein Geburtstag. Aber die Gemahlin Herodias erscheint hier vom Gewissen gepeinigt, wie Macbeth nach Banquo's Ermordung. Sie glaubt Sefora's Schatten an der Seite ihres Gemahles zu sehen, Harfenklänge und die Lieder der Jünglinge, der Jungfrauen und der Reigen derselben sollen die Halbwahnsinnige besänftigen. Auch ihre kleine Tochter tanzt hier und:

> La tua danza
> Non fia senza rimerto. Un don mi chiedi!
> S'anco metà del regno mio chiedessi,
> Darte lo giuro!

ruft der entzückte Tyrann. Da ist das Haupt des Johannes verfallen. „Was soll ich fodern, Mutter?" fragt das Kind. Mit teuflischer Freude ruft sie:

> Sterminio a tutti, e prima
> Di Sefora al più ardente e pertinace
> Parteggiatore!!

Doch so abscheulich sie in solcher Wuth der Tigerin erscheint, so sehr weiß doch der Dichter sie auch noch jetzt zugleich als Gegenstand des Mitleides darzustellen. Sefora's Schatten folgt der Mörderin auf dem Fuße. Wie Lady Macbeth sieht sie auf ihren Händen, ihrem Gewande, auf dem Boden, auf der eignen Tochter Blut und immer Blut und zürnende Gespenster erscheinen und eines davon ist schrecklicher als die andern alle:

> — Sefora, cessa!
> Cessa — non t'avanzar verso mia figlia!
> Non spruzzarla di sangue!

Noch einmal wird der Prophet geholt. Er soll Vermittler werden zwischen ihr und dem Himmel; demüthig gesteht sie ihre Schuld, ihren Mord. Trost will sie haben; die Qualen ihres Herzens soll er tilgen. Ein Wort ruft er ihr zu:

> — Ammenda! *)

Und noch einmal ruft er ihr zu:

> Ammenda!

und erläutert es näher:

> — Ti stacca
> Dalla reggia, dal re.

Dies allein kann und will sie nicht. Die Heuchlerin!

> Den Frieden willst du, wie die Heiligen,
> Doch mit der Frucht der Sünde dich erquicken!

ruft ihr der Prediger der Wüste zu und sagt, daß für sie keine Rettung sei, wenn sie nicht die Frucht wegwerfe. Jetzt ist das Maß voll:

> Dann kann Herodias nicht Buße thun!
> Jetzt weiß ich Alles! Doch — der Henker wartet dein!

Und das Haupt des Heiligen fällt. Der Dichter hat hier einen Theatercoup angebracht, der in der Vorstellung den fürchterlichsten Eindruck machen oder Lachen erregen muß. Der Henker bringt, das blutige Schwert in der Hand, das Haupt „Avvolta in un panno." Zwar sieht es der Zuschauer also nicht mit dem leiblichen Auge, desto mehr und länger aber muß das Auge der Phantasie daran haften, und der Dichter benutzt dies gleich zu einem zweiten Theatercoup: das Kind, die Tochter der Herodias, stürzt, wie vom Blitz getroffen, todt an der Seite seiner verzweifelnden Mutter nieder, die sich am Leichnam den wüthendsten Vorwürfen gegen Herodes, ihren Verführer, überläßt. Sie sieht:

> Das Buch des Lebens; es ist aufgeschlagen
> Und mit Sefora's, mit Johannes Blut
> Löscht Gott auf ewig meinen Namen aus.
> Und einen andern noch — Herodes Namen!

So der Schluß des grausen Stücks, das schon als ein Beispiel von Werth ist, wie biblische Stoffe mit Würde, Kraft und Wirkung auf die Bühne zu bringen sind. *) 195.

*) „Thue Buße!" Man sieht, wie Pellico den biblischen Stoff ebenso treu als effectreich benutzte.

*) Eine Gesammtausgabe von Silvio Pellico's Werken erscheint bei E. Fleischer in Leipzig in einem Bande.

Notizen.

„Annales du théâtre, ou galerie historique des principaux auteurs et acteurs", mit Portraits, werden in Lieferungen von einem Vereine Schriftsteller und Künstler unter Leitung von Fabrice-Labrousse, J. Marty und B. Blaisot in Paris herausgegeben.

Ebendaselbst ist der Prospectus einer Zeitschrift „L'ours, journal rédigé par une société de bêtes ayant becs et ongles", die Ende October erscheinen sollte, ausgegeben worden.

Von M. A. Vidaillan's „Histoire politique de l'église" ist der dritte Band im Buchhandel.

Wir finden angekündigt: „Dictionnaire biographique universel et pittoresque", in vier Bänden mit 120 in den Text gedruckten Portraits und angeblich 3000 ganz neuen Artikeln; ferner: „Dictionnaire géographique, universel et pittoresque", und endlich gar „La médecine pittoresque". Alle diese Werke erscheinen in Lieferungen.

Seit Anfang November erscheint in Paris eine neue Zeitschrift unter dem Titel: „Revue retrospective", welche Beiträge zur ältern politischen, Literatur- und Sittengeschichte von Frankreich liefert.

Als ein Werk von hohem Interesse kündigen französische Blätter an: „De la littérature française au 19ième siècle, considérée dans ses rapports avec les progrès de la civilisation et la marche de l'esprit national", par *Cyprien Desmarais*". Schon 1824 lieferte derselbe Verf.: „Considérations sur la littérature et la société en France au 19ième siècle".

Der diesmal in Caen gehaltene Congrès scientifique wird seine Versammlung 1834 vom 1—15. Sept. in Poitiers halten.

Papier hydrographique nennt man in Frankreich ein so zubereitetes Papier, daß man mit Wasser, Speichel und den meisten farblosen Flüssigkeiten so schwarz darauf schreiben kann wie mit Tinte. 3.

Redigirt unter Verantwortlichkeit der Verlagshandlung: F. A. Brockhaus in Leipzig.

Blätter

für

literarische Unterhaltung.

Mittwoch, —— Nr. 345. —— 11. December 1833.

Zerstreute Blätter.

Aus den Papieren eines alten Diplomaten.*)

Eine der seltsamsten und bedeutendsten Erscheinungen unserer Zeit ist die schnelle und gänzliche Vergessenheit des Unheils, das die Nachäffung französischer Sitte und der Einfluß und das Uebergewicht der französischen Sprache und Literatur auf die unsrige hervorgebracht haben. Wir verdanken unsern größten Denkern, unsern herrlichsten Männern die wahrsten und ergreifendsten Schilderungen der Unnatur, mit der französischer Sinn, französische Art und Weise immer zu deutschem Sinn und deutscher Art stehen wird; aber diese Warnungen scheint das jetztlebende und das jetzt aufblühende Geschlecht nicht u kennen, und doch ist jetzt in der französischen Literatur ein so frecher, so bis zur Empörung scheußlicher Geist der Sittenlosigkeit herrschend, daß wir unsere Frauen, unsere Jünglinge und Jungfrauen vom Lesen dieser Werke abzuhalten bemüht sein sollten. Die Franzosen haben die andern Europäer von jeher zum Besten gehabt, und wir sind immer thöricht genug gewesen, uns von ihnen äffen zu lassen; aber Gott behüte uns vor Nachahmung der scheußlichen Fratzen, an denen sie sich jetzt in ihren Romanen und Schauspielen ergötzen. Die Gewalt der französischen Waffen hat uns Deutschen lange nicht so viel Unheil zugefügt als die Gewalt des Geschmacks und der Mode, welche ihre Sprache und Sitte zur allgemeingültigen machte, und Vieles, was an der Seine unter Ludwig XIV. liebenswürdig und lustig erschien, wurde durch unsere Schwerfälligkeit in der Nachahmung albern und närrisch. Nun scheint man aber zu glauben, die Ereignisse der letzten 30 Jahre hätten aus dem Volk ein ganz anderes gebildet, und die Gefahr dieses Irrthums verblendet einen großen Theil unserer Jugend, die das Elend und die Schmach der Vergangenheit nur aus Sagen kennt. Schimmer und Glanz war von jeher bei den Franzosen, und ihre eigne Ueberzeugung, daß bei ihnen alles besser ist als bei andern Völkern, verstanden sie uns aufzuschwatzen, da ihnen in der Kunst, Das geltend zu machen, was sie besitzen und im eiteln Wahn zu besitzen glauben, kein anderes Volk gleich kommt. Ihre Bildung, die vom Anfang an aus Lüge, Prunk und Witzelei entstand, auf falsche Empfindung und ehrlose Ehre basirt war, sollte auch die unsere werden, und wir verloren das Bewußtsein, ihnen in wahrer, edler Bildung seit der Reformation weit vorauszusein. Das fürchterliche Spiel der Revolution, das an der Seine gespielt wurde, riß auch uns in seine verschlingenden Strudel, aus denen einige erhabene Ideen auftauchten, die alle edlern Seelen begeisterten; aber die Folge bewies, daß sie bei den Franzosen nur leere Wortklänge gewesen waren, wenngleich unleugbar ein höherer und edlerer Geist aus ihnen erklungen war; aber unter einem so verderbten Volke mußte das Böse mächtig aufgähren, und die alte französische Leichtfertigkeit machte sich bald wieder geltend und behandelte die erhabensten Heiligthümer der Menschheit wie eine Mode, und gewiß konnte eine Revolution wie die französische und ein Herrscher wie Napoleon die Franzosen nicht milder und menschlicher machen. Unter seinem eisernen Scepter erstarb die Energie und der Muth der Freiheit; die Begeisterung ging in Ermattung und Erstarrung über; Bestechlichkeit, Pomp, Prahlereien mit leerem Tand kamen wieder an die Tagesordnung, und ein Despotismus, dessen Rückkehr ein Jahrzehend vor Napoleon's Thronbesteigung wol Keiner für möglich gehalten hätte.

Es wäre das größte aller Wunder, wenn die Franzosen, die sich darin gefielen, Napoleon's Ketten zu tragen, weil der Glanz nach außen sie mit allem innern Druck versöhnte, und die später die Bourbons willig wieder annahmen, unter allen diesen Ereignissen zu einem tugendhaften, freien, mäßigen Volk geworden wären; und doch scheinen viele Deutsche geneigt, dies zu glauben und sich wie ehemals mit französischen Worten und Ideen betrügen zu lassen. Redlichkeit, Treue, Gerechtigkeit und Mäßigkeit können allein ein Volk wahrhaft groß machen; und wo sind diese bei den Franzosen zu finden? Die Literatur ist der Spiegel des Zeitgeistes, und wahrlich, die Grausamkeit des Kannibalen ist milde gegen die Zerfleischungslust, welche die französischen Dichter der neuern Zeit zeigen, und noch nie ist die Literatur irgend eines Volkes so durch Anhäufung sittlicher Greuelbilder geschändet worden, als es die französische jetzt ist. Das Gräßliche und Abscheuliche in der alten Literatur hat noch

*) „Zwei Jahre in Petersburg. Ein Roman aus den Papieren eines alten Diplomaten" war bald nach dem Erscheinen vergriffen und ist jetzt wieder durch alle Buchhandlungen zu beziehen. D. Red.

Intereffe: wir sehen verruchte, verrückte Menschen; aber es sind doch Menschen, wir können den Scheusalen fluchen und dabei doch noch menschliche Thränen weinen; aber wo soll man sich hinwenden vor Abscheu, wenn man Victor Hugo's „Lucretia Borgia" liest? Wo ist eine Tiefe sittlicher Entartung, die sich mit der vergleichen läßt, die uns in dem „Thurm von Nesle" auf der Bühne vorgeführt wird? Balzac, Sue, Janin, Hugo — wie entweihen sie ihr Talent, und mit welchem Behagen, mit welcher gräßlichen Wollust gefallen sie sich in den Schilderungen der tiefsten Entwürdigung der sittlichen Natur des Menschen! Diese Verderbniß, die sich wie ein giftiger Aussatz über die neuere französische Literatur ausbreitet, kann nicht ohne den allergefährlichsten Einfluß auf das Volk bleiben. Unter den vielen Tausenden, die das Schauspiel besuchen, sind gewiß Hunderte, die es nie geahnt haben, daß es ein solches Ungeheuer wie Lucretia Borgia geben könne, und dieses Nichtwissen, Nichtahnen des Verbrechens und des Lasters ist auch Unschuld, heilige Unschuld, und wehe Denen, die ihr Talent dazu misbrauchen, Unschuld zu morden!

Wie aber in der Natur für jedes Gift ein Gegengift, so findet sich auch in der französischen Literatur ein Heilmittel gegen diese moralische Pest in dem Einfluß der Frauen auf die Literatur, der sich täglich fester begründet. In dem Charakter der Weiblichkeit liegt eine sittliche Reinheit, die ihnen den entschiedensten Widerwillen gegen die moralische Entwürdigung einflößen muß, worin die neuern französischen Schriftsteller sich und ihr Volk zu stürzen suchen. Welche edle Frau muß sich nicht vor der Brutalität dieser Dichtungen entsetzen? und wenn selbst ihr Zartgefühl nicht davor zurückschauderte, würde schon ihr Stolz sich dagegen, wie gegen eine Thronentsetzung und eine Beschimpfung empören, da sie wohl wissen, daß ihr Reich sich auf Sitte gründet. Das Abscheuliche, das Empörende, das Schändliche muß den Frauen ebenso zuwider sein als das Unzüchtige, oder sie haben aufgehört Frauen zu sein. Welche Frau wird den Henker und Schinder in ihren Dienst nehmen wollen, um den Helden eines Romans daraus zu machen? Welche weibliche Phantasie wird sich mit Blutschande, Zerfleischungen, Meuchelmord und Infamien jeder Art besudeln wollen? Schon das Groteske, das da beginnt, wo das Erhabene endet, nämlich bei dem Lächerlichen, und das so leicht in Gemeinheit untergeht, ist den Frauen ihrer Natur nach zuwider; sie wenden sich instinktartig von Allem ab, was die menschliche Natur erniedrigt, und Alles, was diese brandmarkt, empört sie. Hätten sie schon im Mittelalter Einfluß auf die schönen Künste gehabt, so würden die Denkmäler derselben nicht so oft durch Darstellungen und Abbildungen entstellt sein, welche Geschmack und Sitte beleidigen, und von denen selbst die gothischen Dome nicht frei geblieben sind, so erhaben und poetisch sie auch übrigens gen Himmel ragen. Es ist aber eine Bizarrerie der heutigen französischen Neu-Attilinge, daß es grade jene Zeugnisse von der Roheit des Mittelalters sind, die sie zur Nacheiferung reizen. Diese erkünstelte Barbarei des Geschmacks muß aber zu den Füßen des weiblichen Geschlechts untergehen, weil die Frauen nie Mitschuldige derselben werden können, und ihr Einfluß auf die Literatur in Frankreich dem der Männer gleichkommt und vielleicht im Fach der schönen Literatur bald der vorherrschende sein wird.

In der ganzen Entwickelungsgeschichte der Menschheit finden wir keinen Zeitpunkt, in dem die Frauen in der Literatur den Platz einnehmen, den sie in unserm Jahrhundert behaupten, und dieser Charakterzug der neu-europäischen Bildung verdient wol eine ernstere Beachtung, als ihm gemeinhin zu Theil wird, da er so tief in die große Revolution verwebt ist, die seit 40 Jahren in den europäischen Sitten, Meinungen und den Interessen der vornehmen Gesellschaft stattgefunden hat. An der Eingangspforte unsers Jahrhunderts standen in Frankreich zwei an Einfluß, Genie und Ruhm gleichbegabte Geister, Chateaubriand und Frau von Stael. Beide scheiden gleichsam die alte Zeit von der neuen und gleichen den Doppelte-

herrschen und erhellen. Chateaubriand scheint noch im Abendroth der Vergangenheit zu strahlen, während Frau von Stael im Morgenglanz der neuen Zeit schimmert.

gehört doch mit seinen Wünschen, seinen Gefühlen, mit allen zauberischen Trugbildern des Jünglings und des Dichters der hinschwindenden Zeit und ihrem politischen und religiösen Genius an; selbst dann, wenn er, voll Durst nach Unabhängigkeit, voll Sehnsucht nach Freiheit, den neuen Ideen eines neuen Geschlechts entgegeneilt, findet sich stets ein Band, das seinen Lebensnachen an dem Ufer der alten Zeit festhält. Mochte aber dieser Einfluß der alten Zeit noch so mächtig sein, so war die Fülle geistiger Gaben, die ihm unter den Dichtern die Meisterwürde sichern, doch zu groß, als daß er sich nicht, einem

durch die Mission dieses Talents an die kommende Zeit. Mit ihr beginnt für ihr Geschlecht eine neue Zeitrechnung und ein neues Geschick.

Erst unter dem schönen Himmel Griechenlands traten die Frauen in die Geschichte des menschlichen Geistes ein; ihr Genius ist eine Blüte jenes Landes. Im Orient erscheinen sie in der Geschichte wie im Leben gleichsam eingemauert; das Genie erblüht nur in der Freiheit, und im Morgenlande waren sie zu ewiger Dienstbarkeit verdammt, und in allen Annalen jener Reiche steht kein Frauenname, denn Semiramis gehört mehr der Fabel an als der Geschichte. Erst unter dem schönen Himmel Griechenlands erstand die eine Hälfte des Menschengeschlechts zum Leben. Zwei Glanzpunkte in der Entwickelungsgeschichte der

weihter Boden barg ihn zehn Jahrhunderte lang gegen die schreckensvolle Ueberschwemmung wüthender Barbaren, die gleich einem Ocean, der alle schützenden Dämme niederreißt, die alte römische Welt überflutheten.

(Die Fortsetzung folgt.)

gen Ausständen suchen, insbesondere in der Lauheit und Schweigsamkeit, ja, es ist vielleicht nicht zuviel gesagt, in dem Ungeschick der Schüler Herbart's. Sehen wir, mit welchem Eifer z. B. Hegel's Jünger in alle Welt ausgehen, um ihres Meisters Lehren zu verkündigen, mit welchem Feuer und zum Theil wenigstens unleugbarer Gewandtheit sie seine Dunkelheiten aufzuhellen, seine Schwächen zu verbergen, die Wege zum Eintritt in das Gebiet seiner Forschungen (gewiß nicht überall eine leichte Mühe) zu ebnen und auch für ein größeres Publicum zugänglich, ja sogar einladend zu machen wissen; sehen wir, wie sie gleich den Bewohnern eines Ameisenhaufens sich geschickt in die Geschäfte zu theilen, wie sie mit der größten Umsicht alle dienlichen Mittel für ihre Zwecke zu benutzen und selbst, wo jene noch nicht vorhanden, sie zu schaffen, sie wenigstens geschickt in den Kreis ihrer Bestrebungen hereinzuziehen und selbst die ihnen ursprünglich fremden Kräfte sich dienstbar zu machen verstehen: betrachten wir dies alles, dann müssen wir freilich sagen, daß ihnen gegenüber die Schüler Herbart's, deren er doch auch schon seit einem Vierteljahrhundert haben mag, keine Vergleichung aushalten. Selbst Griepenkerl in seinen „Briefen u. s. w. über Herbart's Lehre", die schon früher in diesen Blättern angezeigt wurden*), kommt im letzten Briefe auf den Vorwurf, den man Herbart's Schülern machen könnte, und die Entschuldigung, die er deshalb versucht, läuft denn doch am Ende darauf hinaus, daß allerdings von ihnen bis jetzt noch wenig geschehen sei. Ja, grade Er, den in höherm Grade als manchen Andern die innern Eigenschaften, die hier besonders in Betracht kommen, vertrauter Umgang mit dem Meister und darauf sich gründende tiefere und umfassendere Kenntniß seines Systems, sowie eine größere und für die Zwecke der Einführung eines Systems in die größere Welt so wohlthätige Gewandtheit der Sprache zieren, was hat er uns eigentlich in seinen Briefen gegeben? Kaum etwas mehr als eine dürre Aufzählung der Herbart'schen Schriften und der Reihenfolge, in welcher sie mit Nutzen studirt werden können. Das, was er insbesondre im zweiten Briefe über die Gründe sagt, warum die Herbart'sche Philosophie noch keine größern Wirkungen hervorgebracht habe, scheint das von uns oben Angedeutete eher zu bestätigen als zu widerlegen. Wenn er z. B. sagt, man nütze sie nicht, weil sie von keinem Staate vorzugsweise begünstigt werde, so fragen wir billig weiter, woher es denn wol komme, daß sie von keinem Staate begünstigt wird? Wir wissen zwar wohl, daß es mit dieser Begünstigung oft seine eigne, dem innern Gehalt der Forschung sehr ferne stehende Bewandtniß hat, aber doch nicht immer, namentlich nicht bei einer das wahre Interesse der Wissenschaft so gern fördernden Regierung wie die preußische. Und wird wol Herbart's Philosophie darum nicht begünstigt, weil sie sich politisch als verdächtig erweist? Gewiß auch der absoluteste Politiker könnte dies nicht von ihr behaupten, und uns will immer bedünken, daß sie geringere Berücksichtigung erfährt weniger um Dessen willen, was sie hat, als um Dessen willen, was sie nicht hat. Gehen wir insbesondere zu unsrer Schrift über, so können wir dieser noch viel weniger Hoffnung machen, daß sie geeignet sein werde, der Herbart'schen Philosophie einen größern Eingang zu verschaffen. Schon der immerhin sehr äußerliche Umstand wird sie nicht empfehlen, daß man in derselben von Anfang bis zu Ende keinen Ruhepunkt findet. Der Deutlichkeit, dem leichten Verständniß muß eine solche Einrichtung offenbaren Schaden bringen. Ein weiterer Uebelstand ist, daß Hr. Röer bei Hauptpunkten sich begnügt, lediglich auf Herbart's Schriften selbst zu verweisen, wo man die Sache am besten dargestellt findet, also voraussetzt, daß man diese Schriften sogleich alle zur Hand habe, und daß die in denselben gegebene Darstellung Allen vollkommen genüge. Allein in der Regel vermag der Schüler, der selbst mit dem Verständniß der Lehre gerungen, deshalb weit besser in die Bedürfnisse des Lesers einzugehen, als selbst der Meister bei allen sonstigen Vorzügen, die im Uebrigen seiner Darstellung eigen sein könnten. Ein andrer Uebelstand bei dem Verf. vorliegender Schrift ist der, daß er vor lauter Polemik gar nicht zur Sache selbst kommt, und erst gegen das Ende der Schrift erfahren wir etwas über ihren Titel, über die Methode der Beziehungen, aber beiweitem nicht Hinreichendes und das Verständniß mehr Erleichterndes, als dies schon in Herbart's Schriften selbst der Fall ist. Die Hauptbegriffe der Metaphysik, sagt er uns im Wesentlichen, wovon jedes System an irgend einem Orte bestimmte Rechenschaft geben muß, sind die des Dings mit mehren Merkmalen (der Substanz), der Veränderung, der Materie und des Ich. Durch den Streit der Erfahrungsbegriffe mit dem Sein entstanden die verschiedenen Systeme. Die Speculation hat nämlich zu ihrem Ausgangspunkte die Thatsachen der Erfahrung als Principien der metaphysischen Erkenntniß. Diese Thatsachen sind aber 1) gegeben, d. i. es steht nicht in unserer Willkür, sie anders zu nehmen, als sie sich darbieten; 2) sie widersprechen sich unmittelbar. So haben wir immer einen Gegensatz zwischen Gültigem und Undenkbarem, welcher ausgeglichen werden muß. Der Schein in seiner starren Unwandelbarkeit weist auf ein Seiendes hin. Die Speculation ist auf ihre eigne Kraft reducirt, es muß eine Methode der Behandlung jener Widersprüche geben, um sie aufzuheben. Dies geschieht durch Ergänzung; es muß etwas Neues zu dem Begriffe hinzukommen, damit die Widersprüche verschwinden. Der Begriff muß aber dieses Neue, welches keine Analyse in ihm findet, dennoch selbst darbieten, wenn die Ergänzung mehr als Hypothese sein soll, und diese Verbindung ist Synthesis a priori. Ein Begriff soll mit andern durch Synthesis a priori verbunden werden. Fassen wir ihn völlig klar und deutlich auf, so liegen die Begriffe, mit welchen er synthetisch verknüpft werden soll, nicht in ihm; dennoch federn wir, daß sie nothwendig aus ihm hervorgehen. Sie müssen sich daher als seine Folgen denken lassen, und der Begriff heißt insofern Grund, als er sich auf nothwendige Art verändert, als er aus sich selbst andre Begriffe erzeugt, die als seine Folge mit ihm in Zusammenhang stehen. Die Art des Fortschrittes ist die Methode, die wir Methode der Beziehungen nennen, weil sich ein Begriff auf andere Begriffe nothwendig bezieht. Mit einigen Seitenblicken auf die Metaphysik und im Anhang mit einer Expectoration gegen J. H. Fichte's Schrift: „Ueber Gegensatz, Wendepunkt und Ziel heutiger Philosophie", schließt der Verf. seine Schrift, in welcher wir, wie gesagt, gerade über den Hauptpunkt, über die Methode der Beziehungen, viel zu wenig und zu Ungenügendes gesagt finden. Wir müssen daher zum Frommen der Sache wünschen, daß Herbart's Schüler mit mehr Gewandtheit und in einmüthigerm Zusammenwirken auftreten möchten. Rö.

*) Vgl. Nr. 295 d. Bl. f. 1832. D. Red.

Blätter
für
literarische Unterhaltung.

Donnerstag, — Nr. 346. — 12. December 1833.

Zerstreute Blätter.

Aus den Papieren eines alten Diplomaten.

(Fortsetzung aus Nr. 345.)

Aus dem Blut der Märtyrer, aus den Trümmern Roms und seiner Weltherrschaft ging eine neue Zeit auf, bei deren Beginn aber Künste und Wissenschaften in dem Grabmal der alten Civilisation versunken zu sein schienen. Für die Menschheit erblühte ein neues Leben, das mit einer neuen Kindheit begann; allein die Wiege der christlichen Civilisation stand in einer höhern Region der gesellschaftlichen Entwickelung: die moralische Gleichheit der Frauen mit den Männern war auf immer durch Religion und Gesetze, durch Empfindung und Sitte begründet, und die neue Welt führt uns in dem höchsten Zauber ihrer Jugendblüte ein neues, dem Alterthum unbekanntes Gebilde vollendeter Weiblichkeit in der Jungfrau vor. Ein Engel noch und doch schon Weib, schwebt um die Idee der Jungfräulichkeit der reine Abglanz himmlischen Ursprungs, und in dieser Idee ward auch der irdischen Liebe ihre Verklärung, und der Mann begann nun nicht blos die Rechte der Schwäche, sondern auch die der Unschuld und ihre heilige Weihe zu ehren.

Das Ritterthum, diese Heroenzeit der christlichen Welt, heiligte andachtsvoll die Macht der Sitte, der Schönheit und der Liebe. Die christlichen Rhapsoden sangen, die Ritter kämpften unter dem Panier der Frauenhuld. Clemence Isaure ist die christliche Aspasia. In Toulouse wurde die erste Akademie errichtet, ein Denkmal ihrer Liebe zur Poesie und Wissenschaft, und in den blühenden Thälern der Provence feiert noch manches Lied Isaurens Namen. Die Jungfrau von Orleans ist die Amazone der neuern Geschichte, die durch ihren einfachen, man kann sagen, ihren naiven Muth, durch die rührende Treue ihrer Aufopferung die Geschichte ihres Landes poetischer macht als es irgend ein französisches Heldengedicht ist. Heloise ist dagegen die Sappho der neuern Zeit. Alle Interessen des weiblichen Geschlechts sind an Ein Gefühl und an die Wonnen und Schmerzen desselben geknüpft, und so ist es nicht zu verwundern, wenn alle weiblichen Dichtungen in der Zeit der wiederaufblühenden Literatur auch nur von Einem Gefühl beseelt sind und dies in allen Gestalten auszusprechen suchen, die ihm die Einbildungskraft zu geben, die Leidenschaft für dasselbe zu erschaffen vermag. Margarethe von Navarra versinnlicht es bis zur Zügellosigkeit; Fräulein von Scudéri bläht es mit leerer Nichtigkeit so auf, daß es wie eine Seifenblase zu unsichtbarem Dunst zerplatzt; Frau von Lafayette war die Erste, die durch ihren zarten Sinn und ihre geschmackvolle Darstellung den Roman aus der Erniedrigung zog, in die er durch Entwürdigung und Ueberspannung versunken war, und ihn dadurch auf lange zu Dem machte, was er eigentlich sein soll: eine Domaine des weiblichen Geschlechts im Gebiet der Literatur.

Frau von Lafayette lebte schon im Zeitalter Ludwig XIV. Das weibliche Geschlecht, das schon seine geistige Herrschaft begründet hatte, erhielt damals zuerst auch den politischen Einfluß, den es seitdem, vorzüglich in Frankreich, fortdauernd behauptet hat. Die Fronde, diese seltsame Erscheinung eines halb parlamentarischen, halb galanten Krieges, eröffnete dem Genie der Frauen, indem sie ihren Liebeleien eine historische Wichtigkeit gab, eine neue Bahn und gab ihm einen neuen Aufschwung. Die Dichterinnen jener Zeit, eine Cheron, La Suze, eine Deshoulières sind alle unbedeutend und selbst schlecht; nur in den Briefen der Frauen damaliger Zeit offenbart sich ein geistreicherer Gehalt. Frau von Sevigné hat uns ein anziehendes Gemälde des Zeitalters Ludwig XIV. in ihren Briefen hinterlassen. Frau von Maintenon, Anna von Gonzaga, die Herzogin von Longueville, Frau von Motteville, die Mutter des Regenten, geben uns in ihren Briefen nicht blos Erinnerungen aus ihrem Leben, sondern auch höchst merkwürdige Beiträge zur Geschichte der Entwickelung und Ausbildung des gesellschaftlichen Zustandes ihrer Zeit. Eine höchst merkwürdige Erscheinung ist auch Madame la Mothe Guyon, die grade in Frankreich am wenigsten verstanden und gewürdigt worden ist. Die Frauen versuchten sich in allen Fächern der Literatur; ja, sie warfen sich sogar in die Gelehrsamkeit wie Madame Dacier und die Marquise du Chatelet. Doch blieben alle literarischen Leistungen der Frauen jenes Zeitalters unter der Mittelmäßigkeit.

Mit dem Anfang des 18. Jahrhunderts beginnt eine lüstelnde, frivole Zeit, deren Philosophie mit der immer allgemeiner werdenden Sittenverderbniß in Frankreich Hand in Hand ging. Paris ähnelte mit seiner Encyklopädie, seinem Hofe und der zerstörenden Umwälzung, der Athe-

mit raschen Schritten entgegeneilte, Byzanz, Alexandrien und Rom zu den Zeiten ihres Unterganges. Wie tief das weibliche Geschlecht von dem Verderben angesteckt war, beweisen uns alle schriftstellerischen Producte weiblicher Federn aus dieser Periode; sie spiegeln uns das abwechselnd leichtsinnige, glänzende, leidenschaftliche, sittenlose Leben ab, das sie führten, und für das sie keinen andern Zweck kannten als einzig den, zu gefallen und sich verführen zu lassen. Die Memoiren der Madame d'Epinay sprechen die bis zur Frechheit gehende Schamlosigkeit der damaligen Zeit auf eine für ein deutsches Gemüth wirklich empörende Art aus. Die Unnatur eines solchen gesellschaftlichen und sittenlosen Zustandes des weiblichen Geschlechts ist so groß und für das Wohl der bürgerlichen Gesellschaft so vergiftend, daß sie mir als eins der bedeutendsten Anzeichen der Revolution erscheint, durch welche die Civilisation der neueuropäischen Welt wie die der alten durch Blut und Thränen wiedergeboren werden sollte.

Die französische vornehme Welt kam auf einem mit Blumen des Vergnügens bestreuten und mit glänzenden Festen und Illusionen geschmückten Pfad am Fuß des Schaffots an. Sie erwachte bei dem Donnergetöse der einstürzenden Monarchie aus dem betäubenden Taumel ihres Rausches und zeigte sich zum Tode bereit. Die Revolution hat ihr Märtyrerthum und ihre Märtyrer; der Geist der Barbarei und des Schreckens, der sich in Frankreich der ausübenden Macht bemächtigt hatte, behandelte die Frauen wie die Männer, sie theilten mit diesen Ruhm und Unglück; auf dem Blutgerüst des Revolutionsplatzes fiel das Haupt der Königin wie das des Königs; der Kopf der Prinzessin von Lamballe wurde wie der Foulon's und Berthier's vom wüthenden Pöbel zur Schau umhergetragen. Madame Roland wurde mit den Girondisten hingerichtet, und sowol die Jakobiner als die Cordeliers fanden in diesem furchtbaren Schicksalsdrama ihre Repräsentantinnen; jene in der schönen Camilla Desmoulins, diese in Hebert's Gattin. In dieser blutigen Zeit bewährten sich die Frauen durch Muth, Seelenadel und sittliche Würde; das Unglück bewies hier seine reinigende und heiligende Kraft. Fräulein von Sambreuil verblödete durch die stille Würde ihres Betragens ihre Henker; Charlotte Corday brachte der Freiheit ein noch größeres Opfer als ihr Leben; die Heerführer der Vendée sahen sich auch im Gefecht von ihren Frauen nicht verlassen; Tallien stand nicht allein auf den Stufen des Rathhauses, als er mit den Blitzen seiner Beredtsamkeit die Schreckensregierung bekämpfte — überall und immer finden wir in dieser Schreckenszeit zwischen beiden Geschlechtern Gemeinschaft der Gefahr, der Aufopferung und der Seelengröße.

Doch die Fackel der Kunst und der Wissenschaft erlosch nicht in Blut und Thränen; die Civilisation wurde nicht gezwungen, unter Ruinen eine Zuflucht zu suchen, und das weibliche Geschlecht, das auf dem Schauplatz welthistorischer Ereignisse eine solche Rolle gespielt hatte, sich so des Umfangs seiner Seelenkräfte bewußt worden war, mußte dadurch die, seinem Einfluß und seinen Talenten früher eröffnete Laufbahn unausbleiblich vergrößert sehen. Das weibliche Geschlecht lebt jetzt in Frankreich in Verhältnissen, die sich durchaus von seinen Verhältnissen in allen andern Ländern unterscheiden, und der Einfluß, den dies Beispiel still, leise, allmälig, aber durchaus unvermeidlich und naturnothwendig auf die kommende Zeit und auf die Stellung des weiblichen Geschlechts in ganz Europa haben wird, ist so bedeutend, daß es wol einen Ueberblick verdient, wie die Frauen jetzt in fast allen Zweigen der Literatur in Frankreich sich neben den ersten Schriftstellern dieses Landes einen ehrenvollen Platz erworben haben.

Der Sturm der Revolution stärkte und entfaltete die Schwungkraft der Fittige des Genius, der Anne Germaine Necker zur berühmtesten Frau ihres Zeitalters machte. An Seele und Herz ganz Weib, war sie an Vernunft und Ideenkraft ein Mann. Ihre „Betrachtungen über die französische Revolution“ sichern ihr einen Platz unter den Geschichtschreibern, ihr Werk: „Ueber Deutschland“, unter jenen Geistern, die ihrem Volke auf Jahrhunderte hinaus eine neue Richtung geben, „Delphine“ und „Corinne“ einen Ehrenplatz unter den Dichtern. In ihrem Talent wie in ihrem Leben spiegelt sich die Zeit ab, deren geistvollste Tochter sie war; was aber ihren Ruhm fest und schön begründet, ist, daß sie, von der Individualität ihres Geschlechts alle Fülle edler und begeisternder Liebe zum Wahren, Guten und Schönen treu bewahrte. Ihre Politik war in einer Region heimisch, die ihr die Weisheit unserer Diplomaten und Staatskünstler nie zum Aufenthalt angewiesen hat. Die Freiheit war ihr eine heilige Göttin, und die Rechte der Völker glaubte sie in der Vernunft und in der Bestimmung des Menschengeschlechts begründet. Sie war nicht allein geistes-, sie war auch seelengroß, und ihr Einfluß auf ihre Zeit und auf die bedeutendsten Männer dieser Zeit war ebenso wichtig als vielumfassend.

Es ist unleugbar, daß Frau von Stael ihrem Geschlecht gleichsam eine neue Bahn vorgezeichnet hat, auf der es jetzt würdig fortschreitet. Eine Menge neuer Pfade haben sich dem weiblichen Talent eröffnet; der Roman konnte nicht mehr ausschließend für die Frauen das Organ bleiben, Geschichte zu schreiben, und Klio's Griffel geziemt wol Händen, die gegen die Dolche der Meuchelmörder und das Beil des Henkers sich zu vertheidigen gezwungen worden waren. Wer erkennt Männergröße und Männerthat so rein, so wahr an als edle Frauen? Welcher edle Mann hat nicht die gerechteste, die belohnendste Anerkennung seines Werthes in einem reinen, starken Weiberherzen gefunden? Warum sollten also die Frauen von der Aufgabe ausgeschlossen werden, die Ereignisse ihrer Zeit der Nachwelt zu überliefern? Welcher Mann hätte wie Madame Campan die Leiden zu schildern vermocht, die gleich düstern Vorahnungen Maria Antoinettens glanzumstrahltes königliches Leben vergifteten? Welcher Mann möchte Madame Roland das Recht streitig machen, der Nachwelt ein Gemälde der edelmüthigen Gesinnung, der schwärmerischen Hoffnung der Partei zu hinterlassen, mit deren Häuptern sie hingerichtet wurde? Und jene einfache, heldengroße Frau, die das Herz eines Lescure und eines Laroche-Jacquelin in jedem Kampfe, den sie zu kämpfen hatten, schlagen sah, war sie nicht berufen, uns ein Gemälde ihres Heldenthums zu geben? Welches Männerwerk wird sich erhalten, wenn diese Werke im Strom der Vergessenheit je untersinken könnten? Doch ist es wahr, daß das Talent der Geschichtschreibung bei den Frauen nicht blos Ausgezeichnetes hervorgebracht hat; es ist ein einträglicher Gewerbszweig für die handwerksmäßig betriebene Literatur geworden, und das Kaiserreich hat sowol wie die Republik seine weiblichen Dangeaux, ja sogar seine Samsons und Vidocqs gefunden, die ihre Auszeichnung darin gesucht haben, ihre Infamie öffentlich bekannt zu machen und das Publicum mit Skandalen zu unterhalten. Ein Beispiel davon sind die vielgelesenen „Mémoires d'une contemporaine", und die „Mémoires de Madame de Campestre".

Aber auch die Literatur hat ihre bonnes fortunes; und wenn dies für unsere deutsche Literatur die „Briefe eines Verstorbenen" sind — das demagogischste aller Bücher, weil kein anderes so die Verworfenheit der vornehmen, sogenannten großen Welt ans Licht zieht —, so sind es die Memoiren der Herzogin von Abrantes für ganz Europa. Sie sollten universelle Memoiren heißen, denn es sind die Memoiren von Jedermann, und in der Form eines sorglosen Geplauders geben sie uns eine Geschichte des Kaiserreichs in allen seinen gesellschaftlichen Verzweigungen, wie sie bestimmt nur eine Frau zu schreiben und aufzufassen vermochte.

Man kann aber der französischen Damenliteratur nicht erwähnen, ohne bei dem Andenken einer Frau zu verweilen, die sich in allen Arten der Schriftstellerei versucht hat: Geschichte und Roman, Politik und Philosophie, Komödien und geistliche Abhandlungen — Alles hat ihre fruchtbare Feder zu Tage gefördert. Frau von Genlis ist durch die Vielseitigkeit und Unerschöpflichkeit ihres Talents eine merkwürdige Erscheinung, und auch darin, daß sie bei einem fast beispiellosen Reichthum an Erfindung, Verwickelung und Mannichfaltigkeit der Situationen und Begebenheiten doch durchaus alles poetischen Genies ermangelt; ein Fehler, den ihre Landsleute nie bei ihr gerügt, wahrscheinlich auch nie bei ihr entdeckt haben. Unsere deutschen Schriftstellerinnen ermangeln sämmtlich, ohne Ausnahme, der selbstschöpferischen dichterischen Productionskraft, und noch keine von ihnen hat sich durch Neuheit und Originalität der Erfindung ausgezeichnet; wir wollen uns aber freuen, daß es ihnen nicht gegeben ist, diesen Mangel durch Das zu ersetzen, was ihn bei den französischen Frauen oft verdeckt: Talent zur Intrigue. Die Romane der Frau von Genlis sind durchaus leer an poetischer Erfindung; aber alle sind auf eine höchst künstliche, mit der geübtesten Feinheit und Schlauheit durchgeführten Intrigue basirt. Frau von Genlis hatte sich in ihrem langen Leben die Aufgabe gestellt, Alles wieder aufzubauen, was Voltaire und seine Schule niedergerissen hatten, und aus welchem Gesichtspunkt man auch diese merkwürdige Frau betrachten mag, bleibt es doch immer ein anziehendes Schauspiel, sie gleichsam Schritt vor Schritt mit der französischen Revolution im Kampf zu sehen und die Unermüdlichkeit zu beobachten, mit der sie bis ins späteste Alter hinein ihre Kräfte mit ihren Werken zu vervielfältigen schien, um einer Mission zu genügen, die sie sich selbst gegeben hatte, und die, größer als irgend eine irdische Macht, doch noch kleiner war als ihr Muth. Sie unternahm es, wie bekannt, Voltaire und Rousseau umschmelzen und sie der Jugend mit einer Jesuitensauce auftischen zu wollen. Rousseau hatte in seinem „Emil" für die Gesellschaft der alten Ordnung Plane zu einer republikanischen Erziehung entworfen, die, für diese nicht ausführbar, doch von ihr thörichterweise mit Entzücken aufgenommen wurden; Frau von Genlis bemühte sich dagegen, das lebende Geschlecht, das im Schoos der Revolution geboren, mit ihren Grundsätzen genährt ist, zu den Fundamenten einer gesellschaftlichen Ordnung zurückzuführen, die in Frankreich nicht mehr existirt. Der Gegensatz in beiden Bestrebungen wird dadurch noch greller und seltsamer, daß es von Rousseau's Emil keineswegs erwiesen ist, daß er ein Bürger im jetzigen Sinn des Wortes geworden sein würde, und daß dagegen der Emil der Frau von Genlis auf dem französischen Thron ein Bürgerkönig ist.

(Der Beschluß folgt.)

Neueste Schriften von M. G. Saphir. Erster bis dritter Band. München, Jaquet. 1832. Gr. 12. 3 Thlr. *)

Wer den Verf. kennt, weiß, daß das einzige Gute, welches man ihm nicht absprechen kann, ein leichtes, sehr leichtes Talent ist; doch gewohnt, mit Allem gewissenlos umzugehen, thut er es auch mit der Gabe, die ihm geworden ist. Unter allen den Gedichten, die wir vor uns haben (d. h. unter denen, die wir davon gelesen, denn die Proben bewiesen, daß wir uns mit ihnen hinlänglich begnügen konnten), ist nicht eines, in dem sich nicht Talent mit der liederlichsten Behandlung desselben gepaart findet. Es findet sich nicht selten ein artiger Gedanke, aber stets ist er schief ausgedrückt, sodaß er einem hübschen Gesichte gleicht, welches ein häßliches schneidet, sei es nun aus innerer Gemeinheit, Frechheit, Bosheit, oder jener plumpen Trägheit, die Alles schlaff an sich hängen läßt. Bei einer solchen Mischung ist eigentlich keine Kritik möglich als diese allgemeine. Zwar könnte man zahllose Einzelnheiten herausheben, welche die Geschmacklosigkeit, die Unlust, sich auch nur die mindeste Mühe zur Ueberwindung des Schwierigen zu geben, darthun, indeß dies würde uns nöthigen, fast das ganze Buch abzuschreiben. Nur Einiges, was uns im Durchblättern gleich als immer wiederkehrend höchst unangenehm auffiel wollen wir anmerken. Einen unausstehlichen Reim: „Ranft" (für Rand) auf „sanft", fanden wir dreimal binnen einer halben Minute. Eine widerliche Sentimentalität, die sich in den bedeutsamsten Worten der Sprache verschwendet und Pleonasmus auf Pleonasmus häuft, tritt uns fast überall entgegen. Als Beispiele führen wir an: zart und sinnig, süß und milde, sanft und lieblich, Wonnestrahl, Lichteswogen, Engelsmienen, Kinderäugleinflimmern, Schimmerstrahl, Himmelstaube, Hoffnungswitwer (!!), Maienmorgenstrahl, Schmerzensfühlung, und dergleichen Ekelhaftes mehr, was uns auf jeder Seite aufstößt und anwidert, und wovon der Leser gewiß schon so gesättigt ist wie wir selbst. Die alle Grenzen des Erlaubten überschreitende

*) Vgl. Nr. 306 d. Bl. f. 1832. D. Red.

Unwissenheit des Verf., die sich bis auf die Orthographie erstreckt, zeigt sich auch in hundert Beispielen; vorzüglich bronillirt ist er mit griechischen Wörtern, zumal wenn ein i oder y darin vorkommt, wie er denn z. B. Sphinx mit einem y (Sphynx) und Zephyr mit einem i (Zephir) schreibt. Diese große Gelehrsamkeit macht es ihm dann auch zulässig, andere Worte zu verdrehen, sodaß sie nur noch ungefähr so klingen, wie sie sollten, und z. B. Erinnen statt Erinnyen zu schreiben. Kurz, er beweist auf jeder Seite, daß ein guter Tertianer ein Baco oder Leibnitz der Gelehrsamkeit gegen ihn ist. Herrlichen Ruhm unserer Literatur, die Quartaner zu ihren Heroen zählen zu dürfen! Indessen hat Saphir recht, seine Gelehrsamkeit mit seiner Empfindsamkeit, seinem Pathos u. s. w. ins Gleichgewicht zu setzen und Alles für Stickermamsells, Ellenritter, gräfliche Junker, die durchs Portepeefähndrichsexamen gefallen sind, und allenfalls Hofdamen und Elegants der Residenz (denn diese unterscheiden sich von Putzmacherinnen und Ladendienern selten anders als durch mehr äußerliche Glätte) mundrecht zu machen. Man sieht, der Autor kennt sein Publicum. Die zweite Hälfte des ersten Bandes enthält launige Gedichte. Gemeinheit ist ihr Stempel. Bei manchen geht diese schon aus der Ueberschrift hervor, wie z. B. das Gedicht: „Huldigung den rothen Haaren". Oft ist der Humor bei ihm in der Hauptsache entlehnt; die große Gewissenhaftigkeit des Verf. verschweigt dies jedoch und hofft, der Leser werde so unwissend sein wie er und nicht wissen, daß er z. B. seine Fibelverse nach Asmus bildet, dem er freilich nur die Form, nicht den Geist stehlen kann. Nebenbei schimmert auch noch durch diese Fibelverse die niedrige Absicht, das Größte und Wichtigste der Zeit, die Gestaltung des Staatslebens, zu begeifern, z. B.

A.
Die Amsel plappernd sich gefällt,
Ein Antrag ist gar bald gestellt.
K.
Die Kammer muß gefeget sein,
Die Kehrbürst' macht am besten rein.
V.
Ein Vieh blökt stets dem andern nach,
Das Votum gibt man ganz gemach.

Es ist genug. Drei Löffel eines solchen Brechmittels genügen dem stärksten Magen. Wir würden, da Gerechtigkeit auch selbst für Den, der Alles verwirkt, übrigbleiben muß, auch gern witzige, gelungene Beispiele geben, doch ist in dem ganzen Doppeldutzend dieser Fibelverse auch nicht ein einziger zu finden, der sich über die Trivialität erhöbe. Es ist genug, wiederholen wir noch einmal. Hat Deutschland noch einen kleinen Ueberrest von Geschmack und Würde, so läßt es diese Gedichte ungelesen.

Zweiter Band: „Nachtschatten", „Humoristisches".

Nachtschatten, Schierling, Wolfsmilch, dies Alles sind vortreffliche Titel für Saphir'sche Schriften, nur daß diese Gifte eigentlich zu edel sind; wüßten wir einen giftigen Schmutz, dem würden wir sie lieber vergleichen. Der Band beginnt mit einem Aufsatze, der „Die vier W (Weh) des menschlichen Lebens" betitelt ist: eine Vorlesung, welche der Verf. im Odeonsaale zu München im Jahre 1831 zum Besten (sic!!) der verwundeten Polen gehalten hat. Polen hat viel Schmach geduldet; eine der tiefsten aber ist es, daß seine Verwundeten, diese edeln blutenden Helden, Almosen durch Saphir'sche Vorlesungen erhalten mußten. Die dürftig witzige Vorlesung, denn meist Alles beschränkt sich auf Wortwitz, hat sich zum Thema gewählt: Wein, Weiber, Witz, Wahrheit, für das vierfache Weh der Menschheit zu erklären. Wenn es möglich wäre, alle die Halbheiten und Fehltreffer in diesem Buche aufzusuchen und nachzuweisen, so hätten wir den Beruf, auch gleich mit diesem Titel anzufangen, der das Unwitzige und Unwahre schon dadurch in sich trägt, daß er Witz und Wahrheit zu Gegensätzen macht. Doch dies bleibt ein für allemal eine Unmöglichkeit, weil man gezwungen sein würde, ein dreifach dickeres Buch zu schreiben als der Autor selbst, mit dem wir uns leider hier beschäftigen müssen. Immer wieder die ekeln Wortspiele! Am empörendsten aber sind dabei die Versuche, den großen, reinen, heiligen Jean Paul in hohltönenden Phrasen zu copiren, ihn, der kaum eine Zeile geschrieben, in der nicht der tiefste Gedanke lebt. Noch widerwärtiger als in seinem Witz wird uns der Verf. in seinen Versuchen, sentimental, edel, würdig zu sein. So z. B. der in klingenden Worten sich aufblasende Aufsatz: „Die Rose vom Grabe"; ferner: „Das Fest der Gräber zu München am Allerheiligentage". Warum uns der Verf. in dieser Gestalt der Frömmigkeit und edeln Rührung am widerwärtigsten ist, frage er sich selbst. Wir wissen, er kennt die Antwort und verschluckt sie mit Erbitterung. Da wir aber auch im Allgemeinen wissen, was wir an ihm haben, und Jeder, der es nicht weiß, Das an ihm zu haben verdient, was er an ihm zu haben glaubt, so brechen wir hiermit unsere Bemerkungen über das Buch, bei dem wir uns schon zu lange aufgehalten, ab, ohne einmal des dritten Bandes, der „Nesselblätter", näher zu gedenken, der übrigens dem zweiten vollkommen gleicht, und von dem sich stechen lassen mag, wer da will. Nur eine orientalische Anekdote fügen wir zur Nutzanwendung hinzu. Ein Jüngling, Schüler des Zoroaster, bat seinen Lehrer: „Meister, zeige mir den Tod". „Gern", erwiderte dieser lächelnd. Eine graue Wolke schwebte herab; Zoroaster führte den Jüngling davor und ließ ihn hineinblicken. Da sah er einen furchtbaren Dämon, der ihn zornig anschaute und den Bogen auf sein Herz gespannt hielt. Der Greis erblickte einen sanft lächelnden Genius, der ihm einen duftenden Blütenkranz reichte.

So mag Hr. Saphir in den Spiegel der Kritik blicken: wie jene nur sahen, was sie in ihrer innersten Brust trugen, so wird auch er die wahre Gestalt seines Innern erkennen, und es ist nicht unsere Schuld, wenn er sich vielleicht mit Widerwillen abwenden muß. 76.

Notizen.

Wie nothwendig es für unsere Zeit sei, die neugriechische Sprache zu einem besondern Gegenstande des Studiums zu machen und sie nicht wie bisher zu vernachlässigen, lehrt ein an sich unbedeutendes Beispiel, das ein Aufsatz in der „Allgemeinen Zeitung" vom 15. Sept. d. J. darbietet. Dieser Aufsatz enthält Nachrichten über mehre in Griechenland erscheinende Zeitschriften. Von einer derselben wird das Urtheil angeführt, daß sie „κακοριζική" sei, und dieses Wort wird, als ob es ein altgriechisches sei, gedeutet und übersetzt mit: „von schlechter Wurzel". Das Wort will aber nur so viel als: schlecht, sagen, und die Endung, in welcher der, wahrscheinlich nur des Altgriechischen kundige Verf. der fraglichen Mittheilungen das alte ῥίζα (Wurzel) zu erkennen glaubte, hat, wie analog in ähnlichen Wörtern (z. B. μικρουτσικός, d. i. klein, sehr klein), keine besondere Bedeutung, als daß sie höchstens augmentativ ist. Die fragliche Endung dürfte jedenfalls italienischen Ursprungs (uccio, iccio) sein.

Es mag Mancher, der an und für sich über die Vorzüge und Mängel der stehenden Heere mit sich im Reinen ist, für seine Ueberzeugung die Kraft eines Erfahrungsatzes, insofern er sich unbedingt für die Vorzüge der Milizen ausspricht, in Anspruch nehmen wollen, aber ihn in seinen eignen Umgebungen nicht finden. Nordamerikas vereinigte Freistaaten gewähren ein Beispiel dieser Art. Man lese nur die Reisebeschreibung des Franzosen Levasseur: „Lafayette en Amérique 1824 et 1825" (Paris 1829), und in derselben Dasjenige, was er, nach Beispielen der Wirklichkeit und Resultaten der Erfahrung, über die Vorzüge der nordamerikanischen Milizen vor stehenden Heeren in jedem Vertheidigungskriege — dem einzigen, der einem Volke zusteht, das kein Werkzeug in den Händen Ehrgeiziger sein will — sagt. 80.

Redigirt unter Verantwortlichkeit der Verlagshandlung: F. A. Brockhaus in Leipzig.

Blätter
für
literarische Unterhaltung.

Freitag, — Nr. 347. — 13. December 1833.

Zerstreute Blätter.

Aus den Papieren eines alten Diplomaten.

(Beschluß aus Nr. 346.)

Die jetzige Erziehung mit der jetzigen Ordnung der Dinge in Einklang zu bringen, ist eine Aufgabe, die in Frankreich viel weibliche Federn beschäftigt hat und noch beschäftigt. Madame Necker von Saussure, die sich in ihrem Werke über Frau von Stael ein Denkmal gesetzt hat, das beide Frauen ehrt, hat über die physische Erziehung der Kinder in den ersten Lebensjahren ein treffliches Buch geschrieben. Frau von Rémusat hat, begeistert durch die Liebe zur Freiheit, in ihren Werken gezeigt, wie die Frauen, weit entfernt durch den Sturz der sittenlosen Herrschaft, die sie im vorigen Jahrhundert behaupteten, an Einfluß und Glück verloren zu haben, sich in unserer Zeit unter dem Schutz der bürgerlichen Gesetze am häuslichen Herde ein edleres und dauerhafteres Reich zu begründen vermögen. Die Galanterie der vorigen Zeit war doch nur die Vergoldung der Sklavenkette, die das weibliche Geschlecht trug; wir haben aufgehört, galant zu sein, aber das zwingt uns eben, den Frauen Gleichheit im Gebiet geistiger Entwickelung zuzugestehen; sobald wir aufhören, sie als unsere Herrinnen zu behandeln, müssen wir, wenn wir nicht roh und einfältig sind, sie als Freundinnen ehren. Madame Guizot, deren Schriften das seltene Verdienst haben, von den Kindern ebenso geliebt als von ihren Müttern und Lehrern geachtet zu sein, hat in ihnen die gültigsten Zeugnisse für den sittlichen Adel ihrer Seele niedergelegt. Diese Frau ist berühmt geworden, ohne je verleumdet worden zu sein; ihr Edelsinn hat ihr Unglück durch ihr Talent, ihr Talent durch ihr Unglück geadelt.

Auch in der französischen Journalschriftstellerei, diesem Kampfplatz, auf dem alle Berühmtheiten der Zeit wechselsweise als Kämpfer und als Kampfrichter auftreten, haben sich die Frauen geltend zu machen gewußt. Die Journale, diese Landwehr der öffentlichen Meinung, empören sich zuweilen gegen ihre Monarchie, der sie aber nichtsdestoweniger zur Behauptung ihrer Herrschaft unentbehrlich sind; sie sind gewissermaßen im heutigen Europa eine Art von privativer Volkssouverainetät. Eine Menge dieser Zeitschriften und Flugschriften sind augenscheinlich für die empfänglichste, leidenschaftlichste Hälfte des lesenden Publicums, für die Frauen bestimmt, deren Einfluß auf die öffentliche Meinung unermeßlich ist. Es gibt sogar ein französisches Journal, das blos von Frauen geschrieben und redigirt wird. Die Herzogin von Broglie ist Mitarbeiterin an der „Revue française" sowie an der „Revue des deux mondes", und ihre Aufsätze sind eine Zierde dieser wissenschaftlichen Journale. Die Kunst, gut zu schreiben, dies Kind verfeinerter Sitte, ist nicht das Beachtungswertheste bei diesen Erzeugnissen weiblicher Federn; sie beweisen auch, welche Fortschritte in unsern Tagen die Frauen in der Entwickelung ihrer höhern Fähigkeiten, in der Kunst, zu denken und richtig zu urtheilen, gemacht haben.

So ist auch die Bühne nicht mehr der ausschließliche Schauplatz für das dichterische Talent der Männer. Die Marquise d'Audremont hat mit Erfolg für die Oper, Frau von Montanbos für das Vaudeville, Madame Bauer für das Lustspiel geschrieben, Doch bleibt das Fach der eigentlichen Poesie immer das Heimatland des weiblichen Talents. Ihr Herz gleicht den Aeolsharfen, und vom Hauch des Gefühls, vom Sturm der Leidenschaft bewegt, ertönt es in viel rührendern und ergreifendern Accorden, als die Kunst des Tonsetzers zu erfinden vermag. Die ganze Tonleiter der lyrischen Poesie haben die Frauen durchempfunden, und fast Alles, was die Männer singen, haben sie den Frauen abgelernt, oder wissen es aus ihren Erzählungen. Der Helikon hat aber jetzt wirklich zwei Gipfel, und die Frauen machen nun selbst die Verse, zu denen sie sonst nur begeisterten. Und was besingen die Französinnen nicht alles! Nicht blos Schmerz und Liebe, auch den Krieg, die Freiheit, das eroberte Algier, das zertrümmerte Polen, die Revolution, Alles, Alles wird von ihnen besungen! Ich kann hier nur einige der vorzüglichsten Dichterinnen anführen. Aglae von Corday hat das Unglück der verbannten Königsfamilie in so schönen und wohlklingenden Versen gefeiert, wie sie nur je die Dichter gesungen haben, um die Pracht und den Glanz des Königthums zu schildern. Madame Desbordes-Valmore, Madame Tastu und Delphine Gay sind auch in Deutschland gekannt und geliebt, sowie auch die Prinzessin von Salm, deren Roman: „Vingt quatre heures" vor der Kritik keine Gnade finden kann, durch ihre „Epître aux rois" sich Ansprüche auf Achtung ihres Talents und ihrer Freisinnigkeit erworben hat.

Bei diesem Streben der Frauen, ihre literarische Wirk-

samkeit auszubreiten, haben sie natürlich das Fach der Romane nicht vernachlässigt. Ihre Romane sind gemeinhin Memoiren — eine Art von Beichte, bei der die Dru-

der Verstümmelung einiger Erinnerungen zu einem discreten Echo des Selbstempfundenen, Selbsterlebten, und das Publicum ihr Vertrauter wird. Diese reiche Quelle der wahr empfundensten Entwickelungen und Beiträge zur **Geschichte des menschlichen Herzens** wird daher auch den **Frauen immer vorzüglich lieb und** werth bleiben. Die Buchhändlerkataloge erschrecken Einen aber ordentlich durch die Menge der von ihnen zu Tage geförderten Romane, und die ausgezeichnetsten Schriftstellerinnen haben diese Form von jeher vorzugsweise geliebt. Unter den jetzigen französischen Schriftstellerinnen zeichnen sich vorzüglich zwei aus: Madame Sophie Gay, die Verfasserin von „Anatole“ und von „Un mariage sous l'empire“. Madame Gay liefert übrigens einen neuen Beweis zu der Erfahrung, daß das Talent fast immer von der Mutter auf die Kinder forterbt, daß aber höchst selten ein talentvoller Vater einen talentvollen Sohn hat; sie ist die Mutter der liebenswürdigen Delphine Gay. Unter dem einfachen Namen Sand ist gleichfalls eine Schriftstellerin verborgen; es ist ein großes Talent, aber angesteckt durch das Gift der neuern französischen Romanenliteratur. Ihre „Valentine“, ihre „Indiana“ sind bei großen Schönheiten nicht von großen Fehlern frei, und vorzüglich der zweite Theil von „Indiana“ ist bis zur Abgeschmacktheit gesucht excentrisch und ebenso wenig vor dem Richterstuhl der Kritik als dem der Moral zu vertheidigen. Dagegen vermochte aber auch nur ein blutendes, tiefverletztes weibliches Herz diesen Raymond zu zeichnen! Diese giftige Satire auf die bürgerlichen Verhältnisse des weiblichen Geschlechts, dieses Gemälde der zerreißendsten Herzensqual, diese Pein der Fehlschlagung, diese Schwäche gegen die Verführung der Liebe, diese Heldenstärke gegen den Schmerz und die Gesellschaft mit allen ihren Satzungen konnte nur ein Weib fühlen und schildern. Diese Romane haben alle eine ebenso gefährliche als verderbliche Tendenz, deren Unnatur einem gesunden weiblichen Gemüth ewig fremdartig bleiben muß; sie sind eine Verhöhnung aller unserer Meinungen und Ansichten von den bürgerlichen Verhältnissen der Frauen, unter deren Druck, nach der Ansicht der Verfasserin, kein Herzensglück gedeihen kann; sie spricht es mit einer zur Frechheit sich steigernden Kühnheit aus, daß den Begriffen von ehelicher Pflicht und Treue eine ungeheure Lüge zum Grunde liegt; aber bei dieser tief innerlichen, höchst tadelnswerthen Unweiblichkeit und Zerrissenheit ihres Gemüths muß man ihr dagegen zugestehen, daß seit Rousseau Niemand die Gewalt und den Zauber der Leidenschaft so wahr, so glühend ausgesprochen hat als sie, und daß sie die Schönheit der Natur mit aller Innigkeit und Zartheit eines weiblichen Gemüths empfindet. An Geist und Talent gehört die Verf. gewiß zu den ausgezeichnetsten Frauen unserer Zeit; aber kein deutscher Mann würde sie sich als seine Gattin, Schwester, Geliebte, Mutter denken mögen. Ganz vortrefflich und voll des köstlichsten Humors ist dagegen eine kleine Erzählung dieser Verfasserin: „Cora“, die im Juniheft der Monatsschrift: „Salmigondis“, herausgegeben von Theodor Hell, übersetzt ist.

Wie man auch über die Berechtigung der Frauen, als Schriftstellerinnen aufzutreten, denken mag, so muß man doch einräumen, daß sie unumgänglich verpflichtet sind, als Priesterinnen der Vesta die reine Flamme der Begeisterung für das Schöne, Wahre und Gerechte zu nähren. Eine Frau, die mit ihrem Talent von dieser Bahn abweicht, verdient den strengsten Tadel, und die leiseste Empörung gegen Grundsätze und Gesetze, worauf das Wohl der bürgerlichen Gesellschaft gegründet ist, wird bei ihr zur Sünde. Alle, die vom Himmel Gaben erhalten haben, die ihnen Einfluß auf die Sinnesweise anderer Menschen verleihen, haben auch von der Vorsehung den Beruf erhalten, sie einem hohen moralischen Ziel zuzuführen. Sie müssen ihren Gang regeln wie der Steuermann, der, die Augen gen Himmel gerichtet, dort oben seinen Weg sucht und nicht unter seinen Füßen auf dem Meer, wo seine unsichern Blicke ihn bald irre führen würden. Sein Schiff schwebt auf den Wellen, aber der Stern, dem er zusteuert, und nach dem er seinen Weg richtet, strahlt am Himmel. Die Frauen sind vorzüglich hierzu verpflichtet, und in dieser Hinsicht ist mir die Herzogin von Broglie ganz vorzüglich ehrwürdig, da sie ihr glänzendes, von der Mutter ererbtes Talent beinahe ausschließlich dem Dienst der leidenden Menschheit widmet. Unsere deutsche Frauenliteratur kennt diese demüthige, echt christliche Schriftstellerin nicht, die keine Berühmtheit, kein Gold lohnt, und deren Flugblätter und kleine Schriften nur bestimmt sind, in den Hospitälern, Schulen und Armenhäusern gelesen zu werden. In Frankreich aber gibt es eine Menge junger Mädchen und Frauen, die man nur mit dem Interesse für die Welt und ihre Freuden beschäftigt glauben sollte, die, von der Herzogin von Broglie dazu ermuntert, unter der Hülle des Geheimnisses Belehrungen für die Kindheit, Trost für das Alter, Ermunterungen und Verheißungen für das bestrafte Laster schreiben und so im geistigen Sinn einen Orden der barmherzigen Schwestern bilden und Wunden verbinden, die weit außer dem Bereich körperlicher Krankenpflege liegen.

Es läßt sich nicht voraussehen, welchen Einfluß die Thätigkeit der Frauen auf die Erzeugnisse der neueuropäischen Literatur haben wird, aber wohl, daß er höchst bedeutend werden muß. Alles, was dies Geschlecht an Begeisterung, Phantasie, Feinheit des Verstandes, Geschmeidigkeit, Beobachtungsgabe, Empfindung besitzt, war bis jetzt nur dem Leben zugewandt; und wer möchte leugnen, daß unsere Literatur durch ihre Aufnahme in diese geistige Gemeinschaft einen reichen Zufluß von Talent erhalten wird? Die fast gleiche Erziehung, die beide Geschlechter in den höhern Ständen der Gesellschaft seit länger denn 50 Jahren erhalten, die mannichfaltigen Quellen der Belehrung, die von der Wiege an dem einen Geschlecht wie dem andern eröffnet sind, die veränderte Gestaltung des häuslichen Lebens haben vereint eine Revolution herbeigeführt, die noch bedeutender ist als alle politischen Umwälzungen unserer Tage. Ohne bis in jene Zeit zurückzugehen, wo die Prinzessin Nausikaa die Wäsche ihres Vaters öffentlich am Quell wusch, blieben auch in viel spätern Jahrhunderten die Frauen, selbst am Hofe und auf dem Gipfel irdischer Hoheit, zu blos handwerksmäßigen Beschäftigungen bestimmt. Bei dem neuen Umschwung der Ideen, den die Reformation herbeiführte, ward es ihnen nach und nach auch vergönnt, zu denken, zu lesen und sich mit den schönen Künsten zu beschäftigen. Heutzutage ist es nun unmöglich geworden, ihnen das Lesen und das Schreiben zu verbieten und sie wieder ausschließend auf das Spinnrad und die Nähnadel zu verweisen. Wie sollte man es anfangen, ihnen den Schatz geistiger Mittheilung zu entziehen, die ihnen von allen Seiten zuströmt? Wir Protestanten beachten es nicht genug, welchen Einfluß die Aufhebung der Klöster auf die bürgerlichen Verhältnisse der Frauen gehabt hat und noch hat, und wie sie ihrem contemplativen Leben bei der zunehmenden Entwickelung ihres Talents und ihres Genies eine durchaus neue Richtung geben mußte. Das gesellschaftliche Treiben reicht nicht mehr aus, die Lücken im Dasein der Frauen auszufüllen, die ihnen die Erfüllung ihrer häuslichen Pflichten läßt, da sie doch der Führung ihres Haushalts nicht alle Stunden des Tages widmen können — thut dies ja selbst kein Monarch, der doch einem viel größern Haushalt vorzustehen hat; die regierenden Herren jagen, bauen, reisen, tanzen, spielen, kurz sie amusiren sich; Niemand verdenkt ihnen, daß sie es thun, und wer es ihnen nicht verdenkt, hat doch auch gewiß kein Recht, es einer Frau zu verdenken, wenn sie neben der Führung ihres Haushalts sich mit Lesen und Schreiben beschäftigt.

Doch nicht nur die reichen und vornehmen Frauen empfinden heutzutage das Bedürfniß einer geistigen Unterhaltung; auch die minder vom Glück begünstigten Classen erhalten in unsern Töchterschulen jetzt eine Erziehung, wie sie ehemals nur die Töchter der vornehmsten Familien erhielten. Zu Friedrich's des Großen Zeit gab es in Deutschland gewiß nur sehr wenig Frauen, die einen nur einigermaßen erträglichen Brief schreiben konnten, und jetzt findet man in ganz Deutschland kaum noch einige Winkel, in denen es an Gelegenheit fehlt, richtig lesen und schreiben zu lernen. Diese Allgemeinheit, diese Gewohnheit des Unterrichts erklärt hinlänglich die Fortschritte der weiblichen Geistesbildung und ihre Richtung auf literarische Thätigkeit. Wir Männer haben vor den Frauen das thätige Leben, staatsbürgerliche Wirksamkeit, politischen Einfluß, Ruhm, Ehre und Reichthum voraus; ein Geschlecht, dem die Natur für seine Geschäftsthätigkeit ausschließend nur den Umkreis des Hauses angewiesen hat, und dem jeder andere Ruhm als der des Talents versagt ist, muß sich der Poesie und den schönen Künsten zuwenden; beide gehören zu der Aussteuer, die es von der Vorsehung erhalten hat. Man täusche sich darüber nicht; die Frauen werden sich mehr und mehr aller Zweige menschlicher Erkenntnisse bemächtigen, die keine Stärke und nicht die Ausdauer langwieriger Studien erfodern; aber man gönne ihnen das und suche sie nicht misgünstig von der betretenen Bahn wegzudrängen. Es wird deshalb nie an guten Köchinnen, Wäscherinnen, Nähterinnen u. s. w. fehlen; die Weiblichkeit selbst wird nur aufhören, eine Handwerksinnung zu sein, und gewiß wird dadurch sowol die Sittlichkeit als das häusliche Glück gewinnen. Das Loos der Frauen ist beklagenswerth; die edelsten, die besten Frauen sterben oft ungekannt, ungewürdigt von Denen, die ihnen auf Erden die Nächsten waren! möge ihnen denn der Trost vergönnt werden, in ihren Schriften ein Denkmal ihres Lebens niederzulegen. Der Verstand ist bei den Frauen nur das Sprachrohr ihrer Seele und ihres Herzens; er ist das Echo, aber nicht die Stimme selbst. Ihre Bestimmung ist, auf den Mann veredelnd einzuwirken und gleichsam sein zweites, sichtbares Gewissen zu sein, und dieser Bestimmung werden sie auch in der Literatur nicht untreu werden. Ihr Talent ist keuscher, frömmer, sittlicher als das Talent der Männer; der Instinkt ihrer Schwäche lehrt sie die Gerechtigkeit ehren; ihr Herz ist ein Altar des Mitleids mit dem Unglück, der Milde gegen den Gesunkenen, des Erbarmens mit dem Verbrecher; sie sind der reinsten Begeisterung für Ehre und Edelmuth, der vollsten Anerkennung alles Großen und Edeln fähig, und die Muse des weiblichen Talents wird und muß stets die Stimme des Gewissens in der geistigen Entwickelungsgeschichte kommender Jahrhunderte bleiben. 127.

Triumph des heiligen Stuhls und der Kirche über die Angriffe der, mit ihren eigenen Waffen bekämpften und geschlagenen Neuerer. Von P. Mauro Cappellari, Camaldulenser. (Gegenwärtig regierender Papst Gregor XVI.) Nach der dritten, ganz umgearbeiteten Ausgabe des Originals (Venedig 1832) aus dem Italienischen übersetzt und für Deutschland bearbeitet von mehren gelehrten Geistlichen. Mit allerhöchster Genehmigung Sr. päpstlichen Heiligkeit veranstaltete deutsche Ausgabe. Mit dem Bildniß Sr. Heiligkeit und zwei biblischen Kupfern. Zwei Abtheilungen. Augsburg, Kollmann. 1833. Gr. 8. 2 Thlr. 4 Gr.

Rec. las eben Malten's „Ueberblick der moralisch-politischen Staatenverhältnisse Europas zu Ende 1832", wo es heißt S. 15: „Der Papst erläßt seine Bullen nach wie vor, besoldet seine Schweizer, verkauft seine Ablässe, mästet seine Cardinäle und Prälaten, saugt seine Unterthanen aus, zu ihrem größern zeitlichen und ewigen Heil." Wir freuten uns bei den ersten Zeilen des Titels, in der Meinung, der heilige Vater triumphire über alle jene erwähnten Uebel, und in dieser corpulenten Schrift sei der Schlüssel gefunden, um die Räuber, Bettler und Diebe loszuwerden, der Noth und Verarmung abzuhelfen, Nahrung, Sicherheit und Zufriedenheit herzustellen, „die Neuerer", d. h., wie wir wähnten, fremde Söldlinge und unwillkommene Gäste zu entfernen, den Kirchenstaat, welcher der christlichste Staat sein will, auch zu dem glücklichsten zu machen und die Lästerer zu beschämen, welche die päpstliche Regierung für die kläglichste in ganz Europa erklären. Von dem Allen kein Wort, sondern das ganze Werk bemüht sich, man denke! — die Unfehlbarkeit des Papstes zu beweisen; das Andere, meint man, wird sich schon von selbst finden. Das Buch ist von mehren Geistlichen bearbeitet und überfetzt. Die guten Herren! Es geht ihnen wie unsern frömmelnden Neuevangelischen, welche das Elend der Völker in der Frechheit suchen, daß man nicht mehr in der Schlange des Paradieses den Satan anerkennt und das Rednertalent von Bileam's Eselin bezweifelt, und welche die Welt gerettet glauben, wenn man eine Weissagung oder eine orthodoxe Variante rettet! Unser Verf. spricht im Voraus von einem Triumphe, der desto glänzender sein muß, da die Gegner mit ihren eignen Waffen geschlagen sein sollen. Wer indeß den Zustand der römisch-katholischen Kirche, besonders im südlichen Deutschland, beherzigt, wer die Anfoderungen und Lehren edler Katholiken mit der päpstlichen Orthodoxie vergleicht, an die Zerrüttungen und Zweifel im Innern der erzkatholischen Länder denkt, dem müssen bei dem Victorienfeuer des Hrn. Cappellari unwillkürlich gewisse Bulletins einfallen, in welchen auch die feindlichen Heere immer gänzlich aufgerieben waren, aber, wie von den Todten erstanden, bald wieder zum Vorschein kamen, und wo man, wenn man endlich die Niederlagen und die Flucht nicht verleugnen konnte, sie nur retrograde Bewegungen nannte. Ihr armen Waffenträger! So wichtig euch die Unfehlbarkeit des Papstes sein mag, ihr stützt damit den durch den Zeitgeist angegriffenen heiligen Stuhl nicht; die Thatsachen, worin die Päpste gefehlt und geirrt, und worin sie sich widersprochen und ihre Beschränktheit und Schwachheit wie andere Sterbliche nur zu sehr kundgethan haben, sind jetzt allzu bekannt, werden Jedermann vor die Augen gelegt; und wenn es euch auch gelänge, zu behaupten, die Infallibilität sei eine ursprüngliche Lehre eurer Kirche, so nimmt am allerwenigsten die Politik darauf Rücksicht. Hier setzen sich die Franzosen, dort die Oestreicher fest, und nirgends könnt ihr dabei gewinnen; sie lassen euch euern unfehlbaren Papst und kommen, bleiben und gehen, wie es jener Dame, Staatsklugheit genannt, gefällt. Wie nun aber der Verf. seine Sache führt, und welche Bedenklichkeiten ein ehrlicher, denkender Protestant dagegen erheben müßte, das würde uns zu unpassenden Weitläufigkeiten nöthigen. Seinen im Voraus angekündigten „Triumph" vertheidigt er so, daß er „die Gegner durch ihre eignen Principien widerlegen will", ja wenn nur das Wollen auch das Vollbringen wäre! Er will zeigen, „daß die Theorien der Gegner, wenn sie angenommen würden, die Kirche Christi umstoßen, über alle geoffenbarte Wahrheit einen theologischen Pyrrhonismus verbreiten und dadurch den Unglauben einführen müßten", daher ist er im Voraus seines Sieges gewiß. Wie der Zweifel an der Infallibilität des Papstes das Alles vermöge, ist uns nicht klar geworden; wir sind vielmehr der entgegengesetzten Ansicht, meinen nämlich, daß eben der Glaube an jene Unfehlbarkeit die christliche Kirche verdorben, an der Stelle des eignen Forschens und Prüfens das blinde Vertrauen und damit Finsterniß, Aberglauben, unchristliche Lehren vom Ablaß u. dgl. geltend gemacht und dadurch Misbräuche und Sittenlosigkeit erzeugt habe, über welche die ganze christliche Welt seufzte und doch keine Hülfe fand, bis die Reformatoren die Trüglichkeit der heiligen Väter und des bisher befolgten Systems aufdeckten. Wir zweifeln, ob ein protestantischer Staat einen katholischen, der recht fest an jenem Lehrsatz hält, beneidet. Die Beweisführung des Hrn. C. ist etwas weitläufig, und wir glauben nicht, daß viele denkende Leser ausharren werden. Nur zu oft muß man sich über einen Vordersatz schon ein quod erat demonstrandum zurufen, da der Verf. die Untrüglichkeit eines Papstes eben oft aus päpstlichen Aussprüchen beweist, ohne daran zu denken, daß er in

Mensch, also kann er auch sich irren, kann sogar lügen und t[illegible] gen". Ja, in einem „gottlosen Werke, das in Pistoja übers[illegible] und 1786 erschienen ist", macht man gar die heillose Schl[illegible] folge: „sowie der Papst in der kirchlichen Hierarchie über A[illegible] erhaben ist, muß er auch die unglücklichen Folgen der Sü[illegible] Adam's mehr empfinden". Nein, sagt unser Papa: „Je[illegible] übergab dem Petrus die Souverainetät nur darum, damit [illegible] allen Gläubigen die katholischen (??) Dogmen lehren, sie ge[illegible] die Angriffe der Ketzerei, und folglich gegen die Sophister[illegible] der Lügen schützen und so die Einheit des Glaubens erhal[illegible] sollte". Cyprian sagt es, atqui — ergo. „War das der W[illegible] Jesu, so muß sich in Petrus eine zweifache Beziehung finde[illegible] nämlich als Mensch der Lüge unterworfen, und als allgeme[illegible] Seelenhirte, in welcher Beziehung er der allgemeinen Ansteck[illegible] der Lüge entzogen wird". Ein gar hübsches Hinterthürch[illegible] durch welches man mit recht vielen unchristlichen Dingen [illegible] und herschlüpfen kann. Wer sagt uns aber und entscheidet [illegible] jedem Falle: welcher Petrus hat hier gehandelt? der Seele[illegible] hirte, oder der der Lüge unterworfene Mensch? Selbst der S[illegible] tan führt gegen Jesum Bibelsprüche an und kann sich in ei[illegible] Engel des Lichts verstellen; wer weiß denn, ob nicht der ho[illegible] mendax es durchgesetzt hat, das Lesen der Bibel, die Priesterehe[illegible] den Kelch im Abendmahl zu verbieten und den Glauben an d[illegible] Untrüglichkeit des Papstes u. s. w. zu befehlen? [illegible] „den besondern Beistand Gottes, damit der Papst nicht irre oder doch seinen Irrthum erkenne" (S. 195), [illegible] möchte! Es versteht sich übrigens, daß die alten Beweise f[illegible] Petri Supremat ohne alle Rücksicht auf die dagegen erhoben[illegible] Einwendungen wiederholt werden, sowie die Bibelstellen, die Tradition und die Kirchenväter, die Concilien, nämlich die dem Pa[illegible] sten günstigen. Den Schluß macht die „Ermahnung eines [illegible] dernen Neuerers (wie etwa Miltitz zu Luthern sprach) an [illegible] Protestanten". Es ist eine Rede zur Aussöhnung, indem [illegible] „Misverständniß die ärgerliche und hartnäckige Trennung h[illegible] beigeführt habe". Die Antwort ist so, daß dem Neuerer [illegible] wiesen wird, seine Behauptungen, consequent durchgeführt, [illegible] ten ihn vielmehr bestimmen, seine Kirche zu verlassen; und hat denn Se. Heiligkeit gezeigt, daß die modernen Neuerer der katholischen Kirche und die abtrünnigen Protestanten [illegible] lich eines Sinnes sind, worin wir ihm beistimmen. [illegible] ten Druckfehler zeugen wenigstens nicht für einen [illegible] Setzer und Corrector bei einem so wichtigen Buche, wenn [illegible] nicht das ganze Werk in unsern Tagen als einen großen Dru[illegible] fehler ansehen will. Die Kupfer, den heiligen Vater und Sce[illegible] aus Petri Umgang mit Jesu darstellend, sind gefällig. [illegible]

Miscellen.

Lebrun.

Während der Greuel der französischen [illegible] wurde bekanntlich auch die Leichname der Könige [illegible] zu St.-Denis gerissen. Es war Lebrun, [illegible] „Ode patriotique" dazu auffoderte, und die [illegible] lauten so:

Que leur (der Könige) mémoire soit [illegible]
Et qu'avec leurs mânes errans
Sortent du sein de la patrie
Les cadavres de ces tyrans!

Blätter für literarische Unterhaltung.

Sonnabend, —— Nr. 348. —— 14. December 1833.

Taschenbücherschau für 1834.

Dritter Artikel.*)

8. Taschenbuch der Liebe und Freundschaft.

Dies Büchlein erhält sich noch immer im alten lieben guten Schnitt. Klein und handlich im Format verblieben, ohne von Modenovellen ganz angefüllt zu sein, ohne seine einfache Solidität für eleganten Putz aufgegeben zu haben, schweben Komus und Momus noch immer mit ihren Scherzen um dasselbe, so lange der treffliche Ramberg Witz und Laune dem Büchlein schenkt. Seine Gaben sind in der That in dem vorliegenden Jahrgang anmuthig und schätzenswerth. In acht Bildchen führt er unter dem Titel: „Verirrungen der Liebe", Scenen aus dem Leben uns vor, die ebenso viel Scharfsinn der Beobachtung als Genialität in der Erfindung beurkunden. Besonders verdient die Badescene, wo emeritirte Civil- und Militairhelden einherschleichen, um die stillen Sünden der Jugend hier öffentlich abzubüßen, und außerdem die reich erdachte Gruppe der Hagestolzen besondere Erwähnung. Humor und Scherz sprühen aus jedem Winkel der Bildchen uns entgegen. Das lyrische Accompagnement, womit St. Schütz die Scenen erläuternd begleitet, reicht hier nicht aus, die Themata des Zeichners sind weit voller und witziger. Zum Witz in der Diction verlangt man aber wesentlich Prosa.

Der freundlich launigen Tendenz, die das Taschenbuch meist zu behaupten weiß, entspricht in dem literarischen Gehalt vor Allem die hinterlassene Novelle von Dan. Leßmann: „Die Versprochenen". Ein einfaches, harmloses Bild aus dem deutschen Kleinstadtleben, voll Scherz in Worten, Situationen und Charakteren, fast ohne alle Bitterkeit über die Oede des philisterhaften Werkellebens, auch ohne jene excentrischen Lieutenants, die der Verstorbene gern schilderte, welche in der Melancholie ihrer Stimmung die graue Langweile des Garnisonlebens mit nichts als der Schwärze ihres Unmuths und ihrer erstorbenen Gleichgültigkeit zu variiren wissen. Der Stoff ist ein ganz einfacher Plan, auf dem das Weberschiffchen des Witzes bequem hin und her fährt. Leßmann hatte eine ungewöhnliche Fertigkeit, deutsche Krähwinkelfiguren zu zeichnen, und der alte Kaufmann Schureck in vorliegender Novelle ist ebenso glücklich aus dem Leben der niederdeutschen Landstadt gegriffen wie der feiste ausgediente Major. Von diesem heißt es:

> Es war ein Mann, welcher den Feinden, wenn sie um die Füllung eines Grabens verlegen waren, nicht in die Hände fallen durfte; denn sein Fettbauch hatte einen mächtigen Umfang und wurde, wo er um eine Straßenecke bog, um Vieles früher als er selbst gesehen. Indessen hätte er diese Zulage des Ueberflusses weniger peinlich empfunden, wenn die Beine, die ihn trugen, nicht ganz entgegengesetzt aus den sieben hungerigen Jahren zu stammen schienen. Kein Wunder, daß dem Manne das Gehen erstaunlich sauer wurde; daher man in der Stadt sich erzählte, der Major verkündete wie die Bachstelze und manches andere Thier den herannahenden Frühling, indem er früher als andere Menschen zu schwitzen anfinge. Möglich, daß von dieser mühseligen Schwerfälligkeit in der Bewegung der sanfte, nachgiebige Charakter des Mannes sich herschrieb; daß seine kurze, unterdrückte Art, zu reden, aus dieser Quelle floß, kann Niemand bezweifeln, und wenn er auch noch so viel Zeit dazu hätte.

Den einfachen, fast dürftigen Stoff der Erzählung mit dürren Worten ohne die witzige pointirte Dictionsmanier Leßmann's angeben, hieße ein Gerippe kahl hinstellen, dessen Blässe uns erschreckt. Die Hauptsache dreht sich um den alten Schureck und seine beiden heirathsfähigen Töchter, welche den Zwillingssöhnen seines Handelsfreundes in der Hauptstadt versprochen sind. Diese kommen an, und es ergibt sich ein Widerstreit der Gefühle, indem man der Bestimmung der Väter zuwider kreuz und quer heirathen möchte. Sonstige Bagatellen aus dem dürftigen Dasein beschränkter Kreise laufen noch dazwischen. Trotz der Harmlosigkeit, mit der die Novelle fast durchgängig geschrieben ist, wandelte uns doch an einigen Stellen bei der Lecture der erschreckende Gedanke an, wie eine solche Verkümmerung der Interessen des poetischen Schaffers einen Ruin insichschließen konnte.

Auch an feistem Auftakt fehlt es dem Büchlein der Liebe und Freundschaft nicht; dafür sorgt schon W. Blumenhagen mit dem unverwüstlichen Fausthandschuh seiner Federführung. Außer einer Erzählung von L. Storch, einer Ballade von Chamisso und andern lyrischen Gaben liest man eine Novelle von vorgenanntem Autor: „Der Bruder", eine Emigrantengeschichte aus der Revolutionszeit. Der eigenthümlichste Zug darin ist folgender. Der Chevalier de la Haie hat Frau und Tochter in dem Blutbade verloren. Mit seinen beiden Söhnen, deren einer

*) Vgl. den zweiten Artikel in Nr. 331—334 d. Bl. D. Red.

„auf der Jammerflur" und „im blutigen Koth" die Leichen auffand, flieht er zum Condé'schen Heere, wird aber mit einer Abtheilung kurz vor der Schlacht bei Löwen gefangen genommen. Dumouriez's gnadenvoller Befehl geht dahin, daß je der dritte Mann von den Gefangenen füsilirt werden soll. Die Unglücklichen stehen in Reih' und Glied; Eugen, der ältere Sohn, zählt rasch vorher ab und drängt sich zwischendurch zu der Stelle vor, wo die Zahl drei und das Todesloos ihn trifft. Er wird abgeführt; Vater und Bruder gerettet zu haben, dies Bewußtsein ist der süße Lohn des Edeln. Später ergibt sich aber, daß die tödtliche Kugel ihn nicht traf; als Husar von der Garde des Consuls findet er den Bruder in Deutschland wieder. Durch eine feinnuancirte Darstellung hätte aus mancher Situation vielleicht etwas werden können, allein die Tobsucht des pathetisch-wüsten Blumenhagen schlägt Alles über den Haufen. Es ist in der That etwas Cramer in ihm; die meisten seiner Figuren, der hanöverische Hauptmann, der Colonel, Romain der Emigrant selbst mit seiner unglückschwangern Ahnung, Alle übertölpeln sich in ihrer Weise oft bis zum Skandalösen. Der edle Schiller mit seinem erhabenen, geisttrunkenen Pathos wird oft carikirt durch Blumenhagen, der nicht selten Gelegenheit nimmt, Stellen von ihm anzuführen und dabei renommistisch zu versichern, Schiller sei der Deutschen erster Dichter. Auch Cramer setzte Schiller's heilige Hoheit auf seinen trödelhaften Altar; „Schiller, Friedrich Schiller ist mein Mann!" ruft er in der Vorrede zum „Erasmus Schleicher" pomphaft aus und vermeinte hinter dem Talar des erhabenen Priesters seine wüste Rohheit verstecken zu können.

9. Cornelia.

Unter den Stichen machen sich einige durch ihre Gegenständlichkeiten interessant. Das Titelkupfer zeigt uns die junge Königin der Belgier, Luise von Orleans. Außerdem zieht uns Charlotte Corday an mit der unschuldig-dreisten Heldenmiene in aufrechter Stellung, wie sie, mit übereinandergeschlagenen Händen vor der Schranke stehend und sich als Marat's Mörderin bekennend, gedacht werden kann.

Der unverwüstliche **Blumenhagen** tritt uns hier vornan gleich wieder in den Weg mit einer historischen Erzählung: „Die Bürger zu Wien", aus der Zeit der Belagerung der Kaiserstadt in der Regierung des ersten Leopolds. Obschon ein eigentlicher Novellenfaden vermißt wird — es sind nur aneinandergereihte Bilder und Gruppen unter Belagerern und Belagerten —, so ist der Ton der Erzählungsweise hier beiweitem nobler und oft gelungen. Das Ganze könnte für ein gutes Vorspiel zu einem wirklichen Roman angesehen werden, und wenn der Verf., um die Besteller zu befriedigen, nicht stets für Alles, was er schreibt, die Schnittwaarenelle der Taschenbücherbedürfnisse bereit hätte, könnte und würde er gemäßigter, gesetzter und ohne den kurzen Galoppathem seiner Schreibart zu größern Productionen einen wünschenswerthen Anlauf machen. Die Stimmung der belagerten Wiener ist in der That hier mit unleugbarem Talent geschildert; ihre Bonvivantsmunterkeit in nahester Gefahr ist mit vielem Humor dargestellt. Die Figur, die sich am meisten bewegt, ist ein aus seinem Vaterlande verbannter Pole, der sich die Neigung der Tochter des stolzen Chirurgus und Altbürgers Flaschner gewann, aber vom Haß des Alten verfolgt wird. In seinem tiefsten Unglück überrascht ihn plötzlich auf ironische Weise der glückliche Zufall. Er ist Soldat und steht auf seinem Posten auf der Schanze. Eine Pulverexplosion nimmt den ganzen Kerl mit fort und entführt ihn durch die Lüfte nach dem Standorte eines hohen Offiziers, wo er wohlbehalten auf einem Sandhaufen anlangt. In der Erhaltung des Menschen sieht man einen Fingerzeig des Himmels, und man richtet auf den verstoßenen Unglücklichen ein weiteres Augenmerk. Seiner Schlauheit und Bedachtsamkeit gelingt es später, eine wichtige Botschaft durch das Lager der Türken dem Herzog von Lothringen zuzubringen, und alsbald ist sein Glück gemacht. Die Schilderung des Scheiks in seinem Zelte ist wohl gerathen; ebenso erfreuen die Schmausscenen der wiener Bürger beim alten Schenkwirth zum Lamm, weil sie von der Ueberhäufung einer sonst vom Verf. beliebten Rohheit, die kräftige Natürlichkeit sein soll, befreit sind. Mannichfach sind die Töne, die sonst im Fache der Novellistik in vorliegendem Taschenbuche angeschlagen werden. **Amalia Schoppe**, geb. Weise, führt uns in ihrer Erzählung: „Liebe um Liebe", in die bürgerliche Welt moderner Häuslichkeit; der Herausgeber gibt uns in der historischen Novelle: „Die Zerstörung Badens", als Historiograph ein heimatliches Bild aus dem Ende des 17. Jahrhunderts; **Georg Döring's** Erzählung: „Ergo bibamus", führt uns nach Livorno, und „Der Schlaftrunk" gibt uns eine italienische Sage bekannter Art, ohne daß uns jedoch Neuheit der Situationen oder irgend Charakterbilder und Menschengeschichte dabei wesentlich interessiren. So führt uns ein einzig Taschenbüchlein in viele Zonen, in viele Zeiten, ohne uns freilich überall warm werden zu lassen.

(Die Fortsetzung folgt.)

Ein historischer Fingerzeig.

Wenn Englands großer Minister Pitt als Gründer des Staatscreditsystems, welchem das Inselvolk seine jetzige Wohlfahrt und Ueberlegenheit schuldig ist, von Mit- und Nachwelt mit Recht angestaunt und erhoben wird, so möge doch auch dem Andenken Desjenigen, welchem Pitt die erste Idee jenes Systems zu verdanken hatte, die gebührende Achtung und Aufmerksamkeit nicht entzogen werden.

Dieser Mann, dessen Namen noch bei Vielen in frischer Erinnerung ist, hieß Schneiter und wohnte im Canton Unterwalden in der Schweiz. Sein Vater, aus einer guten Familie entsprossen und Verwandter eines Landammans, war vielleicht grade dieses Umstandes wegen ein politischer Kraftmann und Verbesserer der Verfassung seines Landes, die er, als abgesagter Feind der Verschiedenheit in den Regierungsprincipien der einzelnen, theils demokratischen, theils aristokratischen Cantons, gern über einen Leisten geschlagen hätte, durch Einführung einer Ordnung der Dinge, welche Allen gleiche Gesetze, gleiche Rechte und gleiche Lasten geben sollte. Kurz, er hatte den grosen Plan, die Schweizerberge mit Jean Jacques Rousseau's „Contrat social“ zu ebnen und glatt zu hobeln, wovon jedoch nichts weiter als der Gewinn eines Heftes Verfassungsprojecte in Franzband mit goldnem Schnitt und der Verlust seines Vermögens die Folgen waren.

Mit solchem Erbtheil ausgestattet, begann der junge Schneider seine Laufbahn. Was ihm aber die Demokratie des Vaters entzogen hatte, dafür schien die Natur durch die Gaben eines angenehmen Aeußern und glücklichen Temperaments ihn entschädigen und so die Vortheile seiner Erziehung ergänzen zu wollen, denen er nunmehr seinen Lebensunterhalt zu danken haben sollte. Obwol es bekannt genug war, daß sein Vater ihm kein Vermögen hinterlassen habe, so fiel es doch Niemand ein, daß sein ganzes Erbtheil sich auf ein Heft Verfassungsprojecte beschränke, und Schneider, der als Besitzer eines geachteten Namens und der benannten persönlichen Eigenschaften in den besten Häusern des Cantons Zutritt hatte, verfiel daher, um seiner mislichen Lage sich zu entziehen, auf das Anleihesystem, dessen Grundsätze er sofort mit ebenso viel Eifer als Geschicklichkeit in Ausübung brachte. Er ließ sich verlauten, daß er 2000 Thlr. zu 5 pr. C. auf sechs Monate gebrauche, und erhielt ohne große Schwierigkeit diese Summe gegen Wechsel von den damals sehr bekannten Bankiers Frey u. Comp. Nun war Schneider seiner Sache gewiß und beschäftigte sich nur damit, ehrenvoll und anständig zu leben. Er regelte seine Ausgaben, richtete sein Haus ein und ließ seine Umgebungen geflissentlich in das Innere seiner Wirthschaft schauen, indem er versicherte, daß mit dem Wenigen, was ihm sein Vater hinterlassen, und der Frucht einiger Geschäfte, die er von Zeit zu Zeit mache, sein Auskommen gesichert sei. Diese Genügsamkeit und Ordnung wurden allgemein bekannt, gelobt und erwarben Demjenigen, welcher sie so trefflich zu üben verstand, den Ruf eines achtbaren und dabei liebenswürdigen Mannes.

Inzwischen rückte der Zahlungstermin des Wechsels von 2000 Thlrn. heran, und Schneider, welcher indessen schon von einem andern Bankier, Namens Freuler, Dienst- und Geldanerbietungen erhalten hatte, gerieth dadurch nicht in die mindeste Verlegenheit, vielmehr entnahm er zu seinem Bedarf nach folgendem Ansatz:

Ausgaben für das nächste halbe Jahr.	1000	Thlr.
Bezahlung des fälligen Wechsels bei Frey u. Comp.	2000	„
Sechsmonatliche Zinsen für 2000 Thlr.	50	„
	3050	Thlr.
Sechsmonatliche Zinsen für diese 3050 Thlr. . .	75	„
	3125	Thlr.

Mit diese Summe durfte Schneider sich als den Herrn aller Capitalien der Schweiz ansehen; doch solcher Ehrgeiz war fern von ihm; er wollte blos bequem und angenehm leben. Obwol nun Frey nicht im Mindesten wegen seines Wechsels in Sorgen war, so eilte sein Schuldner doch, denselben zu berichtigen, um die Interessen für 2 Monate zu ersparen und seinem Credit eine feste und dauernde Grundlage zu verschaffen. Er geht also zu Frey und gibt zu verstehen, daß, da 5 pr. C. Zinsen für 2 Monate kein unerheblicher Gegenstand seien, er, wenn der Darleiher damit einwillige, seinen Wechsel gegen Disconto einzulösen wünsche. Frey überschüttet ihn mit Lobeserhebungen, bewundert seine Kenntniß der Geschäfte und versichert: „Nichts sei vortheilhafter als sein eignes Papier zu discontiren. Er willige aber nur unter der Bedingung in Schneider's Verlangen, daß dieser, wenn er irgend Geld bedürfe, keine andere Kasse als die seinige in Anspruch nehme“. Dies verspricht Schneider ohne Schwierigkeit, und wiewol er nun das Problem gelöst sieht, ohne einen Heller eignen Vermögens die angenehmste Existenz zu führen, so fährt er dennoch fort, seinen Credit auf alle mögliche Weise zu befestigen und besonders die Zahl seiner Gläubiger zu vervielfachen, damit alle erste Häuser der Schweiz an den Vortheilen seiner Verbindung und der Ehre seines Unterhalts Theil haben möchten. Nach drei Jahren mußte er mehre der ihm angebotenen Gelder zurückwei[illegible] und da er seine Ausgabe auf 2000 Thlr. jährlich festgese[illegible]te, auch niemals diese Grenze überschritt, so konnte er seiner Rechnung nach 60 Jahre leben, ohne seinem Vaterlande, das er wie jeder Schweizer über Alles liebte, ein größeres Opfer als den Verlust der mäßigen Summe von 200,000 Thlr. aufzuerlegen.

Wirklich war Schneider's Betragen in jeder Rücksicht musterhaft. Als Kaufmann (wie man ihn wol nennen konnte, da er mit den ersten Handelshäusern der Schweiz in laufender Rechnung stand) ging seine Genauigkeit so weit, daß er seine Bücher sehr sauber und in doppelten Sätzen führte, daß er jeden Abend seinen Kassenabschluß machte und sich nie zu Bett legte, ohne seine Bilanz gezogen zu haben. Er kannte nichts Heiligeres als seine Unterschrift, und würde sich durch einen Protest entehrt geglaubt haben, sowie seine Redlichkeit sich vor dem Gedanken entsetzte, nur einen Kreuzer über die von ihm selbst dem Lande aufgelegte Civilliste auszugeben. Ebenso war er als Mitglied der Gesellschaft ausgezeichnet. Er hatte sich ein allerliebstes Landhaus bauen lassen, worin Besuchzimmer, Eßsaal, Bibliothek und Gaststübchen an Reiz und Anmuth mit den Gartenanlagen wetteiferten, deren Hintergrund ein niedliches Pachthaus ausmachte, wo vier der vortrefflichsten Kühe aus dem Thale von Gruyère den Besitzer reichlich mit Milch und Butter versahen. Als Mensch war Schneider nicht minder achtenswerth, indem er Gutes that, wo er konnte, und sogar der Stifter einiger Ackerbauschulen geworden war, welche den späterhin von den bekannten Wohlthätern der Schweiz, Fellenberg und Owen, gegründeten wahrscheinlich zum Muster gedient haben. Auch als Christ erfüllte er seine Pflicht; denn ein Theil seines Einkommens von 2000 Thlrn. wurde zu Almosen verwendet; und als Staatsbürger endlich war sein Betragen musterhaft, indem er den Versammlungen der Landesgemeinden gewissenhaft beiwohnte und hier seiner Ueberzeugung nach das Interesse des Cantons berathen half.

Mit allem Diesen aber noch nicht zufrieden, wollte Schneider auch noch auf andere Weise nützlich werden und seine Mitbürger für den kleinen, der Nationalwohlfahrt beigebrachten Stoß entschädigen. Er reiste also, und war so glücklich, die Entdeckung zu machen, daß in dem kräuterreichen Thale von Gruyère, wo er Kühe von besonderer Schönheit und Fülle bemerkte, die Productivität dieser Thiere bei gehöriger Behandlung auf einen fast unglaublichen Grad gesteigert werden könne. Hiernach traf er seine Einrichtungen, und so verdankt die Welt dem Ueberfluß der in jenem Thale gewonnenen Milch durch Schneider's Bemühungen den Genuß jenes vortrefflichen Käse aus dem besagten Thale, welcher, als ein unentbehrliches Reizmittel für den Gaumen der Schmecker, die alte und neue Welt einem unbedeutenden Winkel der helvetischen Republik zinsbar macht.

Bei solchen Verdiensten um sein Vaterland durfte nun Schneider seinem Lebensende und dem damit zugleich ausbrechenden Bankrott mit vollkommener Seelenruhe entgegensehen. Er wollte daher auch seine ehrenvolle Insolvenz seinen Gläubigern selbst bekannt machen, um dies Geschäft nach seinem Tode nicht unzarten Vertretern überlassen zu müssen. Als er also das Ende seines schönen Lebens herannahen fühlte, brachte er alle seine Rechnungen in die genaueste Ordnung und fand, daß er, die Zinsen für 50 Jahre eingerechnet, die Summe von 174,922 Thlr. schuldig war. Er berief daher seine Gläubiger, 200 an der Zahl, eines Tages zusammen, welche, obwol mit der Veranlassung dieser Einladung unbekannt, doch zu viel Achtung vor den Wünschen des edeln Mannes hegten, als daß nur Einer derselben gefehlt hätte.

Schneider lag in seinem Bette; sein Manual und Journal zur Rechten und Linken, sein Hauptbuch aber vor ihm. Nachdem er sich über die Schwäche seiner Stimme entschuldigt und sich etwas gesammelt hatte, redete er zu den Zweihundert ungefähr in folgenden Worten:

„Meine Herren! Das Hauptbuch des Lebens will sich mir zuschließen, nachdem meine Rechnung in demselben nunmehr fast an die 70 Jahre eröffnet gewesen. Nicht mir, sondern dem Allmächtigen, welcher über unsere Handlungen Buch führt, kommt es zu, die Bilanz desselben zu ziehen, und mit Ergebung, obwol vertrauensvoll, sehe ich dem Resultate entgegen. (Die Schnupftücher der Gläubiger wurden bei diesem rührenden Anfange ohne Ausnahme in Bewegung gesetzt, Schneider aber fuhr fort.) Wenn ich also mit dem Schöpfer nicht abzuschließen vermag, so hat er mir doch soviel Kraft und Muth gelassen, um mich mit Ihnen Allen ins Klare zu setzen. Hier ist mein Repertorium nach alphabetischer Ordnung aufgestellt und genau das Folio meines Hauptbuches nachweisend, welches nach den Handelsgebräuchen numerirt und paragraphirt ist, und wo Jeder von Ihnen den Saldo finden wird, welcher ihm zukommt. (Hier fließen neue Thränen der Rührung.) Mit Unrecht würden Sie glauben, meine Herren, daß hier, wie gewöhnlich, Activa und Passiva existiren (große Bewegung der Aufmerksamkeit), das würde nur ein Inventarium wie so viele andere sein, die Ihnen im Geschäfte vorgekommen sind, und wo man nach Abzug des Soll vom Haben den Rest mittelbaren oder unmittelbaren Erben überläßt. Ich aber habe Ihnen blos Passiva nachzuweisen. (Bewegung des Erstaunens von Seiten der Zweihundert.) Fürchten sie indessen nicht 30 oder 20 oder 10 pr. C. von Ihren Forderungen zu erhalten; nein! Sie erhalten nichts, gar nichts! (Sämmtliche Gläubiger stehen verblüfft.) Mein Vater, der Demokrat, ließ mir als Erbtheil nichts als ein Heft Verfassungen. Dennoch mußt' ich leben und fiel daher auf den großen Gedanken eines regelmäßig organisirten Creditsystems, von dessen Vortrefflichkeit ich Sie als Beweise aufstellen kann. Wenn Sie den geringsten Zweifel hegen sollten, daß die ganze Kunst desselben nur darin bestehe, die Rückstände regelmäßig zu bezahlen, wie ich es that, so würden Sie nur einen Blick in Ihre eignen Bücher zu werfen haben, um sich davon zu überzeugen, und um nicht blos dieser meiner Entdeckung, sondern auch der Mäßigung Gerechtigkeit widerfahren zu lassen, womit ich sie ins Werk setzte, da es nur von mir abgehangen hätte, alle Capitalien der Schweiz in meine Hände zu bekommen und einen Bankrott von 20 Millionen zu machen. Doch fern von mir ein solcher Gedanke! Ich habe mich so eingerichtet, daß meine Schuld sich nur auf 174,922 Thlr. beläuft, und daß jeder von Ihnen ungefähr gleichmäßig betheiligt ist. Was ist also, meine Herren, Ihr Verlust gegen das bewundernswürdige Finanzsystem, womit Sie das Vaterland bereichert haben? Ich elender Sterblicher bin gezwungen, Bankrott zu machen; aber **der Staat stirbt nicht** und seine Unsterblichkeit löst das erhabene Problem eines ewigen Credits. Ja, meine Herren, der Staat kann endlos borgen, weil er endlos ist. Laßt die Schweiz regelmäßige Zinsen zahlen, und sie wird im Besitz des baaren Geldes aller Welttheile kommen können. Und nun beurtheilen Sie, ob diese Entdeckung mit 1000 Thlrn., welche jeder von Ihnen verliert, zu theuer bezahlt ist. Nachdem ich aber durch mein Beispiel unserer Republik eine so unversiegbare Quelle des Reichthums eröffnet habe, würde es lächerlich scheinen, noch von meinen Käsen des Gruyèrethals zu reden, obwol ich durch Anführung dieser und ähnlicher Einrichtungen meines Fleißes dahin kommen könnte, Ihnen zu beweisen, daß Sie eigentlich meine Schuldner sind. Ich begnüge mich daher, mit der süßen Ueberzeugung von Ihnen zu scheiden, daß unsere Rechnungen sich gegeneinander aufheben, daß ich dem Reichen als Vorbild, dem Armen als Stütze gedient, eine gleichere Vertheilung des Vermögens bewerkstelligt und dem blinden Glücke so zu sagen den Staar gestochen habe, indem ich die bei Ihnen aufgehäuften Goldberge zu schmälern und mit Abzugskanälen nach fremden Richtungen hin zu versehen wußte."

Hier schwieg der Sterbende, und seine Rede brachte in der Versammlung, anstatt Zorn und Schrecken, nur Bewunderung und Enthusiasmus hervor. Jeder Gläubiger legte die von Schneider empfangenen Wechsel auf den Altar seines Bettes nieder; er selbst aber reichte jedem die Feder, um dieselben zu quittiren. Dann legte er sie in ein Bündel zusammen und hob dieses mit den Worten gen Himmel hinauf: „Meine Schuld ist getilgt! Vaterland folge meinem Beispiele!" worauf er den letzten Seufzer aushauchte.

Kaum hatten die Anwesenden von ihrem Schmerz sich einigermaßen zu fassen gesucht, als einer der Beredtesten das Wort nahm und den Vorschlag that, mittels Eröffnung einer Subscription dem Verstorbenen ein Denkmal zu errichten. Alle stimmten bereitwillig bei, und so wurde Schneider am Fuße des Brünig, welcher Unterwalden vom berner Oberlande trennt, feierlich beigesetzt.

Hier nun war es, wo Pitt, als er so viele Jahre nachher die Gegend bereiste, den auf dem Grabe befindlichen Gedächtnißstein entdeckend, sich von der einfachen und großartigen Inschrift: „**Der Entlehner**", so mächtig ergriffen fühlte, daß er die Geschichte des hier ruhenden Todten kennen lernen wollte. Als aber sein Begleiter, der diesem Verlangen zu genügen suchte, bei Schneider's oben angeführter Rede an die Stelle kam: „Ich elender Sterblicher bin gezwungen, Bankrott zu machen; aber der Staat stirbt nicht u. s. w.", da wiederholte der junge Pitt wie vom Wahnsinn ergriffen und mit wahrhafter Begeisterung die Worte: „Der Staat stirbt nicht", bestellte Postpferde, ohne andere Gründe anzuführen als: „Der Staat stirbt nicht", bestieg das Paketboot mit dem Ausruf: „Der Staat stirbt nicht", und betrat mit demselben die Kanzlei des englischen Ministeriums, sodaß man ihn für wahnsinnig hielt, bis die große Anleihe realisirt wurde, womit England den Krieg gegen Europa geführt, Indien gewonnen, die Colonien erobert und Napoleon gestürzt hat, welcher vielleicht noch oben stünde, wenn der Erfinder dieses Systems und der Gruyèrekäse nicht gewesen wäre. Zwar sagt und glaubt man allgemein, daß Pitt niemals England verlassen habe, und seine Bewunderer suchen diese Meinung aufrecht zu erhalten, um dadurch das Ansehn des Ministers zu steigern; allein das mindert den Werth dieses historischen Fingerzeigs nicht, und der Welt wird es daher überlassen, sich über dessen Wahrheit oder Unwahrheit näher zu unterrichten und selbst zu beurtheilen, ob die Idee eines endlosen Creditwesens aus Pitt's oder aus Schneider's Kopfe entsprungen sei. 187.

Notizen.

Wirkung der Sklaverei in Virginien.

Virginien war 1790 der erste Staat der Union und beinahe doppelt so stark bevölkert wie Pennsilvanien, das zu den Staaten zweiter Classe gehörte; 1830 war ihm Pennsilvanien schon voraus, und Neuyork, das 1810 noch nicht auf gleicher Stufe mit Virginien stand, hatte es weit überholt. Selbst das neue Ohio, welches 1810 keine 250,000 Einwohner zählte, besaß 20 Jahre später eine der weißen Bevölkerung von Virginien um den dritten Theil überlegene, nämlich 935,884 Köpfe, während Virginien nur 694,300 Weiße neben 517,105 Farbigen zählte, von denen aber nur 47,348 Freie waren. Die Bevölkerung von Pennsilvanien belief sich 1830 auf 1,348,233, die von Neuyork auf 1,918,608 Einwohner. Für alleinige Ursache des Zurückbleibens der weißen Bevölkerung Virginiens gilt die Sklaverei der Farbigen, und die Beseitigung dieses Uebelstandes wird daher emsig betrieben.

In Neuyork erschien 1832 in zwei Bänden: „Indian biography, or an historical account of those individuals, who have been distinguished by the North American natives, as orators, warriors, statesmen etc." Englische Blätter äußern sich mit vielem Beifall darüber. 8.

Redigirt unter Verantwortlichkeit der Verlagshandlung: F. A. Brockhaus in Leipzig.

Blätter für literarische Unterhaltung.

Sonntag, —— Nr. 349. —— 15. December 1833.

Taschenbücherschau für 1834.

Dritter Artikel.

(Fortsetzung aus Nr. 348.)

10. Novellenkranz. Von Ludwig Tieck.

Ein blühender Phantasus blickt uns auf dem Titelkupfer entgegen. Göthe zeichnete die Phantasie gern als leichtbeflügelte, nackende Graziengestalt, als des Jovis liebstes Kind. Tieck hat in einem seiner lyrischen Gedichte den Phantasus als alten, bärtigen, launenhaften Mann im weiten, bauschigen Mantel dargestellt, aus dem er die buntscheckigen Kinder seiner tollen Laune schüttelt. Der Künstler W. Hensel in Berlin zeigt hier einen üppigblühenden Jüngling, der das strotzende Füllhorn seiner Gaben über uns schüttet; in seinen fleischigen Muskeln wohnt Naturkraft und derbe Gesundheit; in seiner Miene und auch im ganzen Erscheinen vermissen wir jedoch den Aether, der sein Wesen ideeller bezeichnen sollte. Mehr schwärmender Tiefblick im Auge, mehr Lächeln um die Lippe, und der Nimbus wäre da. Auch die übrigen Kupfer, welche Scenen aus Tieck's „Blondem Eckbert", dem „Treuen Eckart" und dem „Runenberg" vergegenwärtigen, theilen den Fehler allzu kolossaler Körperhaftigkeit.

Was den literarischen Gehalt betrifft, so füllt den Almanach diesmal ein einziges Werk von Tieck, eine Novelle mit dem Titel: „Tod des Dichters". Im „Dichterleben" sahen wir eine einfache, lichte Gestalt vor uns hintreten, die in den dürftigen Kreisen ihres abgesteckten Daseins voll stiller Genügsamkeit und in bescheidenster Resignation auf des Außenlebens Glanz und Flitterstaat, tief versteckt im reinen Quell des Busens die urkräftigste Liebe zu den Großthaten der Geschichte des heimischen Volks und die brennendste Begeisterung für die Muse in sich bewahrte und nährte. In Marlow und Green sahen wir seine negativen Gegensätze, indem sich uns in jenem ein Bild entfaltete, wie das Dichterelement zum entfesselten Dämon und zum riesenhaften Gespenste sich gestaltet und sich wild zertrümmernd den Untergang selber bereitet, während sich Green von den lüsternen Sirenenstimmen des Lebens umgarnen und umkosen läßt und Das, was ihn hebt und adelt, sich weicher, aber gleich rettungslos auflöst. In jenem Shakspeare, wie ihn Tieck schilderte, taucht aber gar kein Dilemma auf zwischen der Größe seiner vollen innern Welt und der engen Dürftigkeit des äußern Lebens. Die naive Gesundheit seines Wesens ist viel zu frisch und kräftig, um etwas Gebrochenes und Zerstücktes in seinem Dasein anzuerkennen und zuzulassen; die inwendige Flamme der Andacht weiht die harte Schale, die ihn von außen umgibt, und diese hält ihn zur Wechselwirkung wieder gebunden, um nicht wie Green mit den süßen Tönen der Sinnenwelt seine ganze Seele einzulullen. In Camoens, dessen Leben, Leiden und Tod uns Tieck in vorliegender Novelle zur Schau stellt, sehen wir ein ganz verschiedenes und doch verwandtes Bild, eine verwandte Weise in versetzter Tonart. Das physische Klima, in dessen Oertlichkeit wir hier heimisch werden, ist ein ebenso anderes, wie die innere Temperatur der Geister in beiden Werken sich darnach modificirend einen wesentlich entgegengesetzten, jedoch, wenn man will, sich ergänzenden Typus zeigt. Was die Flamme einer urgesunden Begeisterung in Beiden, in Shakespeare wie in Camoens, unausgesetzt lebendig erhält und anschürt, ist eben nichts Anderes, als daß der innigste Nerv ihres Wesens sich völlig identisch weiß mit dem Geiste, der in ihrer Nation sich regt. Auch Camoens lebte in einer Zeit, die im Genuß einer großen Vergangenheit schwelgte; sein Hauptwerk: „Die lusitanischen Großthaten", ist das Product der nationalsten Begeisterung. Das kleine Portugal hat sich die weitesten Bahnen, die größten Welten eröffnet. Ein Feuereifer hatte Helden hervorgerufen, die das Meer durchforschten, Afrika unterwarfen, die reiche Fülle Indiens dem heimischen Lande eröffneten und unter den fernsten Heidenvölkern das neue Licht des innern Lebens anzündeten. Aber wo die Vorfahren ein wunderbarer Drang nach Heldenruhm aufrief, wo eine tiefgeweihte Jesuliebe sie hinaustrieb über die Wüsten des Meeres und Gefahren, Abenteuer, Sturm und Tod in heiligster Verklärung erscheinen ließ, da streckt jetzt nur noch der Wucher seine Hände aus, und wo die Helden der Vorwelt betend und im stillen Jubel der Entzückung das Kreuz errichteten, da wühlt die Habgier jetzt im Golde. Die frühere Sonne des innern Lebens war nun erblichen und der Anblick der Schätze der materiellen Welt brachte einen Wahnsinn über die Zeitgenossen, vor dem das tiefere Heil sich scheu vergrub. In diese Zustände trat Camoens hinein mit der tiefsten Inbrunst für die süßen Zauber seiner Religion, mit dem innigsten

Drang nach Heldenruhm und Thatenglanz. Beides aber war aus seiner Zeit entflohen, und so stellte es sich in ihm zum Gedicht heraus, damit Alles, was echtportugiesisch war, sich hier in einem Denkmal verewigt fände. So glühend er aber sang, ebenso kalt nahm seine Zeit ihn auf; so kühn und frisch und innig bewegt er ins Leben trat, ebenso erstorben, matt und lieblos stieß es ihn von sich. Obwol von adeliger Herkunft, arm und ohne Stütze, war sein Leben eine Irrfahrt durch Klippen und Nacht und tiefstes Elend. Die Eifersucht eines Nebenbuhlers hatte seine Verbannung nach Santarem bewirkt, und er nahm Kriegsdienste in Afrika. Vor Ceuta raubte ihm eine Kugel das rechte Auge, und nachdem er jahrelang vergebens den Tod gesucht, glaubte er Ansprüche an das Vaterland machen zu dürfen. Abgewiesen und verachtet ging er nach Indien, um neue Menschen, neue Welten und von Neuem als Soldat Dienste zu suchen. Das alte Schicksal war auch hier sein Loos; eine Satire, die mehe Pfeile gegen die Zeitgenossen, als er selbst gewollt, enthielt, erbitterte den Vicekönig und seine Vorgesetzten; Verkennung, Kerkerschmach und bittere Noth waren die Furien, die ihn überall verfolgten. Nur die Musen blieben ihm treu, und, nach Macao verbannt, dichtete er im östlichsten Winkel Hinterindiens seine „Lusiade". Als er aus dem Exil zurückkehrte, litt er an der Küste von Cochinchina Schiffbruch und rettete von all dem Seinen nichts als sich und die Rolle Papier, worauf sein Theuerstes verzeichnet stand und die er schwimmend in der einen Hand aus den Fluten emporhielt. In der Hoffnung, das Gedicht würde ihm Gönner verschaffen, war er nach Portugal zurückgekehrt; sein Name ist aber plötzlich verschollen; im Hospital, heißt es, habe er die letzten Leiden überwunden.

So viel glaubten wir vom historischen Umriß des Lebensgemäldes vorausschicken zu müssen, um uns nun über das zarte, tiefsinnige Gedicht des Meisters verständigen zu können, ein Werk, das uns zum Dichter in einem ähnlichen Verhältniß zu stehen scheint wie der „Oedipus auf Kolonos" zu Sophokles; so viel Verherrlichung des Hinüberschreitens in die andere Welt, so viel Verklärung des Lebens durch den Tod, so viel süße, elegische Versöhnung mit allen Schmerzen des verkümmertsten äußern Daseins sehen wir hier vereinigt, als hätte der Dichter sein volles Vermächtniß niederlegen und was er über das Dichterleben und — sterben gedacht und gefühlt, hier zusammenfassen wollen. Wie geheimnißreich und schmerzlich bewegt und wunderbar innig auch alles Große erscheinen mag, was der Feder Tieck's entströmte: hier paart sich mit all dem eine weiche Milde der Gesinnung, eine verklärte Miene, die siegreich Alles überwunden und nun den Schmerz als Folie des lichten Scheins der Liebe segnet. Eine sanfte Wehmuth strömt durch alle Adern des Gedichtes, eine Wehmuth, die fast selbstgefällig sich an sich selber weidend im Anschauen und Betrachten des geliebten Dichterhelden ganz weich zerfließt; jeder Tritt, den Camoens durchs Leben geht, wird von elegischen Tönen begleitet, und indem unser Dichter diesem verbannten, verkannten, verstoßenen, noch lebend schon begrabenen und vergessenen Liebling in der Zuneigung weniger Auserwählten seiner Zeitgenossen das schönste Denkmal seiner stillen, tiefen Größe setzt, erscheint uns das ganze Werk wie eine einfach erhabene Todtenhalle, wo man zur gemächlichen und wohlthuenden Feier des edeln Dulders auch ein stilles, ruhiges, oft allzu gedehntes Verweilen kaum fortwünschen möchte und die gefällige Breite mancher Epitaphien zu dulden sich gern geneigt fühlt. Den verstoßenen und verachteten Dichter in aller Zerknirschung seiner betrübten Seele als den unendlich Seligen zu preisen und um die schmerzzernagten Züge seiner bleichen Kummermiene den hellsten Glorienschein der süßesten Anmuth leuchten zu lassen, ist Ziel und Zweck dieser merkwürdigen Dichtung Tieck's.

Im ersten Abschnitt sehen wir eine edle, schon bejahrte Dame zu Lissabon in ihrer Häuslichkeit und im nächsten Kreise ihrer täglichen Umgebung. Donna Katharina ist eine hohe, bleiche, gedrückte und zerweinte Gestalt. Sie ist Witwe seit einiger Zeit; ein verfehltes Eheleben greift noch mit seiner Schattenhand über die Tonleiter ihrer Seele; aber wenn wir ihr näher ins Auge blicken, so scheint es uns, als müsse noch ein geheimeres Ungemach, eine schmerzliche Fülle gebrochener Wünsche der Vergangenheit ihres Lebens angehören, um diese edle, geknickte Gestalt in dem geheimnißreichen Kummer ihrer schönen Seele zu begreifen. Die halberwachsene Pflegetochter, die um sie ist, und deren naive Frische die leise, sanfte Hypochondrie der Dame oft verletzt und doch belebend und erheiternd auf sie wirkt, muß ihr näher stehen, als uns jetzt zu wissen frei steht; der Marquis, Katharinens Ohm, und der junge Graf Fernando, ihr Neffe, treten zu einem geistvollen Zirkel um die Edelfrau zusammen, die erst vor Kurzem die stille Einöde ihres Landguts im Gebirge verließ, um Lissabon, das sie seit langer Zeit nicht wiedersah, zu besuchen. Ein greiser Diener gehört auch noch zu der Gruppe Menschen, die uns zunächst an sich fesseln; als dieser die Gräfin allein weiß, schleicht er sich behutsam zu ihr, aber eine Thräne entwindet sich der alten Wimper, und die geheime Kunde, auf die ihn die Gebieterin aussandte, um von dem Leben

„war er krank zurückgekehrt, und seit zwei Jahren, sagen sie, ist er im Hospital verschmachtet." Die bleiche Dame aber erbleicht noch mehr, und als sie sich allein sieht, wankt sie zu dem einen und dem alten Trost, dem Gedichte des großen Dichters, dessen Tod sie eben erfahren, und weidet sich wehmuthsvoll am süßen Zauber seiner nun für immer im Raum der Wirklichkeit verstummten Rede.

des Camoens und eine Darstellung seines ganzen Lebens umschließen soll, mit der Nachricht von seinem Tode. Welches innige Band aber die hohe Priesterin, deren Thränen ihn feiern, mit dem Dichter verknüpfte, erfahren wir erst viel später, als Katharina dem Oheim die

Geschichte ihres Lebens und Leidens mittheilt; die Ahnung, hier sei ein tiefstes, geheimnißvollstes Band zerrissen, hier haben zwei schöne Herzen, die in der Wonne des Jugendrausches für einander und aneinander schlugen, getrennt und vereinsamt den süßen Takt der gleichgestimmten Pulse verloren, diese Ahnung geht Schritt vor Schritt beim Fortgang der Lecture mit uns, und gibt der Dichtung, ohne absichtlich zu spannen, den stillen Reiz bewegter Wehmuth. Was aber die Trauer um den in Kummer und Elend Verschmachteten mildert, ist die Fülle der Liebe, mit der unser Dichter eine andere Figur umkleidet, die unter dem Namen Don Luis in andern Gruppen und vielfachen Verbindungen auftritt und überall wie eine milde Sonne Versöhnung und Frieden spendend erscheint. Don Luis hat die Welt gesehen in hohen und niedern Sphären, im Glanz und Dunkel das Leben erprobt, eine Reihe bitterer Schmerzenstropfen hängt an seiner bekümmerten Seele, aber der Sieg der Verklärung sitzt thronend auf seiner Stirn; ein geläuterter Geist tönt aus ihm, selbst über den Undank, über Verketzerung, Haß und Verfolgung, die ihm widerfuhren, spricht er mit freundlicher Güte und gestillter Seelenruhe. Man kennt von dem Manne nichts als sein edles Gemüth; höhere Cirkel, denen er anzugehören scheint, vermeidet er absichtlich, und einen solid-harmlosen Bürgerclub erfreut er durch sein sanftes, kluges Wesen, das sich in Wort und Handlung ausprägt. Aus den italienischen Dichtern liest er den Freunden gern vor; über Alles spricht er mit stiller, tiefer Weisheit, nur über Camoens will er kein Urtheil haben; wenn auf diesen das Gespräch fällt, so bricht er erröthend ab. Der freundliche Mann hat nicht allein ungewöhnliche Bildung, auch Muth und Entschlossenheit beweist er in vorkommenden Fällen; die schwarze Binde über dem einen Auge ist Zeuge, daß er dem feindlichen Kugelregen die feste Stirn geboten. Ganz isolirt scheint Don Luis in seinem Alter dazustehen; ein Neger, sein Sklav, ist das einzige Wesen, das ihm angehört. Die treue Anhänglichkeit dieses liebenswürdigen Naturkindes ersetzt aber auch den Mangel vollauf. In einer trefflich gehaltenen Volksscene voll südländischer Lebendigkeit, in welcher besonders ein humoristischer Kesselflicker seine sterile Weisheit zum Besten gibt, entwickelt jener Jao, der schwarze Sohn der heißen Sonne, eine Fülle der wunderbarsten Seelentiefe, die in ihrer kindlichen Harmlosigkeit unendlich rührend erscheint. Wer könnte unbewegt bleiben, wenn der arme, von seinen weißen Mitbrüdern getretene und geschlagene Mensch in seiner unbeholfenen Sprache den Moment schildert, wo seiner in den Staub gedrugten Seele mit der Offenbarung der christlichen Lehre und mit der Aufnahme in den Schoos der Kirche eine neue Wunderwelt aufgethan wird, die ihm die Kindschaft Gottes verheißt; und wer möchte den Dichter nicht glückselig preisen, dem es gelungen, das Mysterium des Glaubens in dem gedrückten und gedemüthigten Wurm zu verherrlichen!

Seht, Herr — antwortete der Neger auf die Frage der Gäste in der Taverne, wie ihm bei der Bekehrung zum Christenthum zu Muthe gewesen —, konnte mir schon lang mit meine Götzenbilder nicht vertrage; hatte das Kerl nicht ein Schnauz, als wenn er mir auffressen wollt, wenn ich ihm mein Reverenz macht. Hat mir auch nichts geholfe, wenn ich den Granzhans um was höflich ersucht hab, sitzt immer stumm und grob, als wenn das Thier von Holz wär, war auch als Holz gebaut, konnte nit anders. Lange schon hatte ein fromm Christenpriester sich mein erbarmt und auf meine gläubige Seel herum gepredigt und hantirt, legte mir Alles aus und gab meinem dummen Geist so rechten Stoß und Ruck in das Unbegreifliche nein, daß ich's in Brust und Herz und Rippen fühlte. Nun tauft mir der Mann in seiner schönen Kirch, wie meine Lebensgeister darauf präparirt war. Ach, ach! wie das allerheiligst Wasser und Wort mir Gebein und Verstand naß macht, anrührt, durchdringt oder penetrirt; seht, werthachtungswürdige Christenherren, da brummt, summt, flammt und grollt es mich so im Herzen, als wenn drei Bienenschwärme darin herumsuselten. Kam in mich Feuerbrand und Zorn, und wieder sanft, sanft wie weiße Täublein durch blauen Morgenhimmel ziehn in erster Frühe, wenn Thau noch an Blumen weint. Fühlte, daß meine Seele neu war geworden; fühlte, wie gütige, liebe Heiland mich in seine zarte Arme nahm und sagte: arme schwarze Creatur, Mensche habe dich geschlage und gefoltert und mit Füße getrete, bleib du bei mich, sieh mir in mein Auge, wenn du wieder traurig bist; will dir wie Kind, wie Bruder lieb habe, denn du hast nicht Aeltern, nicht Schwester und Bruder. — Ja, meine Gönner, meine Aeltern hatten mir ja selbst nach der Fremde hinaus für bischen Geld verkauft. — So bin ich Christ und glücklich geworden, bin nicht weiß, nicht Portugiese, bin Bettler; schwarze Sklave, kann aber selig werden, und bin's schon, wenn an schöne liebe Jesus denke.

Und dieser kindisch liebe Neger, aus dessen lallendem Mund die süßen Geheimnisse des tiefsten Lebens so unbeholfen schön und unversehens laut werden, und der am innersten Kern des geweihten Daseins so lüstern und doch so harmlos nascht, derselbe Jao ist tollköpfig lustig und tanzt und purzelt zum Todtlachen der Gäste kopfoben und unten, und läuft dann herum, sich die karge Münze mit einer Geldgier zusammenbettelnd, daß er überall als Gauner und Geizhals verschrien ist. Ein reicher Lohn ist heute sein Gewinn, denn ein englischer Offizier, der sich dem Zuge des Königs Sebastian nach Afrika anzuschließen gedenkt, hat seinen Späßen zugesehn und spendet vollauf nach gewohnter Weise seines Volkes. Jao aber läuft frohlockend mit seiner Beute fort und findet seinen Herrn, Don Luis, tiefsinnig am Ufer wandeln in der lautlosen Stille der Nacht. Für Niemand anders als für ihn sammelt der treue Sklav, ihn zu erquicken und dies karge Leben ihm zu fristen, bettelt und gaunert der liebe gute Bursch; es ist nur Erkenntlichkeit seinerseits, denn Luis hat ihn mit Aufopferung seines Vermögens in Indien von einem tyrannischen Herrn losgekauft; aber die treue Liebe des Knechts geht über alles Maß der dankbaren Gesinnung.

(Der Beschluß folgt.)

Der Humorist als Glücksdoctor in seinem Leben und Wirken dargestellt von F. A. Piepmeier. Münster, Deiters. 1833. 8. 1 Thlr.

Der Verf. erzählt uns in einem Vorworte, die vorliegende Schrift sei das Ergebniß der freien, heitern Stunden, welche sonst der Erholung und Ruhe gewidmet wurden. „Diese Probucke der guten Laune", fährt er fort, „sind meist alle (?) Sonntagskinder. Ich will damit nicht gesagt haben, daß sie ein Feierkleid tragen, sondern daß mein Amt die Werktage in Anspruch nahm und nach der Alltagslast nicht Humor genug mehr übrig blieb, an diesem Werke mit Erfolg zu arbeiten."

Diese Worte sind furchtbar wahr; denn es findet sich in diesem Buche nicht nur nicht genug Humor, sondern überhaupt gar keiner, ja nicht einmal Witz, wenn man zwei bis drei unbedeutende Wortspiele ausnimmt. Jedermann wird sich daher aus dem Buche selbst ohne Mühe überzeugen, daß der Verf., wenn er überhaupt Humor hat, sich denselben jedesmal durch die Alltagslast hat auspressen lassen, ehe er an die vorliegende Arbeit ging. Einen noch tiefern Blick in die Eigenthümlichkeit dieser Schrift gewährt uns der Verf., indem er in eben jenem Vorworte unter Bedauern sagt: „Die Form eines Romans, worin die einzelnen satirisch-humoristischen Bilder im Zusammenhange vorgestellt werden, schien mir die beste zu sein: durch sie dachte ich Einförmigkeit, Langeweile und Ueberdruß zu vermeiden." Man siehe, daß der Verf. ein sehr großes Zutrauen zu der erzählenden Form hat. Diese ist aber keineswegs im Stande, das Langweilige kurzweilig und das Ueberdrußerregende appetitlich zu machen. „Die Schrift selbst", fährt der Verf. fort, „ist hauptsächlich gegen das Excentrische der Zeit gerichtet; sie lacht nur über Thorheiten, tadelt Misbräuche und verdorbene Sitten; Gott, Religion, Wahrheit und Tugend bleiben geehrt." Von dem Excentrischen der Zeit ist in dem Buche keineswegs die Rede, sondern vielmehr von einigen der allergewöhnlichsten Laster und Ausschweifungen, welche allen Zeiten ebenso eigenthümlich sind als der gegenwärtigen. Die Behauptung, daß Tugend und Wahrheit geehrt bleiben, ist lächerlich; denn es ist noch Niemanden im Ernste eingefallen, Etwas, was er selbst als Wahrheit und Tugend anerkannte, zu schmähen. Auch könnte das nur ein Wahnsinniger thun. Der Verf. hätte daher ebenso passend anführen können, daß in seinem Buche weder Felsen gespeist, noch Planeten aus ihrer Bahn gebracht werden. Ueberdies kann ihm das Zeugniß ertheilt werden, daß er nichts verunglimpft, was irgend Jemand für Tugend halten könnte; denn es ist fast nur von den allergewöhnlichsten und anerkanntesten Lastern die Rede. Höchstens könnte man behaupten, daß er ganz gleichgültige Dinge ohne Grund als Laster bezeichnet. Unter Anderm wird ein Langes und Breites darüber satirisirt, daß viele Menschen sich bei der Wahl eines Weinhauses durch die Anwesenheit eines hübschen Schenkmädchens bestimmen lassen. Ich für meinen Theil bin zwar kein Freund von Weinhäusern, muß aber gestehen, daß ich unter allen Umständen ein hübsches Mädchen lieber sehe, als einen anmaßenden Kellner oder eine alte, brummige Schließerin. Ich werde daher sehr mitgetroffen von des Verf. Zorn- und Spottpfeilen. Daß übrigens derselbe von wahrer Tugend viel wisse, möchte ich fast bezweifeln; denn wer in einer satirischen Schrift nur die allergröbsten und gewöhnlichsten Thorheiten und Laster zu bespötteln weiß, setzt sich dem Verdachte aus, daß er auch nur die hausbackensten Tugenden kenne.

Der Verf. hat seine Satire in folgende Form gekleidet. Nachdem der Held des Buches sich als Glücksdoctor angekündigt hat, wird er von Leuten verschiedenen Alters und Standes um die Kunst, ihr Glück in ihrem Berufe zu machen, befragt, und gibt nun Jedem von ihnen Rathschläge, welche eine Schilderung des gewöhnlichen Treibens in den betreffenden Lebenskreisen sein sollen. Durch diese Form wäre ein verständiger Autor gezwungen worden, nur solche Fehler und Verbrechen anzudeuten und zu beschreiben, welche nach der Meinung der Menge oder wenigstens Einzelner aus der Menge Das, was man gewöhnlich sein Glück nennt, zu verschaffen geeignet sind. Demgemäß würden also nur Habsucht, Betrügerei, Kriecherei und dergleichen Thorheiten, durch welche man wol häufig genug sein Glück zu machen meint, zu bespötteln gewesen sein. An Vorschriften dieser Art bindet aber unser Verf. sich nicht. Seine Rathschläge sind vielmehr Beschreibungen der ersten der besten Thorheiten, wie sie ihm grade eingefallen sind. Ob sie zu der Form des Ganzen passen oder nicht, das kümmert ihn nicht. Ueberdies aber sind diese Beschreibungen selbst so gewaltig gemein, so über alle Maßen plump und grob, daß man sich gar keine Vorstellung davon machen kann, wenn man sie nicht gelesen hat. In dem ganzen Buche findet sich keine Bemerkung, die man fein nennen könnte. Ein edles Gemüth spricht ebenfalls nicht aus demselben, sondern nur eine ganz gewöhnliche Philisterseele, welche in ihrem Privatwirkungskreise vielleicht recht achtbar ist, die aber das Schriftstellern ja bei Seite legen muß, wenn sie sich nicht entschieden lächerlich machen will.

Am Schlusse des Werkchens sagt der Verf., eine richtige und billige Beurtheilung werde ihm willkommen sein. Daß gegenwärtiger Bericht ihm willkommen sei, ist nun freilich nicht zu verlangen, obgleich derselbe, wie ich glaube, nicht nur richtig, sondern auch billig ist. Denn es ist eine der ersten Recensentenpflichten, Diejenigen, die einen entschiedenen Mangel an Fähigkeiten beurkunden, auch entschieden zurückzuweisen. Belege für mein Urtheil hätte ich freilich noch sehr viele geben können, aber ich glaube nicht, daß es dem Interesse dieser Blätter gemäß ist, sich bei dieser unbedeutenden Production länger aufzuhalten, als bereits geschehen ist. 171.

Notizen.

Der fünfte Band des in Edinburg herauskommenden „Biblical cabinet, or hermeneutical, exegetical and philological library" enthält eine Uebersetzung von Prof. Tholuck's Erklärung des Briefes Pauli an die Römer, von Robert Menzies. Bei Gelegenheit einer Anzeige dieser Schrift sagt das „Monthly review": „Wir begrüßen diesen unschätzbaren Beitrag zur heiligen Gelahrtheit mit der größten Freude, indem wir betrübt eingedenk bleiben, wie nöthig Deutschland solche orthodoxe Kämpen wie Tholuck braucht, und erwarten auch für unser Vaterland großes Heil von der meisterhaften Uebertragung einer so mächtigen Stimme der Wahrheit. Wir dürfen schließlich zugleich der Mehrzahl unserer Leser zu ihrer Unbekanntschaft mit dem Rationalismus Glück wünschen, welches der Name einer entsetzlichen Ketzerei ist, die besonders in Deutschland wüthet."

Die uralte Streitfrage über die Fortpflanzung der Aale will jetzt ein Engländer, Hr. Yarrel, nach [illegible] Beobachtungen und vielen Sectionen, dahin entschieden haben, daß der Aal, wie andere Fische, Eier lege [illegible] und Rogen habe.

Aus dem „Almanac imperial of [illegible]" [illegible] Blatt mit, daß der regierende Kaiser [illegible] heiße und ein Sohn und Nachfolger des [illegible] Kaisers Kea sei. Er wurde 1781 geboren, [illegible] seinen ältesten Sohn, besitzt aber noch [illegible] aus rechtmäßiger Ehe. Das Cabinet besteht aus [illegible] miersminister und mehren Großwürdenträgern [illegible], welche die wunderlichsten Titel führen. In Peking [illegible] verschiedene Sectionen getheiltes Nationalinstitut. [illegible] Abtheilungen muß die Thaten und Worte des [illegible], eine andere über den öffentlichen Gottesdienst [illegible], eine dritte die Reinheit der Lehre des Confucius [illegible] ten u. s. w.

Ein Herr Clarke hat in London „Tales from Chaucer in prose" herausgegeben.

Redigirt unter Verantwortlichkeit der Verlagshandlung: F. A. Brockhaus in Leipzig.

Blätter für literarische Unterhaltung.

Montag, — Nr. 350. — 16. December 1833.

Taschenbücherschau für 1834.

Dritter Artikel.

(Beschluß aus Nr. 349.)

Don Luis' Stimmung ist aber heute schmerzumflorter als sonst; es ist der Geburtstag seiner Jugendgeliebten, die ihm früh entrissen ward und deren Schicksal ihm im Lauf der bittern Lebenstage unbekannt geblieben. „Wohin seid ihr entflohen", sagt er, in stilles Angedenken versinkend, „ihr schönen Stunden, als ich so glücklich war, an ihrer Seite, beim Glanz der Lichter, ihres lächelnden süßen Mundes diesen Tag zu feiern? Wie viele Jahre liegen zwischen jetzt und ihrem letzten, leuchtenden, thränenvollen Blick! Also heut war sie geboren, heut vor funfzig Jahren! Wo ruht nun ihr Staub im fernen Gebirge? und ist meine Form auch zerbrochen, so ist auch das Andenken ihrer Schöne und Hoheit unter den Menschen erloschen. Ich aber fühle sie und ihre Herrlichkeit im Hauch der Nacht, im Glanz der Gestirne, die Erinnerung an sie durchdringt alle meine Lebenskräfte, und so ist es, als wäre es gestern, wie ich sie sprach und liebte. Und welche Kluft dazwischen! Und in dieser wie viel Leiden und Thränen und Kampf! Nur diese Erinnerung an sie ist die Wahrheit meines Lebens, alles Andere nur wie Märchen und Lüge. Traum des Lebens, o du herzdurchdringende Wehmuth, wird denn eine Zeit kommen, wo auch das Vergangene wieder Gegenwart wird? Wir streifen nur wie in einem flüchtigen Tanze allen Gegenständen vorüber und berühren sie kaum mit den Händen; was wir anfassen, schwindet und welkt wie die Blume des Feldes; indem wir dem theuern Wesen Auge in Auge sehen, wandelt es wie die helle Wolke, die über dem Meer dahinzieht, — und so sind wir plötzlich einsam und fragen uns in träumerischer Angst: war es denn da, was ich lieben und halten wollte?" In dieser bebenden Empfindung mischt sich Lust und Leid, und in diesem Reichthum aller geistigen Schätze des innern Lebens, in dieser Fülle der tiefsten Genüsse hat das Edle das Bewußtsein einer gesicherten ausruhenden Seligkeit. Daß aber das Herz seiner Jugendgeliebten noch unter den Lebenden schlägt, daß ihre Thränen ihn, den großen Dichter Camoens und den Vermählten ihrer Seele noch feiern, das ahnt er nicht; der Leser hat jedoch bereits errathen, daß Don Luis und Camoens ein und derselbe, und Donna Katharina Niemand anders ist als das liebende Wesen, dem er sich innigst und für die Ewigkeit verlobt weiß. Als er in Coimbra seine Studien beendigt, hatte der Jüngling das Haus von Katharinens Vater betreten, und vom Alten begünstigt, gelang es der stillen Größe seiner edeln Natur, die leichtbefiederte, lustig neckende Mädchenseele zu besiegen und zu fesseln. Alle Süßigkeiten der Liebe hatten sie ausgekostet und sie war vor Gott sein Weib geworden. Aber des Alten Sinn änderte sich; ein reicher Eidam schien ihm wünschenswerther, und von dem Geständniß, das die Tochter ablegte, entrüstet, vermählt er sie dem stolzen Manne, auf den seine zweite Wahl getroffen. Camoens aber irrte als Verbannter damals fort und nahm in Afrika Dienste.

Aus jener Zeit der begünstigten und beglückten Jugendliebe gibt uns nun Tieck Documente in den Ergüssen des Dichters selbst, die an zartsinniger Tiefe der Gesinnung, an Wärme des geweihtesten, heiligsten Liebesgefühls Alles übertreffen, was je in Form der Elegie gedichtet wurde. Sie sind in Prosa und führen den Titel: „Seelen zu künftigen Gedichten"; aber wir vermissen hier kein Kleid und keinen Körper, es ist die Seele selbst in ihrem geistigen, genußsuchenden und genußspendenden Athmen, ihr Flüstern, ihr Wehen, ihre Angst und ihre tiefste Inbrunst selbst, im leisebeschwingten Wechseltakt der schönsten Prosa. Nur Novalis' „Nachthymnen" athmen in ähnlicher Weise solche süß entfesselte Zauberdüfte, ohne doch die zarte Frische der ersten Empfängniß und die stille Beseligung, die sich so einfach, schlicht und menschlich hier preisgibt, zu erreichen. Nie war die Liebe in so kindlicher Andacht gefeiert! Der Neffe der Gräfin, Ferdinand, findet diese Skizzen aus Camoens' Feder, ohne zu wissen, wie nah sie ihn und seine Tante berühren, unter andern gleichgültigen Sachen, die aus einem brennenden Hause Katharinens vor einiger Zeit gerettet wurden und unbeachtet blieben. Der Jüngling schwelgt an diesen Schätzen und hält sie lange geheim. Einige davon hier mitzutheilen, glauben wir unsern Lesern schuldig zu sein.

Blick' ich nach den fernen Gebirgen und über das weite, unermeßliche Meer, erhebe ich das scharfe Auge zu Mond und Gestirnen, und schweift es durch alle diese weitgestreckten Regionen, so stellt sich mir das Bild der Ewigkeit erhaben gegenüber. Ich verliere mich im Weltall, und meine Seele schwindelt — doch größer als das Größeste, unermeßlicher, wundervoller und ewiger ist mir dann der süße, nahe, befreundete Blick deines Auges in der nächsten Gegenwart; und noch zitternder schwindet mein Geist in dieser nächsten Nähe, aufgelöst in Wonne und Entzücken. Dich fühl' ich, du bin ich, wenn ich die Ewigkeit und die fernen Räume nur ahne und Meer und Gestirn nur mit dem äußern Auge wahrnehme. — —

Ist sie schöner, wenn sie muthwillig ist, oder wenn sie schweigend und gerühret ganz in Gefühl sich löst? Ihre Thränen sind unwiderstehlich, aber ihr schalkhaftes Lachen siegt noch gewisser. Sie war sehr ernst, als wir von der Vergänglichkeit der Schönheit und alles Lebens sprachen. Alles dient nur dem Tode, sagte sie gerührt, und alles Schöne strebt nur aus dem Dunkel leuchtend empor, um der Verwesung entgegenzureifen. Der schönste Pfirsich glänzte röthlich in seiner sammetnen Pracht am Spalier. Sie brach ihn herunter und reichte ihn mir. Es kommt mir häßlich und roh vor, sagte ich, die Frucht mit meinen Augen prüfend, ein so liebliches Kind des Sommers thierisch zu verzehren. Plötzlich lachte sie und nahm den saftigen Apfel aus meiner Hand. Sie sah mich schalkhaft mit den glänzenden, großen Augen an. Darauf biß sie mit den weißen Zähnchen in den Flaum der Frucht und sog den weißen gewürzigen Saft. Siehst du, rief sie dann: für diesen Augenblick war der zierliche Apfel geformt und von der Sonne erzogen, er hat im lieblichen Geschmack mir Alles verrathen, was er von seinem Dasein weiß. Nimm! Mit bebendem Entzücken nahm ich die Frucht aus den schönen Fingern. Die Spur der Zähne war dem blendendweißen Fleische eingedrückt; ich kostete von der Stelle, an der sie genascht hatte. So dünkte mich, ich schlürfe der Venus sinnberauschenden Wein. Schnell nahm sie mir den Pfirsich wieder weg, setzte noch einmal den wunderschönen Mund an, kostete und warf dann die Frucht weit weg, unter grüne Gewächse und Sträuche hinein. Dort mag er sterben und verwesen: du hast einen Kuß von mir und ich von dir empfangen. Ist sein Leben nicht ein schönes gewesen? Und so ist auch die Gegenwart und der vorübereilende Moment. Wenn wir jahrelang sein gedenken, ist er kein flüchtiger. Warum mußte die lustige Gesellschaft schon zurückkehren, indem wir noch so sprachen? — —

Mit Worten, den süßesten, hat sie mich oft geküßt; ihr Geständniß der Liebe, ihr Händedruck hat mir das Herz durchdrungen, daß es schmerzlich in Wonne erzitterte. Nun bat ich sie flehend um den ersten Kuß. Thor! sagte sie, vergissest du so schnell, was du neulich vom Pfirsich sagtest? Ist die Ahnung nicht mehr als die Wirklichkeit? Sind die Lippen zum Küssen geschaffen? Erstickt nicht im Kusse dann vielleicht die geistigste Sehnsucht? Nein, rief ich, himmlischer entsprießt sie im süßen Kuß; in ihm werde ich mich, dich und mein Glück erst kennen lernen. Also ist es dir noch immer fremd? sprach sie lachend. Wir standen im Schatten der Laube. Plötzlich umfaßte sie mich, küßte mich auf den Mund und sprang mit Gelächter hinweg. Ich wußte nicht, wie mir geschehen war; ja, ich konnte nicht sagen, ob ich glücklich war, oder nicht. — —

Wieder Streit. Nein, rief ich in Thränen, so hat dich denn die Liebe noch nicht bezwungen, der goldene Pfeil ist nur durch deine braunen Locken die Stirn vorbeigeflogen und hat dein Gewand gestreift. Ins Herz ist er dir nicht gedrungen; das war nicht ein erster Kuß, wie ihn der Liebende sich wünscht, er neckte nur, er küßte nicht. Auf diesen hastigen, fortrauschenden Druck waren die Geister des Lebens nicht vorbereitet, um in Sabbathstille und Andacht das Entzücken dieses Augenblicks zu feiern. Warum sollen sich alle Küsse gleich sehen? erwiderte sie, ich habe mich diesen nicht gereuen lassen und ihn an dich gewendet, aber du hast Unrecht, ein Geschenk der Liebe zu taxiren. — —

Jungfräulich erröthend und scheu saß sie in dunkler Abendlaube neben mir; unsere Hände ruhten ineinander, und Alles war still. Da umfaßte ich sie, sie drückte sich an meine Brust, unsere Lippen begegneten sich freiwillig und ein langer, andächtiger, einwurzelnder Kuß ward ein Siegel unsers Bundes. Heiße Thränen gerührter Freude stürzten aus meinen Augen, und wie war ich erschüttert, als große Tropfen aus ihren klaren Augen fielen. Die Geister der Liebe feierten ihren Triumph, ein heiliges Gebet, ein Schauer der Andacht und Wonne rieselte durch mein Gebein. Vielleicht, so seufzt mein Genius, habe ich den schönsten Moment meines Lebens genossen, und jene Thränen waren das Grabgeläut meines Glücks. — —

Gleich darauf gehen einige Scenen im Familienkreise der Gräfin an uns vorüber, die die Entwickelung des Stoffes, wie wir sie hier bereits anticipirten, noch fern rücken. Maria, das schöne Mädchenkind, in dem sich die Jungfrau zu regen anfängt, entwickelt sich rasch und voll frischer Lebendigkeit. Es ist eine jener Gestalten, die Tieck gern zeichnet, in denen sich eine Metamorphose des innern Wesens ankündigt, und zwei Welten, hier das Kind mit seiner naiven träumerischen Einfalt und die Jungfrau mit dem dämmernden Bewußtsein des Lebens, sich begegnen. Später ergibt sich aus den Mittheilungen der Gräfin, die dem Oheim in einer Stunde vertrauter Berührung die Geschichte ihres Lebens und ihrer schmerzlichen Liebe erzählt, daß Maria ihre und Camoens Enkelin sei. Als der Geliebte ihrer Seele sich auf das Gebot des harten Vaters von ihr und der Heimat losriß, genas Katharina alsbald in stiller Verborgenheit einer Tochter. Nach einigen Jahren ihrer darauf vollzogenen ehelichen Verbindung nahm sie die Tochter unter dem Namen einer Waise in ihr Haus und verheirathete sie später an einen Edelmann im fernen Gebirge. So erblickte Maria das Licht der Welt, und der Anblick des wunderbaren Kindes, das in seinem ganzen Wesen den Großvater schon früh verrieth, wirkte belebend auf die gramgebleichte Katharina. Sie widmete auch Mariens Erziehung ihre Sorgfalt und hatte so an der Kleinen eine stete, getreue Erinnerung der alten schmerzbeklommenen Liebe ihrer Jugend und einen lebendig verjüngten Spiegel ihres fernen Camoens, von dessen Schicksalen in Indien sie damals nichts erfuhr. Jetzt nun aber fügt es unser Dichter so zart wie harmlos natürlich, daß Camoens, der gealterte Großvater, und Maria, die Enkelin, ohne zu wissen, wie nah sie sich angehören, in einen stillen Verkehr miteinander treten, indem der freundliche Mann mit der schwarzen Augenbinde, wie von einem versteckten Zauber geleitet, oft und gern am Garten der Donna vorüberwandelt. Durchs Gitter geschieden, treten Beide dann häufig zum kurzen Zwiegespräch und zur stillen Augenweide näher zueinander und feiern ohne Willen und Wissen die Versöhnung, die ein gnädiges Geschick nach vielen Stürmen über den Spätabend des gebeugten Greises heraufführt. Auch im Traum steht der Kleinen die liebe Gestalt des Alten vor Augen, noch lieblicher, glänzender, erhabener und doch so traut, daß es ihr vorkommt, als habe sie ihn schon irgendwie im Geiste erschaut. In diesen Berührungen beider Gemüther liegt etwas außerordentlich Tiefes und Schönes.

Vielfache Scenen und Begebnisse kreuzen sich nun durch den Hauptfaden des Stoffes. Vor Allen nimmt das Schauspiel, das die Einschiffung König Sebastian's gewährt, unsere Aufmerksamkeit in Anspruch. In diesem jugendlichen Fürsten hat sich der Heldendrang der Vorfahren zur Phantasterei gestaltet, und von vielen Seiten drängen sich Besorgnisse auf über sein abenteuerliches Unternehmen, einem Sarazenen gegen seinen Feind in Afrika hülfreiche Hand zu leisten. Sodann erfolgt die Ankunft eines alten Verwandten der Gräfin, des Don Christoforo, der krank und arm aus Indien zurückkehrt, wo er, obschon von Undank und Mühsalen aller Art verfolgt, doch der Freundschaft des hohen Dichters die schönste Zeit und die Weihestunden seines Glücks verdankte. In die Erzählung seiner Erlebnisse im fernen Colonielande, die wir allerdings trotz der Fülle der gediegensten Beredtsamkeit, welche sich darin kundgibt, gedrängter wünschen möchten, sind die Hauptmomente der Geschichte des Camoens eingewebt. Ein gleicher Wunsch trifft die Unterhaltungen über italienische Poesie, zu denen die Anwesenheit eines verwundeten florentinischen Hauptmanns Gelegenheit gibt, der in des Grafen Fernando Wohnung Aufnahme und Verpflegung findet. Nicht blos der Faden wird störend dadurch unterbrochen, sondern wir werden zerstreut und trüben uns das stille Versinken in das eine tiefsinnig wehmüthige Thema, dem wir uns ganz und lediglich hinzugeben so geneigt fühlen. Auch Camoens selbst wird später noch in einer epischen Breite vorgeführt, die zu müßig erscheint; eine Zerdehnung ergreift alle Verhältnisse und Gestalten. Es will uns in diesen Partien der Novelle gemahnen, als wiederholte sich in Tieck wie in Göthe dieselbe Erscheinung, wie der Greis, das Leben weniger vorführend als betrachtend, in epischer Ruhe sich ergeht und die bequeme Gemächlichkeit liebgewinnt. Auch dies trägt nicht wenig zu der stillen Wehmuth bei, die uns bei der Lectüre des Werkes fast in jeder Zeile überschleicht.

Die Verwundung des florentinischen Hauptmanns gibt übrigens den gelegenen Anknüpfungspunkt, in dem sich Ferdinand und Camoens, der immer noch unter der Hülle des fremden Don Luis vorgeführt wird, gegenseitig berühren. Es gelingt dem Jüngling, dem verehrten Manne seine Freundschaft aufzudringen; nur zögernd überwindet jedoch der Greis seine Scheu vor Menschen und vor den Cirkeln des höhern Gesellschaftslebens. Auch zwischen dem Marques und dem Neger Jao, der für seinen Herrn noch immer bettelt, ergibt sich eine nähere Berührung in einer trefflich gehaltenen, rührenden Scene. So gehen die Interessen allmälig und in geselliger Ungezwungenheit ineinander über und bereiten den Moment vor, wo Don Luis Katharinens Haus betritt und als Camoens sich selbst vor seinem letzten Augenblicke kundgibt. Die Nachricht vom Untergange des Königs sammt seinem ganzen Heere an der afrikanischen Küste erfüllt plötzlich alle Patrioten mit

schrift, die er aus Katharinens brennendem Hause gerettet, mitzutheilen versprochen, und so überreicht er sie ihm jetzt zur vorläufigen Ansicht und läßt ihn im Gartensaale des Landhauses allein, um seine Ankunft der edeln Wirthin zu melden. Der Anblick seiner Jugendgedichte, die an den Taumel des seligsten Glückes erinnern, überwältigt den Dichter jedoch wie ein lähmender Schreck, und er sinkt betäubt und ohnmächtig zusammen, als so urplötzlich die Geister seines Jugendlebens aus der Handschrift vor ihm auferstehen. Der Ruf, im Gartensaale liege eine Leiche, verbreitet sich alsbald durchs Haus, und die ganze Gesellschaft, Katharina unter derselben, findet den erschütterten Greis, der sich nur schwach zum Leben noch einmal erhebt, um es für immer zu verlassen. Der Schein, den er angenommen, sinkt; er gibt sich zu erkennen, und der Augenblick des Wiedersehens der beiden Geliebten (eine Situation, die Tieck schon mehrmals, immer verschieden nuancirt, dargestellt hat) ist wunderbar gemischt von Lust und Leid. Eine Gruppe der theuersten Menschen umgibt den sterbenden Dichter, der, mit seinem Geschick versöhnt, in ihren Armen sanft entschläft. Auch eine glänzende Feier wird mit allem Pomp des katholischen Ritus dem großen Dulder noch bereitet; ein Prinz und ein Bischof erscheinen an seinem Lager, und die Worte ihrer Huldigung schließen das Gemälde seiner Sterbestunde ab. Nicht die stille, tiefe Größe des Edeln kann hierdurch gesteigert werden; sein Werth als Dichter und Mensch ist schon zu innig gefeiert, um dessen zu bedürfen; aber eine Rechtfertigung der Zeitgenossen mag damit bezweckt sein, daß auch noch der Glanz der Welt huldigend auftreten muß. Die Gräfin folgt ihm bald im Tode nach, zwischen dem Neffen und der Enkelin gestaltet sich aber ein immer trauteres Verhältniß.

Tieck ist weder allgemein genug in seiner tiefen Bedeutsamkeit für unser wissenschaftliches und ideelles Leben überhaupt anerkannt, noch auch von Denen, die ihn feiern, immer in seiner eigensten Weise begriffen. Wie er spielerisch tändelt, launenhaft phantastisch die Welt närrt und ironisirt, wie er mystisch schwärmt und, in den Schoos der Wunder sich einnistend, die Räthsel des Daseins mit neuen Räthseln löst, — das hat man aufgefaßt und hervorgehoben; aber seine tiefe, klare Weisheit, seine milde Reinheit, die ausgesöhnte Liebe seines bereits geschlossenen, vollendeten Wesens kennt man weniger, und das Alles liegt nun vor Allem im „Tod des Dichters", ohne Hülle des phantastischen Putzes, ohne Flitterwerk barocker Laune völlig entfaltet vor uns. Man höre ihn hier als Greis reflectiren, und wenn man weiß, wie er schwärmte und

die Wüste führt der Weg zu allen Theilen der Erde, weil er frei ist. Sollte diese Bahn uns ewig verschlossen bleiben"? Das wol nicht, antworten wir, aber es scheint uns, es liege schon in dieser Frage sammt ihrem Vordersatz eine leise Andeutung der entgegentretenden Schwierigkeiten. „Frei", das klingt ja ganz revolutionnair. Hat denn der Verf. nicht an die französischen Privattelegraphen — sie agiren auch in der Luft — gedacht, welche die Regierung nicht gestatten will? Und glaubt er denn wirklich, daß man ihm die Luftschiffahrt erlauben werde, auch wenn sein Schiff bereits als der beste Segler dastände? Wir möchten wol eine Wette darauf eingehen, daß die Luftschiffkunst zu den für jetzt noch verbotenen Künsten gehört, d. h. sowie nur erst das Schiff da ist, wird der Gebrauch verboten! Der Verf., ein Frankfurter, hätte das am besten wissen können und hat wol darum seine Schrift in Offenbach drucken lassen, damit nicht die große Atroposschere selbst schon vorher der Idee alle Flügel beschneiden möchte. Wird aber nur erst die Möglichkeit der Ausführung dargethan, gäbe dann der englische Handelsverbündete Tausende von Pfunden, um auch dieses Handelswegs sich zu bemächtigen, das würde nur um so eher zum Verbot führen. Denn wo blieben die Zölle? Vielleicht könnten revolutionnaire sonst verbotene Schriften bis in das himmlische Reich in Asien verbreitet werden!

Diese Gedanken, die sich uns gleich bei Erblickung des Titels aufdrängten, wollten uns fast soweit einschüchtern, die theoretische Richtigkeit der neuen Idee abzuleugnen; indessen aber wollen wir die Aengstlichkeit nicht bis dahin treiben (zum Verbot bleibt ja noch Zeit, auch gelten bekanntlich oft rückwirkende Gesetze), sondern vielmehr erklären, daß uns die Sache gar wohl möglich erscheint; obwol ein französischer Naturforscher, wenn wir nicht irren Chabrier, behauptet, es werde den Menschen nie gelingen, nach Art der Vögel zu fliegen, obwol die neue Idee etwas Aehnliches bietet. Wir wollen dem Verf. Schritt für Schritt folgen.

Größtmögliche Leichtigkeit ist das erste Erfoderniß der neuen Flugmaschine, und da nichts leichter ist, als ein luftleerer Raum, so wird denn dieser zur Anwendung vorgeschlagen. Um aber einen solchen zu gewinnen, da eine Luftpumpe zu Entleerung größerer Räume keine hinreichende Wirkung leisten würde, wird Torricelli's Lehre vom Luftdruck angeführt, nach welcher es möglich ist, auf sehr einfache Weise einen größern luftleeren Raum zu gewinnen. Wir bemerken hierbei nur, daß statt der vom Verf. angegebenen ventile Hähne zum Verschluß der Kugeln nothwendig werden. Was ferner die Benutzung solcher Räume zur Luftschiffahrt betrifft, so wird vorerst die Frage beleuchtet: „Ob nicht die zur Abhaltung des äußern Luftdrucks erfoderliche Stärke der Umschließung des luftleeren Raumes die demselben eigne Leichtigkeit aufhebe und so dessen Benutzung zur Luftschiffahrt unmöglich mache?" Wir sollten meinen, ein Versuch sei hier leicht anzustellen gewesen; man dürfte nur ein paar Guericke'sche Halbkugeln von dünnem Blech auspumpen und sehen, ob sie stiegen, ob das Blech den Luftdruck aushielt! Nehmen wir aber den Kubikfuß luftleeren Raumes mit dem Verf. nur zu drei Loth Tragkraft an, so sieht man leicht, daß nur ein großer Raum die Schwere der Umschließung werde überwinden können, denn auch ganz schwaches Blech würde auf den Kubikfuß immer noch mehr als drei Loth wiegen. Wird dagegen der Raum vergrößert, so nimmt die Stärke der Umschließung nicht in gleichem Verhältnisse zu. Wir meinen, man könne hier die Rechnung in Anwendung bringen, mittels welcher man bei Dampfmaschinen die Stärke der Cylinder und Kesselwände ermittelt. Wenn aber ein luftleerer Raum auf den Quadratzoll nur eine Atmosphäre zu tragen hat, so müssen jene Theile der Dampfmaschine bei weitem einem stärkern Druck widerstehen; dennoch beträgt die Stärke einer Cylinderwand bei zehn Zoll Durchmesser und vier Pfund Druck erst nahe an ½ Linie*), wozu noch kommt, daß dabei die schwächende Einwirkung des Feuers berücksichtigt ist. Hier also dürfte eine unüberwindliche Schwierigkeit nicht vorliegen. Was Stoff und Form der Umschließung anlangt, so entscheidet sich der Verf., wie natürlich, für Metall und hinsichtlich der Form für einen ovalen, nach vorn mit einer Spitze versehenen Ring und will drei solcher Ringe so vereinigt wissen, daß man einen lösen, fliegen lassen und so das Schiff schwerer machen könne. Wird dann aber der einzeln fliegende, nur durch Schnur gehaltene Ring darum minder tragen, wird er nicht dem Schwimmen des Schiffes hinderlich sein? Letzteres soll durch netzförmige Seile mit den Ringen verbunden werden. Sehr sinnreich ausgedacht ist die Vorrichtung zum Fortbewegen dieses Luftschiffes oder, mit andern Worten, zum Rudern mittels acht großen Flügeln, welche sich immer so drehen, daß sie im obern Halbkreise der Luft nicht einen Widerstand bieten. Sie sollen, da Menschenkraft zu gering, durch eine Dampfmaschine bewegt werden. Da eine solche nicht von leichtem Gewichte ist, so geht von selbst daraus hervor, welche Lasten der Verf. auf seinem Schiffe zu führen gedenkt. Das Lenken geschieht mittels eines Steuerruders. Alles ist durch Figuren in Umrissen verdeutlicht.

Ein großer Vorzug der Luftschiffe dürfte ihre Geschwindigkeit sein: ein Ballon ohne Ruder durchläuft ja schon 13 Meilen in der Stunde, da wäre die Reise um die Welt in 14 Tagen abgethan. Der Verf. hat weiter die Vorzüge der Luftschiffe erörtert, die Unveränderlichkeit ihrer tragenden Kraft, die Sicherheit, da man in der Regel nur in 100 Fuß Höhe segelte (so hoch schießen aber die Zollgrenzjäger!), die Möglichkeit, sie im Wasser fortzubewegen, bei Gegenwind durch Pferde ziehen zu lassen.

Nach Dem, was wir Eingangs erwähnten, übergehen wir die philanthropischen Schlußbetrachtungen des Verf., die Schlußworte des Werkchens zur Prüfung und Erwägung dem Leser anheimgebend: „Gegen diese kaum übersehbaren Vortheile der Luftschiffahrt verschwinden die Nachtheile ihres Misbrauchs gänzlich. Der menschliche Forschungsgeist steht nie stille, und sein Fortschreiten kann der Menschheit nie gefährlich werden, sondern führt sie langsam, aber kräftig dem unbekannten Ziele entgegen, dessen Erreichung ihre Bestimmung ist." 170.

Miscellen.

Der Atheist.

Man erinnert sich, daß der berühmte Astronom Lalande unbegreiflicherweise auch ein „Dictionnaire des athées" geschrieben hat. Gleichwol erschien er vor Pius VII., als sich dieser zu Paris befand. Der Papst begnügte sich, ihm zu sagen: „Es ist mir lieb, daß Ihre Gegenwart den Verdacht widerlegt, als seien Sie der Verfasser des „Dictionnaire des athées". Bei diesen Worten stürzte Lalande zu den Füßen des Oberhauptes der Gläubigen nieder, welcher ihm den Segen ertheilte.

Historische Prophezeiung.

Als man während der hundert Tage erfuhr, daß Ludwig XVIII. Lille verlassen hatte, weil er sich daselbst nicht mehr sicher glaubte, ward zugleich bekannt, daß Alles aufgeboten worden sei, den Herzog von Orleans, jetzigen König der Franzosen, abzuhalten ihn zu begleiten. „Voilà la branche aînée qui a fini", hatte man ihm gesagt. „Bonaparte s'usera vite; ce sera naturellement vous qu'on appellera. N'allez point dans les armées qui vont faire la guerre à la France; retirez-vous paisiblement en Angleterre et laissez faire le tems." In der That, wer soll nicht sagen, daß es keine Propheten mehr gibt! 178.

*) Prechtl's „Encyklopädie", Art. Dampfmaschine.

Redigirt unter Verantwortlichkeit der Verlagshandlung: F. A. Brockhaus in Leipzig.

Blätter für literarische Unterhaltung.

Dienstag, — Nr. 351. — 17. December 1833.

Zustand der Literatur und der Wissenschaft in Italien.

Dritter Artikel.*)

Toscana. Modena. Parma.

Nachdem wir unsere Leser mit dem Zustande der Wissenschaft und der Literatur in Piemont und der Lombardei bekanntgemacht haben, beschäftigen wir uns mit den kleinen Staaten zwischen dem Po und der Tiber, und beginnen mit Toscana, das sich einer von den umliegenden Staaten anerkannten literarischen Suprematie erfreut. In den Jahrhunderten, wo die Literatur und die Künste in Italien zu einem so hohen Glanze gelangt waren, erhoben sich auf allen Punkten der Halbinsel Talente, aber kein Theil des italienischen Bodens war an großen Namen so fruchtbar als Toscana, welches fast so viele berühmte Männer als Dörfer zählt. Als im 13. Jahrhundert Europa kaum aus der Nacht des Mittelalters herauszutreten begann, machte Leonhard Fibonacci aus Pisa nicht blos die indischen Zahlzeichen in Europa bekannt, welche Gerbert und andere Gelehrte bereits die Araber in Spanien gelehrt hatten (ohne daß sie jedoch in allgemeinen Gebrauch gekommen wären), sondern war auch der Erste, welcher die orientalische Algebra bei den Christen einführte. Untersucht man die beiden Werke Fibonacci's, welche noch immer im Staube der Bibliotheken ungedruckt begraben liegen (seine Geometrie und sein Rechenbuch), so muß man über den starken Geist staunen, der allein unter Allen die Astrologie und andere ähnliche Wissenschaften seiner mohammedanischen Lehrer, die noch lange nach ihm einen so großen Einfluß in Europa hatten, verachtete und sich nur mit den abstracten Wissenschaften des Raumes und den algebraischen Größenverhältnissen beschäftigte. Während Fibonacci der Wissenschaft die Thore öffnete, förderte Niccolo von Pisa und Cimabue das Wiederaufleben der Künste und hinterließen den kommenden Künstlern in Florenz, Pisa, Assisi und Bologna herrliche Muster.

Gegen das Ende des 12. Jahrhunderts hatte sich am äußersten Ende Italiens eine neue Literatur gebildet. Ciullo von Alcamo in Sicilien, der zur Zeit Saladin's gelebt zu haben scheint, ist der erste italienische Dichter, dessen Werke auf uns gekommen sind. Es ist lange darüber gestritten worden, ohne daß man, wie mir scheint, zu einem genügenden Resultat gekommen wäre, ob die neuere italienische Sprache zuerst in Sicilien eine gewisse Form annahm, oder ob Ciullo, Jacopo von Lentino, Ruggerone von Palermo und andere alte sicilische Dichter in der ausgebildetern Sprache des toscanischen Volkes schrieben. Wie dem auch sein möge, immer bleibt es wahr, daß sich die italienische Poesie an dem Hofe von Neapel schnell entwickelte; daß vielfache Verbindungen mit den Griechen und Arabern diesen zu dem glänzendsten und gebildetsten Hofe der Christenheit machten. Die Fürsten aus dem Hause Schwaben cultivirten die neue Poesie mit Erfolg, und diesem Umstande verdankt man wahrscheinlich die Erhaltung der ersten Denkmäler der italienisch-sicilischen Poesie, während die ältesten Werke toscanischer Dichter untergegangen zu sein scheinen. Doch zeichnet sich bald nachher Cino aus Pistoja, Guittone aus Arezzo und Brunet, alle Drei Toscaner, Letzterer Verfasser des „Schatzes" und Lehrer Dante's, unter den Dichtern ihrer Zeit aus; aber sie sollten von dem Riesen der modernen Poesie, Dante, dessen Ruhm so lange als der italienische Name dauern wird, in Schatten gestellt werden. Nach diesem außerordentlichen Manne stößt man in Toscana von Wunder auf Wunder. Petrarca, Boccaccio und andere berühmte Schriftsteller befestigten die italienische Sprache. Alle Classen der Gesellschaft theilen die Regung der Geister. Bald ist es ein Hirt aus der Nähe von Florenz, dem es Vergnügen macht, Schafe auf Steine zu zeichnen, und der plötzlich unter der Gestalt jenes bekannten Giotto wiedererscheint, dessen Ruf Italien erfüllt; bald ein unbekannter Mann, der beim Anschauen der Kathedrale von Florenz, welche Arnolfo unvollendet gelassen hatte, zu sich selbst sagt: „Diese Kuppel muß ich vollenden". Kurz darauf geht er mit einem seiner Freunde nach Rom, wo er mehre Jahre bleibt und sich von der Arbeit seiner Hände und vom Zeichnen antiker Monumente erhält. Endlich kehren Beide in ihr Vaterland zurück; es waren Brunellesco und Donatello, der erste Architekt und der erste Bildhauer ihres Zeitalters.

Das 14. Jahrhundert war für Florenz das der Kraft, des Fortschreitens, der Originalität; das 15. das der Gelehrsamkeit. Nachdem die Italiener mit männlicher Kraft die Fesseln der Barbarei zerbrochen hatten, wendeten sie sich zum Studium der Alten. Die Gelehrten des 15. Jahrhunderts vernachlässigten die so reine italienische Sprache; sie hielten sie, die dem Genie Dante's genügt hatte, für zu beschränkt und schrieben lateinisch. Als sich die Trümmer der hellenischen Literatur vor den Siegen der Mohammedaner nach Italien flüchteten, benutzte Florenz die Anwesenheit des Laskaris, des Chalkondylas und anderer berühmter Proscribirten. Die vielleicht über Verdienst gerühmte platonische Akademie trug das Ihrige zur Verbreitung der Kenntniß der griechischen Sprache bei. Noch immer bewundert man die schönen Ausgaben Homer's und anderer griechischen Dichter, welche zum ersten Mal in Florenz erschienen. Unter den ersten Gelehrten dieser Epoche glänzt Polizian, welcher zugleich der berühmteste Dichter seines Jahrhunderts war. Hätte ihn nicht der Tod in der Blüte seines Alters ereilt, vielleicht hätte er Ariost und Tasso die Palme der italienischen Epopöe streitig gemacht. Endlich gereicht es Florenz zu nicht geringem Ruhm, daß sich Columbus bei Toscanella über den zur Entdeckung der neuen Welt einzuschlagenden Weg Raths erholte, welche den Namen eines andern Florentiners, des Amerigo Vespucci, führen sollte. Aber der ausgezeichnetste Mann, den das 15. Jahrhundert hervorgebracht hat, ist der Maler Leonard da Vinci, Michel Angelo's und Rafael's Vorgänger, der nicht übertroffen worden ist. Der große Maler und Architekt unterstützte den Luca Paciolo in seinen algebraischen For-

*) Vgl. Nr. 260, 321—323 d. Bl. f. 1833. D. Red.

flüssige Körper bewegen; er lehrte die Experimentalmethode zwei Jahrhunderte vor Baco; der Dichter, Krieger, Geolog, Physiker, Chemiker, der stärkste und schönste zugleich unter seinen Zeitgenossen, kurz, der außerordentliche Mann ging aus einem kleinen Dorfe bei Florenz hervor als wandernder Musiker, um zu Amboise in den Armen Franz I. zu sterben.

Im 16. Jahrhundert hob sich die italienische Literatur, mächtig unterstützt durch die Schätze, welche sie aus dem Studium des Alterthums geschöpft hatte. Die Nationalsprache kam wieder zu Ehren, und Florenz strahlte in einem neuen Glanze. Obenan steht in dieser Epoche Niccolo Machiavelli, gründlicher Historiker und Politiker, der mehr Verleumder als Leser gefunden hat. Er war erst Anhänger der Demokratie, nachdem er aber vergeblich für sie gefochten, nachdem ihm die Tortur die Glieder verrenkt hatte, sah er ein, daß sie keine Früchte bringen würde, und daß Italiens Heil in einem andern Princip zu suchen sei. Als mit dem Untergange des römischen Reichs die Provinzen nach und nach von den Barbaren überschwemmt wurden, fiel zuletzt auch Italien. Belisar befreite es zwar wieder von dem Joche der Gothen, allein bald nachher wurde es von den Longobarden völlig unterdrückt. Hätte sich ihre Eroberung über ganz Italien erstreckt, so wäre es ohne Zweifel in eine größere Unwissenheit versunken, aber das besiegte Volk würde sich an der Kraft des Siegers wieder aufgerichtet, würde endlich wie Frankreich, England und andere Gegenden Europas eine zusammenhängende Masse gebildet haben. Aber der Papst leistete Widerstand, und da er keine eigne Macht besaß, so rief er die Barbaren Karlmann's gegen die Barbaren Deuterich's zu Hülfe. Dies war der erste Schritt zu Italiens Unglück. Das longobardische Joch war abgeworfen, ohne daß sich eine andere Macht über diesen Trümmern erhoben hätte, welche nur schwach von der Feudalherrschaft zusammengehalten wurde, und so erhielt das lateinische Element wieder die Oberhand. Einer großen Anzahl von Städten wurde es leicht, sich Municipalverfassungen zu geben und sich als Republiken zu constituiren. Diese kleinen, auf einander eifersüchtigen Staaten waren weit schwerer zu vereinigen als jene fremden Massen, welche, da sie schon einen Oberlehnsherrn anerkannten, sich alle mit der Zeit an ihn anschließen mußten. Jedoch würde auch Italien endlich dem Stärksten Gehorsam geleistet haben, wenn nicht der Papst auf dem Princip der Reaction beharrt wäre und stets den Fremden herbeigerufen hätte, um den überwiegenden Italiener niederzudonnern. So gut als die andern europäischen Staaten selbst aus verschiedenen, fast unabhängigen Provinzen bestanden, so hätte auch die Nationalität Italiens nicht viel von den Streifzügen der Verbündeten oder der Feinde des Papstes zu fürchten gehabt. Aber als zu Ende des 15. Jahrhunderts Frankreich durch Abschaffung der großen Lehen und Aufstellung eines stehenden Heeres mächtiger geworden war; als der größte Theil von Spanien durch die Vermählung Ferdinand's mit Isabella unter ein Scepter gekommen war, da wurde Italiens Schicksal weit mislicher. Als Machiavell schrieb, gehorchte Frankreich Franz I., Spanien und das Reich Karl V. Italien gab für diese beiden Fürsten ein Schlachtfeld ab, das die Demokratie verlassen hatte. Der Verfasser des „Fürsten" sah die steigende Macht des monarchischen Elements und wollte sie zum Nutzen für Italien verwenden. Er fühlte, daß es die erste Pflicht eines Italieners wäre, sein Land vom fremden Joche zu befreien, gleichviel um welchen Preis und durch was für Mittel. In dieser Absicht predigte er die Tyrannei, zeigte ihr alle die zum Erfolge nöthigen Mittel und Elemente, und indem er sich an die Familie der Medici wendete, welche damals durch die Unterstützung des Papstes mächtig war, schließt er seinen „Fürsten" mit diesen merkwürdigen Worten: „Es gilt die Gelegenheit zu ergreifen und Italien nach einer so langen Zeit seinen Retter zu zeigen. Ich kann, es nicht aussprechen, mit welcher Liebe

Thränen dieser Völker zu beschreiben? Welches
Befreier Italiens verschlossen sein? Welches
den Gehorsam verweigern? Hätte er den Neid
ten? Würde ihm ein Italiener seine Huld
Diese Barbarenherrschaft hat Jedermann empö
Ihrem berühmten Hause ab, dieses Unternehm
und mit der Hoffnung auf einen guten Erfolg,
ligkeit der Sache verleiht, auszuführen. Unse
sich durch Ihre Fahne geehrt sehen und Petr
hung in Erfüllung gehen." Machiavell rief
zu Italiens Befreiung auf. Die Tyrannen f
aber Italien wartet noch auf seinen Befreier.

In demselben Jahrhunderte gewann Flor
Angelo an seinem Ruhme, der allein genügt h
einen Namen zu machen. Jenen großen Ge
eine Menge anderer Männer zur Seite, welch
wärts der erste Rang zuerkannt worden wä
Varchi, Cesalpino, Alamanni, in den Zeiten
ren, bewahrten auch nach dem Falle von F
und trugen ihre Anstrengungen, die dem Vate
nützen konnten, auf die Cultur der Wissensch
mehr als Alles zeugt von der Kraft des flore
daß es nach den schrecklichen Regierungen Alex
mo's von Medici einen Galilei hervorgebracht h
Genie, das allen scientifischen Entdeckungen be
eilte, jenen durch seine Werke wie durch sei
rühmten Galilei. Sein Einfluß schuf ein Vol
ler, und seine Forschungen wurden während
ders durch Torricelli, Castelli, Redi und durch
Cimento mit ebenso viel Glück als Ruhm fort

Es schien, als ob die Natur [illegible] w
in drei Jahrhunderten einen Dante, Leonardo,
Machiavelli und Galilei hervorgebracht hatte.
hundert hat Toscana nur wenig ausgezeichnet
weisen, denn Magliabechi, Micheli und Gal
mehr dem vorhergehenden Jahrhundert an.
Perelli anführen, einen Mann von unermeßl
Geometer der ersten Classe, der aber starb,
ziges Werk zu hinterlassen; Targioni (auf ein
die Wissenschaft erblich zu sein scheint), welch
Werke über Naturgeschichte und gelehrte Ge
ben hat; Soldani, Prior der Kamaldulense
Naturforscher, welcher die Entdeckung der Ae
Namen geknüpft hat. Aber der berühmteste
cana im 18. Jahrhundert erzeugt hat, ist
Arzt und Gelehrter und der eleganteste Schri

Jetzt befindet sich Toscana in einer für
Wissenschaften und Künste günstigern Lage als
ten Italiens. Seine Bewohner sind im All
nig und geistreich; der Elementarunterricht
tet. Zeitschriften und Bücher gelangen mit
Sie haben zahlreiche wissenschaftliche Anstalten
Schwierigkeiten haben menschenfreundliche Män
Lehrmethoden einführen können. Man trifft
der Gesellschaft eine Höflichkeit und eine Ge
rakters an, wie man sie anderwärts umsonst
man dazu noch fügt, daß Toscana die einzige
vinz ist, in welcher die Nationalsprache popul
es ein, daß sich hier alle zu einer hohen
dung nöthigen Elemente vereinigt vorfinden.
Gefälligkeit der Sitten, welche die Verbrech
selten und die Grausamkeit fast gar nicht
dieser angenehme und scherzhafte Geist, welch
ihren Reiz verleiht, kann sich nicht zu fortgesch
gungen verstehen, die allein nur Großes erzeu
leichte Begriffe aneignen, ein kleines Amt e

halb eine Frau lieben, um an dem Busen der Schönheit einzuschlafen und nicht um darin ein Princip der Kraft zu schöpfen, alle Tage in das Casino gehen, alle Abende in das Theater der Pergola, sein Leben in leiblichen Vergnügungen hinbringen, große Leidenschaften, schwere Arbeiten und überhaupt Alles meiden, was Mühe kostet, das ist das Bild des gewöhnlichen Lebens der Florentiner. Das Vaterland erwartet eine bessere Zukunft von seinen jungen Söhnen. An ihnen ist es, diese Weichlichkeit abzuwerfen, diese unwürdigen Fesseln zu zerbrechen.

Wir wollen jedoch die Männer herausheben, welche diese Hindernisse überwinden und die Künste und Wissenschaften mit Glück betreiben. Niccolini, Verfasser mehrer schönen Trauerspiele, hat sich einen wohlverdienten Ruf und Popularität erworben. Seine ersten tragischen Versuche, welche auf die Bühne kamen, waren den Musterwerken der Alten nachgebildet, und die Schönheit ihrer Verse sicherte ihnen ihr Glück. Aber diese Werke entsprachen den gegenwärtigen Bedürfnissen der Gesellschaft nicht; er fühlte dies selbst und schrieb seinen „Foscarini", worin er einen höhern Flug nahm. Dieses echte Nationalwerk schilderte die unmenschliche Grausamkeit der venetianischen Aristokratie mit den dunkelsten und lebhaftesten Farben, und erfreute sich einer Aufnahme, welche in Italien beispiellos war. Der Enthusiasmus theilte sich allen Classen mit, und man sah selbst Bauern aus der Umgegend nach Florenz kommen, die Thüren des Theaters in Masse belagern, mehre Stunden da zubringen und ihr Mahl verzehren, um „Foscarini" zu sehen. Aufgemuntert durch diesen Erfolg, arbeitete Nicolini ein neues Trauerspiel aus, welches zu gleicher Zeit eine Rechtfertigung der italienischen Nation abgeben sollte. „Die sicilische Vesper", dieser große Act der Nationalrache, hatte unter berühmten ausländischen Dichtern strenge Richter gefunden. Niccolini hat in seinem Stücke gezeigt, daß die erste Bedingung zum Leben einer Nation die sei, die Fremden von sich fern zu halten, und daß zwischen dem Unterdrücker und Unterdrückten kein Vertrag stattfinde. Sein Trauerspiel, das sich ebensowol auf das 19. als auf das 13. Jahrhundert beziehen konnte, sowie es allen Zeiten und allen Völkern angehören wird, wurde mit unbegrenztem Enthusiasmus aufgenommen. Ein Herr de la Neue, französischer Gesandtschaftssecretair in Florenz, mußte im Namen Karl X. wegen beleidigender Ausdrücke gegen die Franzosen, welche der Dichter den Siciliern in den Mund gelegt hätte, Rechenschaft fodern. Dieser Schritt hatte übrigens keine andern als lächerliche Folgen und wurde durch die geistreichen Worte des Herrn von Bombelles, östreichischen Ministers in Florenz, unterdrückt, welcher zu dem französischen Diplomaten sagte: „Sehen Sie denn nicht, daß, wenn die Adresse dieses Briefes an Sie lautet, der Inhalt an mich gerichtet ist?"

Die erste Vorstellung der „Sicilischen Vesper" wurde durch eine traurige Begebenheit bezeichnet: Niccolini's Mutter, eine sehr bejahrte und blinde Dame, ließ sich in das Theater führen, aber sie unterlag der Gemüthsbewegung, welche das Stück in ihr hervorbrachte. Halb todt wurde sie nach Hause gebracht und starb nach wenigen Tagen. Niccolini ist nicht allein als Dichter berühmt, sondern er ist auch einer der ausgezeichnetsten Prosaiker Italiens. Ein geschichtlicher Versuch über die Umstände, welche die sicilische Vesper herbeiführten, weist ihm einen hohen Platz unter den Geschichtschreibern seines Landes an. Er arbeitet schon lange an einer Biographie Michel Angelo's. Der Verfasser des „Jüngsten Gerichts" verdiente es, von dem Autor des „Procida" geschildert zu werden.

Niccolini ist nicht der einzige Dichter Toscanas; Bagnoli, Borghi, Mancini verdienten wol einer besondern Erwähnung; allein ihre Werke sind außerhalb Italien zu wenig bekannt, als daß wir es wagen dürften, hier eine Uebersicht davon zu geben.

Man beschäftigt sich in Italien viel mit Forschungen über Archäologie und alte Geschichte des Landes. Micali ist der Verfasser einer „Geschichte Italiens vor der römischen Herrschaft", welche Raoul Rochette in das Französische übertragen hat. Ein competenter Richter, Michelet, hat neuerlich über ihn geurtheilt: Er ist der Meister aller Derer, die wir uns mit römischer Geschichte beschäftigen. Zannoni, Secretair der Akademie der Crusca, hat gemeinschaftlich mit Montalvi eine sehr geschätzte Beschreibung der Galerie von Florenz herausgegeben. Man verdankt ihm auch interessante Entdeckungen über verschiedene Gegenstände des Alterthums, wobei er eine tiefe Kenntniß der alten Sprachen an den Tag gelegt hat. Ciampi, tiefer Kenner der griechischen Sprache, hat die Literaturgeschichte Toscanas mit Glück bearbeitet. Sestini, der Nestor der Numismatik, hat eine große Anzahl Werke über die alten Münzen herausgegeben, welche in ganz Europa bekannt und geachtet sind. Der Ritter Inghirami hat sich der Geschichte Toscanas gewidmet. Seine „Hetruskischen Denkmäler" sind Allen, welche die alte Geschichte Italiens studiren wollen, unentbehrlich. Die neuen Entdeckungen des Fürsten von Canino, die Forschungen Niebuhr's und anderer Gelehrten erhöhen täglich das Interesse, das sich an die Ueberreste des alten Hetruriens knüpft.

Die neuere Geschichte ist in Toscana weniger angebaut worden. Baldelli, der sich durch biographische Nachrichten über die berühmten Florentiner vortheilhaft bekannt gemacht hatte, würde sich vielleicht durch sein Werk über Marco Polo einen großen Ruf gegründet haben, wenn dieses Buch in Folge seiner eigenthümlichen Ansichten nicht mit zu verjährten Ideen angefüllt wäre. Einige junge Gelehrte, unter denen sich Forti und Poggi auszeichnen, fangen jedoch an, die neue Geschichte mit einem ernsten Fleiße zu studiren.

Die physischen und mathematischen Wissenschaften, die im 17. Jahrhundert in Toscana so sehr glänzten, beginnen wieder aufzublühen. Paoli und der Graf Fossombroni nehmen seit geraumer Zeit eine ehrenvolle Stelle unter den Geometern ein. Der Erstere hat den Ruhm gehabt, ein wichtiges Theorem zu begründen und zu verbessern, welches Laplace blos angedeutet, jener aber unvollkommen gefunden hatte. Die Rechnung der Gleichungen mit gemischten Differenzen verdankt Paoli wichtige Fortschritte. Fossombroni, bekannt durch seine schönen, hydraulischen Arbeiten, die er in der Val di Chiana ausführen ließ, hat analytische Untersuchungen über die Bewegungen der Thiere herausgegeben. Inghirami der Vater, ein geschickter Astronom, hat die Himmelskarte, welche die berliner Akademie ankündigt, mit außerordentlichem Eifer und Thätigkeit bearbeitet; ihm verdankt man auch eine schöne Karte von Toscana, für die er eine große Anzahl astronomischer Punkte bestimmt hat. Der statistische Atlas von Zuccagni-Orlandini und ein ähnliches Werk Rapetti's werden ohne Zweifel zur bessern Bekanntschaft mit diesem schönen Theile Italiens beitragen.

Die Physik wird durch Nobili's und Amici's Ankunft in Florenz einen neuen Aufschwung nehmen; sie haben nämlich neuerdings das Herzogthum Modena verlassen, um sich in Toscana festzusetzen. Nobili hatte unter Napoleon die Waffen versucht, wurde sehr jung Artilleriecapitain und erhielt das Kreuz der Ehrenlegion. Als er nach dem Sturze des Kaisers heimgekehrt war, beschäftigte er sich mit Physik und gab verschiedene Werke über den theoretischen Theil der Wissenschaft heraus. Seine „Mechanik der Materie" und seine Abhandlung über Optik enthalten originelle aber zu hypothetische Ansichten. Er sah jedoch bald ein, daß er einen falschen Weg eingeschlagen habe: er verließ die Region der Hypothesen und kehrte zur Beobachtung und Erfahrung zurück. Er beschäftigte sich mit dem Elektro-Magnetismus und construirte einen äußerst empfindlichen Galvanometer. Er stellte gemeinschaftlich mit dem Professor Baccelli, einem geschickten Physiker aus Modena, eine Reihe von Versuchen über den durch Rotation erzeugten Magnetismus an, dessen Entdeckung von Arago herrührt. Aber ihre Resultate wurden von dem berühmten französischen Physiker bestritten. Man verdankt Nobili mehre wichtige Arbeiten; aber die bekannteste und am meisten besprochene seiner Beobachtungen ist die Färbung von Metalloberflächen mittels eines außerordentlich feinen Ueberzugs durch Auflösung gewisser Salze, worein dieselben getaucht sind. Diese Erscheinungen, welche mit den dünnen, farbigen Ueberzügen, die Newton beobachtete, viele Aehnlichkeit haben, sind von vielem Interesse für die Theorie und schön fürs Auge. Nach einigen neuerdings in Paris gemachten Beobachtungen, scheinen jene Farbenlagen eine Art Krystallisation zu sein: wenigstens gibt es Beobachtungen über Polarisation, welche darauf hinzudeuten scheinen. Nobili hat in Florenz kürzlich mit dem Ritter Antinori die wichtigen Versuche Faraday's über Elektricitätsentwickelung durch Magnete wiederholt. Arago hatte die Entdeckung gemacht, daß Körper, welche sich im Zustande der Ruhe befanden, sehr schwache oder selbst gar keine magnetische Kraft äußerten, wenn man sie aber in Bewegung setzte, sehr kräftige magnetische Eigenschaften zeigten. Daraus ließ sich nun schließen, daß die Bewegung eine nothwendige Bedingung sei, die Wirkung der Magnete zu steigern, und daß, wenn durch ihren Einfluß Elektricität entwickelt werden könnte, dieser Erfolg durch die Bewegung nur noch deutlicher hervortreten müßte. Es vergingen jedoch mehre Jahre, ehe man den Versuch auf diese Weise anstellte. Er wurde zuerst von Faraday gemacht, aber Nobili und Antinori haben ihn mit Glück wiederholt und gezeigt, daß man mittels Magnete selbst in Fröschen Erschütterungen hervorbrachte, was Faraday zuvor noch nicht beobachtet hatte, und haben einen sehr einfachen Apparat construirt, um durch magnetische Einwirkung elektrische Funken zu erhalten.

(Der Beschluß folgt.)

Skizzen aus den Feldzügen der großen Armee und der Belagerung von Antwerpen im Jahre 1832. Aus dem Französischen des Capitain **Louis Montigny**. Aachen, Mayer. 1833. Gr. 12. 1 Thlr.

Unter den vielen unbedeutenden und schlechten Büchern, welche gegenwärtig aus dem Französischen übersetzt werden, ist dieses eines der lesbarsten. Es enthält zwar keine besonders wichtigen Aufschlüsse über die Geschichte der in Rede stehenden Ereignisse, aber doch einige recht interessante Details, welche zwar für die gewöhnlichen Chronikenschreiber von keinem Interesse sind, aber Demjenigen, welcher den Geist jener Zeit sich möglichst vollständig vergegenwärtigen möchte, nicht selten zu Hülfe kommen, indem sie das im Allgemeinen bereits Bekannte bestätigen und mitunter vervollständigen.

In Beziehung auf die Form der Darstellung nennt der Verf. selbst sein Büchlein „eine Geschichte im Négligée, einen kurzen freundlichen Act nach der Tragödie". Man muß gestehen, daß dieses Négligée recht artig ist; die Darstellungsweise des Verf. ist munter und verständig, mitunter auch witzig. Die französische Gewandtheit und Heiterkeit, welche den Verf. charakterisirt, spricht sich namentlich in den Abschnitten aus, welche überschrieben sind: „Mlade, die Morlachin", sodann „Der Hof von Sachsen-Meiningen" und „Das Vaudeville an der Wolga". In dem ersten dieser Abschnitte wird das Avancement einer schönen Frau von einer morlachischen Dorfdirne zur Gebieterin von Fürsten und Königen mit sehr glücklicher Laune geschildert. Der zweite jener Abschnitte zeigt uns auf sehr anschauliche Weise die würdevolle Einfachheit deutscher Sitten im Gegensatze zu französischem Pompe. Ein für den Verf. günstiger Umstand ist es hierbei, daß der deutsche Hof, von welchem hier die Rede ist, Gelegenheit gehabt hat, Anhänglichkeit an Napoleon zu zeigen. Wäre dies nicht der Fall gewesen, so würde der Verf. wahrscheinlich seine Schilderung mit ungerechtem Spotte gewürzt haben, wodurch diese dann sehr verloren hätte. Statt dessen werden jetzt neben den geschilderten Kleinlichkeiten des Hofes die Würde und Liebenswürdigkeit der regierenden Fürstin anerkannt, und der Verf. erscheint daher nicht nur als scharfer, sondern auch als billiger Beobachter.

Daß ich übrigens durch jene Vermuthung dem Verf. nicht Unrecht thue, geht aus mehren andern Stellen des Buches hervor. Denn in der That läßt derselbe sich zuweilen durch Nationaleitelkeit, oder durch Anhänglichkeit an Napoleon, oder durch seine politischen Ansichten zu schiefen Urtheilen, ja sogar zu Albernheiten verleiten. Unter Anderm sagt er S. 61, die Republik Ragusa sei „fast ohne Schwertstreich, nur durch den Schrecken des französischen Namens" erobert worden. Diese Phrase ist nun freilich sehr lächerlich, da von einem Neste mit wenigen Tausenden von Einwohnern die Rede ist. Eine ähnliche Phrase findet sich S. 83 über die Simplonstraße. Napoleon hatte gesprochen und seine kräftige Stimme ebnete die Alpen, welche Hannibal, wie man erzählt, mit Essig gesprengt haben soll. Wenn der Verf. keinen andern Vorwand hatte, Napoleon mit Hannibal zu parallelisiren, als die lächerliche Sage von dem felsensprengenden Essig, so hätte er es lieber ganz lassen sollen. Daneben hegt der Verf. einigen Groll gegen die jetzigen Machthaber und ihre Partei, und obgleich er nicht eigentlich in offne Opposition gegen sie tritt, so kann er sich doch nicht enthalten, ihnen zuweilen einen etwas verächtlichen Seitenblick zuzuwerfen. Unter Anderm sagt er S. 8: „Dort (im Lager von Brügge) war auch Herr Etienne, der sich später einen berühmten Namen gemacht hat und der jetzt zu den Unsterblichen von der Akademie und der Deputirtenkammer gehört. Damals war er nur ein ganz gewöhnlicher Beamter beim Proviantwesen." S. 62 heißt es: „Ich wüßte nicht, daß Marschall Soult, den der Kaiser zum Herzog von Dalmatien ernannt hat, jemals, wenigstens nicht an der Spitze einer Armee, in diesem Lande gewesen wäre."

Diese Bemerkungen sind grade darum possierlich, weil sie gar nichts sagen, und doch eine gewisse Animosität verrathen, mithin einen erstickten und deshalb kleinlichen Ärger bekunden.

173.

Notizen.

Im December erscheint die erste Lieferung des „Cours complet d'agriculture, ou dictionnaire théorique et pratique de l'économie rurale et de médecine vétérinaire", herausgegeben vom Baron de Morogues, Prof. Mirbel, Prof. Payen, Batel und Vivien. Das Ganze, 15 Bände mit 400 Stahlstichen, gegen 3000 Gegenstände darstellend. Das Werk wird weit umfassender als Rozier's werden.

Seit dem Juli 1833 erscheint in Paris eine neue Zeitschrift: „Revue mensuelle d'économie politique", von Theodor Fix.

Jacob le bibliophile (Paul Lacroix) hat einen neuen Roman: „Les Francs Taupins", herausgegeben. Sein letztes Werk war: „Quand j'étais jeune", zwei Bände 1833.

Nach dem Vorbilde des „Retrospective review", das eine schätzbare Fundgrube war, erscheint seit dem 1. October in Paris: „Revue rétrospective", die Denkschriften und Urkunden zur Geschichte, Literaturkunde und Biographik mittheilen soll. Das erste Stück enthält unter Anderm die in der gedruckten Ausgabe der „Mémoires" von Lauzun ausgelassenen Anklagen gegen die Königin Marie Antoinette und die Schrift des Abbé Blache über die Verschwörung der Jesuiten gegen Ludwig XIV.

Charpentier de St.-Prest, Professor am Collége de St.-Louis, hat in seinem „Essai sur l'histoire littéraire du moyen age" eine geistreiche Uebersicht gegeben, die freilich als literar-historisches Werk viele Lücken hat.

Von Alexander Dumas ist außer seinem interessanten „Gaule et France" im October erschienen: „Impressions de voyage", erster Band.

9.

Redigirt unter Verantwortlichkeit der Verlagshandlung: F. A. Brockhaus in Leipzig.

Blätter für literarische Unterhaltung.

Mittwoch, —— Nr. 352. —— 18. December 1833.

Zustand der Literatur und der Wissenschaft in Italien.

Dritter Artikel.

(Beschluß aus Nr. 351.)

Jedermann ist das Mikroskop von Amici bekannt. Dieses Instrument, das er mehrfach verbessert hat, und wovon das letztere, das wir gesehen haben, und das achromatisch war, die Gegenstände 16,000,000mal vergrößert, hat die Mittel zu Beobachtungen und Forschungen unendlich vermehrt und der Physik und Naturkunde überhaupt einen wesentlichen Dienst geleistet. Jedoch muß man bei diesen beinahe fabelhaften Vergrößerungen die größte Sorgfalt beobachten, um optische Täuschungen und vorzüglich die Phänomene der Strahlenbrechung zu vermeiden. Amici glaubt, daß man sie stets vermeiden könne, wenn man die Gegenstände in eine starke Beleuchtung bringe. Dieser geschickte Physiker hat sein Instrument dazu benutzt, Corti's Beobachtungen über die Bewegung des Saftes in der chara zu wiederholen. Es ist bekannt, daß Schulz in Berlin sein doppeltes Circulationssystem der Pflanzen darauf gründete; aber Amici, der dieselben Beobachtungen wiederholt hat, glaubt, daß der preußische Botaniker zu jenem Irrthume verleitet worden sei durch die Bewegungen, welche das Sonnenlicht und der Temperaturwechsel in den Säften der von ihm beobachteten Pflanzengefäße hervorbrachte. Amici hat eine Werkstatt eingerichtet, worin man die vollkommensten astronomischen Instrumente verfertigt. Aus ihr kommen ganz vorzügliche Brillen. Er hatte früher ein vertikales Teleskop erdacht, das zu Mailand gebilligt worden war, aber die Regierungsveränderung ist Ursache gewesen, daß der Bau dieses Instrumentes nie zu Stande gekommen ist. Bei seiner Maschine, die Kreise zu graduiren, bedient sich Amici nie der bloßen Augen, sondern stets des Mikroskops. Er ist der Meinung, daß sich Glas am besten zu graduirten Meßscheiben für astronomische Instrumente eigne, und er schlug vor, diese Idee, welche von dem berühmten Piazzi gebilligt worden war, zur Anwendung zu bringen. Als wir ihn zum letzten Mal sahen, wollte er eine gläserne graduirte Meßscheibe von sechs Fuß Durchmesser machen. Wir verdanken Amici noch andere merkwürdige Instrumente, deren Beschreibung er noch nicht bekannt gemacht hat. In den Memoiren der italienischen Societät hat er die Beschreibung eines Teleskops gegeben, das aus einer Zusammenfügung von Prismen besteht. Indeß scheint dieses Instrument ein Gegenstand der bloßen Merkwürdigkeit zu bleiben; denn um eine beträchtliche Vergrößerung zu erhalten, müßte man die Zahl der Prismen so weit vervielfachen, daß daraus eine Verminderung des Lichtes entstünde. Amici verfertigt astronomische Instrumente, aber er gebraucht dieselben auch mit einer großen Geschicklichkeit und wird dabei durch seinen noch jungen Sohn unterstützt, der durch seine analytischen Forschungen bekannt geworden ist; man verdankt ihm die Bestimmung von mehr als 200 Doppelgestirnen. Amici ist vor kurzem als Astronom an die Stelle von Pons nach Florenz berufen worden.

Antinori, den wir schon genannt haben, hat durch die Sammlung von Volta's Werken den Wissenschaften in Italien ein unvergängliches Denkmal gesetzt. Er ist jetzt Director des physischen und naturhistorischen Museums und es steht zu hoffen, daß die großen Mittel für Untersuchungen, welche sich in dieser Anstalt vorfinden, von ihm zu gemeinnützigen Zwecken benutzt werden und daß er in Verbindung mit Männern wie Amici, Gazzeri, Lambruschini, Nobili, Savi rc. den Ruhm der Akademie del Cimento werde ins Leben zurückrufen können.

Florenz ist der Sitz eines Tribunals, dessen Autorität im übrigen Italien nichts weniger als anerkannt ist; es ist die Akademie der Crusca. Sie wurde im 16. Jahrhundert von sehr verdienstvollen Männern gestiftet, deren Verdienste, welche sie sich um die italienische Sprache erworben haben; die Leidenschaftlichkeit nicht hat vergessen machen können, welche sie gegen Tasso zu erkennen gaben. Zu Anfange des 17. Jahrhunderts erschien von diesen Akademikern ein Wörterbuch, das allen Erscheinungen dieser Art bei andern Nationen voranging und seiner Unvollkommenheiten ungeachtet für ein Wunderwerk seiner Zeit gelten kann. Im Laufe desselben Jahrhunderts wurde dieses Wörterbuch der Crusca durch die Arbeiten von Redi, Dati, Marchetti, Magalotti rc. bereichert, welche nach einer eigenthümlichen Richtung der Gelehrten jener Zeit die Künste und Wissenschaften mit gleichem Erfolge bebauten. Die letzte Ausgabe dieses Wörterbuchs ist von 1728; aber seitdem sind mehr als 100 Jahre verflossen, ohne daß die heftigen Angriffe, welche die Akademie erfahren hat, ihre Arbeiten zu fördern vermocht hätten.

Die Ausländer sehen keinen hinreichenden Grund zu der Wichtigkeit, welche man in Italien in die Wahl der Worte und die Verknüpfung der Perioden setzt. Sie stellen sich vor, Menschen, die sich soviel mit Worten beschäftigen, fehle es an Ideen. Aber ein solches Urtheil beweist eine völlige Unbekanntschaft mit der Natur der italienischen Sprache. In Italien ist das Ohr des rohsten, ungebildetsten Menschen für die Harmonie einer eleganten Prosa empfänglich. Die Bewohner des Nordens suchen die Melodie des Gesanges und der italienischen Musik aufzufassen; aber werden sie jemals die Harmonie der Prosa und der gewöhnlichen Sprache fühlen können?

Wenn man sieht, daß sich Dante, Machiavelli, Galilei mit grammatikalischen Forschungen beschäftigen, so darf man wol glauben, daß sie sich nicht aus Mangel an Geist diesem Studium gewidmet haben. Die Römer bieten uns auffallende Beispiele dieser Art dar. Wenn Cicero eine harmonische Periode mit einem sonoren Worte schloß, so erregte dies bei 30,000 Zuhörern das Geschrei des Enthusiasmus. Cäsar, der doch wahrlich mit andern Dingen zu thun hatte, schrieb über Grammatik, und man weiß, daß er seine Wort[illegible]t ganz besonderer Sorgfalt wählte.

Florenz erfreut sich eines literarischen Journals, der „Antologia", welche unter den gegenwärtigen Umständen so gut ist, als sich erwarten läßt. Der Redacteur Vieusseux hat eine Menge Hindernisse und besonders die Faulheit des Landes zu bekämpfen gehabt. Dieses Journal würde ohne Zweifel besser sein, wenn alle ausgezeichnete Männer Toscanas bedächten, wie wichtig ein solches ist, und mit dem Director zur Verbreitung des Lichtes beitragen wollten. Aber man zieht es vor, ihm aus dem Wege zu gehen, überläßt die Redaction bisweilen mehr eifrigen als geschickten Händen und lacht dann höhnisch zu der Verlegenheit des Journals, ohne daran zu denken, daß in diesem Falle das Publicum der betrogne Theil ist. Jedoch hat der Director in Gazzeri, Montani, Forti u. s. w. nützliche Mitarbeiter gefunden. Florenz verdankt Vieusseux eine sehr nützliche literarische Anstalt, worin er fremde Journale und die wichtigsten neuen Bücher vereinigt. Er ist ferner Herausgeber eines Journals, welches die Verbreitung nützlicher Kenntnisse im Landbau bezweckt. Es wäre sehr zu wünschen, daß ähnliche Unternehmungen eine thätigere Aufmunterung fänden.

Toscana besitzt bei einer Bevölkerung von kaum 1,200,000 Seelen zwei vollständige Universitäten, die eine in Pisa, die andere in Siena, und in Florenz eine Akademie. Diese Trennung der Mittel zu Verbreitung des Unterrichts in einem Staate, dem nur beschränkte Quellen zu Gebote stehn, ist jedoch der völligen Entwickelung dieser Anstalten hinderlich. Es ist unmöglich, so viele ausgezeichnete Männer in Toscana zu finden, als eine würdige Besetzung der zahlreichen Lehrstühle der Universitäten erfodert; übrigens sind die Stellen der Professoren zu gering besoldet, als daß man daran denken könnte, gelehrte Ausländer dahin zu berufen. Eine einzige Universität in Florenz würde den Bedürfnissen Toscanas genügen, sie würde mit den ausgezeichnetsten Männern des Landes besetzt werden, und von den Museen, den Bibliotheken und andern Mitteln der Belehrung, welche die Hauptstadt besitzt, Gebrauch machen können. Das Beispiel von Paris und die noch neuern von Berlin und London haben das herrschende Vorurtheil widerlegt, daß große Städte dem Gedeihen der Universitäten nachtheilig wären.

Toscana hat in den letzten Jahren durch den Tod einiger der verdienstvollsten Professoren einen großen Verlust erlitten. Mit Vacca's Tode hat die Universität Pisa den berühmtesten Chirurgen Italiens verloren. In Siena starb Mascagni (welcher sich durch seine über die Lymphgefäße gegebenen Aufschlüsse berühmt gemacht hat) und der vortreffliche Publicist Valeri. Dieser empfindliche Verlust wurde durch den des Naturforschers Radeli noch vergrößert, welcher mit einem seltenen Talente und bewundernswürdigem Fleiße die entlegensten Gegenden beider Continente durchforscht hat. Wir wollen hoffen, daß die toscanische Jugend wetteifern werde, jene angedeuteten Lücken auszufüllen und sich des von ihren Vorfahren geerbten Ruhmes würdig zu machen. Die Mittel fehlen ihr nicht: sie darf es nur standhaft wollen.

Der kleine von Toscana gesonderte Staat Lucca ist in literarischer Rücksicht kaum von dem Großherzogthume abhängig. Seines kleinen Umfangs ungeachtet hat er doch zu jeder Zeit ausgezeichnete Männer hervorgebracht. Unter den Lebenden nennen wir außer andern den Marchese Lucchesini (Bruder des berühmten Diplomaten dieses Namens), dem man eine Übersetzung des Pindar und Nachforschungen über das ursprüngliche Alphabet der Griechen verdankt; Papi, Verfasser einer Reise nach Ostindien, hat eine Geschichte der französischen Revolution herausgegeben, welche vielen Beifall gefunden hat: Giorgini und Franchini haben sich durch verschiedene mathematische Werke vortheilhaft bekannt gemacht. Volpi endlich, Massarosa, Cotenna rc. bauen mit Eifer und Talent verschiedene Felder der Künste und Wissenschaften an.

Obgleich sich die Staaten Parma und Modena nicht gleicher Hülfsmittel erfreuen wie Toscana, so sind sie dennoch eine große Anzahl hocherhabener Männer daraus hervorgegangen; aber unglücklicherweise haben wir es in diesem Augenblicke, wo wir schreiben, mehr mit den Gelehrten zu thun, die das Exil in das Ausland verwiesen hat, als denen es vergönnt war, in ihrem Vaterlande zu bleiben. Wir haben schon erwähnt, daß Romagnosi und Rasori sich nach Mailand geflüchtet haben und Nobili und Amici sich in Florenz befinden. Man wird im Verlaufe dieses Artikels finden, daß noch andere Gelehrte Parmas und Modenas ihr Vaterland verlassen mußten.

Unter Parmas Literatoren nimmt Pietro Giordani den ersten Platz ein und ist unstreitig der berühmteste Schriftsteller Italiens. Giordani, im letzten Jahrhundert zu Piacenza geboren, wurde während der französischen Herrschaft in Italien zum Secretair der Akademie der schönen Künste in Bologna ernannt. Als nach Napoleon's Falle der Papst Pius VII. wieder in die Legationen eintrat, war Giordani der einzige Italiener, welcher die unberechenbaren Uebel vorherzusagen wagte, die auf der Romagna lasten würden, wenn man die Verwaltungsweise jener Provinzen nicht verbesserte. In einer Rede, die er in Gegenwart des Cardinallegaten vortrug und welche stets als ein Denkmal seiner Beredtsamkeit und seines Muthes aufbewahrt werden wird, machte Giordani darauf aufmerksam, daß die Zeiten vorgeschritten wären, daß der Einfluß der französischen Revolution auch hier nicht spurlos vorübergegangen wäre, und daß es in Zukunft unmöglich sei, die Legationen durch die alten Formeln der apostolischen Kammer zu regieren. Der Legat antwortete mit der Absetzung Giordani's, welcher schwieg und die 15 Jahre später wirklich erfolgten Ereignisse für sich sprechen ließ. Er flüchtete sich nach Mailand, wo er, wie schon erwähnt, einer der ausgezeichnetsten Redacteurs der „Biblioteca italiana" wurde. Seitdem er gezwungen ward, auch die Lombardei zu verlassen, hat er oft mit seinem Wohnorte gewechselt. Jetzt lebt er zu Parma. Giordani hat nie ein großes Werk geschrieben, aber die Schönheit seines Styls und die Reinheit seiner Diction haben ihm einen so großen Ruf erworben, daß schon eine Kleinigkeit von ihm (ein Lob, ein Zeitungsartikel) in Italien fast zu einem Ereignisse wird. Niemand kam ihm an Kenntnissen in der italienischen Literatur gleich und er hat viel dazu beigetragen, die Reinheit der Dante'schen Sprache wieder zu Ehren zu bringen. Der glückliche Erfolg, welchen er sah, sollte junge Leute (welche leider diese Forschungen oft nur zu sehr vernachlässigen) lehren, sich eines Hebels zu bemächtigen, der so glücklich auf das Geschick des Vaterlandes einwirkt.

Es sind in Parma noch zwei andere Gelehrte, welche sich viel mit der italienischen Philologie beschäftigt haben: Colombo, welcher eine große Menge wichtiger Forschungen über die alten Autoren bekannt gemacht hat, und Pezzana, dem man mehre Bände Memoiren über die parmesanischen Schriftsteller verdankt, welche sich als eine Folge an die Sammlung des berühmten Vaters Affo anschließen. Die Bücherkunde ist an sich selbst ein sehr trockenes Studium, wird aber zu einer wichtigen Wissenschaft, wenn sie auf Biographie, Geschichte und Herausgabe von noch ungedruckten Documenten angewendet wird. Italien hat zu einer und derselben Zeit drei Bibliographen des ersten Ranges gehabt: Morelli in Venedig, Audiffredi in Rom und Affo in Parma haben, ausgerüstet mit einer umfassenden Kenntniß der alten und neuen Sprachen, und einer fast universellen Bildung, kostbare Arbeiten über Italiens Literaturgeschichte geliefert. Diese fleißigen und achtbaren Männer haben eine Schule gestiftet. Manzi in Rom, Gamba in Venedig und Pezzana in Parma sind die würdigen Bewahrer des Erbes ihrer Vorgänger. Wir hoffen, daß der Letztere, welcher schon höchst interessante ungedruckte Sachen drucken ließ, die Originalbriefe Castelli's, Borelli's, Canalieri's und anderer berühmten Männer des 17. Jahrhunderts, welche in der öffentlichen Bibliothek zu Parma aufbewahrt werden, erscheinen lassen wird.

Des Majors Vacani Geschichte der Feldzüge der Italiener in Spanien hat den Beifall aller Militairpersonen verdient. Dieses in strategischer Beziehung sehr interessante Werk ist für den Ruhm der italienischen Nation von noch größerer Wichtigkeit. Er zeigt, daß die Italiener, wenn sie organisirt und nicht, an Hand und Fuß gebunden, dem zehnmal stärkern Feinde in die Hände geliefert, nicht durch fremde Politik verrathen sind, die Ehre ihrer alten Tapferkeit zu erhalten wissen. Uebrigens wäre es Zeit, daß die Ausländer, welche uns zu unserer Zeit einen Massena, Bonaparte und Romarino verdanken, ihren abgeschmackten Scherzen über den italienischen Muth ein Ende machten.

Die physischen Wissenschaften wurden zu Parma von dem Professor Melloni mit dem größten Glück betrieben; politische Ereignisse zwangen ihn Italien zu verlassen. Melloni machte sich zuerst bekannt durch eine wichtige Arbeit über die Ausdehnung der Dünste. Er verband sich später mit Nobili zur Verfertigung des Thermo-Multiplicators. Oerstädt und Fourier hatten durch ihre Forschungen über den Thermo-Elektricismus den Satz begründen zu können geglaubt, daß je länger der Umlauf sei, den der elektrische Strom nehmen müsse, die Totalwirkung stets um so viel schwächer werde. Nobili im Gegentheil fand bei der Wiederholung ihrer Experimente, daß man durch Vervielfachung der Anzahl der Elemente die Wirkung ins Unendliche vermehren könne. Auf diesen Grundsatz gestützt, baute er ein sehr empfindliches Instrument, welches die Temperaturveränderung durch Abweichungen der Magnetnadel zu erkennen gab. Dieser Apparat, dessen Wirkung augenblicklich erfolgte, hatte einen großen Vorzug vor den bis dahin bekannten Thermometern, welche, da sie stets eine mehr oder weniger beträchtliche Zeit bis zur Angabe der Temperaturveränderungen erfoderten, durchaus unbrauchbar waren, wenn es sich um momentane Phänomene handelte, wie z. B. die Kälte im leeren Raume der Luftpumpe; diese wird durch Nobili's Instrument auf eine sehr merkliche Weise angezeigt. Jedoch Melloni hatte die glückliche Idee, mit Nobili's Instrumente einen reflectirenden Spiegel zu verbinden, der es so fein und empfindlich machte, daß seine Wirkung alle Vorstellung übertrifft. Nicht allein die Gegenwart irgend eines neuen Körpers, der in einer Entfernung von mehren Fuß von dem Instrumente aufgestellt ist, macht die Nadel um eine beträchtliche Anzahl Grad abweichen; sondern wenn man das Instrument im Innern eines großen Saales aufstellt und den Spiegel nach und nach den verschiedenen Wänden zukehrt, so zeigt das Instrument stets merkbare Temperaturverschiedenheiten an, Differenzen, die kein anderes Instrument anzugeben vermochte. Melloni und Nobili wurden beide gezwungen ihr Vaterland zu verlassen und kamen voriges Jahr nach Paris, wo sie mit Hülfe der sinnreichen Methode, die sie sich geschaffen hatten, gemeinschaftlich eine Reihe schöner Versuche über die Wärme machten. Neulich hat Melloni durch eine große Anzahl von Beobachtungen eine merkwürdige Eigenschaft der Sonnenwärme entdeckt und begründet. Es ist bekannt, daß, wenn man einen Sonnenstrahl durch das Prisma zerlegt, die strahlende Wärme sich in verschiedenem Grade auf die prismatischen Farben vertheilt. Die rothen Strahlen enthalten einen sehr geringen Grad, der mit der Refraction in dem Verhältnisse wächst, daß sich das Maximum der Temperatur in einem dunkeln, hinter dem violetten Strahle gelegenen Streife vorfindet, während sich zur Linken und Rechten dieses Streifes gleichweit entfernte sich entsprechende Linien befinden, wo die Temperatur gleich ist. Jetzt hat Melloni die interessante Erscheinung entdeckt, daß, wenn man eine durchscheinende Flüssigkeit nach und nach durch jene erwärmte Strahlen in der angegebenen Ordnung durchlaufen läßt, der Temperaturverlust in diesen Strahlen den Refractionswinkeln proportionirt ist, sodaß die den rothen Streifen begleitenden Strahlen z. B. alle hindurch gehen, während die von dem letzten dunkeln Farbenstreife alle gebrochen werden.

Unter den Professoren der Universität Parma verdient Tomasini einer besondern Erwähnung, welcher Rasori's Doctrinen vorzüglich verbreitet hat, und sowol in Bologna, als auch in Parma, wo er jetzt ist, viel dazu beigetragen hat, die jungen Mediciner damit vertraut zu machen.

Ungeachtet das Herzogthum Modena von so geringem Umfange ist, so hatten doch die Wissenschaften eine glückliche Anregung in einem besondern Umstande gefunden, der es zu einem Mittelpunkte derselben machte. Im letztverflossenen Jahrhunderte sah ein ausgezeichneter Geometer der Lombardei, Lorgna, daß das Gedeihen der Wissenschaften in Italien vorzüglich durch den Mangel eines Centralpunktes gehemmt werde, welcher die Mittheilungen unter den Gelehrten erleichtern könnte; er faßte daher den glücklichen Gedanken, aus 40 der berühmtesten Männer Italiens eine Gesellschaft zusammenzusetzen, welche ein gemeinschaftliches Band vereinigte, und die mit einem durch sie selbst gewählten Präsidenten und Secretair correspondiren sollten. Lorgna bestimmte aus seinen Mitteln eine beträchtliche Summe für den Druck von Memoiren und für die andern nothwendigen Ausgaben. Da nun aber die Güter der Gesellschaft in dem Herzogthume Modena gelegen waren, so wollte der Herzog nach der östreichischen Restauration dieses Eigenthum unter keiner andern Bedingung unberührt lassen, als wenn das Centrum der italienischen Gesellschaft stets in Modena bleiben sollte. So verlor die Akademie ihre Unabhängigkeit. Man hat sie vielleicht mit Unrecht in dem Verdacht gehabt, daß sie das Werkzeug einer Faction geworden wäre, und ihr Ruf hat in den neuesten Zeiten abgenommen. Wir hoffen, daß die Mitglieder der italienischen Gesellschaft diese Beschuldigung von sich abweisen werden, dadurch daß sie alle Männer von Talent, welcher Meinung sie auch sein mögen, unter sich aufnehmen. Jedoch war Modena dieser Umstand zu statten gekommen, die Pflege der Wissenschaften blieb nicht ohne Erfolg, als ihm durch Amici's und Nobili's Entfernung die ruhmvollste Zierde entrissen wurde.

Der Marchese Mangoni, Präsident der italienischen Gesellschaft, ist ein sehr gelehrter Mann; ihm verdanken wir Untersuchungen über die Wahrscheinlichkeitsrechnung und über verschiedene Gegenstände der Literatur. Er hat eine neue Gesellschaft (die modenesische Akademie), welche interessante Memoiren bekannt gemacht hat, durch seine Börse unterstützt und ermuntert. Lombardi, dem Secretair der italienischen Gesellschaft, verdankt man eine Literaturgeschichte des 18. Jahrhunderts. Dieses sehr brauchbare Werk ist eine Fortsetzung des Tiraboschi. Endlich führen wir hier noch Galvani's Versuch über die provencalische Poesie und Malmusi's Museo lapidario an.

Für die moralischen und politischen Wissenschaften ist in Modena wenig gethan worden, was weniger auf Rechnung der Menschen, als der Einrichtungen zu schreiben ist. Den Beweis dazu liefert uns der Professor Rossi, welcher in Massa geboren ist, jetzt in Genf lebt und als Historiker und Publicist einen europäischen Ruf erlangt hat. Seine Abhandlung über das peinliche Recht hat die Aufmerksamkeit aller Publicisten auf sich gezogen, und seine Vorlesungen über Geschichte, welche er alle Winter in Genf hält, ziehen eine große Menge Fremder dahin.

Diese literarische Schilderung der Herzogthümer Parma und Modena bestätigt mehr als Alles, was wir über Piemont, Lombardei und Toscana gesagt haben, die Wahrheit unserer ersten Behauptung, daß die Talente in Italien nicht seltener als in irgend einer andern Gegend Europas sind. 129.

Der Schreibtisch, oder alte und neue Zeit. Ein nachgelassenes Werk von Karoline Baronin de la Motte Fouqué. Köln, Bachem. 1833. 12. 1 Thlr. 8 Gr.

Chronologisch geordnete Briefe und kleine Aufsätze von der Verf., oder von Andern an sie gerichtet, den langen Zeitraum von 1785—1829 umfassend und die verschiedensten Gegenstände und Anlässe berührend, bilden den Inhalt dieser durch die Persönlichkeit der Verf. und durch einzelne Züge von Geist und Weltbeobachtung ansprechenden Bogen. Sie hat diesen Inhalt zur bessern Uebersicht in Fächer getheilt, von denen das erste Originalbriefe aus den Jahren 1785—90 darbietet, anziehend durch eine gelungene Charakteristik der letzten Regierungsjahre des großen Königs und der ersten seines Nachfolgers, welcher vorweg erklärte: „Qu'il fallait un peu plus de religion“. Wir wissen, welchen Gebrauch eine gewisse Partei von diesen unschuldigen Worten machte, und wissen, daß eben diese Partei nach 45 Jahren von ähnlichen schuldlosen Worten einen ähnlichen Gebrauch machte. Dennoch waren diese Worte an der Zeit; denn der Voltairismus hatte die Welt auf eine beispiellose Weise erkältet. Wie dies zuging, setzt im zweiten Fach ein gehaltvoller Aufsatz unter dem unscheinbaren Titel: „Geschichte der Moden von 1785—1829" auseinander. Dieser Aufsatz ist in der That ein achtbarer Beitrag zur Zeitgeschichte, von größerm Werth für uns als ganze Bände voll Erzählungen von der Hand der Verf., neu durch Behandlung und durch Inhalt. Mit der Geschichte des Kleiderschnitts, der Frisur und der Sprechweise bringt diese Abhandlung die Geschichte der Gesinnung, der Denkart, der politischen und artistischen Ansichten in eine so enge und so geistvolle Verbindung, daß wir ihr unsern Beifall und unsern Lesern ein paar Züge aus diesem Aufsatze nicht vorenthalten können. „Der Mensch", sagt die Verf., „bildet die Atmosphäre außer sich und diese bedingt die Fähigkeit des Wi[illegible]ns in ihm. So wirkt der Anblick äußerer Umgebung und Haltung auf unser Inneres zurück, und am Spiegelbilde wissen wir nicht, was uns oder was dem Spiegel angehört." Die vorzüglichste Saite der Zeitstimmung ward durch die Befreiung Amerikas angeschlagen. Dem Stolze der Männer schmeichelte die Kühnheit der That, die Frauen sehen immer bewundernd dahin auf, wo sie selbst nicht hinzureichen vermögen. Eine sanftere Sinnesweise, mehr Theilnahme an dem Loos der Menschheit, war die Frucht erweiterter Ansicht. Die Heiligkeit eingeborner Rechte trat zuerst aus dem Streit an das Licht. Für die freigewordenen Colonisten Partei nehmen, galt für die Beglaubigung wahren Menschenwerths. Kinder selbst bauten Schiffe und fuhren mit ihren Puppen nach dem Eldorado Amerika. Eine andere Saite der Zeitstimmung war jene passive Moral, welche Alles, was in die Region des Geheimnisses gehörte und an ein absolut göttliches Gebot erinnerte, in den Hintergrund verwies, alles Hohe und Tiefe auf bequeme praktische Handhabung reducirte, hausbackene Lehre in klingende Redensart einwickelte und das „christliche Weisheit" nannte. In dieser Lehre war der bekannte Zopfprediger Schulz Meister; die Verf. charakterisirt ihn treffend, wie er mit rohen Fäusten an dem Gebäude der Kirche rüttelt. Dem republikanisch gewordenen Frankreich gab man sich das Ansehen, verächtlich den Rücken zu kehren. Man lernte und sprach englisch, kleidete sich englisch und ahnete wenig, daß man mit eben dem Sinne, der nachlässigere Kleidung, freiern Tanz, kühnern Witz, formlosern Umgang gestattete, dem Geiste huldigte, der die Bastille erstürmt hatte. Aus eben diesem Sinne ward Kotzebue vergöttert. Ein gewisses dunkles Wollen fand in ihm Rechtfertigung. Es war Wollust, so die Sünde beweinen zu dürfen, statt vor ihr zurückzuschaudern, und die Schwäche der Natur auf so bequeme Weise mit dem Vorurtheile ausgeglichen zu sehen. Diese Bewunderung klang in Frankreich und England wieder — eine verwandte Gesinnung schlug die vermittelnde Brücke. Ekle Natürlichkeit trat an die Stelle erhabener Natur. Das Naheliegende, das Alltägliche galt und Iffland's patriarchalische Muse flocht dem Hausaltar ihre Kränze, und von nun an erwartete jeder Küchenherd eine ähnliche Ehre. Das Gewöhnliche, Höhe und Tiefe hassend, lief immer breiter aus; und Spieß, Cramer, Miß Radcliffe (!) und Aringer erlebten ihre Periode. Zwischen dem allen scholl die Marseiller Hymne hindurch. Ganz arglos spielte die Musik der Gardeducorps in Potsdam das „Ça ira" und feine Lippen lispelten das „Allons enfans." In ähnlicher Arglosigkeit fabricirten Modehändlerinnen ihre Carmagnoles, und dreifarbige Stoffe blühten, während unsere Truppen gegen die dreifarbigen Fahnen auszogen. In dieser Zeit trat Lafontaine hervor; seine imaginairen Naturzustände knüpften den Faden da an, wo ihn Kotzebue abriß. Lessing, Schiller, Göthe waren unbekannt, und nannte man sie, so geschah es nur um Dessen willen, was an ihnen freigeistisch erschien. Der Mangel aller poetischen Elasticität war so groß, daß man Göz, Clavigo, Egmont viel zu hoch fand, um sie verstehen zu lernen. Don Carlos verdankte seinen

spät erlangten Beifall nur dem [...]
Eine sonderbare fahle Heiligkeit [...]
Aus Kant selbst las man nichts [...]
eines höchst naiven Egoismus, [...]
Staaten, Poesie, Wohnung, [...]
Dünn und nüchtern gestaltete [...]
war nie trockener, verkrüppelter [...]
nett" — galt in allen Dingen al[...]
und Großheit ward verbannt. [...]
so lange Greul auf Greul, bis die [...]
vor sich selbst bekamen. Man wol[...]
fuhr in die der Antike. Schnell [...]
deutsche Hausfrau ward zur Asp[...]
des antiken und edlern Styls g[...]
räthe, Kleider und Möbeln in [...]
ohne Halt im Leben, ward die [...]
als die Phantasie sich anschickte, [...]
zufliegen, erschien der „Musena[...]
nung der „Ideale" an datirt di[...]
der Gesinnung, dem Geschmack, d[...]
welcher nun alle Geister ergriff, u[...]
gering geachtet. Wallenstein sag[...]
Heldengröße war nun nicht mehr [...]
den dieser Held und Johanna d'A[...]
lich. Nun folgte eine Periode [...]
schmacks, der sich besonders an di[...]
Zeit altdeutscher Kunstvorliebe [...]
bildenden Künste. Der idealen [...]
welche selbst chinesische Unnatur al[...]

Dieser gewiß geistreichen [...]
Moden durch eine Periode von [...]
mente aus dem Jahre 1819, Ku[...]
die Kunstliebe das vorige Thema [...]
danken ausgehen, daß es jetzt der [...]
und Schulen gegenüber ein — sei[...]
Fach liefert „Unterhaltungen am [...]
Auch hier sind geistreiche Betr[...]
über das Interessante, das Elega[...]
und Minnigliche in Menge nieder[...]
gelingt der Verf. „Wir armen [...]
„sonst spielte die Historie mit u[...]
Historie!" Der dritte Dialog [...]
die Xenien zu rechtfertigen. Dies[...]
können. Der vierte liefert eine [...]
nicht ohne Reiz ist. Das fünfte [...]
besabenteuer ohne Liebe lustig, u[...]
Im fünften Fach wird das Turnie[...]

Geschmackvolle, kunstfertige [...]
sen Fragmenten einen Reiz, der [...]
ken bestimmt ist; es ist ihm so v[...]
beigemischt, daß auch der männl[...]
kann. Wir halten diese Nachlaß[...]
daher für eine um so werthvol[...]
Schriften, so lange sie lebte, nic[...]
gebührend Bedacht nahm.

Redigirt unter Verantwortlichkeit der Verlagshandlung: F. A. Brockhaus in L[...]

Blätter

für

literarische Unterhaltung.

Donnerstag, —— Nr. 353. —— 19. December 1833.

Researches of the Rev. ***E. Smith*** **et** ***H. G. O. Dwight*** **in Armenia. Zwei Bände. Boston 1833. 8. Mit einer Karte.**

Es ist schon mehre Jahre her, seit die nordamerikanische Missionsgesellschaft auf die unter mohammedanischer Herrschaft stehenden christlichen Völkerschaften der Levante ihr Hauptaugenmerk gelenkt, und zur Verbreitung der reinern Lehre unter derselben manche Untersuchungen und Bestrebungen nicht gescheut hat. Im Jahre 1820 besuchten die Missionnaire Fisk und Parsons die Länder der sieben asiatischen Kirchen, 1823 Fisk und King Aegypten bis Theben; 1821—27 Fisk, Parsons, King, Bird, Gorbell und Smith zu verschiedenen Zeiten Syrien und Palästina; 1827 Gridley Kappadocien; 1827—29 Brewer, King, Smith und Anderson den Peloponnes und die Inseln des ionischen und ägeischen Meeres; 1829 Bird Tripoli, Tunis und andere Theile von Afrikas Nordküste. Diese Sendungen verschafften ziemlich vollständige Nachrichten über den Zustand der griechischen, koptischen und maronitischen Kirchen. Es mußte nun wünschenswerth erscheinen, ähnliche Kunde über die Armenier zu erhalten, deren Glaube so weit über Asien verbreitet und selbst nach Europa gedrungen ist. Die beiden Missionnaire Smith und Dwight wurden zu einer Reise in die von diesem Volke bewohnten Länder auserseben. Sie verließen Malta am 17. März 1830, erreichten Smyrna den 26. desselben Monats, Konstantinopel den 19. April. Von hier setzten sie am 21. Mai ihre Wanderung fort, um durch Kleinasien nach dem Lande ihrer Bestimmung zu gelangen. Ihr Reisebericht, nach ihren vereinten Tagebüchern von Hrn. Smith abgefaßt, bildet das Werk, von dessen Inhalt wir uns in den nachfolgenden Zeilen Nachricht zu geben vornehmen. Es ist voll interessanter Nachrichten und Bemerkungen über ein Land und den religiösen und moralischen Zustand eines Volkes, die uns beide nur wenig bekannt sind, und verdient also wol die Aufmerksamkeit der Geographen, wenn auch für wissenschaftliche Zwecke der Erdkunde wenig darin gethan, und das häufige Vorwalten religiöser Controverse für den Leser im Allgemeinen weder angenehm noch selbst unterrichtend ist.

Das armenische Patriarchat zu Konstantinopel, als die eigentliche obere geistliche Behörde eines großen Theiles der Nation, verdient vorerst einige Berücksichtigung. Es wurde im Jahr der Eroberung (1453) gestiftet. Die Ernennung des Patriarchen geschieht durch die armenischen Primaten der Hauptstadt, muß aber die Bestätigung des Sultans erhalten; Absetzung ist sehr selten, wenn sie nicht von den Primaten selbst verlangt wird. Im Rang unterscheidet sich der Patriarch nicht von andern Bischöfen, denn nur das eigentliche kirchliche Oberhaupt, der Katholikos zu Etschmiadzin (der armenische Papst), kann Bischöfe weihen und das heilige Oel (Meirun) segnen. In mehr weltlichem Sinne aber steht er an der Spitze der armenischen Kirche in der Türkei: nur durch ihn kann diese Kirche als solche mit der Regierung verhandeln und durch ihn führt die Regierung die obere Aufsicht über dieselbe. Die Ausdehnung seiner Gewalt ist durch mehre Firmane bestimmt; seine Gerichtsbarkeit erstreckt sich über das ganze Reich, mit Ausnahme des Patriarchats von Jerusalem. Der Patriarch zahlt dem Sultan einen regelmäßigen Tribut, Mukattaa genannt, die einzige ordentliche Steuer der Kirche. Aber die Ertheilung des Firmans nöthigt ihn zu bedeutenden Geschenken an die vornehmen Pfortebeamten, welche er von seinem Einkommen als Bischof von Konstantinopel und den Gaben, welche die andern Bischöfe ihm bei der Weihe senden, bestreitet. Die Intriguen bei der Patriarchenwahl zwischen den Primaten und der Pforte sind endlos, und der Tribut ist durch gegenseitiges Ueberbieten einmal von 9000 auf 36,000 türkische Piaster erhöht worden. Der Patriarch macht seinerseits wieder die Bischofswahlen zu einer Quelle vermehrten Einkommens, und so verzweigen sich Käuflichkeit und Bestechung durch alle kirchlichen Grade. Die armenische Kirche erkennt in gewissem Grade die Stimme der Laien in ihrer Verwaltung an. Eine gewisse Anzahl von Individuen, nicht viel über oder unter 25, werden in der Hauptstadt als Repräsentanten der Nation betrachtet und von der Regierung als solche anerkannt, ohne in dieser Rücksicht einer förmlichen Wahl zu bedürfen. Sie sind meist sehr reich und stehen mit der Verwaltung oder ihren Beamten als Bankiers in Verbindung.

Im Palaste des Patriarchats, das auch die eigentliche Wohnung des Patriarchen enthält, befindet sich die armenische Akademie, an welche überdies drei nebeneinanderliegende geräumige Kirchen stoßen. Sie besteht aus einem bequemen Schulgebäude in drei Abtheilungen. Die unterste ist für arme Kinder, welche hier lesen und schreiben lernen; die zweite für jüngere Kinder wohlhabender Aeltern, welche in denselben Gegenständen unterrichtet werden. Die Mitglieder der dritten, gegenwärtig 50—60, erhalten Unterricht in den Elementen der Grammatik. Keine der neuern Lehrmethoden hat Eingang gefunden. Die Zahl der Zöglinge beläuft sich auf etwa 300. An fremde Sprachen wird natürlich nicht gedacht; auch die reine armenische Mundart, in welcher die vielen in dem katholisch armenischen Kloster zu Venedig gedruckten Bücher abgefaßt sind, ist nur Wenigen bekannt. Bei verschiedenen andern armenischen Kirchen finden sich kleinere Schulen, auch gibt es einige Privattöchterschulen. Die zum Patriarchat gehörige Druckerpresse ist jetzt unthätig; dagegen gibt es eine andere im Dorfe Ortaköi am Bosporus, gegenwärtig die einzige dieser Art in der Türkei. Die mit derselben verbundene Schriftgießerei liefert armenische, lateinische, griechische, hebräische, russische und arabische Typen, letztere für die türkische Regierung. Drei Pressen sind in Thätigkeit, aus denen unter Andern ein werthvolles armenisch-türkisch-persisches Wörterbuch hervorgegangen ist. Diese Notizen über Das, was die Armenier und ihre Verhältnisse in der Hauptstadt des türkischen Reichs betrifft, mögen hinreichen. Nur möge noch hier stehen, daß sich dort die größte Menge derjenigen Armenier findet, die sich von ihrer Landeskirche getrennt und zur römischen Confession bekennen. Die Zahl derselben belief sich zur Zeit ihrer letzten Verbannung auf 27,000. Die meisten derselben wohnen in den fränkischen Vorstädten Pera und Galata und in den zahlreichen Dörfern am Bosporus. Sie bedienen sich der Kapellen der fränkischen Einwohner, mit welchen sie mehr Umgang haben als ihre (orthodoxen oder schismatischen?) Landsleute, daher sie vor diesen meist eine gewisse Bildung voraushaben.

Wir wollen nun unsern Reisenden auf ihrer Wanderung folgen und uns beim Beginne derselben über ihre Einrichtung und Ausstattung unterrichten.

Unsere bisherigen Koffer waren für die Reise mit einem Tartaren und Postpferden nicht passend. Wir ersetzten sie deshalb durch zwei große Mantelsäcke, die man aneinanderhängen und so ein Pferd auf beiden Seiten damit belasten konnte, durch zwei Sattelsäcke und zwei kleinere Felleisen von dickem russischen Leder, mit wasserdichtem Wachstuch überzogen. Statt der Matratzen nahm Jeder eine Decke und einen Teppich, in gefärbter Leinwand gerollt, welche zum Schutz vor dem Regen und zur Unterlage für den Fall diente, daß wir auf dem Boden schlafen müßten. Ein weiter türkischer Pelz, durch und durch mit Tschilkusu (kaukasisches Fuchsfell) besetzt, schützte vor Kälte bei Tag und Nacht. Vier kupferne Pfannen, durch Reifen aufeinandergehalten, eine Handmühle, ein Kaffeetopf und Tassen, Messer, Gabel und Löffel für Jeden waren unsere Vorrichtung zum Essen und Trinken. Ein kreisförmiger Lederlappen, rings mit eisernen Ringen umgeben, durch welche sich eine Kette mit Haken zog (ein Süfreh genannt), diente ausgebreitet als Tisch und Tuch und, zusammengezogen aufs Pferd gehängt, als Sack für Brot und Käse. Das Ganze, unsere Kleidung, Bettzeug, Küchen- und Tischeinrichtung umfassend, war in einen Raum zusammengedrängt, der es uns möglich machte, es im Nothfalle auf einem Pferde fortzuschaffen. Da die türkische Post nichts als das Pferd selbst liefert, so mußten wir unsern übrigen Anschaffungen Sättel und Zügel beifügen. Dazu steckten wir Pistolen an unsere Sättel, ihrem gewöhnlichen Zweck in diesem Lande zu entsprechen, nämlich die Furchtsamen kühn und waffenkundig [illegible] scheinen zu machen. Unsere eigne Kleidung vertauschten wir mit dem weiten türkischen Anzuge; der europäische Hut mußte dem orientalischen Turban Platz, und unsere Beine wurden [illegible] die ungeheuern Tatarenstiefeln gesteckt. Nach diesen [illegible] tungen fanden wir uns zur Reise durch die Türkei [illegible]

Von Skutari aus führte der Weg über [illegible] (Nikomedia), Boly (Hadrianopolis), Marsoan ([illegible]) und Amasia — alles schon mehr bekannte Gegenden — nach Tokat. Ausgedehnte üppige Gärten auf den Ufern des Flusses in der Nachbarschaft der Stadt, mit einem Ueberfluß an Fruchtbäumen, deren Laub [illegible] aber freundliche Landhäuser halb versteckt, machen die nächste Umgebung äußerst angenehm. Große [illegible] beschatten den Weg. Der alte Name soll Berisa gewesen sein, unter der oströmischen Herrschaft Eudocia. [illegible] Pontica, wofür man Tokat bisweilen gehalten, lag [illegible] scheinlich auf dem südlichen Ufer des Flusses, [illegible] Stunden entfernt, wo das Volk die dort [illegible] nen noch Alt-Tokat nennt. Die jetzige Stadt liegt auf dem südlichen Ufer des gleichnamigen Flusses, [illegible], in einem kleinen Thale, zwischen einem Berge nach [illegible], einem abschüssigen Hügel nach Süden und einer [illegible] ten Felsenmasse mit den Trümmern eines [illegible] sten. Eine große Menge von Bäumen, [illegible] Gruppen oder einzeln zwischen den Wohnungen, [illegible] bedeutend die malerische Wirkung, das Innere aber entspricht den Erwartungen nicht. Die Stadt hat [illegible] Mauern, die Häuser sind von ungebrannten Ziegeln, die Straßen mittelmäßig gepflastert. Doch sind einige Gebäude für eine türkische Stadt von [illegible] tion. Die Hauptmanufacturzweige sind [illegible], [illegible] Calicots. Das Metall kommt aus den [illegible] den bei Diarbekr. In der Stadt selbst ist [illegible] zucht; die rohen Cocons kommen von [illegible] dern Orten, und werden in Tokat verarbeitet. Die [illegible] licotsfabrik liefert gewöhnlichen bedruckten [illegible], [illegible] türkischen Frauen zu Schnupftüchern und [illegible] brauchen. Alles geschieht durch Handarbeit. [illegible] hat meist mit dem Innern, aber auch mit [illegible] und Konstantinopel statt. Die Stadt zählt [illegible] sche, 1350 armenische, 5—600 griechische [illegible] Wohnungen. Das Klima ist im [illegible], namentlich sind Wechselfieber häufig.

Neun Stunden von Tokat liegt [illegible] ([illegible] von) auf einer sanften Anhöhe am Fuß eines [illegible] mit Citadelle und etwa 800 Häusern, in [illegible] Gegend. Der Weg führte sodann über [illegible] Ebenen durch Köprisar, Karahissar ([illegible]) [illegible] Tschiftlik, Karakulak (das erste eigentlich armenische [illegible]) über den nördlichen Arm des Euphrat, bei [illegible] Römern für den eigentlichen Euphrat gehalten, [illegible] die Armenier den Murad-Dschai als [illegible] Nun befanden sich unsere Reisenden [illegible] zen Armeniens. Einer der Hauptzüge [illegible] Landes ist die Gestalt der Häuser. Die [illegible] durch Eingraben in den Boden oder in die Wand eines niedern Hügels gebildet, sodaß drei von den vier Mauern ganz von Erde bedeckt sind, und von der vierten nur eben hinlänglich freibleibt, um eine Thüre darin anzubringen. Auf die Terrasse wird ein Haufen Kehricht geworfen, der dem Hügel einigermaßen seine ursprüngliche Gestalt wiedergibt und die Façade der Höhle liegend einem Thieres ähnlich erscheinen läßt. Die Mauern sind gewöhnlich von runden unbehauenen Steinen, das Dach von unbearbeiteten Baumstämmen, durch das unten brennende Feuer geschwärzt. Der Boden ist unbedeckt. Gewöhnlich gibt es nur eine Stube, viereckig und 18—20 Fuß messend, rund herum sind Küchen- und Hausgeräthschaften aufgestellt. In der Mitte ist ein Loch im Boden, welches erhitzt, die Stelle des Ofens versieht. Teppiche und Kissen zum Niedersitzen liegen um die Feuerstelle. Reisenden wird indessen statt der Familienstube gewöhnlich der Stall angewiesen. Er ist unter Grund gleich der Wohnung, zu der bisweilen eine Nebenthüre führt. In einer Ecke ist der Herd, und vor diesem ein viereckiger Raum, durch ein Geländer von dem Rest geschieden und meist 1—2 Fuß höher. Ein Durchgang von der Breite des Herdes durch zwei parallellaufende Stöcke bezeichnet, scheidet diese Stelle in zwei längliche Abtheilungen von der Breite eines Bettes. Hier ist Heu, oder eine Matte oder Teppich ausgebreitet. Das Dach ist hier höher als über dem übrigen Theile des Stalles, in Form einer Wölbung von behauenen Stämmen; über dem Herde läßt eine Oeffnung in demselben, 4—8 Zoll weit, das einzige Licht ein. So sind die bessern dieser Ställe, während bei denen ärmerer Eigenthümer eine oder die andere dieser Bequemlichkeiten fehlt.

Von hier aus war das Reisen zu Pferde wegen Mangels derselben nicht mehr möglich, und man mußte deshalb seine Zuflucht zu Ochsenkarren nehmen. Diese bestehen aus schwachen Latten, in Form eines Dreiecks auf stärkere Holzstücke befestigt, die Basis hinten, die Spitze nach vorn gekehrt. Die Räder sind kleine dicke Breter an einer Achse, die sich zugleich mit ihnen dreht. Das Joch wird von einem langen Holze gebildet, an welchem sich oben für jeden Ochsen zwei kleinere Stöcke befinden, die unter dem Halse durch einen Lederstrick zusammengebunden werden. Auf einem solchen Fuhrwerk wurde die Ebene von Erzerum am 12. Juni erreicht. Die durch den Krieg des vorigen Jahres herbeigeführte Unsicherheit und die Gegenwart eines feindlichen Heeres, zugleich mit der Entfernung der armenischen Bevölkerung, hatte damals den Ackerbau entmuthigt, sodaß das Land fast ganz brach lag. Nur hier und da erschien ein kleines, mit Weizen oder Gerste besätes Feld, und selbst dieses Getreide war in jener Jahreszeit kaum über die Oberfläche des Bodens hinaus. Der westliche Theil der Ebene ist gewellt und von trockener Erde. Die umliegenden Berge waren, mit Ausnahme häufiger [illegible] Schneelagen, von denen einige bis zur Ebene reichten, bis zu ihren Gipfeln hinan mit Graswuchs bekleidet, aber von Bäumen oder Stauden ganz entblößt. Auch die Ebene war ohne Bäume, kein Garten zu sehen, und von den unter Grund gebauten Dörfern bemerkte man nur wenige Spuren.

Erzerum, 262 Wegstunden von Konstantinopel — im Mittelalter einer der Hauptorte für den Landhandel zwischen Europa und der Levante, der auch nach Entdeckung des Seeweges nach Indien nicht daniederlag — gilt für die bedeutendste Stadt und das Bollwerk der armenischen Ländertheile der Türkei und ist der Hauptort eines Paschaliks. Unter Theodosius dem Großen 415 gegründet und nach ihm Theodosiopolis genannt, erhielt es seinen jetzigen Namen von Arzen el Rum, d. i. das Arzen der Abendländer, bei den Armeniern Azrum. Gegenwärtig ist nur die Citadelle, auf einer niedern Anhöhe in der Stadt, und selbst diese unbedeutend befestigt. Vor dem russischen Kriege zählte man 11,733 türkische und 4645 christliche Wohnungen, im Ganzen eine Bevölkerung von etwa 80,000 Seelen, worunter gegen 19,000 Armenier, welche zwei Kirchen hatten. Zur Zeit der Anwesenheit der beiden Reisenden hatten fast alle Christen die Stadt verlassen. Die armenische Schule war groß und blühend. Der Vorsteher war ein Laie mit fünf bis sechs Unterlehrern; sie enthielt 5—600 Zöglinge in verschiedenen Classen, welche in den gewöhnlichen untern Lehrzweigen bis zur Grammatik und Logik unterrichtet wurden. Einst war Erzerum der Hauptort der jesuitischen Missionen in Armenien, welche, durch Vermittelung des französischen Botschafters in Konstantinopel mit besondern Schutzfirmanen versehen, hier 1688 ihren Sitz aufschlugen. Zu ihren ersten Convertiten gehörte der armenische Bischof selbst; aber die Missionnaire waren bald vielen Verfolgungen ausgesetzt, und die Zahl der päpstlichen Armenier in diesen Gegenden mag sich jetzt auf nicht mehr denn 3—400 Familien belaufen.

(Die Fortsetzung folgt.)

Auch eine politische Schrift.

Dieser Tage fand ich in einem Lesecabinete des Palais royal ein kleines Bändchen in 12., welches über die Revolution in Deutschland, über deren Hindernisse und Schwierigkeiten und von deren dereinstigem Ausbruch handelt. Der Verf. erblickt den Anfang der heiligen Allianz nicht in Alexander, sondern in der zweiten Theilung Polens, durch welche dieses Land aus der Reihe der unabhängigen Staaten gestrichen wurde, damit dem Bestreben und dem Princip des Absolutismus der drei großen nordischen Mächte kein Zwischenband, kein Anhaltepunkt für die Freiheitsideen des westlichen Europas entgegenstehe. „Durch diese Theilung wurde Europa in zwei gleiche Hälften zerrissen: in das königliche und revolutionnaire". Sowie der Verf. in der Theilung Polens das Werkzeug der Bekriegung und des Kampfes von Seiten der absoluten Monarchie gegen die Revolution erblickt, so hält er auch die Wiederherstellung eines unabhängigen Polens für die nothwendige Bedingung der Freiheit von Europa. Als der von ihm verfochtenen Sache nachtheilig, tadelt er, daß die Revolution bisher nicht [illegible] betrieben worden, und daß sie nicht mit der nämlichen Einigkeit verfahre, welche in den Reihen ihrer Gegner mit so großem Vortheil beobachtet werde, zufolge der [illegible] Einheit.

Nachdem der Verf. diese allgemeine Einleitung vorausgeschickt und auf die Nothwendigkeit der Vereinigung der revolutionnairen Elemente hingewiesen, wirft er einen nähern Blick auf den Zustand und die Haltung Deutschlands in seiner bisherigen Geschichte. Zu diesem Ende theilt er letztere in drei Abschnitte; der erste begreift den Zeitraum von Karl dem Großen bis zum rheinischen Bunde, der zweite jenen vom rheinischen Bunde bis zum Falle Napoleon's, der dritte die neueste seit dieser Epoche verflossene Zeit. „Es gibt ein Volk, das die neuern Zeiten verschlief und in diesem Schlafe mehr Bücher schrieb als im Wachen alle Völker des Alterthumes zusammen, mehr als die Griechen und Römer, mehr als später die Araber, Spanier, Welschen, Franzosen, Engländer und Polen, mehr als das heutige Europa, von Gibraltar bis zum Ural. Dies Volk sind die Deutschen".

Ich übergehe, was der Verf. von dem ersten großen Abschnitte sagt, in welchem Deutschland als römisches Reich bestanden, um sein Urtheil über die zweite Periode, während welcher Deutschland unter dem despotischen Willen Napoleon's schmachtete, mitzutheilen:

„Diese neue Modification des Daseins der Deutschen bietet auch ihren größten Freunden Gelegenheit zu Bemerkungen dar, die ihren politischen Charakter und besonders ihre revolutionnairen Anlagen nicht eben in günstigem Lichte zeigen. Die Deutschen (ich spreche hier nur von Jenen, welche weder Preußen noch Oestreicher sind), gleichgültige Zeugen der gewaltigsten revolutionnairen Erschütterung in Frankreich zu Ende des 18. Jahrhunderts, ließen sich hernach zur Zeit der Napoleon'schen Allmacht immer anders ordnen, theilen, schneiden, taufen, und das mit einer Geduld, die bei einem so breit angesiedelten, einstämmigen, gebildeten Volke Staunen erregt. Was über alles staunen macht, was sogar tief ergreift, ist leider dies, daß jene Erniedrigung, jener Mangel an Geist, der das Ganze hätte beleben sollen, eben in den Augenblick seines höchsten intellectuellen Wirkens, seiner größten Entwickelung der Geisteskräfte fällt. Die deutsche Literatur machte in jener Epoche die größten Fortschritte. Es ist nicht zu leugnen: es war die Zeit der wahrhaft in allen Wissenschaften ausgezeichneten Schriftsteller, die Zeit der Dichter, Aesthetiker, Philosophen. Nie wird die Kunst tiefere Forscher besitzen! Nie hatte die Dialektik erfahrenere Fechter, nie haben sich die abstracten, feinen und hohen Begriffe freier und allgemeiner verbreitet als in diesen Jahren des fremden Druckes, als eben damals, wo die Deutschen am wenigsten zu wissen schienen, daß sie eine Nation sind, oder es wenigstens sein sollten. Das Selbstbewußtsein stellten sie in der Philosophie als die Grundlage des Forschens und ihres ganzen Transcendentalismus auf; aber sich selbst in ihrem vaterländischen Sitze, in ihrem nationalen Ich, in ihrer politischen Wesenheit als ein Volk zu erkennen oder zu begreifen, konnten sie, wagten sie nicht. Jeder der tiefdenkenden Deutschen sprach zu sich, als er zu philosophiren anfing: ich bin! Warum hat denn das Volk in Masse dies nicht von sich aussprechen können? Warum lehrten es nicht die Philosophen? In diesem strahlenden Vaterlande des Geistes und des Gedankens, in diesem hochgelobten Brennpunkte alles Enthusiasmus, aller Gefühle und Begeisterungen, wo das Herz des von Napoleon unterjochten Europa zu schlagen schien, wo die Poesie so wunderbar philosophirte und die Philosophie ihre Weisheit oft mit dichterischer Zunge verkündete, wo nach dem Erscheinen eines sentimentalen Romans von Göthe die Studenten aus Uebermaß des Gefühles sich zu erschießen und nach dem Erscheinen des ersten Trauerspieles des 18jährigen Schiller, dessen Helden, Karl Moor, in den Wäldern nachzuäffen anfingen, wo man also Alles, sogar unwahrscheinliche, tolle Dinge von einer Jugend, die so leicht von Gefühl überfließt und so zur Exaltation geneigt ist, zu hoffen hatte — konnte dennoch keine allgemeine revolutionnaire Bewegung zu Stande kommen, wenn es auch nur darum wäre, um Napoleon zu zeigen, daß nicht lauter Dinte, sondern mit ihr auch Blut in deutschen Adern fließe. War Deutschland während der französischen Occupation in Schlaf und fruchtlose Philosophame versunken, so beging es einen nicht geringen Fehler durch die Kurzsichtigkeit, mit welcher es die [illegible] Napoleon beurtheilte und sich entreißen ließ. [illegible] vollendete, was die Theilung Polens [illegible] gegründet hatte." „Die Revolutionsfrage in Deutschland, [illegible] in dem Localinteresse der deutschen Nation betrachtet, [illegible] zuerst vollständig auf politischem Wege entwickeln, bevor sie zur gesellschaftlichen, zur radicalen wird. Sie wird [illegible] ohne Zweifel von der Umgestaltung des politischen Gebäudes zu den innern Verbesserungen fortschreiten." Nachdem der Verf. [illegible] dem Princip der Revolution in Deutschland am ungünstigsten die Stellung Preußens und besonders Oestreichs erklärt, weil „diese Mächte durch das Uebergewicht ihrer slawischen [illegible] die Deutschen in Unterwürfigkeit halten" (!), kann [illegible] das Ziel der „deutschen Patrioten" kein anderes sein, als „ein Volk, eine revolutionnaire Macht" in ihrem Vaterlande zu bilden. Ohne diese Einheit, ohne die Beseitigung Oestreichs und Preußens, mit welchen Rußland durch die Theilung Polens so eng verbunden sei, hält er „die sociale Revolution in Deutschland" für unmöglich. Er glaubt indessen selbst nicht, daß die Mächte durch eine innere Revolution [illegible] werden [illegible], sondern der Impuls muß von außen kommen; [illegible] woher? — aus Frankreich, wo die Monarchie [illegible] Ende entgegeneile, und das sich durch eine [illegible] aus seiner jetzigen Lage befreien werde!!!

Notizen.

Ausnahmsweise mag hier wol auch [illegible] einer [illegible] Zeitschrift gedacht werden. Seit Juli d. [illegible] lich an der Stelle der im vorigen Sommer [illegible] beschluß unterdrückten Rotteck'schen Annalen „[illegible] schichte und Politik", herausgegeben von Dr. [illegible] zig, Scheible). Ueber die Tendenz derselben [illegible] spricht sich ein Vorwort im ersten Hefte [illegible] cher Hefte (monatlich eins) sind bereits [illegible] daraus im ersten einen Aufsatz des bekannten [illegible] mann in Darmstadt: „Ueber allgemeines [illegible] gerrecht", ferner „Phantasien eines aufgeklärten [illegible] wie im zweiten Hefte die „Mittheilungen [illegible] Ständeversammlung im Großherzogthume [illegible] freiheit" besonders auszeichnen, um [illegible] neuen Sprechsaal für Geschichte und Politik [illegible] chen. An solchen besonnenen ernsten [illegible] bisher noch gefehlt; denn die flüchtigen, [illegible] genzeitschriften verdirbt eher Herz und Magen [illegible]

Wenn wird es nur einmal Regel werden, [illegible] pria fremder Sprachen nicht zu verstümmeln, [illegible] anders schreibt als nach der Orthographie der [illegible] welcher sie angehören! Besonders auffallend [illegible] Weise, wie man griechische Wörter dieser Art [illegible] dem man sie in ihren Endungen latinisirt [illegible] und on, us und um schreibt. Das [illegible] altgriechischen Wörter. Neugriechische [illegible] oder außerdem noch à la italienne [illegible] Endsylben as, os, is und os das [illegible] kann wol im Allgemeinen nicht [illegible] nomina propria in einer Sprache [illegible] tionalen Eigenthümlichkeit beibehalten [illegible] manche Ausnahmen stattfinden [illegible] dem aber würde, insofern man [illegible] erkennen wollte, die Willkür [illegible] dem Principe nach oder als [illegible] hätte. Und wenigstens die [illegible] müssen bei griechischen Wörtern [illegible] über noch ein Zweifel obwalten?

Redigirt unter Verantwortlichkeit der Verlagshandlung: F. A. Brockhaus in Leipzig.

Blätter
für
literarische Unterhaltung.

Freitag, —— Nr. 354. —— 20. December 1833.

Researches of the Rev. *E. Smith* et *H. G. O. Dwight* in Armenia. Zwei Bände.

(Fortsetzung aus Nr. 353.)

Erzerum würde am 22. Juni in der Richtung von Hassan-kulaah verlassen. Die Ebene, in welcher dieser Ort am Fuße von Felsenmassen mit einem verfallenen Fort und kaum 4—500 halbzerstörten Wohnungen liegt, ist etwas niedriger, ebener und fruchtbarer als die von Erzerum, aber gleich dieser ohne Bäume und von schneeverbrämten Gebirgen umgeben. Getreide wird im October gesät und Anfang Augusts geerntet; von Ende November bis Anfang April deckt Schnee die Ebene. Auf der Straße in der Nähe trafen die Reisenden eine große Menge armenischer Auswanderer.

Zwischen Erzerum und der georgischen Grenze kamen wir an einer solchen Menge derselben vorbei, daß es aussah, als wäre die gesammte christliche Bevölkerung des Landes uns zur Heerschau vorgeführt. Diese waren aus den Dorfschaften der Ebene von Erzerum. Es war rührend, die Bewohner einer ganzen Provinz auf solche Weise das Haus ihrer Väter verlassen zu sehen, in ihrem ganzen Aussehen deutliche Spuren jener Bedrückung tragend, der sie sich durch die Flucht entzogen. In unserm Vaterlande würde man jeden derselben für einen Bettler gehalten haben. Sie waren in Lumpen gekleidet. Ihre Habseligkeiten bestanden in einigen schmuzigen Matrotzen, Kissen und Decken, einer Wiege, einer Pfanne, einigen kupfernen Kesseln und Näpfen, einem hölzernen Kruge und in seltenen Fällen einem kleinen Koffer. Weniges Vieh begleitete sie. Mütter mit kleinen Kindern wurden gewöhnlich auf Karren fortgeschafft; bisweilen aber ritten sie auf Pferden, Maulthieren oder Eseln, indem die Köpfe der Kleinen aus den auf beiden Seiten des Thieres hängenden großen Körben hervorschauten; in andern Fällen war das Kind allein auf dem Lastwagen oder Rücken des Thieres angebunden, und nicht selten wanderte die Mutter mit ihm zu Fuße, es auf dem Rücken tragend. Die meisten der Uebrigen, Männer, Frauen und Kinder, gingen zu Fuße, obgleich an manchen Stellen des Weges tiefer Koth lag. Alle hatten dasselbe rauhe, sonnenverbrannte, unfreundliche Aussehen. Bei Keinem unter ihnen, selbst nicht bei den Frauen, welche, mit Ausnahme der erwachsenen Mädchen und Neuverheiratheten, unverschleiert waren, fanden wir die schönen, interessanten Physiognomien ihrer Landsleute zu Konstantinopel und Smyrna. Auch hinsichtlich der Gestalt standen sie diesen nach; ihre Statur war niedriger und von breiterm, gemeinerm Bau. Sie trugen fast durchgängig Spuren eines niedergeschlagenen Gemüthes. Nicht im Lande selbst muß man den Grund des Elends suchen, von dem sie gedrückt erschienen; denn dieses steht wenigen in der Welt hinsichtlich des Getreidebaues und der Viehzucht nach, und ihre Mäßigkeit und ordentliche Aufführung wird von Jedermann anerkannt. An einem Tage zählten wir 260 Wagen. Mit manchen dieser Armen ließen wir uns in Unterhaltung ein, und gegen das Ende des Zuges hin ritt ein Mann, der anständiger gekleidet war als die übrigen und ein paar messingene Pistolen im Gürtel trug, an uns heran. Wir erkannten bald einen verständigen Menschen in ihm und vernahmen, daß er der Priester eines Dorfes in der Nähe von Erzerum war. Er versicherte uns, es gebe keine Schulen in den Dörfern, die bei jener Stadt liegen, und nur der Pfarrer unterweise eine hinlängliche Anzahl im Lesen, um Kirchensänger zu haben. Diejenigen, welche ihren Kindern einige Erziehung zu ertheilen wünschen, senden sie nach Erzerum. In manchen Dörfern, die mehrmals 20 Wohnungen haben konnte kein Einziger lesen; in seinem aber, das 50 Häuser enthielt, gab es nach seiner Versicherung deren funfzehn. Seine Aussagen stimmten mit denen anderer Leute überein. Kurz, die armenischen Dörfer von Erzerum sind ohne Schulen.

Die Ebene von Hassankulaah ist der Anfang des Bezirks von Pasin, und die Hügel zwischen derselben und Erzerum trennen die ehemaligen Provinzen Oberarmenien und Ararat. Die Zahl der Bewohner ist nach der Auswanderung sehr gering. Der letzte Ort des Paschaliks von Erzerum auf dieser Seite ist Mejengerd, aus wenigen Häusern und einem zerfallenen Fort bestehend. Zwischen hier und dem Paschalik von Kars erstreckt sich ein unbewohnter Gebirgszug, etwa 12 Wegstunden lang, 2½ Stunden von Mejengerd die Stelle, genannt Soghäntydagh, wo Graf Paskewitsch im letzten Kriege die Türken schlug. Hier und weiter nach Kars hin standen noch damals russische Truppenabtheilungen. Bald eröffnete sich die Ebene von Kars, ein weiter Landstrich, überall von zerrissenen Gebirgsmassen umgeben, sich nach Osten bis zu den Bergen von Gumry an 30 Stunden weit erstreckend. Der Boden ist fruchtbar, die Vegetation üppig. Das Land gleicht einer Reihe von Wiesenstrichen auf verschiedenen Höhenpunkten. Kars liegt auf der Nordseite der Ebene, an einer Stelle, wo der Fluß Akhurean, durch eine tiefe und enge Schlucht in der Gebirgsmasse sich durchwindend, eine isolirte Höhe abschneidet, auf welcher das Fort steht, das aber von den Höhen jenseits des Stromes beherrscht wird. Der größte Theil der Stadt breitet sich vor der Citadelle aus und ist zum Theil mit einer nun zerfallenen Mauer umgeben. Eine große Vorstadt liegt westlich jenseits des Flusses, über den zwei steinerne Brücken führen. Die Wohnungen in der Citadelle sind ziemlich groß und gutgebaut, die in der Stadt aber meist unter Grund wie in den Dörfern, und zum Theil verfallen. Das Klima ist nicht milder als in Erzerum; vom 27. Juni bis 2. Juli wies das Thermometer im Zimmer Mittags nur 55—65° F. Von hier sieht man den schneebedeckten Gipfel des Ararat.

Die Reisenden verließen Kars am 3. Juli, sich nach Tiflis wendend, und erreichten bald die türkisch-russische Grenze, hier durch den Fluß Arpachai gebildet, dessen östliches (russisches) Ufer von ausgedehnten Gerstenfeldern und grünen Wiesen bedeckt war, auf denen die Sichel des Schnitters Schätze einsammelte. Der erste Ort ist Gumry, ein kleines armenisches Dorf in einer fruchtbaren Ebene. Hier war der Unterschied im Aussehen des Volkes zuerst auffallend: statt des osmanischen Turbans, geräumigen Kaftans und Schalwärs (Beinkleider) zeigte sich hier die kegelförmige Schaffellmütze, der enganliegende Oberrock und die weiten Pantalons der Georgier. Ein schöner Wald von Eichen, Ulmen, Eschen und andern Bäumen war ebenfalls etwas Neues nach einer Reise durch holzarme Gegenden. Erst am 21. gelangten sie auf die nördliche Seite des Gebirges, welches Armenien von Georgien scheidet, von wo sie auf eine sonnenverbrannte Ebene, das Thal des Kur, hinuntersahen und am Horizont als lichte Wolkenreihe die Gebirgszüge des Kaukasus erblickten. Mit Kosackenpost war Tiflis binnen Kurzem erreicht. Da die Hauptstadt Georgiens bereits durch manche andere Reiseberichte hinlänglich bekannt und häufig beschrieben ist, so möge hier nur eine kurze Schilderung des dortigen Lebens und Treibens stehen. Tiflis hat das Aussehen einer sehr geschäftigen und bevölkerten Stadt. Die Straßen sind nicht nur mit Menschen gefüllt, sondern, ungleich vielen orientalischen Orten, voll Leben; Jeder scheint durch seine Geschäfte angetrieben. Die Verschiedenheit der Trachten, mannichfache Abstammung und Sprache bezeichnend, ist nicht der mindest bemerkenswerthe Zug der ganzen Scene. Der russische Soldat steht Schildwache an den Straßenecken, in grobem Ueberrock, welcher den Mangel einer bessern Uniform verdeckt. Der russische Subaltern schlendert umher mit einer kleinen Tuchmütze, anliegendem Rock und engen Pantalons, während ein paar Epauletts auf gewöhnlich runden Schultern baumeln. Den vollständigsten Contrast zu ihm bildet der stattliche Türke, wenn nicht eigentlich Osmane, doch durch irgend einen ausgewanderten Armenier vorgestellt, mit Turban und hängendem Schalwär. Der georgische Priester tritt auf, einen Stock in der Hand, in grünem Rock, breitgebordetem Hut und langem Haar, während ein schwarzer fliegender Anzug und eine konische Schaffellmütze seinen geistlichen Bruder von der armenischen Kirche bezeichnen. Der dunkle Lesgy mit seinem zweischneidigen Khama (kurzes Schwert), der gefährlichsten Todeswaffe, scheint als Bluträcher nach seinem Opfer zu spähen. Der städtische armenische Kaufmann besucht seine Kunden, elegant gekleidet, in gestickten kurzen Rock, rothem Seidenhemde und weiten grünen Seidenbeinkleidern. Der schlanke georgische Landmann, mit seiner kegelförmigen Mütze und dürftigen Kleidung, wandert mit einem Blick undesorgter Unabhängigkeit in seinem Filzmantel umher. Sein alter Bedrücker, der Perser, zeichnet sich aus durch einen reichlicher zugeschnittenen Anzug, sorgfältig gekämmten Bart und lebhaft gefärbte [illegible]. Mitten unter seiner Schweineheerde erscheint der halb[illegible] Mingreller, seine einer Schildkrötenschale ähnliche [illegible] lose aufs Haupt gebunden. Und von muthigen [illegible] gezogen, zeigt sich ein kräftiger Gebirgsbewohner, dessen runde Kopfbekleidung mit einer auf seine Braunen herabfallenden Schaffellstroddel und das in eine Patrontasche geformte Bruststück seines Rockes ihn als einen Tscherkessen kundgeben.

Unsere Reisenden brachten einen Sonntag in Tiflis zu. Die Bazärs und Kaufbuden waren alle geschlossen, mit Ausnahme jener, wo Nahrungsmittel, Wein und geistige Getränke feilgeboten wurden. Die Zahl der [illegible] beim Morgengottesdienst schien nur klein, denn in den Kirchen waren nur wenige Beter anwesend. Nach [illegible] war es, als wäre die ganze männliche [illegible] die Straßen und auf die Esplanaden [illegible] sich zu unterhalten; Jeder sprach von [illegible] Verkehr, und das Ganze gewährte einen [illegible] den und Bewegung. Während dem [illegible] mit allen weltberühmten Reizen georgisch[illegible] ren Lob nicht übertrieben scheint, da [illegible] so große Zahl von Frauen mit [illegible] men, Gesichtszügen und Hautfarbe wie [illegible] men mag), in kleinen Gruppen auf den [illegible] sen ihrer Wohnungen versammelt, [illegible] ein und der zusammengeschlagenen Hände [illegible] Ihre dazu beitragend, diesen [illegible] feierlichen von allen sieben zu machen.

Am 5. August fand der Aufbruch von Tiflis [illegible] Schuscha statt. Am nächsten Tage [illegible] Grenze überschritten, wo nichts [illegible] sehen, bis man die Gegend erreichte, [illegible] deutscher Ausgewanderten, Annenfeld [illegible] der Nachbarschaft von Gänsch liegen. [illegible] der Schwierigkeiten, womit diese Ansiedler — [illegible] denen von Marienfeld und Petersdorf [illegible] der georgischen Provinz Kakheti, [illegible] dersdorf auf dem linken Ufer des Kur [illegible] bethal und Katharinenfeld, gleichfalls [illegible] ten Stadt), durch religiöse Schwärmerei [illegible] 1500 Familien an der Zahl, ihr [illegible] verließen und 1817 in Georgien [illegible] zu kämpfen gehabt haben, ist für [illegible] eben nicht aufmunternd. Die Gegend [illegible] ungesund, und auch unsere Reisenden [illegible] dem Andern vom Wechselfieber ergriffen, [illegible] ganzen folgenden Wanderung nie [illegible] und nur dazu diente, ihre zahlreichen [illegible] Mühseligkeiten noch fühlbarer zu machen. [illegible] führte mehre Tage lang durch [illegible] menschenleere ausgedehnte Striche über die [illegible] eck-chai, Berdaah (einst Hauptstadt [illegible] vinz Udi, und im 8. Jahrhundert [illegible] nischen Könige, bei arabischen Schriftstellern [illegible] als vornehmster Ort dieser Provinz, welche sie Iran nennen), bis am 13. August Schuscha erreicht ward, hoch am Ende einer langen Bergschlucht gelegen. Hier waren Klima und Natur schon sehr verändert. Das frische Grün schöner Wiesen und Weideplätze in den Thälern und das Laub der die Bergabhänge bedeckenden Waldungen bildete den angenehmsten Gegensatz zu den eben durchwanderten, versengten Ebenen. Schuscha ist die Hauptstadt der Provinz Karabagh, welche den Landstrich zwischen dem Kur und Aras (Araxes) bis zur Vereinigung dieser beiden Ströme umfaßt. Die Stadt wurde unter Nadir Schah durch einen muselmännischen Khan gegründet. Die Natur hat viel gethan, Schuscha zu befestigen. Es ist ein zu einer natürlichen Burg geformter Berg. Die obenerwähnte große Schlucht theilt sich an ihrem Ende in zwei, welche jede mit einem Strom reinsten Wassers sich auf jeder Seite weiter erstrecken. Von demselben Punkte an windet sich ein steiler Pfad, bisweilen dicht am Rande der Felsen, zum Thore auf dem Gipfel empor. Auf den andern Seiten macht ein senkrechter Abgrund von schwindelerregender Höhe künstliche Befestigungen überflüssig, außer an dem nach Eriwan führenden Thore. Hier eröffnet sich gegen den Berg hin eine entsetzliche Kluft, welche durch eine kurze Mauer vertheidigt wird. Der Gipfel bildet eine unebene Oberfläche, welche sich nach Nordosten leise senkt, von der die Stadt nur den kleinen untern Theil einnimmt, während Graswuchs den Rest bedeckt. Man bemerkt nicht, auf welcher Höhe man sich befindet, bis man durch die von der Schlucht nach Norden gebrochene Oeffnung das Thal des Kur tief unten in der Ferne und in derselben Richtung, so weit das Auge reichen kann, den Riesen Kaukasus alle übrigen Höhen in der Ausdehnung eines Viertels des Gesichtskreises überragen sieht. Die Häuser der Stadt sind von Stein, häufig zwei Stockwerke hoch und nach der Straße zu offen. Sie sehen im Allgemeinen verfallen aus und mögen etwa 2000 an der Zahl sein, wovon 700 von Armeniern, die übrigen von Mohammedanern bewohnt werden. Letztere haben zwei Moscheen, erstere vier Kirchen und ein Nonnenkloster. Die Provinz Karabagh (der schwarze Garten) hat ihren Namen von der großen Fruchtbarkeit ihres Bodens im Alluvialthale des Kur. Ihr Inneres ist gebirgig und waldig. Armenier und Muselmänner bewohnen sie, von jeder Nation etwa 25,000. Die Moslems dieser Provinzen, mit Ausnahme einiger Kurden in den Gebirgen, werden von Ausländern gewöhnlich Tartaren geheißen. Sie selbst aber nennen sich Muselmänner, und ihre Sprache weist auf türkischen Ursprung hin. Sie sind zum Theil Nomaden, zum Theil Dorfbewohner; Erstere machen etwa die Hälfte der mohammedanischen Bevölkerung von Karabagh und Talisch aus; in den Ländern nördlich vom Kur ist ihre Zahl gering. Im Winter leben sie als Troglodyten in Höhlen im Kurthal; im Frühling breiten sie sich mit ihren Heerden, wovon sie fast ausschließlich leben, über die Wiesenstriche aus und steigen allmälig die Höhen hinan, wo sie in den kältern Strichen die Sommermonate zubringen. Getreide bauen sie nur so viel, als zum Brot für den Winter reicht. Ihr Ursprung und ihre Sitten sind wahrscheinlich mit denen der türkischen Hirtenstämme in Persien übereinstimmend. Das Kurthal von Georgien bis zum kaspischen Meer war einst der Sitz der Aghovanen, bei Griechen und Römern Albaner geheißen. Obgleich mit den Armeniern nah verwandt, sprachen sie einen verschiedenen Dialekt und wurden als ein besonderes Volk betrachtet. Ihre Geschichte knüpft sich an die der Nachbarländer.

In Schuscha, wo sie durch armenische Geistliche sowol als deutsche Missionaire dankenswerthe, aber höchst traurige Nachrichten über die kirchlichen und sittlichen Verhältnisse des Volkes, über den Zustand des Unterrichtswesens und der Missionen einzuziehen Gelegenheit fanden, verweilten unsere Reisenden bis zum 1. November. Ueber verschiedene armenische Dörfer gelangten sie auf eine große von Schluchten durchschnittene Hochebene, zum Theil mit Getreide bebaut, und dann an den in einer Tiefe von 800 Fuß fließenden Dateo, auf dessen Ufer das gleichnamige Kloster liegt, zu welchem eine natürliche Brücke in einer Höhe von 60—100 Fuß über den Strom führt. Das Kloster hat zwei Bischöfe, zehn Wartabeds (Mönche) und zwei Diakonen; die Klosterschule wird von etwa zwanzig Jünglingen besucht. In dem benachbarten Dorfe Lor mußte man wegen eines heftigen Sturmes über Nacht bleiben. Das Haus war wie gewöhnlich eine Art Keller und nur durch ein offenes Fenster in der Mitte erleuchtet, durch das beständig Schnee fiel. An verschiedenen Stellen lagen Getreidehaufen auf dem nackten Boden. Ein tiefer Korb von Flechtwerk, mit Lehm und Kuhmist beklebt, versah die Stelle eines Mehlfasses; ein großes Brot schien der Familie als Hauptnahrung zu dienen. In einem dunkeln Winkel waren Teppiche, Matratzen, Kissen und Decken für die Nacht aufgeschichtet, und gegenüber stand eine Wiege mit ihrem kleinen schreienden Bewohner. Der Wärmapparat war diejenige Art von Ofen, welche in Armenien und Syrien gewöhnlich ist und Tannur, oder, wenn er wie hier eingerichtet ist, sich daran zu wärmen, Tandur genannt wird. Ein etwa 3 Fuß tiefes cylinderförmiges Loch befindet sich in irgend einem Theil der Stube; eine Röhre ist hineingesteckt, um dem darin brennenden Feuer Luft zuzuführen. Der Rauch findet seinen Ausweg durch das offene Dachfenster. Das Brot, welches hier gebacken wird, ist von der Dicke eines starken Pappdeckels, gegen 1½ Fuß lang auf 1 Fuß Breite; es ist hart und hält sich im Winter wenigstens einen Monat, im Sommer 10 Tage. So ist alles Brot in den armenischen Dörfern, selbst in Eriwan und Tebriz findet man kein anderes, außer einer Gattung von zweimal dickerm, so lang, daß man es nach der Elle verkaufen könnte. Um es zu backen, belegt man den Boden des ganzen Ofens mit Kieselsteinen (einen Winkel ausgenommen, wo beständig Feuer brennt) und breitet, sind diese geheizt, den geformten Teig darüber aus. Dieses harte dünne Brot versieht beim Essen zugleich die Stelle des Löffels und der Gabel. Will man sich des Tannurs zum Wärmen bedienen, so ist er bald zu einem Tandur umgeschaffen. Man legt einen runden Stein auf die Oeffnung des wohlgeheizten Ofens; ein viereckiges, etwa fußhohes hölzernes Gestell wird dann daraufgesetzt und eine dicke Decke darübergeworfen, die auf den Seiten herabfällt und so die Wärme festhält. Die Familie streckt sich auf den Boden hin und wärmt sich, indem sie Arme und Beine unter die Decke steckt, auf welche man die Lampe oder die Speisen stellt. Innerhalb 24 Stunden braucht der Tandur nur ein- oder höchstens zweimal geheizt zu werden.

(Die Fortsetzung folgt.)

Leben und Thaten des Maximilian Joseph III., in Ober- und Niederbaiern, auch der Oberpfalz Herzogs, Pfalzgrafens bei Rhein, des heiligen römischen Reiches Erztruchseß und Kurfürstens, Landgrafens zu Leuchtenberg &c. Aus den Quellen dargestellt und verfaßt von F. J. Lipowsky. München, Giel. 1833. Gr. 8. 1 Thlr.

Mittheilungen über Lebensbeschreibungen anderer Kurfürsten aus dem Wittelsbach'schen Hause, welche wir dem Fleiße desselben Verf. verdanken, haben uns bereits einige Male in diesen Bl. Veranlassung gegeben, die biographische Methode desselben zu bezeichnen und namentlich seine sehr genaue, bis auf Geringfügigkeiten sich ausdehnende und auf zahlreiche Citate sich stützende Ausführlichkeit hervorzuheben. Die uns jetzt zugekommene Biographie, welche die Lücke zwischen den zuletzterschienenen des Kurfürsten Karl Albert (Kaisers Karl VII.) und des Kurfürsten Karl Theodor ausfüllt, ist ganz in derselben Weise wie diese bearbeitet, mit einer Ausführlichkeit, welche sogar der Errichtung einer Porzellanfabrik in Nymphenburg und einer Pinselfabrik in Baiern besondere Paragraphen widmet, mit genauer Angabe zahlreicher Quellen und selbst mit einer reichen Ausstattung von Citaten aus römischen Dichtern und Prosaisten, an welche der Verf. durch einzelne Begebenheiten oder Zustände erinnert wurde. Sie reiht sich den frühern Vorarbeiten des Verf. zu einer allgemeinen Geschichte Baierns auf die ehrenvollste Weise an, und sie enthält die genausten und zuverlässigsten Aufschlüsse über Hof- und Staatswesen, Industrie und Geistesbildung jenes Landes während der beschriebenen Regierung; allein wenn des Verf. tiefe und innige Verehrung für das heimatliche Fürstenhaus auch in der Milde und Güte Maximilian Joseph III. neue Veranlassung, sich auszusprechen, findet, so verhindert doch der bei diesem nur zu oft hervortretende Mangel an selbständiger Willens- und Thatkraft ein allgemeineres Interesse für denselben. Zur Unterstützung dieser Meinung, zugleich auch als Probe der Darstellung, erlauben wir uns einen der letzten Paragraphen des Buches mitzutheilen, welcher unter der Ueberschrift: „Des Kurfürstens gutes Herz und reine Absicht, sein Volk zu beglücken", die Persönlichkeit desselben hinreichend bezeichnet. „Viel, sehr viel Gutes und Nützliches hatte der herzgute Kurfürst Maximilian Joseph gethan, würde noch ungleich Besseres und das Wohl seines Landes Förderndes gethan und geleistet haben, hätten ihm seine ersten Hof- und Staatsbeamten nur nicht so Manches, wol gar Vieles verheimlicht, um ihm seine Seelenruhe nicht zu rauben, seine Regentensorgen zum Nachtheile seiner Gesundheit, wie sie meinten, nicht unnöthig zu vermehren, zu vervielfältigen, im Grunde aber ihm glaubend (?) zu machen, daß ihre Weisheit, ihr Besorgtsein für das allgemeine Wohl alle Berge ebene, des Landes Wohlstand erzwecke, dessen Glück befördere, wol gar vollende und so ihm die Last der Regierung erleichtere. Aber ebendaher die Ursache, daß seinem Scharfblicke die Wirkungen des Uebels zwar nicht entgingen, indessen ihm desselben wahrer Grund doch oft verborgen blieb, daher man ihm auch glaubend (?) gemacht hat, der Fehler beruhe auf den Stellen und Aemtern, mit deren vermeintlicher Verbesserung ihn seine ersten Staatsdiener zu beschäftigen wußten, ohne daß der eigentlichen Quelle aller Uebel abgeholfen worden, vielmehr nur Unordnung, wol gar Verwirrung und Irrung hier und dort an den Tag gefödert wurden. So gingen Jahre vorüber, das Volk kannte und ehrte das Herz seines besten Fürstens, trug geduldig, was zu ertragen war, und ward gesegnet durch die Früchte eines goldnen Friedens, beglückt durch manche gute Anstalt und Verfügung, die meistens der Fürst selbst ausgedacht und vollführet hat." Ungeachtet der mildernden und schonenden Ausdrücke, welche zum Theil eine, dem Verf. jedoch durchaus fremde, bittere Ironie zu enthalten scheinen, treten doch aus diesen Worten die Uebelstände und Gebrechen deutlich genug hervor, an welchen Baiern in damaliger Zeit litt, und welche der Verf. lieber auf unbestimmte Weise berührt, als daß er sie und ihre eigentliche Quelle bestimmt ausspricht. In dieser Art der Behandlung, deren Grund wir indeß eher in einer tiefen Ehrfurcht gegen den Fürsten und in einer wohlwollenden Behutsamkeit als in der Absicht, durch Verhüllungen und Uebergehen die Thatsachen zu entstellen, suchen müssen, liegt die Ursache, daß der Leser allerdings mit den Formen der Verwaltung, aber weniger mit dem in ihnen herrschenden Geiste, mit den Maßregeln und Absichten der Regierung, aber weniger mit der Zweckmäßigkeit und mit den Erfolgen bekannt gemacht wird. So sieht er sich z. B. genöthigt, selbst zu berichten, daß es dem Kurfürsten, obwol er alles Mögliche angewendet habe, und trotz des goldnen Friedens so wenig möglich gewesen ist, die unter seinem Vater zerrüttete Ordnung der Finanzen wiederherzustellen, daß vielmehr noch vom Jahre 1763—72 die Ausgaben die Einnahme um mehre Millionen Gulden überstiegen. Statt aber die Ursachen eines so bedeutenden Uebelstandes klar und bestimmt auszusprechen, führt er es nur als eine Behauptung von Finanzmännern an, daß das vom Kurfürsten eingeführte Mauthsystem dem Handel Baierns nachtheilig gewesen, und setzt dann im Allgemeinen, ohne nähere Ausführung noch hinzu: daß auch sonst Misgriffe in der Staatsverwaltung stattgefunden, und die adeligen Gutsbesitzer zu vieler Freiheiten und Ausnahmen und einer Erleichterung in der Besteuerung sich zu erfreuen gehabt hätten. Wenn wir auch von dem Gesichtspunkte aus, von welchem wir diese und ähnliche Arbeiten des Verf. beurtheilen zu müssen glauben, keine kunstreiche Form verlangen, so ist doch zur Vervollständigung des Materials auch das Aufdecken der Schattenseiten durchaus nothwendig. 16.

Miscellen.

Kant'scher Styl (cant style) heißt in England eine unverständliche Sprache. Sie erhielt ihren Namen von Andreas Kant, einem presbyteranischen Geistlichen, der so predigte, daß nur seine Gemeinde, und vielleicht von dieser blos ein geringer Theil ihn verstehen konnte. Flögel's „Geschichte der komischen Literatur", Thl. 1, S. 175.

Heinrich Döring hat durch eine genaue Schilderung von Seume's Leben in Nr. 25 und 26 der dritten Reihe der „Zeitgenossen" (1832) ein neues Verdienst als Biograph sich erworben. Schade nur, daß er nicht alle früher erschienenen Andeutungen zu einer Biographie dieses — Sonderlings und ungezogenen Lieblings der Musen benutzt und so Manchem die Möglichkeit gelassen hat, Einiges seiner Lebensschilderung beizufügen. Ueberlassen wir dies auch andern, dazu berufenen Schriftstellern, so wollen wir ihnen doch noch als Nachtrag zu diesem Ende bemerken: ein Fragment aus Seume's Selbstbiographie im „Rhein. Merkur", 1810, St. 12; Züge zu Seume's Bild in der „Abendzeitung", 1818, Nr. 163; einige Worte über Seume von Clodius, im Taschenbuch „Minerva", a. 1812, S. 273. 15.

Redigirt unter Verantwortlichkeit der Verlagshandlung: F. A. Brockhaus in Leipzig.

Blätter für literarische Unterhaltung.

Sonnabend, —— Nr. 355. —— 21. December 1833.

Researches of the Rev. *E. Smith* et *H. G. O. Dwight* in Armenia. Zwei Bände.

(Fortsetzung aus Nr. 354.)

Der nächste Ort von Bedeutung in einer wohlangebauten Ebene, worin sich neben zahlreichen Wein- und Fruchtgärten auch Baumwollpflanzungen befinden, war Nakhshewan, das im letzten Kriege sehr gelitten und damals meist in Trümmern lag. Die Bevölkerung beläuft sich auf 2000 muselmännische Familien und 8—900 armenische, wovon mehr denn 700 Einwanderer aus Persien. Diese Stadt macht auf die Ehre Anspruch, die älteste der Welt zu sein. Ihr armenischer Name bedeutet: „erster Ort des Niedersteigens", und die Sage will, Noah habe hier zuerst seine Sitze gewählt, nachdem er das Gebirge Ararat verlassen. Schon Josephus erwähnt dieses Umstandes. Nakhshewan war einst der Hauptort einer schon 1320 gegründeten Dominicanermission, die einst eine Menge von Dörfern umfaßte, von der aber jetzt nur wenige Spuren vorhanden sind. Nicht weit von hier, mit dem aus wenigen Lehmhütten bestehenden Dorfe Khock hören die unterirdischen Wohnungen auf. Der Ararat gewährt in dieser Gegend einen majestätischen Anblick. Die Eingeborenen kennen den Berg unter keinem andern Namen als Masis im Armenischen und Aghurdagh (schwerer Berg) im Türkischen. Die ihm von den Europäern zugetheilte Benennung: Ararat, wird in der Schrift einem Lande gegeben, das einmal ein Königreich heißt (Genesis 8, 4, Jesaias 37, 38, Jeremias 51, 27). Denselben Namen hatten die Armenier, lange bevor sie durch ihre Bekehrung zum Christenthum die Schrift kennen lernten, dem großen und fruchtbaren mittlern Theile ihres Landes gegeben, dessen ungefähren Mittelpunkt das Gebirge einnimmt. Auf dem Gebirge von Ararat blieb die Arche stehen, und vielleicht kann kein anderes Gebirge wie dieses durch seinen majestätischen Anblick die Ehre für sich in Anspruch nehmen, einst die Schwelle zwischen einer alten und neuen Welt gewesen zu sein. Es liegt westlich von Nakhshewan und südlich von Eriwan auf dem jenseitigen Ufer des Aras. Zu Eriwan bietet es zwei Gipfel dar, einer bedeutend niedriger als der andere, und scheint mit einer nach Nordwesten sich erstreckenden Kette zusammenzuhängen, welche, obgleich von ansehnlicher Höhe, vergleichsweise so niedrig erscheint, daß der Eindruck seiner einsamen Majestät dadurch nur erhöht wird. Von Nakhshewan, das etwa 20 Meilen entfernt liegt, und von den Gefilden von Khock zeigt sich der Ararat als ein ungeheurer isolirter Kegel von ungewöhnlicher Regelmäßigkeit, aus dem tiefen Thale des Aras emporsteigend. Zu allen Jahreszeiten ist er tief unter dem Gipfel mit Schnee und Eis bedeckt, welche nicht selten Lawinen bilden und mit dem Krachen des Erdbebens die steilen Abhänge hinunterstürzen.

In der Ebene kamen viele Reis- und Baumwollpflanzungen vor. Die Baumwollstauden sind fast zweimal größer als jene bei Nakhshewan, aber doch nur von mittelmäßiger Gattung. Auch findet man die Castorölpflanze (Palma Christi) und große Weizenfelder. Die Bewohner sind meist aus Persien eingewandert; die ansässigen Kurden, welche muselmännisches Costum tragen, führen meist nomadische Lebensart und bleiben nur den Winter über im Thale. Am Wege nach Ardisher liegt das Kloster Khor-virab mit der Höhle, worin der berühmte Apostel der Armenier, St. Gregor Lusavorich (der Erleuchter) 14 Jahre lang durch den König Durtad eingeschlossen gehalten wurde, bis er König und Nation bekehrte. Auf dieser Stelle stand einst Ardeshad (Artaxata), die Stadt, welche Hannibal als ihren Gründer ausgab und von griechischen und römischen Schriftstellern häufig als Hauptstadt des Landes während der ersten christlichen Jahrhunderte genannt wird. Ardisher ist gleichfalls eine Colonie persischer Auswanderer; in der Nähe befinden sich Ruinen einer alten Stadt, vielleicht Tovin, welches im 4.—9. Jahrhundert die Hauptstadt war. Auf dem Wege nach Eriwan war eine neue Art Pflug bemerklich. Das Ende der Deichsel lag auf einer Achse mit zwei Rädern, wovon das eine, das in der Furche lief, so viel größer als das andere war, daß die wagerechte Richtung beibehalten wurde. Ein Knabe ritt auf jedem Zugthier. Nackte Hügel scheiden diesen Strich vom Thale von Eriwan, wo ganze Ochsenkaravanen daherzogen. Eriwan ist nicht minder durch seine Fruchtbarkeit als ungesunde Lage bekannt, die namentlich zu Wechselfiebern und Leberkrankheiten disponirt. Alle Hügel sind mit Reben bedeckt. Die Citadelle ist von der Stadt getrennt, welche keine Mauern hat und keineswegs in blühendem Zustande zu sein schien. Die Provinz zählt 14,000 armenische und 8000 muselmännische Familien in etwa 500 Dörfern.

In einer Entfernung von 2¼ deutschen Meilen von Eriwan liegt das Kloster Etschmiadzin, die kirchliche Hauptstadt der Armenier. Das Kloster hat seinen Namen von der Kirche, die es einschließt; Etschmiadzin heißt: „der Eingeborne kam hernieder", nach einer Legende, gemäß welcher der Heiland sich hier dem heil. Gregor gezeigt haben soll. Der Ort enthält noch andere Kirchen, woher die türkische Benennung: Uch-keliseh, d. i. Dreikirchen, da diese Zahl dem von Eriwan kommenden Wanderer zuerst in die Augen fällt. Zwischen der Kirche St.-Hripsime und dem Kloster liegt das Dorf Vagharschabad, lange unter dem Namen Vartkes bekannt und einst ein armenischer Königssitz. Der Ort war stets im Geruch besonderer Heiligkeit, wurde aber erst 1441 Sitz des Katholikos, da das eigentliche Armenien sich von dem Stuhle zu Sis trennte. Das Kloster ist von einer hohen Mauer mit runden Thürmen umgeben und sieht von außen einer Festung ähnlich. Das Innere ist eine Stadt im Kleinen. Die Hauptgebäude, aus verschiedenen Zeiten und von verschiedener Bauart, die Zellen der Mönche, Refectorien, Magazine u. s. w. enthalten, umgeben einen viereckigen Raum von etwa 220 □Fuß, dessen Mittelpunkt die Kirche einnimmt. Auf der Südseite öffnet sich ein Thor zu einem geräumigen Hofe mit Ställen für die Lastthiere. Ein anderes Thor auf derselben Seite führt in einen offenen Hof, umgeben von einem zwei Stockwerke hohen, karavanseraiartigen Gebäude, zur Aufnahme der Pilger bestimmt. Die nördliche Seite hat gleichfalls zwei Thore. Das eine geht in einen ziemlich geräumigen Garten, auf zwei Seiten mit Gebäuden umgeben, welche die eigentliche Wohnung des Katholikos bilden. Das andere führt durch einen Bazar von 40—50 Buden zum Hauptthor in der östlichen Klostermauer.

Die Hauptkirche ist ein ehrwürdiges Gebäude. Der Haupt- oder Mitteltheil ist von gehauenem Stein in Form eines Kreuzes erbaut und hat eine Kuppel im guten Styl der cylindrisch-konischen Form. Der Glockenthurm, in verschiedene kleinere pyramidenförmige Thürme endigend, ruht auf massiven, viereckigen Pfeilern, welche den Haupteingang am westlichen Ende bilden. Im Innern unterstützen vier ungeheuere, zum Umkreis der Kuppel hinansteigende Pfeiler diese nebst den hohen Wölbungen des Daches. Heiligenbilder und Darstellungen von Geschichten der Bibel und Legende, von grotesker und plumper Zeichnung und Ausführung, bedecken die Wände, Silberlampen und krystallene Kronleuchter hängen von der Decke herunter. Mehr als die Hälfte des Raums vom Altar bis zur Thüre ist durch ein Gitter für den Klerus abgeschlossen und mit Teppichen belegt, worunter einige überraschend reich und schön sind. Der Hauptaltar nimmt eine erhöhte Stelle im Allerheiligsten am östlichen Ende ein und ist mit massiven goldenen Kreuzen, silbernen Leuchtern und andern kostbaren Zierathen überladen. Zwei kleinere Nischen auf beiden Seiten enthalten Nebenaltäre. In jeder der beiden Seitenmauern befindet sich eine ähnliche Kapelle, und noch eine andere kleinere steht frei in der Mitte, grade unter dem Centrum der Kuppel, mit Vorhängen von Goldstoff umgeben und alles Uebrige an Reichthum und Glanz übertreffend. Das Costum der Priester und der Aufwand, womit der Kirchendienst versehen wird, stimmen mit der verschwenderischen Ausschmückung des Tempels überein.

Die Reisenden statteten einem der Bischöfe des Klosters, dem sie empfohlen waren, einen Besuch ab. Er saß mit dem Bibliothekar und dem Bischof von Eriwan in einem geräumigen, luftigen Zimmer, welches mit Allem versehen war, was orientalische Sitte als zur Bequemlichkeit erfoderlich betrachtet. Ein breites und bequemes türkisches Sofa nahm zwei Seiten des Gemachs ein, ein guter Teppich bedeckte den Boden, und eine Reihe von Bretern war mit den verschiedenen reichen Früchten des Landes zur Befriedigung des Gesichts- sowol als des Geschmackssinns geschmückt. Diener warteten in einem Vorzimmer und boten die bei einem Besuch in der Türkei üblichen Erfrischungen. Alles trug das Aussehen des Wohllebens, wenn nicht des Luxus, wenig stimmend mit den Ideen von der Zelle eines Mönchs, und den Ruf bestätigend, daß die Bewohner dieser Orte wenig gewohnt sind, sich in der Tugend der Selbstverleugnung zu üben. Die Aufnahme war freundlich und ungezwungen. Da sich unsere Reisenden grade zum Fest des 20. Jahrestags der Weihung des Katholikos in Etschmiadzin befanden, so waren sie Zeugen des ganzen religiösen Pomps, welcher den armenischen Papst umgibt. Der Katholikos selbst war ein abgelebter, kranker Greis, ein goldenes Kreuz auf seiner Kappe und ein Stab, das Zeichen seines Amtes, unterschieden ihn von den übrigen Bischöfen. Zwei Geistliche hielten, als er zum Vorschein kam, einen breiten, sammetnen Thronhimmel über seinem Haupte, und drei Diakonen, rückwärts vor ihm einherschreitend, ließen beständig Weihrauch vor ihm dampfen. Gegenwärtig ist diesem Kirchenfürsten fast nichts Anderes als der äußere Glanz und sehr wenig eigentliche Macht geblieben. Etschmiadzin ist der Hauptort für den Verkauf des Meirun oder heil. Oeles, das der Katholikos allein weihen kann, und das im armenischen Glaubenssystem eine wichtige Rolle spielt. Es wird bei den Confirmationen, Weihen und andern religiösen Ceremonien gebraucht, durch einen Noviragh oder Nuntius zum Verkauf im Lande umhergetragen und bildet einen der Hauptzweige des Einkommens der Kirche. Aus der Provinz Karabagh gingen auf einmal nahe an 10,000 Thaler für Meirun in den Schatz zu Etschmiadzin. Die Klosterbibliothek soll sich auf 16,000 Bände belaufen, was aber übertrieben scheint. Sie besitzt einige schöne Handschriften, liegt aber in Unordnung. Die Druckerpresse ist unbeschäftigt und keine Schule ist mit dem Kloster verbunden.

Die Rückreise über Eriwan nach Nakhshewan währte vom 23. bis zum 29. November, worauf man sich auf den Weg machte, Tebriz in Persien zu erreichen. Bei Abbasabad, einer neuen, nach dem gegenwärtigen persischen Thronfolger benannten Festung in der Ebene, kam man über den Aras und am 6. December nach Khoy, in einem fruchtbaren, von Bergen eingeschlossenen Thale, von Fruchtgärten, Getreide- und Baumwollpflanzungen umgeben. Im Sommer ist die Luft wegen des vielen Gewässers fieberisch. An den Flüssen standen viele Silberweiden (Simjid), die eine wenig schmackhafte Frucht hervorbringen, welche der Dattel an Form gleicht. Die Straßen von Khoy sind breit und regelmäßig, von Kanälen durchnitten, deren Ufer schattige Baumgänge zieren. Der Bazar ist ansehnlich und gut gebaut, obgleich die Wohnungen meist von ungebrannten Ziegeln oder Lehm. Diese Stadt ist die gewöhnliche Residenz Jihangir Mirza's, Sohn des Kronprinzen Abbas und Gouverneur der Provinz. Eine ernste Krankheit ließ die Herren Smith und Dwight erst am 15. d. M. Tebriz erreichen. Tebriz (Tabriz) ist die Hauptstadt der Provinz Aderbaijan (Azerbijan), des alten Medin Atopatene, jetzt eine der volkreichsten und gewerbtreibendsten persischen Provinzen. Sie liegt am Eingang einer Ebene, die sich über 6 Meilen östlich vom See von Urmiah (Rumiah) erstreckt; kahle Berge, ohne Baum und Spur von Vegetation, aus Felsschichten oder Kieselboden bestehend, umgeben sie auf der Ostseite und erstrecken sich auf beiden Seiten der Ebene nach Westen. *) Von außen das Ebenbild der Nacktheit, soll ihr Inneres reiche mineralische Substanzen enthalten; Grün, Hellroth und verschiedene andere ungewöhnliche Schattirungen, mit dem vorherrschenden Braun gemischt, verrathen auch dem entfernten Beobachter deren Gegenwart. Bekanntlich sind sie reich an Eisen, Kupfer und Salz; eine Mine des letztern wird nicht weit von der Stadt bearbeitet, und der Fluß, der von den östlichen Bergen kommt und die Ebene der Länge nach durchströmt, ist stark damit geschwängert. Gegenwärtig hat die Stadt etwa 60,000 Einwohner und ist von großen volkreichen Vorstädten umgeben. Bei ihr liegen große, reiche Fruchtgärten, welche mit ihren Producten den Bazar bereichern. Zahlreiche Kanäle bewässern sie nach allen Richtungen und gehen in unterirdischen Wölbungen unter den Straßen fort. Die Stadt wird durch eine Mauer von Ziegelsteinen und einen Graben eingeschlossen. Die Wohnungen selbst sind eine Satire auf jede Idee von orientalischer Pracht; gleich allen übrigen im Araschale sind sie von Lehm und entweder durch bloße Häufung des nassen Materials aufeinander, oder durch regelmäßige Schichtung von getrockneten viereckigen Lagen desselben erbaut. Die Straßen sind fast durchgängig ungepflastert; kein Haus hat Fenster nach der Straßenseite, und man sieht nichts als nackte Mauern, hier und da durch eine plumpe Thüre unterbrochen. Dann und wann verräth ein Thor aus gebrannten Ziegelsteinen eine gewisse Prachtliebe, während bisweilen in den Gärten der Vorstädte die Thüre aus einem einzigen Steine besteht. Die Wohnung hat gewöhnlich nur ein Stockwerk und ist sehr unregelmäßig gebaut. Ein Zimmer wird dem andern beigefügt, je nachdem Zuwachs an Weibern, Kindern, Knechten und Pferden es erfodert; alle sind in verschiedenen Winkeln des Hofraums zerstreut oder nach dem Zufall ohne Zusammenhang aneinandergebaut. Außer der Ark, einem ungeheuern, zertrümmerten Thurme in der Citadelle, und den Ruinen einer prächtigen Moschee dicht vor dem nach Teheran führenden Thor besitzt die Stadt keine öffentlichen Gebäude, welche für die Aermlichkeit der Privatwohnungen entschädigen könnten. Manche der Moscheen sind geräumig, aber meist ohne alle architektonische Schönheit, selbst das zierliche Minaret fehlt ihnen. In Tebriz war nur ein einziges vorhanden und dieses verfallen; überhaupt sind bei den Schiiten die Minarets selten. Die Karavänseralen sind zahlreich und groß und die Bazars ausgedehnt; aber außer dem neuen, durch hohe, schöne Kuppeln gedeckten Bazar hat ihre Bauart nichts Bemerkenswerthes. Tebriz ist der Mittelpunkt eines sehr lebhaften Handels. Seine großen Lager sind fortwährend so mit Waaren gefüllt, daß man sich nur mit Mühe einen Weg durch dieselben bahnt. Doch ist die Stadt nicht der Sitz bedeutender Manufacturen, wenn man einige in Seidenwaaren ausnimmt. Die Werkstätten sind nur mit gewöhnlichen Arbeiten des Mechanismus versehen, aber in den Magazinen der Karavanseralen findet man die Schätze Indiens und die Industrie Europas. In fast gleichen Entfernungen zwischen dem Indus, dem persischen Meerbusen, Konstantinopel und den Märkten Rußlands liegend, unterhält Tebriz Verbindungen mit allen; der ganze Handel ist in den Händen der Eingeborenen. In Tebriz gibt es kein einziges europäisches Handelshaus, und ungeachtet seiner zahlreichen und kostspieligen Gesandtschaften ist es England noch nicht gelungen, einen Handelsvertrag abzuschließen. Der Handel mit englischen Manufacturen über Trapezunt und Erzerum dürfte bedeutende Vortheile gewähren.

(Der Beschluß folgt.)

*) Oberst Monteith, welcher 1831 im Auftrag Abbas Mirza's Azerbaijan und die Küsten des kaspischen Meeres bereiste, gibt die Höhe des Gebirgszugs von Sahand, zwischen Tebriz und Maragha auf 9000 Fuß über dem Meere an. Den Berg Sevelan, östlich von Tebriz nach dem Meere, bestimmt er auf 12,000 Fuß. (Vgl. „Journal of the Royal geographical society of London", Bd. III, Abtheil. 1, 1833.)

Verfassung und Verfassungsrecht des Königreichs Sachsen. Dargestellt von Friedrich Bülau. — Auch unter dem Titel: Darstellung der Verfassung und Verwaltung des Königreichs Sachsen. Aus staatsrechtlichem und politischem Gesichtspunkte. Erster Theil. Verfassung und Verfassungsrecht. Leipzig, Göschen. 1833. Gr. 8. 1 Thlr. 6 Gr.

Von einem schon früher begonnenen ähnlichen Werke durch die Ereignisse des Jahres 1830 abgehalten, tritt der Verf. jetzt mit vorliegendem auf. Die erste Bedenklichkeit, welche sich außer dem Verf. auch wol noch Andern aufgedrängt haben mag, ob es jetzt schon — wo die Staatsorganisation in ihrer Ausführung und Verwirklichung noch gar nicht vollendet ist, wo wir in Kurzem vielleicht keine Consistorien mehr und vier Appellationsgerichtshöfe haben werden, wo noch andere wichtige Fragen vom Landtage und den Ministern zu verhandeln sind — an de

Zeit sei, mit gegenwärtigem Buche hervorzutreten, beantwortet der Verf. S. VI fg.: „Indeß die Betrachtung, daß es sich um die Befriedigung eines wahrhaften Bedürfnisses handelt, und daß die Gegenwart, wo der Landtag die Aufmerksamkeit der Staatsbürger in erhöhtem Grade auf die Verfassungsangelegenheiten hinlenkt, der rechte Zeitpunkt zum Erscheinen und nützlichen Einwirken einer solchen Schrift scheint, bestimmte mich zur beschleunigten Herausgabe". Aenderungen an den Grundbestimmungen der Verfassung wären zur Zeit nicht vorauszusehen, ja nicht einmal erlaubt, und alles übrige sich neu Gestaltende könne im zweiten Theile füglich nachgetragen werden. Darauf läßt sich weiter nichts sagen, als daß auch wirklich das Werk ein solches wahrhaftes Bedürfniß befriedigen möge, worüber sich beim ersten Theile noch keineswegs entscheiden läßt; zumal da der Verf. Vieles in den zweiten hat verweisen müssen, was bei einiger Geduld noch in diesem sich hätte besprechen lassen. Wahrscheinlich wird nun der folgende Theil gewaltig anschwellen, weil noch gar Vieles zu behandeln ist und durch die fortlaufenden Gestaltungen dem Verf. das Werk gleichsam unter der Hand wächst.

Gegenwärtiger Band enthält auf 263 ziemlich enggedruckten Seiten: 1) eine kurze Einleitung über Begriff und Zweck (wessen?), dann über Quellen, Hülfsmittel und Literatur. (Bei der angeführten Literatur der Geschichte hätte wol ebenso gut wie die zur Hilscher'schen „Taschenbibliothek" gehörige Geschichte von Sachsen auch die zur Heeren-Ukert'schen europäischen Staatengeschichte gelieferte, zum Theil aus Archiven und Manuscripten geschöpfte Bearbeitung dieser Geschichte eine Erwähnung verdient.) Dann folgt der erste Theil oder die Verfassung des Königreichs Sachsen nach folgenden fünf Abschnitten: Allgemeine Vorerinnerungen (Staatsgebiet, Volk, Verfassung) — der König — die Ständeversammlung (112—229) — allgemeine Verfassungsnormen über Rechte und Pflichten der Staatsgenossen — Garantien der Verfassung, welche in innere und äußere (unter erstern der Staatsgerichtshof, unter letztern der Bundestag) abgetheilt werden. Das Erscheinen des zweiten umfangsreichern Theiles wird von dem Schlusse des Landestags und der Publication der mit den Ständen zu verabschiedenden Gesetze und der zu ihrer Ausführung zu erlassenden Verordnungen abhängig gemacht.

Der Verf. will ausdrücklich mehr als ein bloßes Staatsrecht Sachsens geben, darum ist der politische Standpunkt ins Auge gefaßt, und es soll nicht nur von Pflichten und Rechten, sondern auch von den politischen Einrichtungen des Staats ein treues anschauliches Bild gegeben werden, die gleichwol nicht staatsrechtlicher Natur sind, aber in einer Zeit, wo das politische Element das juristische zu besiegen strebt und die Reform im Kampfe mit den starren Formen des Positiven begriffen ist, um so mehr eine Darstellung verdienen. Eine verdienstliche Seite dieser Arbeit ist, daß eine strenge Prüfung und Zergliederung der sächsischen Verfassungsurkunde zu Grunde gelegt wurde und auf diese Weise manche Mängel und Lücken derselben zur Sprache kommen, welche indeß in einem übrigens gesunden Staatskörper nicht sehr fühlbar werden dürften. Nur über die Perfectibilität der Verfassung erinnern wir uns im Buche nichts gelesen zu haben. Sonst heißt es S. 31 sehr kräftig: „Die neue Verfassung ist auf verfassungsmäßigem Wege des Vertrags entstanden. Sie ist kein erzwungenes Kind revolutionnairen Strebens, das sich losreißt von Geschichte und Verfassung und in seinem Ursprunge schon das Kainszeichen der Gesetzwidrigkeit trägt; aber sie ist auch kein aufgedrungenes, nach der einseitigen Richtung des Gebers gemodeltes Geschenk. Sie ist eine mit den verfassungsmäßigen Ständen des Landes verabschiedete, also pactirte Verfassung". In der Note S. 41 spricht sich der Verf. auch über die octroyirten Verfassungen aus, die man, wenn man die zeitherigen Erfahrungen befragt, im Ganzen nicht mit Unrecht den pactirten nachsetze. Doch ist wenigstens die Ansicht, als seien die erstern (pactirten) rechtmäßiger, irrig und eine unrichtige Folgerung aus dem an sich schon unhaltbaren Satze, daß der Staat auf Vertrag beruhe. Nur dann würden octroyirte Verfassungen unrecht sein, wenn die Gewalt, die sie octroyirte, nicht dazu berechtigt wäre, z. B. ein Regent, der bei der Gesetzgebung an die Zustimmung der Stände gebunden ist, eine neue Verfassung geben wollte, ohne jene Einwilligung erlangt zu haben. Eine zweckmäßige Verbesserung, wie die Form der Erblichkeit der Krone in Worten hätte ausgedrückt werden können, befindet sich S. 51, Nr. 19, obgleich das Vorausgeschickte nicht ganz deutlich ist; der letzte König z. B. hat eine ältere Schwester und Enkelinnen. Jene ist mit ihm in näherm Grade verwandt, bildet eine frühere Linie und ist (die Linie oder die Schwester, die ja schon als die ältere angenommen wird?) wahrscheinlich an Jahren älter, schließt folglich die Enkelinnen aus. — Der St.-Heinrichsorden wird S. 76 als zu Ehren des deutschen Königs Heinrich des Großen gestiftet angeführt; man wäre versucht, dabei wegen des Prädicats an den berühmten Heinrich I. † 936 zu denken, während doch nur der heilige Heinrich II. gemeint ist. — Die Aufgabe der neuen Ständeversammlungen „im allgemeinern und edlern Sinne" wird S. 112 als: „Die Vertheidigung der gewährleisteten Rechte des Volkes und das Fürsprecheramt für die Wünsche und Bedürfnisse der Gesammtheit" bezeichnet. Ueber und für das Zweikammersystem spricht sich der Verf. S. 125 aus. Mit Interesse wird man S. 201 fg. das Verhältniß der Ständeversammlung zum deutschen Bunde und die Frage erörtert finden: „Könnte der Bund nicht die ganzen Verfassungen aufheben und dadurch die Minister vor der ihnen durch die Stände drohenden Gefahr in Sicherheit stellen?" Antwort: „Gewalt kann Alles, und gegen Gewalt schützt keine Verfassung. Aber die Gesetzgebung des Bundes bestimmt, daß die in anerkannter Wirksamkeit bestehenden landständischen Verfassungen nur auf dem durch die Verfassung selbst vorgeschriebenen Wege abgeändert werden können. Ein Bundesbeschluß ist aber nicht der verfassungsmäßige Weg zur Abänderung der sächsischen Verfassung." 11.

Notizen.

Nach dem „Annuaire de l'état d'Alger pour 1833" (Algier 1833) kamen dort im letzten Halbjahre von 1830 europäische Reisende 1020, im Jahre 1831 schon 3311, und 1832, 3961, zusammen also 8292 an. Da die Colonie in demselben Zeitraume von 3114 Europäern verlassen wurde, so ergibt sich die Zunahme der europäischen Bevölkerung mit 5178 Personen. Eingeborne wanderten 1830 aus 1204, 508 im Jahre 1831, und 400 im Jahre 1832, zusammen 2112. Die Auswanderung war sonach stark im Abnehmen. Am 1. Januar 1833 bestand die Bevölkerung aus 3300 Franzosen und 2000 Italienern, Spaniern und Maltesern, aus 9000 Mauren, 8000 Juden und 1700 Arabern, Mozabis, Biskeris u. s. w., im Ganzen aus 24,000 Seelen. Eingeführt wurde 1832 aus Frankreich für 3,891,189, aus britischen Besitzungen im mittelländischen Meere für 337,189, aus Italien für 1,158,157, aus Spanien für 108,726, aus Tunis für 112,965 und aus Schweden für 9700, in Allem für 6,127,870 Francs. Die gesammte Ausfuhr betrug nur 772,679 Francs, und kommt also gegen die Einfuhr kaum in Betracht.

Wie man vor hundert Jahren in England reiste, läßt folgende Anzeige im „Caledonian Mercury" vom 10. Juli 1731 errathen: „Da sich das Gerücht verbreitet hat, die Landkutsche (von Edinburg) nach London habe diese Tour nicht in der versprochenen Zeit von neun Tagen zurückgelegt, so wird dies dahin erläutert, daß das schlechte Wetter und die verdorbenen Wege die Pferde ohne Schuld des Unternehmers auf einmal ganz ruinirt haben. In Zukunft soll die Reise aber stets in neun Tagen gemacht werden u. s. w." 3.

Redigirt unter Verantwortlichkeit der Verlagshandlung: F. A. Brockhaus in Leipzig.

Blätter

für

literarische Unterhaltung.

Sonntag, —— Nr. 356. —— 22. December 1833.

Researches of the Rev. *E. Smith* et *H. G. O. Dwight* in Armenia. Zwei Bände.

(Beschluß aus Nr. 355.)

Die Verschiedenheit des persischen vom türkischen Volkscharakter ist zu auffallend, um nicht bemerkt zu werden. Der erste Zug im Charakter eines Persers, der einem aus der Türkei kommenden Reisenden auffällt, ist seine Höflichkeit. Die Hochachtung, welche die niedern Stände den höhern bezeigen, ist in Persien weit größer als in dem benachbarten Reiche. Türken, welche hohe Aemter bekleiden, werden von Andern mit Verehrung behandelt; da aber kein Adel und keine erbliche Rangauszeichnung besteht, so kann man noch immer ein Gefühl individueller Unabhängigkeit erkennen. Persien hingegen ist das Land der Aristokratie; der Adel, erblich sowol als durch hohe Stellung erlangt, ist zahlreich. Der Titel Khan zeichnet Alle aus, die von königlichem Geblüt ausgenommen, welche ihrem Namen das Wort Mirza anhängen. Die Adeligen und Reichen streben nach dem höchsten Pomp in Wagen und Dienerschaft; im Festhalten an Etiquette übertreffen sie Alles und scheinen nichts als ausgekramten Glanz zu bewundern. Die niedern Classen nehmen die Haltung tiefster Unterthänigkeit an; keine Form der Huldigung scheint für sie zu sehr nach Sklaverei zu schmecken und nimmt oft das Aussehen wirklicher Anbetung an. Das Benehmen der Perser gegen Fremde ist noch mehr von dem der Türken verschieden. Der vornehme Türke empfängt seinen Besucher sitzend, begrüßt ihn einfach, indem er seine Brust mit der Hand berührt, bittet ihn, sich gleichfalls zu setzen, und ein wenig lebhaftes Gespräch, dessen Pausen durch Kaffee und Pfeife ausgefüllt werden, vollendet die Ceremonie des Empfangs. Der Perser ehrt nicht nur seinen Gast, indem er sich erhebt, sondern indem er ihn sogleich in die Stellung seines Gebieters und sich selber in die eines Sklaven versetzt, nöthigt er denselben, seinen eignen Sitz einzunehmen, wenn dieser zufällig der Ehrenplatz ist. Eine lebhafte Unterhaltung, durch Erkundigungen und Complimente gewürzt, folgt, und man verläßt ihn mit dem Eindrucke, daß die höflichste Nation Europas von ihm lernen könnte. Der muselmännische Bauer in der Türkei möchte den Franken als seinen Untergebenen behandeln und verschmäht, sein Diener zu sein; der Perser ist der unterthänigste und achtungsvollste, den man möglicherweise finden kann. Solche Höflichkeit gewinnt den Reisenden im ersten Augenblick; Erfahrung belehrt ihn aber bald, daß der Perser sie als eine Maske der Falschheit gebraucht. Der gemeine Mann ist im Intriguiren erfahren, und die anfangs gefaßte günstige Meinung muß leider bald schmerzlicher Enttäuschung Platz machen. Der Reisende findet Gastfreundschaft in eine Geldspeculation umgewandelt. Die Perser sind so sehr an Falschheit und Betrug gewöhnt, daß in ihren gegenseitigen Verhältnissen Vertrauen kaum gekannt ist. Im Handelsstande ist Ehrlichkeit unter den geringern Kaufleuten schwer zu finden und wird nur von solchen strenge beobachtet, deren ausgebreitete Geschäfte guten Credit unumgänglich nothwendig machen. Mit Einem Worte, der Reisende wird bald durch persische Doppelzüngigkeit so angeekelt, daß er die rauhe, aber, man möchte sagen, ehrliche Unhöflichkeit des Türken zurückwünscht.

Der Perser, namentlich von Aderbaijan, unterscheidet sich von dem Türken gleichfalls durch seine Bereitwilligkeit in der Annahme europäischer Neuerungen. Es ist wahr, der Sultan ist neuerlich mit allen Vorurtheilen seiner Unterthanen sehr unglimpflich verfahren *); aber der Türke besaß früher nicht nur einen fast unbesiegbaren Widerwillen, sondern eine unbegrenzte Verachtung fast aller Moden und Sitten des Occidents. Der Muselmann dieser persischen Provinz zeigt wenig Vorurtheil gegen Das, was europäisch ist. Tretet nicht mit euern Schuhen auf seinen Teppich, berührt seinen Bart nicht mit euerm Messer: er wird gegen euern Hut und Beinkleider wenig Einwürfe machen und auch euere Haus- und Tischeinrichtung nachahmen. Die europäische militairische Taktik mit einer Nachahmung der Uniform wurde durch Abbas Mirza eingeführt, geraume Zeit bevor Mehemed Ali daran dachte. Stühle und Tische sind in den Häusern einiger Reichen in Gebrauch; verschiedene schöne Porzellantheeservice nach der letzten Mode wurden aus England eingeführt und abgesetzt, und in mehren Buden des Bazar war eine Menge europäischen Tafelgeschirres zu

*) Wie wenig es ihm gelungen ist, sie auszurotten, davon kann Jeder Zeugniß geben, dem die Gelegenheit geworden, sich über den gegenwärtigen Zustand der Türkei und ihres Volkes durch eigne Ansicht zu belehren.

finden. Kurz, der reiche Perser liebt die Mode, und was am weitesten herkommt, behagt ihm, in manchen Fällen wenigstens, am besten.

Am 4. März 1831 brachen unsere Reisenden von Tebriz auf, um die Christen der chaldäischen und nestorianischen Sekten am Urmiahsee zu besuchen. Von den persischen Dörfern, durch welche sie kamen, waren mehre in gutem Zustande. In ihrer Nachbarschaft erstreckten sich Felder mit Korn und Baumwolle; ohne Bewässerung kann nichts bebaut werden, und zu diesem Zwecke ist jedes Feld in kleine Abtheilungen geschieden, die nicht über 1—2 □Ruthen groß sind. Beim Eintritt in Dizehkhalil lief der Weg zwischen 10—15 Fuß hohen Lehmmauern fort. Diese umschlossen große Fruchtgärten, in denen man — außer dann und wann eine Wohnung — den Apfel- und Birnbaum, Pfirsich und Rebe erblickte. Dieselben hohen Mauern im ganzen Dorfe verbargen fast jeden Gegenstand, und nur hier und da verrieth ein kleines Loch in denselben die Existenz einer Wohnung im Innern. Solcher Art sind die meisten bessern Dörfer in diesem Theile Persiens. Von hier war es nicht weit zum See von Urmiah, der auch der Schahi-See geheißen wird. Sein Wasser ist sehr salzig und soll medicinische Wirkungen besitzen, was auch der Umstand, daß keine Fische darin leben, zu bestätigen scheint. In den Felsenspalten des Ufers war Salz abgesetzt. Der See ist nie mehr als einige Fuß tief und hat keinen Abfluß. Verschiedene Inseln erheben sich aus seinem ruhigen Wasserspiegel und bilden mit den hohen Bergen umher eine reizende Landschaft. Angeschwemmtes Land umgibt den See; dieser Art ist die Ebene von Tebriz und eine andere, ziemlich fruchtbare und bevölkerte nach Norden zwischen dem See und dem nach Khoy führenden Bergpaß. Eine dritte, der Bezirk von Salmas, nimmt die Westseite ein. Viele Tausende großer Enten flogen über dem Gewässer, schwammen in demselben, wateten in dem salzigen Schlamm am Strande. Das flache Land auf dem nördlichen Ufer war fast durchgängig mit einer weißen, aus seiner Oberfläche hervorgeschwitzten Salzkruste bedeckt.

Salmas, Khosrowa und andere Orte dieser Gegend sind der Hauptsitz der chaldäischen Christen. Die gegenwärtige Sekte ist neuern Ursprungs. Erst 1681 wurde der nestorianische Metropolitan von Diarbekr, der sich von seinem Patriarchen trennte, vom Papste zum Patriarchen der Chaldäer geweiht. Die meisten der Glaubensgenossen sind Convertiten von der nestorianischen und jakobitischen Kirche und mögen in diesen Gegenden nicht über 2500 Seelen ausmachen; die Zahl ihrer Bischöfe ist 7. Die britische Bibelgesellschaft ließ vor einigen Jahren für sie das Neue Testament in die hier gebräuchliche kurdische Sprache übersetzen. Fast an die Dörfer dieser päpstlichen Syrier stoßend, liegt auf dem Südwestufer des Sees der hauptsächlich von den Nestorianern bewohnte Landstrich, eine Sekte, welche nach den Ergebnissen des Concils zu Ephesus (431) ihren Anfang nahm, mit wechselnden Schicksalen sich weit über Mesopotamien, Kleinasien und andere Länder verbreitete, aber in spätern Jahrhunderten sehr zusammenschmolz. Sie nennen sich selbst Nasrany, d. i. Nazarener, eine in Arabien gewöhnliche Benennung der Christen. Ktesiphon und Seleucia waren der ursprüngliche Sitz des Patriarchen, der gegenwärtig in dem Orte Kochannes residirt. Ihre religiösen Sitten und Gebräuche zeigen weit mehr Einfachheit als die der übrigen Kirchen des Orients. Ihr Glaubenssystem bekämpft das Fegefeuer; ihre Sakramente sind Taufe, Communion, Weihung, Ehe, Beichte; letztere indeß findet nicht als Ohrenbeichte statt. Doch scheint in diesem Bezuge einige Verwirrung zu herrschen. Sie haben neun Grade des Priesterthums, vom Lector (Karuya) bis zum Patriarchen; die Würde des Letztern sowie die der Bischöfe ist in gewissen Familien erblich vom Oheim zum Neffen. Die Priesterehe ist erlaubt; doch können verehelichte Priester nicht Bischöfe werden. Der Unterhalt des Klerus wird von dem Volke durch freiwillige Beiträge bestritten, die aber so gering sind, daß derselbe sich gleich den Uebrigen meist mit dem Feldbau beschäftigt. Mit Ausnahme der [illegible] unterscheidet er sich in der Kleidung nicht vom [illegible] und bedient sich der kurdischen Tracht. Unter [illegible] findet man mehr evangelische Kenntniß [illegible] als bei denen der übrigen Christen [illegible]. Die Zahl der Nestorianer in der Umgegend [illegible] von Urmiah beläuft sich auf etwa 14,000 Familien; [illegible] größer ist die Zahl ihrer unabhängigen Glaubensgenossen im Innern der kurdischen Gebirge, die auf etwa [illegible] Familien geschätzt werden und ihren Hauptsitz in [illegible] haben. Das Land ist Fremden beinahe unzugänglich, meist öde und unfruchtbar, die Bewohner arm. [illegible] Bezirk steht unter einem Melik ohne gemeinsames Oberhaupt. Der Patriarch ist blos ihr kirchliches Oberhaupt.

Nach Tebriz zurückgekehrt, traten die Reisenden [illegible] ihren Rückweg an und verließen die [illegible] Stadt am 9. April. Am 11. erreichten sie Khoy, [illegible] am 14. über die persisch-türkische Grenze und [illegible] nach Bajesid, welches sie elend, halbverlassen, mit [illegible] Ruinen gefüllt fanden. Durch öde, [illegible] erreichten sie am 16. den östlichen [illegible] (Murad chai). Von nun an führte der Weg [illegible] von wandernden Kurdenstämmen bewohnte [illegible]. Während des Winters ist in diesem [illegible] das Reisen minder gefährlich, denn dann [illegible] Volk in seinen Dörfern, und es ist [illegible] eines Verbrechens Schuldigen zu entdecken, [illegible] in ihren Sommerzeiten über die Berge [illegible]. Das Hirtenleben zeigt sich hier in seiner [illegible].

Obschon wir keine Nomadenzelte [illegible] mehre Hirten, wahrscheinlich aus [illegible] vorbei, Lämmer ihrer Heerde am [illegible] der an das schöne Bild des Propheten [illegible] seine Heerde leiten gleich einem Schäfer; [illegible] mit seinem Arme sammeln und sie in [illegible]. Man sieht dies nur beim Beginne des [illegible] Lämmer häufig bei Tage entfernt vom [illegible] den. Da sie zu schwach sind, der [illegible] so trägt sie der Schäfer, und oft sind [illegible] Arme mit ihnen beladen. Er trägt sie zum [illegible] verweilen, bis sie hinlänglich Kraft gewonnen, [illegible]

Hammeln, welche die vorzugsweise genossene thierische Nahrung der Bewohner bilden. Die Zahl der jährlich von Kurdistan nach Konstantinopel ziehenden Hammel soll sich auf 1,500,000 belaufen; sie legen diese Reise in 16—18 Monaten zurück. Die Schafe der Märkte zu Aleppo, Damascus und Beiruth kommen von denselben reichen Weiden. Sie sind von der Gattung mit dicken Schwänzen; erst jenseits der Gebirge auf der Seite von Trapezunt trifft man die gewöhnliche Gattung an. Die Hunde in diesen Gegenden sind außerordentlich groß und wild im Aussehen und Charakter und für Reisende lästig und gefährlich.

Ueber mehre kurdische Dorfschaften des Bezirks Alaschgerd (wo eine bedeutende Anzahl päpstlicher Armenier) und einen äußerst gefährlichen Gebirgspaß über den Gedickdagh oder Spaltenberg wurde Erzerum endlich am 23. April erreicht und kam unsern Reisenden nun wie eine schöne und angenehme Stadt vor. Romantische, aber wilde Gegenden mit schlimmen Wegen und Gebirgspässen brachten sie am 7. Mai nach Trapezunt. Hier schifften sie sich ein, erreichten Konstantinopel am 24. d. M. und kamen nach einer Abwesenheit von 15½ Monaten am 2. Juli in Malta an.

Die Nachrichten, welche diese Reise (der wir in ihren Hauptergebnissen gefolgt sind, jedoch mit Ausschluß des auf kirchliche Gegenstände sich Beziehenden, da dieses uns zu weit geführt haben würde) über den Zustand des armenischen Volkes geliefert hat, sind nichts weniger als tröstlich. Durch Tyrannei und Bedrückung erniedrigt, hat die Masse der Nation ihre bessern Gefühle aufgegeben und wird von Denen, die sie aufrichten und bessern sollten, der Geistlichkeit, durch ein schmuziges Gewebe von Aberglauben und Irrthum herumgeführt, das, eigennützige Zwecke fördernd, das Volk immer tiefer sinken läßt. Der Volksunterricht ist so gut als null; der Zustand der Moralität unter Mönchen und Priestern ist ein solcher, daß Aeltern Anstand nehmen, ihre Kinder in die Klosterschulen zu schicken. Das Wort des Herrn wird durch einen Wust lächerlichen Unsinns beinahe erstickt, und nur dem Namen nach sind die Meisten Christen. Daß Missionen viel Gutes stiften können, ist bei dem Widerstreben eines zahlreichen, habsüchtigen und einflußreichen Klerus kaum zu erwarten, und der geringe Erfolg, den die Versuche von Seiten der römischen Kirche auf die Dauer gehabt haben, sollte, dünkt uns, als Fingerzeig dienen. Zur Zeit der Herausgabe des Werkes (die Vorerinnerung ist vom 17. Januar 1833) war der Plan gefaßt worden, eine Mission zu den Nestorianern nach Urumiah zu senden; hier läßt sich noch mit einiger Wahrscheinlichkeit das meiste Gute erwarten. Eine Karte von Armenien und den um-

Geschichtliche Gesänge der Polen, von Jul. Urs. Niemcewicz. Metrisch bearbeitet von Franz Freiherrn Gaudy. Leipzig, Weidmann. 1833. 12. 16 Gr.

„Nachdem die Muse des südlichen Europas", sagt das Vorwort, „längst gerechte Anerkennung gefunden hat, fängt sich ein durch neuere Zeitereignisse gesteigertes Interesse auch für die später geborenen oder später sich entwickelnden nordischen Schwestern bei uns zu regen an. Während wir uns jedoch mit Böhmens und vorzüglich mit Rußlands schnell nacheilender Literatur zu befreunden beginnen, entschwindet Polens Muse, das Schicksal ihres Vaterlandes theilend, mehr und mehr dem Auge. Doch die Denkmale einer schönen, kräftigen und reichen Sprache, die vielleicht selbst in wenigen Decennien erloschen ist, sind es wol werth, der Vergessenheit entrissen zu werden, wäre es auch nur, um das hervorleuchtende Gepräge einer kräftigen Volksthümlichkeit zu retten, die überall ihre Geltung hat."

Dieser Ansicht gemäß gibt der Verf. uns eine Auswahl der historischen Gesänge des als Dichter und Staatsmann, als Gesetzgeber und Freund Kosciuszko's gleich hochgeachteten, nun verbannten Greises Niemcewicz, der seines Freundes Vaterlandsliebe, seine Gefangenschaft, seine Verbannung über das Meer hin theilte. Niemcewicz, dessen „Geschichtliche Gesänge"*) („Spiewy historyczne") in Warschau 1816 zuerst erschienen und bereits vier Auflagen erlebten, schlägt in diesen nur einen einzigen Accord an, den des Nationalruhms und der Vaterlandsliebe. In 33 Liedern (Balladen, wenn man will) feiert er die Könige und Helden Polens, Kämpfe, Schlachten, Zwistigkeiten bei Königswahlen, Siege, Niederlagen, die Geschichte Polens spiegelt sich in ihnen ab. Doch der Verf. hat nicht alle diese Lieder für die Bearbeitung geeignet gefunden und einige, weil sie fast nur Namen enthielten, ganz unterdrückt.

Was nun zuvörderst den poetischen Werth dieser geläuterten Auswahl betrifft, so macht sich der Bearbeiter darüber keine Täuschung. Ihr eigentlich poetisches Interesse steht dem literarischen nach. Niemcewicz begnügt sich, mehr ein anziehendes Bild zu geben, als er auf dichterischen Reiz in den Worten ausgeht. Diese sind immer die einfachsten, welche die gebundene Rede nur irgend zuläßt. Kein Haschen nach schmückenden Beiwörtern, kein Versuch zu poetischer Reflexion, kein Anknüpfen des Wirklichen an das Phantastische, kaum hier und da ein Streben nach Erhabenheit im Ausdrucke. Dagegen ist Alles würdevoll, bildgebend, schicklich, wohlanständig. Die Epitheten machen ihm keine Sorge; er wiederholt vier, fünfmal in einem Liede dasselbe einfache „schön" und „gut" und überläßt das Uebrige dem Rhythmus und dem Reim. Diese fast übertriebene Keuschheit des Ausdruckes hat der Bearbeiter nicht beibehalten können. Er hat die Beiworte vermannichfaltigen müssen, doch er hat dies gethan, ohne dem züchtigen und einfachen Geiste des Originals Gewalt anzuthun. Seine Bearbeitung ist keine wörtliche Uebersetzung, aber sie ist eine treue, im Geiste des Originals durchgeführte. Zu den noch-

*) Seine übrigen Werke sind: „Geschichte Sigismund III." (3 Bde., Warschau [illegible]); „Kasimir der Große", Schauspiel ([illegible]); „Balladen und Erzählungen" (2 Bde., [illegible]); „Memoiren zur altpolnischen Geschichte" (6 Bde., [illegible]); „Briefe Leo's und Sara's" ([illegible]) und der Roman: „Johann v. Tenczin" (3 Bde.).

wendigen Abweichungen gehört ferner auch die stellenweise Veränderung des Rhythmus. Dem Polen fehlt das rhythmische Ohr (schon nach dem Sprüchworte) so gänzlich, daß er nicht ansteht, jambische und trochäische Verse zu mischen. Dies gibt einen uns unerträglichen Mißklang, und der Verf. hat die trochäischen Verse in solchem Falle daher mit jambischen vertauscht. Dagegen hat er durchweg den weiblichen Reim beibehalten, der das polnische Idiom, in dem der Accent standhaft auf der Penultima ruht, allein bilden kann. Wir hätten unsererseits ihm auch hierin mehr Freiheit verstattet, überzeugt, daß diese Art von Treue eine undankbare und überflüssige ist. Den Tonfall polnischer Eigennamen und ihre Rechtschreibung hat er beibehalten, was mitunter nicht ohne Störung bleibt; den Ortsnamen aber hat er die deutsche Form gegeben. Nach diesen flüchtigen Vorbemerkungen können wir uns zu den Liedern selbst wenden, die, 24 an der Zahl, in chronologischer Reihe die polnische Geschichte von Piast an bis Michael Korybut (starb 1673) beleuchten und ihr angehören. Eine Reihe von kurzen historischen Anmerkungen, 133 der Zahl nach, gibt im Auszuge, was Niemcewicz in seiner „Przydatki dospiéwu" (prosaische Zugabe) an Betrachtungen über den Zustand Polens zu jeder Zeit niedergelegt hat, und die hier auf das Unentbehrliche beschränkt sind.

Von dem Geiste dieser Lieder, ihrer Gestalt und ihrer Bedeutung genügt das erste beste eine Vorstellung zu geben, da sie in diesen Beziehungen alle von gleichem Wurf einem gleichen Ziele nachstreben. So beginnt z. B. das erste, „Piast" gewidmet:

> Als König Popiel, fluchbedeckt, im Sterben
> Erkannt, daß Gottes Hand den Frevel räche,
> Vereinten sich zur Wahl des Thrones Erben
> Die Völker auf Kruczwica's schöner Fläche.
>
> Am Goplo standen sie, die Slawen alle,
> Mit langer Lanze, stahlbedecktem Schilde,
> Und sahn den ries'gen Thurm von Popiel's Halle
> Gedoppelt in des See's Spiegelbilde.

Es entsteht Mangel in der Versammlung. Piast öffnet sein gastfreies Haus, aber der Vorrath ist bald aufgezehrt. Da erscheinen zwei wunderholde Knaben. Die Tische füllen sich mit Meth und Speisen. Da ruft das Volk: „Die Götter lieben Piast!"

> . . . Den Würdigern findet
> Ihr nie! Ihn führet zu des Thrones Stufen!

Die Engel prophezeien ihm, der die Krone ablehnt, Glück und Segen: „Neunhundert Jahr wird dein Geschlecht bestehen".

> Zwar wird das Glück in bitt'res Weh sich wenden,
> Das Reich wird Zwietracht und Verderbniß spalten,
> Entfesselt werden es Begierden schänden,
> Und frei im Lande wird der Fremdling schalten;
> Doch schmettert an dem letzten Tag der grelle
> Drommetenton in roll'nden Donners Schrecken,
> Dann wird der Herr, der ew'gen Liebe Quelle,
> Vermorschendes Gebein zum Leben wecken!

Nach dieser Weissagung nimmt Piast die Krone an und beschwört seine Landsleute, den Landbau hochzuhalten, denn:

> Im Schwert, im Pfluge ruht die Kraft der Polen. —

Diesem ähnlich an Geist und Form sind die folgenden Lieder: „Boleslaw der Streitbare", „Kasimierz der Mönch", „Boleslaw der Kühne" (st. 1079), „Leszek der Weise" (st. 1227), „Wladyslaw der Kleine" (st. 1333), „Kasimierz der Große" (st. 1370), „Hedwiga", „Wladyslaw Jagiello" ꝛc. Selten oder nie erhebt sich die dichterische Auffassung höher als in diesem ersten Liede; im Ton ruhiger und kunstloser Erzählung werden Heldenthaten, Opfertod, Liebe, Handlungen der Frömmigkeit u. dgl. erzählt, und der ganze Reiz dieser Lieder besteht eben in diesem naiven und kunstlosen Vortrag. Eines der schönsten Lieder in dieser einfachen, fast nüchternen Weise ist Wladyslaw's Heldentod bei Varna (1444):

> Ein heil'ger Tag war's, wo das Land die Kunde
> Von der Geburt Jagiello's Sohns vernommen,
> Ihn heißt mit Jubelruf aus Einem Munde
> Das Volk willkommen.
>
> Zu seinem Fürstensitz die Völker ziehen,
> Um ihn als Herrn und König zu begrüßen,
> Pommern, Wallachen, Moldaviner knieen
> Zu seinen Füßen.
>
> Wladyslaw sinkt, gefällt von Feindes Stahle —
> Dumpf klingt der Waffen Dröhnen auf der Erde,
> Und noch der Leiche Antlitz zeigt, das fahle,
> Dräu'nde Geberde. —

„Michael Glinski" (Elegie), „Constanty Fürst Ostrogski" (st. 1533)", „Sigismund August" (st. 1572), „Stephan Batory", „Czarniecki", „Michael Korybut" (st. 1673) schließen sich diesen würdig an. — Das Verdienst des Bearbeiters besteht, wie die vorstehenden Proben bezeugen, in sorgsamer Bewahrung dieses Gepräges der Einfachheit und schmuckloser Natürlichkeit. Hierin hat er die Pflicht der Treue gesucht und bewährt, und um dieses wesentlichen Verdienstes willen, dürfen wir immerhin einige harte Verse, kühne Wortstellungen und unvollkommene Reime übersehen. Ein treues Spiegelbild des Originals wird uns durch ihn gegeben und gewinnt ihm unsern Dank, wie er einem Versuch dieser Art wol gebührt, wenn er, wie dieser, Geist und Geschmack bewährt. Möge er die versprochenen Volkslieder (Krakowiak) bald geben. 105.

Historische Skizze der k. k. Hoftheater in Wien, mit besonderer Berücksichtigung des deutschen Schauspiels. Von Lembert. Wien, Tendler. 1833. Gr. 8. 6 Gr.

Wir finden hier Angaben über Erbauung, Zerstörung, Herstellung und Verschönerung der verschiedenen Schauspielhäuser Wiens, über Wechsel der Intendanturen und Directionen und über Engagements berühmter Schauspieler. Von Dem, was man unter dem Namen der innern Theatergeschichte begreifen könnte, findet sich hier wenig oder nichts, wenn man nicht etwa gelegentliche Berichte über den Kampf der improvisirten Possen mit den eingeübten Schauspielen dahin rechnen will, obgleich wir auch hier fast nur Jahrzahlen und Namen finden. Daher dürfte das Büchlein nur für Wenige Interesse haben. Wer sich indessen über genannte Gegenstände belehren will, dem kann es empfohlen werden, denn die einzelnen Angaben, die es bietet, sind zweckmäßig und in bequemer Folge zusammengestellt. Doch ist es zu bedauern, daß der Verf. die Gelegenheit nicht benutzt hat, uns manche interessante Aufschlüsse, besonders über die neuesten Zustände, der wiener Hoftheater zu geben. 178.

Redigirt unter Verantwortlichkeit der Verlagshandlung: F. A. Brockhaus in Leipzig.

Blätter
für
literarische Unterhaltung.

Montag. — Nr. 357. — 23. December 1833.

Traité complet de diplomatie par un ancien ministre. 3 Bände. Paris 1833.

Ist irgend ein Titel im Stande, die größte Neugierde aufzuregen, so ist es offenbar der eben angeführte. Eine vollständige Abhandlung über die Diplomatie, in Paris 1833 von einem alten Minister geschrieben! Man sieht im Geiste die londoner Conferenz, den wiener Congreß; man blickt in das Getriebe aller Cabalen und Schliche, man streckt mechanisch die Hand nach allen Winken und Fingerzeigen aus, die ein in diplomatischen Geheimnissen und Umtrieben ergrauter Minister ertheilen kann. Auch ist die Phantasie geschäftig, den „alten Minister" auf das bedeutendste auszustatten: Die Lettern tanzen vor den Augen, der ancien ministre wird größer, immer größer, die schwarze Robe geht auseinander, ein Busen voll Sterne und ohne Herz, ein Kopf voll Runzeln und ohne Haare, mit einer Perücke, ein Fuß so feinen, leisen Trittes, und doch ein Pferdefuß: wahrhaftig, der alte Minister ist Talleyrand selber.

Aber die Lecture ist, wie ein Philosoph sagt, das beste Mittel, sich zu unterrichten. Der Leser darf nur einige Hundert Seiten lesen, so weiß er, daß kein Talleyrand bei diesem Buche die Hand im Spiele hat, und unter dem Mantel des pariser ancien ministre kommt der Glatzkopf eines deutschen ausgedienten Ministers von Haarhaar oder Flachsenfingen zum Vorschein. Ich wollte eine Wette um meinen ganzen literarischen Credit eingehen, daß der Verfasser des vorliegenden Werkes ein Deutscher ist. Ich würde die Wette ohne Zweifel gewinnen, denn ich habe Gründe, Gründe, wie sie — — in seinen absprechenden Recensionen nicht aufweisen kann. Der erste Grund ist der, daß der alte Minister die deutsche Literatur in diesem Fache kennt. Ein Franzose, der über Diplomatie schreibt, würde gewiß (S. 24) vom Naturrechte nicht gesagt haben: „ce droit mieux nommé rationnel et idéel par le ministre d'état Ancillon". Ein französischer Minister wüßte den Teufel davon, daß Ancillon das Naturrecht das Vernunft- oder Idealrecht genannt wissen will. Den Beweis liefert Montbel in seinem „Leben des Herzogs von Reichstadt", der daselbst solche gute Kenntniß der deutschen Bildung und Gelehrsamkeit bekundete, daß er in Oestreich die höchste Blüte des classischen Studiums zu finden glaubte. Ein französischer Minister würde (S. 61) auch nicht sagen: „Leibnitz fut le premier, qui recueillit les divers traités des états entre eux. Les matériaux étaient réunis, il ne manquait plus que d'en composer un corps de doctrine. Les Allemands l'ont entrepris, les écrivains des autres nations ont plutôt traité sous le nom du droit des gens le droit naturel. Et pour donner cette forme scientifique il ne suffit pas, comme l'a prouvé Kant, de mettre en ordre les matériaux." Noch weniger würde ein französischer Minister (S. 62) gesagt haben: „On ne saurait refuser à Moser, d'en être le créateur. Plus érudit que Moser et non seulement établissant l'ordre dans son sujet, mais aussi le ramenant avec profondeur à des principes fixes, Günter avait commencé sur ce plan un travail remarquable." Wenn (S. 63) Martens, le célèbre professeur, ministre de Hanovre, als der beste Darsteller des europäischen Staatenrechts genannt wird, so ist nichts dagegen zu sagen; aber würde ein Franzose wol die neuesten Schriftsteller so genannt und gestellt haben: Ancillon, Bignon, Broglie, Canning, Comte, Dupin, Klüber, Mackintosh, Raineval, Saalfeld, Schmalz, Schmelzing? Der verstorbene Schmalz wird sich im Grabe freuen, daß er von einem ancien ministre unter jene Schriftsteller über das Völkerrecht gestellt wurde, die brillent au premier rang. Und was wird Saalfeld dazu sagen, der das Glück hat, auf diese Weise noch bei Lebzeiten von einer alten Excellenz apotheosirt zu werden? Der zweite Grund, warum der alte Minister ein deutscher Geheimrath sein muß, liegt darin, daß fast gar nichts aus französischen Autoren citirt wird; daß die Uebersicht der europäischen Staaten aus dem Freiherrn von Malchus entlehnt ist; daß Das, was über die Geheimschreibekunst beigebracht wird, aus Klüber's bekanntem Buche übersetzt ist. Gewiß hat das Werk bei vielen Lesern um 50 Procent verloren, weil es von einem deutschen „alten Minister" geschrieben ist; aber es würde ihnen zur Schande gereichen, wenn sie sich darum mit dem Inhalte gar nicht bekannt machen wollten. So viel es in meinen Kräften steht, will ich durch Aushebung des Neuen und Interessanten ihnen die Bekanntschaft erleichtern.

Der erste und zweite Band stellen das sogenannte praktische Völkerrecht dar. Der erste Band gibt eine Ansicht vom Staate, von den Rechten und Pflichten in demselben, von den Befugnissen und Verbindlichkeiten nach außen. Es ist ganz natürlich, daß nichts Neues über diese Materie vorkommt. Ich habe nur eine einzige interessante Stelle darin gefunden. S. 12 heißt es über das Wort Ambassadeur: „On n'est point d'accord sur l'étymologie de ce mot. Quelques auteurs le font dériver de l'espagnol *embaxador*, envoyer; d'autres prétendent qu'il est tiré de l'italien *ambascia*, chagrin, peine, comme si l'on avait voulu marquer les traverses, qu'un ambassadeur essuie dans ses négociations." Der zweite Band, welcher die europäischen Rechtsgewohnheiten im auswärtigen Verkehre darstellt, ist dagegen voll interessanter Züge und Bemerkungen. S. 18 heißt es hinsichtlich der „Choix de la personne des ministres", daß der Adel in früherer Zeit wenig gefodert worden sei. Heinrich sendete den bürgerlichen Präsidenten Jeannin an den Hof des aristokratischen Philipp II. In der ersten Audienz fragt allerdings Philipp: „Etes-vous gentilhomme?" „Ja", antwortete Jeannin, „Si Adam l'était." Der König fragte bestimmter: „De qui êtes-vous fils?" „De mes vertus", sagte der stolze Bürgersohn. Der König verbesserte alsobald durch freundlichen Empfang die adelige Impertinenz. Als 1676 die kaiserlichen Minister bürgerlichen Gesandten der Kurfürsten das Prädicat der Excellenz weigerten, erklärte Friedrich Wilhelm von Brandenburg, daß er bei der Wahl seiner Gesandten nicht auf Ahnen, sondern auf Talente sehe. Diese Geschichten beweisen, daß die alte deutsche Excellenz einen ziemlich liberalen Anstrich hat. — Ueber die Nothwendigkeit der Kryptographie wird sehr gründlich gesprochen. Nichts weniger als Heiligkeit der Siegel soll im Gewohnheitsrechte Europas liegen. Als zur Zeit des Grafen Brühl ein sächsischer Gesandter zu ** mit Indignation dem **schen Minister einen Brief mit nachgemachtem Petschaft zeigte, bekam er nur die Antwort: „Il est vrai, vous avez à Dresde de meilleurs graveurs que nous n'en avons ici." Dem französischen Gesandten, der sich beim Herzog von Newcastle beschwerte, Briefe mit englischem Siegel bekommen zu haben, erwiderte der Herzog lächelnd: es sei nur eine méprise dans la chancellerie daran Schuld (S. 87). Eine gute Geheimschrift kann dies Aufmachen der Briefe ganz außer Gewohnheit setzen. Graf Brühl bekam durch den Bedienten des preußischen Gesandten den Schlüssel zur preußischen Correspondenz; aber durch die Einführung eines neuen Alphabets ward gleich jeder Nachtheil abgewendet. Daß bei einer Geheimschrift manches Quid pro quo unterlief, wird zugestanden. Nicht jedes nahm aber eine so gute Wendung wie folgendes. Der preußische Gesandte Bartholdi in Wien hatte zur Zeit der Unterhandlung wegen Erhebung des Kurfürsten in die Königswürde eine solche Chiffre, daß jeder Buchstabe durch eine Zahl, einige Personen durch besondere Nummern ausgedrückt wurden. Die Ziffer 24 bedeutete den Kurfürsten, 110 den Kaiser, 116 den einflußreichen Pater Wolff bei der kaiserlichen Gesandtschaft in Berlin. Bartholdi schrieb einst an den Kurfürsten, „que 24 veuille bien écrire de sa propre main à 110 au sujet de couronne". Die Null in 110 hatte zufällig einen Auswuchs, der sie in eine 6 verwandeln konnte. Der Kurfürst schrieb daher eigenhändig nicht an den Kaiser, sondern an den Pater Wolff. Der geschmeichelte Jesuit ermangelte nicht, seinen Einfluß geltend zu machen, und [illegible] wurde als König anerkannt (S. 130). Der Verf. gibt den Entwurf eines neuen Systems einer Geheimschrift; ich verstehe die Kunst so wenig, daß ich es Eingeweihtern überlasse, ihr Urtheil darüber zu fällen. Aber ich möchte einen andern Vorschlag machen. Die Handschriften der Excellenzen, die ich in meinem vielbewegten Leben noch zu Gesichte bekommen habe, sind der Art, daß [illegible] besondern Schlüssel kein Wesen, das ein Weib gebar, den Sinn enträthseln kann. Ich glaube daher, daß man die Correspondenzgeheimnisse hinlänglich bewahren würde, wenn man den Befehl erließe, daß die Gesandten die Correspondenz eigenhändig zu besorgen haben. Es ist interessant, daß die exemtion de la jurisdiction civile nicht überall den Gesandten eingeräumt ist. In England wurde 1708 der russische Gesandte Matucof Schulden halber [illegible]. Der Zar beschwerte sich, und die Königin Anna erklärte, daß sie die dem Gesandten angethane Gewalt verabscheue, aber leider für die englische Gesetzgebung nicht [illegible]; es solle jedoch durch das Parlament alsobald ein anderes Gesetz ausgearbeitet werden (S. 146). Aber in Paris verweigerte man einem Gesandten die Pässe, bis er die Schulden bezahlt haben würde. Die Exemtion von der peinlichen Gerichtsbarkeit ist ziemlich oft bestritten worden, aber freilich nur von großen Höfen gegen kleinere. Als der kurfürstliche Hof von Hessen einen niederländischen Gesandten wegen Verwebung in die Unterschleife der Baronin von Görz 1763 zur Rede stellte, mußte dennoch der hessische Hof Genugthuung leisten (S. 150). Bei Staatsverbrechen hat der französische Hof selbst fremde Gesandte ergriffen; so unter Heinrich IV. bei Gelegenheit der Conspiration des Mairargues, so später bei dem durch Alberoni angezettelten Complotte.

Ueber die Collisionen des Asylrechts führt der Verf. (S. 176) recht hübsche Beispiele an. Ein Streit in Kopenhagen führte zu diplomatischen [illegible]. Der französische Gesandte Aramilli schrieb an den dänischen Minister Sehested wie folgt: „J'ai reçu, Monsieur, votre lettre du 24 du passé, dont le [illegible] *[illegible]dale*, que je me persuaderais aisément, que vous l'avez prise dans quelque archive du temps du roi Dan, si le peu d'expérience que vous avez encore dans votre charge, vous avait permis de prendre [illegible] des siècles si réculés, dont il vous plait de rappeler la dureté sous un prince d'un caractère si différent." S. [illegible] wird gesagt, daß ein Gesandter auf [illegible] nicht Rechtsansprüche habe. Das gab einem [illegible] Schriftsteller zu dem Witzworte Anlaß: „[illegible] ambassadeur est *mort*, il rentre aussitôt dans la vie *privée*!" Von den Ursachen des Krieges spricht der Verf. sehr human und stellt dabei manche berühmte Personen an den Pranger, unter Andern (S. 248) Louvois. Als Trianon gebaut wurde, gerieth Ludwig XIV. mit Louvois in

Streit. Der Minister sagte zu seinen Freunden: „Je suis perdu, si je ne donne pas de l'occupation à un homme, qui se transporte sur des misères. Il n'y a que la guerre, pour le tirer de ses bâtimens; il en aura!" Genug der eingestreuten Anekdoten! Es ist nothwendig, auch der wissenschaftlichen Ansichten zu erwähnen; dazu dient der Schluß des zweiten Bandes, welcher die Frage wegen des ewigen Friedens betrifft. „Wenn man ein solches Gut von der menschlichen Weisheit erwarten dürfte", sagt der Verf., „so würde die Verbindung der Systeme des Gleichgewichts und der Conföderation dahin führen. Was jedoch durch Menschen und unter den obwaltenden Verhältnissen geleistet werden kann, ist auf dem wiener Congreß bestritten worden, système, a dit le prince de Talleyrand, sans lequel nul état ne peut se croire un moment certain de son avenir." Man wird nicht glauben, daß diese Stelle 1833 in Paris geschrieben worden ist; es ist sogar unglaublich, daß diese Stelle in Paris 1833 gedruckt werden durfte ohne Charivari, Fenstereinwerfen und dergleichen unschuldige Ausbrüche der volkssouverainen Straßenkritik.

Der dritte Band enthält theils „Documens", theils „Compositions diplomatiques". Die „Documens" sind aber nichts weniger als sogenannte Documente, vielmehr sind sie einige treffliche Abhandlungen. Zuerst erscheint eine „Instruction pour le service des chancelleries du ministère des affaires étrangères". Es scheint, daß diese Instruction für den französischen Dienst entworfen sei; die französischen Einrichtungen und Gesetze werden wenigstens S. 16 angeführt und commentirt. Nach diesen folgen „Conseils à un jeune voyageur". Es ist dieses ein Plan, wie ein junger Zögling der diplomatischen Schule Brasilien studiren solle, in welcher Ordnung er seine Noten anlegen müsse. Auch dieser Plan scheint ein amtliches Gutachten zu sein. Weiter findet sich eine „Instruction d'un ambassadeur à son fils qui se destinait à la carrière des négociations". Der Ambassadeur ist ein selterner Mensch. Das Erste, was er fodert, ist strenge Rechtlichkeit und Aufrichtigkeit. Alles, was die List und die Finesse seit dem 16. Jahrhundert gebaut habe, sei auf Sand gebaut worden. Merkwürdig, daß auch ein anderer Diplomat so urtheilte. S. 38 heißt es: „Un ministre écrivait à son ambassadeur: Promettez toujours, mais nous ne tiendrons rien. Celui répondit: Je ne veux point me déshonorer, je réussirai sûrement avec de la bonne foi, voilà ma finesse." Noch mehr, diesem Gesandten soll Alles so gelungen sein, daß er Minister wurde! Ferner soll der junge Mensch als Diplomat das Metallische im Ceremoniell nicht überschätzen, auf seine Würde halten ohne Stolz und sich von den „aventuriers, qui s'impatronisent dans les maisons des ambassadeurs" ferne halten und — Witzworte selbst anwenden, noch sie auf sich laden. Alles ist recht gut und verständig. Den Beschluß macht eine Abhandlung: „De l'art de négocier par le calibre de Haller". Der Gegenstand wird sehr gründlich und mit vieler Kenntniß der Psychologie abgehandelt; jedoch ist das Durchlesen minder angenehm, da gar keine Beispiele und Erläuterungen aus der Geschichte vorkommen. Die „Compositions diplomatiques" sind Muster von Noten, Manifesten, Creditiven u. dgl. m., fast alle von historischem Werthe, wenn auch nicht unbekannt. Wichtig sind die „Lettres du comte de Torcy au roi de France" vom J. 1709. 160.

Populaire Vorträge über Physik. Gehalten vor einem Kreise gebildeter Damen in den Gärten von Korompa, von J. A. F. Fladung. Auch unter dem Titel: Populaire Vorträge über Physik für Damen. Zwei Bändchen. Wien, Beck. 1831. 16. 1 Thlr. 16 Gr.

Unter die erfreulichsten Erscheinungen der neuern Zeit gehört unstreitig die größere intellectuelle Bildung, welche die Frauen erlangten, wodurch nicht nur ihr eignes Leben höhern Werth erhielt, sondern auch die geselligen und häuslichen Verhältnisse eine veredelte Gestalt bekamen; denn so lange die Frauen bei uns wie im Orient nur auf die praktischen Leistungen der Häuslichkeit angewiesen, von dem geistigen und wissenschaftlichen Verkehr der Männer ausgeschlossen waren, konnten sich die geselligen Verbindungen nicht von Zwang, eckigen Formen, Langweiligkeit, ja Rohheit losmachen. Die allgemeine Cultur, welche frei von Pedanterie und Einseitigkeit den Musen wie den Grazien huldigt, auf freundliche Art das Leben mit der Wissenschaft und Kunst verbindet, indem sie Früchte und Blüten zugleich spendet, kann in ihrem vollen, erfreuenden Glanze nur dann gedeihen, wenn die männliche und weibliche Bildung zueinander im richtigen Einklange stehen. Beide Arten von Bildung sind jedoch nothwendig voneinander verschieden wie die Geschlechter selbst, aber ebendeshalb einander unentbehrlich und zwei Tönen vergleichbar, deren jeder für sich, isolirt, kalt und seelenlos erklingt, bis die Verbindung beider, indem sie sich gegenseitig ergänzen, den harmonischen Accord hervorruft. Der wesentliche Unterschied zwischen der männlichen und weiblichen Bildung besteht darin, daß die erstere mehr dem Verstande, letztere der Phantasie anheimfällt, woher sich auch die eigenthümlichen Fehler herleiten, welchen beide unterworfen sind. Die männliche Bildung, wenn sie allein vom Verstande bedingt wird, mit gänzlichem Ausschluß der Phantasie, artet in Schroffheit und Pedanterie aus; während umgekehrt die weibliche Bildung, wenn die Phantasie nicht vom Verstande geleitet ist, nur zu leicht zu Phantastereien und Irrlichtelirung der Ideen führt. In frühern Jahrhunderten war das geistige Streben der gelehrten männlichen Welt dem Einfluß der Phantasie so ganz entzogen, daß es selbst bei Gegenständen der Kunst auf die starre Regel sich beschränkte und so der von Automaten hervorgebrachten Musik glich, welche zwar richtig berechnet, aber ohne alle Lebenswärme ist; daher war Pedanterie der Hauptfehler der Zeit, welche auf alle Formen der Geselligkeit überging. Offenbar ist es der immer mehr fortschreitenden und den geselligen Verkehr verschönernden weiblichen Bildung zuzuschreiben, daß das geistige Bestreben sowol in Wissenschaft als Kunst ein freundlicheres Colorit erhielt, indem die abstracte Thätigkeit des Verstandes mit einer geregelten Phantasie sich verband. Da nun aber im Leben der Menschen wie im Gebiete der Physik Gegensätze einander hervorrufen, oder wie in der politischen Welt der Unterdrückte nur zu gern in den Unterdrücker sich umwandelt, so breitete die Phantasie ihre Schwingen so mächtig aus, daß sie dem Verstande [illegible] absagte und den Tempel der Wissenschaft mit grotesken [illegible] als wunderlich angebrachte Freskogemälde verunstaltete. [illegible] Träumerei, magnetischer Unsinn, Aberglauben aller Art nahm überhand, positive Kenntnisse wurden immer seltener, da man lieber schwärmte als dachte, und wenn man früher geneigt sein mußte, zwischen dem deutschen Gelehrten und dem vor ihm liegenden Pergamentband in Folio eine gewisse langweilige physiognomische Aehnlichkeit zu finden, so gemahnt der moderne Literat wie ein elegantes rosafarbnes Büchlein in Duodez. Da es natürlich die Frauen sind, welche sich darüber freuen, indem sie zu der Bildung der Männer sich emporgeschwungen zu haben glauben, während vielmehr umgekehrt die männliche Bildung immer mehr zur weiblichen herabgesunken ist, so scheint es mir jetzt ein sehr verdienstliches Streben zu sein, vorzugsweise beim Unterrichte der Frauen der ungebundenen Phantasie zwar nicht wie dem Hippogryphen im Gedicht von Schiller die Flügel zu stutzen, aber doch ihn dem leitenden Einfluß des Verstandes zu unterwerfen, und zwar um so mehr, als der Mann die ersten Eindrücke der Jugend durch die Frauen erhält, welche in unserer Zeit nur zu oft die ersten Keime zum Aberglauben und zur Verworrenheit mit dem besten Willen und in der reinsten Absicht in den Geist des Kindes pflanzen. Es ist unglaublich, wie schwer die ersten Eindrücke der Kindheit auszurotten sind, die sich zu einer Zeit in dem Gehirne festzusetzen scheinen, wo dasselbe noch weich und empfänglich ist, weshalb auch alte Leute viel deutlicher sich ihrer Kindheit als ihres spätern Lebens erinnern; daher findet man so oft geistreiche und verständige Männer Absurditäten glauben, welche allen Gesetzen der Vernunft widerstreben, blos weil man ihnen den Glauben daran in der Kindheit aufdrang. Nun ist wol nichts geeigneter den Verkehrtheiten der geistigen Mode, dem gehaltlosen Mysticismus, der Bigotterie in allen partiellen Zweigen ihres Unsinns, den unklaren phantastischen Schwärmereien entgegenzuwirken als Betrachtung der ewig wahren, in ihrer unendlichen Größe stets lieblichen, in ihrer Einfachheit majestätischen Natur, welche die edelste Nahrung für die höchste Poesie — Ahnung der Gottheit — gibt. Die Gesetze der Natur zu enträthseln sei Aufgabe des männlichen Strebens; die enträthselten Gesetze aber kennen zu lernen, den Einklang verschiedenartig sich darstellender, dennoch aber auf das nämliche Princip basirter Erscheinungen zu begreifen, gehört in das Gebiet der weiblichen Bildung. Es würde unbeschreiblich komisch sein, wenn es nicht zu traurig wäre, zu sehn, wie gebildete Frauen, meinend, ihren Geist zu erheben, die einzelnen Worte studiren, welche hysterische Frauen in sogenanntem magnetischen Zustand aussprechen, mit gläubiger Andacht vernehmen, wie dergleichen Personen mit den Fingern lesen, Lieder vorgesungen haben wollen, die Schrift der Geisterwelt verstehen, die (vgl. „Das große Jenseits" von Ludwig Hofacker. Tübingen 1832) von der Rechten zur Linken wie das Hebräische geschrieben wird, und dergl.; dagegen aber von den Universum, von den unendlichen Sonnen, welche den unendlichen Raum erfüllen, von der auch in ihren kleinsten Theilen jedes menschliche Vorstellungsvermögen überragenden Majestät der Schöpfung kaum die oberflächlichsten Kenntnisse haben, von dem gewaltigen Agentien der Natur, der Elektricität und dem mit ihr identischen Magnetismus, von den wunderbaren Phänomenen des Lichts und der Wärme, von der ihre Wirkungen in ungemessene Fernen erstreckenden Schwerkraft und der nicht minder interessanten chemischen Action bei unmittelbarer Berührung höchstens einige Ausdrücke kennen.

In Rücksicht auf die leider verkehrte Richtung, welche die weibliche Erziehung erhalten hat, die allerdings reichhaltigen Stoff zu einer längern Deduction, als der Raum dieser Blätter erlaubt, geben würde, glaube ich das oben angekündigte Buch als ein seiner Tendenz nach sehr verdienstliches Werk empfehlen zu müssen. Der Verfasser gibt dem weiblichen Publicum eine Sammlung von wissenschaftlichen Vorträgen, welche er vor einem Zirkel gebildeter Frauen über die wesentlichsten Gegenstände der Naturlehre hielt. Nur Derjenige, dem ein ähnliches, natürlich an und für sich beglückendes, dabei aber nicht selten in Verzweiflung bringendes Geschäft im Laufe seines Lebens zufiel, vermag die Schwierigkeiten zu würdigen, mit denen ein solcher Unterricht verbunden ist, wo den liebenswürdigen Schülerinnen nicht nur alle mathematische Kenntniß, welches noch hingehn möchte, sondern auch bis auf einzelne Ausnahmen der zum Verstehen so nöthige mathematische Sinn abgeht, und wo man, wenn man das Unglück hat, einige Langeweile zu verursachen, sonst der ganzen Wissenschaft in ein Anathem verfällt, welche stets bemüht sein muß, durch elegante Darstellung die bittere Arznei des ernsten Studiums zu versüßen, wie Tasso im Eingang zum „Befreiten Jerusalem", übrigens nicht sehr poetisch, die poetische Einkleidung überhaupt bestimmt. Der Verfasser löst diese Aufgabe mit vieler Geschicklichkeit, und seine Darstellungsart macht nicht nur seinen Kenntnissen, sondern auch seiner feinen Bildung und Courtoisie alle mögliche Ehre. Mit einem überaus geringen Apparat versehen, weshalb jeder die in diesen Vorträgen beschriebenen Versuche leicht wiederholen kann, benutzt er Erscheinungen des täglichen Lebens, die gewöhnlich ohne weiteres Nachdenken betrachtet werden, um aus ihnen die Gesetze der Natur zu entwickeln; welche Art der Belehrung außer ihrer Einfachheit auch noch den mnemonischen Vortheil hat, daß die erlangten Kenntnisse an bekannte Gegenstände geknüpft werden. Ich möchte diese Vorträge für so gelungen erklären, daß sie nicht nur beim Unterrichte von Frauen mit vielem Nutzen gebraucht werden können, sondern auch für Männer, welche sich nicht vorzugsweise mit den Naturwissenschaften beschäftigen und, gehindert durch ihre anderwärtigen Berufsgeschäfte, nicht an den Fortschritten der Naturkunde Theil nehmen konnten, eine ebenso interessante als belehrende Lectüre sein würden. Im ersten Bändchen geht der Verfasser von den allgemeinen Eigenschaften der Körper auf die einzelnen Stoffe, welche die Chemie sowol in ihrer Einfachheit als ihren mehr oder weniger innigen Verbindungen kennen lehrt, über; schildert dann, wie es dem Menschen gelungen sei, irgend eine gegebene Kraft durch Maschinen zu benutzen und ihre Wirkung zu steigern; worauf er die tropfbaren und gasförmigen Flüssigkeiten betrachtet und die Lehre von der Wärme abhandelt. Der zweite Theil umfaßt die Lehre vom Licht, die Optik, Dioptrik und Katoptrik, beschreibt die zur Vermehrung der Sehkraft erfundenen Instrumente; enthält die Lehre vom Schall nebst dem mathematischen Theil der Musik und den interessanten Klangfiguren von Chladni, sowie die beiden entweder durch Reibung oder Berührung hervorgebrachten Elektricitäten, welche, der Entdeckung von Oerstedt zufolge, in Magnetismus übergehen; erklärt den Magnetismus; gibt eine Uebersicht der wichtigsten Phänomene der Meteorologie und schließt mit der Lehre über den gestirnten Himmel. Sehr deutliche, dem Text selbst beigefügte Kupfer machen das Ganze noch anschaulicher. 106.

Notizen.

Das fünfte Heft der bereits in diesen Blättern erwähnten Zeitschrift: „Le polonais", enthält einen Aufsatz über die Confiscationen in Polen von dem französischen [illegible] Ballanche.

Capefigue gibt in seinem neuesten Werke: „Jacques II à St.-Germain" (Paris 1833), ein [illegible] Gemälde der englischen Revolution.

Dr. Broc hat in seinem „Traité d'anatomie descriptive et raisonné", wovon die erste Lieferung zu Paris erschienen ist, eine geistreiche und lebendige anatomisch-physiologische Darstellung des Menschen gegeben. Das Werk, besonders diese erste Lieferung, die den Menschen überhaupt betrachtet, ist für den gebildeten Weltmann bestimmt. Scharfsinnige Vergleichungen, pikante Contraste, neue Ansichten, lebhafte Bekämpfung alter Vorurtheile erhöhen das Interesse. Dazu [illegible] Tafeln.

Von dem großen psychischen Arzt Pinel ist [illegible] erschienen: „Physiologie de l'homme aliéné, appliquée à l'analyse de l'homme social". [illegible]

Redigirt unter Verantwortlichkeit der Verlagshandlung: F. A. Brockhaus in Leipzig.

Blätter für literarische Unterhaltung.

Dienstag, —— Nr. 358. —— 24. December 1833.

Die Reisen des Herzogs Paul von Würtemberg in Amerika.

Zweiter Artikel.*)

Zweite Reise 1829—1831.

Vorbereitungen. Fahrt nach St.-Domingo; Besichtigung dieser Insel. Reise nach Neuorleans und St.-Louis. Aufbruch zu einer Winterwanderung in den tiefen Nordwesten. Factorei am Kanzasstrom; Uebergang über den gefrornen Kanzas und den Missuri. Oto-Indianer. Sak-Indianer. Ayowahs. Abenteuer. Ankunft in den Councilbloffs.

Die Jahre 1824—1829, welche zwischen der ersten amerikanischen Reise des Fürsten und der zweiten noch bedeutendern liegen, benutzte derselbe dazu, einen großen Theil des südlichen Europas in Augenschein zu nehmen. Namentlich verwendete er das Frühjahr 1829 zu einer Bereisung Spaniens, dessen viele Schätze und Sammlungen den meisten Naturforschern noch verborgen sind. Es schien dem Herzog, um die spanischen Nachkömmlinge in der neuen Welt beurtheilen zu können, nothwendig, zuvor das Mutterland kennen zu lernen. Er fand alle Ursache, nicht nur den wissenschaftlichen Reichthum Spaniens zu bewundern, sondern auch dem gewissenhaften Eifer Gerechtigkeit widerfahren zu lassen, mit welchem die Gelehrten dieses Landes ihren Beruf im strengsten Sinne des Wortes erfüllten. Die frühere spanische Politik gewann übrigens den scientifischen Entdeckungen keinen Nutzen ab. Die Colonien erschienen dem übrigen Europa wie Nebelflecken, die man wol sieht, aber nicht bis zur Unterscheidung kennt, und bis zum Ende des vorigen Jahrhunderts blieben sie ein Land der Träume. Ob Spanien in politischer Hinsicht hierin gefehlt, mag dahingestellt bleiben; gewiß ist, daß durch das erste Bewußtsein, das sich in den transatlantischen Colonien von ihrem eignen Werthe regte, der schlummernde Löwe erweckt ward, und die Tochterländer auf ewig dem Mutterlande verloren gingen. Humboldt's Werke wurden in den Colonien mit äußerster Begierde gelesen und umfassende Selbsterkenntniß daraus geschöpft; die beim ersten Glimmen der Aufruhrsfackel herbeiströmenden Fremden gaben vollends der spanischen Bevölkerung Amerikas eine der frühern ganz entgegengesetzte Richtung.

So war der fürstliche Reisende mit Vorstudien für das spanische Amerika ausgerüstet. Inzwischen führten ihn die Umstände wieder nach Nordamerika, und dieser zweiten Reise gilt der nachstehende Hauptbericht.

Der Fürst schiffte sich nämlich am 24. Juni 1829 zu Bordeaux auf einem französischen Paketboote ein, um nach der Insel Haiti zu gehen. Seine frühere Absicht war, sogleich Mexico zu bereisen; diese wurde jedoch durch die damals stattfindende spanische Invasion des Generals Baradas vereitelt. Deshalb wählte der Herzog zu seinem nächsten Ziele St.-Domingo. Auf der Hinfahrt wurden die Reisenden durch Stürme und widrige Winde in die Nähe von Corunna an die spanische Küste gebracht und mußten um das Cap Finisterre und die portugiesische Küste entlang bis an die Mündung des Tajo dicht im Angesichte des Landes kreuzen, wodurch mehre Wochen verloren gingen. Eine schnelle Fahrt brachte sie von da an die Insel Madeira und weiter schon nach 18 Tagen an das Cap Samana, das östlichste Vorgebirge St.-Domingos. Längs der Küste dieser Insel steuernd, erreichten sie am 7. Aug. Port-au-Prince in der Bai von Gonave, nachdem das Schiff zwischen der Insel Gonave und St.-Domingo in dem Kanale gleichen Namens von einem in dieser Jahreszeit so furchtbaren Orkane heimgesucht worden war. Die Excursionen des Herzogs ins Innere dieses herrlichen Eilandes wurden durch die gütevolle Berücksichtigung, welche ihm von Seiten des Präsidenten Boyer zu Theil ward, außerordentlich erleichtert, und ein Schatz von naturhistorischen Beobachtungen sowie eine sehr bedeutende Sammlung krönten eine Reise, die mit Recht dem Naturforscher zur Aufgabe gemacht werden dürfte; denn die Insel darf in vegetabilischer Hinsicht mit Brasilien und Mexico kecklich wetteifern und läßt selbst für den Geognosten ein weites Feld von Entdeckungen übrig, da der metallische Reichthum dieser Insel noch eine Menge Schätze an den Tag befördern könnte.

Erst im November verließ der Herzog St.-Domingo, nachdem er das Eiland größtentheils durchstreift und namentlich den ganzen früher französischen Antheil bereist hatte. Auf der Reise nach Neuorleans berührte er die Küsten von Jamaica und die kleinen, beinahe ganz mit Kokospalmen bedeckten Kaimaninseln, welche von einigen

*) Vgl. den ersten Artikel in Nr. 274—277 d. Bl. D. Red.

Engländern bewohnt werden, deren Hauptgewerbe der Schmuggelhandel ist.

Bevor noch Neuorleans erreicht ward, überfiel das baufällige und schlechte Fahrzeug, auf welchem sich der Herzog befand, ein sehr heftiger Sturm, in welchem das lecke Schiff kaum über Wasser erhalten werden konnte, und hätte sich nicht schon der Lootse an Bord befunden, so wären die Reisenden unfehlbar verloren gewesen.

Der Aufenthalt des Herzogs Paul in Neuorleans, das er am 20. November erreichte, war diesmal nur kurz; er beeilte sich nach St.-Louis noch vor dem Eisgange zu gelangen. Entschlossen, noch einmal sich gegen Nordwesten zu wenden, beschleunigte er bei der ungünstigen Jahreszeit mitten im Winter seine Abreise. Die Erfahrung hatte ihn gelehrt, daß, so ungünstig und furchtbar auch der Winter im Norden Amerikas ist, die Reise zu Lande, wegen der vielen und tiefen Ströme, bei geringer Bedeckung am rathsamsten ist, hauptsächlich auch, weil die indianischen Völker zu dieser Jahreszeit seltener in den Krieg ziehen und sich ruhig in ihren Ansiedelungen verhalten. Freilich hatte er nicht auf die große Noth Bedacht genommen, welche Menschen und Thiere durch Kälte, Schnee und Hunger auszustehen hatten. Mit der gehörigen Anzahl Menschen und Pferde versehen, verließ der Fürst St.-Louis am 20. December 1829 und nahm seinen Weg zu Lande über St.-Charles und Franklin nach der Indépendance und der in der Nähe dieser kleinen Stadt an der äußersten Grenze weißer Bevölkerung befindlichen Factorei der amerikanischen Pelzhändlergesellschaft, nahe beim Einflusse des Kanzasstromes. Er erreichte diesen Platz am 9. Januar 1830, und nachdem die Wanderer sich wieder mit allem Nöthigen versehen hatten, wurden Pferde und Menschen mit unsäglicher Mühe über den Kanzas gebracht, welcher, ganz der Jahreszeit zum Trotz, noch nicht festgefroren war, sondern große Eismassen flößte. Oberhalb des Kanzas, in einer Entfernung von 12 französischen Meilen am Missuri, befindet sich jetzt die Garnison der Truppen der Vereinigten Staaten, welche früher in den Councilbloffs stationirten. Der Herzog war seinem Gefolge vorausgeeilt, um einige Bekannte unter den Offizieren aufzusuchen; drei Tage lang harrte er vergebens auf seine Dienerschaft und war endlich genöthigt, Indianer auszusenden, um selbige aufzusuchen. Man fand seine Leute in der Steppe verirrt, und erst am fünften Tage konnte er sich mit ihnen vereinigen. In dem Cantonnement traf der Herzog eine Herde Oto-Indianer, deren Häuptlinge er von seiner ersten Reise her kannte, und welche viele Freude äußerten, als sie ihn wiedersahen. Da ihre Absicht war, den Strom aufwärts nach den Councilbloffs zu wandern, so baten ihn die Häuptlinge, ihre Abreise zu erwarten, oder wenigstens unterwegs auf sie zu warten. Diese guten Häuptlinge warnten den Herzog schon damals vor den Horden der Ayowahs und der Sak-Indianer (Saki), die er überall unterwegs gelagert finden würde und deren Gesinnungen schon damals sehr zweifelhaft waren. Mit größter Mühe und Anstrengung wurde der Reisende jetzt von den Soldaten über den Missuri gesetzt, indem man das linke Ufer des Stromes zur Fortsetzung der Reise für zweckmäßiger erachtete. Nach anhaltendem dreitägigen Marsche durch verbrannte Steppen und sumpfige Waldungen erreichte er die Niederlassung, welche von den Agenten der [illegible] für die Sak-Indianer unterhalten wird. In der [illegible] machten diese Indianer einige fruchtlose Versuche, [illegible] die Pferde zu stehlen und kamen, nebst einigen Haufen Ayowahs und Fuchs-Indianer, zu gleicher Zeit mit den Reisenden in der Agentie an. Hier thaten die Häuptlinge auf einmal sehr freundlich, namentlich ein [illegible] übelberüchtigter Anführer, die „weiße Wolke" genannt; der Herzog traute ihnen aber nicht und war sehr [illegible], als er sich gegen Mittag des andern Tages einem [illegible] den Lager der Ayowahs näherte, seinen [illegible] Tschun-ka-pa mit einigen 50 seiner Krieger an seiner Seite zu sehen, wodurch alles üble Benehmen von Seiten der Ayowahs abgeschnitten war. Die Otos lagerten die Nacht bei dem Herzog; dessenungeachtet [illegible] die Ayowahs mehre Pferde; die Otos [illegible], es begannen Neckereien zwischen beiden [illegible], welche nach dem Verlaufe von mehren Tagen, [illegible] über den Fluß Nandawa setzten, in [illegible] übergingen, die zum Glück keine [illegible] hatten, da eine eintretende heftige Kälte alle [illegible] der Art in den Nächten verhinderte. Nachdem [illegible] mit großer Mühe und dem [illegible] den sehr ansehnlichen Fluß [illegible] hatten, erreichten sie den Missuri, welcher [illegible] froren war, unterhalb der Mündung des großen [illegible] Flusses". Der Fürst hielt sich am Ufer [illegible] Mündung dieses großen Stromes, [illegible] nem ganzen Gefolge über den [illegible] Councilbloffs und die unterhalb [illegible] torei der Otos am 28. Januar 1830. [illegible]

Aufbruch von den Councilbloffs. [illegible] Eau-qui-court. Beschwerliche [illegible] Hunger und Frost. Verzweifelte [illegible] Rettung und Ankunft in der [illegible] torei beim Fort Tikamsee. [illegible] Nachrichten über die Rikkaras. [illegible]

Die Kälte, der Mangel an Futter, [illegible] nes mehr als hundert Meilen andauernden [illegible] machten Ruhe nothwendig, und [illegible] die Factorei erst am 11. Februar. [illegible] stig, die kleinen Ströme gefroren, [illegible] stieß ihnen während des langen [illegible] qui-court auf. Die Mahas- und [illegible] sich im Westen auf der Jagd, und [illegible] Rauchsäulen auf dem entgegengesetzten [illegible] welche von einzelnen jagenden Haufen [illegible] rührten. Durch das Abbrennen der [illegible] Gegend wildleer geworden, und nur [illegible] Tannhirsche oder Antilopen. Dennoch [illegible] an Hunger, ihre Pferde fanden noch [illegible] der Schnee nicht tief lag; und die Jagd, [illegible] war, reichte doch hin, das Leben der Menschen zu fristen.

Der Herzog hoffte den Eau-qui-court völlig gefroren zu finden, täuschte sich aber in dieser Erwartung. Zum Glück stieß er auf einige Indianer, welche sich mit Lebensgefahr in den Strom wagten und einige in der Nähe gelagerte Pelzhändler von der traurigen Lage des Reisenden in Kenntniß setzten. Zufällig kannten ihn diese Leute von seiner ersten Reise, sammelten einen Haufen Sioux-Indianer und brachten ihn nach zweitägiger Anstrengung nebst seinem Gefolge glücklich über den breiten Fluß hinüber. Auch hier fanden sie die sehnlich gehofften Lebensmittel nicht; man vertröstete sie auf die Büffel in der Prairie: wenig versprechende Aussicht! denn diese Thiere finden in den abgebrannten Steppen und in der Nähe des Stromes wenig oder gar keine Nahrung und halten sich daher weiter gegen Norden und Westen auf. Der Marsch wurde nun von Tage zu Tage trübseliger. Die Wölfe in der Steppe und ein wenig Pamikan (getrocknetes Fleischpulver) waren die letzte Nahrung der Wanderer. Leider verschwanden auch jene Thiere bei der zunehmenden Kälte und dem immer tiefer fallenden Schnee. Die Gegend oberhalb des „weißen Flusses" ist ein wildes vulkanisches Land, höchstens mit Fackeldisteln bewachsen, deren Stacheln die Mokassin, jene einzige Fußbekleidung der Reisenden in diesem rauhen Lande, bei jedem Tritte durchbohren. Je näher sie der Factorei Tikumsee am kleinen Missuri kamen, desto größer wurde die Noth; ihre letzte Hoffnung, ein sie begleitender Indianer, wußte selbst in dem rauhen Gebirge, dessen Schluchten mit Schnee bedeckt waren, keinen Ausgang mehr zu finden. Mehre von des Herzogs Leuten hatten schon einige Tage keine Nahrung zu sich genommen, und je tiefer sie in die Berge kamen, desto mehr verschwand alle Hoffnung eines glücklichen Auswegs. Nachdem sie so drei Tage im Innern herumgezogen waren, gelang es dem Indianer, sich an einem einzelnen hohen Berge, Pan-heth-na-pae genannt, einer reinvulkanischen Formation auf der Hochebene, zu orientiren. Von diesem Berge war es noch 60 englische Meilen bis zum Fort Tikumsee. Da sich die Witterung etwas aufheiterte, legten sie glücklich die erste Hälfte des Weges zurück, dann aber wurde die Karawane von einem furchtbaren Schneesturm überfallen, der ihnen das Weiterziehen unmöglich machte. Die Hälfte der Pferde war gefallen; aber trotz des äußersten Hungers bequemten sich des Herzogs Diener und Begleiter lieber zu den ungenießbarsten Sachen, zu Leder und Holzrinde, als zum Genuß des Pferdefleisches. Einer derselben, welcher noch am besten auf den Beinen war, machte den Vorschlag, längs dem Ufer des Stromes das Fort Tikumsee zu erreichen, um dem Zuge von dort Hülfe zuzusenden. Er suchte sich das rüstigste Pferd aus verließ die Gesellschaft und erreichte auch glücklich die Niederlassung der Pelzhändler. Herr Laidlow, Theilnehmer der amerikanischen Four company, kaum von der traurigen Lage des Fürsten unterrichtet, setzte Alles in Bewegung, die Reisenden aufzusuchen trotz der fürchterlichen Witterung. „Wer die Schneegestöber in den nördlichen Steppen Amerikas kennt, wird sich", erzählt der Herzog, „von der Gefahr, in welcher wir trotz der Nähe des Zieles schwebten, einen Begriff machen können. Der Schnee in regellosen Wolken und Wirbeln bei einem entsetzlichen grimmkalten Sturmwind macht es gradezu unmöglich, irgend eine Richtung zu verfolgen." Nur mit Hülfe der Indianer gelang es Herrn Laidlow für seine Person die Factorei wieder zu erreichen, ohne seine Absicht, die Reisenden aufzufinden, erreicht zu haben. Diese machten sich nach zwei Tagen, da Sturm und Kälte ein wenig nachgelassen, wieder auf den Weg und gelangten, den Missuri nicht mehr verlassend, bis an die Mündung eines kleinen Flusses, zwölf englische Meilen vom Fort. Hier ließ der Herzog seine Leute lagern, und da er der Einzige war, dem der Hunger nicht so fürchterlich zugesetzt hatte, so machte er sich mit den Indianern auf den Weg und erreichte glücklich die Niederlassung der Pelzhändler, von wo aus dem Gefolge sogleich Lebensmittel und sichere Führer zugesandt wurden. Nun aber zeigten sich die Folgen, welche gewöhnlich eine Hungersnoth in ihrem Geleite hat. Die Leute des Herzogs kannten kein Maß im Essen, und mehre erlagen unter den heftigsten Schmerzen ihrer Zügellosigkeit. Die Natur des Fürsten allein trotzte den ausgestandenen Beschwerden, und der zuvorkommenden Güte des Vorstandes der Factorei verdankte er es, daß seine kleine Karawane schon innerhalb acht Tagen wieder reisefertig war. So nöthig für seine Leute und Pferde längere Ruhe gewesen wäre, so entschloß er sich nach langer Berathung mit den Sachkundigen in der Factorei dennoch zu abermaliger Weiterreise. Herr Laidlow machte den Reisenden namentlich auf die Unmöglichkeit des Vordringens im Norden aufmerksam, falls er den etwaigen Eintritt des Thauwetters abwarten wollte, indem die großen und kleinen in den Missuri mündenden Flüsse alsdann so anschwellen, daß an ein Weiterkommen nicht mehr zu denken ist. Ein zweiter Umstand, den die Wanderer zu berücksichtigen hatten, ist der, daß die Horden der Wilden, im Kreise ihrer Winterlager selten gefährlich, desto übler gestimmt sind, sobald sie ihre ersten kriegerischen Ausflüge im Frühjahre beginnen. Namentlich sind die Rikkaras, die erste Horde, auf welche der Herzog stoßen mußte, in dieser Zeit schrecklich und ermorden auf ihren Kriegszügen meist alle ihnen begegnenden Weißen. Diese Nation, welche seit der kurzen Zeit, seit welcher man Kenntniß von ihr hat, sich unzählige Opfer unter der weißen Bevölkerung geholt, wird alle Friedensschlüsse, welche von Seiten der Vereinigten Staaten mit noch so großer Aufopferung mit ihr eingegangen worden, jedesmal wieder zu umgehen und zu brechen wissen. Ihr Aberglaube kennt keine Grenzen, und sie halten sich für berufen, Jeden, der ihnen in der Steppe aufstößt, den rachedürstenden Manen ihrer Verstorbenen, welche sie als Dämonen verehren, zu opfern. Obgleich der Herzog Paul so glücklich war, sich bei mehren Gelegenheiten, wo er von ihren Kriegern überfallen wurde, zu retten, so glaubte er dies doch mehr dem Zufall als andern Umständen beimessen zu dürfen. Im Kreise ihrer Wohnungen hingegen sind diese Rikkaras nicht böse, ja es finden sich ausgezeichnete Charaktere unter ihnen, und diese setzen nicht selten ihr eignes Leben aufs Spiel, um ihren blutdürstigen Verwandten die Opfer der Rache zu entziehen. Unstreitig gehört übrigens dieser indianische Stamm noch zu den grausamsten und fürchterlichsten Urvölkern der neuen Welt, deren Name der Schrecken der Jäger und Pelzhändler ist.

(Die Fortsetzung folgt.)

Mes soixante ans, ou mes souvenirs politiques et littéraires, par Madame la princesse *Constance de Salm*. Paris 1833.

Die als freisinnige Dichterin geschätzte Prinzessin Constanze von Salm wirft in diesem bei Didot elegant gedruckten Gedichte einen Blick auf die politischen Begebenheiten ihres Vaterlandes Frankreich, die sie erlebt hat, und verflicht in diese Uebersicht ihre eignen literarischen Arbeiten, welche zum Theil durch diese Begebenheiten veranlaßt worden sind. Ihre poetische Laufbahn trifft mit dem Ausbruche der Revolution zusammen, weshalb sie auch bei dieser beginnt. Jene Zeit des politischen Aufschwunges der französischen Nation, als alle Verbesserungen möglich schienen, und die schönsten Träume nahe daran waren, in Wirklichkeit überzugehen, erregt bei der Dichterin die gefühlvollsten Erinnerungen:

Qu'ils étaient beaux, grands Dieux! ces jours de ma jeunesse,
Ces jours où tous les coeurs formaient les mêmes voeux!

. . . .

Qu'ils étaient beaux ces jours qui charmaient mon jeune age,
Ces jours, où la sagesse et le mâle courage,
A la vérité sainte apportant leurs trésors,
D'un brillant avenir tout nous semblait le gage!
Qu'ils étaient beaux les sentimens d'alors!
Que l'on se trouvait grand, que l'on se sentait libre,
Quand d'une nation partageant les transports,
On croyait presque sans efforts
Entre tous les pouvoirs établir l'équilibre,
Et par de nouveaux droits effacer de nouveaux torts!
Que l'on se trouvait grand, quand on pouvait se dire:
Nul ici bas n'est plus que moi;
Je ne reconnais d'autre empire
Que celui de l'honneur, la raison et la loi!
Que l'on se trouvait grand lorsque la voix du sage
Du haut de la tribune éclairait l'univers,
Arrachant la pensée à son long esclavage,
Et de l'homme brisait les fers!
Que l'on se trouvait grand lorsque d'injustes guerres
Partout créaient des défenseurs;
Quand les Français égaux et frères
Pour venger leur pays s'élançant aux frontières,
Étaient citoyens et vainqueurs etc.

Dann schildert die Dichterin Frankreich nach der Schreckenszeit; Künste und Wissenschaften kamen nun wieder zu Ehren. Sie ließ damals ihre Oper „Sapho" aufführen, welche Martini in Musik gesetzt hatte und die wenigstens zwanzigmal nacheinander gegeben wurde. Mit poetischer Begeisterung spricht die Verf. von dem Beifall, den die Pariser dieser Oper zollten. Zu den Volks- und Nationalfesten, welche damals gegeben wurden, dichtete sie einige Hymnen, die auf dem Marsfelde und anderswo feierlich aufgeführt wurden. Das weibliche Geschlecht nahm damals lebhaften Antheil an den Nationalangelegenheiten; jedoch fehlte es nicht an tadelnden Stimmen. Die Verf. schrieb gegen sie als Vertheidigung der Rechte ihres Geschlechts eine „Epître aux femmes":

Moi-même, de mon sexe embrassant la défense,
Je tonnai sur nos détracteurs —

und las diese Vertheidigung in einer öffentlichen Sitzung des Athénée des arts vor, wo sie noch mehre andere poetische und prosaische Stücke hören ließ, unter andern Lobreden auf mehre merkwürdige Gelehrte, als Sédaine, Lalande, mit denen sie genau bekannt gewesen war. Mit Entzücken erinnert sie sich dieser Epoche ihres dichterischen Wirkens. Von der Zeit des Directoriums geht sie zur Kaiserzeit über, in welcher sie als Gemahlin eines deutschen Fürsten bei Hofe erschien. Napoleon setzte sie in Erstaunen, allein sein Despotismus konnte einer so freisinnigen Frau nicht behagen. Sie schildert die Unterdrückung der bürgerlichen Freiheit unter dem siegreichen Imperator, dessen Sturz endlich einer ganz andern Zeitepoche Platz machte. Auch die Gesellschaft unter der Restauration stellt sie dar. Um diese Zeit wohnte sie mehren Congressen bei; sie ertheilte den Fürsten in ihrer „Epître aux souverains" wohlgemeinten Rath. Sie beschließt ihr letztes Gedicht mit Betrachtungen über den jetzigen Zustand Frankreichs und mit der Hoffnung, eine gesetzmäßige Freiheit bald in alle gebildete Staaten einführen zu sehen. 74.

Notizen.

Der zweite Band von Michaud's „Correspondance d'Orient, 1830—31" (Paris 1833) enthält interessante Mittheilungen aus Konstantinopel über diese Stadt sowie über einige Punkte Kleinasiens. Was die erstern anlangt, so führen uns die diesfallsigen Briefe nicht nur in die einzelnen besonders beachtungswerthen Theile der Stadt (die Bazars, die Gottesäcker, die Vorstadt Pera), machen uns mit den Alterthümern bekannt und verbreiten sich über den Eindruck, den im Allgemeinen der Anblick der Stadt auf den Fremden macht, sondern sie berichten auch, in das innere Leben des aus mannichfachen Nationen bestehenden Volkes der Hauptstadt den Leser einführend, über die Sitten und Gebräuche desselben. Auch die Feuersbrünste wie die öffentlichen Hunde sind hier zur Veranschaulichung des Bildes nicht vergessen, und ebenso ist der Policei und der Gefängnisse ausführlicher gedacht worden. In einzelnen Briefen verbreitet sich der Historiograph der Kreuzzüge über die Janitscharen und ihren Untergang, die Reformen in der Türkei und den Sultan Mahmud, über die Minister und Günstlinge desselben sowie über die türkische Diplomatie. In der That, nicht nur darum, weil Michaud einer der neuesten Berichterstatter über Konstantinopel und die Türkei, sondern auch weil er an und für sich belehrend ist, wäre zu wünschen, daß auch der zweite Band, wenn nicht durch eine Uebersetzung, doch durch Auszüge (wofür übrigens schon unsere Zeitschriften sorgen werden) dem deutschen Publicum näher gebracht werden möchte. Michaud ist besonders durch seine historischen Studien des Orients ein lehrreicher Führer durch die Gegenwart des Orients selbst.

Fr. Brun erzählt in ihrem „Römischen Leben" (I, S. 72) ein auffallendes Beispiel, wie neurömische Barbarei an den unsterblichen Werken der Alten gefrevelt. „Vor ungefähr 50 Jahren", schreibt sie im Jahre 1802, „hatte ein Prinz C... in Rom ein Fest zu geben, bei welchem ein großes Feuerwerk abgebrannt werden sollte, und er wählte die herrliche Denksäule des frommen Antonin zum Gerüste desselben. Die großen Schwärmer, Raketen, Feuerräder u. s. w. wurden an den vorragendsten Theilen der Basreliefs, zumal an den, oft ganz frei vom Marmorgrunde abstehenden Köpfen der Figuren befestigt. Am folgenden Morgen las man die Köpfe bei Hunderten rund um die Säule auf!" Mit Recht setzt die Erzählerin hinzu: „Alle Jahrhunderte zeugen in allen Ländern Barbaren, wenn nicht Gesetz und Sitte durch Wachsamkeit und Strenge aufrecht erhalten werden. Und ebenso kann man hierbei mit Recht fragen: Verdienen Diejenigen Achtung, die die Werke ihrer Vorfahren so wenig achten, und beweisen Diejenigen, die das thun, daß sie sich selbst achten?" 30.

Redigirt unter Verantwortlichkeit der Verlagshandlung: F. A. Brockhaus in Leipzig.

Blätter für literarische Unterhaltung.

Mittwoch, —— Nr. 359. —— 25. December 1833.

Die Reisen des Herzogs Paul von Würtemberg in Amerika.

Zweiter Artikel.

(Fortsetzung aus Nr. 358.)

Weiterreise nach einer zweiten Factorei mit Titon-Indianern. Schneeblendung der Gesellschaft. Furchtbares Thauwetter. Die Dörfer der Rikkaras. Guter Empfang. „Die Hirschzunge", ein Häuptling. Bisonsjagd mit den Indianern. Kriegerische Tänze der Rikkaras; ihre Lebensart.

Wir kehren zur Weiterreise des Herzogs zurück. Da die meisten seiner Pferde untauglich geworden waren, so wurden trotz des anhaltenden Sturmes und Schneegestöbers die der Factorei angehörigen Pferde und Saumthiere angetrieben und ihm freigestellt, die besten auszuwählen. Einige zuverlässige Diener der Pelzhändler und ein ganz wegekundiger Indianer von dem Stamme der Titon, einer bekannten Sioux-Nation, sollten die Reisenden bis zu einer fünf Tagereisen weiter stromaufwärts gelegenen Factorei begleiten. Es mußte wieder über den Missuri gesetzt werden, dessen Eis noch Pferde und Gepäcke trug; dann hatte der Zug über die weithin mit Schnee bedeckte endlose Savanne vorwärtszuschreiten. Hier überfiel die Wanderer ein neues Unglück: beinahe das ganze Gefolge wurde schneeblind, eine Krankheit mit heftiger Augenentzündung verbunden, welche diesen Gegenden eigenthümlich ist. Nur der Indianer und der Herzog selbst, der Vorsichtsmaßregeln gegen das Uebel gebraucht hatte, waren noch fähig, die umgebenden Gegenstände zu erkennen und so die Richtung des Weges nicht zu verlieren. Bei der heftigsten Kälte erreichten sie die kleine Factorei, in welcher man glücklicherweise Lebensmittel vorfand. Auch hier fand der Herzog beinahe Alles, Weiße und Indianer, im Zustande des vorbeschriebenen Augenübels, war übrigens dennoch so glücklich, noch zwei brauchbare Individuen zur Fortsetzung seiner Reise zu finden; denn seine bisherigen Führer, die Indianer, waren aus Furcht vor den Rikkaras zur weitern Begleitung nicht zu vermögen.

Am 19. März 1830, dem zweiten Tage nach der Abreise von der kleinen Factorei, erblickten die Reisenden die ersten Bisonstiere, welche Thiere sonst gewöhnlich mehre hundert Meilen weiter stromabwärts angetroffen werden, und deren Erwartung die Wanderer beinahe Hungers hatte sterben lassen. Aber die Kälte und der tiefe Schnee hatten diese Thiere so ermattet und abgemagert, daß ihr Wildpret wenig Genuß mehr gewährte und die Reisenden den dringendsten Hunger nur durch ihre Zungen befriedigen konnten. Tags darauf trat als Uebergang von einer großen Kälte plötzlich völliges Thauwetter ein; während am Abend des 19. März das Thermometer noch auf 12 Grad Réaum. unter Null gestanden, stieg es bis zum Mittag des 20. auf 8 Grad über Null. In Strömen ergoß sich nun das Schneewasser unaufhaltsam durch die Steppen in einer von kurzen und abgeschnittenen Hügeln durchzogenen Gegend; kleine Bäche, die im Sommer spurlos verschwinden, waren in wenigen Stunden zu reißenden Wildwassern umgewandelt. Mit unendlicher Mühe und ganz durchnäßtem Gepäcke erreichte der kleine Haufen am 21. März eine steile Anhöhe, welche den Dörfern der Rikkaras gegenüber lag. Mehre Pferde der Wilden ließen sich sehen, aber keine Menschen; Niemand, der ihnen den Pfad über den Strom gezeigt hätte. Der Eisgang erfolgt oft so schnell, daß sich bei der geringsten Zögerung hätte befürchten lassen, die Eisrinde werde brechen und alle Verbindung mit dem Dorfe der Rikkaras abgeschnitten werden. Die Reisenden stiegen daher das steile und schlüpfrige Gebirge herab, sahen sich übrigens in der Entfernung einer halben Stunde durch geschmolzenes Schneewasser, welches den tiefen Grund überschwemmt hatte, von dem Strome getrennt. Der Herzog wagte es dennoch, durch das Wasser, das seinem Rosse bis an den halben Leib ging, und durch ein überschwemmtes Weidengebüsch zu waden, und gelangte glücklich bis an die Eisdecke des Stromes. Mit Mühe folgte das Gepäck. Jetzt wurden sie der Indianer ansichtig, die auf der Spitze ihrer wie Erdhaufen aussehenden Hütten saßen und von diesen Höhen herab laut riefen und sangen; Keiner aber machte Anstalt, über den Strom zu setzen und die Reisenden hinüberzugeleiten. Nachher erfuhren diese, daß dies eine Vorsichtsmaßregel war, welche die Häuptlinge angeordnet hatten, um die jungen Leute an der Plünderung des Gepäckes zu verhindern. Auf dem Eise waren Stäbe abgesteckt; in ihrer Richtung hielt sich der Herzog, sammelte seine Leute und erreichte endlich das jenseitige Ufer.

Die Rikkaras bewohnen zwei Dörfer, welche nur durch einen unbedeutenden Bach von einander getrennt sind. Das eine Dorf, südlich gelegen, befindet sich auf einer kleinen Anhöhe, das nördliche liegt dicht am Rande des Wassers. Bei seiner Ankunft wurde der Fürst von mehren angesehenen Häuptlingen und Kriegern mit den freundschaftlichsten Begrüßungen empfangen; es befand sich unter ihnen ein Mestize, Namens Pierre Garreau, welcher geläufig französisch sprach und den Reisenden von den guten Gesinnungen der Rikkaras in Kenntniß setzte. Darauf wurde er in die Hütte eines Häuptlings, „die Hirschzunge" genannt, geführt und fand hier mit Leuten, Pferden und Gepäck Unterkunft. Diese Hütten der Rikkaras sind sehr geräumig; sie bestehen aus großen, krummgebogenen Stangen und sind rund und mit Erde bedeckt. Der Boden derselben ist gewöhnlich mit Lehm ausgestampft, und gemeiniglich ist in Einer Hütte Platz für mehre Familien und eine große Anzahl von Pferden. Diese Hütten gleichen schon sehr denen, die man an der Nordwestküste Amerikas vorfindet, wie denn überhaupt die Völker des nördlichen Missuri mehr Analogie mit jenen als mit denen des Ostens zeigen. Den guten Empfang der Rikkaras verdankte der Herzog hauptsächlich dem Umstande, daß ein Fahrzeug der amerikanischen Compagnie unweit von dem Dorfe gescheitert war. Man hatte den größten Theil der Waaren gerettet und eine Stunde weit vom Dorfe in Sicherheit gebracht. Dort befand sich auch die Mannschaft des Bootes, und der Herzog fand sich sehr überrascht, in dem Steuermann einen alten Bekannten zu erkennen, mit welchem er einen großen Theil seiner ersten Reise zurückgelegt hatte. Von diesem Bootsmann erfuhr er, daß das Fahrzeug im November des vorigen Jahres eine Meile stromabwärts durch einen heftigen Sturm an das Ufer getrieben worden und, vom Eisgang ergriffen, nicht weiter habe gebracht werden können. In der Hoffnung, dasselbe beim Eisbruch und höherm Wasserstande wieder flott machen zu können, erwartete er den Herrn Lammond, einen Theilhaber der Pelzhändlercompagnie, mit der nöthigen Mannschaft, um diese Arbeit zu unternehmen. Nun entschloß sich der Herzog, ebenfalls die Ankunft dieses Herrn und den Frühling abzuwarten, um Gefolge und Pferde von den großen Strapazen ausruhen zu lassen. Die Indianer bewiesen sich sehr freundlich gegen ihn und foderten ihn auf, an ihren Jagdzügen Theil zu nehmen, da sich große Heerden von Auerochsen in geringer Entfernung gezeigt hatten. Bis zum 21. März (1830) blieb das Wetter sehr ungünstig: es regnete, schneite, fror; endlich aber erlaubte es den Jägern, aufzubrechen. Die Indianer zogen in dem sonderbarsten Aufzuge aus, alle beritten und mit Pfeilen und Bogen bewaffnet, zusammen über 200 Köpfe stark. In einer Entfernung von vier deutschen Meilen westlich vom Dorfe traf der Zug auf die erste große Heerde dieser riesenhaften Bewohner der Steppe, dem größten Säugethier der neuen Welt und dem Range nach dem vierten in der Schöpfung, das, ausgewachsen, 2000 — 3000 Pfund wiegt. Die Indianer ritten nun unter dem Schutz eines starken Schneegestöbers, nachdem sie sich schon in Partien vertheilt hatten, bis auf hundert Schritt an diese wilden Thiere heran und ließen dann ihre Pferde in gestrecktem Laufe mitten unter sie hineinrennen. Bei dieser Gelegenheit zeigten sie sich als tollkühne Reiter; sie nahten sich den umzingelten Thieren auf wenige Schritte und wußten so geschickt und kräftig den Bogen zu führen, daß der Pfeil, die edelsten Theile durchbohrend, das Thier tödtlich verwundete. In weniger als einer Stunde bedeckten über 200 das Feld, meist Kühe, da die Stiere im Winter mager und unbrauchbar sind. Diese Art von Jagden gewährt einen großartigen Anblick, von dem es schwer ist, sich einen Begriff zu machen, wenn man ihnen nicht beigewohnt hat. Es gehört große Geschicklichkeit dazu, dem Angriffe des Auerochsen auszuweichen, und große Kühnheit, sich diesen gewaltigen Thieren auf eine geringe Entfernung zu nähern. Viele Indianer und Pferde verunglücken auf diesen Jagden, welche übrigens der einzige Nahrungszweig der Indianer des nordwestlichen Amerikas sind. Der Herzog wohnte noch mehren ähnlichen Jagdexcursionen der Rikkaras bei, und niemals kamen sie unter hundert erlegter Thiere zurück. Es ist unglaublich, welche Heerden von amerikanischen Auerochsen (Bisons) die unübersehbaren Steppen des westlichen Amerikas durchkreuzen. Außer in den ebenso endlosen Gefilden des südlichen Afrikas erblicken wir, was die geographische Vertheilung der Thiere betrifft, keine solche Verbreitungen wilder Thiere wie in der neuen Welt. Unbegreiflich ist, wie bei der Nahrung sparsam wachsender, kurzer Gräser jene Thierkolosse eine solche Fettmasse erreichen können, indem sie die niedern Steppen den höher begrasten vorziehen. Im Winter namentlich sind sie auf die kärglichste Nahrung beschränkt. Wenn hohe Schneemassen das wenige Gras der Steppe bedeckt haben, stürzen sie sich zu Tausenden an die bewaldeten Ufer der großen Ströme und leben dort von Baumrinde und den Sprossen der allgemein an den Ufern verbreiteten Weide. Die Natur scheint diesen Thieren als Waffe eine abschreckende Häßlichkeit zum Erbtheil gegeben zu haben; an sich sind sie harmlos und sanft, sodaß sie nur aufs äußerste gereizt und schwer verwundet ihre Gegner anzugreifen wagen. Legionen von Wölfen umgeben diese großen Heerden und finden an den gefallenen Thieren eine reichliche Nahrung. Außer dem Menschen und dem großen grauen Bären, welcher das nordwestliche Amerika bewohnt, haben diese Thiere keine Feinde, obgleich Tausende von ihnen bei dem Uebersetzen über Ströme und dem Versinken in die schlammigen Ufer derselben ihren Tod finden.

Eine andere Merkwürdigkeit, welche die Aufmerksamkeit des Herzogs während seines Aufenthaltes in dieser Wildniß der neuen Welt auf sich zog, waren die kriegerischen Tänze der Rikkaras; die auffallendsten, welche er unter der Urbevölkerung des nördlichen Amerikas vorgefunden. Ganz entblößt, den Körper schauerlich mit Farbe bemalt, erzählten sich Gruppen von funfzig bis hundert dieser Indianer unter den schrecklichsten Stellungen und Verzerrungen des Körpers die Geschichte ihrer Kriege und Jagden, wobei sie unaufhörlich ihre Waffen zu gebrauchen, selbst ihre Feuergewehre loszuschießen pflegen. Diese

Tänze wurden meist in jenen grossen, weitläufigen Erdhütten aufgeführt, wobei der europäische Zuschauer in Gefahr gerieth, in dem Pulverdampfe zu ersticken. Auch bei diesen Indianern herrscht der Gebrauch, Fremde von Wohnung zu Wohnung zu Gaste zu laden, welcher Höflichkeit man nicht wohl ausweichen darf. Uebrigens sind die Rikkaras in Betreff ihrer Lebensmittel einfacher als die andern Indianer. Auch sie bauen türkischen Weizen, welcher nebst einer Art kleiner, schwarzer Bohnen ihre Hauptnahrung bildet. Beide Früchte sowie die Wassermelonen und eine Art Kürbisse wurden schon von Urzeiten her bei einzelnen indianischen Stämmen gebaut, und die ersten französischen Reisenden, welche den Lauf des Missuri erforschten, fanden diese Zweige der Agricultur schon vorherrschend.

(Der Beschluß folgt.)

Indiana, drame en quatre actes, par *Léon Halevy* et *Francis*.

Die Helden des dramatischen Feuilletons sind gegenwärtig Loewe-Weimars, der am „Temps" schreibt, und J. Janin, der Dramaturg des „Journal des débats". Loewe-Weimars hat einen ruhigern, schärfern Verstand, der Gedanke ist bei ihm concentrirter und consequenter, bei J. Janin herrscht die Phantasie mehr vor. Wenn wir Letzterm den Vorzug in Betreff der Form zugestehen müssen, so besitzt der Erstere mehr Kenntnisse und tiefere Einsichten in das Wesen der Kunst. Es ist interessant, die Leistungen Beider als Kritiker zu vergleichen; um so interessanter, da zwischen Beiden eine Rivalität herrscht, die sie täglich heftiger anspornt und welcher das Publicum mitunter treffliche Aufsätze verdankt. Wir machen mit einem Berichte im heutigen Feuilleton des „Journal des débats" über das oben angezeigte Drama den Anfang; die Manier des Hrn. J. Janin spricht sich darin charakteristisch aus; auch sind die Bemerkungen über V. Ducange und das Drama, wie er es begriffen und gestaltet, ein wichtiger Beitrag zur französischen Litteraturgeschichte der neuesten Zeit.

„Das Théâtre de la gaîté hat einen grossen Verlust erlitten. Der Tod des Hrn. V. Ducange entreißt den Boulevardstheatern eine ihrer kräftigsten Stützen. V. Ducange war ein vortrefflicher dramatischer Dichter für alle Theater diesseits und jenseits des Dramas. Er war reich an furchtbaren Erfindungen, dachte lange und mit dem ruhigsten Ernste über eine bizarre Situation, über eine befremdende Scene, über eine schreckliche Katastrophe nach. Dieser Mann, der früh gestorben, hatte das Parterre der Boulevards richtig beurtheilt, war tief in das Geheimniß seines Hasses, seiner Neigungen, seiner Vorurtheile gedrungen. Er bestrebte sich stets, in seinem Drama die einzigen Dinge anzubringen, welche das Volk mit Schrecken erfüllen können: keine politischen Conspirationen, keine Könige und Königinnen aus dem Mittelalter, keine unglücklichen Liebschaften, sondern Spiel, Mordbrand, das Schaffot, den Henker; alle Leidenschaften, alle Strafen, alle Leiden, die das Volk fürchtet. Bei umfassenden Kenntnissen und — wer sollte es glauben? — bei einem gründlichen Studium der Musterschriften war es V. Ducange durch angestrengte Arbeit gelungen, die ursprünglich reinen Formen seines Gedankens zu verzerren; es hatte ihm mehr Mühe gekostet, um zu diesem seltsamen, zerhackten Drama ohne alle Uebergänge, zu diesem harten, unpoetischen, trivialen Style zu gelangen, als vielen Andern, um sich zu einem reinen und correcten Drama, zu einer regelmäßigen Diction zu erheben. Dadurch entging V. Ducange der literarischen Kritik. Er lebte ganz ruhig in seinem Parterre, unter den Lesern, die er sich gewählt, unbekümmert um das Urtheil, welches die gebildete Welt über seine Arbeiten fällte. Die Biographie V. Ducange's würde höchst interessant sein; er ist der Repräsentant einer Gattung, die bisher noch nicht beleuchtet worden, und die für sich allein mehr Liebhaber und Bewunderer zählt als alle andere zusammengenommen. Unter seinen Dramen hat der „Spieler", welcher nach Regnard's Lustspiel gekommen, am meisten befremdet. Wie konnte der Verf. des Melodramas mit dem nämlichen Sujet, mit dem nämlichen Helden wie der Lustspieldichter zu einem so schrecklichen Schlusse kommen? Durch welche überraschende Kühnheit hatte er den eleganten und spirituellen Gentilhomme des Lustspiels mit Lumpen und Verbrechen bedeckt? Wie war der lustige und gutmüthige Hector zum Räuber und Mordbrenner geworden? diese Fragen stellte sich der denkende Theil der Zuschauer beim ersten Erscheinen des „Joueur". Das Parterre des Parterres aber, das wahre Parterre des Hrn. Ducange, außer sich vor grausiger Lust beim Anblicke dieser Gemälde, klatschte ihm mit blutigen Thränen Beifall zu; denn es hatte die Leidenschaft erkannt, die es Spielen nannte. Ducange läßt seinen Spieler vom Vater verfluchen; das gibt dem Stücke einen weit wirksamern moralischen Nutzen als die lächerliche Angst des schwachen Vaters, welchen Regnard seinem Spieler gab. Indem er dem Nichtswürdigen eine rechtmäßige, tugendhafte, liebende und entschlossene Frau gegeben, zeigte sich Ducange ebenfalls seinem Vorgänger weit überlegen. Ihrem Manne in treuer Anhänglichkeit ergeben, durch dessen schändliche Leidenschaft zu Grunde gerichtet, gelangt sie von Schmach zu Schmach endlich in die famöse Hütte im dritten Akte: kein Brot, kein Feuer, keine Kleider, Wind und Kälte, alle Noth und alles Elend des Himmels und der Erde! Und das arme Weib bleibt sich immer gleich, erträgt Alles mit liebender Geduld! So machte Ducange aus dem eleganten Spieler einen gemeinen Verbrecher in blutigen Lumpen: darin besteht das ganze Geheimniß des Dichters. Er verzerrte das Lustspiel zum Melodram und übertrieb alle grossen Charaktere des alten Theaters, den „Tartufe", den „Joueur", den „Misanthrope", den „Spieler", benahm ihnen die schöne Sprache und die gestickten Röcke, riß sie aus ihren eleganten Salons, um sie dem Straßenpöbel näher zu bringen und durch Uebertreibung jeder Art und Wortschwulst dem trivialsten Verstande zugänglich zu machen. Das ist das ganze Geheimniß des Hrn. Ducange; wenn ich es hier aufdecke, so geschieht es blos, weil das Werk bereits vollendet ist, und weil endlich die Meisterwerke der alten Bühne von ihrem Piedestale zu reißen und sie dem Volke der Boulevards zur Beute hinzuwerfen, eine große Kühnheit und Popularität erfoderlich waren".

Mit V. Ducange stirbt das eigentliche Melodrama. Die Theater der Boulevards bleiben jetzt einer Menge genialer junger Männer überlassen, die sich zu erniedrigen glauben würden, ein amusantes Melodrama in drei Acten zu schreiben, und die ihre Zeit damit zubringen, große Dramen mit feierlichem Ernste aufzubauen, ohne Tyrannen rc. — wahre tragédies, ohne die schöne Sprache, ohne die Hoheit der Gefühle. Ein solches Drama ist „Indiana". Die Verfasser haben das Buch der Madame Sand nicht verstanden. Schon Hr. Scribe hat versucht, diesen Roman zu dramatisiren. In der glühend heißen und dabei züchtigen Creolin hat er nichts als eine gewöhnliche Pariserin gesehen; aus Ralph hat er einen gewöhnlichen Ladendiener gemacht, der in die Frau seines Wohlthäters verliebt ist und sie hütet. Hr. Scribe hat in seinem Leben zu viele und zu schöne Colonels gemalt, um den Colonel Delmare zu begreifen, den er zu einem Fabrikanten umgeschaffen, welcher die Gicht hat und die Bäder besucht; und so hat sich das Repertorium des Gymnase mit einem neuen Stücke bereichert: „Le gardien", welches dem Romane der Mad. Sand entlehnt ist und demselben in nichts ähnlich sieht. Ebenso haben es die Verf. des Dramas gemacht; hier ist es mit drei Worten. Zuerst sehen Sie, wie im Romane, Indiana, Ralph und den Colonel. Dann wird Hr. de Ramière verwundet; dann kommt die Liebe des Hrn. de Ramière; die tugendhafte Indiana widersteht dem

Hrn de R.; der eifersüchtige Gatte führt sie nach Amerika; Hr. de R. verheirathet sich, und im Augenblicke, wo er den Contract unterzeichnet, erscheint Indiana: sie ist Witwe. Als sie erfährt, daß ihr Geliebter verheirathet ist, fällt sie in Ohnmacht; Ralph führt den Hrn. de R. in den Garten und erschießt ihn, und sagt dann zu Indiana: „Il vous reste un frère".

Wie ist es möglich, daß zwei, daß drei, daß vier Männer von Geist ein so verständliches Buch nicht begriffen haben? Der Oberst der Mad. Sand ist kein Theateroberst; er ist hartherzig, zänkisch; seitdem der Kaiser todt ist, hält er es für eine Erniedrigung, irgend Jemand zu gehorchen, selbst seiner Frau. Er begreift die leidenschaftliche Glut, die Thränen seiner Frau nicht; aber er wird dadurch gestört, deswegen verabscheut er sie. Delmare ist ein Egoist, der sein ganzes Leben hindurch gelitten, und der nicht einsieht, daß alle seine Umgebungen durch ihn leiden. Und Hr. de Ramière! Was haben unsere vier Dichter aus Hrn. de R. gemacht? Hr. Scribe hat einen fat daraus gemacht, die Verf. des Dramas einen seufzenden, schmachtenden Jüngling! O mein Gott! nein, nein, nein, das ist nicht der Ramière der Mad. Sand. Ich weiß in Wahrheit nicht, was ich mehr bewundern soll, Hrn. Delmare, den Colonel, oder Hrn. de Ramière, den Dandy! Wie wahr ist hier der Dandy unserer Tage geschildert! Bei mittelmäßigem Talente ehrgeizig, petit-maître, verliebt, wenn er nichts Besseres zu thun weiß, verliebt im Vorzimmer und im Salon, ohne Herz, ohne Leidenschaft, ein fünfundzwanzigjähriger Egoist, der den Byron vor dem Spiegel macht. Wie viel Erbärmlichkeiten hat die Verf. von „Indiana" in dem Herzen dieses Mannes gefunden; wie erschreckt ihn Indiana's Liebe, weil sie ihn hindern könnte, eine gute Partie zu machen und Requetenmeister zu werden. Und aus diesem Ramière haben die Verf. des Dramas einen verliebten Liebhaber gemacht, und aus dieser Indiana eine Frau, die widersteht, und aus dem Obersten einen etwas brutalen, aber gutmüthigen Mann.

Wie sehr muß es bedauert werden, daß auf den ersten Band von „Indiana", auf den ersten Band von „Valentine", jene Meisterwerke von Geschmack, Eleganz und Seelenkenntniß, „Lélia" gefolgt! „Lélia" hat die moralische Wirkung ihrer Schwestern „Indiana" und „Valentine" mit einem Striche vernichtet. Diese Lelia ist eine schreckenerregende, gemeine und stupide Creatur! Mit weit geöffneten Nüstern sucht sie nach einem Sinn, der ihr fehlt; sie fodert ihn von der ganzen Natur, vom Kloster, vom Berge, vom Jünglinge, vom Priester, vom Galerensklaven, von Italien, von Frankreich, von der Buhlerin Pulcherie, vom Sturme, wie die thracischen Stuten, und Niemand kann ihr den Sinn geben, der ihr fehlt! O, es sind nicht die Sinne, die ihr fehlen! es ist ein Herz. Und wie hat die Verf. nicht eingesehen, daß sie auf diese Art ihre beiden beredten Plaidoyers gegen die Männer vernichte? Wenn je ein Weib wie Lelia existirte oder auch nur existiren konnte, mit welchem Rechte Hrn. de Ramière, Hrn. Delmare ihren Egoismus vorwerfen? Doch genug über diese obscöne und unglaubliche Ausgeburt einer kranken Phantasie. Es gibt eine Gerechtigkeit, die über die Gerechtigkeit der Welt erhaben ist: das Gewissen einer Person von großem Talente, welches ohne Zweifel zurückbeben wird vor Schrecken, den beiden reizenden Töchtern „Indiana" und „Valentine" diese mehr als ehebrecherische, diese unerklärliche Schwester Lelia gegeben zu haben. 143.

Geschichte der Stadt und des ehemaligen Stiftes Feuchtwangen. Ein Beitrag zur vaterländischen Geschichte von C. F. Jacobi. Nürnberg, Riegel und Wießner. 1833. Gr. 8. 1 Thlr.

Der Verf. dieser wohlgelungenen Schrift, welche man auch als einen Beweis und ein Ergebniß des in Baiern herrschenden und durch die Gründung mehrer historischer Vereine bethätigten Interesses für Erforschung der heimatlichen Geschichte, besonders älterer Zeit, betrachten kann, erhielt eine bestimmte Richtung für seine schon früh mit begeistertem Eifer betriebenen historischen Studien durch den vom Könige von Baiern im J. 1827 an die Geschichts- und Alterthumsforscher seines Reiches erlassenen Aufruf, merkwürdigere Alterthümer zu sammeln, zu erhalten und zu beschreiben. Seine Aufnahme in den historischen Verein für den Rezatkreis war ihm sodann eine dringende Auffoderung, für die Zwecke desselben die gesammte Zeit, welche seine amtlichen Verhältnisse ihm erübrigen ließen, zu benutzen, und er wählte sich nach einigen kleinern Beiträgen zum ersten größern Versuche die Geschichte der Stadt Feuchtwangen, in welcher er mehre Jahre als Lehrer gewirkt und sein bürgerliches und häusliches Glück gegründet hatte. Allerdings ist die Geschichte dieser Stadt von keiner Bedeutung für die allgemeine deutsche Geschichte, indem sie bei geringer Größe und Bevölkerung schon 1376 ihre Reichsunmittelbarkeit verlor und durch Verpfändung unter burggräflich-nürnbergische Landeshoheit kam; allein andererseits gestattete der vorhandene Reichthum an Quellen, welche besonders die jenem Vereine eröffneten Archive zu Nürnberg darbieten, eine erschöpfende und urkundliche Behandlung des Gegenstandes, und zugleich wurde der Wunsch der ehemaligen Mitbürger des Verf., über die Schicksale ihrer Stadt genauer unterrichtet zu sein, durch seine Arbeit um so vollkommener befriedigt, als er mit sorgsamem Fleiße seine Quellen benutzt und sich mit ebenso gewissem Eifer als Erfolg bemüht hat, ein klares und ansprechendes Bild von den frühern Schicksalen und Zuständen der Stadt zu geben. Mit richtigem Takte ist das Unwichtige ausgesondert und das Wichtigere in der Darstellung geordnet und verbunden worden, und dem innern Leben der Stadt, namentlich ihrer Verfassung und ihrem Verhältnisse zu dem Stifte, in welches im 14. Jahrhunderte das höchst wahrscheinlich von Karl dem Großen schon gegründete Kloster Feuchtwangen umgewandelt wurde, und der Einführung der Reformation ist eine gleiche Aufmerksamkeit zugewandt worden wie ihren äußern Schicksalen. Die urkundlichen Beweisstellen und andere Anmerkungen sind sehr zweckmäßig am Ende des Buches zusammengestellt, weil sie für viele Leser desselben nicht von Interesse sein werden, obwol sie grade die Gründlichkeit der Arbeit bewähren. Der Verf. kann überzeugt sein, daß dieser Versuch seinern Arbeiten eine gute Aufnahme bereiten wird, und wir wünschen lebhaft, daß er nicht durch seine Amtsgeschäfte möge genöthigt werden, die von ihm versprochene baldige Erscheinung derselben weiter hinauszuschieben. 16.

Notizen.

In Paris wird angekündigt: „Voyage d'un iconophile: revue des principaux cabinets d'estampes, bibliothèques et musés d'Allemagne, de Holland et d'Angleterre, par *Duchesne aîné.*"

Im Haag erschien kürzlich in holländischer und französischer Sprache: „Rapport sur les recherches relatives à l'invention première et à l'usage le plus ancien de l'imprimerie stéréotype, faites à la demande du gouvernement par le baron de *Westreenen de Tiellandt*". Die Schrift umfaßt vier Bogen und enthält mehre Facsimiles.

Die Société française statistique universelle hat beschlossen, daß Frauen, welche durch ihre Protection oder wissenschaftliche Thätigkeit zur Beförderung der Wissenschaft beitragen, unter ihre Mitglieder aufgenommen werden können. Dies ist seitdem mit der Prinzessin Constanze von Salm wirklich geschehen.

Der älteste englische Pferdeadel ist revolutionnairen Ursprungs, denn seine Stammbäume beginnen mit Turc le Blanc, einem Beschäler aus Cromwell's Stuterei. 3.

Redigirt unter Verantwortlichkeit der Verlagshandlung: F. A. Brockhaus in Leipzig.

Blätter
für
literarische Unterhaltung.

Donnerstag, — Nr. 360. — 26. December 1833.

Die Reisen des Herzogs Paul von Würtemberg in Amerika.

(Beschluß aus Nr. 359.)

Niederlassung des Herrn Lammond. Annäherung des Frühlings. Fahrt stromaufwärts zu den Mandanen. Der Greis Pierre Gareau. Ankunft am Messerfluß. Der Herzog reist zu Lande weiter. La tête de nonne. Der Kanonenkugelfluß. Uebergang darüber und über den Herzfluß. Grus struthio. Hinterhalt und Ueberfall der Rikkaras. Versöhnung. Ankunft im Dorfe der Mandanen. „Das weiße Haar", ihr greiser Häuptling.

Herr Lammond erschien den 26. März und lud den Herzog ein, ihn nach der von seinen Leuten gemachten Niederlassung zu begleiten und dort seinen Wohnsitz aufzuschlagen. Der Fürst brachte sein indisches, ledernes Zelt dahin, verwahrte sich so gut wie möglich vor der Kälte, nahm auch einige seiner besten Pferde mit, die er zum Glück mit türkischem Weizen wieder auffüttern konnte. Zu dieser Zeit trat Thauwetter und mit ihm die Anzeichen des Frühlings ein. Große Züge von Wasservögeln und eine Menge Landvögel erschienen nun und gewährten dem Wanderer manche reiche und neue Ausbeute. In den ersten Tagen Aprils gelang es, das Fahrzeug zu heben, und in wenigen Tagen konnte es seine Ladung einnehmen. Hr. Lammond beschloß, mit demselben stromaufwärts bis zur Niederlassung der Mandanen zu fahren, und lud den Herzog ein, ihn zu Wasser dahin zu begleiten, während seine Pferde und Leute den Landweg einschlagen sollten. Dies war übrigens ein gewagtes Unternehmen, da sich nur wenige Individuen fanden, welche die Absicht hatten, dasselbe zu theilen, und der Fürst seine Pferde ohne bedeutende Bedeckung nicht alle zurücklassen konnte. Einzelne Haufen der Rikkaras waren schon ins Feld gezogen, um die Mandanen oder Chippeways anzugreifen, mit welchen sie in unversöhnlichem Hader leben. Solche Kriegsscharen der Rikkaras sind dann sehr gefährlich und handeln meist rücksichtslos gegen Feind und Freund. Ein alter Creole, der Vater des Pierre Gareau, beinahe 80 Jahre alt, dennoch rüstig und ein muthiger Zögling der Natur, unternahm es, das Convoy zu begleiten; zu ihm gesellten sich zwei ebenfalls gut prädicirte Indianer, welche versprachen, wenigstens die Hälfte des Weges mit zurückzulegen, und so machte sich der Herzog mit Hrn. Lammond zu Wasser, die Andern mit den Pferden zu Lande auf den Weg.

Der Wind und der hohe Wasserstand begünstigten Jene, und sie legten über 40 Stunden in vier Tagen zurück. Hr. Lammond hatte den Winter mit einer Horde Sahone, einem Stamme der Sioux-Indianer, an dem kleinen Messerflusse (La rivière au couteau) zugebracht, um daselbst noch einige zurückgelassene Sachen einzunehmen. Sie langten hier am 13. April an; am Abend bemerkte der Herzog auch die Ankunft seiner Leute auf dem jenseitigen Ufer. Auf Zeichen, welche die Indianer ihm machten, setzte er über den Strom und erfuhr, daß diese nicht weiter reisen wollten, weil sie Spuren von Mandanen erblickt hatten. Nun mußte sich der Herzog, trotz der Bitten des Hrn. Lammond und seiner Leute, bequemen, selbst zu Lande die Reise weiter fortzusetzen. Nachdem er vollends alles Gepäck zu Schiffe gebracht hatte, unternahm er es, mit den leeren Handpferden weiter zu reisen, in der Hoffnung, im Nothfall Gewalt mit Gewalt abweisen zu können. Da das Wetter günstig blieb, so machten sie in den ersten zwei Tagen ziemlich große Touren, wobei sie auf große Rudel von Auerochsen und Rothwild stießen. Am Morgen des 16. April erreichten sie ein schönes, sich an den Missuri anlehnendes Secundar-Kalkgebirg, La tête de nonne genannt, welches unter dem 47. Grad nördlicher Breite liegt. Am Mittag erreichten sie einen großen, von Westen kommenden Strom, La rivière au boulet genannt, der seinen Namen von einem merkwürdigen Eisengerölle führt, das sich hier in Gestalt einzelner, oder aneinanderhängender Kanonenkugeln befindet, deren man sich wirklich zu diesem Behufe bedienen könnte. Nirgends auf seiner Reise an den Flüssen des westlichen Amerikas sah der Herzog eine ähnliche eisenhaltige Formation und unterließ nicht, durch dieselbe seine Sammlungen zu bereichern. Das Uebersetzen über diesen Fluß machte viele Mühe; der alte Gareau war mehrmals durch denselben hin- und hergeschwommen, bis er endlich einen Pfad fand, dessen Ufer nicht schlammig waren. Ganz durchnäßt zündeten sie hier ein Feuer an und trockneten ihre Kleider an demselben. Sie legten an diesem Abende noch sechs Stunden Weges zurück und blieben an einem kleinen sumpfigen Wasser über Nacht, konnten aber, durchnäßt und durchfroren, kein Auge zuthun, was indessen zu gleich für den ganzen Verlauf dieser Reise zur nöthigen Vorsicht wurde, da der Wegweiser sichere Anzeichen in der Nähe herumschwärmender Indianer bemerkte.

Schon in der Frühe des folgenden Morgens setzten sie über den Herzfluß (La rivière du coeur), der ebenfalls tief und reißend, dessen Grund jedoch nicht so schlammig war. Von hier an wurde die Gegend gebirgig, und unendliche Scharen von Schwimm- und Sumpfvögeln bedeckten alle Plätze, an welchen Wasser stehen geblieben war. Diese Thiere waren sammt und sonders so wenig scheu, daß sich ein großer Fang unter ihnen machen ließ. Zum ersten Male sah unser Reisender hier den großen weißen Kranich (grus struthio), den größten Landvogel der neuen Welt, welcher alle seine Gattungsverwandten an Größe übertrifft und durch sein prächtiges milchweißes Gefieder und seine großen gekrümmten Steißfedern selbst die südamerikanische Rhea noch hinter sich läßt. Diese Vögel sind äußerst scheu; es scheint auch, daß sie von der Natur nur sehr sparsam vertheilt sind. Auch sie laufen, wie der Strauß, außerordentlich schnell, und bei herannahender Gefahr suchen sie sich mehr durch den Gebrauch ihrer Stelzfüße als durch ihre Flügel zu retten. Dennoch erheben sie sich im Fluge hoch in die Luft und durcheilen dann als Zugvögel große Strecken.

Die Reisenden übernachteten ohne Feuer in einer buschigen Gegend, und schon mit dem frühen Morgen brachen sie wieder auf. Die Gegend war von einer Menge Hügel durchschnitten, welche theilweise kurze und steile Abhänge, von tiefen, schlammigen Bächen durchschnitten, bildeten, wodurch jeder Schritt Weges erschwert war. In einer ganz von Bergen umschlossenen Kluft hörten sie plötzlich ein durchdringendes Pfeifen, und in demselben Augenblicke sahen sie sich von mehren Hundert Indianern umringt und unter gräßlichem Geheul, Gewehrfeuer und Pfeilhagel angegriffen. Da dieser Anfall in vollem Laufe geschah, so waren die Schüsse ohne alle Wirkung. Aber der Herzog befand sich mit dem alten Gareau über 200 Schritt von dem übrigen Gefolge abgeschnitten. Und doch mußte grade dies zu ihrer Rettung dienen, denn die Indianer wären zweifelsohne zwischen zwei Feuer gerathen. Indessen blieben sie schon jetzt, als sie die feste Haltung der zwei Wanderer bemerkten, auf ungefähr 100 Schritt entfernt stehen, und ihr Häuptling foderte die Reisenden auf, die Waffen niederzulegen. Statt aller Antwort nahm der Herzog den Häuptling aufs Korn und setzte die Indianer in die Nothwendigkeit, entweder angriffs- oder rückzugsweise zu handeln, bei welcher Gelegenheit sie wahrscheinlich größern Verlust erlitten hätten. Da die Reisenden kein Gepäck bei sich führten, so wäre der Gewinn überdies nicht allzu groß gewesen. Durch diese Umstände kam die wilde Bande zur Vernunft, zumal da sie ihre Gewehre meist abgeschossen hatte. Die Indianer legten ihre Gewehre nieder und näherten sich einzeln. Es waren Rikkaras. Unter vielfachen Entschuldigungen suchte der Häuptling den Angriff durch ihre Kriegsgebräuche zu erklären, und nachdem er die Friedenspfeife angezündet und die Reisenden mit ihm geraucht hatten, entfernte er sich mit seiner ganzen Bande unter vielfältigen Freundschaftsbezeigungen. Diese Indianer waren ganz nackt und hatten den Körper aufs scheußlichste bemalt, was als Beweis dienen konnte, daß es ihnen Ernst mit dem Angriffe gewesen war.

Auf der Weiterreise bedrohte die Wanderer ein neuer Haufe Rikkaras, fand sie aber ebenso zur Erwiderung aller Feindseligkeiten bereit. Dennoch wäre es vielleicht zu ärgerlichen Auftritten gekommen, wenn nicht der Sohn eines dem Herzog bekannten Häuptlings sich unter der Bande befunden hätte; dieser schüttelte jenem treuherzig die Hand und erklärte dem Dolmetscher, er sollte sich unter keiner Bedingung den ganzen Haufen nähern lassen. Es war dies keine unnöthige Vorsicht, denn ein junger Mulatte des Gefolges, welcher aus dem Kreise trat, um ein Pferd aufzugreifen, wurde wenige Schritte vom Herzog von einem Indianer mit dem Bogen auf den Kopf geschlagen, sodaß er besinnungslos zu Boden fiel. Dies verursachte Zwist unter den Indianern selbst, indem der junge Häuptling und seine Anhänger sich der Sache des Mulatten mit allem Eifer annahmen, und ohne des Herzogs Dazwischentritt wäre es zuletzt unter den Indianern selbst zu blutigen Händeln gekommen. Der Haufe von Barbaren war übrigens nicht geneigt, sich lange bei den Reisenden aufzuhalten, indem sie selbst von den Mandanen verfolgt wurden und sich zu schwach fühlten, ihnen zu widerstehen.

Von der Niederlassung der Mandanen selbst war der Herzog jetzt nur noch 12 Stunden entfernt und erreichte dieselbe schon am 19. April bei Zeiten, nachdem er mehr denn 100 Stunden Weges in acht Tagen zurückgelegt hatte. Ein nicht unbedeutender Gebirgsrücken senkt sich eine Stunde südlich von dem Mandanendorfe ziemlich schroff in den Missuri. Als sie die Höhen erklommen, sah man schon die Mandanen, und da diese nicht erkennen konnten, ob die Fremden Feinde oder Freunde wären, so war die Ebene bald voll Bewaffneter zu Pferde und zu Fuß. Zuerst erreichte die Reisenden ein großer langer Indianer, welcher taubstumm war, der einzige von der Natur verwahrloste Mensch dieser Art, den der Herzog unter den Indianern sah. Ihm folgte bald darauf ein schöner junger Mann zu Pferde, im vollen Waffenputze, welcher so vortheilhaft diese nordischen Nationen auszeichnet. Des Fürsten Dolmetscher sagte diesem, es sei der Sohn des ersten Häuptlings der Mandanen. Noch ehe sie das Dorf erreichten, sahen sie sich von einem großen Haufen Indianer umringt, und bald erschien der Häuptling, „das weiße Haar" genannt, ein grauer, ehrwürdiger Mann von wahrhaft patriarchalischem Aussehen, welcher schon im J. 1805, zur Zeit, als das Volk der Mandanen von dem jetzigen General Clarke unter der Expedition von Lewis entdeckt worden war, als oberster Häuptling angetroffen wurde. Seit der Entdeckung dieser Horde haben niemals Feindseligkeiten zwischen ihnen und den Weißen stattgefunden; sie waren stets die getreuen Verbündeten der Amerikaner und der Schutz der Pelzhändler. Diese Nation bietet eines jener seltenen Beispiele, daß selbst die europäische Sittenverderbniß den Charakter einzelner Naturmenschen nicht zu verderben vermag. Bis auf den heutigen Tag trinken die Mandanen keinen Branntwein, sind ehrlich und treu, halten unverbrüchlich ihr Wort und zeigen jene kindliche Gutmüthigkeit, die den wilden Völkern im Friedenszustande eigen zu sein scheint und ein schätzenswerther Zug im Charakter jener Naturkinder ist. Die amerikanische Pelzhändlergesellschaft unterhält fortwährend eine Factorei im Dorfe der Mandanen sowie einen niedern Beamten in den ganz nahegelegenen Dörfern der „Großbäuche" (min-ta-ree). Auch diese Indianer sind bis jetzt mit den Amerikanern befreundet geblieben, obgleich sie lange nicht so friedlich sind und es nicht so treu meinen wie die Mandanen. Noch heute befindet sich als Agent der Pelzhändler und als Dolmetscher jener Charboneau bei ihnen, welcher die Expedition von Lewis und Clarke nach der Westküste begleitete und durch seine treuen Dienste und seine Kenntniß der westlichen Nationen zur Möglichmachung und Ausführung jenes Riesenplanes Vieles beitrug.

Ankunft Herrn Lammond's. Major Sandford. Frühling. Reise nach dem Fort Union am Yellowstone in Begleitung der „Großbäuche". Ihr trefflicher Häuptling und Priester Makupa-Pische. „Der tanzende Bär", ein tumulus. Eintreffen beim Fort Union. Excursion nach den Rocky mountains. Gefahren und Nachstellungen. Der Herzog fährt den Missuri in einem hohlen Baumstamm bis nach St.-Louis hinab. Reise nach Mexico und Heimkehr.

Nach Verlauf von vier Tagen erschien nun auch Herr Lammond mit seinem Fahrzeug, herzlich erfreut, die Reisenden noch am Leben zu finden. Da er am Ufer des Stromes mehrmals Kriegshaufen der Indianer gesehen, so hatte er sie schon verloren gegeben. Zu gleicher Zeit kam auch ein Fahrzeug von der äußersten amerikanischen Factorei am gelben Felsenflusse (Yellowstone) herab. Es hatte den Major Sandford am Bord, den Intendanten des Gouvernements für die nordwestlichen Indianer. Die Bekanntschaft dieses liebenswürdigen Mannes war für den Herzog von großem Werth, und seine Gesellschaft trug Vieles dazu bei, ihm seinen Aufenthalt im Dorfe der Mandanen angenehm zu machen. Das Studium der hier vereinten Nationen und, so weit es thunlich war, manche Excursionen bereicherten seine Sammlungen und Erfahrungen. Mit dem Anfange Mais stellte sich das Frühjahr ein. Obgleich es gewöhnlich in der Nacht noch fror, so waren dennoch die Tage schön; große Büffelheerden bedeckten die umliegenden Steppen und veranlaßten manche angenehme Jagdpartie. Auf einer derselben wurden die Mandanen von den Rikkaras überfallen und bei diesem Angriff von beiden Seiten mehre Indianer getödtet.

Es war in der Factorei beschlossen worden, eine Anzahl Leute, Pferde und Gepäck nach dem Fort Union am Yellowstone zu senden. Und zu dieser Expedition, der sich auch der Herzog anschloß, wurde nur das Eintreten der warmen Witterung erwartet. Ein ansehnlicher Haufe „Großbäuche" sollte den Zug begleiten. Der Herzog war anfangs gegen diese Begleitung. Da aber Charboneau selbst sich anheischig machte, mitzugehen, so wußte er nichts weiter einzuwenden. Den 10. Mai brachen sie, einige 20 Weiße mit 50—60 Pferden und über 60 indianische Krieger, auf. Die erste Nacht blieb die Schar im Dorfe der Großbäuche, die zweite mitten in der Steppe bei einem Wasserpfuhl. Die Großbäuche, welche sich zu einem Kriegszug vorbereiteten, wollten sich erst zwei Tagereisen weiter förmlich an den Zug anschließen. Ein alter Häuptling aber, Makupa-Pische genannt, der zugleich eine Art Zauberer und Priester war, blieb bei dem Herzog und verließ ihn bis zu seiner Ankunft im Fort Union keinen Augenblick. Er versichert, nicht bald einen treuern und bessern Menschen kennen gelernt zu haben als diesen Indianer, welcher ihm, da er, des Landes ganz unkundig, dennoch der Jagd halber meilenweit vor der Karavane vorausstrich, von unendlichem Nutzen war, sich in die kleinsten Launen des Herzogs mit der größten Bereitwilligkeit schickte, auch ihn von allen Vortheilen beim Beschleichen der wilden Thiere und den dabei nöthigen Vorsichtsmaßregeln genau in Kenntniß setzte. Am 13. Mai übernachtete der Zug in der Nähe des Missuri an einer bewaldeten Flußspitze. Hier sah unser Reisender eine runde, abgestumpfte, kegelförmige Anhöhe, sonderbarerweise von den Indianern der tanzende Bär genannt. Es ist dies einer jener riesenhaften tumuli, welche ihre Entstehung einer Periode verdanken, die, allen historischen Relationen entschwunden, für Amerika eine Aera bildete, welche mit der spätern Geschichte des Landes in keiner directen Verbindung steht. Aehnliches fand der Herzog außer in St.-Louis nur noch am Peukafluß unweit des Eau-qui-court. Hier sah er eine rein zirkelförmig gebildete Schanze, welche über 150 Fuß im Durchmesser hatte, und deren wohlerhaltene Formen eine ganz andere Kriegsstrategie und andere Waffen voraussetzten, als sich bei den jetzigen Indianern finden.

Nach mancher Gefahr erreichte der Herzog am 28. Mai 1830 die Mündung des Yellowstone. In der Nähe dieser Mündung mußten die Reisenden über den Missuri setzen, indem das Fort Union zwei Stunden weiter oben, auf der nördlichen Seite des Missuri gelegen ist. Von hier aus machte der Fürst eine langwierige und höchst beschwerliche Excursion nach den Rocky mountains (Felsengebirgen). Von allen Gefahren belagert, von wilden Indianern, namentlich den „Schwarzfüßigen", einer blutgierigen und unversöhnlichen Horde, verfolgt, legte er diese schwierige Reise ebenfalls zurück, wandte sich in der Nähe der Fälle des Missuri, nicht weit von der Mündung des Mariaflusses, und erreichte erst im August die Mündung des Yellowstone wieder. Von hier aus schiffte er unter vielerlei Gefahren in einem großen ausgehöhlten Baumstamm die ungeheure Strecke den Missuri hinab bis nach St.-Louis (über 1500 englische Meilen), nachdem er einer Bande ihm nachstellender Rikkaras kaum mit dem Leben entronnen war. Ganzer drei Monate bedurfte er zu dieser Fahrt. Von St.-Louis machte er sich im

Spätjahr auf den Weg nach Neuorleans. Durch ein seltsames Spiel des Schicksals traf ihn unterwegs abermals das Unglück, daß das Dampfboot, auf welchem er sich befand, auf demselben Platze, auf welchem er sieben Jahre vorher Schiffbruch gelitten hatte, bei Geneviève, abermals scheiterte. Nun reiste er zu Lande nach Neumadrid, besonders in der Absicht, diese durch Erdbeben höchst merkwürdig gewordene Gegend genauer zu beobachten, und blieb daselbst über acht Tage. In Neuorleans angekommen, schiffte er sich nach Tampico de Taumalipas ein, reiste von da, nachdem er sich eine Karavane gebildet hatte, durch die reizenden, aber beinahe unwegsamen Schluchten der Cañada de Tlacolula, unstreitig einer der wichtigsten Gegenden am Abhange der östlichen Cordilleren, welche sowol dem Geognosten als dem Botaniker unendliche Schätze verheißt. Von hier aus erstieg er die erste Kette der Anden, nahm seinen Weg über Zakualtipan und Atotonilko el Grande nach dem berühmten Bergwerk von Mineral del Monte und erreichte im Februar 1831 glücklich die große Hauptstadt des alten Reiches der Azteken (Mexico). Von dem Präsidenten Bustamente aufs zuvorkommendste empfangen, wurde er auf die freundlichste Weise in den Stand gesetzt, alle wissenschaftlichen Quellen der amerikanischen Metropole zu benutzen. Umstände nöthigten ihn, sich wieder in Tampico einzuschiffen. Er kehrte nach Neuorleans zurück, begab sich über Cincinnati nach Pittsburg, von da zu Lande an den See Erie und über Bufalo, Genova, Albani nach Neuyork, besuchte noch Philadelphia, Baltimore und Washington, und erreichte endlich Frankreich im Juli 1831. 198.

Römische Erotik von Hermann Paldamus. Greifswald, Koch. 1833. 8. 14 Gr.

Schulgelehrte Abhandlungen von der Art der vorliegenden kommen selten zur Kenntniß dieser Blätter und müssen, wenn sie ausnahmsweise genannt werden, in kurzer Charakteristik erschöpft sein. Dieser Grundsatz erlaubt uns nur einige wenige Worte über diese überaus tüchtige und würdige Schrift. Der Zweck derselben ist, die Formen, in welchen sich die Idee der Liebe bei den Römern (d. h. den römischen Dichtern) kundgab, in ihrem organischen Zusammenhange mit Sitte, Religion und Staat, mit Rechtsverfassung und Kunstgeschichte darzulegen und in ihren einzelnen Momenten zu entwickeln. Hier ist daher eine vollständige Literaturgeschichte so wenig zu erwarten, daß es dem Verf. vielmehr nur auf Ergänzung vorhandener Lücken und um eine Darlegung individueller Ideen über die erotischen Dichter Roms zu thun war. Bei so vieler Gelehrsamkeit, wie der Verf. über diesen Gegenstand beurkundet, ist seine Darstellung concis und geschmackvoll geblieben. Er bleibt streng bei seinem Thema stehen, vermeidet selbst den Vergleich mit den Hellenen und gibt, was er geben will, eine Hermeneutik der erotischen Dichter Roms. Seine Erforschung ihres Geistes, die Prüfung ihrer Grundsätze, ihrer Ideen und ihrer Darstellungsweise führt ihn auf den Gedanken Alfieri's zurück: „che la pianta „uomo" nasce più robusta in Italia, che in qualunque altra terra", ein Satz, von dessen Wahrheit wir stets durchdrungen waren. Dessenungeachtet muß er einräumen, daß das Harmlose, Kindlichliebliche und Schuldlose der erotischen Volkspoesie, wie es im Orient, wo jeder Zweig der Literatur vom Eros durchdrungen ist, in Hellas und in Germanien angetroffen wird, den Römern fremd war, und daß diese fast von vorn herein in die Überspringung aller sittlichen Schranken geriethen, welche bei uns, durch Schlegel's „Lucinde" angeregt und von den „Blauen" (Heine) rüstig fortgeführt, der erotischen Poesie Werth und Bedeutung geraubt hat. Die Liebe war bei dem selbstsüchtigen Römer stets nichts als ein verfeinerter und verheimlichter Egoismus, und als solcher charakterisirt sie der Verf. Die Erlangung der Geliebten und ihrer Gunst ist der Gegenstand der römischen erotischen Poesie, und durch und durch hat sie kein andres Ziel als dies. Fügen wir diesem die bekannte römische Geschmacksverirrung hinzu, welche jeder Scheidewand des Alters und des Geschlechts vergaß, so bleibt an der römischen Erotik in der Ausartung des Kaiserreichs nicht viel Liebenswürdiges übrig, und Catull, Juvenal, Horaz oder gar Petronius, der die Unsittlichkeit zur Frivolität überführte, Ovid, dessen „Ars amandi" der Verf. mit Machiavell's Fürstenbuch parallelisirt, und dessen Nachfolger, Proculus, Montanus, Ponticus, Capella u. s. w., können uns, streng genommen, nur als Curiositäten Interesse abgewinnen. Wie der edlere Sinn der voraatullischen Schule, der die Frauen als das vermittelnde Princip im Staat behandelte und der Ehe ihre Heiligkeit ließ, wie Das, was in Properz und Tibull noch achtbar war, allmälig in Ovid'sche Sinnlichkeit und Schrankenlosigkeit überging, erörtert der Verf. geschichtlich und kunsthistorisch mit höchst anziehenden Rückblicken auf römische Sitte, Lebensform, Verfassung und rechtliche Bezüge. Der letzte Repräsentant des ursprünglichen Gefühls des Ernstes und der strengern Sitte ist ihm Tacitus, der seine Schilderung Germaniens als einen letzten Versuch, dem Sittenverfall Einhalt zu thun und der Verderbniß einen Spiegel vorzuhalten, hinwarf. Auf der andern Seite gilt es ihm, gerecht zu sein und dem Römer nicht überall unsern Maßstab anzupassen, ihm, der ohne im Glauben wurzelnde Religion und ohne das im Norden fühlbarere Bedürfniß der Häuslichkeit und der Ehe leichter jenem schrankenlosen Triebe verfallen mußte, gegen den im Orient nur Polygamie und despotische Absonderung sicherten. Reich an solchen erklärenden und vermittelnden Betrachtungen ist diese Schrift, in der sich Gelehrsamkeit und philosophischer Scharfsinn zu einem vollkommen errichten Ziele vereinigen, das die Worte der Einleitung klar und scharf bezeichnen. 54.

Redigirt unter Verantwortlichkeit der Verlagshandlung: F. A. Brockhaus in Leipzig.

Blätter

für

literarische Unterhaltung.

Freitag, —— Nr. 361. —— 27. December 1833.

Memoiren eines preußischen Offiziers. Herausgegeben von C. Herloßsohn. Zwei Theile. Leipzig, Literarisches Museum. 1833. 8. 2 Thlr.

Wir nahmen diese Memoiren nicht ohne Erwartungen in die Hand. Die preußische Armee hat in den letzten 20 Jahren manches eminente Talent entwickelt, und die kriegswissenschaftliche sowie die zeitgeschichtliche Literatur hat von dorther manchen geistvollen Beitrag erhalten. Wir gedenken nur der Meisterwerke eines von Müffling, von Valentini, von Clausewitz u. A., erinnern beiläufig an die Tagebücher des Generals Seidlitz aus dem russischen Feldzuge und beziehen uns auf die zahlreichen kriegsgeschichtlichen, fortificatorischen, taktischen, topographischen, geographischen, mathematischen schriftstellerischen Unternehmungen jüngerer und älterer Offiziere und heben besonders das für die Organisation der Artillerie in Rußland, Frankreich und England so bedeutend gewordene System der reitenden Artillerie heraus, welches in seiner jetzigen Gestalt dem Kopfe des kräftigen Generals Monhaupt und der gewandten Feder seines Brigadeadjutanten von Slevoigt Leben und Darstellung verdankt, um von diesem Punkte aus die vorliegenden Memoiren bei dem Publicum einzuführen.

Der Verf. dieser Memoiren ist ein Artillerist. Seine Jugendgeschichte, die er mit launiger Würze vorträgt, beginnt um die Zeit des Kartoffelkrieges (1778), wo er als Knabe die scheußliche Waffenthat des östreichischen Generals Wallis, die Verbrennung seines kleinen Geburtsorts, Neustadt in Oberschlesien, erlebte. Friedrich II. erscheint bald darauf persönlich im Orte und trocknet die Thränen, lindert die Noth, hilft und läßt helfen nach seiner gewohnten raschen, scharfsichtigen und durchgreifenden Weise. Der Vater unsers Helden, Bürgermeister in Neustadt, wird von dem großen Könige als ein brauchbares Organ für diese Zwecke geehrt, und vielleicht dies nicht weniger als die natürlichen Anlagen des Knaben bestimmen über das Schicksal des letztern. Er tritt als kräftiger 17jähriger Mensch in Berlin bei der Artillerie ein. Sehr anziehend haben wir die Charakteristik des damaligen Akademiedirectors Rode gefunden, den er als Verwandten aufsuchte und ungeachtet der großen Altersverschiedenheit Beider aufrichtig lieben und schätzen lernte; diesem tüchtigen Künstler verdankte der Verf. viel. Das häusliche Leben dieses genialen Mannes war das traurigste, welches je einem Ehemanne von seiner Hälfte bereitet wurde, und nicht ohne Antheil wird man die Schilderung desselben lesen.

Friedrich der Große hatte bekanntlich die große Idee gefaßt, der schweren Waffe des Geschützes eine Beweglichkeit und „Manoeuvriefähigkeit" zu verleihen, durch welche sie mit den übrigen Waffengattungen ein harmonisches Glied zu bilden im Stande sei. Die reitende Artillerie ist eine Schöpfung seines Genius. Leider fand er keinen Seidlitz unter seinen Artilleristen, und die Ausbildung seines großen Gedankens blieb unter den Händen seiner Offiziere in der Kindheit, aus welcher selbst Napoleon, der Friedrich's Idee mit besonderer Sachkenntniß fortbildete, sie noch nicht zu reißen vermochte. Erst die Erfahrungen aus vielen bedeutenden und besonders aus den russisch-türkischen Campagnen brachten den obenerwähnten jetzigen General Monhaupt darauf, die Idee Friedrich's nach eigner Auffassung zuerst praktisch mit einer reitenden Batterie durchzuführen, die er 1813 bei der russisch-deutschen Legion führte. Die glänzenden Waffenthaten dieser Batterie sind zu bekannt, als daß sie hier besonders erwähnt zu werden brauchten. Der preußischen Armee zurückgegeben, organisirte Monhaupt die dritte Artilleriebrigade nach jenen Proben und Erfahrungen, und jeder Unbefangene weiß, was er mit seinen Geschützen zu leisten vermochte. Die Armee hat die Kühnheit, Geschicklichkeit und Präcision seiner raschen Manoeuvre und die Sicherheit der von ihm gebildeten Offiziere oft in den Friedensmanoeuvern bewundert. Allein während die Nachbarn nach dem letzten Kriege bei der Reorganisation der Artillerie das System Monhaupt's adoptirten und, um den Zweck besser zu erreichen, nach seinen Angaben die Waffe so leicht als möglich machten, drangen Monhaupt und seine Anhänger in Preußen damit nicht durch, denn man hat das schwermontirte Geschütz hier beibehalten, wenn man auch die Manoeuvrirfähigkeit, dieses Hindernisses ungeachtet, sehr erhöht hat. Rußland und Frankreich verdanken indessen ihre neuesten Siege in der Türkei, in Polen und Algier großentheils der unglaublichen Beweglichkeit ihrer reitenden Artillerie. Höchst interessant ist in dieser Beziehung die Bemerkung unsers Offiziers, daß den Anfänger der 1787 noch ganz jungen Waffe stets russische und französische Militairs als Aufpässer beigewohnt hatten, welche den Preußen ihre Kunststückchen ablernen wollten und, wie der Erfolg gelehrt, wirklich abgelernt haben.

Wenn nun auch der Verf. mehr bei seinen persönlichen Abenteuern in den ersten Jahren seines Dienstes verweilt und nur selten den Gang seiner eigentlichen Ausbildung für seinen Beruf sowie die vom Staate dazu gebotenen Mittel näher berührt, so dürfte dennoch sein Marsch nach Polen und sein Aufenthalt daselbst nicht ohne Interesse für den Soldaten sein. Gern würde man hier die mannichfachen Versuche für scientifische und praktische Fortbildung seiner Waffe gelesen haben. Für den Menschen ist die Schilderung des Bildungsstadiums und Durchganges seiner Seele gewiß anziehend, obschon die Reflexionen etwas zu breit sind und nach dem Geschmack des Herausgebers etwas aufgestutzt zu sein scheinen. Wer die Eigenthümlichkeit der preußischen Offiziere bei allen Waffengattungen kennt, wird wissen, daß namentlich die der Artillerie eine gewisse soldatische Derbheit ist, welche indessen bei der fast durchgängig tüchtigen Bildung, besonders der jüngern Offiziere, einen angenehmen Contrast mit der Weichlichkeit und Sentimentalität der Offiziere anderer Truppengattungen bildet. Mag der schwere und strenge Dienst, mag der ernste, furchtbare Charakter der Waffe, oder, wie die vornehmen Neider behaupten, die meist bürgerliche Extraction der Artillerieoffiziere Quelle jener Eigenthümlichkeit sein, — sie ist vorhanden und hat, nachdem sie sich in neuerer Zeit der Rohheit mehr und mehr entfremdet, Anspruch auf Achtung in der Armee erworben.

In den bessern Offizieren dieser Waffe sprach sich schon früher dieser Geist aus, und wir freuen uns, den Verf. dieser Memoiren zu jenen bessern Mustern der alten Schule zählen zu können. Zwar nicht ohne muthwillige Auswüchse, über welche selbst der ältere Mann noch lächelt, geht das Tirocinium vorüber; allein da nirgend Bosheit im Spiele ist, so freut man sich, nach und nach den Ernst des Lebens und den Ernst des Mannes und seines Berufs hinter diesem Muthwillen hervortreten zu sehen.

Bis hierher der erste Theil dieser Memoiren. Den zweiten füllen die Feldzüge am Rhein, das Bombardement von Longwy und Verdun, die Kanonade von Valmy, der Rückzug nach Mainz (1792) und die Belagerung und Einnahme dieser Festung (1793); endlich aber der Feldzug 1806 und 1807 nebst den Vertheidigungen von Neiße, Kosel, Glaz und Silberberg, in welchem letztern Orte der Verf. als Artillerist vom Platze eine einsichtsvolle und rühmliche Thätigkeit entwickelte.

Wir gestehen, daß dieser zweite Theil für uns Belehrungen enthalten hat, die wir namentlich über den schrecklichen Feldzug in der Champagne und den Krieg in Oberschlesien gegen Vandamme nirgend so genügend gefunden haben. Die allgemeine Geschichte dieser Begebenheiten ist nicht neu; allein ohne das Detail der Geschichte der Armee und namentlich einer einzelnen Waffengattung wird der Zug in und aus der Champagne nicht recht lebendig. Der Verf., damals noch Unteroffizier, kämpfte mit dem Elend und schildert das Elend des gemeinen Soldaten. Die Kanonade von Valmy, mit welcher die Franzosen zu jeder Zeit sich gebrüstet haben, liegt als entscheidender Wendepunkt des Feldzugs vor; aber den Sieg erfochten nicht die französischen Waffen, sondern die grenzenlose Noth der preußischen Armee, die uns hier deutlicher geworden ist als aus den gefeiertsten Beschreibungen derselben. Offenbar waren die Franzosen zufrieden, daß die Preußen sich aufgehalten sahen und zurückkehren mußten; die Armee war nicht mehr in der Verfassung, selbst einen Sieg verfolgen zu können. Die Belagerung von Mainz war uns aus des preußischen Obristlieutenants Seydel „Vaterländischen Festungen und Festungskriegen", Bd. IV, bekannt; allein die strategischen Anordnungen, wie sie unsere Memoiren beschreiben, erhalten, besonders rücksichtlich der Aufstellung des Geschützes, ein regeres Leben und geben ein gutes Bild selbst für den Laien, wenn er der Gegend einigermaßen kundig ist.

Der Gebirgskrieg in Schlesien unter dem braven Grafen Götzen nach Abgang des Fürsten Pleß als Generalgouverneur von Schlesien liefert einen neuen Beweis, wie leicht die Energie eines Mannes das Kriegsglück zu fesseln im Stande sei. Das Gefecht von Kanth und der großartige Plan, der es herbeiführte, sind glänzende Momente und mit genauerer Kenntniß hier beschrieben, als wir sie sonst in den Darstellungen desselben Gegenstandes angetroffen haben. Ueberhaupt müssen wir die Gabe einer lichtvollen Situations- und Localschilderung an dem Verf. rühmen; eine Gabe, welche man leider sehr oft in militairischen Schriften vermißt, ohne daß beigefügte Pläne und Karten hinreichende Entschädigung gäben. Wohlthätig klingen aus dem allgemeinen Verfall die Heldennamen eines Neumann, Puttlitz, Roesdorf, Clausewitz (des jüngstverstorbenen geistreichen Generals, damals noch Lieutenant) und einer Anzahl anderer Offiziere herüber, welche mit einer Handvoll Truppen einem zehnmal stärkern Feind Widerstand leisteten, ohne von dem Wechsel des Kriegsglücks entmuthigt zu werden.

Leider hatte der Verf. das Unglück, bei Mainz einige Zeit vor der Einnahme verwundet und in Silberberg gegen das ruhmvolle Ende der Belagerung am Nervenfieber krank zu werden. Er verschweigt dies nicht und schmälert seinen Ruhm bei der Vertheidigung von Silberberg dadurch keineswegs, nachdem seine guten Anstalten und seine Alles berechnende Vorsicht die übrigen Vertheidiger in den Stand gesetzt hatten, raubsüchtigen Würtembergern und Baiern erfolgreichen Widerstand zu leisten. Denn leider begegnen wir auch hier wie so oft der Erfahrung, daß die deutschen Feinde sich am wildesten gegen Deutsche betrugen, und daß besonders in den Baiern keine Spur einer dankbaren historischen Erinnerung an die Wohlthaten vorhanden war, welche Preußens großer König kaum 20 Jahre früher dem Hause Wittelsbach und wohl auch dem bairischen Volke erwiesen hatte.

Langweilig und vielleicht nicht einmal am rechten Orte fanden wir in diesem Bande die lange Recapitulation des Ganges der französischen Revolution, wodurch der Krieg der Alliirten gegen Frankreich motivirt wird. Damit hatte doch wol der Unteroffizier nichts zu thun! Wir vermißten dagegen eine getreue Schilderung des Lebens der Armee im Frieden, welche im Stande gewesen sein würde, einen genügenden Aufschluß über die Katastrophe von 1806 zu geben. Zwar sind auch das bekannte Dinge; allein dennoch von Zeitgenossen noch nicht in einem guten Detail entwickelt.

Wir haben diesen Memoiren eine größere Aufmerksamkeit geschenkt, nicht weil wir des Herausgebers besonderes Verdienst darum herauszuheben Gelegenheit gefunden hätten, sondern weil es uns sehr wichtig und der Anerkennung werth scheint, wenn besonders der schweigsame Mund preußischer Offiziere über ihre Schicksale in der Armee sich öffnet. Wir bedauern, daß diese Gattung der Mittheilung, die lehrreichste für junge Soldaten, grade in den deutschen Armeen so selten ist, und recht lebhaft vermissen wie z. B. Memoiren eines vertrauten Subalternoffiziers aus den Jahren vom tilsiter Frieden bis 1813, welche sich würdig an diese Memoiren anschließen würden. Wohl könnte der unglückliche Major von Fernthell diese trübe, so vielfach dunkle Periode der Thätigkeit in der preußischen Armee beleben und erhellen wie wenig andere der damals jüngern Offiziere; allein sein tiefverletztes Gemüth scheint ihm bis jetzt die rechte Freudigkeit zu einer solchen Mittheilung versagt zu haben, und jenseit des Meeres mögen ihn andere Interessen in Anspruch nehmen. Geist, Fähigkeit, Gewandtheit und Kenntnisse hatten ihn in wichtige Geheimnisse der Stimmführer jener Zeit, eines Scharnhorst, Gneisenau, Oels, Schill, York und anderer höher und höchster Menschen eingeweiht, freilich, wie es scheinen will, zu seinem nachmaligen Unglück. 124.

Beiträge zur Revision der Gesetze. Von Otto Heinrich Alexander von Oppen. 1) Büchernachdruck, 2) Duell, 3) Ehe und Scheidung, 4) Gesinderecht. Köln, Bachem. 1833. Gr. 8. 1 Thlr.

Ein geistreicher rheinpreußischer Jurist (Hr. v. Oppen ist Präsident des Landgerichts zu Köln), der aber durch Geburt und Bildung den altpreußischen Provinzen angehört, hat das besondere Interesse, welches die vier auf dem Titel genannten Gegenstände in gegenwärtigem Augenblicke haben, zu einer öffentlichen Zusammenstellung seiner Ansichten benutzt. Insofern die Vergleichung französischer und preußischer Gesetze einen Haupttheil dieser Schrift ausmacht, schließt sie sich den frühern drei Heften desselben Verfassers: „Vergleichung der französischen und preußischen Gesetze" (Köln, 1827, 1828), an, jedoch mit dem Unterschiede, daß es sich jetzt blos um die Prüfung einzelner Rechtsmaterien handelt, da der Fortbestand des französischen Strafrechts und Strafverfahrens, denen jene Betrachtungen besonders gewidmet waren, für Rheinpreußen nicht mehr zweifelhaft ist. Auch darin unterscheidet sich die spätere von der frühern Schrift, daß der Verf. weniger polemisch gegen das preußische Landrecht und weniger parteiisch für den Code Napoléon auftritt, weshalb er sich in der Vorrede zum dritten Hefte verantworten und einige Stellen in Kamptz's „Jahrbüchern", 1828, Bd. 30, S. 175, widerlegen zu müssen glaubte. Ferner liegt auch darin ein besonderer Vorzug des vorliegenden Buches, daß den eignen Ansichten und Vorschlägen mehr Raum gegönnt ist als in der frühern Schrift. Ueberdies empfiehlt sich dieselbe durch eine lebendige, die mannichfache Bildung des Verf. bekundende Schreibart und wird, da sie von der Trockenheit mancher juristischer Deductionen frei ist, auch für Laien eine nicht unwillkommne Lecture sein. Manches in derselben ist indeß nur mehr angedeutet als ausführlich hingestellt.

In der ersten Abhandlung zeigt sich der Verf. durchweg als ein Feind des Nachdrucks. Eine historische Einleitung wird vorangeschickt, dann der Begriff des Nachdrucks festgesetzt, hierauf werden die Bestimmungen des positiven Rechts, das heißt des französischen und preußischen, erörtert; denn die würtembergischen Specialgesetze vom J. 1815 unterscheiden sich nur wenig vom Freigeben des Nachdrucks. Besonders interessant werden hier die Bestimmungen des französischen Rechts sein, welches die Eigenthumsverletzung als Grund der Strafe bezeichnet und sohin den Büchernachdruck ausdrücklich als ein Vergehen (délit) charakterisirt, doch aber aus den vom Verf. (S. 31 ff.) angegebenen Gründen dem öffentlichen Ministerium die rechtliche Verfolgung solcher Fälle erschwert und oft sogar bedenklich gemacht hat. Am Schlusse gibt Hr. v. Oppen (S. 41 ff.) die Grundzüge zu einer Gesetzesrevision an. Wir heben daraus folgende hervor. Der Staat garantirt ein Schrifteigenthum, jedoch nur für eine bestimmte Zeit (z. B. 20 Jahre). In der Beschränkung auf diese Epoche geht es auf die Erben über; mit dem Ablauf der Frist wird die Schrift öffentliches Eigenthum. Druck eines Manuscripts mit Verletzung der Rechte des Schrifteigenthums wird, je nachdem ein Verschulden oder böser Vorsatz ermittelt worden, als Beschädigung oder als Diebstahl geahndet. Druck eines Druckwerks mit Beeinträchtigung der Rechte des Verlags constituirt das Vergehen des Nachdrucks. Die Verfolgung dieses Vergehens von Amtswegen findet nicht statt; zur Anzeige sind sowol der Verfasser als der Verleger resp. deren Rechtsnachfolger berechtigt. Die Strafe ist Confiscation der in Beschlag genommenen Exemplare und Vernichtung derselben, Entschädigung des Verlegers, bestehend in dem Ladenpreise der noch vorräthigen rechtmäßigen Exemplare gegen Ueberlassung derselben, und des Verfassers, bestehend in einer dem Betrage des vom Verleger empfangenen Honorars gleichkommenden Summe, sodann in einer Geldstrafe, welche dem Betrage beider Entschädigungen gleich ist u. s. w. Diese und andere Bestimmungen verdienen die Aufmerksamkeit der Rechtsgelehrten; für das größere Publicum wird vielleicht die von Menzel in der zweiten würtembergischen Kammer am 2. Juli d. J. gemachte und jetzt auch durch den Druck verbreitete Motion von noch größerm Interesse sein.

In derselben Art geht der Verf. bei der Abhandlung über das Duell zu Werke. Seine Bemerkungen sind die eines Mannes, der die Praxis kennt und diese von verschiedenen Seiten in einer sehr gewinnenden Darstellung beleuchtet. Aus diesen verschiedenen Gesichtspunkten verdient die Abhandlung grade jetzt, wo die politischen Duelle in Frankreich auf eine lächerliche Weise überhand genommen haben, empfohlen zu werden. Der Verf. unterscheidet übrigens streng zwischen Duell und Duellvertrag. Er nimmt an, daß letzterer für unerlaubt erklärt und mit einer Strafe verpönt werden könne; die Strafe selbst aber wird offenbar eine ganz andere sein und sich anders modificiren müssen als bei dem Mord, der Verwundung und der Selbsthülfe ohne Uebereinkunft, und die Abmessung derselben ist und bleibt eine wichtige, noch immer nicht genügend gelöste Aufgabe der Legislation (S. 77). Hierauf macht er Vorschläge zur Fassung eines Gesetzes, um einen Gebrauch zu vertilgen, der „sich durch das bisher unrichtig aufgefaßte Princip der Strafe, trotz einer oft ganz unverhältnißmäßigen Härte derselben" erhalten hat. Nach diesem soll die Uebereinkunft zu einem Duell verboten sein, die Auffoderung dazu zieht für den Auffodernden und dessen Mitschuldige die Strafe der wörtlichen Injurie unter erschwerenden Umständen, jedoch immer Gefängnißstrafe, nach sich, bei Verwundungen oder Tödtungen im Duell kann nach umständen von den Angehörigen ein Civilanspruch, welcher solidarisch gegen alle Mitschuldige geltend zu machen ist, erhoben werden u. s. w. Besonders streng und vielleicht zu streng, um in eigentliche Ausübung zu kommen, ist die Strafe des Duellvertrags ohne Rücksicht auf das Resultat des Kampfes. Sie besteht in dem Verluste der landständischen und Wahlrechte, Verlust des Adels, Verlust der Orden und Ehrenzeichen, Verlust der Militair- und Civilämter, Würden, Privilegien und Concessionen des Staats, endlich in der persönlichen Unfähigkeit, die soeben bemerkten Rechte und Auszeichnungen zu erwerben. Da übrigens Hr. von Oppen das Duell von verschiedenen Seiten erwogen hat, so befremdet es, daß die Erörterungen de Wette's im „Heinrich Melchthal" II, 84 fg., nicht berücksichtigt sind, sowie aus der juristischen Literatur noch die sehr guten Bemerkungen in Erhard's „Strafgesetzbuche", Artikel 2188 fg., und 2269 ff. eine Erwähnung verdient hätten.

Der dritte Abschnitt über Ehe und Scheidung (S. 79—130) ist der ausführlichste. Historische Bemerkungen über die Ehe bei den Römern und alten Deutschen sowie über den Einfluß derselben auf das Volksleben eröffnen denselben. Warum ist aber hier auf Gans' wichtige Schrift keine Rücksicht genommen? Mögen auch immer die Meinungen verschieden sein, so darf doch eine solche Schrift nicht übersehen werden. Darauf geht der Verf. zum preußischen Eherechte über, wo ihn jedoch die Vorliebe für die französische Gesetzgebung mitunter etwas ungerecht gemacht hat, sodaß er sogar S. 128 das Eherecht des Landrechtes ein „ganz verwerfliches" nennt. Er erwähnt auf S. 90, daß die drei ersten Titel des zweiten Theils des preuß. Landrechts schon vor ihrer Publication bedeutenden Widerspruch gefunden, daß sie für einzelne Provinzen fortwährend suspendirt sind, und schließt daraus, daß die Mängel des Landrechts in Beziehung auf das Eherecht nicht verkannt worden sind. Hier ist aber die Prämisse nicht richtig; denn jene Titel sind in mehren Provinzen nicht eingeführt worden, weil sie mit dem statutarischen Rechte und dem dort subsidiarisch geltenden römischen Rechte im Widerspruche standen, also viele Inconvenienzen herbeigeführt worden wären. Gleich darauf vermißt Hr. von Oppen eine Definition der Ehe, da das Landrecht sonst Definitionen von Rechtsverhältnissen gibt. Aber Definitionen sind ja die Sache der Wissenschaft, nicht der Gesetzgebung, was unser Verf. selbst auf S. 118 zum Vortheile eines französischen Ehegesetzes geltend gemacht hat. Wenn ferner der Verf. auf S. 91 das Landrecht wegen der Bestimmung, daß der Hauptzweck der Ehe Erzeugung und Erziehung der Kinder sei, aus dem Gesichtspunkte tadelt, daß zwei Personen möglicherweise zur Erreichung dieses Hauptzweckes einen Contract schließen können, ohne sich miteinander zu verheirathen, so ist ein solcher Fall im Sinne des Landrechtes gar nicht rechtlich denkbar. Denn ein solcher Contract würde ein unerlaubter sein und als solcher wäre er ungültig. Bei den Ehescheidungsgründen sind die Bestimmungen des Landrechts allerdings nachsichtiger als die des französischen Rechtes; es ist jedoch noch keine Folge, daß aus diesem Grunde die Ehen in den Ländern französischen Rechtes sittlicher sind als in den Landstrichen, wo das preußische Recht gilt. Die Schilderungen auf S. 98 und S. 129 möchten wol etwas übertrieben sein. Auch ist der Sinn des Gesetzes in §. 718 a. und b. des Allg. Landrechts auf S. 96 nicht genügend angegeben. Nach diesem Gesetze ist es dem Richter erlaubt, in besondern Fällen, wo nach dem Inhalte der Acten der Widerwille so heftig und tief eingewurzelt ist, daß zu einer Aussöhnung und zur Erreichung der Zwecke der Ehe gar keine Hoffnung mehr übrig bleibt, eine solche unglückliche Ehe zu trennen. Aber der Verf. mußte hier, wie ihm selbst ja aus der Praxis hinlänglich bekannt ist, hervorheben, daß der Richter jedenfalls auf die Anzeige von Thatsachen, durch welche der Widerwille entstanden ist, dringen muß und den Nachweis derselben fodern, wie es auch der Gesetzgeber durch die Worte: „nach Inhalt der Acten", deutlich genug angedeutet hat. Trotz dieser Ausstellungen verdient die Abhandlung bei etwaiger Revision der Ehegesetze, besonders da, wo sie wie am Rheine mit den Vorschriften der katholischen Kirche in Einklang gesetzt werden sollen, in mehr als einer Hinsicht berücksichtigt zu werden, was besonders von den auf S. 126 fg. aufgestellten Sätzen gilt. Der edle Sinn des Verfassers und sein Streben nach einem auf Gesetz und Sittlichkeit begründeten Wohlstande der Staaten wird auch selbst bei Denen, die seine Ansichten nicht theilen, Anerkennung finden.

Der letzte, vierte Abschnitt über das Gesinderecht findet seine ganz besondre Anwendung auf Rheinpreußen. Herr von Oppen läßt hier den preußischen Gesindeordnungen, namentlich der neuesten vom 8. Novbr. 1810, viele Gerechtigkeit widerfahren, wenngleich er einzelne Mängel im Princip heraushebt, und meint, daß jene Gesindeordnung noch lange in den altpreußischen Provinzen für das jetzige Jahrhundert ausreichen würde. Dagegen könne sie in Rheinpreußen keine Anwendung finden, welches allerdings bei dieser großen Lücke im französischen Civilrechte einer Hülfe bedarf, aber einer ganz andern Gesindeordnung, als die genannte ist, weil die bürgerliche Stellung der Einwohner eine andre sei. Mag es sich nun mit der letztern Annahme so verhalten, wie der Herr Verf. will, oder nicht (dies gehört nicht hierher), so ist eine neue Gesindeordnung jedenfalls ein Bedürfniß für Rheinpreußen, wie Alle wissen, die dort gelebt haben. In dieser Beziehung ist der von ihm mitgetheilte und aus der genauen Kenntniß der Provinz selbst hervorgegangene Entwurf (S. 150—161) gewiß ein sehr dankenswerther Beitrag zur Verbesserung der Rechtspflege in jener Provinz.

Hoffentlich sind dies nicht die letzten Beiträge, mit denen Herr von Oppen das Publicum beschenkt. Sie werden, wie er in der Vorrede wünscht, für seine Freunde gewiß den Werth eines Andenkens haben, auf das man nach der Abreise eines alten Bekannten noch zuweilen gern einen Blick wirft, um sich seiner Art und Weise zu erinnern. Auch Ref. hat bei dieser Schrift dies wohlthuende Gefühl empfunden. 197.

Notizen.

Giraud, Rath am königlichen Gerichtshofe in Colmar, gibt heraus: „Succès et revers de la liberté chez les Anglais depuis l'ère vulgaire jusqu'à nos jours", drei Bände, mit einem Anhange über die französische Magistratur. Früher schrieb er eine Geschichte des revolutionnairen Geistes des Adels, worin er den unruhigen Geist der ehemaligen Aristokratie schildert.

Arnault Robert gibt heraus: „Atlas historique et statistique de la révolution française", enthaltend eine chronologische Darstellung der politischen, militairischen und wissenschaftlichen Ereignisse von der Versammlung der Notablen bis 1833, in Atlasformat. Jährlich erscheint ein ergänzendes Tableau.

Charles Didier, der während eines langen Aufenthaltes in Italien sich mit den Sitten des Volkes bekannt gemacht hat, gibt in „Rome souterraine" (zwei Bände, Paris 1833) Ergebnisse seiner Beobachtungen in anziehender Darstellung.

Die Contemporaine, Frau von St.-Elme, scheint mit ihrer neuesten Schrift: „Mes dernières indiscrétions", zwei Bände, am Ende ihrer umfassenden Bekenntnisse zu sein.

Lerminier hat in seiner neuesten Schrift: „De l'influence de la philosophie du dix-huitième siècle sur la législation et la sociabilité du dix-neuvième" (Paris 1833), eine geistreiche Uebersicht gegeben, worin er besonders den Einfluß der französischen Revolution auf die gesellschaftlichen und bürgerlichen Zustände darstellt. 9.

Redigirt unter Verantwortlichkeit der Verlagshandlung: F. A. Brockhaus in Leipzig.

Beilage zu den Blättern für literarische Unterhaltung.

Nr. 12. 27. December 1833.

Geschichte der geheimen Verbindungen der neuesten Zeit. Siebentes Heft. Auch unter dem Titel: Actenstücke über die unter dem Namen des Männerbundes und des Jünglingsbundes bekannten demagogischen Umtriebe. Herausgegeben von Karl Follenberg. Leipzig, Barth. 1833. Gr. 8. 1 Thlr.*)

Auch das siebente Heft der „Geschichte der geheimen Verbindungen" hat unsere von Anfang an festgehaltene Ansicht, daß die demagogischen Umtriebe des zweiten und dritten Decenniums dieses Jahrhunderts in Deutschland durchaus nicht die Wichtigkeit hatten, welche ihnen die Gespensterseherei der damaligen Machthaber beilegte, nicht nur nicht erschüttert, sondern mehr als je befestigt. Man ersieht aus den Acten, die in diesem Hefte veröffentlicht werden, ebenso wie aus denen in den frühern Heften, wie das Phantom der demagogischen Umtriebe unter den Händen der untersuchenden Richter aufschwoll wie Faust's Pudel hinter dem Ofen, und nie hat sich die Unzulänglichkeit der Strafgesetze über den Hochverrath und die dahin einschlagenden Verbrechen auffallender gezeigt als bei den in Frage stehenden Untersuchungen und Strafurtheilen. Wenn wir „Unzulänglichkeit" sagten, nahmen wir dieses Wort keineswegs in dem Sinne, als ob die Gesetze über den Hochverrath nicht hinreichten, Leute von antimonarchischer Gesinnung bei der mindesten Unvorsichtigkeit auf ein paar Dutzend Jahre in den Kerker mit Fesseln an Händen und Füßen zu bringen, sondern wir meinen, daß diese Gesetze unzulänglich zum Schutze der Unschuld sind, wenn man sie schuldig wissen will, es sei aus Befangenheit oder aus böser Absicht. Sämmtliche Gesetze über den Hochverrath, selbst in den sonst lobenswerthen neuen Gesetzbüchern, sind nämlich so allgemein gehalten, lassen eine so ausdehnende Auslegung zu, daß es in einer aufgeregten Zeit bei unzufriedener Stimmung und hochloderndem Amtseifer nicht schwer wird, unvorsichtig ausgesprochene Wünsche in Angriffe auf den Staat, zufällige Zusammenkünfte Gleichgesinnter in Complotte zu verwandeln. Nun fällt es uns zwar nicht ein, die Zusammenkünfte der Mitglieder des sogenannten Männerbundes und des vielbesprochenen Jünglingsbundes, von welchen beiden Bünden das vorliegende Heft handelt, für ganz zufällig zu halten, allein die Bemerkung können wir nicht unterdrücken, daß die gegen die angeblichen Theilnehmer an diesen Bunden ausgesprochenen Strafen zwar durch alte Gesetze gerechtfertigt werden können, aber ganz unverhältnißmäßig zu dem Vergehen erscheinen. Von Männern, die einen Zweck mit vollem Ernst erstreben, ist anzunehmen, daß sie die geeigneten Mittel ergreifen, die entweder dahin wirklich führen oder wenigstens einen solchen Zustand der Dinge veranlassen, daß die Erreichung desselben irgend möglich erscheint. Wenn Jemand z. B. seinen Feind wirklich ermorden will, so wird er ein Pistol laden, wird sich auf die Lauer legen, wird Anstalten treffen, um sich nach vollbrachter That zu retten. Stellt sich nun der Feind an dem Orte, wo er erwartet wird, nicht ein, oder wird das Gelingen des Mordanschlages fast durch einen Zufall verhindert, so bleibt dennoch gewiß, daß der bewaffnete Auflauerer den ernsten Willen hatte, seinen Feind zu tödten, und er ist des Verbrechens des Mordversuches schuldig. Wenn aber derselbe Mann, um seinen Feind, der sich in Leipzig befindet, zu erlegen, nach Dresden reiste, den Thurm der katholischen Kirche bestiege und sein Pistol nach der Weltgegend, wo Leipzig liegt, abfeuerte, so möchte er dies unter den fürchterlichsten Verwünschungen, unter der tausendfältigen Versicherung, daß er ihn wirklich habe tödten wollen, hundert Tage nacheinander thun, und es würde keinem Richter, keiner Behörde einfallen, ihn für mehr als für einen Wahnsinnigen zu halten. Wenn die Theilnehmer an dem Männer- und Jünglingsbunde einflußreiche, mächtige Männer gewesen wären, die über die öffentliche Meinung, über Schätze, über Waffenvorräthe geboten hätten; wenn die Bünde selbst jeder einzeln ein wohlgegliedertes, weitverbreitetes Ganze gewesen wären: dann würden die Mittel mit dem Zwecke doch in einigem Verhältnisse gestanden, würde die Strenge der Richter die vollkommenste Billigung verdient haben. Aber in welchem Verhältnisse befanden sich die Mittel, die den Mitgliedern des Männer- und des Jünglingsbundes zu Gebote standen, zu dem angeblichen Zwecke ihrer Vereinigung? In einem so riesenhaft unverhältnißmäßigen oder vielmehr in so gar keinem Verhältnisse, daß von einer Erzielung der politischen Einheit Deutschlands als Zweck im strengsten Sinne dieses Wortes dabei nur die Rede sein kann, wenn man sämmtliche Mitglieder für hirnverrückt erklären will. Einige 20—30 Menschen ohne Macht, ohne Geld, ohne Einfluß, ohne Geltung, ja, bis auf sehr wenige Ausnahmen, selbst ohne eine feste Stellung in der Welt, noch dazu vereinzelt in verschiedenen Städten lebend, den engverbündeten Fürsten Deutschlands gegenüber, die über unermeßliche Geldmittel, über 36,000,000 an Gehorsam gewohnte Unterthanen, darunter mehr denn 600,000 wohlbefehligte, unbedingt ergebene, trefflich eingeübte Streiter gebieten! Die Mitglieder dieser beiden Bünde haben ferner nicht einmal diejenigen Mittel angewendet, welche je einen solchen Zustand der Dinge herbeiführen konnten, daß ein Umsturz aller deutschen Verfassungen irgend möglich wurde. Zwar sollten die beiden Bünde die Zahl ihrer Mitglieder bis in das Unendliche vermehren; aber sie breiteten sich nie sehr aus, weil die Gründer derselben, als Menschen ohne Gewicht, sich nicht nur keinen Anhang verschaffen konnten, sondern vielmehr die Nothwendigkeit der Auflösung einsehen und mit ihr auch umgingen, als sie verhaftet wurden. Das einzige Mittel für Leute ohne Einfluß, eine Revolution in der Zukunft vorzubereiten, die Verbreitung subversiver, das Volk aufhetzender Schriften, ist von den Mitgliedern beider Bünde auch nicht einmal versucht worden. Wie gefährlich daher auch die Grundzüge der Verfassung beider Bünde immer aussehen mögen, so waren diese doch nur in einem sehr geringen Grade schädlich und verdienten in keinem Falle das Aufheben, das man davon gemacht hat. Zwar die Richter mußten nach den Gesetzen sprechen, aber der menschliche König von Preußen erließ fast allen Mitgliedern des Jünglingsbundes, die zu 12, zu 16 Jahren Gefängniß verurtheilt worden waren, nach kurzer Haft ihre Strafe. „Die meisten von ihnen", heißt es S. 184 im vorliegenden Hefte „befinden sich in Staatsdiensten und sind gute Staatsbürger geworden" — die beste Bestätigung der von uns dargelegten Ansicht!

Es ist unmöglich, von den geheimen Verbindungen und demagogischen Umtrieben einer noch nicht lange vergangenen Zeit zu sprechen, ohne derjenigen zu gedenken, welche in Deutschland seit der Julirevolution statt hatten. Den ersten Augenblick nach der Frevelthat in Frankfurt war die Vermuthung ganz natürlich, daß sie die Folge einer weitverzweigten Verschwörung gewesen sei; ja, ein norddeutsches Blatt, statt in einer solchen Zeit der Aufregung zur Beruhigung der Gemüther beizutragen, entblödete sich nicht, als öffentlicher Ankläger aufzutreten und zu erklären, daß ganz Nord- und Süddeutschland mit einem Netze geheimer Verbindungen überzogen sei. Nichtsdestoweniger ist es mehr als wahrscheinlich, daß das traurige Ereigniß zu Frankfurt keineswegs die Frucht einer weitverzweigten, ganz Deutschland umfassenden, geheimen Verbindung war, sondern daß es

*) Zuletzt berichteten wir über diese Sammlung in Nr. 108 und 109. D. Red.

isolirt dasteht, als die Ausgeburt eines kleinen Bundes, der die überspanntesten Tollköpfe vereinte, deren man nun theils habhaft, theils losgeworden ist, indem sich einige durch die Flucht nach der Schweiz oder nach Frankreich retteten. Ja, der bekannte, exaltirte, rücksichtslose, tollkühne Charakter einiger der notorischen Theilnehmer an dem Attentate vom 3. April gibt der Vermuthung Grund, daß sie dasselbe nicht versucht haben, weil sie auf Unterstützung vieler Gleichgesinnten, auf Anhang in den Massen, kurz auf eine Revolution rechneten, sondern daß sie, grade weil sie die Schwäche ihres Bundes fühlten, weil sie einsahen, daß in Deutschland weitverzweigte geheime politische Verbindungen nicht gestiftet werden können, daß die Fürsten die Reformen ihren gemäßigten Gang nehmen ließen, daß der Gährungsstoff in allen deutschen Gauen theils im Abnehmen begriffen, theils erstickt war, jenen Schlag wagten, der nothwendig ihr politischer Selbstmord werden mußte, von dem sie sich aber die Wirkung versprechen mochten, daß die Fürsten zu den strengsten, härtesten Maßregeln schreiten und dadurch selbst eine neue Gährung in den Völkern hervorrufen würden. Dies wird allen Wahrscheinlichkeitsgründen zufolge das wesentliche Ergebniß der in Folge des frankfurter Frevels an mehren Punkten unseres Vaterlandes geführten Untersuchungen sein, und es wird sich zeigen, daß, obschon es in allen Städten vereinzelt stehende exaltirte Köpfe gibt, dennoch die Angabe jenes Journalisten, Deutschland sei mit einem Netze geheimer Verbindungen überzogen, grundlos war. In Norddeutschland, wo der Ref. lebt, hat sich nirgends auch nur die geringste Spur einer geheimen Verbindung gezeigt; und in Süddeutschland, weit entfernt, den Schleier des Geheimnisses vorzunehmen, predigten die politischen Schwärmer in Journalen und in Volksversammlungen so lange ungescheut Aufruhr, bis die Fürsten, obgleich sich nirgends eine Disposition zu Empörungen zeigte, sich in das Mittel legten und der allzu ungestümen Presse den Mund verschlossen. Italien mag das gelobte Land der geheimen Verbindungen sein, Deutschland ist es sicher nicht. Dort hat der Druck ausländischer Herrschaft und das pfäffische Regiment den natürlichen Hang der Italiener zur List gesteigert und geheime Bünde möglich gemacht, welche, wie der Carbonarismus, das ganze Land umschlossen; in Deutschland dagegen widerstrebt der Nationalcharakter geheimen Verbindungen: was der Deutsche für Recht hält, will er öffentlich bekennen, auch wenn es gefährlich ist; das Geheimniß eines Bundes mit vielen Theilnehmern, eines Bundes, zu dem auch unter dem Volke geworben würde, wäre am nächsten Sonntag schon offenkundig, denn die Deutschen sind von Natur aus nicht verschlossen, und die Verschlossenheit Derjenigen, die nicht zu den höhern Ständen gehören, hält selten in der Wein- oder Bierstube lange Stand. 32.

Niccolo Machiavelli's sämmtliche Werke. Aus dem Italienischen übersetzt von Joh. Ziegler. Zweiter Band. Auch unter dem Titel: Der Fürst, die kleinern politischen Schriften und Gesandschaft bei dem Herzoge von Valentinois. Karlsruhe, Groos. 1833. Gr. 8. 1 Thlr. 16 Gr.

Derselben dritter Band. Auch unter dem Titel: Die Kriegskunst in sieben Büchern, nebst den kleinen militairischen Schriften des Niccolo Machiavelli. Als Anhang, Auszug aus Quellenschriftstellern zur Darstellung des Standes der Kriegskunst im Anfang des 16. Jahrhunderts. Mit 11 Plänen. Ebend. 1833. Gr. 8. 2 Thlr. *)

Die Uebersetzung schreitet rasch vorwärts und erhält sich bei ihrem Werthe. Des zweiten Bandes Anfang machen kleine politische Schriften, von denen die erste das Leben des Castruccio Castracani ist, dessen wenige Bogen wir von jeher für das Kleinod des Meisters gehalten haben. Es ist unmöglich, mehr Einfachheit und Anmuth erzählender Darstellung zu verbinden und soviel unwiderstehlichen Zauber zu verbreiten, wenn die Ueberzeugung des Schreibers nicht die Feder führt. Im 14. Jahrhunderte ward in Lucca ein unbekannter verlassener Säugling unter Weinreben von der erbarmenden Hand der Schwester eines Domherrn aufgenommen, von ihrem Bruder getauft und gepflegt und nach dem Namen ihres Vaters Castruccio Castracani genannt. Der schöne lebhafte Knabe zeigte sich gelehrig und dankbar, aber es gelang nicht, ihn für die Kirche zu stimmen, da ihn angeborene Anlagen zu Waffen- und Leibesübungen trieben, die ihn so auszeichneten, daß der reichste, vornehmste und beliebteste Ghibelline der Stadt, Francesco Guinigi, selbst ein glücklicher Condottiere, ihn zu seinem Hausgenossen und Kriegsgefährten machte, unter dem er sich schon im 18. Jahr auszeichnete. Bald darauf starb sein Gönner und bestellte ihn zum Vormunde eines Sohnes, der um fünf Jahr jünger war als er. Sein Ansehen ward groß in der Stadt, der Neid erwachte, verhaftete ihn durch Hinterlist, schlug ihn in Fesseln; aber das Volk befreite ihn, und was die Ursache seines Todes werden sollte, führte ihn durch Selbstvertheidigung zum Fürstenthron in seiner Vaterstadt. Ludwig von Baiern ernannte ihn auf seinem Römerzuge zum Statthalter von Toscana und Herrn von Pisa. Als Haupt der Ghibellinen ward er von den beiweitem überlegenen Guelfen hart bedrängt und schlug ihre große Uebermacht in zwei entschiedenen Treffen, bei Serravalle und bald nachher am 10. Junius 1328 unweit Fucecchio am Flusse Arno. In der letzten Schlacht fielen über 20,000 Guelfen und nur 1570 Ghibellinen. Aber Castruccio erachtete für die Pflicht eines Feldherrn, zuerst auf dem Pferde zu sein und zuletzt herabzusteigen. So blieb er, mit Schweiß bedeckt, den ungesunden Lüften des Arno ausgesetzt, um die Rückkehr seiner siegreichen Soldaten zu erwarten und ihnen zu danken, erstarrte vor Kälte, ein heftiges Fieber überfiel ihn bei Nacht und endete sein glorreiches Leben schon im 44. Jahre. Vorher ließ er das Heer seinem Pflegesohne Paul Guinigi Gehorsam schwören, gab ihm Rathschläge des Friedens und der Weisheit und sicherte die Herrschaft von Lucca bis auf die Urenkel diesem Geschlechte. Daß er auch ein überaus witziger Mann gewesen sei, erhellt aus eignen und andern glücklich nachgesprochenen Worten. „Wie er im Leben weder dem Vater Alexanders noch dem Römer Scipio nachstand", bemerkt M., „so starb er auch im gleichen Alter mit ihnen und hätte vielleicht beide übertroffen, wenn statt Lucca Macedonien oder Rom sein Vaterland gewesen wäre." Das mag M. verantworten, aber sein Sinn war gewiß bei diesen Worten, da es ihm unstreitig viel Selbstverleugnung kosten mußte, so rühmlich von dem Ueberwinder der Florentiner zu reden. — Die Beschreibung der Art, wie Cäsar Borgia, Herzog von Valentinois, seine treulosen Feinde, Vitellozzo, Oliverotto, und die Orsini, die ihn dem Untergange nahe brachten, in den letzten Tagen des Jahres 1502 zu Sinigaglia berückte und hinrichten ließ, ist eigentlich ein Bericht, der zu den am Schlusse dieses Bandes angehängten, aus Imola geschriebenen Sendschreiben des florentinischen Staatssecretairs an seine Republik gehört, und hätte nicht von ihnen getrennt werden sollen. Man muß gestehen, daß zwei Meister einander gegenüberstanden, ohne sich matt zu machen. M. wäre dieses schwierigen Auftrags gern überhoben gewesen, ward schlecht und saumselig bezahlt, hielt immer um seine Zurückberufung an und schrieb dennoch vom 7. October 1502 bis zum 24. Januar 1503 zwei und funfzig Briefe, deren keiner ohne Bedeutung ist. Unter den übrigen kurzen Aufsätzen sind die über Deutschland, den Kaiser Maximilian und Frankreich die wichtigsten: man wird sie ja nicht als statistische Quellen benutzen wollen, aber die Bemerkungen über Sittenzüge, Charaktere und Staatsverhältnisse sind von bleibendem Werthe. — Das Hauptstück dieses Bandes ist „Der Fürst", über den wir hier nicht zu reden haben; doch können wir nicht umhin, eine einzige Stelle über geistliche Fürsten-

*) Vgl. über den ersten Band Nr. 279 d. Bl. D. Red.

thümer, d. h. in dem Munde eines Italieners, über Päpste, abzuschreiben, der es gewiß nicht an Kühnheit fehlt, da das Buch dem Neffen eines Papstes gewidmet ist: „(S. 153). Bei geistlichen Fürstenthümern zeigen sich alle Schwierigkeiten, ehe man sie besitzt; denn man erwirbt sie zwar durch Verdienste oder durch Glück, aber bewahrt sie ohne eins von beiden. Sie werden durch die uralten Einrichtungen der Religion gestützt, die so mächtig sind, daß sie die Kirchenfürsten auf ihrem Thron erhalten, sie mögen handeln und leben, wie sie wollen. Sie allein haben Staaten und vertheidigen sie nicht, sie haben Unterthanen und regieren sie nicht; und die Staaten, die sie nicht vertheidigen, werden ihnen nicht genommen, und die Unterthanen, die sie nicht regieren, kümmern sich nicht darum, und denken weder daran, sich von ihrer Herrschaft loszumachen, noch können sie es. Diese Fürsten sind also allein sicher und glücklich. Weil sie aber durch eine höhere Ursache geleitet werden, zu welcher der menschliche Geist nicht hinreicht, so will ich nicht darüber sprechen; denn da sie von Gott erhöht und erhalten werden, so würde ein Mensch sich vermessen, der darüber Betrachtungen anstellen wollte.“ Im letzten und vorletzten Jahrhunderte scheinen Betrachtungen solcher Art nicht selten erhoben worden zu sein. Ein Gegenstand unsrer Tage hat M. gleichfalls beschäftigt (S. 190): „Der Fürst, welcher sich mehr vor seinem Volke fürchtet als vor den Fremden, soll Citadellen bauen; der hingegen, welcher sich mehr vor den Fremden fürchtet als vor dem Volke, soll es unterlassen. Dem Hause Sforza hat das Castell von Mailand mehr Schaden gebracht und wird ihm mehr Schaden bringen als irgend eine andere Unordnung dieses Staats. Die beste Festung, die es gibt, ist, vom Volke nicht gehaßt zu sein; denn besitzest du auch Citadellen, und das Volk haßt dich, so retten sie dich nicht, weil den Völkern, wenn sie die Waffen ergriffen haben, nie fremde Hülfe fehlt. Was half der Gräfin von Forli ihre Citadelle, als Cäsar Borgia sie angriff und ihr, feindlich gesinntes Volk sich mit den Fremden vereinigte? Es wäre damals und früher sicherer für sie gewesen, nicht vom Volke gehaßt zu sein, als eine Citadelle zu besitzen. In Erwägung aller Dinge werde ich loben, wer Citadellen baut, und wer sie nicht baut; tadeln aber Jeden, der sich, auf sie verlassend, den Haß des Volks gering anschlägt.“ Der dritte Band enthält die sieben Bücher von der Kriegskunst, welche Kenner aller Zeiten hochgeachtet haben, ohnerachtet bei ganz veränderten Verhältnissen der Heeresmassen und Waffenarten begreiflicherweise nicht Alles mehr anwendbar ist, was zu M.'s Zeiten höchst verdienstlich gewesen sein würde und den Theoretiker ebenso sehr als den Praktiker bewährt. Auch hier waren die Römer seine Muster, auch hier verstand er sie wie Wenige; die größten Feldherren und Staatsmänner haben von jeher die Einrichtungen und Maßregeln des kriegerischesten aller Völker mit Liebe studirt, und die Geschichte Italiens beweist, wie viel M.'s Vaterland dabei verloren hat, sie zu vernachlässigen. Was er über allgemeine Bildung und Beschäftigung des Soldaten und Offiziers, über die Vorzüge und Anwendung der Landwehr, über die Nothwendigkeit, nicht fremden Sölbnern und Oberbefehlshabern die Vertheidigung der Heimat anzuvertrauen, über die Unzuverlässigkeit der Bundesgenossen, über die unvermeidlich verderblichen Wirkungen der Neutralität sagt, sind Worte ewiger, überall zutreffender Wahrheit. Einkleidung und Vortrag befolgen das classische Vorbild eines Gesprächs. M. nimmt an, Fabrizio Colonna, Ariost's große Säule des Römernamens, unterhalte sich bei seiner Rückreise aus der Lombardei, wo er lange mit Ruhm für den katholischen König gefochten, mit jungen Florentinern, die er liebte und die sich dem Kriegsstudium mit Eifer ergeben: Cosimo Rucellai, Zanobio Buondelmonte, Battista della Palla und Luigi Alemanni entwickeln ihnen seine Ansichten, beantworten ihre Fragen, widerlegen ihre Einwürfe. Dank verdient der Herausgeber durch Beschreibung berühmter Schlachten des 14. und 16. Jahrhunderts, von dem Siege des schwarzen Prinzen von Wales über König Johann von Frankreich bei Poitiers 1356 bis zur sogenannten Sporenschlacht von Guingatte 1512, die Kaiser Maximilian über Ludwig XII. gewann. Sie erläutern die Lehren Fabrizio Colonna's, der bei Padua und Novara Sieger geblieben wäre, wenn man seine Rathschläge befolgt hätte, sind aus den besten, zum Theil seltenen Quellen gezogen und enthalten auch einige Capitel aus dem „Rosenstocke der Kriege“, welchen Ludwig XI. für seinen Sohn schrieb, und der großes Licht auf die Kriegseinrichtungen des Mittelalters wirft. Das ist wahrscheinlich die erste Frucht einer Reise, die, dem Verleger zufolge, der unermüdete Herausgeber nach Paris unternommen hat, um Alles zu benutzen, was in dortigen Büchersammlungen über M. und seine Werke anzutreffen ist. 95.

Geschichte von England von Sir James Mackintosh. Aus dem Englischen übersetzt von C. F. Wurm. Zweiter Theil. Hamburg, A. Campe. 1832. 8. 2 Thlr.

Versuchen wir den eigenthümlichen Charakter dieses Werkes, über dessen ersten Theil wir uns schon früher in diesen Blättern ausgesprochen haben *), jetzt, nachdem auch der zweite zur Begründung unserer Ansicht uns vorliegt, in wenige Worte zusammenzufassen, so möchten wir sagen: es erscheint uns nicht wie eine regelrechte historische Composition eines Mannes, welchem Geschichtsforschung und Geschichtschreibung Aufgabe seines Lebens und seines Amtes ist, und welcher sich in der Auswahl und Anordnung der Thatsachen nach einer von Anfang an aufgestellten Norm richtet, sondern als die Arbeit eines geistreichen Mannes, welcher, genau bekannt mit dem gegenwärtigen Zustande seines Vaterlandes, das Bedürfniß fühlt, das allmälige Werden dieses Zustandes sich zu vergegenwärtigen; welcher, gewohnt mit eignen Augen zu sehen und sich selbst ein letztes Urtheil zu bilden, die wichtigsten Quellen studirt, das ihm für seinen Zweck wichtig Erscheinende aus denselben hervorhebt und, ohne mühsam zwischen allen einzelnen Begebenheiten für die äußere Darstellung Uebergänge zu bilden, seiner Neigung zur Reflexion auch bisweilen auf Kosten einer strengern Form folgt. Er beabsichtigt nicht eine durchaus objectiv gehaltene Darstellung, sondern er stellt sich auf den subjectiven Standpunkt des geistreichen Beobachters und Beurtheilers, und er läßt sich durch Interessen leiten, welche aus seiner besondern Subjectivität hervorgehen, namentlich durch das Interesse für das öffentliche und Privatrecht seines Vaterlandes. Indem dieser Gesichtspunkt aber grade derjenige ist, welcher vor Allem wenigstens bis zu der Zeit, in welcher der mercantilische neben denselben treten muß, festzuhalten ist, wenn die charakteristische Individualität der englischen Geschichte richtig aufgefaßt und gewürdigt werden soll, so tritt jene scheinbare Einseitigkeit fast als eine nothwendige Bedingung für das Gelingen einer Behandlung jener Geschichte hervor, und Mackintosh erscheint demnach als besonders befähigt für eine solche Arbeit. Für die Gleichförmigkeit der Behandlung, namentlich für die Gleichmäßigkeit der Auswahl kann allerdings eine mehr subjective Weise nachtheilig werden, und es ist dies bei dem vorliegenden Werke auch insofern der Fall, als der erste Band eine Zeit von fast anderthalb Jahrtausend umfaßt, der zweite aber nur Weniges über ein Jahrhundert enthält; allein da hier das Wissenswertheste aus der englischen Geschichte für das größere Publicum mitgetheilt werden soll, und dieses gewiß mehr Interesse für die neuere, der Gegenwart nicht allein in Beziehung auf die Zeit näher liegende Geschichte als für das Mittelalter haben wird, so läßt sich jene Erweiterung des Stoffs auch rechtfertigen; nur den Charakter eines gedrängten Abrisses, welchen die Vorrede hauptsächlich für die Arbeit in Anspruch nahm, verliert dieselbe mehr und mehr.

Am Schlusse des ersten Bandes war die Geschichte Englands während der ersten Hälfte der Regierung des Königs Heinrich VI. insoweit dargestellt worden, als diese die fast gänzliche Vertreibung der Engländer aus Frankreich enthält; der zweite Band beginnt mit der Geschichte des Kriegs der Rosen oder der

*) Vgl. Nr. 183 f. 1831. D. Red.

Bürgerkriege, „welche zwischen den Parteigängern für die Erbansprüche des Hauses York und den Anhängern der parlamentarischen Erklärung für das Haus Lancaster ausbrachen,“ und eine Uebersicht der innern Reichsverwaltung, des Zustandes der königlichen Familie und der Animositäten, durch welche die Räthe des Königs während der ersten 30 Jahre der Regierung, zu der er nur den Namen hergab, entzweit waren, leitet jene Darstellung sehr passend ein. Die Ursache des jetzt eintretenden Mangels an geschichtlichen Materialien sucht der Verf. sehr richtig zum Theil in der Entwickelung der englischen Sprache und Literatur, indem die Zeit der Rosenkriege grade in den Zeitraum zwischen den letzten lateinischen Annalisten und den ersten englischen Geschichtschreibern fällt, während dessen geistreiche Männer nicht mehr in einer Sprache schrieben, die sie von einem ausgedehntern Einwirken auf ihre Landsleute ausgeschlossen haben würde, und sich auch noch nicht entschließen konnten, ihr Talent der Muttersprache zuzuwenden, obwol dieselbe durch die Debatten der Gerichtshöfe und des Parlaments täglich für Geschichtschreibung geschickter wurde. Andere Ursachen liegen sodann in dem rein persönlichen Interesse und in der Menge von schwer zu ermittelnden und verworrenen Vorfällen des Bürgerkriegs, in dem häufigen Ausgehen desselben von örtlichen Unruhen und provinziellen Bewegungen und in den unsichern Verhältnissen so vieler Individuen, wodurch die Entwickelung der Literatur überhaupt gehemmt und namentlich die Gelehrten zurückgehalten wurden, die Leiden des Vaterlands zu verewigen. Allein ungeachtet der Mangelhaftigkeit der Quellen ist es dem Verf. doch sehr wohl gelungen, ein trotz der hier meist vorherrschenden Gedrängtheit doch vollständiges und treues Gemälde jener Begebenheiten zu entwerfen, in welchem namentlich die Charaktere des Herzogs Richard von York und seiner Söhne, Eduard und Richard, in bestimmten und lebendigen Zügen vor das Auge des Lesers treten. Als ein Beispiel von dem erwähnten Mangel verknüpfender Uebergänge kann hier erwähnt werden, daß der Verf. unmittelbar von der Beschreibung der Schlacht bei Bosworth dazu überspringt, die beim Herannahen des Bürgerkriegs zuerst sich zeigenden deutlichen Spuren von der häufigen Einmischung der Großen auf die Wahlen der Gemeinden zusammenzustellen. Die Geschichte Heinrich VII. beginnt mit einer treffenden Charakteristik der Regierung desselben, welche der Verf. als die Restauration der lancasterischen Partei bezeichnet. „Das mußte auch ihr Charakter im Allgemeinen sein, und es ist nicht zu leugnen, daß die Grundsätze der Politik den König bestimmen mußten, seine zuverlässigsten Anhänger zu heben und mächtig werden zu lassen; aber er war zu lange der Führer einer Partei gewesen, um nicht von seinen Gewohnheiten und Leidenschaften über die Grenzen der Nothwendigkeit und der Staatsklugheit hinausgeführt zu werden. Diesem Fehler, der sich allerdings entschuldigen läßt, sind die meisten Unruhen in England unter seiner Regierung zuzuschreiben. Hätte er sich ernstlicher bemüht, ohne Parteirücksichten der gerechte Oberherr aller seiner Unterthanen zu sein, eine Nation, die des Bürgerkrieges müde war, würde sich einmüthig einer Regierung unterworfen haben, die, wenn auch mit Strenge und nicht ohne argwöhnische Regungen, doch Frieden und Gerechtigkeit aufrecht erhalten hätte.“ Mit der Geschichte dieser Regierung schon, obwol die Begebenheiten derselben an sich und in ihren Folgen geringfügig sind, erhält die Darstellung eine größere Breite, noch weit mehr aber mit der Geschichte des folgenden Königs, Heinrich VIII. Die Ausführlichkeit in der Behandlung derselben wendet sich nach allen Seiten dieser Regierung, sie zeigt sich namentlich in der Beschreibung der Prozesse gegen Anna Boleyn und Thomas More, in der Berücksichtigung der gleichzeitigen politischen Verhältnisse des Festlandes und in weitläufigen Reflexionen über die deutsche Reformation; und so gern man dem Verf. auch in diesen Partien seines Werks folgt und sich von ihm belehren und anregen läßt, so zeigt sich doch grade hier am fühlbarsten die Abweichung von dem Plane, nach welchem die Arbeit in ihren frühern Theilen beschränkt worden war. Sie verliert dadurch allerdings den Charakter eines gedrängten Abrisses, welchen, wie gesagt, ihr zu ertheilen Anfangs des Verfassers hauptsächlichste Absicht war; indeß wird dieser Verlust durch eine Genauigkeit und Gründlichkeit, durch eine selbständige Forschung und insbesondere durch eine sorgfältige Entwickelung des Charakters Heinrich VIII. gewissermaßen ersetzt, und sie nimmt nunmehr wegen dieser Eigenschaften einen ehrenvollen Platz unter den ausführlichern Behandlungen der englischen Geschichte ein. Die Geschichte Eduard VI. und Maria's, mit deren Tode dieser Theil schließt, und über welche der unparteiische Verf. ebenso schonend urtheilt, als er über ihren Vater streng geurtheilt hatte, ist mit einer sich gleichbleibenden Ausführlichkeit behandelt. 16.

Miscellen.

Gibbon.

Gibbon war bekanntlich von einer außerordentlichen Leibigkeit und Unbehülflichkeit, welches ihn jedoch nicht hinderte, verliebt, und zwar sehr verliebt, zu werden. Einst fiel diese Liebe auf Frau von Crouzas, eine junge und sehr schöne französische Dame, welche nach Lausanne gekommen war, wo sich Gibbon damals aufhielt. Er wußte Gelegenheit zu finden, sie in ihrem Zimmer allein zu treffen, warf sich vor ihr auf die Knie, und gestand ihr seine Leidenschaft. Die Dame aber wies ihn zurück und bat ihn nur wiederholentlich inständig aufzustehen, um ihr eine Scene zu ersparen. Gleichwol blieb er liegen, bis er endlich fast verzweifelnd gestehen mußte, er könne nicht allein aufstehen. Frau von Crouzas sah sich endlich gezwungen, ihrem Bedienten zu klingeln, der dem dicken Berühmten, Beschämten auch glücklich auf die Beine half.

Der Kritiker.

Herr von Laharpe war seiner beißenden Kritiken wegen zu Paris ebenso gehaßt, als verlacht wegen einer übermäßigen Selbstliebe. Ein von ihm mishandelter Schriftsteller rächte sich daher durch folgendes witzige Epigramm an ihm:

Si vous voulez faire bientôt
Une fortune immense et pourtant légitime
Il vous faut acheter Laharpe ce qu'il vaut,
Et le vendre ce qu'il s'estime.

Uns ist dabei ein unlängst verstorbener deutscher, nicht weniger hochmüthiger Kritiker eingefallen:

Wir dürfen ihn nicht nennen,
Man wird ihn so wol kennen;

Die Bastille.

Es muß vor der Revolution doch ein eigenthümlicher Zustand der Dinge in Frankreich geherrscht haben, wodurch die Volkswuth zu dem unerhörten Grade gereizt worden ist, wovon wir uns keinen hinreichenden Begriff mehr machen können. Frau von Genlis erzählt, daß sie Augenzeugin von dem Eifer gewesen sei, mit welchem sich die Pariser bei Demolirung der Bastille abgelöst hätten. Kein Stand habe sich dabei ausgeschlossen, und das vor so vielen Jahrhunderten befestigte Monument des Despotismus sei gleichsam von der Erde verschwunden. Sie nennt die dabei thätig gewesenen Hände „Mains vengeresses de la providence“.

Mittel wider Straßenbettelei.

Zu Bath und Bristol hatte die Straßenbettelei überhand genommen. Hierauf trat eine Gesellschaft zusammen und ließ Zettel anfertigen, welche man für einen sehr geringen Preis kaufen konnte. Die Mitbürger wurden ersucht, keinen Bettler unmittelbar Geld, sondern nur einen solchen gelösten Zettel zu geben. Bettler, die sich damit bei einem niedergesetzten Ausschusse melden, werden streng untersucht und nach Befinden der Umstände aus dem durch den Verkauf jener Zettel gebildeten Fonds unterstützt. Seidem ist die Straßenbettelei an beiden Orten fast ganz verschwunden. 178.

Redigirt unter Verantwortlichkeit der Verlagshandlung: F. A. Brockhaus in Leipzig.

Blätter

für

literarische Unterhaltung.

Sonnabend, —— Nr. 362. —— 28. December 1833.

1. Réflexions sur l'étude des langues asiatiques, adressées a Sir James Mackintosh, suivies d'une lettre a M. Hor. Hayman Wilson, par *A. W. de Schlegel.* Bonn, Weber. 1832. Gr. 8. 1 Thlr. 12 Gr.
2. Rapport sur les travaux de la société asiatique et l'état de la littérature orientale, par *E. Burnouf.* Paris 1833.

ris jährlich abgestattete, diesmal von dem kenntnißreichen Burnouf abgefaßte Rapport einen Ueberblick der neuesten, wichtigern Erscheinungen in dem weiten Felde der orientalischen Literatur liefert, gibt Schlegel in seinen „Réflexions" sehr wohlgegründete Erinnerungen über die Methode, welche auch bei der Bearbeitung der orientalischen Literatur zu befolgen ist, wenn diese Bearbeitung der Wissenschaft würdig und ersprießlich ausfallen soll. Man kann es im Allgemeinen den gegenwärtigen Orientalisten Deutschlands und Frankreichs und auch manchen Orientalisten Englands nicht vorwerfen, daß sie oberflächlich und ungründlich zu Werke gehen. Im Gegentheile werden grammatische Forschung, Lexikographie, Sprachgebrauch, Textkritik, literarhistorische Untersuchung von den vorzüglichsten Orientalisten unserer Zeit mit dem gebührenden Ernste behandelt und mit ebenso großer Sorgfalt studirt, wie dies im Fache der classischen Philologie geschieht; daher denn auch die Schriften unserer frühern Orientalisten hinter den von den heutigen Männern dieses Faches gelieferten Werken weit zurückstehen. Freilich gibt es aber in jedem Fache auch Stümper und Unbesonnene. Schlegel ward indeß zu seinen „Réflexions", welche auf ernste, gründliche, gelehrte Behandlung der orientalischen Schriftsteller dringen, vorzüglich durch die ersten Unternehmungen des londoner Oriental translation fund geführt, bei welchen man allerdings die nothwendige Zuverlässigkeit vermißte. Man druckte anfangs bloße Uebersetzungen, die überdies die Originale gewöhnlich abkürzten, oder nur auszugsweise lieferten und von Leuten verfaßt waren, welche sich in Ostindien einige praktische Kenntniß der Sprache erworben hatten, aber als Gelehrte bisher nicht bekannt gewesen waren. Die Originaltexte blieben ungedruckt, und die Namen unserer bekanntesten Orientalisten fand man nicht, oder wenigstens höchst selten unter den Uebersetzern des Oriental translation fund. Es ist eine ganz andere Sache, wenn ein bereits hinlänglich bekannter Mann, wie z. B. Silvestre de Sacy, uns eine bloße Uebersetzung liefert! Dann hat man schon Ursache, Vertrauen zu der Arbeit zu hegen; obgleich selbst in diesem Falle der Wunsch, mit eignen Augen sehen zu können, indem man das Original nachsieht, auch noch immer rege bleibt. Wird uns aber vollends eine bloße Uebersetzung geboten von einem Manne, dessen Namen wir zum ersten Male hören, so wissen wir gar nicht, wie wir mit seiner Arbeit daran sind; denn eigenthümliche Schwierigkeiten treten bei der vollständigen Uebersetzung der meisten orientalischen Schriftsteller noch immer ein, trotz aller in unsern Tagen gelieferten Hülfsmittel. Das Original einer solchen, nicht hinlänglich verbürgten Uebersetzung liegt dann als bloßes Manuscript in irgend einer Bibliothek verborgen; wer bekommt es zu sehen, und wer ist im Stande, zu sagen, wie es sich zur Uebersetzung verhält? Der Oriental translation fund konnte sich diesen Uebelstand gewiß nicht ganz verbergen. Allein, um billig zu sein, muß man auch bedenken, daß dieser fund, wenn er seinen Bestand sichern und die großen Ausgaben gehörig bestreiten wollte, manche Rücksichten zu nehmen hatte. Bei Uebersetzungen nur konnte er hauptsächlich auf Absatz in England und einige Wiedererstattung der Kosten rechnen. Originale zu drucken, ist, besonders in England, dreifach so theuer und der Absatz sechsfach geringer. Gleichwol konnte der fund, wenn er etwas wirklich Bedeutendes leisten wollte, von dem Drucke der Originale sich schlechterdings nicht entbinden.

Diese Ansicht ist denn auch von dem fund gegenwärtig bereits aufgefaßt und in Bezug auf mehre Werke ausgeführt worden, besonders seitdem der gründliche Haughton, der Verf. des bengalischen Wörterbuches, Secretair ward. Wegen Kränklichkeit hat er sein Amt leider aufgeben müssen, und es ist an John Shakespear, den Verf. des hindostanischen Wörterbuches, übergegangen. Man verfährt jetzt sorgfältiger in der Auswahl der zu liefernden Werke. Meher bekannte Orientalisten sind unter die Uebersetzer aufgenommen, ohne Unterschied der Nation. Von mehern Werken ist der Originaltext geliefert worden: der arabische Text der von Rosen bearbeiteten Algebra des Mohammed Ben Mussa; der persische Text der von Belfour bearbeiteten Biographie des Mohammed Ali Hasin; der sanskritische Text des von Stenzler bearbeiteten Gesehr zweckmäßig darin, daß er den Druck dieser Originaltexte im Auslande verstattet; denn dann kann der Herausgeber selbst die Correctur besorgen, und die Druckkosten sind, wenigstens in Deutschland, bedeutend geringer als in England. Freilich muß der fund nachher den Zoll bezahlen für das im Auslande gedruckte Werk, wenn es in England eingeführt wird. Alle von dem fund gelieferten Werke werden jetzt in gleichem Formate und mit gleicher Schrift und auf gleichem Papier gedruckt. Sie führen alle auf dem Titel eine Vignette, auf welcher die im Osten über dem Meere aufstrahlende Sonne erscheint, mit der Unterschrift: „Ex oriente lux".

Außer den Betrachtungen, welche unmittelbar das Verfahren des Oriental translation fund betreffen, hat Hr. von Schlegel hier zahlreiche und meistens sehr treffende, und in einer eindringlichen Darstellung vorgetragene Bemerkungen über die orientalischen Studien und deren Beurtheilung geliefert. Am meisten verweilt er in dieser Hinsicht bei der indischen Literatur, da er mit dieser am meisten bekannt ist. Ganz stimmen wir mit ihm überein in Dem, was er S. 84 über die Auszüge, oder excerpirenden Uebersetzungen orientalischer Handschriften sagt. Wir lassen es uns gern gefallen, daß ein Herausgeber uns nur ein Bruchstück, oder mehre Bruchstücke eines großen Werkes mittheilt, wenn nur der Text dieser Bruchstücke vollständig geliefert wird. Dann haben wir immer die volle Wahrheit des Originals. Wenn aber der Uebersetzer den ganzen Text zusammenzieht und übergeht, was ihm beliebt, dann wissen wir gar nicht mehr, was er uns eigentlich vorsetzt. Jeder solcher Excerpenten gibt uns freilich die feierliche Versicherung, daß er alles Wichtige aus dem Originale uns mittheile; um das von ihm Weggelassene brauche sich Niemand zu bekümmern, es seien unnütze Quisquilien. Zu bewundern ist nur, daß der Excerpent sich einbildet, mit diesem Machtspruche wirklich alle Zweifel seiner Leser und den unaufhaltsamen Forschungstrieb der Sachkenner niederschlagen zu können. Bald folgt ihm Einer auf dem Fuße nach und zeigt, wie unbefriedigend die Arbeit des Excerpenten ausgefallen. Das Excerpiren ist daher auch eine sehr undankbare Arbeit. Hr. von S. sagt über diesen Punkt:

Mais d'abord, ce que j'ai dit des traductions d'ouvrages inédits, qu'il est impossible d'en constater l'exactitude, s'applique également aux extraits, et même à plus forte raison. Car dans une traduction les traits de l'original étant moins effacés, l'on pourra juger s'ils offrent encore une ressemblance générale avec le génie d'ailleurs connu d'une nation et d'un siècle. Cette pierre de touche nous manque pour un extrait; il faut donc le recevoir de confiance, et les annales de l'érudition prouvent assez, qu'une pareille confiance a souvent été accordée trop légèrement. Ensuite l'extrait, ne pouvant être donné d'une manière satisfaisante que d'après un texte authentique, complet et correct, le même travail de critique philologique, qu'on a droit d'exiger de l'é-

d'une foule de livres, tel qu'il n'a [illegible] faciliter pour le premier travail, [illegible] plus propre à élargir notre horizon intellectuel.

Treffend charakterisirt der Verf. S. 103—107 verschiedene Classen unter den Beurtheilern der indischen Literatur. Er unterscheidet die croyans, welche die [illegible] schen Zahlen der Brahmanen buchstäblich verstehen; die négatifs, welche, dem entgegengesetzten [illegible] Alles in Zweifel ziehen und von der indischen [illegible] sprechen, als datire sie von gestern; die [illegible] welchen die Buddhisten Anfang und [illegible] ten indischen Bildung sind und sich [illegible] nen, ungeachtet Colebrooke sie in seiner [illegible] über die Jainas, in den „Asiatic researches", Bd. 9, S. 299—302, mit unwiderleglichen Beweisen [illegible] überführt hat; die peintres en noir, welche, um der europäischen Art der Civilisation und [illegible] Christenthume einen Gefallen zu erzeigen, [illegible] Charakter des indischen Volkes [illegible]. Was die négatifs oder modernistes betrifft, so beweist der Verf., daß sie sich völlig im Irrthum befinden, wenn sie glauben, eine neue Entdeckung oder [illegible]. Der bekannte deutsche Akademiker Bayer zu Petersburg hat schon vor einem Jahrhundert ganz [illegible] über den modernen Ursprung des [illegible]. „Bayer", sagt Hr. von S.: „était un [illegible] et, en général, judicieux; mais dans [illegible] il s'est singulièrement fourvoyé par [illegible] fait isolé." Bayer hatte nämlich, [illegible] skrit sehr wenig verstand, doch bemerkt, [illegible] ter im Sanskrit den griechischen [illegible] sind. Was ist nun klarer, rief er [illegible] Indier ihre ganze Arithmetik, Astronomie [illegible] Künste und Wissenschaften von den [illegible] ben! Sie gebrauchen ja die griechischen [illegible] würde Bayer nach diesem Princip [illegible] sen, wenn ihm die heutiges Tages [illegible] schaftsverhältnisse der Sanskritsprache [illegible] wären? Er hätte sagen müssen, daß [illegible] lich nur eine lithauische Colonie seien, [illegible] scheinlich durch die blutigen Kämpfe [illegible] den preußischen Orden aus ihrem [illegible] worden sei; denn man sehe ja deutlich, [illegible] nicht blos die Zahlwörter, sondern [illegible] tigsten übrigen Wurzeln und die [illegible] gen aus der lithauischen Sprache [illegible] würde man ihm haben [illegible] scheinlicher sei es eigentlich doch, [illegible] silas durch einige von [illegible] sche Emissare die indische [illegible] daraus lasse es sich begreifen, [illegible] seits so viel [illegible] viel Griechisches vorkomme. — Wer ohne umfassende Sachkenntniß durch Herausgreifen einzelner ihm aufstoßender Erscheinungen eine mit Leidenschaft genährte Ansicht begründen will, wird immer in solche Irren gerathen. Unserm alten Voß erging es bei seinen Ereiferungen gegen die indische Literatur nicht viel besser. Hr. von S. mag sich vorsehen, daß er bei seinen Urtheilen über die mohammedanische Literatur nicht auf ähnliche Abwege gerathe.

Wir müssen noch hören, was Hr. von S. in gerechtem Unwillen über die Schwarzmaler sagt:

Je ne m'arrêterai point à la secte des *peintres en noir*. C'est ainsi que je désigne les auteurs, qui décrivent une nation de plus de cent millions d'ames, les descendans de ces mêmes Indiens, que les Grecs appellèrent les plus justes des humains, comme un tas de scélérats, de lâches et d'imbéciles. Il serait étrange que les invasions de conquérans barbares, répétées depuis huit siècles et accompagnées de grandes devastations; le despotisme mahométan et l'influence de cet exemple sur les souverains de race hindoue; enfin les horreurs commises par les Européens, n'eussent pas détérioré l'état social dans l'Inde. Néanmoins, les témoignages les plus honorables ont été rendus solennellement devant le parlement britannique au caractère et aux moeurs de la génération actuelle. Pour décréditer ces témoignages, un écrivain de cette classe a trouvé un merveilleux subterfuge: il dit, que pour bien connaître l'Inde, il ne faut jamais avoir séjourné dans le pays. Au reste, les *peintres en noir* sont peu aimables: ils ont fait des livres lourds et ennuyeux; je suis faché de voir des missionnaires parmi les adhérens de cette secte.

(Der Beschluß folgt.)

Correspondenznachrichten.

Berlin, im October und November 1835.

— — Auch über „Rahel", das Buch des Andenkens, haben die hiesigen „Jahrbücher für wissenschaftliche Kritik" das Interessanteste gebracht von Allem, was über diese Briefe und den Geist dieser merkwürdigen Frau überhaupt gesagt worden ist. Sowol die kleinen Nebenzüge und farbig originellen Schattirungen als die lichte Flamme eines ewig rührigen und bewegten Seelenlebens, die Rahel's ätherisches Wesen bezeichnen, beides ist gleich treffend hervorgehoben und zu einem überschaulichen Gemälde zusammengestellt. Der Verf. des Aufsatzes ist ein Mann, der nun bereits eine kleine Reihe an Jahren hindurch die Aufmerksamkeit eines gebildeten Publicums, das zum Durchdenken wie zum Genusse der Kunstinteressen aufgelegt ist, zu beschäftigen weiß und, wie er sich auch zeigen und geben mag, als Kritiker und productiver Dichter des lebendigen Antheils sich würdig erweist. Es ist Th. Mundt, der auch in Ihren literarischen Blättern die Ergebnisse seines Denkens über Philosophie und Kunst in Abhandlungen mehrfach niederlegte. Je mehr seine neuesten Aufsätze in den hiesigen geselligen Künstlerkreisen Gegenstand des Gespräches waren, um so mehr mußte es befremden, in dem genannten Journal für vorzugsweise „wissenschaftliche Kritik" seine „Kritischen Wälder" so absprechend nicht allein, sondern auch so dürftig beurtheilt zu finden. Von welchem Gesichtspunkte die Redaction der „Jahrbücher" hierbei ausgegangen, ist uns nicht gleich einleuchtend. Mehrere von Hrn. Mundt's kritischen Arbeiten, die er zu der genannten Sammlung zusammenstellte, mögen aus einer Periode seiner philosophisch-künstlerischen Entwickelung herrühren, wo er, in den Wehen und den Widersprüchen des Gefühls und des Gedankens befangen, den allein ausdauernden End- und Löspunkt momentan nicht zu finden berufen schien. Je interessanter es ist, wenn ein begabtes Individuum, dem die Musen die Zunge gelöst, diese sich befeindenden Mächte des innern Lebens aus sich herausstellt, bevor sie völlig in ihm selbst sich ausgekämpft und versöhnt haben, und je mehr diese Uebergänge des universellen Bildungsprocesses, zu dem die moderne Gegenwart in strebenden Köpfen hindrängt, als nothwendig erscheinen, desto freier und gründlich tiefer sollte von Seiten bewußter Männer, die sich im sichern Bezirke wissenschaftlicher Gediegenheit glauben, eine Widerlegung und Berichtigung erfolgen. Jedenfalls trifft die „Kritischen Wälder", wenn wir unsererseits schlichten und entscheiden sollen, zunächst der Tadel, daß sie nur eine zufällige, keine geschlossene Zusammenstellung von Ansichten und Bestrebungen sind. Daß der Verf. sich aphoristisch vor dem Publicum entfaltete, und sich selbst nach momentanen Anlässen bildend, die gewonnene Bildung verbreitete, kann keinem Tadel unterliegen. Dazu dient die bewegliche Thätigkeit in Journalen, die die Bedürfnisse der Gegenwart zu befriedigen befugt sind. Ein Buch ist aber immer ein Individuum; wenigstens liebt man es, ein solches so und nicht als ein Allerlei von Maximen und ihren halb mitgetheilten, halb verschwiegenen Connexen und Uebergängen anzusehen, und hier ist nun die erhebliche Rüge zu machen, daß, wer in einer philosophischen Humoreske: „Kampf eines Hegelianers mit den Grazien", die kleinen Schwachheiten einer Schülerkaste so glücklich, artig und witzig darzustellen vermochte, jedenfalls für die großartige, tiefbedeutsame und für die deutsche Gedankenwelt nothwendige Erscheinung der Hegel'schen Lehre nicht verschlossen sein dürfe. Es sind nicht geradezu Misverständnisse der Lehre, die sich aus Mundt's kunstphilosophischen Abhandlungen ergeben, vielmehr eine Verstimmung und Verkümmerung der Auffassung, die nur momentan sich erzeugen mochte. Wir hatten erst vor Kurzem in einem musikalischen Zirkel, der sich auch zur gegenseitigen Förderung in der Theorie der Kunst zu versammeln pflegt, Gelegenheit genommen, Hrn. Mundt's Aufsatz über „Musik und Philosophie" aus den „Kritischen Wäldern", wie schon früher geschehen, von Neuem vorzulesen und über die darin enthaltenen kleinen Streifhiebe auf die soi-disant Anmaßung des philosophischen Begriffes einigen wißbegierigen Damen, die an der Lectüre lebhaften Antheil bezeigten, Rechenschaft zu geben. Es war gar nicht das erste Mal, daß wir dabei die Bemerkung machten, wie Hrn. Mundt's einschmeichelnde Beredtsamkeit gar wohl fähig sei, auch dem zarten Frauengemüth die tiefere Welt des Gedankens zugänglich und annehmlich zu machen. Der Aufsatz selbst, der soviel Schönes enthält, etwas straffer zusammengezogen und Alles gestrichen, was wie Laune derzeitiger Stimmung aussieht, könnte als ein Musterstück innigster und bewußtester Kunstkritik gelten. So lange sich eine herumscharmuzirende Polemik humoristisch hält, hat sie ihr gutes, wenngleich nicht wissenschaftlich positives Recht. Ist vom „unausstehlich-göttlichen Begriffe der Hegel'schen Lehre" die Rede, so ist das schon nichts als Naserümpfen und Medisance. Ueberhaupt kann es den absoluten Philosophen nicht als böser Wille ausgelegt werden, die Musik in ihrer Aesthetik nicht gewürdigt zu haben; es ist nur dürftige Ungelenkigkeit. Die Kunst aber als etwas blos Natürliches ansehen zu wollen, ist dem großen Stifter der Philosophie des Geistes wol nur untergeschoben. Aus aufgegriffenen Stichworten läßt sich noch weit mehr aus der Hegel'schen Lehre folgern: Unglaube an Unsterblichkeit der Seele, strictor Pantheismus, Unpersönlichkeit Gottes u. s. w. Liest man nun aber im erwähnten Aufsatz gar vom „Anwenden eines Begriffes auf einen Gegenstand", so klingt das in der That, als stände der Verf. geradezu als Exoteriker draußen und wolle nicht wissen, wie Hegel den Begriff als die Seele des Seins und des Objects aufgestellt hat. War die Musik in ihrer Wesenheit nicht aufgefaßt, so war ihr Begriff nicht gefunden — und Hr. Mundt hat das Verdienst, dies zuerst zur Sprache gebracht zu haben. Hegel, der den tiefsten Urgrund des metaphysischen Lebens in der Religion und im logischen Gedanken zur Offenbarung zu bringen zuvörderst berufen war, hat auf Allgemeingültigkeit seiner Ansicht von der Musik selbst verzichtet, und seine Lehre vom Begriff zu verrenken, um leichteres Spiel zu haben, ist wenigstens nicht glücklich. Selbst ein Kant's scher Satz wird vom Verf. benutzt, um dem momentanen Zwecke zu dienen; oder es müßte ihm denn Ernst damit sein, die Zerfallenheit der Welt des Geistes sowie der Begriffe Zeit und Ewigkeit in ein Diesseits und Jenseits für heilsam und fördernd zu halten. — So können wir einige Aufsätze in den „Kritischen Wäldern" nicht anders als mit diversen Randglossen lesen; in andern, namentlich den gediegenen Charakteristiken Ulrich Hegner's, Hippel's, der Abhandlung über Novellenpoesie u. m., mußten wir den Verf. immer als unbedingten Hodegeten Jedermann empfehlen und konnten dem sanftbewegten Wogenschlag seines geschmeidigen Gedankengangs ohne Störung lauschen.

Von Rahel's Briefen schrieb ich Ihnen und wollte nur noch bemerklich machen, daß sich an dieselben ein Büchlein in Taschenform, aber mit gleichen Typen und gleicher Ausstattung, als ein Anhang anschließt, das eine Zusammenstellung von Aussprüchen Johann Scheffler's und St.-Simon's enthält. Die vielen mit Strichen angedeuteten Stellen ergeben sich als solche, die auf Rahel's Gemüth einen besondern Eindruck machten und irgend wie einen nähern oder entferntern Zusammenhang mit ihrem eignen Denken bekunden. Eine umfassendere Auswahl ihrer Briefe- und schriftlichen Notizen soll, wie ich höre, bei Duncker und Humblot zu Ostern in drei Bänden erscheinen. Rahel's nie ruhende, dringende Begierde, die Schätze des tiefsten Lebens sich zu vindiciren, wird in der That ewig denkwürdig bleiben; ihr stets nervös und geistig afficirter Zustand, ihr Zusammenfassen des Entfernten, ihr Ahnen und stilles Brüten muß wunderbar seltsam erscheinen, und wir erinnern uns an Mundt's Stelle seiner Darstellung in obgedachtem Aufsatze, wo er ungefähr sagt: „Wir sehen in ihr eine Pythia im Schweiße ihres Angesichts".

Um an Größeres Kleineres zu knüpfen, so ergab sich, wenn wir einen Blick auf die berliner Journalistik zweiten Ranges werfen, im „Freimüthigen" das Schauspiel eines skurrilen Hahnengefechtes. Zwei junge Schriftsteller, C. W. Kähne, ein Jurist seines Brotstandes nach, der früher in einer wunderlichen Broschüre den Herren W. Alexis und Raupach ein exaltirtes Vivat brachte und Letztern über Sophokles erhob, und C. J. Hoffmann, ein Theolog seiner eigentlichen Wissenschaft nach, benutzten, wie es schien, die Abwesenheit des Redacteurs, Dr. Häring, der nach Italien eine Reise unternommen, um in dem genannten Blatte einen Mückenkrieg seltsamer Art zu eröffnen. Wenn wir es hier zu Lande unserer aufmerksamen Censur verdanken, daß das beschreibfederte Geschlecht ephemerer Geister uns Tag für Tag einen ungesäuerten und ungesalzenen Teig im politischen Raisonnement vorknetet, so erwächst uns doch daraus der Uebelstand, daß sich diese Plänkler auf andere Gebiete, Religion und Philosophie, werfen und hier in ihre selbstgewässerten Pfützen springen, sodaß den bedächtig Wandelnden der Pfad bespritzt wird. Diese beiden genannten Herren zankten sich über eine ihnen entlegene terra incognita; Jeder suchte dem Andern zu entreißen, was Keiner von Beiden hat, nämlich: Unsterblichkeit. Das war der große Gegenstand des kleinen Hahnenkampfes. Der Theolog, Hr. Hoffmann, wirft Hegel Pantheismus vor und sagt, er habe nicht an Unsterblichkeit anders geglaubt, als in welcher Weise man von einem hienieden unsterblichen Plato u. s. w. rede. Der Jurist, Hr. Kähne, zeigt, daß sein Gegner, der auch jenseits philisteröserweise sein Glas Bier zu trinken und seine Pfeife Knaster zu rauchen hoffe, einen falschen Begriff von der [illegible]

nirgends beurtheilt gefunden. An unserer Universität [illegible] Wintervorlesungen bereits ihren gewohnten Gang. [illegible] angestellter Lector der holländischen Literatur vermehrt [illegible] fang des Studiums der neuern Sprachen. Professor Ga[ns] [illegible] seine Vorlesungen über Napoleon nicht eröffnen dürfen. [illegible] sam, daß man in Preußen den Napoleonismus fürchtet! [illegible] diese Richtung einmal als eine gefährliche erscheinen, [illegible] Gans allerdings der Mann, den die Perfidien fürchten. [illegible] hört zu den Wenigen, die im Auditorium reden, statt abzu[lesen;] er ist ein Redner und wirkt mit der Schlagkraft des [illegible] bar producirten Gedankens.

Raupach hat uns verlassen wollen, um mit dem [illegible] ter in Wien ein Verhältniß anzuknüpfen, allein er [illegible] hört, zurückgekehrt. Auf seinen Antrag, ihm ein [illegible] lich zu bewilligen, hatte ihm die hiesige Theater[illegible] 800 Thlr. geboten, als vorläufige Summe, die man bei der Honorirung seiner Stücke in Abzug bringen wolle. [In] Wien hatte er eine unglückliche Concurrenz mit Zedlitz. [Beide] Dichter reichten unter demselben Titel: „Tasso's Tod", [illegible] men ein, und der Spätere, Raupach, mußte zurücktreten.

Miscellen.

Französische Eitelkeit — englische Bescheidenheit.

Ludwig XIV. Kanonen trugen seit dem Jahre 16[illegible] Zeichen einer Sonne nach l'Ouvrier's Angabe. Als der [fran]zösische Marschall Tessé im Mai 1706 während des [illegible] Erbfolgekrieges die Belagerung von Barcelona eilig [illegible] aufhob, fiel sein schweres Geschütz in die Hände des eng[lischen] Feldherrn, des Lord Peterborough. Dieser ließ nun die [illegible] gelten Kanonen wieder in Stand setzen; aber statt der [illegible] reichen Sonne trugen sie nun das Bild einer unterge[henden] Sonne mit dem Motto: „Magna parvis obscurantur". [illegible] Lord Mahon's „History of the war of succession in [illegible] S. 186.)

Nicht minder charakteristisch für beide Nationen [illegible] des. Vor der Schlacht bei Trafalgar am 21. October [illegible] munterte Nelson seine Mannschaft durch die einfachen [illegible] „England expects every man to do his duty". [illegible] Napoleon vor der Schlacht bei den Pyramiden am 21. Jul[i] [illegible] zu seinen Kriegern: „Soldats, souvenez vous, que [illegible] siècles vous regardent du haut de ces monuments".

Napoleon und der preußische General [illegible]

Am 30. Pluviose des Jahres IX (1800) [illegible] lige erste Consul Napoleon Bonaparte [illegible] Als er die 30., 96. und 43. Halbbrigade [illegible] sah, tapfere Truppen, deren Fahnen [illegible] und von Kugeln durchlöchert waren, [illegible] verbeugte sich voll Achtung unter [illegible] wesenden. So erzählt Bourrienne in seinen [illegible] Am 3. October 1813 fand Blücher [illegible] den französischen General Bertrand [illegible] Elbe bei den Dörfern Globig, Bleddin und [illegible] Stellung mußte genommen werden. General [illegible] Angriff und trieb den Feind mit nicht [illegible] beiden Seiten nach Kemberg und Wittenberg. [illegible]

Blätter

für

literarische Unterhaltung.

Sonntag. —— Nr. 363. —— 29. December 1833.

1. Réflexions sur l'étude des langues asiatiques adressées a Sir James Mackintosh, suivies d'une lettre a M. Hor. Hayman Wilson, par *A. W. de Schlegel.*
2. Rapport sur les travaux de la société asiatique et l'état de la littérature orientale; par *E. Burnouf.*

(Beschluß aus Nr. 362.)

Es wird dem großen Haufen der Europäer, besonders dem Missionar gar zu schwer, eine Vorstellung davon zu gewinnen, daß es auch Civilisationen geben kann, die in vielen Formen von der europäischen Civilisation verschieden sind und gleichwol der menschlichen Würde nicht entbehren und von den Gefühlen der Religiosität und Sittlichkeit nicht verlassen sind. Und welcher Europäer könnte als Ankläger gegen die Indier auftreten, dem nicht die Indier mit Leichtigkeit die übervolle Gegenrechnung zurückgeben könnten aus Dem, was in Indien seit Jahrhunderten von Europäern verübt worden ist, welche sich Christen nannten und in gleichem Grade durch gefühllose Grausamkeit und feige Niederträchtigkeit den christlichen Namen dort verhaßt machten? Wer etwa noch glauben möchte, daß diese Ausdrücke zu stark seien, darf nur in Crawfurd's „History of the indian archipelago" einen Blick werfen. Der hochmüthige Europäer sagt sich die beliebte Phrase vor, daß er im Lichte seiner Zeit wandele, und demonstrirt dann staatsrechtlich, daß Asiaten und Amerikaner keine Menschenrechte haben und es ganz unangemessen sein würde, über deren Unterdrückung und Ausrottung sich empfindsame Bedenklichkeiten machen zu wollen.

In dem Plane des Oriental translation fund schien Hrn. von Schlegel die arabische und persische Literatur zu stark hervorgehoben zu sein im Verhältniß gegen die indische. Daher macht er S. 11, 12 polemische Bemerkungen gegen jene Literaturen. Diese Bemerkungen sind zu einseitig. Gott hat den Pippala wachsen lassen und auch die Palme; wir wollen uns des einen freuen und die andere nicht verachten. Jede Literatur hat ihre Schwächen, und auch in der indischen lassen sich diese leicht nachweisen, wenn man darauf ausgeht, sie hinzustellen. Doch gesteht Hr. von S. auch, daß er im Arabischen und Persischen zu wenig Kenner sei. Wie gewöhnlich stellt er den Islam als Unterdrücker der Künste, ja sogar der Dichtkunst dar. Ob die Araber ohne den Islam zu Künstlern geworden wären, steht dahin. Die Chinesen sind auch keine großen Maler und Bildhauer geworden. Was aber die Dichtkunst betrifft, so widerlegt, wie mich dünkt, die Geschichte die Behauptung des Verf. Mohammed sprach: „Suchet die Wissenschaft, und wäre es auch am Saume der Erde!" Wer etwas Weiteres hierüber zu lesen wünscht, kann es in Frähn's Vorrede zum Ebn Foslan finden.

Der Brief an Wilson ist polemischen Inhalts und nicht ganz ohne Grund, obwol die Umstände Wilson's Aeußerungen etwas entschuldigen mögen. Der Obrist Boden hat zu Oxford eine reiche Stiftung für die Sanskritliteratur gegründet; aus dem Ertrage soll ein Professor des Sanskrit besoldet und der Druck wichtiger Sanskritwerke bestritten werden. Ein seine Wissenschaft liebender Mann kann sich in der That keine glücklichere Stelle wünschen. Wilson, welcher bis dahin in Kalkutta sich aufhielt, meldete sich zu der Stelle und, wie es für solche Fälle in England Gebrauch ist, brachte seine Verdienste zu Papier. Er befürchtete, es wäre möglich, daß man auch auf einen in Europa lebenden Sanskritisten sein Augenmerk richtete. Er ließ daher ein Memorandum circuliren, worin er zu beweisen suchte, daß nur ein in Indien gewesener Sanskritist wie er im Stande sei, der Boden'schen Stiftung würdig vorzustehen; die in Europa lebenden Männer dieser Art kämen nicht in Betracht; Bopp habe ganz geringe Elementarbücher geliefert, und Schlegel habe nicht zu übersetzen gewagt, was nicht durch englische Gelehrte schon vorher übersetzt worden. Hr. von S. bekam das Wilson'sche Memorandum zu Gesicht, und setzt nun den Urheber darüber zurecht. Schwerlich möchte auch Wilson es gewagt haben, solche Aeußerungen über die in Europa lebenden Kenner des Sanskrit ganz öffentlich zu thun. Hr. von S. zeigt ihm an manchen Stellen seiner Schriften, daß Wilson recht wohl Belehrungen von den Leuten in Europa empfangen kann. Inzwischen hat Wilson die Boden'sche Stelle erhalten und ist bereits in Oxford eingetroffen. Wir wollen wünschen, daß er ferner recht thätig sein möge. An Mitteln dazu kann es ihm nicht fehlen.

Burnouf erwähnt in seinem „Rapport" zuerst die Werke, welche von der asiatischen Gesellschaft zu Paris unternom-

men worden sind. Abel Rémusat hatte die Herausgabe eines für die Buddhistische Religion wichtigen „Vocabularium pentaglottum" übernommen, welches die vornehmsten Ausdrücke der buddhistischen Mythologie in indischer, chinesischer, tibetanischer, tatarischer und mongolischer Sprache enthält. Er wollte einen ausführlichen Commentar zu diesem Werke liefern, und seine vieljährigen Studien in der buddhistischen Literatur machten ihn zu dieser Arbeit vorzüglich fähig. Bei seinem Tode fand man nur einige Seiten dieses Commentars geschrieben vor, und die Gesellschaft war der Meinung, daß für den Augenblick Niemand vorhanden sei, welcher im Stande wäre, diese Ausarbeitung fortzuführen. Die Arbeit hat daher aufgegeben werden müssen. Dagegen ist die von dem verstorbenen Mollinier hinterlassene chinesische Chrestomathie in einer verbesserten Gestalt wirklich herausgegeben worden und ist ein für die Erleichterung der chinesischen Studien sehr nützliches Werk. Die Anfertigung der Zendtypen für das von Burnouf unternommene Werk über den Originaltext des Zend-Avesta ist vollendet worden. Mittlerweile sind nun auch schon in Berlin Zendtypen angefertigt und in Bopp's „Vergleichender Grammatik" gebraucht worden. Die Deutschen sind also hierin den Franzosen noch zuvorgekommen. Die neue Ausgabe des indischen Gesetzbuches des Menu von Loiseleur des Longchamps, welche auch eine französische Uebersetzung enthält, ist beendigt. An der lithographirten Ausgabe des Zendtextes des „Vendidad sade", welche Burnouf besorgt, fehlt nur noch das zehnte oder letzte Heft. Von dem alten chinesischen Räthselwerke „I-king" ist der erste Theil vollendet; die von dem Jesuiten Regis, du Tartre und Lacharme hinterlassene Arbeit über dieses Buch, welche Mohl herausgibt, wird wenigstens dazu dienen, die Erklärung vorzubereiten. Das „Journal asiatique" wird regelmäßig fortgesetzt und enthält manche interessante Artikel und Notizen. Die polemischen Aufsätze von Klaproth über die Leistungen anderer Sinologen haben einige Zeit lang zu viel Raum in dieser Zeitschrift fortgenommen. Von den Unternehmungen der pariser Gesellschaft wendet sich Burnouf zu denjenigen Arbeiten in der orientalischen Literatur, welche außerhalb Frankreich und unabhängig von der pariser Gesellschaft geliefert worden. Hier bietet sich ihm denn ein weites Feld dar, auf welchem er die wichtigsten Erscheinungen kurz bezeichnet. Nur Weniges können wir hier erwähnen. Burnouf zählt auch die Werke des londoner Oriental translation fund auf, aber freilich ohne die strenge Kritik dabei geltend zu machen, welche wir bei Schlegel kennen gelernt haben. Mit Vergnügen führt er jedoch auch die nun von dem fund begonnene Herausgabe der Originaltexte an, „un des développemens les plus heureux que le comité ait apportés à son plan". Zu Kalkutta ist die Reihe der indischen Schauspiele, deren Originaltext geliefert worden, durch das „Retnawali", d. i. das Halsband, vermehrt worden. Burnouf wünscht, daß demselben bald das Schauspiel „Prabôdha-tschandrôdaja", d. i. Weisheitsmondesaufgang, folgen möge; so viel wir wissen, beschäftigt sich schon ein junger deutscher Orientalist zu London, Hermann Brockhaus, mit demselben. [illegible] Druck des ganzen Riesengedichtes „Mahâbhârata" hat [illegible] Kalkutta begonnen und der erste Quartband ist vollendet. Möge hier nur keine Unterbrechung oder gänzliche Abbrechung eintreten, wie es bei dem Drucke des „Râmâjana" geschah. Auch Schlegel läßt auf die Fortsetzung seines „Râmâjana" lange warten. Auch ist zu Kalkutta der Druck des wichtigen historischen Werkes: „Râdscha-taranginî" bereits beschlossen, welches eine Chronik der Könige von Kaschmir in sanskritischer Sprache ist. Das von Stirling in den „Asiatic researches", Bd. 15, erwähnte historische Werk: „Wansawali", welches die Geschichte von Orissa behandelt, wird gleichfalls zu berücksichtigen sein. Mehrere andere Werke der Sanskritliteratur werden von daselbst angekündigt, und die zweite Ausgabe des Sanskritwörterbuchs von Wilson ist bereits bei uns angelangt. Die Ausarbeitung eines neuen, umfassenden und etymologisch geordneten Sanskritlexikons hat Wilson begonnen. Von der indischen Literatur schreitet Burnouf zur hebräischen, arabischen und persischen fort, und hat auch hier überall eine reich aufgeschossene Saat zu beschreiben. Er ist ein milder Berichterstatter, dessen Strenge den Verfasser [illegible] wird. Der persische Text des ganzen Geschichtschreibers Ferischta ist zu Bombay lithographirt erschienen. Bald ist der Berichterstatter in der Druckerei zu Bulak bei Kahira, bald zu Macao in China, bald zu Madras, oder zu Colombo auf Ceilan, bald zu Malacca, wo uns die schätzbare chinesische Grammatik des Pater Prémare geliefert worden ist. Er vergißt auch nicht das oben von uns betrachtete Sendschreiben Schlegel's und rühmt dessen philologische Foderungen und die Correctheit des französischen Styles an dem Ausländer. Zu Batavia hat Gericke eine Grammatik der javanischen Sprache geliefert, und eine andere für dieselbe Sprache von Brückner ist zu Serampor bei Kalkutta erschienen. Ueber die japanische Sprache werden neue Mittheilungen erwartet in den Werken von Siebold und van Overmeer. Aus der petersburger Presse ist die mongolische Grammatik von Schmidt hervorgegangen. In der arabischen Literatur hat uns Paris die neue Ausgabe der trefflichen Sacy'schen Grammatik geliefert. Sonst sind für diese Sprache die [illegible] am thätigsten, wie Freitag's arabisches Wörterbuch, sein „Hamâsea", sein „Fâkehet el cholafa", [illegible] die Annalen des Taberi, Ewald's arabische Grammatik zeigen. Aber auch die Druckereien zu [illegible] und Kalkutta liefern wichtige Werke der arabischen Literatur, besonders für die mohammedanische [illegible], wie z. B. der zu Kalkutta erschienene „[illegible]" [illegible] Werk „Hedâjet". Diese Werke und die [illegible]nische Presse scheint Burnouf ganz übersehen zu haben. Eine türkische Grammatik, welche durch ihre [illegible]rischen Zugaben sehr interessant ist, hat uns der [illegible] der Davids geliefert. Er hat nämlich [illegible] ältern türkischen Mundarten, des Uigurischen und des Tschagataischen, welche im östlichen Asien gesprochen werden, aus Originalhandschriften mitgetheilt. Die großen Handschriftenschätze auf dem britischen Museum und im

Ostindienhause zu London sind in der neuern Zeit von jüngern deutschen Orientalisten fleißig benutzt worden. Rosen aus Detmold, welcher uns zuerst Proben der alten Wedatexte im Original gegeben hat, ist mit der Herausgabe des ganzen „Rigweda" beschäftigt. Stenzler, aus Pommern, der Herausgeber des „Raghuwansa", hat die Uebersetzung eines Stückes des „Jadschurweda", betitelt „Wrihadaranjaka", angekündigt; dieses Stück enthält Gespräche über Natur der Götter und der Menschen, Tod und Unsterblichkeit. Lassen und der jüngere Windischmann zu Bonn haben Bruchstücke der Originaltexte der indischen Philosophen geliefert: Ersterer die „Sânkja-kârikâ" des Iswara-Krischna, mit Uebersetzung und Erläuterungen; Letzterer die „Bâlabôdhani" des Sankara. Die asiatischen Gesellschaften zu Paris und London vereinigen in sich Männer aller Völker und Länder. In dem pariser Verzeichnisse steht neben dem Dr. Möller zu Gotha der Perser Mohammed Ismael Chân zu Schiras, und neben unserm Dr. Rosen der Araber Sakakini, Lehrer an der Kriegsschule zu Abu Sabel bei Kâhira. Diese friedlichen Gesellschaften lassen sich durch die politischen Stürme in ihrer achtungswerthen und erfreuenden Thätigkeit nicht stören.

J. G. L. Kosegarten.

Thascius Cäcilius Cyprianus, Bischof von Karthago, dargestellt nach seinem Leben und Wirken von Friedrich Wilhelm Rettberg. Göttingen, Vandenhoeck und Ruprecht. 1831. Gr. 8. 1 Thlr. 12 Gr.

Eine höchst interessante Darstellung, welche unter den bereits erschienenen kirchengeschichtlichen Monographien gerade deshalb eine besondere Aufmerksamkeit auch des allgemeingebildeten Publicums in Anspruch nimmt, weil sie einen Mann vor die Augen bringt, welcher nicht sowol in gelehrten Kenntnissen und durch geistreiche und eigenthümliche Auffassung der christlichen Theologie als durch den wichtigen Einfluß ausgezeichnet ist, den er auf den äußern Zustand und die sociale Verfassung der christlichen Kirche vom dritten Jahrhunderte herab ausgeübt hat. Cyprian war es nämlich, welcher die Idee der Concentration des kirchlichen Organismus in den Bischöfen tiefer als irgend ein anderer Kirchenlehrer seiner Zeit aufgenommen und lebendiger, vielseitiger, eifriger als irgendwer auf alle Verhältnisse des kirchlichen Lebens in Anwendung gebracht hat. Selbst die Ahnung einer kirchlichen Monarchie, die über den einzelnen bischöflichen Sprengeln und erzbischöflichen Provinzen das Ganze der Christenheit in eine äußere Einheit zusammenfaßt und in einer äußern Unterordnung hält, ist dem afrikanischen Bischofe nicht ferne geblieben, wiewol in seiner eigenen Praxis er seine Stellung gegenüber von andern kirchlichen Behörden und namentlich im Verhältnisse zu dem bischöflichen Stuhl in Rom mit aller Kraft und energischer Würde aufrecht zu erhalten wußte. Indessen ist doch von Cyprian die Idee der äußern Kircheneinheit unter bischöflicher Gewalt, überhaupt die Idee der Kirche und die der Hierarchie des Klerus zuerst mit solcher Klarheit und Entschiedenheit ausgegangen, daß sie von nun an das herrschende Princip in dem Zustande der katholischen Kirche und in den Bestrebungen der höhern Geistlichkeit wurde; und mit feiner Beobachtungsgabe weist der Verf. darauf hin, wie Cyprian als Vertheidiger der bischöflichen Rechte der Vorgänger des Gründers der päpstlichen Alleinherrschaft in der Kirche, Gregor VII, geworden sei, wie sich bei diesem Letztern, nur für den Zweck eines erweiterten Absolutismus, dieselben Vorstellungen, Beweisgründe, Versuchsmittel wiederholen und verstärken, zu welchen schon Cyprian in der Begeisterung für die Tendenz seines Lebens und Wirkens gegriffen hatte. Den, namentlich von Protestanten oft so voreilig gehegten Argwohn, als wenn diese hierarchische Tendenz aus unlautern Triebfedern des Ehrgeizes, aus tiefangelegten Berechnungen einer egoistischen oder Standesparteisucht hervorgegangen wäre, kann man durch nichts besser widerlegen, als durch die Lesung einer mit der größten Unbefangenheit und Wahrheitsliebe aus den geschichtlichen Quellen und zunächst aus Cyprian's eignen Schriften und Briefen entnommenen Schilderung seiner Persönlichkeit und seines Wirkens. Es treten hier in lebendiger Wechselwirkung mit den Verhältnissen der Zeit und des Berufes die edlen Eigenschaften wie die schroffen Seiten seines Charakters und seiner Weltansicht hervor, und man muß dem Gemüthe und Willen des Mannes Gerechtigkeit widerfahren lassen, wenn man gleich seinen Weg als eine Abirrung von den reinen Absichten und Richtungen des ursprünglichen Christenthums zu beurtheilen hat. Auf der andern Seite lernt man hier nicht blos die ersten Grundlagen des hierarchischen Systems der katholischen Kirche kennen, sondern man erfährt, was die katholischen Kirchenschriftsteller bisher durch allerlei Deutungen mißzuverstehen und zu leugnen versucht haben, daß der Primat des römischen Bischofs im dritten christlichen Jahrhunderte von den übrigen Kirchen nicht von ferne in dem Sinne, in welchem es die römische Curie fodert, anerkannt, daß nicht einmal ein consequenter Plan zur Erhebung des römischen Bischofsitzes über die andern vorgewaltet, sondern mehr die barsche und anmaßliche Individualität einzelner römischer Bischöfe, wie z. B. des Stephanus bei der berühmten Streitigkeit über die Ketzertaufe, ungebührlichen Foderungen den Ursprung gegeben habe.

Cyprian, geboren um den Anfang des dritten Jahrhunderts nach Christo, fällt in den merkwürdigen Zeitraum der Decianischen Christenverfolgung, während welcher er bereits den bischöflichen Stuhl zu Karthago bekleidete. Mit der Geschichte dieser Verfolgung hängt die langbesprochene Frage zusammen, ob die in den Zeiten der Verfolgung von dem Bekenntniß des Evangeliums Abgefallenen, die sich hatten dazu bewegen lassen, den heidnischen Gottheiten zu opfern, und wie dieselben in die christliche Kirchengemeinschaft wiederaufzunehmen seien. Cyprian selbst war im Anfange der Verfolgung von seiner bischöflichen Residenz gewichen und hatte sich in einem entfernten Schlupfwinkel verborgen. Ueber diese Flucht, welche schon damals von Andern gerügt worden war und zu allen Zeiten Etlichen zum Anstoß gereichte, sagt der Verf., es sei allerdings gewiß nicht zu billigen, wenn der Vorsteher einer Gemeinde dieselbe grade in der Gefahr verlasse, wo sie am meisten seiner Unterstützung bedürfe, und diesen Vorwurf habe Cyprian oft genug von seinen Feinden hören müssen. Indessen müsse man den Mann doch auch in seiner Lage nicht unbillig beurtheilen. Die Hauptabsicht der Verfolger sei gegen die Bischöfe gerichtet gewesen; er habe also bei längerm Verweilen in Karthago sicher auf den Märtyrertod rechnen können; daß er sich nun demselben unbedingt unterziehe, habe doch wol nur die äußerste, der montanistischen Secte eigenthümliche Strenge verlangt, zu der sich Cyprian nicht erhoben hatte. Bei ihm komme es nur darauf an, ob er durch das ruhmvolle Beispiel seines Märtyrertodes segensreicher auf die Gemeinde einwirken, oder durch wirklich praktische Thätigkeit bei fortgesetztem Leben mehr Gutes schaffen konnte; und da sei es doch wol mehr als gewiß, daß, so einflußreich auch für jene schwärmerischen Zeiten der Märtyrertod des Bischofs auf das Volk sein mußte, doch die Vortheile davon auf keinen Fall mit dem reellen Guten verglichen werden können, welches Cyprian in seinem spätern Leben stiften gekonnt, und wirklich gestiftet habe. Sollte aber ja noch ein Schein von Feigheit auf seinem Charakter ruhen, so werde auch dieser durch den wirklich später so glorreich erduldeten Märtyrertod völlig ausgelöscht. (S. 56.) Er selbst war sich so sehr bewußt, durch seine Zurückziehung während der Verfolgung nichts Unrechtes gethan zu haben, daß er vielmehr einen strengen Grundsatz aussprach über die Wieder

kehr der Abgefallenen zur Gemeinde und nur durch den Drang der Umstände sich nach und nach bestimmen ließ, in Etwas von der Strenge seines Grundsatzes abzuweichen. Er hatte in dieser Sache einen um desto schwierigern Standpunkt, als die in der Angelegenheit der Gefallenen milder denkende Partei eigentlich ihren Impuls vorzugsweise von der Seite eines andern Kampfes her bekam. Es war ihm wol längst seine frühe Gelangung zur bischöflichen Würde misgönnt worden. Die Priester aber, denen er vorstand, erkannten nur zu bald, wie sehr ihn das Gefühl seiner Würde und Macht ergriffen hatte, und wie grade er der Mann sei, die längst begonnene Scheidung der Bischöfe von dem übrigen Klerus und dessen völlige Unterordnung unter jene auszuführen. Cyprian dagegen wußte sein Ansehen und seinen Platz mit solcher Vorsicht zu behaupten und seine Gegner trotz der ihm eigenthümlichen Strenge so mild zu behandeln und zu gehöriger Zeit von seinen eignen Maßregeln die eine und andere zu mäßigen, daß er später auch gegen zwei von entgegengesetzten Seiten aufgestellte Gegenbischöfe das Feld behielt. Besonders wichtig stellt sich jedoch sein Verhältniß gegen den römischen Bischof heraus. Bischof Cornelius war durch Cyprian's Autorität auf dem Stuhle zu Rom erhalten worden und vergalt diesen Dienst demselben durch ähnliche Verwendung und Theilnahme, als die feindlichen Parteien auch den Cyprian bedrohten. Merkwürdiger noch zeigt sich seine Stellung gegenüber dem römischen Bischof Stephanus, durch welchen der Streit über die Ketzertaufe — ob nämlich die von einem Ketzer Getauften bei ihrem Eintritt in die katholische Kirchengemeinschaft wiederum oder, wie Cyprian und im Orient der Bischof Firmilian behauptete, eigentlich erst christlich getauft werden sollten, oder ob, wie die Römer meinten, bei jenem Uebertritte die bloße Handauflegung genüge, also die Ketzertaufe als eine christliche Taufe anzusehen sei — in hellen Flammen ausgebrochen war. Bei dieser und bei andern Gelegenheiten, mochte nun das Recht auf der einen als andern Seite sein, zeigt Cyprian die Selbständigkeit anderer Kirchen und Bischöfe neben Rom. Ueberall erscheint Cyprian auf gleicher Stufe mit dem römischen Bischof, sein Rath nimmt bisweilen sogar den Ton eines väterlichen Befehlens an, wie hoch ihm das Alterthum und die Tradition der römischen Kirche gelten mag.

Die Grundidee der theologischen Ansichten und kirchlichen Bestrebungen des Cyprian ist die Einheit der sichtbaren Kirche und eine durchgängige Uebertragung der theokratischen Begriffe des Alten Testamentes auf die Hierarchie und den Klerus des Christenthums. Die Person des Erlösers, der Versöhnungsglaube, das Geistige, Lebendige, Ideelle tritt gegen jene Vorstellung in den Hintergrund. Die Gottheit steht vor ihm mehr in den Eigenschaften des Jehovas, als des Vaters Jesu Christi. Die Taufe, mit allen sinnlichen Begriffen jener Zeit aufgefaßt, ist der Zauberbrunnen, der entsündigt und alle Segnungen der Kirche zutheilt. Gebet und Almosen sind mehr oder weniger grobsinnlich genommen und zu den Verdiensten der Gläubigen gezählt. In den dogmatischen Ansichten ist jedoch keine tiefere Begründung, kein organischer Zusammenhang. Nur die Lehre von der Kirche steht voran, und was mit ihr in näherer oder entfernterer Beziehung steht, ist auch mehr oder weniger Gegenstand des Nachdenkens und der Bearbeitung für Cyprian geworden. Das Dogma von der Welt, vom Teufel, von der Hölle ist von ihm mit besonderer Vorliebe, doch weniger theoretisch auseinandergesetzt, als mit einem Aufwande glühender und schreckender Bilder behandelt.

Unter den Schriften Cyprian's verdienen die moralischen und ascetischen den Vorzug. Es wohnte in seiner Seele ein Augustinisches Gefühl der Weltverderbniß. Wahres und Falsches ist in seinen Rathschlägen und Bußmitteln durcheinandergeworfen. Als ein Beispiel der Vortragsweise und Beweisart des Cyprian heben wir die auffallenden Gründe aus, womit er (S. 240 fg.) gegen übermäßige Kleiderpracht, besonders an den Jungfrauen eifert. Er sieht in jedem Schmucke und in jeder Auszierung des Körpers nur Erfindung des Teufels. Die Menschengestalt ist von Gott ohne Schmuck erschaffen; wer sich deshalb herausnimmt, hieran etwas bessern und durch hinzugefügten Schmuck verändern zu wollen, meistert den Schöpfer und entstellt dessen Werk. Die Ohren sind nicht deshalb dem Menschen geschenkt, um durchlöchert und mit kostbarem Gehänge belastet zu werden. Dem Herrn selbst werde in der heil. Schrift (Offenbar. Joh. 1, 14) ein Haar, weiß wie Wolle oder Schnee, zugeschrieben: wie dürfe sich der Mensch der Weiße seines Hauptes schämen und dieses durch Färbung verunstalten! Wie solle es am Tage der Auferstehung zugehen, wo Gott gewiß die so durch Teufelskünste verwandelte Gestalt nicht anerkennen könne! Der Mensch ist nach Gottes Ebenbilde geschaffen; wer sich herausnimmt, dasselbe zu verunstalten, begeht den größten Frevel gegen den Schöpfer u. s. w. Eine wichtige Rolle in der Ethik und Moral des Cyprian spielt bereits auch der Cölibat der Kleriker und der Jungfrauen. Es treten jedoch grade aus den hierauf bezüglichen Schriften desselben deutliche Spuren einer großen Entsittlichung unter diesen Gottverlobten und Himmelsbräuten hervor.

66.

Notiz.

Jeder, der von der, die historischen Verhältnisse des neuen Griechenlands im 16. Jahrhunderte oder jener Zeit überhaupt betreffenden Literatur einige Kenntniß hat, wird auch die „Turcograecia" des tübinger Professors Martin Crusius im 16. Jahrhundert kennen. Sie ist für jene Zeit und jenes Land, was die äußere und innere Geschichte beider, die morgenländische Kirche, den damaligen Zustand der Wissenschaften in Griechenland und der griechischen Sprache und die Kenntniß der heutigen Sitten zu jener Epoche anlangt, ein reicher Schatz, der auch noch für unsere Zeit seinen Werth hat und denselben unter Anderm dadurch erhöht, daß in dem ersten der acht Bücher, die die „Turcograecia" bilden, eine Darstellung der [illegible] Geschichte Konstantinopels vom Ende des 14. Jahrhunderts an bis 1578 enthalten ist. In der vorangeschickten [illegible] denen Dedication an die Landgrafen von Hessen, in welcher [illegible] übrigens eine seltene Vorliebe für das deutsche [illegible] mit allerdings erklärlicher Unkenntniß desselben [illegible] gar seltsam wie eine Art Prophezeiung von [illegible] die Erhebung eines deutschen Regentenhauses [illegible] Griechenlands gesehen hat, wenn es heißt: „[illegible] mein Buch mehr bekannt geworden, eine [illegible] zwischen den Griechen und Deutschen [illegible] nicht Satan einmal hindern könnte." [illegible] vorzüglich für unsere Zeiten geltende [illegible] derselben epistola dedicatoria gegen [illegible] ausspricht: „Es kann hieraus leicht [illegible] auch noch heutzutage die Kenntniß der [illegible] und nothwendig sei, da dieselbe, [illegible] verbreitet ist als alle jene Sprachen, [illegible] verstümmelt sind. Um so verdienstlicher [illegible] der griechischen Literatur mehr, als bisher [illegible] ist, zu begünstigen; es würde dies [illegible] tion selbst hülfreiche Hand bieten heißen." [illegible] die damalige Sprache, wie sie namentlich im [illegible] gange vom Volke gesprochen ward, nicht die [illegible] im Auge hatte, geht aus dem ganzen Zusammenhange [illegible] und noch deutlicher hat er dies an einem andern [illegible] sprochen, wo er geradezu sagt: „es ist meines [illegible] derbar, wenn man das Alte (das Altgriechische) [illegible] dem aber, was die Gegenwart gibt, [illegible] Das 19. Jahrhundert wird hinter dem 16. [illegible] wollen, und es kann dies schon nicht um der [illegible] Verhältnisse willen.

Blätter

für

literarische Unterhaltung.

Montag, —— Nr. 364. —— 30. December 1833.

Skizzen aus der Mappe eines reisenden Homöopathen. Zum Druck befördert von L. Griesselich. Karlsruhe, Groos. 1832. 8. 16 Gr.

Nirgends hat sich das alte Sprüchwort: „Nitimur in vetitum", augenscheinlicher bewährt als an der Homöopathie. Lange Zeit blieb die Sache unbeachtet, bis Aerzte und Apotheker anfingen, ihr den Krieg zu erklären, und bis insbesondere die Regierungen sich bewogen fanden, davon Notiz zu nehmen und die bestehenden Medicinalgesetze gegen ihre Eingriffe in Schutz zu nehmen. Nun erst erhoben die Anhänger dieser neuen Methode ihre Stimmen und schrien über Beschränkung und Bedrückung, nun erst setzten sich die Kiele der Journalisten und Zeitungsschreiber in Bewegung, und die Rechtsgelehrten suchten, sich der unterdrückten Unschuld annehmend, nach Mitteln und Wegen, die Sache den bestehenden Gesetzen zu entziehen oder diesen eine andere Deutung zu geben; nun erst schlug sich die gläubige Menge auf die Seite der Unterdrückten und fand die neue Methode herrlich und vortrefflich. Hat sich aber einmal der Glaube an die Rechtmäßigkeit einer Sache (sei dieser nun bloßer Wahn oder auf wahre Ueberzeugung gegründet) des großen Haufens bemächtigt, dann gilt keine Einrede, kein warnender Ruf zur Besinnung und ruhigen Ueberlegung mehr, die Modethorheit reißt wie ein Strom Alles mit sich fort, was sich ihr in den Weg stellt. Indessen der unbefangene und unparteiische Zuschauer, der länger in der Welt gelebt und ihr eitles Streben nach dem Neuen und Ungewöhnlichen beobachtet hat, weiß, was er von solchen schnellen Aufwallungen und enthusiastischen Ausbrüchen zu halten hat. Er läßt sie ruhig gewähren, wohl wissend, daß sie sich endlich wie die Explosionen eines Vulkans von selbst entladen, und daß einst da, wo sie in ihrem verheerenden Laufe manche gute Frucht mit hinweggenommen, doch wieder neue Saaten aufgehen. Er stimmt nicht mit ein in das allgemeine Siegesgeschrei der Menge, die da meint, nun habe sie endlich gefunden, was sie schon längst sehnlich erstrebt, denn er kennt die Trüglichkeit dieser vox populi, aber er verdammt auch nicht gradehin Alles, weil es neu oder bestehenden Ansichten und Meinungen zuwider ist, sondern erwartet ruhig die Zeit, wo sich die Spreu von dem Weizen scheidet, und sammelt emsig die einzelnen Körner, die ihm bei dem Kampfe der streitenden Parteien hier und da zufallen und des Aufbewahrens werth scheinen.

Obwol nun zur endlichen Entscheidung des Kampfes zwischen den Anhängern der alten und neuen Lehre noch wenig Aussicht vorhanden, ja eine solche Entscheidung durch eine förmliche Krisis nicht wohl zu erwarten ist, vielmehr die streitenden Elemente sich in einer allmäligen Krisis auflösen und vereinigen dürften, so möchten wir doch schon jetzt die sogenannten Allöopathen auf einige Punkte aufmerksam machen, auf deren schärfere Beachtung sie die neue Lehre ernstlich hinweist. Der erste und wichtigste dieser Punkte ist die Macht der Naturheilkraft. Die Anhänger der neuen Lehre nämlich behaupten, mit Sonnenstäubchen von Arzneisubstanzen zu heilen. Die Sache ist zu lächerlich, als daß ein vernünftiger Mensch daran glauben könnte, und Ref. ist nicht der Letzte unter Denen, die ihre Vernunft nicht solchem mystischen Unsinn zum Opfer bringen wollen. Wo ein Nichts noch wirksam sein soll, da sind wir mit aller Beobachtung mittels unserer fünf Sinne und mit aller Berechnung am Ende; und wenn es möglich wäre, daß eine decillionfache Verdünnung noch Wirkungen auf unsern Organismus hervorbringen könnte, so müßten wir auch glauben, daß man auf einen Menschen in Distanz wirken könne, wenn man sein Blut oder seinen Harn einer chemischen Operation unterwirft. Mit Einem Worte: der alte vergessene Teufels- und Hexenspuk ist dann auch wahr. Aber auffallend ist es doch, daß Menschen, und zwar nicht wenige, und unter diesen auch solche, die lange fruchtlos allöopathisch behandelt worden waren, nach der neuen Methode behandelt, gesund werden. Als Grund solcher Heilungen bleibt nun allerdings nichts Anderes übrig als Befreiung der Naturheilkraft von zum Theil unnützen, zum Theil vielleicht gar schädlichen Heilmitteln, passende diätetische Behandlung und Vertrauen zum neuen Arzt und zur neuen Methode. Es fragt sich nun zunächst, was wirken diese drei Momente, oder vielmehr, was wirkt die Naturheilkraft, unterstützt durch diese drei Momente, ohne homöopathische Streukügelchen? Uns dünkt, die Frage sei wichtig genug, um in ernste Erwägung genommen zu werden, und es sei besonders Pflicht der Aerzte, einmal die vielen Segel einzuziehen, mit denen sie gewöhnlich dem Hafen der Genesung zueilen, und das Schifflein ruhig auf der ebenen Fläche der Natur hinziehen zu lassen; ohne Allegorie: man sehe einmal da, wo es immer thunlich, zu, was die Naturheilkraft unter passender diätetischer Pflege ohne Zuthun der Kunst zu leisten vermag. Beobachtungen, daß Kranke allein durch die Naturheilkraft, ja zuweilen unter den allerungünstigsten Verhältnissen dennoch genesen, sind auch sonst eben so selten nicht; wir erinnern nur an die vielen Armen, besonders auf dem Lande, denen oft Aerzte und Arzeneien fehlen, und an die vielen Nervenfieberkranken in den Jahren 1813 u. 14, von denen viele drei und mehre Wochen ohne alle ärztliche Pflege schwer daniederlagen und dennoch wieder vom Tode erstanden. Es dürfte daher eben so gewagt nicht sein, als es auf den ersten Anblick scheint, bei manchen Kranken, bei denen nicht schnelle Hülfe Noth thut, den ruhigen Zuschauer zu machen, um zu sehen, wie sich die Sache gestaltet, ohne daß die Naturwirkungen durch technische Einwirkungen gestört werden. Erst wenn wir wissen, was die Natur thut ohne Beihülfe der Kunst, können wir uns Rechenschaft geben von Dem, was die Anwendung arzneilicher Substanzen zur Förderung oder Nichtförderung ihrer Heilbestrebungen leistet oder nicht leistet.

Wollen wir aber Heilsubstanzen anwenden, so mögen wir doch 2) sie immer einfach geben, um zu sehen, was jede von ihnen in diesem unvermischten Zustand leiste und nicht leiste. Es ist nicht zu leugnen, daß die Allöopathen durch ihre oft gar zu weit getriebenen Compositionen sich die Einsicht in die Wirkungen einzelner Heilmittel gänzlich abgeschnitten haben, sowie es von der andern Seite nicht verkannt werden kann, daß die Homöopathen in der Anwendung einfacher Heilsubstanzen Manches vor jenen voraus haben. Ja, diese Anwendung einfacher Heilsubstanzen scheint für die allöopathische Behandlung ein um so nöthigeres Erfoderniß zu sein, als der Schluß von der Wirkung der Mittel bei Gesunden auf die bei Kranken, wie er der homöopathischen Methode zu Grunde liegt, ein durchaus unrichtiger ist, indem offenbar die Wirkung der Mittel auf Kranke eine andere ist als die auf Gesunde. Es scheint daher die Prüfung, was einzelne Mittel gegen besondere krankhafte Zustände oder vielmehr gegen krankhafte Abweichungen besonderer Systeme und Organe wirken, unerläßlich.

3) Abgesehen von den offenbar zu weit getriebenen abenteuerlichen homöopathischen Verdünnungen, scheint es doch der Mühe werth, darüber Versuche anzustellen, wie weit sich manche Arzneisubstanzen, namentlich Gifte, bei manchen Kranken verkleinern lassen, ohne ihre Wirksamkeit zu verlieren. Wir sagen absichtlich: bei manchen Kranken, denn offenbar ist die Reizempfänglichkeit bei verschiedenen Kranken sehr verschieden. Wenn wir bedenken, bis zu welchem hohen Grade das Gefühlsvermögen bei manchen Kranken, z. B. Somnambulen, für gewisse arzneiliche Substanzen gesteigert werden kann, so scheint es auch nicht außer den Grenzen der Möglichkeit zu liegen, daß in krankhaften Zuständen anderer Art die Receptivität mancher Systeme und Organe gegen gewisse Dinge so erhöht werden könne, daß noch Reactionen auf so kleine Gaben erfolgen, wie wir sie unter andern Verhältnissen nie zu beobachten gewohnt sind.

Wir haben diese wenigen Punkte hier nicht verschweigen wollen, weil sie vielleicht geeignet sein dürften, grade jetzt bei der gegenseitigen Erbitterung, mit welcher sich Allöopathen und Homöopathen bekämpfen, die Unbefangenen und Besonnenern der erstern Partei darauf aufmerksam zu machen, wie denn doch wol der neuen Lehre auch einige Seiten abzugewinnen sein möchten, die zur Förderung des medicinischen Wissens überhaupt zu nützen seien. Uebrigens können wir nicht verhehlen, daß wir dieser selbst keineswegs zugethan sind, ja sie vielmehr durchaus für ein in ihren Principien verfehltes, aller bessern Erfahrung widerstreitendes und besonders für jüngere Aerzte zwar anlockendes, aber höchst verderbliches System (wenn anders einem so willkürlich ersonnenen, leichtfertigen Machwerk ohne Grund und Haltbarkeit dieser ehrenvolle Name gebührt) betrachten. Auch die hier anzuzeigenden Skizzen haben uns in dieser Ueberzeugung nicht irre machen können. Wenn es an sich schon ein sehr wenig lohnendes, und wir möchten sagen, langweiliges Geschäft ist, eine Reise blos in der Absicht zu unternehmen, um die Homöopathen der verschiedenen Länder und Städte kennen zu lernen, so kann es noch weniger den Nichthomöopathen befriedigen, die Beschreibung einer solchen Reise, die Schilderungen der Persönlichkeit einzelner Koryphäen dieser neuern Lehre, ihrer Ansichten von der Wirkung einzelner Mittel, und ob der Eine die sechs- oder zwölf- oder

Indessen bei Homöopathen und Laien wird der Verf. sein Glück mit diesem Schriftchen machen, denn er hat, wie man im gemeinen Leben zu sagen pflegt, ein gutes Mundwerk, läßt hier und da einen eben nicht übeln Witz mit einfließen und hat sich nebenbei an allen den Orten, durch die er gekommen, um Klatschereien und Tagesgespräche bekümmert, wovon sich ja die Leute gern etwas vorerzählen lassen. So erfahren wir unter Anderm, daß der große Hahnemann gern Weißbier trinkt und Tabak raucht und einen den ganzen Tag brennenden Wachsstock neben sich stehen hat; daß derselbe zu Anfang dieses Jahres mit Hufeland eine besonders kräftige Correspondenz geführt, worin sich der Letztere gegen den Vorwurf vertheid

zu ihrem

Fürst W

chen für die Homöopathie interessirt; daß der Kaiser von Oestreich Herrn von Stifft gefragt habe: „Doctor, sagen Sie mir doch, was ist an dem Ding da, der Homöopathie? Die Leute sprechen davon und machen viel Aufhebens;

liche System, welches alles Erfahrungsmäßige, seit Jahrtausenden als Wahrheit Erkannte umstürzt, verworfen; es wäre Verbrechen von mir, an Ew. u. s. w. Person Versuche mit den höchst gefährlichen Giften der sich so nennenden Homöopathen zu machen." „Aber", so sagt der Fürst, „es sollen ja diese Gifte in so geringer Dosis gegeben werden, daß sogar Kinder ganze Apotheken verschluckten." „Gewiß! man hat davon Beispiele; die Mittel der Homöopathen zerfallen ja eigentlich in gar Nichts, in eine Nullreihe von Saturnsweite!" u. s. w.

(Der Beschluß folgt.)

Album littéraire redigé par *Aug. Gathy*. Première année. (Juillet 1832—33.) 52 Nummern. Hamburg, Hoffmann und Campe. Gr. 4. 4 Thlr. 16 Gr.

Eine neue französische Zeitschrift in Deutschland macht schon durch sich selbst ein wissenschaftliches Interesse geltend. Für die Literatur gibt es heute weder Rhein, noch Pyrenäen mehr, Alles mischt sich, Alles wirkt aufeinander von der Newa bis zum Tajo, Alles ringt, strebt und drängt, in eine große europäische Republik, in einen wissenschaftlichen Bundesstaat, der ganz Europa umfaßt, zusammenzufließen. Mehr und mehr vermischen und verwischen sich die Nationalitäten, die Vorurtheile schwinden, wie die Barrieren und Dämme verschwinden, die sie erhielten, wie die Unwissenheit schwindet, die sie nährte, und wie die Kurzsichtigkeit verächtlich wird, die in diesen Beschränkungen Volksheil und Naturnothwendigkeit erblickte. Der Verbreitung des Wissenswürdigen sind in unsern Tagen mehr Kräfte gewidmet als zu irgend einer frühern Periode der europäischen Geschichte; diesen Kräften ist es zuzuschreiben, daß auch die Masse verbreiteten Wissens in unserer Zeit größer ist als zu irgend einer hinter uns liegenden Periode. An diesem Vorzuge nimmt auch die schöne Literatur neben der wissenschaftlichen Theil, und sowie es unserer Zeit vorbehalten war, in Frankreich, England und Italien eine richtigere Würdigung des deutschen Genius erwachen und wirksam werden zu sehen, so war es eben derselben auch aufbewahrt, eine gerechte Schätzung, gleich frei von Gunst oder nationaler Abneigung, der französischen, der englischen Muse in Deutschland Wurzel fassen zu sehen. Mögen wir nun auch die neue kritische und philosophische Schule des wiedergeborenen Frankreichs weder zur Nachahmung empfehlen, noch selbst nachahmen, so ist doch soviel gewiß, daß es nicht blos anziehend, sondern auch an nützlichen Resultaten reich ist, sie kennen zu lernen, und daß es zur Verbreitung dieser Kenntniß keinen kürzern und angenehmern Weg gibt, als die Herausgabe einer in dieser Richtung wirkenden französischen Zeitschrift in Deutschland. So begegnete denn diesem „Album littéraire", das dem vorbezeichneten Zwecke ganz gewidmet ist, unsere vorgewonnene Gunst. Bei näherer Ansicht zeigt sich indeß, daß diese Gunst keine solche, sondern ein wohlverdienter Lohn ist. Das „Album" stellt durch die Fülle und die Mannichfaltigkeit stets wohlgewählter und fast ohne Ausnahme anziehender, bedeutender und für sich selbst sprechender Aufsätze allen deutschen der Unterhaltung gewidmeten Zeitschriften ein von keiner derselben erreichtes Beispiel auf. Diesen außerordentlichen Vorzug weist eine oberflächliche Ansicht seines Inhalts unbestreitbar nach. Freilich war er leicht zu gewinnen; denn allerdings nährt sich das „Album", das sich als eine Blumenlese der gesammten französischen Journalistik charakterisirt, von Allem, was in Frankreich an anziehungskräftigen Erscheinungen nur irgend hervortritt. Indem es diese sammelt und gedrängt zusammenstellt, war es allerdings zu erreichen, daß an Anziehungskraft kein anderes in Deutschland erscheinendes einzelnes Blatt mit dem „Album" den Wettkampf eingehen kann. Eine deutsche Zeitschrift in Paris herausgegeben, würde denselben Vorzug gewinnen können. Doch das lesende Publicum fragt niemals viel nach Ursprung und Geschichte einer Schrift, sondern nach der Bedeutung, die sie für den Leser gewinnt. Jeden daher, der, des Französischen mächtig, Unterhaltung sucht, oder denjenigen Deutschen, welche sich im Französischen und seinen neuesten sprachlichen Umbildungen vervollkommnen und befestigen wollen, muß diese vorerst gewiß mit Aufopferungen erhaltene Zeitschrift höchst willkommen erscheinen. Die Tüchtigkeit ihres Inhalts und die reiche, geschmackvolle Auswahl der Aufsätze empfiehlt diese Erscheinung jedem Leser dieser Classe. Aber es gibt noch eine andere Classe von Lesern, welche sich ohne weitere Empfehlung dieses Zeitblattes mit Begierde bemeistern wird. Dies sind die um Stoff und wohlfeiles Material stets verlegenen Redactoren deutscher Zeitschriften und die Schar ihrer Mitarbeiter. Herbei, ihr verlegenen Herren! Hier ist Stoff, Material, die Hülle und Fülle, und so äußerst wohlfeil, daß es nur der Mühe des Zugreifens und allenfalls des Uebersetzens bedarf, die dermalen für wenige Groschen Jeder übernimmt. Doch nein, wir wollen sie nicht herbeibeschwören; diese Art von Raubbienen wird den Honigbaum schon von selbst auswittern und, wie wir besorgen, nur zu sehr plündern. Schon treffen wir einige der vorzüglichsten, körnigen, kurzen, energischen Novellen der ersten Hefte des „Album" in mehren deutschen Zeitblättern an, und Saintine's armer „Verstümmelter", eine der wirksamsten, erschütterndsten Geschichten, die je erzählt wurden, hat sich in mehren derselben noch einmal verstümmeln lassen müssen. Eine des höchsten Lobes würdige Seite am „Album" ist seine gänzliche Unbefangenheit und Parteilosigkeit. In dem Streite zwischen Classicismus und Romantismus steht sie — denn der Redaction gebührt dies Verdienst — ganz aufrecht, nach beiden Seiten hin würdigend, Niemanden zugeneigt da. In dem zwischen deutscher und französischer Philosophie, zwischen französischer und deutscher Idealität prüft und schätzt sie nach allen Richtungen hin, ohne sich über den Vorrang kampfrichtend auszusprechen; an dem politischen Streite unserer Tage nimmt sie gar keinen Theil; höchstens läßt sie die Sachen und die Ereignisse in witzigen Anekdoten und geistreichen Reflexionen (bariolages) für sich selbst sprechen. So behauptet die Redaction ihren Standpunkt, ohne irgend Jemand anzugreifen und erhält ihre Würde, ohne ihre Sicherheit zu gefährden. So endlich ist und bleibt sie im Stande, aus ihrem unparteiischen Standpunkte her beiden Theilen zu nützen, dem Volke, dessen Sprache sie spricht, und dem, unter welchem sie spricht. Wie sehr das „Album" dieses Geistes unbeugsamer Gerechtigkeit wegen und um seines geläuterten, tüchtigen Geschmackes willen jedes Beifalls werth ist, wäre am besten durch eine kurze Uebersicht seines Inhalts darzuthun. Für einen erschöpfenden Katalog fehlt uns der Raum; wir wählen daher das erste, oder besser das letzte der uns vorliegenden Hefte zur nähern Ansicht aus. Es ist das Juli- und Augustheft d. J. Der Beschluß eines historisch und kritisch gleich trefflichen Aufsatzes: „Marche de la civilisation au XIV. et au XV. siècle", macht den Anfang, in dem die mystische Richtung dieser Jahrhunderte mit scharfem Blicke ergründet und analysirt wird. Zwei sehr anziehende historische Fragmente: „Le maréchal de logis du gén. Lasalle" und „Le lever d'un roi de France" (aus den Memoiren Ludwig XVIII.) folgen. Im nächsten Blatte nimmt die „Statistique des livres brulés" soviel Interesse in Anspruch, daß wir den Dank unserer Leser verdienen werden, wenn wir einen kurzen Auszug daraus mittheilen, da der Gegenstand vorzugsweise einer der literarischen Unterhaltung ist, auf welche es hier ankommt. „Die literarischen Verdammungsurtheile sind durchaus alt und classisch. Sokrates trank den Giftbecher für seine Schriften. Cassius Severus ward von Augustus wegen einer Satire auf ihn verbannt, Cremutius Cordus von Tiber wegen des Lobes des Brutus; Ovid's Exil ist bekannt. Abälard ward von Innocenz II. eingekerkert und seine Abhandlung über die Dreieinigkeit durch das Concilium von Soissons zum Feuer verurtheilt; Philipp der Schöne verbrennt die Bullen Bonifaz' VII., Karl VI. die Benedict's XIII.; das

Concilium von Konstanz verbrennt Huß mit seinen Büchern. Der Reichstag in Worms verdammt Luther's Schriften zum Feuer, Luther verbrennt die Bullen Leo's X., Franz I. verbrennt nicht blos Berquin's Uebersetzung der Erasmischen Schriften, sondern den Uebersetzer dazu. Ramus' „Institutionen" kamen an die Reihe des Verbrennens, ihn selbst erschlug die Bartholomäusnacht, weil er an Aristoteles gezweifelt hatte. In Spanien ward Las Casas' tugendhaftes Buch verbrannt; in Italien Macchiavelli's „Principe". Jansenius' und Molino's Schriften werden zum Feuer verurtheilt. Descartes muß fliehen; aber Charron's „Livre de sagesse" und Pascal's „Lettres provinciales", Fénélon's „Explication des maximes des saints" werden verurtheilt, weil sie die Moral in die Religion einzuführen streben. Mézéral's „Mémoires historiques" erfahren gleiches Schicksal. Die Uebersetzungen von Hobbes und Spinoza, die „Encyclopédie" von 1751—92, Helvetius' „Esprit" werden unterdrückt, J. J. Rousseau's „Emile", Freret's „Examen crit. de la rel. chrét." werden verbrannt, Buffon's „Hist. nat." unterdrückt, Holbach's „Système de la nat." verbrannt, Raynal's „Hist. philosophique", Condillac's „Cours d'études", Marmontel's „Bélisaire", Montesquieu's „Esprit des lois" unterdrückt, Linguet's „Hist. des Jésuites" verbrannt, Mably's „Observ. sur l'hist. de France", St.-Pierre's „Essai sur la polysynodie", Duclos' „Hist. de Louis XI", Mirabeau's „Théorie de l'impôt" unterdrückt. Voltaire's Werke wurden fast sämmtlich verbrannt, die „Pucelle" wie die „Henriade", ja Friedrich II. selbst ließ am 24. Dec. 1752 von Henkershand die „Diatribe du doct. Akakia" (gegen Maupertius gerichtet) verbrennen. Aretin's, Boccaccio's, Crébillon's und Desforges' Schriften „Laclos" und „Faublas" hatten dasselbe Schicksal, die Verf. der „Allemagne" ward aus Frankreich verbannt" u. s. w.

Neben diesem anziehenden Aufsatz liefert dasselbe Bl. die nicht minder anziehende Lebensgeschichte der Prinzessin Luise Charlotte von Braunschweig, Gemahlin des unglücklichen Alexis, Czar Peter's Sohn, die, Schwester einer Kaiserin, fast im Elend 1752 in Brüssel starb, wo eine Pension von 600 Gulden in den letzten Jahren kaum ihr Leben fristete. Eine geistreiche Naturschilderung ist: „Dieppe und Brighton", und die Skizzen, die Betrachtungen über „Tartuffe" gewähren zwischen den kurzen, energischen Novellen: „La mort de Lérida" und „La grotte d'Azur", zwischen poetischen Bruchstücken von V. Hugo, Millevoye und Andern eine willkommene Abwechselung. Die folgenden Blätter sind reich an werthvollen Aufsätzen. „Premiers essais en prose" ist eine verdienstvolle literarhistorische Abhandlung; die französischen Musen in der Mark ziehen ebenso kräftig an, als die Geschichte des Bruches zwischen Voltaire und Friedrich dem Großen; Maupertius war der Stifter des Unfriedens und der Urheber der niedrigen Rache, die Voltaire in Frankfurt a. M. erfuhr, und die man dem König trotz seiner „Soupers de Damoclès", wie Voltaire seine Abendgesellschaften nannte, mit Unrecht anrechnete. Villemain's: „Essai litt. sur Shakspeare" nimmt seine Stelle mit Recht ein. Ist die Würdigung des Genius, dem Deutschland allein alle Strahlen seines Ruhmes vindicirt hat, auch weder so tief, noch von so umfassendem poetischen Verständnisse, wie Schlegel, Tieck und Horn ihn uns kennen gelehrt haben, so hat Villemain doch das Geistreichste gesagt, was Frankreich über Shakspeare noch gehört hat, oder was es zu verstehen vorbereitet genug ist. Er schreibt ihm „le génie de l'expression" zu. Dies ist nichts gesagt. Der Ausdruck setzt den Eindruck voraus. Der tiefste Eindruck und der glücklichste Ausdruck machen den Dichter, der Eindruck aber setzt Beschauung und Phantasie voraus, d. h. poetischen Genius, sodaß Hr. Villemain beweist, Shakspeare sei ein großer Dichter, weil er ein großer Dichter sei. Diesen Aufsatz unterbrechen die reizenden Novellen: „La grotte d'Azur", „Le Planteur de Paramaribo", „Une aventure en Hongrie", welche alle die [illegible] liche Eigenthümlichkeit haben, neben vollständiger Originalität gleichsam mit beiden Füßen in medias res zu springen, [illegible] unsern mit Einleitungen und Episoden [illegible], zugleich poetisch und gelehrt sein wollenden [illegible] Erzählungen, deren Abgerissenheiten L. Tieck im „[illegible]" so ergötzlich parodirt hat. Corbière liefert dem „Album" eine Reihe anziehender und neuer Seescenen im „Noyé", „[illegible] mysterieux", „Combat de cètre etc.", die [illegible], nicht minder interessant als Eug. Sue's Seegemälde sind. Die Erzählungen dieses unvergleichlichen [illegible], wie sie später in seiner „Cucaracha" gesammelt wurden, nahmen zum Theil die frühern Lieferungen des „Album" ein. [illegible], Berichte über die Societé dramat. in Berlin und Hamburg, Witzspiele und Bruchstücke aus anziehenden Memoiren füllen die Lücken zwischen den größern, kritischen und historischen Aufsätzen, Naturbildern und Erzählungen. Keine Seite dieser mit Geist und Geschmack redigirten, das Nutzbare mit dem Schönen, das Phantastische mit dem Ernsten und das Gefällige mit dem Belehrenden wohl vereinigenden Zeitschrift ist leer zu nennen, wie schon die von uns gegebene Inhaltsanzeige zu beweisen ausreichen wird. Etwas Erbauliches, [illegible] oder Geringeleſenes begegnet uns auch in den [illegible] Heften überall; besonders sind werthvolle Biographien ([illegible], Jodelle u. andere), eine Geschichte: „De la littérature franç. au XIX. siècle", Victor Hugo's Poesien, Sue's Novellen, Ste.-Beuve's „Auteurs du XVII. siècle", die [illegible] der Sevigné, die Novelle: „Pasquin et Marforio" und andere, diesen ähnliche Beiträge geeignet, jeden gebildeten Leser zu gewinnen.

Wir wissen nichts an der Tendenz dieser Zeitschrift zu tadeln. Durchaus friedlich, Niemandes Feind, [illegible] Verächter, jedes Verdienstvollen Freund, bietet sie die [illegible] Unterhaltung, welche das weite Gebiet der schönen [illegible] Frankreichs nur immer darbietet. Solche [illegible] aus den Feldern der Poesie, der Geschichte, der [illegible], der Kunstkritik und bietet sie uns erfrischt, von allem [illegible] gereinigt im buntesten Strauß zum Genusse dar, [illegible], so reich und so geschmackvoll gebunden, wie, wir [illegible], kein einziges deutsches Unterhaltungsblatt sie darbietet und aus sehr begreiflichen Gründen bieten kann.

Hiermit sei dem „Album" denn, [illegible] mit solchen Verdiensten genugsam selbst empfiehlt, [illegible] gewünscht, der verdienstvollen Verlagshandlung aber, daß sie für die Opfer bald entschädigt sein möge, welche die edle Ausrüstung des „Album" ihr zuverlässig auferlegt haben muß. Der Jugend aber empfehlen wir diese [illegible] geschmackvolle und erregende Lectüre zugleich als eine [illegible] bildende und vielseitig belehrende. [illegible]

Redigirt unter Verantwortlichkeit der Verlagshandlung: F. A. Brockhaus in Leipzig.

Blätter für literarische Unterhaltung.

Dienstag, —— Nr. 365. —— 31. December 1833.

Skizzen aus der Mappe eines reisenden Homöopathen. Zum Druck befördert von L. Griesselich.

(Beschluß aus Nr. 364.)

Wie sich nach und nach das Feld der homöopathischen Entdeckungen erweitert und zugleich der Glaube an alle diese Wunderdinge steigert, davon möge Folgendes als Probe dienen. Herr von Korssakoff schüttelte mit Tinctura sulphuris befeuchtete und unarzneiliche Streukügelchen untereinander und fand durch Versuche, daß die früher unarzneilichen nun die Symptome des Schwefels hervorbrachten. Solchen Resultaten war auch Dr. Plaubel (in Gotha) auf der Spur, indem er den Reisenden versicherte, aus einigen Thatsachen annehmen zu dürfen, daß Milchzuckerpulver, in welchem arzneiliche Streukügelchen längere Zeit gelegen haben, aber dann herausgefallen seien, dennoch die Wirkung des Mittels äußerten. (Man sieht, hier gilt es nur noch einen Schritt bis zu der oben angedeuteten Wirkung in Distanz, und bald werden wir hören, daß man nur irgend ein Excrement seines Körpers nach Köthen zu schicken nöthig habe, um auf sich aus der Ferne homöopathisch einwirken zu lassen.) Bei dem in der Nacht plötzlich eintretenden Crouphusten versichert Dr. Plaubel damit ausgereicht zu haben, daß er die Kinder nur an Aconit riechen ließ. In den meisten Fällen entwickelte sich dieser Husten gar nicht zum drohenden Croupstadium (NB. was er auch sonst sehr häufig nicht thut). Hahnemann sagte unter Anderm: „Wer nicht glaubt, daß so kleine Gaben wirken können, der versuche einmal an sich selbst etliche Tage hintereinander Natrum muriaticum (Kochsalz) X, zu 10—12 Streukügelchen pro dosi, dann soll er mir sagen, ob er sich nicht krank fühle."

Wenn wir recht sehen, so droht der neuen Lehre die größte Gefahr von Seiten ihrer eignen Anhänger. Schon jetzt zeigen sich Spaltungen unter denselben, und am Ende werden sie sich untereinander selbst aufreiben. So berichtet unser Reisender, daß Dr. Kiesselbach in Hanau verschiedene Potenzirungen anwende und nicht der Ansicht sei, alle Mittel in X zu reichen; daß er ferner in chronischen Krankheiten sehr häufig anderer Potenzirungen sich bediene als in acuten, in diesen der höhern, in jenen der niedern. Hahnemann selbst begegnet den chronischen Krankheiten jetzt mit häufigern Gaben; er läßt die Mittel, darunter selbst Calcarea carb. nicht auswirken, sondern wiederholt sie öfter, alle 7, 8—14 Tage, aber nur zu einem kleinsten Streukügelchen. Die Aerzte Trinks und Wolf in Dresden verfolgen in ihren Studien und in ihrer Praxis einen andern Weg als die meisten leipziger. Deshalb wird insbesondere Trinks zu der Opposition gerechnet, welcher auch Dr. Hartlaub in Braunschweig und Dr. Schubert in Leipzig angehören sollen. Trinks soll zuweilen ein wenig zu stark auftreten. Nach der Meinung der dresdner Aerzte komme man bei manchen Leiden mit X in globulis gar nicht aus, z. B. bei hartnäckigen Verstopfungen u. s. w. Nux wirke bei Obstructionen schon, wenn man in der Dosis nicht zu ängstlich sei. Reine Opiumtinctur zu einem Tropfen wendete Trinks, als der Reisende grade in Dresden war, bei einem an Sthenokardie Leidenden an. Merkwürdig war dem Reisenden das Geständniß Lichtenfels' in Wien, daß er von antipsorischen Arzneimitteln, nach Art Hahnemann's in langen Zwischenräumen gegeben, wenig Wirkung gesehen habe; die Leiden seien zwar in den Hintergrund gedrückt worden, allein **wahre Heilung** habe er sehr selten darnach beobachtet. Seitdem er die Gaben wiederhole, gehe Alles besser, und er heile jetzt beiweitem mehr. Auch Dr. Hartung in Salzburg gibt nicht alle Arzneien in X, sondern bedient sich verschiedener Potenzirungen; auch reicht er nicht immer Streukügelchen, sondern gibt wol Tropfen der Potenzirung, je nach Art des Leidens und der Individualität des Subjects. Die dresdner Aerzte tragen ihre Apotheken mit flüssigen Potenzirungen bei sich und wenden sehr häufig nur solche an. Aber wie steht es denn nun mit dem Schütteln und Rütteln, welchem die Arzneimittel in der Tasche ausgesetzt sind? Der Reisende hat darüber keine Besorgniß äußern hören, daß dadurch die Mittel zu starke Kräfte erhalten möchten, und es müssen diesen Aerzten in ihrer doch starken Praxis keine Beispiele vorgekommen sein, welche sie zu der Ueberzeugung gebracht hätten, daß **dieses** Schütteln eine Kraftvermehrung bedinge. Auch mit der Diät scheinen es Manche nicht mehr so genau zu nehmen. Hahnemann selbst gestattet Ausnahmen, und Stapf in Naumburg gestattet, wie Ref. gewiß weiß, Denen, die daran gewöhnt sind, den mäßigen Genuß des Weins.

Man sieht, die Herren accommodiren sich allmälig den

Launen des Publicums oder vielleicht auch den Aussprüchen der gesunden Vernunft, und ihre neue Methode theilt endlich das Schicksal so vieles Neuen in der Welt: es wird angestaunt, in den Himmel erhoben, später bekrittelt; als Menschenwerk unvollkommen befunden, weggeworfen und nur das Gute daran erkannt und in die Annalen der Wissenschaft eingetragen. 183.

Correspondenznachrichten.

Paris, den 29. November 1838.

Wenn in Paris etwas Mode wird, so macht es wie Shakespeare's Wurm im Hamlet die Reise durch die Gemächer des Königs bis zur Hütte des Bettlers. Hernach geht es den Weg alles Fleisches und verschwindet im Unendlichen. So ist es jetzt mit den Concerten. In Deutschland sind sie wenig besucht, hier en vogue. Alle Welt will Concerte, Concerte im Conservatoire, Concerte in dem Gehölz der Champs élisées, Concerte im Bois de Boulogne, Concerte in den Abendzirkeln, Concerte in allen Theatern, Concerte auf der Gasse. In diesem Augenblicke besteht eine Concertfabrik, ein Magazin von Virtuosen, die man sich per Stück oder per Dutzend bestellen kann, ungefähr wie hölzerne Weihnachtsmusikanten aus Nürnberg, und damit gar die Manie den Gipfel der Vollkommenheit erreiche, hat ein mikroskopischer Künstler ein Flohconcert auf dem Börsenplatz angezeigt, sage ein Flohconcert, worin lebendige Flöhe pizzicato „God save the King" spielen.

Ein Generalentrepreneur lenkt das Concertwesen und dies ist der Director der Champs-élisées-Vergnügen, der diesen Sommer im Freien die Favoritstücke der großen Opern executirte. Er hat öffentlich angezeigt, daß in seinem Lager zu jeder Stunde ein ambulantes Concert bestellt werden könne, und daß dies nach Bedingung des Ranges der Musiker pro Quartett, Quintett, Sextett u. s. w. nicht mehr koste als eine Stunde Unterricht auf der Violine. Sogar Claviervirtuosen werden ausgeliehen — es ist himmlisch.

Damit aber der Einzelne wie die Masse und vice versa vollständig befriedigt werde, und der gemeine Mann wie der Bürger und Noble für sein Geld Concerte habe, sind die Genies ferner übereingekommen, ein tägliches Concertvergnügen in zwei neuen Localen und zu verschiedenen Preisen zu veranstalten, nämlich: à 3 Francs in der rue Montesquieu, und à 1 Franc in dem Bazar St. Honoré, welcher letztere zu dem Ende aus der bankerotten Kirche des Abbé Chatel zu dem allerstattlichsten Locale, einem orientalischen bedeckten Feengarten, umgezaubert worden. In dem Saale Montesquieu, der wie ein Theater gebaut worden, spielen regelmäßig zwei Orchester unter dem Namen: les Russes und les Français, so benamt, weil die Musiker, die deutsche Tonstücke executiren, Kosakenuniformen und Pudelmützen tragen, zur Unterscheidung von den andern, die italienische und französische Musik machen. Auf dem Zettel wird ganz naiv annoncirt: Pieces russes: Ouverture de Don Juan, par Mozart; Marche des Bohémiens de Préciosa, par Weber u. s. w. Beethoven, Haydn, Gluck, Müller, Spohr, alle unsre Talente sind Russen; Meyerbeer ausgenommen, der steht unter den Franzosen. Hiebei denken sich aber die Leute nichts Arges, da sie einmal gewohnt sind, Alles nach den Extremen der Politik zu nehmen, und diese Politik den festen Glauben hat, jenseits des Rheins fange seit der Julirevolution das Kalmückenleben an. Napoleon hat ihnen ja prophezeit, es werde dahin kommen.

Schlechte Musik wird in allen diesen Concerten gemacht. Wo sollten die Virtuosen auch herkommen, wenn die Consumtion täglich viele Hunderte erfodert. Die Directoren haben einen Zahn auf fremdartige Compositionen, auf die Schätze des Auslands, auf die talens russes, und ihr Unstern will, daß sie dieselben nicht verstehen, oder daß sie durch Italiener und Franzosen verdorben und manierirt wurden. Bald schleifen sie ein Tonwerk im Menuetschritt des Perückenalters von Versailles, bald galoppiren sie im Virgil'schen Roßtrab über ein ehrsames Quartett der guten wiener Schule. Sie haben einmal die Notenhefte auf den Pulten, und Derjenige, der am kecksten drauf losgeigt, ist ihr Mann, er ist taktfest, er hat savoir faire.

Was aber die Concerte der Champs-élisées d'hiver betrifft, wie man sie genannt hat, so will ich ihnen volle Gerechtigkeit widerfahren lassen. Sie füllen eine große Lücke in dem gesellschaftlichen Leben aus; denn nicht nur unterhält man sich in diesem geräumigen marktähnlichen Local durch die Musik, nein, man geht darin unter blühenden Orangenbäumen und zwischen Statuen, hübschen Damen und illuminirten Glaskugeln spazieren, trinkt da oder dort eine Tasse Thee, Kaffee oder Chokolade und liest, wenn man sich an alle dem noch langweilt, mit stoischem Gleichmuth den „Messager des chambres", der an der Thüre käuflich zu haben ist und die neuesten Lügen aus allen vier Welttheilen bringt.

Stellen Sie sich einen Saal, groß wie eine Kirche, vor, der bei Tage sein Licht von oben erhält, vier Reihen Statuen scheiden seinen Raum, und zwischen diesen vier andre Reihen Orangenbäume, unter denen Strohstühle stehen. Diese Strohstühle sind dieselben Möbel, welche im Sommer in den Tuilerien und Champs-élisées ihre Tausende einbringen. Zur Linken ist die Wand durch orientalische Bogen durchbrochen und man sieht in einen großen, von vielen Säulen gestützten viereckten Saal, dessen Räume ebenfalls mit Stühlen bepflanzt und mit grünen Bäumen versehen sind. Eine hohe Tribune, bedeckt von einer Kuppel, enthält das Orchester von beiläufig 100 Musikern, darunter einige bekannte Namen wie Musard, Dufresne und Collinet, Leute, die schon capabel sind, etwas Angenehmes selbst auf Noten zu setzen.

Ich habe der Eröffnung des Locales beigewohnt und mich den ganzen Abend recht sehr des Instituts gefreut. Was ich am Orchester im Vergleich zum Conservatoire verlor, ersetzte mir hinreichend die Promenade in dem architektonischen Garten, die bunte, mitunter recht schöne Welt, die Jovialität der Gesellschaft, die Ungezwungenheit und ein Quart de ponsch, zu Deutsch ein Viertel, welches ich in einer Ecke zu Füßen des schönsten belgischen Kamins und einer lorberbeschatteten Daphne während drei Ouverturen behaglich austrank. Es fehlte mir nichts als mein Schlafrock und meine Pantoffeln, so hätte ich für 20 Sous die Rolle eines Großsultans gespielt. Wenn die Kosten des Unternehmens nicht zu bedeutend sind, so läßt sich ihm eine lange Dauer versprechen; eine so lange wenigstens als die der Concertmanie, die diesen Herbst angefangen hat. Dazu ist das Local der Champs-élisées d'hiver in seiner Art eines der merkwürdigsten. Es war in älterer Zeit eine Reitschule der Franconi, darauf ein großes Magazin, darauf ein Bazar für öffentliche Ausstellungen, und darauf endlich die Primatialkirche des französischen Bischofs par election du peuple, genannt Abbé Chatel, als welcher von seinen Gläubigern des Pontificats entsetzt und ausgepfändet wurde. Noch in diesem Frühjahr hörte ich Seine Heiligkeit auf dem Fleck, wo ich im ersten Concert zu Auber's „Bajadere" meinen Punsch trank, in einer salbungsvollen Rede die Worte sagen: „Wenn Das, was wir unternehmen, ein Gutes ist, so wird es fortbestehen ungeachtet aller Anfeindung der bösen Menschen." Es scheint, die bösen Menschen, die Gläubiger des Oberhaupts der gallischen Kirche, welche ihm ihren Bazar zum Gottesdienst vermietheten, haben schlechte Notiz von des Apostels Lehre genommen.

Als ich vor einigen Tagen durch die rue Laffitte ging, sah ich daselbst am Palast des berühmten Patrioten eine zwei Ellen lange Affiche angeklebt, nebst einem Plane des ganzen Gebäudes, eingetheilt in neun Parcellen, deren jede eine Nummer und eine Taxe trug, welche am Ende des Blattes mit den übrigen summirt war. Ich bekenne, daß der famose Zettel, ungeachtet ich bereits von dem Verkaufe wußte, mich augenblicks außer Fassung brachte. Mir war, als läse ich die Todesanzeige eines guten Freundes, eines Freundes aller Menschen; gleichwol war es nichts als die öffentliche Anzeige von der Undankbarkeit der politischen Welt, von der Grausamkeit des Schicksals, das seine Günstlinge mit Füßen tritt, sobald sie aufhören sich allein und dem Götzen der Zeit, das Geld, anzubeten.

Es ist nicht blos dahin gekommen, daß man das Hotel Laffitte verkauft; man will weiter gehn, man will es in Stücken reißen, man will es neuntheilen, um ein paar 100,000 Francs mehr dafür zu bekommen. Die Gläubigerin, die Krone Frankreich, Laffitte's erste größte Schuldnerin, hat sich überzeugt, daß das Gebäude zu groß, zu reich für den öffentlichen Verkauf sei, daß Niemand nur die Hälfte des Preises dafür bieten würde, sie hat also den Entschluß gefaßt, es in Stücken zu veräußern; auf diese Weise, sagte der Taxator, ließe sich wol dafür die Summe von 900,000 Francs gewinnen. Der Palast Laffitte kostet 3 Millionen. Die Commission, welche durch Beiträge der Nation das Hotel an sich kaufen und dem Exminister als unveräußerliches Geschenk verehren wollte, hat angezeigt, daß sie erst 400,000 Francs zusammengebracht und deshalb außer Stande sei, den Gläubiger zu befriedigen. Sie fodert zu neuen Beiträgen auf, aber wahrscheinlich fruchtlos, da Hunderttausende immer noch nicht hinreichen. Es fragt sich, was geschehn wird? Kein reicher Privatmann will das Hotel kaufen, aus Furcht sich historisch zu brandmarken; kein Banquier, der fürchtet sich bei dem Volke verhaßt zu machen. Dadurch sieht sich die Bank genöthigt ihr hypothekarisches Pfand zu zerstückeln. Es wird sich aber auch Niemand finden, der die Stücke ersteht, sofern die Regierung dies nicht durch besondere Unterhändler bewirken läßt. Hierauf ist es wol abgesehen.

Laffitte wohnt noch immer in den Gebäuden. Aber er hat sich in häuslicher Stille ins Innere eines Appartements zurückgezogen, wo er schon seit lange Niemand außer seinen Freunden empfängt und unausgesetzt arbeitet. Ich glaube, er schreibt ein Werk über die neuesten Weltbegebenheiten und sein Ministerium, über seine Absichten und seine zerstörten patriotischen Hoffnungen. Dasselbe thut auch Lafayette, ein Mann, der allein die Geschichte eines Jahrhunderts ist. „Wenn ich todt bin", sagt er, „will ich euch sagen, wie ich und die Welt miteinander standen, und wie nichts besteht, als was zu Grunde geht."

Das Odéon ist das schönste Theater von Paris und hat keinen Director und keine Schauspieler. Es ist, als sollte auf der andern Seite der Seine Niemand Komödie spielen als die Karlisten. Schon seit einiger Zeit erhalten die Theater insgesammt das zweite Théâtre français, indem sie abwechselnd darin eine Vorstellung geben, heute die Opera comique, morgen die Porte St. Martin, übermorgen das Gymnase u. s. w. Blos die Italiener und die große Oper lassen sich zur Gastvorstellung in St. Germain nicht herab. Ich habe diese Woche auch ein Scherflein zu dem großen artistischen Zwecke beigetragen, indem ich ungeachtet des allermelancholischsten Regenwetters per Omnibus zum Palast Luxembourg fuhr. Das Gymnase gastirte, und vier Stück von Scribe paradirten auf dem Zettel, in denen allen die Mars sur petit pied, Madame Leontine Volnys, ehmals Leontine Fay, auftrat. Ein Flötenconcert und die Masurka, getanzt von Madame Fourechy und Herrn James, wurden als Appendix versprochen. Man hatte mir gesagt, das Odéonpublicum habe Humor und bekomme zuweilen große Lust eine Emeute zu machen. Davon habe ich nichts verspürt, entweder weil die Studenten an dem Abende nicht da waren, oder weil der schwatzhafte Scribe ihre Gemüther einschläferte. Das Parterre war so andächtig wie das Publicum der Deputirtenkammer, dem allerwärts eine Bekanntmachung sagt, es solle sich nicht äußern durch Beifall oder Misfallen, sondern hören und schweigen: nicht eine Hand bewegte sich zum Klatschen. Dies unterfingen sich in meiner Loge einzig und allein zwei alte Damen, die einst zum Hofstaat der Herzogin von Berry gehört haben mochten. Es gibt viele Leute, die es nicht glauben wollen, daß ein Vaudeville etwas Unausstehliches sei. Wollte doch Apollo, daß diese Ungläubigen im Odéon bei mir gewesen wären, als vier Vaudevilles nacheinander abgehudelt wurden. In jedem derselben kamen ein paar Melodien des vorhergehenden, in allen zusammen alle wenigstens dreimal vor. Und dazu traf es sich gewöhnlich, daß ein schlechter Acteur sie mit einer ebenso indifferenten Miene herleierte, als eine Amme ihr hundertmal erzähltes Märchen und ihr hundertmal gesungenes: „Schlafe, Kindchen, schlafe". Sogar die berühmte Volnys, wenn sie in einem effectvollen Momente abbrach und ins Dudeldumdei überging, ward langweilig und ließ Alles kalt. Das kommt von dem hundertmaligen Wiederspielen einer und derselben Rolle. Die Menschen werden zu Instrumenten, das Theater zu einer englischen Spinnmaschine.

Worin die Volnys eigentlich der Mars ähnelt, habe ich noch nicht herausfinden können. Sie ist mehr frech als sicher, mehr schnippisch als lustig, mehr kokett als naiv, und von alle Dem kein Schatten, was ich die classische Feinheit der Königin des Lustspiels nenne. Indeß ist sie wirklich eine gute Schauspielerin und als solche eine excellente Soubrette und schnippische Bauerndirne. Wenn sich Scribe sehen will, kann er sie nur rufen lassen, sie weiß ihn auswendig und kennt seines Herzens geheimste Falten.

Zu den Lustspielen, die das Gymnase an diesem Abende im Odéon gab, gehörte auch das vielgegebene, vielgeliebte „Les malheurs d'un amant heureux". Es war seltsamerweise noch neu für mich, weil ich die nothwendige Gewohnheit habe, in der Regel nur den ersten Vorstellungen der dramatischen Productionen beizuwohnen. Da dasselbe aber zuletzt gegeben wurde, so mußte ich alle Augenstärkungsmittel, Kaffee, Tabak, Promenade und langweilige Gesellschaft anwenden, um es bis dahin in dem Hause auszuhalten. Ich beklage mich seit langer Zeit schon darüber, daß man aus dem Theater oft vor halb ein Uhr nicht heimkommt. Ein deutscher Theatermagen kann nach der Vorstellung noch ein Souper vertragen. Das Stückchen ist aber wirklich amusant, erstens weil der General ein ganz origineller Charakter, und zweitens, weil es recht lustig ist zu sehn, wie ein Mann, vom Glück bei den Weibern begünstigt, in lauter Unglück hineingeräth, sodaß er zuletzt wie der berüchtigte Pestbaum geflohen wird. Doch auch diesmal hat der Dichter im Eingang zuviel hin- und hergeredet. Statt uns zu sagen: Eins und eins macht zwei und zweimal so viel vier u. s. w., rechnet er wie die alten Muhmen in lauter Einheiten. Das ist gut beim Romanschreiben.

Es ist ein allerliebster Spaß, wenn das Odéon Claudatur singt. Noch ehe der Vorhang fällt, schleicht die Hälfte des Publicums fort, um da draußen, wo ein besonderer Omnibus vom Pont neuf wartet, sich eines Platzes zu versichern. Ein anderer Omnibus carriolt mit dem Chorpersonal von der Hinterthüre des Hauses nach der Cité und der rue Poissonnière, in welcher Gegend die Musen auf den Dächern wohnen. Man rauft sich um den Conducteur, und wenn es gar regnet, so rauft man sich überdies um die Fiaker und Cabrioletkutscher. Das Rufen, Fluchen dieser Herren ist allein die sechs Sous werth, die sie verlangen, und wenn man bedenkt, in welche angenehme Nachbarschaft man dafür oftmals geschoben und festgekeilt wird, so muß man das Postgeld unter allem Preise finden. Einer meiner Freunde hat mir kürzlich mit triumphirender Miene erzählt, er habe durch den Omnibus das Glück gehabt, mit Mademoiselle Mars von der Probe aus dem Théâtre français zu fahren. „Sie, die Himmlische", rief er, „fuhr in einem Omnibus; mir und dem Omnibus ist Heil widerfahren". Ich fragte ihn, ob sie nicht wie eine alte Frau aussehe. Das nahm er sehr übel, mit Pathos exclamirend: „Die Kunst hat keine Runzeln, ich verehre die Kunst, ich bete sie an in der Person der Mars". Mir ist im Omnibus noch nichts Abenteuerliches vorgekommen. Ich muß wol die rechte Stunde versäumen.

Soeben habe ich im „Journal de Nancy" die Biographie eines Bestienbändigers gelesen und mich daran weidlich ergötzt. Martin, der famöse Martin ist der Held. Wer hat nicht schon von ihm gehört, den Cuvier bewunderte und das ganze Collegium der histoire naturelle zu Rathe zog, von Martin, dem einstmaligen Equilibristen, dem nachmaligen Pferdedressirer und letztmaligen Milchbruder der Löwen, Tiger und Hyänen, dem bekannten Menageriebesitzer des Boulevard Poissonnière, dem reisenden Collegen und Schwager des famosen van Aken, der keck seinen Kopf in der Unthiere Schoos legte und sich von Miß Betty, einer gefleckten Bestie aus Asiens Wüsten, wie von einer Geliebten umarmen ließ. Martin privatisirt jetzt und erntet die Früchte seines Ruhms. Er hat ein paar Hunderttausende aus seiner Industrie gezogen und reist zu seinem Vergnügen als Naturforscher, um seltene Exemplare von Vierfüßigen kennen zu lernen und auch wol zu kaufen. Was er euch sagt von seiner Wissenschaft, das könnt ihr glauben, er hat es mit Gefahr seines Lebens gelernt. Uebrigens kennt er genau den Buffon und hat von Cuvier viel Nützliches erbeutet. Sein Schicksal ist doppelt merkwürdig: einmal, weil er als ein armer Teufel die sonderbarste Laufbahn machte, und sodann, weil er, obgleich das unansehnlichste Metier treibend, es zu einer Höhe brachte, die ihn auszeichnete, berühmt machte. Der Ruhm ist kein Standeseigenthum, kein Privilegium, er wird Demjenigen ohne Rücksicht zu Theil, der Größeres unternahm und vollbrachte als alle Andre oder viele Seinesgleichen. Und das läßt sich gewiß bei Martin sagen. Er wurde zu Marseille geboren und gerieth in Italien unter Blondin's Kunstreiter, weil er eine besondere Liebe zu den Pferden hatte. Seine Geschicklichkeit übertraf bald die aller seiner Collegen und war so sehr das non plus ultra, daß sie ihn langweilte und auf was Anderes sinnen ließ. „Ich will nicht mehr die Pferde reiten", sagte er, „ich will sie zähmen und unterrichten". Auf diese Weise ward er eine Art Zauberer, denn er machte mit den Thieren, was er wollte, und sie verstanden ihn. Dadurch gewann er so viel Geld von reichen Leuten, daß er selbst eine Entreprise machte und herumreiste. Erst als er van Aken und seine Schwester kennen lernte, bekam er Appetit nach andern Thieren als Pferden. Ich glaube, er nahm seine Frau blos, um eine Tigerin von ihrem Bruder zu erben. Es dauerte nicht lange, so hatte er, wenn nicht die schönste, doch die interessanteste Menagerie, une menagerie des meilleurs exemplaires. 15,000 Franken verschwendete er für einen Löwen, und wenn er ihn dann besaß, so stellte er seine Experimente an und zähmte ihn. Er hatte solchergestalt schon glückliche Curse gemacht, ohne sich an der Wildheit der Tiger zu versuchen. Da trat er eines Tages zu dem Menageriediener und hieß ihn den Käfig des allerschönsten Ungeheuers dieser Race öffnen. Der Bursche ward bleich vor Schreck und ließ sich den Befehl dreimal geben, ehe er gehorchte. „Du kannst ruhig sein", sagte Martin, „der Tiger und ich wir kennen uns schon seit zwei Monaten. Er hat Respect vor mir und wird mir nichts zu Leide thun. Oeffne die Thüre und verhalte dich ganz still". Ich muß hier bemerken, daß unser Held lange Zeit hindurch seine Thiere beobachtete und sie auf mancherlei Weise sich hold zu machen, vor Allem aber ihnen Furcht vor sich einzuflößen suchte. Er gab ihnen guten Fraß, wenn sie gehorchten, ließ sie hungern, wenn sie spröde thaten, er ließ sie ruhen und quälte sie zur Belohnung oder Bestrafung; ja, er entzog ihnen das Licht des Tages oder sperrte sie in ungewöhnlich kleine Käfige, wenn sie seinem Willen nicht gehorchten. So geschah es, daß ein Wort von ihm, im Zorn oder mit Freundlichkeit gesprochen, nie seinen Zweck verfehlte. Der Tiger, zu dem Martin gehen wollte, war, ohne daß es seine Leute wußten, von ihm gezähmt worden. „Er respectirt mich", sagte er, „ich bin sein allmächtiger Fürst, denn ich habe ihm davon Beweise gegeben. Wenn er mich angreift, so weiß er, daß ich ihn erdolche oder durch einen Befehl verhungern lasse". Er war in der That mit zwei Dolchen und zwei Terzerolen bewaffnet, als er das Wagniß unternahm, und fühlte Kraft und Besonnenheit genug, im Falle eines unglücklichen Ausganges den Kampf mit dem Ungethüm zu unternehmen, etwas, das er schon früher mit einem Bären versucht hatte, den er aus den Klauen des Löwen erlöste, und der darob zum Danke seinen Retter anpackte. In jeder Hand ein Stilet, durchbohrte er die Bestie augenblicklich und kam mit einer leichten Wunde davon.

Martin ist der erste Mensch, der einen Tiger bis zum geselligen Umgang zähmte. Dem ersten Versuche folgten mehre andere sowol bei Tigern als andern wilden Thieren. Alles drängte sich herbei, den wunderbaren Bändiger zu sehen. Die Vorstellungen brachten soviel Geld ein, daß der Virtuos dem Publicum endlich Valet sagte und sich wie die Catalani zur Ruhe setzte, das Capital der londoner Bank vertrauend.

Martin ist reich, berühmt und erst 35 Jahre alt. Man sollte demnach denken, er sei zufrieden und genieße sein Leben. Dem ist aber nicht so. Er fühlt ein immerwährendes Bedürfniß, mit Löwen und Tigern, mit Bären und Hyänen umzugehn. „Frau", sagt er, „ich habe dich recht lieb, aber ich muß wieder eine Tigerin kaufen und um ihre Zuneigung buhlen, einen Löwen, um dessen Freundschaft ich mich bemühe. Die wilden Bestien sind mein Element!" Wahrscheinlich hören wir einmal, der berühmte Martin habe sein Grab gefunden. Cook mußte auf seiner Reise, Plinius auf dem Vesuv, Archimedes in seinen Cirkeln sterben; warum sollte unser Held ein anderes Schicksal haben? Eine Tigerin wird ihn erdrücken. 107.

Notizen.

Zu Anfang des Schuljahres 1831 (im Sept. 1830) bestand das Lehrerpersonal der soröer Akademie aus einem Director, 8 Oberlehrern, 4 Adjuncten und Fecht-, Reit-, Tanz- und Zeichenlehrern; die Zahl der Eleven war 54, außerdem besuchten noch 22 die Anstalt. Die Bibliothek wurde seit 1830 mit Hülfe ihres jährlichen Einkommens von 600 Rbth. und eines außerordentlichen königl. Geschenkes von 400 Reichsbankthalern, von 9000 auf 11,000 Bände vermehrt, welche systematisch geordnet sind, und über die ein alphabetischer und ein Realkatalog vorhanden ist. Außerdem sind eine kostbare Sammlung physikalischer Instrumente, ein Naturaliencabinet und andere Sammlungen bei der Anstalt befindlich, welche jetzt, durch Legate und königliche Geschenke besser als je dotirt ist.

Dem Titel folgenden Schriftchens zufolge: „Tobaksrygeren, en uundvaerlig Haandbog for Alle, som dyrke den frie Kunst at ryge Tobak" (Kopenhagen 1832), gehört in Dänemark das Tabaksrauchen zu den freien Künsten.

In der königl. Druckerei zu Paris wird auf königl. Befehl gedruckt: „Notice et extraits des manuscrits italiens de la bibliothèque du roi", vom Dr. Marsand, emeritirten Professor an der Universität Padua.

In acht Bänden erscheint eine neue Ausgabe von der „Histoire de France par *Anquetil*", vermehrt mit den Resultaten der besten neuern Historiker, und fortgeführt bis auf die neueste Zeit von Fayot.

In Kopenhagen erschien, Capit. W. A. Graah's „Undersögelses Reise til Oestkysten af Grönland", auf königl. Befehl in den Jahren 1828—31 unternommen, 4. mit 8 illuminirten Kupfern und einer Karte. 3.

Das Register zum Jahrgang 1833 ist unter der Presse und wird im Laufe des Monats Januar nachgeliefert werden.

Redigirt unter Verantwortlichkeit der Verlagshandlung: F. A. Brockhaus in Leipzig.

Literarischer Anzeiger.

(Zu den bei F. A. Brockhaus in Leipzig erscheinenden Zeitschriften.)

1833. Nr. XVII.

Dieser Literarische Anzeiger wird den bei F. A. Brockhaus in Leipzig erscheinenden Zeitschriften: Blätter für literarische Unterhaltung, Isis, sowie der Allgemeinen medicinischen Zeitung, beigelegt oder beigeheftet, und betragen die Insertionsgebühren für die Zeile 2 Gr.

An das deutsche Publicum.

Als ein Nationalwerk von gefeierten Männern treten in wenigen Tagen ins Leben:

Annalen
für
Geschichte und Politik
in Verbindung mit
Bickes, Birnbaum, Duttlinger, K. H. Hofmann, K. Herzog, Jordan, Mittermaier, Murhard, E. Münch, A. Müller, Paulus, Pölitz, v. Rotteck, Snell, Troxler, Warnkönig, Welcker, Zachariä u. A.
herausgegeben
von
Dr. Wilderich Weick.

Seit dem Aufhören der Allgemeinen politischen Annalen, welche eine lange Reihe von Jahren hindurch, unter verschiedenen Wechseln der Zeit und der Redactionen, eines zahlreichen Publicums sich erfreuten und dem Freunde wie dem Bearbeiter der Geschichte eine wichtige Quelle für die Kenntniß der Staaten und ihrer Schicksale, auch zugleich ein anziehender Berührungspunkt für denkende Geister waren, hat sich eine höchst fühlbare Lücke in einem der wesentlichsten Zweige der deutschen Literatur gezeigt. Diese Lücke ist um so fühlbarer, als auch die einst so geschätzten und beliebten Ueberlieferungen unsers geistreichen Zschokke, welche an ähnlichem Zeitdrange scheiterten, noch immer nicht wieder ersetzt worden sind, und die dem Inhalte nach verwandten vortrefflichen Journale von Pölitz, A. Müller und Buchholz doch nur theilweise den Zweck der ehemaligen politischen Annalen in sich aufgenommen haben.

Gleich nach dem Verbote derselben erzeugte sich daher in verschiedenen ausgezeichneten Männern der Entschluß, an die Stelle der eingegangenen Zeitschrift eine neue, die Verhältnisse der Gegenwart bestmöglichst berücksichtigende, und theils reinpolitischen, theils historischen Inhalts, zu setzen. Dieser Entschluß, welcher andern Gelehrten von Talent und Ruf, oder anerkannter Tüchtigkeit mitgetheilt wurde, fand alsbald Beifall und Unterstützung. Die auf dem Titel aufgeführten Namen liefern den Beweis hiefür und zugleich die Bürgschaft, daß es der Redaction nicht minder als der Verlagshandlung um Begründung des Unternehmens auf der solidesten Grundlage zu thun sei. Gleichwol wird man sich bestreben, noch viele andere vorzügliche Schriftsteller aus allen Theilen des deutschen Vaterlandes demselben zu gewinnen, und, zumal was den Norden betrifft, das Verzeichniß der Mitarbeiter zu ergänzen, was wegen Kürze der Zeit bisher nicht so schnell geschehen konnte.

Freimuth und Klarheit, besonnene Haltung und Mäßigung, ruhige Auffassung und lebendige Darstellung der zu schildernden Thatsachen, sowie der zu erörternden Fragen des öffentlichen Lebens werden den Charakter derselben bilden, und vor Allem soll der Geist des Stifters der untergegangenen Annalen in ihrer ursprünglichen Gestalt, des kräftig-genialen, muthvoll-besonnenen und wissenschaftlich-gründlichen Posselt, uns umschweben, dabei aber auch die Erinnerung an die vielfachen Verdienste und Leistungen der Nachfolger uns mit den Verpflichtungen vertraut machen, welche wir, dem Publicum gegenüber, bei Uebernahme der Sache uns auferlegt haben.

In den Annalen für Geschichte und Politik soll nicht blos eine einzige politische Meinung, weder die einer Linken noch einer Rechten, repräsentirt, sondern das ganze öffentliche Leben in seinen verschiedenen Richtungen und Nuancen vor den Leser treten. Alle Meinungen müssen darum sich geltend machen dürfen, welche für den Fortschritt und die Reform, sowol der Menschheit im Großen, als der Staatsgesellschaften im Einzelnen, ganz besonders aber unsers deutschen Vaterlandes, sich aussprechen. Das Verzeichniß der bisher als Mitarbeiter beigetretenen Gelehrten, Männer von verschiedenen Farben und Systemen, beurkundet diese unsere Unbefangenheit und Parteilosigkeit, wiewol die Sache des Rechtes, der Wahrheit und der Aufklärung stets und ausschließlich unsere Partei sein wird.

Die Gegenstände der Annalen werden sonach künftig sein:

a) Eine fortlaufende Darstellung der Zeitgeschichte und aller für das Staats- und Völkerleben einflußreichen Ereignisse im Zusammenhange. Wir hoffen dadurch nicht blos dem Dilettanten in der Politik, sowie dem Geschäftsmanne, dessen Berufsgeschäfte keine ununterbrochene Zeitungslecture gestatten, ein treues Gemälde von all dem Einzelnen, was er selbst erlebt, zu entwerfen, sondern auch dem künftigen Geschichtschreiber unserer Zeit eine reiche Quellensammlung zu überliefern.

b) Die Verhandlungen der Repräsentativ-Versammlungen aller constitutionellen Staaten und insbesondere jene der deutschen. Diese werden einen stehenden Abschnitt in unsern Blättern bilden, und wir somit nicht blos das Wesentliche aus den Verhandlungen selbst, sondern auch eine kritische Geschichte derselben liefern. — Der Charakter unsers Journals soll indeß nicht blos reinhistorisch, sondern auch raisonnirend sein, darum werden wir neben der allgemeinen Uebersicht der Tagesgeschichte auch

c) Wissenschaftliche Aufsätze über politische Gegenstände, die das besondere Interesse des Tages in Anspruch nehmen, unsern Lesern mittheilen. Was die Verständigsten und Besten ihres Vaterlandes über Gebrechen, Bedürfnisse und Lücken in der Verfassung, Gesetzgebung und Verwaltung fühlen, soll in den Annalen besprochen werden, was die Leidenschaft und Einseitigkeit der einen oder der andern Partei Ungerechtes und Tadelnswerthes in der Art und Weise der Prüfung dieser hochwichtigen Gegenstände sich beigehen läßt, eine von bitterer Polemik und zahmer Schmeichelei gleich ferne, berichtigende Kritik bei uns finden.

d) Auf gleiche Weise werden die Annalen von Zeit zu Zeit auch mit solchen historischen Aufsätzen sich befassen, welche einzelne großartige Erscheinungen aus der Vergangenheit zum Gegenstande haben, und die durch Vergleichung für die Gegenwart eine praktische Bedeutung gewinnen.

e) Eine besondere Stelle sollen aber die Biographien und Charakteristiken berühmter Zeitgenossen (wiewol von nicht allzu unverhältnißmäßigem Umfange) darin erhalten.

f) Außerdem werden wir in einer stehenden Rubrik über die vorzüglichern Erscheinungen in der politischen und historischen Literatur des In- und Auslandes Bericht erstatten, und unsern Lesern auf solche Weise Gelegenheit geben, sich mit den neuesten Schriften in diesem Felde vertraut zu machen.

g) Endlich werden wir unter der Rubrik Miscellen kleinere Aufsätze verschiedenen Inhalts mittheilen.

Gewählte, dem Zweck der Annalen entsprechende Beiträge sollen stets willkommen sein und auf angemessene Weise honorirt werden, worüber sich die Redaction mit den Mitarbeitern gehörig verständigen wird.

Das erste Heft wird unter Andern enthalten: 1) Beantwortung der Frage: gibt es ein deutsches Staatsbürgerrecht. Von K. H. Hofmann. — 2) Das erste Beispiel von einer gegen einen fungirenden Minister in einem constitutionellen deutschen Staate anhängig gemachten förmlichen gerichtlichen landständischen Anklage. Von Murhard. — 3) Ueber Steiermark unter Maria Theresia. Von Julius Schneller. — 4) Geschichte des badischen Landtags 1833. Von Karl v. Rotteck. U. s. w.

Freiburg, im Monat Juni 1833.

Dr. W. Weick.

Die unterzeichnete Verlagshandlung wird sich die schöne Ausstattung der Annalen für Geschichte und Politik zur Pflicht machen. — In der Mitte eines jeden Monats erscheint ein Heft von 6—7 Bogen in gr. 8. auf starkem milchweißem Papier und in farbigem Umschlag. Drei Monatshefte machen einen Band aus, sodaß ein Jahrgang zwölf Hefte oder vier Bände bildet.

Der Preis des Jahrgangs (4 Bände) beträgt zwölf Gulden Rheinisch, oder 7 Thlr. 12 Gr. Sächs. Im Juli dieses Jahres erscheint das erste Heft, und es kostet demnach der halbe Jahrgang 1833 (2 Bände) nur sechs Gulden Rheinisch, oder 3 Thlr. 18 Gr. Sächs.

Bei allen soliden Buchhandlungen und allen verehrlichen Postämtern kann auf die Annalen Bestellung gemacht werden.

Leipzig und Stuttgart, im Juni 1833.

J. Scheible's Verlags-Expedition.

Erschienen ist nunmehr (die drei ersten Hefte in zweiter Auflage) und in allen Buchhandlungen zu haben:

Ernst Münch's
Allgemeine Geschichte der neuesten Zeit.

von

dem Ende des großen Kampfes der europäischen Mächte wider Napoleon Bonaparte bis auf unsere Tage.

Erstes bis fünftes Heft, oder Erster Band, gr. 8., Velinpapier, 413 Seiten stark und mit dem Bildnisse des Verfassers in herrlichem Stahlstiche geziert. Subscriptionspreis 1 Fl. 30 Kr., oder 1 Thlr. 1 Gr.

Die günstigsten Urtheile kritischer Blätter über dieses Werk und die ungewöhnliche Theilnahme des Publicums sind für den Werth und für das rasche Fortschreiten desselben hinreichend Bürge, sodaß wir das baldige Erscheinen des sechsten bis zehnten Heftes oder des zweiten Bandes mit Gewißheit zusichern können.

Münch's allgemeine Geschichte erscheint in groß Octavformat in sechs Bänden, deren jeder in fünf Lieferungen à 6 Bogen (oder 96 Seiten) ausgegeben wird, sodaß das Ganze 30 Lieferungen bildet, welche aus 180 Bogen bestehen. Alles, was diese Bogenzahl übersteigen sollte, liefern wir unentgeltlich.

Jede Lieferung (scharfer deutlicher Druck auf feinem Velinpapier) kostet im Subscriptionspreise nur 18 Kr. rhein., 5 Gr. Sächs. Vorausbezahlung kann von keiner Buchhandlung verlangt werden. In 1¼ Jahren ist das ganze Werk beendigt.

In den Unterzeichneten ist erschienen und durch alle Buchhandlungen zu beziehen:

Dr. Wolfgang Menzel's
Taschenbuch
der neuesten Geschichte.

Dritter Jahrgang.

Der Geschichte des Jahres 1831 zweiter Theil.

Mit 10 Portraits.

Cäcilie, Gräfin v. Plater; die Generale: Dembinski, Rybinski; Lord Grey; Brougham; Leopold, Großherzog v. Baden; Eduard v. Schenk; Dr. Culmann; Rotteck; Welcker.

Preis 3 Fl.

Ferner sind erschienen und an alle Buchhandlungen verschickt worden:

Die Briefe
des
Freiherrn von Stein
an den
Freiherrn von Gagern
in den Jahren 1813—1831,
mit Erläuterungen.

Oder:

Mein Antheil an der Politik.

IV.

Einsamkeit,

Preis 3 Fl. 24 Kr.

Diese höchst interessante Schrift verbreitet über Charakter und Denkungsart des verstorbenen Freiherrn von Stein, eines der merkwürdigsten deutschen Reichsritter, ganz neues Licht, und lehrt seine Freunde und Verehrer den Mann von echtem Schrot und Korn, den wahren Edelmann, erst durch und durch kennen. Besonders erfährt der Leser den frommbegeisterten Christenglauben des Entschlafenen, und die auf denselben begründeten Ansichten über Leben und Politik, welch' letztere sich am interessantesten bei folgenden Materien aussprechen: über den nassauschen Domainenstreit; über v. Rotteck und dessen die Bundesacte betreffende Doctrin; über den Bundestag, die Rheinschiffahrt, die Universitäten und die Umtriebe der Demagogen auf denselben; über Burschenschaften und die mainzer Commission; über Stein's Theilnahme an dem Freiheitskampf der Griechen; über Preußens Verstärkung im europäischen Interesse und die innern Gründe seiner Politik rc. rc.

Man sehe Allgemeine Zeitung Nr. 64 d. J. in der außerordentlichen Beilage „Vaterländische Briefe".

Die Bewegung
der
Bevölkerung
mehrer europäischen Staaten
von
Bikes,
königl. bair. Rittmeister.

8. Preis 3 Fl.

Inhalt: Einleitung — Königreich Würtemberg. Königreich Frankreich. Königreich Böhmen. Königreich der Niederlande. Königreich Belgien. Großherzogthum Luxemburg. Russisches Reich. Königreich Preußen. Königreich Hannover, nebst Herzogthümern Bremen und Verden. Königreich Schweden. Königreich beider Sicilien. Königreich Sachsen. Königreich Portugal. Königreich Großbritannien. Großherzogthum Hessen. Großherzogthum Mecklenburg-Schwerin. Oestreichische Monarchie. Königreich Dänemark. Herzogthümer Schleswig und Holstein. Zusammenstellung der sämmtlichen Resultate. —

Anhang. Ueber Bevölkerungszunahme der Städte und deren abnehmende Sterblichkeit. London, Paris, St. Petersburg, Neapel, Wien, Berlin, Rom, Madrid, Kopenhagen, München, Stockholm, Brüssel, Dresden, Haag, Stuttgart, Amsterdam, Palermo, Hamburg, Prag, Breslau, Gent, Rotterdam, Königsberg, Danzig, Strasburg, Leipzig, Frankfurt am Main, Utrecht, Augsburg, Altona, Bordeaux, Lyon, Antwerpen, Livorno, Brügge, Middelburg. Sämmtliche Städte der Niederlande, von Belgien und von Luxemburg. Nachträge.

Stuttgart und Tübingen, im Juni 1833.

J. G. Cotta'sche Buchhandlung.

Durch alle Buchhandlungen und Postämter ist zu beziehen:

Blätter für literarische Unterhaltung. Redigirt unter Verantwortlichkeit der Verlagshandlung. Jahrgang 1833. Monat Juni, oder Nr. 152—181, mit 1 Beilage: Nr. 6, und 3 literarischen Anzeigern: Nr. XIV—XVI. Gr. 4. Preis des Jahrgangs von 365 Nummern (außer den Beilagen) auf gutem Druckpapier 12 Thlr.

Isis. Encyklopädische Zeitschrift, vorzüglich für Naturgeschichte, Anatomie und Physiologie. Von Oken. Jahrgang 1833. Drittes bis sechstes Heft. Mit neun Kupfern. Gr. 4. Preis des Jahrgangs von 12 Heften mit Kupfern 8 Thlr.

Leipzig, im Juli 1833.

F. A. Brockhaus.

In Baumgärtner's Buchhandlung zu Leipzig ist erschienen und in allen Buchhandlungen zu haben:

THIERHEILKUNDE,

oder Beschreibung und Behandlung sowol der äußerlichen Krankheiten unserer Hausthiere als auch der innern Krankheiten der Schafe, Rinder und der Pferde. Ein Hülfsbuch für Jedermann. Bearbeitet von J. F. C. Dieterichs, Oberthierarzt, Lehrer der Thierheilkunde. Mit einer Kupfertafel. (17½ Bogen in 8.) Brosch. 1 Thlr.

Schnellpost für Moden und Literatur.

Zeite Auflage

Da bei dem überaus großen und stets zunehmenden Absatze dieses Journals, welches allein mehr als vier andere an Text liefert, unsere geehrten Committenten täglich Bestellungen auf dasselbe machen, so haben wir, um den Wünschen des Publicums zu genügen, eine vollständige Sammlung desselben, als

Zweite Auflage der Schnellpost

seit ihrem Erscheinen (1ster Juli 1832) bis jetzt zu veranstalten beschlossen.

Das Journal sel[illegible]ird von nun an ein neues und großes Interesse gewinnen. [illegible]tatt eines werden von jetzt jeder Nummer zwei Modekupfer und nach den bereits getroffenen Einrichtungen sollen in Kurzem auch die schönsten Abbildungen des Penny magazine unsern Artikeln beigegeben werden. Obschon unser Blatt das reichhaltigste hinsichtlich des Stoffes, das reichhaltigste hinsichtlich der Modekupfer, Abbildungen und Vignetten sein wird, so kostet es unsere Abonnenten demungeachtet nur 6 Thlr. jährlich; es ist demnach unbedingt das mannichfachste und billigste Journal, welches in Deutschland erscheint, denn es ist zugleich ein wissenschaftliches und Modejournal, vertritt die Blätter aus der Gegenwart, liefert die interessantesten Mittheilungen aus den Gemeinnützigen Kenntnissen, die besten Artikel und Abbildungen aus dem Penny magazine, Recensionen 2c. 2c. Wir empfehlen daher der Gunst des Publicums die Fortsetzung desselben als ein Unternehmen, welches nur ehrenvoll für das aufgeklärte Land ist, in welchem eine Zeitschrift von solchem Umfange erscheint, und wodurch zugleich Europa bewiesen wird, wie sehr Deutschland es sich angelegen sein läßt, literarische und Kunstproductionen von so allgemeinem Nutzen und so hoher Wichtigkeit zu befördern und aufzumuntern.

Leipzig, den 20sten Juni 1833.

Allgem. Niederländ. Buchhandlung.

In Baumgärtner's Buchhandlung zu Leipzig ist erschienen und in allen Buchhandlungen zu haben:

Diätetik

für

Landleute

oder

guter Rath zur Erhaltung der Gesundheit

und zur Verhütung bedrohender Krankheiten.

Von

Dr. L. Osann.

17 Bogen in 8. Preis 21 Gr.

Bei Joh. Ambr. Barth in Leipzig ist erschienen und in allen Buchhandlungen zu haben:

Geschichte der geheimen Verbindungen der neuesten Zeit. 7tes Heft. Gr. 8. Geh. 1 Thlr.

Auch unter dem Titel:

Actenstücke über die unter dem Namen des Männerbundes und des Jünglingsbundes bekannten demagogischen Umtriebe. Herausgegeben von Karl Follenberg.

Inhalt der frühern Hefte:

1stes Heft. Actenmäßiger Bericht über den geheimen deutschen Bund und das Turnwesen, nebst einleit. Bemerk. über die frühern geh. Verbind. v. J. D. F. Mannsdorf. 1 Thlr. 8 Gr.

2tes Heft. Die Ergebnisse der Untersuchung in Bezug auf den Bund der Unbedingten oder der Schwarzen 2c. 9 Gr.

3tes Heft. Die Central-Untersuchungs-Commission zu Mainz und die demagogischen Umtriebe in den Burschenschaften der deutschen Universitäten zur Zeit des Bundestagsbeschlusses v. 20ten Sept. 1819; von Rudolf Hug. 12 Gr.

4tes Heft. Actenmäßige Darstellung der Versuche Deutschland in Revolutions-Zustand zu bringen, herausgegeben von K. Follenberg. 9 Gr.

5tes Heft. Geschichte d. geheimen Verbindungen in Polen. 18 Gr.

6tes Heft. Die demagogischen Umtriebe auf den deutschen Universitäten. Aus den Acten der mainzer Untersuchungs-Commission. 12 Gr.

Durch alle Buchhandlungen ist zu beziehen:

Dr. Christ. Gottfr. Dan. Stein's Handbuch der Geographie und Statistik für die gebildeten Stände nach den neuern Ansichten bearbeitet vom Oberlehrer Dr. Ferd. Hörschelmann am Gymnasium zum grauen Kloster in Berlin. Mitgl. d. berlin. Gesellsch. für Erdkunde. Sechste vermehrte und verbesserte Auflage, 1833. Gr. 8. 3 Bände. 5 Thlr. 16 Gr. Erster Band (48 Bog.) 2 Thlr.

Dieses Werk, welches mit Recht als ein schöner Beweis deutschen Fleißes betrachtet worden ist und sich seit Jahren der dauernden Gunst des Publicums erfreut hat, ist von dem jetzigen Herausgeber mit Eifer und Sachkenntniß neu bearbeitet. Die von dem sel. Verf. so reich ausgestattete Statistik hat nichts an ihrer Vollständigkeit verloren und zeichnet sich durch Neuheit, und Genauigkeit der Angaben aus. Die Topographie hat auf jeder Seite zahlreiche Verbesserungen und Zusätze wie auch Vermehrung durch neue Ortsbeschreibungen erhalten (vgl. Frankreich, Italien, britische Inseln). Die jetzt bestehenden Verfassungen und Regierungsformen sind sorgfältig eingetragen. Ganz besonders wird der 2te Band als neuestes und vollständiges Handbuch der Verfassung, Verwaltung, Geographie und Statistik der deutschen Bundesstaaten auch als selbständiges Ganze erscheinen. Die mathemat. und physikal. Geographie, die oro-, hydrographischen, klimatologischen Abschnitte sind vollkommen neu und ausführlich behandelt. Wir übergeben daher diese sechste Auflage den Freunden der Erdkunde mit der Ueberzeugung, daß sie an Vollständigkeit nur von dem theuern und bändereichen Hassel'schen Handbuche, an Neuheit und Bestimmtheit der Angaben aber von keinem andern übertroffen werde.

J. C. Hinrichs'sche Buchhdlg. in Leipzig.

Neue Verlagsartikel 1833

von

Orell, Füßli und Comp. in Zürich,

die durch alle Buchhandlungen zu beziehen sind:

Kirchhofer, M., Das Leben Wilhem Farel's, nach den Quellen bearbeitet. 2ter Bd. Gr. 8. 1 Thlr. — 1 Fl. 30 Kr.

(Der erste Band kostet 1 Thlr. 4 Gr. — 1 Fl. 45 Kr.)

Meyer, Rud., Charakteristische Thierzeichnungen zur unterhalt. Belehrung für Jung u. Alt. Mit 1 Titelkupfer v. Disteli. Gr. 8. 1 Thlr. 8 Gr. — 2 Fl.

Sakuntala oder der Erkennungsring. Ein indisches Drama von Kalidasa. Aus dem Sanskrit und Prakrit übersetzt von Bernhard Hirzel. Gr. 8. 1 Thlr. 8 Gr. — 2 Fl.

Die englischen Almanachs zeichnen sich sowol durch Reinheit und Gediegenheit des Textes als auch durch die Vorzüglichkeit ihrer Stahlstiche aus. Dieselben finden ungetheilten Beifall in Deutschland, und die Gelegenheit, billig dieselben zu acquiriren, dürfte daher nicht unwillkommen sein. Der unterzeichneten Buchhandlung ist es gelungen, den ganzen Bestand der nachfolgenden englischen Taschenbücher an sich zu bringen und offerirt

Keepsake. 1828 — 33.
Picturesque Annual. 1832 — 33.
Heath Book of beauties. 1833.
} Jeder Jahrgang 3 Thlr.

Gleichzeitig mache ich auf das Taschenbuch Turner's Annual Tour aufmerksam. Es erschien Anfangs dieses Jahres zum ersten Male in großem [illegible]at, welches 2 Guineen gekostet hat. Nunmehr erscheint eine Ausgabe in der gewöhnlichen Octavform, welche für 7 Thlr. gegeben werden kann. Der Inhalt ist eine Reise an der Loire, und die Kupfer dazu 21 der ausgezeichnet schönsten Stahlstiche der Loiregegenden. Die Kupfer sind ganz dieselben der frühern theuern Ausgabe.

Berlin. A. Asher. Linden Nr. 20.

Bei **Georg Joachim Goeschen** in Leipzig sind folgende Werke erschienen und durch jede solide Buchhandlung zu beziehen:

Brandes, Prof. H. W., Vorlesungen über die Naturlehre zur Belehrung Derer, denen es an mathematischen Vorkenntnissen fehlt. 3 Bände. Gr. 8. 81 Bogen und 15 gestochene Kupfertafeln in gr. 4. Weiß Druckp. 9 Thlr. Schreibp. 10 Thlr. 12 Gr.

Bülau, Prof. Fr., Encyklopädie der Staatswissenschaften. Gr. 8. 18½ Bogen. Weiß Druckp. 1 Thlr. 6 Gr. Schreibp. 1 Thlr. 18 Gr.

Ciceronis, in, M. Tullii, Orationem pro Sulla, doctissimorum interpretum Commentaria. Post Gaspar. Garatonium denuo edidit, integras Ernestii, selectas Beckii, Schuetzii, Wolfii, Mathiae suasque adnotationes adjecit Carolus Henricus Frotscher, Phil. Dr. et Prof. etc. Accedunt praeter indices necessarios scholia Ambrosiana cum integris Aug. Maji selectisque Orellii atque editoris adnotationibus. 8 major. 18 Gr.

Fischer, Stiftsarzt, Dr. A. F., Das Blut und die aus dem Blute entspringenden Krankheiten. Ein Noth- und Hülfsbuch für Personen beiderlei Geschlechts, die am Blute leiden. 8. 11¼ Bogen. Brosch. 18 Gr.

Houwald, E. von, Abendunterhaltungen für Kinder. Erstes Bändchen mit 4 Kupfern. 8. Velinp. Geb. 1 Thlr.

Schwarz, Geh. Kirchenrath, Prof. Dr. Fr. H. Chr., Die Schulen. Die verschiedenen Arten der Schulen, ihre innern und äußern Verhältnisse und ihre Bestimmung in dem Entwickelungsgange der Menschheit. Zur Vollständigkeit der Erziehungslehre. Gr. 8. Weiß Druckp. 2 Thlr. 6 Gr. Schreibp. 3 Thlr. Velinp. 4 Thlr. 12 Gr.

Thümmel's, A. M. von, sämmtliche Werke. 6 Bände. Mit dem Bildniß des Verfassers und 5 Titelkupfern. 8. 180 Bogen. Velinpapier. Brosch. 6 Thlr.

Bei dem Unterzeichneten sind erschienen und in allen Buchhandlungen zu haben:

J. C. Gensler's, weil. Professor der Rechte in *Heidelberg*, **Rechtsfälle für die Civilprocesspraxis.** Zweite, durchaus verbesserte und mit den wesentlichsten Erläuterungsformularen vervollständigte Ausgabe von Professor Dr. C. E. Morstadt. Gr. 8. 4 Fl. 30 Kr., oder 3 Thlr.

Grundzüge der Oryktognosie. Lehrbuch für öffentliche Vorträge, besonders auch in Gymnasien u. Realschulen, sowie zum Selbststudium. Von Karl Cäsar v. Leonhard, Geh. Rathe und Professor an der Universität zu Heidelberg. Mit 9 lithographirten Tafeln. Zweite sehr vermehrte und verbesserte Aufl. Gr. 8. Auch unter dem Titel:

Naturgeschichte des Mineralreichs. Ein Lehrbuch für öffentliche Vorträge, besonders in Gymnasien u. Realschulen, sowie zum Selbststudium. Erste Abtheilung. Zweite vermehrte und verbess. Aufl. 5 Fl. 15 Kr., oder 3 Thlr. 12 Gr.

Die früher erschienene 2te Abtheilung enthält die Grundzüge der Geognosie etc., und ist durch alle Buchhandlungen für 4 Fl., oder 2 Thlr. 16 Gr., zu beziehen.

NB. Den Preis von Say's Nationaloekonomie, bearbeitet von Prof. Morstadt, habe ich, eines würtembergischen Nachdrucks wegen, von 8 Thlr. 12 Gr. auf 6 Thlr. 8 Gr. herabgesetzt.

Heidelberg, im Juni 1833.

J. Engelmann.

In der Unterzeichneten ist erschienen und durch alle Buch- und Kunsthandlungen zu beziehen:

G o e t h e,

lithographirt von Strixner, mit Thon und auf Carton aufgezogen. Preis 48 Kr.

Randzeichnungen zu Göthe's Balladen und Romanzen von E. Neureuther, lithographirt. 4 Hefte. Preis 10 Fl.

Randzeichnungen zu den Dichtungen deutscher Classiker von E. Neureuther, lithographirt. 6 Hefte. Preis 7 Fl. 12 Kr.

München, im April 1833.

Literarisch-artistische Anstalt.

Literarischer Anzeiger.

(Zu den bei F. A. Brockhaus in Leipzig erscheinenden Zeitschriften.)

1833. Nr. XVIII.

Dieser Literarische Anzeiger wird den bei F. A. Brockhaus in Leipzig erscheinenden Zeitschriften: Blätter für literarische Unterhaltung, Isis, sowie der Allgemeinen medicinischen Zeitung, beigelegt oder beigeheftet, und betragen die Insertionsgebühren für die Zeile 2 Gr.

Conversations-Lexikon.

Achte Auflage.

Die zweite Lieferung ist seit mehren Wochen ausgegeben und der Druck der dritten bereits so weit vorgeschritten, daß sie im Laufe dieses Monats versendet werden kann. Das Publicum hat diese achte Auflage so über jede Erwartung günstig aufgenommen, daß die ursprüngliche sehr bedeutende Auflage vervierfacht werden mußte, und hierin ist allein das etwas verzögerte Fertigwerden der zweiten Lieferung zu suchen. Es wird alles Mögliche zur größern Beschleunigung des Druckes gethan.

Dankbar für die Theilnahme des Publicums, lasse ich es meine angelegentlichste Sorge sein, dem Conversations-Lexikon einen immer höhern Grad von Vollkommenheit zu geben, und scheue hierbei keine Mühen und Kosten. In dieser ununterbrochenen Sorge für das Werk und in dem rechtlichen und verständigen Sinne des Publicums finde ich auch den besten Schutz gegen Beeinträchtigungen aller Art, die ich bei dem Conv.-Lex. erfahre. Es sind neuerdings wieder mehre Werke unter dem Namen Conv.-Lex. angekündigt worden, aber ich habe in dieser Hinsicht nur die Bitte: zu prüfen und nicht leeren Versprechungen und täuschenden Berechnungen zu trauen.

Jede der 24 Lieferungen, aus denen die achte Auflage bestehen wird, kostet auf weißem Druckpapier 16 Gr.; auf gutem Schreibpapier 1 Thlr.; auf extrafeinem Velinpapier 1 Thlr. 12 Gr.

Das

Conversations-Lexikon der neuesten Zeit und Literatur

ist bis zum 17. Hefte gediehen und erwirbt sich stets allgemeinern Beifall. Manches daraus geht in die achte Auflage über, aber das Werk behält nach Inhalt und Form seine ganze Selbständigkeit, sodaß es für die Besitzer der achten wie jeder frühern Auflage eine höchst interessante Erweiterung bildet. Das Heft von 8 Bogen kostet auf weißem Druckpapier 6 Gr.; auf gutem Schreibpapier 8 Gr.; auf extrafeinem Velinpapier 15 Gr.

Leipzig, 1. Juli 1833.

F. A. Brockhaus.

Dictionnaire Universel de la langue française, rédigé d'après le Dictionnaire de l'Académie française, et ceux de Laveaux, Cattel, Boiste, Mayeux, Wally, Cormon, etc. etc., contenant toutes les mots de la langue usuelle, avec leurs étymologies, leurs définitions, leurs diverses acceptions au propre et au figuré; les différentes expressions proverbiales, familières, populaires, poétiques, et du style soutenu, tous les principaux termes des sciences, arts et métiers, avec leur signification et les explications nécessaires à la parfaite intelligence de chacun deux.

Ouvrage enrichi de plus de Six mille mots, qui ne se trouvent dans aucun autre dictionnaire, et d'un grand nombre d'acceptions omises dans les autres dictionnaires, par Ch. Nodier et V. Verger.

Deux volumes in 8vo., contenant ensemble près de 1600 pages, en caractère neuf dit mignonne, à deux colonnes, Paris, 6ième édition, 1832, prix 15 francs = 4 Thaler.

A. Asher. Berlin, Linden Nr. 20.

Nach dem ungetheilten Urtheile aller Gelehrten, denen dieses Werk zugekommen ist, das ausführlichste französische Dictionnair. Der nicht unbedeutende Vorrath der 5ten Auflage wurde rasch und ganz verkauft, sodaß die letztern Bestellungen uneffectuirt geblieben sind. Die 6te Auflage hat die Presse eben verlassen und ich erhielt die erste Sendung davon, welche ich mit Recht anempfehlen kann. Preis 4 Thlr.

Soeben erschien und ist in allen Buchhandlungen zu haben:

Neuer Nekrolog der Deutschen.

IX. Jahrgang, enthaltend die Lebensbeschreibungen und Notizen von 1613 im Jahre 1831 verstorbenen denkwürdigern Deutschen. Zwei Theile mit 3 Portraits. 8. Geheftet. Ilmenau, Voigt. 4 Thlr., oder 7 Fl. 12 Kr.

Die Cholera von 1831 hat diesen Jahrgang zum reichsten, das zufällige Todesloos ihn zum interessantesten von allen gemacht. Wir nennen nur einen Gneisenau, Diebitsch, Ginlay, Frimont, Klinger, Matthisson, Hegel, Niebuhr, Frhrn. v. Stein, Glück, Soden, Lafontaine, Usteri, Achim v. Arnim, Tittmann, Planck, Dinter, Glatz, Wilmsen, ferner einen Clausewitz, Alvensleben, Stipsicz, Dohna-Schlobitten, Jugersleben, Sack, Gablenz, Trützschler, Gruner, Borowsky, Westermeyer, Rötger, Nitzsch, Hermes, Oberthür, Bohnenberger, Schmalz, Lehr, André, Leßmann, Raßmann, Bürde, Thumb, Eberwein, Pleiel, eine Amalie v. Helvig, Karoline de la Motte-Fouqué, von denen und Hunderten Anderer sämmtlich Lebensbeschreibungen geliefert sind.

Dieses Nationalwerk, ohne welches das Andenken so vieler würdiger deutscher Männer und Frauen meist verloren gehen würde und das eine umfassende Personenchronik zur Geschichte unserer Tage ist, bewahrt noch ganz allein der Nachwelt eine Menge wichtiger Ereignisse u. Materialien u. betheiligt Tausende von Familien. Sein Untergang würde ein großer Verlust für Zeitgenossen u. Nachkommen sein u. er drohet, wenn es künftig nicht mehr Unterstützung u. Absatz findet, als bisher. Denn obschon es der Herausgeber jährlich mit gesteigerter Vollkommenheit, Aufwand u. Sorgfalt fortgesetzt hat, so mußte er doch Tausende dabei zusetzen. Deutschland ehre sich also selbst, es lasse das noch einzige übrige central-deutsche Werk nicht untergehen, das seinen größten Ruhm umschließt. Es bethätige sein Vaterlandsgefühl, seine Achtung und Liebe gegen die Entschlafenen durch vermehrten Ankauf sowol Seitens der betheiligten Familien als öffentlichen Anstalten, namentlich der Landes-, Universitäts-, Militair-, Kirchen-, Schul- und Leihbibliotheken, Lesevereine, Bildungsanstalten 2c., damit der Unternehmer (dem zwar schon höchster Beifall von den Thronen und von allen Seiten wiederhallende ehrenvolle Recensionen 2c. ein schöner Lohn waren) nicht für eine gute, edle, deutsche allgemeine Vaterlandssache, der er ja schon so unglaublich viel Zeit und Mühe widmet, nicht noch länger sein baares Vermögen zubüßen muß. England und Frankreich würden dankbar sein!

Die vollständigsten und wohlfeilsten französisch-deutschen und deutsch-französischen Wörterbücher:

NOUVEAU
DICTIONNAIRE COMPLET
À L'USAGE DES ALLEMANDS ET DES FRANÇAIS

composé

d'après les meilleurs Dictionnaires de langues, d'arts ou de sciences qui ont paru jusqu'à ce jour, contenant l'explication des mots des deux langues, la prononciation de ceux qui peuvent offrir quelque dificulté, un choix d'exemples propres à en faire connaître l'emploi et les différentes acceptions; les principaux synonymes, les termes du Code français, les monnaies, poids, mesures des divers États; les noms de personnes, de pays, de peuples, villes, fleuves etc. qui diffèrent pour le genre ou par quelque nuance dans la traduction, 3me édition, entièrement refondue et augmentée de plus de 20,000 articles. 4 tomes en grand 4°, chacun d'environ 80 feuilles. Par M. M. l'Abbé Mozin

Ladenpreis für alle vier Bände 13 Fl.

PETIT
DICTIONNAIRE PORTATIF
ALLEMAND-FRANÇAIS ET FRANÇAIS-ALLEMAND

EXTRAIT

DU DICTIONNAIRE DE POCHE COMPLET DE L'ABBE MOZIN,

contenant

les termes les plus nécessaires et leur prononciation; à l'usage des écoles reales et des Instituts des deux sexes par l'Abbé Mozin et le Dr. Eisenbach.

2 Vol.

Kleines
deutsch-französisches und französisch-deutsches
aus dem
vollständigen Taschen-Wörterbuch Mozin's von ihm und von Dr. Eisenbach
bearbeitetes

Hand-Wörterbuch,

enthaltend
die gemeinnützlichsten Wörter nebst der Aussprache.

Zum Gebrauche der Realschulen und Lehranstalten beiderlei Geschlechts bearbeitet.

Zwei Theile.

Dieses Dictionnaire, welches an Vollständigkeit und Reichthum Alles übertrifft, was bisher in diesem Fache geleistet worden ist, und dessen Druck beiweitem größer und für die Augen weniger angreifend ist als der des Dictionnaire de Poche, kann mit Recht dem Sprachkundigen ebenso wol als dem Anfänger, dem Uebersetzer und Geschäftsmann empfohlen werden.

Das Bedürfniß Aller wird mit demselben befriedigt werden. Uebrigens ist es neben der Gediegenheit und dem Reichthum dieses Wörterbuchs, auch noch der ungemein niedrige Preis desselben, der es ganz besonders empfiehlt, und zur Einführung in Schulen und Anstalten sowie zur Anschaffung für Minderbemittelte geeignet macht.

Der Preis für beide Theile, von 55½ Bogen, ist nämlich unerachtet der gegen die frühere Berechnung sich bedeutend vergrößerten Bogenzahl nur auf 1 Fl. 30 Kr. festgesetzt. Bei 25 und mehren Exemplaren wollen wir denselben sogar nur auf 1 Fl. 12 Kr. stellen; jedoch ist bei diesen Preisen baare Bezahlung verstanden.

NOUVEAU
DICTIONNAIRE DE POCHE
ALLEMAND-FRANÇAIS ET FRANÇAIS-ALLEMAND

CONTENANT

LES MOTS REÇUS DANS LES DICTIONNAIRES MODERNES DE LANGUES OU SCIENCES, LA PRONONCIATION DE CEUX QUI PEUVENT OFFRIR QUELQUE DIFFICULTÉ, QUANTITÉ DE PHRASES etc., PROPRES À EN INDIQUER LES DIVERSES ACCEPTIONS OU À EMPÊCHER DE LES CONFONDRE, LES NOMS PROPRES DE PERSONNES, DE PAYS, VILLES, FLEUVES etc., QUI DIFFÈRENT DANS L'UNE OU L'AUTRE DES DEUX LANGUES,

PAR

L'ABBE MOZIN.

Deux Volumes

Neues
deutsch-französisches und französisch-deutsches

Taschen-Wörterbuch,

welches
die in den neuern Wörterbüchern über Sprachen und Wissenschaften aufgenommenen Wörter, die Aussprache der schwierigern, viele die verschiedenen Bedeutungen derselben anzeigende und der Verwechselung vorbeugende Redensarten und Erklärungen, wie auch diejenigen Eigennamen der Personen, Länder, Städte, Flüsse 2c., die in beiden Sprachen nicht gleich lauten, enthält.

Von
Abbé Mozin.

Der frühere Ladenpreis dieses Taschenwörterbuchs in 2 Theile war 4 Fl. 30 Kr.; um dasselbe aber wegen seiner Gemeinnützigkeit auch in Schulen und für Minderbegüterte käuflich zu machen, haben wir diesen, bei der großen Bogenzahl immer noch sehr billigen Preis auf 3 Fl. auf unbestimmte Zeit herabgesetzt.

Stuttgart und Tübingen, im April 1833.

J. G. Cotta'sche Buchhandlung.

Buchhandlung von S. Schmerber in Frankfurt a. M.

Einladung zur Subscription.

Geschichte
der
europäischen Menschheit
im
Mittelalter
von
Anton von Tillier.

Neue Ausgabe in höchstens 10 Lieferungen jede zu 10 Bogen, elegant geheftet. Der erste sehr niedrige Subscriptionspreis beträgt nur 9 Gr. für eine Lieferung.

Diese Geschichte des Mittelalters ist zunächst für die gebildeten Stände berechnet. Geflossen aus einem vielbseitigen Quellenstudium, doch ohne die Quellen selbst ermüdend zu nennen und anzuführen, gibt dieselbe die Begebenheiten weder in compendiarischer Kürze, noch in zu weiter Ausdehnung; verweilt bei den, für die Bildung der Völker und die Gestaltung der Staaten entscheidenden Thatsachen ausführlicher als bei den minder erheblichen Ereignissen, und versichert sich durch die klare, edle, und oft sogar gemüthliche Form der Darstellung des Beifalls und des Interesse der denkenden Leser.

In einigen Wochen erscheint bei mir:

Archiv für Geschichte und Literatur. Herausgegeben von Fr. Chr. Schlosser und G. Aug. Bercht. Fünfter Band.

Hieraus einzeln:

Zur Beurtheilung Napoleon's und seiner neuesten Tadler und Lobredner. Von Fr. Chr. Schlosser. Zweite Abtheilung.

In der **Baumgärtner'schen** Buchhandlung in **Leipzig** ist erschienen und in allen Buchhandlungen zu haben:

Vollständiger Unterricht

über den

FUTTERBAU

auf benarbtem Boden

oder

Anleitung gutes und reichliches Futter auf Wiesen und Huthrasen zu gewinnen;

mit einer Anzeige der an den Wiesen, Rasen und dem Futter, während eines jeden Monats, vorzunehmenden Arbeiten.

Nach den besten neuesten Verfahrungsarten und eignen Erfahrungen bearbeitet

von

Friedrich Heusinger.

Mit drei Kupfertafeln.

19½ Bogen in 8. Preis 1 Thlr.

Durch alle Buchhandlungen des In- und Auslandes ist von mir zu beziehen:

La guerre de Pologne en 1831. Par Marie Brzozowski, lieutenant de l'artillerie polonaise. Avec une carte de la Pologne et dix croquis des batailles principales. Gr. 8. 19 Bogen auf feinem Druckpapier. Geh. 2 Thlr. 12 Gr.

Leipzig, im Juli 1833.

F. A. Brockhaus.

Dr. Joh. Schön, Prof. der Staatswiss. in Breslau, **Allgemeine Geschichte und Statistik der europäischen Civilisation.** Gr. 8. (20½ Bogen.) 1833. Leipzig, Hinrichs. 1 Thlr. 12 Gr.

Dieses neue Werk des geistreichen und gründlichen Forschers hat das größte Interesse und ist nicht blos für den Gelehrten, sondern für jeden gebildeten Staatsbürger bestimmt. Den reichen Inhalt möge eine kurze Zusammenstellung der 30 Capitel beurkunden: Einleitung. **Geschichte:** Die vorgeschichtliche, griech., röm., urchristl., mohammedan., romanisch-christliche Civilisation, Gestaltung des Kirchenthums, Umbildung der Staat- und bürgerl. Verhältnisse.

Statistik: Die Naturwelt, Menschenwelt, Einfluß derf. Stoff-Gewinnung und -Verbreitung, Umtausch und Vertheilung der Güter, Unterricht, Lecture, Kunstbildung, das bürgerl. Wesen, Kirchenwesen, Lebensart, Criminalität, Wohlthätigkeit, Verhältniß der Moralität und Civilisation.

☞ Literarische Anzeige für Theologen.

Bei uns ist erschienen und in allen Buchhandlungen zu haben:

Wilhelm Teichler's,

gewesenen Predigers zu Koberhain bei Torgau und zuletzt zu Kaina bei Zeiz,

Neue

Entwürfe und Dispositionen

zu Leichenpredigten und Leichenreden,

verbessert und vermehrt herausgegeben

von

Gottlieb Lange,

Pfarrer zu Pötewitz bei Zeiz.

(Herausgeber der Biblischen Geschichten.)

Dritte Auflage. Preis 20 Gr.

Diese Entwürfe fanden schon bei ihrem ersten Erscheinen den verdienten Beifall, sodaß im Jahre 1828 von dem, durch viele homiletische Arbeiten rühmlichst bekannten Herren Pastor **Lange** zu Pötewitz, eine 2te Ausgabe besorgt werden mußte, welche von diesem mit einem Anhange vermehrt wurde. Jetzt nun erscheinen sie schon wieder in einer 3ten Ausgabe, welche mit dem vollesten Rechte **eine verbesserte und vermehrte** genannt wird, weil der verdiente Herr Herausgeber allenthalben **Vieles** verbessert, mehre weniger fruchtbare Entwürfe gestrichen, und an deren Stelle viele andere aus seinem **eignen reichen Schatze** hinzugefügt hat. Wir können daher diese Entwürfe in ihrer jetzigen Gestalt allen Geistlichen, die bei Begräbnissen zu sprechen haben, angelegentlichst empfehlen und ihnen die Versicherung geben, daß sie bei den verschiedensten Sterbefällen zu ihren amtlichen Reden, zu welchen sie oft sehr wenige Zeit übrig haben, hier die erwünschtesten Winke und Andeutungen, die **zweckmäßigste** Anregung fruchtbarer Gedanken und die passendste Anleitung zur wirksamen Ausführung derselben finden werden.

Leipzig, im Juni 1833.

W. Zirges'sche Buchhandlung.

Bei **Georg Joachim Göschen** in **Leipzig** ist erschienen und durch jede Buchhandlung zu beziehen:

Darstellung der Verwaltung und Verfassung des Königreichs Sachsen.

Aus staatsrechtlichem und politischem Gesichtspunkte.

von

Prof. Friedrich Bülau.

Erster Theil.

Verfassung und Verfassungsrecht.

Gr. 8. Weiß Druckp. 1 Thlr. 6 Gr., Velinp. 2 Thlr.

Ein sächsisches Staatsrecht und mehr als ein solches ist es, was hier geboten wird. Denn nicht blos Rechte und Pflichten werden entwickelt, sondern auch Einrichtungen geschildert und gewürdigt. So dürfte dieses Werk ebenso für den sächsischen Staatsbürger unentbehrlich, wie für den Nichtsachsen anziehend und lehrreich sein.

Retzsch Umrisse

zu

Schiller's Lied von der Glocke

und dessen

Pegasus im Joche.

Den Verehrern von **Retzsch's** Grabstichel zeigen wir hiermit an, daß seine Umrisse zu Schiller's Lied von der Glocke (43 Blätter) und dessen Pegasus im Joche eben unter der Presse sich befinden und unfehlbar zur Ostermesse erscheinen.

Zugleich machen wir auf die früher erschienenen Werke dieses Meisters, welche längst rühmlich bekannt sind, wiederholt aufmerksam:

Retzsch, Umrisse zu Goethe's Faust 1ster Theil, 26 Blätter in Quart. 3 Fl. 36. Kr.
— Umrisse zu Schiller's Fridolin in 8 Blättern gr. 4. 1 Fl. 40 Kr.
— Umrisse zu dessen Kampf mit dem Drachen. 16 Blätter in quer Folio. 4 Fl.

Stuttgart und Tübingen.

J. G. Cotta'sche Buchhandlung.

Durch alle Buchhandlungen ist von mir zu beziehen:

Süßmilch (Friedrich August), August Wilhelm von Trosky's Leben und Wirken für die Niederlausitz, mit Benutzung seiner hinterlassenen autographischen Nachrichten. Gr. 8. Geh. 8 Gr.

Leipzig, im Juli 1833.

F. A. Brockhaus.

Bei A. Asher in London und Berlin sind soeben erschienen:

Views in the Tyrol, Switzerland, and Italy; Ansichten in Tyrol, der Schweiz und Italien, nach Originalzeichnungen von Stanfield, Proud und Harding in Stahlstichen von Heath, Allan, Goodall etc. mit erklärendem Text in deutscher Sprache. Royal 4.

Alle 10 Tage erscheint eine Nummer, 2 Stahlstiche enthaltend, Subscriptionspreis 10 Sgr. = 8 Gr. = 36 Kr.

Ein Vergleich mit ähnlichen Werken wird darthun, dass es das ausgezeichnetste ist, was in dieser Art je erschienen — nur ein ungemein starker Absatz kann den geringen Preis rechtfertigen. Alle solide Buchhandlungen nehmen Bestellungen darauf an.

Bei Baumgärtner in Leipzig ist erschienen und in allen Buchhandlungen zu haben:

Kurzer Entwurf
der landwirthschaftlichen

MASCHINENLEHRE

und Landbaukunde
abgefaßt
von
Dr. Johann Karl Fischer,
ordentlichem Professor der Mathematik und Astronomie zu Greifswald.

Mit 40 Kupfertafeln. 13¼ Bogen. 8. 1 Thlr. 12 Gr.

Reise
im

Innern von Brasilien

auf allerhöchsten Befehl Sr. Majestät des Kaisers von Oestreich Franz I.

in den Jahren 1817—1821 unternommen und herausgegeben vom Dr. Joh. Em. Pohl. 1ster Theil. Imper. 4. Mit Atlas. Cartonn. 20 Thlr.

Von diesem wahren Prachtwerk sind nur 300 Ex. abgedruckt, es werden daher Bibliotheken und Sammler wohlthun, sich bald damit zu versehen.

Wien, den 28sten Juni 1833.

J. B. Wallishausser.

Bei T. Trautwein in Berlin ist erschienen:

Streckfuß, K., Katechismus für Stadtverordnete der preußischen Städte. Wohlfeilere Ausgabe. Preis brosch. 16 Gr.

Nachdem der Werth dieses im Sommer vorigen Jahres herausgegebenen Buchs von den königl. preuß. Regierungen anerkannt, von einigen derselben aber auch verlangt worden, daß es durch eine Preisermäßigung gemeinnütziger gemacht werden möge, so hat sich der Verleger um so mehr zu dieser um ein Drittheil wohlfeilern Ausgabe veranlaßt gesehen, als er hierzu durch bisherige bedeutende Abnahme in den Stand gesetzt worden war.

Von den mehrseitigen höchst günstigen öffentlichen Beurtheilungen, welche dies nützliche Buch erfahren hat, sei es erlaubt, folgende Stelle aus der in Buchholz' Monatsschrift von und für Deutschland enthaltenen hier vorzugsweise mitzutheilen:

„Vieles des hier Gesagten wird nicht blos für die Stadtverordneten, sondern auch für die Mitglieder mancher andern berathschlagenden Versammlungen von großem Nutzen sein, wenn selbige es mit Aufmerksamkeit lesen und beherzigen wollten."

Es darf mit Ueberzeugung hinzugefügt werden, daß auch außerhalb des preußischen Staats dies Buch Nutzen stiften kann!

In Baumgärtner's Buchhandlung ist erschienen und in allen Buchhandlungen zu haben:

Land- und hauswirthschaftliche

Technologie,

oder

Anweisung,

wie der Landwirth seine Erzeugnisse zu Kunstproducten, zu Wein, Branntwein, Bier, Essig, Stärke u. s. w. verarbeiten, aufbewahren, veredeln und sich in seiner Wirthschaft mannichfaltige Vortheile verschaffen kann.

Von Dr. Sigismund Friedrich Hermbstädt,
königl. preuß. Geh.-Rathe und Professor zu Berlin.

Mit 4 Kupfert. in 8. 25¼ Bogen. Preis 1 Thlr. 8 Gr.

Anzeige.

Im Laufe dieses Jahres wird bei mir erscheinen:

Traité de Physionomie des Serpens par *H. Schlegel.*

In diesem Werke wird Herr Dr. Schlegel, dessen Aufsicht die so reichen zoolog.-zootomischen Sammlungen des niederländischen Reichsmuseums anvertraut sind, die Resultate seiner vieljährigen Untersuchungen über die so wenig erleuchtete Thierclasse der Schlangen niederlegen.

Das ganze Werk wird in einem starken Band in großem Octavformat, erläutert durch 25 Kupfertafeln und Karten in Folio, welche über 400 Figuren enthalten, erscheinen.

Prospectus und Probetafeln werden nächstens an die vorzüglichsten Buchhandlungen versendet.

Leyden, im Mai 1833.

J. C. Cyfveer.

Durch alle Buchhandlungen ist zu erhalten:

Conversations-Lexikon

der

neuesten Zeit und Literatur.

Sechszehntes und siebenzehntes Heft.

Maanen bis Niederlande.

Auf weißem Druckpapier 12 Gr.
Auf gutem Schreibpapier 16 Gr.
Auf extrafeinem Velinpapier 1 Thlr. 6 Gr.

Leipzig, im Juni 1833.

F. A. Brockhaus.

Literarischer Anzeiger.

(Zu den bei F. A. Brockhaus in Leipzig erscheinenden Zeitschriften.)

1833. Nr. XIX.

Dieser literarische Anzeiger wird den bei F. A. Brockhaus in Leipzig erscheinenden Zeitschriften: Blätter für literarische Unterhaltung, Isis, sowie der Allgemeinen medicinischen Zeitung, beigelegt oder beigeheftet, und betragen die Insertionsgebühren für die Zeile 2 Gr.

In meinem Verlage ist erschienen und durch alle Buchhandlungen des In- und Auslandes noch für den Subscriptionspreis zu beziehen:

Pölitz (Karl Heinrich Ludwig),

Die europäischen Verfassungen seit dem Jahre 1789 bis auf die neueste Zeit. Mit geschichtlichen Einleitungen und Erläuterungen.

Zweite, neugeordnete, berichtigte und ergänzte Auflage. In drei Bänden.

Erster Band in zwei Abth. (78½ Bogen): die gesammten Verfassungen des deutschen Staatenbundes, 4 Thlr. 20 Gr.

Zweiter Band (31 Bogen): die Verfassungen Frankreichs, der Niederlande, Belgiens, Spaniens, Portugals, der italienischen Staaten und der ionischen Inseln, 2 Thlr.

Der dritte Band, der dies wichtige Werk beendigt, erscheint zu Ende d. Jahrs und wird die übrigen Verfassungen der europäischen Staaten enthalten.

Leipzig, im Juli 1833.

F. A. Brockhaus.

In der Hinrichs'schen Buchhandlung in Leipzig ist zu haben:

Conversations-Taschenbuch,

oder

Anleitung sich mit den nöthigen Ausdrücken im Leben, besonders auf Reisen bekannt zu machen. Nach Frau von Genlis u. A. In sechs Sprachen: **Englisch, Deutsch, Französisch, Italienisch, Spanisch und Russisch. Sechste** verm. u. verb. Auflage in mehr als 80 Gesprächen, Aufsätzen etc. 12. 27 Bogen. 1833. Cart. 1 Thlr. 12 Gr.

Dasselbe mit neugriechischem Texte (statt Spanisch). 27 Bogen. Cart. 1 Thlr. 12 Gr. Leipzig, Hinrichs.

Den besten Beweis der Brauchbarkeit liefert die Verbreitung dieses Buchs in einer Unzahl von Ausgaben und Uebersetzungen in allen cultivirten Staaten der Erde. Die vorliegende 6te Auflage ist sorgfältig von Sprachkennern durchgesehen, von Fehlern gereinigt, die Ausdrücke der neuesten Zeit angepasst und mit Gesprächen über Dampfschiffahrt etc. vermehrt, auf schönes Velinpap. elegant gedruckt, kurz durchaus anständig und empfehlungswerth.

Eigner neuer Verlag

von

Karl Wilhelm Leske in Darmstadt

von der Herbstmesse 1832 bis zur Ostermesse 1833.

Alterthümer von Athen und andern Orten Griechenlands, Siciliens und Kleinasiens etc., Text, aus dem Englischen übersetzt nach der londner Ausgabe vom Jahre 1830, und mit einigen Anmerkungen begleitet von Dr. **Karl Wagner** (Lehrer am grossh. Gymnasium zu Darmstadt). Gr. 8. 2 Thlr., oder 3 Fl. 36 Kr.

Beiträge zur Lehre von den Geisteskrankheiten. Herausgegeben von Dr. **Franz Amelung** (Director des Landeshospitals und Irrenhauses Hofheim bei Darmstadt) und Dr. **Friedr. Bird** (zweitem Arzte an der Irrenheilanstalt Siegburg). Erster Bd. 8. Geh. 1 Thlr. 14 Gr., oder 2 Fl. 42 Kr.

Beobachter, Der, in Hessen bei Rhein, ein Blatt für Verfassung, Verwaltung und Volksleben. Jahrg. 1832. 2tes und 3tes Quartal. Juli bis December. Jahrg. 1833. 1stes und 2tes Quartal. Januar bis Juli. Folio. Jährl. 2 Thlr. 8 Gr., oder 4 Fl. — (Wird fortgesetzt.)

Berggren, J., Reisen in Europa und im Morgenlande. Aus dem Schwed. übers. von Dr. F. H. **Ungewitter**. 2ter Thl. Mit dem Plan von Jerusalem und der Karte von Syrien. 8. 2 Thlr., oder 3 Fl. 30 Kr.

Bopp, Ph., Geschichte des ständischen Wesens im Großherzogthum Hessen von der Mitte des dreizehnten Jahrhunderts bis zum Verfassungswerk am Schluß des Jahres 1820.

Auch unter dem Titel:

Beiträge zum öffentlichen Recht des Großherzogthums Hessen. Erster Theil. Gr. 8. Geh. 20 Gr., oder 1 Fl. 30 Kr.

Bossler, Dr. C. L., De gentibus et familiis atticae sacerdotalibus. 4 maj. 16 Gr., oder 1 Fl. 12 Kr.

Boethii, Anicii Manlii Torquati Severini, Carmina Graece conversa per **Maximum Planudem**. Primus edidit **Carolus Fridericus Weber**, Professor Gymnasii Darmstadii. 4. 12 Gr., oder 54 Kr.

Creuzer, Dr. Fr. (grossh. bad. Geh.-Rath u. Prof.), Zur Geschichte alt-römischer Cultur am Oberrhein und Neckar. Mit einem Vorschlag zu weitern Forschungen. Mit Vignetten und einer Karte. Gr. 8. 20 Gr., oder 1 Fl. 30 Kr.

Disciplinargewalt, Die, öffentlicher Behörden im Großherzogthum Hessen über öffentliche Anwälte. Beitrag zur Kenntniß der Stellung des Advocatenstandes, insbesondere im Großherzogthum Hessen. Beilageheft zum ersten Band der Zeitschrift für Gesetzgebung und Rechtspflege im Kurfürstenthum und Großherzogthum Hessen und der freien Stadt Frankfurt. 8. Brosch. 8 Gr., oder 36 Kr.

Dreuttel, J. G. Fr. (Stadtpfarrer in Heidelberg), Die Heilslehre des Christenthums in einem ausführlichen Katechismus mit beigefügten Bibelstellen. Für den Unterricht der reifern Jugend in evangelisch-protestantischen Kirchen und Schulen. Gr. 8. 12 Gr., oder 54 Kr.

(Bei Abnahme von 25 Exempl. nur 6 Gr. oder 27 Kr. — mit ½ Rabatt — außerdem bei 50 Expl. 10 — bei 100 Expl. 30 Freiexpl.)

Eckhardt, C. L. P. (grossh. hess. Ministerialrath), Leitfaden für mathematische Vorlesungen. 1ste Abth. Reine Analysis.

Auch unter dem Titel:

Principien der reinen Analysis. Für die Vorlesungen an dem grossh. hess. Katasterbureau zu Darmstadt. Gr. 8. 1 Thlr. 8 Gr., oder 2 Fl. 24 Kr.

Fuchs, D. (ehemaliger Regisseur und pensionirter Hofschauspieler), Chronologisches Tagebuch des großherzogl. hessischen Hoftheaters, von der Begründung bis zur Auflösung desselben;

ein Beitrag zur Geschichte der deutschen Schaubühnen. 8. Geh. 1 Thlr. 4 Gr., oder 2 Fl.

Geschichte, Allgemeine, der Kriege der Franzosen und ihrer Alliirten. Vom Anfange der Revolution bis zu Napoleon's Ende, für Leser aller Stände. Aus dem Franz. Mit Schlachtplanen. 25stes Bdchn. 16. Subscriptionspreis für die Abnehmer des ganzen Werks 6 Gr., oder 27 Kr. Einzelne Feldzüge per Band 9 Gr., oder 40 Kr.

Hausfreund, Der hessische, ein Volkskalender für das Jahr 1833. Zum elften Male herausgegeben. 4. Geh. 2 Gr., oder 8 Kr.

Kirchenzeitung, Allgemeine. Ein Archiv für die neueste Geschichte und Statistik der christlichen Kirche, nebst einer kirchenhistorischen und kirchenrechtlichen Urkundensammlung. Begründet von Dr. E. Zimmermann. Fortgesetzt von Dr. K. G. Bretschneider (Oberconsistorialrath und Generalsuperintendent in Gotha) und Georg Zimmermann (Assistenten an großh. Hofbibliothek in Darmstadt). 11ter Jahrg. 1832. 2tes Semester. 12ter Jahrg. 1833. 1stes Semester. Gr. 4. Preis halbjährlich mit dem Literaturblatt 5 Thlr., oder 8 Fl. 45 Kr. Ohne das Literaturblatt 3 Thlr., oder 5 Fl., in monatlicher oder wöchentlicher Lieferung.

Landtag, Der, im Großherzogthum Hessen, in den Jahren 1832 und 1833 in fortlaufender übersichtlicher Darstellung. 1stes bis 4tes Heft. 8. 1 Thlr. 4 Gr., oder 2 Fl. 6 Kr. (Wird fortgesetzt.)

Lerch, Dr. G. A. (großherzogl. hessischer Provincialbaumeister), Ueber die Heizung mit erwärmter Luft und ihre Anwendung im Irrenhospitale Hofheim bei Darmstadt. Gr. 4. Mit 5 Zeichnungen in Royal-Folio. 1 Thlr. 8 Gr., oder 2 Fl. 24 Kr.

Literaturblatt, Theologisches, zur Allgemeinen Kirchenzeitung. 8ter Jahrg. 1832. 2tes Semester. 9ter Jahrg. 1833. 1stes Semester. Gr. 4. Preis halbjährlich 2 Thlr. 15 Gr., oder 4 Fl. 30 Kr.

Militairzeitung, Allgemeine, herausgegeben von einer Gesellschaft deutscher Offiziere und Militairbeamten. 7ter Jahrg. 1832. 2tes Semester. 8ter Jahrg. 1833. 1stes Semester. Gr. 4. Preis halbjährlich 2 Thlr. 8 Gr., oder 4 Fl. (in wöchentlicher oder monatlicher Lieferung).

Pifer, Dr. C. Th., Kurze Geographie nach den neuesten Staatsveränderungen. Ein Elementarbuch für den Schulunterricht. 2te Auflage. 8. 4 Gr., oder 18 Kr.

(Bei Einführung in Schulen werden auf 25 Expl. 3, auf 50 Expl. 8, auf 75 Expl. 15 und auf 100 Expl. 25 Freiexpl. gegeben.)

Ritsert, Fr., Verdeutschendes und erklärendes Fremdwörterbuch zum Schul- und Hausgebrauch, besonders für höhere Bürger- und Töchterschulen. Gr. 8. 1 Thlr., oder 1 Fl. 45 Kr.

(Auf 10 Expl. wird 1, auf 20 Expl. 3, auf 100 20 Freiexpl. gegeben.)

Sammlung der organischen Edicte, Verordnungen und Instructionen, welche sich auf die neue Verfassung der Administration, des Kirchen- und Schulwesens rc. im Großherzogthume Hessen beziehen. 8. Brosch. 14 Gr., oder 1 Fl.

Schulzeitung, Allgemeine, ein Archiv für die Wissenschaft des gesammten Schul-, Erziehungs- und Unterrichtswesens und die Geschichte der Universitäten, Gymnasien, Volksschulen und aller höhern und niedern Lehranstalten. Begründet von Dr. E. Zimmermann. 1ste Abtheilung für das allgemeine und Volksschulwesen, herausgegeben von K. Zimmermann. 2te Abtheilung für Berufs- und Gelehrtenbildung, herausgegeben von Dr. L. Chr. Zimmermann. 9ter Jahrg. 1832. 2tes Semester. 10ter Jahrg. 1833. 1stes Semester. Gr. 4. Preis eines Semesters 5 Thlr., oder 8 Fl. 45 Kr., in monatlicher oder wöchentlicher Lieferung.

Schulzeitung 1ste Abthl. für das allgemeine und Volksschulwesen. Herausgegeben von K. Zimmermann (großherz. Hofdiakonus), in monatlicher Lieferung. Preis des halben Jahrgangs 2 Thlr. 4 Gr., oder 3 Fl. 45 Kr.

Schulzeitung, Allg., 2te Abthl. für Berufs- u. Gelehrtenbildung. Herausgeg. von Dr. L. Chr. Zimmermann, in monatlicher Lieferung. Preis des halben Jahrg. 2 Thlr., oder 5 Fl.

Ukert, F. A., Gemälde von Griechenland mit [illegible]. Neue Ausgabe. 12. Brosch. 18 Gr., oder 1 Fl. [illegible] Kr.

Weitershausen, Dr. Karl, Zweihundert [illegible] Gesänge für Bürger und Landleute, zur Aufheiterung bei ihren häuslichen Geschäften und Feldarbeiten, sowie zur Erhöhung und Veredlung ländlicher Feste. Anhang: [illegible] Wort- und Sacherklärungen, gemeinnützige Erfahrungen, [illegible]graphische Notizen rc. 12. 8 Gr., oder 36 Kr.

(Bei Abnahme von 25 Expl. findet noch der [illegible] von 6 Gr. oder 24 Kr. statt. Die Melodien [illegible] Presse.)

Winckler, Dr. F. L., Lehrbuch der [illegible] Chemie und Pharmakognosie. Für Aerzte und Apotheker. 2ter Theil. 1ste und 2te Abthl. 2 Thlr. [illegible] oder 4 Fl. 48 Kr.

Zeitschrift für die landwirthschaftlichen [illegible]thums Hessen. Herausgegeben von [illegible] hess. Oekonomierath und beständiger [illegible] Jahrg. 1833. Gr. 8. Geh. 1 Thlr. [illegible]

Zeitschrift für Gesetzgebung und [illegible]mes und Großherzogthumes Hessen und [illegible] Frankfurt a. M. Herausgegeben von Dr. [illegible]mer jun., Ph. Bopp, Dr. [illegible] 1stes [illegible] und 4tes Heft. Gr. 8. Der Band von 6 Heften 2 Thlr. 8 Gr., oder 4 Fl. 12 Kr.

Zimmermann, Dr. Ernst, Verfassung der Kirche und Volksschule im Großherzogthum Hessen [illegible] Organisation. Nebst einem kritischen [illegible] des Verfs. herausgegeben.) 8. [illegible] 45 Kr.

Kunstsachen und Landkarten.

Alterthümer von Athen und andern [illegible] Siciliens und Kleinasiens, [illegible] R. Cockerell, W. Kinnard, [illegible] W. Jenkins, W. Railton, als [illegible] Stuart-Revett'schen Werken. [illegible]rung. Subscriptionspreis [illegible] oder 3 Fl., auf ordin. Papier 1 Thlr. [illegible] 15 Kr.

Das nun vollständige Werk [illegible] Subscriptionspreis cartonnirt mit dem Text auf [illegible] 8 Gr., oder 18 Fl. 36 Kr., auf ordin. Papier [illegible] oder 14 Fl. 51 Kr. Der Subscriptionspreis [illegible] unbestimmte Zeit fort.

Ansichten von Darmstadt und [illegible] mit 6 ausgemalten Blättern. Gr. [illegible] 2 Fl. 24 Kr.

Die Blätter werden auch einzeln [illegible]

Ansichten, Vier, von Darmstadt, [illegible] Grünewald, grossh. Hof[illegible] oder 2 Fl.

Einzeln kostet jedes Blatt [illegible]

Karte, Neue, von dem Großherzog[illegible] innern Eintheilung nach den [illegible] arbeitet und in Stein gravirt von [illegible]mat. 16 Gr., oder 1 Fl. 12 Kr.

Karte der Vereinigten Staaten von [illegible] neuesten und besten Quellen [illegible] In Stein gravirt von C. L. [illegible] 6 Gr., oder 27 Kr.

Karte von Syrien, entworfen und [illegible]den von Seetzen, Burckhardt, [illegible] Hüllström. Landkartenformat. [illegible]

Moller, D. G. (grossh. hess. [illegible]rath), [illegible] Heft, mit 6 Kupfertafeln. Royal-Folio. [illegible] oder 3 Fl.

Müller, D. F. H., Beiträge zur [illegible] Geschichtskunde [illegible] Berücksichtigung des Mittelalters, [illegible] mit theilweise colorirten Steindrücken [illegible] Gr. 4. Jedes Heft 1 Thlr. 6 Gr., oder [illegible]

Plan von Jerusalem. Folio (Zu Berggren's Reisen im Orient gehörig.) 6 Gr., oder 27 Kr.

Schulatlas, Vollständiger, der neuesten Erdbeschreibung mit vorzüglicher Berücksichtigung der durch historische Ereignisse merkwürdigen Orte. In 27 colorirten Blättern. Neue wohlfeilere Ausgabe. Royal-Quart. 1 Thlr. 8 Gr., oder 2 Fl. 24 Kr.

Schulatlas, Kleiner, der neuesten Erdbeschreibung. In 9 colorirten Blättern. Royal-Quart. 12 Gr., oder 54 Kr.

(Bei Einführung dieser Atlanten in Schulen werden durch jede Buchhandlung noch besondere Vortheile zugestanden.)

Wandkarte von den Provinzen Starkenburg und Rheinhessen, nach der neuesten innern Eintheilung. Neue Ausgabe. Royal-Format. 6 Gr., oder 27 Kr.

Wandkarte von der Provinz Oberhessen, nach der neuesten innern Eintheilung. Neue Ausgabe. Royal-Format. 6 Gr., oder 27 Kr.

Später werden erscheinen:

Beck, F. K. H., Das hessische Staatsrecht. IX. Buch. 1stes Heft. Von dem Forstwesen. Gr. 8.

Berggren, J., Reisen in Europa und im Morgenlande. Aus dem Schwedischen übersetzt von Dr. F. H. Ungewitter. 3ter und letzter Theil. 8.

Fenner v. Fenneberg (herzogl. nass. Geheimrath u. Brunnenarzt), Schwalbach und seine Heilquellen. 3te verbess. und verm. Auflage. Mit einer Ansicht von Schwalbach. 8.

Graff, G., Die wichtigsten Kämpfe, Schlachten und Belagerungen des Alterthums für die reifere Jugend erzählt. 1stes u. 2tes Bdchn. 8.

Larrey, J., Chirurgische Klinik, eine Sammlung von Erfahrungen in den Feldzügen und Militairhospitälern. A. d. Franz. von Dr. Fr. Amelung. 3ter Bd. (den 4. Bd. des Originals enthaltend). Gr. 8.

Melodien zu Dr. C. Weitershausen's 260 frohen Gesängen für Bürger und Landleute. Quer-8.

Mone, Dr. F. J. (Professor), Untersuchungen zur deutschen Culturgeschichte. Gr. 8.

Pabst, H. W. (großh. hess. Oekonomierath), Lehrbuch der Landwirthschaft. 1ster Bd. 2te Abth. Gr. 8.

Rondelet, J., Theoret.-prakt. Anleitung zur Kunst zu bauen, nach der sechsten Auflage aus dem Französischen übersetzt von H. Distelbarth, Architekt, in 6 Bänden, mit 207 Kupfern der Originalausgabe. Royal-8. Die Kupfer Royal-Fol.

Scheidler, Dr. K. H. (Professor an der Universität zu Jena), Lehrbuch zu Vorlesungen über die Psychologie. Nebst 3 Abhandlungen über den Begriff, die Eintheilung und das Studium, und einem Abriß der Literatur dieser Wissenschaft. 2te verm. und verbess. Auflage. Gr. 8.

Schröter, Dr. v. (Oberappellat.-Ger.-Rath und Professor zu Jena), Civilistische Abhandlungen. Gr. 8.

Dessen Lehrbuch der Institutionen des römischen Rechts. Gr. 8.

Suckow, Dr. G. (Professor in Jena), Grundriss der Mineralogie. Zum Gebrauch bei Vorlesungen. Gr. 8.

Tiedemann, Dr. Fr. (grossh. bad. Geh.-Rath und Professor in Heidelberg), Handbuch der Physiologie des Menschen. 2ter Bd. Mit königl. würtemb. Privilegium. Gr. 8.

Wagner, G. W. J., Hessisches Volksbuch, oder vaterländische Denkwürdigkeiten zur Warnung, Belehrung und Unterhaltung, zunächst für Volksschulen und den Landmann. 8.

Weber, W. E. (Director der gelehrten Schule zu Bremen), Die Aesthetik aus dem Gesichtspunkt gebildeter Freunde des Schönen. 8.

Weicker, L. C. (Schullehrer zu Großrohrheim), Kalligraphische Wandfibel der Currentschrift in methodischer Stufenfolge, zum Gebrauch in Schulen, besonders für Elementarclassen. In 20 Tafeln mit 5 Zoll hoher Schrift. Gr. Fol.

Weitershausen, Dr. Karl, Lehrbuch der Geographie, besonders zum Gebrauch für Militairschulen. Gr. 8.

von Zahlhas, J. B., Karl von Bourbon, Historisches Schauspiel in 5 Acten. 8.

Dessen Jacobe von Baden, Schauspiel in 5 Acten. 8.

von Jaupen, L. (großh. hess. Regierungsrath), Die Verfassungsgesetze deutscher Staaten in systematischer Zusammenstellung. 3ter Band oder 1ster Supplementband: die neuen Verfassungen seit dem Jahre 1828 enthaltend. Gr. 8.

Zimmermann, Dr. Chr. (königl. hanöv. Bergsecretair zu Clausthal), Das Harzgebirge in besonderer Beziehung auf Natur- und Gebirgskunde; ein Handbuch für Reisende und Alle, die das Gebirge näher kennen zu lernen wünschen; mit Nachweisungen über die Naturschönheiten desselben. In Verbindung mit Freunden unternommen. 1ster u. 2ter Theil mit 14 Kupfertafeln und einer Karte. Gr. 8.

Dessen Lehrbuch der Bergbaukunde. 2 Bände. Mit vielen Kupferstichen. Gr. 8.

In meinem Verlage ist erschienen und in allen Buchhandlungen zu erhalten:

Schlüter (Clemens August), Provinzialrecht der Provinz Westfalen. Erster bis dritter Band. Gr. 8. 3 Thlr. 16 Gr.

Auch unter den Titeln:

Provinzialrecht des Fürstenthums Münster und der ehemals zum Hochstift Münster gehörigen Besitzungen der Standesherren, imgleichen der Grafschaft Steinfurt und der Herrschaften Anholt mit Gehmen. 1829. 38¼ Bogen. 1 Thlr. 20 Gr.

Provinzialrecht der Grafschaft Tecklenburg und der Obergrafschaft Lingen. 1830. 15¼ Bogen. 20 Gr.

Provinzialrecht der ehemals kurkölnischen Grafschaft Recklinghausen. 1833. 20 Bogen. 1 Thlr.

Leipzig, im Juli 1833.

F. A. Brockhaus.

Weishaar's würtembergisches Privatrecht.

In der Unterzeichneten ist erschienen und durch alle Buchhandlungen zu beziehen:

Handbuch des würtembergischen Privatrechts,

von Dr. J. F. Weishaar.

Dritte umgearbeitete Auflage. 1ster Theil. Ladenpreis 3 Fl. 45 Kr.

Dieses Werk, für den deutschen Juristen unentbehrlich, empfiehlt sich Jedem, der sich für die Fortschritte der gesellschaftlichen Ordnung interessirt. Der Verfasser ebenso hochgeachtet als Gelehrter, wie als Mitbegründer der Verfassung seines Vaterlandes berühmt, hat seine Aufgabe aufs Glücklichste gelöst, nicht allein durch die Klarheit der Darstellung, sondern auch durch die geistvollste Behandlungsweise, vermöge welcher allenthalben auf das Allgemeine hingewiesen und jedem wichtigern Gesetze seine geschichtliche Entwickelung beigegeben wurde. So konnte es denn auch nicht fehlen, daß sein Werk selbst außer Würtemberg ein bedeutendes Publicum gefunden.

Der ebens erschienene erste Theil gibt das Personenrecht, wie es sich durch die verfassungsmäßige Gesetzgebung Würtembergs in der neuesten Zeit ausgebildet hat; wobei um den Gang der Entwickelung anschaulich zu machen, derselbe immer historisch verfolgt, der frühere Rechtszustand dargelegt, und die Entwickelung der neuesten Gesetzgebung nach ihren allseitigen Motiven mitgetheilt wird.

Die Darstellung der Rechte der Frauen, des Adels, Standesherren wie Ritterschaft, der Juden, der Gesetzgebung über die Rechte des Gemeinde- und Corporationsverbandes, des Bürgergesetzes u. s. w. zeichnet diesen ersten Theil besonders aus.

Der zweite Theil, welcher in einigen Tagen die Presse verläßt, wird die Darstellung des Pfandgesetzes, der Executionsordnung, des Schäfereigesetzes, der Gesetze über Ablösung von Grundlasten, der Absonderungsrechte, der Erbschaftsgläubiger u. s. w. enthalten.

Der dritte und letzte Theil wird demselben ungesäumt folgen, und Supplemente alle Veränderungen in der Gesetzgebung nach Maßgabe ihrer Verabschiedung nachtragen.

Diejenigen, welche bei Empfang des ersten Theils auf das ganze Werk unterzeichnen, können dasselbe bei allen Buchhandlungen noch zum Subscriptionspreis von 9 Fl. erhalten.

Stuttgart und Tübingen, im Juni 1833.

J. G. Cotta'sche Buchhandlung.

Bei mir ist erschienen und durch alle Buchhandlungen und Postämter zu beziehen:

Zeitgenossen.

Ein
biographisches Magazin
für die
Geschichte unserer Zeit.

Vierten Bandes achtes Heft.
(XXXII.)

Gr. 8. Geh. 12 Gr.

Inhalt:

Biographien und Charakteristiken.
Walter Scott. Nach englischen Quellen und deutschen Berichten geschildert. Von Georg Jacob.
Biographische Andeutungen.
Gustav Anton Graf von Wolffradt.
Mrs. Dora Jordan.

Das erste Heft des fünften Bandes erscheint im August 1833.

Leipzig, im Juni 1833.

F. A. Brockhaus.

In allen Buchhandlungen ist zu haben:

Friedrich Elbers,
weil. evangel. Pfarrer in Lüttringhausen,

Predigten.

Herausgegeben
von
Petersen und Wiesmann,
evangel. Pfarrer in Ratingen und Lennep.

Düsseldorf, in Commission bei Schaub. 1 Thlr. 12 Gr.

☞ **Literarische Anzeige**
für Freunde der englischen Literatur sowie für Gymnasien, Schulen und Lehrer der englischen Sprache.

Bei uns ist erschienen und in allen Buchhandlungen Europas zu haben:

The Vicar of Wakefield
a Tale
by Oliver Goldsmith.

Mit kritischen, grammatischen und erklärenden Anmerkungen nebst einem Wörterbuche für den Schul- und Privatgebrauch bearbeitet von Dr. P. A. Fedor Possart.

Circa 30 Bogen stark. Preis 12 Gr.

Es ist dies unter allen bis jetzt erschienenen Ausgaben die Einzige wohlfeilste des beliebten Landpredigers von Wakefield und am fleißigsten gearbeitet, besonders hinsichtlich Dessen, was Kritik und Grammatik betrifft. Wir empfehlen daher um so mehr diese neue Ausgabe Lehrern und Schülern der englischen Sprache, da sie besonders wohlfeil und so eingerichtet ist, daß der Anfänger, sobald er nur irgend einige Fortschritte im Lesen gemacht hat, sich selbst ohne Lehrer forthelfen kann. Vorstehern von Schul- und Privatanstalten, Lehrern u. s. w., die sich direct an die Verlagshandlung wenden, erhalten bei einer Abnahme von 10—20 Exempl. noch besondere Vergünstigungen. Ueber die Einrichtung des Werks enthalten wir uns aller weitern Urtheile, da der Herr Herausgeber hinlänglich bekannt ist.

Leipzig, im Juni 1833.

W. Zirges'sche Buchhandlung.

Herabgesetzter Preis von

Schiller und Goethe's Briefwechsel.

Die Anzeige von dem Erscheinen des Göthe'schen Nachlasses von 15 Bänden, durch welchen sofort die sämmtlichen Werke des großen Dichters geschlossen werden, haben allerorten und so allgemeinen Anklang gefunden, daß es wol geeignet sein dürfte, hiermit eine wiederholte Anzeige von dem

Briefwechsel zwischen Schiller und Goethe
in 6 Bänden kl. 8.

zu verbinden. Je mehr sich dieses Werk, seiner innern Bedeutsamkeit nach, an die sämmtlichen Goethe'schen Werke anschließt, um so häufiger dürfte der Wunsch entstehen, dasselbe der Sammlung letzterer anzuschließen. Unsererseits dies möglichst zu erleichtern, sind wir entschlossen, genannte 6 Bände um den herabgesetzten Preis

von 11 Fl. 48 Kr. auf Velin- } Papier
und 9 Fl. 30 Kr. auf Druck- }

zu erlassen, während der später wieder eintretende Ladenpreis 23 Fl. 36 Kr. und 19 Fl. ist.

Stuttgart und Tübingen, im Juni 1833.

J. G. Cotta'sche Buchhandlung.

☞ Bei uns sind erschienen und in allen Buchhandlungen zu haben:

Einzig erprobte Rathschläge, die Zähne von Jugend auf bis in das späteste Alter ohne Zahnarzt gesund zu erhalten; das Schwitzen der Füße zu verhüten; erfrorene Glieder zu heilen und Hühneraugen oder Leichdornen leicht weg zu schaffen. 2te Aufl. Preis 3 Gr.

Ueber die Schädlichkeit des Haarabschneidens und über den Nutzen des

Schnurr-, Stutz-, Spitz- und Backenbarts.

Aus der Natur und Erfahrung erläutert.

Leipzig, im Juni 1833.

W. Zirges'sche Buchhandlung.

Durch alle Buchhandlungen ist von mir zu beziehen:

Hübner (Johann),

Zweimal zweiundfunfzig auserlesene biblische Historien aus dem Alten und Neuen Testamente, zum Besten der Jugend abgefaßt. Aufs Neue durchgesehen und für unsere Zeit angemessen verbessert von David Jonathan Lindner. Die hundertunderste der alten, oder die zweite der neuen vermehrten und ganz umgearbeiteten und verbesserten Auflage.

8. 25 Bogen. 8 Gr.

Eine Empfehlung dieser Schrift, die sich seit dem J. 1714 in der Gunst des Publicums erhalten, über hundert Auflagen erlebt hat und fortwährend in vielen Schulen eingeführt ist, scheint überflüssig. Die neue Umarbeitung hat, ohne den Geist des Ganzen zu ändern, das Buch den jetzigen Ansichten über den Unterricht der Jugend mehr anzupassen gesucht, und die competentesten Männer sind der Meinung, daß dies überaus wohl gelungen sei.

Leipzig, im Juli 1833.

F. A. Brockhaus.

Literarischer Anzeiger.

(Zu den bei F. A. Brockhaus in Leipzig erscheinenden Zeitschriften.)

1833. Nr. XX.

Dieser Literarische Anzeiger wird den bei F. A. Brockhaus in Leipzig erscheinenden Zeitschriften: Blätter für literarische Unterhaltung, Isis, sowie der Allgemeinen medicinischen Zeitung, beigelegt oder beigeheftet, und betragen die Insertionsgebühren für die Zeile 2 Gr.

Schriften von Therese Huber.

In meinem Verlage erschienen folgende Schriften von Therese Huber, die durch alle Buchhandlungen des In- und Auslandes von mir bezogen werden können:

Erzählungen. Gesammelt und herausgegeben von V. A. H. Sechs Theile. 1831—33. 8. 13 Thlr. 12 Gr.

Hannah, der Herrnhuterin Deborah Findling. 1821. 8. Geh. 2 Thlr.

Ellen Percy, oder Erziehung durch Schicksale. Zwei Theile. 1822. 8. 3 Thlr. 12 Gr.

Jugendmuth. Eine Erzählung. Zwei Theile. 1824. 8. Geh. 3 Thlr. 12 Gr.

Die Ehelosen. Zwei Bände. 1829. 8. 3 Thlr. 16 Gr.

Capitain **Landolphe's** Denkwürdigkeiten. Die Geschichte seiner Reisen während 36 Jahren enthaltend. Nach dem Französischen bearbeitet von Therese Huber. 1825. 8. 1 Thlr. 18 Gr.

Johann Georg **Forster's Briefwechsel.** Nebst einigen Nachrichten von seinem Leben. Herausgegeben von Th. H., geb. H. Zwei Theile. 1828—29. Gr. 8. 7 Thlr. 16 Gr.

Wer diese Schriften, die im Ladenpreis 35 Thlr. 14 Gr. kosten, zusammennimmt, erhält sie für zwanzig Thaler.

Leipzig, im Juli 1833.

F. A. Brockhaus.

Oken's Entomologie der Insekten.

In der Unterzeichneten ist erschienen und durch alle Buchhandlungen zu beziehen:

Einleitung
in die
Entomologie,
oder Elemente der Naturgeschichte der Insekten,
von
Wilhelm Kirby
und
Wilhelm Spence.
Herausgegeben
von
Oken.

Vierter und letzter Band. Preis 4 Fl. 30 Kr.

Inhalt: Innere Anatomie der Kerfe. Empfindung. Athmung. Kreislauf. Verdauung. Absonderung. Fortpflanzung. Bewegung. Krankheiten. Sinne. Orismologie. System. Geschichte der Entomologie. Geographische Verbreitung. Entomologische Werkzeuge. Untersuchung der Kerfe. Genitalia. Beschreibung neuer Sippen. Literatur und Verzeichniß der Schriftsteller. Anatomisches, und terminologisches Register. Systematisches allgemeines Register.

Und so wäre denn dieses ebenso reichhaltige und unterrichtende, als anziehende Werk geschlossen, das dem Gelehrten vom Fache ebenso wol, als dem denkenden Freunde der Natur empfohlen werden kann. Es sollte in keiner Bibliothek fehlen.

Stuttgart und Tübingen, im Mai 1833.

J. G. Cotta'sche Buchhandlung.

Sachsens Umbildung seit dem J. 1830.

Den constitutionnellen Ständen des Königr. Sachsen gewidmet. 8. 12 Bg. 1833. Geh. 18 Gr.

Hr. Leg.-Rath Hennicke in Gotha urtheilt über diese Schrift im Allg. Anz. d. D., Nr. 68: „Unter obigem Titel ist eben eine Schrift erschienen, die kein treuer Sachse, am allerwenigsten aber kein Mitglied der jetzigen Ständeversammlung unbeachtet lassen darf, wenn er am Wohle des Vaterlandes innigen Antheil nimmt. Sie ist mit Sachkenntniß, unbefangner Wahrheitsliebe, achtungsvoller Ruhe und ganz im geschichtl. Sinne verfaßt. Auch jedem unbefangenen und am Fortschreiten der Völker Wohlgefallen findenden Deutschen wird das Buch historisch und politisch ansprechen."

Hinrichs'sche Buchhdlg. in Leipzig.

In Baumgärtner's Buchhandlung zu Leipzig ist soeben erschienen und an alle Buchhandlungen versendet worden

Die Bibliothek unterhaltender Wissenschaften.

I. Alexander von Humboldt's Reisen und Forschungen.

Eine gedrängte Erzählung seiner Wanderungen in den Aequinoctial-Gegenden Amerikas und im asiatischen Rußland. Nebst einer Zusammenstellung seiner wichtigsten Untersuchungen u. s. w. von Dr. W. Macgillivray. Mit mehren Abbildungen und einer Karte des Orinoco. 2 Abtheil. 12. (18 Bog.) Brosch. 1 Thlr. 8 Gr.

II. Die Baukunst der Vögel.

2 Abtheil. Mit 82 Abbildungen. Von J. Rennie. 12. (18 Bog.) Brosch. 1 Thlr. 16 Gr.

Die Bibliothek der unterhaltenden Wissenschaften ist zur Verbreitung gemeinnütziger Kenntnisse bestimmt. Sie wird in kleinen Abtheilungen Dasjenige aus der ausländischen Literatur bringen, was in dieser Beziehung in dergleichen fremden Sammelwerken oder als einzelnes Werk sich als das Beste darbietet und was zugleich von einem großen und allgemeinen Interesse ist. Die Abtheilungen erscheinen nach und nach und sind an keine Zeit gebunden, sowie auch die Preise der einzelnen die Bibliothek bildenden Bände nach der Stärke und den Zuthaten als: Kupfer, Karten u. s. w., verschieden, jedoch sehr wohlfeil sein werden. Die Herausgeber stehen für die beste Wahl in den aufzunehmenden neuen Werken. Die Bibliothek wird von keinen besondern Gesammttitel begleitet und nur auf den Umschlägen wird die Reihenfolge der Bände bestimmt.

Jedes einzelne Werk der Bibliothek besteht auch für sich und ist also solches einzeln zu haben.

Unter der Presse sind davon:

Pompeji. 4 Abtheilungen mit vielen Abbildungen.

Die Neuseeländer. 2 Abtheilungen mit vielen Abbildungen.

Dr. Caspari's homöopathischer Haus- und Reisearzt.

Ein unentbehrliches Hülfsbuch für Jedermann, insbesondere für alle Hausväter, welche auf dem Lande, entfernt von ärztlicher Hülfe, wohnen, um sich dadurch ohne dieselbe in schnellen Krankheitsfällen selbst helfen zu können. Herausgegeben von Dr. F. Hartmann. Vierte, vermehrte und verbesserte Auflage. Gr. 8. (13½ Bog.) 16 Gr.

Die dritte starke Auflage vergriff sich in sechs Monaten; der beste Beweis der Bewährtheit des Werkes.

Ueber die Homöopathik und ihre Beziehungen zu dem Selbstdispensiren der Aerzte.

Eine staatswissenschaftliche Abhandlung von Rupertus dem Zweiten nebst zwei Anhängen, Zeugnisse erfahrener Aerzte für die Homöopathik und die Bereitung homöopathischer Heilmittel betreffend. (Experto credite Ruperto.) Gr. 8. (10 Bog.) Brosch. 18 Gr.

Diese Abhandlung enthält äußerst belehrende Ansichten über das Wesen der Homöopathie selbst und insbesondere über die Unhaltbarkeit der Anwendung älterer, vor ihrer Entdeckung bestanden habender Gesetze gegen dieselbe und die Nothwendigkeit, für dieselbe neue Gesetze eintreten zu lassen.

In der Jos. Lindauer'schen Buchhandlung in München ist soeben erschienen.

Neuestes

Taschenbuch für Reisende

durch

Baierns und Tirols Hochlande,

dann durch Berchtesgadens und Salzburgs romantische Gefilde nebst ausführlicher Beschreibung der Gastüna (Gasteins) und des Salzkammergutes.

Humoristisch, topographisch-statistisch bearbeitet

von

Adolf von Schaden.

Mit einer präcisen Karte und 25 malerischen Ansichten.

In allegorischem Umschlage und Futteral. Preis 2 Fl. 42 Kr.

Herabgesetzter Preis.

Das in meinem Verlage erschienene Werk:

Die Sinne des Menschen in den wechselseitigen Beziehungen ihres psychischen und organischen Lebens; ein Beitrag zur physiologischen Aesthetik; von Dr. C. Th. Tourtual. Gr. 8. Bisheriger Preis 1 Thlr. 20 Gr.

hatte sich, gleich nach seinem Erscheinen, nicht allein der günstigsten Beurtheilungen in sehr geachteten kritischen Zeitschriften zu erfreuen — unter Andern in der berliner Zeitschrift für wissenschaftliche Kritik, in den Blättern für literarische Unterhaltung, in Hecker's Literarischen Annalen, Rust's Repertorium, in der Salzburger med. Zeitung, in den Göttinger gelehrten Anzeigen und selbst in einigen französischen Zeitschriften —, sondern fand auch unter Aerzten und Physiologen allgemeine Aufnahme. Um jedoch dem Werke größere Theilnahme zu verschaffen, die ihm bei dem anerkannten Werthe desselben nicht fehlen wird, soll der Preis, im Einverständnisse mit dem Herrn Verfasser, auf einige Zeit herabgesetzt, und, um selbst Unbemittelten die Anschaffung zu erleichtern, auf 16 Gr. gestellt werden.

Münster, am 1sten Juli 1833.

Friedrich Regensberg.

Pyrker's sämmtliche Werke, neueste Auflage.

In der Unterzeichneten verließ eben die Presse und wird ehestens an alle Buchhandlungen versendet werden:

Sämmtliche Werke

von

Johann Ladislav Pyrker.

Zweiter Band.

Enthaltend:

Rudolf von Habsburg,

ein Heldengedicht in zwölf Gesängen.

Neue durchaus verbesserte Ausgabe. Gr. 8.

Preis 3 Fl. im 24 Fl. Fuß.

Ueberzeugt, dem Publicum durch die schnelle Herausgabe dieser neuesten, durchaus verbesserten Ausgabe der sämmtlichen Werke unsers größten epischen Dichters den angenehmsten Dienst zu leisten, beeilen wir uns, von der Vollendung dieses zweiten Theiles Nachricht zu geben. So schnell als nur immer möglich soll auch der dritte Theil folgen.

Stuttgart, den 18ten Mai 1833.

J. G. Cotta'sche Buchhandlung.

Bei Aug. Sorge in Osterode ist erschienen und in allen Buchhandlungen zu haben:

Anakreon's Lieder mit Beachtung des Originalversmaßes aus dem Griech. übers. von Fr. G. Jordan. 8. Geh. 12 Gr.

Lauenstein's Gedichte. 2te Sammlung. 8. 16 Gr.

Renner's Geographie des Königreichs Hanover. 2te Auflage. 8. 14 Gr.

Musikalien.

Blechschmidt, Potpourri f. Pforte und Violine. 16 Gr.

Röhrig's Tänze f. Pforte. 1stes, 2tes Heft, à 4 Gr.

Buchhandlung von S. Schmerber in Frankfurt a. M.

Einladung zur Subscription.

Geschichte

der

europäischen Menschheit

im

Mittelalter

von

Anton von Tillier.

Neue Ausgabe in höchstens 10 Lieferungen jede zu 10 Bogen, elegant geheftet. Der erste sehr niedrige Subscriptionspreis beträgt nur 9 Gr. für eine Lieferung.

Diese Geschichte des Mittelalters ist zunächst für die gebildeten Stände berechnet. Geflossen aus einem vielseitigen Quellenstudium, doch ohne die Quellen selbst ermüdend zu nennen und anzuführen, gibt dieselbe die Begebenheiten weder in compendiarischer Kürze, noch in zu weiter Ausdehnung; verweilt bei den, für die Bildung der Völker und die Gestaltung der Staaten entscheidenden Thatsachen ausführlicher als bei den minder erheblichen Ereignissen, und versichert sich durch die klare, edle, und oft sogar gemüthliche Form der Darstellung des Beifalls und des Interesse der denkenden Leser.

In einigen Wochen erscheint bei mir:

Archiv für Geschichte und Literatur. Herausgegeben von Fr. Chr. Schlosser und G. Aug. Bercht. Fünfter Band.

Hieraus einzeln:

Zur Beurtheilung Napoleon's und seiner neuesten Tadler und Lobredner. Von Fr. Chr. Schlosser. Zweite Abtheilung.

Soeben erscheint bei mir und ist durch alle Buchhandlungen des In- und Auslandes von mir zu beziehen:

Mengotti (Francesco), Del commercio dei Romani ed il Colbertismo. Memorie due. Mit grammatikalischen Erläuterungen und einem Wörterbuche zum Schul- und Privatgebrauche herausgegeben von *G. B. Ghezzi*. 12. 21 Bogen auf Druckpapier. Geh. 1 Thlr. 20 Gr.

Diese Schrift ist als die geeignetste für den Unterricht in der italienischen Sprache bereits in der Handelsschule in Leipzig eingeführt worden.

Leipzig, im Juli 1833.

F. A. Brockhaus.

Recension aus der Literaturzeitung für Volksschullehrer 1833. 3tes Heft.

7.) Landwirthschaft.

Anleitung zum Betriebe der Landwirthschaft, nach den vier Jahreszeiten geordnet; ein kurzer und deutlicher Leitfaden für Solche, welche dieses Gewerbe erst kennen lernen wollen und für Freunde desselben in andern Ständen. Von Dr. A. G. Schweitzer, Prof. der Landwirthschaft in Tharant und mehrer gelehrten Gesellschaften Mitgliede. 2 Bände. Nebst drei Kpft. Leipzig, in der Baumgärtner'schen Buchhandlung. 1832. 55½ Bogen 8. 3 Thlr. 8 Gr.

Der rühmlichst bekannte und um die Landwirthschaft vielfach verdiente Herr Verf. beabsichtigte mit diesem Werke, in einem ansprechenden, nicht ermüdenden Tone über die wichtigsten landwirthschaftlichen Angelegenheiten eine Belehrung zu ertheilen, die nicht nur jedem Landwirth von Profession, sondern auch jedem Manne von Bildung, der nie zuvor mit Ackerbau und Viehzucht sich abgab, die Fähigkeit ertheilen sollte, über alle dahin einschlagende Gegenstände ein richtiges Urtheil zu fällen, überhaupt die Landwirthschaft richtig zu würdigen. Der Hr. Verf. verbreitet sich daher mit einer Klarheit, Deutlichkeit und belehrenden Bestimmtheit über diese Materie, die nichts zu wünschen übrig läßt, und wodurch der Leser in den Stand gesetzt wird, sich hinlänglich darüber zu unterrichten. Er dachte sich nämlich bei jedem Satze, den er auf das Papier brachte, daß er zu irgend einem gebildeten Manne spräche, der zwar im Allgemeinen mit dem Geschäftlichen bekannt sei, aber sich noch nie um Das, was man unter einem Landgute wirklich versteht, und was bei einem solchen Akt in Betracht kommt, bekümmert habe, indessen Neigung fühle, dem Landleben sich zu widmen, und damit umginge, sich ein Landgut zu erwerben. Die Gegenstände, über die ein solcher theils genaue Auskunft, theils nur Andeutungen zu erhalten wünschen könnte, sämmtlich zu berühren und wenigstens Winke darüber zu ertheilen schien nothwendig. Wir sind den gründlichen und belehrenden Erörterungen des Hrn. Verf. überall mit Vergnügen gefolgt und verdanken seiner gelungenen Schrift ebenso viel Unterhaltung als Belehrung. Die Arbeiten seiner Vorgänger hat er trefflich benutzt, wobei jedoch nicht zu verkennen ist, daß er nichts ohne vorgängige Prüfung nachgeschrieben hat. Die äußere Ausstattung des Werkes ist in jeder Hinsicht vortrefflich und die beigefügten Kupfertafeln sehr sauber, correct und instructiv. Denkende Schullehrer werden dieses Werk nicht nur zu ihrer eignen Belehrung sehr vortheilhaft gebrauchen, sondern es auch durch ihre Empfehlung unter andere verständige Landwirthe, die sich gern über das Gewöhnliche erheben, verbreiten.

Weishaar's Privatrecht. 2ter Theil.

In der Unterzeichneten ist erschienen und durch alle gute Buchhandlungen zu beziehen:

Handbuch
des
würtembergischen Privatrechts.
Von
Dr. J. F. v. Weishaar.
Dritte umgearbeitete Ausgabe.
Zweiter Theil. 3 Fl. 45 Kr.

Dieser zweite Theil enthält das Sachenrecht. Hierunter zeichnen wir besonders aus die Darstellung des Pfandgesetzes, der Executions-Ordnung, des Schäferei-Ablösungs-Gesetzes, der Gesetze über Ablösung der Grundlasten; die Abschnitte über Dienstbarkeiten und Zehnten; Erbrecht und Erbfolge, Testamente u. s. w.

Nachträgliche Bemerkungen zu einigen Stellen des ersten Theiles betreffen: das Heirathen nahrungsloser Personen, die Gleichstellung der Brautkinder mit den ehelichen Kindern, die Annahme an Kindesstatt.

Der dritte und letzte Theil wird ungesäumt folgen, und Supplemente alle Veränderungen in der Gesetzgebung nach Maßgabe ihrer Verabschiedung nachtragen. Diejenigen, welche auf das ganze Werk unterzeichnen, können dasselbe bei allen Buchhandlungen noch zum Subscriptionspreis von 9 Fl. erhalten.

Stuttgart und Tübingen, im Mai 1833.

J. G. Cotta'sche Buchhandlung.

Bei uns ist soeben erschienen:

Fortiguerra, Nicolo, Richardett, ein Rittergedicht, übersetzt von J. D. Gries. 3ter und letzter Theil. Velinpap. 1 Thlr. 16 Gr., oder 3 Fl. Alle drei Theile, Velinpapier, 5 Thlr., oder 9 Fl.

Mit diesem Theile ist ein Werk geschlossen, das bei seinem Erscheinen in Italien mit dem größten Beifall aufgenommen wurde, in Deutschland aber noch nie ganz übersetzt erschienen ist, denn die beiden frühern Uebersetzer starben nach Vollendung der ersten Gesänge.

Der Richardett ist gewissermaßen eine Fortsetzung von Ariost's rasendem Roland zu nennen, und darf als solche gewiß Anspruch auf eine günstige Aufnahme machen. Zum Lobe der Uebersetzung etwas zu sagen möchte wol nicht nöthig sein, da Herr Gries durch seine gelungenen Uebersetzungen des Tasso und Ariost hinlänglich bekannt ist.

Früher erschien in unserm Verlag:

Gedichte und poetische Uebersetzungen von J. D. Gries. 2 Bändchen. Velinpapier. 4 Fl. 30 Kr., oder 2 Thlr. 12 Gr. Besseres Velinpap. 5 Fl. 24 Kr., oder 3 Thlr.

Stuttgart, im Juli 1833.

F. C. Löflund und Sohn.

Bei Georg Joachim Göschen in Leipzig ist erschienen und durch jede Buchhandlung zu beziehen:

Darstellung der Verfassung und Verwaltung des Königreichs Sachsen.
Aus staatsrechtlichem und politischem Gesichtspunkte.

Von

Prof. Friedrich Bülau.

Erster Theil.
Verfassung und Verfassungsrecht.
Gr. 8. Weiß Druckp. 1 Thlr. 6 Gr.

Ein sächsisches Staatsrecht und mehr als ein solches ist es, was hier geboten wird. Denn nicht blos Rechte und Pflichten werden entwickelt, sondern auch Einrichtungen geschildert und gewürdigt. So dürfte dieses Werk ebenso für den sächsischen Staatsbürger unentbehrlich, wie für den Nichtsachsen anziehend und lehrreich sein.

In meinem Verlage ist erschienen und wird fortgesetzt:

Materialien und Ueberlieferungen zur Geschichte, namentlich zu der des achtzehnten und neunzehnten Jahrhunderts. Originalarbeiten und Uebertragungen der interessantesten ausländischen Memoiren, Geschichtswerke und dergl. von Dr. Franz Joseph Adolf Schneidawind. 1stes Heft. 8 Gr.

Dieses enthält: die Staatsmänner Grey, Talleyrand, Fox, Pitt und Canning. Britische Schilderungen und Urtheile u. s. w. Die nächstfolgenden Hefte enthalten die Feldzüge Napoleon's im Jahre 1809, 1812 — 13; die Feldzüge des Prinzen Eugen von L., Vicekönigs von Italien; Biographisch-historische Darstellungen aus der Revolution, namentlich die Zeiten Marat's und Charlotte Corday's; Denkwürdigkeiten des Marschall Ney, der Herzogin von Abrantes, des Grafen Lavalette, des Königs Ludwig XVIII. und anderer historisch denkwürdiger Personen. Historische Werke von Nodier, Ségur und andern berühmten Historikern.

Neuhaldensleben, den 1sten Juli 1833.

A. Eyraud.
Buchhändler.

Bei *W. Engelmann* in Leipzig erschien soeben und wurde an alle solide Buchhandlungen versandt:

LANDER, J. u. R. (Gebrüder), Reise in Afrika zur Erforschung des Nigers bis zu seiner Mündung. Aus dem Englischen von *r. 3 Theile. Mit 2 Karten. 8. Velinpapier, elegant broschirt, 4 Thlr. 12 Gr.

WEBER, O., Gedichte. 8. Velinpapier, elegant broschirt, 18 Gr.

Recension.

Grundsätze der Meteorologie

von G. Schübler, Prof. etc. Mit 8 Kupfertafeln, einer vergleichenden Thermometerscale und mehren Tabellen. Ein integrirender Theil der Allg. Encyklopädie der gesammten Land- und Hauswirthschaft der Deutschen. Leipzig, in Baumgärtner's Buchhandlung. 1831. 206 S. 8. 21 Gr.

Pölitz's liter. Repertorium, 1833, 2ter Bd., 6tes Stck., sagt darüber:

Hr. Prof. Schübler hat sich durch Arbeiten über einzelne Gegenstände der Meteorologie, die sich meistens an eigne Beobachtungen anschlossen, oder auch Schlüsse aus sorgfältig zusammengestellten fremden Beobachtungen enthielten, mannichfaltig um die Witterungskunde verdient gemacht. Auch in diesem kurzen Abrisse der ganzen Meteorologie findet man überall nicht nur eine klare Darstellung der [illegible] Gegenstände der Witterungskunde, sondern auch sehr oft die Benutzung eigner Beobachtungen. Diejenigen Leser, für die das Buch eigentlich bestimmt ist, die nämlich über die Ursache und den Zusammenhang der Witterungs-Erscheinungen, über den Gebrauch der meteorologischen Instrumente u. s. w. sich [illegible] zuerst eine gründliche Kenntniß erwerben wollen, finden hier gute und zureichende Belehrung. Uebrigens wird [illegible] der Witterungsereignisse, wie sie in jedem einzelnen Monate vorzukommen pflegen, die Nachricht von den in jedem Monate blühenden Pflanzen u. s. w. den Lesern angenehm sein.

Das Buch kann durch alle Buchhandlungen bezogen werden.

Bei Fr. Weber in Ronneburg ist [illegible] erschienen und in allen Buchhandlungen zu haben:

Adele und Germenil. Aus dem Französ. übersetzt v. L. G. Förster. 8. 1 Thlr.

Handbuch, Vollständiges, der Naturgeschichte, als Handbedarf für Gebildete aus allen Ständen, und zum Schulgebrauch. Mit 300 Abbildungen. Zweite, [illegible] vermehrte und verbesserte Auflage. [illegible] 2 Thlr., Schwarz 1 Thlr. 6 Gr.

Lindemann, Fr. L. von, Meine Gefangenschaft in Rußland in den Jahren 1812 und 1813. Nebst zwei lithograph. Tafeln. 8. 12 Gr.

Otto und Pauline. Eine Novelle. [illegible] Gr.

Verri, Graf von, Drei Nächte im Grabe der Scipionen. Aus dem Italienischen übersetzt von L. G. Förster. 8. 1 Thlr.

Bei Friedrich Regensberg in Münster ist [illegible] erschienen und in allen Buchhandlungen zu haben:

Dr. C. von Bönninghausen, Versuch einer homöopathischen Therapie der [illegible], zunächst für angehende Homöopathiker [illegible] Geh. 12 Gr.

(Bereits in Rummel's homöopathischer [illegible] im Archive für Homöopathie sehr günstig beurtheilt [illegible])

Herabgesetzter [illegible]

In allen Buchhandlungen ist [illegible]

Th. Körner's

Knospen.

Gedichtet 1809. 1831. Kl. 8. Brosch. [illegible]

Vogler'sche Buchhandlung [illegible]

Bemerkung.

In Nr. 172 der „Blätter für [illegible]" 21. Juni 1833, findet sich eine kurze [illegible] lichen Dramas von Gustav Gallenrode [illegible] chowski", gegen welche wol mit Recht [illegible] gen sein dürfte, indem zu befürchten steht, daß [illegible] so wenig den Geist und Gehalt des Gedichts [illegible] er die Fabel desselben richtig auffaßte. [illegible] chowski und sein Oheim werden nicht [illegible] wider Willen von Gozlan in [illegible] gen, Krzcinzki wird nicht im [illegible] Dictator, und die Sache Polens [illegible] Verrath Gozlan's verloren, [illegible] der Polen. Es wäre daher wünschenswerth, [illegible] ein fähiger Kopf sich der Beurtheilung dieses [illegible] Geist entsprechenden Werkes (über das [illegible] hat bereits die allgemeine Stimme entschieden) [illegible] möchte. B . . . g. C. K.

Literarischer Anzeiger.

(Zu den bei F. A. Brockhaus in Leipzig erscheinenden Zeitschriften.)

1833. Nr. XXI.

Dieser Literarische Anzeiger wird den bei F. A. Brockhaus in Leipzig erscheinenden Zeitschriften: Blätter für literarische Unterhaltung, Isis, sowie der Allgemeinen medicinischen Zeitung, beigelegt oder beigeheftet, und betragen die Insertionsgebühren für die Zeile 2 Gr.

Der historische Riesenverein zu Nürnberg.

So betitelt Herr Ritter von Lang zu Ansbach in einem Aufsatze d. „Blätter für literarische Unterhaltung" (Nr. 175, S. 724) die erst kürzlich errichtete Gesellschaft für Erhaltung der Denkmäler älterer deutscher Geschichte, Literatur und Kunst, deren Statuten und Berichte im Anzeiger für Kunde des deutschen Mittelalters, als Organ dieser Gesellschaft, Jahrg. II, S. 43, 81 und 135, zu finden sind, wovon aber auch andere Zeitschriften, z. B. Pölitz' Repertorium der neuesten Literatur, 1833, Nr. 12, S. 464, Beilage zur Breslauer Zeitung, Nr. 105, S. 1689, Auszüge liefern.

Die ausgebreitete und lebhafte Theilnahme, welche dem von mir unternommenen Institut des soeben genannten Anzeigers für Kunde des Mittelalters — ohnerachtet bis jetzt noch beiweitem die Ausführung hinter der Idee zurückblieb — zu Theil wurde, gab mir einige Gewißheit über die Frage, ob es an der Zeit und für das Studium der vaterländischen Geschichte belebend und förderlich sei, unter den Freunden dieses Studiums eine nähere Verbindung nicht allein durch Schrift, wie sie der Anzeiger bezwecken will, sondern auch durch das lebendige Wort herzustellen.

Schon lange vor mir wurde von Freunden des Vaterlandes und seiner Geschichte der Plan zu einer allgemeinen jährlichen Versammlung der deutschen Geschichts- und Alterthumsforscher entworfen (s. berlinischen Gesellschafter, 1829, Beilage zu Nr. 172, Bemerker Nr. 22, S. 881 fg.). Ja sogar in einem Aufsatze aus der Feder desselben Herrn Ritters v. Lang, der nun als leidenschaftlicher Gegner auftritt, ist ausgesprochen: „Die vom General Minutoli vorgeschlagene jährliche Versammlung der Geschichts- und Alterthumsforscher könnte erweckend und fördernd wirken." (S. Conversations-Lexikon der neuesten Zeit und Literatur, 1833, S. 466 und 467, am Ende des Aufsatzes über historische Vereine.) Wäre es wahrer Unsinn, den auf platter Hand liegenden Satz bestreiten zu wollen, nämlich daß für Erforschung der Provinzial- und Localgeschichte Provinzial- und Localvereine gut, ja nothwendig seien (welche Wahrheit man schon vor des Hrn. R. v. L. Auftreten erkannt hatte), so möchte es doch ebenso wenig zu bestreiten sein, daß diese Vereine unendlich an Leben, Thätigkeit und Hülfsmitteln gewinnen müßten, wenn sie sich gegenseitig mehr annäherten, auch andere Freunde und Forscher, die nicht an solchen Localvereinen theil nehmen können, oder deren Streben eine allgemeinere Richtung (z. B. bei Forschungen in den historischen Hülfswissenschaften) genommen hat, mit in das Interesse ziehen würde. Ueber diese Vortheile, sowie über die Nützlichkeit der Provinzialvereine habe ich bereits im oben angeführten Anzeiger mich näher ausgesprochen, und berufe mich hierauf, um hier kurz sein zu können.

Warum Herr R. v. L. grade gegen Nürnberg als einen Versammlungsplatz so eifert, ist nicht erklärlich, da diese Stadt, im Herzen Deutschlands liegend, abgesehen von allen übrigen Vorzügen, wenigstens als erster Sammelplatz sehr geeignet scheint. Daß die Geschichte dieser Stadt nicht über das 11. Jahrhundert hinauf reicht, mag nicht bestritten werden; wol aber, daß letztere keine literarischen Schätze aufbewahre, daß sie nicht von Bedeutung für das ganze deutsche Reich sei. Wer die Kunst- und Literargeschichte, wer die Reichsgeschichte und Kirchengeschichte kennt, wer den letzten Jahrsbericht des historischen Vereins vom Rezatkreis (S. 6) liest, und wer weiß, daß Herr R. von Lang aller acht Wochen nach Nürnberg kommt, um die dortigen historischen Quellen zu benutzen, der wird keine weitern Beweise verlangen. Der Versammlung steht es ja ganz frei, eine bessere Wahl zu treffen, und anstatt in Nürnberg im nächsten Jahr irgend wo anders zusammenzukommen.

Während es sich die neue Gesellschaft für Erhaltung deutscher Denkmäler zur Pflicht macht den so verdienstvollen Provinzialvereinen eine erwünschte Gelegenheit zu verschaffen, sich gegenseitig zu nähern, dadurch den Eifer für ihre Sache in und außer den Vereinen zu erhöhen und zu verbreiten, einen Austausch, eine Wechselwirkung zu begründen, wodurch es dem Forscher erst möglich wird, die manchmal sehr verborgenen und zerstreuten Quellen für seinen Gegenstand kennen zu lernen, — spricht Herr R. v. L. das ganz unbegründete Urtheil „sie wolle sich ohne Vollmacht und Beruf zu einem historischen Papstthum aufbringen"! Während der Eintritt in die Gesellschaft Jedem frei steht, der nach seinem eignen Belieben sich zur Erreichung des Gesellschaftszwecks auch das kleinste Opfer auflegt, sei es durch Arbeit, Stiftung oder Hinleihen einer Sache zur öffentlichen Sammlung, Beitrag an Geld, — spricht Herr R. v. L. von 6 Fl. Jahresbeitrag, den jedes Mitglied zu leisten hätte!

Ich muß es dem Publicum überlassen, zu beurtheilen, ob Herr R. v. L. consequent handle, indem er jetzt verdammt, was er kurz zuvor als förderlich anpries; ob er leidenschaftslos und wahrheitsliebend erscheine, indem er die reinsten Absichten verdreht und sich sogar nicht scheut, offenbare Unwahrheiten vorzubringen?

Doch zum Schluß darf ich nicht vergessen, zu rühmen, wie Herr R. v. L. eingedenk war, was er bei einer ritterlichen Fehde zu beobachten habe, um seine Ehre gegen den Landfrieden zu wahren. Er sendete mir vor seinem Angriffe noch rechtzeitig seinen Absagebrief, ja er zeigte mir sogar als friedliebender Ritter den Weg, wie ich einem gefährlichen Kampfe ausweichen könnte. Auch ich liebe den Frieden, ja ich bat um Frieden, sowie ich noch die Hand darnach ausstrecke, doch den vorgezeichneten Ausweg — unsere Gesellschaft auf eine rein norische, auf ein Filial des Rezatkreisvereins zu reduciren — konnte ich mit Ehren nicht einschlagen, nachdem bereits viele hochachtbare auswärtige Vereine, Gelehrte und Geschichtsfreunde des In- und Auslandes sich auf die erfreulichste Weise für das Unternehmen, das ihnen nicht aufgedrungen wurde, erklärte, Beiträge für die Sammlung an Geld und Sachen zugesendet hatten, auch die königl. bairische Staatsregierung, nach Gutachten der Akademie der Wissenschaften zu München, die Statuten nicht allein vollständig genehmigt, sondern eine wesentliche Unterstützung zugesagt hatte, nachdem die Sammlung der Gesellschaft bei sechs Gemächer ausfüllte und mit jedem Tage neuen Zuwachs erhält (s. d. Bericht im Anzeig., S. 135). Vielmehr tröstete ich mit desselben Herrn Ritter v. Lang eignen Worten, die er am Schluß seines Sendschreibens an Dr. Böhmer zu Frankfurt aussprach: „Ein guter Anfang ist schon die Hälfte; und es wäre schlimm, wenn man immer

Alles unterlassen wollte, weil man noch nicht Alles erreichen kann." Und somit reiche ich dem Herrn R. v. Lang meine Hand friedlich in seine Kürbislaube und ziehe ihn mit nach Nürnberg, wo Ende Septembers die erste Versammlung, zu welcher demnächst eine öffentliche Einladung erfolgt, gehalten werden soll. Möge er folgen und nicht den Jonas spielen, dem er doch sonst gar nicht ähnlich ist.

Nürnberg, am 24sten Juli 1833.

Hans Freiherr von und zu Aufseß.

Durch alle Buchhandlungen und Postämter ist zu beziehen:

Blätter für literarische Unterhaltung. Redigirt unter Verantwortlichkeit der Verlagshandlung. Jahrgang 1833. Monat Juli, oder Nr. 182—212, mit 1 Beilage: Nr. 7, und 4 literarischen Anzeigern: Nr. XVII—XX. Gr. 4. Preis des Jahrgangs von 365 Nummern (außer den Beilagen) auf gutem Druckpapier 12 Thlr.

Leipzig, im Juli 1833.

F. A. Brockhaus.

Des Freiherrn von Zedlitz Gedichte und Todtenkränze (Canzonen).

In der Unterzeichneten sind erschienen und durch alle gute Buchhandlungen zu beziehen:

Gedichte

von

J. Ch. Freiherrn von Zedlitz.

Fein Velinpap. mit Umschlag. Preis 3 Fl.

Inhalt: I. Romanzen; Balladen; Lieder; Gelegenheitsgedichte; Sonette; Uebersetzungen; Epigramme. II. Canzonen; Vorwort; Todtenkränze; Das Kreuz in Hellas.

Bei dem ungemeinen Beifall, welchen die Canzonen des gefeierten Zedlitz durch ganz Deutschland und in mehren Auflagen erhalten haben, dürfte die Anzeige dieser seiner gesammelten Gedichte allerorten um so freudiger aufgenommen werden, als man hier in Einem, typographisch auf das Eleganteste ausgestatteten, Bande alle seine Dichtungen vereinigt findet, während die frühern Editionen nur die Todtenkränze enthalten.

Von demselben Verfasser ist in unserm Verlage erschienen:

Der Stern von Sevilla.

Trauerspiel in fünf Aufzügen.

Nach dem gleichnamigen Schauspiel des Lope de Vega bearbeitet

von

J. Ch. Baron von Zedlitz.

Preis Druckpap. 1 Fl. 12 Kr. Velinp. 1 Fl. 36 Kr.

Stuttgart und Tübingen, im Mai 1833.

J. G. Cotta'sche Buchhandlung.

In Baumgärtners Buchhandlung zu Leipzig ist soeben erschienen und an alle Buchhandlungen versendet worden:

Johnson, S., Taschenbuch der englischen Aussprache und Lecture in fortschreitenden Uebungen, nebst Angabe der Aussprache durch Accente und Ziffern nach einer besondern Tabelle; bestehend in interessanten Anekdoten und Bruchstücken aus den besten Autoren, anfangs mit Interlinear-Uebersetzung. Für Deutschland besonders umgearbeitet, vervollständigt und mit Walter Scott's Lebensbeschreibung vermehrt. Gr. 12. Brosch. 12 Gr.

Dieses Werkchen ist unbestritten eins der nützlichsten und zweckmäßigsten aller der, die bisher über die englische Sprache erschienen sind. Wir bitten jeden Lehrer derselben, sich durch seine Ansicht in dem Buchladen von dessen großer Zweckmäßigkeit durch das Einzusehende und die Bequemlichkeit [illegible] eingeschlagenen Wegs selbst zu überzeugen. [illegible] die Methode vielen Beifall gefunden, wie die [illegible] der pariser Ausgabe beweisen. In typographischer Hinsicht ist das Buch ein kleines Kunstwerk.

Le mie prigioni.

Memorie di Silvio Pellico da Saluzzo. 217 [illegible] auf Velin in 8. Preis 18 Gr.

Aus der italienischen Literatur hat seit [illegible] Zeit kein Werk ein so großes Interesse erregt als diese [illegible], die sich durch einen sehr schönen Styl und eine [illegible] der Gedanken auszeichnen. Viele englische, [illegible] deutsche Zeitschriften haben Auszüge geliefert und [illegible] ratur weniger Kennenden mit Pellico und seinem [illegible] schen Wirken, seinem Gefängnißleben in [illegible] der Bleikammern zu Venedig, auf Festungen u. s. w. bekannt gemacht.

Diese Ausgabe ist schön ausgestattet und [illegible]. Unter der Presse befindet sich eine Ausgabe von Manzoni's I promessi sposi mit Noten von Ghezzi.

Theile, Car. Godofr. Guil., Theol. Doct. et in Acad. Lips. Professor,

Commentarius in Ep. Jacobi

(zugleich Vol. XVIII des *Commentarius in Novum Testamentum*, von dem noch [illegible] Jahres der *Brief an die Phil.* und [illegible] des folgenden die 3 *ersten Evangelien* erscheinen werden.) Lexikon-Octav. (22 Bog.) Brosch. 1 Thlr. 18 Gr.

Vollständiger als irgend eine der [illegible] gen dieses Briefs, sucht die vorliegende theils durch [illegible] Uebersichtlichkeit das Verständniß, theils durch [illegible] praktischer Andeutungen und Erörterungen die [illegible] zu fördern. Sie will nicht blos einem flüchtigen Leser [illegible], sondern ist auf ein wiederholtes und tieferes Studium berechnet. Das Format ist [illegible], der [illegible] Satz äußerst gedrängt und deshalb das [illegible]

Ciceronis, M. Tullii, Laelius [illegible] amicitia dialogus.

Emendavit Reinh. Klotz. Accedit [illegible] ticae. 8 maj. 1 Thlr. 6 Gr.

Wir glauben mit Recht behaupten zu [illegible] durchaus neue Textesrecension zuerst [illegible] aus der Hand des Verfassers [illegible] selbst ein oberflächlicher Blick in diese [illegible] daß die frühern Ausgaben nicht frei von [illegible] lern waren, was bei einer so oft [illegible] Schrift besonders nachtheilig sein [illegible] kritische Grundsätze erhärtenden, theils [illegible] enthaltenden Anmerkungen sind mit [illegible] beitet, wie die übrigen Schriften [illegible]

Ramshorn, Dr. Ludw., [illegible] nonymik.

Nach Gardin-Dumesnil's Synonymes [illegible] beitet und vermehrt. 2ter Theil. [illegible] lage der Allgemeinen lateinischen [illegible] nesti. Gr. 8. (42 Bog.) 3 Thlr. [illegible]

1ster Theil Ebendas. 3 Thlr. [illegible]

Durch diesen Band ist dieses [illegible] vollständigste, welches man über die [illegible] vollendet. Der bekannte gründlich gelehrte [illegible] die Früchte langjährigen Forschens [illegible] den die ergiebigsten Resultate geliefert und [illegible] stets bleibenden Werth gegeben hat.

Schriften über Italien.

In meinem Verlage erscheinen soeben und sind durch alle Buchhandlungen des In- und Auslandes von mir zu beziehen:

Brun (Friederike, geb. Münter), Römisches Leben. Zwei Theile. Mit den Ansichten der Villa di Malta und der Kapelle von St.-Peter und Paul. 8. 44 Bogen auf feinem Druckpapier. Geh. 3 Thlr. 18 Gr.

Neigebaur, Handbuch für Reisende in Italien. Zweite, sehr verbesserte Auflage. Gr. 8. 39 Bogen auf gutem Druckpapier. Cart. 2 Thlr. 16 Gr.

Leipzig, im Juli 1833.

F. A. Brockhaus.

Bei A. Asher in London und Berlin sind soeben erschienen:

Views in the Tyrol, Switzerland, and Italy; Ansichten in Tyrol, der Schweiz und Italien, nach Originalzeichnungen von Stanfield, Proud und Harding in Stahlstichen von Heath, Allan, Goodall etc. mit erklärendem Text in deutscher Sprache. Royal 4.

Alle 10 Tage erscheint eine Nummer, 2 Stahlstiche enthaltend, Subscriptionspreis 10 Sgr. = 8 Gr. = 36 Kr.

Ein Vergleich mit ähnlichen Werken wird darthun, dass es das ausgezeichnetste ist, was in dieser Art je erschienen — nur ein ungemein starker Absatz kann den geringen Preis rechtfertigen. Alle solide Buchhandlungen nehmen Bestellungen darauf an.

Sehr interessantes neues Buch, für Botaniker, Landwirthe und Gartenfreunde.

Bei uns hat soeben die Presse verlassen und ist durch alle Buchhandlungen Deutschlands zu haben:

A. P. Decandolle's Pflanzenphysiologie, oder Darstellung der Lebenskräfte und Lebensverrichtungen der Gewächse in drei Theilen. Aus dem Französischen von Joh. Röper, Prof. der Botanik in Basel. Erster Theil. Preis 4 Fl. 30 Kr.

Dieses Werk des berühmten Verfassers schließt sich an die früher bei uns erschienene „Organographie der Pflanzen" an, und ist für den Botaniker vom Fach, wie für den Forstmann, Gärtner, Gartenfreund und Landwirth, in gleichem Grade empfehlenswerth, ja unentbehrlich. Es enthält nicht allein eine sehr faßliche Darstellung des Pflanzenlebens (Wachsthum, Ernährung, Fortpflanzung, Keimung u. s. w.), sowie eine Darstellung des Einflusses, den Luft, Wärme, Kälte, Nässe, Dürre u. s. w. darauf üben, sondern außerdem alle praktischen Erfahrungen der Landwirthschaft. Es handelt von der Bewässerung, vom Einflusse des Bodens und der verschiedenen Dungarten auf die Vegetation, von den schädlichen Thieren und Pflanzen, von der zweckmäßigen Aufeinanderfolge der Getreide und Futterkräuter, von der vortheilhaften Eintheilung der Felder, den Unkräutern, dem Beschneiden der Fruchtbäume u. s. w. u. s. w.

Der berühmte Name des Verfassers überhebt uns jeder Lobpreisung des Inhalts. Wir bemerken nur, daß Decandolle auf Befehl Napoleon's acht Jahre lang das gesammte ehemalige französische Kaiserreich bereiste, um einen umständlichen allgemeinen Bericht über den Zustand des Ackerbaus, der Forstwissenschaft und Gartenkunst zu entwerfen, daß er seitdem mit den französischen, deutschen, englischen und italienischen Landwirthen in steter Verbindung blieb, und alle Erfahrungen seines reichen Lebens in vorstehendem Werke niedergelegt hat.

Dem Uebersetzer stand nicht allein Decandolle's Originalmanuscript zu Gebot, wodurch ihm möglich wurde, den durch mehre hundert Druckfehler entstellten Text der französischen Ausgabe zu verbessern, sondern derselbe wurde auch durch seinen Aufenthalt in Genf, sowie durch sein Verhältniß zum Verfasser, in den Stand gesetzt, manche erläuternde und berichtigende Anmerkung beizufügen. Die Uebersetzung kann sonach füglich **als eine zweite verbesserte Ausgabe des Originals angesehen werden.**

Aus Obigem wurde besonders abgedruckt, um als eigne Tabelle in den Ateliers der Chemiker, Apotheker, Materialisten u. s. w. zum täglichen Gebrauch zu dienen:

Tabellarische Uebersicht der Elementarzusammensetzungen der einfachen Pflanzenverbindungen, mit einer Anweisung zum Gebrauch derselben. Preis 1 Fl. 21 Kr.

Suttgart und Tübingen, im Mai 1833.

J. G. Cotta'sche Buchhandlung.

In der Karl Gerold'schen Buchhandlung in Wien ist soeben erschienen und an alle Buchhandlungen Deutschlands versandt:

Jahrbücher der Literatur.

Zweiundsechzigster Band,

oder

1833.

April, Mai, Juni.

Enthält:

Art. I. 1) Travels in Georgia, Persia, Armenia, ancient Babylonia etc. etc., during the years 1817, 1818, 1819 and 1820, by Sir *Robert Ker Porter*. Two volumes. London 1821.

2) **Narrative of a journey into Khorasaan in the years 1821 and 1822, including some account of the countries to the north-east of Persia, by James *B. Fraser*.** London 1825.

3) **Journal of the british embassy to Persia; embellished with numerous views taken in India and** Persia; also a dissertation upon the antiquities of Persepolis by *William Price*. London 1825.

4) Voyage en Perse fait en 1812 et 1813, par *Gaspard Drouville*. Paris 1825.

5) Personal narrative of travels in Babylonia, Assyria, Media and Scythia in the year 1824, by major, the hon. *George Keppel*. Third edition. London 1827.

6) Fifteen months pilgrimage through untrodden tracts of Khuzistan and Persia in a journey from India to England through parts of turkish Arabia, Persia, Armenia, Russia and Germany, performed in the years 1831 and 1832, by *J. H. Stocqueler*. London 1832.

7) **The adventures of Hajji Baba of Ispahan. Three volumes. Paris 1824.**

8) **Sketches of Persia from the journals of a traveller in the east. Two volumes. London 1867.**

9) **The adventures of Hajji Baba of Ispahan in England. Two volumes. London 1828.**

10) **Zohrab the Hostage, by the author of „Hajji Baba". Three volumes. London 1832.**

11) **The Kuzzilbash, a tale of Khorasan. Three volumes. London 1828.**

12) The persian adventurer being the sequel of the Kuzzilbash; by *J. B. Fraser*. Three volumes. London 1830.

II. Phausdosi Buzantazwoi Padmuthiun Haiotz. I tschores tpruthiunes. I Wenedig 1832. (Geschichte der Armenier, von Faustus dem Byzantiner. In vier Abtheilungen. Venedig 1832.)

III. 1) Archiv der Gesellschaft für ältere deutsche Geschichtskunde, zur Beförderung einer Gesammtausgabe der Quellenschriften deutscher Geschichten des Mittelalters, herausgegeben von Pertz. — Sechsten Bandes erstes bis viertes Heft. Hanover 1831.

2) (Regesta) Die Urkunden der römischen Könige und Kaiser von Conrad I. bis Heinrich VII., 911—1313, von Dr. J. F. Böhmer. Frankfurt a. M. 1831.

3) Monumenta Germaniae historica, inde ab anno Christi quingentesimo usque ad annum 1500, auspiciis societatis aperiendis fontibus rerum germanicarum medii aevi, edidit *Georgius Henricus Pertz.* Scriptorum tom. I. Hanoverae 1826—1831.

Art. IV. Abrégé de géographie, rédigé sur un nouveau plan, par *Adrien Balbi.* Paris 1833.

V. 1) *M. Tullii Ciceronis Verrinarum* Libri Septem. Ad fidem codicum manuscriptorum recensuit *Car. Timoth. Zumptius.* Berolini 1830.

2) *M. Tullii Ciceronis Verrinarum* Libri Septem. Ad fidem codicum manuscriptorum recensuit et explicavit *Car. Timoth. Zumptius.* Berolini 1831.

VI. Geschichte der Regierung Ferdinand I., von Fr. B. von Bucholtz. Erster Band. Wien 1831.

Inhalt des Anzeigeblattes Nr. LXII.

Hammer's morgenländische Handschriften.
Zur Kritik der römischen Kaisergeschichte, mit besonderer Beziehung auf neuerlich entdeckte Geschichtsquellen und Denkmale.
Lettre à M. le Duc de Luynes sur les graveurs des monnaies grecques, par M. Raoul-Rochette. Paris 1831.
Ein craniologisches Fragment aus dem sechzehnten Jahrhundert.

Neueste Schriften von Karl Spindler.

Folgende neue Schriften von Karl Spindler sind soeben bei uns erschienen:

Die Nonne von Gnadenzell,

Sittengemälde des funfzehnten Jahrhunderts. 3 Bände. 8. Patentvelinpapier, eleg. geh. 9 Fl., oder 5 Thlr. 6 Gr.

Winterspenden,

Erzählungen und Novellen. 2 Bände. 8. Patentvelinpapier, eleg. geh. 6 Fl., oder 3 Thlr.

In der Sammlung der sämmtlichen Werke des Verfassers, die in unserm Verlage erscheinen, bilden obige Werke den 16ten bis 20sten Band. Karl Spindler's Name, gefeiert und bewundert in allen Kreisen Gebildeter, macht jede Anrühmung dieser neuesten Producte seiner reichen Phantasie überflüssig. Im vorigen Jahre sind von Karl Spindler erschienen:

Sommermalven, Erzählungen und Novellen. 2 Bände. 8. 6 Fl., oder 3 Thlr.

Kettenglieder, Erzählungen und Novellen. 2te Auflage. 3 Bände. 8. 7 Fl., oder 4 Thlr. 6 Gr.

Stuttgart, im Juli 1833.

Hallberger'sche Verlagshandlung.

Im Juni haben wir unter Anderm versandt:

Hohenthal-Städeln, W. Graf von, **Vom liturgischen Rechte des evangelischen Fürsten.** Nach Dr. C. E. Schmidt frei verdeutscht. Gr. 8. (3¼ B.) 1833. Geh. 6 Gr.

Lycophronis Alexandra. Ad. fid. codd. Mss. rec. Paraphrasin ined., Scholia min. med., varietat. lect. Potteri und Sebastiani, Jos. Scaligeri interpret. lat. metr., Indices graec., mytholog., histor. et scriptor. locupletiss. add. *Lud. Bachmannus.* 8 maj. (42 B.) Wohlfeile vollständigste Ausgabe. 1830. Geh. 3 Thlr.

Pölitz, Geh. Rath und Prof. K. H. L., **Staatswissenschaftliche Vorlesungen** für die gebildeten Stände in constitutionnellen Staaten. Dritter Band. Gr. 8. (20½ B.) 1833. 1 Thlr. 6 Gr.

In 15 Vorlesungen werden hier das philosophische Strafrecht, das prakt. Völkerrecht, die Diplomatie, Sprache und Styl im constitut. Leben, parlamentar. und constit. Opposition, Andeutungen über den Staatsdienst gegeben.

Prätzel, K. G., Gesammelte **kleine Romane und Erzählungen.** 8 Bändchen. 8. (114 B. mit 3 Kpfrn.) Wohlfeile Ausgabe. Geh. 1833. 3 Thlr. 16 Gr.

Venturini, Dr. Karl, **Chronik des 19ten Jahrhunderts.** Neue Folge. 6ter Bd., das Jahr 1831 enthaltend. Die neuesten Weltbegebenheiten im pragmatischen Zusammenhange dargestellt. Mit vollständigem Register. Gr. 8. (49 B.) 1833. 3 Thlr.

J. C. Hinrichs'sche Buchhdlg. in Leipzig.

In der Unterzeichneten ist erschienen und durch alle Buchhandlungen zu beziehen:

Würtembergische Jahrbücher

für

vaterländische Geschichte, Geographie, Statistik und Topographie.

Herausgegeben von

J. G. D. Memminger.

Jahrgang 1832. Preis 1 Fl. 45 Kr.

Inhalt: Witterung, Fruchtbarkeit und Preise von 1832. Königliches Haus und Hof. Sonstige Denkwürdigkeiten. Unglücksfälle: a) durch Brand, b) durch Gewitter. Bewegungen im öffentlichen Leben. Bevölkerung des Königreichs am 1. Nov. 1832. Neu entdeckte Alterthümer. Der neueste antiquarische Fund zu Köngen von Prof. Pauly. Ueber aufgefundene altgermanische Grabhügel in der Gegend von Sigmaringen.

Stuttgart und Tübingen, im Mai 1833.

J. G. Cotta'sche Buchhandlung.

Soeben ist in meinem Verlage erschienen und durch alle Buchhandlungen des In- und Auslandes noch um den Subscriptionspreis zu beziehen:

Krug (Wilhelm Traugott),

Encyklopädisch-philosophisches Lexikon, oder Allgemeines Handwörterbuch der philosophischen Wissenschaften nebst ihrer Literatur und Geschichte. Nach dem heutigen Standpunkte der Wissenschaften bearbeitet und herausgegeben. Zweite, verbesserte und vermehrte, Auflage. In vier Bänden. Erster und zweiter Band. Gr. 8. 55¼ und 60½ Bogen auf gutem Druckpapier. Jeder Band im Subscriptionspreise 2 Thlr. 18 Gr.

Ferner erschien in meinem Verlage:

Matthiä (August), Lehrbuch für den ersten Unterricht in der Philosophie. Dritte, verbesserte Auflage. Gr. 8. 13½ Bogen auf gutem Druckpapier. 20 Gr.

Die sich rasch folgenden neuen Auflagen und die Einführung dieses Lehrbuchs in mehren Lehranstalten sprechen wol am besten für den Werth und die Zweckmäßigkeit desselben.

Leipzig, im Juli 1833.

F. A. Brockhaus.

Literarischer Anzeiger.

(Zu den bei F. A. Brockhaus in Leipzig erscheinenden Zeitschriften.)

1833. Nr. XXII.

Dieser Literarische Anzeiger wird den bei F. A. Brockhaus in Leipzig erscheinenden Zeitschriften: Blätter für literarische Unterhaltung, Isis, sowie der Allgemeinen medicinischen Zeitung, beigelegt oder beigeheftet, und betragen die Insertionsgebühren für die Zeile 2 Gr.

Bibliothek für Jäger und Freunde der Jagd.

Der Unterzeichnete macht die Jäger und Jagdliebhaber auf nachstehende anerkannt vortreffliche Werke seines Verlags aufmerksam, die zu den dabei bemerkten, zum Theil herabgesetzten Preisen durch alle Buchhandlungen bezogen werden können:

Döbel's (H. W.) neueröffnete Jäger-Praktika. Vierte, zeitgemäß umgearbeitete Auflage. In Verbindung mit einer Gesellschaft praktischer Forstmänner herausgegeben von K. F. L. Döbel und F. W. Benicken. Drei Theile. Mit vielen (schwarzen und illuminirten) Abbildungen, Planen und Vignetten. 1828. Gr. 4. 75 Bogen auf weißem Druckpapier. 10 Thlr. Jetzt für sechs Thaler.

Jester (F. E.), Ueber die kleine Jagd zum Gebrauch angehender Jagdliebhaber. Neue, verbesserte und beträchtlich vermehrte Auflage. Vier Theile. Mit Kupfertafeln. 1823. 70 Bogen. 5 Thlr. Jetzt für drei Thaler.

Behlen (S.), Lehrbuch der Forst- und Jagdthiergeschichte. 1826. Gr. 8. 46 Bogen. 2 Thlr. 16 Gr. Jetzt für 1 Thlr. 8 Gr.

Winckell (G. F. D. aus dem), Handbuch für Jäger, Jagdberechtigte und Jagdliebhaber. Zweite, vermehrte und ganz umgearbeitete Auflage. Drei Theile. Mit Kupfern, Tabellen und Musik. 1820—22. Gr. 8. 170 Bogen. 11 Thlr.

Der reiche Inhalt dieser vier Werke läßt sich hier nicht anführen, man wird aber Alles darin abgehandelt finden was dem Jäger irgend von Wichtigkeit sein kann. Wer alle vier Werke, die im Ladenpreis 28 Thlr. 16 Gr. kosten, zusammen nimmt, erhält sie für achtzehn Thaler.

Leipzig, im August 1833.

F. A. Brockhaus.

Wiederholte Anzeige von Mac Culloch's höchst interessantem Handbuche für Kaufleute und Geschäftsmänner.

In der Unterzeichneten erscheint in kürzester Zeit die erste Lieferung der Uebersetzung von

A Dictionary practical, theoretical and historical of commerce, commercial navigation etc. by J. R. Mac Culloch.

Das neueste Foreign quarterly review, Nr. XXI, drückt sich über dieses Werk folgendermaßen aus:

„Eine französische Uebersetzung von Hrn. M'Culloch's Handbuch für Kaufleute ist angekündigt. In Deutschland und Italien soll ihm, wie wir gehört haben, dieselbe Ehre widerfahren. Gewiß verdient sie auch kein Buch in höherm Grade, wir mögen den unermeßlichen Schatz nützlicher praktischer Kenntnisse berücksichtigen, die der Verfasser darin zusammengehäuft hat, oder den freisinnigen und erleuchteten Geist, von dem jeder Theil desselben durchdrungen ist. Seine Verbreitung durch Europa wird mehr dazu beitragen, die Täuschungen und Vorurtheile, in welchen sowol Regierungen als Massen von Individuen noch über Handelsgegenstände befangen sind, zu zerstreuen, als irgend ein theoretisches Werk, das bis jetzt erschien."

Stuttgart und Tübingen, im Juli 1833.

J. G. Cotta'sche Buchhandlung.

In der Hinrichs'schen Buchhandlung in Leipzig ist erschienen:

Leitfaden zu Vorlesungen über die allgemeine Weltgeschichte vom Prof. Ritter Wilh. Wachsmuth. Gr. 8. (20 Bog.) 1833. 1 Thlr.

Der berühmte Heeren urtheilt hierüber (Göttinger Anz., 51stes Stück): „Der Verfasser nimmt den Begriff der Weltgeschichte in dem Umfange, daß sie nicht blos politische Geschichte, sondern Völkergeschichte sein, zugleich auch dabei die nöthige Literatur angegeben werden soll. Daß die Wissenschaft und Kunst gewidmeten Abschnitte in der neuern Geschichte einen größern Raum einnehmen, wird keiner Rechtfertigung bedürfen. Aus den größern Werken des Verfassers kennt man den Umfang seiner Kenntnisse und die Genauigkeit der Angaben &c."

In Commission bei F. Volckmar in Leipzig und in allen Buchhandlungen Deutschlands ist zu haben:

Der St.-Stephansdom in Wien und seine alten Denkmale der Kunst.

In 43 von Wilder radirten, und 2 von Hyril gestochenen Kupferplatten herausgegeben und in künstlerischer Hinsicht beschrieben von

Franz Tschischka,

Archivar und Registratur-Director des Magistrats der k. k. Haupt- und Residenzstadt Wien.

Kl. Folio. Auflage durchaus auf basler Velin. Wien, 1832. In Umschlag cartonnirt 7 Thlr. 12 Gr.

Unter mehren ausführlichen Beschreibungen und Abbildungen, die wir von den Münstern zu Strasburg, Köln und Freiburg besitzen, vermißten wir bisher eine gleich vollständige Darstellung des St.-Stephansdoms zu Wien, dessen imposante Größe und künstlerische Einzelnheiten ihn in gleichen Rang mit den erwähnten Riesengebäuden stellen, und der mit ihnen das wundervolle vierfache Kleeblatt bildet, woran die altdeutsche Baukunst mit dem glücklichsten Erfolge ihren kühnsten Aufschwung versucht hat. Diese Lücke ward nun in gegenwärtigem Werke durch Vereinigung zweier Männer ausgefüllt, welche allen Beruf dazu, jeder seines Theils — der Verfasser in seinem unermüdlichen und von amtlicher Stellung unterstützten Forschungseifer, der Künstler in seinem vorzugsweise der alterthümlichen Architekturzeichnung gewidmeten Talente — selbst fühlten, und auch beurkundet haben.

Wenn wir mit dieser Ankündigung jedem Verehrer altdeutscher Baukunst Freude zu machen hoffen, so zweifeln wir nicht, auch einer großen Menge denkender Baukünstler in dem vorliegenden Werke ein interessantes Feld der Beobachtung eröffnet zu haben, und möchten selbst glauben, daß die Details des Innern, die so sinnige als reiche Verzierung bis auf das Kleinste, die bewunderungswürdige Verknüpfung dieser mannichfaltigen Zierathen, die Verschränkung zwar gleichartiger, an Gestalt aber doch höchst abwechselnder Einzelnheiten, den Modelzeichnern einen Schatz von neuen ansprechenden Ideen aufschließen sollten.

Bei Mayer und Comp. in Wien ist soeben erschienen und bereits versandt:

Prachtwerke der Unterwelt,

d. i. Frescogemälde aller Merkwürdigkeiten, Seltenheiten und Sehenswürdigkeiten, die von den ältesten Zeiten bis auf den heutigen Tag unter der Erde entdeckt worden sind, oder naturhistorisch-malerische Beschreibung der in England, Frankreich, Italien, Deutschland, Oestreich, Ungarn, Siebenbürgen, Polen u. s. w. befindlichen Höhlen, Grotten, Erdfälle, Berg- und Salzwerke, Versteinerungen, unterirdischen Naturwunder, mineralischen Quellen, Vulkane, verschütteten Städte, Tempel, Paläste, Aquäducte, ausgegrabenen Natur- und Kunstschätze. Nach den Schriften der neuesten und berühmtesten Schriftsteller dieses Faches bearbeitet

von

Andreas Engelhart.

2te Auflage. 3 Bände. Mit Kupfern. 1833. Auf schönem Papier gedruckt. In Umschlag brosch. 1 Thlr. 12 Gr.

Das Füllhorn.

Bruchstücke aus der Menschen- und Weltkunde für Geist und Gemüth.

Mit einem französischen Anhange.

2 Bände. 1834. Brosch. 1 Thlr.

Gegenwärtige Anthologie gehört zu einer vieljährigen Sammlung der besten Gedanken und feinsten Bemerkungen eigenthümlichster Denker aller Zeiten und Völker; wobei der Sammler keinen andern Wunsch hat als den, daß sachkundige Leser anerkennen mögen, daß (um einen Ausdruck Lavater's zu borgen) der Verstand der Vater, das Herz die Mutter, und der gute Geschmack die Amme dieser Dilettantenarbeit gewesen.

Recension aus der Literaturzeitung für Volksschullehrer 1833. 1stes Heft.

Für religiöse Erbauung.

Der wahre Christ,

oder schriftgemäße Darstellung der christlichen Glaubenslehre, nebst einer Deduction des göttlichen Ursprungs derselben für Leser aus den gebildeten Ständen. Mit einem vollständigen Sachregister von Friedr. Karl Ferdinand Hauschild, erstem Prediger zu Altkirchen. 1831. VIII u. 302 S. 8. Leipzig, in der Baumgärtner'schen Buchhandlung. 1 Thlr. 12 Gr.

Diese Schrift ist das Resultat des fleißigen und wiederholten Bibelstudiums des Hrn. Verfassers. Bei der im J. 1820 erfolgten Uebernahme seiner dermaligen Predigerstelle machte er sich's besonders zur Gewissenssache, die [illegible] theologischen Ansichten der Gelehrten neuerer Zeit mit dem Inhalte der heil. Schrift aufs Neue sorgfältig zu vergleichen, und was er nun während der letzten zehn Jahre bei stillem Forschen in derselben an christlicher Lehre gefunden hat, legt er jetzt nebst den Gründen, welche ihn nöthigen, diese Lehre als göttliche Offenbarung zu betrachten, der gebildeten protestantischen Mitwelt zur Prüfung und beliebigen Annahme vor Augen. — Die Beweisstellen der heil. Schrift sind vollständig mitgetheilt und auch sonst viele schätzbare geschichtliche und literarische Notizen beigefügt. Mit vielem Interesse haben wir auch gelesen die „Deduction des unmittelbar göttlichen Ursprungs der in der heil. Schrift enthaltenen christlichen Glaubenslehre". Sie zeugt ebenso wol von dem wissenschaftlichen Geiste als dem [illegible] Sinne des Verf. Wir geben die Versicherung, daß der Verf. die Bibellehre möglichst treu wiedergegeben hat. Druck und Papier sind schön.

In der Unterzeichneten sind zur Ostermesse dieses Jahrs erschienen und in allen Buchhandlungen zu haben:

Ausland, Das, ein Tagblatt für die Kunde des geistigen und sittlichen Lebens der Völker. 1833. Gr. 4. 16 Fl.

Bickes, Rittmeister, Bewegung der Bevölkerung der [illegible] Staaten. 8. 3 Fl.

Briefe des Freiherrn von Stein an den [illegible] von Gagern; oder: des Freiherrn von Gagern: Mein Antheil an der Politik. 4ter Band. 8. 3 Fl. 24 Kr.

Correspondenzblatt des würtemb. landwirthschaftlichen Vereins. 1833. 6 Hefte. Gr. 8. 3 Fl.

De Candolle's, A. P., Pflanzenphysiologie, oder Darstellung der Lebenskräfte und Lebensverrichtungen der Gewächse. Aus dem Französischen übersetzt von Dr. Röper. [illegible] Band. Gr. 8. 4 Fl. 30 Kr.

Aus obigem besonders abgedruckt:

De Candolle, Tabellarische Uebersicht der [illegible] setzung der einfachen Pflanzenverbindungen. Mit einer Anweisung zum Gebrauch derselben. 1 Fl. 21 Kr.

Dittmar, Dr. H., Neueste [illegible] für junge [illegible]. Dritte und letzte Spende. 8. 1 Fl. 30 Kr.

Entomologie von Kirby und Spence, herausgegeben von [illegible]. 4ter und letzter Band. Gr. 8. 4 Fl. 30 Kr.

Göthe, J. W. v., Sämmtliche Werke. [illegible] Gr. 8. [illegible] Lieferung, oder 41ster — 45ster Band.

	Velinpapier	[illegible]	24 Fl. 19 Kr.
	Schweizerp.	[illegible]	[illegible] Fl.
	Druckpapier	[illegible]	21 Fl. [illegible] Kr.
— X. X. 1ste u. 2te Lfg. od. 41.—50. Bd.			
	Velinpapier	[illegible]	12 Fl. 9 Kr.
	Druckpapier	[illegible]	[illegible] Fl. 6 Kr.

— Faust, eine Tragödie. 2ter Theil. 2 Fl. [illegible] Kr.

Graberg von Hemsö, J., Das Sultanat [illegible] oder Kaiserreich Marokko. In Bezug auf Landes-, Volks- und Staatenkunde beschrieben. Aus der [illegible] Handschrift übersetzt von Alfred Reumont. 8. 1 Fl. 15 Kr.

Jahrbücher für wissenschaftliche Kritik. 1833. 1stes Semester. 4. 10 Fl. 30 Kr.

Jahrbücher, Würtembergische, für vaterländische Geschichte, Geographie, Statistik und Topographie. Herausgegeben von J. G. D. Memminger. Jahrg. 1832. 1stes Heft. 8. 1 Fl. 45 Kr.

Journal, Polytechnisches. Herausgegeben von Dr. Dingler. Jahrgang 1833. 24 Hefte. Gr. 8. 16 Fl.

Irving, Chr., Columbus Leben und Reisen. Gr. 8. [illegible] Fl. 24 Kr.

Kunstblatt 1833. Herausgegeben von Dr. Ludwig Schorn. Gr. 4. 6 Fl.

Kunth, Prof. C. S., Enumeratio plantarum [illegible] cognitarum, secundum familias naturales disposita, adjectis characteribus, differentiis et synonymis; [illegible] phia synoptica sive enumeratio graminearum [illegible] cusque cognitarum, adjectis characteribus, differentiis et synonymis. T. I. Gr. 8. 5 Fl.

Literaturblatt 1833. Herausgegeben von Dr. W. Menzel. Gr. 4. 6 Fl.

Mayer, Karl, Lieder. 8. 2 Fl. 42 Kr.

Menzel, W., Taschenbuch der neuesten Geschichte. 3ter Jahrgang. 3ter Theil. Mit Bildnissen. 16. 3 Fl.

Morgenblatt für gebildete Stände, sammt Literaturblatt und Kunstblatt. 1833. Gr. 4. 20 Fl.

Müller, J. v., Sämmtliche historische Werke in 40 Bändchen. Taschenausgabe. 4te Lieferung.

Velinpapier 4 Fl. 30 Kr.

Druckpapier 3 Fl.

Prechtl, J. J., Technologische Encyklopädie; enthaltend: Dampfschiff bis Edelsteine. 4ter Band. Mit 28 Kupfertafeln. Gr. 8. Subskriptionspreis 4 Fl. 48 Kr.

Diesmal mit Zuziehung der Pränumeration auf den letzten Band. 9 Fl. 36 Kr.

— 4ter Band. Ladenpreis 6 Fl.

Pusch, Prof., Geognostische Beschreibung von Polen. 1ster Band. Gr. 8. 3 Fl. 30 Kr.

Pyrker, J. L. von, Sämmtliche Werke. 2ter Band. Rudolf von Habsburg. Gr. 8. 3 Fl.

Retzsch, 43 Umrisse zu Schiller's Lied von der Glocke. Mit Text. Quer Fol. 6 Fl.

— 12 Umrisse zu Schiller's Gedicht: Pegasus im Joche. Mit Text. Quer Fol. 3 Fl.

Rhetores graeci, ex codicibus florentinis, mediolanensibus, monacensibus, neapolitanis, parisiensibus, romanis, venetis, taurinensibus, et vindobonensis emendatiores et auctiores edidit suis aliorumque annotationibus instruxit, indices locupletissimos adjecit Chr. Walz. T. IV et V. Schreibpapier 18 Fl. 48 Kr.

Druckpapier 15 Fl.

(T. II et III erscheinen später.)

Uhland, L., Gedichte. 6te Auflage. Velinp. 3 Fl. 36 Kr.

Weishaar, Dr. J. F. v., Handbuch des würtemb. Privatrechts. 2ter Band. 3te umgearb. Aufl. 3 Fl. 45 Kr.

Weitbrecht, C., Die Jahreszeiten in Basreliefs. 3tes und 4tes Heft. 11 Fl.

Wessenberg, Freiherr v., Ritual nach dem Geiste und den Anordnungen der katholischen Kirche. Gr. 8. 2te verb. und vermehrte Auflage. 2 Fl.

Zeitung, Allgemeine, 1833. Gr. 4. 16 Fl.

— — Register für 1832. Gr. 4. 30 Kr.

Karte, Topographische, von Würtemberg. Nr. 9 und 10. 3 Fl. 36 Kr.

— von Schwaben. Blatt, Darmstadt, Mainz, Manheim und Worms. Subscriptionspreis 4 Fl. 24 Kr.

Ladenpreis 6 Fl.

Stuttgart und Tübingen, im Juni 1833.

J. G. Cotta'sche Buchhandlung.

Bei Mayer und Comp. in Wien ist erschienen und an alle Buchhandlungen versandt:

Krickel's, Adelb. Jos., Fußreise durch den größten Theil der östreichischen Staaten in d. J. 1827—29, und zwar durch Ungarn, Siebenbürgen, die Militairgrenze fast in allen Theilen; sammt einem Ausfluge in die Walachei, dann durch Syrmien, Slavonien, Croatien, Krain, Friaul, das Küstenland, ganz Oberitalien, und Tirol, Salzburg, und Oestreich ob und unter der Ens in wissenschaftlicher und gemeinnütziger Hinsicht. 3 Bde. Gr. 8. 1833. Brosch. 2 Thlr. 16 Gr.

Der unermüdliche Verfasser hat vorzüglich durch diese sehr ausgebreitete Reise Proben seines Forschergeschicks und seiner vaterländischen Anhänglichkeit abgelegt. Er ist ein selbst bewußter, treuer Oestreicher, der mit gesundem Blick das so unendlich viele Gute und Treffliche mit Recht preisend würdigt, ohne eben deshalb sich zur elenden Rolle eines unbedingt und knechtisch lobhudelnden Berichterstatters herabzuwürdigen. Von diesem Gesichtspunkte aus ist sein Werk insonderheit eine ergiebige Quelle sehr schätzbarer Ansichten, Nachrichten und Notizen, deren viele ganz neu erscheinen.

Altschuhl, Taschenwörterbuch für praktische Augenärzte, nach den vielfältigsten klinischen Erfahrungen der berühmtesten Augenärzte und der besten Schriftsteller älterer und neuerer Zeit. 2 Bde. Taschenformat. Geb. 2 Thlr.

Kupfersammlung der vorzüglichsten deutschen classischen Dichter. 3te Lieferung, zu Göthe's Gedichten 6 Blatt, gezeichnet von Joh. Ender, gestochen von J. Stöber. 12 Gr.

(Die I. Lieferung zu Bürger; 6 Blatt, 12 Gr. II. Lieferung zu Schiller, 6 Blatt, 12 Gr. Das Format paßt für jeden Besitzer von was immer für einer Auflage.)

Czech (Franz de Paula), Allgemein faßliche Anleitung zur genauern Kenntniß des Weltgebäudes, die Anordnung und Beschaffenheit der Weltkörper unsers Sonnenreiches und den Bau des Sternenhimmels darstellend. Zweite, durch einen besondern Nachtrag über die Kometen unsers Jahrzehends vermehrte Auflage. Mit einer Kupfertafel. 1833. In Umschlag brosch. 12 Gr.

Neurohr, Italien, oder Darstellung der sämmtlichen italienischen Staaten, ihrer Städte und vorzüglichern Orte, ihrer Bevölkerung, Denkmale, Alterthümer u. s. w. Ein unentbehrliches Auskunftbuch für Kunstfreunde, Militairs und Reisende. Mit Postbüchlein. 12. Geh. 16 Gr.

Stehr, Joh., Beispiele über die Abwandlung des regelmäßig griechischen Zeitwortes. 1833. 6 Gr.

Wir empfehlen allen königl. preußischen Behörden, Beamten, namentlich Justizcommissarien u. s. w., aufs Dringendste

D. W. L. Richter's,

Criminalrichters zu Königsberg,

Repertorium der königlich preußischen Landesgesetze.

Ein neues Hülfsbuch für sämmtliche königliche Beamte, den Bürger und Landmann, enthaltend eine alphabetische Zusammenstellung aller Gegenstände der Gesetzgebung mit den darauf bezüglichen noch gültigen Verordnungen und Erläuterungen. 1ster Bd. 47½ Bog. 2ter 45½ Bog. 3ter 48 Bog. Lexikon-8. Feines Velinp. Subscriptionspreis: à 2 Thlr. 12 Gr.

Vorstehendes, herrlich ausgestattete Werk, die Frucht vieljähriger Arbeit, füllt eine von dem Beamten und prakt. Juristen oft empfindlich gefühlte Lücke aus und indem es denselben eine ganze Bibliothek von Gesetzbüchern, Verordnungen, Amtsblättern ꝛc. entbehrlich macht, spart es ihm Mühe und ein wahres Capital an Zeit. Dasselbe, alle Gegenstände der Gesetzgebung, Justiz und Administration umfassend, ist ebenso vollständig als durch seine alphabetische Anordnung und besonders durch sehr ausführlichen Sachregister zum Gebrauch bequem.

Das Erscheinen der Bände wird so schnell als möglich hintereinander erfolgen.

Der jetzt stattfindende, äusserst billige Preis ist ein Subscriptionspreis (ohne Vorausbezahlung); bei Erscheinen des 4ten Bandes tritt ein erhöhter Ladenpreis ein.

Wir versenden an alle Buchhandlungen:

Liebesnovellen,

Erzählungen und Novellen

von

G. v. Heeringen.

(Ernst Wodomerius.)

2 Bände. 8. Brosch. 4 Fl., oder 2 Thlr. 12 Gr.

Stuttgart, im Juli 1833.

Hallberger'sche Verlagshandlung.

Herabgesetzte Preise.

(Wohlfeile Taschenbücher; alte Jahrgänge.)

VIELLIEBCHEN,

historisch-romantisches Taschenbuch

von A. von Tromlitz.

Wir haben die frühern Jahrgänge dieses Taschenbuchs (jedes enthält 8 Kupfer oder Stahlstiche), 1829, 1830, 1831, 1832, im Preise herabgesetzt und verkaufen sie zusammen genommen zu 2 Thlr. 12 Gr. Allein genommen den Jahrgang 1829 à 12 Gr. — 1830 und 1831 à 15 Gr. — 1832 à 1 Thlr. 6 Gr., wofür sie in allen Buchhandlungen zu haben sind.

Zugleich bemerken wir, dass wir noch Exemplare von The british Wreath, a Album, mit 6 schönen Kupfern, à 12 Gr. ordin. vorräthig haben.

Industrie-Comptoir in Leipzig.
(Baumgärtner.)

Die Blätter aus der Gegenwart, 1ster bis 3ter Jahrgang 1830—32, erlassen wir bei Abnahme aller 3 Jahrgänge für 5 Thlr. (9 Fl.)

Industrie-Comptoir in Leipzig.
(Baumgärtner.)

Wichtige Bücherauction in Bremen.

Am 30sten Sept. und folg. Tage d. J. wird durch den Unterzeichneten die reichhaltige Bibliothek des seligen Herrn Professor Dr. Mertens, weil. Vorsteher der Handelsschule in Bremen, hauptsächlich botanischen, naturhistorischen und schönwissenschaftlichen Inhalts in lateinischer, deutscher, französischer, englischer und italienischer Sprache, nebst einigen auf einer Weltumsegelung gesammelten Merkwürdigkeiten und mehren Anhängen aus der theologischen, juristischen, medicinischen und belletristischen Literatur, öffentlich den Meistbietenden verkauft werden.

Das Verzeichniß dieser vorzüglichen Sammlung ist außer bei dem Endesgenannten zu erhalten:

In Berlin bei Hrn. Buchh. Hirschwald. — In Bonn bei Hrn. Buchh. Marcus. — In Braunschweig in der Schulbuchhandlung. — In Breslau bei Hrn. Buchh. Max u. Comp. — In Kassel bei Hrn. Buchh. Krieger. — In Frankfurt a. M. bei Hrn. Buchh. Schmerber und in der Hermann'schen Buchhdlg. — In Gotha in der Expedition des Allgemeinen Anzeigers. — In Göttingen bei Herren Buchh. Vandenhoeck u. Ruprecht. — In Halle a. d. S. bei Hrn. Auctionator Lippert. — In Hamburg bei Hrn. [illegible] Schwormstädt. — In Hanover bei Hrn. [illegible] und bei Hrn. Auctionator Cruse. — In Heidelberg bei Hrn. Buchh. Mohr. — In Leipzig bei Hrn. [illegible] — In Lübeck bei Hrn. Buchh. Aschenfeldt. — In Mainz bei Hrn. Buchh. Kupferberg. — In Münster bei Hrn. Buchh. Regensberg. — In Nürnberg bei Hrn. [illegible] — In Osnabrück bei Hrn. Buchh. Rackhorst. — In [illegible] bei Hrn. Buchh. Stiller. — In Stuttgart bei Hrn. Antiquar Autenrieth. — In Tübingen bei Hrn. Buchh. [illegible]der. — In Wien bei Hrn. Buchh. Gerold.

Zur Besorgung von Aufträgen, mit gehöriger Sicherheit versehen, erbieten sich

Herr Doctor med. G. v. d. Busch,
" " " C. H. Schmidt, } daselbst
und Ludw. Wilh. Heyse,
Auctionator ex offic. in Bremen.

Ulm. Versteigerung merkw. Bücher. Die bedeutende Bibliothek des verstorbenen Professors Dr. Georg Veesenmeyer, welche viele seltene Werke aus der Theologie, Philologie und Literargeschichte, editiones principes, Aldi, ex acad. Veneta, Incunabeln, schätzbare Schriften für die Reformationsgeschichte u. s. w. enthält, wird am [illegible] October d. J. versteigert. Kataloge sind bei allen Antiquaren zu finden, und die Bestellungen 8 Tage vor der Auction portofrei einzusenden. Aufträge nehmen an die Wohler'sche Buchhandlung und Hr. Antiquar [illegible] besorgt.

Neue schönwissenschaftliche Schriften.

In meinem Verlage erschienen soeben nachstehende interessante Schriften, die durch alle Buchhandlungen des In- und Auslandes bezogen werden können:

Atterbom (D. A.), Die Insel der Glückseligkeit. Sagenspiel in fünf Abenteuren. Aus dem Schwedischen übersetzt von H. Neus. Zwei Abtheilungen. Gr. 8. 46 Bogen auf feinem Druckpapier. Geh. 3 Thlr. 12 Gr.

Die erste Abth. kostet 1 Thlr. 12 Gr., die [illegible]

Goldsmith (Oliver), Der Landprediger von Wakefield. Eine Erzählung. Aus dem Englischen übersetzt durch Karl Eduard von der Oelsnitz. Mit einer Einleitung. Zweite Auflage. 12. [illegible] Bogen auf gutem Druckpapier. Geh. 15 Gr.

Hagen (August), Künstlergeschichten. Erstes und zweites Bändchen. Die Chronik seiner Vaterstadt vom Florentiner Lorenz Ghiberti, dem berühmten Bildgießer des funfzehnten Jahrhunderts. Nach dem Italienischen. Zwei Bändchen. 12. 27 Bogen auf feinem Druckpapier. Geh. 3 Thlr.

Koenig (H.), Die hohe Braut. Ein Roman. Zwei Theile. 8. 49 Bogen auf feinem Druckpapier. 4 Thlr.

Petrarca's (Francesco) sämmtliche Canzonen, Sonette, Ballaten und Triumphe, übersetzt und mit erläuternden Anmerkungen begleitet von Karl Förster. Zweite, verbesserte Auflage. Gr. 8. [illegible] Bogen auf feinem Druckpapier. 2 Thlr. 6 Gr.

Zwei Jahre in Petersburg. Ein Roman aus den Papieren eines alten Diplomaten. 8. [illegible] Bogen auf feinem Druckpapier. 1 Thlr. 16 Gr.

Leipzig, im Juli 1833.

F. A. Brockhaus.

Literarischer Anzeiger.

(Zu den bei F. A. Brockhaus in Leipzig erscheinenden Zeitschriften.)

1833. Nr. XXIII.

Dieser Literarische Anzeiger wird den bei F. A. Brockhaus in Leipzig erscheinenden Zeitschriften: Blätter für literarische Unterhaltung, Isis, sowie der Allgemeinen medicinischen Zeitung, beigelegt oder beigeheftet, und betragen die Insertionsgebühren für die Zeile 2 Gr.

Ankündigung und Einladung zur Subscription.

Encyklopädie

der gesammten medicinischen und chirurgischen Praxis, mit Einschluss der Geburtshülfe und der Augenheilkunde. Nach den besten Quellen und nach eigner Erfahrung im Verein mit mehren praktischen Aerzten und Wundärzten bearbeitet und herausgegeben von

Georg Friedrich Most.

In zwei Bänden oder acht Heften.

Gross Lexikonformat. Jeder Band 50 — 60 Bogen. Subscriptionspreis jedes Heftes von 12—14 Bogen auf gutem weissen Druckpapier 20 Gr.

Das erste Heft (A — C) ist bereits erschienen und in allen Buchhandlungen des In- und Auslandes einzusehen, wo auch ausführliche Ankündigungen zu erhalten sind. Die acht Hefte, aus denen das Werk besteht, werden binnen Jahresfrist in den Händen des Publicums sein.

Leipzig, 30sten Juli 1833.

F. A. Brockhaus.

Im Verlage der Unterzeichneten ist soeben erschienen und wird demnächst an alle Buchhandlungen als Fortsetzung versandt:

Technologische Encyklopädie,

oder

Alphabetisches Handbuch der Technologie, der technischen Chemie und des Maschinenwesens.

Zum Gebrauche

für Kameralisten, Oekonomen, Künstler, Fabrikanten und Gewerbtreibende jeder Art.

Herausgegeben

von

J. J. Prechtl,

k. k. Regierungsrath und Director des k. k. polytechnischen Instituts in Wien &c.

4ter Band.

Die großen und mannichfaltigen Fortschritte, welche seit 25 Jahren in den technischen Künsten gemacht worden sind, machen dem Technologen, dem Kameralisten, dem Fabrikanten, dem Capitalisten, dem Oekonomen, und für verschiedene Fälle jedem Manne von Bildung ein Werk zum Bedürfnisse, das als ein technisches Repertorium, als eine technologische Handencyklopädie in alphabetischer Ordnung der Artikel eine vollständige und gründliche Uebersicht aller derjenigen Einrichtungen und Verfahrungsarten gewährt, welche der Gegenstand aller Zweige der Manufacturindustrie sind.

Die Haupttendenz des Werkes ist daher praktisch, und man wird alles rein Wissenschaftliche, das nicht unmittelbar und wesentlich begründend mit der technischen Ausführung in Verbindung steht, so viel die gründliche und deutliche Darstellung des Ganzen erlaubt, ausschließen, und sich auf Dasjenige beschränken, was zunächst und eigentlich in die Anwendung der physisch-chemischen, mathematischen und naturhistorischen Wissenschaften auf die Geschäfte der Gewerbsindustrie gehört. Diese Gegenstände umfassen in den einzelnen Artikeln die gesammten Zweige der chemischen, empirischen und mechanischen Technologie, folglich außer den chemisch-technischen und empirisch-technischen Gewerben und Verfahrungsarten, das gesammte praktische Maschinenwesen in seinen verschiedenen Anwendungen auf Künste und Gewerbe.

Sowol aus dem Grunde der Raumersparniß, als zur leichtern und vollständigern Uebersicht wird man die häufigern Nachweisungen von einem Artikel auf den andern, das mannichfache Zerspalten zusammengehöriger Gegenstände in viele einzelne Artikel nach Art eines Wörterbuchs, und daher möglichst alle Wiederholungen vermeiden. Um jedoch bei dieser Einrichtung das Aufsuchen einzelner Notizen zu erleichtern, und für die Erklärung der Kunstwörter einen anderweiten Raum zu gewinnen, wird man dem Werke in Form eines Registers ein Wörterbuch der technischen Kunstausdrücke anhängen, in welchem auf die bereits in dem Werke selbst gegebenen und dort mit der verwandten Sache im Zusammenhange vorkommenden Erklärungen bezogen wird.

Dieses Werk, in welchem nicht nur der Herausgeber die Resultate seiner vieljährigen technologischen Studien und Beobachtungen niederlegt, sondern das auch durch die Beiträge einiger in diesen Fächern ausgezeichneter Mitarbeiter unterstützt wird, soll mit Einschluß des Registerbandes den Umfang von 10 Bänden gr. 8., jeden von etwa 40 Bogen mit 10—12 Kupfertafeln, nicht überschreiten.

J. J. Prechtl.

Der soeben fertig gewordene 4te Band hat 28 Kupfertafeln (in obiger Anzeige sind per Band nur 10—12 Kupfertafeln zugesagt).

Inhalt: Dampfschiff. — Dampfwagen. — Decken. — Destillation. — Digestor. — Dochte. — Draht. — Drahtarbeiten. — Drahtspinnerei. — Drahtstifte. — Drechslerkunst. — Drehstuhl. — Durchschlag. — Durchschnitt. — Dynamometer. — Edelsteine.

Der Subscriptionspreis für diesen Band, mit zugezogener Pränumeration auf den Betrag des letzten Bandes, ist 9 Fl. 36 Kr. Rhein., oder 5 Thlr. 8 Gr. Sächs.

Ladenpreis für obigen Band ohne Vorauszahlung 6 Fl. Rhein., oder 3 Thlr. 12 Gr. Sächs.

Die Preise des 1sten — 4ten Bandes, 57 Kupfertafeln enthaltend, sind:

Subscriptionspreis unter Verbindlichkeit der Abnahme des ganzen Werkes 14 Fl. 24 Kr. Rhein., oder 8 Thlr. Sächs.

Ladenpreis (ohne Pränumeration auf den letzten Band) 18 Fl. Rhein., oder 10 Thlr. 12 Gr. Sächs.

Alle Sortiments-Buchhandlungen nehmen Bestellungen darauf an. In Wien kann ebenfalls bei allen Buchhandlungen, vorzüglich aber bei Herrn Gerold unterzeichnet werden.

Stuttgart und Tübingen, im Juli 1833.

J. G. Cotta'sche Buchhandlung.

Stuttgart. (Interessante historisch-politische Werke.) In A. Scheible's Buchhandlung erschien und wurde soeben an alle Buchhandlungen versandt:

Bruchstücke
aus den
Schriften eines Gefangenen.
Von
Friedrich Seybold.

21 Bogen stark. Gr. 8. Velinpapier. Brosch. 1 Thlr. 16 Gr., oder 2 Fl. 42 Kr.

Der Name des Verfassers überhebt uns jeder weitern Empfehlung dieses Werkes.

Napoleon
als
Feldherr, Regent, Staatsmann und Politiker.

In einer Auswahl seiner denkwürdigsten Urtheile und Ansichten über Kriegskunst, Politik, Gesetzgebung, Verwaltung, ausgezeichnete Personen u. s. w. Mit besonderer Berücksichtigung seiner höchst wichtigen Weissagungen über die politischen Ereignisse der jüngsten Vergangenheit, der Gegenwart und nächsten Zukunft unserer Zeit, und einer interessanten Vergleichung zwischen

Napoleon
und Friedrich dem Großen.
Von
Wilhelm Hammer.

8. Brosch. 332 Seiten stark. Preis 1 Thlr, oder 1 Fl. 36. Kr.

In der Hinrichs'schen Buchhandlung in Leipzig ist erschienen:

Molbech, Justizrath, Chr., Ueber Bibliothekswissenschaft, oder Einrichtung und Verwaltung öffentlicher Bibliotheken. Nach der 2ten Aufl. des dän. Orig. übersetzt von Prof. H. Ratjen in Kiel. Von dem Verfasser mit Zusätzen, vom Uebersetzer mit Anmerkungen vermehrt. Gr. 8. (19½ Bog. und 1 Plan.) 1833. 1 Thlr. 16 Gr.

Die ausgezeichnete Aufnahme des Originalwerks des berühmten Verfs. verbürgt der noch werthvollern Uebersetzung die Theilnahme des größern gelehrten Publicums, denn auch Besitzer von Privatsammlungen werden vielfältige Belehrung darin finden.

Anzeige.

Soeben ist erschienen und in allen Buchhandlungen zu haben:

Parcival.
Rittergedicht von Wolfram von Eschenbach.
Im Auszuge mitgetheilt von San-Marte.

8. XVI und 175 Seiten. Schreibpapier 21 Gr. (1 Fl. 34 Kr.)

Wir verbinden mit dieser Anzeige eine

Einladung zur Subscription.

auf die vollständige Uebersetzung des Parcival, welche bis auf die Feile der letzten Hand bereits vom Herausgeber beendet ist; der Auszug lehrt, was der Leser von dem Ganzen zu erwarten hat; die darin enthaltenen metrischen Proben aber zeigen, inwieweit es dem Uebersetzer gelingen möchte, das Gedicht mit möglichster Treue in gefälliger dem Original verwandter Form wiederzugeben, das ebenso wenig eine Verwässerung durch Uebersetzung in Prosa oder Ueberdichtung in Stanzen duldet, wenn der eigenthümliche Charakter und unzählige Schönheiten nicht ganz verloren oder verwischt werden sollen, als es eine strenge Beibehaltung des alten Versmaßes in der Uebersetzung leidet, da die alte Sprache mit unserm jetzigen Idiom ebenso sehr in entschiedenem Widerspruch steht als die alte Form mit der neuen Sprache unvereinbar ist.

In unserm Verlag wird anständig gedruckt, auf Velinpapier, die vollständige Uebertragung des Parcival erscheinen, und gefälligen Bestellern bis Ende des laufenden Jahres zu 2 Thlr. (3 Fl. 36 Kr.) geliefert. Der nachherige Preis wird um ⅓ höher sein.

Magdeburg, 1833.

Creutz'sche Buchhandlung.

Anzeige für Lesevereine, Zeitungscabinete und Freunde der Tagesgeschichte.

Briefe aus Paris
über
Frankreich
in den ersten Jahren nach der Juliusrevolution,
als Fortsetzung
des Ausführlichen Berichts eines Augenzeugen 2c. 2c. 2c. 2c.
von
Johann Heinrich Schnitzler.
Preis 2 Fl. 24 Kr.

Dieses höchst interessante Werk enthält so gründlichen Aufschluß über die französischen Zustände, so viele Details über die Machthaber und ihre Plane, so viele Nachweisungen über den voraussichtlichen Gang der Dinge eines Landes, dessen Schicksal wie auf das Schicksal des übrigen Europa so großen Einfluß üben zu sehen gewöhnt worden, daß es mit Recht jedem Freunde der Geschichte unserer Zeit empfohlen werden kann.

Stuttgart und Tübingen, im August 1833.

J. G. Cotta'sche Buchhandlung.

Im Verlage der Unterzeichneten erscheint eine höchst anständige, auf schönes Patentvelinpapier correct gedruckte Ausgabe von

Bulwer's sämmtlichen Werken
in 20 Bänden,

welche alle von dem berühmten Verfasser bis jetzt herausgekommenen Romane enthalten werden.

Der sehr billige Preis beträgt für den sauber *gehefteten* Band von 200—260 Seiten nicht mehr als *9* Gr. Preuß.

Die ersten 4 Bände, Eugen Aram *enthaltend*, wurden im Laufe des vorigen Monats versandt, und haben eine so außerordentlich günstige Aufnahme gefunden, daß die davon veranstaltete ziemlich starke Auflage bald vergriffen sein wird.

In 14 Tagen versenden wir des genialen Verfassers zuerst erschienenen Roman:

Pelham;
oder
Abenteuer eines Weltmannes.
Uebersetzt
von Dr. G. N. Bärmann.
In 4 Bänden.

Pelham ist zwar in einem ganz andern Geiste geschrieben als Eugen Aram, indeß wird derselbe das Interesse des gebildeten Publicums nicht minder in Anspruch nehmen.

Nur für ein solches Publicum ist unsere Ausgabe von Bulwer's Werken, deren Ausstattung in keiner Hinsicht etwas zu wünschen übrig läßt, bestimmt.

Um Verwechselungen mit einer soeben von Stuttgart aus angekündigten, sogenannten wohlfeilen Taschenausgabe in 45 Heften möglichst zu vermeiden, bitten wir, ausdrücklich die „Schumann'sche Ausgabe" zu bestellen.

Von der stuttgarter Taschenausgabe ist bis jetzt noch nichts erschienen.

Die Fortsetzung unserer Ausgabe wird so schnell als möglich, jedoch ohne Uebereilung, geliefert werden.

Zwickau, den 30sten Juli 1833.

Gebrüder Schumann.

Tirol und Baiern.

Bei uns ist erschienen und durch alle Buchhandlungen zu erhalten:

Tirol
und ein Blick auf Baiern.
Von
H. D. Inglis.
Aus dem Englischen von A. Kaiser.
2 Thle. 8. Velinpap.
Elegant broschirt. 2 Thlr. 12 Gr.

Das Werk des Herrn Inglis über Tirol und Baiern, das im Mai dieses Jahres in London erschien, hat so großes Aufsehen erregt und ist in den angesehensten Blättern Englands und Deutschlands, unter Anderm auch in der Allgemeinen Zeitung, bereits so vielfach besprochen worden, daß die Verleger der deutschen Uebersetzung sich auf die einfache Anzeige ihrer Erscheinung beschränken dürfen.

Leipzig, 1sten August 1833.

Weidmann'sche Buchhandlung.

Im Verlage von G. F. Heyer Vater in Gießen ist erschienen und durch alle guten Buchhandlungen zu beziehen:

Peez, A. H., The mineral wells of Wiesbaden and their sanative efficacy. With 2 stealplattes. In 8 bounded. Price 2 Thlr., oder 3 Fl. 30 Kr.

Neue homöopathische Schriften.

Groß, Dr. G. W., Das Verhalten der Mutter und des Säuglings, vom Augenblicke der Empfängniß an bis zu dem Zeitabschnitte, wo sie letztern entwöhnt; in diätetischer und heilkundiger Rücksicht. Ein Taschenbuch für Neuvermählte. Geb. 18 Gr.

Hahnemann, S., Reine Arzneimittellehre. Zweiter Theil. Dritte vermehrte Auflage. Pränumerationspr. bis Ende d. J. 2 Thlr. Ladenpr. 2 Thlr. 12 Gr.

Alle 6 Bände, im Ladenpreise 12 Thlr. 12 Gr., kosten bis Ende d. J. nur 9 Thlr. 12 Gr. in allen Buchhandlungen.

sind in der Arnold'schen Buchhandlung erschienen und in allen andern Buchhandlungen zu haben.

Wir versandten soeben

1. Halle's Bürgertreue, Festspiel, entworfen von Dr. Fr. Weidemann. Brosch. 2 Gr.
2. Der schöne Wilhelm, hallisches Volksgemälde von Otto Weidemann. Brosch. 4 Gr.
3. Herz und Gedanken, von Otto Weidemann. Brosch. 2 Gr.
4. Geheime Policei, Bundestagsbeschlüsse und die Mouchards zusammengeheftet. 6 Gr.
5. Getroffene Bilder aus dem Leben vornehmer Knabenschänder und andere Scenen aus unserer Zeit und Herrlichkeit. Mit Kupfern. Brosch. 1 Thlr.
6. Das constitutionnelle Dresden, das monarchische Wien und München. Brosch. 6 Gr.
7. Holland und Europa vom Hauptmann Benicken. Brosch. 3 Gr.
8. Sensitiven, Novellen von Wilhelmine von Gersdorf. 18 Gr.
9. Bärmann, Novellen. 2 Bände. 1 Thlr. 8 Gr.

und liefern nachverlangte Exemplare nur auf feste Rechnung aus.

Den 2ten Theil der Polemik von Gründler versenden wir noch vor der Michaelismesse dieses Jahres.

Merseburg, im August 1833

Buchhandlung von Fr. Weidemann.

Hauff's biblische Concordanz.

Unterzeichnete zeigt hiermit an, daß der zweite und letzte Band von nachstehendem Werke bereits unter der Presse ist, und in wenig Monaten die 1ste Abtheilung desselben versandt werden kann. Bestellungen auf das ganze Werk in 2 Bänden oder 4 Abtheilungen, sowie auf den 2ten Band als Fortsetzung, nehmen alle Buchhandlungen an:

Biblische Real- und Verbal-Concordanz, oder alphabetisch geordnetes biblisches Handbuch, worin alle in der Bibel vorkommende Begriffe, Worte und Redensarten erläutert, die Luther'sche Uebersetzung berichtigt, das Verständniß der Bibel durch historische, geographische, physische, archäologische und chronologische Bemerkungen befördert, und alle Bibelstellen homiletisch anwendbaren Inhalts wörtlich citirt werden; zunächst für Religionslehrer, sodann für jeden gebildeten Bibelfreund bearbeitet von J. G. Hauff, Dr. der Ph. und Pfarrer zu Warth im Königreich Würtemberg. Lexikon-Octav.

Der Verfasser hat für sein allgemein mit Beifall aufgenommenes Werk die Einrichtung der noch immer geschätzten Büchner'schen Concordanz zu Grunde gelegt, den Plan derselben aber bedeutend erweitert. Sehr lobenswerth ist es besonders, daß er jedem Artikel, wo es sich um einen Begriff handelte, eine oder mehre Definitionen vorausschickte, wodurch die Brauchbarkeit des Werkes sehr erhöht wird. Noch mehr geschieht dies übrigens durch die Vollständigkeit und gute Anordnung in den einzelnen Artikeln, und durch wörtliche Anführung einer großen Menge von Bibelstellen, wodurch sie sich vor andern Concordanzen sehr vortheilhaft, namentlich vor der Weichmann'schen auszeichnet.

Mit Recht darf daher dieses mühsame und verdienstvolle Werk nicht nur allen Predigern und Geistlichen, sondern auch Religionslehrern überhaupt empfohlen werden.

Stuttgart und Tübingen, im Juli 1833.

J. G. Cotta'sche Buchhandlung.

Bei With. Kaiser in Bremen ist erschienen und in allen Buchhandlungen zu haben:

Versuch einer genetischen Entwickelung der mechanischen Krystallisationsgesetze, nebst vorläufigen Erörterungen über die mechanischen Bedingungen des dreifachen Aggregatzustandes der Körper überhaupt, von Dr. A. W. J. Uhde. Mit 4 lithogr. Tafeln. Gr. 8. Preis 2 Thlr.

Bei dem großen Interesse, welches die höchst merkwürdigen Erscheinungen der gesetzmäßigen Krystallbildung in unsern Tagen gewonnen haben, wird es nicht erst der besondern Empfehlung bedürfen, und die Aufmerksamkeit der Naturforscher, namentlich der Krystallographen, Mineralogen und Physiker, auf dieses Werk zu lenken, in welchem der Herr Verf. seine durchaus neue Entdeckung des Grundes jener Erscheinungen entwickelt. Die einfachen Resultate, in welchen diese

Entdeckung niedergelegt ist, und die Untersuchungen über mehre der wichtigsten Gegenstände der Physik, welche damit im engsten Zusammenhange stehen, werden als eine wesentliche Erweiterung der Naturwissenschaften der Beachtung der Naturforscher nicht entgehen.

Oestreichische militairische Zeitschrift 1833.

Siebentes Heft.

Dieses Heft ist soeben erschienen und an alle Buchhandlungen versandt worden. Inhalt: I. Die Einnahme der Citadelle von Antwerpen durch die französische Nordarmee im Jahre 1832. (Schluß.) — II. Geschichte der im Jahre 1810 aufgelösten Linien-Infanterie-Regiments Baron Simbschen, Nr. 43. — III. Einige Betrachtungen über militairische Karten und Pläne. (Schluß.) — IV. Der Zug der Alliirten in die Champagne 1792. Zweiter Abschnitt. — V. Literatur. — VI. Neueste Militairveränderungen.

Der Preis des Jahrgangs 1833, sowie der aller frühern Jahrgänge ist 8 Thlr. Sächs. Wer aber die ganze Sammlung von 1818—32 auf einmal abnimmt, erhält dieselben um $\frac{1}{2}$ wohlfeiler.

Wien, den 6ten August 1833.

J. G. Heubner,
Buchhändler.

Bei Georg Joachim Göschen in Leipzig sind erschienen und durch jede Buchhandlung zu beziehen:

Darstellungen aus dem Gebiete der Pädagogik.

Herausgegeben und zum Theil selbst verfaßt
von
Prof. Dr. Fr. H. Chr. Schwarz.

Als Nachträge zur Erziehungslehre. Gr. 8.
24$\frac{1}{2}$ Bogen: weiß Druckp. 2 Thlr., Velinp. 3 Thlr.

Daß der würdige Verfasser berufen ist, über Pädagogik zu schreiben, hat derselbe in seiner „Erziehungslehre“ und in dem Werke „Die Schulen“ zur Genüge dargethan. An beide Werke reihen sich die vorliegenden Darstellungen an, welche durch die gediegensten mannichfaltigen Abhandlungen jedem Schulmanne und Freunde der Erziehung nicht nur willkommen, ja selbst unentbehrlich sein dürften.

Literarische Anzeige
für Freunde gediegener Lecture, Lesebibliotheken und Leihcabinete.

In der Unterzeichneten ist erschienen und durch alle Buchhandlungen zu beziehen:

Christoph Columbus Leben und Reisen.

Von
Washington Irving.
Aus dem Englischen übersetzt.
8. Preis 2 Fl. 24 Kr.

Ob in jenen ältesten, jenseit der Geschichte und aller Tradition liegenden Zeiten bereits ein Verkehr zwischen den entgegengesetzten Ufern des großen Oceans statt gefunden hat? Ob die von Plato erwähnte ägyptische Sage von einer Atlantis wirklich keine Fabel, sondern die Ueberlieferung von irgend einem Lande war? Diese Fragen bleiben wol immer der Gegenstand ungewisser, blos die Phantasie beschäftigender Betrachtungen. So weit die authentische Geschichte reicht, war nichts von dem Festlande und den Inseln der westlichen Halbkugel, bis zu ihrer Entdeckung gegen das Ende des 15. Jahrhunderts bekannt.

Zufällig mag lange vor Erfindung des Kompasses ein irrendes Boot die Grenzen des alten Continents und dem Gesichte verloren haben; und durch Stürme über die Wüste der Wasser getrieben worden sein; keines aber ist je zurückgekehrt, um die Geheimnisse des Oceans zu enthüllen; und wenn auch von Zeit zu Zeit irgend ein Merkzeichen von dort zur alten Welt herübergeschwommen ist, und hier den erstaunten Bewohnern Kunde von einem Lande, jenseit ihres wasserbegrenzten Horizontes gebracht, so hat doch Niemand vor jenem Zeitpunkt es gewagt ein Segel zu entfalten, und das in Geheimniß und Gefahren umhüllte Land aufzusuchen.

Der Zweck des vorliegenden Werkes ist es, die Thaten und Schicksale des Seefahrers zu erzählen, welcher zuerst den Scharfsinn, um die Geheimnisse dieser gefahrvollen Tiefe zu errathen, und die Kühnheit ihnen zu trotzen besaß, und der durch seine Geisteskraft, seine unerschütterliche Beharrlichkeit und seinen Heldenmuth die Enden der Erde miteinander in Verbindung gebracht hat. Die Darstellung seines bewegten Lebens bildet gleichsam die Kette, welche die Geschichte der alten Welt mit jener der neuern verknüpft; sie ist, wie überhaupt die Geschichte jedes großen Mannes, so anziehend und voll Interesse, daß sie mit Recht empfohlen werden kann, indem sie Belehrung mit Unterhaltung verbindet.

Stuttgart und Tübingen, im Juli 1833.

J. G. Cotta'sche Buchhandlung.

Als neu versandten wir im Kunsthandel:

1. Dr. Tholuck und Dr. Wegscheider, auf einem Blatte, ganze Figuren, colorirt, ganz treu. 8 Gr.
2. Dr. Fr. Weidemann, ganze Figur, colorirt, ganz treu. 4 Gr.

Halle, im August 1833.

Otto Weidemann und Comp.

Bücherauction in Braunschweig.

Am 25sten September d. J. und den folgenden Tagen soll die Bibliothek des verstorbenen Professors Spehr, besonders werthvolle mathematische Werke enthaltend, meistbietend verkauft werden. Kataloge sind durch alle Buchhandlungen, welche sich deshalb an uns wenden wollen, in Leipzig durch Herrn F. A. Brockhaus, zu erhalten.

Braunschweig, den 10ten August 1833.

Friedr. Vieweg u. Sohn.

An den Recensenten von Hertwig's Arzneimittellehre in Busch' Zeitschrift.

Ich kann dir, lieber junger Mann, deine Mühe für die gefertigte Recension nicht besser belohnen, als wenn ich dir das Gedicht von Bürger zu lesen empfehle, was die Ueberschrift führt: „Heilige Versicherung“. Hast du Bürger's Werke nicht zur Hand, so will ich dir auch Abschrift davon geben, die du auch jedesmal erhalten kannst, wenn du wieder eine Recension eines meiner Verlagswerke anfertigst.

Berlin, 8ten August 1833.

Volke.

Bei mir ist erschienen und durch alle Buchhandlungen des In- und Auslandes noch für den Subscriptionspreis zu erhalten:

Raumer (Friedrich von),

Geschichte Europas seit dem Ende des funfzehnten Jahrhunderts. In sechs Bänden. Erster und zweiter Band. Gr. 8. 37$\frac{1}{2}$ und 39$\frac{1}{2}$ Bogen. Subscriptionspreis für jeden Band auf gutem weißen Druckpapier 3 Thlr. 4 Gr.; auf extrafeinem Velinpapier 6 Thlr. 8 Gr.

Leipzig, im August 1833. F. A. Brockhaus.

Literarischer Anzeiger.

(Zu den bei F. A. Brockhaus in Leipzig erscheinenden Zeitschriften.)

1833. Nr. XXIV.

Dieser Literarische Anzeiger wird den bei F. A. Brockhaus in Leipzig erscheinenden Zeitschriften: Blätter für literarische Unterhaltung, Isis, sowie der Allgemeinen medicinischen Zeitung, beigelegt oder beigeheftet, und betragen die Insertionsgebühren für die Zeile 2 Gr.

Ankündigung
und
Einladung zur Subscription.

Encyklopädie
der
gesammten medicinischen und chirurgischen Praxis
mit Einschluss der Geburtshülfe und der Augenheilkunde.

Nach
den besten Quellen und nach eigner Erfahrung im Verein mit mehren praktischen Ärzten und Wundärzten
bearbeitet und herausgegeben
von

GEORG FRIEDRICH MOST,

Doctor der Philosophie, Medicin und Chirurgie, akademischem und Privatdocenten, praktischem Arzte, Wundarzte und Geburtshelfer zu Rostock, mehrer gelehrten Gesellschaften ordentlichem, correspondirendem und Ehrenmitgliede.

In zwei Bänden oder acht Heften.

Gross Lexikon-Format. Jeder Band 50—60 Bogen.

Preis jedes Heftes von 12—14 Bogen auf gutem weissen Druckpapier 20 Groschen

LEIPZIG, BEI F. A. BROCKHAUS.

Der seit Jahren als medicinischer Schriftsteller rühmlichst bekannte Herausgeber befriedigt durch dieses umfassende und wahrhaft zeitgemässe Werk das längst gefühlte Bedürfniss einer im echt praktischen Sinne, im Geiste der alten medicinischen Classiker bearbeiteten medicinisch-chirurgischen Encyklopädie, die in diesem Sinn und dieser Form der Wissenschaft bis jetzt noch gemangelt hat. Ausgehend von der richtigen Ansicht, dass die seit mehr als tausend Jahren durch rastlose Bestrebungen versuchte, aber nie gelungene Ausführung eines *vollendeten medicinischen Systems* überhaupt eine nicht zu lösende Aufgabe sei, glaubte der Herausgeber in seiner Encyklopädie besser zu thun, die Krankheiten und Krankheitsaffectionen insgesammt in *alphabetischer* Ordnung darzustellen, als sie in ein sogenanntes System zu zwängen, das der lebenden Natur ebenso feindlich und unvereinbar gegenüber zu stehen, als dem echten Praktiker selbst für ein auf schlechtem Grunde aufgeführtes Gebäude zu gelten pflegt. Dieses Werk, das wegen seiner echt praktischen Tendenz mit ähnlichen medicinischen Encyklopädien nicht verwechselt werden darf und auf dessen Erscheinen wir hiermit das Publicum aufmerksam machen, beruht lediglich auf den Principien der Beobachtung und der Erfahrung, nach den Grundsätzen der echten Hippokratisch-Galenischen Schule, und es enthält in gedrängter Kürze, klar, bündig und überzeugend dargestellt, dem gegenwärtigen Standpunkte der medicinisch-chirurgischen Wissenschaften und ihrer praktischen Tendenz gemäss, alles hierher gehörige Neuere und durch die Erfahrung Geprüfte, vereinigt mit den ältern im Wechsel der Zeit bewährt gefundenen Resultaten, wie sie die ersten classischen Aerzte von *Hippokrates* bis auf *Sydenham, Frank, Stoll, Richter, Vogel* u. A. uns überliefert haben. Schon seit Jahren sammelte der Herausgeber Materialien zur Bearbeitung dieser, gegen alles Einseitige der neuern Schulen, gegen alle Systeme der Medicin und gegen die Schwächen des jetzt in der Medicin herrschenden Geistes in Opposition tretenden Encyklopädie; benutzte öffentliche und Privatbibliotheken zu diesem Zwecke und suchte durch Kenntnissnahme der klinischen Anstalten in den bedeutendsten Städten des In- und Auslandes auch von dieser Seite sein grossartiges Unternehmen, zugleich gestützt auf mannichfaltige eigne Erfahrungen am Krankenbette in sechzehnjäriger vielbewegter Praxis, nach Kräften zu fördern, um so ein Werk zu liefern, das sowol den jüngern als den ältern praktischen Aerzten und Wundärzten, Geburtshelfern und Augenärzten zum Studium wie zum Nachschlagen dienen könnte, um sich für Dasjenige, was am Krankenbette zu wissen Noth thut, Auskunft und Rath zu holen, ohne sich der Wissenschaft und der Literatur zu entfremden, und ohne durch Weitläufigkeit, durch umständliche Definitionen, Deductionen, Hypothesen und Theorien von der Hauptsache: *Erkenntniss und Heilung der Krankheiten*, abgeleitet zu werden. Diese Encyklopädie, über deren nähere Tendenz wir auf die dem ersten Hefte beigegebene ausführliche Einleitung zum ersten Bande verweisen, umfasst folgende Gegenstände der praktisch-medicinischen und chirurgischen Doctrinen:

1) eine *ausführliche specielle Pathologie und Therapie aller innern acuten und chronischen Krankheiten*, mit besonderer Berücksichtigung der Terminologie, Semiotik, Aetiologie, Diagnostik, und der bei der Behandlung bewährtesten Heilmittel und Arzneiformeln; daneben praktische Cautelen, Winke, kurze Mittheilungen aus eigner Erfahrung etc.;
2) eine *ausführliche medicinische Chirurgie*, mit Einschluss aller kleinern Operationen;
3) die *Geburtshülfe*, und
4) die *Ophthalmologie*, beide mit Berücksichtigung der meisten und am häufigsten vorkommenden Operationen;
5) eine *kurze generelle Pathologie und Therapie*;
6) die *allgemeine und ins Specielle gehende Heilmittellehre*;
7) die *allgemeine und specielle Pathologie und Therapie der Geisteskrankheiten*.

Da wir im Besitz des *ganzen* Manuscripts sind, und

schon ein bedeutender Theil desselben gedruckt ist, so können wir binnen Jahresfrist das ganze Werk bestimmt liefern. Es erscheint dasselbe in acht Heften, jedes zu 12—14 Druckbogen, wovon vier Hefte einen Band ausmachen. Ein deutsches Inhaltsverzeichniss und ein Register der Autoren wird am Ende des zweiten Bandes folgen. Der Subscriptionspreis beträgt für jedes Heft 20 Gr., sodass das ganze Werk 6 Thlr. 16 Gr. kosten wird.

Leipzig, im August 1833.

F. A. Brockhaus.

Pestalozzi's sämmtliche Schriften,

in 15 Bänden,

und dessen

Lienhard und Gertrud,

ein Buch für das Volk.

4 Theile, in wohlfeilen Ausgaben.

Um dem bei Herrn Meyer und Zuberbühler in Trogen erschienenen Nachdruck von Pestalozzi's Lienhard und Gertrud entgegen zu wirken, hat sich die unterzeichnete Verlagshandlung, einzig rechtmäßige Verlegerin dieses Buches und der sämmtlichen Schriften des verewigten Verfassers, entschlossen, den Preis dieses werthvollen Volksbuchs auf den des Nachdrucks, nämlich auf 2 Fl. Rhein. herabzusetzen, obgleich ihre Originalausgabe ganz vollständig (was der Nachdruck nicht ist) und in der Bogenzahl mehr als ein Alphabet stärker ist als der Nachdruck.

Ebenso setzen wir

Pestalozzi's sämmtliche Schriften in 15 Bänden,

bisheriger Preis 28 Fl. 6 Kr.,

auf den Preis von 15 Fl. auf unbestimmte Zeit herab, damit auch Minderbegüterte in den Stand gesetzt sind, diese schöne Sammlung volksthümlicher Schriften kaufen zu können.

Alle Buchhandlungen Deutschlands und der Schweiz, vorzüglich aber Herr Sauerländer in Aarau, nehmen Bestellungen darauf an.

Stuttgart und Tübingen, im August 1833.

J. G. Cotta'sche Buchhandlung.

Zeichnungen, ein wesentlicher Theil in Volksschriften.

Journal für gemeinnützige Kenntnisse.

Preis des Jahrgangs 2 Thlr.

Um den todten Worten Anschauung und Leben für das Volk zu geben, können Zeichnungen, Sammlungen aller Art und sonstige wirkliche Darstellungen nicht genug empfohlen und benutzt werden.

Um einen solchen Endzweck zu erreichen, sollen von nun an in die Ausgabe dieses Journals Artikel, die für das Volk passen und mit Zeichnungen und Holzschnitten begleitet sind, aus folgenden Zeitschriften aufgenommen werden:

1) aus der [illegible] Ausgabe dieses Journals,
2) aus [illegible] (Der Volksbote),
3) aus dem [illegible] encyklopädischen.

Wir nehmen die Verbindlichkeit auf uns, in den künftigen Heften dieser Zeitschrift die Holzschnitte [illegible] zu verarbeiten, daß sie dem in London herauskommenden Journal: Penny Magazine, gleich kommen werden. Diese Sammlung kommt seit einigen Monaten auch in Paris und Leipzig in einer willkürlichen Nachahmung unter dem Titel: [illegible] und Pfennig-Magazin heraus.

Im Allgemeinen sind es die nämlichen Holzstiche, die früher in England publicirt wurden, und deswegen bei einer zweiten und dritten Ausgabe den Verlegern bedeutende Geldersparniss gewähren; aus diesem folgt aber ganz natürlich, daß in diesen Sammlungen weder eine Idee noch eine Methode herrschend gemacht werden kann.

Alle Opfer, die nothwendig werden, um mit [illegible] einen Wettkampf mit dem Pfennig-Magazin zu bestehen, will unser Journal für gemeinnützige Kenntnisse bringen, und macht sich hierfür öffentlich sogar verbindlich. Wir stellen den englischen Zeichnern und Holzstechern, die man ohne Prüfung [illegible] lobt, unsere deutschen und französischen Zeichner und Holzstecher entgegen, und beweisen auf diese Weise, daß unsere Künstler bei einer gleichen Vergütung den englischen wirklich [illegible].

Allgemeine niederländische Buchhandlung.

Für Rechtsgelehrte.

Ko[illegible] Rechtsfragen aus dem gemeinen [illegible] Civilrechte und Civilprocesse, mit Beziehung auf die darüber vom k. k. Appellationsgerichte [illegible] Entscheidungen. Dritter Theil. [illegible] Der erste Theil kostet 1 Thlr. [illegible] und der zweite 1 Thlr. 8 Gr., mithin alle drei Theile [illegible] Thlr. 16 Gr. in allen Buchhandlungen.

Dresden, im Juli 1833.

Arnold'sche Buchhandlung.

Soeben ist bei Franz Varrentrapp in Frankfurt a. M. erschienen und in allen guten Buchhandlungen Deutschlands und der Schweiz zu haben:

Siebold, Dr. *A. El. v.*, Journal für Geburtshülfe, Frauenzimmer- und Kinderkrankheiten, herausgeg. von Ed. C. Jak. v. Siebold, (Dr. u. Prof. der Medicin und Geburtshülfe zu Göttingen). Band XIII, Stück 1. Mit einer Tabelle und 2 Abbildungen. Gr. 8. Brosch. 1 Thlr. 12 Gr. oder 2 Fl. 42 Kr.

—, Register zu dem 7ten — 12ten Bande des vorherstehenden Journals, herausgeg. von Ed. C. Jak. v. Siebold. Gr. 8. Brosch. [illegible]

Band I—X von obigem Journale, jeder zu drei Stücken, ist von 24 Thlr. 14 Gr. [illegible] Kr., auf 14 Thlr. 21 Gr., oder [illegible] Fl. [illegible] Kr., herabgesetzt und durch jede solide Buchhandlung zu beziehen.

Bei J. A. Mayer in Aachen [illegible] in allen Buchhandlungen zu haben:

Hartung, Dr., Die Cholera [illegible]. Geh. 12 Gr.

Meigen, J. W., Handbuch für [illegible], besonders für [illegible] Steintafeln. 8. [illegible] dungen 2 Thlr., mit illuminirten [illegible]

Dessen Systematische Beschreibung der [illegible] schen Schmetterlinge. [illegible] 125 Steintafeln. Mit schwarzen [illegible]

17 Thlr. 16 Gr.; vom Verfasser sorgfältig illuminirt 68 Thlr.

Souvenir, deutsche Blätter der Liebe und Freundschaft. Nebst einer Blumen- und Farbendeutung. 8. Geh. 12 Gr.

Volksbibliothek, Allgemeine, in Verbindung mit Mehren herausgegeben von P. Kaatzer. Zweites Bändchen. Inhalt: Wilhelm Tell nach Florian. Der Freimaurerorden, seine Geschichte und Denkwürdigkeiten. Der Reichthum der Armen und die Armuth des Reichen. Kunst und Natur. 8. Geh. 4 Gr.

In der Rauck'schen Buchhandlung in Berlin ist erschienen und an alle Buchhandlungen versandt:

Preuß, J. D. E., Friedrich der Große. Eine Lebensgeschichte. 3ter Band. Gr. 8. Mit Urkundenbuch. Subscriptionspreis, Velinpap. 5 Thlr. 8 Gr. Schreibpap. 4 Thlr. 12 Gr. Druckpap. 3 Thlr. 8 Gr.

Architektonische Entwürfe aus der Sammlung des Architektenvereins zu Berlin. Gr. Fol. 1stes Heft, 6 Blatt Kupferstiche und 1 Blatt Text. 2 Thlr.

Giesebrecht, L., Lehrbuch der alten Geschichte. Gr. 8. 14 Gr.

An alle Lehranstalten, Aerzte, Apotheker, Kameralisten, Fabrikanten und Landbesitzer.

Ankündigung

einer dritten ganz umgearbeiteten Auflage von dem vollständigen

Lehrbuch

der

Chemie

von

J. J. Berzelius.

Aus der schwedischen Handschrift des Verfassers übersetzt

von

F. Wöhler.

Dritte, umgearbeitete und vermehrte Originalauflage.

Mit königl. sächsischem Privilegium.

Unreine Hände haben den Namen eines weltberühmten Mannes befleckt, indem sie denselben zum Aushängeschilde misbrauchten, um damit ihre aus mehren chemischen Schriften kopf- und kenntnisslos zusammengestoppelten Machwerke zu bekleben, welche sie dann „J. J. Berzelius Lehrbuch der Chemie in vollständigem (ein Widerspruch in sich) Auszuge" zu nennen sich erdreisteten und damit das Publicum hintergingen.

So lange als solche Fabrikarbeiter die eignen ganz unbekannten Namen ihren Erzeugnissen an die Stirn schreiben, hat es nichts zu bedeuten, weil sie nur Sterblinge zu Tage fördern.

Da aber in Deutschland noch einzelne Handlungen mit dergleichen literarischen Bettelkindern die Märkte beziehen, um mit ihrem unnatürlichen Vater den Erlös zu theilen, wenn dieser frech genug ist, einen gefeierten Namen dabei zu misbrauchen: so blieb in dem gegenwärtigen Falle dem rechtmässigen Verleger nichts übrig als den Herrn Professor Berzelius, mit Aufopferung der vorräthigen Exemplare, um eine neue umgearbeitete Ausgabe seines Lehrbuches der Chemie zu bitten.

Diese erscheint nun in acht Bänden mit Kupfern, und zwar die vier ersten Bände im heurigen und die vier letzten zu Anfange des folgenden Jahres.

Um aber auch für den Unbemittelten den Ankauf dieses in seiner Art einzigen vollständigen Lehrbuches der Chemie möglich zu machen, wird solches in Lieferungen, jede zu 12 Gr. (54 Kr. Rheinisch), mithin die 4 ersten Bände in 16 Lieferungen, wofür sich der Abnehmer jetzt auch nur verbindlich macht, ausgegeben. Dieser geringe Preis muss jedoch nach Beendigung von 4 Bänden oder 16 Lieferungen für die spätern Käufer von 8 Thlr. auf 12 Thlr. erhöht werden.

Die erste Lieferung ist in allen rechtlichen Buchhandlungen zu bekommen und die folgenden erscheinen von 14 zu 14 Tagen.

Auf 10 Exemplare kann jede Buchhandlung das 11te frei liefern, und der noch immer rege echt deutsche Sinn für Recht und Billigkeit wird es gewiss vorziehen, das vollständige Originalwerk des grössten Chemikers unserer Zeit ohne Flickwerk und Verstümmelung zu besitzen, wenn er es auch nicht so wohlfeil als gestohlnes Gut kaufen kann.

Arnold'sche Buchhandlung
in Dresden und Leipzig.

Soeben ist bei Franz Varrentrapp in Frankfurt a. M. erschienen und in allen Buchhandlungen Deutschlands und der Schweiz zu haben:

Historische Schriften

von

Dr. G. G. Gervinus,

Privatdocenten in Heidelberg.

Inhalt des Werkes: Geschichte der florentinischen Historiographie bis zum 16. Jahrhundert, nebst einer Charakteristik des Macchiavell.

Versuch einer innern Geschichte von Aragonien bis zum Ausgang des barcelonischen Königstamms.

Gr. 8. Preis auf weißem Druckpapier 2 Thlr. 12 Gr., oder 4 Fl. 30 Kr.

Ohne sich auf weitere Anpreisung des Werkes eines Mannes von dem Sinn und den Kenntnissen einzulassen, verweist nur der Verleger das denkende Publicum auf die soeben erschienene Beurtheilung in dem Archiv für Geschichte und Literatur von Fr. Chr. Schlosser u. G. A. Bercht, 5ter Band (Frankfurt, Schmerber), S. 455 fg.

Neue Verlagsartikel der Buchhandlung des Waisenhauses in Halle, welche durch alle Buchhandlungen des In- und Auslandes zu erhalten sind.

Atlas, Neuer allgemeiner Schul-, über alle Theile der Erde. Nach den neuesten Entdeckungen und Grenzbestimmungen bearbeitet von A. A. Müller. 26 in Kupfer gestochene Karten, und einer Tabelle, die Zusammenstellung einiger Zahlenangaben, das Sonnensystem betreffend. Quer 4. Brosch. 1 Thlr. 7½ Sgr. (1 Thlr. 6 Gr.)

Jede Karte einzeln 2½ Sgr. (2 Gr.)

Barth, Dr. C. W. A., Das Wissenswürdigste der Geographie für Schulen bearbeitet. Gr. 8. 15 Sgr. (12 Gr.)

Becker, K. F., Erzählungen aus der alten Welt für die Jugend. 3 Theile mit Kupfern. Neue (5te) verbesserte Auflage. 8. Sauber cartonnirt. 3 Thlr. 15 Sgr. (3 Thlr. 12 Gr.) 1ster Theil. Ulysses von Ithaka. 2ter Theil. Achilles. 3ter Theil. Kleinere griechische Erzählungen.

Calixtus, Georg, Briefwechsel. In einer Auswahl aus wolfenbüttelschen Handschriften, herausgegeben von Dr. E. L. Th. Henke. Gr. 8. 1 Thlr. 7½ Sgr. (1 Thlr. 6 Gr.)

Carmina aliquot Goethii et Schilleri latine reddita; edid. Th. Echtermeyer et Maur. Seyffert. Additae sunt ex latinis poetis recentioribus eclogae. 8 maj. Brosch. 20 Sgr. (16 Gr.)

Ciceronis, M. T., Selectarum orationum liber. Editio XVII. 8. 10 Sgr. (8 Gr.)

Geschichte, Neuere, der evangelischen Missionsanstalten zur Bekehrung der Heiden in Ostindien, aus den eigenhändigen Aufsätzen und Briefen der Missionarien herausgegeben von Dr. H. A. Niemeyer. 79stes Stück, oder 7ten Bandes 7tes Stück. 4. 12½ Sgr. (10 Gr.)

Henke, Dr. E. L. Th., Georg Calixtus und seine Zeit. Erste Abtheilung, die Einleitung enthaltend. A. u. d. Titel: Die Universität Helmstädt im sechzehnten Jahrhundert. Ein Beitrag zur Kirchen- und Literärgeschichte. Gr. 8. 12½ Sgr. (10 Gr.)

Hohl, Dr. A. F., Die geburtshülfliche Exploration. Erster Theil. Das Hören. Mit einer Kupfertafel. Gr. 8. 1 Thlr. 15 Sgr. (1 Thlr. 12 Gr.)

Lieder, Geistliche, und vermischte Poesien in lateinischen treuen Nachbildungen. Ein Versuch von J. C. W. Niemeyer. Gr. 8. (In Commission.) 1 Thlr.

Vossii, G. J., Aristarchus, sive de arte grammatica libri septem. Edidit C. Foertsch. Pars I. 4 maj. 3 Thlr. 15 Sgr. (3 Thlr. 12 Gr.)

Soeben ist erschienen und in allen soliden Buchhandlungen zu haben:

Kosmorama, oder Gemälde des Schönsten und Merkwürdigsten aus Natur, Kunst und Menschenleben, verbunden mit Novellen, Erzählungen und humoristischen Aufsätzen im prosaischen und poetischen Gewande. Gr. 4. In saubern Umschlage. **Zweites Heft**, enthält:

1) Folgende Bilder aus Italien:
   a. Die borromäischen Inseln. Gr. 4.
   b. Der heilige Carlo Borromeo. Größte Bronzestatue am Lago Maggiore. Fol.
   c. Die Piazetta an der St. Marcuskirche in Venedig. Gr. 4.
   d. Der Dom zu Mailand. Gr. 4.
2) Beschreibung dazu in Reisebildern von Dr. Abelan, Chezzi und Andere.
3) Die Verschwörung der Pazzi in Florenz. Historische Novelle von Ludwig Storch.

Leipzig, den 10ten August 1833.

Louis Hanewald's Verlagshandlung.

Höchst vortheilhaftes Anerbieten

an alle Lesegesellschaften, Leihbibliotheken und Sammler der bessern und besten schöngeistigen Schriften und Reisebeschreibungen.

Durch das allmälige Ableben der Sammler ganzer Werke sind von den später erschienenen Erzeugnissen der vorzüglichsten Romandichter und Erzähler ungleich mehr Exemplare unverkauft geblieben als von den frühern.

Wir haben uns daher entschlossen, für jene bis zu Ende d. J. einen ungewöhnlich geringen Preis eintreten zu lassen, um jedem Sammler, sowie den Lesegesellschaften und Leihbibliotheken die volle Ergänzung des Fehlenden auf ebenso leichte als wohlfeile Art möglich zu machen.

Die Durchsicht unsers in allen Buchhandlungen vorräthigen Verzeichnisses wird hoffentlich Jeden überzeugen, daß wir nicht geringes oder gar schlechtes Gut, wie es oft geschieht, ausbieten.

Die Namen: Apel, Bronikowski, Clauren, Contessa, Hell, Houwald, Laun, Lindau, Richter, Roos, Schilling, St. Schütze, W. Scott, Tromlitz, v. d. Velde, Weisflog u. s. w. werden hoffentlich hinreichen, diese Ueberzeugung zu gewinnen.

Jede rechtliche Buchhandlung kann alle Bestellungen zu den angegebenen Preisen besorgen. Bei Aufgaben im Betrage von 25 Thlrn. werden nur 23 Thlr., bei 50 Thlrn. nur 45 Thlr. und bei 100 Thlrn. nur 85 Thlr. preuß. Cour. gegen Empfang der Bücher, ohne weitere Vergütung an Porto, entrichtet.

Die vollständigen Werke aller obigen Dichter bleiben in ihrem seitherigen vollen Preise.

Sollten zweideutige Buchhandlungen die Besorgung verweigern, so können sich die Käufer mit Einsenden von gültigen Anweisungen an uns selbst in Dresden oder Leipzig wenden, worauf die Zusendung der Bücher sofort und portofrei erfolgen wird.

Dresden, im Juli 1833.

Arnold'sche Buchhandlung
in Dresden und Leipzig.

Hanover. Im Verlage der Hahn'schen Hofbuchhandlung ist soeben erschienen:

Herzog Georg
von Braunschweig und Lüneburg.
Beiträge
zur Geschichte des dreißigjährigen Krieges
nach Originalquellen des königl. Archivs zu Hanover
vom
Grafen Friedr. v. d. Decken,
königl. hanov. General-Feldzeugmeister, Mitglied der königl. Gesellschaft der Wissenschaften zu Göttingen.

Erster Theil.

Gr. 8. 1833. Velinpap. Preis 1 Thlr. 16 Gr.

Münzabdrücke zu verkaufen.

Eine Sammlung von ungefähr zehntausend Münzabdrücken in Gyps, welche in zwei, elegant gearbeiteten, Schränken von Nußholz, jeder mit 42 Schubladen, sich befindet und an denjenigen Liebhaber überlassen werden soll, welcher bis zum 1sten Januar 1834 (bis zu welchem Termin die Frist hiermit erstreckt wird) darauf das höchste Gebot abgibt —, ist in Darmstadt zu verkaufen. Die Gebote sind an die mit dem Verkaufe beauftragte Kunst- und Verlagshandlung von C. W. Leske daselbst zu adressiren. Das vollständige Verzeichniß ist durch jede Kunst- und Buchhandlung Deutschlands und des Auslandes zu erhalten.

Von dem soeben in London herausgekommenen Werke:
Dramatical scenes of real life by Lady Morgan,
wird in Kurzem eine, unter den Augen der Verfasserin bearbeitete Uebersetzung von Louis Lax, mit dem Bildniß der Lady Morgan, in meinem Verlage erscheinen.

Aachen, den 15ten August 1833.

J. A. Mayer.

Durch alle Buch- und Kunsthandlungen des In- und Auslandes ist von mir zu beziehen:

Augusteum. Dresdens antike Denkmäler enthaltend. Herausgegeben von *Wilhelm Gottlieb Becker.* Zweite Auflage. Besorgt und durch Nachträge vermehrt von *Wilhelm Adolf Becker.* Erstes bis siebentes Heft. Tafel I—LXXXII. Text Bogen 1—16. Folio. Jedes Heft im **Subscriptionspreise** 1 Thlr. 21 Gr.

Der Subscriptionspreis besteht einstweilen noch fort; früher kostete das Heft 9 Thlr. 16 Gr. Die Fortsetzung wird rasch folgen.

Leipzig, im August 1833. F. A. Brockhaus.

Literarischer Anzeiger.

(Zu den bei F. A. Brockhaus in Leipzig erscheinenden Zeitschriften.)

1833. Nr. XXV.

Dieser Literarische Anzeiger wird den bei F. A. Brockhaus in Leipzig erscheinenden Zeitschriften: Blätter fü[r] [lite]rische Unterhaltung, Isis, sowie der Allgemeinen medicinischen Zeitung, beigelegt oder beigeheftet, [und betra]gen die Insertionsgebühren für die Zeile 2 Gr.

Auszug

aus dem Verzeichniß der Vorlesungen, welche im Wintersemester 183¾ an der großh. bad. Albert-Ludwig's Universität zu Freiburg im Breisgau gehalten und am 4ten November beginnen werden.

I. Theologische Facultät.

1) Geistl. Rath, Domcapitular und Prof. ord. Ritter Hug: Einleitung in das Alte Testament.

2) Geistl. Rath und Prof. ord. Werk: Einleitung zum wissenschaftlichen Studium der Theologie. — Praktische Schrifterklärung. — Allgemeine Pastoraldidaktik und Homiletik. — Homiletisch-praktische Uebungen.

3) Geistl. Rath und Prof. ord. Buchegger: Grammatische Erklärung des Buches Hiob. — Archäologie der Hebräer. — Einleitung in die dogmatische Theologie. — Dogmatik in Verbindung mit Dogmengeschichte. — Examinatorium über Dogmatik.

4) Geistl. Rath und Prof. ord. Schreiber: Archäologie der Christen. — Moraltheologie. — Geschichte der Moraltheologie. — Praktisches Collegium über Moraltheologie. — Allgemeine Religionslehre.

5) Prof. ord. (der philos. Facultät) Weber: Exegetische Vorträge über auserlesene Psalmen. — Einleitung in das Alte Testament.

6) Lehramtsgehülfe Stengel: Hebräische Grammatik. — Anfangsgründe des Chaldäischen, Syrischen und Arabischen. — Anfangsgründe des Sanskrit. — Cursorische Erläuterung der Psalmen. — Exegetische Vorträge über die Sprüchwörter Salomo's. — Exegetische Vorträge über den ersten Korintherbrief. — Exegetische Vorträge über die Briefe Petri, Judä und an Philemon.

7) Repetitor und Supplent Klenkler: Christliche Religions- und Kirchengeschichte erster Theil.

II. Juristen-Facultät.

1) Geh.-Rath und Prof. ord. Ritter Duttlinger: Strafrechtswissenschaft. — Strafproceß. — Wechselrecht und Wechselproceß. — Civilproceßpraxis mit Einschluß des Concursprocesses. — Relatorium. — Theoretisch-praktische Vorlesung über die neue bad. Proceßordnung.

2) Hofrath und Prof. ord. Birnbaum: Naturrecht. — Deutsche Reichs- und Rechtsgeschichte. — Ueber die Grundbegriffe des französischen Strafrechtes und Strafverfahrens, in Vergleichung mit dem englischen Recht.

3) Hofrath und Prof. ord. Amann: Institutionen und äußere Geschichte des römischen Rechts. — Kathol. und prot. gem. Kirchenrecht, und großherzogl. bad. besonderes Kirchenrecht der Katholiken.

4) Prof. ord. Fritz: Innere Geschichte des römischen Rechts. — Examinatorium über die äußere Geschichte des römischen Rechts. — Pandekten. — Römisches Erbrecht und die [illegible] der in integr. rest.

[illegible] ord. Baurittel: Juristische Encyklopädie. — [illegible] Landrecht. — Badisches civilrechtliches Uebungscollegium. — [illegible] und grh. badisches Lehenrecht.

6) Prof. extraord. Buß: Encyklopädie und Method[ologie der] Staats- und Rechtswissenschaften. — Gem. deut[sches und] besonderes bad. Kirchenrecht der Katholiken und [Protestan]ten. — Allgemeine Staatslehre. — Policeiwissen[schaft].

7) Privatdocent Dr. Mußler: Institutionen und [Geschichte] des römischen Rechts. — Exegese des Textes de[r Institu]tionen. — Code Napoléon.

III. Medicinische Facultät.

1) Hofrath und Prof. ord. Beck: Specielle chirurgi[sche Patho]logie. — Augenheilkunde. — Chirurgische Verba[nd-, Ma]schinen- und Instrumentenlehre. — Chirurgisch[e und Au]genkrankenklinik.

2) Hofrath und Prof. ord. Baumgärtner: Allge[meine Pa]thologie und Therapie. — Conversatorium übe[r ...] Pathologie und Therapie. — Medicinisch-klinis[che Uebun]gen. — Praktikum in der poliklinischen Anstalt.

3) Prof. ord. Fromherz: Chemie der unorganische[n ...] — Medicinische Chemie.

4) Prof. ord. Ant. Buchegger: Allgemeine und spe[cielle Ana]tomie des menschlichen Körpers. — Knochenlehre. [... prak]tischer Unterricht im Zergliedern. — Pathologische [...]

5) Prof. ord. Leuckart: Physiologie des Mensche[n ...] Theil. — Vergleichende Anatomie und Phys[iologie mit] Berücksichtigung der pathologischen Anatomie. [... Allge]meine Einleitung in die Thierarzneikunde.

6) Prof. ord. Schwörer: Grundsätze der gesammte[n Geburts]kunde. — Geschichte der Geburtskunde. — Gebu[rtshülfliche] Klinik in der Gebäranstalt.

7) Prof. ord. (der philosophischen Facultät) Perle[b: ...]logie.

8) Prof. extraord. Werber: Encyklopädie und M[ethodologie] der Natur- und Heilwissenschaften. — Allgemein[e Patholo]gie und Therapie. — Geschichte der Medicin. — [...] von den Quellen in natur- und heilkundiger Be[ziehung].

9) Prof. extraord. Spenner: Botanik, erster oder [...] Theil.

10) Privatdocent Hofr. Dr. Ruppius: Lehre der [...] — Allgem. medicinische Zeichenlehre. — Krank[...]

11) Privatdocent Dr. Herr: Neue Systeme der [...] Heilkunde. — Praktische Arzneimittellehre.

IV. Philosophische Facult[ät.]

1) Hofr. und Prof. ord. Deuber: Allgemeine We[ltgeschichte,] erster Theil. — Geschichte und Geographie des [Ober]rheinkreises.

2) Hofrath und Prof. ord. Buzengeiger: Arit[hmetik und] Algebra. — Angewandte Mathematik, erster [...] vorlesung über höhere Mathematik. — Theoreti[...]

3) Prof. ord. Zell: über Horatius Briefe. — [...] les' Elektra. — Geschichte der bildenden und [...] Künste bei den Griechen und Römern. Ueber Ari[...] [illegible]

4) Prof. ord. Seeber: Differential- und Integr[alrechnung.] — Theoretische Physik. — Physische Geographi[e ...] teorologie.

5) Prof. ord. Perleb: Allgem. Naturgeschichte. — [...] rische Demonstrationen. — Zoologie.

6) Prof. ord. Weger: Anfangsgründe der hebräischen Sprache. — Arabische Sprache.

7) Prof. extraord. Zimmermann: Philos. Encyklopädie. — Logik. — Anthropologie.

8) Prof. am Gymnasium Dr. Baumstark: Ueber Cicero orator ad Brutum. — Uebungen im griechischen Styl.

9) Privatdocent Dr. Weiß: Allgemeine Weltgeschichte, erster Theil. — Geschichte der neuesten Zeit von 1789 bis auf unsere Tage. — Vergleichende Geographie der historisch merkwürdigen Länder. — Theorie der Statistik und Statistik der deutschen Bundesstaaten.

10) Privatdocent Dr. Rotteis: Philosophische Encyklopädie. — Logik. — Anthropologie. — Philosophische Vorträge über die Vernunftmäßigkeit des Wesens des Christenthums. — Ueber deutsche Literatur.

11) Lector Jacquot: Geschichte der französischen Sprache und Literatur. — Unterricht in der französischen Sprache für Anfänger oder minder Vorgerückte. — Wiederholung der schwersten Regeln für Weitervorgeschrittene.

12) Lector Singer: Englische und italienische Spache durch Uebersetzungen und mit Einleitung zum Lesen englischer Poesien.

13) Lector Posnakoski: Italienische Sprache für Anfänger und Weitervorgeschrittene mit Erklärungen.

Neue schönwissenschaftliche Schriften.

In meinem Verlage erschienen soeben nachstehende interessante Schriften, die durch alle Buchhandlungen des In- und Auslandes bezogen werden können:

Atterbom (D. A.), Die Insel der Glückseligkeit. Sagenspiel in fünf Abenteuren. Aus dem Schwedischen übersetzt von H. Neus. Zwei Abtheilungen. Gr. 8. 46 Bogen auf feinem Druckpapier. Geh. 3 Thlr. 12 Gr.

Die erste Abth. kostet 1 Thlr. 12 Gr., die zweite 2 Thlr.

Goldsmith (Oliver), Der Landprediger von Wakefield. Eine Erzählung. Aus dem Englischen übersetzt durch Karl Eduard von der Oelsnitz. Mit einer Einleitung. Zweite Auflage. 12. 11½ Bogen auf gutem Druckpapier. Geh. 15 Gr.

Hagen (August), Künstlergeschichten. Erstes und zweites Bändchen. Die Chronik seiner Vaterstadt vom Florentiner Lorenz Ghiberti, dem berühmtesten Bildgießer des funfzehnten Jahrhunderts. Nach dem Italienischen. Zwei Bändchen. 12. 27 Bogen auf feinem Druckpapier. Geh. 3 Thlr.

Koenig (H.), Die hohe Braut. Ein Roman. Zwei Theile. 8. 49 Bogen auf feinem Druckpapier. 4 Thlr.

Petrarca's (Francesco) sämmtliche Canzonen, Sonette, Ballaten und Triumphe, übersetzt und mit erläuternden Anmerkungen begleitet von Karl Förster. Zweite, verbesserte Auflage. Gr. 8. 34½ Bogen auf feinem Druckpapier. 2 Thlr. 6 Gr.

Zwei Jahre in Petersburg. Ein Roman aus den Papieren eines alten Diplomaten. 8. 20 Bogen auf feinem Druckpapier. 1 Thlr. 16 Gr.

Leipzig, im September 1833.

F. A. Brockhaus.

Soeben ist bei A. Hirschwald in Berlin erschienen und versandt:

Bluff, Dr. M. J., Die Leistungen und Fortschritte der Medicin in Deutschland im Jahre 1832. Erster Jahrgang. VIII und 40½ Seiten. Gr. 8. Geh. Ladenpreis 1 Thlr. 20 Sgr. (1 Thlr. 16 Gr.)

Phöbus, Dr. P., Ueber den Leichenbefund bei der orientalischen Cholera. VIII und 340 Seiten. Gr. royal 8. Geh. Ladenpreis 1 Thlr. 22½ Sgr. (1 Thlr. 18 Gr.)

Von demselben Verfasser erschien im vorigen Jahre:

De concrementis venarum osseis et calculosis, commentatio pro venia docendi defen. IV und 46 Seiten. Gr. 4. Velinp. 10 Sgr. (8 Gr.)

Saulsohn, Dr. S., De urethrae stricturis omnibusque tractandi eas methodis. Pars I. Pathologia. Acced. II tab. aen. 4. Geh. 26¼ Sgr. (21 Gr.)

Die Werke des Freiherrn von Malchus.

In der Unterzeichneten sind erschienen und durch alle Buchhandlungen zu beziehen:

Statistik und Staatenkunde.

Ein Beitrag zur Staatenkunde von Europa

von

A. Freiherrn von Malchus.

Gr. 8. Preis 4 Fl. 30 Kr.

Handbuch

der

Finanzwissenschaft und Finanzverwaltung

von

demselben Verfasser.

2 Theile. Gr. 8. Preis 7 Fl. 30 Kr.

Stuttgart und Tübingen, im Juli 1833.

J. G. Cotta'sche Buchhandlung.

Neuestes Werk des Herrn Prediger Rössel.

Lehrbuch der deutschen Literatur für das weibliche Geschlecht,

besonders für höhere Töchterschulen.

Von Friedrich Rössel.

Vierter Band.

Gr. 8. 1833. Breslau, im Verlage bei Josef Max und Comp.

Preis 1 Thlr. 4 Gr.

Dieser 4te Band auch unter dem besondern Titel:

Geschichte der deutschen Literatur für das weibliche Geschlecht, besonders für höhere Töchterschulen.

Dritter Theil,

die umständlichere Geschichte der Literatur und die Lebensbeschreibungen der Dichter und Prosaiker enthaltend.

Gr. 8. 1833. Preis 1 Thlr. 4 Gr.

Mit diesem 4ten Bande des Lehrbuchs der deutschen Literatur ist ein Werk geschlossen, welches bereits vom Publicum sowie von der öffentlichen Kritik mit entschiedenem Beifall aufgenommen worden ist. Wir verweisen auf die darüber erschienenen Recensionen in dem leipziger Repertorium, herausgegeben vom Hofrath Professor Pölitz, in der Abendzeitung und dem Planeten. Zufolge aller Urtheile ist obiges Werk nicht nur allen Töchterschulen zu empfehlen, sondern auch allen gebildeten Mädchen und Frauen überhaupt, weil es ganz dazu geeignet ist, die Kenntniß unserer Nationalliteratur, und somit die Bildung des Geistes und Herzens zu fördern.

Das vollständige Werk von 4 Bänden kostet nun 4 Thlr. 10 Gr., oder 4 Thlr. 12½ Sgr. Die Bände werden zum Behuf der Einführung in Töchterschulen auch einzeln gegeben, und kostet der erste Band 22 Gr., oder 27½ Sgr.; der 2te, 3te, 4te Band, jeder 1 Thlr. 4 Gr., oder 1 Thlr. 5 Sgr. Bei dem so großen Format und der Bogenzahl ist dieser Preis ungemein billig.

Buchhandlung Josef Max und Comp.
in Breslau.

Durch alle Buchhandlungen und Postämter ist zu beziehen:
Blätter für literarische Unterhaltung. Redigirt unter Verantwortlichkeit der Verlagshandlung. Jahrgang 1833. Monat August, oder Nr. 213—243, mit 1 Beilage: Nr. 8, und 4 literarischen Anzeigern: Nr. XXI—XXIV. Gr. 4. Preis des Jahrgangs von 365 Nummern (außer den Beilagen) auf gutem Druckpapier 12 Thlr.

Leipzig, im September 1833.

F. A. Brockhaus.

Oken's Naturgeschichte.

Bei Unterzeichnetem ist soeben die fünfte Lieferung von der

Allgemeinen Naturgeschichte
für alle Stände,
von
Hofrath Oken,
Sechs Bände,

in 36 Lieferungen von 6 Bogen, à 5 Gr. für die Lfrg., erschienen. Der Herr Verfasser hat bekanntlich seinen bisherigen Aufenthaltsort München mit Zürich vertauscht. Der Zeitverlust, welchen dieser Wechsel nothwendig herbeiführen mußte, hat das Erscheinen obiger Lieferung verzögert, soll aber in kurzer Zeit wieder eingebracht sein, da von jetzt an ununterbrochen an dem Werke gearbeitet wird. Von dem zu Oken's Naturgeschichte gehörenden Atlas sind bereits 15 Blätter fertig gestochen, welche, sobald es nur der Druck der sehr großen Auflage gestattet, als erste Lieferung ausgegeben werden. Wissenschaftlich gebildete Männer fanden bei Prüfung dieser Blätter solche vorzüglich und der wärmsten Empfehlung würdig; der Preis bleibt der früher angezeigte.

In demselben Verlage erscheint gegen Ende dieses Jahres folgendes Werk:

Der Himmel,
seine Welten und seine Wunder,
oder
populaire Astronomie.
Ein Bildungsbuch
für alle Stände,
von
J. J. Littrow,
Director der k. k. [illegible] Sternwarte in Wien.
3 bis 4 Lieferungen von 12 Bogen.
Mit Sternkarten, gestochen von Dobuda und Rost.
Preis jeder Lieferung 12 Gr.

Der Herr Verfasser, einer der [illegible] Astronomen unserer Zeit, gibt in dieser populairen Himmelskunde (dem wißbegierigen, [illegible] Manne zur Belehrung, sowie jedem [illegible] zur belehrenden und geistreichen Unterhaltung) ein Werk, welches in dieser Tendenz, besonders aber in dieser zweckmäßigen Ausführung, bisher von vielen Freunden der Volksbildung, von vielen Studirenden und Lehrern schmerzlich vermißt wurde. Littrow's Name ist in ganz Europa ein wohlbekannter und hochgeschätzter — obige populaire Himmelskunde wird seines Namens würdig sein! Der Verleger sorgt für anständige Ausstattung; durch Format, Schrift und Papier soll das Werk ein Seitenstück zu Vollrath Hoffmann's Erde ꝛc. bilden. Die meisterhaft gestochenen Sternkarten werden gratis geliefert. Bei Erscheinen der ersten Lieferung wird ein ausführlicher Prospectus ausgegeben; bis dahin nimmt jede solide Buchhandlung Subscription auf dies gediegene und zeitgemäße Unternehmen an.

Stuttgart, im August 1833.

Karl Hoffmann.

Soeben ist erschienen und in allen Buchhandlungen Deutschlands, der Schweiz u. s. w. vorräthig:

Geschichte der letzten 50 Jahre
von
L. F. E. Ludwig,
Dr. der Philosophie, herzoglich gothaischem Rath und Mitredacteur der literarischen Blätter der Börsenhalle zu Hamburg.

Dritter Band.

Auch unter dem Titel:

Geschichte der Directorial-Regierung, oder Geschichte der französischen Revolution vom Tode Robespierre's bis zur Ankunft Bonaparte's aus Aegypten.

Gr. 8. 1 Thlr. 16 Gr.

Die Verlagshandlung übergibt hier dem Publicum den dritten Band eines Werkes, das mehr wie jedes andere zeitgemäß genannt werden darf. Die Lösung der Aufgabe, „eine Geschichte der neuesten Zeit“ zu liefern, ist dem geistreichen Herrn Verfasser überaus glücklich gelungen, und die vielfachste Anerkennung ist ihm für sein edles Streben zu theil geworden. Se. Maj. der Kaiser von Rußland hat dem Verfasser, nachdem er bereits früher ihm seine Zufriedenheit auf amtlichem Wege zu erkennen gegeben, neuerlich für die ihm überreichte Fortsetzung einen kostbaren, reich mit Brillanten besetzten Ring übersendet, und die philosophische Facultät zu Kiel ihm für dieses Werk das Doctordiplom ertheilt, wie sich denn auch die achtbarsten Literaturzeitungen (Pölitz' Jahrb. u. s. w.) darüber sehr günstig ausgesprochen haben.

Dieses Buch zeichnet sich bei historischer Genauigkeit noch besonders aus durch eine classische Sprache, die den Leser von Anfang bis zu Ende unwiderstehlich fesselt, und die diesem Werke einen Ehrenplatz in der deutschen Literatur sichert; jedem Gebildeten kann es zur angenehmen und nützlichen Lecture nicht genug empfohlen werden.

Altona, im September 1833.

J. F. Hammerich.

In der Universitäts-Buchhandlung zu Kiel ist erschienen und in allen Buchhandlungen zu haben:

Franklin's, B., Leben und Schriften, [illegible] bearbeitet von Dr. A. Binzer. 4 Theile. Gr. 12. 2 Thlr. 18 Gr.

Gudme, A. C., Schleswig-Holstein. Eine statistisch-geographisch-topographische Darstellung dieser Herzogthümer. 1ster Band: Statistik beider Herzogthümer. Gr. 8. Mit 2[illegible] Tabellen in gr. Folio. Subscriptionspreis 2 Thlr. [illegible] Gr.

Köster, Prof. Dr. F. B., Erläuterungen der heiligen Schrift, Alten und Neuen Testaments, aus den

Classikern, besonders aus Homer. Gr. 8. 1 Thlr 4 Gr.

Schouw, Prof. J. F., Europa. Ein Naturgemälde. Auch als Beigabe zu jeder Geographie. Gr. 8. 12 Gr.

Diese ebenso reizende als klare Darstellung der physischen Verhältnisse Europas muß jedem Leser von Bildung das größte Vergnügen gewähren, indem sie mit wenigen kräftigen Zügen ein lebendiges Bild Europas, und in diesem vorzugsweise das zur Anschauung bringt, was die geographischen Lehrbücher mehr oder minder übergehen.

Anzeige für alle Gebildete,

die neuesten Romane von Henriette Hanke, geb. Arndt, betreffend.

Mit Vergnügen werden die zahlreichen Leser und Leserinnen dieser anziehenden Unterhaltungslecture vernehmen, daß soeben der erste Theil des längst erwarteten neuen Romans der Madame Hanke:

„Die Witwen.“ 8. Geh. 1 Thlr. 18 Gr.

sowie eine zweite Auflage der „Schwiegermutter“ 2 Bde., 8., geh., 2 Thlr. 12 Gr., die Presse verließen.

Der zweite Theil der „Witwen“ wird baldigst nachfolgen, und sind nunmehr die bei uns erschienenen auserwählten Schriften dieser beliebten Schriftstellerin, als:

Die Schwester. Roman in 2 Theilen. 8. Geh. 3 Thlr. 6 Gr.

Die Schwiegermutter. 2 Theile. 2 Thlr. 12 Gr.

Die Perlen. 2 Theile. 2 Thlr. 18 Gr.

Der Blumenkranz. 2 Theile (8 kleinere Erzählungen enthaltend). 3 Thlr. 4 Gr.

Die Witwen. 1ster Theil. 1 Thlr. 18 Gr.

sämmtlich wieder in allen Buchhandlungen sowie in allen Leihbibliotheken und Lesecirkeln zu finden.

Die moralische Tendenz, wodurch sich die Romane der Madame Hanke auszeichnen, eignen sie vorzüglich auch zu Geschenken für jede Damenbibliothek.

Hahn'sche Hofbuchhandlung in Hanover.

Folgende für die Geschichte Oestreichs höchst wichtige Werke:

Hormayr, Freih. v., Oestreichischer Plutarch, oder Leben und Bildnisse aller Regenten und der berühmtesten Feldherren, Staatsmänner, Gelehrte und Künstler des östr. Kaiserstaats. 20 Bände. Mit 76 Portraits. 20 Thlr.

Davon einzeln:

Leben und Bildnisse der böhmischen Könige. 4 Bände. Mit 12 Portraits. 3 Thlr.

— —, Oestreichische aus dem Hause Babenberg. 2 Bände. Mit Portraits. 1 Thlr. 12 Gr.

Hormayr, Taschenbuch für die vaterländische Geschichte. Allererste Serie. Jahrg. 1811—14. Mit vielen Kupfern. Statt 8 Thlr. um 2 Thlr.

Hormayr und Mednyansky, Taschenbuch für die vaterländische Geschichte. Zweite Serie. Jahrg. 1822—29. Mit vielen prächt. Portraits und Kupfern. Statt 32 Thlr. um 10 Thlr.

Hormayr, Historisch-statistisches Archiv für Süddeutschland. 2 Bände. Mit Kupfern. 1811. 20 Gr.

Böheim, F. C., Chronik von Wiener-Neustadt. 2 Bände. Mit Kupfern. Gr. 8. Wien. 1830. Statt 3 Thlr. 6 Gr. um 1 Thlr.

Bethlen, Graf von, Geschichtliche Darstellung des deutschen Ordens in Siebenbürgen. Mit Kupfern. Gr. 8. 1831. 12 Gr.

sind durch Ankauf unser Eigenthum geworden und können um die bemerkten herabgesetzten Preise bis zur Ostermesse 1834 durch jede solide Buchhandlung bezogen werden, wenn der geringe Vorrath es so lange zuläßt.

Wien, im August 1833.

Mayer und Comp.

In der Unterzeichneten ist erschienen und in allen Buchhandlungen zu haben:

Ritual nach dem Geiste und den Anordnungen der katholischen Kirche, oder praktische Anleitung für den katholischen Seelsorger zur erbaulichen und lehrreichen Verwaltung des liturgischen Amtes. Zugleich ein Erbauungsbuch für die Gläubigen. Zweite verbesserte Ausgabe.

Die günstige Aufnahme, deren sich dieses Werk im katholischen Deutschland zu erfreuen hatte, machte nach Verlauf von zwei Jahren eine neue Ausgabe nöthig. Der Herausgeber (Freiherr v. Wessenberg), die ihm bekannt gewordenen Kritiken beachtend, unterwarf das Werk einer sorgfältigen Revision. Die Tauffomulare sind noch durch ein kürzeres vermehrt worden. Der Verbesserungen sind im Einzelnen viele angebracht, die demjenigen nicht entgehen werden, der eine Vergleichung anstellt. Die Verlagshandlung aber hat Alles aufgeboten, um den Gebrauch des Werkes zu erleichtern. Der Druck der zweiten Ausgabe ist weit größer als der der ersten, sodaß jetzt die blödesten Augen den Text ohne Anstrengung zu lesen vermögen. Auch ist ein weißeres schöneres Papier gewählt worden. Die Seitenzahl der ersten Ausgabe war 486, die der zweiten ist 520. Dessenungeachtet hat die Verlagshandlung den frühern Preis von 2 Fl. nicht erhöht.

Stuttgart und Tübingen, im August 1833.

J. G. Cotta'sche Buchhandlung.

Bei Karl Schaumburg u. Comp. in Wien ist soeben erschienen und an alle Buchhandlungen versandt worden:

Bucholtz, F. B. von, Geschichte der Regierung Ferdinand I., aus gedruckten und ungedruckten Quellen herausgegeben. Vierter Band. Gr. 8. Wien, 1833.

Ueberhäufte Berufsgeschäfte und die Bearbeitung einer so wichtigen Zeitperiode der Geschichte, wie solche die Regierung Ferdinand I. darbietet, haben den Herrn Verfasser verhindert diesen vierten Band früher erscheinen zu lassen; es sind indessen jetzt alle Anstalten getroffen, daß die folgenden Bände dieses jeden Geschichtsforscher gewiß höchst interessirenden Werkes, in möglichst kurzer Zeit die Presse verlassen werden. Die bis jetzt erschienenen 4 Bände sind noch um den Pränumerationspreis von 8 Thlr., oder 14 Fl. 24 Kr. Rhein., zu erhalten.

Durch alle Buchhandlungen ist von mir zu beziehen:

Hübner (Johann),

Zweimal zweiundfunfzig auserlesene biblische Historien aus dem Alten und Neuen Testamente, zum Besten der Jugend abgefaßt. Aufs Neue durchgesehen und für unsere Zeit angemessen verbessert von David Jonathan Lindner. Die hundertunderste der alten, oder die zweite der neuen vermehrten und ganz umgearbeiteten und verbesserten Auflage.

8. 25 Bogen. 8 Gr.

Eine Empfehlung dieser Schrift, die sich seit dem J. 1714 in der Gunst des Publicums erhalten, über hundert Auflagen erlebt hat und fortwährend in vielen Schulen eingeführt ist, scheint überflüssig. Die neue Umarbeitung hat, ohne den Geist des Ganzen zu ändern, das Buch den jetzigen Ansichten über den Unterricht der Jugend mehr anzupassen gesucht, und die competentesten Männer sind der Meinung, daß dies überaus wohl gelungen sei.

Leipzig, im Sept. 1833.

F. A. Brockhaus.

Literarischer Anzeiger.

(Zu den bei F. A. Brockhaus in Leipzig erscheinenden Zeitschriften.)

1833. Nr. XXVI.

Dieser Literarische Anzeiger wird den bei F. A. Brockhaus in Leipzig erscheinenden Zeitschriften: Blätter für literarische Unterhaltung, Isis, sowie der Allgemeinen medicinischen Zeitung, beigelegt oder beigeheftet, und betragen die Insertionsgebühren für die Zeile 2 Gr.

Schriften von Therese Huber.

In meinem Verlage erschienen folgende Schriften von Therese Huber, die durch alle Buchhandlungen des In- und Auslandes von mir bezogen werden können:

Erzählungen. Gesammelt und herausgegeben von V. A. H. Sechs Theile. 1831—33. 8. 13 Thlr. 12 Gr.

Hannah, der Herrnhuterin Deborah Findling. 1821. 8. Geh. 2 Thlr.

Ellen Percy, oder Erziehung durch Schicksale. Zwei Theile. 1822. 8. 3 Thlr. 12 Gr.

Jugendmuth. Eine Erzählung. Zwei Theile. 1824. 8. Geh. 3 Thlr. 12 Gr.

Die Ehelosen. Zwei Bände. 1829. 8. 3 Thlr. 16 Gr.

Capitain Landolphe's Denkwürdigkeiten. Die Geschichte seiner Reisen während 36 Jahren enthaltend. Nach dem Französischen bearbeitet von Therese Huber. 1825. 8. 1 Thlr. 18 Gr.

Johann Georg Forster's Briefwechsel. Nebst einigen Nachrichten von seinem Leben. Herausgegeben von Th. H., geb. H. Zwei Theile. 1828—29. Gr. 8. 7 Thlr. 16 Gr.

Wer diese Schriften, die im Ladenpreis 35 Thlr. 14 Gr. kosten, zusammennimmt, erhält sie für zwanzig Thaler.

Leipzig, im September 1833.

F. A. Brockhaus.

Bei J. A. Mayer in Aachen ist soeben erschienen und an alle Buchhandlungen versandt worden:

England und die Engländer.

Von

Edward Lytton Bulwer,

Parlamentsmitglied, Verfasser von Pelham, Devereux und Eugen Aram.

Uebersetzt und mit Anmerkungen versehen von

Louis Lax.

Mit dem wohlgetroffenen Bildniß des Verfassers.

Drei Theile.

8. Preis 3 Thlr., oder 5 Fl. 24 Kr.

Ein Werk des geistreichen Bulwer bedarf in Deutschland keiner Empfehlung mehr. Das obige, das in Großbritannien durch seine beißende Satire, seine gründliche und anziehende Darstellung der innern Verhältnisse des Landes, wie durch seine treffenden Charakterschilderungen Epoche gemacht hat, wird auch bei uns, da es das Belehrende mit dem Unterhaltenden verbindet, bei allen Ständen die lebendigste Theilnahme erregen.

Soeben ist erschienen und in allen Buchhandlungen Deutschlands zu haben:

Schi-King,

chinesisches Liederbuch gesammelt von Confucius, dem Deutschen angeeignet von

Friedrich Rückert.

Gr. 8. Brosch. 2 Thlr. 6 Gr.

Altona, bei J. F. Hammerich.

Die Verlagshandlung obigen Werkes glaubt keine Anmaßung zu begehen, wenn sie es dem Publicum mit der zuversichtlichen Hoffnung einer regen Theilnahme und Unterstützung übergibt. Man darf ohne Uebertreibung sagen, es ist das erste dieser Art, und der Titel spricht schon das Interesse aus, das es für den Alterthums-, den Geschichts- und Sprachforscher, wie für den Philosophen und Dichter aller Nationen haben muß. Wenn schon der Name des Sammlers, des welthistorischen Confucius und der Gedanke, daß diese Sammlung vor mehr als zweitausend Jahren aus ältern Volksgesängen gemacht worden ist, imponiren muß, so wird sich der Leser nicht minder durch das, was er im Buche selbst an Natur, zartem Gefühl und erhabener Dichtung findet, auf das angenehmste überrascht fühlen. Wir enthalten uns das Verdienst des Uebersetzers hier ins Licht zu stellen; die zur Ausführung des schwierigen Unternehmens nöthige Gelehrsamkeit und fleißige Ausdauer, wie die dichterische Genialität, die dazu gleich unerläßlich erfoderlich war, wird dem Leser sich aufdringen, und der in der deutschen Literatur rühmlichst bekannte Name Rückert verbürgt wol im Voraus den Werth seiner so mühevollen als originellen Arbeit.

Die erste Lieferung von Mac Culloch's höchst interessantem Handbuche für Kaufleute und Geschäftsmänner.

Von der Unterzeichneten wird demnächst versandt werden die erste Lieferung einer freien Bearbeitung und Vervollständigung von

A Dictionary practical, theoretical and historical of commerce etc. by J. R. Mac Culloch.

Das neueste Foreign quarterly review, Nr. XXI, drückt sich über dieses Werk folgendermaßen aus:

„Eine französische Uebersetzung von Hrn. M'Culloch's Handbuch für Kaufleute ist angekündigt. In Deutschland und Italien soll ihm, wie wir gehört haben, dieselbe Ehre widerfahren. Gewiß verdient sie auch kein Buch in höherm Grade, wir mögen den unermeßlichen Schatz nützlicher praktischer Kenntnisse berücksichtigen, die der Verfasser darin zusammengehäuft hat, oder den freisinnigen und erleuchteten Geist, von dem jeder Theil desselben durchdrungen ist. Seine Verbreitung durch Europa wird mehr dazu beitragen, die Täuschungen und Vorurtheile, in welchen sowol Regierungen als Massen von Individuen noch über Handelsgegenstände befangen sind, zu zerstreuen, als irgend ein theoretisches Werk, das bis jetzt erschien."

Obiges Werk, in gr. 8. gedruckt, wird in 2 Bänden, jeder Band zu zwei Lieferungen bestehen, und das Ganze 100 bis 10 Bogen geben. Für schönes Papier, correcten Druck und typographische Ausstattung ist von unserer Seite gesorgt, sowie der Preis möglichst niedrig gestellt werden wird.

Stuttgart und Tübingen, im August 1833.

J. G. Cotta'sche Buchhandlung.

Augustbericht*)

über den Fortgang der beliebtesten

SUBSCRIPTIONS - UNTERNEHMUNGEN

des

BIBLIOGRAPHISCHEN INSTITUTS IN HILDBURGHAUSEN UND NEUYORK.

Im AUGUST 1833 *erschien und ist versendet worden:*

SECHZEHNTE Lief. der neuen Auflage der FAMILIENBIBEL, in 20 Lief. mit 10 Stahlstichen, à 4 Gr. Sächs., oder 18 Kr. Rhein. In OCTAV.

XI. und XII. Lief. der *achten* Auflage der BIBLIOTHEK DEUTSCHER CANZELBEREDSAMKEIT, in 36 Lieferungen mit 18 Stahlstichen, à 6 Gr. Sächs., oder 27 Kr. Rhein. Royal-Octav.

XV. bis XVIII. Bändchen der *zweiten* Auflage der MINIATUR-BIBLIOTHEK deutscher Classiker, in 72 Bändchen, à 2 Gr. Sächs., oder 9 Kr. Rhein. In Sedez.

XV. bis XVIII. Bändchen der *zweiten* Auflage der CABINETS-BIBLIOTHEK deutscher Classiker, in 72 Bändchen, à 4 Gr. Sächs., oder 18 Kr. Rhein. In Duodez.

ZEHNTE Lief. (die Karten N. 37—40) des UNIVERSAL-ATLASSES in 64 trefflich in *Stahl* gestochenen Karten, jede zu 2 Gr. Sächs., oder 9 Kr. Rhein. Imperial-Quart.

ZWEITE Lief. des BILDERSAALS für JAEGER u. JAGDFREUNDE. (Treffliche Jagdstücke.) — N. 3 u. 4. — Jede Lief. 4 Gr. Sächs., oder 18 Kr. Rhein. Gross Querfolio.

VIERTE Lief. von MEYER's UNIVERSUM, oder *Bilderbuch für alle Stände.* (4 herrliche Stahlstiche: der BRIGHTON-PALAST, BINGEN, *Ansichten* von DELHI und vom RHEINFALL BEI SCHAFFHAUSEN, nebst Beschreibung.) 5¼ Gr. Sächs., oder 24 Kr. Rhein. Querfolio.

No. 108—111 der GALERIE DER ZEITGENOSSEN, oder nach dem Leben gezeichnete und in Stahl gestochene Portraite der denkwürdigsten Männer und Frauen der Tagesgeschichte. (CHATEAUBRIAND, KRONPRINZ VON OESTREICH, HUFELAND u. WILHELM, Herzog von Nassau.) Jedes zu 2 Gr.

*) Ein ähnlicher Bericht wird, um das *Publicum* über den *Fortgang* unserer mit *seinem Beifall* gekrönten Unternehmungen *au fait* zu halten, in allen öffentl. Blättern Deutschlands all*monatlich* erscheinen.

In der Meyer'schen Hofbuchhandlung in Lemgo ist so eben erschienen:

Pott, A. F. (Docent an der königl. Universität zu Berlin), **Etymologische Forschungen auf dem Gebiete der indo-germanischen Sprachen, mit besonderer Berücksichtigung der Lautumwandlung im Sanskritischen, Griechischen, Lateinischen, Littauischen und Gothischen.** Preis 1 Thlr. 12 Gr.

Es ist in diesem Buche, welches sich den ähnlichen Forschungen Jak. Grimm's, W. v. Humboldt's und Bopp's anschließt, eine Vergleichung des etymologischen Lautparallelismus in den verwandten Wurzeln, Wörtern und Suffixen jener Sprachen in einer Ausdehnung und mit einer Strenge in der Auswahl der reichhaltigsten Belege angestellt, daß man wol nicht in Abrede stellen wird, es sei der Etymologie der indogermanischen Sprachen, ganz vorzüglich aber der classischen, eine tiefere wissenschaftliche Begründung gegeben. Die allgemeine Einleitung umfaßt eine Beleuchtung der verschiedenen Standpunkte und Richtungen der Sprachwissenschaft.

Helwing, E. (Docent an der königl. Universität zu Berlin), **Geschichte des preußischen Staats. Erster Theil, die ältere Geschichte bis zum Beginn des dreißigjährigen Krieges. 1ster Theil 1ste Abtheilung.** Preis 1 Thlr. 8 Gr.

Durch dieses Werk, welches aus den Vorlesungen, die der Verfasser schon zu verschiedenen Malen an der berliner Universität gehalten, hervorgegangen ist, und künftig denselben zur Grundlage dienen wird, ist versucht worden, auf würdigere Weise als bisher geschehen, darzustellen, wie und durch welche Verhältnisse der preußische Staat sich zu einer weltgeschichtlichen Macht empor gebildet hat. In der Einleitung sind Andeutungen über die Stellung des Staates zu den übrigen europäischen Mächten gegeben. Die Fortsetzung, umfassend die neuere Geschichte des Staats bis auf unsere Tage, wird baldigst erscheinen.

In meinem Verlage ist erschienen und in allen Buchhandlungen zu erhalten:

Schlüter (Clemens August), Provinzialrecht der Provinz Westfalen. Erster bis dritter Band. Gr. 8. 3 Thlr. 16 Gr.

Auch unter den Titeln:

Provinzialrecht des Fürstenthums Münster und der ehemals zum Hochstift Münster gehörigen Besitzungen der Standesherren, imgleichen der Grafschaft Steinfurt und der Herrschaften Anholt und Gehmen. 1829. 36¼ Bogen. 1 Thlr. 20 Gr.

Provinzialrecht der Grafschaft Tecklenburg und der Obergrafschaft Lingen. 1830. 15¼ Bogen. 20 Gr.

Provinzialrecht der ehemals kurkölnischen Grafschaft Recklinghausen. 1833. 20 Bogen. 1 Thlr.

Leipzig, im September 1833.

F. A. Brockhaus.

Bei Georg Franz in München ist erschienen und durch alle gute Buchhandlungen zu beziehen:

Ein Band Novellen

von

C. Fr. v. Rumohr.

8. Brosch. 2 Fl. 42 Kr., oder 1 Thlr. 12 Gr.

Der geachtete Name des Herrn Verfassers überhebt uns jeder weitern Anpreisung.

Bei Joh. Ambr. Barth in Leipzig ist erschienen und in allen Buchhandlungen zu haben:

Schott, Dr. *H. A.*, Die Theorie der Beredsamkeit, mit besonderer Anwendung auf die geistliche Beredsamkeit, in ihrem ganzen Umfange dargestellt. 2ter Theil, 2te verbesserte Ausgabe. Gr. 8. 2 Thlr. 6 Gr.

Auch unter dem Titel:

Die Theorie der rednerischen Erfindung, mit besonderer Hinsicht auf geistliche Reden dargestellt und an Beispielen erläutert.

Dieser 2te Band eines dem theologischen Publicum bereits bekannten, sich durch seinen innern Werth gewügend empfehlenden, Werkes eines unserer ausgezeichnetsten Männer seines Faches, ist in der jetzigen neuen Ausgabe durch sehr wesentliche Umarbeitungen bedeutend vervollkommnet und durch hinzugefügte Beispiele aus den besten neuen Predigtsammlungen, wie durch die Nachträge in der Literatur der letztern Jahre trefflich bereichert worden.

Die übrigen Bände dieses Werkes enthalten:

1ster Theil. 2te verb. Ausg. Gr. 8. 1828. 2 Thlr.
Philosophische und religiöse Begründung der Rhetorik und Homiletik.

3ter Theil. 1ste Abth. Gr. 8. 1827. 1 Thlr. 6 Gr.
Die Theorie der rednerischen Anordnung mit besonderer Hinsicht auf geistliche Reden dargestellt und in Beispielen erläutert.

3ter Theil. 2te Abth. Gr. 8. 1833. 1 Thlr. 18 Gr.
Die Theorie der rednerischen Schreibart und des äussern Vortrags, mit besonderer Hinsicht auf geistliche Reden dargestellt und in Beispielen erläutert.

Anzeige.

Den zahlreichen Abnehmern unserer geschmackvollen Ausgabe von

Bulwer's sämmtlichen Werken

dient zur Nachricht, daß sich des berühmten Verfassers neuestes Werk: „England und die Engländer", in einer gelungenen Verdeutschung von Dr. Bärmann, unter der Presse befindet, und in kurzer Zeit bei uns erscheinen wird.

Für jeden Gebildeten, der sich um Weltleben in seiner weitesten und engsten Beziehung kümmert, wird dieses Werk von höchstem Interesse sein.

Zwickau, den 30sten August 1833.

Gebrüder Schumann.

Bei E. Anton in Halle erschien soeben:

Rosenkranz, Prof. K., Handbuch einer allgemeinen Geschichte der Poesie. 3ter Theil. Gr. 8. 1 Thlr. 20 Gr.

Durch diesen dritten Theil ist das Werk beendigt. Der erste Theil enthält die orientalische und antike Poesie, der zweite die französische und italienische, der dritte die spanische, portugiesische, englische, deutsche, nordische und slavische.

Strenge Kritik und sorgfältige Benutzung des vorhandenen Materials, und vollkommene Gewalt über den Stoff, Hervorhebung des Wichtigen, anziehende Schreibart und Vermeidung gelehrten Prunks, wird in diesem Werke Niemand vermissen, welches eine Lücke in unserer Literatur ausfüllt, da wir und bisher eines Handbuchs der allgemeinen Poesie nicht zu rühmen hatten. — Der Preis aller drei Bände ist 4 Thlr. 12 Gr.

Belletristische Literatur.

Im Verlage der Unterzeichneten haben soeben die Presse verlassen, und sind durch alle soliden Buchhandlungen zu beziehen:

Cactus-Blüthen.

Erzählungen und Novellen

von

A. Schreiber.

2 Bände. 8. Elegant broschirt. Preis 3 Fl., oder 2 Thlr.

Was der Leser in diesen, dem Verfasser des Scipio Cicala gewidmeten, neuesten Geisteserzeugnissen eines unserer Lieblingsschriftsteller zu erwarten hat, darüber drückt sich derselbe in seiner Zueignung folgendermaßen aus:

„Was ich Dir hier gebe, sind — wenigstens größten Theils — keine Spiele, die dem Alter wenig ziemen würden, sondern Erinnerungen, Lebenserfahrungen, nicht selten etwas theuer bezahlt. Wenn manche Leute sich in meinen Zeichnungen erkennen, so ist mir dies insofern lieb, als sie in dem Falle meinen Bildern doch das Verdienst der Aehnlichkeit zugestehen müssen."

Durch eine besondere Empfehlung befürchten wir dem längst bekannten Namen des Verfassers zu nahe zu treten.

Stuttgart, im August 1833.

Fr. Brodhag'sche Buchhandlung.

Rotteck's Weltgeschichte; dritte Auflage.

Bei Karl Hoffmann in Stuttgart ist soeben erschienen:

Allgemeine Weltgeschichte

für alle Stände.

Von den frühesten Zeiten bis zum Jahre 1831,

bearbeitet und herausgegeben

von

Dr. Karl v. Rotteck.

Vier Bände.

Mit dem Bildnisse des Verfassers.

Dritte Auflage.

Elegant broschirt, Preis 6 Fl. — 4 Thlr. 4 Gr.

Die zwei ersten Auflagen dieses classischen und zeitgemäßen Werkes, jede zu 10,000 Exemplaren, vergriffen sich in Zeit von nicht vollen zwei Jahren; das Buch ist also bekannt und bedarf keiner Anpreisung — der über jedes Lob erhabene Verfasser hat sich durch dasselbe ein unvergängliches Denkmal gestiftet!

Der Verleger hielt es für besser, diese neue Auflage nicht heft-, sondern bandweise auszugeben, sodaß also das ganze vollendete Werk auf einmal in 4 Bänden broschirt zu haben ist; das Papier ist ein solides weißes Druckpapier (nicht Maschinenpapier) und wird, sowie überhaupt das ganze Aeußere, befriedigen.

Bei demselben Verleger ist einzeln erschienen:

Portrait des Herrn Hofrath Dr. Karl v. Rotteck,

auf das schönste in Stahl gestochen. Gr. 8. 36 Kr. — 8 Gr.

Nach dem Ausspruche des Herrn v. Rotteck ist dies Portrait das beiweitem gelungenste. Mit den erschienenen, lithographirten Bildnissen ist es weder zu verwechseln, noch zu vergleichen.

Stuttgart, im August 1833.

Karl Hoffmann.

Durch alle Buchhandlungen des In- und Auslandes ist von mir zu beziehen:

La guerre de Pologne en 1831. Par Marie Brzozowski, lieutenant de l'artillerie polonaise. Avec une carte de la Pologne et dix croquis des batailles principales. Gr. 8. 19 Bogen auf feinem Druckpapier. Geh. 2 Thlr. 12 Gr.

Leipzig, im September 1833.

F. A. Brockhaus.

Bei Mayer u. Comp. ist soeben erschienen:

Meisterlosigkeit.

Canzone
von
Anton Passy.

Leipzig, 1834. Cartonnirt. Velinpap. 1 Thlr.

Sagen und Novellen.

Aus dem Magyarischen
übersetzt
von
Georg von Gaal.

1834. In Umschlag broschirt. 1 Thlr.

Frohberg, Reg., Die Abreise. Roman. 2 Bände. 2te Ausgabe. 1834. Brosch. 1 Thlr. 6 Gr.

Dieser Roman der hochgeachteten Verfasserin zeichnet sich vor manchen ihrer frühern, durch scharfe Charakterzeichnung, pikante Situationen, frisches Leben und treffliche Haltung aus. Hier bewegt sich ihr glückliches Talent auf dem glänzenden Schauplatze der großen und vornehmen Welt, der sie wohl angehört und auf dem sie durch Geist, Kenntniß und Ton stets zahlreiche Verehrer gefunden. An Gediegenheit und innern Werth steht die Abreise vielleicht oben an.

Frohberg, Reg., Die Entsagung. Roman. 2 Thle. 2te Aufl. 1830. 1 Thlr. 12 Gr.

Im Verlage von Wilh. Kaiser in Bremen ist jetzt erschienen und in allen Buchhandlungen zu haben:

Englisches Lesebuch für höhere Schulclassen. Erste Abtheilung: Handbuch der englischen Poesie mit einer Einleitung über die historische Entwickelung der engl. Poesie. Von Dr. V. A. Huber, ordentl. Professor in Rostock. 52 Bogen. Gr. 8. Preis 2 Thlr.

Durch dieses Lesebuch wird der auch durch seine trefflichen Skizzen aus Spanien rühmlichst bekannte Verfasser gewiß eine fühlbare Lücke ausfüllen und manchem Schulmann wie überhaupt Freunden der englischen Literatur eine willkommene Gabe gebracht haben. Alle frühern Sammlungen dieser Art, auch die am meisten gebrauchte von Ideler und Nolte, waren theils mangelhaft, theils nach einem verkehrten oder doch höchst einseitigen Plane angelegt. Sehr wenig oder gar nicht die ältere Literatur der Engländer und ihre so ausgezeichnete Volkspoesie berücksichtigend, hielten sie sich besonders an die dürre, nüchterne, angeblich classische Periode und nahmen Dichter auf, die nur eine höchst untergeordnete Stelle behaupten und an denen oft außer der correcten Sprache wenig zu rühmen ist. Die hinzugefügten Urtheile über den Werth und Charakter der Schriftsteller hielten sich, aller Selbständigkeit ermangelnd, ängstlich in den engen Schranken der englischen Kritik und waren nicht selten ein wörtliches Nachsprechen Johnson's. Ganz im Gegensatz damit gibt das oben angekündigte Lesebuch der ältern Dichter der Engländer, dem Chaucer und Spencer, größern Raum, es bringt zwei ganze, gewiß sehr zweckmäßig ausgewählte Stücke von Shakspeare, Julius Caesar und Twelf nights, und Volkslieder älterer wie späterer Zeit, behaupten darin eine bedeutende Stelle.

Die unter dem Titel Jacobite poetry mitgetheilten Lieder, die wol nur Wenigen in Deutschland bekannt sein werden, sind eine wahrhafte Bereicherung des Buchs, da sie an Kraft, an Innigkeit und Tiefe mit allen Gedichten ähnlicher Art den Vergleich aushalten können, und jeder Freund der Poesie wird dem Herausgeber für die Mittheilung Dank wissen. Schriftsteller wie Waller, Dryden, Pope u. s. w., fanden natürlich nach dem Standpunkte höherer Kritik geringere Berücksichtigung und der Raum, der ihnen in andern Sammlungen gegeben ist, wurde würdiger mit Dichtern der neuern Zeit, besonders mit Byron, Scott und Moore angefüllt. Von W. Scott sind drei Gesänge des Gedichts „The lady of the lake" gegeben; die Auswahl aus Byron ist in hohem Grade zweckmäßig, und besonders zu loben ist, daß auch aus dem in übergroßer Prüderie oft verworfenen Don Juan ein Gesang aufgenommen ist; von Moore sind hauptsächlich auch die in Deutschland weniger bekannten satirischen Gedichte berücksichtigt. Neben ihnen fand sich noch Platz für größere und kleinere Gedichte von Crabbe, Rhogers, Campbell, Southey, Coleridge, Wordsworth, Shelley, Felicia Heman u. a. Schriftsteller neuerer Zeit. Das Buch wird gewiß bei dieser Anlage seinem Zwecke vollkommen entsprechen und in höhern Classen, besonders auf Gelehrtenschulen, wo der Unterricht, wie der Herausgeber richtig und wahr bemerkt, hauptsächlich als höheres, allgemeines Bildungsmittel, als Theil des historischen Unterrichts angesehen und behandelt werden soll, mit Erfolg benutzt werden können. Größern Werth erhält es noch durch eine hinzugefügte Uebersicht der englischen Poesie, die außer einer Menge vortrefflichen Bemerkungen, besonders auch durch eine strenge Entwickelung des Ganges der englischen Literatur, durch Darstellung ihres genauen Zusammenhangs mit der politischen Geschichte und dem Volksleben der Engländer sich auszeichnet. Der Preis des Buchs ist, bei dem bedeutenden Umfange, sehr billig.

Bei Leopold Voß in Leipzig erschien soeben:

Vita di Benvenuto Cellini, orefice e scultore Fiorentino, scritta da lui medesimo. Giusta l'autografo pubblicato dal Tassi. Con 5. tavole in rame. II Vol. 8. (Preis 1 Thlr. 16 Gr.)

Das insbesondere durch Göthe's Uebersetzung bei uns bekannt gewordene Leben des Florentiners Cellini, das für Kunst, Menschenkenntniß, Sprache und Geschichte eine so unendlich reiche Fundgrube darbietet, wurde bisher nur in Abdrücken gelesen, welche nach flüchtig und verstohlen gemachten Handschriften besorgt waren und zum Theil die darin befindlichen Fehler noch durch Druckfehler vermehrten. Auch Göthe's Uebersetzung ist nach einer solchen Ausgabe gemacht. Das echte Originalmanuscript, zum Theil von Cellini's eigner Hand, zum Theil von ihm dictirt, fand sich erst 1810 in Florenz vor, und nach ihm ist die werthvolle und typographisch-prächtige Ausgabe des Tassi (Florenz, 1829. 3 Bde. gr. 8.) veranstaltet. Ein correcter Abdruck ihres Textes ist die hier angezeigte Ausgabe, welcher eine vollständige bisher noch nirgends gegebene Bibliographie des Cellini'schen Werkes und ein alphabetisches Register beigegeben ist, das die zum Verständniß nöthigen Personal- und Realnotizen enthält. Die Kupfertafeln sind nach den Tassi'schen Tafeln von guten Künstlern copirt und stellen, außer Cellini's Brustbild, einige seiner wichtigsten Werke dar: das Salzfaß, den Perseus, die Büste Cosmus I. von Medicis und die Büste des Bindo Altoviti.

Durch alle Buchhandlungen ist zu erhalten:

Conversations-Lexikon
der
neuesten Zeit und Literatur.

Achtzehntes und neunzehntes Heft.

Niederländische Literatur und Kunst
bis
Philosophie in ihrem neuesten Zustande.

Auf weißem Druckpapier 12 Gr.
Auf gutem Schreibpapier 16 Gr.
Auf extrafeinem Velinpapier 1 Thlr. 6 Gr.

Leipzig, im August 1833.

F. A. Brockhaus.

Literarischer Anzeiger.

(Zu den bei F. A. Brockhaus in Leipzig erscheinenden Zeitschriften.)

1833. Nr. XXVII.

Dieser Literarische Anzeiger wird den bei F. A. Brockhaus in Leipzig erscheinenden Zeitschriften: Blätter für literarische Unterhaltung, Isis, sowie der Allgemeinen medicinischen Zeitung, beigelegt oder beigeheftet, und betragen die Insertionsgebühren für die Zeile 2 Gr.

In meinem Verlage ist erschienen und durch alle Buchhandlungen des In- und Auslandes noch für den Subscriptionspreis zu beziehen:

Pölitz (Karl Heinrich Ludwig),
Die europäischen Verfassungen seit dem Jahre 1789 bis auf die neueste Zeit. Mit geschichtlichen Einleitungen und Erläuterungen.
Zweite, neugeordnete, berichtigte und ergänzte Auflage.
In drei Bänden.

Erster Band in zwei Abth. (78½ Bogen): die gesammten Verfassungen des deutschen Staatenbundes, 4 Thlr. 20 Gr.

Zweiter Band (31 Bogen): die Verfassungen Frankreichs, der Niederlande, Belgiens, Spaniens, Portugals, der italienischen Staaten und der ionischen Inseln, 2 Thlr.

Der dritte Band, der dies wichtige Werk beendigt, erscheint zu Ende d. Jahrs und wird die übrigen Verfassungen der europäischen Staaten enthalten.

Leipzig, im August 1833.

F. A. Brockhaus.

An alle Buchhandlungen haben wir versendet:

Vergißmeinnicht.
Taschenbuch
für das Jahr
1834.
Herausgegeben
von
Karl Spindler.
Mit 7 Stahlstichen. In Goldschnitt und Futteral.
4 Fl. 30 Kr. — 2 Thlr. 12 Gr.

Den Inhalt dieses Jahrgangs bilden 3 höchst anziehende Erzählungen des genialen Verfassers. Die Stahlstiche, nach Zeichnungen von Folz, Schwind, Horace Vernet, Gérard, Belmont, Lescot, von Fleischmann, Beyer, Frommel u. A. rivalisiren mit vorzüglichen Arbeiten englischer Künstler.

Stuttgart, im Sept. 1833.

Hallberger'sche Verlagshandlung.

Im Verlage der Lüderitz'schen Buchhandlung (E. H. Schröder) in Berlin erschien soeben und ist in allen Buchhandlungen zu haben:

Ife, A. (Verfasser der französischen Sprachlehre, kleiner Franzos, 4te Auflage etc.), Neues Elementar- und Vorbereitungsbuch zum Erlernen der französischen Sprache. Zunächst für die untern Schulclassen und den ersten häuslichen Unterricht. 8. 12 Bogen compress und deutlich gedruckt. Preis 8 Gr.

Die früher von dem Herrn Verf. herausgegebenen Unterrichtsbücher sind bereits in vielen Schulen eingeführt, und dadurch ihre Zweckmässigkeit anerkannt. Um auch diesem, mit Fleiss und Umsicht ausgearbeiteten Elementarbuche die Einführung zu erleichtern, sind alle Buchhandlungen in Stand gesetzt auf 12 1, 50 5, 100 12 Freiexemplare zu gewähren.

In demselben Verlage ist ferner erschienen:

Neumann, A. (Lehrer der englischen und französischen Sprache in Breslau), Neues englisches Lesebuch für Anfänger, nebst englisch-deutsch-französischem Wörterbuche. 8. 11 Bogen. Preis 12 Gr.

— —, Kurzgefasste englische Sprachlehre für Anfänger. 8. 11 Bogen. Preis 12 Gr.

Die Zweckmässigkeit dieser Lehrbücher hat sich durch die vielseitige Einführung in Gymnasien und Schulen bereits bewährt. Alle Buchhandlungen gewähren auch hieran auf 12 1, 50 5, 100 12 Freiexemplare.

Bei J. A. Mayer in Aachen ist soeben erschienen und an alle Buchhandlungen versandt:

Pelham,
oder
Begegnisse eines Weltmannes.

Aus dem Englischen übersetzt
von
C. Richard.

Zweite Auflage.
Drei Bände, mit dem Bildnisse des Verfassers. Preis 3 Thlr.

Die hohe Anerkennung, welche in Zeit von wenigen Jahren dem genialen Verfasser von Pelham, Eugen Aram, England und die Engländer, von allen Seiten und in einem Grade geworden, wie sich dessen wenige Schriftsteller erfreuen können, macht es unnöthig, die Aufmerksamkeit auf die sobald nothwendig gewordene zweite Auflage einer seiner beliebtesten Romane zu richten. Der Verleger bemerkt nur, daß er diese neue, mit der größten Eleganz auf feinem Velin gedruckte und mit dem Bildnisse des Verfassers geschmückte Ausgabe auf den billigen Preis von 3 Thlrn. gesetzt hat, um ein so allgemein interessantes Werk auch allgemein zu verbreiten und Manchem die Nothwendigkeit zu ersparen, wider Willen zu den oft so unsaubern Miniaturausgaben seine Zuflucht nehmen zu müssen

---

Verlagsbericht 1833
von
Leopold Voß in Leipzig.

Bericht über Göthe, vorgetragen in der allgemeinen Versammlung der kaiserlichen Akademie der Wissenschaften in

St.-Petersburg am 22sten März 1833 vom Präsidenten der Akademie. Aus dem Franz. übersetzt von R. St. Gr. 8. Geh. 6 Gr.

Bock, A. C., Tabulae chirurgico-anatomicae, seu icones partium corporis humani, ratione perpetua habita morborum et operationum chirurgicarum. Figurarum tum germanicam tum latinam descriptionem adjecit. Etiam sub titulo:

— —, Chirurgisch-anatomische Tafeln, oder Beschreibung der Theile des menschlichen Körpers in Bezug auf chirurgische Krankheiten und Operationen. 13 Kupfertafeln in gr. Fol., gezeichnet und gestochen von J. F. Schröter, mit 40 Bogen lateinisch und deutscher Erklärung in gleichem Format, elegant in englische Leinewand gebunden.

Ausgabe I. mit ganz colorirten Abbildungen 12 Thlr.
Ausgabe II. mit colorirten Abbildungen der Gefäße 10 Thlr.

Cellini, Benvenuto, orefice e scultore fiorentino. Vita scritta da lui medesimo. Giusta l'autografo pubblicato dal Tassi. Con V tavole in rame. II Vol. 8. Geh. 1 Thlr. 16 Gr.

Centralblatt, Pharmaceutisches. 4ter Jahrgang für 1833. In wöchentlichen Lieferungen, mit Kupfern. Gr. 8. 3 Thlr. 12 Gr.

Choulant, Ludw., Die Heilung der Scrofeln durch Königsband. Denkschrift zur Jubelfeier des Herrn Dr. J. A. W. Hedenus. Gr. 4. Geh. 6 Gr.

Fechner, G. Th., Repertorium der neuen Entdeckungen in der unorganischen Chemie. 3ter Band. Mit 6 Kupfertafeln. Gr. 8. 3 Thlr. 6 Gr.

— —, Repertorium der neuen Entdeckungen in der organischen Chemie. 2ter Band. Gr. 8. Erscheint in Kurzem.

Ledebour, C. F. a, Icones plantarum novarum vel imperfecte cognitarum floram Rossicam, imprimis Altaicam, illustrantes Tom III. cum 100 tabb. lith.

Mit colorirten Abbildungen 75 Thlr.
Mit schwarzen Abbildungen 43 Thlr.

Pellico von Saluzzo, S., Meine Gefangenschaft in den Kerkern von Mailand, unter den Bleidächern zu Venedig und in den Kasematten auf dem Spielberge. Denkwürdigkeiten aus meinem Leben. Aus dem Italienischen von *r. 8. Geh. 1 Thlr. 12 Gr.

Pharmacopoea Borussica. Die preußische Pharmacopöe, übersetzt und erläutert von Friedr. Phil. Dulk. 3te verbesserte und vermehrte Auflage. 2 Bde. Gr. 8. 3 Thlr. 18 Gr.

Radius, Just., De influentia morbo anni 1833. Commentatio qua Car. Gottlobo Kuehn doctoratus in medicina impetrati semisecularia gratulatur. 4 maj. Geh. 6 Gr.

Reich, C. G., Der erste Unterricht des Taubstummen. Gr. 8. Erscheint in Kurzem.

Schweins, Ferd., Größenlehre, systematisch bearbeitet. Gr. 8. Geh. 20 Gr.

Scriptorum classicorum de praxi medica nonnullorum opera collecta. Vol. XVI. Etiam sub titulo.

Stahlii, G. E., Theoria medica vera physiologiam et pathologiam tanquam doctrinae medicae partes vere contemplativas e naturae et artis veris fundamentis intaminata ratione et inconcussa experientia sistens. Editionem reliquis emendatiorem et vita auctoris auctam curavit L. Choulant. Tom. III. Pathologia specialissima. 8. Cart. 1 Thlr. 18 Gr.

Charta scripta 2 Thlr. 8 Gr.

Summarium des Neuesten aus der in- und ausländischen Medicin zum Gebrauche praktischer Aerzte von A. F. Hänel, fortgesetzt von W. Friedrich. Jahrgang 1833 in 24 Heften. Gr. 8. 6 Thlr. 16 Gr.

Unger, Karl, Beiträge zur Klinik der Chirurgie. 1ster Theil. Gr. 8. 2 Thlr. 12 Gr.

Wagner, Rud., Zur vergleichenden Physiologie des Bluts. Untersuchungen über Blutkörnchen, Blutbildung und Blutbahn, nebst Bemerkungen über Blutbewegung, Ernährung und Absonderung. Mit einer Kupfertafel. Gr. 8. 1 Thlr.

Zeitung für die elegante Welt. 33ster Jahrgang für 1833. (Redacteur: Heinrich Laube.) In wöchentlichen Lieferungen. Gr. 4. 8 Thlr.

Erschienen und versandt ist:

Annalen der Physik und Chemie, herausgegeben von J. C. Poggendorff. 1833. Nr. 8. Band XXVIII, Stück 4 (der ganzen Folge 104ten Bandes 4tes Stück). Nebst einer Kupfertafel.

Inhalt: 1) Rose, über eine Verbindung des Phosphors mit dem Stickstoff. 2) Stromeier, chemische Untersuchung der unlängst bei Magdeburg entdeckten und für Meteoreisen gehaltenen Eisenmasse. 3) Hermann, Untersuchung verschiedener in Rußland gefallener meteorischer Substanzen. 4) Rose, Bemerkungen zu vorstehender Abhandlung. 5) Hansteen, über das magnetische Intensitätssystem der Erde. (Schluß.) 6) Dove, Versuche über Anziehungen und Abstoßungen des galvanischen Schließungsdrahtes und der Magnetnadel. 7) Gauß, die Intensität der erdmagnetischen Kraft, zurückgeführt auf absolutes Maß. (Schluß.) 8) Wöhler, über krystallisirte Doppelsalze von Zinkoxyd mit kohlensauren Alkalien. 9) Berzelius, über die Zusammensetzung der organischen Atome. 10) Physikalische Notizen.

Leipzig, den 6ten September 1833.

Joh. Ambr. Barth.

Bei J. D. Sauerländer in Frankfurt am Main ist erschienen, und durch alle solide Buchhandlungen zu haben:

Rheinisches Taschenbuch

auf das Jahre 1834. Mit 8 Stahlstichen. 2 Thlr., oder 3 Fl. 36 Kr.

Dieser neueste Jahrgang empfiehlt sich durch das Gehaltvolle der Beiträge sowol, als auch durch die künstlerische Ausstattung. Das Titelkupfer zeigt uns einen unserer vorzüglichsten Schriftsteller, Georg Döring. Die übrigen Kupfer behandeln Gegenstände aus den Werken Lord Byron's, des ersten Dichters unsers Jahrhunderts. Sie sind theils in England, theils von deutschen Künstlern gefertigt und tragen alle das Gepräge der höchsten Vollendung; einzelne derselben sind Meisterwerke, wie sie wol noch nie vollendeter geboten wurden. Der Verleger glaubt dem fortschreitenden Geschmack und den höchsten Anfoderungen an eine solche literarische Gabe Genüge gethan zu haben.

Neuigkeiten von 1833,

welche bei J. F. Hammerich erschienen, und in allen Buchhandlungen Deutschlands, der Schweiz rc. zu haben sind.

Clemens, Fr., Natürliche Klänge des Herzens an die Gottheit, in Morgen- und Abendgesängen; für gute Menschen aller Confessionen. 8. Brosch. 20 Gr.

Gedichtesammlung, als Lehr- und Gedächtnißübungen zu gebrauchen. (Gesammelt von J. D. Bertels.) 1stes Bändchen für kleinere Kinder. 4te verb. Ausgabe. 8. 4 Gr.

Johannsen, Prof. Dr. K. Th., Die kosmogonischen Ansichten der Inder und Hebräer; durch Zusammenstellung der Manuischen und Mosaischen Kosmogonie erörtert. Gr. 8. Geh. 12 Gr.

— —, J. C. H. (Dr. theologiae u. Hauptprediger in Kopenhagen), Allseitige und historische Untersuchung der Rechtmäßigkeit der Verpflichtung auf symbolische Bücher überhaupt und die augsburgische Confession insbesondere. Gr. 8. 3 Thlr. 8 Gr.

Kroeger, Dr. J. C. (Katechet), Deutschlands Ehrentempel. Eine geordnete und mit Anmerkungen begleitete Auswahl der vorzüglichsten ältern und neuern Gedichte, welche das **deutsche Land** und das **deutsche Volk** verherrlichen. 1ster Theil. Das deutsche Land. Gr. 8. 1 Thlr. 12 Gr.

— —, Vergleichende Uebersicht der öffentlichen Unterrichtsanstalten und ihrer Schülerzahl in den europäischen Staaten. 2 Tabellen. 8 Gr.

Kroymann, J., Gemeinnützige Algebra. Verbessert herausgegeben von H. H. W. Arendt. 4te Aufl. 8. 12 Gr.

Lübker, Dr. Fried., De participiis graecis latinisque commentatio. 8 maj. 8 Gr.

Ludwig, Dr. C. F. E. (Rath und Mitredacteur der literar. Blätter der Börsenhalle), Geschichte der letzten funfzig Jahre. 3ter Theil. Auch unter dem Titel: Geschichte der Directorialregierung, oder Geschichte der franz. Revolution vom Tode Robespierre's bis zur Rückkunft Bonaparte's aus Aegypten. Gr. 8. 1 Thlr. 16 Gr.

Mössler, Dr. Joh. Chr., Handbuch der Gewächskunde, enthaltend eine Flora von Deutschland mit Hinzufügung der wichtigsten ausländischen Kulturpflanzen. 3te Aufl. Gänzlich umgearbeitet und durch die neuesten Entdeckungen vermehrt von Hofr. Director Prof. Reichenbach. 1ster Band, 1ste Abtheilung. Gr. 8. 1 Thlr. 8 Gr.

— —, — —, 1ster Band, 2te Abtheilung. Gr. 8. 1 Thlr. 8 Gr.

Rambach, A. Jak. (Dr. theologiae und Hauptpastor), Anthologie christlicher Gesänge aus allen Jahrhunderten der Kirche. 6ter Band. Auch unter dem Titel: Der heilige Gesang der Deutschen. In einer nach der Zeitfolge geordneten und mit geschichtlichen Bemerkungen begleiteten Auswahl der vorzüglichsten seit Gellert's und Klopstock's Zeit erschienenen geistlichen Lieder. 2ter Theil. Gr. 8. 2 Thlr.

Riesser, Dr. Gabr., Kritische Beleuchtung der in den Jahren 1831 und 32 in Deutschland vorgekommenen ständischen Verhandlungen über die Emancipation der Juden. (Aus der Zeitschrift: „Der Jude" abgedruckt.) Gr. 8. Brosch. 1 Thlr.

— —, Der Jude, periodische Blätter für Religion und Gewissensfreiheit. In zwanglosen Abtheilungen. 2ter Band. April bis December. 1833. 26 Nummern. Gr. 4. 2 Thlr. 12 Gr.

Schi-King. Chinesisches Liederbuch, gesammelt von Confucius; dem Deutschen angeeignet von **Fr. Rückert**. 8. Brosch. Velin-Druckpapier. 2 Thlr. 6 Gr.

Schmidt, Dr. P., und Dr. C. F. **Homann**, Rechtfertigung der Zurückweisung einer durch Conclusum des hamburger Senats beliebten und vom Gesundheitsrath zu leitenden **Physikatsprüfung**. Gr. 8. Geh. 3 Gr.

— —, D. P. H., Kritik der Pharmacopoea Slesvico-Holsatica, Regia autoritate edita, nebst Vergleichung derselben mit den ältern Vorschriften und sonst nützlichen Bemerkungen für Arzt und Apotheker. Gr. 8. 12 Gr.

Schütz, Fabeln in deutschen Reimen. Geh. 8. 8 Gr.

In der Buchhandlung von **C. F. Amelang** in **Berlin** (Brüderstraße Nr. 11) erschien und ist ebendaselbst, sowie in allen Buchhandlungen des In- und Auslandes zu haben:

Die Weihe des Christen.

Ein Confirmationsbuch für die reifere Jugend. In Briefen an meine Söhne.

Von C. W. Spieker,

Doctor der Theologie, Superintendent und Oberpfarrer zu Frankfurt a. d. O.

Gr. 8. Mit einem allegorischen Titelkupfer und Vignette. Sauber geheftet. 1 Thlr. 22½ Sgr. oder 18 Gr.

In einer Zeit, wo aus dem Gemüthe unserer Jugend christlicher Sinn und echte Religiosität leider immer mehr zu entweichen scheint, verdient Alles, was diesem Uebel kräftig entgegen wirkt, dankenswerthe Anerkennung, und es gebührt diese im vollesten Maße dem unter obigem Titel angezeigten Buche, da es in einer edeln, zum Herzen dringenden Sprache die heiligen Lehren der Religion in ihrem hohen Werthe darstellt, und so auch das wankende Herz im Glauben an den Erlöser und in christlicher Gesinnung vollkommen befestigen wird. Der hochverdiente Verfasser hat für dasselbe eine neue Form — an seine Söhne gerichtete Briefe — gewählt, aber nicht blos der Jüngling, auch die Frau und die Jungfrau werden reichen Gewinn aus diesen Briefen ziehen, und unbedenklich spricht Ref. sich dahin aus, daß ihm bis jetzt kein Buch der Art vorgekommen, das für die herangereifte Jugend eine schönere und werthvollere Gabe bei feierlichen religiösen Gelegenheiten darböte als dieses treffliche Confirmationsbuch, das überdies, seinem Inhalte entsprechend, von der Verlagshandlung auch in seinem Aeußern höchst würdevoll ausgestattet ist. R—r.

Im nämlichen Verlage erschienen früher:

Spieker, Dr. C. W., **Andachtsbuch** für gebildete Christen. Zwei Theile. Fünfte vermehrte und verbesserte Auflage. 8. Jeder Theil mit allegorischem Titelkupfer und Vignette. Geh. Complet 2 Thlr.

— —, **Christliche Morgenandachten** auf alle Tage des Jahres. Gr. 8. Mit Titelkupfer und Vignette. Geh. 1 Thlr. 10 Sgr. oder 8 Gr.

— —, **Christliche Abendandachten** auf alle Tage des Jahres. Gr. 8. Mit Titelkupfer und Vignette. Geh. 1 Thlr. 20 Sgr. oder 16 Gr.

— —, **Des Herrn Abendmahl**. Ein Beicht- und Communionbuch für gebildete Christen. Vierte vermehrte und verbesserte Auflage. 8. Mit Titelkupfer und Vignette. Geh. 1 Thlr.

Venturini, Dr. C., **Chronik des 19ten Jahrhunderts**. Neue Folge. Sechster Band. Auch unter dem Titel: **Die neuesten Weltbegebenheiten im pragmatischen Zusammenhange** dargestellt. Das Jahr 1831. 49 Bogen in gr. 8. 1833. 3 Thlr.

Wir leben in einer verhängnißvollen Zeit. Jahrhunderte finden in ihr das Grab, aber Jahrhunderte werden auch dereinst in eben dieser Zeit die Morgenröthe ihrer Glückseligkeit erkennen. Die Geschichte unserer Tage ist die des Kampfes der Freiheit mit der Knechtschaft. Jeder Gebildete muß sie kennen, denn er selbst soll für die Sache des Rechts streiten. Indem wir dem Publicum die Geschichte der begebenheitsreichen Tage des Jahres 1831 überreichen, genügt zur Empfehlung die Nennung des Namens ihres Verfassers, eines Mannes, von dem hinlänglich bekannt ist, daß ihm die Geschichte nicht ein Regale, sondern das heilige unantastbare Gemeingut der Völker ist.

J. C. Hinrichs'sche Buchhdlg. in Leipzig.

Ankündigung.

Im Verlage von **Duncker** und **Humblot** in **Berlin** wird erscheinen:

Briefwechsel zwischen Goethe und Zelter in den Jahren 1796—1832.

Das Ganze umfaßt 6 Bände gr. 8., jeden von 28—30 Bogen, und wird in drei Lieferungen, jede zu 2 Bänden, vertheilt, von denen die erste schon zur Michaelismesse d. J., die zweite bald nach Neujahr 1834, und die letzte längstens zu Michaelis 1834 ausgegeben wird. Der Preis jedes Bandes wird etwa 2 Thlr. sein. — Alle Buchhandlungen nehmen Bestellungen an, woselbst auch ausführlichere Anzeigen mit einigen abgedruckten Goethe-Zelter'schen Briefen ausgegeben werden.

Schwerlich dürfte unsere Literatur ein Werk aufzuweisen haben, das geeigneter wäre, durch die originelle Eigenthümlichkeit der beiden Briefsteller, und durch die reichhaltige Mannichfaltigkeit der berührten Gegenstände, das verschiedenste Interesse des Lesers zu fesseln und ihm nicht nur das getreueste Bild der Denk- und Sinnesweise seiner Verfasser, sondern auch die Zeit, in der sie lebten, nach allen ihren Richtungen in lebendigster Anschauung vorüber zu führen. Ganz besonders wichtig aber ist es, daß diese Briefe zugleich den sichersten Commentar zu den Schriften Goethe's, sowie zu seiner ganzen Lebens- und Sinnesweise liefern, indem er sich wol niemals darüber offenherziger, als eben in diesen Briefen ausgesprochen hat. Wenn so der Briefwechsel als Supplement zu Goethe's Werken betrachtet werden kann, so werden wir ihn auch hinsichtlich des Formats der letzten Octavausgabe derselben anschließen.

Von den

Rhetores graeci, ex codicibus florentinis, mediolanensibus, monacensibus, neapolitanis, parisiensibus, romanis, venetis, taurinensibus, et vindobonensibus emendatiores et auctiores edidit suis aliorumque annotationibus instruxit, indices locupletissimos adjecit Chr. Walz. 8 maj. Vol. VII. Pars I.

hat soeben die Presse verlassen und wird zur Michaelismesse an alle Buchhandlungen versandt werden.

Der Inhalt ist mit Ausnahme von Nr. I und VIII bisher unedirt gewesen.

I.	*Προλεγόμενα τῶν στάσεων.*	1—34
II.	*Προλεγόμενα τῶν στάσεων.*	34—49
III.	*Ἕτερα προλεγόμενα τῶν στάσεων.*	49—51
IV.	*Προλεγόμενα τῶν εὑρέσεων.*	52—54
V.	*Εἰς τὸ περὶ εὑρέσεων Ἑρμογένους ἐπίτασις ἀνεπίγραφος.*	55—74
VI.	*Σημειώδες εἰς τὰς εὑρέσεις.*	74—76
VII.	*Κεφάλαια τοῦ α βιβλίου τῶν ἰδεῶν.*	77—89
VIII.	*Συγ[illegible]νοῦ εἰς τὸ περὶ ἰδεῶν.*	90—103
IX.	*Ἀν[illegible]ύμου σχόλια εἰς τὰς Ἑρμογένους στάσεις.*	104—695

Der 2te Theil von Vol. VII und Vol. VIII, ebenfalls unedirte[illegible] enthaltend, sind bereits unter der Presse und werden zur [illegible]ermesse unfehlbar erscheinen.

Stuttgart und Tübingen, im Sept. 1833.

J. G. Cotta'sche Buchhandlung.

Soeben ist bei mir erschienen und versandt:

Die Grundsätze der preuss. Handelsgesetzgebung, mit Rücksicht auf die neuesten Verordnungen, systematisch dargestellt von Alexander Mirus (Verfasser des preuss. Staatsrechts). Gr. 8. 654 Seiten. 2 Thlr. 18 Gr.

Aug. Hirschwald in Berlin.

Bei F. A. Herbig in Berlin ist erschienen und durch alle Buchhandlungen zu haben:

Uebersichtliche Darstellung des

preußischen Staatsrechts

nebst einer kurzen Entwickelungsgeschichte der preuß. Monarchie von A. Mirus, Reg.-R. u. Dr. d. Rechte. 388 S. gr. 8. 1 Thlr. 25 Sgr.

In Pölitz Jahrbuch d. Gesch. u. Staatsk., 6ter Jahrg., Nr. 6, wird dieses Werk als eine streng systematisch geordnete und mit reichhaltiger Literatur ausgestattete Darstellung bezeichnet, welche mit großer Umsicht und Sachkenntniß aus den angeführten Quellen bearbeitet, um so verdienstlicher und zeitgemäßer erscheine, als kein ähnliches Werk nach dieser Bestimmung und nach diesem Umfange über den Gegenstand vorhanden sei.

Es zweckt vorzüglich dahin, bei rein praktischer Tendenz eine klare systematische Uebersicht des Bestehenden zu gewähren, und dürfte um so willkommener sein, da die Kenntniß der Verfassung und Verwaltung des Staats in den allgemeinern Beziehungen jedem Gebildeten an und für sich nahe liegt.

Neues Werk von Eduard Duller.

Vom Verfasser der Canzonen „an Könige und Völker", welche die öffentliche Stimme nächst den Spaziergängen eines wiener Poeten zu den besten poetischen Erscheinungen der letzten Jahre zählt, ist folgendes neue, durch Geist, Tiefe und Originalität ausgezeichnete Werk bei uns erschienen und in jeder Buchhandlung zu haben:

Freund Hein,

Grotesken und Fantasmagorien

von

Eduard Duller.

Zwei Theile.

Mit Holzschnitten von M. v. Schwind.

Sehr elegant. 8. Brosch. 3 Fl. — 1 Thlr. 18 Gr.

Stuttgart, im Herbst 1833.

Hallberger'sche Verlagshandlung.

Für Liebhaber der Sternkunde.

Soeben ist erschienen und in allen Buchhandlungen zu erhalten:

Nachtrag zu J. E. Bode's Anleitung zur Kenntniß des gestirnten Himmels, enthaltend den Lauf und Stand der Sonne, des Mondes und der Planeten für die Jahre 1833 bis 1842. Berechnet und mit zeitgemäßen Zusätzen, Erläuterungen und mehren neuen Hülfstafeln herausgegeben von J. Oltmanns, Dr. und Professor. Preis 1 Thlr.

Da in der neunten Auflage der Bode'schen Anleitung zur Kenntniß des gestirnten Himmels die Berechnungen des Laufs und der Erscheinung der Planeten nur bis zum Jahre 1831 reichen, so hielt es die Verlagshandlung für eine Pflicht gegen die zahlreichen Besitzer des geschätzten Werkes dafür zu sorgen, daß die Brauchbarkeit desselben durch eine Fortführung der erwähnten Berechnungen wieder auf mehre Jahre hinausgesichert werde. Solcher Ansicht gemäß ist der obige Nachtrag entstanden, der sich durch seine ebenso zweckmäßige als faßliche Bearbeitung dem Hauptwerke würdig anschließt, und daher den Besitzern desselben gewiß sehr willkommen sein wird.

Nicolai'sche Buchhandlung in Berlin.

Durch alle Buchhandlungen ist zu erhalten:

Conversations-Lexikon

der

neuesten Zeit und Literatur.

Zwanzigstes Heft.

Physik bis Preisaufgaben für Kunst und Wissenschaft.

Auf weißem Druckpapier	6 Gr.
Auf gutem Schreibpapier	8 Gr.
Auf extrafeinem Velinpapier	15 Gr.

Leipzig, im September 1833.

F. A. Brockhaus.

Literarischer Anzeiger.

(Zu den bei F. A. Brockhaus in Leipzig erscheinenden Zeitschriften.)

1833. Nr. XXVIII.

Dieser Literarische Anzeiger wird den bei F. A. Brockhaus in Leipzig erscheinenden Zeitschriften: Blätter für literarische Unterhaltung, Isis, sowie der Allgemeinen medicinischen Zeitung, beigelegt oder beigeheftet, und betragen die Insertionsgebühren für die Zeile 2 Gr.

Soeben ist in meinem Verlage erschienen und durch alle Buchhandlungen des In- und Auslandes von mir zu beziehen:

Historisches Taschenbuch.

Herausgegeben von

Friedrich von Raumer.

Fünfter Jahrgang.

Mit den Faust'schen Bildern aus Auerbach's Keller zu Leipzig.

Gr. 12. 355 Seiten. Auf Velindruckpapier. Cart. 2 Thlr.

Inhalt: I. Wallenstein als regierender Herzog und Landesherr. Von Friedrich Förster. II. Die Sage vom Doctor Faust. Von Christian Ludwig Stieglitz d. Aelt. III. Ueber das Principat des Augustus. Von Johann Wilhelm Löbell. IV. Aufstände und Kriege der Bauern im Mittelalter. Von Wilhelm Wachsmuth. V. Vorlesungen über die Geschichte der letzten funfzig Jahre. Von Eduard Gans. Dritte und vierte Vorlesung.

Die vier ersten Jahrgänge kosten 7 Thlr. 16 Gr.

Leipzig, im September 1833.

F. A. Brockhaus.

Seit Juli 1833 haben wir u. a. versandt und ist in allen Buchhandlungen zu haben:

Jahrbücher der Geschichte und Staatskunst. Herausg. vom Geh. Rathe K. H. L. Pölitz. 6ter Jahrg. 1833. 7tes bis 10tes Heft. Mit Beiträgen von Zachariä, Murhard, Paulus, Schulze, Merk, Günther, Bretschneider, Rau, Emmermann, Holzhausen und 33 Recensionen. Gr. 8. (Der Jahrg. 6 Thlr.)

Pölitz, Geh. Rath und Prof. K. H. L., Staatswissenschaftliche Vorlesungen für die gebildeten Stände in constitutionellen Staaten. Dritter Band. Gr. 8. (20¼ Bogen.) 1 Thlr. 6 Gr.

In 15 Vorlesungen werden hier das philos. Strafrecht, das prakt. Völkerrecht, die Diplomatie, Sprache und Styl im constitut. Leben, parlamentar. und const. Opposition, Andeutungen über den Staatsdienst, gegeben.

Stein's, Dr. C. G. D., kleine Geographie, oder Abriß der gesammten Erdkunde für Gymnasien und Schulen. Nach den neuern Ansichten bearb. vom Dr. Ferd. Hörschelmann, Oberlehrer am berlin. Gymnasium z. gr. Kloster rc. Neunzehnte, rechtmäß. Aufl. mit vollständ. Register. Gr. 8. (28¼ Bogen.) 16 Gr.

Verzeichniß der Bücher, Landkarten rc., welche vom Januar bis Juni 1833 neu erschienen oder neu aufgelegt worden sind, mit Angabe der Bogenzahl, der Verleger und der Preise, nebst literar. und bibliograph. Nachweisungen und wissenschaftlicher Uebersicht. 70ste Fortsetzung. 8. (17 Bogen.) 10 Gr.

Wegweiser, historisch-topographischer in die Umgegend und auf die Schlachtfelder von Leipzig. Mit 1 Specialkarte. 8. (9¼ Bog.) Cart. 16 Gr.

Ausführliche Beschreibung der Lage, Schlachten und Ortschaften rc.

J. C. Hinrichs'sche Buchhandlung in Leipzig.

Für Geschichtsfreunde, Militairs und Bibliotheken u. s. w.

Bei F. A. Herbig in Berlin ist erschienen und durch alle Buchhandlungen zu haben:

Chronologisch-synchronistische Uebersicht

und Andeutungen aus der Kriegsgeschichte. 1ste Abthlg. von 1980 vor bis 1299 nach Christi, von C. W. S. von Studnitz. 2te und 3te Abthlg. von 1300—1832, vom königl. pr. Generalmajor Rödlich. 2304 enggedruckte Octavseiten. 6 Thlr. 12 Gr.

„Die vorliegende Uebersicht", beginnt die allgem. Militairzeitung von 1833, Nr. 12, „wird dem Geschichtsfreunde nicht unwillkommen sein. Auf möglichst engem Raum erhält man hier eine Uebersicht der wichtigsten Ereignisse der alten und neuen Welt, welche ungleich mehr Stoff zu Betrachtungen gewährt, als die sorgfältigsten Tabellen zu liefern vermöchten."

In der literarisch-artistischen Anstalt der J. G. Cotta'schen Buchhandlung in München ist soeben erschienen und durch alle soliden Kunst- und Buchhandlungen Deutschlands und der Schweiz zu beziehen:

Auswahl von 50 der vorzüglichsten Gemälde der Pinakothek in München. 5te Lieferung. 8 Fl.

Diese Lieferung enthält folgende 4 Blätter, und wird jedes Blatt auch einzeln abgegeben zu 4 Fl.

Latona auf der Flucht mit ihren Kindern Diana und Apollo, nach Rubens.

Ein Seesturm, nach C. Vernet.

Eine französische Bauernfamilie feiert das Dreikönigsfest, nach Meyer.

Maria mit dem Christuskinde von Engeln umgeben; nach Cesari.

Herzoglich Leuchtenbergische Galerie in München. 5te Lieferung. 8 Fl.

Diese Lieferung enthält folgende 4 Blätter, wovon auch jedes einzeln abgegeben wird zu 4 Fl.

Der alte Seehafen von Antwerpen, nach J. Vogels.

Ein Kopf, nach Rafael.
Christus als Hirtenknabe, nach Murillo.
Eine Osteria in Rom, nach Laurens.

Im Verlage der Lüderitz'schen Buchhandlung (C. H. Schröder) in Berlin erschien soeben und ist in allen Buchhandlungen zu beziehen:

Faust, L., Kunstgärtner in Berlin, Praktische Ergebnisse der Heizung meines Wintergartens durch Wassercirculation, als Anleitung große Räume mit dem geringsten Aufwande von Brennmaterial zu heizen. Mit Abbildung des Apparats, Grundriß und Ansicht des Faust'schen Wintergartens. Geh. 8 Gr.

Kurze statistische Notizen über die vereinigten Staaten von Mexico. Aus dem mexicanischen Handkalender, von Galvan, für das Jahr 1833, übersetzt von J. F. G. Schwalbe. Gr. 8. Geh. Preis 4 Gr.

Diese Notizen sind von so großem Interesse, daß schon in öffentlichen Blättern Auszüge davon geliefert, und das Erscheinen der vollständigen Uebersetzung gewünscht wurde. In demselben Verlage erschien vor einigen Monaten und wurde höchst günstig aufgenommen:

Jost, Dr. J. M. (Verf. der Geschichte der Israeliten), Offenes Sendschreiben an Herrn Geh.-O.-R.-Rath Streckfuß, zur Verständigung über verschiedene Punkte in den Verhältnissen der Juden. 6 Bogen. Gr. 8. Geh. Preis 12 Gr.

Durch alle Buchhandlungen und Postämter ist zu beziehen:

Blätter für literarische Unterhaltung. Redigirt unter Verantwortlichkeit der Verlagshandlung. Jahrgang 1833. Monat September, oder Nr. 244—273, mit 1 Beilage: Nr. 8, und 3 literarischen Anzeigern: Nr. XXV—XXVII. Gr. 4. Preis des Jahrgangs von 365 Nummern (außer den Beilagen) auf gutem Druckpapier 12 Thlr.

Leipzig, im October 1833.

F. A. Brockhaus.

Soeben ist erschienen:

Die Landwirthschaft der alten Völker,

nach dem Französischen von Reynier:

De l'économie publique et rurale des anciens peuples.

Frei bearbeitet und ins Deutsche übertragen
von

H. Damance;

mit einer Vorrede von Dr. K. H. Rau,
großherzogl. bad. Hofrath und Professor.

Gr. 8. 2 Fl. 24 Kr. Rhein., oder 1 Thlr. 4 Gr. Sächs.

Dieses Werk, welches der Verfasser in deutscher Sprache abzuspiegeln sich bestrebt hat, bedarf keiner Lobeserhebungen, da gleich nach dessen Erscheinung, welche in die Jahre 1820—25 fällt, der allgemeine Beifall des wissenschaftlich gebildeten Theiles von Europa über den Inhalt desselben entschieden hat. Für den Werth dieses Werkes spricht auch noch die Vorrede unsers rühmlichst bekannten Cameralisten Rau, der seine Worte gewiß nur einer derselben würdigen Schrift vorsetzen wird.

So gehaltvoll nun das Ganze ist, so ist doch der interessantere und bessere Theil dieses Werkes derjenige, welcher über den landwirthschaftlichen Betrieb der alten Völker handelt. Es ist das französische Werk zu voluminös, als daß Jeder dieser Capitel wegen es sich ganz anzuschaffen geneigt sein möchte. Diese beiden Umstände, in Verbindung mit dem, daß es dem der französischen Sprache nicht ganz Mächtigen eine angenehme Erscheinung sein dürfte, bewogen den Verfasser zu dieser auszugsweisen Verdeutschung.

Es ist dieselbe in 7 Capitel zerfallen, die über ebenso viele Völker handeln; nämlich über die Aegyptier, Phönizier, Karthager, Perser, Araber, Juden und Griechen. Die Länge oder Kürze dieser Capitel hing begreiflich von den übrig gebliebenen Quellen und dem Umstande ab, inwiefern der Ackerbau diese Völker beschäftigte. So sind bei den Aegyptiern die Mittheilungen über die Nilüberschwemmungen und die dadurch möglichen künstlichen Bewässerungen, wie über die bei ihnen vorkommenden Culturarten u. s. w. um so interessanter als Reynier, der mit der französischen Expedition in Aegypten war, sie selbst zu sehen und folglich deutlicher darzustellen Gelegenheit hatte. Die Phönizier, ein ausschließlich handeltreibendes Volk, konnte der Ackerbau nicht sehr beschäftigen, und sie strebten auch nicht darnach, da sie für ihre Fabrikate mit Leichtigkeit sich alles Nöthige durch den Handel verschaffen konnten. Die Karthager befanden sich nicht in gleichem Falle; bei ihnen theilte sich also die ganze Beschäftigung zwischen Handel und Ackerbau, welcher letztere stets, und zwar so an Ausdehnung zunahm, daß Karthago später die Kornkammer Roms wurde. Die Araber übten einen großen Einfluß auf den Ackerbau aus, und ihnen verdanken die Küstenländer am Mittelmeere manche nützliche und angenehme Culturart. Ausführlicher ist das Capitel über die Perser; doch am ausführlichsten und interessantesten die beiden Capitel über die Juden und Griechen. Beide Völker trieben hauptsächlich Ackerbau und von beiden sind noch zahlreiche Schriften auf uns gekommen, besonders von den Griechen. Sie nennen uns über 60 Agronomen, deren Werke zwar meistens untergegangen sind, von denen sich aber noch zahlreiche Auszüge in den Geoponiken und den Werken anderer Compilatoren auffinden lassen. So viel über den Geist des Originals. Bei der Verdeutschung bleibt nur noch zu sagen übrig, daß dem Verfasser Treue und Deutlichkeit, als nicht zu verletzende Gesetze, vorschwebten, und daß er von ausländischen Kunstausdrücken nur die aufnahm, welche entweder in die deutsche Sprache übergegangen sind, oder bei denen man den vollständigen Sinn des Originals wiederzugeben nicht vermochte. Der Verfasser glaubt und wünscht zugleich der Wissenschaft hierdurch einen Dienst geleistet zu haben, da es nicht nur dem Geschichtsforscher, dem Staatsmann und jedem Denkenden und Gebildeten, sondern auch dem rationellen Landwirthe von hoher Wichtigkeit ist, zu sehen welche Fortschritte auch in diesem einflußreichen Zweig menschlichen Wissens und Wirkens gemacht sind, wie sie sich entwickelten, und welche Ansichten und Betriebsarten längst vergangene Geschlechter hatten.

Heidelberg, September 1833.

August Oswald's
Universitätsbuchhandlung.

Bei Joh. Ambr. Barth in Leipzig ist erschienen und in allen Buchhandlungen zu haben:

Seyffarth, Dr. *G.*, Beiträge zur Kenntniss der Literatur, Kunst, Mythologie und Geschichte des alten Aegypten. 2tes, 3tes, 4tes, 5tes Heft. Mit 10 lith. Taf. und 1 color. Titelkupfer. Gr. 4. Cart. 9 Thlr., auf Velinpapier 12 Thlr.

Auch unter dem Titel:

Systema Astronomiae Aegyptiacae quadripartitum. — Conspectus Astronomiae Aegyptiorum mathematicae et apotelesmaticae. — Pantheon Aegyptiacum sive sympolice Aegyptiorum astronomica. — Observationes Aegyptiorum astronomicae hieroglyphice descriptae in Zodiaco Tentyritico, tabula Isiaca sive Bembina, Monolitho Amosis Parisino, Sarcophago Sethi Londinensi, Sarcophago Ramessis Parisino, Papyrisque funeralibus. — Lexicon astronomico-hieroglyphicum cum permultis figuris hieroglyphicis impressis. Acced. index universalis atque tabulae X lithographicae cum colorata tituli.

Das erste Heft erschien 1826 und kostet 1 Thlr. 8 Gr., auf Velinpapier 1 Thlr. 16 Gr.

Bei Orell, Füßli u. Comp. in Zürich ist soeben erschienen und in allen Buchhandlungen zu haben:

Der Legitime

und

die Republikaner.

Eine Geschichte aus dem letzten amerikanisch-englischen Kriege. 3 Bände. 8. 4 Thlr. 6 Gr.

Motto. Ich zittere für mein Volk, wenn ich der Ungerechtigkeit [illegible] gedenke, deren es sich gegen die Ureinwohner [illegible] schuldig gemacht hat. [illegible]

Soeben ist bei Leopold Voß in Leipzig erschienen und durch alle Buchhandlungen für 1 Thlr. 12 Gr. zu haben:

Meine Gefangenschaft

in den Kerkern zu Mailand, unter den Bleidächern zu Venedig und in den Kasematten auf dem Spielberge bei Brünn.

Denkwürdigkeiten aus dem Leben

des

Grafen Silvio Pellico.

Aus dem Italienischen von [illegible] 8. Geh.

Homo natus de muliere, brevi vivens tempore, repletur multis miseriis! [illegible] Hiob.

Wer nie sein Brot mit Thränen aß,
Wer nie die kummervollen Nächte
Auf seinem Bette weinend saß,
Der kennt euch nicht, ihr himmlischen Mächte!

Göthe.

In der [illegible] Buchhandlung ist soeben erschienen und in allen soliden Buchhandlungen zu haben:

Saggi del Teatro italiano. Preis 18 Gr.

Die interessante Auswahl von dem Professor Fabricci, an der berliner Universität, herausgegeben, enthält folgende Stücke: Nota, la pace domestica, Commedia. Federici le [illegible] et il [illegible], Commedia. Goldoni, l'Albergo della posta, Commedia. Il burbero benefico, Commedia. Metastasio, l'Isola disabitata, Azione teatrale. La Clemenza di Tito, Drama. Alfieri, il filippo, Tragedia. Da sich diese Auswahl besonders zum Unterrichte eignet und für diesen getroffen ist, so wird sie Lehrern und Lehrerinnen der italienischen Sprache gewiß angenehm sein.

Berlin, October 1833.

Enslin'sche Buchhdlg. (Ferd. Müller.)

Soeben ist erschienen und in allen Buchhandlungen zu haben:

Deutschlands Ehrentempel.

Eine geordnete und mit Anmerkungen begleitete Auswahl der vorzüglichsten ältern und neuern Gedichte, welche das deutsche Land und das deutsche Volk verherrlichen.

Von

Dr. [illegible]

[illegible]

1ster Theil. (Das deutsche Land.)

Gr. 8. Altona, [illegible] Preis 1 Thlr. [illegible] Gr.

[illegible] diese Geist und Herz, Gedächtniß und Phantasie gleich stark anregenden Schilderungen einen vaterländischen Sinn bei Jung und Alt zu erzeugen, der nicht mehr blos das Fremde liebt und lobt, sondern voll edeln Selbstgefühls sein Vaterland liebt, seines Volkes Werth und Würde anerkennt und dessen Ehre und Wohlfahrt mit allen Kräften zu befördern strebt, und um dadurch zugleich ein Handbuch der deutschen Dichtkunst und Sprache zu geben, den Reichthum und Bildungsgang derselben zu bezeichnen.

Schon dieser erste Theil, welcher über 250 dichterische Beschreibungen der vorzüglichsten Gegenden Deutschlands und mit denselben manches interessante Naturgemälde liefert, beweist, wie sehr es dem der pädagogischen Welt rühmlichst bekannten Verf. gelungen ist, seine Aufgabe zu lösen, dem Alter eine würdige Geistesnahrung und der Jugend einen lehrreichen Stoff beim geschichtlichen, geographischen und sprachlichen Unterricht darzureichen. Die Verlagshandlung überreicht das Werk in einer geschmackvollen Ausstattung allen Freunden des Vaterlandes und wird nach Beendigung des Ganzen (2 Bände) einen Auszug für Schulen folgen lassen.

In allen Buchhandlungen ist zu haben:

Matthisson, Fr. von, Gedichte.

12te Originalausgabe. 12. Brosch. 20 Gr., oder 1 Fl. 15 Kr.

☞ Diese 12te Auflage, erst seit einigen Wochen vollendet, wurde vom Verfasser kurz vor seinem Tode noch selbst revidirt und mit mehren neuen Gedichten bereichert.

Matthisson, Fr. von, Leben.

Nach den zuverlässigsten Quellen bearbeitet von Dr. H. Döring. 12.

Auf weißem Druckpapier 16 Gr., oder 1 Fl.
Auf Postpapier 20 Gr., oder 1 Fl. 15 Kr.
Auf Velinpapier 1 Thlr., oder 1 Fl. 30 Kr.

☞ Diese Lebensgeschichte dient zugleich als Supplementband zu seinen sämmtlichen Schriften.

Bei dem Unterzeichneten erschien soeben:

Odeum, eine Auswahl von ernsten und launigen Gedichten, welche sich zum mündlichen Vortrage in geselligen Kreisen eignen. Gesammelt und herausgegeben von Alexander Cosmar. Fünftes Bändchen. Preis geh. 4 Gr.

Cosmar und Krause
in Berlin.

Bei Mayer & Comp. ist soeben erschienen:

Meisterlosigkeit.

Canzone

von

Anton [illegible]

Leipzig, 1834. Cartonnirt, Velinpapier. 1 Thlr.

Sagen und Novellen.

Aus dem Magyarischen

übersetzt

von

Georg von Gaal.

1834. In Umschlag geheftet. 1 Thlr.

[illegible], Die Abreise. Roman, 2 Bände. 2te Ausgabe. 1834. Brosch. 1 Thlr. 6 Gr.

Dieser Roman der [illegible] Verfasserin zeichnet sich vor [illegible] ihrer frühern, durch scharfe Charakterzeichnung.

pikante Situationen, frisches Leben und treffliche Haltung aus. Hier bewegt sich ihr glückliches Talent auf dem glänzenden Schauplatze der großen und vornehmen Welt, der sie wohl angehört und auf dem sie durch Geist, Kenntniß und Ton stets zahlreiche Verehrer gefunden. An Gediegenheit und innerm Werth steht die Abreise vielleicht oben an.

Frohberg, Reg., Die Entsagung. Roman. 2 Thle. 2te Aufl. 1830. 1 Thlr. 12 Gr.

Tübingen. Bei C. F. Osiander ist soeben erschienen und in allen Buchhandlungen zu haben:

Neues praktisches

Spital-Recepttaschenbuch,

oder Sammlung von Magistralformeln aus französischen, deutschen, italienischen, englischen etc. Spitälern, besonders den Civil- und Militairspitälern

von Paris;

mit Angabe der Krankheitszustände und Gaben, in denen sie angewendet werden, nebst Beschreibung des Gebrauchs der neueingeführten Arzneikörper. Nach Edwards und P. Vavasseur, mit Anmerk. u. Zusätzen besonders aus deutschen Spitälern u. Pharmacopöen herausgegeben von

Dr. C. L. Elsässer.

12. Geh. 1 Thlr.

Östreichische militärische Zeitschrift 1833.

Achtes Heft.

Dieses Heft ist soeben erschienen und an alle Buchhandlungen versendet worden.

Inhalt: I. Die Bombenkanonen von Paixhans. Mit einer Kupfertafel. — II. Die Operationen der Östreicher am linken Rheinufer im Spätherbst 1795. Nach östreichischen Originalquellen. Zweiter Abschnitt. — III. Ueber die Conservation der [illegible] zu [illegible] möglichst langen Diensttauglichkeit. Einleitung. Erster Abschnitt. — IV. Ueber den Zweck und die Verwendung der Zimmerleute und Schanzenträger bei den Regimentern. — V. Literatur. — VI. Fortsetzung des Ehrenspiegels der k. k. östreichischen Armee. — VII. Neueste Militärveränderungen.

Der Preis des Jahrgangs 1833 dieser Zeitschrift, sowie der jeder frühern Jahrgänge ist 8 Thlr. Sächs. Wer die Sammlung aller Jahrgänge von 1818—32 auf einmal abnimmt, erhält dieselben um ein Viertel wohlfeiler.

Wien, den 10ten September 1833.

J. G. Heubner, Buchhändler.

Soeben ist erschienen:

Systematische Beschreibung der

cultivirten Kohlarten

mit ihren zahlreichen Spielarten, ihrer Cultur und ökonomischen Benutzung, nach mehrjährigen Anbauungsversuchen. Mit Abbildungen.

Vom

Garteninspector J. Metzger.

Gr. 8. 12 Gr. Sächs. oder 45 Kr. Rhein.

Der Herr Verfasser, welcher durch sein Allgemeines Gartenbuch, sein Werk über den rheinischen Weinbau u. c., sich schon ebenso als Schriftsteller von tüchtigen und umfassenden Kenntnissen bewährt hat, wie seine seltenen Leistungen in den akademischen Gärten Heidelbergs, und in dem landwirthschaftlichen Vereine des Großherzogthums [illegible] nach allen Seiten die dankbarste Anerkennung [illegible], hat hier seinen Fleiß und seinen Scharfsinn einem Gegenstande gewidmet, der für Haus- und Landwirthschaft gleich wichtig, dennoch bisher einer Darstellung entbehrte, durch welche genaue Kenntniß und richtige Behandlung allein erzielt werden können.

Heidelberg, September 1833.

August Oßwald's Universitätsbuchhandlung.

Soeben erschien in unserm Verlage und ist durch alle Buchhandlungen zu bekommen:

Historisch-politische Zeitschrift;

herausgegeben von Leopold Ranke.

Zweiter Band. 1stes Heft.

Inhalt: Die großen Mächte. (Fragment historischer Ansichten.) — Bemerkung über die [illegible]. — Zur Geschichte der deutschen, insbesondere der preußischen Handelspolitik. Von 1818—28. — [illegible] Bund vom 7ten August 1815. — Ueber die Veränderungen, welche die Benutzung und der Ertrag der Landgüter durch politische und wissenschaftliche Einflüsse [illegible] in neuerer Zeit erfahren haben.

Der Preis des Bandes, von ungefähr 30 Bogen, ist wie bisher 5 Thlr.

Duncker u. Humblot in Berlin.

Berliner Don Quixote.

Dieses in den gelesensten deutschen [illegible] Zeitschriften höchst vortheilhaft erwähnte Journal wird auch fernerhin von dem als witzigen Schriftsteller rühmlichst bekannten Glaßbrenner redigirt [illegible] vier mal und bringt in jedem Quartal [illegible] Männer gratis. Man pränumerirt in jeder soliden Buchhandlung und bei allen löbl. Postämtern mit 1 Thlr. [illegible] Gr. preuß. Cour. vierteljährlich incl. Porto.

Berlin, im September 1833.

[illegible]

Bei Karl Brügel in Ansbach ist erschienen und in allen Buchhandlungen zu haben:

Geschichte der neuern Philosophie von Bacon von Verulam bis Benedict Spinoza, von Dr. Ludwig Andreas Feuerbach. G. 8. Preis [illegible] 3 Fl. 36 Kr.

In meinem Verlage erschienen soeben und sind durch alle Buchhandlungen des In- und Auslandes [illegible]:

Karamsin,

Geschichte des russischen Reichs.

Nach der Originalausgabe [illegible]

Elfter Band.

Nach des Verfassers Tode herausgegeben [illegible] des Jungen [illegible]

Gr. 8. XVI und 348 Seiten. [illegible]

1 Thlr. 20 Gr.

Die ersten zehn Bände [illegible] (Riga 1820—27) kosten jetzt im herabgesetzten [illegible]

Geschichte der Staatsveränderung in Frankreich unter König Ludwig [illegible] Fortschritte und Wirkungen der socialen Philosophie in diesem Lande. [illegible] VIII und 209 Seiten. Auf feinem Schreibpapier [illegible]

Leipzig, im September 1833. F. A. Brockhaus.

Literarischer Anzeiger.

(Zu den bei F. A. Brockhaus in Leipzig erscheinenden Zeitschriften.)

1833. Nr. XXIX.

Dieser Literarische Anzeiger wird den bei F. A. Brockhaus in Leipzig erscheinenden Zeitschriften: Blätter für literarische Unterhaltung, Isis, sowie der Allgemeinen medicinischen Zeitung, beigelegt oder beigeheftet, und betragen die Insertionsgebühren für die Zeile 2 Gr.

Durch alle Buchhandlungen des In- und Auslandes ist zu beziehen:

Urania.

Taschenbuch auf das Jahr 1834.

Mit Zelter's Bildniß und sechs Stahlstichen nach englischen Gemälden.

16. XX und 339 Seiten. Auf feinem Velinpapier. Mit Goldschnitt. Geb. 2 Thlr.

Inhalt: I. Der letzte Savello. Novelle von C. Fr. von Rumohr. II. Eine Sommerreise. Novelle von Ludwig Tieck. III. Margaretha von Schottland. Historische Novelle von Johanna Schopenhauer. IV. Miß Jenny Harrower. Eine Skizze von Eduard Mörike.

Zelter's sehr ähnliches Bildniß kostet in erlesenen Abdrücken in gr. 4. 8 Gr. Die frühern Jahrgänge der Urania bis 1829 sind sämmtlich vergriffen; der Jahrgang 1830 kostet 2 Thlr. 6 Gr., 1831—33 jeder 2 Thlr.

Leipzig, im September 1833.

F. A. Brockhaus.

Dramatische Neuigkeiten.

Bei C. W. Leske in Darmstadt ist soeben erschienen und durch alle Buchhandlungen zu haben:

Zahlhas, J. B. v., Karl von Bourbon, historisches Schauspiel in 5 Acten. 8. Geheftet. 16 Gr., oder 1 Fl. 12 Kr.

Desselben, Jacobe v. Baden, Schauspiel in 5 Acten. 8. Geh. 16 Gr., oder 1 Fl. 12 Kr.

Beide Dramen, welche bereits auf mehren Bühnen mit Beifall gegeben wurden, zeichnen sich durch eine edel gehaltene Sprache, durch feine Zeichnung der Charaktere und einen raschen Gang der Handlung vor vielen andern Dichtungen gleicher Art aus. Sie werden den deutschen Bühnen eine willkommene Gabe und den Freunden der dramatischen Literatur eine angenehme Erscheinung sein.

Volksschrift.

Im Industrie-Comptoir zu Leipzig ist soeben erschienen und an alle Buchhandlungen versendet worden:

DAS HELLER-MAGAZIN

zur

Verbreitung gemeinnütziger Kenntnisse,

besorgt von einer Gesellschaft Gelehrter.

52 wöchentliche Lieferungen mit 200—300 Abbildungen zu 8 Groschen vierteljähriger Vorausbezahlung.

(Motto: Allgemeine Verständlichkeit, Unterhaltung, Belehrung.)

Das von Tag zu Tag allgemeiner werdende Streben aller Volksclassen nach nützlichen Kenntnissen und durch sie nach höherer Ausbildung ist die Veranlassung des Entstehens der Pfennigblätter, welche ihrer Benennung entsprechend dieses Streben aufs Vollkommenste mit äußerst geringen Kosten von Seiten der Käufer befriedigen. England und Frankreich sind in dieser Beziehung Deutschland vorausgeschritten, welches bis jetzt nur eine Unternehmung der Art besaß.

Das bei Cotta erscheinende Ausland, Nummer 223, von diesem Jahre sagt:

„Von den Pfennigblättern, die gegenwärtig in England so sehr im Schwunge sind, haben drei allein wöchentlich eine Auflage von 350,000 Blättern. Das „Edinburgh review" bemerkt in seinem neuesten Hefte über diese Pfennigschriften, jeder Menschenfreund müsse sich über den glücklichen Gedanken freuen, Aufklärung und gemeinnützige Kenntnisse auf so wohlfeile Art bis in die unterste und ärmste Volksclasse verbreitet zu sehen. Mittels einer unmerklichen Ausgabe kann auch die unbemitteltste Familie einen Band von 500—600 Seiten an sich bringen, der voll nützlicher und merkwürdiger Mittheilungen und mit 300 trefflichen Holzschnitten oder Kupferstichen geziert ist."

Man mag daraus sehen, wie sehr der Gedanke solcher Volksblätter angesprochen hat und bewährt gefunden worden ist.

Alles dieses erwägend, getrieben durch unsern Beruf, und täglich aufgefodert durch einen beträchtlichen Schatz an höchst interessanten, aus allen Sphären des menschlichen Wissens entlehnten Gegenständen, die wir schon seit längerer Zeit für ähnliche Zwecke aufsammelten, begründeten wir diese neue Zeitschrift,

> welche das ganze Universum, so weit als es dem menschlichen Geiste zugängig ist, zur zuleitenden Quelle haben, zugleich aber aus dieser unversiegbaren Quelle stets nur das Anziehendste, Belehrendste und Nützlichste schöpfen, und dem Leser sowol die aufgespeicherten Vorräthe vergangener Jahrhunderte erschließen, als auch die sich ewig erneuende und die Keime der Zukunft in ihrem fruchtbaren Schoose tragende Gegenwart anschaulich und faßlich vorführen wird.

Wir werden in Auswahl der Gegenstände zu gedachtem Behufe ganz besonders bestrebt sein, jedes Zusammentreffen mit ähnlichen in Deutschland erscheinenden Zeitschriften zu vermeiden, jedoch durch Mannichfaltigkeit, Neuheit und Eleganz mit ihnen zu wetteifern.

Politik und Angelegenheiten der Kirche sind aus unserer Zeitschrift ausgeschlossen.

Bedingungen.

Der Preis des Heller-Magazins ist von der Verlagshandlung, den angenommenen Titel rechtfertigend,

unerhört billig

und viel wohlfeiler als jedes ähnliche Unternehmen, für den Jahrgang von 52 Wochenlieferungen mit wenigstens 200 Abbildungen auf

1 Thaler 8 Groschen

festgesetzt worden.

Es wird jedesmal nur der Betrag von einem Vierteljahr bei Empfang der betreffenden ersten Wochenlieferung mit

8 Groschen

entrichtet.

Wir werden für Text und Abbildungen große Sorge tragen und namentlich die letztern unübertrefflich schön und deutlich liefern. Die größere Theilnahme, welche wir für unsere Unternehmung erbitten und erwarten, wird durch die fortdauernde Steigerung unserer Anstrengungen vergolten werden.

In den vier ersten Nummern sind abgebildet: Der Porzellanthurm unweit Nanking. — Der wunderbare vegetab. Fliegenfänger. — Verbrennung einer indischen Witwe. — Ein Dampfwagen. — Der Banian-Baum. — Mehre Luftschiffe. — Haus S. M. des Königs von Preußen. — Der Flamingo. — Don Miguel. — Eine Wasserhose. — Der strasburger Münster. — Der Hundeshay. — Chassé's zerschossenes Haus. — Bildhaueratelier. — Heerde Strauße und wilde Pferde. — Chinesisches Schiff.

Die Zeitschrift erscheint von jetzt an regelmäßig an jedem Sonnabend und unter Verantwortlichkeit der Verlagshandlung.

Alle Buchhandlungen, Zeitungsexpeditionen und Postämter nehmen Bestellungen an.

Leipzig, im October 1833.

Industrie-Comptoir.
(Baumgärtner.)

In allen Buchhandlungen ist zu haben:

Erotischer Sprachschatz

der Römer. Mit mehren tausend Citaten aus Dichtern und Prosaisten, Studien und kritischen Erläuterungen, von C. Rambach. Gr. 8. 3 Fl. 36 Kr., oder 2 Thlr.

Soeben ist erschienen:

Schmitthenner (O.-St.-R. Dr. Fr.), Beiträge zur deutschen Philologie und Geschichte. 1ster Band, deutsche Etymologie. 1ste Abtheilung. Gr. 8. Preis 16 Gr., oder 1 Fl. 12 Kr.

Darmstadt.

J. W. Heyer's Hofbuchhandlung.

Bei Joh. Ambr. Barth in Leipzig ist erschienen und in allen Buchhandlungen zu haben:

Wendel, Dr. *J. A.*, Beiträge zur Interpretation des Odendichters Horaz, oder Auswahl des Bessern aus Lambins und anderer ältern und neuern Erklärungen der Horazischen Oden und Epoden, mit kritischen und erklärenden Zusätzen. Auch als Nachlese zu den bereits erschienenen Vorlesungen über Horaz dienend. Gr. 8. 12 Gr.

Bei Wilh. Schüppel in Berlin sind kürzlich erschienen und in allen Buchhandlungen zu haben:

Francke, K. L., Zeichnenlehrer am königl. Seminar, Methodische Anleitung für den Unterricht im Zeichnen, zum Gebrauch in Elementarschulen und höhern Bildungsanstalten; auch zum Selbstunterricht in den Anfangsgründen des perspectivischen Zeichnens. Nebst einem Vorworte von Dr. F. A. W. Diesterweg. Gr. 8. Mit 12 Kupfern. 1 Thlr.

Heinemann, M., Der Kaufmann als Banquier, oder theoretisch-praktischer Unterricht in den Gesammtwissenschaften des Banquiergeschäfts. Zum Selbstunterricht für Handlungsbeflissene, und als Contorhandbuch zum praktischen Gebrauch für Kaufleute, Banquiers, Geldwechsler, Courtiers, Handlungs- und Meßreisende, sowie für gebildete Geschäftsmänner überhaupt. Gr. 8. Geh. 2 Thlr. 12 Gr.

Rambohr, Dr. K. A., Oberamtmann rc., Die einträglichste und einfachste Art der Bienenzucht. Durch vergleichende Versuche ermittelt und mit Beispielen belegt. Gr. 8. Geh. 10 Gr.

Sachs, S., königl. Regierungs-Bauinspector, Allgemeiner Bautarif, oder genaue Angabe der Preise aller Bauarbeiten und Materialien, welche sowol bei Neubauten als Reparaturen am gewöhnlichsten vorkommen. In Beziehung auf das vom Verfasser herausgegebene Baurecht. Für Baumeister, Juristen, Polizeibeamte und Grundbesitzer. 4. Geh. 16 Gr.

Neue Kunstsachen.

Die dritte Lieferung der

Ansichten von Darmstadt und seinen Umgebungen in sechs ausgemalten Blättern. Quer-Quart-Format. Preis 2 Fl. 24 Kr.

ist erschienen und enthält: 1. Das Innere der katholischen Kirche. 2. Der große Saal im Gesellschaftshaus. 3. Der Glockenthurm. 4. Ansicht von Darmstadt von der Südseite. 5. Die Windmühle. 6. Der Karlshof.

Die erste und zweite Lieferung, jede von 6 Blättern, sind ebenfalls noch zu demselben Preis zu haben.

Sodann hat der großh. Hofkupferstecher E. Grünewald

Vier Ansichten von Darmstadt: 1. Ansicht der Stadt vom alten Friedhof aus. 2. Das Residenzschloss von der Nordseite. 3. Das Rheinthor. 4. Das alte Gymnasium

aufgenommen und in Kupfer gestochen, welche in einem Hefte vereinigt 2 Fl. kosten. Einzeln werden diese Blätter à 36 Kr. abgegeben.

Zu haben in allen inländischen Buch- und Kunsthandlungen.

Darmstadt, im September 1833.

C. W. Leske.

Bei Fleischmann in München ist erschienen und an alle Buchhandlungen versandt worden:

Helmine von Chezy,

Norika.

Neues
ausführliches Handbuch
für
Alpenwanderer und Reisende
durch das Hochland in Oestreich ob der Enns, Salzburg, Gastein, die Kammergüter, Lilienfeld, Mariazell, St.-Florian und die obere Steiermark.

Mit 1 Karte und 2 Ansichten.

Gr. 8. 1833. Im Futteral. 1 Thlr. 12 Gr., oder 2 Fl. 42 Kr.

Die geistreiche Frau Verfasserin hat in diesem ausgezeichneten Reisehandbuch die ganze Fülle ihrer Meisterschaft in Schilderung der Naturschönheiten entwickelt. Jede Seite des Werkes gibt Zeugschaft, daß es mit Liebe und Achtsamkeit bearbeitet worden, überall Glut und hinreißendes Gefühl für die Wunder der Alpennatur, die mit unnachahmlichem Pinsel dargestellt ist. Nicht dem Reisenden allein empfiehlt sich dieses Werk, jeder Gebildete wird sich durch dasselbe mächtig angezogen fühlen; Lesecirkel können nicht leicht ein interessanteres Buch wählen.

Tübingen. Bei C. F. Osiander ist erschienen:

Handbuch

des positiven Völkerrechts von F. Saalfeld. Gr. 8. 1833. 1 Thlr. 12 Gr.

Der Herr Verfasser will nach der Vorrede, dieses Buch als ein Handbuch zum Gebrauche der großen gebildeten Classe angesehen wissen. Daß für diese ein solches nicht ohne Nutzen und nicht ohne Interesse sein werde, das glaubt er schon deshalb erwarten zu dürfen, weil Kenntniß des Völkerrechts zu Beurtheilung der politischen Verhältnisse der Staaten, sowie der politischen Angelegenheiten überhaupt in manchen Fällen als unentbehrlich erscheint, diejenigen Werke aber, die wir bisher über Völkerrecht besaßen, fast ausschließlich nur für das gelehrte Studium berechnet waren.

Ein sorgfältig ausgearbeitetes Register wird die Benutzung des Buchs erleichtern.

Bei J. G. Heubner, Buchhändler in Wien am Bauernmarkt Nr. 590, ist soeben ganz neu erschienen:

Zeitschrift für Physik und verwandte Wissenschaften.

Herausgegeben von

A. Baumgartner,

Ord. Professor an der k. k. Universität zu Wien.

Zweiter Band. Viertes Heft.

Mit einer Kupfertafel.

Inhalt: I. Analyse des Meteorsteines von Stannern; vom Hrn. Med. Dr. Ritter von Holger. II. Ueber die Bereitung des Kalius; vom Hrn. Prof. Dr. Pleischl in Prag. III. Ueber die verschiedenen Arten einer Analyse zusammengesetzter Körper überhaupt und die statistische Art insbesondere; vom Hrn. Prof. Benneck in Stuttgart. IV. Ueber das Magnetisiren hufeisenförmiger und grader Stahlstangen; von Hr. Hoffer, Supplent der Lehrkanzel für Mathematik am k. k. Lyceo in Linz. (Fortsetzung.) V. Ombrometrische Beobachtungen im k. k. Universitätsgarten 1832; vom Freiherrn von Jacquin. VI. Feuertreibende Kraft der Häckerlinge. Meteorologische Beobachtungen. Mai. Juni. Juli.

Der Preis eines Bandes in 4 Heften ist 2 Thlr. 12 Gr. Sächs.

Bei den Unterzeichneten ist soeben erschienen:

Kurzgefaßte Wechselkunde, zum Gebrauch für Comtoristen und gebildete Geschäftsmänner, und zur Richtschnur beim Wechselstreit, theoretisch und praktisch bearbeitet. Nebst einem Anhange, den Uso und die Respecttage vieler Handelsplätze enthaltend; von M. Heinemann. Preis 12 Gr.

Vielfach und oft ist von Seiten der gebildeten Classe des Kaufmannstandes ein Buch begehrt worden, das denjenigen Geschäftsmännern, welche öfters in den Fall kommen, Wechselbriefe und Anweisungen auszustellen, zu kaufen und zu verkaufen, zu versenden, auf Andere zu übertragen, vorzuzeigen und einzukassiren und beim Zahlungsmangel protestiren zu lassen, als nützlich sicherer Rathgeber und in zweifelhaften und Streitfällen als zuverlässige Richtschnur dienen könnte; die nothwendigsten Vorsichtsmaßregeln, die man beim Wechselhandel zu beobachten habe, enthielte und endlich alles Gesetzliche nachweisen müßte, daß für den Uso und die Respecttage — einen wichtigen Theil der Wechselkunde — von den Wechselordnungen verschiedener Handelsplätze Europas als Norm festgestellt worden. Insofern wir nun die Ueberzeugung gewonnen, daß das hier angezeigte Werk jenem fühlbar gewordenen Bedürfnisse in jeder Rücksicht entspricht, gereicht es uns zum Vergnügen, dasselbe jedem soliden Handlungshause als höchst brauchbar empfehlen zu können.

Cosmar und Krause.

Soeben ist erschienen:

Der Schreibunterricht in Verbindung mit dem Lesen

als Grundlage der Sprachlehre, nebst einer Anleitung zur

Elementarlehre des Zeichnens für Volksschulen.

Methodisch bearbeitet von

Wilhelm Wittmer,

Professor am Lyceum und Präparanden-Institute zu Rastadt.

Mit Holzschnitten und lithographirten Tafeln.

8. 30 Kr. Rhein., oder 8 Gr. Sächs.

Die Verlagshandlung hofft, mit diesem Buche allen Lehrern eine willkommene Gabe darzubieten.

Da in der neuern Zeit von gewisser Seite her ein Schritt rückwärts versucht und zum Buchstabieren hingeleitet wurde, so wird man mit Interesse das Urtheil des, als erfahrener Schulmann längsther bekannten, Verfassers vernehmen, der in der obigen Anleitung ausführlich nachweist, wie auch mit Beibehaltung der Lautiermethode der Schreib- und Lesunterricht mit einander verbunden werden könne.

Heidelberg, September 1833.

August Oswald's Universitätsbuchhandlung.

Tübingen. Bei C. F. Osiander ist soeben erschienen:

Die Freiheit des menschlichen Willens im Fortschritte ihrer Momente dargestellt von Karl Phil. Fischer, Dr. der Philosophie. Gr. 8. 8 Gr.

Die Freiheit des menschlichen Willens war von jeher ein Problem der speculativen Forschung. Was den gegenwärtigen Versuch betrifft, so läßt sich seine Bedeutung dahin bestimmen, daß der Gesichtspunkt, nach welchem der Verf. seine Aufgabe eintheilt, sowie die Methode, durch welche er sie ausführt, neu ist —, während der wissenschaftliche Standpunkt, auf dem er sich befindet, kein anderer als ein solcher ist, zu welchem die philosophische Bildung unserer Zeit überhaupt führt.

Die Liebesgeschichten. Germanos.

Es sind soeben erschienen und durch alle Buchhandlungen Deutschlands zu haben:

Novellen von Posgaru.

Zweite verbesserte Auflage.

3 Bändchen. Mit 3 Stahlstichen.

1stes, 2tes Bändchen: Die Liebesgeschichten. 2 Theile. 2te verbesserte Auflag. 3tes Bändchen: Germanos. 2te verbesserte Auflage.

8. Breslau, 1833. Geheftet. Preis 2 Thlr. 18 Gr.

Freunde eleganter Ausgaben machen wir auf obige soeben erschienene 2te verbesserte Auflage der trefflichen Novellen von Posgaru aufmerksam. Druck und Papier lassen nichts zu wünschen übrig. Die schönen, in Stahl gestochenen Titelzeichnungen sind von Ferdinand Kosla, einem jungen talentvollen Künstler in Breslau, ebenso sinn- als geistreich componirt. Zu Festtagsgeschenken für beide Geschlechter werden diese Novellen, welche die Kritik den besten in der deutschen Literatur längst angereiht hat, gewiß überall willkommen sein. Im Preise ist diese so schön ausgestattete und bogenreichere zweite Auflage nicht erhöht worden.

Buchhandlung Josef Max und Comp.
in Breslau.

Handbuch der Geburtshülfe

für Aerzte und Geburtshelfer. A. u. d. Titel: Ueber das physiol. u. patholog. Leben des Weibes 1ster Thl. von Dr. J. C. G. Jörg, Hofrath, Prof., Dir. d. Entbindungsschule zu Leipzig etc. Dritte umgearb. u. verm. Aufl. Mit 1 Steindrucktaf. Gr. 8. 1833. (35½ Bog.) Leipzig, Hinrichs. 2 Thlr.

Der Verf. hat in dieser Aufl., welche den Namen einer neuen Schrift mit Recht verdient, nicht allein die Sprache sehr abgekürzt und verbessert, sondern auch den Inhalt beträchtlich bereichert. Was andere Geburtsärzte und er selbst seit dem Erscheinen der 2ten Ausg. in der Entbindungskunst Nützliches aufgefunden, ist an den geeigneten Orten eingeschaltet worden. Am Ende des Buches sind die sämmtlichen Instrumente, deren sich der Verf. seit vielen Jahren mit dem glücklichsten Erfolge beim künstlichen Entbinden ausschliesslich bedient hat, abgebildet und beschrieben.

Für Freunde der Geschichte und Militairs.

Durch alle gute Buchhandlungen ist zu haben:

Allgemeine Geschichte der Kriege der Franzosen und ihrer Alliirten vom Anfange der Revolution bis zu Napoleon's Ende, für Leser aller Stände. Aus dem Französ. Mit Schlachtplanen. 1stes—26stes Bdchn. 16. Subscriptionspr. für die Abnehmer des ganzen Werkes 6 Thlr. 6 Gr., oder 10 Fl. 15 Kr. Einzelne Feldzüge rc. per Band 9 Gr., oder 40 Kr.

Erschienen sind:

1. Die Feldzüge in Frankreich, 1814 und 1815, von Mortonval. 3 Bändchen. Mit den Planen der Schlachten von Paris, Toulouse und Waterloo.

2. Der Feldzug in Aegypten und Syrien. Von Aber. 2 Bändchen. Mit den Planen der Schlachten bei den Pyramiden und bei Abukir und einem Kärtchen von Syrien.

3. Napoleon vor seinen Zeitgenossen. 3 Bändchen. Mit den Bildnissen Napoleon's als Obergeneral, als Kaiser und auf St.-Helena.

4. Die Feldzüge in Italien. Ister Theil, die Feldzüge von 1792—96. Von Saintine. Mit dem Plane der Schlacht von Loano.

5. Die Kriege der Vendee, von 1792—96. Von Mortonval. 2 Bändchen. Mit der Karte des Kriegsschauplatzes, einem Operationskärtchen und dem Plane der Halbinsel Quiberon.

6. Die Feldzüge in Italien. IIter Theil. Der Feldzug von 1796 u. 1797. Von Saintine. 1stes und 2tes Bändchen. Mit dem Plan von Mantua und der Schlacht von Castiglione.

7. Die Revolutionsfeldzüge im Norden und Osten von Frankreich. Von Biennet. 1stes, 2tes, 3tes u. 4tes Bändchen. Mit den Planen der Schlachten von Valmy, Kaiserslautern, Fleurus und Neresheim.

8. Die Feldzüge in Deutschland seit dem Frieden von Amiens bis zum Frieden von Wien (1802—9). Von Saint-Maurice und Mortonval. 4 Bändchen. Mit den Planen der Schlachten von Austerlitz, Jena, Eilau und Wagram.

9. Der Feldzug in Rußland, 1812. Von Mortonval. 3 Bdchn. Mit einer Uebersichtskarte des Kriegsschauplatzes und den Planen der Schlachten von Smolensk und an der Moskwa.

10. Der Feldzug von 1813. Von v. Norvins. 1stes und 2tes Bändchen. Mit den Planen der Schlacht von Lützen und Leipzig.

Da das französische Originalwerk, nach welchem diese Reihenfolge der Kriegsgeschichten weniger übersetzt, als neu bearbeitet wurde, in Folge der neuern Zeitereignisse gänzlich in Stocken gerathen ist, so ist der Herausgeber genöthigt, die noch fehlenden Feldzüge nach andern Quellen zu bearbeiten. Bei seinen Berufsgeschäften kann diese ungleich mühsamere Arbeit nur langsam voranschreiten, doch kann der Verleger nach der Zusage des Herausgebers den Käufern des Werkes die allmälige Lieferung dieser Bändchen, namentlich der Feldzüge in Italien, versprechen.

Ungeachtet durch dieses Werk der Zweck einer für alle Gebildete hinlänglich verständliche und gut geschriebene Erzählung der Kriegsereignisse von 1792 bis zum Jahr 1815 vollständig erreicht ist, kündigt sich doch eine Geschichte der Kriege der Völker des Continents, aus 50 Heften, jedes zu 40 Kr. — also für 37 Fl. 30 Kr. neuerdings an. Man bittet alle Diejenigen, welche trotz der großen Verschiedenheit des Preises, sich dieses neue Werk anzuschaffen beabsichtigen, vorerst ein oder einige Bändchen des oben angekündigten Werkes sich zur Einsicht zu verschaffen und erst dann sich für das eine oder andere zu entscheiden.

Darmstadt, im September 1833.

C. W. Leske.

Uebersetzungsanzeige.

Von nachstehenden Werken werden in unserm Verlage Uebersetzungen und resp. Bearbeitungen erscheinen. Nr. 3 ist bereits im Druck beendet und wird mit Nr. 4 in acht Tagen versandt.

BIBLIOTHECA CLASSICA, or a classical Dictionary etc. by J. et Th. Dymock.

LEMPRIERE'S CLASSICAL DICTIONARY, abridged from Anthon's et Barker's second Edition.

PASSAGES from the Diary of a late Physician.

THE HEADSMAN (Der Henker) by J. F. Cooper. 3 vols.

Braunschweig, den 24sten September 1833.

Friedr. Vieweg und Sohn.

Portraits.

Die wohlgetroffenen Portraits

1. der Professoren Dr. Wegscheider und Dr. Tholuck, auf einem Blatte, ganze Figur. 10 Sgr.
2. des Justizcommissar Dr. Fr. Weidemann in Halle, Herausgeber der Zeitschrift „Salina"

empfiehlt

die Kunsthandlung von Otto Weidemann
u. Comp. in Halle.

In meinem Verlage erschienen soeben nachstehende interessante Schriften, die durch alle Buchhandlungen des In- und Auslandes bezogen werden können:

Alexis (W.), Wiener Bilder. Gr. 12. VI und 453 Seiten. Auf feinem Velinpapier. Geh. 2 Thlr. 6 Gr.

Huber (V. A.), Die neuromantische Poesie in Frankreich und ihr Verhältniß zu der geistigen Entwickelung des französischen Volkes. Gr. 12. 181 Seiten. Auf gutem Druckpapier. Geh. 20 Gr.

Wiese (Sigismund), Theodor. Ein Roman. 8. 363 Seiten. Auf Velindruckpapier. 1 Thlr. 20 Gr.

Leipzig, im September 1833.

F. A. Brockhaus.

Literarischer Anzeiger.

(Zu den bei F. A. Brockhaus in Leipzig erscheinenden Zeitschriften.)

1833. Nr. XXX.

Dieser Literarische Anzeiger wird den bei F. A. Brockhaus in Leipzig erscheinenden Zeitschriften: Blätter für literarische Unterhaltung, Isis, sowie der Allgemeinen medicinischen Zeitung, beigelegt oder beigeheftet, und betragen die Insertionsgebühren für die Zeile 2 Gr.

Anzeige für Geistliche, Schullehrer, Bürger und Landleute.

Zwei Hundert und Sechszig frohe Gesänge

für

Bürger und Landleute

zur

Aufheiterung bei ihren häuslichen Geschäften und Feldarbeiten, sowie auch zur Erhöhung und Veredlung ländlicher Feste

in zwei Abtheilungen.

Anhang:

Verschiedene Wort- und Sacherklärungen, gemeinnützige Erfindungen, biographische Notizen rc.

Bearbeitet

von

Dr. Karl Weitershausen,

Lehrer an der großh. Militairschule zu Darmstadt.

Mit und ohne Melodien. 12. Geh.

Der Zweck der Herausgabe dieser Liedersammlung, deren Inhalt der Titel der Hauptsache nach angibt, ist: unsere Bürger und Landleute nicht gewissermaßen in die Nothwendigkeit zu versetzen, an Kirchweihen und Markttagen, um die ihnen angeborene Singlust zu befriedigen, abgeschmackte, sinn- und sittenlose Lieder zu kaufen, und so schon gleichzeitig ihren Kindern das gefährlichste Gift einzuflößen, und sie mit der Lust und Liebe zur Sünde, der die That nur zu bald nachfolgt, bekannt zu machen. Dies durch besagtes Werkchen zu verhindern, ist also die Absicht, für deren Erreichung schon viel gewonnen wäre, wenn vorerst auch nur ein Exemplar in jedem Dorfe, und namentlich in den Händen des Schullehrers sich fände, welches unter Umständen von Seiten der Gemeinde ich um so eher hoffen darf, da ich mir schmeichle, auf die Unterstützung der Herren Land- und Kreisräthe und Herren Geistlichen, der Herren Bürgermeister und Herren Schullehrern, wie überhaupt aller Derer rechnen zu können, denen die Beförderung des Guten und Nützlichen, die Belebung echter Bürgertugenden, und des Sinnes für veredeltes Familienleben nicht gleichgültig ist.

Seit dem beliebten Mildheimischen Liederbuch ist keine derartige Sammlung erschienen, und wie viele schöne Lieder sind nicht während dieser langen Zeit gedichtet worden, welche hier einen Platz gefunden haben.

Um das Werkchen möglichst gemeinnützlich zu machen, ist der Ladenpreis des gehefteten Exemplars der Gesänge (346 Seiten Text) zu 8 Gr., oder 36 Kr., gesetzt und wenn 25 Exemplare zusammen genommen werden, soll noch der erste Subscriptionspreis von 6 Gr., oder 24 Kr., stattfinden, welchen Vortheil jede Buchhandlung gewähren wird.

Die Melodien dazu.

zweistimmig gesetzt und in Queroctav-Format auf gutem Schreibpapier deutlich und correct lithographirt kosten 12 Gr., oder 48 Kr., und werden an allen Orten, wo diese Liedersammlung in mehren Händen sich befindet, eine willkommene Zugabe sein.

Alle beliebten Volksweisen sind möglichst benutzt und ihnen zum Theil neuer Text unterlegt worden. Viele Melodien rühren von allbekannten und beliebten Componisten her und viele sind neu componirt. Ein doppeltes vollständiges Register bei dem Liederbuch und ein solches bei den Melodien erhöhet die Nützlichkeit des Büchleins für den Schulgebrauch.

In allen guten Buchhandlungen sind Exempl. vorräthig.

Darmstadt, im September 1833.

Karl Wilhelm Leske.

Bei J. A. Mayer in Aachen ist soeben erschienen und in allen Buchhandlungen zu haben:

Gustafsson, Oberst (ehemaliger König von Schweden), Ueber die unbeschränkte Preßfreiheit. 8. Geh. 6 Gr., oder 7½ Sgr.

— —, Nouvelles considérations sur la liberté illimitée de la presse, fondées sur le Mémorial du Colonel Gustafsson, développées par lui-même. 8. Elegant geheftet. 6 Gr., oder 7½ Sgr.

Inländische Giftpflanzen mit illuminirten Abbildungen. 1stes und 2tes Heft. Querfolio. Geh. 12 Gr., oder 15 Sgr.

Kinderbibliothek, Neue rheinische, oder moralische Erzählungen zur Veredlung des Herzens. Gesammelt von einem katholischen Geistlichen (Prof. Ch. Quix). IItes Bändchen. 16. Mit einer lithographirten Tafel. Geb. 6 Gr., oder 7½ Sgr. (Erstes Bändchen hat gleichen Preis.)

Königs, J. J., Friedrich der Einzige. Ein Heldengedicht. Erstes Bändchen. Vier Gesänge. Gr. 8. Geh. 8 Gr., oder 10 Sgr.

Wagner, J., Der Jugend Morgentöne, oder sechszig leichte Chorallieder mit Orgelbegleitung, zum Gebrauche für Schüler der höhern und niedern Classen der Elementarschulen beim täglichen Gottesdienste. Die Orgelbegleitung. Gr. 8. Geh. 10 Gr., oder 12½ Sgr. Die Singstimme. 4. 12 Gr., oder 15 Sgr.

In Baumgärtner's Buchhandlung ist soeben erschienen und an alle Buchhandlungen versendet worden:

CHOIX DU LIVRE DES CENT-ET-UN.

Ein französisches Lesebuch für Deutsche. Nebst Erläuterungen, Erklärungen und Wörterbuch. 310 Seiten in 8. Brosch. Preis 16 Groschen.

Gewiß wird der Gedanke einer Auswahl für den Schulgebrauch aus einem so allgemein anerkannten Werke, besonders da dieselbe mit Sachkenntniß geschehen ist, sodaß dabei besonders die Neuheit und Eleganz der französischen Sprache der gegenwärtigen Zeit berücksichtigt worden ist, Beifall erhalten. Die Noten sind erklärend und dem Deutschen, bei der oft übergroßen Fülle fremdartiger Dinge im Texte unumgänglich nöthig.

Studienblätter für die Perspective in der Zeichnung,

in landschaftlichen Darstellungen von Werken der Baukunst und ihrem Gegenbilde auf der spiegelnden, ruhigen Wasserfläche; auszuführen durch gegebene perspectivisch-katoptrische Constructionen und begleitet von einer faßlichen, das Verfahren leitenden Unterweisung für den Selbstunterricht, sowie zu der Unterstützung des Lehrers. Von Karl Friedrich Muhlert. 4. Mit 6 Tafeln theils in Querfolio. Preis 18 Gr.

Wir liefern hier ein Werkchen, dessen Werth von jedem Künstler anerkannt werden und welches Künstlern, die mit vollkommenen Verständniß ihre Kunst üben wollen, unentbehrlich sein dürfte, um so mehr da die darin enthaltenen schön gezeichneten Tafeln gute Muster zur Uebung in der perspectivischen Darstellung des Sichtbaren in Kunst und Natur, besonders aber in der des Spiegelbildes der Wasserfläche geben, an denen es trotz aller erschienenen ähnlichen Bücher dennoch fehlt.

Wir erwähnen hierbei desselben Verfassers früher erschienenes, beifällig aufgenommenes Werkchen: Die Perspective in der Glastafel und der Grundlinienconstruction mit 8 Kupfern. 18 Gr.

Kleinkinderbücher.

AVENTURES PLAISANTES DE

MADAME GAUDICHON

ET DE SON CHIEN.

16. Mit 16 illum. Kupfern. Cart. Preis 8 Gr.

Dasselbe deutsch unter dem Titel:

Unterhaltende Geschichte der Madame Kickebusch

und ihres Hundes Azor.

16. Mit 16 illum. Kupfern. Cart. Preis 8 Gr.

Diese beiden wohlfeilen Bücher sind in jeder Beziehung für ihren Zweck: Spielwerk und Anspornung zum Lesen, für kleine Kinder, sehr geeignet und werden Beifall finden.

Tavernier's Blitz- und Hagelableiter

genannt Antijupiter oder Tavernier's gewitterableitende Säule (Colonne anti-foudroyante d'Alcibiade) von Alcibiades de Tavernier, Doctor, Ritter und vormaliger erster Arzt der allgemeinen Gesundheitsinspection der Walachei zur Zeit der Pest im Osten Europas in den Jahren 1829—31, Mitglied mehrer Akademien rc. rc. rc. 8. Mit 1 Abbildung. Preis 8 Gr.

Wir veröffentlichen hier eine ebenso interessante als nützliche Entdeckung, welche besonders die Aufmerksamkeit der Städte- und Oberforstbehörden, der Gutsbesitzer und Bauern verdient. Nach Angabe des Verfassers reicht ein einziger Antijupiter hin, um eine Stadt von einer Quadratstunde im Umkreis vor dem Blitz zu schützen; ebenso wirksam und so ausgedehnt wirkend ist derselbe als Hagelableiter und als schützende Aegide auf den Masten der Schiffe.

Anweisung zur Herstellung und Erhaltung

der feuersichern Lehmschindelbedachung

nebst Vergleichung mit dem Ziegel- und Strohdache. Nach eigner Erfahrung von Friedr. Teichmann. Aus der Schrift: Das Ganze der Lehmschindelbedachung rc., besonders abgedruckt. 86 Seiten in 8. Mit 2 Kupfern. Preis 6 Gr.

Ebenso nützlich als die obige Erfindung ist diese neue Art der Bedachung, welche die allgemeinste Beachtung verdient. Die königl. sächs. Regierung hat Exemplare zur Vertheilung in größerer Anzahl ankaufen lassen, und der Autor hat die Civilverdienstmedaille erhalten.

In unserm Verlage erschienen:

Neue Novellen

von

Theodor von Kobbe.

2 Theile. Geh. 2 Thlr. 6 Gr.

Inhalt. 1ster Theil: Das Einlager. — Der dritte November. 2ter Theil: Die Kreuzsteine. Ein quis pro quo.

Der Weihnachtsabend.

Eine Herzensgabe insbesondere für die Jugend von

Charlotte S. H. Starke.

12. Brosch. 6 Gr.

Dies kleine Büchlein dürfte als Geschenk an junge Mädchen von 10—15 Jahren sehr passend befunden werden.

Oldenburg, October 1833.

Schulze'sche Buchhandlung.

Bei Hinrichs in Leipzig und in allen Buchhandlungen ist zu haben:

Penelope.

Taschenbuch für das Jahr 1834.

Herausgegeben von Th. Hell. 23ster Jahrg. Mit 8 Kpfrn. 16. In neuem geschmackvollen Umschlag 1 Thlr. 16 Gr., in Seide 2 Thlr. 16 Gr.

Inhalt: Bilderchronik der theatralischen Zeiterscheinungen. Die Brüder von L. Kruse. Die Sängerin von Augsburg von Laun. Die Stiefmutter von Blumenhagen. Die Florentiner von Albano. Elisabeth Cudleigh von H. May. Die Pagode von v. Miltitz. — Gedichte von Grillparzer, v. Lüdemann, v. Deuern, Prätzel, Würkert rc.

Bei den Unterzeichneten erschien soeben:

Sagen und Miscellen aus Berlins Vorzeit.

Nach Chroniken und Traditionen herausgegeben von Alexander Cosmar. Zweites Bändchen. Mit drei Kupfern. Geh. 1 Thlr. 8 Gr.

Cosmar und Krause
in Berlin.

Allgemeine Militairzeitung

herausgegeben

von

einer Gesellschaft deutscher Offiziere und Militairbeamten.

Die Allgemeine Militairzeitung, welche seit dem 1sten Juli 1826 erscheint, hat die Bestimmung, die neuesten Einrichtungen und Verfügungen bei den Armeen und Truppencorps aller Staaten, und die neuen Erscheinungen in der militairischen Welt überhaupt, schnell und mit möglichster Vollständigkeit zur allgemeinen Kenntniß zu bringen. Ihr Streben geht dahin, die verschiedenen Armeen (besonders die einzelnen

Abtheilungen des deutschen Bundesheeres) miteinander näher bekannt zu machen, was früher nur sehr unvollkommen und nur durch kostbare, den Meisten unzugängliche Hülfsmittel geschehen konnte —, das Gute und Nachahmungswerthe, was bei den einzelnen Heeren und Heeresabtheilungen besteht, und neu eingeführt wird, schnell zum Gemeingut aller Heere zu machen —, ein Repertorium für die militairischen Erfahrungen darzubieten, und den wissenschaftlichen Sinn in den verschiedenen Militaircorps noch mehr anzuregen.

Der Preis eines Semesters ist gegen Vorausbezahlung 4 Fl., oder 2 Thlr. 8 Gr. Es nehmen sowol alle löbl. Postämter sowie alle gute Buchhandlungen Bestellungen an.

Von dem ersten Jahrgange (1826) sind keine vollständigen Exemplare mehr vorhanden.

Wer ein vollständiges Exemplar der Jahrgänge 1827 — 32 nimmt, erhält solches um die Hälfte des Preises, nämlich zu 24 Fl., oder 14 Thlr.

Darmstadt, im September 1833.

K. W. Leske.

In der Verlagshandlung von Fr. Weidemann in Halle und Merseburg wurde im Laufe des Jahres versandt:

Weidemann, Dr. G. Fr., Rapports et différences entre les principes de la doctrine du Dr. Quesnay et de celle d'Adam Smith. Tirée de oeuvres posth. d'un célèbre savant (de Jakob, Cons. d'état de S. Maj. de Russie). Gr. 8. 10 Sgr.

Weidemann, Dr. G. Fr., Die beiden Systeme des Dr. Quesnay und A. Smith, kritisch beleuchtet, aus dem Nachlasse eines berühmten Staatsmannes (k. russ. Staatsrath von Jakob). 8. 10 Sgr.

Gründler, Hofrath, Polemik des gem. Rechts, nach dem Systeme des Dr. Mittermaier und Geh.-R. Dr. Böhmer. 2 Theile. Gr. 8. 4 Thlr.

Beniken, Hauptmann, Roms Staats- und Kriegsgeschichte für Militairs. 1ster Theil. Subscr.-Pr. für 3 Thle. 2 Thlr.

— —, Holland und Europa. 8. 3¾ Sgr.

Gersdorf, W. v., Ritter Julian und die schöne Isolde. Roman. 2 Thle. 8. 1 Thlr.

— —, Sensitiven. Novellen und Erzählungen. 8. 22½ Sgr.

Staeger, Dr., Sophocles Oidipos. Metrisch übersetzt. 8. 15 Sgr.

Krause, Vita Fr. Gall. magni. 8. 7½ Sgr.

Beantwortung einer Frage über Rationalismus und Mysticismus. Aus dem Nachlasse eines berühmten Geistlichen. 8. 7½ Sgr.

Rußland und die Civilisation. 8. 15 Sgr.

Dresden, Das constitutionelle, das monarchische Wien und München. 8. 7½ Sgr.

Weidemann, Dr. Fr., Halles Bürgertreue. Festspiel. 4. 2½ Sgr.

Bärmann, Dr., Novellen, Erzählungen und kleine Skizzen. 8. 2 Thle. 2 Thlr.

Weidemann, D., Herz und Gedanken. 8. 2½ Sgr.

— —, Der schöne Wilhelm. Ein hallesches Volksgemälde in 2 A. 8. 5 Sgr.

Jacobi, J., Ueber das Verhältniß der Juden zum Staat, Gegenschrift wider Hrn. G.-R. Streckfuß. 8. 1 Thlr.

Die Zeitschrift „Salina", herausgegeben vom k. pr. Justizcommissar und Patr.-Richter Dr. Fr. Weidemann in Halle, vom 1sten Octbr ab mit dem halleschen Tage-, Local- und Intelligenzblatte vereinigt, erscheint mit höchster Concession auch im nächsten Jahre.

Täglich, mit Ausnahme des Montags, erscheint eine Nummer (ein halber Bogen in Quart) und kostet der ganze Jahrgang in 364 Nummern im Buchhandel nur 2 Thlr. pränu., sodaß also das Blatt noch nicht einen Silberpf. kostet. **Die wohlfeilste Zeitschrift auf der ganzen Welt.**

Später als Mitte Decbr. d. J. eingehende Bestellungen können nur mit Wegfall der bereits ausgegebenen Nummern expedirt werden.

Halle und Merseburg, im Septbr. 1833.

Fr. Weidmann'sche Buchhandlung.

Soeben ist erschienen:

C. Crispi, Sallustii

Bellum Catilinarium,

in usum scholarum.

Mit Einleitung, Anmerkungen und Worterklärungen; einem Index latinitatis und geographisch-historischen Register.

Gr. 8. 45 Kr. Rhein., oder 12 Gr. Sächs.

Indem diese Bearbeitung der Catilinarischen Verschwörung eine so höchst interessante historische Erscheinung in einer besondern äußerst gefälligen Ausgabe liefert, erfüllt sie gewiß vorzüglich den Zweck, durch die Einleitung, die Anmerkungen und Worterklärungen, und die Beigabe des index latinitatis und des geographisch-historischen Registers, für Gymnasialclassen und zum Privatunterricht, der Jugend ein Buch in die Hände zu geben, durch welches neben der Uebung der Sprache die Kenntniß der Geschichte, der Staatsverhältnisse und des Charakters von Zeit und Volk in seltener Ausdehnung gefördert werden muß. Bei ganz elegantem Druck, mit neuen Schriften auf weißes Papier, ist der Preis so gering gestellt, daß auch von dieser Seite der Anwendung nichts im Wege liegt, welche der Verleger übrigens bei directen Bestellungen in größerer Anzahl noch möglichst zu erleichtern sich erbietet.

Heidelberg, September 1833.

August Oßwald's
Universitätsbuchhandlung.

Fr. Ukert,

herzogl. sächs. Bibliothekar und Professor zu Gotha.

Gemälde von Griechenland.

Mit 6 Kupfern.

Neue Ausgabe.

16. Geheftet. 16 Gr., oder 1 Fl. 20 Kr.

In dem gegenwärtigen Zeitpunkt, wo Aller Augen auf die Wiedergeburt dieses so lange unter dem Druck der Tyrannei versunkenen classischen Landes gerichtet sind, bedarf es wohl der Erinnerung an ein Buch, welches von so geistreicher Feder bearbeitet wurde. In dieser Ausgabe ist die Geschichte Griechenlands bis auf die neueste Zeit fortgesetzt erschienen; alles Uebrige aber unverändert geblieben.

Alle Buchhandlungen können das Buch verschaffen.

Darmstadt, im September 1833.

K. W. Leske.

Tübingen. Bei C. F. Osiander ist soeben erschienen:

Child, Anna, geb. Francis. Das Buch der Mutter. Eine belehrende und unterhaltende Erziehungsschrift für sorgsame Mütter. Zugleich ein Beitrag für die Geschichte der geistigen Cultur Nordamerikas. Aus dem Englischen übersetzt. Gr. 8. Geh. 1833. 16 Gr.

Dieses Buch gibt in einem anziehenden, durch geistreiche Bemerkungen, Beispiele, Anekdoten gewürzten Tone eine Menge der treffendsten, aus einem Schatze reicher Erfahrung geschöpften Regeln und Notizen über die Methode einer freisinnigen, sittlich-religiösen Erziehung. Das eigenthümliche Talent und die schöne Weiblichkeit der Verfasserin machen es nicht minder unterhaltend als belehrend, und besonders für Mütter und Erzieherinnen äußerst fruchtbar. Möge dieses Buch, das zum Zwecke hat, gute Menschen und gute Bürger eines freien Staats zu bilden, auch bei uns den verdienten Anklang finden, welcher der auch durch andere Schriften bekannt gewordenen Verfasserin in ihrem Vaterlande zu Theil wurde!

In unserm Verlage ist soeben erschienen und an alle Buchhandlungen Deutschlands und der Schweiz versendet worden:

Becker, Dr. K. F., Leitfaden für den ersten Unterricht in der deutschen Sprachlehre. Gr. 8. 8½ Bogen. Preis 8 Gr.

Wir hoffen mit Zuversicht, daß dieses neue Werkchen des um die Sprachwissenschaften hochverdienten Herrn Verfassers bei allen mit den Fortschritten derselben Befreundeten eine ebenso günstige Aufnahme finden werde, wie dessen frühere Arbeiten. Um die Einführung dieses Buches in Schulanstalten zu erleichtern, werden wir gern denjenigen Herren Lehrern, welche es vorziehen sich bei Bestellung von Partien direct an uns zu wenden, einen verhältnißmäßig größern Rabatt bewilligen.

Frankfurt a. M., den 1sten October 1833.

Joh. Chr. Hermann'sche Buchhandlung.

In der C. J. Edler'schen Buchhandlung in Hanau ist soeben erschienen und in allen Buchhandlungen zu haben:

Schuppius, Dr. G. Ph., Handbuch der neuern Geschichte für die obern Classen höherer Lehranstalten und zum Selbstunterrichte. 1ster Band. Gr. 8. 1 Thlr., oder 1 Fl. 48 Kr. Rhein.

Dieses Werk ist, wie schon der Titel besagt, nicht allein für die höhere Lehranstalten besuchenden Jünglinge bestimmt; im Gegentheil beabsichtigte der Herr Verfasser auch Solchen, denen die mündliche Unterweisung eines Lehrers abgeht, ein Hülfsmittel zu bieten, sowol die Begebenheiten der allgemeinen Geschichte des europäischen Staatensystems in ihrem politischen Zusammenhange, als auch die merkwürdigsten Ereignisse der einzelnen Hauptstaaten in ihrer chronologischen Folge gründlich aufzufassen und mit Leichtigkeit zu übersehen. Um diesem doppelten Zweck zu entsprechen, setzte der Herr Verfasser sich die Erreichung einer solchen Vollständigkeit zum Ziel, daß das Buch sowol zum Selbstunterricht ausreichen kann, als beim Gebrauch in Schulen den Lehrer des zeitraubenden Dictirens, den Schüler des mühseligen Nachschreibens überhebt, und letztern bei der Vorbereitung und Wiederholung vollkommen befriedigen wird. Es steht daher zu hoffen, daß dieses Handbuch bei den Lehrern Beifall finden und von ihnen den Schülern empfohlen werden wird. Der zweite Band verläßt nächstens die Presse.

Wichtiges Werk über das Papstthum.

In J. Scheibles Buchhandlung in Stuttgart erschien und wurde soeben an alle Buchhandlungen versandt:

Rom und seine Päpste.

Wahre Geschichte des Pontificats

von

F. Grégoire.

Aus dem Französischen.

Gr. 8. Brosch. Preis 2 Fl. 24 Kr., oder 1 Thlr. 12 Gr.

Im September d. J. ist von Justus Perthes in Gotha ausgegeben worden: die vierte Lieferung der neuen Ausgabe von

AD. STIELER'S HAND-ATLAS

über alle Theile der Erde und über das Weltgebäude, welche nach neuem Plan (63 Blätter in Folio mit Erläuterungen) in 6 Lieferungen zum höchst billigen Subscriptionspreis von 12 Thlr. 12 Gr., oder 22 Fl. 30 Kr., erscheint und in wenig Monaten vollständig abgeliefert sein wird. Subscription wird bis dahin noch angenommen von allen Buch- und Landkartenhandlungen.

An alle Buchhandlungen ist versendet:

Berggren, J., Reisen in Europa und im Morgenlande. Aus dem Schwedischen übersetzt von Dr. F. H. Ungewitter. 2ter Theil mit dem Plane von Jerusalem und der Karte von Syrien. 8. Preis 2 Thlr., oder 3 Fl. 30 Kr.

Der bereits vor 5 Jahren erschienene erste Band dieser interessanten Reisebeschreibung ist damals mit Beifall aufgenommen worden (Preis 2 Thlr., oder 3 Fl. 30 Kr.). — Der dritte Band, der die Reise durch Aegypten und die Heimreise enthält ist unter der Presse und beschließt das Werk —, welches der Verleger hiermit den Freunden der Länder- und Völkerkunde bestens empfiehlt.

Erklärung.

Das unter meinem Namen von der Weidemann'schen Buchhandlung in Halle herausgegebene Werk „**Ueber das Verhältniss der Juden zum Staate**" kann ich in der Form, wie es jetzt dem Publicum vorliegt, nicht für das meinige anerkennen. Der Herr Verleger hat einen Titel abdrucken lassen, der mir nie eingefallen, und der sich nicht im Contracte befindet, er hat meine Vorrede mit der Antwort zurückgewiesen: „die wäre ganz überflüssig"; er hat willkürlich und widerrechtlich den Druck abbrechen lassen; er hat sich unterfangen, in meinem Namen etwas Unvollständiges und Widersinniges dem Publicum vorzulegen. Ich werde ihn gerichtlich dazu zwingen, eine Ausgabe zu veranstalten, wie ich sie will und verlange; und nur eine solche, unter einem ganz andern Titel, mit einer Vorrede, mit dem vollständigen Abdruck einer Abhandlung von Herrn Dr. Riesser, deren Mittheilung in meinem Buche mir der berühmte Verfasser zugestanden hat — nur eine solche Ausgabe werde ich als die rechtmässige anerkennen, und nur ihr bitte ich Theilnahme und Berücksichtigung zu schenken. Das Buch, wie es jetzt dem Publicum vorgelegt wird, kann ich weder vertreten noch empfehlen; denn seine Unvollständigkeit macht es werthlos. Zugleich verbinde ich mit dieser Erklärung die Anzeige, dass, wenn Herr Dr. Weidemann (wie er mir gedroht) das Publicum mit der verkehrten Darstellung meiner buchhändlerischen Privatverhältnisse zu ihm belästigen sollte, ich es meiner unwürdig halten werde, auch nur eine Zeile zu antworten.

Halle, den 4ten October 1833.

J. Jacoby.

Druckfehler.

In der soeben ausgegebenen Schrift von V. A. Huber: „Die neuromantische Poesie in Frankreich und ihr Verhältniß zu der geistigen Entwickelung des französischen Volkes" (Leipzig, Brockhaus), bittet man folgende Druckfehler zu verbessern:

S. 52, Z. 9 u. 10, statt: und um sich zu überzeugen wie, lese man und wie
- 56, - 7, st. sie l. jene
- —, - 8, streiche man (Vendee)
- 58, - 11, st. aber l. eben
- 71, - 7, st. allem Anschein nach die so glänzenden l. die allem Anschein nach so glänzenden
- 77, - 7 v. u., st. ebenso wenig wie l. ebenso wie
- 79, - 6 v. u., st. seiner l. einer
- 90, - 2, st. fällen l. fallen
- 165, - 1, st. Um oder einigermaßen deutlich zu machen, welche — l. Welche — man möchte u. s. w.

Literarischer Anzeiger.

(Zu den bei F. A. Brockhaus in Leipzig erscheinenden Zeitschriften.)

1833. Nr. XXXI.

Dieser Literarische Anzeiger wird den bei F. A. Brockhaus in Leipzig erscheinenden Zeitschriften: Blätter für literarische Unterhaltung, Isis, sowie der Allgemeinen medicinischen Zeitung, beigelegt oder beigeheftet, und betragen die Insertionsgebühren für die Zeile 2 Gr.

Soeben ist versandt:

Schedel's vollständiges, allgemeines Waarenlexikon.

Fünfte ganz umgearbeitete u. verbess. Aufl. in Verbindung mit Mehren herausg. von O. L. Erdmann, ord Prof. d. techn. Chemie zu Leipzig x. 2 Bände in 8 Lief. 1ste Lfg. (12 Bog. in gr. 8.) 1833. 16 Gr. Auf Schreibp. 21 Gr.

Zur Erleichterung der Anschaffung und zur schnellern Verbreitung dieses, jedem Waarenhändler, Commissionnair, Fabrikanten, Mäkler, ganz besonders aber dem angehenden Kaufmanne höchst nützlichen, man möchte fast sagen unentbehrlichen Werkes, haben wir uns entschlossen, diese 5te Auflage in Lieferungen zu obigen Preisen erscheinen zu lassen. Das ganze Werk wird im Sommer 1834 vollendet sein. Eine ausführlichere Anzeige ist in allen Buchhandlungen zu erlangen.

J. C. Hinrichs'sche Buchhandlung in Leipzig.

Soeben ist erschienen:

Hand- und Taschenbuch der eleganten Gartenkunst

in Zimmern, an Fenstern und in kleinen Gärten.
Nach dem Französischen
von
Professor G. Kißling.
Mit Vorrede
von
Garteninspector J. Metzger.

8. Geh. 1 Fl. 20 Kr. Rhein., oder 20 Gr. Sächs.
Dasselbe roh 1 Fl. 12 Kr. Rhein., oder 18 Gr. Sächs.

Wenn schon der Landmann im Schooße der Natur und bei ihrem steten Genusse, dennoch begierig ist, seinen Gärten eine Zierde zu verleihen, seine Fenster zu schmücken mit den edlern Blüten, die sie in so unendlicher Mannichfaltigkeit bietet: so steigert sich dieser Trieb bei jedem Menschen von höherer Bildung und gesundem Gefühl, je mehr die Abstufungen der Lebensverhältnisse ihn entweder im Glanze des Reichthums, oder im Drang des Erwerbs, von der Natur entfernen; und wie manchen harmlosen Genuß verdankt er einer Blume, die er vom Keimen bis zur Reife selber gepflanzt. Bis zu unermeßlicher Mannichfaltigkeit ist dieser in unserer Zeit gemehrt, durch die Zufuhr der schönsten Blüten aller Zonen, welcher wir uns erfreuen, in dem lebendigern Völkerverkehr, den die Zeit entwickelt. Unentschieden, ob dem Reize der Feldblume, ob den schon früher einheimisch gewordenen Rosen, Nelken oder Tulpen, ob dem mysteriösen Kaktus oder der üppigen Hortensia der Vorzug gebühre, wird der Wunsch immer lebendiger und heißer, sie alle zu kennen und sich ihres Besitzes durch richtige Pflege zu versichern. Unmöglich kann man dazu anders gelangen, als durch die Hülfe eines Buchs, welches in zweckmäßiger und anerkannter Ordnung die Namen und Arten aufzählt, und über ihren Ursprung und ihre Behandlung belehrt.

Daß das vorliegende Werkchen diesem Zwecke auf eine ganz vorzügliche Weise entspricht, ist längst durch öffentliche Urtheile bestätigt; daß es aber in der hier gebotenen Bearbeitung eine ausgezeichnete Stelle einnimmt, dafür spricht nicht nur der Name des Herrn Herausgebers, welcher mit der Sprache und der Kunst aufs äußerste vertraut, sondern auch die Einführung des Herrn Garteninspector Metzger, welcher ebenso wol als wissenschaftlicher Botaniker, wie als praktischer Gartenkünstler, durch seine Aufsicht der botanischen Gärten Heidelbergs, des vielfach bewunderten Schloßgartens; durch seine ausgezeichneten Leistungen in der Cultur des Weinbaus und der ökonomischen Pflanzen, sowie durch die Begierde, mit welcher Jeder, nah und fern seine Gärten unter seiner Anleitung angelegt wünscht, seine Mitwirkung gewiß nur für eine Arbeit bieten konnte, von deren allseitigem Werth er überzeugt ist. Darum glauben wir für Garten- und Blumenfreunde aller Stufen und Verhältnisse eine höchst erwünschte Anzeige zu geben, indem wir die Erscheinung des Werkchens hiermit bekannt machen, dessen Erwerbung durch seinen äußerst billigen Preis für jeden möglich ist.

Heidelberg, September 1833.

August Oßwald's
Universitätsbuchhandlung.

In Baumgärtner's Buchhandlung ist soeben erschienen und an alle Buchhandlungen versandt worden:

Oekonomische und physikalische Beleuchtung

der wichtigsten Feldbau- oder Wirthschaftssysteme Europas, und ihrer Anwendbarkeit zur Verbesserung der Landwirthschaft in Deutschland und Preußen. Von W. A. Kreissig, einem ostpreußischen Landwirthe und Ehrenmitgliede der königl. preußischen märkischen Oekonomischen Gesellschaft zu Potsdam, der Oekonomischen Gesellschaft des Königreichs Sachsen zu Dresden, sowie des großherzoglich mecklenburgischen patriotischen Vereins zu Rostock. 23 Bogen in gr. 8. auf f. Velinp. Preis 2 Thlr.

Eine genaue Bekanntschaft der Wirthschaftssysteme und ihrer Ertragsverschiedenheiten muß jedem vorwärtsstrebenden Landwirthe vom höchsten Interesse sein. Obschon das englische Fruchtwechselsystem von Vielen für das ersprießlichste angesehen wird, so sind doch auch Viele nicht damit einverstanden, daß diese Form des Feldbaus unbedingt die Beste sei, wie denn auch andere Wirthschaftsarten ebenso günstige Resultate gegeben haben. Gedeihlicher Pflanzenbau und glückliche Viehzucht auf die sicherste und wohlfeilste Weise ist die Loosung und ein System, was nach Art und Umständen diese Zwecke erreichen läßt, wird als das Beste anzusehen sein. Die Feststellung eines einträglichen Systems nach Art und Umständen, die stets verschieden sind, wird jedem Landwirth aus dieser gründlichen Zusammenstellung, durch welche der Verfasser sich gewiß große Verdienste um die deutsche Landwirthschaft erwarb, nunmehr sehr erleichtert werden.

Diese Schrift ist übrigens vom Standpunkt des neuesten landwirthschaftlichen Wissens aufgefaßt.

BIBLIOTHECA HOMOEOPATHICA,

oder Verzeichniß aller bis zur Mitte des Jahres 1833 erschienenen Werke und Schriften über Homöopathie. Nach den Namen der Verfasser alphabetisch geordnet. 8. Brosch. 4 Gr.

AVLI PERSII FLACCI

SATIRA PRIMA

edita et castigata ad XXX editiones antiquissimas a *Ferdinando Hauthal.* In 8. auf Velinp. Pr. 10 Gr.

M. TULLI CICERONIS LAELIUS

sive de amicitia dialogus. Ex recensione *Reinholdi Klotz.* In 12. auf Velinp. Pr. 6 Gr.

Bei dieser Schulausgabe, welche eine ganz neue Textrecension gibt, werden bei Partien große Begünstigungen im Preise bewilligt.

Kritische Blätter für Forst- und Jagdwissenschaft,

in Verbindung mit mehren Forstmännern und Gelehrten herausgegeben von Dr. W. Pfeil, königl. preuß. Oberforstrathe und Professor. Siebenter Band. Erstes Heft. In 8. auf Velinpap. Pr. 1 Thlr.

Inhalt: Recensionen. — Abhandlungen. — Ueber die Verwechselung des Betriebsalter und des Umtriebsalter. — Insektensachen. — Oertliche Reisebemerkungen, gesammelt auf einer Harzreise. — Nachweisung der in verschiedenen Schriften aufgeführten großen Waldbäume. — Skizze der Forstgeschichte des preuß. Staats bis zum Jahre 1806.

Anzeige für Elementar- und Volksschullehrer.

Bei unterzeichnetem Verleger ist erschienen und in allen Buchhandlungen zu haben:

Dr. C.-Th. Pistor, Kurze Geographie nach den neuesten Staatsveränderungen. Ein Elementarbuch für den Schulunterricht. Zweite Auflage. 8.

Auf mehrfache Anfoderungen nach dem Plane seines Lehrbuchs der Geographie für Gymnasien und höhere Bürgerschulen ein Elementarbuch auszuarbeiten, welches durch Kürze und Wohlfeilheit vorzüglich für das Bedürfniß der Volksschulen und der untersten Classen in Gelehrtenschulen geeignet wäre, hat sich der geachtete Herr Verfasser zur Herausgabe dieses kurzen Lehrbuchs entschlossen. Die Anerkennung seiner Brauchbarkit ist ihm auch nicht entgangen, indem schon im ersten Jahre eine zweite Auflage nöthig wurde. Der Verleger hat seinerseits dies Büchlein möglichst gemeinnützlich zu machen gesucht, indem er den Preis nur zu 4 Gr., oder 18 Kr., gesetzt hat und bei Einführung in Schulen auf 25 Exemplare 3, auf 50 Exemplare 8, auf 75 Exemplare 16 und auf 100 Exemplare 25 Freiexemplare gibt, welchen Vortheil auch jede andere Buchhandlung gewähren wird. — Für die Schulen des Großherzogthums Hessen und Herzogthums Nassau wird die ausführlichere Beschreibung dieser Länder hinzugegeben. Als Anhang findet man die Beschreibung von Palästina ausführlicher behandelt, abgedruckt.

Zum Gebrauche bei diesem Lehrbuche, sowie bei jedem andern empfiehlt sich:

Kleiner Schulatlas der neuesten Erdbeschreibung in 9 colorirten Blättern. Preis 54 Kr., oder 12 Gr.

welcher besonders für das Bedürfniß der Bürger- und Elementarschulen berechnet ist. Er enthält nämlich: 1. Die östliche Halbkugel. 2. Die westliche Halbkugel. 3. Europa. 4. Asien. 5. Afrika. 6. Nordamerika. 7. Südamerika. 8. Deutschland. 9. Großherzogth. Hessen oder Herzogth. Nassau, oder statt diesen, sobald wenigstens 100 Exemp. zugleich bestellt werden, denjenigen Bundesstaat, in dessen Schulen der Atlas gebraucht werden soll, wodurch dem Lehrer der speciellere Vortrag der Geographie des Inlandes erleichtert wird. Die einzelnen Kärtchen sind sämmtlich einzeln à 3 Kr., oder 2 Gr., zu haben.

Weicker, L. C., Kalligraphische Wandfibel der Currentschrift in methodischer Stufenfolge zum Gebrauch in Schulen. Auf 20 Tafeln mit 5 Zoll hoher Schrift.

Durch diese Tafeln ist dem Lehrer, besonders in Elementarclassen, ein Mittel gegeben, die Kinder so im Schönschreiben zu unterrichten, daß dieser Unterricht ihnen keine Zeit kostet, die Kinder angenehm beschäftigt und schnelle Fortschritte befördert. Der Uebergang vom Leichtern zum Schwerern, sowie die Entwickelung der Buchstaben ist gehörig berücksichtigt.

Schon das versendete Probeblatt hat vielen Beifall gefunden und es verdienen diese Wandtafeln für jede Elementarschule angeschafft zu werden. — Für diesen Endzweck soll auch noch der billige Subscriptionspreis von 1 Thlr., oder 1 Fl. 45 Kr., fortbestehen, auch Sammlern von Unterzeichnungen auf 10 Exemplare ein Freiexemplar gegeben werden.

Darmstadt, im September 1833.

K. W. Leske.

Soeben ist erschienen:

Kupfersammlung zu Göthe's sämmtlichen Werken

15 Supplementbände

oder zum 41.—55. Band.

Leipzig, bei Friedrich Fleischer.

Ausgabe in groß Octav 1 Thlr. 12 Gr.

— — Taschenformat 1 Thlr.

Das 1ste Heft ist versandt. Das 2te erscheint Ende November und das 3te bald nach Ostern 1834. Die Zeichnungen sämmtlich von Moritz Retzsch, die Stiche von Künstlern wie Ed. Weiß, Eißner, Beyer, Schwertgeburth, Langer u. A. m. geliefert. Mit obigem kostet nun die vollständige Kupfersammlung von 55 Blättern

in gr. Octav 5 Thlr. 12 Gr.; in Taschenformat 3 Thlr. 16 Gr. und bietet gewiß eine ebenso freundliche als würdige Zierde der Werke des großen Meisters dar.

Oestreichische militairische Zeitschrift 1833.

Neuntes Heft.

Dieses Heft ist soeben erschienen und an alle Buchhandlungen versendet worden. Inhalt: I. Geschichtliche Skizze der Kriegsereignisse in Tirol im Jahre 1809. *Zweiter Abschnitt.* — II. Ueber die Conservation der Militairpferde zu ihrer möglichst langen Diensttauglichkeit. (Fortsetzung.) — III. Geschichte des im Jahre 1810 aufgelösten k. k. Linien-Infanterie-Regiments Baron Simbschen Nr. 43. (Schluß.) — IV. Literatur. — V. Neueste Militairveränderungen.

Der Preis des Jahrganges 1833, sowie der aller frühern Jahrgänge ist 8 Thlr. Sächs. Wer die ganze Sammlung aller Jahrgänge von 1818 — 32 auf einmal abnimmt, erhält dieselben um ½ wohlfeiler.

Wien, den 12ten October 1833.

J. G. Heubner.
Buchhändler.

Soeben ist erschienen:

Taschenbuch der Liebe und Freundschaft, gewidmet für 1834. Herausgegeben von St. Schütze.

Mit Beiträgen von L. Bechstein, W. Blumenhagen, A. von Chamisso, D. Leßmann, L. Storch und dem Herausgeber, mit Kupfern und Stahlstichen nach Ramberg. 1 Thlr. 12 Gr., oder

2 Fl. 42 Kr., feine Ausgabe 2 Thlr. 12 Gr., oder 4 Fl. 30 Kr. Maroquin und Futteral 4 Thlr., oder 7 Fl. 12 Kr.

Frankfurt a. M., im Sept. 1835.

Friedr. Wilmans Verlagsh.

Soeben ist beendigt und versandt:

Handbuch
der classischen Bibliographie
von Dr. F. L. A. Schweiger.

2ter Band, 2te Abtheilung.

Römische Schriftsteller M—V.

Leipzig, bei Friedrich Fleischer. 3 Thlr. 4 Gr.

Damit ist nun ein Werk beendigt, dessen Werth und Brauchbarkeit bereits allgemein anerkannt ist. Der sehr geringe Preis für das Ganze (7 Thlr. für fast 100 Bogen des größten Formats und engsten Drucks) ist nur auf die Hoffnung einer lebendigen Theilnahme, deren sich ein gutes Buch bisher ja immer in Deutschland zu erfreuen hatte, gegründet.

Luther'sche Handconcordanz.

Das unter dem Titel:

Geist aus Luther's Schriften, oder Concordanz der Ansichten und Urtheile des großen Reformators über die wichtigsten Gegenstände des Glaubens, der Wissenschaft und des Lebens, herausgegeben von F. W. Lucius, F. Rust, L. Sackreuter und Ernst Zimmermann

in vier Bänden großen Octavformats erschienene (in vielfachen öffentlichen Beurtheilungen als höchst brauchbar und zweckgemäß anerkannte) Werk ist fortdauernd noch durch jede gute Buchhandlung zu dem billigen Subscriptionspreise (für 257 Bogen auf gutem Druckpapier) zu 6 Thlr., oder 10 Fl. 30 Kr., auf Velindruckpapier zu 10 Thlr. 8 Gr., oder 18 Fl., zu haben.

Diese vollständigste Zusammmenstellung aller Aeußerungen dieses Heroen seiner Zeit verdient nicht allein in der Hand jedes evangelischen Geistlichen zu sein, sondern ist ebenso sehr jedem ächten Protestanten und Freunde der Wahrheit zu empfehlen.

Darmstadt, den 7ten September 1835.

K. W. Leske.

Literarische Anzeige
für Freunde belletristischer Schriften, Leihbibliotheken und Lesecirkel.

Soeben ist der erste Band der in meinem Verlage herauskommenden

Sammlung
historisch-romantischer
Erzählungen und Geschichten,
von
F. W. Lips,

erschienen, und an alle solide Buchhandlungen Deutschlands und der Schweiz versandt worden. — Dieser erste Band, 308 Octavseiten stark, auf milchweißem Papier elegant gedruckt, und dem Inhalte mit typographischer Schönheit würdig ausgestattet, enthält: 1) Die Eroberung von Bacharach; 2) Der Hagestolz; 3) Alexius und Irene. Der Inhalt des zweiten Bandes, welcher dem ersten bald nachfolgen wird, besteht 1) aus Venedigs Patrizier, 2) Husslar und 3) Die Christfreude. Der Preis eines jeden Bandes ist 1 Thlr. 16 Gr., oder 2 Fl. 48 Kr. Jedes halbe Jahr werden 3—4 Bände, bis zur Vollendung der ganzen Sammlung, welche sich auf etwa 8—10 Bände beschränken dürfte, erscheinen.

Mit dieser, jedes reine Gemüth ungemein ansprechenden, das Interesse des Lesers auf das Höchste in Spannung erhaltenden Sammlung von Erzählungen, sowol historisch-romantischen als humoristischen Inhalts, tritt vor das deutsche Publicum anspruchlos und bescheiden ein Schriftsteller, dessen Dichtungen in der deutschen belletristischen Literatur Epoche machen werden. Schon seit einem Zeitraume von zehn Jahren haben die Erzählungen und historischen Novellen von F. W. Lips (welche theils unter diesem Namen, theils unter der Chiffre *** erschienen) sich des größten Beifalls des zahlreichen Lesepublicums der „Didaskalia", in welchem Blatte sie zuerst erschienen, zu erfreuen gehabt. Wir erinnern hier nur noch an folgende: 1. Adolf von Nassau. 2. Anneli. 3. Pugatscheff. 4. Bruder Ludwig. 5. Quintin. 6. Arnold. 7. Victorin's Schicksale. 8. Der erste Einfall der Mauren in Spanien. 9. Die Verbrechercolonie auf Neu-Süd-Wales. 10. Die Rückkehr in das Heimatland. 11. Der Schwede und die Kreuznacherin. 12. Gui de Saint-Flour. 13. Peccahontas. 14. Hugo van Geest. 15. Der Sicilianer. 16. Armuth und Gottvertrauen. 17. Der Maulschellensegen. 18. L'entreprise des jours gras ꝛc. ꝛc. Eine reiche Erfindungsgabe, feste Zeichnung der Charaktere, lebendige Darstellung und blühender Styl, zeichnen die Dichtungen des Verfassers sowol im genre der histor. Novelle, als in dem der humoristischen und gemüthlichen Erzählung aus; aber was wir höher noch stellen möchten, ist die Keuschheit und Reinheit, das tiefe religiöse Gefühl, das in diesen Dichtungen lebt, und sie auszeichnet vor so vielen, die, man sollte es fast glauben, nur berechnet zu scheinen, die Sinnlichkeit zu reizen. Die Journalauflagen dieser Erzählungen sind sämmtlich vergriffen, und es konnte daher den wiederholten Nachfragen nach denselben bis jetzt nicht entsprochen werden. Um daher diesen Nachfragen, sowie vielen eingegangenen Auffoderungen zu genügen, hat sich der Herr Verfasser, durch ein Uebereinkommen mit den Verlegern der Didaskalia, Herren Heller und Rohm, entschlossen, diese Gesammtausgabe seiner Erzählungen und Geschichten zu veranstalten, und solche in würdiger Ausstattung dem Publicum vorzuführen.

Der Herr Verfasser hat seine sämmtlichen Dichtungen einer neuen Ueberarbeitung und Verbesserung unterworfen, und mit einer Anzahl noch ungedruckter Arbeiten vermehrt.

Allen Leihbibliotheken, Lesecirkeln und Freunden belletristischer Literatur empfehle ich daher insbesondere diese Sammlung von Novellen und Erzählungen, da ich einer günstigen Aufnahme von ihrer Seite nach Durchlesung des ersten Probebandes gewiß bin.

Frankfurt a. M., im Sept. 1835.

J. D. Sauerländer.

Böhmer, J. Fr., Regesta chronologica diplomatica Karolorum. Die Urkunden sämmtlicher Karolinger in kurzen Auszügen, mit Nachweisung der Bücher in welchen solche abgedruckt sind. Gr. 4. Frankfurt a. M, bei Fr. Varrentrapp. 2 Thlr. 8 Gr.

Bei G. Anhuth in Danzig ist soeben erschienen, und durch alle soliden Buchhandlungen zu beziehen:

Lieb' Tantchen aus Marienburg. Eine Sammlung moralischer Erzählungen aus Preußens Vorzeit, für Kinder beiderlei Geschlechts von 10—14 Jahren. Von J. Satori (Neumann). Ein passendes Weihnachts- oder Geburtstagsgeschenk. Gr. 12. Mit 7 illum. Kupfern, sauber gebunden. Preis 1 Thlr. 12 Gr., oder 15 Sgr. Dasselbe mit schwarzen Kupfern 1 Thlr. 6 Gr., oder 7½ Sgr.

Richard Vines, Praktische Abhandlung über die Rotzkrankheit und den Hautwurm des Pferdes. Aus d. Engl. übers. von L. Wagenfeld, königl. preuß. Kreisthierarzt. Mit 2 colorirten Tafeln. 13 Bog. Gr. 8. Geh. Preis 1 Thlr.

Lehmann (Joh. Aug. O. L. Dr. der Philosophie), Allgemeiner Mechanismus des Periodenbaues, nebst einem Versuche, an ihn eine Kritik der deutschen Periode anzuknüpfen. 28 Bog. Gr. 8. Geh. Preis 1 Thlr. 16 Gr., oder 20 Sgr.

Im Jahre 1832 erschien unter andern:

Ponge, S., Systematisch nach allen Redetheilen geordnete französische, **englische** und deutsche Sprachübungen, um schnell in diesen Sprachen eine Fertigkeit im Sprechen zu erlangen. Für Schulen und Privatunterricht. 1832. VIII und 251 S. 12. Geh. (20 Gr.)

Das Ergänzungsblatt zur „Allg. Lit.-Zeit.", Halle 1833, Juli, Nr. 65, sagt darüber: Diese nach J. Perrin's Plan geordnete und von Tuin und Chambaud verbesserte Sprachübungen sind als Beihülfe zum Erlernen des Französischen und Englischen sehr empfehlenswerth. Sie schreiten vom Leichtern zum Schwerern fort, berücksichtigen überall die Bedürfnisse des alltäglichen Lebens, und der geselligen Verhältnisse, und geben durch öfteres Wiederkehren gleicher Wörter und ähnlicher Phrasen dem Gedächtniß Gelegenheit sich zu prüfen und zu stärken u. s. w.

— —, Der kleine französische Sprachmeister, oder neues französisches Elementar-Lesebuch systematisch nach allen Redetheilen geordnet. Für Schulen- und Privatunterricht. 8. 8 Bog. Geh. 10 Gr., oder 12½ Sgr.

An die Freunde italienischer Literatur.

Die seit 12 Jahren mit classischem Ruhme bestandene italienische Zeitschrift

Antologia di Firenze

durfte leider mit Anfang dieses Jahres nicht mehr erscheinen. Ihr rein literarisch-wissenschaftlicher Gehalt, welchen der verdienstvolle Herausgeber G. P. Vieusseux gleichsam zum Organ der geistigen Fortschritte Italiens machte, wird ein bleibendes Denkmal dieser Literatur sein; und glaubt man daher den Verehrern derselben einen angenehmen Dienst mit der Anzeige zu erweisen, daß die verschiedenen Jahrgänge um folgende bedeutend herabgesetzte Preise durch die unterzeichnete Buchhandlung zu beziehen sind:

Die ganze Sammlung 1821 — 32 bestehend in 144 Heften oder 48 Bänden (wovon nur noch wenige Exemplare vorräthig) zu 145 Fl., oder 96 Thlr. 16 Gr. Sächs.
Die Jahrgänge 1822—30 jeder zu 6 Fl., oder 4 Thlr. Sächs.
Die Jahrgänge 1831 und 1832 zusammen zu 10 Fl., oder 18 Thlr. 8 Gr. Sächs.
Einzelne Hefte: im Verhältniß.

Wien, im October 1833.

Friedr. Volke's Buchhandlung.

Soeben ist erschienen:

Chemisches Kunstfarb- und Waschbuch,

nach eignen Grundsätzen und Versuchen bearbeitet, und nach 30jähriger Ausübung im Großen und im Kleinen erprobt.

Für Kunstfärber, Fabrikanten und Hausfrauen

von

F. J. Wernigk.

8. 1 Fl. 48 Kr. Rhein., od. 1 Thlr. 4 Gr. Sächs.

Ein Handbuch der Färbekunst, wie das vorliegende, möchte wol zu den seltenen Erscheinungen zu zählen, und darum desto erfreulicher sein, weil dadurch in diesem wichtigen Fache einem gewiß längst und allgemein gefühlten Mangel abgeholfen wird. Der Verfasser hat, wie der Titel besagt, bei wissenschaftlicher Kenntniß, 30jährige Erfahrungen und die Versuche vom größten bis zum kleinsten Verhältnisse benutzt, um sich des Erfolgs zu versichern, und denselben nun in seinem Buche so vollständig und deutlich entwickelt und dargestellt, daß er Keinem, welcher seiner Anleitung mit Aufmerksamkeit folgt, fehlschlagen kann, und also den Fabrikanten im Großen ebenso wol als den Kunstverwandten befriedigen muß, sowie nicht minder im kleinen häuslichen Versuch den Uebungen und der Sparsamkeit häuslicher Frauen, eine Befriedigung gewährt, welche dann nicht nur den Zweck der Ersparniß, sondern auch den Genuß einer gelungenen Schöpfung aufs erfreulichste bietet. Das Buch wird also hierdurch allen die es angeht, hinreichend empfohlen sein, und sich am besten durch seine Anwendung empfehlen; wozu der nach Maßgabe der kostbaren Proben und Leistungen äußerst wohlfeile Preis gewiß förderlich mitwirkt.

Zu weiterer Bestätigung des Gesagten führen wir von dem reichen Inhalte des Buches nur einige Punkte an, nämlich:

Wie man neue ungefärbte seidene, wollene, baumwollene, leinene, sammetne, manchesterne, kameel- und haasenhaarne Waare vorzubereiten, nach Wunsch zu färben und zuzurichten habe. Auch Federn und Strohhüte zu färben. — Ferner die getragenen und beschmutzten farbenlosen seidene, wollene, baumwollene, leinene und Kreppflohrstoffe zu reinigen und von der alten Farbe zu befreien, um neue bessere auffärben zu können. Nebst Unterricht, den Cotton-, Leinen- und Indianendruck zu machen. — Für Frauenzimmer enthält dasselbe: wie farbiger mit Gold und Silber gestickter Stoff haltbar, und weißer beschmutzter Atlas, Taffent, Band, seidene Strümpfe und Handschuhe und Kreppflohr rein zu waschen und wie neu herzustellen sind.

Heidelberg, September 1833.

August Oßwald's
Universitätsbuchhandlung.

In der G. J. Edler'schen Buchhandlung in Hanau ist soeben erschienen und in allen Buchhandlungen zu haben:

Der Prediger, oder die Kirche in Leben und Siechthum von Dr. H. G. Zehner. 8. Brosch. 8 Gr., oder 36 Kr. Rhein.

Den organischen Weg als den natürlichsten jedem andern vorziehend sucht der Verfasser darzulegen, daß der Protestantismus schon in seinem Keime das Siechthum trug, und entwickelt dies in den Abschnitten, in welchen er von den innern Ursachen des verfallenen Kirchenthums redet. In Darlegung der äußern Ursachen beginnt der Verfasser von dem Aeußern des Predigers, und verfolgt seinen Gegenstand durch das Innere der Kirchen und des Pfarrerlebens bis zu den Blutzehnten und den Pönitenzpfarreien, welche er als einen Frevel gegen die Humanität rügt. Religiöse Wärme durchdringt und belebt die Darstellung, deren Inhalt von dem Lichte der Vernunft durchdrungen ist.

An die deutschen Buchhändler.

Ein im Fach der Biographie und Literargeschichte rühmlich bekannter Schriftsteller sucht einen Verleger für ein von ihm auszuarbeitendes Werk unter dem Titel:

Die deutschen Rechtslehrer des 18ten und 19ten Jahrhunderts. Nach ihrem Leben und Wirken dargestellt von u. s. w.

Ebenderselbe beabsichtigt vollständige Biographien Joh. v. Müller's und Joh. Georg v. Zimmermann's. Nähere Auskunft ertheilt die Redaction der Blätter für literarische Unterhaltung.

Literarischer Anzeiger.

(Zu den bei F. A. Brockhaus in Leipzig erscheinenden Zeitschriften.)

1833. Nr. XXXII.

Dieser literarische Anzeiger wird den bei F. A. Brockhaus in Leipzig erscheinenden Zeitschriften: Blätter für literarische Unterhaltung, Isis, sowie der Allgemeinen medicinischen Zeitung, beigelegt oder beigeheftet, und betragen die Insertionsgebühren für die Zeile 2 Gr.

Anzeige für Philologen.

Bei C. W. Leske in Darmstadt ist erschienen und durch alle Buchhandlungen zu beziehen:

Creuzer, D. Fr. (grossherzoglich badischer Geheimrath und Professor zu Heidelberg), Ein altathenisches Gefäss mit Malerei und Inschrift; mit Anmerkungen über diese Vasengattung. Mit einer color. Kupfertafel und 2 Vignetten. Gr. 8. Geh. 20 Gr., oder 1 Fl. 30 Kr.

Derselbe, Zur Geschichte altrömischer Cultur am Oberrhein und Neckar, mit einem Vorschlage zu weitern Forschungen. Mit 5 Vignetten und 1 Kärtchen. Gr. 8. Geh. 20 Gr., oder 1 Fl. 30 Kr.

Boethii, Anicii Manlii Torquati Severini, Carmina graece conversa per *Maximum Planudem*. Primus ed. *C. F. Weber*. 4. 12 Gr., oder 54 Kr.

Bössler, D. C. L., De gentibus et familiis atticae sacerdotalibus. 4 maj. 16 Gr., oder 1 Fl. 12 Kr.

Auch kann der Verleger die endliche Vollendung der

Sylloge inscriptionum graecarum et latinarum, quas in itineribus suis per Italiam, Galliam et Brittaniam factis exscripsit et partimque nunc primum ed. *Fr. Osann*.

hier anzeigen. Der 10te und letzte Fascicul wird in den ersten Tagen erscheinen und es kostet das vollständige Werk sauber cart. 19 Thlr., oder 33 Fl. 15 Kr. Ueber die Verdienste des Verfassers bei dieser mit großer Sorgfalt und ausgezeichnet kritischem Blick veranstalteten Sammlung haben sich bereits die geachtetsten kritischen Blätter hinlänglich ausgesprochen.

Bei Mayer u. Comp. ist soeben erschienen:

Meisterlosigkeit.

[illegible] Capriccio

von

Anton Palffy.

Leipzig, 1834. Cartonnirt. Velinpapier. 1 Thlr.

Sagen und Novellen.

Aus dem Magyarischen

übersetzt

von

Georg von Gaal.

1834. In Umschlag broschirt. 1 Thlr.

Frohberg, Reg., Die Abreise. Roman. 2 Bände. 2te Ausgabe. 1834. Brosch. 1 Thlr. 6 Gr.

Dieser Roman der hochgeachteten Verfasserin zeichnet sich vor manchen ihrer frühern durch scharfe Charakterzeichnung, pikante Situationen, frisches Leben und treffliche Haltung aus. Hier bewegt sich ihr glückliches Talent auf dem glänzenden Schauplatze der großen und vornehmen Welt, der ihr wohl angehört und auf dem sie durch Geist, Kenntniß und Ton stets zahlreiche Verehrer gefunden. An Gediegenheit und innerm Werth steht die Abreise vielleicht oben an.

Frohberg, Reg., Die Entsagung. Roman. 2 Thle. 2te Aufl. 1830. 1 Thlr. 12 Gr.

Bei Georg Franz in München ist erschienen und in allen guten Buchhandlungen zu haben:

Das

Wesen und Unwesen

der

gothaischen

Feuerversicherungsbank,

von

Ernst Warold.

Gr. 8. Brosch. 30 Kr., oder 8 Gr.

In der Baumgärtner'schen Buchandlung in Leipzig, Peterstrasse Nr. 112, ist soeben erschienen und an alle Buchhandlungen versendet worden:

CORPUS JURIS CIVILIS

ediderunt *C. J. Albertus* et *C. Mauritius* fratres *Kriegelii*. Fasc. VI, Partem septimam Digestorum, sive Libb. XLV—L, nec non Indicem titulorum, Tabulas synopticas duas atque Praemonitorum ad Fasc. V. continuationem continens.

Mit diesem sechsten Fascikel sind die *Institutionen* und *Pandekten* dieser Stereotypenausgabe des *Corpus jur. civ.* geschlossen, sodass das Vorhandene nunmehr als ein in sich abgeschlossenes Ganze gebunden und in separaten Gebrauch genommen werden kann.

Einzelpreis: die Institutionen und Pandekten 2 Thlr. 18 Gr. — desgl. die Institutionen allein 8 Gr. — Gesammtpreis des vollständigen Corpus juris: 3 Thlr. 12 Gr.

PHYSISCHE GEOGRAPHIE

oder

Darstellung unserer Erde nach ihrer natürlichen Beschaffenheit und Einrichtung

für Schulen und zum Privatgebrauch von Dr. Karl Schmidt. Mit einer Stahlplatte und 5 illum. Tafeln in Querfolio. In 4. auf Velinp. Preis 16 Gr.

Mit Vermeidung lästiger Ausführlichkeit hat sich der Verfasser bemüht, eine leichte, kurzgefasste, das Nöthigste darstellende Uebersicht von allem Wissenswürdigen, was die natürliche Beschaffenheit unsers Erdkörpers zur Betrachtung darbietet, auf eine allgemein verständliche Weise mitzutheilen, und auch durch bildliche Darstellungen zu erläutern. Wir verweisen zum Erkenntniss des Werthes dieser Arbeit auf die hierunter abgedruckte Recension, welche desselben Verfassers mathematische Geographie erhielt.

Recension aus der Literaturzeitung für Volksschullehrer 1833. 3tes Heft.

Mathematische Geographie,

oder Darstellung unserer Erde, nach ihrem Stande und Verhältnisse zu den übrigen Himmelskörpern u. s. w., mit besonderer Berücksichtigung der auf ihr wohnenden Menschen. Mit 6 illum. Kupfern. Gr. 4. Geh. 16 Gr.

Es ist uns lange keine Schrift zu Gesichte gekommen, welche wir in jeder Hinsicht der Empfehlung an das pädagogische Publicum so würdig gefunden hätten als wie die vorliegende. Sie bietet ein so durchaus brauchbares und zweckmäßiges Hülfsmittel für den geographischen Unterricht dar, daß wir die Lehrer recht angelegentlich darauf zu verweisen uns für verbunden halten. Die trefflich illuminirten Kupfer sind sehr instructiv.

Neue empfehlungswerthe Jugendschrift.

In allen Buchhandlungen ist zu haben:

Die interessantesten und wichtigsten

Kämpfe, Schlachten und Belagerungen

in der alten Geschichte

vorzüglich der Griechen und Römer.

Ein Lesebuch zur Unterhaltung und Belehrung, zunächst für die reifere Jugend der Gymnasien, der Militair- und anderer Bildungsanstalten,

aus den Quellen dargestellt,

von

Georg Graff,

Oberlehrer am königl. Gymnasium zu Wetzlar.

1stes Bändchen. 8. Cartonnirt. 18 Gr., oder 1 Fl. 20 Kr.

Das zweite Bändchen erscheint zur Ostermesse 1834.

Darmstadt, im September 1833.

Karl Wilhelm Leske.

Soeben ist erschienen:

Die Lüge.

Ein Beitrag zur Seelenkrankheitskunde

von Dr. J. C. A. Heinroth.

k. s. Hofrath und Professor in Leipzig.

Leipzig, Friedrich Fleischer. 2 Thlr. 12 Gr.

Bei mir ist erschienen und in allen Buchhandlungen zu haben:

Ueber die Stellung des Geschichtschreibers

Thukydides

zu den Parteien Griechenlands.

Von

Dr. Fried. Kortum,

Professor an der bernischen Akademie.

Gr. 8. Geh. 4 Gr., oder 18 Kr.

Das, was Herr Hofrath Pölitz in Beck's Repertorium über dieses Schriftchen sagt, überhebt mich aller fernern Anpreisungen, und erlaube ich mir nur alle Freunde der Geschichte und des hellenischen Alterthums auf dasselbe aufmerksam zu machen.

Bern, Aug. 1833.

C. A. Jenni.

Höchst wichtige Schrift für Theologen.

Soeben ist bei mir erschienen:

Allseitige wissenschaftliche und historische Untersuchung der Rechtmäßigkeit der Verpflichtung auf symbolische Bücher überhaupt und die augsburgische Confession insbesondere

von

J. L. G. Johannsen,

Dr. der Theologie und Philosophie, Hauptprediger in Kopenhagen.

Gr. 8. 42 Bogen. 3 Thlr. 8 Gr.

Kein Theologe wird diese Schrift unbefriedigt aus den Händen legen. Noch nie ist dieser Gegenstand so ausführlich und mit so vieler Gelehrsamkeit behandelt, und man kann wol mit Recht annehmen, daß dieses Werk als eine der wichtigsten Erscheinungen der neuesten theologischen Literatur anerkannt und stets eine Zierde derselben bleiben wird.

In allen Buchhandlungen Deutschlands, der Schweiz u. s. w. ist das Werk vorräthig.

Altona, October 1833.

J. F. Hammerich.

Deutsche Sprachlehre für Schulen.

Von Max. Wilh. Götzinger.

Zweite völlig umgearbeitete Auflage.

Ladenpreis 15 Gr., oder 1 Fl.

Im Verlag von H. R. Sauerländer in Aarau.

Diese neue zweite Auflage hat eben die Presse verlassen, sie erscheint in einer völlig neuen Gestalt, und hat sowol hinsichtlich des Stoffes als der Form und Anordnung desselben bedeutende Veränderungen erlitten. Diejenigen Herren Professoren und Lehrer, welche sich dafür interessiren, belieben sich ein Freiexemplar von der nächstgelegenen Buchhandlung gegen Schein ausliefern zu lassen und es wird sie die nähere Einsicht in jeder Hinsicht befriedigen; Gründlichkeit, Correctheit und äußerste Wohlfeilheit werden die besten Empfehlungen zur Einführung dieses guten Schulbuches sein.

Vollständige Anleitung

zur französischen und deutschen

Unterhaltungssprache.

Von Professor Fries in Paris.

INSTRUCTION POUR FACILITER

LA CONVERSATION

DANS LES DEUX LANGUES.

Ein Band in gr. 8. Geheftet à 1 Fl. 20 Kr., oder 20 Gr.

Im Verlag von H. R. Sauerländer in Aarau.

Es füllt diese neue französisch-deutsche Phraseologie eine große Lücke unserer Lehrbücher der französischen Sprache aus. Mit einer ganz neuen Methode trägt der Hr. Verfasser den Unterricht in der französischen Umgangssprache vor. Indem er einen und denselben Sinn auf die verschiedenste und mannichfaltigste Weise ausdrückt, verbindet er mit dieser zugleich die verschiedenste und mannichfaltigste grammatikalische Wendung, wodurch er sein Lehrbuch sowol für den Anfänger als für den Geübtern ungemein brauchbar gemacht hat. Wir können daher dieses Werk allen Denjenigen, welche sich in kurzer Zeit und auf eine leichte und angenehme Weise die französische Conversationssprache eigen machen wollen, als vorzüglich dazu geeignet empfehlen, sowie auch allen denjenigen Schülern insbesondere, welchen Hirzel's französische Grammatik zum Unterricht dient.

Obige beide Lehrbücher sind in allen guten Buchhandlungen von ganz Deutschland, der Schweiz und dem Elsaß um die beigesetzten Preise vorräthig zu haben, sowie bei dem Verleger derselben.

H. R. Sauerländer in Aarau.

Bei J. F. Hammerich in Altona ist soeben erschienen und in allen Buchhandlungen zu haben:

Die Juden

und die öffentliche Meinung im preußischen Staate. Mit besonderer Rücksicht auf die preußischen Provinzialstände und deren Bedeutung.

Zur Erwiderung auf die Schrift des Herrn Karl Streckfuß: „Ueber die Verhältnisse der Juden zu den christlichen Staaten."

Gr. 8. Geheftet. 1 Thlr. 4 Gr.

Für Geistliche und Lehrer.

Unter der großen Anzahl der vorhandenen Lehrbücher des Christenthums verdient folgendes neu erschienene eine vorzugsweise Beachtung:

Dreuktes, J. G. Fr. (Stadtpfarrer in Heidelberg), Die Heilslehre des Christenthums in einem ausführlichen Katechismus mit beigefügten Bibelstellen. Für den Unterricht der reifern Jugend in evangelisch-protestantischer Kirche und Schulen. Gr. 8. 12 Gr., oder 54 Kr.

Diejenigen kritischen Blätter, welche bereits dies Buch angezeigt haben, (z. B. das Theol. Literaturblatt, Jahrgang 1833, Nr. 44) ertheilen ihm hinsichtlich der Klarheit und Brauchbarkeit für höhere Bürgerschulen, Gymnasien und zum Privatgebrauch das größte Lob. — Um die Einführung in Schulen zu erleichtern, findet bei Abnahme von 25 Exemplaren zugleich genommen ein Partiepreis von 6 Gr., oder 27 Kr., statt und noch außerdem bei 50 Exempl. 10, bei 100 Exempl. 30 Freiexempl., welche Vortheile jede gute Buchhandlung zu gewähren in den Stand gesetzt ist.

Darmstadt, den 10ten September 1833.

K. W. Leske.

Im Verlage von J. L. Schrag in Nürnberg ist soeben erschienen und durch alle Buchhandlungen zu haben:

Handbuch

der

chemisch-pharmaceutischen und pharmakognostischen

Nomenclaturen

oder

Uebersicht aller lateinischen, deutschen und französischen Benennungen der chemisch-pharmaceutischen Präparate, sowie der im Handel vorkommenden rohen Arzneistoffe,

für Aerzte, Apotheker und Droguisten

von

Ernst Friedr. Anthon.

46 Bogen in Med. 8. Preis 3 Thlr., oder 4 Fl. 30 Kr.

Wenn in den letzten Jahrzehnden die Botanik, Chemie und Pharmakologie bewundernswerthe Fortschritte machten, und neugeschaffene Systeme dieser Wissenschaften auch neue Benennungen für längst bekannte Rohstoffe und Präparate zur Folge hatten, so musste sich dadurch die Masse der Namen der Arzneistoffe auf eine keineswegs wünschenswerthe Weise vermehren. Es war deshalb für den Mann vom Fache bereits eine schwierige Aufgabe geworden, die vielen synonymen, für ein und denselben Gegenstand existirenden Benennungen kennen zu lernen, und schon war hierzu ein besonders mühsames Studium erfoderlich. Andererseits aber wurde die genaue Kenntniss aller dieser Namen um so unerlässlicher, weil fast jede Pharmakopoe ihre eigne Nomenclatur hatte.

Kein Werk war bisher vorhanden, welches, alle Synonymen der in die Materia medica aufgenommenen Waaren enthaltend, ein bequemes Hülfsmittel dargeboten hätte, um sich in zweifelhaften Fällen schnell Raths zu erholen. Diesem dringend gefühlten Bedürfniss hat der Verfasser durch dieses Handwörterbuch abgeholfen. Mit grosser Sorgfalt und gewissenhafter Treue stellte derselbe alle alten, neuern und neuesten lateinischen, deutschen und französischen Benennungen sämmtlicher rohen und zubereiteten Arzneiwaaren zusammen, ordnete solche alphabetisch und machte durch die vier beigegebenen Register den Gebrauch so leicht und bequem, dass selbst der Unerfahrenste sich auf der Stelle daraus vollkommen genügend unterrichten kann.

Aerzten, Apothekern, Droguisten und Chemikern muss dieses Werk nicht nur eine höchst willkommene Erscheinung sein, sondern es wird ihnen dasselbe auch von Tag zu Tag unentbehrlicher werden, indem durch seine Benützung die vielen peinigenden Verlegenheiten und sogar gefährliche Irrthümer und Misgriffe, welche der willkürliche Gebrauch der alten und neuen Nomenclaturen stets herbeiführt, gänzlich vermieden werden können.

Hanover, im Verlage der Hahn'schen Hofbuchhandlung ist soeben erschienen:

Geschichte der Kämpfe Frankreichs in Italien unter Karl VIII., oder Geschichte der italienisch-französischen Kriege von 1494 bis 1515 von Wilh. Havemann, Lehrer am kgl. Pädagogio zu Ilfeld. Gr. 8. 1833. Velinppr. Brosch. 21 Gr.

Sowol für Geschichtsfreunde als auch für Militairs wird diese gründliche und anziehende Schilderung der so thatenreichen und merkwürdigen Zeitepoche eines Bayard's, Frundsberg's, Gonçalo de Cordova's u. s. w. ebenso belehrend als unterhaltend sein, indem sich darin das Ritterwesen des Mittelalters noch einmal von seiner glänzenden Seite zeigt, ehe es den neuern Instituten weicht, und da in jener Zeitperiode die erste Bildung des jetzigen Kriegswesens und die früheste Entwickelung der neuern Politik zu suchen sind.

Für Mineralogen und Reisende am Harz.

Soeben ist erschienen und an alle Buchhandlungen versendet:

Zimmermann, Dr. Chr. (Bergsecretair zu Clausthal und Lehrer an der königl. Berg- und Forstschule das.), **Das Harzgebirge, in besonderer Beziehung auf Natur- und Gewerbskunde geschildert.** Ein Handbuch für Reisende und Alle, die das Gebirge näher kennen zu lernen wünschen; mit Nachweisungen über die Naturschönheiten desselben. In Verbindung mit Freunden unternommen. Zwei Theile, mit 14 Kupfertafeln und einer großen Karte. Gr. 8. auf fein Velindruckpapier. Geh. Preis 4 Thlr., oder 7 Fl. 12 Kr.

So häufig das Harzgebirge theils wegen des Genusses seiner Naturschönheiten, theils um der Belehrung in naturhistorischer und technologischer Hinsicht willen auch bereist wird, so vermißt man doch noch immer eine umfassende Beschreibung dieses so merkwürdigen Gebirges. Der Verfasser dieses Werkes, unterstützt von Freunden, hat es unternommen diese Aufgabe zu lösen und gibt hier sowol eine Gebirgsbeschreibung in geologischer Beziehung als zugleich ein Handbuch für Reisende. Der erste Theil dieses Werkes gibt demnach die Reisewissenschaft und das Allgemeine, der zweite dagegen die Reisemethode und das Besondere.

Die resp. Subscribenten erhalten das Werk zu dem angekündigten wohlfeilen Subscriptionspreis.

Einzeln ist der 1ste oder naturwissenschaftliche und technologische Theil zu 2 Thlr., oder 3 Fl. 36 Kr.; der 2te — die Anleitung zur Bereisung des Harzes enthaltende Theil, — sammt den 14 Kupfertafeln und der colorirten Karte à 2 Thlr. 8 Gr., oder 4 Fl. 12 Kr., zu haben.

Die Karte allein kostet 1 Thlr., oder 1 Fl. 48 Kr.

Darmstadt, im September 1833.

K. W. Leske.

Die besten Handbücher für Reisende in den Hochgebirgen Süddeutschlands:

v. Obernberg's

Anleitung zur genußreichsten Bereisung des bairischen Alpengebirgs

und einiger Gegenden

von Salzburg und Tirol.

Mit 2 Karten und 1 Ansicht. 8. München, bei Fleischmann. In Futteral 1 Thlr. 20 Gr., oder 2 Fl. 48 Kr.

An dieses schließt sich an:

Helmine von Chezy,

Norika.

Neues ausführliches Handbuch für

Alpenwanderer und Reisende

durch das Hochland in Oestreich ob der Enns, Salzburg, Gastein, die Kammergüter, Lilienfeld, Mariazell, St. Florian und die obere Steiermark. Mit 1 Karte und Ansichten. Gr. 8. München, bei Fleischmann. In Futteral 1 Thlr. 12 Gr., oder 2 Fl. 42 Kr.

Bei Aug. Wilh. Unzer in Königsberg ist erschienen und in allen Buchhandlungen zu haben:

Auswahl von Fabeln des Phädrus und Elegien aus den Trauerbüchern des Publius Ovidius Naso; mit Anmerkungen und einem Wörterbuche zum Schulgebrauch, herausgegeben von Dr. A. J. H. Brillowski. 8. 20 Sgr. (16 Gr.)

Friedemann, J. A., Gründl. und faßl. Rechenbuch zum Selbstunterricht für Jünglinge, welche nach geistiger Bildung streben. 1ster Theil. 8. 1 Thlr.

Heinel, Dr. Eduard, Tobias. Eine idyllische Erzählung in drei Gesängen frei nach der heiligen Urkunde. 8. 12½ Sgr. (10 Gr.)

Dessen Pfingstfest. Eine [illegible] Dichtung in drei Gesängen. 8. Sauber gebunden. 1 Thlr.

Kähler, Dr. Ludw. Aug., Christliche Sittenlehre. 1ster Band. 1ste Abtheil. A. u. d. Titel: Religion und Christenthum in sittlicher Beziehung. 1ster Theil. Gr. 8. 1 Thlr.

Krug, Dr. Wilh. Traug., System der theoretischen Philosophie. 1ster Theil. (Logik) 4te Auflage. Gr. 8. 2 Thlr. 20 Sgr. (2 Thlr. 16 Gr.)

Merleker, Dr. K. F., De Achaicis rebus [illegible] Dissertatio. 8 maj. 10 Sgr. (8 Gr.)

Napoleon und die kurhessischen Capitalschuldner. Ein Erkenntniß über den Rechtsbestand der, in Napoleon's Auftrage einem kurhessischen Capitalschuldner ertheilten Quittung. Mit Anmerk. herausgegeben vom Prof. ꝛc. Dr. [illegible] Schweikart. 8. 15 Sgr. (12 Gr.)

Ohlert, Dr. A. L. J., Die höhere Bürgerschule. Mit besonderer Rücksicht auf die, von dem königl. preuß. Ministerium der geistl. ꝛc. Angelegenheiten unterm 8ten [illegible] erlassene vorläufige Instruction für die von den [illegible] Bürger- und Realschulen anzuordnende Entlassungsprüfungen. 8. 15 Sgr. (12 Gr.)

Olshausen, Dr. Herm., Biblischer Commentar über sämmtliche Schriften des Neuen Testaments, zunächst für Prediger und Studirende. 1ster Band. Die drei ersten Evangelien bis zur Leidensgeschichte enthaltend. 2te verb. Auflage. Gr. 8. Subscriptionspreis 3 Thlr.

Rosenheyn, Dr. J. S., Ueber den deutschen Unterricht in den Gymnasien. Gr. 8. 15 Sgr. (12 Gr.)

Schulz, Dr. F. D., De [illegible] Spec. I et II. 8. 12½ Sgr. (10 Gr.)

Tegnér, Esaias, Die Nachtmahlskinder. Aus dem Schwedischen übersetzt von Olof Berg. [illegible] 7½ Sgr. (6 Gr.)

Ueber richtige Auslegung des königl. [illegible] vom 19. März 1799, wegen Injurien zwischen [illegible] und [illegible] personen. 8. 2½ Sgr. (2 Gr.)

In der Gerstenberg'schen Buchhandlung [illegible] heim sind erschienen und in allen [illegible]

Biermann, Dr. J. C. A., [illegible] Eine Sammlung ärztlicher [illegible] Heilkuren. Gr. 8. 8 Gr.

— —, Nosologisch-therapeutische [illegible] 8. 8 Gr.

Koken, K. L., Beiträge zur niedersächsischen [illegible] in Versuchen historischer [illegible] Winzenburg, Peine und [illegible] deshelmische Kirche übergegangenen [illegible] Band. Die Winzenburg und [illegible] 1 Thlr. 8 Gr.

Mittheilungen geschichtlichen und [illegible] eine Zeitschrift für das Fürstenthum [illegible] die Stadt Goslar. Herausgegeben von [illegible] Brätzel. Erster Band, [illegible] 1 Thlr. 8 Gr.

Schröder, Dr. J. F., Hebräisch-deutsches Schullexikon. Gr. 8. 1 Thlr. 12 Gr.

— —, Deutscher [illegible] Schullexikon. Gr. 8. 18 Gr.

Bei J. W. Schmachtenberg [illegible] heim a. Rhein ist erschienen [illegible] versandt worden:

Christliches Taschenbuch [illegible] 1834. Herausgegeben von K. A. [illegible] feld. Elegant gebunden mit [illegible] Preis 1 Thlr. 10 Sgr.

Die Marx'sche Buchhandlung [illegible] angezeigt, daß bei ihr eine [illegible] meiner „Geschichte gefallener [illegible] den erschienen und in allen [illegible] sei. Ich [illegible] [illegible]

Literarischer Anzeiger.

(Zu den bei F. A. Brockhaus in Leipzig erscheinenden Zeitschriften.)

1833. Nr. XXXIII.

Dieser Literarische Anzeiger wird den bei F. A. Brockhaus in Leipzig erscheinenden Zeitschriften: Blätter für literarische Unterhaltung, Isis; sowie der Allgemeinen medicinischen Zeitung, beigelegt oder beigeheftet, und betragen die Insertionsgebühren für die Zeile 2 Gr.

La

VIEILLE POLOGNE,

ALBUM

HISTORIQUE ET POÉTIQUE,

CONTENANT

Un Tableau de l'Histoire de ce pays depuis 800, jusqu'en 1796;

ACCOMPAGNÉ DE

CHANTS OU LÉGENDES,

DE

J.-U. NIEMCEWICZ.

TRADUITS

ET ARRANGÉS EN VERS FRANÇAIS

PAR

MM. Belmontet, A. B., Mme la comtesse de Bradi, Mme Laure Colombat de l'Isère, MM. Coubard-d'Aulnay, Alex. Dumas, Drouineau, Emile Deschamps, Mme Desbordes-Valmore, MM. Destigny, Dubief, Ernest Fouinet, Théophile Gauthier, Gérard, Léon Halevy, Jules Lefèvre, E. Légouvé, Mlle Elisa Mercoeur; MM. de Pongerville, le comte Jules de Rességuier, Mme la princesse Constance de Salm, MM. A. Soumet, Fréd. Soulié, Jules de St.-Félix, Mme Anaïs Ségalas, Mme Amable Tastu, MM. Tissot, Villenave, Mme Vien, Mme Mélanie Waldor, et autres;

mis en partie en musique par les compositeurs les plus distingués;

ORNÉ DE 36 DESSINS,

REPRÉSENTANT DES SCÈNES HISTORIQUES,

PAR

V. ADAM, CHARLET, DEVERIA, J. DAVID, GIGOU, KUROWSKI, OFF. POL., MAURIN, A. MENUT, RAFFET, SARNECKI, THOMAS, TELLIER, ET AUTRES,

ET PUBLIÉ PAR

CHARLES FORSTER.

Der Verfasser will in diesem Werke dem geliebten Vaterlande, das er fern von demselben in Verbannung betrauert, ein Denkmal heiliger Liebe errichten. Er findet für das Unglück der Gegenwart Trost in der glorreichen Erinnerung einer Vorzeit, die Polen in der Reihe der grössten und mächtigsten europäischen Reiche erscheinen liess. Darum führt er uns zu den Gefilden, über denen einst der Siegesflug des ruhmgekrönten polnischen Adler schwebte, und lässt die unsterblichen Thaten jener Helden an uns vorüberziehen, deren Triumphwagen einst überwundene Moskoviten begleiteten, und die vor den Mauern von Wien die gesammte Christenheit vor dem Andrang des welterobernden Muselmannes schützten. Diese Darstellung von Polens Geschichte beginnt mit Boleslaw I., und endet mit der letzten Theilung dieses Landes. An jede einzelne Abtheilung schliessen sich lyrische Gesänge des berühmten polnischen Barden an, die von den ersten französischen Dichtern übertragen und von den vorzüglichsten Componisten in Musik gesetzt worden sind. Dem auf dem schönsten Velinpapier gedruckten und mit der höchsten typographischen Eleganz ausgestatteten Werke werden noch 36 Zeichnungen beigegeben, welche die wichtigsten geschichtlichen Momente des polnischen Reiches darstellen werden.

Es erscheint in 12 Lieferungen, die sich von Monat zu Monat ohne Abbruch folgen sollen, und deren erste bereits versandt wird. Der Subscriptionspreis ist für jede Lieferung 2 Thlr. 6 Gr. Sächsisch, wofür das Werk durch alle solide Buchhandlungen bezogen werden kann.

Den Hauptvertrieb für Deutschland hat die Ch. F. Grimmer'sche Buchhandlung in Dresden übernommen.

Paris, im September 1833.

In Karl Gerold's Buchhandlung in Wien ist soeben erschienen und daselbst sowie in allen Buchhandlungen Deutschlands zu haben:

Ausführliches Lehrbuch

der

höhern Mathematik.

Mit

besonderer Rücksicht auf die Zwecke des praktischen Lebens.

Bearbeitet und herausgegeben

von

Adam Burg,

ord. öff. Professor der höhern Mathematik am k. k. polytechnischen Institute in Wien.

Drei Bände.

Mit zwölf Kupfertafeln.

Gr. 8. Wien, 1833. Preis 6 Thlr., oder 9 Fl.

Der rühmlichst bekannte und allgemein geachtete Herr Verfasser übergibt mit diesem dritten und letzten Bande, der als würdiger Schlußstein eines gediegenen und soliden wissenschaftlichen Gebäudes angesehen werden kann, dem mathematischen Publicum, insbesondere aber der großen Zahl angehender Techniker und Mathematiker, ein höchst brauchbares und erwünschtes Handbuch, indem er zugleich einem allgemeinen und schon lange gefühlten Bedürfniß auf eine höchst zweckmäßige und ersprießliche Weise abhilft. Wer die mannichfaltigen Schwierigkeiten kennt, oder an sich selbst erfahren mußte, die beim gründlichen Studium der höhern Analysis und Geometrie dem eigentlichen Anfänger sowol, als selbst dem an das abstracte Denken schon mehr Gewöhnten sich entgegenstellen, — wer auch nur den unersetzlichen Verlust an kostbarer Zeit in Erwägung ziehet, welcher den sich selbst überlassenen oder nicht zweckmäßig unterstützten Anfänger trifft, dem kann diese Erscheinung nicht anders als eine höchst erfreuliche und angenehme, und in Bezug auf den Herrn Verfasser als ein sehr verdienstvolles und zeitgemäßes Unternehmen erscheinen.

Wenn erschöpfende Gründlichkeit mit seltener Leichtverständlichkeit die vorzüglichsten und wesentlichsten Eigenschaften eines wissenschaftlichen Werkes ausmachen, und dessen innern und wahren Werth begründen, — wenn das sichtliche Bestreben des Verfassers, seinem Werke den höchsten Grad von Vollendung und Vollständigkeit zu geben, dankbare Anerkennung, und das Bemühen, es zugleich practisch und somit angenehm und wahrhaft nützlich zu machen, gehörige Berücksichtigung verdient: so muß man in der That bekennen, daß der Herr Verfasser diese verschiedenen Zwecke mit seltener Umsicht zu erreichen wußte.

Das vorstehende Werk enthält in drei Bänden alle wesentlichen Theile der sogenannten höhern Mathematik mit erschöpfender Vollständigkeit und nach dem gegenwärtigen Standpunkte der Wissenschaft, und zwar so dargestellt, daß es sich sowol für den öffentlichen als auch für den Selbstunterricht vollkommen eignet. Die rein praktische Tendenz, die häufigen Andeutungen und Fingerzeige, die in diesem Werke gegeben werden, sowie die vollständige und für alle Fälle hinreichende Literatur der Mathematik, die durch alle Theile desselben sich verbreitet, machen dieses Werk zu einem fast unentbehrlichen Hand- und Hülfsbuche für alle Diejenigen, die von dieser erhabenen Wissenschaft Anwendung zu machen haben, auf die verschiedenen Künste des Lebens und der Industrie; also für Techniker, Maschinisten, Bau-, Forst- und Bergwerksbeamte, praktische Geometer und Mathematiker überhaupt.

Die Verlagshandlung schmeichelt sich noch überdies, auch durch die äußere Ausstattung dieses Werkes dem innern Werthe genügend entsprochen zu haben.

Wien
wie es ist.

Ein Gemälde
der
Kaiserstadt und ihrer nächsten Umgebungen
in Beziehung
auf Topographie, Statistik und geselliges Leben, mit besonderer Berücksichtigung wissenschaftlicher Anstalten und Sammlungen
nach authentischen Quellen dargestellt
von
A. Schmidl.
Mit einem Plane der Stadt und Vorstädte.
12. Wien, 1833.

Auf Post-Druckpapier in Umschlag cartonnirt, 1 Thlr., oder 1 Fl. 30 Kr.

Auf Schreib-Velinpap. in Umschlag cartonnirt, 1 Thlr. 8 Gr., oder 2 Fl.

Soeben ist bei uns erschienen:

Witting, Dr. E., Populaire Darstellung der Naturkunde, zum Gebrauch für das gebildete Publicum im Allgemeinen und für höhere Bürger- und Realschulen, sowie auch für angehende Pharmaceuten im Besondern.
Zweiter Theil
enthaltend
Die Beschreibung der Gebirgsformationen unserer Erde, ihre Entstehung, sodann die Metalle, Lagerstätte derselben, ihre Gewinnung und technischer Nutzen derselben. Mit 6 lithographirten Zeichnungen. Preis 1 Thlr.

Der erste Theil erschien im vorigen Jahre, enthält die physikalische Chemie und kostet 15 Gr.

Lemgo, den 10ten October 1833.

Meyer'sche Hofbuchhandlung.

Im Industrie-Comptoir (Baumgärtner) in Leipzig ist soeben erschienen und in allen Buchhandlungen zu haben:

VIELLIEBCHEN
historisch-romantisches Taschenbuch
für 1834 von A. von Tromlitz. 7ter Jahrgang. Mit 8 feinen Stahlstichen. Preis 2 Thlr. 8 Gr.

Inhalt: Die Günstlinge. — Schloß Rödelheim. — Constanze von Clermont.

Der Inhalt sowol als die Ausstattung dieses Taschenbuchs weisen demselben einen der ersten Plätze in dieser eleganten Literatur an. Tromlitz ist des zarten Geschlechts wegen, das durch seine wahrhaft romantischen Dichtungen weht, der Liebling, besonders des schönen Geschlechts, und diesem und jedem Kunstfreund werden auch die köstlichen Kunstblätter eines Ender, Retzsch, Ermann, Stöber und Heinr. Meyer, mit welchen dieser Jahrgang wiederum herrlich prunkt, ansprechen.

Volksschrift.
DAS HELLER-MAGAZIN
zur
Verbreitung gemeinnütziger Kenntnisse
besorgt von einer Gesellschaft [illegible].
52 wöchentliche Lieferungen mit 200—300 Abbildungen zu 8 Groschen vierteljähriger [illegible].

Anzeige für Architekten, Zimmermeister 2c.

Im Verlage von K. W. Leske zu Darmstadt ist erschienen und durch jede Buch- und Kunsthandlung zu [illegible]:

Moller, Dr. Georg, Beiträge zur Lehre [illegible] Constructionen. 1stes Heft. Royalfolio. Preis [illegible] 18 Gr., oder 3 Fl.

Der rühmlichst bekannte Verfasser [illegible] lichen Versuche und Erfahrungen [illegible] neuen Verfahrungsart bei dem Bau der [illegible] Dom zu Mainz, der eisernen Thurmspitzen [illegible] katholischen Kirche zu Darmstadt und [illegible] kirche, also im Kleinen wie im Großen [illegible] Anzeige wird genügen, um die Aufmerksamkeit [illegible] auf dieses Werk zu lenken. Das zweite [illegible] erscheinen, und die Grund-, Aufriß [illegible] neuen Kanzleigebäudes zu Darmstadt, [illegible] des Haupteingangs und die Vergleichung [illegible] tionen des Mittelalters mit denen des [illegible] hunderts enthalten.

Lerch, Dr. G. A., Ueber die [illegible] wärmter Luft und ihre An[illegible] tal Hofheim bei Darmstadt. [illegible] in Royalfolio. Preis 1 Th[illegible] 24 Kr.

Die Anwendung dieser Heiz[illegible] theilhaft bewähren, daß diese [illegible] bauten gewiß Nachahmung verdient[illegible]

Den zahlreichen Subscribenten [illegible]

Rondelet, J., Theoretisch[illegible] tung zur Kunst zu bauen, [illegible] den 207 Kupfern der [illegible] zeige der Verleger [illegible] von Herrn Architekt Distelbarth [illegible] Presse verlassen hat und in den [illegible] kann. Der Subscriptionspreis [illegible] oder 8 Fl. 45 Kr. [illegible] zugleich der zweite Band [illegible] des zweiten Bandes des dritte [illegible] zur Sicherheit, daß keine Exemplare der letzten Bände als unvollständig übrig bleiben, nothwendig und unerläßlich.

Um mehrfach geäußertem Verlangen zu entsprechen hat sich der Verleger entschlossen, nachstehend bemerkte anerkannt vorzügliche und allgemein geschätzte Werke auf unbestimmte Zeit im Preis herabzusetzen:

Moller, Dr. Georg (grossherzogl. Hofbaudirect.),

Denkmäler der deutschen Baukunst.

1stes bis 22stes Heft. Royalfolio. Mit dem Text in 8. bisher 47 Thlr., oder 81 Fl. 30 Kr., jetzt 34 Thlr., oder 60 Fl.

Die einzelnen Hefte und Abtheilungen behalten jedoch ihren frühern Preis. Der erste Band in 12 Heften (jedes einzeln 1 Thlr. 12 Gr., oder 2 Fl. 42 Kr.) u. 72 Kupfertafeln kostet mit dem Text 18 Thlr. 16 Gr., oder 33 Fl. 36 Kr.

Die Kirche der heiligen Elisabeth zu Marburg. (13tes bis 15tes Heft.) Cartonnirt. 8 Thlr. 12 Gr., oder 14 Fl. 24 Kr.

Die Kirche des heiligen Georg zu Limburg an der Lahn. (16tes bis 18tes Heft.) Cartonnirt. 8 Thlr. 12 Gr., oder 14 Fl. 24 Kr.

Der Münster zu Freiburg im Breisgau. (19tes bis 22stes Heft.) Cartonnirt. 11 Thlr. 8 Gr., oder 19 Fl. 12 Kr.

Jedes Heft der letztern, mit einem in Kupferstich ausgeführtem Blatt 2 Thlr. 20 Gr., oder 4 Fl. 48 Kr.

Moller, Dr. Georg und Franz Heger (grossh. hess. Baurath), Entwürfe ausgeführter und zur Ausführung bestimmter Gebäude. 1stes Heft. Das Opernhaus zu Darmstadt. 2tes Heft: Die katholische Kirche daselbst. 3tes u. 4tes Heft: Die Cavaleriecaserne daselbst. 5tes Heft: Das neue Schauspielhaus in Mainz enthaltend. Jedes Heft von 6 Kupfertafeln. Royalfolio mit erläuterndem Text. (Bisher 6 Thlr. 16 Gr., oder 12 Fl., jetzt 5 Thlr., oder 9 Fl.)

Die einzelnen Hefte behalten den frühern Preis à 1 Thlr. 8 Gr., oder 2 Fl. 24 Kr., mit Ausnahme des 3ten u. 4ten Heftes, die Cavaleriecaserne zu Darmstadt von Franz Heger enthaltend. Da diese Hefte nach langer Unterbrechung des Werkes erschienen und überhaupt Manches störend auf den Absatz einwirkte, so will der Verleger den Besitzern der übrigen Hefte sowol, als andern Liebhabern die Gelegenheit geben sich solche ganz wohlfeil zu verschaffen, indem er solche zusammen um 1 Thlr. 8 Gr., oder 2 Fl. 24 Kr., anbietet.

Diese herabgesetzten Preise können von jeder Buchhandlung gestattet werden.

Auch mache ich vorläufig auf nachstehendes Werk aufmerksam, welches noch in diesem Jahre erscheinen wird.

Wolff (Prof. in Kassel), Ueber die Grundsätze der plastischen Form, nachgewiesen an den Haupttheilen der gewöhnlichen Architektur. Royaloctav. Mit Kupfern.

Literarische Anzeigen.

Bei Unterzeichnetem sind soeben folgende Fortsetzungen erschienen:

Wolfram, Fr., Vollständiges Lehrbuch der gesammten Baukunst;

ersten Bandes zweite Abtheilung, enth.: **Lehre von den künstlichen Bausteinen und Verbindungsstoffen.** 17 Bogen mit 12 Tafeln. Gr. 4. Cartonnirt. 1 Thlr. 16 Gr.

Hoffmann, K. Fr. Vollr., Die Erde und ihre Bewohner,

ein Hand- und Lesebuch für alle Stände. Dritte verbesserte Auflage. Dritte und vierte Lieferung. Mit zwei Stahlstichen. Preis jeder Lieferung 6 Gr.

Die fünfte Lieferung erscheint noch in diesem, der Schluß des Werkes im nächsten Monat.

Oken's Naturgeschichte für alle Stände.

Sechste Lieferung. Preis 5 Gr.

Die siebente und achte Lieferung erscheinen Anfangs November. Auf 10 Exemplare wird fortwährend ein Freiexemplar gegeben.

Stuttgart, im October 1833.

Karl Hoffmann.

Fortwährend erscheint allwöchentlich mit immer wachsendem Beifall und wachsender Wichtigkeit, ja bereits Unentbehrlichkeit für die Wissenschaft:

Die allgemeine

HOMÖOPATHISCHE ZEITUNG.

Herausgegeben von den DD. der Medicin G. W. Groß, F. Hartmann und F. Rummel. Der Preis eines Bandes von 24 Nummern in 4. ist 2 Thlr. Der dritte Band ist jetzt im Erscheinen.

In allen Buchhandlungen zu haben.

Leipzig, bei Baumgärtner.

Von dem geistreichen Verfasser der auf den meisten deutschen Theatern mit allgemeinem Beifall gegebenen „Demoiselle Bock" erschien soeben:

J. E. Mand, Dramatisches. 1stes Bdchn., enthaltend: Der verrückte Professor, einleitendes Vorspiel. Sein Onkel und ihre Tante, Lustspiel in 1 Act. Die Räuberbräute, Komödie in fünf Acten. 8. Geh. Preis 1 Thlr. 10 Sgr.

C. H. Jonas, Schloßfreiheit Nr. 9.

Nützliches Buch für alle Stände.

In der E. Schweizerbart'schen Verlagshandlung zu Stuttgart erschien soeben:

Naturgeschichte der drei Reiche,

zur

allgemeinen Belehrung

bearbeitet

von

G. W. Bischoff, J. R. Blum, H. G. Bronn, K. C. v. Leonhard, akademischen Lehrern zu Heidelberg, und **F. S. Leuckart,** Professor zu Freiburg.

8te und 9te Lieferung.

Subscriptionspreis für eine Lieferung von 8 Bogen oder 128 Seiten gr. 8. und einer Tafel mit Abbildungen 30 Kr., oder 7½ Gr.

Daß diese, das Mineral-, Pflanzen- und Thierreich vollständig umfassende, mit einer Menge Holzschnitten und lehrreichen Abbildungen gezierte „Allgemeine Naturgeschichte" neben ungemeiner Billigkeit, auch in Papier, Druck und Aeußerm nichts zu wünschen übrig läßt, glauben wir durch die bereits erschienenen Lieferungen bewiesen, und auch dadurch die ungewöhnliche Theilnahme, welche das von bewährten Gelehrten verfaßte Werk fand, gerechtfertigt zu haben.

Auf 10 Exemplare wird von allen Buchhandlungen ein Freiexemplar bewilligt.

Wichtige literarische Erscheinung.

Im Verlage von M. DüMont-Schauberg in Köln ist soeben erschienen und an alle gute Buchhandlungen versandt worden:

Wanderungen eines irländischen Edelmannes zur Entdeckung einer Religion.

Mit Noten und Erläuterungen.

Aus dem Englischen des

Thomas Moore.

Zwei Bände. (24 Bogen.) Gr. 8. Eleg. geh. 1 Thlr.

Fast alle kritische Zeitschriften Englands sind durch diese außerordentliche Erscheinung auf dem Gebiete der theologischen Literatur in die lebhafteste Bewegung gesetzt worden. Th. Moore, der vertraute Freund Byron's, der berühmteste jetzt lebende englische Dichter, ist in diesem Werke als theologischer Schriftsteller aufgetreten. Der Name des Verfassers, die Wichtigkeit des Gegenstandes, welcher mit gewohnter Genialität hier behandelt wird, hat angefangen, auch auf dem Continente die Aufmerksamkeit aller Gebildeten auf dieses Buch hinzuziehen. — Eine deutsche Uebersetzung dieses ausgezeichneten Geistesproduktes wird daher allgemein willkommen sein. Zu ihrer Empfehlung glauben wir nichts hinzufügen zu dürfen, da sie, aus der Feder eines gewandten Schriftstellers geflossen, für sich selbst sprechen wird.

Soeben ist erschienen und in allen Buchhandlungen zu erhalten:

Preußen und Frankreich. Staatswirthschaftlich und politisch, unter vorzüglicher Berücksichtigung der Rheinprovinzen. Von David Hansemann. Zweite vermehrte und verbesserte Auflage. Gr. 8. Leipzig, Rein'sche Buchhandlung. Velinpapier. 19 Bogen mit 10 Tabellen. In saubern Umschlag brosch. 1 Thlr. 18 Gr.

Die Verlagshandlung hat das Werk auf eine dem allgemein anerkannten Werthe desselben würdige Weise ausgestattet, und es durch einen mäßigen Preis auch dem weniger Bemittelten zugänglich gemacht.

Bei Unterzeichnetem ist soeben fertig geworden:

Allgemeiner Atlas über alle Theile der Erde für Schulen und zum Selbstunterricht

bearbeitet von

Karl Friedrich Vollrath Hoffmann,

gestochen von

Pobuda und Rees.

Zweite Hälfte. In Umschlag geh. Preis 1 Thlr. 6 Gr.

Diese zweite Hälfte, womit dieses schöne Werk vollendet ist, enthält: Nr. 6 Nordamerika; Nr. 9 Mitteleuropa; Nr. 10 Deutschland; Nr. 11 Oestreich; Nr. 12 Preußen mit den norddeutschen Bundesstaaten; Nr. 14 und 15 Das Alpengebirge, Schweiz, Tirol; Nr. 16 Würtemberg und Baden; — nebst den zu dem Werke gehörenden 7 Erläuterungsblättern.

Das Ganze ist nun also in jeder soliden Buch- oder Kunsthandlung für 2 Thlr. 12 Gr. zu haben.

Die zweite Lieferung wird gleich der ersten befriedigen; die Karten sind ebenso zweckmäßig und genau entworfen, ebenso elegant ausgestattet. Die Urtheile über die erste Lieferung stimmen sämmtlich dahin überein, daß dieser Atlas mehr gewährt, als man bisher von einem solchen nur erwarten konnte.

Das gewiß competente Urtheil des königl. würtemb. Studienrathes findet das Werk „schön, richtig, für den angegebenen Zweck wohl eingerichtet, und auch seines mäßigen Preises willen für die öffentlichen Schulen sehr empfehlenswerth".

Der Verleger glaubt, daß dieses ehrenvolle Urtheil den Werth des Werkes genügend beurkunde; möge dasselbe daher den Freunden der Erdkunde, den Vorstehern öffentlicher Lehranstalten, sowie jedem Gebildeten bestens empfohlen sein!

Stuttgart, den 15ten August 1833.

Karl Hoffmann.

In J. Scheible's Verlags-Expedition in Leipzig erschien soeben und wurde an alle Buchhandlungen versandt:

Margaretha von Oestreich,

Oberstatthalterin der Niederlande. Biographie und Nachlaß; nebst allerlei Beiträgen zur politischen und Literargeschichte des funfzehnten und sechszehnten Jahrhunderts.

Von

Ernst Münch.

Erster Theil. Gr. 8. Velinpapier. 3 Fl. 36 Kr., oder 2 Thlr. 4 Gr.

Erklärung.

Herr E. Pöppig hat bei dem Antritte einer von ihm erlangten außerordentlichen Professur der Philosophie an der Universität zu Leipzig ein Programm: Fragmentum synopseos plantarum phanerogamarum ab auctore annis 1827—29 in Chile lectarum, unter dem Namen Dissertatio botanica, im October 1833 ausgegeben, und in demselben außer mehren Arten auch drei Gattungen: Tristagma, Tetraglochin und Cuscutobryum aufgeführt, deren Benennung mir angehört, jedoch ohne meiner dabei Erwähnung zu thun. — Bei Vertheilung der getrockneten Pflanzen an die Actionnaire des Reiseunternehmens, welches durch meine mit denen des Herrn Prof. Dr. Radius verbundene Bemühungen ins Leben trat, und Herrn P. P. Gelegenheit und Mittel zu seinen Reisen in Südamerika verschaffte, war ich veranlaßt, die Pflanzen aus Chile zu untersuchen und zu bestimmen, indem auf des Sammlers ausdrücklichen Wunsch keine Pflanze ohne Namen ausgegeben werden sollte. Ich hatte bei dieser Arbeit die botanischen Diarien des Reisenden zu benutzen, auf deren Beschaffenheit die vorliegende Probeschrift hinreichend schließen läßt. Uebrigens war darin z. B. die von mir als Tristagma unterschiedene Pflanze als Zuccagnia aufgeführt, wie dies die gedruckte Etiquette besagt, ein Synonym, welches jedoch in dem Fragmente klüglicherweise übergangen worden ist. Da nun die obigen Gattungen unter meinem Namen verbreitet wurden, und z. B. in den königl. Herbarien zu Berlin der öffentlichen Benutzung dargeboten sind, bin ich zu der gegenwärtigen Erklärung um so mehr genöthigt, als mir der unbegründete Vorwurf gemacht werden könnte, ich hätte mir fremdes Eigenthum angemaßt.

Herr P. P. war keineswegs verbunden, die von mir gewählten Namen beizubehalten, da sie noch nicht durch Beschreibung der Objecte Autorität erhalten hatten. Indem er sie aber annahm, war er verpflichtet, mich als Begründer derselben zu nennen. Es ist dies nicht geschehen, und man wird ein solches Benehmen, abgesehen von allen übrigen Verhältnissen, aus dieser Erklärung nun zu würdigen im Stande sein.

Leipzig, am 18ten October 1833.

Dr. Gustav Kunze.

Literarischer Anzeiger.

(Zu den bei F. A. Brockhaus in Leipzig erscheinenden Zeitschriften.)

1833. Nr. XXXIV.

Dieser Literarische Anzeiger wird den bei F. A. Brockhaus in Leipzig erscheinenden Zeitschriften: Blätter für literarische Unterhaltung, Isis, sowie der Allgemeinen medicinischen Zeitung, beigelegt oder beigeheftet, und betragen die Insertionsgebühren für die Zeile 2 Gr.

Bei Georg Joachim Göschen in Leipzig ist erschienen und durch jede solide Buchhandlung zu beziehen:

Sir Isaak Newton's Leben

nebst einer Darstellung seiner Entdeckungen

von

Dr. David Brewster.

Uebersetzt von B. M. Goldberg, mit Anmerkungen von H. W. Brandes, Professor in Leipzig.

Mit Newton's Portrait und einer Kupfertafel.

Gr. 8. 23 Bogen, Patent-Velinpap. Brosch. 2 Thlr.

Das vorliegende Werk erntete in England bei seinem Erscheinen den größten Beifall, und erregte allgemeines Interesse. Mit Recht läßt sich daher erwarten, daß dasselbe auch in Deutschland willkommen sein wird, da es über das Leben und Wirken dieses großen Mannes das klarste Licht verbreitet. Die Uebersetzung ist gelungen und gibt das Original getreu wieder. Die Anmerkungen des Herrn Professor Brandes enthalten theils Nachträge, theils einige Berichtigungen, und bilden eine sehr schätzenswerthe Zugabe. Das Portrait ist dem englischen Original ganz ähnlich und von Fleischmann vortrefflich gestochen.

Fortdauernde Subscription.

Bei Justus Perthes in Gotha ist eben erschienen:

H. Luden's Geschichte des deutschen Volkes. 8ter Band. Subscriptionspreis der Velinausg. 3 Thlr. 12 Gr. (6 Fl. 18 Kr.), der Ausgabe auf weiß. Druckpapr. 2 Thlr. 12 Gr. (4 Fl. 30 Kr.)

Diesem Bande, welcher die Geschichte des deutschen Reiches unter den fränkischen Kaisern, Kunrad II. und Heinrich III. u. IV enthält, wird der 9te in längstens einem halben Jahre folgen.

Exemplare der ersten 8 Theile sind noch im Subscript.-Preis zu 17 Thlr. 20 Gr., oder 32 Fl. 6 Kr., zu haben.

Bei J. Rauch in Mainz ist soeben erschienen und in allen guten Buchhandlungen zu haben:

Caspar Ulenberg's zweiundzwanzig Beweggründe.

Ein Buch

für Katholische und Evangelische.

Aus dem Lateinischen.

32 Bogen gr. 8. Geh. 1 Thlr. 12 Gr.

Seit bereits dritthalbhundert Jahren ist Ulenberg's Name hochgefeiert in der literarischen Welt. Von dessen vielen Werken sind die zweiundzwanzig Beweggründe unstreitig das vortrefflichste; es erwarb seinem Verfasser beim ersten Erscheinen von wahrheitsuchenden und wahrheitliebenden Katholischen und Evangelischen gleich große Bewunderung und Verehrung. Damals, wo über die eigentliche Lebensfrage des Menschen, über die Religion, beide Parteien mit vieler Erbitterung einander bekämpften, brachte dieses Buch Ordnung in die vielen Wirren, Licht in die tiefe Dunkelheit, wodurch Unzählige zur Erkenntniß der Wahrheit zurück geführt wurden. Diese deutsche Uebersetzung dürfte um so willkommener sein, als man mit Recht vom Verfasser sagen kann, daß er im sechzehnten Jahrhundert das neunzehnte beschrieben hat.

Bei M. DuMont-Schauberg in Köln ist erschienen und in allen guten Buchhandlungen zu haben:

Homerische Rhapsoden

oder

Rederiker der Alten.

Von

J. Kreuser.

22 Bogen gr. 8. Eleg. geh. 2 Thlr.

Dieses Werk ist als Fortsetzung der Vorfragen über Homeros zu betrachten, von welchen schon eine englische Uebersetzung angekündigt ist. Da nun auch die französischen sowol als viele deutsche Gelehrte ein höchst günstiges Urtheil über diese Schrift gefällt haben, so wird die schwierige Bearbeitung des Stoffes der Rhapsoden hoffentlich keiner weitern Empfehlung für den bedürfen, den Geschichte und Kunst überhaupt interessiren.

Für Freunde des Theaters,

besonders seiner Geschichte wird es eine angenehme Nachricht sein, daß Herr D. Fuchs, ehemaliger Regisseur, ein

Chronologisches Tagebuch des großherzoglich hessischen Hoftheaters, von seiner Begründung (1810) bis zur Auflösung desselben (1831)

bearbeitet und dadurch einen wichtigen Beitrag zur Geschichte der deutschen Schaubühnen gegeben. Dieses Buch ist durch alle Buchhandlungen à 1 Thlr. 4 Gr., oder 2 Fl., zu erhalten.

Darmstadt, im September 1833.

K. W. Leske.

Für Aerzte und Apotheker.

Von dem

Lehrbuche der pharmaceutischen Chemie und Pharmakognosie von D. F. L. Winkler

ist die erste Lieferung des zweiten Theiles, die Gewächse der vier ersten Classen des Linné'schen Systems enthaltend, erschienen und an sämmtliche Buchhandlungen versendet worden.

Nach der Erklärung des Verfassers sollen nur die bekanntesten und wichtigsten Arzneimittel des Pflanzen- und Thierreichs abgehandelt werden, um den Umfang des Buchs möglichst zu beschränken. Der Druck der Fortsetzung wird nicht unterbrochen und von dem Verfasser so schnell, als es die Schwierigkeit der Ausarbeitung nur immer gestattet, gefördert werden.

Der Preis des 2ten Bandes ist 2 Thlr. 16 Gr., oder 4 Fl. 48 Kr., wofür die zweite Abtheilung nachgeliefert wird.

Der erste Band hat denselben Preis, es kostet demnach das vollständige Werk 5 Thlr. 8 Gr., oder 9 Fl. 36 Kr.

Ueber den Werth des ersten Bandes dieses Werks hat sich bereits die Kritik sehr günstig ausgesprochen; man verweist namentlich auf die Nr. 128 der „Jenaischen allgemeinen Literaturzeitung" vom Jahr 1831. Der Raum erlaubt es hier nicht, auch nur theilweise diese Würdigung der Verdienste des Herrn Verf. abdrucken zu lassen.

Darmstadt, im September 1833.

K. W. Leske.

Deutsches Nationalwerk für Musikfreunde, in monatlichen Heften von 12 Seiten zu nur 5 Gr.

Einladung zur Subscription

(mit einer Prämie von 2 Thlr. und mehr, an Pränumeranten) auf die in unserm Verlage rechtmässig erscheinende

Originalbibliothek für Pianoforte;

Mustersammlung classischer Compositionen,

von

den berühmtesten Tonsetzern neuester Zeit.

Mit Fingersatz und nöthigen Erläuterungen. Nebst einem musikalischen Conversationslexikon und literarischen Beigaben zur Unterhaltung unentgeltlich.

Prospectus des Werks.

Unsere Originalbibliothek (das erste Unternehmen der Art auf beiden Hemisphären) wird sicher den höchsten Anfoderungen, den grössten Erwartungen entsprechen, da sie in schönster Ausstattung nur die vorzüglichsten Werke der Genien unsterblicher Meister in sich zu vereinigen strebt.

„Damit nun der grösstmöglichsten Verbreitung unsers neuen Originalunternehmens keine Hindernisse in den Weg gelegt werden können, zugleich unsern etwaigen Gegnern Stoff zu Verleumdungen, unser redliches Streben zu verdächtigen, entzogen werde",

„„so erklären wir hiermit ausdrücklich, dass unsere Originalbibliothek für Pianofortespieler nur solche gediegene Compositionen ausgezeichneter Talente aufnimmt, deren Verlagsrecht wir uns erwarben, und die in keinem fremden Verlage erscheinen dürfen.""

Damit ferner das Publicum durch diese, dem Anscheine nach vielversprechende Anzeige sich nicht irre geleitet, nicht getäuscht glaube, so nennen wir hier neben den Heroen der jetzt lebenden Meister zugleich solche, mit denen wir für unser Unternehmen im ausgedehnten Briefwechsel stehen, als:

Kalkbrenner, Moscheles, Ries, Hummel, Methfessel, Herz, Pansy, Marschner, Reissiger, Chopin, Osborne, Czerny, A. Schmitt, J. Schmitt, Mendelssohn-Bartholdy, Mühling und viele Andere;

hinzufügend: dass wir, um noch mehr zu leisten, auch die ausgezeichnetsten Schüler dieser anerkannten Meister für uns gewonnen haben; es ist uns endlich sogar gelungen, werthvolle Manuscripte des berühmten, leider zu früh verblichenen Kuhlau an uns zu bringen.

Subscriptionsbedingungen:

Der Jahrgang besteht aus 26 Heften. Monatlich erscheinen 1—2 Hefte, zu 5 Gr.; den dritten Theil bisheriger Notenpreise, einzeln das Heft 12 Gr.

Unentgeltlich wird geliefert: das lit. musik. Beiblatt (in zwanglosen Nummern) nebst einem

☞ musikalischen Conversationslexikon ☜

mehr 2000 Artikel enthaltend, als: Biographien, Erklärungen der Kunstwörter, sowie alles Wichtige, Interessante, auf Musik Bezug habende. Das Werk wird in drei Lieferungen ausgegeben und einen starken Band ausmachen. Apart gekauft kostet das Lexikon 1 Thlr. 8 Gr., zahlbar bei dem Empfang der ersten Lieferung. Ladenpreis 2 Thlr.

Neue, höchst interessante belletristische Schriften!!

Im Verlage von Baumann in Ludwigsburg sind soeben erschienen und von allen Buchhandlungen zu beziehen:

Verbrechen auf Verbrechen, oder Auswürflinge der Menschheit. Galerie tragischer Ereignisse, ausgezeichneter Bösewichter, Tyrannen, Räuber, Mörder u. s. w., nach Criminalacten und Chroniken bearbeitet von **Lohmas Freihold.** 2 Theile. 8. Sauber brosch. Preis 3 Fl. 36 Kr., oder 2 Thlr. 2 Gr.

Der in der Literatur bereits rühmlich bekannte Verfasser führt in diesem Werke mit sicherer Hand den Leser in die geheimnißvolle Werkstätte des menschlichen Herzens, wo Leidenschaften und ein oft unerklärbares Geschick sich zum zerstörenden Brande entzünden. Es ist ihm gelungen, eine Reihe von Erzählungen zu liefern, die wegen ihrer Vielseitigkeit, ebenso unterhaltend als belehrend, für Leser von allen Ständen gleich großes Interesse bieten und jede Erwartung befriedigen werden.

Lukrezia und Gasparo, oder die Liebenden zu Siena; von Hofrath **E. Münch.** 8. Elegant brosch. Preis 1 Fl., oder 14 Gr.

Der Name Ernst Münch überhebt uns jeder Anpreisung. Als genialer Schriftsteller berühmt, zeigt er uns hier mit dem ihm eigenen Geiste ein interessantes Gewebe heimlicher Intriguen und Liebesabenteuer. Dem Italienischen nachgebildet, haucht es die ganze Glut einer südlichen Leidenschaft, ohne die Grenze des Schönen zu überschreiten.

Die Macht des Geschicks. Drei Erzählungen nach dem Französischen des **Champavert.** 8. Sauber brosch. Preis 1 Fl. 12 Kr., oder 18 Gr.

Der Titel entspricht dem Inhalte; mit Allgewalt tritt ein dunkles Verhängniß zwischen den Menschen und sein Glück, und zertrümmert, was er in stiller Emsigkeit geschaffen. Alle drei Erzählungen tragen das Gepräge einer großen und ergreifenden Wahrheit.

Neue Bücher und Kunstsachen,

welche 1833 im Verlage von **Duncker und Humblot** in **Berlin** erschienen und durch alle Buchhandlungen zu beziehen sind:

Hirt, A., Die Geschichte der bildenden Künste bei den Alten. Gr. 8. 2 Thlr.

„Dieses Werk gehört ohne Zweifel zu den bedeutendsten in diesem Fache, und empfiehlt sich besonders durch die Klarheit der Thatsachen, einfache [illegible] Darstellung derselben, und ungewöhnliche Kenntniss der alten Denkmäler, allen Freunden der alten Kunstgeschichte. Namentlich möchten Diejenigen, welche eine Hauptübersicht der alten Kunstgeschichte sich hier zu vergegenwärtigen wünschen, dieses in keinem uns bekannten Werke so leicht und gründlich zugleich erreichen." (Museum, 1833, Nr. [illegible].)

Studien, Hyperboreisch-römische, für Archäologie. Mit Beiträgen von **K. O. Müller, Th. Panofka, Otto B. v. Stackelberg, F. G. Welcker.** Herausgegeben von **Eduard Gerhard.** Erster Theil. Gr. 8. 2 Thlr.

Inhalt: 1. Grundzüge der Archäologie; von Ed. Gerhard. — 2. [illegible]; von Ed. Gerhard und Th. Panofka. — 3. [illegible]; von Th. Panofka. — 4. Ueber den [illegible]; von F. G. Welcker. — 5. [illegible]; von K. O. Müller. — 6. [illegible]; von Th. Panofka. — 7. Die Himmelfahrt des Herakles; von F. G. Welcker. — 8. [illegible] — 10. [illegible]; von K. O. Müller. — 11. [illegible]; von Th. Panofka.

Sammlung architektonischer Entwürfe von **Schinkel,** enthaltend theils Werke, welche ausgeführt sind, theils Gegenstände, deren Ausführung beabsichtigt wurde, bearbeitet und herausgegeben von Schinkel. **Neunzehntes** Heft: Sechs Entwürfe zu einem Denkmale Friedrich's des Grossen. Preis 3 Thlr.

— —, **Zwanzigstes** Heft: Sechs Entwürfe zu der jetzt in Berlin im Bau begriffenen **allgemeinen Bauschule.** Preis 3 Thlr.

Im Verlagscomtoir zu Braunschweig und Leipzig ist soeben erschienen und an alle Buchhandlungen versandt:

Darstellung der Grundsätze der republikanischen Regierung, wie dieselbe in Amerika vervollkommnet worden, von **Achilles Murat.** (Aus dem Französischen.) 8. Elegant broschirt. 1 Thlr. 8 Gr. ord.

Der Verfasser, Sohn des ritterlichen Königs von Neapel, Joachim Murat, ist Bürger der Vereinigten Staaten von Nordamerika, und sein Talent als geistreicher Schriftsteller ist allgemein anerkannt worden. Dieses Werk steht in Verbindung mit den bei uns ebenfalls erschienenen und so beifällig vom deutschen Publicum aufgenommenen „Briefen über den moralischen und politischen Zustand der vereinigten Staaten von Nordamerika, von Achilles Murat".

Ferner:

Adelaide, oder der Gegenzauber. Frei nach dem Englischen von **L. Marezoll.** 3 Thle. 8. Broschirt. 4 Thlr. ord.

Subscriptionsanzeige.

HAUSBUCH

des

geographischen Wissens.

Eine systematische

Encyklopädie der Erdkunde

für die

Bedürfnisse der Gebildeten jedes Standes.

Frei bearbeitet

nach dem *„Abrégé de Géographie"* des A. Balbi

von

CANNABICH, LITTROW, SOMMER, WIMMER und **ZEUNE.**

Gr. 8. *Zwei Bände mit 4 Kupfern, in 8 Lieferungen.*

Die Erste Lieferung ist erschienen.

In Commission in allen Buchhandlungen Deutschlands.

Leipzig, bei Friedrich Volckmar.

Subscriptionsbedingungen: Das ganze Werk in 2 Bänden erscheint vom 15. October 1833 an in 8 monatlichen Lieferungen à 10—12 Druckbogen.

Die Subscribenten erhalten, ohne Verbindlichkeit auf Abnahme des ganzen Werkes, die Lieferung à 15 Gr. Sächs. Nach Beendigung des Druckes tritt ein erhöhter Ladenpreis ein.

Das hier in einer deutschen Bearbeitung erscheinende Werk ist die Frucht unabhängigen Fleisses eines unserer berühmtesten Geographen, der [illegible] der neuesten und wichtigsten Notizen für sein Fach mit allen ihm wissenschaftlich verwandten Gelehrten in und ausser Europa ununterbrochen verkehrt, und diese ausgezeichnete Arbeit bilden fünf deutsche Männer zu einem Nationalwerke unserer Literatur um, deren Namen als Gelehrte Herrn Balbi ebenbürtig sind, und Bürgschaft leisten, dass ihre Bearbeitung das Original nur vervollkommnen kann.

Zu alle dem stattet der Verleger das Buch im Aeussern so aus, dass es in keiner Art hinter der Correctheit und Eleganz des pariser Druckes zurückbleibt; ja, unser deutsches Werk erhält noch Zugaben an Kupfertafeln und topographischen Registern, welche bei der französischen Ausgabe vermisst werden. Da endlich der Preis im Verhältniss zu den genannten Vorzügen so niedrig gestellt worden, dass noch keine so elegante und doch so wohlfeile literarische Erscheinung in Deutschland aufgetreten ist, so wollen wir hoffen, dieses geographische Hausbuch solle in jedes Hauswesen Eingang finden, um dort als **Familienbuch** jedem gebildeten Hausgenossen zu allen Stunden des Tages zur Hand zu sein, wo er sich über einen Gegenstand aus der Erdkunde zu belehren Veranlassung findet, oder auch nur Lust trägt, eine müssige Zeit mit einer nützlichen Lectüre auszufüllen.

Für höhere Bürger- und Töchterschulen.

Bei mir ist erschienen und an alle Buchhandlungen versendet:

Ritsert, Friedr., Verdeutschendes und erklärendes Fremdwörterbuch zum Schul- und Hausgebrauch besonders für höhere Bürger- u. Töchterschulen. Gr. 8.

Die Verdeutschung und Erklärung der Fremdwörter ist sonder Zweifel in den meisten Bürger- und Töchterschulen, in welchen die Sprachen nicht gelehrt werden, aus welchen sie abstammen, ein nothwendiger Gegenstand des Unterrichtes geworden, da solche in die Bücher- wie in die Unterhaltungssprache übergegangen sind und keinem Gebildeten unbekannt sein dürfen. Trotz der großen Zahl von Wörterbüchern der Art, hat man doch noch keines, welches besonders für den **Schulunterricht** bearbeitet, und woraus namentlich alles Ueberflüssige, und die Unschuld oder das Schamgefühl Verletzende weggelassen wäre. Der Herausgeber hat sich darum gewiß um diesen Unterrichtsgegenstand ein bleibendes Verdienst erworben, welches hoffentlich durch den häufigen Gebrauch seines Buches in den genannten Schulen Anerkennung finden wird.

Der Preis ist 1 Thlr., oder 1 Fl. 45 Kr. Um die Einführung in Schulen zu erleichtern werden auf 20 Exemplare 3 Freiexempl., auf 100 Exempl. **zugleich** genommen, aber 30 Freiex. gegeben.

Darmstadt, im September 1833.

Karl Wilhelm Leske.

In *Baumgärtner's* Buchhandlung zu *Leipzig* ist soeben erschienen und an alle Buchhandlungen verschickt worden:

IDEEN-MAGAZIN

für Architekten, Künstler und Handwerker, die mit der Baukunst und ihren Einzelnheiten zu thun haben, als Maurer, Zimmerleute etc., eine reichhaltige Sammlung von Zeichnungen zu Gebäuden aller Art und Bestimmung, mit ihren Theilen und Grundrissen, als: zu Stadt-, Land-, Gewächs- und Badehäusern, Tempeln, Capellen, Zimmerverzierungen, Thüren, Fenstern, und andern Einzelnheiten, Brücken, Geländern, Spitzen, Vermachungen, etc. 1ster Band. 6tes Heft von 6 Blättern in gr. 4. Preis 8 Gr.

DER TAPEZIER,

oder Drapirungen von ganzen Zimmern, Plafonds, einzelnen Wänden, Fenstern, Betten etc. Von *F. W. Merker.* 3tes Heft. 6 Blätter in gr. 4. Preis 8 Gr.

PRAKTISCHE ZEICHNUNGEN

von Meubles im neuesten und geläutertsten Geschmacke, mit beigefügtem Maasstab. (Vollständiges Ameublement.) Von *F. W. Merker.* Zehntes Zimmer. 6 Blätter in gr. 4. Brosch. Preis 8 Gr.

Magazin der neuesten Erfindungen, Entdeckungen und Verbesserungen

in der gesammten Gewerbskunde rc. Von Dr. F. A. W. **Netto.** Unter Mitwirkung des Kunst- und Gewerbevereins. Neueste Folge. Band I. Heft X. Mit 11 Abbildungen in gr. 4. Preis 8 Gr.

Neue schönwissenschaftliche Schriften.

Bei mir sind im Laufe dieses Jahres erschienen:

Richardett, ein Rittergedicht von Niccolo Fortiguerra. Uebersetzt von J. D. Gries. 3 Thle. Auf Velinpapier. Geheftet. 5 Thlr., oder 9 Fl.

Bei seinem Erscheinen im Jahre 1738 wurde dieses Gedicht in Italien mit dem größten Beifall aufgenommen, sehr oft wieder aufgelegt und in mehre Sprachen übersetzt. Man kann es gewissermaßen eine Fortsetzung von Ariost's Rasendem Roland nennen.

Die Uebersetzung betreffend, so dürfte sie wohl vorzüglich genannt werden, da sich Herr Gries als einen der ausgezeichnetsten Uebersetzer bewährt hat.

Die Lusiaden des Luis de Camoëns, verdeutscht von **J. J. C. Donner.** 27 Bogen auf Velinpapier in geschmackvollem Umschlag geheftet. 2 Thlr., oder 3 Fl. 36 Kr.

Dieses herrliche Gedicht des Portugiesen Camoëns ist zwar schon früher übersetzt worden, die frühern Uebersetzungen genügen jedoch den Anfoderungen, die jetzt an solche gemacht werden, nicht mehr. Ein als Uebersetzer sehr geachteter Gelehrter, der zugleich der portugiesischen Sprache ganz mächtig ist, sagt von dieser Uebersetzung: „Ich kenne sie aus mehern Proben, sie ist nicht allein sehr viel besser, als die früher erschienenen, sondern sie ist so, daß schwerlich ein Anderer sie besser machen könnte".

Auch ist hinlänglich bekannt, daß Voß die Uebersetzungen des Juvenal und Persius von Donner ungemein lobte.

Der Cid, ein Romanzenkranz; im Versmaaße der Urschrift aus dem Spanischen vollständig übersetzt von **F. M. Duttenhofer.** 15 Bogen auf Velinpapier in geschmackvollem Umschlag geheftet. 1 Thlr., oder 1 Fl. 48 Kr.

Der Uebersetzer hat sich zur Aufgabe gemacht, eine in Wort und Form treue Uebersetzung der Cidromanzen zu geben, während die frühere Herder'sche Bearbeitung mehr dem Grundsatz huldigte, den Gegenstand, den sie behandelte, frei zu besingen. Es wird daher auch diese für die Besitzer der Herder'schen nicht ohne Interesse sein, da sie in vielen Punkten wesentlich von ihr abweicht.

Auch die äußere Ausstattung dieser drei Werke ist empfehlend, und sie eignen sich auch dadurch vorzüglich zu Geschenken.

C. W. Leskund.

Literarischer Anzeiger.

(Zu den bei F. A. Brockhaus in Leipzig erscheinenden Zeitschriften.)

1833. Nr. XXXV.

Dieser Literarische Anzeiger wird den bei F. A. Brockhaus in Leipzig erscheinenden Zeitschriften: Blätter für literarische Unterhaltung, Isis, sowie der Allgemeinen medicinischen Zeitung, beigelegt oder beigeheftet, und betragen die Insertionsgebühren für die Zeile 2 Gr.

Soeben ist erschienen und bei Calve in Prag, Gerold in Wien, Wigand in Pesth, Presburg, Oedenburg und Kaschau sowie in allen Buchhandlungen zu haben:

Chronique scandaleuse des pariser Hofes seit den Zeiten Louis XIV.

Geheime Memoiren zur politischen und Regentengeschichte des französischen Reiches aus der Periode von 1638 bis auf Louis Philippe I.

1ster und 2ter Band. Enthält: Louis XIV. und XV. Ladenpreis 2 Thlr.

Das ganze Werk wird 10 Bände umfassen, und noch in diesem Jahre vollständig geliefert. Jeder Band ist einzeln käuflich.

Literarisches Museum in Leipzig.

Subscriptionsanzeige.

Im Verlage der unterzeichneten Buchhandlung erscheint zur Ostermesse 1834 auf Subscription:

Die

göttliche Komödie

des

Dante Allighieri,

übersetzt und erläutert

von

Karl Streckfuss.

Zweite, durchaus verbesserte Ausgabe

IN EINEM BANDE.

Auf Maschinen-Velinpapier.

Subscriptionspreis 2 Thlr.

Die Theilnahme, welche die erste Ausgabe der Streckfuß'schen Uebersetzung des großen Dichters gefunden, setzt uns in den Stand, schon jetzt die zweite Ausgabe folgen zu lassen, und wir hoffen zuversichtlich, daß ihr dieselbe Gunst um so gewisser zu Theil werde, da sie eine durchaus und wesentlich verbesserte, elegante, ganz zur Bequemlichkeit der Leser eingerichtete und dabei sehr wohlfeile sein wird.

Wenige Gesänge des Textes sind ohne wesentliche Aenderung geblieben, viele derselben sind zum großen Theil neu bearbeitet worden. Die Anmerkungen, besonders zur Hölle, sind sehr erweitert, und werden zur Bequemlichkeit der Leser unter den Text gedruckt.

Hinsichtlich der äußern Form und der typographischen Ausstattung wird sich die gegenwärtige Ausgabe ganz an die Gesammtausgabe von Schiller's und Körner's Werken in Einem Bande anschließen.

Diejenigen, welche bis zum ersten April 1834 auf das Werk subscribiren, erhalten es zur Ostermesse für den Preis von Zwei Thalern gegen baare Zahlung abgeliefert.

Der alsdann eintretende Ladenpreis wird bedeutend erhöhet werden.

In allen Buchhandlungen wird Subscription angenommen.

Mögen diese außerordentlich günstigen Bedingungen dazu beitragen, das herrliche Werk in immer weitern Kreisen zu verbreiten und dem allgemein erwachten Streben nach näherer Kenntniß dieser wunderbaren Dichtung entgegenzukommen.

Halle, am 1sten October 1833.

C. A. Schwetschke und Sohn.

Im Verlage der Nicolai'schen Buchhandlung in Berlin sind soeben nachstehende interessante Schriften erschienen:

Mémoires originaux sur le règne et la cour de Frédéric I, Roi de Prusse écrits par Christophe Comte de Dohna, Ministre d'état et Lieutenant-général. Papier vélin. Broché. 1 Thlr. 25 Sgr.

Ueber Fideicommisse. Eine Bitte an unsere Landstände. Von einem Bürgerlichen. Velinpap. Geh. 10 Sgr.

Der Herr Verfasser dieser lesenswerthen Schrift beschäftigt sich in derselben mit der Lösung folgender wichtigen Fragen:

Ist der erbliche Adel in seiner repräsentativen Form nothwendig? — Kann der Adel in seiner jetzigen Beschaffenheit seiner Bestimmung entsprechen? — Wie ist ihm zu helfen und hat die Regierung ein Recht die gesetzlichen Bestimmungen in Betreff der Erbfolge zu ändern? — Ist diese Aenderung möglich? — Was ist zu thun, um die gänzliche Auflösung des Staatsverbandes und der Volksverfassung zu verhindern?

Am Schlusse spricht der Herr Verfasser den Wunsch aus, daß unsere verehrten Stände die in seiner Schrift enthaltenen Andeutungen prüfen und nach ihrem Werthe würdigen mögen

---

Literarische Anzeige.

Taschenbuch der Geographie.

Nebst 21 Landkärtchen.

Es bedarf nur einer kurzen Bezeichnung dieses, in jeder Hinsicht mit der äußersten Genauigkeit ausgearbeiteten Werkes, um demselben eine allgemein günstige Aufnahme zu bereiten. Nach einer gedrängten, alles Wesentliche der s. g. mathematischen, physischen und politischen Geographie umfassenden Einleitung folgen die neuesten und sichersten Nachrichten über: Lage, Grenze, Boden, Gebirge, Flüsse, Seen, Kanäle, Klima, Naturproducte, Gewerbe, Handel, Münzen, Einwohner, Religion, wissenschaftliche Cultur, Staatsverfassung, Regenten

(Geburtsjahr und Tag), Staatseinkünfte, Kriegsmacht, Größe, Eintheilung, Städte rc. — Ein wesentlicher Vorzug besteht in einer genauen Angabe der richtigen Aussprache der am wenigsten bekannten ausländischen Namen. Nicht minder erhöhet ein vollständiges Register den Werth und die Brauchbarkeit des Werkes, sowie es sich durch schönen Druck auf feinem Velinpapier und durch ein gefälliges, bequemes Format und saubern Einband auszeichnet. Die an Ort und Stelle beigefügten, deutlich und schön gestochenen kleinen Landkarten können nicht anders als höchst willkommen sein.

So eignet sich dieses Werk, dessen vorläufige Anzeige zahlreiche auswärtige Bestellungen veranlaßte, nicht nur zu einem sichern und gründlichen Leitfaden für Schüler, sondern wird auch in jedem Arbeits- und Geschäftszimmer, sowie im Familienkreise ein willkommener, kurz und bündig, aber überall Aufschluß gewährender, Rathgeber und Begleiter sein.

Der Preis ist, des großen Kostenaufwandes ungeachtet, nur auf 1 Thlr. 12 Gr. festgesetzt.

Magdeburg.

Creutz'sche Buchhandlung.

Politisch-literarische Memoiren.

So eben ist erschienen:

Selbstbiographie von Dr. August Friedr. Wilhelm Crome, Senior der Universität Gießen u. mehrer europäischen Akademien Mitglied, großh. hess. Geheimer-Rath und Commandeur des k. dänischen Danebrogs-, sowie des großh. hess. Ludwig-Ordens. Ein Beitrag zu den gelehrten und politischen Memoiren des vorigen und gegenwärtigen Jahrhunderts. Gr. 8. Stuttgart, Metzler'sche Buchhg. 3 Fl. 30 Kr., oder 2 Thlr.

Der Verf., der wenige Tage nach Vollendung des Drucks dieser Schrift im 79sten Jahre starb, verwob in diese Schilderung seines vielbewegten Lebens eine Reihe noch unbekannter und höchst interessanter Notizen und Anekdoten aus der Geschichte seiner Zeit und von merkwürdigen Zeitgenossen. Ueber das Philanthropin und den Hof zu Dessau, Salzmann's Institut zu Schnepfenthal, die Kaiserwahlen Leopold's II. u. Franz II., die Revolutionskriege, die gelungenen Unterhandlungen des Verf. mit Bernadotte wegen einer Pacification zwischen Hessen-Darmstadt und Frankreich, über Basedow, Pestalozzi, v. Wessenberg und eine Menge anderer geschichtlicher Ereignisse und politisch und literarisch ausgezeichneter Männer finden sich manichfaltige, wichtige und neue Daten in diesen anziehenden Memoiren. — Vorräthig in allen guten Buchhandlungen Deutschlands, der Schweiz und der östreichischen Monarchie.

In allen Buchhandlungen ist zu finden:

Vollständige Geschichte der Erdkunde

und ihrer Fortschritte
durch
Entdeckungsreisen, Schiffahrt und Handel.
Von der ältesten bis auf die neueste Zeit.
Von
G. A. Wimmer.

Wien, 1833. Broschirt. 1 Thlr. 12 Gr. Sächs.

Die Geschichte der Erdkunde ist die Geschichte der Menschheit, wie sie dahin gekommen ist, die Erde, ihr angewiesenes Erbe, zu übernehmen, sich — durch die Macht des Gedankens jedem Uebermaße physischer Kraft trotzend, und Wasser, Luft und Feuer als Knechte an ihrem Siegeswagen schleppend — diese Erde unterthan zu machen. Fragen wir nach dem Gange dieser Eroberung, so ist Furcht, Krieg, Eigennutz, Neugierde, Wissenschaft und vernünftige Forschung die Stufenfolge, auf welcher der Mensch zur Kunde, und damit zum Besitze der Erde gelangt ist. Er hat die Reise durch den Planeten zurückgelegt und steht auf dem Gipfel desselben. Die Reisegeschichte durch die Jahrhunderte der Vorwelt, durch Länder und Meere, durch Wahrheit und Irrthum, kann nur interessant und lehrreich sein. Diese Reisegeschichte wird hier geliefert, achtzehn Jahrhunderte liegen vor uns ausgebreitet, an Stoff und Abenteuern fehlt es nicht, wie sollte es einem Erzähler an Zuhörern fehlen, der in allen seinen Schriften bewiesen hat, daß er sich nie durch die Masse der Thatsachen überwältigen läßt, sondern stets seines Stoffs Meister zu werden versteht, um dort — wo andere uns mit trockenen Namen- und Ziffer-registern quälen — ein seelenvolles, mit Reflexionen belebtes Gemälde aufzustellen.

Von demselben Verfasser ganz neu:

Kosmologische Vorschule zur Erdkunde

von
G. A. Wimmer.

Wien, 1833. Brosch. 1 Thlr. 12 Gr. Sächs.

Die Leser finden in diesem Werke einen Schatz von neuen Ansichten über die Wechselbeziehungen unsers Erdkörpers zu dem ihn umfangenden Weltsysteme, über die auf ihm waltenden Elementarkräfte, über seinen Bau, über die Verbreitung des vegetabilischen und animalischen Lebens auf demselben und über so viele andere dahin einschlagende Gegenstände, die der Verfasser als selbständiger Denker der Leuchte gründlicher Forschung unterzieht.

Leipzig, October 1833.

F. Volckmar.

Uebersetzungen alter classischer Dichter.

Von dem Werke: „Griechische und Römische Dichter in neuen metrischen Uebersetzungen, herausgegeben von den Professoren Tafel, Osiander und Schwab" (Stuttgart, Metzler'sche Buchh.), ist soeben erschienen:

Ovid's Verwandlungen, übersetzt von H. C. Pfitz, Pfarrer in Eishausen. Vollständig in 5 Bändchen. 2 Fl., oder 1 Thlr. 6 Gr. Preuß.

Früher sind von dieser Sammlung erschienen:

Homer's Odyssee, übersetzt von E. Wiedasch, Director des Pädagogiums zu Ilfeld. Vollständig in 5 Bändchen. 2 Fl., oder 1 Thlr. 6 Gr. Preuß.

Virgil's Aeneis, übersetzt von Ludw. Neuffer, Stadtpfarrer zu Ulm. Zweite durchaus verbesserte Auflage. Vollständig in 4 Bändchen. 1 Fl. 36 Kr., oder 1 Thlr. Preuß.

Zunächst werden nun die übrigen Werke Homer's, Ovid's und Virgil's, des Kallimachus, Plautus und Terenz in durchaus gelungenen Uebertragungen folgen, von welchen bereits mehre unter der Presse sind. Der Subscriptionspreis für jedes Bändchen von ungefähr 128 Seiten in Taschenformat ist nur 24 Kr. oder 6 Gr. Preuß.

Durch diese Sammlung von Uebertragungen der vorzüglichsten Dichter des Alterthums, in Verbindung mit den von denselben Hrn. Herausgebern in gleichem Formate bei uns erschienenen „Griechischen und römischen Prosaikern in neuen Uebersetzungen", von welchen bis jetzt 213 Bändchen ausgegeben sind, und bei dem nun mehr vorhandenen Vorrathe von Manuscripten, in der nächsten Zeit die Fortsetzung rascher folgen kann, erhält Deutschland zum erstenmale eine vollständige Reihe von teutschen Uebertragungen aller vorzüglichern Classiker des Alterthums; ein Werk, wie keine andere Nation, selbst England und Frankreich nicht, ein ähnliches in ihrer Litteratur aufzuweisen im Stande ist. Zu beziehen durch alle gute Buchhandlungen Deutschlands, der Schweiz und der östreichschen Monarchie.

English Classics.

Im Verlage der Unterzeichneten sind erschienen und durch alle Buchhandlungen des In- und Auslandes zu beziehen:

LORD BYRON'S complete Works. 32 Volumes. à 4 Gr. 5 Thlr. 8 Gr.

(Einzelne Bändchen à 6 Groschen.)

WALTER SCOTT'S complete Works. 156 Volumes, à 4 Gr. 26 Thlr.

(Einzelne Bändchen à 6 Groschen.)

J. F. COOPER'S Works. 33 Volumes. à 4 Gr. 5 Thlr. 12 Gr.

(Einzelne Bändchen à 6 Groschen.)

Thom. MOORE'S Works, 6 Volumes. à 6 Gr. 1 Thlr. 12 Gr.

Washington IRVING'S Sketch Book. 3 Volumes, à 6 Gr. 18 Gr.

Diese Ausgaben, welche sauber geheftet und mit Kupfern geziert sind, zeichnen sich nicht allein durch höchste Wohlfeilheit, sondern auch durch Eleganz und vorzügliche Correctheit aus.

Zwickau, im November 1833.

Gebrüder Schumann.

Im Verlage von Duncker und Humblot in Berlin erschien soeben und ist in allen Buchhandlungen des In- und Auslandes zu haben:

Briefwechsel
zwischen
Goethe und Zelter
in den Jahren 1796 bis 1832.

Herausgegeben von Dr. F. W. Riemer.

Erster und zweiter Theil (61½ Bogen).

Druck-Velin-Papier 4 Thlr.

Schreib-Velin-Papier 5 Thlr. 12 Gr.

Ausführlichere Anzeigen mit einigen abgedruckten Goethe-Zelter'schen Briefen werden in allen Buchhandlungen ausgegeben.

Zu herabgesetztem Preise sind zu haben:

Gottfried's von Strasburg Werke,

aus den besten Handschriften mit Einleitung und Wörterbuch herausgegeben

durch

Friedrich Heinrich von der Hagen.

2 Bände, mit 1 Kupfer.

Gr. 8. 50 Bogen stark.

Ladenpreis 3 Rthlr. 18 Gr.

Herabgesetzter Preis 1 Rthlr.

Inhalt: 1) Einleitung. 2) Tristan und Isolde, mit Ulrich's von Turheim Fortsetzung. 3) Tristan und Isolde. Fortsetzung von Heinrich Friberg. 4) Gottfried's Minnelieder. 5) Tristan und Isolde nach Thomas von Ercildoun. 6) Walter Scott's Ergänzung des altenglischen Gedichts, nach dem Altfranzösischen. 7) Wörterbuch zu Thomas von Ercildoun. 8) Inhalt der Eigennamen. 9) Tristan und Isolde. Altfranzösische Gedichte. 10) Bruchstücke aus Eilhart's von Hobergen, Tristan und Isolde ergänzt aus der dresdner Handschrift. 11) Vollständiges Wörterbuch zu Tristan und Isolde.

Zu dem ungemein wohlfeilen Preise, von 1 Thlr. für 50 Bogen in gr. 8., mit einem schönen Kupfer, gezeichnet von Ruhl, nach einem alten Bilde in dem münchener Codex, wird obiges Werk den Freunden altdeutscher Literatur angeboten. — Ueber den Werth der wunderherrlichen Dichtung: Tristan und Isolde, etwas zu sagen, würde überflüssig sein, da dieser Allen, welche in der deutschen Literatur nicht fremd sind, genugend bekannt ist. Es sei daher nur erlaubt, die Herren Directoren und Professoren an Gymnasien auf dieses Werk von neuem aufmerksam zu machen, da es zum Lesen auf Schulen sich ebenso eignet wie das Nibelungenlied.

Buchhandlung Josef Max u. Comp.
in Breslau.

Bei uns ist erschienen, und durch alle solide Buchhandlungen zu haben:

Dr. Johann Severin Vater's
Jahrbuch
der
häuslichen Andacht
und
Erhebung des Herzens.

Mit Beiträgen von Breithaupt, Breyther, Freudentheil, Girardet, Gittermann, Greiling, Hesekiel, Hobifeld, Hungari, Prätzel, Schläger, Schmalz, Schottin, Joh. Schuderoff, Terlahn, Weber, Witschel, und dem Herausgeber A. G. Eberhard, für das Jahr 1834. Mit einem Kupfer. Taschenbuch-Format, elegant gebunden, mit Goldschnitt. Preis 1 Thlr. 12 Gr. (1 Thlr. 15 Sgr.)

Renger'sche Verlagsbuchhandlung
in Halle.

Die

Hallische
Allgemeine Literatur-Zeitung

wird, indem sie vom künftigen Jahre an neben den Recensionen auch vollständige Literarhistorische Uebersichten gibt, eine Veränderung und Erweiterung erhalten, die wol des einstimmigsten und ungetheiltesten Beifalls gewiss sein dürfte. Wir verweisen auf den deshalb erlassenen ausführlichen Prospectus, der in allen Buchhandlungen und durch alle Postämter zu haben ist, und bitten die Bestellungen auf den Jahrgang 1834 uns möglichst zeitig zugehen zu lassen.

Halle, am 1sten October 1833.

Expedition der Allgem. Lit.-Zeitung
bei C. A. Schwetschke und Sohn.

Für Freunde der englischen Sprache und Literatur.

Welcher Freund der Geschichte möchte nicht vorzugsweise von einem gefeierten Dichter die Geschichte dessen eignen Vaterlandes lesen? Walter Scott hat dazu die Hand geboten durch seine

HISTORY OF SCOTLAND.
In two Volumes.

Die unterzeichnete Verlagshandlung hat davon einen correcten und eleganten Abdruck in Octavformat mit deutlichen Lettern veranstaltet und bietet denselben, um das Buch namentlich für Schulanstalten zugänglich zu machen, zum herabgesetzten Preis von

1 Thlr. 16 Gr., oder 3 Fl., geheftet

an, um welchen Preis dasselbe durch jede gute Buchhandlung zu beziehen ist. Der bisherige Preis war 3 Thlr. 8 Gr., oder 6 Fl.

Für Diejenigen, welche der englischen Sprache nicht kundig sind, oder Solche, welche zum Selbststudium eine gute Uebersetzung neben dem Original zu besitzen wünschen, hat die Verlagshandlung durch Hrn. Hauptmann F. Vogel eine sorgfältig und getreu bearbeitete Uebersetzung dieses classischen Werkes besorgen lassen und will auch diese zum herabgesetzten Preis von

1 Thlr. 16 Gr., oder 3 Fl.,

für das vollständige Werk erlassen. Der Ladenpreis ist 3 Thlr. 8 Gr., oder 5 Fl. 54 Kr. Diese herabgesetzten Preise hören jedoch mit Ende des Jahres 1834 wieder auf.

Darmstadt, im September 1833.

Karl Wilhelm Leske.

Neue Verlagsartikel bei F. Rubach in Magdeburg.

Jan van Vliet, oder der Geiger von Amsterdam. Romant. Erzählung aus der Mitte des 16. Jahrh. 1 Thlr. 6 Gr.

Tristram Shandy's Leben von Sterne, neu übertragen von W. H. 5 Bde. 1 Thlr. 21 Gr.

Taschenbuch für die elegante Welt, auf das Jahr 1834. 1 Thlr. 6 Gr.

Eunomia. Sammlung lehrreicher Erzählungen zur Bildung des Geistes und Herzens für die Jugend, besonders für Kinder von 8—12 Jahren. Mit 8 sauber illum. Kupfern. 1 Thlr. 8 Gr.

Sprengel, Curt, Ueber Homöopathie. Zwei Programme. Geschrieben 1824 und 1832. Aus dem Lateinischen von Dr. L. Schragge. 8 Gr.

Mehl, C., Der Zeichnenunterricht in der Bürger- und Volksschule. Eine Anweisung für Alle, welche diesen Unterricht mit Nutzen betreiben wollen, auch für den Privat- und Selbstunterricht. Mit besonderer Beziehung auf den wechselseitigen Unterricht zusammengestellt und mit 24 erläuternden Probeblättern begleitet. 1 Thlr. 6 Gr.

Schäffer, C., Uebungsaufgaben im Briefstyl, mit besonders gewähltem Stoff, den Kindern die Antworten zu erleichtern und sie im Briefschreiben und andern schriftlichen Arbeiten schnell auszubilden. Für Knabenclassen an Bürgerschulen und zum Privatunterricht. 10 Gr.

Brückner, C., 12 kalligraphische Vorlegeblätter, in deutscher und lateinischer Schrift. 8 Gr.

Lucas, Erster Unterricht im Lesen. 4te Aufl. 2 Gr.

Allgemeiner Volkskalender. 11. Jahrg. auf das Jahr 1834. 8 Gr.

König, Alphabetisches Verzeichniß sämmtlicher Ortschaften und einzeln liegender Grundstücke des preuß. Staats. In 25 Regierungsbezirke eingetheilt. 3 Thlr. 8 Gr.

Dessen Handbuch des preuß. Staats oder alph. Verzeichniß sämmtl. Ortschaften der ganzen preuß. Monarchie, mit genauer Bezeichnung, zu welchem landräthlichen Kreise, Regierungsbezirke und zu welcher Provinz ein jeder Ort gehört u. s. w. Zum praktischen Gebrauch für die Verwaltungsbehörden, Kaufleute, Fabrikanten und sonstige Geschäftsmänner. Subscriptionspreis 2 Thlr.

Amtskalender für Kreis- und Ortsbehörden, Prediger und Schullehrer in dem Regierungsbezirke Magdeburg auf das Jahr 1834.

Blume's allgemeiner Atlas über alle Theile der Erde. 18 Blätter illum. 1 Thlr. 4 Gr.

Scholand, J. M., Gesundheits- und Schönheitspflege oder die sichersten und unentbehrlichsten Regeln zur Erhaltung der Gesundheit im Allgemeinen, sowie zur Pflege und zur Behandlung gesunder und kranker Augen, Zähne und Haupthaare im Besondern. 2te vermehrte Aufl. 12 Gr.

Vorschriften für Volksschulen. Nach dem Methodenbuche von C. C. G. Zerrenner. 6 Hefte à 3 Gr.

Schäffer, C., Der Neujahrsgratulant, oder Sammlung von 51 Neujahrwünschen für Kinder an ihre Eltern mit besonderm Bezug auf Bildung und Alter der Kinder. 3 Gr.

Buntes Allerlei, in merkwürdigen und unterhaltenden Geschichten u. s. w. 10ter, 11ter Bd. (Auch Volkskalender 1833 und 1834.)

Luther's kleiner Katechismus, nebst Fragestücken und einigen Gebeten, einer nützlichen Tabelle, einigen aufgelösten Brüchen und einem großen Einmaleins. (Das Hundert roh 1 Thlr.)

Die kaiserliche Akademie der Wissenschaften zu St.-Petersburg

bringt hiermit zur öffentlichen Kenntniss, dass sie den Buchhändler Leopold Voss in Leipzig zu ihrem Commissionnair für das Ausland ernannt und bei ihm ein vollständiges Lager ihrer Verlagswerke deponirt hat. Die Bedingungen, die dem Vertrage mit Herrn Voss zur Grundlage dienen, sind so beschaffen, dass sämmtliche Werke der kaiserl. Akademie durch ihn zu den möglichst billigen Preisen bezogen werden können.

L'Académie Impériale des Sciences de St.-Pétersbourg

prévient le public, qu'elle a nommé le libraire *Leopold Voss* à Leipsic son commissionnaire pour l'étranger, et qu'elle a déposé chez lui un assortiment complet de ses ouvrages de fonds. Les conditions qui forment la base du contrat passé avec Mr. Voss, sont de nature à lui permettre de livrer au public tous les ouvrages qu'elle a fait paraître, au prix le plus modique.

Von

Walter Scott's sämmtlichen Werken

ist eine vollständige, auf das schönste Velinpapier elegant gedruckte Taschenausgabe im Verlage der Unterzeichneten erschienen und durch alle Buchhandlungen zu folgenden höchst wohlfeilen Preisen (das Bändchen nur 3 Groschen) zu erhalten:

I. Sämmtliche Romane; 112 Theile, 14 Thlr.
II. Sämmtliche poetische Werke; 20 Theile, 2 Thlr. 12 Gr.
III. Das Leben Napoleon's; 21 Theile, 2 Thlr. 15 Gr.
IV. Die Geschichte von Schottland; 7 Theile, 21 Gr.
V. Biographien der Romandichter; 3 Theile, 9 Gr.

Zu diesen Preisen werden die Bändchen roh und ohne Kupfer ausgegeben; man kann dieselbe Ausgabe aber auch sauber geheftet mit Titelkupfern erhalten, und beträgt der Preis derselben nicht mehr als 4 Groschen für das Bändchen.

Von beiden Ausgaben werden auch einzelne Bändchen geheftet mit Kupfern zu 4 Groschen, und roh ohne Kupfer zu 3 Groschen abgelassen.

Unter allen in Deutschland herausgekommenen Ausgaben von Scott's Werken ist diese Ausgabe die einzige vollständige. Sie zeichnet sich vor allen andern durch Eleganz aus, und kann deshalb besonders zu Geschenken der Liebe und Freundschaft mit Recht empfohlen werden.

Zwickau, im October 1833.

Gebrüder Schumann.

Literarischer Anzeiger.

(Zu den bei F. A. Brockhaus in Leipzig erscheinenden Zeitschriften.)

1833. Nr. XXXVI.

Dieser Literarische Anzeiger wird den bei F. A. Brockhaus in Leipzig erscheinenden Zeitschriften: Blätter für literarische Unterhaltung, Isis, sowie der Allgemeinen medicinischen Zeitung, beigelegt oder beigeheftet, und betragen die Insertionsgebühren für die Zeile 2 Gr.

dem Lande — Voltaire und Frau von Pompadour — auf eine höchst geistreiche und joviale Art behandelt!

Quedlinburg, Michaelismesse 1833.

Hanewald's Verlagshandlung.

Neuestes Werk des Herrn Prediger Nösselt.

Lehrbuch der deutschen Literatur
für
das weibliche Geschlecht
besonders
für höhere Töchterschulen.
Von
Friedrich Nösselt.

4 Bände. Gr. 8. 1833. Breslau, im Verlage bei Josef Max und Comp. Preis 4 Thlr. 10 Gr.

Der erste Band unter dem besondern Titel:

Lehrbuch zur Kenntniß der verschiedenen Gattungen der Poesie und Prosa

für das weibliche Geschlecht, besonders für höhere Töchterschulen. Preis 22 Gr.

Der 2te, 3te und 4te Band unter dem besondern Titel:

Geschichte der deutschen Literatur

für das weibliche Geschlecht, besonders für höhere Töchterschulen.

1ster Theil: Von der frühesten Zeit bis auf Göthe.
2ter Theil: Von Göthe bis auf die neueste Zeit.
3ter Theil: Die umständlichere Geschichte der Literatur und die Lebensbeschreibungen der Dichter und Prosaisten.

Preis eines jeden Theiles 1 Thlr. 4 Gr.

Obiges Werk hat zum Zweck: 1) die verschiedenen Arten des poetischen und prosaischen Ausdrucks auseinanderzusetzen und durch passende Musterstellen zu belegen; 2) das heranwachsende weibliche Geschlecht mit dem Gange unserer Literatur und mit den berühmtesten Schriftstellern, deren Kenntniß ihnen nöthig ist, bekannt zu machen. Ueber die Nützlichkeit des Unternehmens werden die Stimmen nicht getheilt sein, und über den Beruf des Herrn Verfassers zur Herausgabe eines solchen Werkes dürfte die zwanzigjährige Erfahrung desselben, sowol bei der Leitung einer höhern Töchterschule, als auch beim Unterrichte selbst, genügende Bürgschaft leisten. Es wird daher genanntes Werk nicht nur allen Töchterschulen zu empfehlen sein, sondern auch allen gebildeten Mädchen und Frauen überhaupt, weil es ganz dazu geeignet ist, die Kenntniß unserer Nationalliteratur und somit die Bildung des Geistes und Herzens zu fördern. Aus diesem Grunde wird sich dasselbe auch zu einem ebenso nützlichen als angenehmen Weihnachtsgeschenke vorzüglich eignen.

Soeben ist erschienen und durch alle Buchhandlungen zu beziehen:

Fr. W. G. Menck,

Synchronistisches Handbuch der neuesten Zeitgeschichte. Zweiter Theil. Von 1811 bis 1816. 2 Thlr. 20 Gr.

Leipzig, im November 1833.

Magazin für Industrie u. Literatur.

Bei Georg Joachim Göschen in Leipzig ist erschienen und durch jede solide Buchhandlung zu beziehen:

Buch für Kinder gebildeter Stände
von
Ernst von Houwald.

Neue verbesserte Ausgabe in 2 Bänden mit 15 gemalten Kupfern.

8. Velinpapier, elegant gebunden 4 Thlr.

Des gefeierten Verfassers Erzählungen, Märchen, Romane, Schauspiele u. s. w. erfreuen und erquicken Geist und Herz inniglich, in die jugendlichen Gemüther pflanzen sie den Keim jeder Tugend, sie gewöhnen an Nachdenken, reizen die Wißbegierde, veredeln den Geschmack und kein Vater, keine Mutter kann ihren Lieblingen ein köstlicheres Geschenk machen, als mit diesem Buche. Die vorliegende neue Ausgabe ist mit zwei neuen Erzählungen bereichert, alle übrigen sind verbessert und die neu bearbeiteten Kupfer sind eine Zierde des Buchs, welche ebenso angenehm fürs Auge, als für den Verstand belehrend sind.

Von demselben Verfasser sind ferner erschienen:

Abendunterhaltungen für Kinder.

1stes Bändchen mit 4 Kupfern.

8. Velinpapier, gebunden 1 Thlr.

Bilder für die Jugend.

3 Bände mit 32 Kupfern. 8. Gebunden. 3 Thlr. 4 Gr.

Die günstigste Aufnahme ist bereits auch diesen Werken zu Theil geworden, und sie bedürfen daher keiner weitern Empfehlung.

In der F. Beck'schen Universitätsbuchhandlung in Wien, Geigergasse Nr. 427, im Geigerhofe, dem Kriegsgebäude gegenüber, ist soeben erschienen:

Ueber die neuesten
Leistungen der Franzosen
für die Herausgabe
ihrer
National-Heldengedichte
insbesondere aus dem
fränkisch-karolingischen Sagenkreise,
nebst Auszügen aus ungedruckten oder seltenen Werken verwandten Inhalts.
Ein Beitrag zur Geschichte der romantischen Poesie
von
Ferdinand Wolf,
Scriptor an der k. k. Hofbibliothek.

12 Bogen. Velinpapier. Gr. 8. In lithograph. Umschlag geh. 1 Thlr.

Endlich haben die Franzosen durch die rasch aufeinanderfolgenden Ausgaben ihrer nur zu lange vernachlässigten National-Heldengedichte begonnen, einen der sehnlichsten Wünsche aller Freunde und Kenner der romantischen Poesie zu befriedigen.

Diese an sich schon sehr beachtenswerthe Erscheinung ist es für uns Deutsche um so mehr, da wir endlich dadurch die Quellen so vieler Gedichte aus unserer eignen ältern Literatur erhalten. Doch sind auch diese neuen Ausgaben theils nur in einer beschränktern Anzahl Exemplare abgedruckt, theils des typographischen Luxus wegen sehr kostspielig und deshalb in Deutschland nicht so verbreitet, wie sie es zu sein verdienten.

Diese Rücksichten veranlaßten die obengenannte Schrift, deren Werth der Verfasser noch dadurch zu erhöhen suchte, daß er aus den Schätzen der k. k. Hofbibliothek einige kaum dem

Namen nach bekannte, zu dem karolingischen Sagenkreise gehörigen Werke im Auszuge mittheilte.

Die Verlagshandlung hat ihrerseits nichts gespart, um auch durch eine gefällige Ausstattung das Werk empfehlenswerther zu machen.

Für Mathematiker.

Durch alle gute Buchhandlungen ist zu haben:

Eckhardt, C. L. P. (grossh. hess. Ministerialrath), Principien der reinen Analysis.

Auch unter dem Titel:

Mathematische Vorlesungen, erster Band. Gr. 8. Geh. Preis 1 Thlr. 8 Gr., oder 2 Fl. 24 Kr.

Allgemein bekannt sind die Verdienste des berühmten Herrn Verfassers um die Zöglinge für das Katasterbureau, wozu ihm als Chef dieses Bureaus früher im Herzogthum Westphalen und seit 1818 zu Darmstadt Gelegenheit gegeben war. Es kann deshalb die Erscheinung dieses Leitfadens für alle ähnliche Institute nur erfreulich sein, zumal die durch langjährige Erfahrung bewährte Methode des Herrn Verf. nur die gewöhnlichen Schulkenntnisse verlangt und keineswegs die Kenntniß der Buchstabenrechnung ꝛc. voraussetzt. — Die Geometrie ganz nach ähnlichen Grundsätzen bearbeitet wird nachfolgen und den zweiten Band dieser Vorlesungen bilden.

Müller, D. Joh., Erklärung der isochromatischen Curven, welche einaxige parallel mit der Axe geschnittene Krystalle im homogenen polarisirten Lichte zeigen. 4. 6 Gr., oder 24 Kr.

Darmstadt, im September 1833.

Karl Wilhelm Leske.

Literatur für Diplomaten, Geographen und Historiker.

In der Henne'schen Buchhandlung zu Stuttgart ist erschienen und in allen Buchhandlungen zu haben:

Ueber das

physische Element

der

Bildung und der Wechselverhältnisse der Staaten,

oder

Natürliche Diplomatik.

Von dem

Verfasser der Bulletins der ehem. Donau- u. Neckarzeitung.

Mit vier Karten.

Gr. 8. Geh. Preis 2 Thlr. 14 Gr. Sächs.

Für Töchter gebildeter Familien.

Im Verlage der Buchhandlung Josef Max und Comp. in Breslau ist erschienen und zu haben:

Lehrbuch der Weltgeschichte

für

Töchterschulen und zum Privatunterricht heranwachsender Mädchen

von

Friedrich Nösselt.

Vierte, verbesserte und stark vermehrte Auflage.

Mit drei Kupfern.

3 Bände. Gr. 8. Preis 3 Thlr. 25 Sgr.

Dieses Lehrbuch der Weltgeschichte, welches bereits in einer vierten, verbesserten und vermehrten Auflage erschienen ist, zeichnet sich durch gute Auswahl dessen, was aus dem weiten Gebiete der Geschichte für das weibliche Geschlecht lehrreich, bildend und unterhaltend ist, sowie durch die Darstellung der geschichtlichen Begebenheiten vortheilhaft aus. Zu angenehmen Festtags- und Weihnachtsgeschenken dürfte es ganz besonders geeignet sein, da es ebenso sehr wahre Bildung befördert, als zur angenehmen Unterhaltung dient.

In der F. Beck'schen Universitätsbuchhandlung in Wien, Seitzergasse Nr. 427, im Seitzerhofe, dem k. k. Kriegsgebäude gegenüber, ist soeben erschienen und durch alle Buchhandlungen des In- und Auslandes zu erhalten:

Kalender für alle Stände. 1834.

Herausgegeben

von

J. J. Littrow,

Director der k. k. Sternwarte in Wien.

8. Geh. 8 Gr.

Inhalt:

Kalender der Katholiken, Protestanten, Griechen, Juden und Türken.

Normatage, an welchen in Oestreich alle Schauspiele und öffentliche Belustigungen untersagt sind.

Gerichtsferien in Oestreich.

Oestreichische Fest- und Trauertage.

Chronik der Witterung.

Ueber Thermometer.

Vergleichung der Thermometer.

Verzeichniß der vorzüglichsten bei uns gebräuchlichen Namenstage.

Evangelien der Katholiken, Protestanten und Griechen.

Reduction der Bancozettel von den Jahren 1799 bis 1811 auf Einlösungsscheine.

Gesetzliche Scale über den Curs der Bancozettel von 1799 bis 5. März 1811 nach dem Finanzpatente vom Febr. 1811.

Stempelbetrag.

Entfernung der vorzüglichsten Städte von Wien in Posten.

Ankunft und Abfahrt des wiener Eilwagens.

Ankunft und Abfahrt des wiener Post- und Packwagens.

Ankunft und Abfahrt der wiener Briefposten.

Ankunft und Abfahrt der wiener Gesellschaftswagen.

Weiter gehende Gesellschaftswagen.

Jahrmärkte in Oestreich.

Chorographie,

oder:

Anleitung alle Arten von Land-, See- und Himmelskarten zu verfertigen,

von

J. J. Littrow,

Director der Sternwarte und Professor der Astronomie an der k. k. Universität in Wien, Ritter des kaiserl. russ. St.-Annenordens, Mitglied mehrer gelehrten Gesellschaften u. s. w.

Mit 5 lithographirten Tafeln.

8. Velinpapier. 1833. Geh. 1 Thlr. C.-M.

Dieses Werk enthält die vollständigste Anleitung zu Verfertigung aller Gattungen von Karten, und sie ist, indem sie den Kenner befriedigt, zugleich so eingerichtet, daß sie auch dem Laien verständlich ist, und daß Jedermann auch ohne eigentliche mathematische Kenntnisse die in dem Werke angeführten Karten verzeichnen, oder die bereits verzeichneten erkennen und richtig beurtheilen kann. Was immer in den ältern und neuesten

Zeiten über diesen interessanten Gegenstand in ganzen Bibliotheken und in einer großen Anzahl von Zeitschriften zerstreut gefunden wird, ist hier kurz und deutlich und für Jedermann brauchbar gesammelt, und mit eignen Ansichten des Verfassers vermehrt worden. Eine kurze Anzeige des Inhalts wird von dem Reichthume desselben zeigen.

Nach einer einleitenden und zweckgemäßen Betrachtung der Kegelschnitte wird in der ersten Abtheilung die allgemeine perspectivische Projection der Karten vorgetragen und daraus die orthographische, stereographische und centrale Projection mit allen ihren charakteristischen Eigenschaften abgeleitet. Die zweite Abtheilung enthält die vorzüglichsten nicht perspectivischen Projectionen, nämlich die Karten mit convergirenden Meridianen und gradlinigen sowol, als auch mit kreisförmigen Parallelen; die Projectionen von de l'Isle, Ewer, Vaugondy, Bonne Flamstead's Himmelskarten; Murdoch's Kegelprojectionen; Karten mit gleichgetheilten, oder mit nach dem Sinus der ganzen und halben Distanzen getheilten Radien; Verzeichnungen, in welchen die Winkel der Meridiane zu ihren Winkeln auf der Kugel gegebene Verhältnisse haben; Karten mit elliptischen Meridianen; die sinnreichen von Lambert vorgeschlagenen Karten, endlich die Seekarten von Wright und Mercator. In der dritten und letzten Abtheilung werden die ganz allgemeinen Projectionen nach Lagrange und Gauß vorgetragen, und überhaupt diejenige Projection gesucht, welche die Eigenschaft hat, daß sie in allen ihren kleinsten Theilen dem Urbilde auf der Kugel, oder auch auf dem Sphäroide vollkommen ähnlich ist, wobei zugleich gezeigt wird, daß von diesen beiden Methoden, die bisher nichts Gemeinschaftliches zu haben schienen, die eine nur ein ganz specieller Fall der andern ist.

Littrow, J. J.,
Director der k. k. Sternwarte u. s. w.

Vergleichung
der vorzüglichsten
Maße, Gewichte und Münzen
mit den
im östreich. Kaiserstaate gebräuchlichen.
Gr. 8. 1832. Geh. 18 Gr.

Ueber
Lebensversicherungen
und
andere Versorgungsanstalten.
Gr. 8. 1832. Geh. 18 Gr.

Die
Wahrscheinlichkeitsrechnung
in ihrer Anwendung
auf das
wissenschaftliche und praktische Leben.
8. Geh. 15 Gr. C.-M.

Diese Schrift hat den Zweck, die Leser nicht sowol mit den innern Gründen, als vielmehr mit den äußerst wichtigen Anwendungen dieser Wissenschaft bekannter zu machen.

Novellen von Posgaru, Tieck und Steffens.

Im Verlage der Buchhandlung Josef Max und Comp. in Breslau sind erschienen und durch alle Buchhandlungen Deutschlands zu erhalten.

Novellen von Posgaru. 2te verbesserte Auflage. Mit 3 Stahlstichen. 3 Bändchen. 1stes, 2tes Bändchen: Die Liebesgeschichten. 2 Thlr. 3tes Bändchen: Germanos. 8. 1833. Geh. 2 Thlr. 18 Gr.

Der Alte vom Berge. Die Gesellschaft auf dem Lande. Zwei Novellen von Ludwig Tieck. 8. 1 Thlr. 12 Gr.

Pietro von Abano, oder Petrus Apone. Eine Zaubergeschichte von Ludwig Tieck. 8. Cart. 14 Gr.

Die Familien Walseth und Leith. Ein Cyklus von Novellen von Henrich Steffens. 2te verb. Auflage. 5 Bändchen. Gr. 12. Geh. 3 Thlr. 12 Gr.

Die vier Norweger. Ein Cyklus von Novellen von Henrich Steffens. 6 Bändchen. 8. 5 Thlr. 20 Gr.

Malkolm. Eine norwegische Novelle von Henrich Steffens. 2 Bde. 8. 4 Thlr.

In Baumgärtner's Buchhandlung zu Leipzig ist soeben erschienen und an alle Buchhandlungen versendet worden:

Lustspiele
oder
dramatischer Almanach
für das Jahr 1834.
Von
F. A. v. Kurländer,
24ster Jahrgang mit 6 illuminirten Kupfern. In 12.
Preis 1 Thlr. 12 Gr.

Inhalt: Ewig; Lustspiel in 3 Aufz. — Die Freunde als Nebenbuhler; Lustsp. in 2 Aufz. — Sigmund; Schausp. in 2 Aufz. — Warum? Ehestandsscene in 1 Aufz.

Kurländer's dramatische Leistungen erhalten sich fortwährend in der Gunst des Publicums; auch sind wiederum einige der Stücke dieses Jahrgangs bereits mit Erfolg in die Scene gesetzt worden. Für Privatbühnen eignet sich auch der diesmalige Cyklus in jeder Beziehung.

Im Verlage der Gebrüder Bornträger zu Königsberg erschien soeben:

Gedichte von L. H. C. Hölty.
Neu besorgt und vermehrt
von
Johann Heinrich Voß.
Dritte, allein rechtmäßige Ausgabe.
Auf weißem Druckpapier 18 Gr.
Sauber cartonnirt 21 Gr.
Velinpapier, sauber gebunden mit Goldschnitt 1 Thlr. 4 Gr.

Diese Ausgabe des beliebten Dichters empfiehlt sich sowol durch correcten und schönen Druck als auch durch einen überaus billigen Preis und schließt sich den Gesammtausgaben deutscher Classiker würdig an.

Durch alle Buchhandlungen und Postämter ist zu beziehen:

Blätter für literarische Unterhaltung. Redigirt unter Verantwortlichkeit der Verlagshandlung. Jahrgang 1833. Monat October, oder Nr. 274—304, mit 1 Beilage: Nr. 10, und 6 literarischen Anzeigern: Nr. XXVIII—XXXIII. Gr. 4. Preis des Jahrgangs von 365 Nummern (außer den Beilagen) auf gutem Druckpapier 12 Thlr.

Isis. Encyklopädische Zeitschrift, vorzüglich für Naturgeschichte, Anatomie und Physiologie. Von Oken. Jahrgang 1833. Siebentes bis neuntes Heft. Mit sechs Kupfern. Gr. 4. Preis des Jahrgangs von 12 Heften mit Kupfern 8 Thlr.

Leipzig, im November 1833.

F. A. Brockhaus.

Literarischer Anzeiger.

(Zu den bei F. A. Brockhaus in Leipzig erscheinenden Zeitschriften.)

1833. Nr. XXXVII.

Dieser Literarische Anzeiger wird den bei F. A. Brockhaus in Leipzig erscheinenden Zeitschriften: Blätter für literarische Unterhaltung, Isis, sowie der Allgemeinen medicinischen Zeitung, beigelegt oder beigeheftet, und betragen die Insertionsgebühren für die Zeile 2 Gr.

Durch alle Buchhandlungen des In- und Auslandes ist zu beziehen:

Urania.

Taschenbuch auf das Jahr 1834.

Mit Zelter's Bildniß und sechs Stahlstichen nach englischen Gemälden.

16. Auf feinem Velinpapier. Mit Goldschnitt geb. 2 Thlr.

Inhalt: I. Der letzte Savello. Novelle von C. F. von Rumohr. II. Eine Sommerreise. Novelle von Ludwig Tieck. III. Margaretha von Schottland. Historische Novelle von Johanna Schopenhauer. IV. Miß Jenny Harrower. Eine Skizze von Eduard Mörike.

Zelter's sehr ähnliches Bildniß kostet in erlesenen Abdrücken in gr. 4. 8 Gr. Die frühern Jahrgänge der Urania bis 1829 sind sämmtlich vergriffen; der Jahrgang 1830 kostet 2 Thlr. 6 Gr., 1831—33 jeder 2 Thlr.

Leipzig, im November 1833.

F. A. Brockhaus.

In der Jos. Lindauer'schen Buchhandlung in München ist erschienen und in allen Buchhandlungen zu haben:

Historisch-romantisches Taschenbuch des Abenteuerlichen, Außerordentlichen, Wundervollen u. Seltsamen, in den wirklichen Schicksalen größtentheils geschichtlich berühmter Personen. Für das Jahr 1834. Herausgegeben durch Adolf v. Schaden. Mit dem Bildnisse der Josephine v. Beauharnois, lithogr. von Hanfstängel. 12. Eleg. geb. 1 Thlr. 8 Gr., oder 2 Fl. 24 Kr.

Philomusos,

oder

auserlesene Sammlung lehrreicher Fabeln, Erzählungen, Beschreibungen und Schilderungen, nebst Sach- und Worterklärungen, für das jugendliche Alter zusammengestellt von Jos. v. Hefner. Gr. 8. Cart. 1 Thlr, oder 1 Fl. 48 Kr.

Wir glauben dieses Werkchen, dessen Inhalt ebenso reichhaltig als belehrend ist, allen Aeltern und Erziehern als ein sehr zweckmäßiges Weihnachtsgeschenk für die liebe leselustige Jugend mit vollem Rechte empfehlen zu können.

Armin, der Cheruskerfürst,

ein Gedicht in vierzehn Gesängen von Joh. v. Hinsberg. 8. Cart. 10 Gr., oder 45 Kr.

Wer erinnert sich bei dem Titel dieses Werkchens nicht an jene merkwürdige Zeit der Jugend unsers deutschen Vaterlandes, wo Armin an der Spitze eines einzigen schwachen, halbwilden Stammes durch Vernichtung eines furchtbaren römischen Kriegsheers Germanien auf immer befreite und Sitten und Sprache der Deutschen vom Untergange rettete?

Wie sehr dem Herrn Verfasser dies in obigem Gedichte darzustellen gelungen ist, mag der geneigte Leser entscheiden, der dasselbe, ohne es ganz durchgelesen zu haben, gewiß nicht aus der Hand legen wird.

In Karl Gerold's Buchhandlung in Wien ist soeben erschienen, und daselbst, sowie in allen Buchhandlungen Deutschlands zu haben:

Guil. Fr. Car. Fleischmann,

Medic. Doctoris,

Methodus Formulas concinnandi

permultis exemplis illustrata.

8. maj. Vindobonae 1832.

Preis 16 Gr. Sächs.

Unstreitig macht die Kunst, Receptformeln nach medicinischen Grundsätzen abzufassen, einen ebenso wichtigen als schwierigen Theil dieser Wissenschaft aus. — Das nun erschienene Werk gibt die gründliche Anleitung dazu, und erfüllt zugleich den vielseitig geäußerten Wunsch, den jungen, vorzüglich studirenden Aerzten ein Lehrbuch an die Hand zu geben, welches ihnen die bisherigen — wenn auch trefflichen — zu compendiösen und kostspieligen Receptirkunden entbehrlich machen könnte. — Die vorzügliche Deutlichkeit und Vollständigkeit in der Darstellung, die genaue Berücksichtigung des meist vernachlässigten und doch für die Receptirkunde so wichtigen Theils der Chemie, sowie die umsichtsvolle Auswahl der belehrendsten Receptformeln medicinischer Classiker reihen dieses Werk den ausgezeichneten dieser Art an, und geben demselben durch reichen Inhalt in nur wenigen Blättern und den sehr geringen Preis — als wahres Beförderungsmittel der Gemeinnützigkeit — den Vorzug vor sehr vielen bereits bestehenden.

Die sorgfältige Ausstattung dieses Werkes läßt gleichfalls nichts zu wünschen übrig.

Allgemeine Anleitung zum Kinder-Krankenexamen.

Von

J. E. Löbisch,

Doctor der Heilkunde.

Gr. 8. Wien, 1832. Preis 8 Gr. sächs.

Diese Schrift hat die Untersuchung erkrankter Kinder, um ihre Leiden gehörig zu erkennen, zum Zwecke und dürfte besonders angehenden Aerzten, für die sie der Herr Verfasser laut der Vorrede zunächst bestimmte, ein willkommener Wegweiser sein.

Die mancherlei Umstände, auf welche man dabei Rücksicht zu nehmen hat, findet man hier klar und deutlich auseinandergesetzt.

Ueberdies gewinnt diese Schrift noch dadurch an Werth, daß sie zum Theil eine Semiotik der Kinderkrankheiten enthält, deren Bedürfniß und Schwierigkeit Vogel, Hufeland u. A. m. längst schon ausgesprochen haben.

In der Universitätsbuchhandlung zu Kiel ist soeben erschienen und in allen Buchhandlungen zu haben:

König Erik
und die Geächteten.

Ein Zeit- und Sittengemälde aus den letzten Tagen des 13ten Jahrhunderts,

von

B. S. Ingemann.

Aus dem Dänischen. 3 Theile. 8. 2 Thlr. 16 Gr.

Frische Darstellung eines reichbewegten Lebens auf einem höchst interessanten historischen Grunde und psychologisch wahre Schilderung anziehender Charaktere sichern diesem ausgezeichneten Romane einen Platz unmittelbar neben den früher erschienenen: Waldemar der Sieger und Erik Menved's erste Jugend, deren Besitzer auch diesen neuesten desselben Verfassers als eine höchst willkommene Gabe empfangen werden.

Belletristische Zeitschrift.

Mit Anfang des neuen Jahres wird regelmäßig in monatlichen Lieferungen erscheinen, die mit so außerordentlichem Beifall aufgenommene Zeitschrift:

Kosmorama,

oder

Gemälde des Schönsten und Merkwürdigsten

aus

Natur, Kunst und Menschenleben,

verbunden mit

Novellen, Erzählungen und humoristischen Aufsätzen

in monatlichen Lieferungen à 6 Gr.

3tes Heft, enthält:

1. Beschreibung in Reisebildern von A. Schefer zu folgenden Bildern:
   - a. Ansicht von Konstantinopel. Fol.
   - b. Sophienmoschee daselbst.
   - c. Prinzeninseln bei Konstantinopel.
   - d. Bosporus von Terapia aus.
2. Die gefährliche Verschwiegenheit, dänische Novelle von A. Kruse.

4tes Heft enthält:

Abbildungen aus Großbritannien (Generalansicht von London, Greenwich rc.), und Novelle von A. Kruse, (Schluß).

5tes Heft wird enthalten:

Abbildungen aus Griechenland in Reisebildern von A. Schefer und Novelle von Dr. O. L. B. Wolff.

6tes Heft wird enthalten:

Schweden und Norwegen, in Reisebildern von Wilibald Alexis.

Dieses mit so bedeutendem Aufwande unternommene Werk zeichnet sich vor allen ähnlichen Unternehmungen sowol durch sehr elegante äußere Ausstattung, als durch geistreiche Behandlung des Textes (Originalreisebilder und Novellen) vortheilhaft aus und bestrebt sich durch seine eigenthümliche Tendenz bei der Mitwirkung unserer gefeiertsten schöngeistigen Literaten (Adrian, Wilibald Alexis, Bechstein, Birch-Pfeiffer, Blumenhagen, Bahlert, L. Kruse, H. Laube, A. Lewald, Kolischius, Prätzel, L. Schefer, Dr. O. L. B. Wolff, Zimmermann u. And.) zu einem belletristischen Universalblatt zu erheben.

Quedlinburg, Mich.-Messe 1833.

Hanewald's Verlagsbuchhandlung.

Literarische Anzeige.

AGLAJA,
Taschenbuch.

Neue wohlfeilere Ausgabe.

(3 Jahrgänge IV. V. VI.)

Zweiter Jahrgang 1834.

Gewöhnliche Ausgabe 4 Thlr. Feine Ausgabe 4 Thlr. 12 Gr.
Jährlich erscheinen hievon 3 Bände in Schuber.

Inhalt der Jahresausgabe (IV, V, VI) 1834.

Kupferstiche von Fr. John.

St. Justina, von Pardenone.	Endymion, von H. Carraccio.
Sei gegrüßt, König! von Correggio.	Constantin der Große, von Guercino.
Flötenspieler, von Gerh. Dow.	Fortuna, von Fr. Albani.
Maria mit dem Kinde, von Schefer.	Cherub. Studie von Correggio.
Joannis Baptista, von Rafael d'Urbino.	Maria mit dem Kinde, die heilige Katharina und Barbara, von Leonardo da Vinci.
Der Leichnam Christi, von Andrea del Sarto.	Cherub, Studie von Correggio.
Rembrandt's Mutter, von Rembrandt.	Madonna, von Francesco Francia.
Das Kind Jesus, von Franceschini.	Artemisia, von Francesco Furino.
St. Petrus, von Raf. Mengs.	Amor, von Guido Reni.

Inhalt des Textes.

Kuß des Engels. Novelle von Schefer. — Der harte Spruch. Novelle von Lembert. — Die Paulistin, Erzählung von Perla. — Poetische Beiträge von Zedlitz, Rückert, Werner, Castelli, Seidel, Treitschke rc. — Die heilige Elisabeth, von Fr. Lohmann. — Die Rückreise, Novelle von Arth. v. Nordstern. — War er ein Geisterseher? von West. — Die Tänzerin, nicht Dichtung von Ch. Birch-Pfeiffer. — Poetische Beiträge von Grillparzer, Maltitz, Hammer, Hell rc. — Die alten Freunde, Novelle von Kruse. — Herr u. Sklave, Trauerspiel von Frhrn. v. Zedlitz. — Samuel Brink's erste Liebes- und Heirathsgeschichte, von ihm selbst erzählt. Mitgetheilt von West.

Dieser reiche Inhalt wird der diesjährigen Ausgabe ohne Zweifel dieselbe gute Aufnahme bereiten, wie die vorjährigen so allgemein gefunden, und von welcher sich die feine Ausgabe bis auf wenige Exemplare vergriffen hat. Von der ord. Ausgabe I, II, III ist noch ein kleiner Vorrath. Preis 4 Thlr.

Auch in diesem Jahre bringe ich ins Andenken, daß ich von dieser wohlfeilen Ausgabe wegen geringem Vorrath keine Exemplare in Commission versende, sondern nur auf feste Bestellung, die ich deshalb schnell zu machen bitte, weil bald Mangel an Exemplaren eintreten dürfte.

Einige vollständige Jahrgänge der feinen Ausgabe von 1815 bis 1832 sind noch vorräthig; diese, sowie alle andern einzelnen Jahrgänge mit Jahreszahlen behalten den bisherigen Ladenpreis von 3 Thlr. 12 Gr. der gewöhnlichen, und 4 Thlr. der feinen Ausgabe.

Wien, den 15. Juli 1833.

J. B. Wallishauser.

Prießnitz in Gräfenberg,

und seine Methode,

das kalte Wasser gegen verschiedene Krankheiten des menschlichen Körpers anzuwenden.

Für Aerzte und Nichtärzte dargestellt

von

Dr. A. H. Kröber,

praktischem Arzte in Breslau.

Mit einer Ansicht von Gräfenberg und einer Vignette.
Velindruckpapier, in Umschlag geheftet, Preis 15 Sgr.

Bei dem allgemeinen Interesse, welches in der neuern Zeit nicht nur die Anwendung des kalten Wassers gegen verschiedene

Krankheiten, sondern auch hauptsächlich die Priesnitz'sche Anstalt zu Gräfenberg in Oestreichisch-Schlesien, theils in unserer theils in benachbarten Provinzen erregt haben, hoffen wir, daß diese Schrift, in welcher ein Arzt — ein vorurtheilsfreier Beobachter — das Eigenthümliche der gräfenberger Anstalt, die Einrichtungen und Heilwirkungen derselben nach eignen, an Ort und Stelle gesammelten Erfahrungen treu darstellt, dem Publicum nur willkommen sein werde.

Die Buchhandlung Josef Max und Comp.
in Breslau.

Literarische Anzeigen.

Bei uns sind soeben erschienen:

Jahrbuch deutscher Bühnenspiele, herausgegeben von F. W. Gubitz. Für 1834.

Inhalt: Das Räthsel, Lustspiel in 5 Acten, von J. C. Mand. — Studentenabenteuer, oder: eine Heirne des 19. Jahrhunderts, Posse in 2 Acten, von Albini. — Schildwachabenteuer, Posse in 2 Acten, von Leop. Bartsch. — Des Königs Befehl, Lustspiel in 4 Acten, von Dr. Karl Töpfer. — Der brave Mann, Drama in 2 Acten, nach Bürger's Lied, von Alex. Cosmar. 1 Thlr. 16 Gr.

Die Heidenmühle. Letztes Werk von Dan. Leßmann. Erster Theil. (Der zweite folgt in nächster Woche.) Beide Theile 3 Thlr.

Das neueste gute Buch für die Jugend, oder: Moralische Geschichten aus Amerika. Dem Englischen der Miß Milford nacherzählt von Dr. G. N. Bärmann. (Neunzehn treffliche Erzählungen.) 20 Gr.

Früher sind in diesem Jahre von uns versandt:

Die Ungarn wie sie sind. Von Aug. Ellrich. Zweite Auflage. 1 Thlr. 6 Gr.

Das Wanderbuch eines Schwermüthigen. Von Dan. Leßmann, beendet von Aug. Ellrich. 2 Theile. 3 Thlr. 8 Gr.

Liederbuch für deutsche Künstler. Mit 150 Melodien in den Noten und vielen Vignetten in Holzschnitt. 1 Thlr. 8 Gr.

Der märkische Stadt- und Landfreund. (Volkszeitung, zum Theil politischen, zum Theil mannichfachen Inhalts.) Erster Halbjahrgang. 1 Thlr. 6 Gr.

Berlin und Königsberg in d. Neumark.

Vereinsbuchhandlung.

In allen Buchhandlungen ist zu haben:

Der formale Supernaturalismus, oder der einzig mögliche Weg zu einer Ausgleichung der streitenden Parteien. Von Carl Ruthenus. Gr. 8. Leipzig, Rein'sche Buchhandlung. 12 Gr.

Der Verfasser gegenwärtiger Schrift, der das Tiefbegründete der beiden theologischen Hauptparteien nicht verkennt, hat dieses von der Seite darzustellen gesucht, von welcher ihm das Bewirken einer gegenseitigen Annäherung möglich schien. Bei der Voraussetzung, daß es Eine religiöse Wahrheit gebe, die unter den streitenden Parteien vertheilt sei, hat der Verf. vorzüglich den Punkt hervorgehoben, in welchem eine beiderseitige Uebereinstimmung statt findet, und von dem abzulenken gesucht, wo keine Ausgleichung vorauszusehen war. Ganz besonders hat er darauf aufmerksam gemacht, daß man bei der Beurtheilung einer positiven Religion überhaupt und der christlichen insbesondere nicht blos ihren Ursprung im Auge behalten, sondern auch das berücksichtigen müsse, wie und unter welcher Form sie zu einer Universalreligion geschickt und geeignet sei.

Im Jahre 1833 sind bei C. W. Löflund in Stuttgart erschienen:

Aufruf an die den 15. Januar 1833 einberufenen würtembergischen Volksrepräsentanten; von einem Volksfreunde. 8. Brosch. 9 Kr., oder 2 Gr.

Bibliotheca theologica, oder Verzeichniß aller brauchbaren, in älterer und neuerer Zeit, bis zum Schlusse des Jahres 1831 in Deutschland erschienenen Werke über alle Theile der wissenschaftlichen und praktischen, besonders protestantischen Theologie; nach dem „Handbuch der theologischen Literatur des Herrn Professor Winer", mit Zuziehung anderer zuverlässiger literarischer Hülfsmittel; zuerst bearbeitet und herausgegeben von Th. Chr. Fr. Enslin. Von Neuem durchgesehen und fortgesetzt von C. W. Löflund. Nebst einem Materienregister. Zweite, vermehrte und verbesserte Auflage. Gr. 8. 1833. 1 Fl. 48 Kr., oder 1 Thlr.

Binder, A., Predigt zur Feier des Geburtsfestes Seiner Majestät des Königs Wilhelm von Würtemberg am 27. September 1832. 8. 1832. Brosch. 6 Kr., oder 2 Gr.

Camoëns, Luis de, Die Lusiaden. Verdeutscht von *J. J. C. Donner.* Gr. 8. 1833. Brosch. 3 Fl. 36 Kr., oder 2 Thlr.

Cid, Der, ein Romanzenkranz. Im Versmasse der Urschrift aus dem Spanischen vollständig übersetzt von *F. M. Duttenhofer.* Gr. 8. 1833. Brosch. 1 Fl. 48 Kr., oder 1 Thlr.

Dietzsch, C. F., Andeutungen zu Vorträgen über die in Würtemberg neu eingeführten Evangelien an Sonn-, Fest- und Feiertagen. Ersten Bandes erstes Heft. 8. 1833. 1 Fl. 12 Kr., oder 16 Gr.

Fortiguerra, Niccolo, Richardett, ein Rittergedicht, übersetzt von *J. D. Gries.* 3 Bände. Gr. 8. 1831—33. Brosch. 9 Fl., oder 5 Thlr.

Höchel, J. D., G. L. Holzer und J. A. Walker, Uebungsstücke zum Uebersetzen aus dem Deutschen in das Lateinische, für die mittlern Classen der Gelehrtenschulen, in drei Cursen, mit Anmerkungen. Zweite, vermehrte und verbesserte Auflage. Gr. 8. 1833. 1 Fl. 30 Kr., oder 20 Gr.

Hochstetter, Ch. F., Beiträge zur Beförderung christlicher Erkenntniß und christlichen Lebens, in 30 Predigten, nebst Vorrede und Anhang. Gedanken über Repräsentation der protestantischen Kirche, besonders in Würtemberg, und Vorschläge zur Verbesserung der Luther'schen Bibelübersetzung betreffend. Gr. 8. 1833. 2 Fl. 24 Kr., oder 1 Thlr. 10 Gr.

Hölder, C. G., Uebungen zur Erlernung der französischen Sprache nach der Hamilton'schen Lehrart, mit einer kurzen Anleitung. 2te verbesserte Auflage. Gr. 8. 1833. 40 Kr., oder 10 Gr.

Jäger, V. A. und G. A. Riecke, Anleitung zum Unterricht taubstummer Kinder in der Sprache und den andern Schullehrgegenständen, nebst Vorlegeblättern, einer Bildersammlung und einem Lese- und Wörterbuche. 2te Lieferung. Gr. 8. 1833. Brosch. Subscriptpreis mit schwarzen Abbildungen 2 Fl. 24 Kr., oder 1 Thlr. 18 Gr., mit illum. Abbildungen 3 Fl. 36 Kr., oder 2 Thlr.

Hieraus ist besonders abgedruckt zu haben:

Jäger, V. A. und G. A. Riecke, Lese- und Bilderbuch für taubstumme Kinder. 2te Lieferung mit 20 lithographirten Blättern. Gr. 8. 1832. Brosch. Mit schwarzen Abbildungen 54 Kr., oder 12 Gr., mit illum. Abbildungen 2 Fl. 6 Kr., oder 1 Thlr. 4 Gr.

— —, Vorlegeblätter zu dem Sprachunterricht für taubstumme Kinder. 2te Lieferung. Gr. 8. 1832. 54 Kr., oder 12 Gr.

Jahr, Das 1836. Von dem Verf. der Schrift: Der vierzehnte October 1832. 8. 1833. Broch. 12 Kr., oder 3 Gr.

Klaiber, C. B., Studien der evangelischen Geistlichkeit Würtembergs. V Bds. 1stes u. 2tes Heft. Gr. 8. 1833. Brosch. 3 Fl., oder 1 Thlr. 16 Gr.

Kling, C. F., Predigten über verschiedene Texte. Gr. 8. 1833. 45 Kr., oder 10 Gr.

Knapp, H., Andeutungen zur Verbesserung der Rechtspflege im Königreich Würtemberg. Gr. 8. 1833. Broch. 1 Fl. oder 14 Gr.

October, Der vierzehnte, 1832. 2te Auflage. Gr. 8. 1832. Broch. 6 Kr., oder 2 Gr.

Pleininger, Th., Ueber Leistungen und Bedürfnisse des mathematischen Unterrichts auf den Gelehrtenschulen. Ein Beitrag zu Würdigung und Förderung desselben mit besonderer Beziehung auf die Anstalten Würtembergs. Nebst einem Anhang, die niedern theologischen Seminarien, die Gymnasien, die Lyceen, die Real- und Gewerbeschulen betreffend. Gr. 8. 1833. 1 Fl. 30 Kr., oder 20 Gr.

Salat, J., Ist der Priester Cölibat ein Ideal? Und kann die Aufhebung des Cölibatgesetzes füglich geschehen? Deutschen Ständeversammlungen, zunächst den im Königreich Würtemberg versammelten Ständen zugeeignet. Gr. 8. 1833. Brosch. 1 Fl., oder 14 Gr.

Schilling, G., Briefe über die äußere Kanzelberedtsamkeit oder die kirchliche Declamation und Action. I. Band. 5 Hefte. Gr. 8. 1833. Subscriptionspreis 3 Fl., oder 1 Thlr. 16 Gr.

Schloßmann, K. J. (Peregrin), Jakob Waldis, oder der Glaube überwindet. Eine Erzählung für die reifere Jugend. 8. 1833. Broch. 30 Kr., oder 8 Gr.

Seubert, G. C., Christliche Ermunterungen in schwieriger Zeit. Eine Auswahl aus den in den Jahren 1830—32 gehaltenen kirchlichen Vorträgen. Gr. 8. 1833. 3 Fl. 48 Kr., oder 2 Thlr. 4 Gr.

— —, Predigten auf alle Sonn- und Festtage des Jahres. II. Jahrgang. 1ster Theil. Gr. 8. 3 Fl., oder 1 Thlr. 16 Gr.

Tafel, L., Lehrbuch der französischen Sprache nach Hamilton'schen Grundsätzen. Zweiter Curs. 8. 1833. 1 Fl. 48 Kr., oder 1 Thlr.

Weitbrecht, C., Ornamentenzeichnungsschule in 100 Blättern, für Künstler, Manufacturisten und Gewerbsleute. 5 Hefte. Gr. Fol. 1833. 28 Fl., oder 16 Thlr.

Wunderlich, C. G., G. A. Hauff und C. W. Klaiber, Die ehemaligen Klosterschulen und die jetzigen niedern evangelischen Seminarien in Würtemberg. Gr. 8. 1833. 48 Kr., oder 12 Gr.

Im Verlage von Georg Friedrich Heyer, Vater; in Gießen sind ferner im Jahre 1833 bis zum November folgende neue Verlagsbücher erschienen und durch alle solide Buchhandlungen zu haben:

Mackeldey (Dr. Ferd.), Lehrbuch des heutigen römischen Rechts, 2 Bände. Zehnte durchaus verbesserte und sehr vermehrte Ausgabe. 3 Thlr. 16 Gr., oder 6 Fl. 36 Kr.

Krebs (Dr. Joh. Ph.), Lateinische Schulgrammatik für alle Classen, dritte umgearbeitete Ausgabe von Dr. E. Geist. 35 Bogen in gr. 8. 1 Thlr. 8 Gr., oder 2 Fl. 24 Kr.

v. Gall (Karl), Der Anbau der Weißerle in Beziehung auf Landwirthschaft und Forstcultur. Gr. 8. Brosch. Auf weiß Druckpapier 24 Kr., auf Velinpapier 36 Kr.

Schlez (Dr. J. F.), Der Kinderfreund. Ein lehrreiches Lesebuch für Landschulen. 4te verb. Aufl. 13 Bogen. 24 Kr.

Hüffell (Dr. L.), Katechismus der Glaubens- und Sittenlehre unserer evangelisch-christlichen Kirche. Dritte verb. Aufl. 8. 4 Gr; oder 18 Kr.

Rau (Dr. G. L.), Geschichte und Bedeutung des homöopathischen Heilverfahrens in kurzem Abrisse dargestellt. Gr. 8. 3½ Gr., oder 15 Kr.

Anleitung zum Schreibunterricht für Lehrer in Elementarschulen. Nebst 16 Musterblättern in Kupfer. Zweite verbesserte Ausgabe. Gr. 8. 1 Fl. 48 Kr. Die Schreiblehre apart 30 Kr. und die 16 Vorlegeblätter auf starkes Papier abgedruckt 1 Fl. 18 Kr.

Wagner (Dr. H.), Lehrbuch der griechischen Sprache nach hamiltonischen Grundsätzen, 1ster Theil. Aesopische Fabeln mit erläuternder Einleitung und ein Wörterbuch enthaltend, 2 Hefte in grünem und gelbem Umschlage. Brosch. 16 Gr., oder 1 Fl. 12 Kr.

Unter der Presse befinden sich unter Andern und werden zum Theil noch vor Ende dieses Jahres erscheinen:

Rau (Dr. L. G.), Beiträge zur homöopathischen Heilkunde rc. 1 Bd. Gr. 8.

Zimmermann (Dr. F. G.), Lateinische Anthologie aus den alten Dichtern gesammelt. 6te verbesserte und vermehrte Ausgabe, von Dr. L. Ch. Zimmermann.

Schmidt (Dr. J. E. C.), Handbuch der christlichen Kirchengeschichte, fortgesetzt von Dr. F. W. Rettberg, 7ter Band. Gr. 8.

Krebs (Dr. J. P.), Lateinisches Lesebuch für die ersten Anfänger rc. 6te umgearbeitete Ausgabe von Dr. E. Geist. Gr. 8.

Schlez (Dr. J. F.), Evangelische Kirchenagende, mit musikalischer Beilage für Orgelbegleitung von Muck und Jäger. Gr. 8.

Mittermaier (Dr. K.), Die Lehre vom Beweise im Strafprocesse nach ihrer Ausbildung im deutschen Verfahren, in Vergleichung mit der Beweislehre im französischen und englischen Processe, circa 36 Bogen in gr. 8.

Zur Nachricht.

Der canonische Wächter erscheint auch für das nächste Jahr in demselben Geiste und derselben Form auch zu demselben Preise wie bisher.

Der Redaction gereicht es zur Ehre, dabei versichern zu dürfen, daß sich außer den ausgezeichnetsten frühern Mitarbeitern neue aus allen Gegenden Deutschlands angeschlossen haben, und daß dieses Blatt größere Bedeutung dadurch erhalten dürfte, daß es den gerechten Wünschen nach Reformen in der Kirche, wie sie jetzt in den Pastoralconferenzen der verschiedenen deutschen Länder, besonders in den Ruralcapiteln des katholischen Klerus im Süden Deutschlands gewünscht, vorbereitet und beantragt werden, zum Organe dienen wird.

Die geehrten Abonnenten werden ersucht, ihre Bestellungen, die von allen Buchhandlungen und Postämtern des In- und Auslandes angenommen werden, so zeitig als möglich, spätestens bis zum letzten December d. J. zu machen, damit man sich mit der Stärke der Auflage danach zu richten vermag.

Sendungen von Beiträgen bittet man an die Redaction des canonischen Wächters zu adressiren und an diese nach Mainz mit der fahrenden Post oder auf dem Wege des Buchhandels gelangen zu lassen.

Mainz, im November 1833.

Alexander Müller.

Literarischer Anzeiger.

(Zu den bei F. A. Brockhaus in Leipzig erscheinenden Zeitschriften.)

1833. Nr. XXXVIII.

Dieser Literarische Anzeiger wird den bei F. A. Brockhaus in Leipzig erscheinenden Zeitschriften: Blätter für literarische Unterhaltung, Isis, sowie der Allgemeinen medicinischen Zeitung, beigelegt oder beigeheftet, und betragen die Insertionsgebühren für die Zeile 2 Gr.

Durch alle Buchhandlungen des In- und Auslandes ist zu beziehen:

Historisches Taschenbuch.

Herausgegeben von

Friedrich von Raumer.

Fünfter Jahrgang.

Mit den Faust'schen Bildern aus Auerbach's Keller zu Leipzig.

Gr. 12. Auf feinem Druckpapier. Cart. 2 Thlr.

Inhalt: I. Wallenstein als regierender Herzog und Landesherr. Von Friedrich Förster. II. Die Sage vom Doctor Faust. Von Christian Ludwig Stieglitz d. Aelt. III. Ueber das Principat des Augustus. Von Johann Wilhelm Loebell. IV. Aufstände und Kriege der Bauern im Mittelalter. Von Wilhelm Wachsmuth. V. Vorlesungen über die Geschichte der letzten funfzig Jahre. Von Eduard Gans. Dritte und vierte Vorlesung.

Die vier ersten Jahrgänge kosten 7 Thlr. 16 Gr.

Leipzig, im November 1833.

F. A. Brockhaus.

Empfehlungswerthes Weihnachtsgeschenk.

In der Buchhandlung des Waisenhauses in Halle ist erschienen und in allen Buchhandlungen zu haben:

Becker, K. F., Erzählungen aus der alten Welt für die Jugend. 3 Theile. Mit Kupfern. Neue (5te) verbesserte Auflage. 8. Sauber cartonnirt. 3 Thlr. 15 Sgr. (3 Thlr. 12 Gr.)

Inhalt: 1ster Theil. Ulysses von Ithaka. 2ter Theil. Achilles. 3ter Theil. Kleinere griechische Erzählungen.

Becker's Erzählungen aus der alten Welt sind schon lange rühmlichst bekannt und in vielen tausend Exemplaren durch ganz Deutschland verbreitet. Wie meisterhaft er es verstand, die jugendlichen Gemüther ebenso sehr anzuziehen und zu fesseln als zu belehren; hat er nicht blos in seiner Weltgeschichte gezeigt, sondern auch durch die Wahl des Stoffes zu diesen Erzählungen bewährt. Das lebendige Bild des Heldenalters der griechischen Nation; die schönen und kräftigen Charaktere eines Hercules, Achilles, Hektor, Ulisses, Theseus, und die Züge edler Weiblichkeit bei einer Andromache, Penelope, Antigone, werden nicht nur den wohlthätigsten Einfluß auf die sittliche Bildung der Jugend äußern, sondern auf die angenehmste Weise das Verständniß des griech. Lebens eröffnen und den Unterschied zwischen Altem und Neuem zeigen. So dürfte von Aeltern und Erziehern der heranwachsenden Jugend als Festgeschenk nicht leicht eine bessere Unterhaltungsschrift in die Hände gegeben werden, als diese, die für das ganze Leben einen dauernden Einfluß bewährt. Diese neue (fünfte) Auflage ist in Sprache und Form den Anfoderungen unserer Zeit gemäß geändert und verbessert; des Herausgebers Sorgfalt hat sie nicht minder empfehlenswerth gemacht, als die schöne äußere Ausstattung nichts zu wünschen übrig läßt.

Anzeige.

Durch alle Buchhandlungen sind vollständig, noch zu den wohlfeilen Subscriptionspreisen zu erhalten:

Adam Oehlenschläger's Schriften

zum ersten Male gesammelt als Ausgabe letzter Hand.

Voran des Verfassers Selbstbiographie.

In elegantem Taschenformat.

241 Druckbogen zu 16 Seiten, auf Velindruckpapier.

Breslau, im Verlage von Josef Max u. Comp.

Pränumerationspreis 9 Thlr. 8 Gr.

Nächst Schiller nimmt Oehlenschläger unstreitig den ersten Platz unter den dramatischen Dichtern Deutschlands ein, und seine dramatischen Werke reihen sich auf eine glänzende Weise denen jenes großen Dichters an. Sein Aladdin ist ein vollendetes Meisterwerk, begabt mit allem Zauber romantischer Poesie, und wir wüßten ihm nichts in der deutschen Literatur gleichzustellen. Ebenso gehören seine Prosaschriften unter die besten Erzeugnisse deutscher Romanenliteratur, und seine lyrischen Gedichte sind von eigenthümlicher Anmuth, Schönheit und Vollendung. Die vorangehende Selbstbiographie wird das allgemeinste Interesse erregen, indem des Autors Jugend in die schöne Blüten- und Früchtezeit deutscher Poesie fällt, in welcher er, von Göthe und Schiller vielfach angeregt und aufgemuntert, seine Dichterlaufbahn begonnen hat.

Tausend und Eine Nacht. Arabische Erzählungen. Zum ersten Male aus einer tunesischen Handschrift ergänzt und vollständig übersetzt von M. Habicht, Fr. H. von der Hagen und Karl Schall. 2te vermehrte und verbesserte Auflage. 15 Bändchen, mit 15 höchst geistreich gezeichneten Titelvignetten. Gr. 16. Velindruckpapier.

Pränumerationspreis 6 Thlr. 6 Gr.

Anzeige für Leihbibliotheken.

Bei A. Wienbrack in Leipzig ist erschienen und durch alle Buchhandlungen zu bekommen:

Benkowitz, C. F., Natalis, oder die Schreckensscene auf dem St.-Gotthard. 2te Auflage. 2 Bände. 8. Preis 1 Thlr. 18 Gr.

Die erster Auflage dieses Romans war schon längst im Buchhandel vergriffen. Es wird daher Vielen das Erscheinen dieser neuen Auflage erwünscht sein, da die häufigen Nachfragen beweisen, daß Benkowitz's Schriften in keiner guten Leihbibliothek fehlen dürfen.

Schnellpost für Moden und Literatur.

Vom 1sten Januar 1834 an erscheint die Schnellpost für Moden und Literatur in einem neuen Format, — in langem 4. (wie der Voleur); jährlich 104 Bogen Text mit 104 Modekupfern und ungefähr 200 Abbildungen, welche die schönsten Naturgegenstände 2c. darstellen.

Ohne Zweifel wird von dieser Zeit an die Schnellpost das vorzüglichste Luxusblatt sein. Sie wird sowol wöchentlich als monatlich in broschirten Heften ausgegeben.

Wir ersuchen ein geehrtes Publicum ergebenst, die Bestellungen darauf im Voraus machen zu wollen, um die Auflage danach einrichten zu können.

Der bisherige Preis besteht ungeachtet der vielen Verbesserungen auch für künftiges Jahr: die Schnellpost kostet mit Modekupfern und Abbildungen 6 Thlr.; der Text mit circa 200 Abbildungen 3 Thlr.

Leipzig, den 21sten November 1833.

Allgemeine niederländische Buchhandlung

Lesecirkeln, Leihanstalten, Freunden der Belletristik.

Wir haben soeben an alle Buchhandlungen versandt:

Maja,
Bibliothek
neuer
Originalnovellen,
erster und zweiter Band,

welche Bände unter dem besondern, das Genre des Inhalts bezeichnenden Titel:

Amor's und Satyr's,

Erzählungen vom Verfasser des Masaniello, W. Zimmermann, enthalten. Der Preis beider Bände ist 3 Fl., oder 2 Thlr.

Die Bibliothek von Novellen, kleinen Romanen und Erzählungen, welche diese beiden Bände eröffnen, ist auf 10—12 Bände berechnet, die im Laufe des nächsten (vielleicht auch erst, da wir uns nicht damit übereilen werden, um nur Anziehendes zu liefern, des darauf folgenden) Jahres erscheinen werden. Die Gaben jedes einzelnen Verfassers werden unter besondern Titeln zusammengestellt und sind besonders zu haben. Wir enthalten uns, Maja mit einer Anpreisung in die Lesewelt einzuführen. Das Werk mag selbst für sich sprechen. Der dritte Band, welcher unter der Presse ist, wird Novellen und Erzählungen von Fr. Seybold enthalten.

Stuttgart, im November 1833.

Hallberger'sche Verlagshandlung.

Bei Ferdinand von Ebner in Nürnberg ist erschienen und an alle Buchhandlungen versandt worden:

Galerie der vorzüglichsten Klöster Deutschlands, historisch, statistisch, topographisch, von Vielen beschrieben und herausgegeben vom königl. Bibliothekar Jäck zu Bamberg. 1sten Bandes 2te Abtheilung. Mit der Abbildung der ehemaligen Abtei Brumbach. 8. Brosch. Subscriptionspreis 14 Gr., oder 1 Fl.

Mit dem Erscheinen des zweiten Bandes hört der Subscriptionspreis auf und es kostet alsdann jede Abtheilung 21 Gr., oder 1 Fl. 30 Kr.

Gerlach, J. P., Camerar, Pfarrer und Schuleninspector, **Handbüchlein für die Sonntagsschulen in Deutschland.** 2te verbesserte Aufl. Gr. 8. Brosch. 9 Gr., oder 36 Kr.

Die Nützlichkeit dieses Schulbuchs hat sich bereits durch Einführung in vielen Volksschulen Deutschlands bewährt, und es wird hiermit auch diese zweite und verbesserte Auflage den respectiven Schulvorstehern und Lehrern aller Confessionen bestens empfohlen. Bei Abnahme von Partien wird der Preis bedeutend ermäßigt.

Nopitsch, C. C., Pfarrer und Senior, **Literatur der Sprüchwörter.** Ein Handbuch für Literarhistoriker, Bibliographen und Bibliothekare. 2te Ausg. Gr. 8. Brosch. 1 Thlr. 16 Gr., oder 2 Fl. 30 Kr.

In diesem Werke ist die Literatur der Sprüchwörter aus 41 Sprachen fleißig und umfassend zusammengetragen, und es wird dadurch eine erfreuliche Umsicht in dem bisher so nachlässig bearbeiteten Felde gegeben.

Im Verlage der Unterzeichneten sind soeben erschienen und in allen Buchhandlungen vorräthig:

Bulwer's sämmtliche Werke.

9ter bis 16ter Band.

Enthaltend:

England und die Engländer. 4 Bände. Elegant brosch. 1 Thlr.

Der Verstoßene. Roman in 4 Bänden. Elegant brosch. 1 Thlr.

Nur die außerordentlich günstige Aufnahme, welche diese schön ausgestattete Gesammtausgabe der Bulwer'schen Werke in Deutschland gefunden hat, machte es der Verlagshandlung möglich, einen so unglaublich billigen Preis dafür zu stellen.

Weiske, C. A., **Considérations historiques et diplomatiques sur les ambassades des Romains, comparées aux modernes.** Gr. 8. Brosch. 18 Gr.

Märker, J. F., **Das alte Athen**, wie es in seiner Verfassung, in seinen Sitten und Gebräuchen zur Zeit Solon's unter dem Beherrscher Pisistratus war. 8. Brosch. 9 Gr.

Zwickau, im November 1833.

Gebrüder Schumann.

In der Hinrichs'schen Buchhandlung in Leipzig sind neu erschienen:

Dr. C. G. D. Stein's Handbuch der Geographie und Statistik für die gebildeten Stände. Nach den neuern Ansichten bearbeitet vom Oberlehrer Dr. Ferdin. Hörschelmann. 3 Bände. Sechste Aufl. Gr. 8. 5 Thlr. 16 Gr.

Der 1ste Band (43 Bogen, 2 Thlr.), Europa außer Deutschland, Griechenland und die Türkei umfassend, erschien in diesem Jahre; der 2te Band auch als selbständiges Werk unter dem Titel:

Handbuch der Verfassung, Verwaltung, Geographie und Statistik der deutschen Bundesstaaten. (59 Bogen. 2 Thlr 12 Gr.)

erscheint noch im Laufe des Novembers; der 3te wird zur Ostermesse 1834 fertig werden. — Dieses Werk, ein schöner Beweis deutschen Fleißes, umschließt auf fast 170 eng und auf starkes weißes Papier gedruckten Bogen vollständig die neuesten Ergebnisse der darin behandelten Wissenschaften und empfiehlt sich auch durch seine große Wohlfeilheit.

Dr. C. G. D. Stein's kleine Geographie oder Abriß der gesammten Erdkunde für Gymnasien und Schulen. Nach den neuern Ansichten umgearbeitet von Dr. Ferd. Hörschelmann. Neunzehnte, rechtmäßige Aufl. mit vollständigem Register. Gr. 8. (28½ Bogen.) 1833. 16 Gr.

Nach 18 Monaten hat wieder eine neue sehr verbesserte Aufl. die Presse verlassen. — Nicht blos der Schüler, sondern auch der unbemittelte Geschäftsmann findet mannichfache Belehrung in diesem reichhaltigen Buche.

Neuer Atlas der ganzen Erde,

nach den neuesten Bestimmungen für Zeitungsleser, Kauf- und Geschäftsleute, Gymnasien und Schulen, mit besonderer Rücksicht auf Dr. C. G. D. Stein's geographische Werke. Zwölfte vermehrte und verbesserte Aufl. in 24 Karten, grösstentheils neu entworfen und gezeichnet vom Major Dr. F. W. Streit, gestochen von Leutemann; nebst 7 historisch-statistischen Tabellen. Gr. Fol. 1833. Sauber colorirt 4 Thlr. 8 Gr.

Nachdem zur 11ten Aufl. die Karten von Dänemark, Polen, Griechenland ganz neu hinzugekommen, die Planigloben, Afrika, Spanien, Grossbritannien und Deutschland neu entworfen und bearbeitet worden, sind zu vorliegender 12ten Aufl. die Blätter: Nordamerika, Australien, Schweden neu gearbeitet, Südamerika und Frankreich noch im Stiche befindlich. So bietet dieser Atlas innerhalb zwei Jahren über die Hälfte ganz neuer höchst empfehlungswerther Karten dar und alle übrigen Blätter sind ebenso schön, als sorgfältig revidirt und ergänzt.

Bulwer's sämmtliche Romane.

Höchst wohlfeile und elegante stuttgarter Taschenausgabe.

Das erste Bändchen von „Eugen Aram", übersetzt von Dr. Friedr. Notter, womit diese, nur ganz gelungene neue Uebertragungen aufnehmende, Sammlung der trefflichen Romane Bulwer's, des ersten der jetzt lebenden Romanendichter von England, sich eröffnet, ist soeben an alle soliden Buchhandlungen versandt worden.

In dieser Ausgabe werden alle von Bulwer bisjetzt herausgekommenen acht Romane in 43 Bändchen geliefert; alle 14 Tage erscheint ein Bändchen, und der Subscriptionspreis jedes Bändchens ist nur 12 Kr., oder 3 Gr. Preuß. Zur Vermeidung von Verwechselungen, mit einer von Zwickau angekündigten, sehr flüchtigen und fehlerhaften Uebersetzung, die überdies noch einmal so viel als die hier angekündigte kostet — (Preis von Eugen Aram in der zwickauer Ausgabe 2 Fl. 42 Kr., oder 1 Thlr. 12 Gr. Preuß, in der stuttgarter Ausgabe 1 Fl. 12 Kr., oder 18 Gr. Preuß.), beliebe man ausdrücklich die stuttgarter Taschenausgabe zu bestellen. Zu Annahme von Subscriptionen sind alle soliden Buchhandlungen Deutschlands, der östreichischen Monarchie und der Schweiz bereit.

J. B. Metzler'sche Buchhandlung.

Bei J. B. Meidinger in Frankfurt am Main ist erschienen und durch Fr. Fleischer in Leipzig zu beziehen:

Vergleichendes Wörterbuch der deutschen (gothisch-teutonischen) Mundarten, alten und neuern; von Heinrich Meidinger. Gr. 8. Gebunden. 6 Thlr.

Die deutschen Volksstämme; von demselben Verf. Gr. 8. Gebunden. 1 Thlr. 20 Gr.

Soeben ist bei F. Wienbrack in Leipzig erschienen und durch alle Buchhandlungen zu beziehen:

Fischer, J. H. C., Predigtentwürfe über die Episteln an den Sonn- und Festtagen des ganzen Jahres. 2ter Band, womit das Werk geschlossen ist. Gr. 8. Preis 1 Thlr. 12 Gr.

Der starke Absatz und die von verschiedenen Seiten erfolgten günstigen Beurtheilungen des ersten Bandes sprechen für den innern Werth und die Zweckmäßigkeit dieser Entwürfe.

Neue Verlagswerke

von

J. D. Sauerländer in Frankfurt am Main.

Herbstmesse 1833

Cooper's Werke. 76—81stes Bändchen. Der Scharfrichter von Bern. Velinpap. 1 Thlr. 4 Gr., oder 1 Fl. 48 Kr. Ordinair Pap. 18 Gr., oder 1 Fl. 12 Kr.

Dierbach, Flora mythologica oder Pflanzenkunde in Bezug auf Mythologie und Symbolik der Griechen und Römer. Gr. 8. 1 Thlr. 8 Gr., oder 2 Fl. 15 Kr.

Döring, G., Die Geiselfahrt. Eine Erzählung aus dem vierzehnten Jahrhundert. 3 Theile. 4 Thlr. 20 Gr., oder 8 Fl. 24 Kr.

— —, Erzählungen. 4 Theile. 5 Thlr. 8 Gr., oder 9 Fl.

— —, Dramatische Novellen. 4 Theile. 5 Thlr. 8 Gr., oder 9 Fl.

Duller, E., Franz von Sickingen. Dramatisches Gedicht in fünf Abtheilungen. 1 Thlr. 8 Gr., oder 2 Fl. 20 Kr.

Friedleben, Dr. Th., Kalenderbuch. Vollständig ausgeführt für die beiden christlichen, den jüdischen und türkischen Kalender, einschließlich der chronologischen Kennzeichen und Zirkel eines jeden Jahres, von 1701 bis 2000, und vom Jahr 1 bis 2000, für die christliche Zeitrechnung, nebst einer vergleichenden Uebersicht des Kalenders der ehemaligen französischen Republik. Nach den Terminen der christlichen Osterfeier, mit angefügten astronomischen Notizen und gemeinüblichen Kalenderanzeigen. 4. 1 Thlr. 4 Gr., oder 2 Fl.

Geresbach, A., Wandervögelein oder Sammlung von Reiseliedern, nebst einem Anhange von Morgen- und Abendliedern. In vierstimmigen Tonweisen. **Zweite** verbesserte Auflage. 16 Gr., oder 1 Fl. 12 Kr.

Küster, Kupfertafeln zur Naturgeschichte der Vögel. 2tes und 3tes Heft. 2 Thlr., oder 3 Fl. 30 Kr.

Museum Senckenbergianum. Abhandlungen aus dem Gebiete der beschreibenden Naturgeschichte. Band I. Heft 1. Mit Tafel I—V. Gr. 4. 1 Thlr. 8 Gr., oder 2 Fl. 20 Kr.

Nänny, J. C., Gedichte. 1 Thlr. 6 Gr., oder 2 Fl.

Reuter, Prof., Der Boden und die atmosphärische Luft in allseitigen materiellen, gasförmigen und dynamischen Einwirkungen auf Ernähren und Gedeihen der Pflanzen, mit Bezug auf **Land- und Forstwirthschaft**. 1 Thlr. 8 Gr., oder 2 Fl. 15 Kr.

Shakespeare, Will., Plays. Vol. III. Hamlet. 8 Gr., oder 36 Kr.

Storch, L., Die Beguine. Historischer Roman aus der Mitte des 14. Jahrhunderts. 3 Theile. 4 Thlr. 20 Gr., oder 8 Fl. 24 Kr.

Taschenbuch, Rheinisches, auf das Jahr 1834. Mit 8 Stahlstichen. 2 Thlr., oder 3 Fl. 36 Kr.

Zschokke's popular history of Switzerland. From the german by *W. Howard Howe.* 1 Thlr. 18 Gr., oder 3 Fl.

In allen Buchhandlungen Deutschlands und der Nachbarstaaten sind ausführliche Anzeigen einiger, auf Ein Jahr lang, im Preise bedeutend herabgesetzter classischer Werke zu haben (darunter Johnson's Dictionary, 2 Vol., Roscoe's historical Works, 8 Vol., etc).

J. Engelmann in Heidelberg.

Schriften von K. O. Müller,

Professor an der Universität Göttingen,

welche im Verlage der Buchhandlung Josef Max und Comp. in Breslau erschienen und durch alle Buchhandlungen Deutschlands zu erhalten sind.

Geschichten hellenischer Stämme und Städte. 1ster Band. Orchomenos und die Minyer. Mit 1 Karte. Von Dr. K. O. Müller. Gr. 8. 2 Thlr. 16 Gr.

Geschichten hellenischer Stämme und Städte. 2ter, 3ter Band. Die Dorier. Mit einer Karte von Griechenland während des peloponnesischen Krieges. Von Dr. K. O. Müller. Gr. 8. 5 Thlr. 18 Gr.

Tabula qua Graecia superior, qualis tempore belli Peleponnesiaci ineuntis fuit, descripta est a C. O. Müller. Mit dem hierzu gehörigen Texte: Zur Karte des nördlichen Griechenlands. Eine Beilage zu den Geschichten hellenischer Stämme und Städte, von Dr. K. O. Müller. Royalfolio und gr. 8. 1 Thlr. Bessere Ausgabe 1 Thlr. 4 Gr.

Karte des Peleponnes, während des peleponnesischen Krieges von Dr. K. O. Müller, gestochen von K. Kolbe in Berlin. Royalfolio. 18 Gr.

Die Etrusker. Vier Bücher. Von Dr. K. O. Müller. Eine von der königl. Akademie in Berlin gekrönte Preisschrift. 2 Bände. Gr. 8. 4 Thlr. 12 Gr.

Handbuch der Archäologie der Kunst. Von Dr. K. O. Müller. Gr. 8. 2 Thlr. 12 Gr.

Von allen diesen Werken existiren Ausgaben auf bessern Papiersorten zu verhältnißmäßig höhern Preisen.

Friedrich Seybold's neuestes Werk.

In J. Scheible's Buchhandlung in Stuttgart erschien soeben und kann durch alle soliden Buchhandlungen bezogen werden:

Republikaner und Royalisten.

Historisch-romantisches Sittengemälde aus der französischen Revolution.

Von

Friedrich Seybold.

Zwei Bände. 8. Velinpapier und broschirt 4 Fl. 12 Kr., oder 2 Thlr. 12 Gr.

Gleichzeitig erschien in demselben Verlage:

Das Papstbüchlein.

Ein so nützliches als unterhaltendes Lesebüchlein für den gemeinen Mann aller Kirchengesellschaften. 8. Broschirt. 1 Fl., oder 15 Gr.

Für Freunde belletristischer Schriften, Leihbibliotheken und Lesecirkel.

Von der in meinem Verlage erscheinenden, auf milchweißem Papier elegant gedruckten

Sammlung historisch-romantischer Erzählungen und Geschichten von F. W. Lips, 8. 1ster und 2ter Band, brosch. à 1 Thlr. 16 Gr.

hat soeben der zweite Band die Presse verlassen, und ist an alle solide Buchhandlungen des In- und Auslandes versandt. Dieser zweite Band enthält: 1. Venedigs Patrizier, 2. Huaskar, und 3. die Christfreude. Der erste Band dieser interessanten Sammlung, welcher die Erzählungen: „Die Eroberung von Bacharach" — „Der Hagestolz" — und „Alexius und Irene" enthält, ist in mehren belletristischen Zeitschriften auf das Günstigste beurtheilt worden. Eine würdige Stelle wird daher gewiß der Name Lips unter den jetzt lebenden deutschen Belletristen bald einnehmen. — Den dritten Band wird die interessante Novelle aus den Zeiten des französischen Hugenottenkrieges: ‚Gui de Saint Flour" bilden. — Diese Sammlung ist auch zu einer passenden Weihnachts- und Neujahrsgabe ganz geeignet, somit jedem Literaturfreunde auf das Beste zu empfehlen.

Frankfurt a. M., im November 1833.

J. D. Sauerländer.

Soeben ist erschienen und durch alle Buchhandlungen, in Prag bei Calve, in Wien bei Gerold, in Pesth, Preßburg, Oedenburg und Kaschau bei Wigand zu haben:

Der Hirschpark

oder

Das Serail Louis XV.

Eine Galerie geheimer Memoiren der jungen Mädchen, welche in demselben eingeschlossen waren, zur Befriedigung Louis XV. zu dienen.

Ein Beitrag zur Chronique scandaleuse Frankreichs.

3 Bände. Ladenpreis 3 Thlr., oder 4 Fl. 30 Kr. C.-M.

Literarisches Museum.

Karl Spindler.

In der eleganten Gesammtausgabe der Werke Karl Spindler's ist neuerdings erschienen:

Eugen von Kronstein,

oder

des Lebens und der Liebe Masken.

Zweite Auflage.

2 Bände. 8. Brosch. 4 Fl., oder 2 Thlr. 6 Gr.

oder:

K. Spindler's sämmtliche Werke,

21ster und 22ster Band.

Ferner versandten wir von Karl Spindler im Laufe dieses Jahres:

Die Nonne von Gnadenzell. 3 Bände. 9 Fl., oder 5 Thlr. 6 Gr.

Winterspenden, Novellen und Erzählungen. 2 Bde. 6 Fl., oder 3 Thlr.

Vergißmeinnicht, Taschenbuch für 1834. 4 Fl. 30 Kr., oder 2 Thlr. 12 Gr.

Unter der Presse befindet sich:

Lenzblüten,

Erzählungen und Novellen.

2 Bände,

oder

K. Spindler's sämmtliche Werke,

23ster und 24ster Band.

Stuttgart, im Herbst 1833.

Hallberger'sche Verlagshandlung.

Bei Goedsche in Meißen ist erschienen und in allen Buchhandlungen zu haben:

Buch der Freiheit,

oder Geist des neunzehnten Jahrhunderts. Von einem ausgewanderten Oestreicher.

Geh. 1 Thlr. 12 Gr., oder 2 Fl. 42 Kr.

Der Verfasser dieser Schrift, nach dem Urtheile der besten Männer Deutschlands, einer der geistvollsten Schriftsteller, die unser Jahrhundert hervorgebracht hat, faßt hier seine Zeit vom philosophischen Gesichtspunkte auf, und liefert uns ein Bild voll Eigenthümlichkeit und überraschendem Geist. Die Ansichten, die er kühn hier aufwirft und entwickelt, sind besonders merkwürdig für jeden Deutschen und Oestreicher.

In der Bran'schen Buchhandlung in Jena ist erschienen und an alle solide Buchhandlungen versandt:

Romagnosi, G. D., Genesis des Strafrechts. Aus dem Italienischen. Als Einleitung: Vergleichung der Theorie von Romagnosi mit ähnlichen Theorien deutscher Rechtslehrer von Dr. Heinrich Luden. 2ter Band. Gr. 8. Preis 1 Thlr. 6 Gr.

Literarischer Anzeiger.

(Zu den bei F. A. Brockhaus in Leipzig erscheinenden Zeitschriften.)

1833. Nr. XXXIX.

Dieser Literarische Anzeiger wird den bei F. A. Brockhaus in Leipzig erscheinenden Zeitschriften: Blätter für literarische Unterhaltung, Isis, sowie der Allgemeinen medicinischen Zeitung, beigelegt oder beigeheftet, und betragen die Insertionsgebühren für die Zeile 2 Gr.

In Karl Gerold's Buchhandlung in Wien ist soeben erschienen, und daselbst, sowie in allen Buchhandlungen Deutschlands zu haben:

Jahrbücher der Literatur.

Dreiundsechzigster Band.

1833.

Juli. August. September.

Inhalt:

Art. I. Uebersicht von zwölf Reisen durch Persien (Fortsetzung).

II. Historia Barlaami et Josaphi, im vierten Bande der Anecdota Graeca von Boissonade. Paris 1832.

III. A Treatise on Astronomy. By Sir *John F. W. Herschel*. London 1833.

IV. Ueber die Abkunft der Slaven, nach Lorenz Surowiecki, von Paul Joseph Schaffarik. Ofen 1828.

V. Herzog Georg von Braunschweig und Lüneburg. Beiträge zur Geschichte des dreißigjährigen Krieges, nach Originalquellen des königl. Archivs zu Hanover, von Friedrich von der Decken. Erster Theil. Hanover 1833.

VI. Klopstock's Epigramme. Gesammelt und erläutert von C. F. W. Vetterlein. Leipzig 1830.

Hammer's morgenländische Handschriften.

Konstantinopel im Winter 1824 und 1825. Bruchstücke aus Briefen. Vom Oberstlieutenant von Prokesch-Osten. Erste Abtheilung.

Anzeige.

Die im Verlage der Gebrüder Schumann in Zwickau herausgekommene kleine Schrift, unter dem Titel:

Die Constitutionsfrage.

Denkschrift für die Zeitgenossen.

8. Geheftet. 4 Gr.

ist in den k. k. östreichischen Staaten, sowie im Königreiche Preußen verboten.

Neueste Bildergeographie.

Soeben ist die 6te und 7te Lieferung von dem Werke:

Die Erde und ihre Bewohner,

ein

Hand- und Lesebuch für alle Stände

bearbeitet

von

K. F. Vollrath Hoffmann.

Dritte verbesserte Auflage.

Preis 24 Kr. — 6 Gr. für die Lieferung.

fertig geworden und an die Subscribenten versandt. Diese Lieferungen bilden den Schluß des ganzen Werkes, und enthalten (anstatt 12) 17 Bogen nebst dem sehr eleganten Umschlage und den sechs gestochenen Erläuterungsblättern in Folio.

Das Ganze ist nun, über 700 Seiten stark, mit 5 prächtigen Stahlstichen und den genannten artistischen Beilagen geschmückt, in 7 Lieferungen geheftet zu 2 Fl. 48 Kr. — 1 Thlr. 18 Gr., schön gebunden zu 3 Fl. — 1 Thlr 20 Gr., in allen soliden Buchhandlungen vorräthig. Diese Bildergeographie ist unstreitig (nach mehr als 100 Urtheilen der würdigsten Gelehrten) eines der besten Werke der neuern Literatur — als wohlfeiles, wahrhaft bildendes und erfreuendes, sowie auch außerordentlich schönes

Weihnachtsgeschenk

kann ihm kein ähnliches Werk der deutschen Literatur zur Seite gestellt werden.

Stuttgart, im November 1833.

Karl Hoffmann.

Sehr zu empfehlendes

Weihnachts- und Neujahrsgeschenk für die Jugend,

welches soeben im Verlage des Ferd. v. Ebner in Nürnberg erschienen ist.

Der Märchenerzähler.

Ein willkommener Gast, der gern bei guten Kindern zuspricht. Ein Unterhaltungsbuch für die Jugend von Otfried, dem Kinderfreund. Mit 4 illuminirten Kupfern. 16. Geb. 1 Thlr., oder 1 Fl. 48 Kr.

Nürnberg, den 20sten November 1833.

Ferd. v. Ebner.

Stuttgart. Bei mir ist erschienen:

Die Lusiaden des Luis de Camoëns, verdeutscht von J. J. C. Donner. 27 Bogen auf Velinpapier in geschmackvollen Umschlag geheftet. 3 Fl. 36 Kr., oder 2 Thlr.

Tieck fällt von diesem Gedicht in seinem „Novellenkranz" für 1834 ein sehr günstiges Urtheil, so sagt er z. B. Seite 222 davon: „Und sowie Ariost der Glanzpunkt und leuchtende Kranz jener lustigen Fabeln ist, die nur in der Phantasie, nie auf Erden einen Wohnplatz finden können, so ist Euer Camoëns und sein unsterbliches Gedicht der Zauberkranz, in allen Farben spielend, in welchem am lieblichsten dieser Sinn für Vaterland, Ruhm, Heldenthat, Aufopferung glänzt, und jeder Portugiese findet sich und seine schönsten Wünsche, sein edeles Streben in jedem Verse wieder: und alles ist Wahrheit nicht Fabel; Geschichte, nicht Erfindung, das Erlebte, was nun so leuchtend wie die wirkliche Natur mit Meer und Gebirge aus der Nacht in den Glanz des Morgenrothes, schöner wie ein Traum, in das verklärende Licht der erwachenden Natur hineintritt." Auch Seite 256, 307 und 311, sowie an vielen andern Orten geschieht darin sehr rühmlicher Erwähnung, überhaupt ist die ganze Novelle eine Verherrlichung des Camoëns und seines Gedichts.

Von der Uebersetzung sagt ein sehr geachteter Gelehrter, der zugleich der portugiesischen Sprache ganz mächtig ist: „Ich kenne sie aus mehren Proben, sie ist nicht allein sehr viel besser als die früher erschienenen, sondern sie ist so, daß schwerlich ein Anderer sie besser machen könnte."

Auch ist hinlänglich bekannt, daß Voß die Uebersetzungen des Juvenal und Persius von Donner ungemein lobte.

C. W. Löflund.

Anzeige
von einem Taschenbuche für christliche Leser.

Soeben ist bei C. F. Osiander in Tübingen erschienen und durch alle gute Buchhandlungen Deutschlands und der Schweiz zu beziehen:

Christoterpe,
ein Taschenbuch für christliche Leser auf das Jahr 1834.

Herausgegeben
in Verbindung mit mehren Andern
von
Albert Knapp,
Archidiakonus in Kirchheim unter Teck. Verfasser der Christlichen Gedichte, 2 Theile.

Mit 4 Stahlstichen.
349 Seiten in kl. 8. 3 Fl. 36 Kr., oder 2 Thlr.

Auch für das kommende Jahr erscheinen hier wieder eine Anzahl christlicher Aufsätze und Gedichte, deren Tendenz im ersten Jahrgange bereits hinreichend ausgedrückt ist. Bei größerer Einfachheit und reichhaltigerer Wahl des Stoffes dürfte übrigens dieser zweite Jahrgang einem größern Theile des christlichen Publicums zusagen, als der erstere. Die Zahl der vorjährigen Mitarbeiter hat sich um einige bewährte Männer vermehrt.

Wohlfeile Bücher.

Durch alle Buchhandlungen ist zu erhalten:

Einundzwanzigstes Verzeichniß von gebundenen Büchern aus allen wissenschaftlichen Fächern, worunter sich sehr seltene befinden, welche um beigesetzte höchst billige Preise zu haben sind. 8. 12 Bogen stark. 2 Gr.

(Zum Besten einer verarmten Familie.)

In diesem über 7000 Bände enthaltenden Verzeichnisse befinden sich manche seltene Werke. Die Bücher sind fast alle neu und gut erhalten.

H. Vogler'sche Buchhandlung in Potsdam.

Beim Unterzeichneten ist erschienen und durch alle Buchhandlungen zu erhalten:

Friedrich v. Matthisson's literarischer Nachlaß, nebst einer Auswahl von Briefen seiner Freunde. Ein Supplement zu allen Ausgaben seiner Schriften. 4 Bände. 12. Druckpap. 2 Thlr. 16 Gr. Postpap. 3 Thlr. 8 Gr. Velinpap. 4 Thlr.

Den zahlreichen Verehrern der Matthisson'schen Muse erlaube ich mir, diesen literarischen Nachlaß als ein werthvolles Andenken des verewigten Dichters zu empfehlen. Die vier freundlich gedruckten Bände enthalten theils die Selbstbiographie Matthisson's, in der er sich und sein Leben mit seiner bekannten liebenswürdigen Anspruchslosigkeit geschildert hat, theils manche interessante Reliquie aus seinen Tagebüchern und andern seinen letzten Lebensjahren angehörigen Papieren, sowie eine Reihe an ihn gerichteter Briefe von den bekanntesten Männern und Frauen, mit denen Matthisson in Verbindung gestanden und welche er selbst noch kurz vor seinem Tode zum Druck zusammengestellt hat. Ein anmuthiges Privatleben liegt in diesen Bänden vor, das uns einen wahren Dichter im schönsten Lebensgenuß seines Alters und noch in einer vielseitig beweglichen Theilnahme an allen äußern Verhältnissen zeigt und als ein beziehungsreicher Commentar zu seiner poetischen Persönlichkeit angesehen werden kann. Mehre kritische Institute, besonders die Leipziger Literaturzeitung (1833, Nr. 179) haben sich bereits sehr günstig über den Werth dieses Werkes ausgesprochen.

Berlin, im November 1833.

August Mylius.

Unentbehrliches Handbuch
für
Maler, Architekten, Zimmer- und Theatermaler,
sowie für jeden
gebildeten Gewerbsmann.

Soeben ist in Commission bei Franz Varrentrapp in Frankfurt a. M. complett erschienen und in allen guten Buchhandlungen Deutschlands und der Schweiz vorräthig:

Die
Linear-Perspective
angewendet auf die
zeichnenden Künste
von
J. T. THIBAULT,
Maler und Architekt, Mitglied des Instituts von Frankreich, Professor an der Schule der schönen Künste.
herausgegeben von
CHAPUIS.

Aus dem Französischen übersetzt.
Mit 64 sauber gestochenen Platten in klein Folio in einer Mappe, nebst 14 Bogen Text.
Frankfurt a. M.,
in der lithographischen Anstalt von Ph. C. Stern.
Ladenpreis 15 Fl. Rhein., oder 8 Thlr. 12 Gr. Sächs.

Längst hat Frankreich den entschiedenen Werth dieses Werkes anerkannt, und wird die deutsche Ausgabe desselben in Deutschland gewiß gleiche Anerkennung hervorrufen, denn Alles, was seit „Valencienne's Anleitung" im Fache der Perspective erschienen ist, kann weder auf die Vollständigkeit noch auf die Faßlichkeit der Methode von Thibault's Werk Anspruch machen.

Der Verfasser setzt — wie dies bei seinen französischen Zuhörern beinahe nicht anders denkbar — allerdings einige Vorkenntnisse in der Elementargeometrie voraus, doch sind diese so gering, daß sie von Unkundigen in der Geometrie aus dem Theil seines Werkes, der davon handelt, leicht entnommen werden können, und hinreichen, alle Lehrsätze und Aufgaben der Perspective zu verstehen.

Da im Uebrigen die ganze Lehrmethode vom praktischen Standpunkt aus genommen, so eignet sich obiges Werk sowol für den Schul- als für den Selbstunterricht um so mehr, als die Deutlichkeit, Zweckmäßigkeit und gute Ausführung der Zeichnungen in vielen Fällen schon allein, ohne Text hinreicht, dem Lehrling einen Begriff Dessen zu geben, was er zu leisten hat. Zudem ist das Werk sehr reichlich mit Zeichnungen versehen, ein Vorzug, den die meisten ältern Werke über Perspective entbehren; wie sehr aber eine unzeitige Sparsamkeit in Zeichnungen das Selbstudiren erschwert, ist Jedermann, der nur einigermaßen hierin Erfahrungen gemacht hat, bekannt. Bei dem billigen Preis leistet die deutsche Unternehmung in dieser Beziehung Ungewöhnliches.

Der frühere Subscriptionspreis hat mit dem Erscheinen des vollständigen Werks aufgehört und gibt der Verleger jetzt die Exemplare zum Ladenpreise ab.

Bei Georg Joachim Göschen in Leipzig sind vollständig erschienen und durch jede solide Buchhandlung zu beziehen:

SHAKSPEARE'S

dramatische Werke,

übersetzt und erläutert

von

Johann Wilhelm Otto Benda.

19 Bde. Auf Druckpap. in Taschenform. 5 Thlr. 12 Gr.
— — Auf Schreibpap. in 8. . . 11 Thlr. 18 Gr.

Die vorliegende vollständige Uebersetzung ist außerordentlich treu, zugleich fließend und ohne Zwang. Treu gibt sie die Bilder des Originals, den Ausdruck des Gedankens und der Empfindungen, selbst die Worte Shakspeare's wieder, wenn die deutsche Sprache es erlaubt. Sie ist allgemein verständlich, ebenso verständlich als das Original, obgleich sie nur wenige Verse mehr als das Original hat, fast immer mit einer langen Sylbe den fünffüßigen Jamben schließt, und reimt, wo Shakspeare gereimt hat.

Soeben ist erschienen und in allen Buchhandlungen zu haben:

Kranichfeld, Dr. *F. W. G.*, Ueber die Nothwendigkeit gründlicher *pharmakologischer Kenntnisse* zum Ueben einer glücklichen Praxis in der Medicin und zur Förderung derselben als Wissenschaft. Ein am 13ten September 1833 in der Hufeland'schen Gesellschaft gehaltener Vortrag. Gr. 8. Geh. 8 Gr.

Nicolai'sche Buchhandlung
in Berlin.

An alle Journalcirkel, Lesegesellschaften, Leihbibliotheken und Leser von Zeitschriften.

Wir zeigen an, daß folgende in unserm Verlage erscheinende Zeitschriften regelmäßig fortgesetzt und wie bisher durch alle Buchhandlungen, Zeitungsexpeditionen und Postämter zu beziehen sein werden:

Leipziger allgemeine Modenzeitung.

Eine Zeitschrift für die gebildete Welt, herausgegeben von Dr. J. A. Bergk. 36ster Jahrgang. Der Preis für den Jahrgang von 104 gedruckten hohen Quartbogen mit 64 bis 104 Kupfern und Extrakupfern in Quart, oder circa 500 bis 800 Abbildungen der neuesten pariser, londoner und wiener Moden, ist 6 Thlr.; mit 116 bis 136 Kupfern, die erwähnten Modenfiguren und als Doppelkupfer: Portraits, Abbildungen von Meubles, Fenstergardinen, Gartenverzierungen, Equipagen rc. enthaltend, 8 Thlr.

Hierzu kommen noch etwa nöthig werdende Beilagen, Extrablätter, Holzschnitte aller Art, welche letztere nöthigenfalls bis auf 200 gebracht werden, und wofür im nächsten Jahre keine Art von Preiserhöhung eintritt. Unter den Doppelkupfern werden Darstellungen der Hauptgötter der griechischen Mythologie von Prof. Ender und dem beliebten Kupferstecher Stöber zu Wien, in einem hinreißend schönen Style ausgeführt, befindlich sein.

Volksschrift.

DAS HELLER-MAGAZIN.

52 wöchentliche Lieferungen mit 200 bis 300 Abbildungen zu 8 Groschen vierteljähriger Vorausbezahlung.

Stereotypausgabe.

Der Absatz betrug nach den ersten 4 Wochen seines Erscheinens, Anfangs November bereits

12000 Exemplare,

und er wächst mit jedem Posttage.

WELT UND ZEIT.

Blätter aus der Gegenwart.

5ter Jahrgang. 64 Bogen in Quart mit vielen Abbildungen. Preis 3 Thlr.

Dieselben enthalten auch

Dumont d'Urville's

Reise um die Welt,

mit 500 Abbildungen.

☞ Diese Reise wird auch einzeln publicirt.

Bibliographie von Deutschland,

9ter Jahrgang. Gr. 8. Preis 1 Thlr. 16 Gr.

Universalblatt für die gesammte Land- und Hauswirthschaft.

Preis für den Band 2 Thlr.
Erscheint aller 10 Tage.

Allgemeine homöopathische Zeitung.

Preis eines Bandes 2 Thlr. Erscheint wöchentlich.

Magazin der neuesten Erfindungen, Entdeckungen und Verbesserungen.

Heftweise zu 8 Gr.

Kritische Blätter für Forst- und Jagdwissenschaft

von Dr. und Prof. Pfeil. Jährlich 2 Hefte.

Baumgärtner's Buchhandlung und Industrie-Comptoir in Leipzig.

Für die Jugend.

In allen Buchhandlungen ist zu haben:

Der Himmelsgarten,

eine

Weihnachtsgabe für Kinder und kindliche Gemüther.

Von

Wilhelm Harnisch.

Neue Ausgabe, mit 4 schwarzen Kupfern und einem Notenblatt.

Kl. 4. 1833. Breslau, im Verlage bei Josef Max und Comp. Preis 16 Gr.

„Wer das Reich Gottes nicht empfähet als ein Kindlein, der wird nicht hinein kommen." Das ist das eigentliche Grundthema dieser trefflichen Jugendschrift, welche von Allen beachtet zu werden verdient, die durch die ernste Stimmung der Zeit mehr als jemals die Mahnung erhalten haben, das junge heranwachsende Geschlecht zur wahrhaft christlichen Gesinnung heranzubilden. Es sei daher allen religiös gebildeten Aeltern obige Schrift des Hrn. Seminariendirector Harnisch in Weißenfels zur erfreuenden Weihnachtsgabe an ihre Kinder empfohlen.

Bei Rubach in Magdeburg erscheint mit Anfang 1834:

Zoll- und Handelskarte von Preußen

und den benachbarten deutschen Staaten Baiern, Würtemberg, Sachsen, Hessen und den übrigen deutschen kleinen Fürstenthümern, mit der Angabe sämmtlicher Hauptzoll-, Steuer-, Nebenzollämter 1ster und 2ter Classe und der Steuerämter, Ansageposten, Packhöfe, Hafenplätze, Kanäle und Chausseen. Herausgegeben von Leopold Zindel in 4 Blättern. Pränumerationspreis 1 Thlr. 12 Gr.

Subscriptions- und Pränumerationsanzeige
für
Aeltern, Hauslehrer und Schulmänner.

Von G.

August Hermann Niemeyer's

Grundsätzen
der
Erziehung und des Unterrichts.
3 Theile. Gr. 8.

wird im Laufe dieses und des nächsten Jahres die 9te Ausgabe erscheinen. Ich habe die Besorgung derselben um so lieber übernommen, je bestimmter mich meine Stellung zu den Francke'schen Stiftungen und zu dem Pädagogischen Seminar seit geraumer Zeit auf pädagogische Studien hingewiesen hat, und je mehr die dadurch gewonnenen Einsichten und Ueberzeugungen in dieser Sache, mit denen meines verstorbenen Vaters zusammenfallen. Allein selbst wenn dies nicht der Fall wäre, würde ich es doch als Herausgeber für meine erste Pflicht halten, keine wesentliche Veränderung mit einem Buche vorzunehmen, das von dem Publicum mit so großem Vertrauen und so ungetheiltem Beifall aufgenommen ist. Nicht bloß der Geist des Ganzen und die Anordnung des Stoffes, sondern auch die Ausführung, wird im Wesentlichen dieselbe bleiben. Meine Aenderungen werden sich nur auf die Literatur und auf die in dem dritten Theil enthaltene Uebersicht der Geschichte der Pädagogik erstrecken. Jene soll vollständiger und chronologisch geordneter gegeben, diese, besonders was die Pädagogik der alten und mittlern Zeit anlangt, erweitert und bis auf die neueste Zeit fortgesetzt werden. Durch beides wird der Charakter des Werkes nicht verändert, aber seine Brauchbarkeit bedeutend erhöht und darf ich eben deshalb auf fortdauernde Theilnahme an demselben hoffen.

Halle, im October 1833.

Dr. H. A. Niemeyer.

Um den Ankauf dieses ausgezeichneten Werkes, welches das gesammte Gebiet der Pädagogik und Didaktik, die öffentliche und häusliche Erziehung, die Organisation der Schulen und die Geschichte des Erziehungswesens auf das gründlichste und vollständigste umfaßt, auch ferner minder begüterten Aeltern, Schulmännern und Lehrern möglichst zu erleichtern, wird wieder, wie bei den vorigen Auflagen, der Weg der Pränumeration eröffnet und haben wir für alle 3 Bände (ungefähr 108 Bogen gr. 8. auf schönem weißem Papier) gegen Vorausbezahlung den Preis des auf Gemeinnützigkeit berechneten Werks auf 4 Thlr. preuß. Cour. gestellt. Wer Pränumeranten sammelt, erhält auf 12 Exemplare das 13te frei.

Wir ersuchen alle Freunde des Schul- und Erziehungswesens, welche sich für dieses deutsche Nationalwerk, dessen sich keine andere Nation in gleicher Vortrefflichkeit rühmen kann, und welches in keiner gebildeten Familie fehlen sollte, interessiren wollen, Namen und Gelder der resp. Pränumeranten vor Ende März 1834 portofrei einzuschicken, nach deren Eingang der erste Theil ausgeliefert werden wird und dem die andern schnell folgen sollen. Nach Ablauf dieses Termins tritt unabänderlich der Ladenpreis von 6 Thlr. ein.

Alle solide Buchhandlungen des In- und Auslandes, woselbst Subscriptionslisten niedergelegt sind, nehmen Bestellungen resp. Pränumeration an.

Buchhandlung des Waisenhauses in Halle.

Bei dem Unterzeichneten erschien soeben:

Novellenkranz.
Ein Almanach für 1834
von
Ludw. Tieck.

Mit 7 Stahlstichen und Kupfern nach W. Hensel's Zeichnung von E. Rauch und Eichens: Scenen aus Tieck's Werken. Preis 2 Thlr. 8 Gr.

Inhalt: Tod des Dichters (Ludw. Camoens).

Zwar liefert das Taschenbuch nur eine einzige Novelle, allein diese gehört nach dem Urtheile Aller, denen der Inhalt bekannt geworden, an Erfindung und Ausführung zu den gelungensten und geistreichsten Erzeugnissen des Dichters. Die Ausstattung des Büchleins wird hoffentlich seinem Inhalt nicht ganz unwerth gefunden werden.

Die beiden frühern Jahrgänge dieses Taschenbuchs sind noch zu dem ermäßigten Preise von 3 Thlr. 8 Gr. (früher 4 Thlr. 16 Gr.) zu erhalten. Sie enthalten: I. Dichterleben und Die Wundersüchtigen, II. Der Jahrmarkt und Der Hexensabath.

Ferner ist erschienen:

Kinder- und Hausmärchen,
gesammelt [illegible]
durch
die Brüder Grimm.

Handausgabe. Zweite Auflage.

Geheftet ohne Kupfer 1 Thlr. Mit 7 Kupfern und einem eleganten Umschlage cartonnirt 2 Thlr. Mit goldenem Schnitt und Futteral 2 Thlr. 16 Gr.

Auch ist noch zum sehr ermäßigten Preise zu erhalten:

W. Waiblinger's Taschenbuch aus Griechenland und Italien. 2 Jahrgänge. Mit Kupfern, wozu die Zeichnungen sämmtlich in Rom von geschätzten Künstlern entworfen, zum Theil auch dort gestochen wurden. Preis beider Jahrgänge 1 Thlr. 6 Gr. Der Jahrgang einzeln 16 Gr.

Taschenbuch der Sagen und Legenden, von Amalie von Helwig und Fr. de la M. Fouqué. Die Zeichnungen rühren sämmtlich von P. Cornelius her, und sind solche von Lips, Bolt u. A. ausgezeichneten Künstlern gestochen. Preis beider Jahrgänge 1 Thlr.

Berlin, im November 1833.

G. Reimer.

Dieser Literarische Anzeiger wird den bei F. A. Brockhaus in Leipzig erscheinenden Zeitschriften: Blätter fü… rische Unterhaltung, Isis, sowie der Allgemeinen medicinischen Zeitung, beigelegt oder beigeheftet, … gen die Insertionsgebühren für die Zeile 2 Gr.

Zur Nachricht.

Die

Jahrbücher für wissenschaftliche Kritik

werden auch im Jahre 1834 in der bisherigen Art fortgesetzt werden. Jährlich werden, ausschliesslich der Anzeigeblätter, 120 Druckbogen in gross Quart herauskommen, und nach Verlangen der Abonnenten denselben in wöchentlichen oder monatlichen Lieferungen zugesendet werden. Wie bisher wird darauf gesehen werden, durch ausführliche und möglichst schnelle Recension der bedeutendsten neuen Werke, und kürzere Anzeige der minder wichtigen, den Lesern vollständige Kunde von den bemerkenswerthen neuen literarischen Erscheinungen zu verschaffen. In dem Anzeigeblatt wird fortgefahren werden, neben den literarischen Intelligenz-Nachrichten, eine vollständige Chronik aller wissenschaftlichen und höhern Unterrichtsanstalten der preussischen Monarchie zu liefern, und durch bibliographische Berichte auch von der ausländischen wissenschaftlichen Literatur eine vollständige Uebersicht zu geben. Der Preis des Jahrgangs bleibt wie bisher 12 Thaler. — Alle Buchhandlungen (wo auch Probeblätter zur Ansicht liegen) und Postämter nehmen Bestellungen an.

Duncker und Humblot in Berlin.

Im Verlage der Nicolai'schen Buchandlung in Berlin ist soeben erschienen:

Die

Homöopathie eine Irrlehre.

Nach den eignen Geständnissen der homöopathischen Aerzte

von

Dr. W. Kramer.

Gr. 8. Geheftet. Preis 15 Sgr., oder 12 Gr.

Diese Schrift [illegible] vor allen andern über und gegen die Homöopathie erschienenen den unbestreitbar grossen Vorzug, dass der Herr Verfasser sein Urtheil über die Homöopathie auf eine imposante Masse von Thatsachen stützt, an deren Folgerichtigkeit selbst der blindeste Anhänger Hahnemann's nicht zweifeln kann, da dieselben den Schriften der homöopathischen Aerzte selbst entnommen sind.

Von demselben Verfasser sind vor Kurzem in unserm Verlage erschienen:

Erfahrungen über die

Erkenntniss und Heilung der langwierigen Schwerhörigkeit.

Mit lithographirten Abbildungen. Geheftet. Preis 20 Sgr., oder 16 Gr.

Der Herr Verfasser hat in einem ausgedehnten Wirkungskreise die Mittel gefunden, die Kennzeichen der verschiedenen Arten der langwierigen Schwerhörigkeit [illegible] als [illegible], [illegible] glücklichere Heilungsweise zu begründen, und über den bearbeiteten Gegenstand ein Licht zu verbreiten, w… nur Einige anzuführen, im „Neuen allgem. Repert. … tur 1833, Band II, Stück 5", in den „Göttinger Anzeigen. 1833, Nr. 161", und in der „Leipziger … tung, 1833, Nr. 243", volle Anerkennung gefund…

Wichtige Anzeige für Musikfreu…

Das deutsche Nationalwerk:

(*Verlag von Schubert & Niemeyer*)

Originalbibliothek für Pianof… spieler

verbunden mit einem

musicalischen Conversationslexi…

macht in der musikalischen Welt allgemeine Sens… ehrt nicht nur die Verleger, Componisten, nein, d… deutschen Nation wird das schöne grossartige Un… eine Zierde, ein würdiges Denkmal sein. Es ist … ter den Musikfreunden und Lehrern ein E… Pflichtpunkt geworden, für die fernere Verbreit… solchen Nationalwerks möglichst zu sorgen, sich ei… zur Anlage desselben bewusst zu sein, um zugle… verbundene wohlthätige Zwecke erreicht zu seh… wohlfeile Preis, gediegene Inhalt der Bibliothek … Ausstattung, vereint, müssen jeden Musikliebhaber … gewinnen. — Sammler erhalten auf fünf Exemp… frei.

☞ Ausführliche Anzeigen, die das Weitere … werden in jeder Buch- oder Musikhandlu… gratis ausgegeben.

Das erste Heft (5 Gr.), *Kalkbrenner*, 2 *Nott…* haltend, ist am 1sten December versandt.

In unserm Verlage wird mit Anfang des nächs… jeden Sonn- und Festtag eine Zeitschrift erscheinen … Titel:

Blätter

für

häusliche Erbauu…

unter Mitwirkung des Herrn Prälaten Hüf… mit Beiträgen des Herrn Kirchenrath Sonn… mehrer andern Gelehrten.

Herausgegeben

von

C. Schmezer,

evangelischem Geistlichen in Baden.

Erster Jahrgang,

mit Bildern nach den Originalwerken der größten … mit Melodien aus dem Gebiete der heiligen …

[illegible] ist das neue Zeitwerk, welches die … mit [illegible] unserer Zeit an [illegible] nehmen, und mit … Idee des Christenthums und mit der Förderung …

Endzweck in irgend einer Beziehung steht. Willkommen wird daher eine Schrift genannt werden, welche zur Aufgabe hat, die Keime christlicher Frömmigkeit und Tugend in dem Schooße der Familien auf eine ganz eigenthümliche Weise zu pflegen. Sie soll nämlich in sonntäglich erscheinenden Blättern allen Christen, welche Erbauung und Erhebung des Geistes suchen, eine fortlaufende Reihe von Betrachtungen, Reden, Gebeten und religiösen Dichtungen darbieten und durch Hinweisung auf die größten Glaubenshelden aller Jahrhunderte dem empfänglichen Gemüthe einen Spiegel vorhalten, in welchem es die erhabendsten Vorbilder der Menschheit erblickt. Zugleich sollen diese Blätter eine ununterbrochene Gemeinschaft der häuslichen und kirchlichen Andacht zu erhalten suchen. In unsern christlichen Gemeinden befinden sich nämlich nicht Wenige, welche von hoher Verehrung gegen die Religion durchdrungen sind, welche aber, sei es durch Alter und Kränklichkeit, oder durch ein Gedränge häuslicher Pflichten oft verhindert werden, dem feierlichen Rufe der Glocken und dem Drange ihres Herzens in das Gotteshaus zu folgen. Diesem soll nun unser Blatt die Kirche gleichsam in's Haus bringen, indem es an jedem Sonntagmorgen sie besucht und bei ihnen bleibt, bis ein Stündchen freier Zeit es ihnen gestattet, eine Nachfeier der kirchlichen Andacht in ihrem stillen Kämmerlein zu halten.

Um die Erhebung des Gemüths zu den heiligen Wahrheiten der Religion auch durch die Schöpfungen der ihr verwandten Kunst zu befördern, wird alle Virteljahre eine würdige bildliche Darstellung irgend eines Gegenstandes aus der biblischen Geschichte und eine klassische Composition aus dem Gebiete der heiligen Musik geliefert werden, und die Verlagshandlung wird sich angelegen sein lassen, diesen Blättern durch schönes Papier und reinen Druck eine gefällige äußere Form zu geben.

Den Abonnenten im Inlande wird diese Zeitschrift immer vor dem Sonntage franco durch die Briefpost und dem Ausländer frei bis zur Grenze geliefert.

Der Abonnementspreis beträgt halbjährlich 3 Fl.

Alle Postämter, sowie die Buchhandlungen nehmen hierauf Bestellungen an.

Karlsruhe, den 30sten November 1833.

Chr. Fr. Müller'sche
Hofbuchhandlung und Hofbuchdruckerei.

Empfehlungswerthes Weihnachtsgeschenk.

Zur Beachtung für Aeltern, Erzieher und Jugendfreunde.

In der Schulbuchhandlung in Braunschweig ist erschienen und durch alle Buchhandlungen zu erhalten:

Sämmtliche

Kinder- und Jugendschriften

von

Joachim Heinrich Campe.

Vierte wohlfeile Gesammtausgabe der letzten Hand.

Siebenunddreißig Theile (520 Bogen) mit 52 saubern, theils colorirten, theils schwarzen Kupfern und Karten. 8. Fein Velinpapier. Subscriptionspreis für alle 37 Theile 11 Thlr., oder 19 Fl. 48 Kr. Rhein.

Von dieser jetzt im Druck vollendeten 4ten Auflage sind auch geheftete Exemplare an alle Buchhandlungen versandt. Um Familien, denen die Anschaffung des Werks auf einmal zu kostspielig werden möchte, den Ankauf zu erleichtern, ist die Einrichtung getroffen, daß das Ganze auch in 4 einzelnen Lieferungen, zu 9 und die letzte zu 10 Bänden, jede zu 2 Thlr. 18 Gr., abgegeben wird. Bedingung dabei bleibt, daß die folgenden Lieferungen nachgenommen werden müssen, auch können einzelne Lieferungen nicht von gehefteten Exemplaren gegeben werden. Privatsammler erhalten von jeder guten Sortimentshandlung auf 12 Exemplare ein 13tes frei; wenn sie sich portofrei an die Verlagshandlung wenden, auf 6 ein 7tes.

Durch alle Buchhandlungen und Postämter ist zu beziehen:

Blätter für literarische Unterhaltung. Redigirt unter Verantwortlichkeit der Verlagshandlung. Jahrgang 1833. Monat November, oder Nr. 305—334, mit 1 Beilage: Nr. 11, und 5 literarischen Anzeigern: Nr. XXXIV—XXXVIII. Gr. 4. Preis des Jahrgangs von 365 Nummern (außer den Beilagen) auf gutem Druckpapier 12 Thlr.

Isis. Encyklopädische Zeitschrift, vorzüglich für Naturgeschichte, Anatomie und Physiologie. Von Oken. Jahrgang 1833. Zehntes Heft. Gr. 4. Preis des Jahrgangs von 12 Heften mit Kupfern 8 Thlr.

Leipzig, im December 1833.

F. A. Brockhaus.

In unserm Verlage ist soeben erschienen und in allen Buchhandlungen des In- und Auslandes zu erhalten:

Schulz, Dr. Otto, Ausführliche lateinische Grammatik für die obern Classen gelehrter Schulen. 2te verbesserte Auflage. Gr. 8. 47 Bogen. Preis 1 Thlr. 10 Sgr.

Passende Anordnung, Reichhaltigkeit des Inhalts, Klarheit und Bestimmtheit der durch zahlreiche Beispiele erläuterten Regeln, hatten dieser Grammatik schon in ihrer ersten Gestalt viele Freunde gewonnen. Dies und die höchst ehrenvolle Empfehlung eines hohen Ministerii der Geistlichen und Unterrichtsangelegenheiten haben auch die Einführung der Grammatik in mehren Gymnasien veranlaßt. Um so mehr glauben wir allen Kennern der lateinischen Sprache, besonders aber allen Directoren und Lehrern gelehrter Schulen diese neue Ausgabe zur Einführung empfehlen zu müssen, die, zwar an Umfang nur um zwei Bogen vergrößert, doch auf keiner Seite ohne Zusätze und Verbesserungen geblieben ist. Der wohlfeile Preis ist gewiß geeignet, die Verbreitung des Buches unter den Schülern sehr zu erleichtern.

Buchhandlung des Waisenhauses
in Halle.

Volksschrift.

Im Industriecomtoir (Baumgärtner) zu Leipzig erscheint wöchentlich und wird an alle Buchhandlungen versendet:

DAS HELLER-MAGAZIN.

52 wöchentliche Lieferungen mit 200 bis 300 Abbildungen zu 8 Gr. vierteljähriger Vorausbezahlung.

(MOTTO: Allgemeine Verständlichkeit, Unterhaltung, Belehrung.)

Diese Zeitschrift findet die allgemeinste Anerkennung. In der kurzen Zeit ihres Bestehens (zwei Monate) hat sich deren Absatz bereits auf die Anzahl von

15,000 Exemplaren

gesteigert und ist fortwährend im Wachsen. Die Verlagshandlung wird, dies dankbar erkennend, Alles aufbieten, um auch ferner dieses Volksblatt so schön und entsprechend als möglich zu liefern, und weder Mühe noch Kosten scheuen, um dem allgemeinen Vertrauen, welches sich hier so deutlich für sie ausgesprochen hat, auf eine stets würdige Weise zu entsprechen.

Oestreichische militairische Zeitschrift 1833.

Zehntes Heft.

Dieses Heft ist soeben erschienen, und an alle Buchhandlungen versendet worden. Inhalt: I. Der Feldzug 1745 in den Niederlanden. Nach östreichischen Originalquellen. Mit dem Plane der Schlacht von Fontenoy. II. Die Bombenkanonen von Paixhans. (Schluß.) III. Skizze der Expedition nach Portugal 1832. IV. Literatur. V. Neueste Militairveränderungen.

Auch im Jahre 1834 wird diese Zeitschrift ihrem Plane nach, unverändert fortgesetzt, und da die Redaction die Stärke der Auflage nach den eingegangenen Bestellungen bestimmt, so ersucht der Unterzeichnete die P. T. Herren Abnehmer hiermit höflichst, ihre Bestellungen wo möglich noch vor Ablauf des Jahres durch die betreffenden Buchhandlungen an ihn gelangen zu lassen. Der Preis ist wie bisher Acht Thlr. Sächs., um welchen auch die frühern Jahrgänge, von 1818 angefangen, noch zu beziehen sind. Wer die ganze Reihe von 1818 bis 1832 auf Einmal abnimmt, erhält dieselben um ein Viertel wohlfeiler.

Wien, den 18ten November 1833.

J. G. Heubner, Buchhändler.

Soeben ist bei A. Wienbrack in Leipzig erschienen und durch alle Buchhandlungen zu beziehen:

Gräfe, Dr. H., Andeutungen über Schulreform mit besonderer Rücksicht auf das Königreich Sachsen. Gr. 8. Brosch. 14 Gr.

Vorstehende Schrift eines unserer ausgezeichnetsten Pädagogen verdient mit Recht die Beachtung aller Behörden, Schulmänner, gebildeter Aeltern, denen das Wohl ihrer Kinder am Herzen liegt. Der Herr Verf. verirrt sich nicht in das Gebiet imaginairer Theorien, sondern beurkundet überall den praktischen Blick des Mannes vom Fache. Nicht blos in Sachsen, sondern auch in andern Staaten Deutschlands werden seine Vorschläge Interesse erwecken und Anklang finden.

In allen Buchhandlungen ist zu haben:

Neueste Geographie

oder:

kurze und faßliche Darstellung der mathematischen, physischen und politischen Erdbeschreibung.

Für Schulen und den Selbstunterricht

von **Johann Heinrich Müller,**

Rector der Stadtschule zu Lennep.

Dritte verbesserte und vermehrte Auflage.

Düsseldorf, bei J. E. Schaub. Preis 10 Gr.

Es gewährt Vergnügen, neue Auflagen von Schriften so sorgfältig und umsichtig vermehrt und verbessert zu sehen, wie die vorliegende, welche unstreitig zu den bessern dieser Art gehört und sehr zweckmäßig ist. Auch ist es zu loben, daß, ungeachtet diese dritte Auflage an Bogenzahl (17 Bogen) noch einmal so stark als die erste, dennoch der bisherige billige Preis geblieben, und das Buch auf gutem Papier mit gefälligen Lettern gedruckt ist.

Hesperus.

In meinem Verlage ist erschienen und durch alle Buchhandlungen zu beziehen die dritte Auflage von:

Joh. Florent. Schreven,

Hinterlassene Predigten.

Nach des Verfassers Tode gesammelt und herausgegeben von seinen Freunden.

I. Sonntags-, II. Festtags-, III. Fastenpredigten.

Mit Genehmigung des erzbischöflichen Generalvicariats.

Preis für jeden Band 1 Thlr., oder 1 Fl. 48 Kr.

Die günstigsten Beurtheilungen, selbst in Literaturzeitungen anderer Confessionen, von denen eine sagt: „Glücklich die Kirche, wenn sie lauter solche Pfarrer zählte“, haben diesem Werke einen so außerordentlichen Absatz verschafft, daß binnen wenigen Jahren drei Auflagen nöthig wurden und haben dasselbe mit Recht [illegible] Mustersammlung [illegible] christlicher Kanzelreden [illegible].

Köln, den 18ten November 1833.

Pet. Schmitz.

Im Verlage der Math. Rieger'schen Buchhandlung in Augsburg ist erschienen und in allen ansehnlichen Buchhandlungen des In- und Auslandes vorräthig:

DEMOSTHENIS ORATIONES SELECTAE VII.

ex Recensione J. Bekkeri, passim mutata. Prolegomenis, scholiis dispersis, lectionis varietate selecta, aliorum suisque notis instruxit, Indices locupletissimos addidit

Franc. Jos. Reuter.

Pars I. Cont. Philipp. I. Olynth. I. II. III. Gr. 8. 16½ enggedruckten Bogen. 1 Thlr., oder 1 Fl. 30 Kr.

Pars II. Cont. orat. de Pace. Philipp. II. III. Gr. 8. 14 Bogen, 21 Gr., oder 1 Fl. 21 Kr.

Bei dieser Ausgabe, welche zum Schul- und Privatgebrauche bestimmt ist, und dem Lehrer zum Leitfaden, dem Schüler aber zum tiefern Eindringen in den Geist der Sprache und Gedanken des großen Redners dienen soll, wurden nebst den Scholiasten die besten ältern und neuern Erklärer des Demosthenes mit Nennung ihrer Namen benutzt, alle nöthigen historischen und antiquarischen Beziehungen entweder in den Prolegomenen oder in den Anmerkungen erörtert, die Sprache in steter Beziehung auf Aehnlichkeiten mit der lateinischen unter Ausführung der vorzüglichsten ältern und neuern Grammatiker sorgfältig berücksichtigt, das oratorische Element durch Bezeichnung und Erklärung der Tropen, Figuren, Beweise und Schlüsse, sowie durch die Dispositionen jeder Rede gehörig gewürdigt und alles Dieses durch eine Auswahl von Parallelstellen und durch nicht zu weit ausgedehnte Anführung gelehrter Schriften begründet, sowie auch auf die Kritik die geeignete Rücksicht genommen wurde. So wenig der Verfasser durch Uebersetzung oft ganz leichter Stellen, wie es heutzutage nicht selten in sonst guten Ausgaben der alten Klassiker der Fall ist, den Schülern eine sogenannte Eselsbrücke in die Hände geben wollte, ebenso sehr sorgte er auch, keine Stelle von einiger Bedeutung unerklärt zu lassen, wovon man sich bei dem Gebrauche des Buches bald überzeugen wird, sodaß dasselbe auf möglichste Vollständigkeit Anspruch machen kann und den Lehrer nicht nöthigt, noch andere Hülfsmittel zum Schulgebrauche sich anzuschaffen. Die beiden Theile sind in Rücksicht auf ärmere Schüler so eingerichtet, daß jeder für sich ein möglichst vollständiges Ganzes ausmacht, und daß nicht bei dem Gebrauche des einen der andere durchaus nothwendig ist. Druck und Papier werden gewiß der Erwartung entsprechen.

In Baumgärtner's Buchhandlung zu Leipzig ist soeben erschienen und in allen Buchhandlungen zu haben:

DIE BIBLIOTHEK UNTERHALTENDER WISSENSCHAFTEN.

III. Pompeji.

1ster Band in 2 Abtheilungen mit 174 Abbildungen. Enthaltend die öffentlichen Gebäude, Anstalten u. s. w. 290 Seiten in gr. 12. Preis 2 Thlr.

Dieses ist das erste wohlfeile, jedoch vollständige und schön ausgestattete Werk, welches in Deutschland über die höchst interessanten Ausgrabungen erscheint. Dasselbe ist in jeder Beziehung mit großer Sachkenntniß, welche eine gründliche classische Bildung beurkundet, abgefaßt.

IV. Die Neuseeländer.

Mit einer Karte von Neuseeland und 44 Abbildungen. 402 Seiten in gr. 12. Preis 1 Thlr. 16 Gr.

Dieses Werk gibt nach den besten und neuesten Quellen eine vollständige Schilderung dieser Bewohner der Südsee. Die

Begebenheiten, die sich mit Cook, Survilles, Marion du Fresne, Bruce, Rutherford u. A. auf jenen Inseln zutrugen, sind hier zusammengestellt und gewähren eine höchst unterhaltende oft ans Romanhafte grenzende Lecture; dennoch geben die Namen der genannten Seefahrer für stete Wahrhaftigkeit die beste Bürgschaft.

Von der **Bibliothek unterhaltender Wissenschaften** sind früher erschienen: I. **Alexander von Humboldt's Reisen und Forschungen**, 2 Abtheilungen mit vielen Abbildungen, Karten rc. 1 Thlr. 8 Gr. — **Die Baukunst der Vögel**, 2 Abtheilungen mit 82 Abbildungen 1 Thlr. 16 Gr. — Unter der Presse: V. **Polarreisen.** VI. **Afrika.** VII. **Die Menagerien.**

Lehr- und Lesebuch

für deutsche, insbesondere für preußische Volksschulen, eine kleine Encyklopädie für den Bürger und Landmann, von mehrern praktischen Schulmännern. 374 Seiten in 8. Preis 10 Gr.

Dieses Buch behandelt in einer allgemein faßlichen Darstellung diejenigen Wissenschaften, welche dem gemeinen Manne, dem Bürger und Landmann, zu wissen nöthig sind, wozu aber in der Volksschule keine Zeit übrig bleibt, es wäre denn, daß sie oberflächlich beim Lesen oder in den Stunden der gemeinnützigen Kenntnisse vorkämen. Damit nun der Schüler ein Anhalten habe, um über das Gehörte nachzulesen und die durch Kürze der Zeit in der Schule bedingten Lücken ausfüllen zu können, sind von der Naturgeschichte, Gewerbskunde (Technologie), Geographie, Geschichte und Formenlehre hier systematische Abrisse in leicht verständlicher Sprache geboten, denen des Bedürfnisses wegen noch Rechnungsaufgaben angehängt sind.

Haltpunkte aus den Disciplinen (Unterrichtsgegenständen) der Volksschule.

Als Gedächtnißübung für Schüler.

78 Seiten in 8. Preis 4 Gr.

Es ist hier das Wesentlichste aus den Unterrichtsgegenständen gegeben, welches als Fachwerk dient und der Schüler wissen und behalten, der Lehrer in seinem Unterricht dann ausfüllen muß.

Im Verlage der Buchhandlung des Waisenhauses in Halle ist soeben erschienen und in allen Buchhandlungen des In- und Auslandes zu erhalten:

Bullmann, J. K., Denkwürdige Zeitperioden der Universität zu Halle von ihrer Stiftung an, nebst einer Chronologie dieser Hochschule seit dem Jahre 1805 bis jetzt. 8. Preis 1 Thlr.

Die hallesche Universität hat durch den Einfluß ihrer Lehrer auf die theologischen, juristischen und philosophischen Wissenschaften schon in dem ersten Jahrhundert ihres Bestehens einen hochberühmten Namen errungen; die neuere Zeit hat sich würdig an die frühere angeschlossen und der Ruhm derselben sich immer weiter verbreitet. Viele Tausende, nicht blos aus dem deutschen Vaterlande, haben auf dieser Hochschule ihre Bildung erhalten. Die Geschichte derselben muß also nicht blos für ihre ehemaligen Bürger, sondern auch für jeden Freund der Literaturgeschichte vom höchsten Interesse sein. Diesen daher ist obige Schrift zu empfehlen, welche, an die ältern Werke von Förster und Hoffbauer sich anschließend, eine einfache, aber genaue Darstellung der wichtigen Ereignisse enthält; die in den so ereignißreichen letztverflossenen Decennien des jetzigen Jahrhunderts diese Universität und ihre ausgezeichnetsten Lehrer betroffen haben.

Neue und interessante französische Jugendschrift.

Le Robinson Suisse

ou Journal d'un père de famille naufragé avec sa femme et ses enfans.

Par Madame Isabelle de Montolieu.

Nouvelle Edition avec 12 jolies figures et une carte.

5 Volumes conten. 117 feuilles.

Leipsic, 1834. *Frédéric* [illegible].

Prix 4 Thlr. 16 Gr.

Durch Uebereinkunft mit dem pariser Verleger wird hier die eben erschienene pariser Originalausgabe eines trefflichen Werkes dem deutschen Publikum zu einem überaus billigen Preis geliefert. Schwerlich wird für junge, die französische Sprache erlernende Leute ein [illegible] res und nützlicheres Weihnachtsgeschenk zu finden sein.

Im Verlage der Buchhandlung [illegible] in Breslau ist soeben erschienen und in allen Buchhandlungen zu haben:

Entwurf

einer vollständigen

Gebührentaxe

für die

Justizcommissarien

in dem

Mandats-, summarischen und Bagatellprocesse.

Zum Gebrauche der Gerichte, Sachwalter und der processführenden Parteien.

In Folio, auf Schreibpapier gedruckt, geheftet. [illegible] 8 Gr.

Bei C. Schulze in Celle ist erschienen:

Banim, Der geächtete Bruder, [illegible] Weh. Ein romantisches Gemälde [illegible] in Irland. Aus dem Engl. übersetzt von [illegible] Lindau. 2 Theile. Neue wohlfeile Ausgabe. [illegible] 12 Gr.

Belmont, Blutige Bilder aus der [illegible] der Sultane. 2 Theile. Neue wohlfeile Ausgabe. 1 Thlr.

Ruperti, F., Der alte hanoversche Corporal in englischen Diensten. Ein plattdeutsches Gedicht. 12 Gr.

Schlichthorst, C., Briefe aus beiden Hemisphären. Ein Sittengemälde aus der Tropenwelt. 1 Thlr. 18 Gr.

Durch alle Buchhandlungen ist zu erhalten:

Conversations-Lexikon

der

neuesten Zeit und Literatur.

Einundzwanzigstes und zweiundzwanzigstes Heft.

Preussen bis [illegible].

Auf weißem Druckpapier	12 Gr.
Auf gutem Schreibpapier	16 Gr.
Auf extrafeinem Velinpapier	1 Thlr. 6 Gr.

Leipzig, im December [illegible].

F. A. Brockhaus.

Literarischer Anzeiger.

(Zu den bei F. A. Brockhaus in Leipzig erscheinenden Zeitschriften.)

1833. Nr. XLI.

Dieser Literarische Anzeiger wird den bei F. A. Brockhaus in Leipzig erscheinenden Zeitschriften: Blätter für literarische Unterhaltung, Isis, sowie der Allgemeinen medicinischen Zeitung, beigelegt oder beigeheftet, und betragen die Insertionsgebühren für die Zeile 2 Gr.

Literarische Anzeige.

Im Vereine mit mehren achtbaren Gelehrten Leipzigs beabsichtigt der Unterzeichnete ein

Repertorium

der

gesammten deutschen Literatur

vom Januar 1834 an in halbmonatlichen Heften herauszugeben und bringt, indem er in dieser vorläufigen Ankündigung Deutschlands Gelehrte auf dieses bei dem Umfange unserer Literatur wahrhaft nothwendige Unternehmen aufmerksam zu machen sich beeilt, zugleich in allgemeinen Umrissen die Grundsätze zur öffentlichen Kenntniss, welche ihn bei Herausgabe dieser Zeitschrift leiten werden:

1. Das **REPERTORIUM** umfasst in *möglichster Vollständigkeit* die gesammte deutsche Literatur vom Jahre 1834 an, und wesentlich unterstützt durch Leipzigs Buchhändlerverkehr, gibt dasselbe den Gelehrten des In- und Auslandes *schnell* eine genaue und zuverlässige Nachricht von der Erscheinung, dem Umfange, Inhalte und Werthe der neuesten literarischen Erzeugnisse Deutschlands. Mit zuversichtlichem Vertrauen rechnet die Redaction hierbei auf recht baldige Einsendung neu erschienener Bücher und Schriften Seiten der Herren Herausgeber und Verleger und verspricht regelmässig *spätestens* einen Monat nach dem Eingange der Schriften eine Anzeige und kurze Beurtheilung in das Repertorium aufzunehmen.

2. Nur Schriften, welche in den Ländern deutscher Zunge erschienen sind, werden in das Repertorium nach wissenschaftlichen Fächern geordnet aufgenommen, und blos in den jedem Hefte angehängten literarischen Miscellen wird unter besondern Rubriken auf die wichtigsten literarischen Erscheinungen des Auslandes aufmerksam gemacht, auf diejenigen Literaturen jedoch vorzugsweise Rücksicht genommen werden, für deren Kenntniss anderweit wenige oder keine Hülfsmittel vorhanden sind.

3. Die zu den sogenannten Facultätswissenschaften, Philologie, Philosophie, Geschichte, Natur- und Staatswissenschaften u. s. w. gehörenden Bücher und Schriften werden *in gedrängter Kürze* angezeigt, sodass ihr wesentlicher Hauptinhalt und ihre Stellung zur Wissenschaft angegeben, in besondern Fällen aber noch der Darstellungsweise und der typographischen Ausstattung gedacht wird. In der Regel wird eine solche Anzeige nicht mehr als 1 bis höchstens 1½ enggedruckte Seite in gr. 8. einnehmen.

Kürzere Abhandlungen, Gelegenheitsschriften und Broschüren, die ein allgemeineres Interesse nicht haben, sowie ein grosser Theil der zur sogenannten schönen Literatur gehörenden Schriften, Gedichte, dramatische Erzeugnisse, Romane und Erzählungen, werden mit Weglassung besonderer Anzeigen und Beurtheilungen unter bestimmten Rubriken kurz genannt, keine Druckschrift aber, welche in den Ländern deutscher Zunge erschienen und ausgegeben worden, wess Inhalts sie auch sei, übergangen, sobald ihre Erscheinung nicht auf blossen Ankündigungen begründet, sondern mit Bestimmtheit erwiesen ist.

4. Nächst jenen Anzeigen wird jedem Hefte unter dem Titel: **LITERARISCHE MISCELLEN** eine Beilage angehängt, in welcher unter bestimmten Unterabtheilungen Beförderungen und Ehrenbezeigungen, Todesfälle und Nekrologe, Schicksale von Gelehrten und Schriftstellern, zu erwartende wichtige Werke, Universitätsnachrichten, Schulnachrichten, literarhistorische Nachrichten, Kunstnachrichten u. s. f. mitgetheilt werden. Auf die Auswahl und die Redaction dieser Mittheilungen soll unter Berücksichtigung der wichtigsten Journale des In- und Auslandes, und unterstützt durch eigne Correspondenz, ganz vorzüglicher Fleiss verwendet werden. Zweckmässig angeordnete Register werden den Schluss jedes einzelnen Bandes bilden.

Ueberhaupt aber wird die Redaction sich ernstlich bemühen, den Anfoderungen, welche das gelehrte Publicum an ein solches Unternehmen zu machen berechtigt ist, thunlichst zu entsprechen, bittet die Ausführung des kurz skizzirten Planes nicht nach den ersten Heften des neuen Jahres beurtheilen zu wollen, für welche es wahrscheinlich an wichtigern Werken mit der Jahrzahl 1834 noch fehlen wird, und sieht der Unterstützung aller Freunde unserer Nationalliteratur zur thätigen Förderung ihrer Zwecke um so vertrauensvoller entgegen, da auch die Verlagsbuchhandlung Alles aufbieten wird, um ihrerseits durch eine zweckmässige äussere Ausstattung und billigen Preis die weitere Verbreitung dieser neuen Zeitschrift zu befördern.

Leipzig, 15. *November* 1833.

Ernst Gotthelf Gersdorf,

Oberbibliothekar an der Universität zu Leipzig.

Die unterzeichnete Verlagshandlung hat sich um so bereitwilliger finden lassen, den Plan des Herrn Herausgebers zu unterstützen, als sich ihr das dringende Bedürfniss eines solchen Repertoriums schon häufig dargestellt hat, und in der That nicht abzusehen ist, wie es möglich sein soll, ohne eine solche Zeitschrift eine Uebersicht der neuesten Literatur zu behalten, da unsere Allgemeinen Literaturzeitungen, wie Treffliches sie auch liefern, ihrem Zweck immer weniger zu entsprechen vermögen. Die Verlagshandlung wird daher alle Mittel aufbieten, um das Unternehmen zu fördern, wogegen sie aber auch auf die Unterstützung Derjenigen rechnet, für die ein solches Repertorium bestimmt ist. Wie viel Bogen im Jahr erfoderlich sein werden, um das Repertorium in der vom Herrn Herausgeber bezeichneten Weise auszuführen, lässt sich nicht im Voraus bestimmen; wenn indess angenommen wird, dass die nächste Zeit literarisch nicht weniger productiv sein wird als die letztverflossene, so werden gegen 150 Bogen jährlich erscheinen müssen, die dann drei Bände bilden werden. Die Hefte werden regelmässig am 15. und 30. eines Monats erscheinen, in der Regel 6 Bogen stark sein — schwächer, wenn nicht viel Neues erschienen ist, stärker, wenn es das Material erheischt —, und die bedeutende Druckerei der Verlagshandlung wird sie in den Stand setzen, stets Alles mitzutheilen, was resp. bis zum 8. oder 23. d. Monats von dem Herrn Herausgeber abgeliefert worden ist. Auf eine zweckmässige typographische Anordnung, gutes Papier und die grösste Correctheit soll besondere Sorgfalt gewendet werden. Der Preis eines Bandes von circa 50 Bogen ist auf *drei Thaler* festgesetzt; sollte später die Theilnahme es erlauben, so wird der Preis entweder vermindert oder eine grössere Bogenzahl in einem Bande geliefert werden.

Mit dem Repertorium verbunden ist ein

Bibliographischer Anzeiger,

der jedem Hefte beigefügt wird, und worin literarische Ankündigungen jeder Art aufgenommen werden; die Gebühren betragen für die Zeile 1 Gr.

Alle Einsendungen für das Repertorium sind unter der Adresse:

An die Expedition des Repertoriums der gesammten deutchen Literatur

an den Unterzeichneten zu richten.

Leipzig, 15. *November* 1833.

F. A. Brockhaus.

Anzeige.

Das ärztliche Publicum habe ich die Ehre hiermit zu benachrichtigen, dass die Wochenschrift für die gesammte Heilkunde, herausgegeben vom Herrn Medizinalrath Professor Dr. *Casper* unter Mitredaction der Herren Dr. *Romberg*, Geheimrath Dr. *v. Stosch*, und Dr. *Thaer*, vom Jahre 1834 an in meinem Verlage erscheinen wird. Diese gediegene der wissenschaftlichen Praxis gewidmete Zeitschrift, die nur Originalabhandlungen liefert, wird von mir gefällig ausgestattet werden, und habe ich, um diese Wochenschrift allgemein zugänglich zu machen, den Preis derselben auf 3 Thaler 16 Groschen für den ganzen Jahrgang von 52 Nummern, mit Abbildungen und Beilagen, festgestellt. Probebogen werden im Laufe des Monats Januar in allen Buchhandlungen gratis zu haben sein.

Berlin, den 10ten December 1833.

August Hirschwald.

In unterzeichneter Verlagshandlung ist erschienen und durch alle Buchhandlungen zu beziehen:

Handbuch für Kaufleute,

oder gemeinfaßliche Darstellung der wichtigsten Zweige der Nationalökonomie, der Handelswissenschaft, des Großhandels, des Bankwesens, der Schiffahrt u. s. w. Nach dem Englischen des Dictionary practical, theoretical and historical of commerce and commercial navigation by I. R. Mac Culloch, Esq. Frei bearbeitet und mit den nöthigen Anmerkungen und Zusätzen versehen von C. F. E. Richter. Erster Band. Erste Lieferung: Aal — Canal.

Preis 2 Fl., oder 1 Thlr. 8 Gr.

Indem wir dem Publicum hiermit das Erscheinen einer ersten Lieferung dieses Werkes von 20 Bogen anzeigen, bemerken wir, daß solches 2 Theile in etwa 100 bis 120 Bogen enthalten und in 4 Abtheilungen spätestens binnen Jahresfrist herausgegeben wird. Der vollständige Titel wird der 2ten ungleich stärkern Lieferung beigelegt, die zugleich den ersten Band schließt. Um dieses im höchsten Grade gemeinnützige Buch auch minder Bemittelten zugänglich zu machen, haben wir den Preis wie oben so niedrig als möglich gestellt und werden wie nachfolgenden Hefte in gleichem Verhältniß berechnen.

Der reiche Inhalt desselben ist aus den vorliegenden 20 Bogen hinreichend ersichtlich, und wir erlauben uns, statt weitläufiger Anzeige und Empfehlung, nur in kurzen Andeutungen darauf hinzuweisen. Ein flüchtiger Durchblick wird am besten zu der Ueberzeugung führen, daß es dem Verfasser gelungen ist, in diesem Werk vereinigt zu geben, was sonst in mehrern Lehrbüchern und Compendien mühsam und oft vergeblich gesucht werden mußte.

Ohne allzusehr ins Detail einzugehen, weitschweifig oder ermüdend zu werden, umfaßt es das ganze Gebiet des Handels und — soweit diese Wissenschaften auf den Handel Bezug haben — das der Staatswirthschaft, der Erd-, Schiffahrts-, Gewerbs- und Naturkunde, Statistik, Geschichte und Gesetzgebung. Es gibt ein vollständiges Bild von dem Verkehr der Nationen, von den vielfachen Einrichtungen und Anstrengungen die der menschliche Geist gemacht hat, um ihn zu fördern, oder auch oft, um ihm widernatürliche Fesseln anzulegen.

In einer Zeit wie die jetzige, wo die Fragen über Zölle, indirecte Besteuerung und gewerbliche Einrichtungen so vielfach angeregt werden, muß ein Werk dieser Art von doppeltem Interesse sein, und nothwendig zur Berichtigung und Verschmelzung der verschiedenen Ansichten führen.

Nicht nur der Kaufmann, der Schiffahrt-, Fabrik- oder Gewerbtreibende, sondern der Gebildete jeden Standes, wird den reichhaltigsten Stoff zu Belehrung und Unterhaltung darin finden.

Die alphabetische Form hat dem Verfasser erlaubt, kurze Notizen, beschreibende und erklärende Artikel neben speculativen Forschungen über die Grundbedingungen jedes Verkehrs in reicher Abwechslung aufzuführen, und an großartige allgemeine

Ansichten immer Thatsachen und Erfahrungen belegend und ergänzend anzureihen.

Er durchgeht die Geschichte aller kaufmännischen und gewerblichen Einrichtungen, der Steuer-, Schiffahrts- und Zollgesetze, des Flors und Abnehmens von Ländern und Städten, überall zählt er Ursachen und Wirkungen auf, und indem er eine klare Anschauung gibt von dem was einst war oder noch ist, mit seinen Vorzügen und Mängeln, entwickelt sich von selbst, ohne das Trockene eines Lehrvortrages, ein System wie es sein sollte, und vielleicht noch in aufgeklärtern Zeiten einst überall sein wird.

Die Grundlage dieses Systemes ist unbedingte allgemeine Freiheit des Verkehrs über die ganze Erde, damit jedes Land und jedes Individuum die Sphäre ungehindert ausfülle, die ihm von der Natur zugewiesen ist. So lange aber die Zeit nicht reif ist für diese Idee, so lange die Völker noch für weise und nützig halten, sich gegenseitig den Genuß der Gottesgaben zu erschweren, ist wenigstens die Warnungstafel ausgesteckt gegen Irrthum, Misbrauch und als unabweisbare, unwiderlegliche Grundsätze bleiben festgestellt:

Schutz der Gesetze für Eigenthum und Sicherung des Verkehrs, aber kein directes Einmischen der Regierungen in Handel und Gewerbe, kein Monopol, kein Zunft- und Kastenzwang;

Mäßiger Ansatz von Zoll- und Verbrauchsteuern, wenn zuverlässige steigende Einnahme Statt finden soll;

Zulassung fremder Erzeugnisse, wenn für die eignen ein Verkehr nach Außen verlangt wird.

Der Verf. belegt diese Sätze durch eine Reihe von Thatsachen und Erfahrungen aus allen Zeiten und Ländern, gegen deren siegreichen Spruch keine Einwendung möglich bleibt.

Wir beziehen uns in den vorliegenden Bogen nur beispielsweise auf die Artikel Bank, Bier, Branntwein, Bordeaux rc.

Zu dem Erstern (einem der längsten und interessantesten des Werkes — er umfaßt auf 86 Seiten Grundsätze und Geschichte des Bankwesens in ihrem ganzen Umfange) findet sich eine einfache Nebeneinanderstellung der englischen und schottischen Bankgesetzgebung, und ihrer Folgen in den Krisen von 1793 und 1826. Kann man schlagender beweisen, daß ein und dieselbe Einrichtung bei demselben Volke, in ganz gleichen Verhältnissen und Zeiten, entweder zum mächtigen Beförderungsmittel der Industrie, der Sparsamkeit und des allgemeinen Wohlstandes werden, oder aber auch das Vermögen Einzelner, wie den Wohlstand und Credit einer reichen und mächtigen Nation bis in die innersten Tiefen erschüttern kann, je nachdem die Regierung blos eine weise Oberaufsicht übt, oder als mithandelnde Person hemmend und beschränkend eintritt?

Die Mittheilungen über die engl. Malz- und Tranksteuergesetze im Art. Bier ergeben klar, daß übermäßige Taxen auf Lebensbedürfnisse selbst langjährige Gewohnheiten eines ganzen Volkes ändern, und es zwingen können, gesunde kräftige Nahrungsmittel aufzugeben, und nach schlechtern, Leib und Seele verderbenden zu greifen.

Wie kann dem Finanz-Plusmacher augenfälliger nachgewiesen werden, daß in der Arithmetik des Staates 2 mal 2 nicht immer 4, sondern sehr oft kaum 1 macht, oder mit andern Worten, daß verdoppelte und verdreifachte Abgaben die Einnahme nicht in gleicher Progression hinauf, sondern herabsetzen, als durch Anführung von Thatsachen, wie in den Artikeln Branntwein und Kaffee? Was läßt sich erwiedern, wenn durch offizielle Documente gezeigt wird, daß eine Verdreifachung des Zolles auf Branntwein das Sinken der Einnahme auf den achten Theil zur Folge hatte, während durch Herabsetzung des Zolles auf Kaffee um 70 pC., der Ertrag um das Dreifache erhöht wurde?

Wie kann die Verkehrtheit und Verderblichkeit der Prohibitivsysteme klarer bezeichnet werden, als durch eine Beleuchtung ihrer Folgen, wie sie in den Artikeln Bordeaux, Handel, Lyon rc. gegeben wird?

Es ist in dieser Beziehung ein solcher Schatz von praktischer Erfahrung, umfassender Kenntniß und freisinnigen erleuchteten Urtheils in diesem Buche niedergelegt, daß wir überzeugt sind, die bei weitem größere Mehrzahl der Leser werden nachstehendem Urtheil eines competenten Richters im Foreign Quarterly Review aus voller Ueberzeugung beipflichten.

„Die Verbreitung dieses Buches durch Europa wird mehr dazu beitragen, die Täuschungen und Vorurtheile zu zerstreuen, denen sich Regierungen ebenso wie Massen von Individuen in Handelssachen noch hingeben, und sie über ihre wirklichen Interessen aufzuklären, als irgend ein theoretisches Werk, das bis jetzt erschienen ist."

Der jüngere Theil des Handelstandes findet überdies hier, was er sonst in geographischen und statistischen Handbüchern, Waarenlexikons, erklärten Courszetteln und Compendien über Schiffahrts- und Handelsgesetzgebung zu suchen hatte: Auskunft über jeden Waarenartikel, der irgend eine wichtige Rolle im Welthandel spielt, nach seiner Benennung in den Hauptsprachen der Erde, nach Herkunft, Erzeugung, Wichtigkeit für Lebensbedarf, Gewerbe oder Luxus, Größe des Umsatzes in Gewicht und Werth rc. Siehe in vorliegenden Bogen die Art. Arak, Arsenik, Austern, Balsam, Baumrinde, Baumwolle 18 S., Beeren, Berlinerblau, Bier 10 S., Blauholz, Branntwein 6 S., Brot 3 S., Butter 5 S. rc. Von Ländern und Städten (außer historischen, geographischen und statistischen Notizen, die Wechsel-, Münz- und Gewichtsusancen, Ein und Ausfuhr mit genauen Tabellen, Landes- und Platzgebräuche rc), Algier, Alicante, Altona, Amsterdam 17 S., Antwerpen, Augsburg, Barcelona, Batavia, Bombay 5 S., Bordeaux 14 S., Cadix 4 S., Calcutta 19 S. rc. Darstellung und Erläuterung der Handels- und Schiffahrtsgesetzgebung. S. Abandonnirung, Abmachung, Abrechnung, Accise, Anweisung, Bank, Bankrut, Barbareskenpaß, Baratrie, Bergelohn, Bodmerei rc. Erklärung aller fremden und ungewöhnlichen Ausdrücke u. s. w., mit einem Worte, er erhält in diesen 2 Bänden eine gemeinfaßliche und vollständige Handelsencyklopädie, wie sie bisher vergeblich gewünscht worden ist.

Wir berufen uns zu Bestätigung des Gesagten wiederholt auf das Werk selbst und fügen nur noch die Bemerkung bei, daß dasselbe dem Herrn Uebersetzer manche Zusätze und Ergänzungen verdankt, die für den deutschen Leser sehr wichtig und schätzbar sind.

Stuttgart und Tübingen, im December 1833.

J. G. Cotta'sche Buchhandlung.

Bei Rubach in Magdeburg ist erschienen und durch alle Buchhandlungen zu beziehen:

C. Schäffer,

Der Neujahrsgratulant,

oder Sammlung von 51 Neujahrwünschen für Kinder an ihre Aeltern; mit besonderm Bezug auf Bildung und Alter der Kinder. 1832. (8 Gr.) 10 Sgr.

Soeben erscheint in unterzeichneter Buchhandlung:

Herz und Welt, Dichtungen von Dr. Sengebusch. 1ste Lieferung, Velindruckp. Geh. 16 Gr.

worauf wir Freunde der Poesie, Leihbibliotheken und Lesecirkel aufmerksam machen.

H. Schmidt und v. Cossel's
Rathsbuchhandlung zu Wismar.

In Commission der Buchhandlung des Waisenhauses in Halle ist soeben erschienen und in allen Buchhandlungen des In- und Auslandes zu erhalten:

Sophoclis Trachiniae. Recognovit et adversariis exornavit *J. Apitz*. Gr. 8. Velindruckpapier. Preis 1 Thlr. 20 Sgr.

Wir machen jeden Freund der tragischen Poesie der Griechen und besonders des Sophocles auf diese Ausgabe der Trachinierinnen aufmerksam, die sich durch gründliche Aufschlüsse über die schwierigsten Stellen, reichhaltige kritische Erörterungen und grammatische Excurse, und durch sehr verständige Auszüge des Wichtigsten aus den frühern Commentatoren auszeichnet. Selbst Denen, die ihre erste Bekanntschaft mit den Tragikern machen wollen, dürfen wir dieselbe wegen der genauen Erläuterungen des Sprachgebrauchs mit vollem Rechte empfehlen.

Im Verlage von Duncker und Humblot in Berlin ist soeben erschienen und in allen Buchhandlungen zu haben:

Abendstunden,

herausgegeben
von

Dr. Franz Theremin.

Gebunden. 1 Thlr.

Inhalt: I. Der Kirchhof. (Gedichte.) II. Drei Gespräche. (Das Erwachen. Die geistliche Beredtsamkeit. Der Ritter von der traurigen Gestalt.) III. Von dem Wesen der mystischen Theologie.

Bei J. G. Hasselberg in Berlin ist soeben erschienen und in allen Buchhandlungen des In- und Auslandes zu haben:

Das Meer und die merkwürdigsten Seereisen unserer Zeit, der Jugend lehrreich erzählt von J. Loewenberg. Mit Kupfern, sauber gebunden 2 Thlr. 6 Gr.

Reiseberichte, zumal wenn sie über die großartigen Erscheinungen des Natur- und Völkerlebens belehren und im geschichtlichen Zusammenhange die ferneren Entdeckungen und Bestrebungen kühnsten Menscheneifers darstellen, haben für die Jugend einen besondern Reiz. Das genannte Buch, das sich durch diese Eigenthümlichkeiten, durch lebendige Darstellung und durch saubere Ausstattung vortheilhaft auszeichnet, kann daher als zweckmäßiges Geschenk für die Jugend empfohlen werden.

Schweizerbilder von J. Loewenberg. Mit Kupfern und Karten. Cartonnirt. 2 Thlr.

Die Schweiz hat sich in der letzten Zeit sehr demilitärisirt, das friedliche Alpenhorn ward zur politischen Trompete und statt idyllischer Liebeslieder hört man Proclamationen; nur die Natur ist unwandelbar geblieben. Sie bot daher den reichsten Stoff zu benannten Bildern, die für die Unterhaltung und Belehrung gleich großes Interesse haben dürften.

Sitten- und Warnungsbuch. Der Jugend beiderlei Geschlechts in Städten und auf dem Lande zur lehrreichen Unterhaltung gewidmet, von H. Müller. Mit acht illuminirten Bildern. 1 Thlr. 4 Gr.

Dies wird ein sehr nützliches Buch bei der Pflichtenlehre sein, wenn der Lehrer seine Vorträge durch Beispiele bestätigen und würzen will.

Das preußische Heer in Bildern. Nach Zeichnungen von Elsholz, gest. von Fr. Bolt und K. Funke. Ein Lesebuch für die Jugend von W. Walter.

Hiervon sind Ex. zu 15, 12, 8 und 4 Thlr. zu haben.

Die Mitternachtzeitung,

neunter Jahrgang,

erscheint auch im folgenden Jahre. Die steigende Theilnahme des Publicums hat den Verleger bewogen, alle vierzehn Tage ein literarisches Beiblatt, in welchem Inserate, die gespaltene Zeile zu 1 Gr. aufgenommen werden, sowie von Zeit zu Zeit einen saubern und eleganten Steindruck, das Bildniß eines ausgezeichneten Mannes, oder charakteristische Volksscenen und Carrikaturen darstellend, gratis beizugeben. Diese Zeitung vereinigt heitere Unterhaltung mit wissenschaftlicher Belehrung. Von Neujahr an werden die besten und beliebtesten Novellisten Deutschlands Beiträge liefern, sowie die Redaction auch in allen bedeutenden Städten Verbindungen angeknüpft hat, um aus denselben Correspondenznachrichten zu erhalten. Der Preis des Jahrgangs ist acht Thaler, wofür die Mitternachtzeitung durch alle solide Buchhandlungen, sowie durch die königl. sächsische Zeitungsexpedition in Leipzig, in wöchentlichen Lieferungen zu beziehen ist.

☞ Probenummern, denen ein sauberer Steindruck beiliegt, sind an alle Buchhandlungen versandt worden und in der königl. sächsischen Zeitungsexpedition in Leipzig niedergelegt.

Braunschweig und Leipzig, December 1833.

Verlagscomtoir.

Bei Rubach in Magdeburg ist erschienen und durch alle Buchhandlungen zu beziehen:

Eunomia.

Sammlung lehrreicher Erzählungen zur Bildung des Geistes und Herzens für die Jugend, besonders für Kinder von 8—12 Jahren. Mit 8 sauber illuminirten Kupfern.
(1 Thlr. 8 Gr.) 1 Thlr. 10 Sgr.

Warnung und Anzeige.

Es erscheinen von Zeit zu Zeit Bücheranzeigen in öffentlichen Blättern, welche als Empfehlungsgrund der angekündigten Schriften anführen, „es entwickle sich darin Schelling's neueste Lehre." Wäre dem so, so dürfte man die Verfasser fragen, was sie berechtigt habe, eine Lehre zu entwickeln, ehe sie der Urheber bekannt gemacht. Allein es ist vielmehr Pflicht, das Publicum zu warnen, wenn man, wie wir, aus der besten Quelle versichern kann, dass von Schelling'scher Entwicklung in diesen Schriften keine Spur sich finde, und, auch blos materiell betrachtet, diejenigen sehr betrogen sein würden, welche den grössten Theil der philosophischen, theologischen u. a. Aussprüche solcher Schriften als Schelling'sche Sätze annehmen wollten. Um so mehr gereicht es uns zum Vergnügen, zugleich anzeigen zu können, dass Herr Geh. Rath von Schelling, ungeachtet seiner, zum Bedauern des wissenschaftlichen Publicums durch andere Geschäfte beschränkten Musse, sich jetzt entschlossen hat, den Inhalt seiner Vorträge an der Hochschule zu München (der einzigen Quelle, aus der die Verfasser oben bezeichneter Schriften geschöpft haben könnten) selbst bekannt zu machen, worüber wir uns die nähere baldige Anzeige vorbehalten.

Stuttgart und Tübingen, im November 1833.

J. G. Cotta'sche Verlagshandlung.

In meinem Verlage ist erschienen und durch alle Buchhandlungen des In- und Auslandes noch für den Subscriptionspreis zu beziehen:

Pölitz (Karl Heinrich Ludwig),

Die europäischen Verfassungen seit dem Jahre 1789 bis auf die neueste Zeit. Mit geschichtlichen Einleitungen und Erläuterungen.

Zweite, neugeordnete, berichtigte und ergänzte Auflage.
Drei Bände. Gr. 8. 9 Thlr. 8 Gr.

Erster Band in zwei Abth. (78¼ Bogen): die gesammten Verfassungen des deutschen Staatenbundes, 4 Thlr. 20 Gr.

Zweiter Band (31 Bogen): die Verfassungen Frankreichs, der Niederlande, Belgiens, Spaniens, Portugals, der italienischen Staaten und der ionischen Inseln, 2 Thlr.

Dritter Band (40 Bogen): die Verfassungen Polens, der freien Stadt Krakau, der Königreiche Galizien und Lodomerien, Schwedens, Norwegens, der Schweiz und Griechenlands, 2 Thlr. 12 Gr.

Leipzig, im December 1833.

F. A. Brockhaus.

Literarischer Anzeiger.

(Zu den bei F. A. Brockhaus in Leipzig erscheinenden Zeitschriften.)

1833. Nr. XLII.

Dieser literarische Anzeiger wird den bei F. A. Brockhaus in Leipzig erscheinenden Zeitschriften: Blätter für literarische Unterhaltung, Isis, sowie der Allgemeinen medicinischen Zeitung, beigelegt oder beigeheftet, und betragen die Insertionsgebühren für die Zeile 2 Gr.

Bericht

über die im Laufe des Jahres 1833

bei

F. A. Brockhaus in Leipzig

erschienenen neuen Werke und Fortsetzungen.

1. Alexis (W.), Wiener Bilder. Gr. 12. 19 Bogen auf feinem Druckpapier. Geh. 2 Thlr. 6 Gr.

2. Atterbom (P. A.), Die Insel der Glückseligkeit. Sagenspiel in fünf Abenteuren. Aus dem Schwedischen übersetzt von H. Neus. Zwei Abtheilungen. Gr. 8. 46 Bogen auf feinem Druckpapier. Geh. 3 Thlr. 12 Gr.

Die erste Abth. (1831) kostet 1 Thlr. 12 Gr., die zweite (1833) 2 Thlr.

3. Augusteum. Dresdens antike Denkmäler enthaltend. Herausgegeben von *Wilhelm Gottlieb Becker*. Zweite Auflage. Besorgt und durch Nachträge vermehrt von *Wilhelm Adolf Becker*. Erstes bis zehntes Heft. Tafel I—CXVIII (Kupferstich in folio) und Text Bogen 1—20 (in gr. 8.). Auf feinem Druckpapier. 1832—33. Jedes Heft im Subscriptionspreise 1 Thlr. 21 Gr.

4. Blätter für literarische Unterhaltung. (Redigirt unter Verantwortlichkeit der Verlagshandlung.) Jahrgang 1833. Außer den Beilagen 365 Nummern. Auf gutem Druckpapier. Gr. 4. 12 Thlr.

5. Brun (Friederike, geb. Münter), Römisches Leben. Zwei Theile. Mit den Ansichten der Villa di Malta und der Kapelle St.-Peter und Paul. 8. 44 Bogen auf feinem Druckpapier. Geh. 3 Thlr. 18 Gr.

6. *Brzozowski* (*Marie*, lieutenant de l'artillerie polonaise), La guerre de Pologne en 1831. Avec une carte de la Pologne et dix croquis des batailles principales (in folio und in gr. 4.). Gr. 8. 19 Bogen auf feinem franz. Druckpapier. Geh. 2 Thlr. 12 Gr.

7. Conversations-Lexikon, oder Allgemeine deutsche Real-Encyklopädie für die gebildeten Stände. Achte Originalauflage. In 12 Bänden oder 24 Lieferungen. Erste bis fünfte Lieferung. A bis Dresden. Gr. 8. Jede Lieferung auf weißem Druckpapier 16 Gr., auf gutem Schreibpapier 1 Thlr., auf extrafeinem Velinpapier 1 Thlr. 12 Gr.

8. Conversations-Lexikon der neuesten Zeit und Literatur. In vier Bänden oder 30—32 Heften. Erstes bis vierundzwanzigstes Heft. Abel bis Schweden. 1832—33. Gr. 8. Jedes Heft von 8 Bogen auf weißem Druckpap. 6 Gr., auf gutem Schreibpap. 8 Gr., auf extraf. Velinpap. 15 Gr.

9. Allgemeine Encyklopädie der Wissenschaften und Künste, in alphabetischer Folge von genannten Schriftstellern bearbeitet, und herausgegeben von J. S. Ersch und J. G. Gruber. Mit Kupfern und Karten. 1818—33. Gr. 4. Cart.

Jeder Theil im Pränumerationspreise auf gutem Druckpapier 3 Thlr. 20 Gr., auf feinem Velinpapier 5 Thlr., auf extrafeinem Velinpapier im größten Quartformat mit breitem Stegen (Prachtexemplare) 15 Thlr.

Erste Section, A—G, herausgegeben von J. G. Gruber. Erster bis vierundzwanzigster Theil.

Zweite Section, H—N, herausgegeben von A. G. Hoffmann. Erster bis zehnter Theil.

Dritte Section, O—Z, herausgegeben von M. H. E. Meier und L. F. Kämtz. Erster bis vierter Theil.

Den frühern Abonnenten, denen eine Reihe von Theilen fehlt, und Denjenigen, die als Abonnenten auf das ganze Werk neu eintreten wollen, werden die billigsten Bedingungen gestellt.

10. Geschichte der Staatsveränderung in Frankreich unter König Ludwig XVI., oder Entstehung, Fortschritte und Wirkungen der sogenannten neuen Philosophie in diesem Lande. Sechs Theile. 1827—33. Gr. 8. Auf feinem Schreibpapier. 10 Thlr. 16 Gr.

11. Goldsmith (Oliver), Der Landprediger von Wakefield. Eine Erzählung. Aus dem Englischen übersetzt durch Karl Eduard von der Oelsnitz. Mit einer Einleitung. Zweite Auflage. Gr. 12. 11½ Bogen auf gutem Druckpapier. Geh. 15 Gr.

Bildet auch den fünften Band der in meinem Verlage erschienenen „Bibliothek classischer Romane und Novellen des Auslandes", welche außerdem enthält:

I—IV. Der sinnreiche Junker Don Quixote von La Mancha, von Miguel de Cervantes Saavedra. Neu übersetzt durch Dietrich Wilhelm Soltau. Mit einer Einleitung. 1825. 60½ Bogen. 2 Thlr. 12 Gr.

VI—IX. Gil Blas von Santillana, von Alain René Le Sage. Aus dem Französischen. Mit einer Einleitung. 1826. 45½ Bogen. 2 Thlr.

X. Geschichte und Leben des Erzschelms, genannt Don Paul, von Don Francisco de Quevedo Villegas. Aus dem Spanischen übersetzt durch Johann Georg Keil. Mit einer Einleitung. 8½ Bogen. 12 Gr.

XI—XIV. Geschichte Tom Jones, eines Findlings, von Henry Fielding. Aus dem Englischen übersetzt durch Wilhelm von Lüdemann. Mit einer Einleitung. 1826. 59 Bogen. 2 Thlr. 12 Gr.

XV. Niels Klim's Wallfahrt in die Unterwelt, von Ludwig Holberg. Aus dem Lateinischen übersetzt durch Ernst Gottlob Wolf. Mit einer Einleitung. 1828. 13½ Bogen. 15 Gr.

XVI. Letzte Briefe des Jacopo Ortis, von Ugo Foscolo. Aus dem Italienischen übersetzt durch Friedrich Lautsch. Mit einer Einleitung. 1829. 13½ Bogen. 15 Gr.

XVII—XIX. Delphine, von Anna Germaine von Staël.

Aus dem Französischen übersetzt durch Friedrich Gleich. Mit einer Einleitung. 1829. 42½ Bogen. 1 Thlr. 20 Gr.

XX — XXII. Das Decameron, von Giovanni Boccaccio. Aus dem Italienischen übersetzt. Mit einer Einleitung. 1830. 42 Bogen. 2 Thlr.

Alle bis jetzt erschienene 22 Bände kosten daher 18 Thlr. 5 Gr. Jeder Roman ist unter besonderm Titel auch einzeln zu den bemerkten Preisen zu erhalten.

12. Hagen (August), Künstlergeschichten. Erstes und zweites Bändchen. Die Chronik seiner Vaterstadt vom Florentiner Lorenz Ghiberti, dem berühmtesten Bildgießer des funfzehnten Jahrhunderts. Nach dem Italienischen. Zwei Bändchen. Gr. 12. 27 Bogen auf feinem Druckp. Geh. 3 Thlr.

13. Huber (Therese), Erzählungen. Gesammelt und herausgegeben von V. A. H. Sechs Theile. 1831—33. Auf feinem Druckpapier 13 Thlr. 12 Gr.

Wer Obiges, sowie die früher von Th. Huber bei mir erschienenen Schriften:
Hannah, der Herrnhuterin Deborah Findling. 1821. 8. Geh. 2 Thlr.
Ellen Percy, oder Erziehung durch Schicksale. Zwei Theile. 1822. 8. 3 Thlr. 12 Gr.
Jugendmuth. Eine Erzählung. Zwei Theile. 1824. 8. Geh. 3 Thlr. 12 Gr.
Die Ehelosen. Zwei Bände. 1829. 8. 3 Thlr. 16 Gr.
Capitain Landolphe's Denkwürdigkeiten. Die Geschichte seiner Reisen während 36 Jahren enthaltend. Nach dem Französischen bearbeitet von Therese Huber. 1825. 8. 1 Thlr. 18 Gr.
Johann Georg Forster's Briefwechsel. Nebst einigen Nachrichten von seinem Leben. Herausgegeben von Th. H., geb. H. Zwei Theile. 1828—29. Gr. 8. 7 Thlr. 16 Gr.
die im Ladenpreis 35 Thlr. 14 Gr. kosten, zusammengenommt, erhält sie für zwanzig Thaler.

14. Huber (V. A.), Die neuromantische Poesie in Frankreich und ihr Verhältniß zu der geistigen Entwickelung des französischen Volkes. Gr. 12. 7½ Bogen auf gutem Druckpapier. Geh. 20 Gr.

15. Hübner (Johann), Zweimal zweiundfunfzig auserlesene biblische Historien aus dem Alten und Neuen Testamente, zum Besten der Jugend abgefaßt. Aufs Neue durchgesehen und für unsere Zeit angemessen verbessert von David Jonathan Lindner. Die hundertunderste der alten, oder die zweite der neuen vermehrten und ganz umgearbeiteten und verbesserten Auflage. 8. 25 Bogen. 8 Gr.

16. Jahre, Zwei, in Petersburg. Ein Roman aus den Papieren eines alten Diplomaten. 8. 20 Bogen auf feinem Druckpapier. 1 Thlr. 16 Gr.

17. Isis. Encyklopädische Zeitschrift, vorzüglich für Naturgeschichte, vergleichende Anatomie und Physiologie, von Oken. Jahrg. 1833. 12 Hfte. Mit Kpfrn. (Zürich.) Gr. 4. 8 Thlr.

18. Karamsin, Geschichte des russischen Reichs. Nach der Originalausgabe übersetzt. Eilfter Band. Nach des Verfassers Tode herausgegeben vom Minister des Innern Bludow. Gr. 8. 22½ Bogen auf gutem Druckpapier. 1 Thlr. 20 Gr.

Die ersten zehn Bände, mit des Verfassers Bildniß (1820—27), kosten jetzt im herabgesetzten Preise 10 Thlr.; einzelne Bände 2 Thlr.

19. Koenig (H.), Die hohe Braut. Ein Roman. Zwei Theile. 8. 49 Bogen auf feinem Druckpapier. 4 Thlr.

20. Krug (Wilhelm Traugott), Encyklopädisch-philosophisches Lexikon, oder Allgemeines Handwörterbuch der philosophischen Wissenschaften nebst ihrer Literatur und Geschichte. Nach dem heutigen Standpunkte der Wissenschaften bearbeitet und herausgegeben. Zweite, verbesserte und vermehrte, Auflage. In vier Bänden. Erster bis dritter Band. A bis Sp. 1832—33. Gr. 8. 55½, 60½ und 54 Bogen auf gutem Druckpapier. Jeder Band im Subscriptionspreise 2 Thlr. 18 Gr.

21. Matthiä (August), Lehrbuch für den ersten Unterricht in der Philosophie. Dritte, verbesserte Auflage. Gr. 8. 13½ Bogen auf gutem Druckpapier. 20 Gr.

22. *Mengotti (Francesco)*, Del commercio dei Romani ed il Colbertismo. Memorie due. Mit grammatikalischen Erläuterungen und einem Wörterbuche zum Schul- und Privatgebrauche herausgegeben von *G. B. Ghezzi*. Gr. 12. 21 Bog. auf gutem Druckp. Geh. 1 Thlr. 20 Gr.

23. Mickiewicz (Adam), Konrad Wallenrod. Geschichtliche Erzählung aus Litthauens und Preußens Vorzeit. Uebersetzt von K. L. Kannegießer. 1834. Gr. 12. 5 Bogen auf feinem Druckpapier. Geh. 14 Gr.

24. *Most (Georg Friedrich)*, Encyklopädie der gesammten medicinischen und chirurgischen Praxis, mit Einschluss der Geburtshülfe und der Augenheilkunde. Nach den besten Quellen und nach eigner Erfahrung im Verein mit mehreren praktischen Aerzten und Wundärzten bearbeitet und herausgegeben. In zwei Bänden. Erster Band in 4 Heften: Einleitung und die Artikel ABLACTATIO — HYSTRICIASIS. Gr. 8. 53 Bogen. Subscriptionspreis jedes Heftes von 12—14 Bogen auf gutem weissen Druckpapier 20 Gr.

25. Neigebaur, Handbuch für Reisende in Italien. Zweite sehr verbesserte Auflage. Gr. 8. 39 Bogen auf gutem Druckpapier. Cart. 2 Thlr. 16 Gr.

26. Petrarca's (Francesco) sämmtliche Canzonen, Sonette, Ballaten und Triumphe, übersetzt und mit erläuternden Anmerkungen begleitet von Karl Förster. Zweite, verbesserte Auflage. Gr. 8. 38½ Bogen auf feinem Druckpapier. 2 Thlr. 6 Gr.

27. Pölitz (Karl Heinrich Ludwig), Die europäischen Verfassungen seit dem Jahre 1789 bis auf die neueste Zeit. Mit geschichtlichen Einleitungen und Erläuterungen. Zweite, neu geordnete, berichtigte und ergänzte Auflage. Drei Bände. Gr. 8. 149½ Bog. Subscriptionspreis 9 Thlr. 8 Gr.

Erster Band in zwei Abtheilungen: Die gesammten Verfassungen des deutschen Staatenbundes. 78½ Bogen. 4 Thlr. 20 Gr.
Zweiter Band: Die Verfassungen Frankreichs, der Niederlande, Belgiens, Spaniens, Portugals, der italienischen Staaten und der ionischen Inseln. 41 Bogen. 2 Thlr.
Dritter Band: Die Verfassungen Polens, der freien Stadt Krakau, der Königreiche Galizien und Lodomerien, Schwedens, Norwegens, der Schweiz und Griechenlands. 29½ Bogen. 2 Thlr. 12 Gr.

28. Provinzialrecht aller zum preußischen Staate gehörenden Länder und Landestheile, insoweit in denselben das Allgemeine Landrecht Gesetzeskraft hat, verfaßt und nach demselben Plane ausgearbeitet von mehren Rechtsgelehrten. Herausgegeben von Friedrich Heinrich von Strombeck. Ersten Theils erster Band, zweiten Theils erster bis dritter Band, und dritten Theils erster bis dritter Band. 1827—33. Gr. 8. 12 Thlr. 16 Gr.

Auch unter den Titeln:

Erster Theil: Provinzialrecht der Provinz Sachsen:
Erster Band: Provinzialrecht des Fürstenthums Halberstadt und der zu demselben gehörenden Graf- und Herrschaften Hohenstein, Regenstein und Derenburg, von Leopold August Wilhelm Lenze. 1827. Gr. 8. 31 Bogen. 1 Thlr. 12 Gr.

Zweiter Theil: Provinzialrecht der Provinz Westfalen:
Erster Band: Provinzialrecht des Fürstenthums Münster und der ehemals zum Hochstift Münster gehörigen Besitzungen der Standesherren, imgleichen der Grafschaft Steinfurt und der Herrschaften Anholt mit Gehmen, von Clemens August Schlüter. 1829. Gr. 8. 28½ Bogen. 1 Thlr. 20 Gr.
Zweiter Band: Provinzialrecht der Grafschaft Tecklenburg und der Obergrafschaft Lingen, von Clemens August Schlüter. 1830. Gr. 8. 15½ Bogen. 20 Gr.
Dritter Band: Provinzialrecht der ehemals kurkölnischen Grafschaft Recklinghausen. Von Clemens August Schlüter. 1831. Gr. 8. 20 Bogen. 1 Thlr.

Dritter Theil: Provinzialrecht der Provinz Westpreußen:
Erster Band: Provinzialrecht der Districte des Preuß. Landrechts von 1721, bearbeitet von Leman. Erster Theil. 1830. Gr. 8. 50 Bogen. 3 Thlr. 12 Gr.
Zweiter Band: Dasselbe. Zweiter Theil. 1832. Gr. 8. 46 Bogen. 2 Thlr. 12 Gr.
Dritter Band: Die Statutarrechte der Stadt Danzig, bearbeitet von Leman. 1832. Gr. 8. 30 Bogen. 2 Thlr. 12 Gr.

Zu diesem Werke gehören ferner, obwol unter besondern Titeln erschienen:
Die Fürstenthümer Paderborn und Corvey in Westfalen, nebst ihrer rechtsgeschichtlichen Entwickelung und Begründung aus den Quellen dargestellt von Paul Wigand. Drei Bände. 1832. Gr. 8. 88½ Bogen. 6 Thlr. 12 Gr.
Das pommersche Lehnrecht, nach seinen Abweichungen von den Grundsätzen des preußischen Allgemeinen Landrechts dargestellt von Zettwach. 1832. Gr. 8. 23 Bogen. 1 Thlr. 12 Gr.

29. Raumer (Friedrich von), Geschichte Europas seit dem Ende des funfzehnten Jahrhunderts. In sechs Bänden. Er-

ster bis dritter Band. Mit königl. würtembergischem Privilegium. 1832—34. Gr. 8. **Subscriptionspreise:** auf gutem weißen **Druckpapier** 9 Thlr. 18 Gr.; auf extrafeinem **Velinpapier** 19 Thlr. 12 Gr.

Erster Band. 37½ Bogen. 1832. Auf Druckpapier 3 Thlr. 4 Gr.; auf Velinpapier 6 Thlr. 8 Gr.

Zweiter Band. 39¼ Bogen. 1833. Auf Druckpapier 3 Thlr. 4 Gr. auf Velinpapier 6 Thlr. 8 Gr.

Dritter Band. 41¼ Bogen. 1834. Auf Druckpapier 3 Thlr. 10 Gr.; auf Velinpapier 6 Thlr. 20 Gr.

30. **Raumer (Friedrich von)**, Ueber den Anschluß Sachsens an die deutschen Zoll- und Handelsvereine. 8. 2 Bogen auf feinem Druckpapier. Geh. 4 Gr.

31. **Süßmilch (Friedrich August)**, August Wilhelm von Trosky's Leben und Wirken für die Niederlausitz, mit Benutzung seiner hinterlassenen autobiographischen Nachrichten geschildert. Gr. 8. 4 Bogen auf gutem Druckpap. Geh. 8 Gr.

32. Historisches Taschenbuch. Herausgegeben von **Friedrich von Raumer**. Fünfter Jahrgang. Mit Beiträgen von Fr. Förster, Gans, Loebell, Stieglitz, Wachsmuth, und den Faust'schen Bildern aus Auerbachs Keller zu Leipzig. Gr. 12. 19½ Bogen auf feinem Druckpapier. 1834. Cart. 2 Thlr.

Erster Jahrgang. Mit Beiträgen von Passow, Raumer, Voigt, Wachsler, Wilken, und dem Bildnisse des Cardinals Richelieu. 1830. 19¼ Bogen. 2 Thlr.

Zweiter Jahrgang. Mit Beiträgen von Denselben, und dem Bildnisse Kaiser Maximilian's II. 1831. 25¼ Bogen. 2 Thlr.

Dritter Jahrgang. Mit Beiträgen von Lorentz, Raumer, Varnhagen von Ense, und dem Bildnisse Kaiser Ferdinand's II. 1832. 23 Bogen. 2 Thlr.

Vierter Jahrgang. Mit Beiträgen von Gans, Raumer, Varnhagen von Ense, Voigt, Waagen, und dem Bildnisse von Rubens. 1833. 16 Bogen. 1 Thlr. 16 Gr.

33. Urania. Taschenbuch auf das Jahr 1834. Mit dem Bildnisse Zelter's, sechs Stahlstichen nach englischen Gemälden und Beiträgen von Mörike, Rumohr, Joh. Schopenhauer, Tieck. 16. 22½ Bogen auf feinem Velinpapier. Geb. mit Goldschnitt. 2 Thlr.

Sämmtliche Jahrgänge der Urania von 1810 —29 sind vergriffen.

Der Jahrgang 1830, mit Uhland's Bildniß, sechs Darstellungen zu Bürger's Gedichten und Beiträgen von Martell, Sartorius, Schopenhauer, Schwab, Tieck. 30¼ Bogen. 2 Thlr. 6 Gr.

Der Jahrgang 1831, mit Cornelius' Bildniß, sechs Stahlstichen nach französischen Gemälden und Beiträgen von Heyden, Hugo, Schefer, Tieck. 31 Bogen. 2 Thlr.

Der Jahrgang 1832, mit Oehlenschläger's Bildniß, sechs Stahlstichen nach französischen Gemälden und Beiträgen von W. Alexis, Döring, Voigts, Tieck. 24¼ Bogen. 2 Thlr.

Der Jahrgang 1833, mit Dannecker's Bildniß, sechs Stahlstichen meistens nach französischen Gemälden und Beiträgen von Posgaru, Tieck, Oehlenschläger u. A. 2 Thlr.

Die **Bildnisse** von Shakspeare, Ernst Schulze, Göthe, Tieck, Böttiger, Canova, Jean Paul, Scott, Thorwaldsen, Wilhelm Müller, Uhland, Cornelius, Oehlenschläger, Dannecker, Zelter, Calderon, K. Sprengel, Baggesen und G. v. Kügelgen, welche größtentheils die Titelkupfer von frühern Jahrgängen der Urania bildeten, kosten **in erlesenen Abdrücken** in gr. 4. jedes 8 Gr.

34. **Veit (Moritz)**, Saint-Simon und der Saint-Simonismus. Allgemeiner Völkerbund und ewiger Friede. Gr. 12. 1834. 14½ Bog. auf gutem Druckp. Geh. 1 Thlr. 12 Gr.

35. **Voigt (Johannes)**, Das Leben des königl. preußischen Staatsministers Friedrich Ferdinand Alexander Reichs-Burggrafen und Grafen zu Dohna-Schlobitten. Gr. 8. 2½ Bogen auf gutem Druckpapier. Geh. 4 Gr.

36. **Wiese (Sigismund)**, Theodor. Ein Roman. 8. 23 Bogen auf Velindruckpapier. 1 Thlr. 20 Gr.

37. Zeitgenossen. Ein biographisches Magazin für die Geschichte unserer Zeit. Dritte Reihe. (Herausgegeben unter Verantwortlichkeit der Verlagshandlung.) Vierten Bandes sechstes bis achtes und fünften Bandes erstes und zweites **Heft. (Nr. XXX—XXXIV.) Gr. 8. Jedes Heft von 6—7 Bogen auf gutem Druckpapier 12 Gr.**

Herabgesetzte Preise.

Döbel's (H. W.) neueröffnete Jägerpraktica. **Vierte**, zeitgemäß umgearbeitete Auflage. In Verbindung mit einer Gesellschaft praktischer Forstmänner herausgegeben von K. F. L. Döbel und F. W. Benicken. Drei Theile. Mit vielen (schwarzen und illuminirten) Abbildungen, Planen und Vignetten. 1828. Gr. 4. 75 Bogen auf weißem Druckpapier. 10 Thlr. **Jetzt für 6 Thlr.**

Jester (F. E.), Ueber die kleine Jagd, zum Gebrauch angehender Jagdliebhaber. **Neue**, verbesserte und beträchtlich vermehrte Auflage. Vier Theile. Mit Kupfertafeln. 1823. Gr. 8. 70 Bogen. 5 Thlr. **Jetzt für 3 Thlr.**

Behlen (S.), Lehrbuch der Forst- und Jagdthiergeschichte. 1826. Gr. 8. 46 Bogen. 2 Thlr. 16 Gr. **Jetzt für 1 Thlr. 8 Gr.**

Winckell (G. F. D. aus dem), Handbuch für Jäger, Jagdberechtigte und Jagdliebhaber. Zweite, vermehrte und ganz umgearbeitete Auflage. Drei Theile. Mit Kupfern, Tabellen und Musik. 1820—22. Gr. 8. 170 Bogen. 11 Thlr.

Wer alle vier Werke, die im Ladenpreis 28 Thlr. 16 Gr. kosten, zusammen nimmt, erhält sie für **18 Thlr.**

Encyklopädie der Freimaurerei, nebst Nachrichten über die damit in wirklicher oder vorgeblicher Beziehung stehenden geheimen Verbindungen, in alphabetischer Ordnung, von *C. Lenning*. Durchgesehen, und, mit Zusätzen vermehrt, herausgegeben von einem Sachkundigen. Drei Bände. 1822—28. Gr. 8. 121 Bogen auf gutem Druckpapier. 9 Thlr. 12 Gr. **Jetzt für 5 Thlr.**

Aus Paris habe ich in Commission erhalten und ist durch jede Buchhandlung des In- und Auslandes von mir zu beziehen:

Monumens inédits d'antiquité figurée grecque, étrusque et romaine, recueillis et publiés par M. *Raoul-Rochette*. 2 volumes avec 200 planches. Première partie. Cycle héroique. Sechs Lieferungen von zusammen 56 Bogen Text und 80 Tafeln Abbildungen in Royalfolio auf feinem Velinpapier. Preis jeder Lieferung 5 Thlr. 12 Gr.

Ueber folgende meiner Unternehmungen sind ausführliche Ankündigungen durch alle Buchhandlungen zu erhalten:

1. Repertorium der gesammten deutschen Literatur, herausgegeben von *E. G. Gersdorf*, Oberbibliothekar in Leipzig. In Heften von ungefähr 6 Bogen in gr. 8., die vom Jahre 1834 an regelmäßig am 15. und 30. jeden Monats erscheinen. Jährlich drei Bände, jeden zu etwa 50 Bogen, im Preise von 3 Thlrn.
2. Encyklopädie der Wissenschaften und Künste von *Ersch* und *Gruber*.
3. **Bilder-Conversations-Lexikon für das deutsche Volk. Mit Landkarten und bildlichen Darstellungen.**

Ferner wird *gratis* ausgegeben und zur Durchsicht ganz besonders empfohlen, das

Verzeichniss interessanter und wichtiger Schriften aus meinem Verlage, welche bei einer Auswahl im Betrag von mindestens *dreissig Thalern* zu verhältnissmässig niedrigern Preisen erlassen werden. Nebst einem Anhange, diejenigen Schriften enthaltend, welche auch einzeln zu herabgesetzten Preisen zu haben sind.

Anzeige.

Die mit allgemeinem Beifalle aufgenommene Hirmana des Professors Dzondi wird auch im künftigen Jahre unter denselben Bedingen fortgesetzt und dieser erste halbe Jahrgang nebst zwei Tafeln Abbildungen den neu hinzutretenden Abonnenten auf Verlangen für 1 Thlr. 8 Gr. abgelassen, im Buchhandel aber für 2 Thlr. verkauft werden und überall zur Ansicht vorräthig sein. Der Jahrgang kostet 4 Thlr., auf welchen man sich bei allen Buchhandlungen und Postämtern abonniren kann. In Commission in Halle bei

Eduard Anton.

Anzeige.

Beispiellos wohlfeile Ausgabe eines Atlasses.

Soeben ist in der unterzeichneten Verlagshandlung erschienen und an alle Buchhandlungen versandt worden:

Die achte vermehrte und verbesserte Auflage

von

A. J. V. Heunisch

Taschenatlas

über alle Theile der Erde,

für den ersten geographischen Unterricht in Knaben- und Mädchenschulen.

32 Karten, illumin. und in elegantem Umschlag. Preis 12 Gr.

Es war ein glücklicher Gedanke von dem rühmlich bekannten Herrn Verfasser, den Atlas der ganzen Erde so zu bearbeiten, daß es der Verlagshandlung möglich war, denselben zu diesem Preise zu liefern, und gewiß existirt kein derartiges Unternehmen, wo das Nützliche und Elegante mit der Wohlfeilheit in gleichem Grade so vereint ist.

D. R. Marx'sche

Buch- und Kunsthandlung in Karlsruhe und Baden.

In unterzeichneter Verlagshandlung hat soeben die Presse verlassen und ist durch alle Buchhandlungen zu beziehen:

Schiller's

sämmtliche Werke in einem Bande.

Zweite Auflage. 1ste Lieferung.

(Bogen 1 — 50.)

Subscriptionspreis 8 Fl., oder 4 Thlr. 12 Gr. Sächs.

Indem wir diese erste Lieferung, welche an typographischer Ausstattung der frühern Auflage keineswegs nachsteht, dem Publicum übergeben, zeigen wir zugleich an, daß die zweite und letzte Lieferung spätestens bis Ostern 1834 nachgeliefert werden wird und daß obiger Subscriptionspreis nur bis zum Schlusse dieses Jahres noch offen bleibt.

Stuttgart und Tübingen, im Nov. 1833.

J. G. Cotta'sche Buchhandlung.

Alle Buchhandlungen des In- und Auslandes, sowie sämmtliche Postämter nehmen Bestellungen an auf die bei Duncker und Humblot in Berlin von 1834 an erscheinende

Literarische Zeitung;

herausgegeben,

unter Mitwirkung mehrer Gelehrten,

von

Karl Büchner.

Wöchentlich 1 bis 2 Bogen Gr. Quart. Preis für den ganzen Jahrgang 1 Thlr. 16 Gr.; im Wege der Post in der ganzen preuß. Monarchie 2 Thlr.

Allen Gelehrten, Beamten, Militairs, Geschäftsmännern, überhaupt jedem Gebildeten, dem es um eine gedrängte, möglichst vollständige und frühzeitige Uebersicht über das ganze Gebiet der neuen Literatur zu thun ist, kann dazu die angezeigte literarische Zeitung (deren Probenummer überall die beifälligste Aufnahme gefunden hat) als das geeignetste und wohlfeilste Hülfsmittel empfohlen werden. Gutsbesitzer, Predigern und Lehrern in kleinen Städten und auf dem Lande, wie Allen, welche vom literarischen Verkehr entfernt leben, muß sie doppelt willkommen sein. Ihr äußerst wohlfeiler Preis (jede wöchentliche Lieferung kostet kaum 1 Sgr.) gestattet jedem die Anschaffung. Alle Bestellungen werden baldigst erbeten. Die erste Nummer erscheint am 2ten Januar 1834.

Bei Georg Franz in München ist erschienen und in allen guten Buchhandlungen zu haben:

Taschenbuch

für die

vaterländische Geschichte.

Herausgegeben

von

Jos. Frhrn. v. Hormayr.

Neue Folge. Fünfter Jahrgang 1834. Mit dem Portrait König Otto I. und 2 Lithogr.

Preis 4 Fl. 30 Kr., oder 2 Thlr. 12 Gr. Sächs.

Außer mehren sehr interessanten Artikeln enthält dieser Jahrgang auch Balladen und Gedichte von E. Duller, Beschreibungen der Burgen Koriátko, Bürgstein, Karlstein — Ausflüge in das nördliche Böhmen, Sagen und Legenden. Actenstücke zur Geschichte der ungarischen Unruhen. Die Abwendung des Umsturzes der ungarischen Verfassung durch zwei kluge Frauen. Baiern und Griechenland.

In unterzeichneter Verlagshandlung ist erschienen und durch alle Buchhandlungen zu beziehen:

Würtembergische Jahrbücher

für vaterländische Geschichte, Geographie, Statistik und Topographie.

Herausgegeben

von

J. G. D. Memminger.

Jahrgang 1832. Zweites Heft.

Mit 2 lithographirten Beilagen. Broschirt.

Subscriptionspreis 1 Fl. 18 Kr. Ladenpreis 1 Fl. 45 Kr.

Stuttgart und Tübingen, im Nov. 1833.

J. G. Cotta'sche Buchhandlung.

In der D. R. Marx'schen Buch- und Kunsthandlung in Karlsruhe und Baden ist soeben erschienen:

Handbuch

für

Leihbibliotheken,

oder

Anleitung zur Bearbeitung eines Katalogs sowol nach den Verfassern als nach den Titeln.

Gr. 8. Brosch. 1 Thlr. 12 Gr.

Noch besitzen wir kein Buch, welches dem Besitzer einer Leihbibliothek ein Leitfaden wäre, sowol als Ueberblick des Erschienenen oder als Anleitung zur Bearbeitung eines Katalogs zu dienen.

Diesem Bedürfniß ist durch Herausgabe obiger Schrift abgeholfen und keinen Besitzer derlei Institute wird dieselbe unbefriedigt lassen.

Anzeige.

In kurzer Zeit erscheint in meinem Verlage:

Magendie, Lehrbuch der Physiologie. 2 Theile. Dritte vermehrte Auflage, mit Anmerkungen, Zusätzen und Kupfern von Professor Dr. *C. F. Heusinger*. Gr. 8.

Bestellungen darauf nehmen alle Buchhandlungen an.

Eisenach, im December 1833.

Joh. Fr. Bärecke.

Register.

Lightning Source UK Ltd.
Milton Keynes UK
UKHW02f1143031018
329934UK00011B/751/P